고1 국어 학력평가 기출문제집

5개년

총 20회 (2017~2021 시행)

최다 회분 수록

11월 전국연합학력평가 반영

이 책은 이렇게 활용하세요!

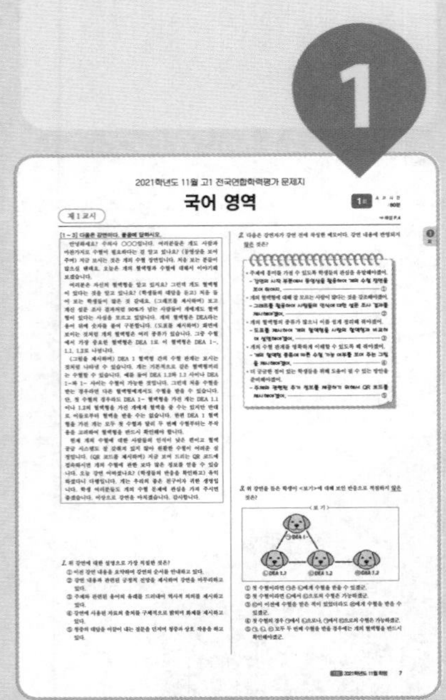

1 최신 5개년 학력평가 기출문제 20회

학력평가 기출문제 최신 20회차를 연도별 시험지 형식 그대로 제공하여 실전처럼 문제를 풀며 실전 감각을 익히도록 하였습니다. 실제 시험지 비율을 유지하되, 사이즈를 축소하여 교재의 휴대가 용이하도록 하였습니다.

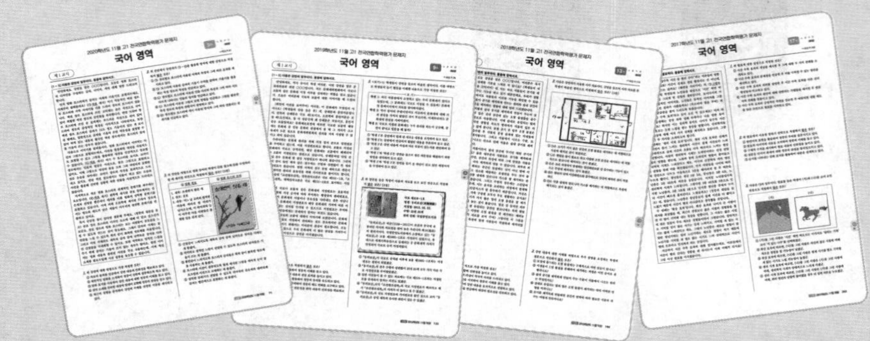

★실전 연습용 OMR 카드는 문제 책 뒷부분(P.328~)에 있습니다.
★실전처럼 80분 안에 문제를 풀고, OMR 카드에 정답을 기입하세요.
★학습 PLAN에서 틀린 문항 수를 체크하여 자신의 약점 영역을 파악할 수 있습니다.

2 선지 판단의 기준이 되는 해설

정답과 오답에 대한 핵심적인 근거를 제시하여 자신의 실력과 사고 과정을 점검하고 보완할 부분을 파악할 수 있도록 하였습니다. 상세한 해설을 통해 선지를 판단하는 기준을 세울 수 있습니다.
빠른 정답 찾기와 1~9등급을 구분하는 등급컷 정보를 수록하여, 채점 후에 자신의 수준을 객관적으로 확인하며 이후 학습 계획에 참고하도록 하였습니다.

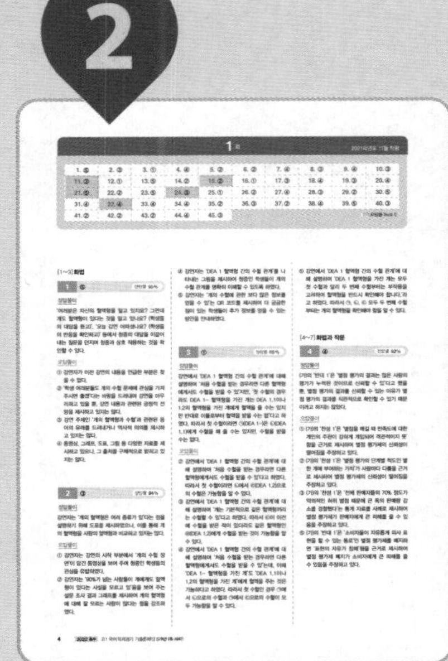

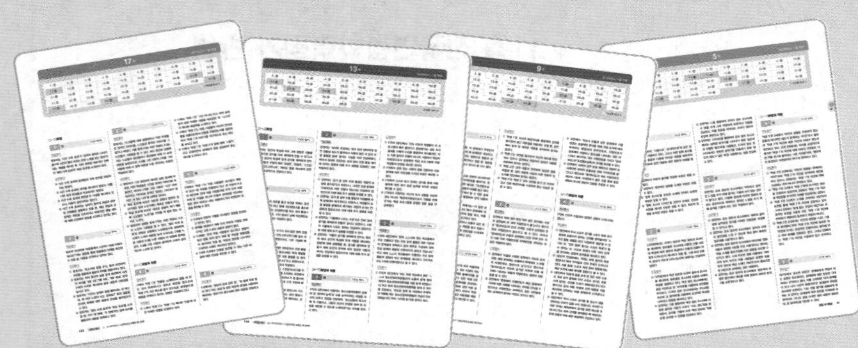

★각 문제마다 표기된 정답률을 통해 주의 깊게 보아야 할 문제를 파악할 수 있습니다.
★빠른 정답 찾기와 등급컷은 해설 책 앞부분(P.2~P.3)에 수록되어 있습니다.
★등급컷과 정답률은 관련 자료를 다각도로 분석하여 작성한 것이나, 변동이 있을 수 있습니다.

3 오답률 BEST 5

오답률 Best 1

이 문제가 이번 시험에서 오답률 1위를 차지했어. 영탄적 어조를 판단할 때에는 감탄사(아, 아아, 오, 아니 등), 감탄형 어미(-도다, -구나 등)가 사용되었는지 먼저 체크하는 것이 좋아. (가)에는 '-구나'와 '-도다'라는 감탄형 어미가 사용되었고, (나)에는 감탄사 '아아'와 감탄형 어미 '-로다'가 사용되었으니 영탄적 어조가 사용되었다고 판단할 수 있지. 그리고 영탄법 자체가 감정을 강하게 표현하는 방식이기 때문에 영탄적 어조가 사용되었다면 당연히 화자의 정서가 부각된다고 볼 수 있어. 그러므로 이에 대한 근거는 따로 찾지 않고 넘어가도 돼. 그 밖에 명령, 청유, 의문 등의 형식을 통해 정서를 강하게 드러내는 것도 영탄적 어조로 볼 수 있어. 이 문제는 정답인 ③번 다음으로 ②번을 선택한 학생들이 많았어. 아마도 '설의적 표현'의 개념을 정확히 알지 못했을 가능성이 있어 보여. '설의법'은 '쉽게 판단할 수 있는 사실을 의문의 형식으로 표현하여 상대편이 스스로 판단하게 하는 수사법'을 말해. 따라서 일단은 '의문의 형식'이 나타나는지 찾아야 해. 그런데 (나)에는 '의문의 형식'이 사용되지 않고 있으니 바로 '설의적 표현'이 쓰이지 않았음을 알 수 있지.

학력평가 기출 모의고사의 각 회차별로 오답률이 가장 높았던 5개의 문제를 따로 분석하여 반드시 체크하고 넘어가야 할 내용을 담았습니다. 문제의 의도와 함정을 피하는 방법, 꼭 확인하고 넘어가야 할 정보 등을 친절히 설명하여 학생들이 실제 수능에서 실수를 줄일 수 있도록 하였습니다.

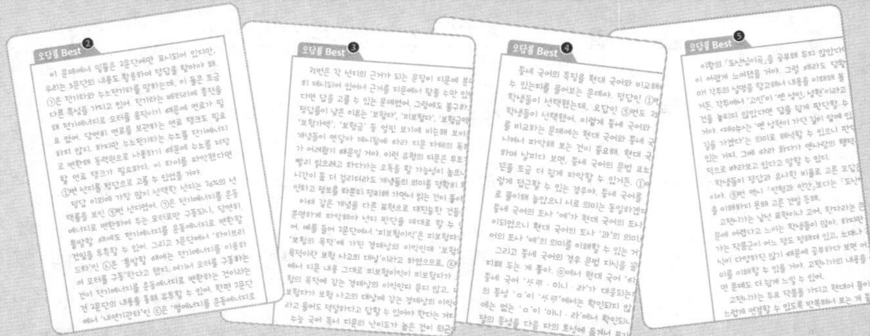

전국연합 학력평가란?

일정 기간 동안의 학습을 통하여 얻은 결과 및 효과를 측정하는 시험으로, 이를 통해 학생들이 교육과정의 수준에 맞춰 올바르게 학습하고 있는지 평가합니다. 고등학교 1·2학년 대상의 학력평가는 1년에 총 4번(3월, 6월, 9월, 11월) 실시됩니다.
국어 시험 시간은 80분으로, 정해진 시간 안에 45개의 문제를 풀고, OMR 카드에 정답을 기입해야 합니다. 국어 시험 평가 영역은 화법, 작문, 문법(언어), 문학, 독서로 구성됩니다.

현재 고3 수능, 모의평가의 평가 영역인 '언어와 매체' 중 매체는 고등학교 1·2학년 학력평가에 포함되지 않습니다.

수능을 대비하기 위한 학력평가 활용 전략

고등학교 1·2학년 학습자들은 고3 평가원 기출 문제(6월 모의평가, 9월 모의평가, 수능)를 분석하기 전에, 각 학년에 맞는 학력평가를 풀어보며 수능에서 원하는 사고 방식을 익히고, 기본 지식을 쌓아야 합니다. 정해진 시간 내에 45개의 문제를 풀고, 채점·풀이하는 과정에서 영역별 접근법을 익히고, 기본 지식을 쌓을 수 있습니다.

하루 1회차씩

20일 완성 학습 PLAN & 목차

스스로 계획하는

______ 일 완성 학습 PLAN

DAY	학습일	학습 회차/문항 번호	학습한 페이지
예시	1 월 2 일	1회 2021학년도 11월 학평/1~24번	문제 P.7 ~ P.15
1	월 일		문제 P. ~ P.
2	월 일		문제 P. ~ P.
3	월 일		문제 P. ~ P.
4	월 일		문제 P. ~ P.
5	월 일		문제 P. ~ P.
6	월 일		문제 P. ~ P.
7	월 일		문제 P. ~ P.
8	월 일		문제 P. ~ P.
9	월 일		문제 P. ~ P.
10	월 일		문제 P. ~ P.
11	월 일		문제 P. ~ P.
12	월 일		문제 P. ~ P.
13	월 일		문제 P. ~ P.
14	월 일		문제 P. ~ P.
15	월 일		문제 P. ~ P.
16	월 일		문제 P. ~ P.
17	월 일		문제 P. ~ P.
18	월 일		문제 P. ~ P.
19	월 일		문제 P. ~ P.
20	월 일		문제 P. ~ P.
21	월 일		문제 P. ~ P.
22	월 일		문제 P. ~ P.
23	월 일		문제 P. ~ P.
24	월 일		문제 P. ~ P.
25	월 일		문제 P. ~ P.
26	월 일		문제 P. ~ P.
27	월 일		문제 P. ~ P.
28	월 일		문제 P. ~ P.
29	월 일		문제 P. ~ P.
30	월 일		문제 P. ~ P.
31	월 일		문제 P. ~ P.
32	월 일		문제 P. ~ P.
33	월 일		문제 P. ~ P.
34	월 일		문제 P. ~ P.
35	월 일		문제 P. ~ P.
36	월 일		문제 P. ~ P.
37	월 일		문제 P. ~ P.
38	월 일		문제 P. ~ P.
39	월 일		문제 P. ~ P.
40	월 일		문제 P. ~ P.

★자신의 학습 속도를 고려하여 스스로 학습 계획을 수립해 보세요. 단, 한 번 학습을 할 때에는 20문항 이상을 푸는 것을 권장합니다.

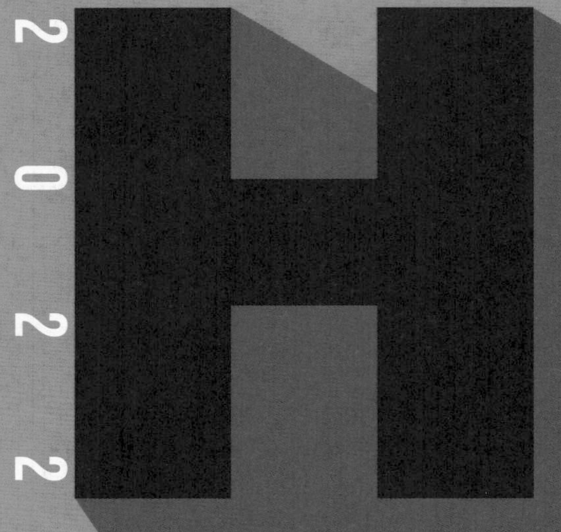
2022
H

국어 영역

1회 소요시간 /80분

제 1 교시

➡ 해설 P.4

[1 ~ 3] 다음은 강연이다. 물음에 답하시오.

안녕하세요? 수의사 ○○○입니다. 여러분들은 개도 사람과 마찬가지로 수혈이 필요하다는 걸 알고 있나요? (동영상을 보여 주며) 지금 보시는 것은 개의 수혈 장면입니다. 처음 보는 분들이 많으실 텐데요. 오늘은 개의 혈액형과 수혈에 대해서 이야기해 보겠습니다.

여러분은 자신의 혈액형을 알고 있지요? 그런데 개도 혈액형이 있다는 것을 알고 있나요? (학생들의 대답을 듣고) 처음 들어 보는 학생들이 많은 것 같네요. (그래프를 제시하며) 보고 계신 설문 조사 결과처럼 90%가 넘는 사람들이 개에게도 혈액형이 있다는 사실을 모르고 있답니다. 개의 혈액형은 DEA라는 용어 뒤에 숫자를 붙여 구분합니다. (도표를 제시하며) 화면에 보이는 것처럼 개의 혈액형은 여러 종류가 있습니다. 그중 수혈에서 가장 중요한 혈액형은 DEA 1로 이 혈액형은 DEA 1-, 1.1, 1.2로 나뉩니다.

(그림을 제시하며) DEA 1 혈액형 간의 수혈 관계는 보시는 것처럼 나타낼 수 있습니다. 개는 기본적으로 같은 혈액형끼리는 수혈할 수 있습니다. 예를 들어 DEA 1.2와 1.2 사이나 DEA 1-와 1- 사이는 수혈이 가능한 것입니다. 그런데 처음 수혈을 받는 경우라면 다른 혈액형에게서도 수혈을 받을 수 있습니다. 단, 첫 수혈의 경우라도 DEA 1- 혈액형을 가진 개는 DEA 1.1이나 1.2의 혈액형을 가진 개에게 혈액을 줄 수는 있지만 반대로 이들로부터 혈액을 받을 수는 없습니다. 한편 DEA 1 혈액형을 가진 개는 모두 첫 수혈과 달리 두 번째 수혈부터는 부작용을 고려하여 혈액형을 반드시 확인해야 합니다.

현재 개의 수혈에 대한 사람들의 인식이 낮은 편이고 혈액 공급 시스템도 잘 갖춰져 있지 않아 원활한 수혈이 어려운 실정입니다. (QR 코드를 제시하며) 지금 보여 드리는 QR 코드에 접속하시면 개의 수혈에 관한 보다 많은 정보를 얻을 수 있습니다. 오늘 강연 어떠셨나요? (학생들의 반응을 확인하고) 유익하셨다니 다행입니다. 개는 우리의 좋은 친구이자 귀한 생명입니다. 학생 여러분들도 개의 수혈 문제에 관심을 가져 주시면 좋겠습니다. 이상으로 강연을 마치겠습니다. 감사합니다.

1. 위 강연에 대한 설명으로 가장 적절한 것은?

① 이전 강연 내용을 요약하며 강연의 순서를 안내하고 있다.
② 강연 내용과 관련된 긍정적 전망을 제시하며 강연을 마무리하고 있다.
③ 주제와 관련된 용어의 유래를 드러내어 역사적 의의를 제시하고 있다.
④ 강연에 사용된 자료의 출처를 구체적으로 밝히며 화제를 제시하고 있다.
⑤ 청중의 대답을 이끌어 내는 질문을 던지며 청중과 상호 작용을 하고 있다.

2. 다음은 강연자가 강연 전에 작성한 메모이다. 강연 내용에 반영되지 않은 것은?

◦ 주제에 흥미를 가질 수 있도록 학생들의 관심을 유발해야겠어.
- 강연의 시작 부분에서 동영상을 활용하여 개의 수혈 장면을 보여 줘야지. ················· ①

◦ 개의 혈액형에 대해 잘 모르는 사람이 많다는 것을 강조해야겠어.
- 그래프를 활용하여 사람들의 인식에 대한 설문 조사 결과를 제시해야겠어. ················· ②

◦ 개의 혈액형의 종류가 많으니 이를 쉽게 정리해 줘야겠어.
- 도표를 제시하여 개의 혈액형을 사람의 혈액형과 비교하며 설명해야겠어. ················· ③

◦ 개의 수혈 관계를 명확하게 이해할 수 있도록 해 줘야겠어.
- 개의 혈액형 종류에 따른 수혈 가능 여부를 보여 주는 그림을 제시해야겠어. ················· ④

◦ 더 궁금한 점이 있는 학생들을 위해 도움이 될 수 있는 방안을 준비해야겠어.
- 주제와 관련된 추가 정보를 제공하기 위해서 QR 코드를 제시해야겠어. ················· ⑤

3. 위 강연을 들은 학생이 <보기>에 대해 보인 반응으로 적절하지 않은 것은?

〈보 기〉

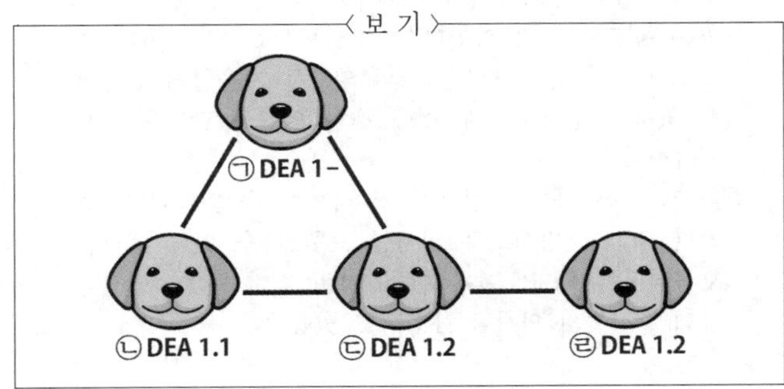

① 첫 수혈이라면 ㉠은 ㉡에게 수혈을 받을 수 있겠군.
② 첫 수혈이라면 ㉡에서 ㉢으로의 수혈은 가능하겠군.
③ ㉢이 이전에 수혈을 받은 적이 있었더라도 ㉣에게 수혈을 받을 수 있겠군.
④ 첫 수혈의 경우 ㉠에서 ㉡으로나, ㉠에서 ㉢으로의 수혈은 가능하겠군.
⑤ ㉠, ㉡, ㉢ 모두 두 번째 수혈을 받을 경우에는 개의 혈액형을 반드시 확인해야겠군.

[4 ~ 7] (가)는 학생들이 실시한 토론의 일부이고, (나)는 (가)에 청중으로 참여한 학생이 '토론 후 과제'에 따라 쓴 초고이다. 물음에 답하시오.

(가)

사회자: 오늘은 '별점 평가제는 폐지되어야 한다.'라는 논제로 토론하려고 합니다. 먼저 찬성 측이 입론한 후 반대 측에서 반대 신문을 진행하겠습니다.

찬성 1: 별점 평가제는 폐지되어야 합니다. 첫째, 별점 평가는 신뢰성이 낮습니다. 왜냐하면 별점을 매길 때 만족도에 대한 개인의 주관이 강하게 개입되어 객관적이지 못하기 때문입니다. 또한 별점 평가의 단계별 척도인 별 한 개에 부여하는 가치도 사람마다 다릅니다. 둘째, 별점 평가제는 판매자에게 큰 피해를 줄 수 있습니다. 별점 평가가 매출에 큰 영향을 주는데, 몇몇 소비자들이 악의적으로 매긴 허위 별점이 다른 소비자들에게 영향을 미쳐 판매가 급감한 사례를 흔히 들을 수 있습니다.

[A]

반대 2: 악의적으로 매긴 허위 별점으로 인한 판매자들의 피해 사례를 흔히 들을 수 있다고 하셨는데요, 그렇게 말씀하신 근거를 구체적으로 제시해 주시겠습니까?

찬성 1: 지난달 ○○신문에 보도된 통계 자료에 따르면 전체 판매자들의 70% 정도가 악의적인 허위 별점 때문에 큰 폭의 판매량 감소를 경험했다고 합니다.

사회자: 이번에는 반대 측이 입론한 후 찬성 측에서 반대 신문을 해 주십시오.

반대 1: 별점 평가제는 폐지되어서는 안 됩니다. 첫째, 별점 평가제는 소비자가 합리적인 소비를 할 수 있도록 도와줍니다. 왜냐하면 직관적으로 표현된 별점 평가를 통해 소비자들은 구매에 필요한 정보를 쉽고 빠르게 얻을 수 있기 때문입니다. 또한 별점 평가의 결과는 많은 사람의 평가가 누적된 것이므로 신뢰할 수 있습니다. 둘째, 별점 평가제 폐지는 소비자들에게 큰 피해를 줍니다. 별점 평가제는 이미 소비자들이 자유롭게 의사 표현을 할 수 있는 통로로 자리 잡았습니다. 별점 평가제가 폐지되면 그러한 표현의 자유가 침해될 것입니다.

[B]

찬성 2: 별점 평가제가 소비자들이 의사 표현을 할 수 있는 통로로 자리 잡았다고 하셨는데요, 별점 평가 외에도 다양한 방식으로 자신의 의사를 자유롭게 표현할 수 있다고 생각하는데, 이에 대한 의견을 말씀해 주시겠습니까?

반대 1: 물론 다른 방식으로 평가를 할 수 있습니다. 하지만 원하는 방식으로 의사를 표현할 수 있는 권리는 보장되어야 하고, 현재 이미 많은 소비자들이 별점을 통해 자신들의 의사를 표현하고 있습니다.

토론 후 과제: 토론 내용을 참고하여 별점 평가제에 대한 자신의 생각을 글로 써 보기

(나) 학생의 초고

나는 평소 별점 평가를 참고하여 물건을 구입하거나 음식을 주문할 때가 많아서, 별점 평가제 폐지에 관한 이번 토론이 무척 흥미로웠다. 토론 전에 나는 별점 평가제에 특별한 문제는 없다고 생각했다.

하지만 토론을 들으며 새롭게 알게 된 사실이 많았다. 별점 평가제가 소비자의 표현의 자유와 관련이 있다는 것은 미처 생각하지 못한 점이었다. 특히 별점 평가제를 악용하면 판매자에게 심각한 피해가 발생한다는 찬성 측의 발언을 듣고 별점 평가제에 대한 생각이 ㉠ <u>틀려졌다</u>.

토론이 끝나고 친구와 함께 같은 음식을 먹었는데, 음식에 주고 싶은 별점이 서로 다르다는 것을 알게 되었다. ㉡ <u>요즘은 컴퓨터보다 스마트폰으로 별점 평가에 참여하는 경우가 더 많다.</u> 둘 다 맛있게 먹은 음식이지만 별점이 다른 이유가 이번 토론에서 찬성 측이 주장했던 것과 관련이 있다는 생각이 들었다. ㉢ <u>그러나</u> 별점 평가의 문제점을 보완할 수 있는 방법을 찾아보게 되었다. 별점 평가가 보다 객관적인 것이 될 수 있도록 별점 평가 시의 유의 사항을, 소비자를 위한 별점 평가 안내서로 제공하는 방안 등이 ㉣ <u>논의되고</u> 있었다.

이런 방안 등을 통해 소비자는 객관적인 태도로 별점 평가를 하도록 노력하고 판매자는 별점 평가를 통한 소비자의 표현을 존중하면서 함께 별점 평가제를 보완해 나간다면, 별점 평가제는 모두에게 ㉤ <u>유용하고 쓸모 있는</u> 도구가 될 수 있을 것이다.

4. (가)의 '입론'을 정리한 내용으로 적절하지 <u>않은</u> 것은?

구분	주 장	근 거
찬성	별점 평가제는 신뢰성이 떨어진다.	◦별점 평가제는 주관이 개입된다. ········ ① ◦척도에 부여하는 가치가 사람마다 다르다. ········ ②
	별점 평가제는 판매자에게 큰 피해를 줄 수 있다.	◦별점 평가제는 판매자의 매출에 큰 영향을 준다. ◦악의적인 별점으로 인해 판매가 급감한 사례가 있다. ········ ③
반대	소비자가 합리적인 소비를 할 수 있도록 도와준다.	◦소비자가 물건을 구매할 때 필요한 정보를 쉽고 빠르게 얻을 수 있다. ◦별점 평가의 결과는 직관적으로 확인될 수 있으므로 신뢰할 수 있다. ········ ④
	별점 평가제 폐지는 소비자에게 큰 피해를 준다.	◦소비자의 표현의 자유가 침해된다. ········ ⑤

5. [A]와 [B]에 대한 설명으로 가장 적절한 것은?

① [A]의 '반대 2'와 [B]의 '찬성 2'는 모두, 상대 측 근거의 적절성에 의문을 제기한 후 추가 자료를 요구하고 있다.
② [A]의 '반대 2'와 [B]의 '찬성 2'는 모두, 상대 측의 발언 일부를 재진술한 후 자신의 질문에 응답할 것을 요청하고 있다.
③ [A]의 '반대 2'와 [B]의 '찬성 2'는 모두, 상대 측의 주장이 실현되었을 때를 가정한 후 예상되는 문제점을 언급하고 있다.
④ [A]의 '찬성 1'과 [B]의 '반대 1'은 모두, 상대 측의 문제 제기를 일부 인정한 후 자신의 의견과 절충하고 있다.
⑤ [A]의 '찬성 1'과 [B]의 '반대 1'은 모두, 상대 측이 사용한 용어의 모호성을 언급한 후 상대 측의 질문이 논제에서 벗어난다고 지적하고 있다.

6. 다음은 (가)를 바탕으로 (나)를 쓰기 위해 작성한 작문 계획이다. (나)에 반영되지 않은 것은? [3점]

[1문단]
ㅇ논제에 대한 나의 흥미를 밝히며 글을 시작해야겠어.
ㅇ별점 평가제에 대한 나의 생각을 밝혀야겠어.
[2문단]
ㅇ토론을 통해 내가 새롭게 알게 된 점을 제시해야겠어. ········ ①
ㅇ토론 전에 떠올린 의문점이 해소되었음을 밝혀야겠어. ······· ②
[3문단]
ㅇ별점 평가제와 관련된 나의 경험을 사례로 제시해야겠어. ··· ③
ㅇ별점 평가제의 문제점을 보완할 수 있는 방안을 찾아 제시해야겠어. ······································· ④
[4문단]
ㅇ별점 평가제에 대한 소비자와 판매자 모두의 노력이 필요함을 언급하며 글을 마무리해야겠어. ································· ⑤

7. (나)의 ㉠~㉤을 고쳐 쓰기 위한 방안으로 적절하지 않은 것은?

① ㉠: 단어의 쓰임이 적절하지 않으므로 '달라졌다'로 고친다.
② ㉡: 글의 통일성을 해치는 내용이므로 삭제한다.
③ ㉢: 문장 간의 연결 관계를 고려하여 '그래서'로 고친다.
④ ㉣: 문장 성분 간의 호응을 고려하여 '논의하고'로 고친다.
⑤ ㉤: 의미가 중복되었으므로 '유용한'으로 고친다.

[8~10] (가)는 작문 상황이고, (나)는 (가)를 바탕으로 쓴 학생의 초고이다. 물음에 답하시오.

(가) 작문 상황

ㅇ**작문 목적:** 우리 학교 도서관 이용률을 높이기 위한 해결 방안 건의하기
ㅇ**예상 독자:** 우리 학교 교장 선생님

(나) 학생의 초고

교장 선생님, 안녕하십니까. 저는 도서부 동아리 회장 ○○○입니다. 제가 이렇게 글을 쓰게 된 이유는 우리 학교 도서관의 저조한 이용률을 높이기 위한 해결 방안을 말씀드리기 위해서입니다.

얼마 전 도서부에서 우리 학교 도서관 이용 실태에 대해 조사해 보니 학생 1인당 연간 대출 권수가 작년 6.8권에서 올해 4.7권으로 하락했으며, 전체 학생 중 30%는 지난 1년간 책을 한 권도 빌리지 않았다는 것을 알게 되었습니다. 그러면서 학생들이 도서관을 잘 이용하지 않는 원인을 분석해 본 결과, 다음과 같은 문제점을 확인할 수 있었습니다.

첫째, 도서관을 쉬는 시간과 점심시간에만 개방하고 있어서 학생들이 이용 가능한 시간이 부족했습니다. 둘째, 책들이 너무 특정 분야에 편중되어 있다 보니 정작 학생들이 읽고 싶은 책들은 없는 경우가 많았습니다. 셋째, 학생들에게 인기 있는 도서들은 이미 대출 중인 경우가 많아서 도서관에 왔다가 원하는 책을 빌리지 못하고 돌아가는 학생들이 많았습니다.

그래서 교장 선생님께 다음 세 가지 사항을 건의하고자 합니다. 우선, 학생들이 마음에 드는 책을 여유를 가지고 고를 수 있도록 방과 후에도 도서관을 개방해 주시기 바랍니다. 방과 후 개방 시간에는 저희 도서부원들도 순번을 정해서 도서관 관리를 돕겠습니다. 다음으로, 다양한 주제에 관심 있는 학생들을 위해서 분야별로 다양한 도서 구입을 고려해 주시기 바랍니다. 마지막으로, 대출 중인 책들도 학생들이 읽어 볼 수 있도록 학교 도서관과 연계된 전자책 서비스를 도입해 주시기 바랍니다.

우리 학교 도서관의 이용률을 높이기 위해 저의 건의를 긍정적으로 검토해 주시기를 부탁드립니다. 저희 도서부에서도 도서관 이용률을 높이기 위해 학생들을 대상으로 한 ㉠ 캠페인을 진행하겠습니다. 지금까지 글을 읽어 주셔서 감사합니다.

8. (가)의 작문 상황을 고려하여 (나)를 작성했다고 할 때, 학생의 초고에 활용된 글쓰기 전략으로 적절하지 않은 것은?

① 예상 독자를 고려하여 정중한 인사로 글을 시작한다.
② 작문 목적을 고려하여 해결 방안을 세 가지로 나누어 구체적으로 제시한다.
③ 작문 목적을 고려하여 건의가 수용되지 않을 경우를 대비한 차선책을 제시한다.
④ 작문 목적을 고려하여 문제 상황을 알기 쉽게 설명할 수 있는 통계 자료를 제시한다.
⑤ 예상 독자를 고려하여 건의 사항과 함께 건의 주체가 기여할 수 있는 역할을 제시한다.

9. 다음은 (나)를 보완하기 위해 추가로 수집한 자료이다. 자료의 활용 방안으로 적절하지 않은 것은? [3점]

[자료 1] 통계 자료

㉮ 학생 설문 조사

학교 도서관 이용 시 불편한 점	비율(%)
도서관에서 책을 고를 시간이 부족하다	40
원하는 책이 도서관에 없다	36
빌리고 싶은 책이 계속 대출 중이다	21
기타	3

㉯ 도서관의 주요 분야별 도서 비율

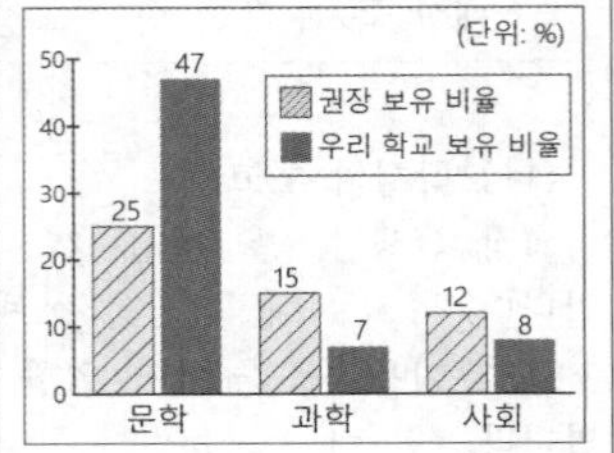

[자료 2] 전문가 인터뷰

통계 자료에 따르면 청소년들의 전자책 이용 비율이 해마다 증가하여 37%에 이르고 있습니다. 이는 시간과 장소에 구애받지 않고 언제든지 대출해서 볼 수 있는 전자책의 특징 때문이라고 판단됩니다. 특히 구독형 전자책은 도서 한 권당 대출 인원에 제한이 없어 수요가 많은 도서도 여러 사람이 동시에 대출할 수 있다는 장점이 있습니다. 실제로 많은 학교의 도서관에서 이를 도입하여 학생들의 독서율을 높이고 있습니다.

[자료 3] 신문 기사

○○일보 ○○○○년 ○월 ○일

학교 도서관에서 나만을 위한 맞춤형 책 추천

북 큐레이션(Book-Curation) 서비스가 학교 도서관 활성화를 위한 방안으로 떠오르고 있다. 북 큐레이션은 학교 홈페이지 등에서 개인의 필요와 흥미에 맞는 도서를 선별하여 학생에게 추천해 주는 서비스로, 도서관을 이용하는 학생들이 빠르고 편리하게 자신에게 맞는 책을 찾는 데 큰 도움을 줄 것으로 기대된다.

① 원인 분석의 근거를 강화하기 위해 학교 도서관을 잘 이용하지 않는 세 가지 원인을 [자료 1-㉮]를 활용하여 구체적인 수치로 제시해야겠군.
② 문제 상황의 원인을 강조하기 위해 우리 학교 도서관의 책들이 권장 보유 비율에 비해 특정 분야에 편중되어 있다는 점을 [자료 1-㉯]를 활용하여 추가로 제시해야겠군.
③ 해결 방안을 구체화하기 위해 구독형 전자책의 경우 동시에 대출할 수 있는 인원 제한이 없다는 점을 [자료 2]를 활용하여 제시해야겠군.
④ 해결 방안을 추가하기 위해 북 큐레이션 서비스를 도입해 문학 도서 위주로 추천하면 우리 학교 도서관의 분야별 도서 비율 차이를 줄일 수 있다는 점을 [자료 1-㉯]와 [자료 3]을 활용하여 제시해야겠군.
⑤ 해결 방안을 보완하기 위해 전자책과 북 큐레이션 서비스의 도입이 학생들의 시간적 제약을 줄여 주어 도서관 이용 가능 시간이 부족하다는 문제를 해결해 줄 수 있음을 [자료 2]와 [자료 3]을 활용하여 제시해야겠군.

10. ㉠을 위한 문구를 <조건>에 따라 작성한 것으로 가장 적절한 것은?

<조 건>
- 학생들의 도서관 이용을 장려하는 내용을 포함할 것.
- 전달 효과를 높이기 위해 직유법을 활용할 것.

① 좋은 책을 읽는 것은 과거의 가장 뛰어난 사람과 대화를 나누는 것입니다. 우리 모두 좋은 책을 많이 읽읍시다.
② 도서관을 이용하는 학생은 그렇지 않은 학생에 비해 3배 더 많은 책을 읽는다고 합니다. 우리 학교 도서관을 찾아 주세요.
③ 지식의 세계를 여는 열쇠와 같은 책은 우리를 성장하게 합니다. 오늘 본 책으로 내일 더 자랄 수 있도록 도서관에 들러 보세요.
④ 알람 시계가 아침을 깨우듯 책은 우리의 일상을 깨워 줍니다. 우리 스스로 마음의 양식인 책을 많이 구입해서 하루를 알차게 만듭시다.
⑤ 도서관에는 학생들이 앉아서 책을 읽을 충분한 공간이 부족합니다. 우리가 마음껏 책 속에서 뛰놀 수 있도록 운동장같이 넓은 도서관을 만들어 주세요.

[11 ~ 12] 다음 글을 읽고 물음에 답하시오.

사이시옷이란 두 단어 또는 형태소가 결합하여 만들어진 합성어의 두 요소 사이에 표기하는 'ㅅ'을 말한다. '한글 맞춤법'에 따르면 다음과 같은 조건들이 만족되어야 사이시옷을 표기할 수 있다.

우선, 두 단어가 결합하는 형태가 고유어와 고유어의 결합, 고유어와 한자어의 결합, 한자어와 고유어의 결합으로 이루어진 합성어인 경우 사이시옷을 표기할 수 있다. 단일어이거나 접사가 결합하여 만들어진 단어인 파생어에는 사이시옷이 표기되지 않고, 외래어가 포함된 합성어나 한자어만으로 구성된 합성어의 경우에도 사이시옷은 표기되지 않는다. 단, '곳간(庫間), 셋방(貰房), 숫자(數字), 찻간(車間), 툇간(退間), 횟수(回數)'라는 한자어는 예외적으로 사이시옷을 표기한다.

다음으로 이러한 합성어의 앞말이 모음으로 끝나고 두 단어가 결합하여 발생하는 음운론적 현상이 다음 중 하나에 해당하여야 한다. 첫째, 뒷말의 첫소리가 된소리로 바뀌는 경우, 둘째, 뒷말의 첫소리 'ㄴ, ㅁ' 앞에서 'ㄴ' 소리가 덧나는 경우, 셋째, 뒷말의 첫소리 모음 앞에서 'ㄴㄴ' 소리가 덧나는 경우에 사이시옷을 표기할 수 있다.

11. 윗글을 바탕으로 사이시옷 표기에 대해 이해한 내용으로 적절하지 않은 것은?

① '아래옷'과 달리 '아랫마을'은 앞말의 끝소리에 'ㄴ' 소리가 덧나기 때문에 사이시옷이 표기된 것이겠군.
② '고깃국'과 달리 '해장국'은 앞말이 모음으로 끝나지 않았기 때문에 사이시옷이 표기되지 않은 것이겠군.
③ '코마개'와 달리 '콧날'은 뒷말의 첫소리 모음 앞에서 'ㄴㄴ' 소리가 덧나기 때문에 사이시옷이 표기된 것이겠군.
④ '우윳빛'과 달리 '오렌지빛'은 합성어를 구성하는 단어의 결합 형태를 고려하여 사이시옷을 표기하지 않은 것이겠군.
⑤ '모래땅'과 달리 '모랫길'은 두 단어가 결합할 때 뒷말의 첫소리가 된소리로 바뀌었기에 사이시옷이 표기된 것이겠군.

12. <보기>는 윗글을 이해하기 위한 탐구 학습지의 일부이다. ㉠~㉢에 들어갈 말로 적절한 것은? [3점]

<보 기>

[탐구 과제]
[탐구 자료]를 활용하여 제시된 단어들의 올바른 표기를 쓰고, 그 이유를 설명해 보자.

○ 해 + 살 → (　　　)	○ 해 + 님 → (　　　)

[탐구 자료]

살[2] 「명사」
(일부 명사 뒤에 붙어) 해, 볕, 불 또는 흐르는 물 따위의 내비치는 기운.

살-[6] 「접사」
온전하지 못함의 뜻을 더하는 접두사.

-님[4] 「접사」
(사람이 아닌 일부 명사 뒤에 붙어) '그 대상을 인격화하여 높임'의 뜻을 더하는 접미사.

님[5] 「명사」
(일부 속담에 쓰여) '임'을 이르는 말.

[탐구 결과]
'해'와 '살'이 결합한 단어의 표기는 (　㉠　)이고, '해'와 '님'이 결합한 단어의 표기는 (　㉡　)입니다. 사이시옷은 합성어의 두 요소 사이에 표기하는 것이기 때문에 (　㉢　)가 결합한 경우 사이시옷을 적지 않습니다.

	㉠	㉡	㉢
①	햇살	해님	접사
②	햇살	해님	명사
③	햇살	햇님	접사
④	해살	해님	명사
⑤	해살	햇님	명사

13. <보기>는 수업의 일부이다. 선생님의 질문에 대한 답으로 적절한 것은?

<보 기>

선생님: 음운 변동 중 교체가 일어날 때 앞 음절의 종성과 뒤 음절의 초성 자리에 놓인 두 음운이 만나서 그중 하나가 바뀌는 경우가 있습니다. ㉠은 뒤 음절의 초성 자리에 놓인 음운이 바뀌는 경우이고, ㉡은 앞 음절의 종성 자리에 놓인 음운이 바뀌는 경우를 나타냅니다.

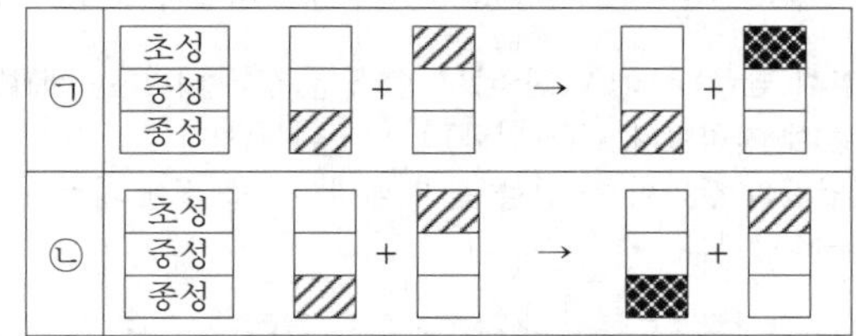

그럼, 표준 발음에 따라 다음 단어들을 ㉠과 ㉡으로 나눠 볼까요?

먹물, 중력, 집념, 칼날, 톱밥

	㉠	㉡
①	먹물, 칼날	중력, 집념, 톱밥
②	중력, 집념	먹물, 칼날, 톱밥
③	먹물, 집념, 톱밥	중력, 칼날
④	먹물, 중력, 집념	칼날, 톱밥
⑤	중력, 칼날, 톱밥	먹물, 집념

14. <보기 1>을 바탕으로 <보기 2>에 대해 설명한 내용으로 적절하지 않은 것은?

<보기 1>

주체 높임법은 문장의 주어인 서술의 주체에 대하여 높임의 태도를 나타내는 방법이다. 객체 높임법은 문장의 목적어나 부사어가 지시하는 대상, 곧 서술의 객체에 대하여 높임의 태도를 나타내는 방법이다. 주체 높임과 객체 높임의 대상은 문장에서 표면적으로 드러나기도 하고 생략되기도 한다. 한편, 상대 높임법은 화자가 청자인 상대방에 대하여 높이거나 낮추는 태도를 나타내는 방법이다. 한 문장 안에서도 다양한 높임법이 쓰일 수 있다.

<보기 2>

<아들과 아버지의 통화>
아들: ⓐ 아버지, 집에 언제 도착하시나요?
아버지: 무슨 일 있니?
아들: ⓑ 할머니께서 아버지께 전화해 보라고 하셨어요. ⓒ 아버지께 드릴 말씀도 있어서요.
아버지: 그래, 거의 다 왔으니 집에 가서 얘기하자. 그런데 할머니 아직 안 주무시니?
아들: ⓓ 아직 안 주무셔요. ⓔ 방금 어머니께서 할머니 모시고 나가셨어요.

① ⓐ는 주체 높임과 상대 높임의 대상이 같다.
② ⓑ는 객체 높임과 상대 높임의 대상이 다르다.
③ ⓒ는 객체 높임과 상대 높임의 대상이 같다.
④ ⓓ는 주체 높임과 상대 높임의 대상이 다르다.
⑤ ⓔ는 주체 높임, 객체 높임, 상대 높임의 대상이 모두 다르다.

15. <보기>에 대한 이해로 적절하지 않은 것은?

〈보 기〉

ㄱ. **羅睺羅(라후라)ㅣ** 得道(득도)ᄒᆞ야 도라가사 **어미를** 濟渡(제도)ᄒᆞ야
(라후라가 득도하여 돌아가서 어미를 제도하여)

ㄴ. **瞿曇(구담)ᄋᆡ** 오ᄉᆞᆯ 니브샤 **深山(심산)애** 드러 **果實(과실)와** 믈와 좌시고
(구담의 옷을 입으시어 깊은 산에 들어 과일과 물을 자시고)

ㄷ. **南堀(남굴)ㅅ 仙人(선인)이** ᄒᆞᆫ **ᄯᆞᆯ** 길어 내니 …… **時節(시절)에** 자최마다 蓮花(연화)ㅣ 나ᄂᆞ니이다
(남굴의 선인이 한 딸을 길러 내니 …… 시절에 자취마다 연꽃이 납니다.)

ㄹ. 네가짓 受苦(수고)ᄂᆞᆫ 生(생)과 老(로)와 **病(병)과** 死(사)왜라
(네 가지 괴로움은 태어남과 늙음과 병듦과 죽음이다.)

① ㄱ의 '羅睺羅(라후라)ㅣ'와 ㄷ의 '仙人(선인)이'에는 주어의 자격을 부여해 주는 조사의 형태가 서로 다르게 사용되었군.
② ㄱ의 '어미를'과 ㄷ의 'ᄯᆞᆯ'에는 목적어의 자격을 부여해 주는 조사의 형태가 서로 동일하게 사용되었군.
③ ㄴ의 '瞿曇(구담)ᄋᆡ'와 ㄷ의 '南堀(남굴)ㅅ'에는 모두 관형어의 자격을 부여해 주는 조사가 사용되었군.
④ ㄴ의 '深山(심산)애'와 ㄷ의 '時節(시절)에'에는 모두 부사어의 자격을 부여해 주는 조사가 사용되었군.
⑤ ㄴ의 '果實(과실)와'와 ㄹ의 '病(병)과'에는 모두 단어와 단어를 이어주는 조사가 사용되었군.

[16 ~ 19] 다음 글을 읽고 물음에 답하시오.

[앞부분의 줄거리] 가족을 찾아 헤매던 '손'은 물이 찬 포구에 산봉우리가 비치는 모습이 학이 날아오르는 듯하여 이름 붙여진 선학동에 도착한다. '손'은 우연히 찾은 주막의 주인 사내에게서 소리꾼 여자에 대한 이야기를 듣는다.

손은 아직도 여자와 자신의 인연에 대해선 분명한 말이 한마디도 없었다. 하지만 그는 이제 학이 날지 못하는 선학동에 **아비의 유골을 묻고 간 여자의 일을 제 일처럼 못내 안타까워하**고 있었다. 주인은 그것으로 모든 일이 분명해진 것 같았다. 그리고 그것으로 만족한 것 같았다.

그가 다시 입을 열기 시작했다.

"아니, 노형은 아까 내 얘길 잊었구만요. 여자가 한 일은 부질없는 것이 아니었어. 여자가 간 뒤로 이 선학동엔 다시 학이 날기 시작했다니께요. 여자가 이 선학동에 다시 학을 날게 했어요. 포구 물이 막혀 버린 이 선학동에 아직도 학이 날고 있는 것을 본 사람이 그 눈이 먼 여자였으니 말이오……."

주인은 이번에야말로 선학동에 다시 학이 날게 된 사연을 이야기하기 시작했다.

(중략)

그러자 여자는 정작으로 그 비상학을 좇듯이 보이지도 않는 눈길로 벌판 쪽을 한참이나 더듬어대었다. 그러다 비로소 채비가 제법 만족스러워진 노인 쪽을 돌아보며 비탄조로 말했다.

"아배의 소리는 그러니께 그 시절에 늘 물 위를 날아오른 학과 함께 노닐었답니다."

주인 사내로선 갈수록 예사롭지 않은 소리들이었다. 눈 아래 들판엔 이제 물도 없고 산그림자도 없었다. 게다가 여자는 어렸을 적 아비의 소망처럼 그 물이나 산그림자의 형용을 깊이 눈여겨보았을 리 없었다. 하지만 여자는 이제 눈을 못 보기 때문에 오히려 성한 사람이 볼 수 없는 물과 산그림자를 보고 있는지도 몰랐다. 두 눈이 성해 있는 사람이라면 그 말라붙은 들판에서 있지도 않은 물과 산그림자를 볼 리가 없었다. 있지도 않은 물과 산그림자를 본 것은 그녀가 오히려 앞을 못 보는 맹인이기 때문이었다.

사내의 그런 상상은 차츰 어떤 불가사의한 믿음으로 변해 갔다.

망망창해에 탕탕(蕩蕩)한 물결이라
백빈주 갈매기는 홍요안에 날아들고……

여자가 마침내 소리를 시작하고 있었다. 그런데 사내는 그 여자의 오장이 끓어오르는 듯한 목소리 속에 문득 자신도 그것을 본 것이다. 사립에 기대어 눈을 감고 가만히 여자의 소리를 듣고 있자니 사내의 머릿속에서 오랫동안 잊혀져 온 옛날의 그 **비상학이 서서히 날개를 펴고 날아오르기 시작**한 것이다. 그리고 여자의 소리가 길게 이어져 나갈수록 선학동은 다시 옛날의 포구로 바닷물이 차오르고 한 마리 선학이 그곳을 끝없이 노닐기 시작했다.

그런 일이 있은 후로 사내는 여자의 학을 믿지 않을 수 없었다.

여자는 날마다 밀물 때를 잡아서 소리를 하였다. 소리는 언제나 이 **선학동을 옛날의 포구 마을로 변하게** 하였고, 그 포구에 다시 선학이 유유히 날아오르게 하였다.

그리고 그러다 여자는 어느 날 밤 문득 선학동을 떠나갔다.

㉠ <u>하지만 사내는 여자가 그렇게 선학동을 떠나가고 나서도 그녀의 소리가 여전히 귓전을 맴돌고 있었다.</u> 그 소리가 귓전을 울려 올 때마다 선학동은 다시 포구가 되었고, 그녀의 소리는 한 마리 선학과 함께 물 위를 노닐었다. 아니 이제는 그 소리가 아니라 여자 자신이 한 마리 학이 되어 선학동 포구 물 위를 끝없이 노닐었다.

그래 사내는 이따금 말했다.

"여자는 어디로 떠나간 것이 아니여. 그 여자는 이 **선학동의 학**이 되어 버린 거여. 학이 되어서 **언제까지나 이 고을 하늘을 떠돈**단 말이여."

여자가 그토록 갑자기 마을을 떠나가 버린 데 대한 아쉬움 때문이었을까. 주막집 이웃들이나 벌판 건너 선학동 사람들마저 사내의 그런 소리엔 그리 허물을 해 오는 눈치가 없었다. 선학동 사람들은 여자가 모셔온 아비의 유골을 모른 체해 주듯 여자가 그렇게 주막을 떠나가고 나서도 그녀의 사연이나 간 곳을 굳이 묻고 드는 일이 없었다. 뿐더러 주막집 **사내가 이따금 그렇게 앞도 뒤도 없는 소리를 지껄여대**도 그러는 사내를 탓하려 들기는커녕 오히려 **그와 어떤 믿음을 같이하고 싶은 진중한 얼굴들이 되곤** 하였다.

손은 이제 완전히 녹초가 되어 버린 표정이었다. 이따금 손을 가져가던 술잔마저 이제는 전혀 마음에 없는 모양이었다.

이야기를 끝내고 난 주인 쪽 역시 마찬가지였다. ㉡ <u>가슴 속에 지녀 온 이야기들을 손 앞에 모두 털어놓은 것만으로 주인은 이제 자기 할 일을 다해 버린 사람 같았다.</u> 손이 뭐라고 대꾸를 해 오든 안 해 오든 그로서는 전혀 괘념을 할 일이 아니라는 태도였다.

주인은 완전히 손의 반응을 무시하고 있었다. 뒷산 고개를 넘

어오는 솔바람 소리가 아직도 이따금 두 사람의 귓전을 멀리 스쳐가고 있었다. 그 솔바람 소리에 멀리 둑 너머 바닷물 소리가 섞이는 듯하였다.

㉢ 침묵을 견디지 못한 건 이번에도 결국 손 쪽이 먼저였다.

"주인장 이야긴 고맙게 들었소."

이윽고 손이 먼저 주인에게 말했다. ㉣ 그의 어조는 이제 아무것도 숨길 것이 없다는 듯 낮고 차분했다.

"하지만 아까 이야기 가운데서 주인장께선 일부러 사람을 하나 빠뜨려 놓고 있었지요."

주인이 달빛 속으로 손을 이윽히 건너다보았다.

손이 다시 말을 이었다.

"주인장 어렸을 적에 이 마을에 찾아들었다는 그 소리꾼 부녀의 이야기 말이오. 그때 그 어린 계집아이에겐 **소리 장단을 잡아 주던 오라비**가 하나 있었을 겝니다. 그런데 주인장께선 일부러 그 오라비 이야길 빼놓고 있었지요."

추궁하듯 손이 주인의 얼굴을 마주 바라보았다. ㉤ 주인도 이젠 더 사실을 숨길 것이 없다는 듯 고개를 두어 번 깊이 끄덕여 보였다.

"그렇지요. 난 그 오라비가 뒷날 늙은 아비와 어린 누이를 버리고 혼자 도망을 쳤다는 이야기까지도 여자에게 다 듣고 있었으니께요."

"그렇담 주인장은 그 오누이가 서로 아비의 피를 나누지 않은 남남 한가지 사이란 것도 알고 있었겠구만요. 그리고 그 어린 오라비가 부녀를 버리고 떠난 것은 차마 그 원망스런 의붓아비를 죽여 없앨 수가 없어서였다는 것도 말이오."

주인이 다시 고개를 무겁게 끄덕여 보였다.

– 이청준, 「선학동 나그네」 –

16. 윗글의 서술상 특징으로 가장 적절한 것은?

① 인물의 회상을 통해 과거와 현재가 연결되고 있다.
② 풍자적 서술을 통해 인물의 행위를 비판하고 있다.
③ 반어적 표현을 통해 집단 간의 갈등을 부각하고 있다.
④ 동시에 진행되는 여러 사건을 병렬적으로 제시하고 있다.
⑤ 장면마다 서술자를 달리하여 상황을 입체적으로 보여 주고 있다.

17. 윗글에 대해 이해한 내용으로 적절하지 않은 것은?

① 손은 여자의 오라비가 가족을 떠난 이유를 주인 사내에게 이야기하고 있다.
② 여자는 이전에 온 적이 있는 선학동으로 다시 찾아와서 아비의 유골을 묻었다.
③ 여자는 선학동에 다시 돌아온 손으로부터 아버지에 대한 이야기를 전해 듣고 있다.
④ 주인 사내는 여자의 소리를 들으며 잊고 있었던 비상학의 모습을 다시 떠올리게 되었다.
⑤ 주인 사내는 여자와 오라비가 아비의 피를 나누지 않은 오누이라는 사실을 알고 있었다.

18. ㉠ ~ ㉤에 대한 설명으로 적절하지 않은 것은?

① ㉠: 인상적이었던 과거의 사건을 잊지 못하는 인물의 심리가 드러나 있다.
② ㉡: 하고 싶었던 행동을 마치고 난 인물의 심리가 드러나 있다.
③ ㉢: 상대방과 이야기를 더 이어가고자 하는 인물의 심리가 드러나 있다.
④ ㉣: 자신의 속마음을 상대방에게 들켜 당혹감을 느끼는 인물의 심리가 드러나 있다.
⑤ ㉤: 자신의 의도를 알아차린 상대방의 말에 수긍하는 인물의 심리가 드러나 있다.

19. <보기>를 참고하여 윗글을 감상한 내용으로 적절하지 않은 것은? [3점]

〈보 기〉

이 작품에는 삶의 아픔을 지닌 인물들이 등장한다. 가족을 떠날 수밖에 없었던 아픔을 지닌 '손'은 '여자'를 찾아다니는 행위를 통해, 앞을 보지 못한 채 살아가는 여자는 소리를 통해 각자 자신이 지닌 삶의 아픔에서 벗어나기 위해 노력한다. 그 과정에서 예술적 경지에 다다른 여자의 소리는 마을 사람들의 생각이나 행동에까지 영향을 미친다.

① '아비의 유골을 묻고 간 여자의 일을 제 일처럼 못내 안타까워하'는 '손'의 모습에서 가족을 떠날 수밖에 없었던 '손'의 아픔을 짐작할 수 있겠군.
② '여자가 마침내 소리를 시작'했을 때 '비상학이 서서히 날개를 펴고 날아오르기 시작'했다고 느끼는 '사내'의 모습에서 '여자'의 소리가 예술적 경지에 이르렀음을 확인할 수 있겠군.
③ '여자'가 '선학동을 옛날의 포구 마을로 변하게' 하고 선학동을 떠나지 않으며 '소리 장단을 잡아 주던 오라비'를 기다린 것에서 삶의 아픔에서 벗어나기 위해 노력하는 모습을 확인할 수 있겠군.
④ '여자'가 '선학동의 학'이 되어서 '언제까지나 이 고을 하늘을 떠돈'다고 '사내'가 이따금 말하는 모습에서 '여자'의 소리에 대한 믿음을 가지게 된 '사내'의 행동을 확인할 수 있겠군.
⑤ '사내가 이따금 그렇게 앞도 뒤도 없는 소리를 지껄여대'도 선학동 사람들이 '그와 어떤 믿음을 같이하고 싶은 진중한 얼굴들이 되곤' 했다는 것에서 '여자'의 소리가 마을 사람들의 생각에 영향을 미쳤음을 알 수 있겠군.

[20 ~ 24] 다음 글을 읽고 물음에 답하시오.

손해보험은 계약에서 정한 보험 사고가 발생했을 때 보험가입자 측에게 생긴 재산상의 손해를 보상하는 보험이다. 교통사고, 화재, 도난 등으로 생기는 피해에 대비하기 위해 가입하는 손해보험은 오늘날 우리 생활과 가까운 곳에 있다.

보험 사고가 발생할 때에 보험금을 받을 자를 피보험자, 보험금을 지급할 의무를 지는 자를 보험자라 한다. 손해보험의 피보험자는 보험의 목적에 피보험이익을 가져야 한다. 이때 보험의 목적이란 보험 사고의 대상을 말한다. 손해보험 계약은 손해 보상을 목적으로 하는데, 손해의 전제로서 피보험자는 보험의 목적에 경제상의 이익을 가져야 하고, 이를 피보험이익이라 한다. 시가 100원의 주택을 소유한 사람은 화재로 주택이 전소하면 100원을 잃는데, 이렇게 보험 사고 발생으로 잃어버릴 염려가 있는 이익이 피보험이익이다. 피보험이익이 없는 자에게 보험금 청구권을 인정하면, 보험계약이 도박처럼 될 수 있고 고의로 보험 사고를 유발하는 보험 범죄의 가능성도 생길 수 있다.

피보험이익으로 인정되려면 몇 가지 요건이 필요하다. 우선 객관적으로 금전으로 산정할 수 있는 경제적 가치를 가져야 한다. 따라서 개인적, 정신적, 도덕적 이익은 피보험이익이 될 수 없다. 예컨대 소중히 간직한 자신의 일기장을 5억 원의 손해보험에 가입하는 것은 허용되지 않는다. 그리고 적법한 이익이어야 하며, 계약 체결 당시 그 가치가 객관적으로 확정되어 있거나 적어도 보험 사고가 발생할 때까지는 확정되어야 한다.

손해보험은 실손보상원칙을 기본 원칙으로 삼는다. 실손보상원칙이란 실제 발생한 손해만을 보상하고 그 이상은 보상하지 않는다는 것을 뜻한다. 따라서 손해보험을 통해 피보험자가 재산상 이익을 얻는 것은 허용되지 않는데, 이를 이득금지의 원칙이라고 한다. 실손보상원칙은 손해보험 계약의 도박화를 막고 보험 범죄를 방지하는 역할을 한다.

[A] 보험가액은 피보험이익의 객관적인 금전적 평가액으로, 보험자가 보험금의 형태로 부담하게 되는 보상책임의 법률상의 최고 한도액이다. 보험가액은 고정된 것이 아니며 경제상황 등에 따라 변동될 수 있는데, 이득금지의 원칙과 관련해 피보험자에게 이득이 생겼는가 여부를 판단하는 기준이 된다. 이와 달리 보험 사고 발생 시 보험자가 지급하기로 보험계약에서 실제 약정한 최고 한도액은 보험금액이라 한다. 보험금액은 당사자 간 약정에 의하여 일정한 금액으로 정해지며, 보험 기간 중에는 이를 변경하지 않는 것이 원칙이다. 보험금은 보험 사고가 발생할 때 실제로 보험자가 지급하는 금액이다. 보험 사고가 발생하였다고 해서 항상 보험금액만큼 지급되는 것은 아니므로 보험금액은 보험금의 최고 한도라는 의미만을 갖는다.

보험가액과 보험금액은 서로 일치하지 않을 수 있다. 보험금액이 보험가액을 현저하게 초과하는 경우를 초과보험이라 한다. 시가 100원 상당의 건물을 보험금액 200원으로 하여 가입한 화재보험이 그 예이다. 손해보험에서 보험가액을 초과하는 부분에는 피보험이익이 존재하지 않으므로 보험금액을 보험가액과의 비율에 따라 조정해야 한다. 위 사례에서 건물이 100% 손실을 입었다면 100원만을 지급한다는 의미이다. 보험계약 체결 당시엔 초과보험이 아니었으나 보험가액이 감소한 경우처럼, 당사자가 의도하지 않은 채 초과보험 계약을 한 경우는 단순한 초과보험이라 한다. 이런 경우 예외적으로 보험자는 보험금액의 감액을, 보험에 가입한 보험계약자는 보험자에 지급하는 금액인 보험료의 감액을 각각 청구할 수 있다. 그러나 보험계약자가 재산상 이익을 얻을 목적으로 초과보험을 체결한 경우는 사기에 의한 초과보험이라 하여 그 계약 전부를 무효로 한다.

한 명의 피보험자가 동일한 피보험이익과 동일한 보험 사고에 관하여 여러 보험자와 계약을 체결한 경우에 그 보험금액의 합계가 보험가액을 초과하는 경우를 중복보험이라 한다. 이때 각각의 보험은 보험의 목적이 서로 같아야 하고, 보험 기간도 공통이어야 한다. 중복보험은 초과보험과 유사하게 보험계약자가 중복보험을 의도한 경우와 그렇지 않은 경우를 구분하고 있다. 사기에 의한 중복보험은 그 계약 전부를 무효로 한다. 단순한 중복보험의 경우, 각 보험자가 보험금액의 비율에 따라 연대책임을 지지만 그 보상액은 각각의 보험금액으로 제한된다. 예를 들어 보험가액 100원인 건물에 대하여 각기 다른 세 보험자와 보험금액을 각각 100원, 60원, 40원으로 하여 화재보험 계약을 한 경우, 각 보험자는 보험 사고가 발생할 때 가입 당시 보험금액의 한도 내에서 연대 책임을 진다. 만약 100% 손실을 입으면 피보험자가 100원의 보상을 받을 수 있도록 각 보험자는 보험금액의 비율에 따라 50원, 30원, 20원을 보험금으로 지급하게 된다.

20. 다음은 윗글을 읽은 후 메모한 내용의 일부이다. ㉠에 들어갈 수 있는 내용으로 적절하지 않은 것은?

> ○ 글을 선택한 이유: 광고를 접하면서 손해보험에 관심이 생겨서.
> ○ 글을 통해 알게 된 내용: [㉠].
> ○ 더 알고 싶은 것: 손해보험이 아닌 보험에는 어떤 것이 있을까?

① 손해보험 계약이 초과보험인 경우는 어떤 때인지
② 손해보험 계약에서 실손보상원칙이 어떤 역할을 하는지
③ 손해보험 계약에서 보험자, 피보험자란 각각 무엇을 의미하는지
④ 손해보험 계약이 보험 사고에 따른 보상이 이루어진 뒤에도 계속 효력이 유지되는지
⑤ 손해보험 계약에서 정신적, 도덕적 이익이 피보험이익이 될 수 없는 이유는 무엇인지

21. 피보험이익에 대한 설명으로 적절하지 않은 것은?

① 보험가액을 초과하는 피보험이익은 존재하지 않는다.
② 보험의 목적에 피보험이익이 없으면 피보험자가 될 수 없다.
③ 피보험이익이 서로 다른 손해보험 계약은 중복보험으로 볼 수 없다.
④ 피보험이익은 피보험자가 보험 사고의 대상에 갖는 경제상의 이익이다.
⑤ 보험계약 체결 당시 그 가치가 확정되어 있어야만 피보험이익으로 인정될 수 있다.

22. [A]에 대한 이해로 적절하지 <u>않은</u> 것은?

① 보험금은 보험가액을 초과할 수 없고 보험금액을 초과할 수도 없다.
② 보험금액은 변동될 수 있으나 보험 기간 중 보험가액은 바뀌지 않는 것이 원칙이다.
③ 보험가액은 보험금의 액수가 이득금지의 원칙에 위배되는지 여부를 판단하는 기준이 된다.
④ 보험가액은 객관적인 금전적 가치 평가에 의해, 보험금액은 계약 당사자 사이의 약정에 의해 정해진다.
⑤ 보험자가 일정한 보험금액을 약정했더라도 보험 사고 발생 시 항상 보험금액만큼 지급하는 것은 아니다.

※ <보기>는 윗글과 관련된 상황이다. 23번과 24번 물음에 답하시오.

〈 보 기 〉

갑은 2년 전 시가 1,000만 원의 건물 X를 소유하고 있었는데 당시 ㉮ <u>X에 대하여 보험사 A와 보험금액을 600만 원으로 하는 화재보험</u>에 가입하고, ㉯ <u>같은 건물에 대하여 보험사 B와 보험금액 400만 원의 화재보험</u>에 가입했다. 그런데 그 뒤 X의 시세가 하락해 현재 평가액은 800만 원이다. 갑이 가입한 손해보험의 보험금액과 보험료는 모두 가입 당시와 달라지지 않았다.

(단, 갑이 가입한 손해보험은 피보험자가 모두 갑 본인이다. 모두 계약일이 같으며 보험 기간은 5년이다.)

23. 윗글을 읽은 학생이 <보기>의 ㉮와 ㉯에 대해 보인 반응으로 적절하지 <u>않은</u> 것은? [3점]

① ㉮와 ㉯는 보험의 목적과 보험 사고가 동일하고, 보험자는 서로 다른 손해보험이겠군.
② ㉮와 ㉯의 보험금액의 합계는 가입 당시와 달리 현재는 보험가액과 일치하지 않겠군.
③ 보험계약 후 건물 시세가 하락하였지만 ㉮와 ㉯ 중 어느 것도 계약 전부가 무효로 되지 않겠군.
④ 계약에서 정한 보험 사고가 발생하기 전이라면, ㉮와 ㉯의 피보험자인 갑은 A와 B로부터 보상을 받을 수 없겠군.
⑤ 갑이 ㉮에 가입하지 않았다고 가정하면, ㉯의 보험자는 보험가액의 변동을 근거로 보험금액의 감액을 청구할 수 있었겠군.

24. 다음은 <보기>와 관련한 보험 사고 상황이다. 윗글을 참고할 때 ⓐ~ⓒ에 들어갈 금액을 바르게 짝지은 것은?

건물 X에 화재가 일어나 50%의 손실이 발생하였다. 이에 갑은 보험사 A와 B에 보험금을 청구하였다. A는 보험계약에서 실제 약정한 (ⓐ)의 한도 내에서 책임을 질 의무가 있다. 그런데 다른 보험사와 연대 책임을 질 의무가 있는 A는 각 보험사의 보험금액의 비율에 따라 갑에게 (ⓑ)을 보험금으로 지급하였다. 역시 연대 책임을 질 의무가 있는 B는 (ⓒ)을 갑에게 보험금으로 지급하였다. 단, X의 평가액은 현재 기준으로 산정되었다.

	ⓐ	ⓑ	ⓒ
①	300만 원	240만 원	160만 원
②	300만 원	480만 원	320만 원
③	600만 원	240만 원	160만 원
④	600만 원	480만 원	320만 원
⑤	800만 원	480만 원	320만 원

[25 ~ 27] 다음 글을 읽고 물음에 답하시오.

(가)

1
발돋움하는 발돋움하는 **너**의 자세는
왜 이렇게
두 쪽으로 갈라져서 떨어져야 하는가,

그리움으로 하여
왜 너는 이렇게
산산이 부서져서 흩어져야 하는가,

2
모든 것을 바치고도
왜 나중에는
이 **찢어지는 아픔**만을
가져야 하는가,

네가 네 스스로에 보내는
이별의
이 안타까운 눈짓만을 가져야 하는가.

3
왜 너는
다른 것이 되어서는 안 되는가,

떨어져서 부서진 무수한 네가
왜 이런
선연한 무지개로
다시 솟아야만 하는가,

– 김춘수, 「분수」 –

(나)

잘 빚어진 **찻잔**을 들여다본다
수없이 실금이 가 있다
마르면서 굳어지면서 스스로 제 살을 조금씩 벌려
그 사이에 **뜨거운 불김**을 불어 넣었으리라
얽히고설킨 그 **틈 사이**에 바람이 드나들고
비로소 찻잔은 그 숨결로 살아 있어 [A]
그 **틈, 사이**들이 실뿌리처럼 **찻잔의 형상을 붙잡고 있는** 게다
틈 사이가 고울수록 깨어져도 찻잔은 날을 세우지 않는다
미리 제 몸에 새겨놓은 돌아갈 길,
그 보이지 않는 작은 틈, 사이가
찻물을 새지 않게 한단다
잘 지어진 **콘크리트 건물** 벽도
양생되면서 제 몸에 수 없는 실핏줄을 긋는다
그 미세한 **틈, 사이**가 [B]
차가운 눈바람과 비를 막아준다고 한다
진동과 충격을 견디는 힘이 거기서 나온단다
끊임없이 서로의 중심에 다가서지만
벌어진 틈, 사이 때문에 가슴 태우던 그대와 나
그 틈, **사이**까지가 하나였음을 알겠구나
하나 되어 깊어진다는 것은 [C]
수많은 실금의 **틈, 사이**를 허용하는 것인지도 모른다
네 노여움의 불길과 내 **슬픔의 눈물**이 스며들 수 있게
서로의 속살에 실뿌리 깊숙이 내리는 것인지도 모를 일이다

– 복효근, 「틈, 사이」 –

25. (가)와 (나)의 공통점으로 가장 적절한 것은?

① 특정 시어를 반복하여 주제 의식을 드러내고 있다.
② 수미상관의 방식을 통해 형태적 안정감을 주고 있다.
③ 음성 상징어를 활용하여 시적 상황을 부각하고 있다.
④ 명사형으로 시상을 마무리하여 시적 여운을 주고 있다.
⑤ 후각적 이미지를 사용하여 대상의 속성을 나타내고 있다.

26. <보기>를 참고하여 (가)를 감상한 내용으로 적절하지 않은 것은? [3점]

< 보 기 >

이 작품은 인간 존재의 본질적 운명을 '분수'의 속성을 통해 드러낸다. 화자는 상승과 추락을 반복하는 분수를 통해 자기 극복과 좌절에 대해 이야기한다. 화자는 분수를 자신의 상황에 머무르지 않고 현실의 한계를 극복하려는 초월 의지를 지닌 존재로 인식하며 운명에서 벗어나기 위해 도전을 지속하는 모습을 순환성의 이미지를 통해 드러내고 있다.

① '너'가 '발돋움하는' 것과 '두 쪽으로 갈라져서 떨'어지는 것에서 상승하고 추락하는 분수의 속성을 확인할 수 있겠군.
② '그리움으로 하여' '산산이 부서져서 흩어'지는 것에서 자신의 속성을 초월한 분수의 모습을 확인할 수 있겠군.
③ 분수가 '모든 것'을 바치고도 '찢어지는 아픔'만을 가지는 것에서 자기 극복을 위해 노력하지만 결국 좌절하는 분수의 속성을 확인할 수 있겠군.
④ '왜 너는 다른 것이 되어서는 안 되는가'라는 의문에서, 현실의 한계에서 벗어날 수 없는 분수의 상황에 대한 화자의 인식을 확인할 수 있겠군.
⑤ '떨어져서 부서진' 분수가 '선연한 무지개'로 '다시' 솟는다는 것에서 운명에서 벗어나기 위해 도전을 지속하는 순환성의 이미지를 확인할 수 있겠군.

27. (나)의 [A] ~ [C]를 이해한 내용으로 적절하지 않은 것은?

① [A]의 '틈 사이'는 '찻잔'이 '뜨거운 불김'을 견디고 생명력을 지닌 존재로 거듭날 수 있게 해 준다.
② [B]의 '틈, 사이'는 '콘크리트 건물'을 외부의 시련으로부터 막아 주는 역할을 한다.
③ [A]의 '틈, 사이들'이 '찻잔의 형상을 붙잡고 있는' 것처럼, [C]의 '틈, 사이'는 그대와 나를 '하나 되어 깊어진' 관계로 만들어 준다.
④ [B]의 '틈, 사이'가 '진동과 충격을 견디는 힘'의 근원이 되듯, [C]에서 인간관계의 '틈, 사이'는 '슬픔'과 '눈물'의 근원이 될 수 있다는 것으로 화자의 인식이 확장되고 있다.
⑤ [A]와 [B]에서 외부의 대상을 향했던 화자의 시선이 [C]에서 인간관계의 '틈, 사이'로 향하면서 '벌어진 틈, 사이 때문에 가슴 태우던' 상황에 대한 화자의 인식이 전환되고 있다.

[28 ~ 32] 다음 글을 읽고 물음에 답하시오.

양전자 단층 촬영(PET)은 세포의 대사량 등 인체에 대한 정보를 확인하기 위해 몸속에 특정 물질을 ⓐ 주입하여 그 물질의 분포를 영상화하는 기술이다. 이때 대사량이란 사람의 몸속 세포가 생명 유지를 위해 필요로 하는 에너지의 총량으로 정상 세포와 비정상 세포는 대사량에서 차이가 난다. PET는 특정 물질과 비정상 세포의 반응을 이용하여 이들의 분포를 확인할 수 있다.

PET를 통해 이를 확인하기 위해서는 우선 몸속에 방사성추적자를 주입해야 한다. 일반적으로 PET에 사용되는 방사성추적자는 방사성 동위원소를 결합한 포도당 성분의 특정 물질로 이는 특정한 원소 또는 물질의 이동 양상을 알아내기 위해 쓰인다. 이렇게 주입된 방사성추적자는 에너지원으로 쓰이는 포도당과 유사하기 때문에, 대사량이 높아서 많은 에너지원을 필요로 하는 비정상 세포에 다량 흡수된다. 그런데 세포 안으로 흡수된 방사성추적자는 일반 포도당과 달리 세포의 에너지원으로 사용되지 않고, 일정 시간 동안 세포 안에 머무른다.

세포 내에 축적된 방사성추적자의 방사성 동위원소는 붕괴되면서 양전자를 ⓑ 방출한다. 방출된 양전자는 몸속의 전자와 결합하여 소멸하는데, 이때 두 입자의 질량이 에너지로 바뀐다. 이 에너지는 180도 각도를 이루는 한 쌍의 감마선으로 방출되어 몸 밖으로 나온다.

몸 밖으로 나온 감마선은 PET 스캐너를 통해 검출되는데, PET 스캐너는 수많은 검출기가 검사 대상을 원형으로 둘러싸고 있는 구조이다. 180도로 방출된 한 쌍의 감마선은 각각의 진행 방향에 있는 검출기에 ⓒ 도달하게 된다. 이때 한 쌍의 감마선이 도달한 검출기의 두 지점을 잇는 직선을 동시검출응답선이라고 하며 감마선의 방출 지점은 이 선의 어느 한 점에 있다고 할 수 있다. 그런데 한 쌍의 감마선이 각각의 검출기에 도달하는 시간에는 미세한 차이가 발생하는데, 이는 몸의 어느 지점에서 감마선이 방출되었는지에 따라 검출기까지의 거리가 달라지기 때문이다.

감마선이 PET 영상의 유효한 성분이 되기 위해서는 한 지점에서 방출된 한 쌍의 감마선이 PET 스캐너의 검출기로 동시에 도달해야 하는데 이 경우를 동시계수라고 한다. 하지만 ㉠ 한 쌍의 감마선이 완전히 동시에 도달하는 경우는 현실적으로 불가능하므로 PET 스캐너는 동시계수로 인정할 수 있는 최대 시간폭인 동시계수시간폭을 설정하고 동시계수시간폭 안에 들어온 경우를 유효한 성분으로 ⓓ 간주한다.

그런데 동시계수시간폭 내에 도달한 한 쌍의 감마선 즉 동시계수 중에서도 PET 영상에 유효한 성분이 되지 않는 경우가 있다. 우선 감마선이 주변의 물질과 상호 작용을 일으켜 진행 방향이 바뀌면서 검출기에 도달하는 시간의 변화가 생겼으나 동시계수시간폭 내에 검출되는 경우가 있는데 이를 산란계수라고 한다. 다음으로 한 지점에서 방출된 두 개의 감마선 중 한 개의 감마선만이 검출기로 도달할 때, 다른 지점에서 방출된 한 개의 감마선과 동시계수시간폭 내에 도달하는 경우가 있는데 이를 랜덤계수라고 한다. 이 두 경우는 모두 실제 감마선이 방출된 지점이 동시검출응답선 위에 존재하지 않기 때문에 PET 영상의 정확도를 떨어뜨리는 요인이 된다. 즉, 한 지점에서 방출된 한 쌍의 감마선이 아무런 방해를 받지 않고 동시계수시간폭 내에 도달하는 참계수만이 유효한 영상 성분이 되는 것이다.

따라서 PET 영상의 정확도를 높이기 위해서는 산란계수와 랜덤계수의 검출을 최소화하기 위해 동시계수시간폭을 적절하게 ⓔ <u>설정하는</u> 것이 중요하다.

28. 윗글의 내용과 일치하지 <u>않는</u> 것은?

① PET는 특정 물질과 비정상 세포의 반응을 이용한다.
② PET에서 동시검출응답선은 직선의 형태로 표현된다.
③ PET 스캐너는 감마선을 방출하여 PET 영상을 만든다.
④ PET는 인체의 정보를 확인하기 위한 영상화 기술이다.
⑤ PET 스캐너는 수많은 검출기로 이루어진 원형 구조이다.

29. [방사성추적자]에 대한 설명으로 적절하지 <u>않은</u> 것은?

① 비정상 세포 내에 다량으로 흡수되어 축적된다.
② 세포의 대사량을 평소보다 높이기 위해 사용된다.
③ 일반 포도당과 유사하지만 에너지원으로 사용되지 않는다.
④ 특정 물질의 이동 양상을 밝히기 위해 사용되는 화합물이다.
⑤ 양전자를 방출하며 붕괴되는 방사성 동위원소가 결합된 물질이다.

30. ㉠의 이유를 추론한 내용으로 가장 적절한 것은?

① 방출된 감마선이 180도 방향으로 진행하기 때문이다.
② 양전자와 전자의 질량이 에너지로 바뀌었기 때문이다.
③ 한 쌍의 감마선이 동시에 검출기에 도달하면 동시계수로 인정되기 때문이다.
④ 한 쌍의 감마선 중 하나의 감마선만이 PET 영상의 유효한 성분이 되기 때문이다.
⑤ 감마선 방출 지점에 따라 두 감마선이 검출기까지 이동하는 거리가 서로 다르기 때문이다.

31. 윗글을 바탕으로 <보기>를 이해한 내용으로 적절하지 <u>않은</u> 것은? [3점]

< 보 기 >

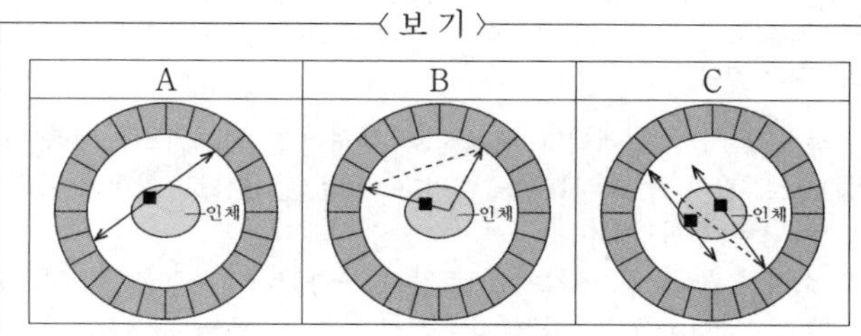

구분	A	B	C
검출기에 도달한 두 감마선의 시간 차	5ns	7ns	10ns

○ A ~ C는 모두 동시계수시간폭을 12ns로 설정한, 동일한 PET 스캐너로 감마선을 검출한 경우이고 ■는 감마선의 방출 지점을 나타낸다.
○ ns는 시간 단위로 10억분의 1초를 나타낸다.

① A의 경우 한 쌍의 감마선이 주변 물질과 상관없이 도달했다면, 참계수라고 할 수 있겠군.
② B의 경우 한 감마선의 진행 방향이 바뀌었지만 동시계수시간폭 내에 도달하였다고 할 수 있겠군.
③ C의 경우 PET 영상에 유효한 성분이 될 수 없는 랜덤계수라고 할 수 있겠군.
④ A와 B의 경우 동시계수시간폭이 8ns이었다면, 산란계수는 검출되지 않았겠군.
⑤ B와 C의 경우 실제 감마선의 방출 지점이 동시검출응답선 위에 존재하지 않겠군.

32. ⓐ ~ ⓔ의 사전적 의미로 적절하지 <u>않은</u> 것은?

① ⓐ: 흘러 들어가도록 부어 넣다.
② ⓑ: 입자나 전자기파의 형태로 에너지를 내보내다.
③ ⓒ: 목적한 곳이나 수준에 다다르다.
④ ⓓ: 유사한 점에 기초하여 다른 사물을 미루어 추측하다.
⑤ ⓔ: 새로 만들어 정해 두다.

[33 ~ 36] 다음 글을 읽고 물음에 답하시오.

[앞부분 줄거리] 정소저는 양경의 계략으로 전쟁에 나가게 된 정원수를 그리워하며 힘든 나날을 보낸다. 이때 민가를 잠행하던 태자가 우연히 정소저를 보게 되고, 그녀의 아름다움과 기상에 반하여 그녀를 아내로 삼겠다고 결심한다.

정소저 시비를 데리고 관음사로 행하거늘 태자 또한 **여복(女服)으로 갈아 입**고 시비를 데리고 이날 **관음사로 찾아가**니 모든 스님들이 합장하며

"소저는 누구 집 행차이온지 알지 못하겠거니와 이런 누지(陋地)에 왕림하셨습니까?"

하니, 시비 답하기를

"**주상공 댁 소저**인데 부친께서 임지로 가셔서 안위를 위하여 발원코자 왔나이다."

하니, 노승이 말하기를

"정강로댁 소저도 부친의 안위를 위하여 왔거니와 소저와 같은 딱한 사연이 있나이다."

하니, 주소저 짐짓 탄식하며 말하기를

"그 소저의 정도가 나와 같도다."

하며, 슬퍼하니 노승이 위로하기를

"주소저와 정소저 다 같이 발원코자 왔다 하니 함께 발원함이 좋겠습니다."

하고, 정소저를 보고 주소저의 사연을 설명하고 서로 생면함을 간청하니 정소저 듣고 말하기를

"세상에 또한 나와 같은 사람이 어디 있는가?"

하며,

"나도 딱한 사정을 듣고 서로 보고 슬픈 마음을 위로하고자 합니다."

하였다. 노승이 반기며

"주소저의 사연도 같으니 지성으로 발원하여 소원을 이루소서."

하고, 즉시 불전에 나아가 분향하고 주소저를 청하여 각각 시비를 데리고 좌정하였다. 잠시 후 주소저 눈을 들어 정소저를 살펴보니 **탁월한 풍채와 늠름한 기상**이 사람의 정신을 놀라게 하였다.

주소저 이르기를

"노승의 말씀을 들으니 낭자의 심정이 나와 같습니다. 부친이 전장에 가서 소식이 적조하옵기로 슬픈 마음을 이기지 못하여 불전에 발원하여 부친을 위로하고자 왔나이다."

하니, 정소저 탄식하며 말하기를

[A] "제 팔자가 기구하여 열 살 전에 모친을 이별하고 다만 부친만 바라고 지냈더니 항명(降命)*이 지중하여 부친은 전장에 가시고 실로 몸이 의지할 곳이 없사와 불전에 지성으로 발원하와 부친께서 입성하여 쉬 돌아오시기를 바라고 있습니다."

하고, **서로 슬픈 정회를 위로**하였다. 주소저 같이 앉으면 소저 **옥수를 잡**고 만난 정회를 설하는 듯하되 정소저 조금도 싫어하는 거동이 없었다.

이러구러 황혼이 되어 욕탕에 목욕하고 불전에 나가 빌기를

"분명 정낭자와 배필이 되게 하시려거든 이 금전이 방중에 내려오소서."

하며, 돈을 던지니 빈 공중에 솟았다가 방 가운데로 떨어졌다. 주소저가 신통히 여겨 또 금전을 잡고 축원하며 말하기를

"황상께서 양경의 딸로 간택하였으니, 만일 양 씨를 퇴할 수 거든 금전이 스스로 방 밖에 내려지게 하소서."

하고, 금전을 던지나 금전이 여러 번 돌다가 문 밖에 내려지는지라. 주소저 신기하게 여기던 차 정소저 또한 다가와 금전을 던지며 축원하기를

"부친께서 전장에 나가 성공하고 쉬이 돌아오시게 하거든 금전이 방중에 내려지소서."

하고, 금전을 던지니 이 금전이 방문 밖으로 내려가는지라. 또다시 축원하고 재배하여 독축하기를

"이 몸이 비록 **여자이오나 어릴 적부터 병서를 공부**하였사오니 부친을 위로하려 전장에 나아가 선전(善戰)*하려 하시거든 금전이 방중에 내려지소서."

하고, 금전을 던지니 금전이 높이 올랐다가 방중에 내려오는지라. 소저 한편 기뻐하며 독축하기를

"이후로는 다시 험한 일이 없고 심중에 먹은 마음대로 되게 하시려거든 금전이 방중에 떨어지소서."

하고, 던지니 금전이 다시 방중에 떨어지는지라. 소저 일희일비하여 물러나오니 주소저 이르기를

"[동전 축사(祝辭)]는 어떻게 되었습니까?"

"길흉이 상반되는 것 같소이다."

주소저가 다시 위로하며

"이는 다 팔자이오니 너무 실망하지 마옵소서."

하니, 정소저 말하길

"우리 피차 함께 하였으니 대강 말씀을 통하게 되었거니와 저는 그렇다하더라도 조금 전에 말씀을 들어보니 부친께서는 만리 전장에 가시고 단 한 몸 의지할 곳이 막연하오니 가련하고 애연하지 아니하오리까?"

하며, 서로 위로하더니 한 노승이 마침 들어오시며 말하기를

"정원수 전장에서 패했다는 소식이 왔으니 이 난국이 큰 근심이로다."

(중략)

이때, 정원수 여러 달 적진 중에 있어 명이 경각에 있었더니 안남국 황제 항복했다는 소식을 듣고 마음이 즐거워 이르기를

"이제 이 사람 고향에 돌아가 우리 황상을 뵈옵고 조상 향화를 받들고 정녕 그리던 자식을 보겠도다."

하는데, 밖에 한 **장수** 찾아와 원수를 기다리더라. 나와 보니 **소년**이 대하며 앞에 와 재배하고 뵙거늘 정원수 백수(白首) 풍진에 눈물을 흘리며 슬퍼하며 소년에게 이르기를

[B] "소장은 재주 용렬하여 대공을 이루지 못하고 또한 황상을 생각하니 어찌 한심치 아니하며 생전에 고향 돌아가지 못하고 이 땅에 죽음을 면치 못하게 되었더니 천만으로 장군의 구조함을 입어 종명(終命)*을 보존하여 본국에 돌아가 부모와 자식을 상봉하게 하니 그 은혜를 어찌 만분의 일이나마 갚으리오."

하며, 양 볼에 흐르는 눈물을 그치지 못하거늘 소저 그 말씀을 듣고 일희일비하여 좌우를 물리치고 붙들고 대성통곡하며 말하기를

"여식 정모는 **부친의 위급함을 듣고** 잠깐 **남자 되어 적진을 진정시**키고 그 간에 그리던 부친 일시도 그냥 있을 수 없어 불초하나마 부친을 위하고자 하였사오니 부친은 안심하옵소서."

하고, 소저도 눈물을 금치 못함이 그지없으니 정원수 그 말을 듣고 대경 질색하여 한참 말을 못하다가 정신을 진정하여 다시 보니 비록 남자 의복으로 환역(換易)하였으나 얼굴이 분명한지라.

– 작자 미상, 「정비전」 –

* 항명: 임금 혹은 윗사람에게 받은 명.
* 선전: 있는 힘을 다하여 잘 싸움.
* 종명: 남은 수명.

33. 윗글에 대한 설명으로 가장 적절한 것은?
① 언어유희를 사용하여 시대의 현실을 비판하고 있다.
② 배경 묘사를 통해 인물의 내면 심리를 표출하고 있다.
③ 인물의 행동을 과장하여 해학적 분위기를 조성하고 있다.
④ 인물 간의 대화를 통해 인물이 처한 상황을 드러내고 있다.
⑤ 꿈과 현실의 교차를 통해 앞으로 일어날 사건을 암시하고 있다.

34. [A]와 [B]에 대한 설명으로 가장 적절한 것은?
① [A]에는 낙관적인 미래에 대한 확신이, [B]에는 부정적인 미래에 대한 불안이 나타나 있다.
② [A]에는 인물 간의 갈등을 해결한 주체가, [B]에는 인물 간의 갈등을 유발한 주체가 나타나 있다.
③ [A]에는 자신이 처한 어려움에 대한 체념이, [B]에는 상대가 처한 어려움에 대한 공감이 나타나 있다.
④ [A]에는 특정 인물과의 재회를 바라는 이유가, [B]에는 특정 인물과의 재회가 가능해진 이유가 나타나 있다.
⑤ [A]에는 기대가 실현된 상황에 대한 인물의 심경이, [B]에는 기대가 어긋나 버린 상황에 대한 인물의 심경이 나타나 있다.

35. 다음은 동전 축사(祝辭)를 정리한 것이다. 이에 대한 반응으로 적절하지 않은 것은?

구분	동전을 던지는 인물	알고 싶은 내용	동전의 위치	
			방중	방 밖
㉠	주소저	정낭자와 배필이 될 수 있는가?	○	
㉡	주소저	간택된 양 씨를 퇴할 수 있는가?		○
㉢	정소저	부친이 전장에서 성공하고 쉽게 돌아올 수 있는가?		○
㉣	정소저	전장에 나아가 선전할 수 있는가?	○	
㉤	정소저	이후 험한 일 없이 마음 먹은 대로 일이 될 수 있는가?	○	

① ㉠에서 '동전을 던지는 인물'은 '동전의 위치'를 보고 자신이 바라는 일이 이루어질 것이라고 생각했겠군.
② ㉡에서 '동전의 위치'는 '동전을 던지는 인물'이 꺼리는 일이 이루어질 것이라는 뜻으로 해석되겠군.
③ ㉢에서 '동전의 위치'는 '동전을 던지는 인물'이 바라는 것이 이루어지지 않을 것이라는 뜻으로 해석되겠군.
④ ㉣에서 '알고 싶은 내용'은 '동전을 던지는 인물'이 하고자 하는 행동과 관련이 있겠군.
⑤ ㉤에서 '동전의 위치'는 '동전을 던지는 인물'이 바라는 대로 나타났다고 할 수 있겠군.

36. <보기>를 참고하여 윗글을 감상한 내용으로 적절하지 않은 것은? [3점]

< 보 기 >

고전소설에서 '복장전환'이라는 화소는 주체적인 삶을 살고자 하는 인물의 의지를 보여 준다. 복장전환은 자신의 실체를 상대에게 숨기는 수단으로 쓰이는데 이를 통해 인물들은 다양한 욕구를 실현하고자 한다. 이 작품에서는 사회적 한계를 극복하고, 위기 국면에서 고난에 적극적으로 대처하고, 때로는 이성과 교우를 맺기 위해 복장전환이 사용된다.

① 태자가 '여복으로 갈아 입'고 정소저를 뒤따라 '관음사로 찾아가'는 것에서, 애정 욕구를 실현하기 위해 복장전환을 선택한 인물의 의지를 확인할 수 있군.
② 태자가 자신을 '주상공 댁 소저'로 속이고 정소저와 '서로 슬픈 정회를 위로'하며 '옥수를 잡'을 수 있었던 것에서 복장전환이 이성과의 교우를 가능하게 해 주는 수단으로 쓰였음을 확인할 수 있군.
③ 주소저가 '탁월한 풍채와 늠름한 기상'을 지닌 정소저를 보고 놀라는 것에서 정소저가 자신의 실체를 상대에게 숨기는 수단으로 복장전환을 사용했음을 확인할 수 있군.
④ '여자이오나 어릴 적부터 병서를 공부'했다고 한 정소저가 '남자 되어 적진을 진정시'켰다고 하는 것에서 복장전환을 한 인물이 자신의 사회적 한계를 극복하고 능력을 발휘했음을 확인할 수 있군.
⑤ 정소저가 '부친의 위급함을 듣고' '소년' '장수'가 되었다는 것에서 인물이 위기 국면에서 고난에 적극적으로 대처하기 위해 복장전환을 선택했음을 확인할 수 있군.

[37 ~ 41] 다음 글을 읽고 물음에 답하시오.

(가)
사랑의 본질에 대한 토마스 아퀴나스의 설명은 인간의 사랑인 아모르에 대한 분석에 기초한다. 그는 인간이 선을 추구하려는 욕구를 지닌 존재인데, ㉠ 욕구를 추구하는 인간 행위의 원천이 바로 사랑이라 말한다. 이때 선이란 자신에게 좋은 것으로 자신의 본성에 적합하거나 자신에게 기쁨을 주는 것을 뜻한다.
아퀴나스에 ⓐ 따르면 인간의 욕구는 감각적 욕구와 지적 욕구로 구별되는데, 이는 선을 추구한다는 점에서는 동일하지만 크게 두 가지 차이점이 있다. 첫째, 감각적 욕구에 의한 추구 행위는 대상에 의해 촉발되어 이에 수동적으로 반응하는 것이다. 반면 지적 욕구에 의한 추구 행위는 지성의 능동적인 활동과 주체의 선택에 의해 일어나는 보다 적극적인 것이다. 둘째, 감각적 욕구는 감각적 인식능력에 의해 선으로 인식된 것을 추구하는 반면, 지적 욕구는 지성에 의해 선으로 이해된 것을 추구한다. 왜냐하면 감각적 인식능력은 대상의 선악 판단에 개입할 수 없지만, 지성은 대상이 무엇이든 이해한 바에 따라 선악 판단을 다르게 할 수 있기 때문이다. 예를 들어 단맛이 나에게 기쁨을 준다면 감각적 욕구는 사탕을 추구하겠지만, 지적 욕구는 사탕이 충치를 유발할 수도 있으므로 선이 아니라고 판단한다면 추구하지 않을 수도 있다.
아퀴나스는 감각적 욕구와 지적 욕구가 있는 곳에는 항상 사랑이 있다고 말하며, 사랑이 선을 향한 감각적 욕구와 지적 욕구에 의한 추구 행위를 일으키는 힘이라고 설명한다. 특히, 아퀴나스는 감각적 욕구에 의한 추구 행위를 '정념'이라고 칭하며, 사랑을 전제하지 않는 정념은 없으며 선을 향한 사랑에서부터 여러 정념이 비롯된다고 하였다. 만약 여러 대상에 대한 감각적 욕구들이 동시에 일어난다면 어떻게 될까? 인간은 가장 먼저 추구할 감각적 욕구를 지성에 의해 판단하고 선택한다. 다른 것보다 더 선이라고 이해된 것을 우선 추구하기 때문이다. 결국 아퀴나스가 말하는 인간의 사랑은 선에 대한 자신의 이해에 입각하기 때문에 자신에게 선인 것에 대한 사랑을 근본으로 한다.

(나)

칸트는 감성적 차원의 사랑과 실천적 차원의 사랑이 다르다고 설명한다. 감성적 차원의 사랑은 남녀 간의 사랑같이 인간의 경향성에 근거한 사랑이며, 실천적 차원의 사랑은 의무로서의 사랑이라 할 수 있다. 칸트는 감성적 차원의 사랑보다는 실천적 차원의 사랑에 더 주목하고 가치를 부여한다.

칸트에 따르면 인간은 도덕법칙을 실천하려고 하는 선의지를 지닌 존재이다. 여기서 선의지란 선을 지향하는 의지로 그 자체만으로 조건 없이 선한 것이다. 그는 인간이 도덕적 존재가 될 수 있는 것은 이성이 인간에게 도덕법칙을 의무로 부여하기 때문이라고 말한다. 칸트에게 의무란 도덕법칙에 대한 존경심 때문에 어떤 행위를 필연적으로 해야만 하는 것이다. 이때 보편적으로 적용할 수 있는 도덕법칙은 '너는 무엇을 해야 한다'라는 명령의 형식으로 나타나며, 칸트는 선의지에 따라 의무로부터 비롯된 행위를 실천하는 것만이 도덕적 가치가 있다고 보았다.

칸트의 관점에서 감성적 차원의 사랑은 욕구나 자연적 경향성에 이끌리는 감정이기 때문에, 의무로 강제하거나 명령을 통해 일으킬 수 있는 것이 아니다. 그는 어떤 경향성과도 무관하거나 심지어 경향성을 거스르지만, 도덕법칙을 ⓑ 따르려는 의무로서의 사랑을 실천하는 것만이 참된 도덕적 가치를 지닌다고 보았다. 그리고 실천적 차원의 사랑만이 보편적인 도덕법칙으로 명령될 수 있으며, 인간에 대한 실천적 차원의 사랑은 모든 인간이 갖는 서로에 대한 의무라고 말한다.

37. (가)와 (나)의 공통점으로 가장 적절한 것은?

① (가)와 (나)는 모두 문제점에 대한 해결 방안을 모색하고 있다.
② (가)와 (나)는 모두 용어의 개념을 정의하며 내용을 전개하고 있다.
③ (가)와 (나)는 모두 두 가지 이론의 장단점을 비교하며 설명하고 있다.
④ (가)와 (나)는 모두 두 가지 관점을 절충하며 하나의 결론을 도출하고 있다.
⑤ (가)와 (나)는 모두 특정 학자의 견해가 지닌 논리적 오류를 지적하고 있다.

38. ㉠에 대한 설명으로 적절하지 않은 것은?

① 선을 추구한다.
② 인간이 지니고 있는 것이다.
③ 감각적 욕구와 지적 욕구로 구별된다.
④ 감각적 욕구들은 동시에 일어날 수 없다.
⑤ 감각적 욕구에 의한 추구 행위는 정념이라 부른다.

39. (가)와 (나)를 읽은 학생이 <보기>에 대해 보인 반응으로 적절하지 않은 것은? [3점]

〈보 기〉

갑은 잠에서 깨어나 방안 가득한 카레 냄새를 맡고 카레가 먹고 싶어져 식탁으로 갔다. 그런데 오늘 예정된 봉사활동에 늦지 않기 위해 카레를 먹지 않기로 하고 봉사활동을 하러 갔다. 봉사활동을 마치고 집에 가는 길에 카페에 들렀더니 진열장에 시원한 생수와 맛있는 케이크가 있었다. 그것들을 보니 목도 마르고 배도 고팠지만 생수를 먼저 주문해 마신 후, 케이크를 주문해 먹었다. 그러다 갑은 카페에 들어오는 이성인 을의 미소를 보고 첫눈에 반했다. 평소 갑은 부끄러움이 많았지만 용기를 내어 을에게 다가갔다.

① 아퀴나스에 따르면, 갑이 카레가 먹고 싶어진 것은 카레 냄새에 의해 촉발된 감각적 욕구에 의한 추구 행위이겠군.
② 아퀴나스에 따르면, 갑이 카레를 먹지 않은 것은 지성이 카레를 먹는 것을 선이 아니라고 판단했기 때문이겠군.
③ 아퀴나스에 따르면, 갑이 생수와 케이크 중 생수를 먼저 주문해 마신 것은 갈증을 해결하는 것이 더 선이라고 이해했기 때문이겠군.
④ 칸트에 따르면, 갑이 을의 미소에 첫눈에 반한 것은 자연적 경향성에 이끌린 것이겠군.
⑤ 칸트에 따르면, 갑이 을에게 다가간 것은 감성적 차원의 사랑에서 실천적 차원의 사랑으로 나아간 것이겠군.

40. (가)와 (나)에 대해 이해한 내용으로 적절하지 않은 것은?

① (가)의 아퀴나스는 인간이 선악을 판단할 수 있다고 보았고, (나)의 칸트는 인간에게 그 자체로 선한 선의지가 내재되어 있다고 보았다.
② (가)의 아퀴나스는 모든 정념이 사랑을 전제한다고 보았고, (나)의 칸트는 감성적 차원의 사랑은 명령을 통해 일으킬 수 없다고 보았다.
③ (가)의 아퀴나스는 사랑을 통해 기쁨을 얻을 수 있다고 보았고, (나)의 칸트는 사랑이 인간에게 도덕법칙을 의무로 부여한다고 보았다.
④ (가)의 아퀴나스는 사랑을 욕구와의 관계에 따라 설명하였고, (나)의 칸트는 사랑을 감성적 차원과 실천적 차원으로 구분하여 설명하였다.
⑤ (가)의 아퀴나스는 인간의 사랑이 자신에게 선인 것에 대한 사랑을 근본으로 한다고 보았고, (나)의 칸트는 보편적으로 적용할 수 있는 도덕법칙이 있다고 보았다.

41. 다음 중 ⓐ와 ⓑ의 의미로 쓰인 예가 바르게 짝지어진 것은?

① ⓐ: 경찰이 범인의 뒤를 따랐다.
ⓑ: 춤으로는 그를 따를 자가 없다.
② ⓐ: 그는 법에 따라 일을 처리했다.
ⓑ: 우리는 의회의 결정을 따르겠다.
③ ⓐ: 개발에 따른 공해 문제가 심각하다.
ⓑ: 우리 집 개는 아버지를 유난히 따른다.
④ ⓐ: 아무도 그의 솜씨를 따를 수 없었다.
ⓑ: 그는 유행을 따라서 옷을 입었다.
⑤ ⓐ: 사용 목적에 따라서 물건을 분류했다.
ⓑ: 나는 강을 따라 천천히 내려갔다.

[42 ~ 45] 다음 글을 읽고 물음에 답하시오.

(가)

도연히 취한 후에 **선판(船板)* 치며 즐기더니**
서북간 일진광풍 홀연히 일어나니
태산 같은 높은 물결 하늘에 닿았구나
주중인(舟中人)이 황망하여 **조수(措手)할* 길** 있을쏘냐
나는 새 아니니 어찌 살기 바라리오
밤은 점점 깊어가고 풍랑은 더욱 심하다
만경창파(萬頃蒼波) **일엽선(一葉船)이 끝없이 떠나가**니
슬프다 무슨 죄로 하직 없는 이별인가
일생일사(一生一死)는 자고로 예사로대
어복(魚腹) 속에 영장(永葬)함*은 이 아니 **원통**한가
부모처자 우는 거동 생각하면 목이 멘다
죽기는 자분(自分)*하나 기갈(飢渴)*은 무슨 일인가
명천(明天)이 감동하시어 대우(大雨)를 내리심에
돛대 안고 우러러서 낙수(落水)를 먹었으니
갈(渴)한 것은 진정하나 입에서 성에 나네*
밝으면 낮이런가 어두우면 밤이런가
오륙일 지낸 후에 원원(遠遠)히 바라보니
동남간 **삼대도(三大島)**가 은은히 솟아났다
일본인가 짐작하여 **선구(船具)를 보집(補緝)**하니*
무슨 일로 바람 형세 또다시 변하는가
그 섬을 벗어나니 다시 못 보리로다
대양(大洋)에 표탕(飄盪)*하여 물결에 부침(浮沈)*하니
하늘을 부르짖어 죽기만 바라더니
선판(船板)을 치는 소리 귓가에 들리거늘
물결인가 의심하여 황급히 나가 보니
자 넘는 **검은 고기** 배 안에 뛰어든다
생으로 토막 잘라 팔인(八人)이 나눠 먹고
경각에 끊을 목숨 힘입어 보전하니
황천(皇天)이 주신 겐가 해신(海神)의 도움인가
이 고기 아니었으면 우리 어찌 살았으리
어느덧 시월이라 초사일 아침 날에
㉠큰 섬이 앞에 뵈나 인력(人力)으로 어찌 하리
자연히 바람결에 섬 아래 닿았구나

– 이방익, 「표해가(漂海歌)」 –

* 선판: 배의 갑판.
* 조수할: 손쓸.
* 어복 속에 영장함: 고기 뱃속에 장사지냄.
* 자분: 자기 분수.
* 기갈: 배고픔과 목마름.
* 입에서 성에 나네: 입에 성에가 돋을 정도로 차갑네.
* 선구를 보집하니: 배에서 쓰는 기구를 수리하니.
* 표탕: 헤매어 떠돎.
* 부침: 물 위에 떠올랐다 물속에 잠겼다 함.

(나)

나는 책상 위에 지도를 펴놓는다. 수없는 산맥, 말할 수 없이 많은 바다, 호수, 낯선 항구, 숲, 어찌 산만을 좋다고 하겠느냐. 어찌 바다만을 좋다고 하겠느냐. 산은 산의 기틀을 감추고 있어서 좋고 바다는 또한 바다대로 호탕해서, 경솔히 그 우열을 가려서 말할 수 없다. ⓐ그렇지만 날더러 둘 가운데서 오직 하나만을 가리라고 하면 부득불 바다를 가질 밖에 없다. 산의 웅장과 침묵과 수려함과 초연함도 좋기는 하다. 하지만 저 바다의 방탕한 동요만 하랴. 산이 「아폴로」라고 하면 우리들의 「디오니소스」는 바로 바다겠다.

나는 **눈을 감고** 잠시 그 행복스러울 **어족**들의 여행을 **머리 속에 그려** 본다. 해류를 따라서 **오늘은 진주(眞珠)의 촌락, 내일은 해초의 삼림(森林)**으로 흘러다니는 그 **사치한 어족**들, 그들에게는 천기예보도 「트렁크」도 차표도 여행권도 필요치 않다. 때때로 사람의 그물에 걸려서 「호텔」의 식탁에 진열되는 것은 물론 어족의 여행실패담(旅行失敗譚)이지만 그것도 결코 그들의 실수는 아니고, 차라리 「카인」의 자손의 악덕 때문이다. 나는 그들이 **해저(海底)에 국경을 만들었다는** 정열도 「프랑코」 정권을 승인했다는 방송도 들은 일이 없다. 그렇다. 나는 동그란 선창(船窓)에 기대서 흘수선(吃水線)*으로 모여드는 **어린 고기들의 청초와 활발**을 끝없이 사랑하리라. 남쪽 바닷가 생각지도 못하던 「서니룸」에서 씹는 수박 맛은 얼마나 더 청신하랴. ⓑ만약에 제비같이 재잘거리기 좋아하는 이국(異國)의 소녀를 만날지라도 나는 조금도 두려워하지 않고 서투른 외국말로 대담하게 대화를 하리라. 그래서 그가 구경한 땅이 나보다 적으면 그때 나는 얼마나 자랑스러우랴. 그렇지 않고 도리어 나보다 훨씬 많은 땅과 풍속을 보고 왔다고 하면 나는 진심으로 그를 경탄할 것이다.

(중략)

나는 「튜리스트 · 뷔로*」로 달려간다. 숱한 여행 안내를 받아가지고 뒤져본다. 비록 직업일망정 사무원은 오늘조차 퍽 다정한 친구라고 지녀 본다.

필경 정해지는 길은 말할 수 없이 겸손하게 짧다. 사무원의 책상 위나, 설합 속에 엿보이는 제일 먼 ㉡차표가 퍽으나 부럽다. 안내서에 붙은 1등 선실 그림을 하염없이 뒤적거린다.

그러나 나는 오늘 그 「보스톤 · 백」과 그리고 단장(短杖)을 기어이 사고 말겠다. 내일(來日)은 그 속에 두어벌 내복과 잠옷과 세수기구와 그러고는 ── 「악(惡)의 꽃」과 불란서말 자전을 집어 넣자. 동서고금의 모든 시집 속에서 오직 한권을 고른다고 하면 물론 나는 이 책을 집을 것이다. ⓒ그리고는 짧은 바지에 「노타이」로 한 손에는 「보스톤 · 백」을 드리우고 다른 한 손으로는 단장을 휘휘 내두르면서 차표가 끝나는 데까지 갈 것이다.

ⓓ모든 걱정은, 번뇌는, 울분은, 의무는 잠시 미정고(未定稿)*들과 함께 먼지낀 방안에 묶어서 두고 될 수만 있으면 모든 괴로운 과거마저 잊어버리고 떠나고 싶다. 행장은 경할수록 더욱 좋다.

나는 충고한다. 될 수만 있으면 제군의 배좁은 심장을, 사상을, 파쟁(派爭)을 연애를 잠시라도 좋으니 바닷가에 해방해 보면 어떻냐고 ──.

여행(旅行) ── 그것 밖에 남은 것은 없다. ⓔ내가 뽑을 행복의 최후의 제비다. 그것마저 싱거워지면 그때에는 「슈르리얼리스트」의 그 말썽 많던 설문(設問)을 다시 한번 참말 생각해 보아야지.

집이 배좁았다.
고향이 배좁았다.
나라가 배좁아진다.
세계(世界)마저 배좁아지면 다음에는 어디로 갈까.

– 김기림, 「여행(旅行)」 –

* 흘수선: (잔잔한 물에 떠 있는 배의) 선체가 물에 잠기는 한계선.
* 튜리스트 · 뷔로: 여행사.
* 미정고: 아직 완성되지 않은 원고.

42. (가)와 (나)의 공통점으로 가장 적절한 것은?
① 계절의 변화를 중심으로 내용을 전개하고 있다.
② 설의적인 표현을 사용하여 의미를 강조하고 있다.
③ 명령형 어미를 사용하여 긴장감을 고조하고 있다.
④ 동일한 색채어를 나열하여 현장감을 표현하고 있다.
⑤ 특정 대상과 대화하는 방식으로 주제를 부각하고 있다.

43. ㉠과 ㉡에 대한 설명으로 가장 적절한 것은?
① ㉠과 ㉡은 모두 화자나 글쓴이가 경계하는 대상이다.
② ㉠과 ㉡은 모두 화자나 글쓴이가 소망하는 대상이다.
③ ㉠과 ㉡은 모두 화자나 글쓴이가 극복하려고 하는 대상이다.
④ ㉠과 ㉡은 모두 화자나 글쓴이가 동화되려고 하는 대상이다.
⑤ ㉠과 ㉡은 모두 화자나 글쓴이가 우월감을 갖게 하는 대상이다.

44. ⓐ ~ ⓔ에 대한 이해로 적절하지 않은 것은?
① ⓐ: 두 대상에 대한 평가를 바탕으로 자신의 선택을 드러내고 있다.
② ⓑ: 여행에서의 낯선 상황을 가정하며 자신이 취할 행동을 떠올리고 있다.
③ ⓒ: 자신이 원하는 여행자의 모습을 상상하고 있다.
④ ⓓ: 자신이 아직 해결하지 못한 일을 여행지에서 마무리하고 싶은 마음을 드러내고 있다.
⑤ ⓔ: 여행이 자신에게 지니는 의미를 드러내고 있다.

45. <보기>를 바탕으로 (가)와 (나)를 감상한 내용으로 적절하지 않은 것은? [3점]

< 보 기 >

문학 작품에서 바다는 다양한 의미를 지닌 공간으로 나타난다. (가)의 바다는 화자가 직접 체험하는 공간으로, 예상치 못한 조난을 당한 화자가 생명의 위협을 느끼며 벗어나고 싶어 하는 공간이다. 한편, (나)의 바다는 글쓴이가 상상하는 공간이자 자유롭고 생명력 넘치는 공간으로, 이를 통해 글쓴이는 일상에서 벗어날 수 있는 꿈을 꾸게 된다.

① (가)에서 '선판 치며 즐기'다가 '조수할 길' 없이 '일엽선이 끝없이 떠나가'게 된 것을 통해 바다가 예상치 못한 조난을 겪는 공간으로 나타나고 있음을 알 수 있군.
② (나)에서 '어족들'이 '오늘은 진주의 촌락'을 다니고 '내일은 해초의 삼림'을 다닌다는 것을 통해 바다가 글쓴이에게 자유로운 공간으로 인식되고 있음을 알 수 있군.
③ (가)에서 '삼대도'를 보자 '선구를 보집'하는 것을 통해 화자는 바다를 벗어나고 싶은 공간으로, (나)에서 '사치한 어족들'이 '해저에 국경을 만들었다는' 것을 통해 글쓴이는 바다를 일상에서 벗어날 수 있는 공간으로 인식하고 있음을 알 수 있군.
④ (가)에서 '어복 속에 영장'할 수 있음에 '원통'해하는 것을 통해 바다는 화자가 생명의 위협을 느끼는 공간으로, (나)에서 '어린 고기들'이 '청초'하고 '활발'하다고 하는 것을 통해 글쓴이가 바다를 생명력이 넘치는 공간으로 인식하고 있음을 알 수 있군.
⑤ (가)에서 '선판을 치는 소리'를 듣고 '검은 고기'를 먹는 것을 통해 바다는 화자의 생존을 위한 체험이 이루어지는 공간으로, (나)에서 '눈을 감고' 바다의 모습을 '머리 속에 그려' 보는 것을 통해 바다는 글쓴이의 상상이 담긴 공간으로 나타나고 있음을 알 수 있군.

※ 확인 사항

답안지의 해당란에 필요한 내용을 정확히 기입(표기)했는지 확인하시오.

국어 영역

2회 소요시간 /80분

제 1 교시

➡ 해설 P.14

[1~3] 다음은 학생의 발표이다. 물음에 답하시오.

안녕하세요? 여러분, '유토피아'라는 말을 들어 본 적이 있으세요? (청중의 대답을 듣고) 네, 많이들 알고 계시네요. 유토피아란 이 세상에 없는 좋은 곳이라는 의미로, 이상향이라고도 합니다. 현실의 고통에서 벗어나고 싶었던 인류는 저마다의 유토피아를 꿈꿔 왔는데요, 그중 하나가 '코케뉴'입니다. (그림을 보여 주며) 이 그림처럼 배고픔에 시달리던 중세 유럽인들이 꿈꾼 코케뉴는 포도주 강물이 흐르고 따뜻한 파이와 빵이 비로 내리는 곳입니다. 그들은 이곳에서의 풍요로운 삶을 상상하며 잠시 배고픔을 잊고 싶었을 것입니다.

(화면을 가리키며) 다음 그림들을 보시죠. 첫 번째 그림은 밀레의 '이삭 줍는 여인들', 두 번째 그림은 고흐의 '감자 먹는 사람들'입니다. 이 두 작품에는 18세기 유럽을 강타한 흉년과 연이은 전쟁 이후, 식량난에 시달리던 농민들의 모습이 나타나 있습니다. 우리는 이 ㉠<u>세 그림</u>을 통해 오랜 시간 인류가 배고픔으로 인해 고통을 받았음을 알 수 있습니다.

그런데 지금은 어떤가요? 주위를 둘러보면 마치 코케뉴가 실현된 것처럼 보입니다. 편의점이나 마트에는 다양한 식품들이 가득 진열돼 있고, 원하는 음식을 쉽게 주문해 먹을 수 있습니다. (화면을 가리키며) 이런 ㉡<u>영상</u>을 보신 적이 있으시죠? (청중의 반응을 확인한 후) 네, 바로 '먹는 방송', '먹방'인데요, 요즘은 이렇게 음식을 먹는 소리를 들려주거나, 많은 양의 음식을 맛있게 먹는 모습을 보여 주는 '먹방'이 인기를 끌고 있습니다.

만약 코케뉴를 꿈꾸던 중세의 농부가 현재의 세상을 본다면, 지금 이곳이 코케뉴와 비슷하다고 생각할지도 모릅니다. 하지만 이 세상이 누구에게나 코케뉴와 같은 곳일까요? 한쪽에서는 음식이 너무 풍족한 나머지 비만이나 넘쳐 나는 음식물 쓰레기가 문제인 반면, 다른 쪽에서는 아직도 많은 사람들이 기아로 목숨을 잃고 있습니다. (화면을 가리키며) 지금 보시는 화면은 기아 문제 해결을 목표로 하는 단체인 '세계 기아 리포트'의 2020년 ㉢<u>통계 자료</u>인데요, 현재 약 6억 9천만 명 정도의 사람이 굶주림에 시달리고 있다는 점을 알 수 있습니다. 이 자료에서 37개의 국가들은 2030년이 되어도 상황이 나아지지 않거나 오히려 악화될 수도 있음을 확인할 수 있습니다.

중세의 유럽인들이 꿈꾸던 코케뉴는 누군가만 배부른 세상이 아니라 누구도 배고프지 않은 세상이었을 겁니다. 우리가 살아가는 세상이 코케뉴가 될 수 있는 길은 우리 모두가 기아 문제에 관심을 갖고 이를 해결하기 위한 노력에 동참하는 것입니다. 이 발표를 계기로 여러분이 기아 문제에 관심을 갖게 되기를 바랍니다. 일상에서 실천할 수 있는 작은 노력으로 음식물 쓰레기 줄이기부터 시작해 보는 것은 어떨까요? 이상으로 발표를 마치겠습니다.

1. 위 발표자의 말하기 방식으로 가장 적절한 것은?

① 전문가의 말을 인용하여 내용의 신뢰성을 높이고 있다.
② 질문을 던지는 방식을 통해 청중과 상호 작용하고 있다.
③ 발표하는 중에 청중이 주의해야 할 점을 안내하고 있다.
④ 화제를 선정하게 된 이유를 밝히며 발표를 시작하고 있다.
⑤ 내용에 대한 청중의 이해 여부를 점검하며 발표를 마무리하고 있다.

2. 위 발표에서 발표자의 자료 활용에 대한 설명으로 가장 적절한 것은?

① ㉠: 배고픔의 문제가 해결되는 과정을 설명하기 위해 세 그림을 차례대로 보여 주었다.
② ㉠: 시대마다 코케뉴의 개념이 달라진 원인을 설명하기 위해 세 그림의 차이점을 부각하였다.
③ ㉡: 코케뉴의 실현을 목표로 한 구체적 실천 과제를 제시하기 위해 영상을 활용하였다.
④ ㉢: 세계 기아 문제의 실태와 심각성을 알리기 위해 통계 자료를 활용하였다.
⑤ ㉢: 최근 몇 년간 진행된 기아 문제 해결의 성과를 소개하기 위해 통계 자료를 활용하였다.

3. 다음은 위 발표를 들은 학생들의 반응이다. <보기> 중 학생들의 반응에서 확인할 수 있는 것만을 고른 것은?

○ **학생 1:** 발표를 들으니 기아 문제로 고통받는 사람들이 많은데 기아 문제의 원인이나 해결 방안에는 어떤 것이 있을까? '세계 기아 리포트' 홈페이지나 관련 블로그를 찾아봐야겠어.
○ **학생 2:** 여전히 기아로 고통받는 사람들이 있다는 사실을 너무 모른 척하고 지낸 것 같아. 어제 식당에서 먹을 수 있는 양보다 더 많은 음식을 주문하고 다 먹지 못한 내 행동을 돌아보게 됐어.

<보 기>

ㄱ. 발표 내용이 사실과 부합하는지 점검하고 있다.
ㄴ. 발표에서 언급되지 않은 내용을 추론하고 있다.
ㄷ. 발표를 듣고 나서 자신의 행동을 성찰하고 있다.
ㄹ. 발표자의 주장에 대한 구체적 근거를 파악하고 있다.
ㅁ. 발표 내용과 관련된 궁금증을 해소할 방안을 생각하고 있다.

① ㄱ, ㄴ ② ㄱ, ㄷ ③ ㄴ, ㄹ
④ ㄷ, ㅁ ⑤ ㄹ, ㅁ

[4~7] (가)는 설명문 쓰기 모둠 활동을 위해 학생들이 실시한 인터뷰이고, (나)는 이를 바탕으로 '학생 1'이 작성한 글의 초고이다. 물음에 답하시오.

설명문 쓰기 모둠 활동
[활동 1] 인터뷰를 통해 중심 화제에 대한 내용 수집하기
[활동 2] 우리 학교 학생들을 예상 독자로 하여 [활동 1]의 결과를 바탕으로 초고 작성하기
[활동 3] 상호 평가를 통한 고쳐쓰기

(가)

학생 1 : 이번 인터뷰에 응해 주셔서 감사합니다. 먼저 숲가꾸기 사업이 무엇인지에 대해 말씀해 주시겠어요?

연구원 : 숲가꾸기 사업이란 나무들이 건강하게 자랄 수 있게 숲을 가꾸고 나무를 보살피는 일로, 나무를 심고 벌채하기까지 진행되는 어린나무 가꾸기, 솎아베기, 큰나무 가꾸기 등의 작업을 아우르는 말입니다.

학생 2 : ㉠ 그렇다면 숲을 이루는 나무들의 나이와 상태에 따라 어떤 작업을 할지가 결정된다는 말씀이신가요?

연구원 : 네, 그렇습니다. 예를 들어 솎아베기는 나무가 굵고 곧게 자라도록 우량한 나무 주변의 생장이 좋지 않은 나무를 잘라 주는 작업인데요, 나무를 심은 후 15년이 지난 다음부터 5~10년을 주기로 2~3회 실시합니다.

학생 2 : ㉡ 그럼 심은 지 15년에서 40여 년 정도 되는 나무가 많은 숲은 솎아베기를 통해 숲을 가꾸어야겠군요. 그렇다면 솎아베기와 같은 숲가꾸기 사업을 제때에 하지 않으면 어떻게 되나요?

연구원 : 나무들 간에 가지 뻗음 경쟁이 치열해져 나무들이 굵게 자라지 못하기 때문에 고급 목재의 생산이 어려워지는 등 숲의 경제적 가치가 떨어지게 됩니다. 이처럼 숲을 가꾸어야 할 시기를 놓치지 않는 것이 중요하지요.

학생 1 : 자료를 조사하다 보니 숲가꾸기를 하지 않으면 산불에도 취약해진다고 하던데, 숲가꾸기와 산불과의 관계를 좀 더 구체적으로 설명해 주시겠어요?

연구원 : 숲가꾸기를 하지 않아 나무가 빽빽할 경우 불이 나무와 나무 사이로 번지면서 산불이 빠르게 확산됩니다. 그런데 숲가꾸기 사업을 진행한 지역에서는 나무들 사이의 간격이 넓기 때문에 불이 나무 사이로 번지는 대신 땅 위의 잡초 등을 태우다 꺼지게 됩니다. 그래서 산불을 빠르게 잡을 수 있어 피해를 줄일 수 있습니다.

학생 2 : ㉢ 숲가꾸기 사업을 통해 산불을 빠르게 잡을 수 있어 피해를 줄일 수 있다니 숲가꾸기 사업은 더 활발하게 진행되어야겠다는 생각이 드네요. 혹시, 숲가꾸기 사업을 진행하면서 겪었던 어려움은 없으신가요?

연구원 : 국유림과 달리 민간 소유의 산림은 숲가꾸기 사업을 강제로 진행할 수 없습니다. 그래서 산림청에서는 민간 산림 소유주들의 숲가꾸기 사업 동참을 유도하기 위한 정책을 시행하고 있습니다.

학생 1 : ㉣ 인터뷰 전에 산림청 홈페이지를 살펴보았는데, 방금 말씀하신 정책이 혹시 숲가꾸기 지원 사업인가요?

연구원 : 네, 그렇습니다. 잘 알고 있네요. 이 밖에도 산림청에서는 4차 산업혁명 시대를 맞이하여 디지털 산림 경영 기반을 조성하기 위한 노력도 병행하고 있습니다.

학생 2 : ㉤ 숲가꾸기 사업과 그 지원 사업, 디지털 산림 경영 기반 조성 등과 같은 노력 덕분에 우리의 숲이 더욱 건강한 모습을 유지할 수 있겠네요. 끝으로 숲가꾸기 사업에 대해 하시고 싶은 말씀이 있으신가요?

연구원 : 나무를 심는 것 이상으로 중요한 것이 나무를 잘 가꾸는 것입니다. 연구 결과 숲가꾸기를 진행한 이후 산림의 공익적 가치가 무려 10배 넘게 증가했다고 합니다. 앞으로도 여러분뿐만 아니라 후손들이 건강하고 아름다운 숲을 만날 수 있도록 최선을 다하겠습니다.

학생 1, 2 : 좋은 말씀 감사합니다.

(나)

제목 : 나무는 무럭무럭, 숲의 가치는 쑥쑥! 숲가꾸기 사업

숲은 가꾸어야 할 시기를 놓치면 나무의 가치가 떨어질 뿐만 아니라 산불, 병충해, 태풍 등의 자연재해에도 취약해진다. 따라서 나무의 성장 과정에 따라 어린나무 가꾸기, 솎아베기, 큰나무 가꾸기 등과 같은 작업을 실시해야 하는데, 산림청에서는 나무가 건강하게 자랄 수 있도록 숲을 가꾸고 보살피는 '숲가꾸기 사업'을 지속해서 시행하고 있다.

우리나라의 경우 1970~80년대 나무 심기 운동을 통해 산을 푸르게 만드는 데에는 성공하였으나, 자원으로 쓰여질 수 있는 산림의 양은 126㎥/ha로 산림 선진국에 비하면 여전히 부족한 편이다. 또한 전체 산림에서 솎아베기가 필요한 15~40년생의 나무가 차지하는 비율이 67%에 이르고 있어 숲가꾸기 사업의 필요성은 더욱 높아지고 있다.

숲가꾸기를 실시하면 나무가 굵고 곧게 자라기 때문에 고급 목재를 생산할 수 있어 산림의 경제적 가치가 크게 증가할 뿐만 아니라 나무들이 건강하게 자랄 수 있기 때문에 산림의 생태적 건강성도 향상된다. 또한 장마나 집중 호우 등으로 인한 산사태를 사전에 미리 예방할 수 있으며, 산불 발생 시 피해를 줄일 수 있는 효과도 얻을 수 있다. 연구 결과에 의하면 약 18조 원에 불과했던 우리나라 산림의 공익적 가치는 숲가꾸기 사업을 실시한 이후 221조 원에 이르는 것으로 나타났으며, 이는 국민 1인당 연간 428만 원의 혜택을 보는 셈이라고 한다.

한편 산림청에서는 민간 산림 소유주의 동참을 이끌어 내기 위해 산림 소유주가 간단한 지원 신청서만 제출하면 숲가꾸기 사업에 소요되는 비용 전액을 지원해 주고 있다. 숲가꾸기 사업은 주로 봄에 시행한다. 또한 산림청에서는 4차 산업혁명 시대를 맞이하여 산림 자원 육성에 필요한 데이터를 수집할 수 있는 시스템을 구축하는 등 '디지털 산림 경영 기반'을 조성하기 위한 노력도 병행하며 우리의 후손들이 건강하고 아름다운 숲을 만날 수 있도록 최선을 다하고 있다.

4. ㉠~㉤의 말하기 방식으로 적절하지 <u>않은</u> 것은?

① ㉠ : 질문을 통해 상대방의 발언 내용에 대해 자신이 이해한 내용이 맞는지를 확인하고 있다.
② ㉡ : 상대방의 발화 의도를 확인한 후 이에 대한 추가 정보를 요청하고 있다.
③ ㉢ : 상대방의 발언을 재진술하며 자신의 생각을 밝히고 있다.
④ ㉣ : 정보의 출처를 언급하며 상대방에게 자신이 알고 있는 내용이 맞는지를 확인하고 있다.
⑤ ㉤ : 인터뷰를 통해 알게 된 내용을 요약적으로 제시하며, 긍정적 전망을 드러내고 있다.

5. 다음은 (가)의 인터뷰를 진행하기 위해 '학생 1'과 '학생 2'가 대화를 나눈 후 작성한 인터뷰 계획표이다. (가)를 고려할 때, 인터뷰에서 확인할 수 있는 내용만을 고른 것은?

> ○ 숲가꾸기 사업이 생소한 학생들을 위해 숲가꾸기 사업에 대해 소개해 달라고 말하며 인터뷰를 시작해야겠어. ……… ⓐ
> ○ 숲가꾸기 사업의 효과를 알 수 있는 실제 사례가 있다면 소개해 달라고 부탁해야겠어. ……… ⓑ
> ○ 숲가꾸기 사업을 하면서 겪는 어려움을 극복하는 방법이 있다면 알려 달라고 부탁해야겠어. ……… ⓒ
> ○ 숲가꾸기 사업을 적절한 시기에 하지 않을 때 발생할 수 있는 문제점을 설명해 달라고 말해야겠어. ……… ⓓ
> ○ 숲가꾸기 사업과 관련해서 전하고 싶은 내용이 있다면 말씀해 달라고 부탁하며 인터뷰를 마무리해야겠어. ……… ⓔ

① ⓐ, ⓑ, ⓓ ② ⓐ, ⓒ, ⓔ ③ ⓐ, ⓓ, ⓔ
④ ⓑ, ⓒ, ⓔ ⑤ ⓒ, ⓓ, ⓔ

6. (가)와 (나)를 고려할 때, '학생 1'이 글을 쓰기 위해 떠올렸을 생각으로 적절하지 않은 것은?

① 인터뷰에서 알게 된 숲가꾸기 사업의 목적이 드러나게 제목을 구성해야겠군.
② 숲가꾸기 사업과 관련된 정책을 소개하며 숲가꾸기 사업을 활성화하기 위한 노력을 소개해야겠군.
③ 숲을 가꾸지 않았을 때의 부작용을 추가로 제시하며 숲가꾸기 사업을 실시해야 하는 이유를 강조해야겠군.
④ 산림 선진국의 숲가꾸기 사업의 진행 현황을 제시하며 산림 관리가 숲가꾸기 사업으로 전환된 배경을 소개해야겠군.
⑤ 숲가꾸기 사업을 통해 얻을 수 있는 효과를 경제적 측면과 생태적 측면으로 나누어 제시하여 숲가꾸기 사업의 가치를 강조해야겠군.

7. (나)에 대한 '학생 2'의 상호 평가 내용으로 적절하지 않은 것은?

	'학생 2'의 상호 평가 내용
잘한 점	연구 자료를 활용하여 글의 내용을 뒷받침한 점 … ①
	시간 순서에 따른 내용 전개 방식을 활용하여 중심 화제의 변화 과정을 설명한 점 ……… ②
수정할 점	2문단에서 이중 피동 표현을 사용한 점 ……… ③
	3문단에서 의미가 중복되는 단어를 사용한 점 …… ④
	4문단에서 글의 흐름과 어긋나는 문장을 사용하여 통일성을 떨어뜨린 점 ……… ⑤

[8~10] 다음 글을 읽고 물음에 답하시오.

[작문 상황]

> ○ **작문 과제** : 금융 교육 활성화를 위한 건의문 작성하기
> ○ **예상 독자** : 우리 학교의 금융 교육 프로그램 담당 선생님

[학생의 초고]

안녕하세요? 저는 학교에서 실시한 금융 교육 특강에 참여했던 1학년 문○○입니다. 특강이 끝난 후 함께 참여한 친구들과 이야기를 나누어 보았는데, 학교에서 실시하는 금융 교육의 시간이 부족하다는 점과 인원 제한으로 인해 이번 특강에 참여하지 못한 친구들이 많다는 점을 다들 아쉬워했습니다. 또한 금융 지식만 전달하는 프로그램의 내용이 실생활에 큰 도움이 되지 않았다는 점도 아쉬워했습니다. 그래서 저는 학교에서 운영하는 금융 교육을 보다 활성화하기 위한 방안을 건의하고자 합니다.

먼저 금융 교육 주간을 운영하여 금융 교육 시간을 늘려 주시기 바랍니다. 올해 우리 학교에서 진행하는 금융 교육은 이번 특강을 포함하여 학기별 2시간씩, 총 4시간뿐입니다. 이는 청소년들의 금융 이해력을 신장시키고 청소년들에게 안전하고 행복한 미래를 설계해 보는 기회를 제공한다는 금융 교육의 목적을 달성하기에는 부족한 시간입니다.

다음으로 금융사에서 지원하는 '1사(社) 1교(校) 금융 교육' 프로그램을 활용하여 더 많은 학생들이 금융 교육을 받을 수 있도록 해 주시기 바랍니다. 이번 금융 교육 특강이 소수의 학생만을 대상으로 진행된 것은 강사 섭외에 어려움이 있었기 때문인 것으로 알고 있습니다. 하지만 이 프로그램을 활용하면 전문적인 지식을 갖춘 강사들을 쉽게 섭외할 수 있어 더 많은 학생들이 금융 교육에 참여할 수 있게 될 것입니다.

마지막으로 실생활에 도움이 될 수 있도록 금융에 대한 바람직한 태도를 알려줄 수 있는 교육을 해 주시기 바랍니다. 한국은행과 금융감독원의 '금융 이해력' 조사 보고서에 따르면 청소년들은 저축과 신용 관리를 중요하게 생각하지 않는 등 실생활과 관련된 금융 태도 부문의 점수가 금융 지식 부문 점수의 48%에 그친다고 합니다. 또한 금융에 대한 태도 점수가 높은 학생일수록 성인이 되어서 더 안정적인 금융 생활을 하게 된다고 합니다. 따라서 우리 학교의 금융 교육은 금융에 대한 지식 측면뿐만 아니라 올바른 태도를 형성하는 데에도 초점을 맞출 필요가 있습니다.

[A]

8. '학생의 초고'에 사용된 글쓰기 전략에 대한 설명으로 적절하지 않은 것은?

① 건의 내용의 필요성을 강조하기 위해 구체적 수치를 제시하고 있다.
② 건의 내용에 대한 신뢰성을 확보하기 위해 자료의 출처를 밝히고 있다.
③ 글을 쓰게 된 계기를 설명하기 위해 건의 내용과 관련된 개인적인 경험을 언급하고 있다.
④ 독자의 이해를 돕기 위해 글의 내용을 구조적으로 파악할 수 있도록 담화 표지를 사용하고 있다.
⑤ 건의 내용의 설득력을 높이기 위해 건의 내용의 실현 과정에서 발생할 수 있는 문제점을 예측하여 대안을 제시하고 있다.

9. <보기>는 '학생의 초고'를 보완하기 위해 추가로 수집한 자료이다. 자료 활용 방안으로 적절하지 않은 것은? [3점]

<보 기>

(가) 우리 학교 학생 대상 설문 조사 결과

학교에서 실시하는 금융 교육 참가 희망 여부	가장 필요하다고 생각하는 금융 교육 내용은 무엇인가?
비희망 5.9%, 희망 94.1%	(중복 응답 허용)

내용	응답률
저축 및 신용 관리 교육	84.5%
금융 용어 이해 교육	24.5%
기타	18.4%

(나) 신문 기사

한국은행과 금융감독원이 최근 5년 간 20대 연령층의 금융 이해력 점수를 조사하였다. 그 결과 이전 5년 간의 조사 때보다 평균 점수가 상승한 것으로 나타났다. 이는 충분한 금융 교육 시간을 확보하기 위해 여러 학교에서 금융 교육 주간을 꾸준히 운영했기 때문인 것으로 파악되었다. 하지만 금융 지식 측면의 점수는 높아졌으나 금융 태도 측면의 점수는 이전과 크게 달라진 것이 없어 향후 금융 교육의 내용에 대한 보완이 필요한 것으로 나타났다.

(다) 전문가 의견

"영국에서는 6월 중 한 주를 금융 교육 주간으로 지정하여 실생활에 도움이 되는 금융 교육 시간을 충분히 확보하고 있습니다. 또한 핀란드에서는 학생들이 신용 불량자를 직접 만나는 프로그램에 참여하도록 함으로써 금융에 대한 바람직한 태도를 갖도록 경각심을 심어 주어 학생들이 성인이 되었을 때 안정적인 금융 생활을 할 수 있도록 안내하는 교육을 진행하고 있습니다. 우리나라도 이러한 노력이 뒷받침되어야만 학생들의 금융 이해력을 높일 수 있을 것입니다."

① (가)를 활용하여, 학생들에게 금융 교육을 받을 수 있는 참여 기회를 확대하고 학생들의 요구를 반영한 금융 교육 프로그램을 진행해야 한다는 주장의 근거로 제시해야겠군.
② (나)를 활용하여, 금융 이해력을 높인다는 금융 교육의 목적을 달성하기 위해서는 금융 지식 측면뿐만 아니라 금융 태도 측면에도 초점을 맞출 필요가 있다는 주장을 뒷받침해야겠군.
③ (다)를 활용하여, 안정적인 금융 생활을 위한 금융 태도 교육 내용을 구체화하기 위해 다른 나라의 금융 교육 프로그램을 사례로 제시해야겠군.
④ (가)와 (나)를 활용하여, 금융 교육을 활성화하기 위해 금융 교육의 기회를 확대하는 것보다 금융 교육 시간을 늘릴 필요가 있다는 주장의 근거로 제시해야겠군.
⑤ (나)와 (다)를 활용하여, 금융 교육 주간을 운영함으로써 금융 교육 시간을 늘려 금융 이해력을 높일 필요성이 있다는 주장의 근거로 제시해야겠군.

10. [A]에 들어갈 내용을 <조건>에 따라 작성한 것으로 가장 적절한 것은?

<조 건>

◦ 비유적 표현을 통해 금융 교육의 중요성을 강조할 것
◦ 건의 내용이 실현되었을 때의 기대 효과를 언급할 것

① 학교에서 실시하는 금융 교육은 청소년의 금융 이해력을 높이는 데 많은 도움을 줄 수 있습니다. 보다 많은 학생들이 금융 교육을 받을 수 있도록 적극적으로 노력해 줄 것을 부탁드립니다.
② 세 살 버릇이 여든까지 간다는 속담처럼 어린 시절부터 금융 교육을 받는 것은 정말 중요합니다. 학생들에게 실질적으로 도움이 될 수 있는 '1사 1교 금융 교육'과 같은 프로그램을 우리 학교에서도 실시할 필요가 있습니다.
③ 청소년기에 실시하는 금융 교육은 밝은 미래를 맞이하게 하는 마중물이 될 수 있습니다. 앞으로도 금융 교육을 지식 측면에 초점을 맞춰 꾸준히 진행한다면 청소년들은 미래를 향한 안정적인 디딤돌을 마련할 수 있을 것입니다.
④ 학교에서 실시하는 금융 교육만으로는 금융 교육의 목적을 달성하는 데 어려움이 있습니다. 따라서 전문 인력을 확보할 수 있는 제도를 통해 충분한 금융 교육 시간을 확보하고 금융에 관한 태도 교육을 실시하는 것이 필요합니다.
⑤ 금융에 대한 이해력이 부족한 채로 현대 사회를 사는 것은 나침반 없이 항해하는 것만큼 위험합니다. 금융 교육이 활성화된다면 금융 이해력의 신장과 안전하고 행복한 미래의 설계라는 두 마리 토끼를 다 잡을 수 있을 것입니다.

11. <보기>의 (가)에 들어갈 말로 적절한 것은?

<보 기>

선생님 : 음운 변동에는 한 음운이 다른 음운으로 바뀌는 교체, 있던 음운이 없어지는 탈락, 없던 음운이 새로 더해지는 첨가, 두 음운이 합쳐져 하나의 음운으로 줄어드는 축약이 있습니다. 그럼 아래 단어들에 나타난 음운 변동의 유형을 파악해 봅시다.

㉠ 맨입[맨닙] ㉡ 쌓아[싸아] ㉢ 입학[이팍] ㉣ 칼날[칼랄]

학생 : ______(가)______

선생님 : 네, 맞습니다.

① ㉠은 '첨가'에 해당하고, ㉢은 '축약'에 해당합니다.
② ㉠은 '교체'에 해당하고, ㉣은 '첨가'에 해당합니다.
③ ㉡은 '탈락'에 해당하고, ㉢은 '교체'에 해당합니다.
④ ㉡은 '교체'에 해당하고, ㉣은 '축약'에 해당합니다.
⑤ ㉢은 '탈락'에 해당하고, ㉣은 '첨가'에 해당합니다.

[12~13] 다음 글을 읽고 물음에 답하시오.

어떤 행위, 사건, 상태의 시간적 위치를 언어적으로 나타내 주는 문법 범주를 시제라고 한다. 시제는 사건이 발생한 시점인 사건시와 그 사건을 언어로 표현하는 시점인 발화시의 선후 관계에 따라 결정된다.

과거 시제는 사건시가 발화시보다 앞서는 시제로, 주로 선어말 어미 '-았-/-었-'을 통해 실현된다. 또 동사 어간에 붙는 관형사형 어미 '-(으)ㄴ'과 용언의 어간이나 서술격 조사에 붙는 '-던'을 통해 실현된다. 현재 시제는 사건시와 발화시가 일치하는 시제로, 동사에서는 선어말 어미 '-ㄴ-/-는-' 및 관형사형 어미 '-는'을 통해서 실현되고, 형용사나 서술격 조사에서는 관형사형 어미 '-(으)ㄴ'을 통해 실현되거나 선어말 어미 없이 기본형을 사용하여 현재의 의미를 나타낸다. 미래 시제는 사건시가 발화시보다 나중인 시제로, 선어말 어미 '-겠-'을 통해 실현되는 것이 일반적이나 관형사형 어미 '-(으)ㄹ', 관형사형 어미 '-(으)ㄹ'과 의존 명사 '것'이 결합된 '-(으)ㄹ 것'을 통해서도 실현된다. 이러한 방법 외에도 '어제, 지금, 내일' 등과 같은 부사어를 사용하여 시제를 드러내기도 한다.

그런데 시간을 표현하는 데 사용되는 문법 요소가 언제나 특정한 시제를 나타내는 것은 아니다. 예를 들어 선어말 어미 '-ㄴ-/-는-'은 주로 현재 시제를 나타내는 데 사용되지만 ⓐ 미래를 나타내는 경우에 쓰이기도 하고, 선어말 어미 '-겠-'은 주로 미래 시제를 표현하는 데 사용되지만 ⓑ 추측을 나타내는 경우에 쓰이기도 한다.

12. 윗글을 바탕으로 <보기>의 ㉠~㉢을 이해한 내용으로 적절하지 않은 것은? [3점]

<보 기>

㉠ 비가 지금 내린다.
㉡ 비가 내일 내릴 것이다.
㉢ 내가 찾아간 곳에 비가 많이 내렸다.

① ㉠에는 사건시와 발화시가 일치하는 시제가 나타난다.
② ㉡에는 선어말 어미를 활용한 시간 표현이 나타난다.
③ ㉢에는 관형사형 어미를 활용한 시간 표현이 나타난다.
④ ㉠과 ㉡에는 부사어를 활용한 시간 표현이 나타난다.
⑤ ㉡에는 사건시가 발화시보다 나중인, ㉢에는 사건시가 발화시보다 앞서는 시제가 나타난다.

13. 윗글을 참고할 때 ⓐ, ⓑ에 해당하는 예끼리 묶인 것으로 적절한 것은?

① ⓐ: 잠시 후 결과가 발표된다.
ⓑ: 일찍 출발하느라 고생했겠다.
② ⓐ: 삼촌은 곧 여기를 떠난다.
ⓑ: 잠시만 비켜주시겠습니까?
③ ⓐ: 사람은 누구나 꿈을 꾼다.
ⓑ: 제가 먼저 발표하겠습니다.
④ ⓐ: 지구는 태양의 주위를 돈다.
ⓑ: 이제 늦지 않도록 하겠습니다.
⑤ ⓐ: 그가 내 의도를 알아채고 웃는다.
ⓑ: 우리 고향은 이미 추수가 다 끝났겠다.

14. <보기>는 '사전 활용하기' 학습 활동을 위한 자료이다. 이에 대한 이해로 적절하지 않은 것은?

<보 기>

차다[1] 동
Ⅰ. **[…에]** **[…으로]**
1. 일정한 공간에 사람, 사물, 냄새 따위가 더 들어갈 수 없이 가득하게 되다.
¶ 독에 물이 가득 차다. / 버스가 승객으로 가득 차다.
Ⅱ. **[…에]**
1. 감정이나 기운 따위가 가득하게 되다.
¶ 기쁨에 찬 얼굴.

차다[2] 형
1. 몸에 닿은 물체나 대기의 온도가 낮다.
¶ 겨울 날씨가 매우 차다.
2. 인정이 없고 쌀쌀하다.
¶ 그는 성격이 차고 매섭다.

① '차다[1]-Ⅱ-1'의 용례로 '목소리가 확신에 차다.'를 추가할 수 있다.
② '차다[1]'과 '차다[2]'는 사전에 각각 다른 표제어로 등재되는 동음이의어이다.
③ '차다[1]'은 동작이나 작용을 나타내는 말이고, '차다[2]'는 성질이나 상태를 나타내는 말이다.
④ '차다[1]'과 '차다[2]'는 모두 하나의 단어가 여러 개의 의미를 지니고 있는 다의어이다.
⑤ '차다[1]'과 '차다[2]'는 모두 문장을 만들 때 주어 이외의 다른 문장 성분이 반드시 필요하다.

15. <자료>의 ⓐ와 ⓑ는 한글 맞춤법 규정에 맞게 표기한 것이다. 적용된 원칙을 <보기>에서 찾아 바르게 짝지은 것은?

<자 료>

ⓐ 지붕 공사가 ⓑ 마감 단계에 있다.

<보 기>

<한글 맞춤법>

제19항 어간에 '-이'나 '-음/-ㅁ'이 붙어서 명사로 된 것과 '-이'나 '-히'가 붙어서 부사로 된 것은 그 어간의 원형을 밝히어 적는다. ······ ㉠
[붙임] 어간에 '-이'나 '-음' 이외의 모음으로 시작된 접미사가 붙어서 다른 품사로 바뀐 것은 그 어간의 원형을 밝히어 적지 아니한다. ······ ㉡

제20항 명사 뒤에 '-이'가 붙어서 된 말은 그 명사의 원형을 밝히어 적는다.
[붙임] '-이' 이외의 모음으로 시작된 접미사가 붙어서 된 말은 그 명사의 원형을 밝히어 적지 아니한다. ··· ㉢

① ⓐ - ㉠ ② ⓐ - ㉡ ③ ⓑ - ㉠
④ ⓑ - ㉡ ⑤ ⓑ - ㉢

[16~19] 다음 글을 읽고 물음에 답하시오.

의사능력이란 '자기의 행위의 의미나 결과를 합리적으로 예견할 수 있는 정신적인 능력 내지 지능'을 의미한다. 사람이 자신의 법률행위에 의하여 권리를 취득하거나 의무를 부담할 수 있으려면 의사능력이 있어야 한다. 따라서 의사능력이 없는 의사무능력자의 법률행위는 무효, 즉 법률행위의 효력이 처음부터 발생하지 않은 것으로 본다.

하지만 의사무능력자가 자기에게 불리한 법률행위를 무효화하려면 법률행위 당시 자신에게 의사능력이 없었다는 점을 증명하여야 하는데, 이를 증명하는 것이 쉽지 않다. 이에 민법에서는 의사무능력자 여부, 즉 의사능력의 유무와 관계없이 나이나 법원의 결정이라는 일정하고 객관적인 기준에 따라 제한능력자를 규정하고 있다. 구체적으로 만 19세 미만의 미성년자, 그리고 가정법원으로부터 심판을 받은 피성년후견인*과 피한정후견인* 등이 제한능력자에 해당되는데, 이들은 독자적으로 완전하고 유효한 법률 행위를 할 수 있는 행위능력자와 구분되며, 자신의 의사무능력을 증명할 필요가 없다. 제한능력자는 단독으로 재산상의 법률행위를 한 경우 10년 내에 취소권을 행사할 수 있는데, 이를 제한능력자제도라고 한다. 이때 제한능력자의 법률행위의 취소 여부는 제한능력자 측, 즉 제한능력자 본인이나 그의 법정대리인의 의사에 따라서만 결정된다. 제한능력자 측에서 취소권을 행사할 경우 법률행위는 처음부터 무효인 것으로 보지만, 행위를 취소하지 않을 경우에는 그 법률행위에 대해서는 그대로 효력이 유지된다.

미성년자는 주민등록증과 가족관계등록부를 통해, 피성년후견인과 피한정후견인은 후견등기부를 통해 확인할 수 있다. 하지만 제한능력자의 계약 상대방이 이를 항상 확인하지는 않으므로 계약을 한 후 자신이 계약을 한 상대방이 제한능력자라는 사실을 뒤늦게 알게 되는 경우가 있다. 제한능력자 측은 자신의 법률행위에 대해 10년 내에 취소할 수 있는 취소권을 갖기 때문에 제한능력자의 계약 상대방은 불이익을 당할 수도 있다. 이에 민법은 제한능력자를 보호함으로써 불이익을 당하게 되는 상대방을 위해 '상대방의 확답촉구권', '상대방의 철회권·거절권', '제한능력자의 속임수'와 같은 제도를 운영하고 있다.

먼저 ⓐ상대방의 확답촉구권은 제한능력자의 계약 상대방이 1개월 이상의 기간을 정해 계약 취소 여부에 대한 확답을 요구할 수 있는 권리이다. 이때 확답촉구는 제한능력자에게는 할 수 없으며, 제한능력자의 법정대리인이나 제한능력자가 행위능력자가 된 경우에만 요구할 수 있다. 특별한 절차가 필요한 행위를 제외하고 확답촉구를 받은 사람은 상대방이 설정한 유효기간 내에 취소 여부에 대한 확답을 해야 하며, 유효기간 내에 확답을 하지 않으면 제한능력자와 계약한 법률행위는 취소할 수 없는 것으로 확정된다.

상대방의 철회권·거절권은 제한능력자의 계약 상대방이 법률행위의 효력 발생을 원하지 않는 경우 제한능력자 측에게 행사할 수 있는 권리이다. ⓑ상대방의 철회권은 제한능력자의 계약 상대방이 계약 당시 제한능력자와 계약한 사실을 알지 못했을 때 계약을 철회할 수 있는 권리이고, ⓒ상대방의 거절권은 제한능력자의 계약 상대방이 계약 당시 제한능력자와 계약한 사실을 인지했는지의 여부와 상관없이 제한능력자가 단독행위*를 한 경우에 상대방이 거절할 수 있는 권리이다. 다만 위의 철회권·거절권은 제한능력자 측에서 해당 법률행위에 대해 취소권을 행사하지 않겠다는 의사를 표시하기 전까지만 권리가 인정된다.

제한능력자의 속임수는 제한능력자가 속임수를 써서 자신을 행위능력자로 믿게 한 경우나 미성년자나 피한정후견인이 속임수를 써서 법정대리인의 동의가 있는 것으로 믿게 한 경우에는 제한능력자의 취소권을 박탈하는 것이다. 예를 들어 미성년자인 갑이 자신이 성년인 것처럼 신분증을 위조하는 등의 적극적인 사기수단을 써서 을과 계약을 하는 법률행위를 했다면 갑의 취소권이 배제됨은 물론이고 갑의 법정대리인의 취소권까지 배제되는 것이다.

이처럼 민법에서는 제한능력자제도를 통해 제한능력자가 행한 재산상의 법률행위를 일정한 요건 하에 취소할 수 있게 하여 제한능력자를 보호하고 있다. 또한 제한능력자의 법률행위로 인해 불이익을 당할 수 있는 상대방을 보호하는 제도 역시 규정함으로써 제한능력자의 계약 상대방이 입을 수 있는 손해를 최소화하고 있다.

* 피성년후견인 : 정신적 제약으로 사무를 처리할 능력이 지속적으로 결여되어 가정법원의 심판에 의해 단독으로 유효하게 법률행위를 할 수 없는 자.
* 피한정후견인 : 정신적 제약으로 사무를 처리할 능력이 부족하여 가정법원의 심판에 의해 행위능력이 부분적으로 제한된 자.
* 단독행위 : 일방적인 의사표시에 의하여 법률효과를 발생하게 하는 법률행위.

16. 윗글에 대한 설명으로 가장 적절한 것은?

① 특정 제도가 발전한 과정을 제시한 뒤 전망을 예측하고 있다.
② 특정 제도의 필요성을 제시하고 제도의 특징을 설명하고 있다.
③ 특정 제도가 변화된 원인을 분석하고 제도의 의의를 평가하고 있다.
④ 특정 제도를 바라보는 상반된 입장을 제시하고 절충안을 모색하고 있다.
⑤ 특정 제도의 영향력을 분석한 뒤 사회적 인식의 변화 양상을 서술하고 있다.

17. 윗글을 통해 알 수 있는 내용으로 적절하지 않은 것은?

① 미성년자의 경우 따로 법원의 결정을 받지 않아도 제한능력자로 규정한다.
② 의사능력이 있는 제한능력자의 경우 재산상의 법률행위를 법에 의해 보호받을 수 없다.
③ 가족관계등록부나 후견등기부를 통해 계약을 한 상대방이 제한능력자임을 확인할 수 있다.
④ 제한능력자는 일정 기간 내에 취소권을 행사하여 자신의 재산상의 법률행위를 처음부터 무효로 만들 수 있다.
⑤ 법원에서 제한능력자로 규정한 자는 재산상의 법률행위를 취소할 때마다 자신의 의사무능력을 증명할 필요가 없다.

18. ⓐ~ⓒ에 대한 설명으로 적절하지 않은 것은?
① ⓑ는 제한능력자의 계약 상대방이 제한능력자와 제한능력자의 법정대리인 모두에게 행사할 수 있다.
② ⓒ는 제한능력자의 계약 상대방이 법률행위의 효력 발생을 원하지 않는 경우에 사용한다.
③ ⓐ와 ⓒ는 모두 제한능력자의 계약 상대방이 제한능력자에게 직접 행사하여 자신의 권리를 보장받을 수 있다.
④ ⓑ와 ⓒ는 모두 제한능력자 측이 취소권을 행사하지 않겠다는 의사를 표시하기 전까지만 행사할 수 있다.
⑤ ⓐ~ⓒ는 모두 제한능력자제도에 의해 받을 수 있는 불이익으로부터 제한능력자의 계약 상대방을 보호하기 위한 제도이다.

19. 윗글을 바탕으로 <보기>를 이해한 내용으로 가장 적절한 것은? [3점]

<보 기>

17세인 A는 악기를 1,000만 원에 구입하였다. 이 사실을 1년 뒤에 알게 된 A의 법정대리인은 판매자가 법정대리인의 동의 여부를 확인하지 않고 악기를 판매한 것이므로, 판매자에게 계약 취소를 요구하였다. 판매자는 판매 당시 직원의 강요가 없었고 악기의 특성상 판매 후에는 반품 및 환불이 불가함을 설명하였기 때문에 판매 과정에 잘못이 없다며 계약 취소를 인정하지 않았다.

① A가 악기를 구입한 후 성년이 된 다음 날은 계약 취소가 불가능하겠군.
② A는 법정대리인의 동의를 얻어야 악기 매매 계약을 취소할 수 있는 권리가 생기겠군.
③ A의 법정대리인이 A의 악기 구매 사실을 1년 뒤에 알았기 때문에 이 계약은 취소될 수 없겠군.
④ A가 법정대리인의 동의서를 위조하여 판매자를 믿게 하고 계약을 했다면 이 계약은 취소될 수 없겠군.
⑤ 판매자가 계약 취소를 인정하지 않았기 때문에 A의 법정대리인이 취소권을 행사한다고 하더라도 계약을 취소할 수 없겠군.

[20~23] 다음 글을 읽고 물음에 답하시오.

나는 남편의 유품을 정리하면서 어쩌면 이렇게 단 한 가지도 값나가는 게 없을까 놀라고 민망해 한 적이 있다. 그럼에도 불구하고 자식들을 비롯해서 가깝게 지내던 조카들은 그가 쓰던 걸 뭐든지 한 가지씩이라도 얻어 갖길 원했다. 다들 그렇게 아쉬운 처지가 아닌데도 그런다는 건 그 뜻이 소유나 쓸모에 있지 않고 아끼고 간직하려는 데 있으려니 싶어 나는 목이 메게 감격을 했다. 크게 성공하거나 성취한 건 없어도 생전에 주위 사람들로부터 많이 사랑받았다는 증거 같아서 나는 기쁜 마음으로 그의 유품을 공평하게 나눴다. 그러나 모자는 다 내가 가졌다. 그건 누가 달라지도 않았지만 달라고 해도 안 주었을 것이다.

마지막 일 년은 참으로 아까운 시절이었다. 죽을 날을 정해놓은 사람과의 나날의 아까움을 무엇에 비길까. 애를 끊는 듯한 애달픔이었다.

(중략)

그런 옛일에 얽힌 농담이라면 얼마든지 재미나게도 그윽하게도 할 수 있었으련만 나는 고약한 성깔에 잔뜩 치받쳐 있었다. 여북해야 그가 딱하다는 듯이 그러나 역시 농담으로 받았다.

"당신이야말로 왜 그래? 꼭 틈바구니에 낀 쥐 같잖아."

그리고 피식 웃더니 탄식하듯 덧붙였다.

"생전 ㉠틈바구니에 끼여 봤어야지."

그의 목소리가 하도 연민에 차 있어서 나는 대꾸하지 못했다. 죽어 가는 사람으로부터의 연민은 감동적이었다. **울어버릴 것 같았다.**

CT 촬영은 참으로 놀라운 첨단 과학이었다. 뇌를 가로세로 여러 장으로 슬라이스하듯이 나누어 찍은 단면 사진은 내 눈으로도 고루 퍼진 암을 확인할 수 있을 만큼 선명했다. 뇌는 혈관의 회로가 달라서 항암제가 미치지 못한다고 했다. 그에게 남아 있는 유일한 치료법은 방사선을 뇌에다 쬐는 거였다. 방사선 치료란 죽는 연습이었다. 그 치료엔 아무도 입회하지 못했다. 방사선과 의사까지도 그를 치료대에 혼자 고정시켜 놓고 나와서 밖에서 컴퓨터 화면을 보며 조종했다. 그 안에서 그는 어떤 기분으로 고립되어 있으며, 방사선이란 어떻게 생긴 빛일까? 그 깊이 모를 외로움과, 너무 밝아 차라리 **암흑과 상통할 것 같은 빛에 대한 공포감**은 죽음에 대한 상상력과 너무도 유사했다. 그는 이마가 까맣게 타도록 방사선 치료를 받았지만 다시 해 본 CT 촬영에서 암은 소멸되지도 줄지도 않은 채였다. 미국 가 있는 막내를 잠시 귀국토록 했다. 돌아가신 후 장례에 맞춰 오려고 허둥대는 것보다는 생전에 뵈러 오는 게 효도가 아니겠느냐는 게 딴 자식들의 의견이기도 했다. 아버지한테 뭐 사다 드리면 좋겠느냐고 막내가 전화로 물어 왔다. 약 종류를 묻는 말투였다. 그러나 그의 병세도 그렇지만, 때도 이미 미국엔 별의별 신효한 약, 불로초 같은 것까지도 있는 것처럼 여기던 촌스러운 시대가 아니었다. 나는 막내에게 모자를 사 오라고 말했다. 최고급으로 사 오라는 말도 잊지 않았다. 과연 막내가 사 온 모자는 내 마음속에 있는 그의 모자의 원형과 가장 가까웠다. 순모로 된 통짜 중절모였고 비단 리본이 달려 있었다. 그러나 테가 너무 넓어 신사 모자라기보다는 카우보이 모자를 연상시켰다. 아니나 다를까, 네 살짜리 손자 녀석이 그 모자를 보더니 "와아, 장고 모자다." 하면서 그걸 빼앗고 싶어 했다. 녀석이 좋아하는 만화 영화의 주인공 장고가 그런 모자를 쓰고 있다고 했다. 그는 모자를 쓴 채 안 빼앗기려고 이리저리 도망을 다녔다. 여전히 비틀대며, 손자가 울음을 터뜨려도 그는 그 모자를 내놓지 않았다. **손자와의 마지막 장난**이었다. 마지막 한 달가량 자리보전하고 있을 때를 빼고는 그는 집에서도 줄창 그 모자를 쓰고 있었다. 막내에 대한 사랑 때문에도 그 모자를 아꼈겠지만, 넓은 테는 방사선 치료로 시꺼멓게 탄 이마를 가려 주는 데 안성맞춤이었다. 그 장고 모자가 그의 여덟 번째 모자이자 마지막 모자가 되었다.

나는 요새도 가끔 그가 남긴 여덟 개의 모자를 꺼내 본다. 그 안에서 **머리카락 한 오라기**라도 찾아보려고 더듬어 보지만 번번이 헛손질로 끝난다. 그 여러 개의 모자는 멋이나 체면을 위한 것이 아니라, 단지 민머리를 가리기 위한 것이었다. 그의 몸을 차디찬 땅속에 묻은 건 확실한데 아침마다 우수수 지던 그 숱한 머리카락은 지금 어느 만큼 멀리 흩어져 티끌로 떠도는 걸까. 생명의 가엾음이 티끌과 다를 바 없다는 속절없는 생각에 잠기기도 한다. 그의 흔적을, 남긴 물질에서 찾는 것보다는 남긴 말이나 생각에서 찾는 게 그래도 조금은 덜 허전하다. 그는 평범한 사람이고, 잘난 척할 줄도 몰랐기 때문에 담소는 즐겼지만 그럴듯한 말은 할 줄 몰랐다. 우리집엔 그 흔한 가훈도 없다. 그의 말이 생각나는 것도 그가 끼면 편안하고 여유로워지는 담소 분위기이지, 멋있거나 뜻 깊은 말뜻은 아니다.

오직 틈바구니만이 예외다. 내가 생전 틈바구니에 끼여 보지 않았다는 게 무슨 뜻일까? 그런 생각이 나를 자꾸 심각하게 한다. 그가 나 대신 가 주던 동사무소나 세무서에 볼일 보러 가서 똑똑지 못하게 굴다가 구박 맞으면 이게 틈바구닌가 싶기도 하고, 사용자와 노동자, 가진 자와 못 가진 자, 칼자루 쥔 자와 칼날 쥔 자, 통일꾼과 반통일꾼이 서로 목청을 높여 싸우는 걸 봐도 전처럼 선뜻 어느 쪽이 옳거니 양자택일이 안 되고, 또 그 놈의 틈바구니에 사로잡히게 된다. 여봐란듯이 틈바구니에 끼기 위해선 거친 두 목청 사이에 낀 틈바구니의 숨결을 찾아내야만 할 것 같다. 어쩌면 그는 그때 삶과 죽음의 틈바구니에서 어느 만큼은 내 원색적인 분노를 관조할 수도 있었기에 해 본 단순한 연민의 소리일 뿐인 것을 내가 괜히 심각하게 굴었는지도 모르겠다. 그래도 여전히 틈바구니는 아무것도 아닌 게 되지 않는다. 그가 남긴 모자가 나에겐 모자라는 **물질 이상**이듯이 틈바구니란 말 또한 말뜻 이상의 것, 한없이 추구해야 할 화두임을 면할 수가 없다.

— 박완서, 「여덟 개의 모자로 남은 당신」 —

20. 윗글에 대한 설명으로 가장 적절한 것은?

① 인물 간의 대화를 통해 특정 인물을 풍자하고 있다.
② 독백적 진술을 활용하여 인물의 내면을 드러내고 있다.
③ 동일한 공간에서 사건이 반복되며 갈등이 심화되고 있다.
④ 장면이 빈번하게 교차되며 긴박한 분위기를 조성하고 있다.
⑤ 인물의 외양을 사실적으로 묘사하여 인물의 성격을 드러내고 있다.

21. 윗글에 대한 이해로 적절하지 <u>않은</u> 것은?

① '조카들'은 아쉬운 처지가 아니었지만 '남편'의 유품을 얻기를 바랐다.
② '나'는 '남편'의 병세가 방사선 치료를 받으면서 나아지는 것을 느꼈다.
③ '딴 자식들'은 '남편'의 생전에 '막내'를 귀국시켜야 한다고 생각했다.
④ '막내'는 '남편'을 위해 카우보이 모자가 연상되는 중절모를 사 왔다.
⑤ '남편'은 잘난 척할 줄 몰랐기 때문에 평소 멋있거나 그럴듯한 말을 하지 않았다.

22. ㉠의 기능에 대한 설명으로 가장 적절한 것은?

① 이야기의 초점을 '남편'에서 '막내'로 전환하고 있다.
② '나'에게 쉽게 해결할 수 없는 고민을 유발하고 있다.
③ '남편'의 죽음에 대한 '나'의 미안함을 보여주고 있다.
④ '막내'에게 '남편'의 죽음을 이해하는 실마리를 제공하고 있다.
⑤ '나'의 가족에게 공동체적 삶의 의미를 성찰하게 하는 계기를 제공하고 있다.

23. <보기>를 바탕으로 윗글을 감상한 내용으로 적절하지 <u>않은</u> 것은? [3점]

<보 기>

이 작품은 죽음을 앞둔 남편의 모습을 관찰하고 남편의 내면을 들여다보는 '나'의 시선을 통해 남편에 대한, 그리고 죽음에 대한 '나'의 인식을 드러내고 있다. '나'는 죽은 남편이 남기고 간 모자를 간직하며 남편에 대한 사랑과 그리움을 드러낸다. 또한 남편의 죽음을 앞두고 있는 가족들의 모습을 통해 따뜻한 가족애를 보여 주기도 한다.

① 남편의 모자를 '물질 이상'의 것으로 여기며 모자를 모두 간직하는 '나'의 모습에서, 남편에 대한 '나'의 사랑을 확인할 수 있겠군.
② 남편이 농담으로 받은 말에 '울어버릴 것 같'다고 느끼는 '나'의 모습에서, 남편의 말에 '나'에 대한 연민이 담겨 있다고 믿고 있는 '나'의 인식을 확인할 수 있겠군.
③ 방사선 치료를 받는 남편의 '빛에 대한 공포감'을 덜어 주려는 '나'의 모습에서, '암흑과 상통할 것 같은' 죽음에 대해 느끼는 '나'의 두려움을 확인할 수 있겠군.
④ 힘겹지만 '손자와의 마지막 장난'을 하며 가족들과 평범한 일상을 보내고 있는 남편의 모습에서, 가족에 대한 남편의 사랑을 확인할 수 있겠군.
⑤ 남편이 남긴 모자에서 '머리카락 한 오라기'라도 찾고 싶어 하는 '나'의 모습에서, 남편을 그리워하는 '나'의 애틋한 마음을 확인할 수 있겠군.

[24~26] 다음 글을 읽고 물음에 답하시오.

국악의 장단이란 일반적으로 일정한 주기로 소리의 길이와 강약이 규칙적으로 되풀이되는 것을 말하며, 기본 단위인 '박'으로 구성된다. 박은 음의 길이를 재는 단위로, 기준이 되는 박을 보통박이라 하고 보통박을 더 작은 단위로 쪼갠 박을 소박이라 한다. 여러 개의 소박이 모여서 하나의 보통박을 이루며, 우리 민요 장단은 굿거리장단처럼 3개의 소박으로 이루어진 보통박이 4번 나타나는 3소박 4보통박으로 구성되는 경우가 많다. 이를 정간보에 나타낼 때는 <그림 1>과 같이 12정간(칸)이 필요하다.

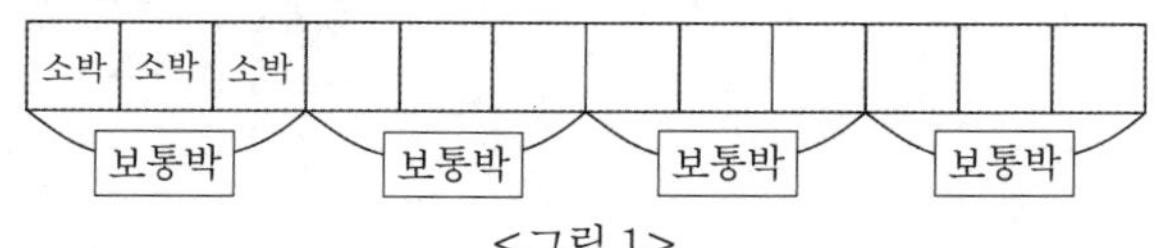

<그림 1>

국악 연주에서 장단을 맡는 대표적인 악기는 장구로, 장단을 맞추기 위해 장구의 가죽 면을 치는 것을 '점(點)'이라 한다. <그림 2>는 굿거리장단의 기본 장구 장단을 나타낸 것으로 장구 장단을 정간보에 기보할 때는 각각의 점에 해당하는 부호를 사용하며, 악기에서 울려 나오는 특징적인 소리를 입으로 흉내 낸 구음을 부호 아래에 첨가하기도 한다.

⦶		¡	○	⋮		○		¡	○	⋮	
덩		기덕	쿵	더러러러		쿵		기덕	쿵	더러러러	

<그림 2>

㉠ <u>장구 장단을 칠 때</u>는 한 손으로 채를 잡아 채편을 치고 다른 손으로는 북편을 치는데, 장구의 채편과 북편을 동시에 치는 것을 '덩'이라 하고 정간보에 '⦶'로 표시한다. 이는 합장단이라고도 하며 주로 음악을 시작할 때 사용한다. 채편을 한 번 치는 것을 '덕'이라 하고 '|'로 표시하며, 채편을 칠 때 짧은 꾸밈음을 붙여 치는 것을 '기덕'이라고 하고 '¡'로 표시한다. '기덕'은 채편을 겹쳐 친다고 하여 겹채라고도 한다. 채의 탄력을 이용하여 채를 굴리며 채편을 칠 때는 '더러러러'라고 하고 '⋮'로 표시한다. '덕', '기덕', '더러러러'에서는 북편을 치지 않고 채편만 치며, 장구의 북편만 칠 때는 '쿵'이라 하고 '○'로 표시한다.

또한 정간보에는 점의 길이도 나타낼 수 있다. 한 정간에 점을 나타내는 부호 하나가 있으면 그 점은 한 소박이 되고, 한 정간에 점을 나타내는 부호 하나가 있고 그 다음 정간이 빈 칸으로 남아 있으면 그 점은 두 소박이 되는 식이다. 비어 있는 정간은 앞의 소리를 연장한다는 표시이기 때문이다. 예를 들어 <그림 2>에서 첫 번째 보통박의 '덩'은 두 소박, '기덕'은 한 소박이 된다. 또한 장단을 칠 때는 기본이 되는 장단을 흐트러트리지 않는 범위 내에서 악곡의 흐름이나 연주자의 해석에 따른 변주도 가능하다. 예를 들어 연주자에 따라 '기덕'을 '덕'으로 바꾸거나 '쿵더러러러'를 '쿵덕쿵'으로 바꾸어 변주할 수 있는 것이다. 이러한 변주는 악곡의 흐름에 맞게 장단에 변화를 주어 음악을 더욱 풍성하게 만드는 역할을 한다.

한편 실외음악이나 사물놀이처럼 큰 소리를 내야 할 때에는 북편을 손 대신 궁채로 치기도 한다. 또한 채편을 칠 때는 채편 가죽의 중앙 부분인 복판을 치는 것이 일반적이지만 독창 또는 독주의 반주나 실내악 연주처럼 소리를 작게 내어야 할 경우에는 가죽의 가장자리 부분인 변죽을 친다. 변죽은 작고 높은 소리가 나는 반면, 복판은 크고 낮은 소리가 나기 때문에 연주 상황에 어울리는 소리가 나도록 치는 것이다.

장단은 단지 음악의 진행을 시간적으로 안배하는 역할만을 하는 것이 아니라 연주자나 창자의 호흡을 조절하며 음악의 분위기를 이끌어 나간다. 따라서 국악을 깊이 있게 감상하려면 장단을 이해하는 것이 중요하며, 이를 통해 우리 음악에 담긴 흥을 더욱 잘 느낄 수 있을 것이다.

24. 윗글에서 답을 찾을 수 있는 질문으로 적절하지 <u>않은</u> 것은?

① 국악에서 장단의 개념은 무엇일까?
② 장단을 구성하는 단위는 무엇일까?
③ 정간보에 점의 강약을 나타내는 방법은 무엇일까?
④ 장단을 변주할 때 얻을 수 있는 효과는 무엇일까?
⑤ 국악 감상에서 장단을 이해하는 것이 중요한 이유는 무엇일까?

25. ㉠에 대한 이해로 가장 적절한 것은?

① 정간보를 보면 연주할 점의 길이를 알 수 있다.
② 크고 낮은 소리를 내기 위해 채편의 변죽을 친다.
③ 여러 개의 보통박을 쳐서 하나의 소박을 연주한다.
④ 북편을 치는 도구는 기본이 되는 장단에 의해 결정된다.
⑤ 기본이 되는 장단을 연주할 때에는 북편과 채편을 동시에 칠 수 없다.

26. 윗글을 바탕으로 <보기>의 [창작 장단]을 연주한다고 할 때, 이에 대한 이해로 적절하지 <u>않은</u> 것은? [3점]

<보 기>

학생 : 오늘 배운 내용을 가지고 나만의 [창작 장단]을 만들어 연주해 볼까? 3소박 4보통박으로 치면 재미있을 것 같아. 우선은 정간보에 부호와 구음을 표시하고 그대로 연주해 봐야지.

⦶		¡	○	|		○	⋮	○	|		¡
덩		기덕	쿵	덕		쿵	더러러러	쿵	덕		기덕

① '|(덕)'은 각각 두 소박으로 연주해야겠군.
② 마지막 보통박에서는 채편만 치면 되겠군.
③ 합장단으로 시작하고 겹채로 마무리해야겠군.
④ 세 번째 보통박에서는 종류가 다른 세 점을 연주해야겠군.
⑤ 첫 번째와 마지막 보통박의 세 번째 소박에서는 '¡(기덕)'을 쳐야겠군.

[27~29] 다음 글을 읽고 물음에 답하시오.

(가)

[A] 문 열자 **선뜻!**
먼 산이 이마에 차라.

우수절(雨水節)* 들어
바로 초하루 아침,

[B] 새삼스레 눈이 덮인 멧부리와
서늘옵고 빛난 **이마받이**하다.

[C] **얼음** 금 가고 **바람** 새로 따르거니
흰 옷고름 절로 향기로워라.

[D] **옹숭거리고*** 살아난 양이
아아 꿈 같기에 설어라.

[E] 미나리 파릇한 **새순** 돋고
옴짓 아니 기던 **고기 입**이 오물거리는,

꽃 피기 전 철 아닌 눈에
핫옷* 벗고 도로 춥고 싶어라.

– 정지용, 「춘설(春雪)」 –

* 우수절 : 24절기의 하나로, 봄비가 내리기 시작하는 시기임.
* 옹숭거리고 : 춥거나 두려워 몸을 궁상맞게 몹시 옴츠려 작게 하고
* 핫옷 : 안에 솜을 두어 지은 겨울옷.

(나)

흔들리는 나뭇가지에 꽃 한번 피우려고
눈은 얼마나 많은 도전을 멈추지 않았으랴

싸그락 싸그락 두드려 보았겠지
난분분* 난분분 춤추었겠지
미끄러지고 미끄러지길 수백 번,

바람 한 자락 불면 휙 날아갈 사랑을 위하여
햇솜 같은 마음을 다 퍼부어 준 다음에야
마침내 피워 낸 저 황홀 보아라

봄이면 가지는 그 한번 덴 자리에
세상에서 가장 아름다운 상처를 터뜨린다

– 고재종, 「첫사랑」 –

* 난분분 : 눈이나 꽃잎 따위가 어지럽게 흩날리는 모양.

27. (가), (나)에 대한 설명으로 가장 적절한 것은?

① (가)는 명암의 대비를 통해 화자의 내면을 드러내고 있다.
② (나)는 수미상관의 방식으로 시적 안정감을 드러내고 있다.
③ (가)는 공간의 이동에 따라 (나)는 시간의 흐름에 따라 시적 분위기를 조성하고 있다.
④ (가)와 (나)는 모두 설의적 표현을 사용하여 화자의 정서를 드러내고 있다.
⑤ (가)와 (나)는 모두 계절감을 드러내는 시어를 사용하여 주제를 형상화하고 있다.

28. (가)를 이해한 내용으로 적절하지 않은 것은?

① [A]에서 화자는 갑작스럽게 마주한 풍경에 대한 놀라움을 '선뜻!'이라는 시어로 표현하고 있다.
② [B]에서 화자는 [A]에서 이마에 닿을 듯 차갑게 느껴졌던 먼 산의 경치를 '이마받이'로 부각하고 있다.
③ [C]에서 화자는 '얼음'이 녹고 '바람'이 새로 부는 것을 통해 변화하는 자연의 모습을 그려내고 있다.
④ [D]에서 화자는 겨우내 '옹숭거리고' 살아온 자신을 돌아보며 [C]에서 보인 자신의 태도를 허무하게 여기고 있다.
⑤ [E]에서 화자는 겨울이 가고 봄이 오는 모습을 '새순' 돋는 미나리와 오물거리는 '고기 입'으로 생동감 있게 제시하고 있다.

29. <보기>를 참고하여 (가), (나)를 감상한 것으로 적절하지 않은 것은? [3점]

<보 기>

시에서 '낯설게 하기'는 반복과 변형, 역설, 이질적인 대상 간의 결합, 언어의 비유적인 결합, 감각의 전이 등을 통해 사물을 재인식하거나 그 이면에 주목하여 새로운 의미를 형성하는 방법이다.

① (가)의 '흰 옷고름 절로 향기로워라'에서는 흰 옷고름의 시각적 이미지를 향기로움이라는 후각적 이미지로 표현함으로써 봄에 대한 화자의 느낌을 나타내고 있군.
② (가)의 '꽃 피기 전 철 아닌 눈'에서는 서로 어울리지 않는 봄과 눈을 결합함으로써 다시 돌아올 겨울에 대한 화자의 기대감을 드러내고 있군.
③ (나)의 '난분분 난분분'과 '미끄러지고 미끄러지길'에서는 시어를 반복하거나 변형함으로써 눈꽃을 피우기 위해 노력하는 눈의 모습을 표현하고 있군.
④ (나)의 '마침내 피워 낸 저 황홀 보아라'에서는 가지에 피어난 눈꽃을 '황홀'과 비유적으로 결합함으로써 눈의 노력이 결실을 맺는 기쁨을 드러내고 있군.
⑤ (나)의 '아름다운 상처'에서는 표면적으로 모순이 되는 두 시어를 연결하는 역설의 방법을 사용함으로써 시련을 겪고 피어나는 것의 아름다움을 강조하고 있군.

[30~33] 다음 글을 읽고 물음에 답하시오.

북아메리카 원주민들에게는 독특한 방식으로 선물을 ⓐ주는 '포틀래치(potlatch)'라는 관습이 있다. 행사를 연 마을의 수장은 자신이 쌓아온 재물을 초대받은 다른 마을의 수장들에게 무료로 나누어 주기도 하고, 심지어 그것을 파괴하기도 한다. 손님들은 선물을 받고 자기 마을로 돌아와 '복수'를 맹세하는데, '복수'의 방법이란 그동안 선물을 준 사람들에게 답례 포틀래치를 열어 자기가 받은 것보다 더 많은 선물을 제공하는 것이다.

초기 인류학자들은 이러한 포틀래치라는 관습을 자신의 재산을 대가 없이 자발적으로 주는 일반적인 증여로 파악하고, 위신을 얻기 위해 재산을 탕진하는 비합리적인 생활양식으로 이해하였다. 하지만 모스와 레비스트로스 같은 후대 인류학자들은 포틀래치를 호혜적 교환 행위로 바라보았다. 호혜적 교환이란 일반적인 경제적 교역, 즉 사물의 가격을 측정하여 같은 값으로 교환하는 행위와는 달리, 돌려받을 대가나 시기를 분명하게 정하지 않고 사물을 교환하는 방식을 말한다. 모스는 포틀래치가 자발성을 띤 증여로 보이지만 실제적으로는 교환의 성격을 지닌다고 보았다. 왜냐하면 선물을 받은 사람은 의무적으로 답례를 해야 할 뿐만 아니라 더 많은 선물을 돌려주어야 하기 때문이다. 모스는 이러한 포틀래치가 집단 간의 유대 관계를 형성하는 역할을 한다고 보았다.

레비스트로스는 여기에서 더 나아가 포틀래치에 나타나는 호혜적 교환을 사회가 성립되는 원리로 제시하였다. 폐쇄적인 집단은 환경의 변화나 주변의 침략에 쉽게 무너질 수 있으므로, 인간은 생존하기 위해서 교환을 하며 다른 집단과 사회적 유대를 맺어야 한다는 것이다. 이때 포틀래치와 같이 상대방에게 선물을 주는 행위가 상대방에게 부채감을 ⓑ주고, 이 부채감이 다시 선물을 주는 행위로 이어지게 만들어 결국 교환이 이루어지도록 한다는 것이다. 한편 다른 집단과 동맹을 맺는 가장 좋은 방법은 그 집단과 결혼을 하는 것이므로, 레비스트로스는 교환을 위해 ㉠'친족 간의 결혼 금지'가 만들어졌다고 말한다. 그는 친족 간의 결혼 금지로 인해 우리 부족의 사람이 다른 부족으로 넘어가고, 새로운 사람이 우리 부족에 들어오는 호혜적 관계가 형성되었으며, 이를 통해 부족 간의 호혜적 교환이 가능해져 사회적 공동체가 형성되었다고 주장한다. 또한 그는 친족 간의 결혼 금지라는 규칙을 바탕으로 공동체에 필요한 다른 규칙들이 형성됨으로써 인간이 자연 상태에서 문명 상태로 접어들게 되었다고 말한다.

이처럼 레비스트로스는 포틀래치를 교환의 구조나 사회 규칙이라는 체계의 틀에서 이해하고자 하였다. 그의 견해에 따르면 인류의 보편적인 현상인 친족 간의 결혼 금지와 같은 결혼 제도도 인간의 본성이 아닌 사회적 유대 관계를 형성하는 구조 속에서 만들어진 결과이다. 이렇게 인간을 비롯한 대상의 의미나 본질은 하나의 개체로서가 아니라 전체 안에서 다른 것들과 맺은 관계 때문에 결정된다는 관점을 '구조주의'라고 한다. 이 관점에 따르면 인간은 결단의 주체가 아니며 인간의 특성과 정체성은 인간 스스로 결정하는 것이 아닌 그가 속한 사회 구조에 의해 결정된다.

구조주의 인류학자 레비스트로스는 인간은 어떤 고립된 개인으로 이해되어서는 안 된다고 말한다. 사회 구조가 인간을 만들기 때문에, 인간을 이해하려면 인간의 구체적인 행동보다는 그 인간이 속한 사회 구조를 살펴야 한다는 것이다. 그의 관점에 따르면 소유를 중시하고 치열한 경쟁을 하며 살아가는 현대인의 모습 역시 현대 사회의 구조 아래에서 형성된 특성에 불과하다. 그런 점에서 그의 연구는 현대 사회의 구조 변화가 현대인들의 삶의 변화로 이어질 수 있다는 가능성을 보여 주었다는 평가를 받고 있다.

30. 윗글을 통해 알 수 있는 내용으로 적절하지 않은 것은?

① 후대 인류학자들은 포틀래치가 유대 관계를 형성하는 역할을 한다고 보았다.
② 초기 인류학자들은 포틀래치를 위신을 얻기 위해 재산을 탕진하는 비합리적인 행위로 보았다.
③ 일반적인 증여는 자신의 재산을 상대방에게 대가 없이 자발적으로 제공하는 행위에 해당한다.
④ 일반적인 경제적 교역은 사물의 가치를 따져 같은 값으로 교환한다는 점에서 포틀래치와 차이가 있다.
⑤ 후대 인류학자들은 포틀래치를 선물을 받은 사람이 답례의 시행 여부를 선택할 수 있는 호혜적 행위라고 보았다.

31. ㉠에 대한 '레비스트로스'의 견해로 가장 적절한 것은?

① 다른 부족과의 결혼을 유도하여 부족 간의 동맹을 약화시키는 규칙이다.
② 인류의 보편적인 현상이 아닌 인간의 본성에 의해 개별적으로 형성된 규칙이다.
③ 사람을 받아들인 부족은 부채감을 덜게 하고, 보낸 부족은 부채감을 갖게 하는 규칙이다.
④ 인간이 자연 상태를 벗어나 문명 상태로 발전한 상황에서 사회적 구조에 의해 성립된 규칙이다.
⑤ 다른 집단과 동맹을 맺기 위한 목적으로 활용되어 호혜적 교환이 일어날 수 있게 하는 규칙이다.

32. 윗글의 '구조주의'와 <보기>의 사상을 비교한 내용으로 적절하지 않은 것은? [3점]

<보 기>

'전통철학'에서는 인간이 선천적인 원리에 의해 미리 규정된 '특성'과 '본질'을 갖는다고 보았다. 그리고 인간은 그 특성과 본질을 이 세계에서 충실하게 실현해야 한다는 것이다. 하지만 '실존주의'에서는 인간은 결단의 주체이며 자신의 특성과 정체성을 스스로 결정할 자유로운 의식과 권리가 있고, 스스로 자신의 결정에 책임을 질 필요가 있다고 보았다. 따라서 실존주의에서는 인간을 하나의 현상이자 개별적인 존재로 보고 인간의 구체적인 행동에 관심을 두었다.

① 구조주의와 실존주의에서는 모두 인간을 자신의 결정에 책임을 지는 결단의 주체로 보는군.
② 구조주의에서는 실존주의와 달리 인간은 자신의 정체성을 스스로 결정하지 않는다고 보는군.
③ 실존주의에서는 구조주의와 달리 인간을 이해하기 위해서는 인간의 구체적인 행동에 주목해야 한다고 보는군.
④ 전통철학에서는 구조주의와 달리 인간에게는 충실하게 실현해야 할 본질이 미리 규정되어 있다고 보는군.
⑤ 구조주의에서는 전통철학과 달리 인간의 특성은 집단 안에서 다른 것들과 맺는 관계에 따라 결정된다고 보는군.

33. ⓐ, ⓑ의 의미로 쓰인 예가 바르게 짝지어진 것은?

① ⓐ: 그는 아이에게 용돈을 주었다.
　 ⓑ: 지나친 기대는 학생에게 부담을 준다.

② ⓐ: 선생님께서 학생에게 책을 주셨다.
　 ⓑ: 그는 개에게 먹이를 주고 집을 나섰다.

③ ⓐ: 오늘부터 너에게 3일의 시간을 주겠다.
　 ⓑ: 나는 너에게 중요한 임무를 주겠다.

④ ⓐ: 여행은 우리에게 기쁨을 주는 일이다.
　 ⓑ: 손에 힘을 더 주고 손잡이를 돌려야 한다.

⑤ ⓐ: 그 사람은 모두에게 정을 주는 사람이다.
　 ⓑ: 어머니는 우리에게 조건 없이 사랑을 주는 분이다.

[34~37] 다음 글을 읽고 물음에 답하시오.

(가)

어리고 성근 가지 너를 믿지 않았더니
눈 기약(期約) 능(能)히 지켜 두세 송이 피었구나
촛불 잡고 가까이 사랑할 때 암향부동(暗香浮動)*하더라
<제2수>

[A] 빙자옥질(氷姿玉質)*이여 눈 속에 네로구나
가만히 향기 놓아 황혼월(黃昏月)을 기약하니
아마도 아치고절(雅致高節)*은 너뿐인가 하노라
<제3수>

동쪽 누각에 숨은 꽃이 철쭉인가 두견화(杜鵑花)인가
온 세상이 눈이어늘 제 어찌 감히 피리
알괘라 백설 양춘(白雪陽春)*은 매화밖에 뉘 있으리
<제8수>

– 안민영, 「매화사(梅花詞)」 –

* 암향부동 : 그윽한 향기가 은근히 떠돎.
* 빙자옥질 : 얼음같이 맑고 깨끗한 살결과 구슬같이 아름다운 자질.
* 아치고절 : 우아하고 높은 절개.
* 백설 양춘 : 흰 눈이 날리는 이른 봄.

(나)

나이가 들수록 격이 높아지는 것이 나무다. 경기도 용문사에는 천여 년 전에 심었다는 고령의 은행나무가 있어 45미터의 키에 아래 부분의 직경이 4미터가 된다니 산으로 치자면 백두요, 한라가 아닐 수 없다. 뜨락에 자질구레한 나무만 심어 놓고 바라보아도 한결 마음이 든든한데 그쯤 고령의 거목이고 보면, 내 하잘것없는 인생을 송두리째 맡기고 살아도 뉘우칠 게 없을 것 같다.

홍야항야*로 일삼는 세속적인 생각에 젖어 사는 것이 너무나 치사한 것만 같아 새삼 허탈을 느낄 때가 한두 번이 아니다. 창 앞에 대를 심어 소슬한 가을바람을 즐길 줄 모르는 바 아니요, 또한 눈부신 장미꽃이 싫은 바도 아니요, 오색영롱한 철쭉도 싫은 바 아니지만, 그런 관목*보다는 아교목*이 좋고 아교목보다는 교목*이 믿음직해서 더 좋다. 욕심껏 꽂아 놓은 나무가 좁은 뜨락에 초만원이 되어 이제 어찌 할 도리가 없어 제일 먼저 장미를 담 옆으로 분산시키고 아교목의 호랑가시와 교목인 태산목, 은행나무, 낙우송을 알맞게 자리 잡아 세운 것도 호화찬란한 장미처럼 눈부신 여생이기보다는 담담하기를 바라는 탓도 있지만, 차라리 그보다는 날로 거목의 몸매가 잡혀가는 아교목들에게 끌리는 정이 더욱 도탑고 믿음직한 탓이기도 하리라.

낙우송 사이로 바라다보이는 유월 하늘에서는 가지가 흔들릴 때마다 그 짙푸른 쪽물이 금시 쏟아질 것만 같아 좋거니와, 오월부터 개화하기 비롯한 태산목은 겨우 십 년이 되었는데도 두세 송이씩 연이어 꽃이 피는가 하면 그 맑은 향기가 어찌도 그윽한지 문향(文香) 십 리를 자랑하는 난(蘭) 또한 감히 따를 바 못 되리라.

[B] 백련꽃 송이처럼 탐스러운 봉오리에 어쩌면 향기를 가득 저장하고 있는 것만 같다. 아침저녁 솔깃이 흘러드는 그 향기를 맡아 본 사람이면 알리라.

㉠ 집 주변에 오류(五柳)를 가꾸어 '한정소언 불모영리(閑靜少言 不慕榮利)*'의 도를 터득한 도연명(陶淵明)은 그대로 향기 높은 저 태산목 같은 거목이 아니었을까 생각될 때, 장미류의 관목처럼 눈부신 꽃이고 싶어 하는 데는 머리를 써도, 태산목처럼 격 높은 향기를 마음에 지니기란 쉬운 일이 아니기에, 내 스스로 향기 지닐 마음의 여유 없음을 슬퍼할 따름이다.

(중략)

문 밖에 심은 버드나무도 벌써 10년이 가깝게 자라고 보니, 이른 봄부터 찾아와서 옥을 굴리듯 울어 주는 밀화부리*도 버드나무가 없었던들 엄두도 낼 수 없는 일이다. 그러기에 이 근방에서는 버드나무집으로 통할 뿐 아니라, 혹시 전화로라도 우리 집 위칠 묻는 친구가 있으면 어느 지점에 와서 문 앞에 버드나무가 세 그루 서 있는 집이라면 무난히들 찾아오게 마련이다. 당초엔 다섯 그루를 심어 정성 들여 가꾸었는데 이웃집에서 가을 낙엽에 성화를 내고 자기 집 옆에 서 있는 놈만은 베어 주었으면 하기에, 그 집 주인에게 처분을 맡겼더니 베어다가 장작으로 패 땐 모양이고, 또 한 그루는 동네 애들이 매일 짓궂게 매달리는가 했더니 끝내는 껍질을 홀랑 벗겨대는 등쌀에 기어이 고사(枯死)하고 보니, 남은 세 그루가 옆채를 사이에 두고 태산목과 마주 보고 서 있게 되었다.

㉡ 그대로 다섯 그루가 자랐더라면 집 주변에 오류를 가꾸어 '한정소언 불모영리'의 도를 터득한 저 도연명의 풍모를 배우고자 함이었더니, 세 그루가 남게 되어 짓궂은 친구가 찾아올라치면 숫제 삼류선생(三流先生)이라 부르는 데는 긍정도 부정도 하지 않는 까닭은 삼류 인생을 살아가는 나에게 오류(五柳)선생은 못 될지언정, 삼류선생의 칭호도 오히려 과분한 것만 같아 설마 삼류선생이라 부르는 것은 아니겠지 하고 스스로를 위로하기 때문인지도 모른다.

– 신석정, 「향기 있는 사람」 –

* 홍야항야 : 남의 일에 쓸데없이 참견하는 모양을 의미함.
* 관목 : 키가 작고 원줄기가 가늘며 밑동에서 가지를 많이 치는 나무.
* 아교목 : 교목과 관목의 중간 식물.
* 교목 : 줄기가 곧고 굵으며 높이가 8미터를 넘는 나무.
* 한정소언 불모영리 : 한가하고 조용하며 말이 적고 명예나 실리를 바라지 않음.
* 밀화부리 : 참새목 되새과의 새.

34. [A]와 [B]의 공통점으로 가장 적절한 것은?
① 비유적 표현을 사용하여 대상의 속성을 드러내고 있다.
② 시선의 이동을 통해 대상의 변화 과정을 제시하고 있다.
③ 색채 이미지를 활용하여 애상적 분위기를 조성하고 있다.
④ 자연물에 말을 건네는 어투를 활용하여 친근감을 드러내고 있다.
⑤ 대상에 감정을 이입하여 자연물에 대한 자신의 심정을 강조하고 있다.

35. (가)와 (나)의 두세 송이와 철쭉에 대한 이해로 적절하지 않은 것은?
① (가)와 (나)의 '철쭉'은 모두 화자가 거부하는 대상이다.
② (가)와 (나)의 '철쭉'은 모두 화자가 추구하는 대상을 부각하기 위해 사용되는 소재이다.
③ (가)와 (나)의 '두세 송이'는 모두 다른 자연물과 비교되는 소재이다.
④ (가)와 (나)의 '두세 송이'는 모두 화자가 긍정적으로 인식하는 대상이다.
⑤ (나)의 '두세 송이'와 달리 (가)의 '두세 송이'는 추운 계절임에도 불구하고 개화를 한 대상이다.

36. ㉠과 ㉡에 대한 설명으로 가장 적절한 것은? [3점]
① ㉠은 '향기 지닐 마음'을 지니고 살아가는 삶에 대한 '나'의 자부심을, ㉡은 '삼류선생'이라 불리는 삶에 대한 '나'의 부끄러움을 나타낸다.
② ㉠은 '태산목 같은 거목'이 되고 싶은 '나'의 꿈을 실현한 만족감을, ㉡은 '도연명의 풍모'를 배우고자 노력했던 '나'에 대한 자족감을 나타낸다.
③ ㉠은 '한정소언 불모영리'의 도를 터득하지 못해 느꼈던 '나'의 슬픔을, ㉡은 '한정소언 불모영리'의 도를 터득한 후 느꼈던 '나'의 기쁨을 나타낸다.
④ ㉠은 '격 높은 향기를' 지니고 살아가지 못하는 삶에 대한 '나'의 안타까움을, ㉡은 '오류선생'의 풍모에 미치지 못한다고 생각하는 '나'의 겸손함을 나타낸다.
⑤ ㉠은 '오류를 가꾸어' 도연명의 도를 터득하고 싶었던 '나'의 소망을, ㉡은 '집 주변에 오류'를 가꾸지 못한 상황을 핑계로 도연명의 도를 져버리려는 '나'의 의도를 나타낸다.

37. <보기>는 '선생님'의 안내에 따라 학생들이 (나)를 감상한 내용이다. ⓐ~ⓔ 중 적절하지 않은 것은?

<보 기>

선생님 : 수필은 글쓴이가 생활 주변에서 찾은 글감을 바탕으로 자신의 주관적 정서를 드러내는 글입니다. 자기 고백적인 성격이 강한 수필은 삶에 대한 통찰과 가치관을 담고 있으며, 개성 있는 표현으로 자신의 생각을 드러냅니다. 또한 독자들은 수필을 읽으며 글쓴이의 성격이나 삶에 대한 태도 등을 파악할 수 있습니다. 그러면 이 작품에 나타난 수필의 특징을 확인해 봅시다.

학생 1 : 아끼던 버드나무를 베고 싶다는 이웃에게 성화를 내는 모습에서 글쓴이의 성격을 엿볼 수 있어요. …… ⓐ
학생 2 : 자신의 삶이 눈부시기보다 담담한 인생이기를 바란다는 것에서 글쓴이의 삶에 대한 가치관을 엿볼 수 있어요. …… ⓑ
학생 3 : 세속적인 생각에 젖어 사는 것에 대해 허탈함을 느끼는 모습에서 글쓴이의 삶에 대한 태도를 엿볼 수 있어요. …… ⓒ
학생 4 : '-(으)리라'를 반복하여 나무에 대한 자신의 생각을 나타내는 것에서 글쓴이의 개성 있는 표현을 찾아볼 수 있어요. …… ⓓ
학생 5 : 키우던 다섯 그루의 버드나무가 세 그루만 남게 된 일화에서 글쓴이가 자신의 생활 주변에서 글감을 찾은 것을 알 수 있어요. …… ⓔ

① ⓐ ② ⓑ ③ ⓒ ④ ⓓ ⑤ ⓔ

[38~41] 다음 글을 읽고 물음에 답하시오.

자동차에서 배출되는 오염 물질로 인한 대기 오염 및 기후 변화 문제가 심각해지면서 세계 각국은 온실가스의 배출 억제를 위해 자동차 분야 규제를 강화하고 있어 오염 물질의 배출이 적은 친환경차가 주목을 ㉮ 받고 있다.

친환경차에는 전기차, 수소전기차, 하이브리드차가 있는데 이 중 ㉠ 전기차와 수소전기차는 전기에너지를 운동에너지로 변환하여 주는 모터만으로 구동되고, ㉡ 하이브리드차는 모터와 함께 ㉢ 내연기관차처럼 연료를 연소시킬 때 발생하는 열에너지를 운동에너지로 바꿔 주는 엔진을 사용하여 구동된다. 내연기관차는 마찰 제동장치를 사용하므로 차가 감속할 때 운동에너지가 열에너지로 변환된 후 사라지는 반면, 친환경차는 감속 시 운동에너지를 전기에너지로 변환하여 배터리에 충전해 다시 사용할 수 있게 하는 회생 제동장치도 사용해 에너지 효율을 높이고 있다.

하이브리드차는 출발할 때에는 전기에너지를 이용하여 모터를 구동하고 주행 시에는 주행 상황에 따라 모터와 엔진을 적절히 이용하므로 일반 내연기관차보다 연비가 좋고 배기가스가 저감되는 효과가 있다. 전기차와 수소전기차는 엔진 없이 모터를 사용해 전기에너지만으로 달리는 차라 할 수 있다. 전기차는 고전압 배터리에 충전을 해 전기에너지를 모터로 공급하여 움직이고, 수소전기차는 연료 탱크에 저장된 수소를 연료전지를 통해 전기에너지로 변환하여 동력원으로 사용한다. 연료전지는 차량 구동에 필요한 수준의 전기에너지를 발전시키기 위해 다수의 연료전지를 직렬로 연결하여 가로로 쌓아 만드는데 이를 스택(stack)이라 한다. 연료전지는 저장된 수소와 외부로부터 공급되는 공기 속 산소가 만나 일어나는 산화·환원 반응 과정을 통해 전기에너지를 생성하는데, 산화란 어떤 물질이 전자를 내어 주는 것을, 환원이란 전자를 받아들이는 것을 의미한다. 이렇게 물질이 전자를 얻거나 잃는 것을 이온화라고도 하는데 물질이 전자를 얻으면 음이온이, 전자를 잃으면 양이온이 된다.

수소전기차에는 백금을 넣은 촉매와 고분자전해질막을 지닌 연료전지를 많이 사용하는데 다른 연료전지에 비해 출력이 크고 저온에서도 작동이 되며 구조도 간단하다. 연료전지의 −극과 +극에 사용되는 촉매 속에 들어있는 백금은 −극에서는 수소의 산화 반응을, +극에서는 산소의 환원 반응을 활성화한다. 그리고 두 극 사이에 있는 고분자전해질막은 양이온의 이동은 돕고 음이온과 전자의 이동은 억제하는 역할을 한다.

연료전지에서 전기에너지가 생성되는 과정은 수소를 저장한 연료 탱크로부터 수소가 −극으로, 공기공급기로 유입되는 외부의 공기 속 산소가 +극으로 공급되며 시작된다. −극에 공급된 수소는 촉매 속 백금에 의해 수소 양이온(H^+)과 전자(e^-)로 분리되고, 수소 양이온은 고분자전해질막을 통과해 +극으로, 전자는 외부 회로를 통해 +극으로 이동한다. 이렇게 전자가 외부 회로로 흐르며 전기에너지가 발생하는데, 생성된 전기에너지는 모터로 전해져 동력원이 되고 일부는 배터리에 축전된다. +극에서는 공급된 산소가 외부 회로를 통해 이동해 온 전자(e^-)와 결합해 산소 음이온(O^-)이 된 후, 수소 양이온(H^+)과 만나 물(H_2O)이 되어 외부로 배출된다.

수소전기차에 사용되는 수소는 가솔린의 세 배나 되는 단위 질량당 에너지 밀도를 지니고 있어 에너지 효율이 높다. 그리고 수소와 산소의 반응을 이용하므로 오염 물질이나 온실가스의 배출이 적고 외부로부터 공급되는 공기를 필터로 정화하여 사용한 후 배출하므로 공기를 정화하는 기능도 한다. 그러나 고가인 백금과 고분자전해질막을 사용해 연료전지를 제작해 가격이 비싸다는 점, 수소는 고압으로 압축해야 하므로 폭발할 위험성이 커 보관과 이동에 어려움이 있다는 점 등 해결해야 할 문제들이 남아 있다.

38. 윗글에 대해 이해한 내용으로 적절하지 않은 것은?

① 고압으로 압축한 수소는 폭발할 위험이 크니 보관이나 이동에 어려움이 많겠군.

② 수소전기차는 공급되는 외부 공기를 필터로 걸러 사용하므로 정화된 공기가 배출되겠군.

③ 수소가 연료로 쓰이는 이유는 가솔린보다 에너지 효율은 낮지만 친환경적이기 때문이겠군.

④ 백금과 고분자전해질막을 대신할 저가의 원료를 개발한다면 연료전지의 가격을 낮출 수 있겠군.

⑤ 수소전기차를 구동할 수준의 전기에너지를 만들어 내려면 다수의 연료전지를 직렬로 연결해 만들어야겠군.

39. <보기>는 수소전기차의 연료전지에서 전기에너지가 생성되는 과정을 도식화한 것이다. 윗글을 바탕으로 <보기>를 이해한 내용으로 적절하지 않은 것은? [3점]

<보 기>

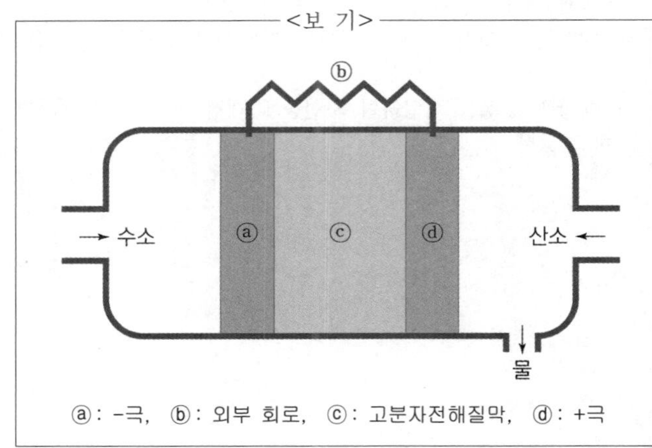

① ⓐ와 ⓓ에 들어 있는 금속은 각각 수소와 산소의 이온화를 촉진하겠군.

② ⓑ를 통해 전자가 흘러가는 이유는 ⓒ가 전자의 이동을 억제하기 때문이겠군.

③ ⓒ를 통과하여 ⓓ로 이동하는 수소 양이온은 ⓐ에서 전자를 잃은 수소이겠군.

④ ⓐ와 ⓓ에서 분리된 전자는 ⓑ에서 만나 전기에너지를 생성하겠군.

⑤ ⓓ에서는 수소 양이온과 산소 음이온이 결합하여 물이 생성되겠군.

40. ㉠~㉢에 대한 이해로 적절하지 않은 것은?

① ㉠은 ㉡, ㉢과 달리 연료 탱크를 제작할 필요가 없다.

② ㉡은 ㉠에 쓰이는 모터와 ㉢에 쓰이는 엔진을 주행 상황에 따라 이용한다.

③ ㉢은 ㉠, ㉡과 달리 감속할 때 발생하는 에너지를 자동차의 주행에 활용하지 못한다.

④ ㉠, ㉡은 ㉢에 비해 배출되는 오염 물질과 온실가스의 양이 적다.

⑤ ㉠, ㉡은 ㉢과 달리 전기에너지를 운동에너지로 변환하여 출발한다.

41. 문맥상 ㉮와 가장 가까운 의미로 쓰인 것은?

① 회사의 미래를 위해 신입 사원을 받아야 하겠군.

② 네가 원하는 요구 조건은 무엇이든지 받아 주겠다.

③ 그 아이는 막내로 태어나 집에서 귀염을 받고 자랐다.

④ 그는 좌회전 신호를 받고 천천히 차의 속도를 높였다.

⑤ 예전에는 빗물을 큰 물통에 받아 빨래하는 데 쓰기도 했다.

[42~45] 다음 글을 읽고 물음에 답하시오.

종황이 친히 조정, 임응과 함께 병사를 거느리고 나아갔다. 과연 석벽 틈 사이에서 붉은 안개가 일어나고 독기가 어려 있었다. 종황이 손에 들고 있던 부채를 들어 한 번 둘러치자 그 기운이 사라졌다. 바로 그때 조정이 누런 궤짝을 열었다. 궤짝 속에서 한 짐승이 날개를 퍼덕이며 나왔다. 큰 누런 닭이었다. 닭의 등은 큰 산을 지고 있는 듯하였고, 날개는 하늘에 드리운 구름 같았다. 닭이 석벽 위로 날아오르더니 무지개 같은 긴 목을 빼고, 초승달 같은 부리를 벌리며 크게 울었다. 그러자 갑자기 바위가 절로 갈라지며 한 괴상한 짐승이 나왔다. 짐승은 바위가를 기어 다니다가 스스로 죽어 버렸다. 크기가 십여 장이나 되는 황금빛 지네였다. 모두 크게 놀라 얼굴빛이 창백해졌다.

"선생은 과연 하늘이 내신 신이한 사람입니다. 이 짐승이 여기 있는 줄 어떻게 알고 대비하였습니까?"

임성의 말에 종황이 웃으면서 말하였다.

"궤 안에 들어 있던 것은 ㉠ <u>닭의 깃털</u>입니다. 신이 늘상 큰 바다에는 온갖 괴이한 족속들과 요괴가 있을 것으로 생각하여 반수에게 준비시킨 것인데, 생각이 들어맞아 저 지네와 같은 독한 요괴를 없앨 수 있었습니다."

종황의 말을 들은 사람들이 종황의 재주에 칭찬을 아끼지 않았다.

즉시 섬을 떠나 배를 띄워 가는데, 바람이 순하고 물결이 고요하여, 배가 반석 위를 가듯 편하고, 화살같이 빨랐다. 임성이 종황에게 말하였다.

"내 일찍이 들으니 큰 바다에는 배를 삼키는 고기가 많다고 하는데, 지금까지 그런 환란을 당하지 않은 것은 정말 다행스런 일입니다."

"바다의 하찮은 족속들은 모두 동해신인 해약이 거느린 것들입니다. 해약이 이미 천명이 주공에게 향한 줄을 알고 물에 사는 생물들에게 우리를 훼방하지 못하도록 금지시킨 것입니다. 이전에 있었던 모든 요괴의 작변을 신이 약간 제어하기는 하였으나, 그 모든 것이 어찌 저 종황의 재주 때문이었겠습니까? 주공이 천명을 받았기 때문입니다. 주공이 만일 평범한 사람이었다면 이 같은 대해에서 그만한 곤경을 겪고도 한 사람도 상하지 않고 지금까지 올 수 있었겠습니까?"

[중략 부분 줄거리] 임성 일행은 배를 타고 가다가 바다에서 '하늘에서 명을 받았으니 나라가 번창하리라.'라는 글이 새겨진 '전국옥새'를 얻은 후 한 섬에 도착한다. 종황이 임성을 대신하여 섬의 주인을 만나지만, 섬의 주인은 옥새를 내어 줄 것을 요구한다.

"사물에는 각각 주인이 있다고 들었습니다. 따라서 그 물건의 임자가 아니면 그 물건이 오지 않는 법입니다. 나에게 보배가 있는 것은 그것이 본래 주인의 것이 아니어서 내가 먼저 얻었기 때문입니다. 주인이 어찌 망령스럽게 욕심을 내어 스스로 잘못된 사람이 되려고 하십니까?"

"그 보배는 본래 내게 합당한 것이고 그대에게는 당치도 않는 것이오. 그래서 그대들로 하여금 스스로 이곳에 이르게 한 것이오."

"그렇게 말씀하시니, 제가 더 이상 무슨 말씀을 드리겠습니까?"

종황이 소매를 떨치고 일어나니, 그 사람이 종황의 손을 어루만지고 크게 웃으며 말하였다.

"그대는 나중에 뉘우치지 마시오."

종황이 대답하지 않고 돌아와 보니, 배와 일행이 간 곳 없이 사라져 버렸다. 종황이 크게 놀라 급히 몸을 돌리니 그 사람이 벌써 뒤에 서서 크게 웃으며 말하였다.

"그대가 비록 온 천하를 다스릴 재주가 있다고 하여도 날개가 없으니 이 어려움을 어떻게 벗어나겠는가?"

종황이 즉시 주인을 청하여 바위에 함께 앉았다. 임응과 조정 또한 기척도 없이 뒤에 모시고 서 있었다. 종황이 마음속으로 이상하게 생각하면서도 얼굴빛을 바르게 하고 말하였다.

[A] "주인의 재주가 범상치 않으니, 가히 하늘의 뜻을 알 것입니다. 옛사람이 말하기를 '하늘의 이치를 따르는 사람은 창성하고, 하늘의 이치를 거스르는 사람은 망한다.'고 하였습니다. 이제 하늘이 우리 주공을 내셔서 이 보배를 주셨으니, 이것으로 하늘의 뜻을 알 것입니다. 주인은 어찌 하늘의 뜻을 거스르는 망령된 심술을 내어 굳이 빼앗으려고 하십니까? 제가 비록 어리석고 용렬하지만 일찍이 하늘의 계시가 적힌 천서를 얻어 음양의 변화를 약간 알고 있습니다. 주인이 비록 바다를 엎고 산을 뒤집는 재주가 있다고 한들, 저는 조금도 두렵지가 않습니다."

"그대의 말은 옳지 않소이다. 그대는 비록 신통하여 몸을 띄워 하늘에 오르는 재주가 있다고 하지만, 그대의 소중한 부하들의 목숨은 어찌하겠소?"

"결국 주인은 나와 싸우자고 하십니까?"

"그대가 진정 하늘이 명하신 사람으로 그 보배를 얻었다면 그대 말이 진실로 옳은 것이니 내 어찌 빼앗으려 하겠소. 하지만 그대의 관상을 보니 재주는 비록 주나라 때의 강태공이나 한나라 때의 제갈공명과 겨룰 만하지만, 제왕이 될 모습은 아니오. 그래서 그대가 보배의 임자가 아님을 아는 것이오."

종황이 웃으며 말하였다.

"주인은 나만 보고 우리 주공은 보지 못하였구려. 주인은 하늘이 정하신 진정한 인물을 보고 싶으십니까?"

"그대의 주공이 어디에 있소?"

"배 안에 계셨는데, 주인이 벌써 잡아가 놓고서 어찌 모르는 체하십니까?"

"만일 그대의 주공이 하늘의 명을 받은 사람이 아니면 어찌하겠소?"

종황이 웃으며 말하였다.

"만일 그렇다면 보배를 받들어 주인께 드리겠습니다."

그 사람이 가만히 웃고 하인들에게 명하여 배를 밀고 나오라고 하니, 하인들이 깊은 산속으로 들어갔다. 괴상히 여겨 의심하고 있는데, 이윽고 하인 몇 명이 산골짜기에서 배를 끌고 나왔다. 가볍게 다루는 것이 베를 짤 때 쓰는 북을 던지는 것 같았다. 모두 크게 놀라고 살펴보니 임성과 여러 장수, 장졸들이 모두 묶인 채 배 안에 엎드려 있었다. 종황이 즉시 맨 것을 풀고 임성을 청하여 바위 위에 앉게 하였다. 그 사람이 임성을 보고는 문득 놀라며 바위 아래 내려가 머리를 조아리며 사죄하였다.

"소인이 알아 뵙지 못하고 하늘이 정한 일을 범하였으니 그 죄 만 번 죽어도 오히려 가볍다 할 것입니다."

종황이 즉시 붙들어 자리에 앉히고 말하였다.

"그대는 도대체 어떤 사람이며, 또 어찌 천명을 아십니까?"

그 사람이 부끄러움을 머금고 스스로 낮추어 말하였다.

"저는 서해 용왕인 광덕왕입니다."

– 작자 미상, 「태원지(太原誌)」 –

42. 윗글에 대한 이해로 적절하지 않은 것은?
① 임성은 요괴를 물리친 종황을 신이한 사람이라고 여겼다.
② 종황은 요괴의 작변을 겪고도 사람이 상하지 않은 것이 임성 덕분이라고 생각했다.
③ 종황은 보배의 주인이 자신이라고 믿어 서해 용왕의 요구를 거절했다.
④ 서해 용왕은 종황의 관상을 보고 종황이 보배의 주인이 아니라고 생각했다.
⑤ 서해 용왕은 하늘이 정한 인물을 알아보지 못하고 배를 산골짜기에 숨겼다.

43. ㉠에 대한 이해로 가장 적절한 것은?
① 요괴의 작변을 제어하기 위해 동해신인 해약이 임성에게 준 것이다.
② 물결을 고요하게 만들어 배를 띄우기 위해 임성이 배에 실어 놓은 것이다.
③ 종황이 바다에 있을 수 있는 요괴에 대비하기 위해 반수에게 준비시킨 것이다.
④ 석벽 틈 사이에 어려 있던 붉은 안개와 독기를 없애기 위해 종황이 흔든 것이다.
⑤ 지네를 갈라진 바위에서 나오게 하기 위해 조정이 큰 누런 닭을 변하게 한 것이다.

44. [A]에 대한 설명으로 가장 적절한 것은?
① 상대방과의 관계 개선에 대한 기대를 드러내고 있다.
② 앞으로 일어날 상황에 대한 두려움을 드러내고 있다.
③ 동정심에 기대어 상대방의 행동 변화를 촉구하고 있다.
④ 상황을 과장하여 자신이 취한 행동에 대해 변명하고 있다.
⑤ 옛사람의 말을 인용하여 상대방의 요구가 잘못됐음을 지적하고 있다.

45. <보기>를 참고하여 윗글을 감상한 내용으로 적절하지 않은 것은? [3점]

<보 기>

「태원지」는 주인공 임성이 자신을 따르는 호걸들과 미지의 대륙인 태원에 새로운 나라를 세운다는 내용의 영웅 소설이다. 임성은 황제가 될 천명을 받은 인물로, 하늘로부터 '전국옥새'를 받고 신적 존재인 용왕으로부터 천명을 인정받는다. 임성은 일반적인 영웅 소설과 같이 조력자의 도움으로 시련을 극복한다. 하지만 임성은 일반적인 영웅 소설의 주인공과 달리 시련을 극복하는 과정에서 도술을 부리는 등의 신이한 능력을 보이기보다는 황제가 갖추어야 할 내면적인 덕목을 보여 준다.

① 임성에게 보배를 준 것을 통해 하늘의 뜻을 알 수 있다는 종황의 말은 임성이 황제가 될 천명을 받은 인물임을 보여 주는군.
② 임성을 보고 서해 용왕이 머리를 조아리며 사죄하는 장면은 임성이 신적 존재로부터 황제가 될 천명을 인정받은 인물임을 보여 주는군.
③ 종황이 황금빛 지네를 없애는 장면은 기존의 영웅 소설과 같이 임성이 조력자의 도움으로 시련을 극복하는 인물임을 보여 주는군.
④ 임성이 묶인 채 배에 잡혀 있는 장면은 일반적인 영웅 소설의 주인공과 달리 임성이 신이한 능력을 보이지 않는 인물임을 보여 주는군.
⑤ 서해 용왕이 임성 일행을 섬에 이르게 했다는 말은 임성이 황제가 갖추어야 할 내면적인 덕목을 가진 인물임을 보여 주는군.

* 확인 사항

○ 답안지의 해당란에 필요한 내용을 정확히 기입(표기)했는지 확인하시오.

2021학년도 6월 고1 전국연합학력평가 문제지

국어 영역

제 1 교시

3회 소요 시간 /80분

➡ 해설 P.22

3 회

[1 ~ 3] 다음은 학생의 발표이다. 물음에 답하시오.

안녕하세요? 저는 수행평가 과제인 '생활 속 기호 찾기' 중 '도로 표지판'에 대해 발표를 하겠습니다. 도로에는 도로의 종류, 속도 제한, 주의 사항 등을 알려주는 다양한 종류의 표지판이 있는데요, 그중에서도 도로에 대한 정보가 담겨 있는 대표적인 세 개의 표지판을 보며, 표지판의 모양과 번호의 의미에 대해 설명해 보겠습니다.

(자료 1을 보여주며) 첫 번째 자료는 고속도로 표지판입니다. 고속도로란 주요 도시와 거점 지역을 빠르게 통행할 수 있게 만든 자동차 전용 도로입니다. 보시는 것처럼 전체적으로 방패 모양과 비슷하게 생겼으며 중앙에 적힌 번호에는 고속도로에 대한 정보가 담겨 있습니다. 우선 홀수는 고속도로가 남북으로 연결되어 있음을, 짝수는 동서로 연결되어 있음을 의미합니다. 그리고 남북으로 연결된 고속도로는 국토를 기준으로 왼쪽에서 오른쪽으로 갈수록, 동서로 연결된 고속도로는 아래쪽에서 위쪽으로 갈수록 큰 번호가 부여됩니다. 자료처럼 60번인 서울양양고속도로와 10번인 남해고속도로는 모두 짝수이기 때문에 동서로 연결되어 있고, 번호가 더 큰 서울양양고속도로가 남해고속도로보다 더 위쪽에 있음을 알 수 있습니다.

(자료 2를 보여주며) 두 번째로 보여 드리는 표지판은 타원 모양을 하고 있는데요, 일반국도를 가리킵니다. 일반국도란 전국의 주요 도시와 공항, 관광지 등을 연결하는 도로로, 번호는 고속도로와 마찬가지로 홀수는 남북으로 연결된 도로를, 짝수는 동서로 연결된 도로를 의미합니다. 다만 일반국도 중 자료처럼 한 자리 번호가 적힌 경우는 두 자리 이상의 번호가 부여된 일반국도보다 중심적인 역할을 담당합니다.

(자료 3을 보여주며) 마지막으로 보여 드리는 직사각형 모양의 표지판은 지방도를 가리킵니다. 지방도는 도내의 시·군청 소재지들을 연결하고 있는 도로로, 앞의 두 도로와 달리 도지사가 직접 관리합니다. 지방도의 번호 중 백의 자리와 천의 자리 숫자는 각 도의 고유 번호를 나타내는데요, 자료처럼 백의 자리가 3인 경우는 경기도를 의미합니다. 참고로 4××는 강원도, 5××는 충청남도, 8××는 전라남도, 10××는 경상남도를 의미하며, 뒷자리의 ××는 앞서 언급한 도로들처럼 홀수는 남북 방향을, 짝수는 동서 방향을 의미합니다.

지금까지 도로 표지판에 대해 알아보았습니다. 앞으로는 차를 타고 가다 도로 표지판을 보면 어떤 종류의 도로를 지나가고 있는지 알 수 있겠죠? 이상 발표를 마치겠습니다.

1. 위 발표자의 말하기 방식으로 가장 적절한 것은?

① 발표 자료의 출처를 밝혀 청중에게 신뢰감을 주고 있다.
② 발표 중간중간 청중에게 질문을 던지며 청중의 반응을 확인하고 있다.
③ 발표 내용의 역사적 유래와 가치를 언급하여 청중의 관심을 유도하고 있다.
④ 발표 내용과 관련된 자신의 경험을 이야기하여 청중의 흥미를 유발하고 있다.
⑤ 발표에서 언급된 화제에 대한 구체적인 예를 제시하여 청중의 이해를 돕고 있다.

2. 위 발표 내용을 바탕으로 (가) ~ (다)의 표지판을 이해한 내용으로 적절하지 않은 것은?

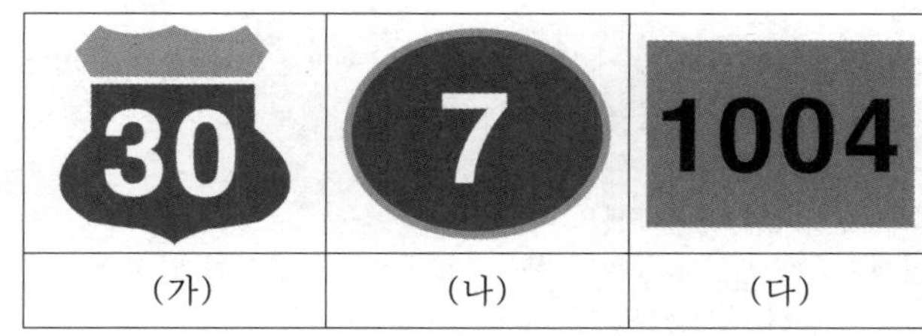

(가)	(나)	(다)

① (가)가 가리키는 도로는 남해고속도로와 서울양양고속도로 사이에 위치하고 있겠군.
② (나)가 가리키는 도로는 두 자리 번호가 적힌 같은 종류의 도로보다 중심적인 역할을 하겠군.
③ (다)가 가리키는 도로는 경상남도 내의 시·군청 소재지들을 연결하고 있는 도로들 중 하나이겠군.
④ (나)가 가리키는 도로는 (가)와 (다)가 가리키는 도로와는 달리 동서로 연결되어 있겠군.
⑤ (다)가 가리키는 도로는 (가)와 (나)가 가리키는 도로와는 달리 도지사가 직접 관리하겠군.

3. <보기>는 위 발표를 들은 학생의 반응이다. 이를 이해한 내용으로 가장 적절한 것은?

<보 기>

얼마 전 여행을 갔을 때가 생각이 나. 도로를 지날 때마다 번호들이 적혀 있는 방패 모양, 타원 모양, 직사각형 모양의 표지판들을 보았는데, 발표를 듣고 모두 의미가 있다는 것을 알게 되었어. 가기 전에 알았으면 더 좋았을 텐데……. 그런데 그때 삼각형과 육각형 모양의 표지판도 본 것 같은데, 그것들도 어떤 의미가 있는지 인터넷으로 검색해 봐야겠어.

① 발표 내용을 객관적 사실과 발표자의 의견으로 구분하고 있다.
② 발표했던 경험을 떠올리며 발표자의 발표 태도에 대해 아쉬워하고 있다.
③ 발표를 듣고 난 후 생긴 궁금증을 적극적으로 해결하려는 태도를 보이고 있다.
④ 발표에서 언급하지 않은 정보에 대해 발표자에게 질문을 해야겠다고 생각하고 있다.
⑤ 발표 내용과 자신이 알고 있던 사실을 비교하며 발표에서 제시한 정보에 의문을 품고 있다.

[4 ~ 7] (가)는 텔레비전 방송의 인터뷰이고, (나)는 (가)를 시청한 후 행복 나눔 장터를 다녀온 학생이 학교 홈페이지에 올리기 위해 쓴 건의문의 초고이다. 물음에 답하시오.

(가)

진행자 : 오늘은 '행복 나눔 장터'를 성공적으로 운영하고 있는 △△시의 시장님을 모시고 말씀을 나눠보겠습니다. 시장님, 안녕하세요.

△△시 시장 : 안녕하세요.

진행자 : ㉠ 시청자 분들께 행복 나눔 장터를 운영하게 된 배경을 말씀해 주시겠어요?

△△시 시장 : 그동안 우리 시에서는 재활용이 가능한 다양한 중고품이 쓰레기와 함께 버려지는 경우가 많았고, 이는 환경오염을 심화시켜 늘 골칫거리였습니다. (사진 1 화면) 보시다시피 주변에 버려진 전자제품과 가구가 오랫동안 방치되어 환경을 오염시키고 있습니다. 그런데 한 시민의 제안으로 시작한 행복 나눔 장터 덕분에 지금은 중고품의 재활용이 증가하여 쓰레기 배출량도 많이 줄었습니다.

진행자 : 네, 그렇군요. 행복 나눔 장터가 주말마다 열린다고 들었는데, ㉡ 장터의 모습을 잠시 보여 주실 수 있나요?

△△시 시장 : (동영상 화면) 지난 주말의 장터 모습을 촬영한 것인데, 많은 시민들이 행복 나눔 장터를 찾았습니다.

진행자 : (동영상을 보고 나서) 행복 나눔 장터의 열기가 여기까지 전해지는 듯하네요. 시장님, ㉢ 올해는 운영 면에서 지난해와 달라진 점이 있나요?

△△시 시장 : 지난해까지는 나눔 마당을 통해 시민들로부터 기증 받은 중고품을 필요한 사람들에게 나눠주거나 중고품을 교환하는 행사에 치중했습니다. (사진 2 화면) 하지만 올해는 화면에서 보시는 것처럼 실속 마당을 새롭게 마련하여 우리 지역에서 생산되는 토마토, 참외, 버섯 등의 농산물을 저렴하게 구입할 수 있도록 했습니다. (사진 3 화면) 뿐만 아니라 행사장 가장자리에 체험 마당도 마련하여 폐식용유를 활용한 비누 만들기 체험을 해 볼 수 있게 하였습니다.

진행자 : 올해는 나눔 마당, 실속 마당, 체험 마당으로 구성하여 운영한다는 말씀이죠?

△△시 시장 : 네, 그렇습니다.

진행자 : 그동안 행복 나눔 장터를 운영하면서 힘들었던 일도 많았을 것 같은데, 소개해 주시겠습니까?

△△시 시장 : 행복 나눔 장터를 열던 첫해에는 시민들의 관심도 적었고, 기증 받은 중고품도 많지 않아 큰 어려움을 겪었습니다. 또 행사 진행을 도와 줄 자원봉사자들이 부족하여 무척 힘들었죠.

진행자 : 그렇군요. 그런데 시장님, ㉣ 기증 받은 중고품에는 어떤 것들이 있나요? 또 행사장에 가면 누구나 원하는 만큼 중고품을 무료로 받을 수 있는 건가요?

△△시 시장 : (표 화면) 이 표를 보시면 아시겠지만 가구, 가전제품, 학용품, 옷, 신발, 완구 등 시민들로부터 기증 받은 중고품이 굉장히 많습니다. 행사장에 도착한 순서대로 번호표를 배부한 후 그 순서에 따라 필요한 물품을 선택할 수 있는 기회를 부여합니다. 하지만 물품 선택은 한 세대당 하나만 가능하죠.

진행자 : 그렇군요. 시장님, 행사가 열리는 장소는 어디죠?

△△시 시장 : 시청에서 5분 거리에 있는 시민운동장입니다. 다른 지역에서 오시는 분들은 지하철을 이용하시면 시민운동장까지 편안하게 이동할 수 있습니다.

진행자 : ㉤ 시민들이 중고품을 기증하려면 어떻게 해야 하나요?

△△시 시장 : (사진 4 화면) △△시 홈페이지 게시판입니다. 이 게시판을 이용하여 기증할 물품과 기증자의 연락처만 남겨 주시면 업무 담당자가 직접 연락하여 기증자가 원하는 날짜에 수거할 것입니다.

진행자 : 끝으로 시청자 분들께 한 말씀 해 주시죠.

△△시 시장 : 행복 나눔 장터에는 다양한 종류의 중고품과 지역 농산물들이 준비되어 있습니다. 이번 주말에 가족과 함께 행복 나눔 장터를 방문해 주세요.

진행자 : 네, 오늘 좋은 말씀 감사합니다.

(나) 학생의 초고

교장 선생님, 안녕하십니까? 저는 1학년 김○○입니다. 제가 교장 선생님께 글을 쓰게 된 이유는 우리 학교에도 중고품을 교환할 수 있는 나눔 장터를 마련해 달라고 건의하기 위해서입니다.

저는 지난 주말에 가족들과 함께 시민운동장에서 열린 '행복 나눔 장터'를 다녀왔습니다. 이곳에서는 누구나 자유롭게 중고품을 교환할 수도 있고, 자신에게 필요한 물품을 무료로 제공받을 수 있습니다. 그러다 보니 시민들에게도 인기가 많을 뿐만 아니라 다른 도시에서도 소문을 듣고 이 장터를 찾는 사람들이 있다고 합니다. 저는 행복 나눔 장터를 다녀온 후 우리 학교에도 중고품을 교환할 수 있는 나눔 장터가 있으면 좋겠다고 느꼈습니다.

제가 환경 동아리 부원들과 함께 전교생을 대상으로 사용하지 않는 물건들의 종류와 그 처리 방법을 알아보기 위해 설문조사를 했습니다. 사용하지 않는 물건에는 학용품을 비롯하여 참고서, 책, 가방, 자전거, 전자시계 등 종류가 다양했습니다. 이러한 물건들은 모두 쓸 만한 것들이지만 마땅히 처리할 방법을 잘 몰라 그냥 버리거나 집에 방치하고 있다는 응답이 상당수를 차지했습니다.

이러한 현실을 감안할 때, ⓐ 우리 학교에 중고품을 교환할 수 있는 장터가 생긴다면, 분명 긍정적인 효과가 발생할 것이라 생각합니다. 그러므로 중고품 나눔 장터를 마련해 주셨으면 좋겠습니다. 감사합니다.

4. (가)에 나타난 말하기 방식으로 적절한 것은?

① '진행자'는 '△△시 시장'에게 인터뷰할 내용의 순서를 안내하고 있다.
② '진행자'는 '△△시 시장'에게 자신이 이해한 내용이 맞는지 확인하고 있다.
③ '진행자'는 친숙한 소재에 빗대어 인터뷰 내용을 요약하여 시청자들에게 전달하고 있다.
④ '△△시 시장'은 '진행자'의 질문에 전문가의 말을 인용하여 답변하고 있다.
⑤ '△△시 시장'은 기대되는 긍정적인 결과를 언급하며 인터뷰를 마무리하고 있다.

5. <보기>는 '△△시 시장'이 인터뷰를 위해 준비한 자료이다. ㉠ ~ ㉤에 답변을 하기 위한 자료 활용 계획 중, (가)에서 확인할 수 <u>없는</u> 것은?

<보 기>

- 사진 1 : 주변에 버려진 냉장고의 모습
- 동영상 : 행복 나눔 장터의 사람들 모습
- 사진 2 : 지역 농산물을 판매하는 모습
- 사진 3 : 폐식용유로 비누 만들기를 하는 모습
- 표 : 2021년 △△시 시민들이 기증한 중고품 목록
- 사진 4 : △△시 홈페이지의 게시판 화면

① ㉠에 대한 답변에서 '사진 1'을 제시하여, 행복 나눔 장터의 운영이 자원 재활용 및 환경 보호와 관련이 있음을 전달해야겠어.
② ㉡에 대한 답변에서 '동영상'을 제시하여, 행복 나눔 장터를 찾은 사람들의 모습을 생생하게 보여줘야겠어.
③ ㉢에 대한 답변에서 '사진 2'와 '사진 3'을 제시하여, 행복 나눔 장터에서 판매하는 지역 농산물과 시민들이 참여할 수 있는 체험 활동을 언급해야겠어.
④ ㉣에 대한 답변에서 '표'를 제시하여, 기증 받은 중고품의 목록과 기증자에게 돌아갈 다양한 혜택을 언급해야겠어.
⑤ ㉤에 대한 답변에서 '사진 4'를 제시하여, 중고품의 기증 방법과 절차를 안내해야겠어.

6. 다음은 학생이 (나)를 쓰기 전 떠올린 생각이다. (나)에 반영되지 <u>않은</u> 것은?

- 글을 쓰는 사람이 누구인지를 먼저 밝혀야겠어. ………… ㉠
- 행복 나눔 장터를 직접 방문한 후의 느낀 점을 언급해야겠어. ………… ㉡
- 다른 지역의 학교에서 운영하고 있는 중고품 나눔 장터의 현황을 소개해야겠어. ………… ㉢
- 우리 학교 학생들이 사용하지 않고 있는 물건을 어떻게 처리하는지 언급해야겠어. ………… ㉣
- 중고품 나눔 장터를 마련해 달라고 건의하며 글을 마무리해야겠어. ………… ㉤

① ㉠ ② ㉡ ③ ㉢ ④ ㉣ ⑤ ㉤

7. 다음을 고려할 때, ⓐ를 보완한 내용으로 가장 적절한 것은? [3점]

[글쓰기 과정에서의 자기 점검]
긍정적인 효과가 무엇인지 잘 드러나지 않았네. 우리 학교 학생들이 얻을 수 있는 교육적 효과와 학교가 얻을 수 있는 홍보 효과도 함께 강조하면 설득력이 더 높아질 것 같아.

① 우리 학교에 중고품을 교환할 수 있는 장터가 생긴다면, 학생들뿐만 아니라 지역 주민들도 분명 동참하게 될 것입니다.
② 우리 학교에 중고품을 교환할 수 있는 장터가 생긴다면, 학생들도 자신의 물건을 함부로 버리지 않고 더 애정을 가지게 될 것입니다.
③ 우리 학교에 중고품을 교환할 수 있는 장터가 생긴다면, 환경 보호에도 도움이 될 것이고 학생들도 자원 절약의 정신을 배우게 될 것입니다.
④ 우리 학교에 중고품을 교환할 수 있는 장터가 생긴다면, 우리 지역의 중학생들도 이 소문을 듣게 될 것이므로 자연스럽게 학교 홍보가 될 것입니다.
⑤ 우리 학교에 중고품을 교환할 수 있는 장터가 생긴다면, 학생들은 나눔의 정신을 배울 것이고 학교는 자원 절약을 실천하는 배움터라는 이미지를 얻을 것입니다.

[8 ~ 10] 다음을 읽고 물음에 답하시오.

(가) 작문 상황

○ 작문 목적 : 디지털 기기의 사용이 지구 환경에 미치는 영향을 알려, 디지털 탄소발자국 줄이기에 동참할 것을 권유함.
○ 예상 독자 : 학교 학생들

(나) 학생의 초고

최근 '기후변화'와 '지속가능'의 개념들이 뉴스에서도 언급되는 등 지구적인 관심사가 되면서 다양한 분야에서 탄소발자국을 ㉠감소시키고 줄이려는 노력이 이어지고 있다. '탄소발자국'은 제품의 생산에서 소비, 폐기에 이르는 전 과정에서 직간접적으로 발생하는 이산화탄소의 총량으로, 한마디로 우리가 살아가면서 지구에 남기는 흔적이다.

그런데 탄소발자국 줄이기와 관련하여 간과해서는 안 될 분야가 바로 디지털 영역이다. 디지털 기기는 사용 흔적이 눈에 보이지 않아 대수롭지 않게 여기는 경우가 많은데 실제로는 그렇지 않기 때문이다. 디지털 기기와 데이터 센터에 있는 서버를 연결하는 과정에서 이산화탄소가 발생하며, 데이터 센터의 적정 온도를 유지하는 데에도 이산화탄소가 많이 발생한다. ㉡그러나 스마트폰과 노트북 등 디지털 기기를 사용하는 것만으로도 지구를 병들게 할 수 있는 것이다.

그렇다면 이러한 디지털 탄소발자국을 줄이기 위해 우리가 실천할 수 있는 일에는 무엇이 있을까? 우리의 일상과 떼려야 뗄 수 없는 스마트폰과 관련지어 생각해 보자. 우선, 스마트폰 사용 시간을 줄이는 것이다. 통화를 하거나 데이터를 사용하는 것뿐만 아니라 습관적으로 화면을 켜는 행위도 그만큼 전력을 소모해 이산화탄소를 발생시킨다고 하니, 환경을 위해 ∨㉢ 조금 멀리하는 것이 필요하다. 다음으로, 콘텐츠를 스트리밍하는 대신에 다운로드하는 것이다. 스트리밍은 인터넷을 사용하면서 발생하는 트래픽의 상당 부분을 차지하므로, 자주 듣고 보는 음악과 영상을 미리 다운로드하는 것이 탄소발자국을 줄이는 좋은 방법이 된다. 끝으로, 스마트폰을 자주 바꾸지 않는 것이다. ㉣스마트폰 한 대를 생산할 때 배출되는 이산화탄소의 양은 스마트폰 한 대를 약 10년 동안 사용할 때의 양과 같다고 한다. 스마트폰의 교체가 잦을수록 이산화탄소 발생량이 점점 증가하므로 스마트폰의 교체 주기를 늘리는 것이 탄소발자국을 줄이는 방법이 될 수 있다.

이처럼 디지털 탄소발자국을 줄이는 것은 개개인의 작은 실천에서 시작될 수 있다. 고개 숙여 스마트폰을 보는 대신 앞에 앉아 있는 사람과 눈 ㉤마추며 대화를 나누는 것은 어떨까? 어쩌면 스마트폰을 잠시 내려놓는 일은 사람들 간의 관계를 회복할 뿐만 아니라 지구의 건강을 지키는 일일 것이다.

8. (나)에 활용된 글쓰기 전략으로 적절하지 않은 것은?

① 비유적 표현을 활용하여 독자의 경각심을 높인다.
② 서두에 시사 용어를 사용하여 독자의 관심을 유도한다.
③ 묻고 답하는 방식을 통해 전달하려는 내용을 강조한다.
④ 다양한 실천 방안을 제시하여 독자의 참여를 이끌어낸다.
⑤ 예상되는 반론을 언급하여 글의 내용에 공정성을 부여한다.

9. <보기>는 (나)를 쓴 '학생'이 '초고'를 보완하기 위해 추가로 수집한 자료들이다. 자료의 활용 방안으로 적절하지 않은 것은? [3점]

<보 기>

ㄱ. 통계 자료

1. 스마트폰의 디지털 탄소발자국 2. 디지털 탄소발자국의 비율(%)

CO_2 95g 배출

구분	디지털 탄소발자국 / 탄소발자국
2013년	2.5%
2018년	3%
2020년	3.7%
2040년	14% 초과 추정

ㄴ. 신문 기사

○○구는 지속가능한 지역 사회를 만들고 기후변화에 대응하기 위해 '디지털 탄소발자국 줄이기 5대 지침'을 시행한다고 밝혔다. 세부 지침은 컴퓨터 절전 프로그램 사용, 스팸 메일·쪽지 차단, 북마크 활용, 스트리밍 대신 다운로드, 전자기기 교체 주기 늘리기 등이다.

ㄷ. 전문가 인터뷰 자료

"2020년 7월 한 달 동안 스마트폰 가입자가 사용한 데이터는 1인당 평균 12.5GB 정도 되는데요, 이것은 한 달 동안 1인당 137.5kg의 이산화탄소를 배출한 셈이 됩니다. 실제 한 대학교 연구진은 개인이 스마트폰을 사용하면서 발생하는 이산화탄소가 다른 디지털 기기를 사용하는 과정에서 나온 이산화탄소의 총량을 넘어설 것이라고 지적하기도 했죠."

① ㄱ-1을 활용하여, CO_2 배출량을 자동차 주행과 비교함으로써 스마트폰 데이터의 사용이 탄소발자국을 남기고 있다는 것을 강조해야겠어.
② ㄱ-2를 활용하여, 탄소발자국에서 디지털 탄소발자국이 차지하는 비중이 앞으로 더 늘어날 것임을 알려야겠어.
③ ㄴ을 활용하여, 디지털 탄소발자국을 줄여 기후변화에 대응하는 실천 방안을 추가로 제시해야겠어.
④ ㄱ-1과 ㄷ을 활용하여, 스마트폰 데이터의 사용으로 발생하는 디지털 탄소발자국을 구체적인 수치로 나타내야겠어.
⑤ ㄱ-2와 ㄴ을 활용하여, 디지털 탄소발자국을 줄이기 위해 현행 제도의 문제점을 지적하고 이를 개선해야 함을 부각해야겠어.

10. ㉠~㉤을 고쳐 쓰기 위한 방안으로 적절하지 않은 것은?

① ㉠ : 의미가 중복되므로 '감소시키고'를 삭제한다.
② ㉡ : 문맥을 고려하여 '그래서'로 고친다.
③ ㉢ : 필요한 문장 성분이 생략되어 있으므로 '스마트폰을'을 첨가한다.
④ ㉣ : 글의 통일성을 해치는 내용이므로 삭제한다.
⑤ ㉤ : 맞춤법에 어긋나므로 '맞추며'로 고친다.

11. <보기>의 ㉠과 ㉡이 모두 일어나는 단어로 적절한 것은?

<보 기>

음운의 변동에는 한 음운이 다른 음운으로 바뀌는 ㉠'교체', 원래 있던 음운이 없어지는 '탈락', 두 개의 음운이 하나로 합쳐지는 ㉡'축약', 없던 음운이 새로 생기는 '첨가'가 있다.

① 굳히다[구치다]
② 미닫이[미다지]
③ 빨갛다[빨가타]
④ 솜이불[솜니불]
⑤ 잡히다[자피다]

[12 ~ 13] 다음 글을 읽고 물음에 답하시오.

일반적으로 문장은 주어와 서술어의 관계에 따라 홑문장과 겹문장으로 나눌 수 있다. 홑문장은 '주어-서술어'의 관계가 한 번만 나타나는 문장이고, 겹문장은 '주어-서술어'의 관계가 두 번 이상 나타나는 문장이다. 겹문장은 문장의 짜임새에 따라 다시 안은문장과 이어진문장으로 나뉜다.

다른 문장 속에 들어가 하나의 성분처럼 쓰이는 문장을 안긴문장이라고 하며, 이 문장을 포함한 문장을 안은문장이라고 한다. 안긴문장은 문법 단위로는 '절'에 해당하며, 이는 크게 명사절, 관형절, 부사절, 서술절, 인용절의 다섯 가지로 나뉜다.

명사절은 '우리는 그가 돌아오기를 기다린다.'의 밑줄 친 부분과 같이 절 전체가 명사처럼 쓰이는 것으로, 문장에서 주어, 목적어, 보어, 부사어 등의 역할을 한다. 관형절은 절 전체가 관형어의 기능을 하는 것으로, '아이들이 들어오는 소리를 들었다.'의 밑줄 친 부분과 같이 체언 앞에 위치하여 체언을 수식하는 역할을 한다. 부사절은 절 전체가 부사어의 기능을 하는 것으로, '하늘이 눈이 시리도록 푸르다.'의 밑줄 친 부분과 같이 서술어를 수식하는 역할을 한다. 서술절은 '나는 국어가 좋아.'의 밑줄 친 부분과 같이 절 전체가 서술어의 기능을 하는 것이다. 인용절은 '담당자가 "서류는 내일까지 제출하세요."라고 말했다.'의 밑줄 친 부분과 같이 화자의 생각 혹은 느낌이나 다른 사람의 말을 인용한 것이 절의 형식으로 안기는 경우로, '고', '라고'와 결합하여 나타난다.

이어진문장은 둘 이상의 절이 연결 어미에 의해 결합된 문장을 말한다. 절이 이어지는 방법에 따라 대등하게 이어진문장과 종속적으로 이어진문장으로 나뉜다. 대등하게 이어진문장은 앞 절과 뒤 절이 '-고', '-지만' 등의 연결 어미에 의해 이어지며, 각각 '나열', '대조' 등의 대등한 의미 관계로 해석된다. 종속적으로 이어진문장은 앞 절과 뒤 절이 '-아서/-어서', '-(으)면', '-(으)려' 등의 연결 어미에 의해 이어지며, 앞 절이 뒤 절에 대해 각각 '원인', '조건', '목적' 등의 종속적인 의미 관계로 해석된다.

12. 윗글을 바탕으로 <보기>를 탐구한 내용으로 적절하지 않은 것은?

<보 기>

㉠오랫동안 여행을 떠났던 친구가 ㉡자신이 돌아왔음을 알리며 ㉢곧장 나를 만나러 오겠다고 ㉣기분 좋게 약속해서 나는 ㉤마음이 설렜다.

① ㉠은 뒤에 오는 명사 '친구'를 수식하므로 관형절로 안긴문장으로 볼 수 있군.
② ㉡은 서술어 '알리며'의 부사어 역할을 하므로 명사절로 안긴문장으로 볼 수 있군.
③ ㉢은 '고'를 사용하여 친구의 말을 인용하고 있으므로 인용절로 안긴문장으로 볼 수 있군.
④ ㉣은 서술어 '약속해서'를 수식하고 있으므로 부사절로 안긴문장으로 볼 수 있군.
⑤ ㉤은 주어 '나'의 상태를 서술하는 역할을 하므로 서술절로 안긴문장으로 볼 수 있군.

13. 윗글을 바탕으로 이어진문장을 구분한 내용으로 적절한 것은?

	예문	종류	의미 관계
①	무쇠도 갈면 바늘이 된다.	종속	목적
②	하늘도 맑고, 바람도 잠잠하다.	대등	대조
③	나는 시험공부를 하러 학교에 간다.	종속	조건
④	함박눈이 내렸지만 날씨가 따뜻하다.	대등	나열
⑤	갑자기 문이 열려서 사람들이 놀랐다.	종속	원인

3회

14. <보기>를 바탕으로 ㉠~㉤을 이해한 내용으로 적절하지 않은 것은? [3점]

<보 기>

'동사'는 동작이나 작용을 나타내는 단어이고, '형용사'는 성질이나 상태를 나타내는 단어이다. 동사와 형용사는 활용하는 양상이 다른데, 일반적으로 동사 어간에는 현재 시제 선어말 어미 '-ㄴ-/-는-', 현재 시제의 관형사형 어미 '-는', 명령형 어미 '-아라/-어라', 청유형 어미 '-자' 등이 붙지만, 형용사 어간에는 붙지 않는다.

㉠ 지훈이가 야구공을 멀리 던졌다.
㉡ 해가 떠오르며 점차 날이 밝는다.
㉢ 그 친구는 아는 게 참 많다.
㉣ 날씨가 더우니 하복을 입어라.
㉤ *올해도 우리 모두 건강하자.

※ '*'는 비문법적인 문장임을 나타냄.

① ㉠의 '던졌다'는 대상의 동작을 나타내므로 동사이다.
② ㉡의 '밝는다'는 대상의 상태를 나타내므로 형용사이다.
③ ㉢의 '아는'은 현재 시제의 관형사형 어미 '-는'이 결합하였으므로 동사이다.
④ ㉣의 '입어라'는 명령형 어미 '-어라'가 결합하였으므로 동사이다.
⑤ ㉤의 '건강하자'의 기본형 '건강하다'는 청유형 어미 '-자'가 결합할 수 없으므로 형용사이다.

15. <보기>를 바탕으로 단어의 의미를 이해하려 할 때, ㉠과 ㉡의 예로 바르게 짝지어진 것은?

<보 기>

다의어는 두 가지 이상의 뜻을 가진 단어를 가리킨다. 다의어는 단어가 원래 뜻하는 ㉠중심적 의미와 중심적 의미에서 파생된 ㉡주변적 의미를 갖는다. '날아가는 새를 보다'에서 '보다'는 '눈으로 대상의 존재, 형태를 알다'라는 중심적 의미로 사용되었다. 그러나 '의사가 환자를 보다'에서 '보다'는 '진찰하다'라는 주변적 의미로 사용되었다.

	㉠	㉡
①	창문을 열어 환기를 하자.	회의를 열어 그를 회장으로 추천하자.
②	마음을 굳게 먹고 열심히 연습했다.	국이 매워서 많이 먹지 못하겠다.
③	미리 숙소를 잡고 여행지로 출발했다.	오디션에 참가할 기회를 잡았다.
④	그는 이번 인사발령으로 총무과로 갔다.	그는 아침 일찍 일터로 갔다.
⑤	창밖을 내다보니 동이 트려면 아직도 멀었다.	학교에서 버스정류장까지가 매우 멀었다.

[16 ~ 20] 다음 글을 읽고 물음에 답하시오.

'식욕'은 음식을 먹고 싶어 하는 욕망으로, 인간이 살아가는 데 필요한 영양분을 얻기 위해서 반드시 필요하다. 식욕은 기본적으로 뇌의 시상 하부*에 있는 식욕 중추*의 영향을 받는데, 이 중추에는 배가 고픈 느낌이 들게 하는 '섭식 중추'와 배가 부른 느낌이 들게 하는 '포만 중추'가 함께 있다. 우리 몸이 영양분을 필요로 하는 상태가 되면 섭식 중추는 뇌 안의 다양한 곳에 신호를 보낸다. 그러면 식욕이 느껴져 침의 분비와 같이 먹는 일과 관련된 무의식적인 행동이 촉진된다. 그러다 영양분의 섭취가 늘어나면, 포만 중추가 작용해서 식욕이 억제된다.

[A] 그렇다면 뇌에 있는 섭식 중추나 포만 중추는 어떻게 몸 속 영양분의 상태에 따라 식욕을 조절하는 것일까? 여기에서 중요한 역할을 하는 것이 혈액 속을 흐르는 영양소인데, 특히 탄수화물에서 분해된 '포도당'과 지방에서 분해된 '지방산'이 중요하다. 먼저 탄수화물은 식사를 통해 섭취된 후 소장에서 분해되면, 포도당으로 변해 혈액 속으로 흡수된다. 그러면 혈중 포도당의 농도가 높아지고, 이를 줄이기 위해 췌장에서 '인슐린'이라는 호르몬이 분비된다. 이 포도당과 인슐린이 혈액을 타고 시상 하부로 이동하여 포만 중추의 작용은 촉진하고 섭식 중추의 작용은 억제한다. 반면에 지방은 피부 아래의 조직에 중성지방의 형태로 저장되어 있다가 공복 상태가 길어지면 혈액 속으로 흘러가 간(肝)으로 운반된다. 그러면 부족한 에너지를 보충하기 위해 간에서 중성지방이 분해되고, 이 과정에서 생긴 지방산이 혈액을 타고 시상 하부로 이동하여 섭식 중추의 작용은 촉진하고 포만 중추의 작용은 억제한다. 이와 같은 작용 원리에 따라 우리의 식욕은 자연스럽게 조절된다.

그런데 우리는 온전히 영양분 섭취만을 목적으로 식욕을 느끼는 것은 아니다. 예를 들어, '스트레스를 받으니까 매운 음식이 먹고 싶어.'처럼 영양분의 섭취와 상관없이 취향이나 기분에 좌우되는 식욕도 있다. 이와 같은 식욕은 대뇌의 앞부분에 있는 '전두 연합 영역'에서 조절되는데, 본래 이 영역은 정신적이고 지적인 활동을 담당하는 곳이지만 식욕에도 큰 영향을 미친다. 이곳에서는 음식의 맛, 냄새 등 음식에 관한 다양한 감각 정보를 정리해 종합적으로 기억한다. 또한 맛이 없어도 건강을 위해 음식을 섭취하는 것과 같이, 먹는 행동을 이성적으로 조절하는 일도 이곳에서 담당하는데, 전두 연합 영역의 지령은 신경 세포의 신호를 통해 섭식 중추와 포만 중추로 전해진다.

한편 전두 연합 영역의 기능을 알면, ⓐ음식을 먹은 후 '이젠 더 이상 못 먹겠다.'라고 생각하면서도 디저트를 먹는 현상을 쉽게 이해할 수 있다. 흔히 사람들이 '이젠 더 이상 못 먹겠다.'고 생각하는 이유는 ⓑ실제로 배가 찼기 때문일 수도 있고, 배가 차지는 않았지만 특정한 맛에 질렸기 때문일 수도 있다. 그런데 이런 상황에도 불구하고 디저트를 먹는 현상은 모두 전두 연합 영역의 영향을 받는다. 먼저, 배가 찬 상태에서는 전두 연합 영역의 영향으로 위(胃) 속에 디저트가 들어갈 공간을 마련할 수 있다. 전두 연합 영역의 신경 세포가 '맛있다'와 같은 신호를 섭식 중추로 보내면, 거기에서 '오렉신'이라는 물질이 나온다. 오렉신은 위(胃)의 운동에 관련되는 신경 세포에 작용해서, 위(胃)의 내용물을 밀어내고 다시 새로운 음식이 들어갈 공간을 마련하는 것이다. 다음으로, 배가 차지 않은 상태이지만 전두 연합 영역의 영향으로 특정한 맛에 질릴 수 있다. 그래서 식사가 끝난 후에는 대개 단맛의 음식을 먹고 싶어 하게 되는데, 이는 주식이나 반찬에는 그 정도의 단맛을 내는 음식이 없기 때문이다. 따라서 우리가 "디저트 먹을 배는 따로 있다."라고 하는 것은 생물학적으로 충분히 설득력 있는 표현이 되는 것이다.

* 시상 하부: 사람이 의식적으로 통제하지 못하는 다양한 신체 시스템을 감시하고 조절하는 뇌의 영역.
* 중추: 신경 기관 가운데, 신경 세포가 모여 있는 부분.

16. 윗글의 표제와 부제로 가장 적절한 것은?

① 식욕의 작용 원리
 – 식욕 중추와 전두 연합 영역을 중심으로
② 식욕의 개념과 특성
 – 영양소의 종류와 역할을 중심으로
③ 식욕이 생기는 이유
 – 탄수화물과 지방의 영향 관계를 중심으로
④ 전두 연합 영역의 특성
 – 디저트의 섭취와 소화 과정을 중심으로
⑤ 전두 연합 영역의 여러 기능
 – 포도당과 지방산의 작용 관계를 중심으로

17. 윗글을 이해한 내용으로 적절하지 않은 것은?

① 식욕은 인간이 살아가는 데 반드시 필요한 욕망이다.
② 인간의 뇌에 있는 시상 하부는 인간의 식욕에 영향을 끼친다.
③ 위(胃)의 운동에 관여하는 오렉신은 전두 연합 영역에서 분비된다.
④ 음식의 특정한 맛에 질렸을 때 더 이상 먹을 수 없다고 생각할 수 있다.
⑤ 전두 연합 영역은 정신적이고 지적인 활동뿐만 아니라 식욕에도 관여한다.

18. ⓑ와 '식욕 중추의 작용'을 고려하여 ⓐ를 이해한 내용으로 적절한 것은?

① 섭식 중추의 작용이 억제되므로 ⓐ는 타당하다.
② 섭식 중추의 작용이 활발하므로 ⓐ는 모순적이다.
③ 포만 중추의 작용이 억제되므로 ⓐ는 모순적이다.
④ 포만 중추의 작용이 활발하므로 ⓐ는 모순적이다.
⑤ 섭식 중추와 포만 중추의 작용이 반복되므로 ⓐ는 타당하다.

19. [A]를 바탕으로 <보기>에 대해 설명한 내용으로 가장 적절한 것은?

<보 기>

다음은 탄수화물이 포함된 식사 전후에 혈액 속을 흐르는 물질이 식욕 중추에 끼치는 영향 관계를 표현한 모식도이다.

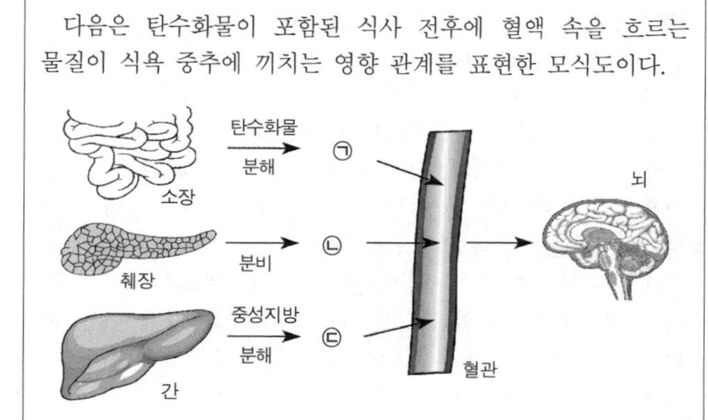

① 혈관 속에 ㉠의 양이 줄어들면 ㉡이 분비된다.
② 혈관 속에 ㉠과 ㉡의 양이 많아지면 배가 고픈 느낌이 든다.
③ 공복 상태가 길어지면 ㉠과 ㉢은 시상 하부의 명령을 식욕 중추에 전달한다.
④ 공복 상태가 길어지면 혈관 속에 ㉠의 양은 줄어들고 ㉢의 양은 늘어난다.
⑤ 식사를 하는 동안에 ㉡은 ㉢의 도움으로 피부 아래의 조직에 중성지방으로 저장된다.

20. 윗글을 바탕으로 <보기>를 이해한 내용으로 적절하지 않은 것은? [3점]

<보 기>

(뷔페에서 음식을 먹은 후)
A : 너무 많이 먹어서 배가 터질 것 같아.
B : 나도 배가 부르기는 한데, 그래도 내가 좋아하는 떡볶이를 좀 더 먹어야겠어.
(잠시 후 디저트를 둘러보며)
A : 예전에 여기서 이 과자 먹어 봤는데 정말 달고 맛있었어. 오늘도 먹어 볼까?
B : 너 조금 전에 배가 터질 것 같다고 하지 않았니?
A : 후식 먹을 배는 따로 있다는 말도 못 들어 봤어?
B : 와! 그게 또 들어가? 진짜 대단하다. 나는 입맛에는 안 맞지만 건강을 위해 녹차나 마셔야겠어.

① A는 오렉신의 영향으로 위(胃)에 후식이 들어갈 공간이 더 마련되었겠군.
② A는 섭식 중추의 작용으로 뷔페의 과자가 맛있었다고 떠올릴 수 있었겠군.
③ B는 영양분의 섭취와는 무관하게 떡볶이가 먹고 싶다고 생각했겠군.
④ B는 전두 연합 영역의 작용으로 건강을 위해 입맛에 맞지 않는 녹차를 마셨겠군.
⑤ A와 B는 디저트를 둘러보기 전까지 섭식 중추의 작용이 점점 억제되었겠군.

[21 ~ 25] 다음 글을 읽고 물음에 답하시오.

정약용은 조선 후기의 실학자로, 인간의 본성에 대한 탐구를 통해 인간의 선한 행위를 설명하고자 하였다. 그는 이전까지 절대적 권위를 가지고 있던 주희(朱熹)의 주자학을 비판하며 인간의 본성에 대한 자신의 이론을 정립했다는 점에서 주희와는 다른 관점을 보여 주었다.

주희는 인간의 본성을 '본연지성(本然之性)'과 '기질지성(氣質之性)'으로 설명하였다. '본연지성'은 인간이 하늘로부터 부여받은 순수하고 선한 본성이고, '기질지성'은 본연지성에 사람마다 다른 기질이 더해진 것으로 사람에 따라 다양하게 나타난다. 그래서 주희는 인간의 기질이 맑으면 선한 행위를 하고 탁하면 악한 행위를 할 수 있다고 보았다. 그러나 정약용은 선한 행위와 악한 행위의 원인을 기질이라는 선천적 요인으로 본다면 행위에 인간의 의지가 개입되지 않으므로 악한 행위를 한 사람에게 윤리적 책임을 물을 수 없다고 주희의 관점을 비판하였다.

정약용은 인간의 본성을 '기호(嗜好)'라고 보았다. 기호란 즐기고 좋아한다는 뜻으로, 생명이 있는 모든 존재는 각각의 기호를 본성으로 갖는다고 보았다. 꿩은 산을 좋아하는 경향성을 갖고 벼는 물을 좋아하는 경향성을 갖는 것처럼, 인간도 어떤 경향성을 갖는다는 것이다. 정약용은 인간에게 ㉠<u>'감각적 욕구에서 비롯된 기호'</u>와 ㉡<u>'도덕적 욕구에서 비롯된 기호'</u>가 있다고 보았다. 먼저, 감각적 욕구에서 비롯된 기호는 생명이 있는 모든 존재가 지니는 육체의 경향성으로, 맛있는 것을 좋아하고 맛없는 것을 싫어하는 것을 예로 ⓐ<u>들</u> 수 있다. 다음으로, 도덕적 욕구에서 비롯된 기호는 인간만이 지니는 영혼의 경향성으로, 선을 좋아하거나 악을 싫어하는 것을 예로 들 수 있다. 정약용은 감각적 욕구가 생존에 필요하고 삶의 원동력이 된다는 점에서 일부 긍정했으나, 감각적 욕구에서 비롯된 기호를 제어하지 못할 경우 악한 행위가 나타날 수 있고, 도덕적 욕구에서 비롯된 기호를 따를 경우 선한 행위가 나타난다고 보았다. 정약용은 선한 행위를 하거나 악한 행위를 하는 것이 온전히 인간의 자유 의지에 달려 있으므로, 악한 행위를 한 사람에게 윤리적 책임을 물을 수 있다고 보았다.

그래서 정약용은 자유 의지로 선한 행위를 선택하고 이를 실천하는 것이 중요하다고 보았는데, 구체적인 실천 원리로 '서(恕)'를 강조하였다. 그는 '서'를 용서(容恕)와 추서(推恕)로 구분하고, 추서를 특히 강조하였다. 용서는 타인을 다스리는 것과 관련되어 '타인의 악을 너그럽게 보아줌'을 의미하고, 추서는 자신을 다스리는 것과 관련되어 '내가 대접받고 싶은 대로 타인을 대우함'을 의미한다. 친구가 거짓말을 했을 때 잘못을 덮어 주는 행위는 용서이고, 내가 아우의 존중을 받고 싶을 때 내가 먼저 형을 존중하는 모습을 보여주는 행위는 추서인 것이다. 그런데 용서는 타인의 악한 행위를 용인해 주는 문제가 발생할 수 있지만, 추서는 자신의 마음을 미루어 타인의 마음을 이해할 수 있으므로, 정약용은 추서에 따라 선한 행위를 실천해야 한다고 보았다.

21. 윗글의 내용 전개 방식으로 가장 적절한 것은?

① 인간의 본성에 대한 여러 관점이 사회에 미친 영향을 설명하고 있다.
② 인간의 본성에 대한 기존의 관점을 비판하는 다른 관점을 소개하고 있다.
③ 인간의 본성에 대한 관점의 타당성 여부를 다양한 입장에서 분석하고 있다.
④ 인간의 본성에 대한 상반된 관점을 절충한 새로운 관점의 특징을 밝히고 있다.
⑤ 인간의 본성에 대해 대비되는 관점이 등장하게 된 시대적 배경을 설명하고 있다.

22. 윗글의 내용과 일치하지 <u>않는</u> 것은?

① 주희는 인간에게 하늘로부터 부여 받은 본연지성이 있다고 보았다.
② 주희는 기질의 맑고 탁함에 따라 선하거나 악한 행위가 나타날 수 있다고 보았다.
③ 정약용은 추서에 따라 선한 행위를 실천하는 것이 중요하다고 보았다.
④ 정약용은 감각적 욕구가 악한 행위를 유도하므로 제거해야 한다고 보았다.
⑤ 정약용은 주희의 관점으로는 악한 행위를 한 사람에게 윤리적 책임을 물을 수 없다고 보았다.

23. ㉠과 ㉡에 대한 이해로 가장 적절한 것은?

① ㉠은 인간이 제어할 수 없는 기호이다.
② ㉡은 생존에 필요한 욕구에서 비롯된 것이다.
③ ㉠은 ㉡과 달리 생명이 있는 모든 존재가 지닌다.
④ ㉡은 ㉠과 달리 욕구를 즐기고 좋아하는 경향성이다.
⑤ ㉠과 ㉡은 모두 타인의 잘못을 덮어 주는 행위와 직결된다.

24. 윗글을 바탕으로 <보기>를 이해한 내용으로 적절하지 않은 것은? [3점]

<보 기>

학급에서 복도 청소를 맡은 학생 A와 B가 있었다. A는 평소 청소를 잘 하지 않았고, B는 항상 성실히 청소를 하였다. 복도가 깨끗한 것을 본 선생님이 복도 청소 담당인 두 학생을 모두 칭찬하였는데, 이때 A는 자신이 B보다 더 열심히 청소를 했다고 거짓말을 하였다. B는 A가 거짓말을 했다는 것을 알고 있었지만 이를 내색하지 않고 평소대로 열심히 청소하였고 A는 그러한 B를 보면서 부끄러움을 느꼈다. 이후, A는 B에게 자신의 행동을 사과하였으며, 책임감을 갖고 청소하였다.

① 주희는 거짓말을 한 것과 무관하게 A에게는 순수하고 선한 본성이 있다고 보겠군.
② 주희는 평소 청소를 잘 하지 않는 A와 항상 성실히 청소하는 B의 기질이 서로 다르다고 보겠군.
③ 정약용은 A가 책임감 있게 청소하게 된 것이 A의 자유 의지에 의한 것이라고 보겠군.
④ 정약용은 A가 도덕적 욕구에서 비롯된 기호를 따랐기 때문에 행동의 변화가 나타났다고 보겠군.
⑤ 정약용은 B가 추서로 A의 마음을 이해해 주었기 때문에 A의 거짓말을 용인하게 되었다고 보겠군.

25. ⓐ와 문맥적 의미가 가장 유사한 것은?

① 명확한 증거를 들었다.
② 감기가 들어 약을 먹었다.
③ 마음에 드는 사람이 있다.
④ 우리 집은 햇볕이 잘 든다.
⑤ 상자 안에 선물이 들어 있다.

[26 ~ 28] 다음 글을 읽고 물음에 답하시오.

안 초시는 한나절이나 화투패를 떼다 안 떨어지면 그 화풀이로 박희완 영감이 들고 중얼거리는 『속수국어독본』을 툭 채어 행길로 팽개치며 그랬다.

"넌 또 무슨 재술 바라구 밤낮 화투패나 떨어지길 바라니?"

"난 심심풀이지."

그러나 속으로는 박희완 영감보다 더 세상에 대한 야심이 끓었다. 딸이 평양으로 대구로 다니며 지방 순회까지 하여서 제법 돈냥이나 걷힌 것 같으나 연구소를 내느라고, 집을 뜯어고친다, 유성기를 사들인다, 교제를 하러 돌아다닌다 하느라고, 더구나 귀찮게만 아는 이 아비를 위해 쓸 돈은 예산에부터 들지 못하는 모양이었다.

"얘? 낡은 솜이 돼 그런지, 삯바느질이 돼 그런지 바지 솜이 모두 치어서 어떤 덴 홑옷이야. 암만해두 샤쓸 한 벌 사입어야겠다."

하고 딸의 눈치만 보아 오다 한번은 입을 열었더니,

"어련히 인제 사드릴라구요."

하고 딸은 대답은 선선하였으나 셔츠는 그해 겨울이 다 지나도록 구경도 못 하였다. ㉠셔츠는커녕 안경다리를 고치겠다고 돈 1원만 달래도 1원짜리를 굳이 바꿔다가 50전 한 닢만 주었다. 안경은 돈을 좀 주무르던 시절에 장만한 것이라 테만 오륙 원 먹는 것이어서 50전만으로 그런 다리는 어림도 없었다. 50전짜리 다리도 있지만 살 바에는 조촐한 것을 택하던 초시의 성미라 더구나 면상에서 짝짝이로 드러나는 것을 사기가 싫었다. ㉡차라리 종이 노끈인 채 쓰기로 하고 50전은 담뱃값으로 나가고 말았다.

[A]
"왜 안경다린 안 고치셨어요?"
딸이 그날 저녁으로 물었다.
"흥……."
초시는 말은 하지 않았다. 딸은 며칠 뒤에 또 50전을 주었다. 그러면서 어떻게 들으라고 하는 소리인지,
"아버지 보험료만 해두 한 달에 3원 80전씩 나가요."
하였다. 보험료나 타 먹게 어서 죽어 달라는 소리로도 들리었다.
"그게 내게 상관있니?"
"아버지 위해 들었지, 누구 위해 들었게요 그럼?"
초시는 '정말 날 위해 하는 거면 살아서 한 푼이라두 다오. 죽은 뒤에 내가 알 게 뭐냐' 소리가 나오는 것을 억지로 참았다.
"50전이문 왜 안경다릴 못 고치세요?"
초시는 설명하지 않았다.
"지금 아버지가 좋고 낮은 것을 가리실 처지야요?"
그러나 50전은 또 마코* 값으로 다 나갔다. 이러기를 아마 서너 번째다.
"자식도 소용없어. 더구나 딸자식…… 그저 내 수중에 돈이 있어야……."
초시는 돈의 긴요성을 날로날로 더욱 심각하게 느끼었다.

(중략)

초시는 이날 저녁에 박희완 영감에게서 들은 이야기를 딸에게 하였다. 실패는 했을지라도 그래도 십수 년을 상업계에서 논란 초시라 **출자(出資)를 권유하는 수작**만은 딸이 듣기에도 딴 사람인 듯 놀라웠다. 딸은 즉석에서는 가부를 말하지 않았으나 그의 머릿속에서도 이내 잊혀지지는 않았던지 다음 날 아침에는, ㉢딸 편이 먼저 이 이야기를 다시 꺼내었고, 초시가 박희완 영감에게 묻던 이상을 시시콜콜히 캐어물었다. 그러면 초시는 또 박희완 영감 이상으로 손가락으로 가리키듯 소상히 설명하였고 1년 안에 청장*을 하더라도 최소한도로 **50배 이상의 순이익이 날 것이라 장담 장담**하였다.

딸은 솔깃했다. 사흘 안에 **연구소 집**을 어느 신탁 회사에 넣고 **3천 원**을 돌리기로 하였다. 초시는 금시발복*이나 된 듯 뛰고 싶게 기뻤다.

"서 참위 이놈, 날 은근히 멸시했것다. 내 굳이 널 시켜 네 집보다 난 집을 살 테다. 네깟 놈이 천생 가쾌*지 별거냐……."

그러나 신탁 회사에서 돈이 되는 날은 웬 처음 보는 청년

하나가 초시의 앞을 가리며 나타났다. 그는 딸의 청년이었다. ㉣딸은 아버지의 손에 단 1전도 넣지 않았고 꼭 그 청년이 나서 돈을 쓰며 처리하게 하였다. 처음에는 팩 나오는 노염을 참을 수가 없었으나 며칠 밤을 지내고 나니, 적어도 3천 원의 순이익이 오륙만 원은 될 것이라, 만 원 하나야 어디로 가랴 하는 타협이 생기어서 안 초시는 으슬으슬 그, 이를테면 사위 녀석 격인 청년의 뒤를 따라나섰다.

[B]
1년이 지났다.
모두 꿈이었다. 꿈이라도 너무 악한 꿈이었다. 3천 원 어치 땅을 사놓고 날마다 신문을 훑어보며 수소문을 하여도 거기는 축항*이 된단 말이 신문에도, 소문에도 나지 않았다. 용당포(龍塘浦)와 다사도(多獅島)에는 땅값이 30배가 올랐느니 50배가 올랐느니 하고 졸부들이 생겼다는 소문이 있어도 여기는 감감소식일 뿐 아니라 나중에 역시 이것도 박희완 영감을 통해 알고 보니 그 관변 모씨에게 박희완 영감부터 속아 떨어진 것이었다. **축항 후보지**로 측량까지 하기는 하였으나 무슨 결점으로인지 중지되고 마는 바람에 너무 기민하게 거기다 땅을 샀던, 그 모씨가 그 땅 처치에 곤란하여 꾸민 **연극**이었다.

돈을 쓸 때는 1원짜리 한 장 만져도 못 봤지만 벼락은 초시에게 떨어졌다. ㉤서너 끼씩 굶어도 밥 먹을 정신이 나지도 않았거니와 밥을 먹으러 들어갈 수도 없었다.

"재물이란 **친자 간의 의리도 배추 밑 도리듯** 하는 건가?"

탄식할 뿐이었다. 밥보다는 술과 담배가 그리웠다. 물론 안경다리는 그저 못 고치었다. 그러나 이제는 50전짜리는커녕 단 10전짜리도 얻어 볼 길이 없다.

추석 가까운 날씨는 해마다의 그때와 같이 맑았다. 하늘은 천리같이 트였는데 조각구름들이 여기저기 널리었다. 어떤 구름은 깨끗이 바래 말린 옥양목*처럼 흰빛이 눈이 부시다. 안 초시는 이번에도 자기의 때 묻은 적삼 생각이 났다. 그러나 이번에는 소매 끝을 불거나 떨지는 않았다. 고요히 흘러내리는 눈물을 그 더러운 소매로 닦았을 뿐이다.

– 이태준, 「복덕방」 –

* 마코 : 일제 강점기 때의 담배 이름.
* 청장 : 장부를 청산한다는 뜻으로, 빚 따위를 깨끗이 갚음을 이르는 말.
* 금시발복 : 어떤 일을 한 다음 이내 복이 돌아와 부귀를 누리게 되는 것.
* 가쾌 : 집 흥정을 붙이는 일을 직업으로 가진 사람.
* 축항 : 항구를 구축함. 또는 그 항구.
* 옥양목 : 빛이 썩 희고 얇은 무명의 한 가지.

26. [A]와 [B]에 대한 설명으로 가장 적절한 것은?

① [A]는 외양 묘사를 통해 인물의 성격을 드러내고 있고, [B]는 배경 묘사를 통해 인물의 처지를 드러내고 있다.
② [A]는 대화와 서술을 통해 인물 간의 갈등이 드러나고 있고, [B]는 요약적 서술을 통해 사건의 전모가 드러나고 있다.
③ [A]는 작품 속 서술자가 사건에 대해 평가하고 있고, [B]는 작품 밖 서술자가 앞으로 전개될 사건을 예측하고 있다.
④ [A]는 시간의 흐름에 역행하여 사건이 진행되고 있고, [B]는 시간의 흐름에 따라 사건이 순차적으로 진행되고 있다.
⑤ [A]는 향토적인 소재를 통해 주제 의식을 드러내고 있고, [B]는 상징적인 소재를 통해 사건의 의미를 드러내고 있다.

27. ㉠~㉤에 대한 설명으로 적절하지 않은 것은?

① ㉠: 형편이 어려운 안 초시를 인색하게 대하는 딸의 모습이 드러나 있다.
② ㉡: 저렴한 안경다리는 사지 않겠다는 안 초시의 자존심이 드러나 있다.
③ ㉢: 안 초시가 전해준 이야기에 적극적으로 관심을 보이는 딸의 모습이 드러나 있다.
④ ㉣: 안 초시의 수고로움을 덜어 주려는 딸의 심리가 드러나 있다.
⑤ ㉤: 예상 밖의 결과로 딸과 마주할 자신이 없는 안 초시의 모습이 드러나 있다.

28. 다음은 윗글이 창작될 당시 신문 기사의 일부이다. 이를 참고하여 윗글을 감상한 내용으로 적절하지 않은 것은? [3점]

○○ 일보

부동산 투기 열풍으로 전국은 지금 …

일본의 축항 사업 발표 후, 전국이 부동산 투기 열풍으로 떠들썩하다. 한탕주의에 빠진 많은 사람들이 제2의 황금광 사업으로 불리는 축항 사업에 몰려들고 있다. 1932년 8월, 중국 동북부와 연결되는 철도의 종착지이자 축항지로 나진이 결정되자, 빠르게 정보를 입수한 브로커들로 나진은 북새통을 이루고 있다. 하지만 누구나 투자에 성공하는 것은 아니어서, 잘못된 소문으로 투자에 실패하여 전 재산을 잃은 사람들, 이로 인해 가족들에게 외면받는 사람들, 자신의 피해를 사기로 만회하려는 사람들까지 등장하여 사회적 혼란이 커지고 있다. 이러한 모습은 물질 만능주의가 만연한 우리 사회의 어두운 단면을 보여준다는 비판이 일고 있다.

① 딸에게 '출자를 권유하는 수작'으로 보아 안 초시는 건설 사업이 확정된 부지에 빠르게 투자하였겠군.
② 안 초시가 '50배 이상의 순이익이 날 것이라 장담 장담하'며 부추기는 모습에서 한탕주의에 빠져 있음을 알 수 있군.
③ 안 초시의 딸이 '연구소 집'을 담보로 '3천 원'을 마련한 것은 당시의 투기 열풍과 관련이 있겠군.
④ 모씨가 '축항 후보지'에 대해 '연극'을 꾸민 것은 자신의 피해를 사기로 만회하기 위한 것이었겠군.
⑤ 안 초시가 '친자 간의 의리도 배추 밑 도리듯' 한다고 '탄식'하는 모습에서 물질 만능주의의 어두운 모습을 엿볼 수 있군.

[29 ~ 32] 다음 글을 읽고 물음에 답하시오.

"여보 마누라, 슬퍼 마오. 가난 구제는 나라에서도 못한다 하니 형님인들 어찌하시겠소? 우리 부부가 품이나 팔아 살아갑시다."

흥부 아내 이 말에 순종하여 서로 나가서 품을 팔기로 하였다. 흥부 아내는 방아 찧기, 술집의 술 거르기, 초상난 집 제복 짓기, 대사 치르는 집 그릇 닦기, 굿하는 집의 떡 만들기, 얼음이 풀릴 때면 나물 캐기, 봄보리 갈아 보리 놓기. 흥부는 이월 동풍에 가래질하기, 삼사월에 부침질하기, 일등 전답의 무논 갈기, 이 집 저 집 돌아가며 이엉 엮기 등 이렇게 내외가 **온갖 품을 다 팔았**다. 그러나 역시 **살기는 막연**하였다.

(중략)

큰 구렁이가 제비 새끼를 모조리 잡아먹고 남은 한 마리가 허공으로 뚝 떨어져 피를 흘리며 발발 떠는 것이었다. 흥부 아내가 명주실을 급히 찾아내어 주니 흥부는 얼른 받아 제비 새끼의 상한 다리를 곱게 감아 매어 찬 이슬에 얹어 두었다. 그랬더니 하루 지나고 이틀 지나고 이리하여 십여 일이 지나자 상한 다리가 제대로 소생되어 날아다니게 되니, 줄에 앉아 재잘거리며 울고 둥덩실 떠서 날아갈 때 소상강 기러기는 왔노라 하고 강남 가는 제비는 가노라 하직하는 것이었다.

이리하여 제비가 강남 수천 리를 훨훨 날아가서 **제비 왕**을 뵈러 가니 제비 왕이 물었다.

"경은 어찌하여 다리를 절며 들어오느냐?"

"신의 부모가 조선국에 나가 흥부의 집에 깃들었는데 뜻밖에 큰 구렁이의 화를 입어 다리가 부러져 죽을 것을 흥부의 구조를 받아 살아서 돌아왔습니다. 흥부의 가난을 면케 해주신다면 소신은 그 은공을 만분의 일이라도 갚을까 합니다."

"흥부는 과연 어진 사람이다. 공 있는 자에게 보은함은 군자의 도리이니, 그 은혜를 어찌 아니 갚으랴? 내가 **박씨** 하나를 줄 테니 경은 가지고 나가 은혜를 갚도록 하라."

제비가 왕께 감사드리고 물러 나와서 그럭저럭 그 해를 넘기고 이듬해 춘삼월을 맞으니 모든 제비가 타국으로 건너갈 때였다. 그 제비 허공 중천에 높이 떠서 박씨를 입에 물고 너울너울 자주자주 바삐 날아 흥부네 집 동네를 찾아들어 너울너울 넘노는 거동은 마치 북해 흑룡이 여의주를 물고 오색구름 사이로 넘는 듯, 단산의 어린 봉이 대씨를 물고 오동나무에서 노니는 듯, 황금 같은 꾀꼬리가 봄빛을 띠고 수양버들 사이를 오가는 듯하였다. 이리 기웃 저리 기웃 넘노는 거동을 흥부 아내가 먼저 보고 반긴다.

"여보, 아이 아버지, 작년에 왔던 제비가 입에 무엇을 물고 와서 저토록 넘놀고 있으니 어서 나와 구경하오."

흥부가 나와 보고 이상히 여기고 있으려니 그 제비가 머리 위를 날아들며 입에 물었던 것을 앞에다 떨어뜨린다. 집어 보니 한가운데 '보은(報恩)박'이란 글 석 자가 쓰인 박씨였다.

그것을 울타리 밑에 터를 닦고 심었더니 이삼일에 싹이 나고, **사오일**에 순이 뻗어 마디마디 잎이 나고, 줄기마다 꽃이 피어 박 네 통이 열린 것이다. 추석날 아침이었다. 배가 고파 죽겠으니 영근 박 한 통을 따서 박속이나 지져 먹자하고 박을 따서 먹줄을 반듯하게 긋고서 흥부 내외는 톱을 마주 잡고 켰다. 이렇게 밀거니 당기거니 켜서 톡 타 놓으니 오색 채운이 서리며 청의동자 한 쌍이 나오는 것이었다.

왼손에 약병을 들고 오른손에 쟁반을 눈 위로 높이 받쳐 들고 나온 그 동자들은,

"이것을 값으로 따지면 억만 냥이 넘으니 팔아서 쓰십시오."

라고 말하며 홀연히 사라져 버렸다.

박 한 통을 또 따놓고 슬근슬근 톱질이다. 쓱삭 쿡칵 툭 타 놓으니 속에서 온갖 **세간붙이**가 나왔다.

또 한 통을 따서 먹줄 쳐서 톱을 걸고 툭 타 놓으니 **순금 궤**가 하나 나왔다. 금거북 자물쇠를 채웠는데 열어 보니 황금, 백금, 밀화, 호박, 산호, 진주, 주사, 사향 등이 가득 차 있었다. 그런데 쏟으면 또 가득 차고 또 가득 차고 해서 밤낮 쏟고 나니 큰 부자가 된 것이다.

다시 한 통을 툭 타 놓으니 일등 목수들과 **각종 곡식**이 나왔다. 그 목수들은 우선 명당을 가려 터를 잡고 집을 지었다. 그다음 또 사내종, 계집종, 아이종이 나오며 온갖 것을 여기저기 다 쌓고 법석이니 흥부 내외는 좋아하고 춤을 추며 돌아다녔다.

이리하여 흥부는 좋은 집에서 즐거움으로 세월을 보내게 되었다.

이런 소문이 놀부 귀에 들어가니,

"이놈이 도둑질을 했나? 내가 가서 욱대기면* 반재산을 뺏어 낼 것이다."

벼락같이 건너가 닥치는 대로 살림살이를 쳐부수는 것이었다.

한참 이렇게 소란을 피우고 있을 때 마침 출타 중이던 흥부가 들어왔다.

"네 이놈, 도둑질을 얼마나 했느냐?"

"형님 그 말씀이 웬 말씀이오?"

흥부가 앞뒷일을 자세히 말하자, 그럼 네 집 구경을 자세히 하자고 놀부가 나섰다.

흥부는 형을 데리고 돌아다니며 집 구경을 시키는데 놀부가 재물이 나오는 **화초장***을 달라고 했다. 그러고는 흥부가 화초장을 하인을 시켜 보내주겠다는 것도 마다하고 **스스로 짊어지고** 가서 집에 이르니 놀부 아내는 눈이 휘둥그레진다. 그리고 그 출처와 흥부가 부자가 된 연유를 알게 되자,

"우리도 다리 부러진 제비 하나 만났으면 그 아니 좋겠소?"

라며, 그해 동지섣달부터 제비를 기다렸다.

– 작자 미상, 「흥부전」 –

* 욱대기면 : 난폭하게 윽박질러 협박하면.
* 화초장 : 문짝에 유리를 붙이고 화초 무늬를 채색한 옷장.

29. 윗글에 대한 설명으로 가장 적절한 것은?

① 인물의 반복적 행위와 결과를 나열하여 극적 효과를 높이고 있다.
② 서술자를 작중 인물로 설정하여 사건의 현장감을 조성하고 있다.
③ 전기(傳奇)적인 요소를 활용하여 주인공의 영웅성을 부각하고 있다.
④ 권위 있는 새로운 인물이 등장하여 인물 간의 갈등을 해소하고 있다.
⑤ 꿈과 현실을 교차적으로 서술하여 사건을 입체적으로 구성하고 있다.

3회

30. 윗글에 대한 이해로 적절하지 않은 것은?

① 흥부 부부는 먹고 살기 위해 온갖 노력을 다하였다.
② 박에서 나온 목수들은 흥부 부부를 위해 좋은 터에 집을 지어 주었다.
③ 흥부는 자신이 치료해 준 제비가 박씨를 물고 온 사실을 알아채고 그를 매우 반겼다.
④ 제비는 다리를 다친 사연을 제비 왕에게 말하며 흥부에게 받은 은혜를 갚기를 원하였다.
⑤ 놀부는 흥부의 집을 방문하기 전까지 흥부가 어떻게 부자가 되었는지를 정확히 알지 못했다.

31. <보기>를 참고하여 윗글을 감상한 내용으로 적절하지 않은 것은? [3점]

<보 기>

조선 후기에는 잦은 자연재해와 관리들의 횡포 때문에 백성들은 아무리 노력해도 가난에서 벗어날 수 없었다. 이러한 시대적 배경에서 창작된 「흥부전」은 최소한의 의식주라도 해결하고 싶었던 당시 백성들의 소망이 반영된 작품으로 볼 수 있다. 특히 당시의 백성들은 성품이 착한 흥부 내외가 초월적인 존재의 도움으로 가난을 벗어나는 장면을 통해 대리만족을 얻기도 하였다. 하지만 착한 흥부에게 주어지는 보상이 환상성(幻想性)을 띠고 있다는 점은 가난이 실제 현실에서는 극복되기 어렵다는 것을 우회적으로 보여주고 있다.

① 흥부 내외가 '온갖 품을 다 팔았'지만 여전히 '살기는 막연'했던 것은 창작 당시의 시대적 배경과 관련이 있겠군.
② 흥부 집을 찾아간 놀부가 '화초장'을 '스스로 짊어지고' 간 것은 가난을 극복하기 위한 백성들의 노력으로 볼 수 있겠군.
③ '제비 왕'이 제비에게 준 '박씨'를 통해 흥부가 가난을 벗어날 수 있었다는 점에서 초월적 존재의 도움을 확인할 수 있겠군.
④ 흥부가 타는 박 속에서 '세간붙이'와 '각종 곡식'이 나온 것은 의식주 문제를 해결하고 싶었던 백성들의 소망과 관련이 있겠군.
⑤ '사오일' 만에 열린 박에서 '순금 궤'가 나와 부자가 된다는 점에서 흥부에게 주어진 보상이 환상성을 띠고 있음을 알 수 있겠군.

32. 윗글의 놀부를 평가하는 말로 가장 적절한 것은?

① 불난 집에 부채질하는 인물이군.
② 소 잃고 외양간 고치는 인물이군.
③ 사촌이 땅을 사면 배 아파하는 인물이군.
④ 간에 붙었다 쓸개에 붙었다 하는 인물이군.
⑤ 오르지 못할 나무는 쳐다도 보지 않는 인물이군.

[33 ~ 37] 다음 글을 읽고 물음에 답하시오.

수요의 법칙에 따르면 어떤 상품의 가격 변화에 따라 그 상품의 수요량은 변화한다. 수요의 가격탄력성은 가격이 변할 때 수요량이 변하는 정도를 나타내는 지표다. 가격 변화에 따른 수요량의 변화가 ㉠ 민감하면 탄력적이라 하고, 가격 변화에 따른 수요량의 변화가 민감하지 않으면 비탄력적이라고 한다.

수요의 가격탄력성에 영향을 주는 대표적인 요인에는 세 가지가 있다. 첫째, 대체재의 존재 여부이다. 어떤 상품에 ㉡ 밀접한 대체재가 있으면, 소비자들은 그 상품 대신에 대체재를 사용할 수 있으므로 그 상품 수요의 가격탄력성은 탄력적이다. 예를 들어 버터는 마가린이라는 밀접한 대체재가 있기 때문에 버터 가격이 오르면 버터의 수요량은 크게 감소하므로 버터 수요의 가격탄력성은 탄력적이다. 반면에 달걀은 마땅한 대체재가 없으므로, 달걀 수요의 가격탄력성은 비탄력적이다. 둘째, 필요성의 정도이다. 필수재 수요의 가격탄력성은 대체로 비탄력적인 반면에, 사치재 수요의 가격탄력성은 대체로 탄력적이다. 예를 들어 필수재인 휴지의 가격이 오르면 아껴 쓰기는 하겠지만 그 수요량이 ㉢ 급격하게 줄어들지는 않는다. 그러나 사치재인 보석의 가격이 상승하면 그 수요량이 감소한다. 셋째, 소득에서 지출이 차지하는 비중이다. 해당 상품을 구매하기 위한 지출이 소득에서 차지하는 비중이 높을수록 수요의 가격탄력성은 커진다. 소득에서 차지하는 비중이 큰 상품의 가격이 인상되면 개인의 소비 생활에 지장을 ㉣ 초래할 수 있으므로 그만큼 가격 변화에 민감하게 반응할 수밖에 없다.

[A] 그렇다면 수요의 가격탄력성은 어떻게 계산할 수 있을까? 수요의 가격탄력성은 수요량의 변화율을 가격의 변화율로 나눈 값이다.

$$\text{수요의 가격탄력성} = \left| \frac{\text{수요량의 변화율}}{\text{가격의 변화율}} \right| = \left| \frac{\text{수요량 변화분/기존 수요량}}{\text{가격 변화분/기존 가격}} \right|$$

예를 들어 아이스크림 가격이 10% 인상되었는데, 아이스크림 수요량이 20% 감소했다고 하자. 이 경우 수요량의 변화율이 가격 변화율의 2배에 해당하므로 수요의 가격탄력성은 2가 된다. 일반적으로 수요의 가격탄력성이 1보다 크면 탄력적, 1보다 작으면 비탄력적이라 하고, 수요의 가격탄력성이 1이면 단위탄력적이라 한다.

수요의 가격탄력성은 총수입에 큰 영향을 미친다. 총수입은 상품 판매자의 판매 수입이며 동시에 상품에 대한 소비자의 지출액인데, 이는 상품의 가격에 거래량을 곱한 수치로 ㉤ 산출할 수 있다. 일반적으로 수요의 가격탄력성이 비탄력적인 경우 가격이 상승하면 총수입도 증가하지만, 수요의 가격탄력성이 탄력적인 경우 가격이 상승하면 총수입은 감소한다. 예를 들어 어느 상품의 가격이 500원에서 600원으로 20% 상승할 때 수요량이 100개에서 90개로 10% 감소했다면, 이 상품 수요의 가격탄력성은 비탄력적이다. 이때 총수입은 상품의 가격에 거래량을 곱한 수치이므로 가격 인상 전 50,000원에서 인상 후 54,000원으로 4,000원 증가하게 되는 것이다. 그러므로 ⓐ 수요의 가격탄력성을 파악하는 것은 판매자에게 매우 중요한 일이다.

33. 윗글을 통해 알 수 있는 내용으로 적절하지 않은 것은?

① 수요의 가격탄력성 개념
② 수요의 가격탄력성 산출 방법
③ 상품 판매자의 판매 수입 산출 방법
④ 대체재의 유무가 수요의 가격탄력성에 미치는 영향
⑤ 수요의 가격탄력성에 영향을 주는 요인들 간의 관계

34. 윗글을 참고할 때, <보기>의 ㉮~㉰에 들어갈 말을 바르게 짝지은 것은?

<보 기>

쌀을 주식으로 하는 갑국은 밀을 주식으로 하는 나라에 비해 쌀 수요의 가격탄력성은 (㉮)이고, 자동차보다 저렴한 오토바이가 주요 이동 수단인 을국은 자동차가 주요 이동 수단인 나라에 비해 자동차를 (㉯)로 인식하여 자동차 수요의 가격탄력성은 (㉰)이다.

	㉮	㉯	㉰
①	비탄력적	사치재	비탄력적
②	비탄력적	사치재	탄력적
③	비탄력적	필수재	탄력적
④	탄력적	사치재	비탄력적
⑤	탄력적	필수재	탄력적

35. ⓐ의 이유로 가장 적절한 것은?

① 수요의 가격탄력성으로 소비자의 소득 규모를 판단할 수 있기 때문에
② 수요의 가격탄력성으로 판매 상품의 문제점을 파악할 수 있기 때문에
③ 수요의 가격탄력성이 판매 상품의 생산 단가를 예측 가능하게 하기 때문에
④ 수요의 가격탄력성이 판매자의 총수입 증가 여부에 영향을 미칠 수 있기 때문에
⑤ 수요의 가격탄력성으로 판매자의 판매 수입과 소비자의 지출액 차이를 파악할 수 있기 때문에

36. <보기>는 김밥과 영화 관람권의 가격 인상 이후 하루 동안의 수요량 감소를 나타낸 표이다. [A]를 바탕으로 <보기>를 탐구한 내용으로 적절한 것은? [3점]

<보 기>

구분	김밥	영화 관람권
기존 가격	2,000원	10,000원
가격 변화분	500원	2,000원
기존 수요량	100개	2,500장
수요량 변화분	20개	1,000장

※ 단, 김밥과 영화 관람권의 가격과 수요량에 영향을 끼치는 다른 요인은 없는 것으로 한다.

① 김밥은 가격의 변화율이 수요량의 변화율보다 작다.
② 영화 관람권은 가격의 변화율이 수요량의 변화율보다 크다.
③ 김밥과 영화 관람권 수요의 가격탄력성은 모두 1보다 작다.
④ 김밥과 영화 관람권은 가격의 변화율에 대한 수요량의 변화율이 같다.
⑤ 김밥 수요의 가격탄력성은 비탄력적이고, 영화 관람권 수요의 가격탄력성은 탄력적이다.

37. ㉠~㉤의 사전적 의미로 적절하지 않은 것은?

① ㉠: 자극에 빠르게 반응을 보이거나 쉽게 영향을 받음.
② ㉡: 아주 가깝게 맞닿아 있음.
③ ㉢: 변화의 움직임 따위가 급하고 격렬함.
④ ㉣: 일의 결과로서 어떤 현상을 생겨나게 함.
⑤ ㉤: 어떤 일에 필요한 돈이나 물자 따위를 내놓음.

[38 ~ 42] 다음 글을 읽고 물음에 답하시오.

(가)

십 년(十年)을 경영(經營)ᄒᆞ여 **초려삼간(草廬三間)** 지여 내니
나 ᄒᆞᆫ 간 ᄃᆞᆯ ᄒᆞᆫ 간에 **청풍(淸風)** ᄒᆞᆫ 간 맛져 두고
강산(江山)은 들일 듸 업스니 둘러 두고 보리라

– 송순 –

(나)

서산의 아침볕 비치고 구름은 낮게 떠 있구나
비 온 뒤 **묵은 풀**이 뉘 **밭**에 더 짙었든고
두어라 차례 정한 일이니 매는 대로 매리라 <제1수>

둘러내자* 둘러내자 긴 고랑 둘러내자
바라기 역고*를 고랑마다 둘러내자
잡초 짙은 긴 사래 마주 잡아 둘러내자 <제3수>

땀은 듣는 대로 듣고 볕은 쬘대로 쬔다
청풍에 옷깃 열고 긴 휘파람 흘리 불 때
어디서 길 가는 손님네 아는 듯이 머무는고 <제4수>

밥그릇에 **보리밥**이요 사발에 **콩잎 나물**이라
내 밥 많을세라 네 반찬 적을세라
먹은 뒤 한 숨 졸음이야 너나 나나 다를소냐 <제5수>

돌아가자 돌아가자 해 지거든 돌아가자
냇가에 손발 씻고 **호미 메고 돌아올** 제
어디서 **우배초적(牛背草笛)***이 함께 가자 재촉하는고 <제6수>

– 위백규, 「농가구장(農歌九章)」 –

* 둘러내자 : 휘감아서 뽑자.
* 바라기 역고 : 잡초의 일종.
* 우배초적 : 소의 등에 타고 가면서 부는 풀피리 소리.

(다)

우리 집 뒷동산에 복숭아나무가 하나 있었다. 그 꽃은 **빛깔이 시원치 않**고 그 열매는 맛이 없었다. 가지에도 **부스럼이 돋**고 잔가지는 무더기로 자라 참으로 볼 것이 없었다. 지난 봄에 이웃에 박 씨 성을 가진 이의 손을 빌어 **홍도 가지**를 접붙여 보았다. 그랬더니 그 꽃이 아름답고 열매도 아주 튼실하였다. 애초에 한창 잘 자라는 나무를 베어 버리고 잔가지 하나를 접붙였을 때에 나는 그것을 보고 '대단히 어긋난 일을 하는구나'하고 생각하였다. 그런데 어느새 밤낮으로 싹이 나 자라고 비와 이슬이 그것을 키워 눈이 트고 가지가 뻗어 얼마 지나지 않아 울창하게 자라 제법 그늘을 드리우게 되었다. 올봄에는 꽃과 잎이 많이 피어서 붉고 푸른 비단이 찬란하게 서로 어우러진 듯하니 그 경치가 진실로 볼 만하였다.

오호라, 하나의 복숭아나무, 이것이 심은 땅의 흙도 바꾸지 않고 그 뿌리의 종자도 바꾸지 않았으며 단지 접붙인 한 줄기의 기운으로 줄기도 되고 가지도 되어 아름다운 꽃이 밖으로 피어나 그 **자태가 돌연히 다른 모습**으로 바뀌니 보는 이로 하여금 눈을 씻게 하고 지나가는 이가 많이 찾아 오솔길을 내게 되었다. 이러한 기술을 가진 이는 그 조화의 비밀을 아는 이가 아닌가! 신기하고 또 신기하도다.

내가 여기에 이르러 느낀 바가 있었다. 사물이 변화하고 바뀌어 개혁을 하게 되는 것은 오로지 초목에 국한한 것이 아니오, 내 몸을 돌이켜 본다 하여도 그런 것이니 어찌 그 관계가 멀다 할 것인가! **악한 생각**이 나는 것을 결연히 내버리는 일은 나무의 옛 가지를 잘라 내버리듯 하고 **착한 마음**의 실마리 싹을 끊임없이 움터 나오게 하기를 새 가지로 접붙이듯 하여, 뿌리를 북돋아 잘 기르듯 마음을 닦고 가지를 잘 자라게 하듯 깊은 진리에 이른다면 이것은 시골 사람에서 성인에 이르기까지 나무 접붙임과 다른 것이 무엇이겠는가!

『주역』에 이르기를 ㉠<u>"땅에서 나무가 자라나는 것은 승괘(升卦)*이니 군자가 이로써 덕을 순하게 하여 작은 것을 쌓아 높고 크게 한다."</u> 하였으니, 이것을 보고 어찌 스스로 힘쓰지 아니하겠는가. 그리고 또 느낀 바가 있다. 오늘부터 지난 봄을 돌이켜 보면 겨우 추위와 더위가 한 번 바뀐 것뿐인데 한 치 가지를 손으로 싸매어 놓은 것이 저토록 지붕 위로 높이 자라 꽃을 보게 되었고, 또 장차 그 열매를 먹게 되었으니 만약 앞으로 내가 몇 해를 더 살게 된다면 이 나무를 즐김이 그 얼마나 더 많을 것인가! 세상 사람들은 자기가 **늙는 것만 자랑하여 팔다리를 게을리 움직이**고 그 마음 씀도 별로 소용되는 바가 없다. 이로 미루어 보면 또한 어찌 마음을 분발하여 뜻을 불러일으키기를 권하지 아니하겠는가. 이 모든 것은 다 이 늙은이를 경계함이 있으니 이렇게 글을 지어 마음에 새기노라.

– 한백겸, 「접목설(接木說)」 –

* 승괘 : 육십사괘의 하나. 땅에 나무가 자라남을 상징함.

38. (가) ~ (다)에 대한 설명으로 적절한 것은?

① (가)는 공간의 이동에 따라 시상을 전개하고 있다.
② (나)는 색채어의 대비를 활용하여 주제를 강조하고 있다.
③ (다)는 음성 상징어를 사용하여 생동감을 드러내고 있다.
④ (가)와 (나)는 시어의 반복을 통해 리듬감을 형성하고 있다.
⑤ (가)와 (다)는 구체적인 묘사를 통해 계절감을 부각하고 있다.

39. (나)를 활용하여 '전원일기'라는 제목으로 영상시를 제작하기 위해 학생들이 협의한 내용으로 적절하지 않은 것은?

① <제1수>는 아침부터 농기구를 가지고 밭을 가는 농부의 모습을 보여주면 좋겠어.
② <제3수>는 농부들이 함께 잡초를 뽑고 있는 모습을 보여주면 좋겠어.
③ <제4수>는 옷깃을 열고 바람을 쐬고 있는 농부의 모습을 보여주면 좋겠어.
④ <제5수>는 농부들이 모여 식사하고 있는 모습을 보여주면 좋겠어.
⑤ <제6수>는 해 질 무렵에 농사일을 마치고 마을로 돌아오는 농부의 모습을 보여주면 좋겠어.

40. <보기>를 참고하여 (가)와 (나)를 감상한 내용으로 적절하지 않은 것은? [3점]

<보 기>

조선 시대 사대부들의 시조에는 자연이 자주 등장하는데, 작품 속 자연에 대한 인식이 같지는 않다. (가)에서의 자연은 속세를 벗어난 화자가 동화되어 살고 싶어 하는 공간이자 안빈낙도(安貧樂道)의 공간으로 그려져 있다. 반면에 (나)에서의 자연은 소박하게 살아가는 삶의 현장이자 건강한 노동 속에서 흥취를 느끼는 공간으로 그려져 있다.

① (가)의 '초려삼간'은 화자가 안빈낙도하며 사는 공간으로 볼 수 있군.
② (가)의 화자는 '강산'에서 벗어나 '둘', '청풍'과 하나가 되어 살아가려는 태도를 보이고 있군.
③ (나)의 '묵은 풀'이 있는 '밭'은 화자가 땀 흘리며 일해야 하는 공간으로 볼 수 있군.
④ (나)의 '보리밥'과 '콩잎 나물'은 노동의 현장에서 맛보는 소박한 음식으로 볼 수 있군.
⑤ (나)의 화자가 '호미 메고 돌아올' 때에 듣는 '우배초적'에서 농부들의 흥취를 느낄 수 있군.

41. (다)의 글쓴이가 ㉠을 인용한 이유로 가장 적절한 것은?

① 자신이 깨달은 바를 뒷받침하기 위해
② 자신의 상황을 반어적으로 드러내기 위해
③ 자신의 지식이 보잘것없음을 성찰하기 위해
④ 자신과 군자의 삶이 다르지 않음을 강조하기 위해
⑤ 자신이 살고 있는 세태를 지난날과 비교하기 위해

42. 다음은 학생이 (다)를 읽고 정리한 메모이다. ⓐ~ⓔ 중 적절하지 않은 것은?

접목설(接木說)

ⓐ 글쓴이는 '빛깔이 시원치 않'은 꽃과 '부스럼이 돋'은 가지가 달린 복숭아나무를 소재로 글을 썼다.
ⓑ 글쓴이는 이웃에 사는 박 씨의 도움으로 '홍도 가지'를 접붙인 후 자라난 꽃과 열매를 본 경험을 제시하였다.
ⓒ 글쓴이는 사물이 '자태가 돌연히 다른 모습'으로 바뀌기 위해서는 근본의 변화가 중요함을 강조하였다.
ⓓ 글쓴이는 사물이 변화하는 이치를 사람들이 깨달아 실천하게 되면, '악한 생각'을 버리고 '착한 마음'을 자라게 하는 변화가 가능하다고 여겼다.
ⓔ 글쓴이는 '늙는 것만 자랑하여 팔다리를 게을리 움직이'는 사람들에게 삶의 태도를 바꾸도록 권하고 싶어 한다.

① ⓐ ② ⓑ ③ ⓒ ④ ⓓ ⑤ ⓔ

[43 ~ 45] 다음 글을 읽고 물음에 답하시오.

(가)

어두운 ㉠ 방 안엔
빠알간 숯불이 피고,

외로이 늙으신 할머니가
애처로이 잦아드는 어린 목숨을 지키고 계시었다.

이윽고 **눈 속**을
아버지가 **약**을 가지고 돌아오시었다.

아 아버지가 눈을 헤치고 따 오신
그 붉은 산수유 열매—

나는 한 마리 어린 짐승,
젊은 아버지의 서느런 옷자락에
열로 상기한 볼을 말없이 부비는 것이었다.

이따금 뒷문을 눈이 치고 있었다.
그날 밤이 어쩌면 성탄제의 밤이었을지도 모른다.

어느새 나도
그때의 아버지만큼 나이를 먹었다.

옛것이라곤 찾아볼 길 없는
성탄제 가까운 도시에는
이제 **반가운 그 옛날의 것**이 내리는데,

서러운 서른 살 나의 이마에
불현듯 아버지의 **서느런 옷자락**을 느끼는 것은,

눈 속에 따 오신 산수유 붉은 알알이
아직도 **내 혈액 속에 녹아 흐르는** 까닭일까.

– 김종길, 「성탄제」 –

(나)

나는 당신의 옷을 다 지어 놓았습니다.
심의도 짓고 도포도 짓고 자리옷도 지었습니다.
짓지 아니한 것은 작은 주머니에 수놓는 것뿐입니다.

그 주머니는 나의 손때가 많이 묻었습니다.
짓다가 놓아두고 짓다가 놓아두고 한 까닭입니다.
다른 사람들은 나의 바느질 솜씨가 없는 줄로 알지마는
그러한 비밀은 나밖에는 아는 사람이 없습니다.
나의 마음이 아프고 쓰린 때에 주머니에 수를 놓으려면
나의 마음은 수놓는 금실을 따라서 바늘구멍으로 들어가고
주머니 속에서 맑은 노래가 나와서 나의 마음이 됩니다.
그리고 아직 ㉡ 이 세상에는 그 주머니에 넣을 만한 무슨 보물이 없습니다.
이 작은 주머니는 짓기 싫어서 짓지 못하는 것이 아니라 짓고 싶어서 다 짓지 않는 것입니다.

– 한용운, 「수(繡)의 비밀」 –

43. (가)와 (나)에 대한 설명으로 가장 적절한 것은?

① (가)는 수미상관의 방식을 통해, (나)는 설의적 표현을 통해 화자의 의지를 드러내고 있다.
② (가)는 (나)와 달리 동일한 종결 표현을 사용하여 구조적 안정감을 부여하고 있다.
③ (나)는 (가)와 달리 역설적 표현을 통해 대상에 대한 화자의 정서를 부각하고 있다.
④ (가)와 (나)는 모두 후각적 이미지를 통해 시적 상황을 구체화하고 있다.
⑤ (가)와 (나)는 모두 시간의 흐름에 따라 시상을 전개하여 화자의 태도 변화를 드러내고 있다.

44. ㉠과 ㉡에 대한 설명으로 가장 적절한 것은?

① ㉠은 화자가 자아를 성찰하는 공간이다.
② ㉠은 화자와 대상과의 관계가 단절된 공간이다.
③ ㉡은 화자의 소망이 실현되지 못하고 있는 공간이다.
④ ㉡은 화자가 일상의 삶에서 벗어난 초월적인 공간이다.
⑤ ㉠과 ㉡은 모두 화자가 추구하는 이상적 공간이다.

45. <보기>를 참고하여 (가)를 감상한 내용으로 적절하지 <u>않은</u> 것은? [3점]

<보 기>

김종길 시인의 작품에 가족에 대한 시가 많은 것은 어린 시절 어머니의 부재 속에서도 가족의 보호를 받으며 자란 그의 성장 과정과 연관이 깊다. 「성탄제」에도 삼대로 이어지는 따뜻한 가족애가 다양한 소재를 통해 형상화되어 있다. 이러한 가족애는 개인의 경험을 넘어 현대인의 메마른 삶을 극복할 수 있는 인간애로 확장됨으로써 공감을 얻고 있다.

① '외로이 늙으신 할머니'가 어린 화자를 돌보고 있는 모습은 시인의 성장 배경과 관련이 있겠군.
② '눈 속'을 헤치고 '약'을 구해 온 아버지의 사랑은 삭막한 현실을 극복할 수 있는 인간애로 확장될 수 있겠군.
③ '반가운 그 옛날의 것'은 화자에게 어린 시절을 떠올리게 하는 역할을 하겠군.
④ '서느런 옷자락'은 화자가 경험하는 현대인의 메마른 삶을 형상화한 것이겠군.
⑤ '내 혈액 속에 녹아 흐르는' 산수유는 과거에서 현재까지 이어져 온 가족애를 의미한다고 볼 수 있겠군.

＊ 확인 사항

○ 답안지의 해당란에 필요한 내용을 정확히 기입(표기)했는지 확인하시오.

2021학년도 3월 고1 전국연합학력평가 문제지

국어 영역

4회 소요시간 / 80분

제 1 교시

➡ 해설 P.31

[1~3] 다음은 학생의 발표이다. 물음에 답하시오.

안녕하세요. 저는 1학년 5반 ○○○입니다. 여러분은 중학교 때 어떤 자율 동아리 활동을 하셨나요? 고등학교에 와서 무언가 새로운 것에 도전하고 싶지는 않으신가요? 여러분께 저와 제 친구들이 만든 정말 멋진 자율 동아리 '직접 함께 오토마타'를 소개합니다.

오토마타가 뭐냐고요? (㉠모형 딱따구리를 꺼내 손잡이를 돌리며) 이렇게 손잡이를 돌리면 앞뒤로 움직이는 조형물을 만들어 본 적 있죠? 초등학교 과학 시간이나 만들기 시간에 대부분 공작 키트로 만들어 보셨을 텐데요. 이처럼 오토마타는 크랭크, 기어, 캠 같은 부품들로 이루어진 기계 장치를 통해 특정한 동작을 반복하도록 만들어진 조형물을 뜻합니다.

그런데 우리 동아리는 시중에서 판매하는 공작 키트를 구입해서 주어진 부품을 설명서대로 조립하는 동아리가 (두 팔을 교차해 가위표를 만들며) 아닙니다. 우리 동아리는 오토마타의 설계도를 그려서 부품을 만들어 조립하고, 아름다운 조형물로 완성하기까지의 모든 과정을 직접 해 보는 동아리입니다. 한발 더 나아가 코딩을 활용한 오토마타를 만들어 내는 것을 목표로 합니다. (㉡동영상을 띄우고) 작년 □□시 오토마타 경진대회에 나온 작품들입니다. 버튼을 누르니까 코딩된 내용에 따라 다양한 움직임을 보여주죠? 이렇게 멋진 오토마타를 여러분과 직접 함께 만들고 싶습니다.

특히 과학에 관심이 많거나 발명을 좋아하는 분, 미술을 좋아하거나 프로그래밍에 도전하고 싶은 분은 반드시 우리 동아리에 가입하라고 말씀드리고 싶습니다. 여러분이 머릿속으로 상상했던 대로 움직이는 조형물을 실제로 만들어 볼 수 있을 것입니다. 우리 동아리에 들어와 활동하면 여러분의 진로 선택에 분명 도움이 될 것입니다.

우리는 3D 프린터를 활용하여 각종 부품을 직접 만들고, 메이커실에서 그 부품들을 조립할 계획입니다. 제가 벌써 담당 선생님께 매주 화요일과 목요일 방과 후에 3D 프린터와 메이커실을 사용할 수 있도록 허락을 받아 두었습니다. 게다가 담당 선생님께서 (엄지를 치켜들며) 코딩계의 전설이라 하십니다. (웃으며) 오토마타 동아리에 들어오면 코딩을 제대로 배울 수 있습니다.

우리 동아리에서는 한 사람이 최소 한 작품 이상을 만들어 10월에 열리는 학교 축제 때 전시하고자 합니다. 두세 명씩 모여 공동 작업도 진행할 예정이니 진정한 협업을 경험해 보고 싶다면 따로 신청해 주시기 바랍니다.

자율 동아리 '직접 함께 오토마타'에 가입하고 싶은 친구들은 다음 주 화요일까지 1학년 5반에서 저 ○○○을 찾아 가입 신청서를 내시면 됩니다. 각종 문의도 환영합니다. 많은 친구들이 함께하면 좋겠습니다. 감사합니다.

1. 위 발표에 대한 설명으로 적절하지 않은 것은?

① 용어의 뜻을 풀이하며 청중의 이해를 돕고 있다.
② 구체적 정보를 제공하며 청중을 설득하려 하고 있다.
③ 비언어적 표현을 사용하여 전달의 효과를 높이고 있다.
④ 질문을 던지는 방식으로 청중의 관심을 유발하고 있다.
⑤ 앞에서 설명한 내용을 요약하며 발표를 마무리하고 있다.

2. ㉠과 ㉡의 활용에 대한 설명으로 가장 적절한 것은?

① ㉠을 활용해 동아리에 대한 관심을 유도하고, ㉡을 활용해 동아리 활동의 주의 사항을 드러냈다.
② ㉠을 활용해 청중의 경험을 환기하고, ㉡을 활용해 동아리가 목표로 하는 결과물의 수준을 제시하였다.
③ ㉠을 활용해 동아리 활동의 결과물을 보여 주고, ㉡을 활용해 오토마타 작품의 발전 단계를 설명하였다.
④ ㉠을 활용해 동아리 활동을 위한 준비물을 알려 주고, ㉡을 활용해 오토마타 작품이 지닌 특징을 보여 주었다.
⑤ ㉠을 활용해 오토마타 부품이 작동하는 원리를 설명하고, ㉡을 활용해 오토마타에서 코딩이 중요한 까닭을 강조하였다.

3. <보기>는 발표를 들은 학생들의 반응이다. 발표의 내용을 고려하여 학생의 반응을 이해한 내용으로 적절하지 않은 것은?

< 보 기 >

학생 1: 3D 프린터나 메이커실을 사용할 수 있다는 것을 알고 이 동아리에 가입하고 싶어졌어. 먼저 화요일, 목요일 방과 후에 나에게 다른 일정이 없는지 확인해야겠어.
학생 2: 오토마타 동아리에서 코딩을 제대로 배운다는 것이 가능할까? 우리 학교에 코딩을 제대로 배울 수 있는 다른 동아리는 없는지 찾아 봐야겠어.
학생 3: 미술을 전공할 생각인데, 이 동아리의 장점이 진로에 도움이 될 것 같아. 오토마타와 미술에 대한 자료를 더 찾아 본 후에 가입을 결정하는 것이 좋겠어.

① '학생 1'은 발표에서 알게 된 내용 중 일부를 동아리 가입을 결정하는 핵심 정보라고 판단하고 있다.
② '학생 2'는 발표자가 말한 내용의 실현 가능성에 대해 궁금해하고 있다.
③ '학생 3'은 발표자가 말한 내용을 자신의 진로와 관련지어 긍정적으로 평가하고 있다.
④ '학생 1'과 '학생 3'은 발표자가 말한 내용이 타당한 근거에 바탕한 것인지를 따져 보고 있다.
⑤ '학생 2'와 '학생 3'은 발표에서 알게 된 내용과 관련하여 추가적인 정보 탐색을 계획하고 있다.

[4 ~ 7] (가)는 인터뷰이고, (나)는 (가)를 바탕으로 학생이 교지에 싣기 위해 쓴 글의 초고이다. 물음에 답하시오.

(가)

학생 : 안녕하세요. 저는 ○○고에 다니는 △△△입니다. 조선 왕릉과 관련하여 장묘 전통, 공간 구성, 석물 등에 대해 학예사님의 설명을 듣고자 찾아왔습니다.

학예사 : 반갑습니다. 직접 보며 설명하면 더 좋을 것 같아요. 성종이 모셔져 있는 능까지 걸으면서 이야기 나눌까요?

학생 : 네, 좋아요. 조선 왕릉이 유네스코 세계 유산으로 등재되었는데요, 등재 기준의 내용 중에서 자연 친화적 장묘 전통에 대한 설명을 부탁드릴게요.

학예사 : 조선은 자연 훼손과 인위적인 구조물 배치를 최소화하는 것을 원칙으로 하여 왕릉을 조성했습니다. 봉분을 수십 미터 높이로 조성하거나 지하에 궁전과 같은 공간을 만들기도 했던 중국과 비교하면, 조선 왕릉의 자연 친화적 성격이 돋보입니다.

학생 : 그렇군요. 예전에 건원릉이나 광릉에 갔을 때도, 왕릉이라기보다는 자연 속에 있는 것과 같은 편안함을 느꼈습니다. 이곳 선릉도 자연 친화적 공간이라는 인상을 받았습니다.

학예사 : 기능적 필요에 의한 건축물만을 최소한으로 배치하고 자연과의 조화 속에서 왕릉을 조성했기에 그런 것이지요.

학생 : 조선 왕릉은 진입 공간, 제향 공간, 능침 공간으로 구분된다고 알고 있는데, 세계 유산 등재 기준 내용에 포함되어 있는 공간 구성의 독창성과 어떤 관련이 있나요?

학예사 : 여기 선릉을 예로 들어서 설명드릴게요. 아까 지났던 홍살문까지가 진입 공간, 홍살문에서 여기 정자각까지가 제향 공간, 그리고 저 위가 왕릉의 핵심 공간인 능침 공간입니다. 그러면 질문 하나 할게요. 정자각까지 오는 동안 능침 공간이 잘 보였나요?

학생 : 아니요. 능침 공간은 지대가 높은 곳에 조성되어 있는데도 정자각에 가려서 잘 보이지 않았어요.

학예사 : 바로 그런 점이 조선 왕릉이 가진 공간 구성의 독창성과 관련됩니다. 능침 공간으로 올라가서 설명해 드릴게요. 대개 정자각에 도달할 때까지 능침 공간은 참배객에게 잘 보이지 않습니다. 하지만 지금 있는 능침 공간에서는 왕릉을 전체적으로 조망할 수 있습니다. 공간에 따라 지면 높이를 다르게 하여 조망 범위가 다르도록 했기 때문입니다. 그리고 제향 공간의 건축물인 정자각의 배치를 활용하여 능침 공간을 향한 참배객의 시야를 제한하였습니다. 이러한 방식으로 공간의 위계를 만들어 능침 공간의 권위와 성스러움을 확보했습니다. 이러한 점이 조선 왕릉의 독창성입니다.

학생 : 조선 왕릉은 공간에 따라 조망 범위를 다르게 하는 방식으로 공간의 위계를 조성했다고 이해하면 될까요?

학예사 : 맞습니다. 잘 이해했네요.

[A]
학생 : 감사합니다. 마지막 질문인데요, 능침 공간에 배치된 석물에 대한 설명을 부탁드릴게요.

학예사 : 지금 보이는 것처럼 능침 공간에는 예술적 가치가 높은 석물이 배치되었습니다. 봉분에 병풍석과 난간석을 둘렀고, 봉분 주변에 혼유석, 양 모양과 호랑이 모양의 석상 등을 두었습니다. 그리고 장명등, 문신과 무신 형상의 석인상, 석마 등을 배치하여 질서 있는 공간미를 보여 주었습니다.

[B]
학생 : 설명해 주신 내용을 들으면 석물은 공간미를 위한 요소라는 생각이 듭니다. 석물의 예술적 가치가 높다고 하셨는데 이에 대한 설명도 부탁드릴게요.

학예사 : 왕릉에 배치된 석물은 능침을 수호하는 상징적 의미를 가지면서도, 고유한 예술미를 바탕으로 왕릉의 장엄함을 강조하는 격조 높은 조각품이라 할 수 있습니다. 예를 들어 석인상은 사각 기둥의 느낌이 나도록 형태가 단순화되어 있으면서도 수호신상과 같은 엄숙함을 느끼게 하는 예술미를 드러냅니다.

학생 : 덕분에 많은 것을 알 수 있었습니다. 귀한 시간 내주셔서 감사합니다.

학예사 : 네, 저도 즐거웠습니다. 조선 왕릉이 세계 유산으로 등재된 것은 기록 문화와 제례 의식과 관련된 기준도 있으니 더 살펴봐도 좋겠네요.

학생 : 네, 잘 찾아볼게요. 감사합니다.

(나)

조선 왕릉은 자연 친화적 장묘 전통, 인류 역사의 중요한 단계를 잘 보여 주는 왕릉 조성과 기록 문화, 조상 숭배의 전통이 이어지고 있는 살아 있는 유산이라는 점에서 가치를 인정받아, 2009년 유네스코 세계 유산으로 등재되었다.

조선은 자연과의 조화 속에서 왕릉을 조성하는 자연 친화적 원칙을 지켜 왔다. 이를 바탕으로, 조선 왕릉은 공간의 위계를 만들어 능침 공간의 권위와 성스러움을 확보하는 공간 구성의 독창성을 드러낸다. 조선 왕릉은 지면의 높이 차이를 만들고 정자각의 배치를 활용하여 제향 공간과 능침 공간의 조망 범위를 다르게 함으로써 공간의 위계를 조성하였다.

[C]
능침 공간은 왕의 공간인 상계, 신하의 공간인 중계와 하계로 영역이 나뉘어 영역별로 다양한 석물이 배치되었다. 상계의 봉분에는 불교적 장식 요소를 새겨 넣은 병풍석과 난간석을 두르고, 봉분 주변에는 영혼이 노니는 석상인 혼유석, 악귀로부터 능을 수호하는 양 석상과 호랑이 석상 등을 두었다. 중계에는 어두운 사후 세계를 밝히는 장명등, 문신 형상의 석인상, 석마 등을, 하계에는 무신 형상의 석인상, 석마 등을 두었다. 이들은 조선의 내세관과 함께, 문치주의를 표방했던 조선 왕조의 지향을 드러낸다.

조선 왕릉이 잘 보존되고 살아 있는 유산으로 평가 받는 이유는 조선의 기록 문화와 제례 의식 덕분이라고 할 수 있다. 장례 과정을 담은 『국장도감의궤』, 왕릉의 조성 과정을 담은 『산릉도감의궤』 등의 기록물들은 왕릉을 유지하고 보수할 수 있게 하는 자료가 되고 있다. 또한 지금까지도 종묘에서 정례적으로 봉행되는 제례 의식은 조상을 기억하고 존경하는 전통이 살아 있음을 보여 준다.

4. (가)의 '학생'에 대한 설명으로 적절하지 <u>않은</u> 것은?

① 알고 싶은 내용을 서두에 밝히며 인터뷰를 시작하고 있다.
② 자신이 알고 있는 정보를 바탕으로 학예사에게 질문하고 있다.
③ 학예사의 설명에 대한 자신의 이해가 적절한지 확인하고 있다.
④ 학예사가 설명한 내용에 대해 자신의 경험을 밝히며 공감을 드러내고 있다.
⑤ 학예사의 설명을 바탕으로 자신의 생각을 수정하며 질문을 덧붙이고 있다.

5. [A], [B]에 대한 설명으로 가장 적절한 것은? [3점]

① [A], [B] 모두에서 학생은 학예사의 이전 답변을 인용하며 추가적인 설명을 요청하고 있다.
② [A], [B] 모두에서 학생은 학예사가 제시한 사례의 적절성에 의문을 제기하며 새로운 사례를 요청하고 있다.
③ 학예사는 학생의 요청에 따라 [A]에서 자신이 설명한 내용을 [B]에서 보충하고 있다.
④ 학예사는 학생의 이해를 돕기 위해 [A]에서 자신이 설명한 내용을 [B]에서 반복하고 있다.
⑤ 학예사는 [A]의 설명에 대한 학생의 잘못된 이해를 [B]에서의 설명을 통해 바로잡고 있다.

6. <보기>는 (나)를 작성하기 위해 세운 글쓰기 계획이다. <보기>에서 (나)에 반영된 것만을 있는 대로 고른 것은?

< 보 기 >

ㄱ. 조선 왕릉이 유네스코 세계 유산으로 등재되었다는 점을 고려하여, 조선 왕릉이 어떤 점에서 가치를 인정받았는지를 글의 첫머리에 밝히며 시작해야겠어.
ㄴ. 조선 왕릉의 자연 친화적 장묘 전통이 인정받았다는 점을 고려하여, 조선의 고유한 장묘 문화가 형성되는 데 우리나라의 자연 환경이 영향을 끼쳤음을 밝혀야겠어.
ㄷ. 조선 왕릉에 공간 구성의 독창성이 있다는 점을 고려하여, 조선 왕릉에 나타나는 공간의 위계에 대해 설명해야겠어.
ㄹ. 조선 왕릉과 관련한 기록 문화와 제례 의식이 있다는 점을 고려하여, 왕릉과 관련된 기록물과 현재 유지되고 있는 제례 의식의 사례를 찾아 제시해야겠어.

① ㄱ, ㄴ ② ㄱ, ㄷ ③ ㄴ, ㄹ
④ ㄱ, ㄷ, ㄹ ⑤ ㄴ, ㄷ, ㄹ

7. [C]에 나타난 글쓰기 방식에 대한 이해로 가장 적절한 것은?

① 능침 공간에 배치된 석물의 예술미를 분석하고 왕릉들을 비교하며 설명하고 있다.
② 능침 공간의 특정 석물에 대한 평가들을 소개하고 평가 간의 차이를 부각하고 있다.
③ 능침 공간에 배치된 석물의 형태 변화 양상을 설명하고 시기별 특징을 드러내고 있다.
④ 능침 공간에 배치된 석물에 대한 설명을 인용하고 이를 비판적 관점에서 검토하고 있다.
⑤ 능침 공간을 세 영역으로 구분하고 각 영역에 배치된 석물에 대해 설명을 덧붙이고 있다.

[8 ~ 10] (가)는 작문 상황이고 (나)는 (가)를 바탕으로 쓴 학생의 초고이다. 물음에 답하시오.

(가) 작문 상황

○ 작문 목적 : '채식하는 날' 도입에 대한 학생들의 부정적 인식을 해소한다.
○ 예상 독자 : 우리 학교 학생 전체
○ 예상 독자 분석 결과 : 설문 조사 결과 다수의 학생이 '채식하는 날' 도입에 부정적인 것으로 나타났다. 반대하는 이유로는 ㉠'채식 급식은 맛이 없다.', ㉡'채식이 건강에 도움이 안 된다.' 등이 제시되었다. 그리고 '채식하는 날' 도입에 대한 기타 의견으로는 ㉢'왜 도입하는지 모르겠다.', ㉣'어떻게 운영되는지 모르겠다.' 등이 제시되었다.
○ 내용 구성 방안 : 채식이 건강에 주는 이점과 ㉤환경에 기여하는 점을 중심으로 글을 작성한다.

(나) 학생의 초고

최근 우리 학교에서는 '채식하는 날' 도입 여부에 대한 논의가 활발하게 진행 중이다. '채식하는 날'이 도입되면 매주 월요일에는 모든 학생에게 육류, 계란 등을 제외한 채식 중심의 급식이 제공된다. 그런데 '채식하는 날' 도입 여부에 대한 설문 조사 결과, 약 65%의 학생이 반대하는 것으로 나타났다. 하지만 나는 건강을 위한 선택이 기후 위기를 막는 데도 도움이 된다는 점에서 '채식하는 날'을 도입해야 한다고 생각한다.

'채식하는 날' 도입이 필요한 이유는 다음과 같다. 먼저, '채식하는 날'이 도입되면 학생들의 채소류 섭취가 늘 것이다. 우리 학교 학생들은 급식 시간에 육류를 중심으로 음식을 골라 먹는 경향이 강하다. 잔반에서 채소류가 차지하는 비율도 높다. 이런 상황에 대해 영양 선생님께서는 학교에서 영양소가 골고루 포함된 급식을 제공하더라도 학생들이 육류 중심으로 영양소를 섭취한다며 걱정하셨다. 그러면서 '채식하는 날'을 도입하면 다양한 방식으로 조리한 맛있는 채소류 음식을 제공할 예정이고, 학생들도 영양소가 골고루 포함된 채소류 음식을 즐기게 되면 몸도 건강해지고 식습관도 개선될 것이라고 말씀하셨다.

다음으로 '채식하는 날'이 도입되면 육류 소비 과정에서 발생하는 온실가스의 배출을 줄여 지구의 기후 위기를 막으려는 노력에 동참할 수 있다. 채식 중심의 급식 제도를 운영하는 한 공공 기관에서는 이 제도를 통해 온실가스 감축에 큰 기여를 하고 있다고 홍보하기도 했다. 통계에 따르면 현재 전 세계 온실가스 배출원 중에서 축산 분야가 가장 높은 비율을 차지한다고 한다. 다시 말해 육류 소비를 적게 하면 온실가스 배출을 줄이는 데 기여하는 셈이라고 할 수 있다.

따라서 '채식하는 날'이 도입되면 건강에 도움이 될 뿐만 아니라 기후 위기를 막는 데도 기여하게 될 것이다. ⓐ그러므로 나는 우리 학교에서도 '채식하는 날'을 도입하여 학생들이 육류 위주의 식습관을 버리고 채소류 위주의 식습관을 형성하도록 이끌어야 한다고 생각한다.

8. (가)를 고려하여 학생이 구상한 내용 중 (나)에 나타나지 <u>않은</u> 것은?

- ㉠을 고려하여, 학생들에게 좋은 평가를 받은 채식 식단의 사례를 제시한다. ······ ①
- ㉡을 고려하여, 채소류 섭취를 늘려 영양소를 골고루 섭취하는 것이 건강에 도움이 됨을 밝힌다. ······ ②
- ㉢을 고려하여, 학생의 급식 실태를 밝히며 '채식하는 날' 도입의 필요성을 제시한다. ······ ③
- ㉣을 고려하여, '채식하는 날'의 운영 주기와 식단에 포함되지 않는 식재료를 설명한다. ······ ④
- ㉤을 고려하여, 육류 소비를 줄이면 온실가스의 발생량을 줄이는 데 기여한다는 점을 제시한다. ······ ⑤

9. 다음은 (나)를 보완하기 위해 추가로 수집한 자료이다. 자료의 활용 방안으로 적절하지 <u>않은</u> 것은?

ㄱ. 전문 서적

육류 섭취량이 지나치게 많아지면 단백질과 지방의 섭취량이 적정 수준을 초과하게 되고, 육류에 거의 없는 비타민, 미네랄, 식이 섬유 등은 부족하게 된다. 지방의 과잉 섭취나 특정 영양소의 부족은 건강에 악영향을 끼친다.

－『영양학』－

ㄴ. 인터뷰 내용

"우리 시에서는 1년 간 590여 개의 공공 급식소에서 '고기 없는 화요일'이라는 제도를 운영했습니다. 이를 통해 30년생 소나무 755만 그루를 심은 것과 같은 온실가스 감축 효과를 얻었습니다. 그리고 이 제도 덕분에 채식을 즐기는 습관을 가지게 되었다는 사람, 과체중 문제를 해결했다는 사람도 있었습니다."

－ ○○시 정책 홍보 담당자 －

ㄷ. 통계 자료

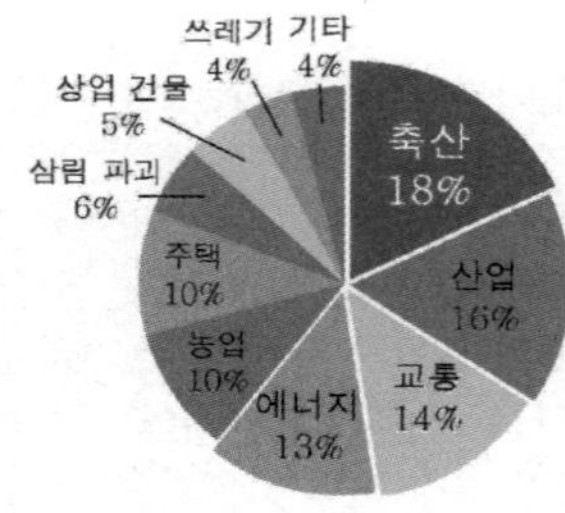

<그림> 전 세계 온실가스 배출 비율

축산 분야를 통해 배출되는 온실가스는 전 세계 온실가스 배출량의 약 18%를 차지하며, 이는 산업, 교통, 에너지 분야 등에 비해 가장 높은 수치에 해당한다.

－ 유엔식량농업기구 보고서 －

① 2문단에 ㄱ의 내용을 추가하고 그 출처도 함께 밝혀 글의 신뢰성을 높인다.
② 2문단에 ㄴ을 활용하여 채식이 건강과 식습관에 긍정적인 변화를 준 사례를 제시한다.
③ 3문단에 제시된 공공 기관의 사례를 ㄴ의 수치를 들어 구체화한다.
④ 3문단에 ㄷ의 <그림>을 삽입하여 통계 자료의 내용을 시각적으로 보여 준다.
⑤ 3문단에 ㄴ과 ㄷ을 활용하여 제도적 변화보다 개인의 노력이 중요함을 드러낸다.

10. <보기>는 (나)를 읽은 선생님의 조언이다. <보기>를 반영하여 ⓐ를 수정하기 위한 구상으로 가장 적절한 것은? [3점]

< 보 기 >

선생님 : '채식하는 날'의 도입 목적을 잘못 이해하고 초고를 써서 읽는 사람이 오해할 수 있어요. 학교 급식은 곡류, 육류, 채소류 등을 다양하게 제공하여 학생의 건강에 필요한 영양소를 골고루 충족시키는 것을 목적으로 하는데, '채식하는 날'의 도입 목적도 이와 다르지 않아요. 이러한 점을 고려하여 마지막 문장을 수정해야 해요.

① '채식하는 날'의 도입 목적은 육류 음식보다 채소류 음식이 학생의 건강에 더 도움이 된다는 사실을 알리고 채소류 음식을 더 많이 먹이는 데 있다는 내용으로 수정해야겠군.
② '채식하는 날'의 도입 목적은 육류를 먹지 말자는 것이 아니라 채소류 음식을 접할 기회를 늘려 영양소를 균형 있게 섭취하게 하는 데 있다는 내용으로 수정해야겠군.
③ '채식하는 날'의 도입 목적은 채소류 음식만으로 필요한 영양소를 모두 충족할 수 있음을 알려 채소류 위주의 식습관을 형성하는 데 있다는 내용으로 수정해야겠군.
④ '채식하는 날'의 도입 목적은 육류만 편식하는 학생들의 태도를 바꾸어 학교 급식의 잔반 중 채소류가 차지하는 비율을 줄이는 데 있다는 내용으로 수정해야겠군.
⑤ '채식하는 날'의 도입 목적은 채소류 위주의 식습관 형성이 건강 증진과 기후 위기 방지에 기여한다는 점을 알리는 데 있다는 내용으로 수정해야겠군.

[11 ~ 12] 다음을 읽고 물음에 답하시오.

모음은 크게 두 부류로 나눌 수 있다. 발음할 때 입술 모양이나 혀의 위치가 변하지 않는 모음을 '단모음'이라 한다. '표준어 규정'은 원칙적으로 'ㅏ, ㅐ, ㅓ, ㅔ, ㅗ, ㅚ, ㅜ, ㅟ, ㅡ, ㅣ'를 단모음으로 발음할 것을 규정하고 있다.

입술 모양이나 혀의 위치가 발음 도중에 변하는 모음은 '이중 모음'이라 하는데, 이중 모음은 홀로 쓰일 수 없는 소리인 '반모음'이 단모음과 결합한 모음이다. 예를 들어 이중 모음인 'ㅑ'의 발음은, 'ㅣ'를 짧게 발음하는 것과 유사한 소리인 반모음 '[j]' 뒤에서 'ㅏ'가 결합한 소리이다. 'ㅑ'와 마찬가지로 'ㅒ, ㅕ, ㅖ, ㅛ, ㅠ, ㅢ'의 발음은, 각각 반모음 '[j]'와 단모음 'ㅐ, ㅓ, ㅔ, ㅗ, ㅜ, ㅡ'가 결합한 소리이다. 'ㅗ'나 'ㅜ'를 짧게 발음하는 것과 유사한 반모음 '[w]'도 있는데 'ㅘ, ㅙ, ㅝ, ㅞ'의 발음은 각각 반모음 '[w]'와 단모음 'ㅏ, ㅐ, ㅓ, ㅔ'가 결합한 소리이다. 반모음이 단모음 뒤에서 결합한 소리인 'ㅢ'를 제외하고, 이중 모음의 발음은 모두 반모음이 단모음 앞에서 결합한 소리이다.

'ㅚ'와 'ㅟ'는 단모음으로 발음하는 것이 원칙이지만 현실에서 이중 모음으로 발음하는 경우가 많다. 'ㅚ'를 이중 모음으로 발음할 경우에는 반모음 '[w]'와 'ㅔ' 소리를 연속하여 발음하며, 'ㅟ'를 이중 모음으로 발음할 경우에는 반모음 '[w]'와 'ㅣ' 소리를 연속하여 발음한다. '표준어 규정'에서도 현실 발음을 고려하여 이와 같이 'ㅚ'와 'ㅟ'를 이중 모음으로 발음하는 것을 허용하고 있다.

11. 윗글에 대한 이해로 적절하지 <u>않은</u> 것은?

① 'ㅠ'는 발음할 때 입술 모양이나 혀의 위치가 변한다.
② 'ㅐ'는 발음할 때 입술 모양이나 혀의 위치가 변하지 않는다.
③ 'ㅖ'의 발음은 반모음 '[j]' 뒤에서 단모음 'ㅔ'가 결합한 소리이다.
④ 'ㅘ'의 발음은 단모음 'ㅗ' 뒤에서 반모음 '[j]'가 결합한 소리이다.
⑤ 반모음 '[w]'는 홀로 쓰일 수 없고 단모음과 결합하여 이중 모음을 이룬다.

12. <보기>는 학생들의 대화이다. 윗글을 바탕으로 할 때 <보기>의 ㉠, ㉡에 들어갈 내용으로 적절한 것은? [3점]

< 보 기 >

학생 1: '표준어 규정'에 따르면 'ㅚ'는 단모음으로 발음하는 것이 원칙이지만 이중 모음으로 발음하는 것도 허용하더라고. 그러면 '참외'는 [차뫼]로 발음하는 것이 원칙이지만, ___㉠___로 발음하는 것도 허용한다고 할 수 있겠어.
학생 2: 그래, 맞아. '표준어 규정'에서는 'ㅟ'도 이중 모음으로 발음하는 것을 허용하고 있어. 이에 따른 'ㅟ'의 이중 모음 발음은 'ㅑ, ㅒ, ㅕ, ㅖ, ㅘ, ㅙ, ㅛ, ㅝ, ㅞ, ㅠ, ㅢ'의 발음 중에 ___㉡___.

	㉠	㉡
①	[차뭬]	포함되어 있지 않아
②	[차뭬]	'ㅢ' 소리에 해당해
③	[차뫠]	'ㅝ' 소리에 해당해
④	[차메]	포함되어 있지 않아
⑤	[차메]	'ㅢ' 소리에 해당해

13. ㉠~㉤에 대한 설명으로 적절하지 <u>않은</u> 것은?

< 보 기 >

㉠ 그는 우리와 함께 일하기를 거부했다.
㉡ 개는 사람보다 후각이 훨씬 예민하다.
㉢ 나는 그가 우리를 도와 준 일을 잊지 않았다.
㉣ 날이 추워지면 방한 용품이 필요하다.
㉤ 수만 명의 관객들이 공연장을 가득 메웠다.

① ㉠: '우리와 함께 일하기를'이 안은문장에서 목적어의 역할을 하고 있군.
② ㉡: '후각이 훨씬 예민하다'가 안은문장에서 서술어의 역할을 하고 있군.
③ ㉢: '그가 우리를 도와 준'이 안은문장에서 관형어의 역할을 하고 있군.
④ ㉣: '날이 추워지다.'와 '방한 용품이 필요하다.'가 대등하게 이어진 문장이군.
⑤ ㉤: '관객들이'가 주어이고 '메웠다'가 서술어인 홑문장이군.

14. <보기 1>은 국어사전의 일부이고, <보기 2>는 원고지에 쓴 글을 고친 것이다. <보기 1>을 바탕으로 <보기 2>의 ㉠~㉢을 이해한 내용으로 적절하지 <u>않은</u> 것은?

< 보기 1 >

드리다 [드리다] 동 [드리어(드려), 드리니]
【…에/에게 …을】
[1] '주다'의 높임말.
[2] 윗사람에게 그 사람을 높여 말이나, 인사, 부탁, 약속, 축하 따위를 하다.

들이다 [드리다] 동 [들이어(들여), 들이니]
[1] 【…을 …에】 밖에서 속이나 안으로 향해 가게 하거나 오게 하다.
[2] 【…에/에게 …을】 어떤 일에 돈, 시간, 노력, 물자 따위를 쓰다.

< 보기 2 >

① ㉠은 '들이다'[1]의 의미로 사용되었군.
② ㉠을 포함한 문장에 '우리를'을 넣어야 하는 이유는 필요한 문장 성분이 빠졌기 때문이군.
③ ㉡과 '할머니께 말씀을 드리다.'의 '드리다'는 모두 '드리다'[1]의 의미로 사용되었군.
④ ㉢은 '들이다'[2]의 의미로 사용되었기 때문에 '들여'라고 고쳐 써야 하는군.
⑤ ㉠과 ㉡은 사전에서 각각의 표제어 아래 제시된 여러 의미 중 하나로 풀이되는군.

15. <보기>는 수업의 일부이다. 선생님의 설명을 참고할 때 ㉠에 해당하는 것은?

< 보 기 >

선생님 : 훈민정음의 초성 중 기본자는 발음 기관의 모양을 본뜨는 '상형'의 원리로 만들어졌어요. 'ㄱ'은 혀뿌리가 목구멍을 막는 모양을, 'ㄴ'은 혀가 윗잇몸에 닿는 모양을, 'ㅁ'은 입 모양을, 'ㅅ'은 이[齒] 모양을, 'ㅇ'은 목구멍 모양을 본뜬 것이에요. 기본자에 소리의 세기에 따라 획을 더하는 '가획'의 원리를 적용하여 가획자 'ㅋ, ㄷ, ㅌ, ㅂ, ㅍ, ㅈ, ㅊ, ㆆ, ㅎ'을 만들었고, 상형이나 가획의 원리를 적용하지 않고 별도로 이체자 'ㆁ, ㄹ, ㅿ'을 만들었지요. 중성은 하늘, 땅, 사람의 모양을 본떠서 기본자 'ㆍ, ㅡ, ㅣ'를 만들고, '합성'의 원리를 적용하여 초출자 'ㅗ, ㅏ, ㅜ, ㅓ'와 재출자 'ㅛ, ㅑ, ㅠ, ㅕ'를 만들었어요. 종성은 초성의 글자를 다시 사용했답니다. 그러면 선생님과 함께 카드놀이를 하며 훈민정음에 대하여 공부해 봅시다. ㉠ 아래의 카드 중 [조건]을 모두 만족하는 글자 카드를 찾아볼까요?

[조건]
- 초성 : 이[齒] 모양을 본뜬 기본자에 가획하여 만든 글자
- 중성 : 초출자 'ㅗ'에 기본자 'ㆍ'를 결합하여 만든 글자
- 종성 : 상형이나 가획의 원리를 적용하지 않고 별도로 만든 글자

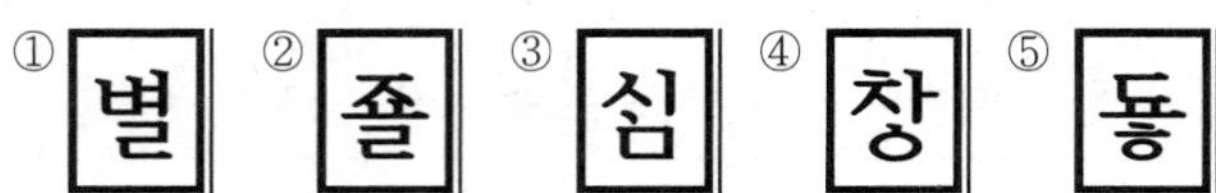

[16 ~ 20] 다음을 읽고 물음에 답하시오.

조선 시대의 유학자들은 왕권의 기반이 민심에 있으며 민심을 천심으로 받아들여야 한다고 보는 민본(民本) 사상을 통치 기조로 삼을 것을 주장했다. 이러한 관점에서 군주는 백성의 뜻을 하늘의 뜻으로 받들며 섬기고 덕성을 갖춘 성군으로서 백성의 모범이 되어야 하며, 백성을 사랑하는 애민의 태도로 백성의 삶을 안정시키고 백성을 교화해야 하는 존재라고 강조했다. 또한 백성은 보살핌과 가르침을 받는 존재로서 통치에 ⓐ 순응해야 한다고 보았다.

군주와 백성에 대한 이러한 관점은 조선 개국을 주도하고 통치 체제를 설계한 정도전의 주장에도 드러난다. 정도전은 군주나 관료가 백성에 대한 통치권을 지닌 것은 백성을 지배하기 위한 것이 아니라 백성을 보살피고 안정시키기 위한 것이라고 보았다. 군주나 관료가 지배자가 아니라 백성을 위해 일하는 봉사자일 때 이들의 지위나 녹봉은 그 정당성이 확보된다고 여긴 것이다. 또한 왕권이 정상적으로 작동하기 위해서는 왕을 정점으로 하여 관료 조직을 위계적으로 ⓑ 정비하는 것과 더불어, 민심을 받들어 백성을 보살피는 자로서 군주가 덕성을 갖추는 것이 중요하다고 보았다. 백성을 위하는 관료의 자질 향상 및 책무의 중요성을 강조한 한편, 관료의 비행을 감독하는 감사 기능의 강화를 주장하기도 했다. 이러한 정도전의 주장은 백성을 보살핌의 대상으로 바라본 민본 사상의 관점에 입각한 것이라 할 수 있다.

조선 중기의 학자 이이 역시 군주의 바람직한 덕성을 강조한 한편 군주와 백성의 관계를 부모와 자식의 관계에 빗대어 백성을 보살펴야 하는 대상이라 논했다. 이이는 특히 애민은 부모가 자녀를 가르치듯 군주가 백성들을 도덕적으로 교화함으로써 실현되며, 교화를 ⓒ 순조롭게 이루기 위해서는 우선 백성들을 경제적으로 안정시켜야 한다는 점을 강조했다. 또한 백성은 군주에 대한 신망을 지닐 수도 버릴 수도 있는 존재이므로, 군주는 백성을 두려워하는 외민(畏民)의 태도를 지녀야 함을 역설했다. 백성을 보살피고 교화해야 할 대상으로 여긴 점은 정도전의 관점과 상통하는 지점이다. 다만 군주가 백성에 대한 두려움을 가지고 백성의 신망을 유지하기 위해 노력해야 한다는 것을 강조한 점에서 차이가 있다.

조선 후기의 학자 정약용은 환자나 극빈자, 노인과 어린이 등 사회적 약자에 속하는 백성을 적극적으로 보호하는 것이 애민의 내용이라고 주장했다. 이는 백성을 보살핌의 대상으로 바라보는 시각을 구체화한 것이라 할 수 있다. 한편 정약용은 백성을 통치 체제 유지에 기여해야 하는 존재라 보고, 백성이 각자의 경제적 형편에 ⓓ 부합하는 역할을 수행해야 한다고 주장하여 백성에 대한 기존의 관점과 차이를 드러냈다. 그는 가난한 백성인 '소민'은 교화를 따름으로써, 부유한 백성인 '대민'은 생산 수단을 제공하고 납세의 부담을 맡음으로써 통치 질서의 안정에 기여해야 한다고 논했다. 이는 조선 후기 농업 기술과 상·공업의 발달로 인해 재산을 축적한 백성들이 등장한 현실을 고려한 것으로, 백성이 국가를 유지하는 근간이라고 보는 관점에 ⓔ 기반한 주장이었다.

[A] 조선 시대 학자들의 이와 같은 주장은 군주를 비롯한 통치 계층이 백성을 존중하는 정책을 펼치는 바탕이 되었다. 백성을 대상으로 한 교육 제도, 관료의 횡포를 견제하는 감찰 제도, 민생 안정을 위한 조세 및 복지 제도, 백성의 민원을 수렴하는 소원 제도 등은 백성을 위한 정책이 구현된 사례라 할 수 있다.

16. 윗글에 대한 설명으로 가장 적절한 것은?

① 조선 시대 관료 조직의 위계를 분석하고 있다.
② 조선 시대 조세 제도의 문제점을 나열하고 있다.
③ 조선 시대 학자들의 백성에 대한 관점을 비교하고 있다.
④ 조선 시대 군주들의 통치관을 비판적으로 서술하고 있다.
⑤ 조선 시대 상업의 발달 과정을 통시적으로 기술하고 있다.

17. 외민(畏民)에 대한 이해로 가장 적절한 것은?

① 백성이 군주에 대해 지녀야 할 마음가짐이다.
② 관료의 비행을 감독하기 위해 마련한 제도이다.
③ 군주와 백성을 부모와 자식의 관계에 비유하는 근거이다.
④ 민생이 안정되었을 때 드러나는 백성의 이상적 모습이다.
⑤ 백성이 군주에 대한 신망을 버릴 수 있다고 보는 관점이다.

18. 윗글을 바탕으로 <보기>를 이해한 내용으로 적절하지 않은 것은? [3점]

< 보 기 >

ㄱ. 옛날에 바야흐로 온 세상을 제압하고 나서 천자가 벼슬을 내리고 녹봉을 나누어 준 것은 신하들을 위해서가 아니라 백성들을 위한 것이었다. … 임금이 관리에게 책임을 지우는 것도 한결같이 백성에 근본을 두고, 관리가 임금에게 보고하는 것도 한결같이 백성에 근본을 두면, 백성은 중요한 존재가 된다.

– 정도전, 『삼봉집』 –

ㄴ. 청컨대 전하의 식사와 옷에서부터, 바치는 물건들과 대궐 안에서 일상적으로 쓰는 물건들 일체를 삼분의 일 줄이십시오. 이런 방식으로 헤아려서 모든 팔도의 진상·공물들도 삼분의 일 줄이십시오. 이렇게만 하신다면 은택이 아래로 미치어 백성들이 실질적인 혜택을 받게 될 것입니다.

– 이이, 『율곡전서』 –

ㄷ. 만일 목화 농사가 흉작이 되어 면포의 가격이 뛰어 오르는데 수백 리 밖의 고장은 풍년이 들어 면포의 값이 매우 쌀 경우 수령은 일단 백성에게 군포를 납부하지 말도록 해야 한다. 그리고 아전 중 청렴한 자를 골라 풍년이 든 곳에 가서 면포를 구입해 오도록 하여 군포를 바친다. 그리고 면포를 구입하는 데 쓴 돈은 백성들이 균등하게 부담케 하면 백성에게 큰 혜택이 돌아갈 것이다.

– 정약용, 『목민심서』 –

① ㄱ은 관료의 녹봉이 백성을 위해 일하는 봉사자로서 얻는 것이라는 주장과 관련된다.
② ㄴ은 군주가 백성을 보살피는 존재라는 시각을 바탕으로 한다.
③ ㄷ은 대민과 소민에 따라 납세 부담에 차이가 있어야 한다는 주장을 구현하는 방법이다.
④ ㄱ과 ㄷ은 민본 사상의 관점에서 바람직한 관료의 면모를 보여준다.
⑤ ㄴ과 ㄷ은 백성의 경제적 안정을 중시하는 관점에서 제안된 방안에 해당한다.

19. 다음은 윗글을 읽은 학생의 독후 활동이다. ㉮에 들어갈 내용으로 가장 적절한 것은?

독후 활동

유사한 화제를 다룬 다음 자료를 읽고, 관점의 차이를 정리해 보자.

[자료]

조선 시대의 교육은 신분 질서 유지를 통해 통치 계층의 우위를 확보하는 데 기여했다. 현실적으로 통치 계층이 아닌 백성은 정치에 참여하는 관료가 되기 어려웠는데, 이는 신분에 따라 교육 기회가 제한된 것과 관련된다. 한편, 백성을 대상으로 하는 교육은 대체로 도덕적 교화를 위한 것에 한정되었다.

[결론]

[자료]와 [A]는 조선 시대의 (㉮)에 대하여 관점의 차이를 보이고 있다.

① 백성이 교육 기회를 얻고자 노력했는지
② 교육이 본질적으로 백성을 위한 것인지
③ 교육 방식이 현대적으로 계승되었는지
④ 신분 질서가 어떤 의미를 지니는지
⑤ 백성이 어떻게 정치에 참여했는지

20. 문맥상 ⓐ~ⓔ와 바꿔 쓰기에 적절하지 않은 것은?

① ⓐ: 따라야
② ⓑ: 가다듬는
③ ⓒ: 끊임없이
④ ⓓ: 걸맞은
⑤ ⓔ: 바탕을 둔

4회

[21 ~ 25] 다음을 읽고 물음에 답하시오.

공익을 위한 적법한 행정 작용으로 개인의 재산권*에 특별한 희생이 발생한 경우, 개인은 자신이 입은 재산상 손실을 보상하도록 요구할 수 있는 권리인 '손실 보상 청구권'을 갖는다. 여기서 '특별한 희생'이란 보호할 필요가 있는 재산권에 대한 침해를 이르는 말로, 이로 인한 손실은 국가가 보상해야 한다. 가령 감염병예방법에 따르면, 행정 기관이 감염병 예방을 위해 의료기관의 병상이나 연수원, 숙박 시설 등을 동원한 경우 이로 인한 손실을 개인에게 보상하여야 하는데, 이때의 재산권 침해가 특별한 희생에 해당하는 것이다.

손실 보상 청구권은 ⓐ공적 부담의 평등을 위해 인정되는 헌법상 권리이다. 행정 작용으로 누군가에게 특별한 희생이 발생하면, 그로 인한 부담을 공공이 분담하는 것이 평등 원칙에 부합하기 때문이다. 또한 헌법 제23조 제3항은 "공공필요에 의한 재산권의 수용·사용 또는 제한 및 그에 대한 보상은 법률로써 하되, 정당한 보상을 지급하여야 한다."라고 하여, '공공필요에 의한 재산권의 수용·사용 또는 제한', 즉 공용 침해와 이에 대한 보상이 법률에 규정되어야 함을 명시하고 있다. 공용 침해 중 수용이란 개인의 재산권을 국가로 이전하는 것, 사용이란 행정 기관이 개인의 재산권을 일시적으로 사용하는 것, 제한이란 개인의 재산권 사용 또는 그로 인한 수익을 한정하는 것을 의미한다. 한편 제23조 제3항은 내용상 분리될 수 없는 사항은 함께 규정되어야 한다는 의미의 '불가분 조항'이다. 따라서 ⓑ공용 침해 규정과 보상 규정은 하나의 법률에서 규정되어야 한다.

그러나 헌법은 제23조 제1항에서 "모든 국민의 재산권은 보장된다. 그 내용과 한계는 법률로 정한다."라고 규정하여, 재산권은 법률에 의해 구체화된다고 밝히고 있다. 또한 제2항에서 "재산권의 행사는 공공복리에 적합하도록 하여야 한다."라고 하여, 개인의 재산권 행사가 공익에 적합하여야 한다는 재산권의 '사회적 제약'을 규정하고 있다. 특히 토지처럼 공공성이 강한 사유 재산은 재산권 행사에 더욱 강한 사회적 제약을 받을 수 있다. 만약 재산권 침해가 ⓒ사회적 제약의 범위 내에 있다면 이로 인한 손실은 보상의 대상이 되지 않는다. 즉 재산권 침해가 특별한 희생에 해당할 때만 보상이 가능한 것이다.

재산권의 사회적 제약과 특별한 희생의 구별에 대해 ㉠경계 이론과 ㉡분리 이론은 서로 다른 입장을 취한다. 경계 이론에 따르면 ⓓ양자는 별개가 아니라 단지 침해의 정도에 있어서만 차이가 있을 뿐이다. 재산권 침해는 그 정도가 사회적 제약의 범위를 넘어서면 특별한 희생으로 바뀐다는 것이다. 따라서 경계 이론은 사회적 제약을 벗어나는 재산권 침해는 보상 규정이 없어도 보상이 이루어져야 한다고 본다. 보상을 규정하지 않은 채 공용 침해를 규정하고 있는 법률은, 불가분 조항인 헌법 제23조 제3항에 위반되어 위헌이고, 위헌임이 밝혀진 법률에 근거한 공용 침해 행위는 위법한 행정 작용이 된다는 것이다. 경계 이론은 적법한 공용 침해 행위의 경우에 보상이 인정된다면, 위법한 공용 침해 행위의 경우에도 헌법 제23조 제3항을 근거로 보상을 인정해야 한다는 입장이다.

이에 반해 분리 이론은 재산권의 사회적 제약에 대한 헌법 제23조 제2항의 규정과 특별한 희생에 대한 제3항의 규정은 ⓔ입법자의 의사에 따라 완전히 분리된다고 주장한다. 따라서 재산권 침해를 규정한 법률에 보상 규정이 없는 경우 입법자가 이러한 재산권 침해를 특별한 희생이 아닌 사회적 제약으로 규정한 것으로 본다. 재산권 침해가 사회적 제약 또는 특별한 희생 중 무엇에 해당하는지 결정하는 것은 법률을 제정하는 입법자의 권한이라는 것이다. 만약 해당 법률에 규정된 재산권 침해가 헌법 제23조 제2항에서 규정한 재산권의 공익 적합성을 넘어서서 개인의 재산권을 과도하게 침해한다면, 이러한 법률은 헌법 제23조 제2항을 위반하여 위헌이고, 위헌임이 밝혀진 법률에 근거한 행정 작용은 위법하게 된다. 분리 이론은 이러한 경우 ㉢손실을 보상하는 것이 아니라, 위법한 행정 작용 자체를 제거해야 한다고 본다. 재산권을 존속시키는 것이 재산권을 침해하면서 그 손실을 보상하는 것보다 우선한다고 보기 때문이다.

* 재산권 : 재산의 소유권, 사용·수익권, 처분권 등 일체의 재산적 가치가 있는 권리.

21. 윗글에 대한 이해로 가장 적절한 것은?

① 헌법이 개인에게 보장하는 재산권의 내용은 법률로써 그 내용이 구체화된 것이다.
② 공용 침해 중 '사용'과 달리 '제한'의 경우, 행정 작용에도 불구하고 개인의 재산권은 국가로 이전되지 않는다.
③ 재산권을 침해하는 모든 행정 작용에 대해, 개인은 자신이 입은 손실을 보상하도록 요구할 수 있는 권리를 갖는다.
④ 재산권의 사회적 제약을 규정하는 모든 법률은 공용 침해와 손실 보상이 내용상 분리될 수 없다는 원칙에 어긋난다.
⑤ 감염병 예방을 위해 행정 기관이 사설 연수원을 일정 기간 동원하는 것은 공공필요에 의한 재산권의 '수용'에 해당한다.

22. ㉠과 ㉡에 대한 이해로 적절하지 않은 것은?

① ㉠은 법률에 보상 규정이 없는 경우에도 헌법 제23조 제3항을 근거로 하여, 행정 작용으로 인한 재산상 손실을 보상할 수 있다고 본다.
② ㉡은 헌법 제23조 제2항과 제3항의 규정은 전혀 다른 내용을 규정하고 있다고 본다.
③ ㉠은 행정 작용으로 인한 재산상 손실을 항상 보상해야 한다고 보는 반면, ㉡은 보상하지 않을 수 있다고 본다.
④ ㉠은 재산권 침해의 정도를, ㉡은 입법자의 의사를 기준으로 손실 보상 청구권의 성립 여부를 판단해야 한다고 본다.
⑤ ㉠과 ㉡은 모두 보상 규정 없이 사회적 제약의 범위를 벗어나는 재산권 침해를 규정한 법률은 위헌이라고 본다.

23. ㉢의 전제로 가장 적절한 것은?

① 재산권은 입법자의 의사에 따라 보상 없이 제한해야 하는 권리이다.
② 공용 침해 규정과 손실 보상 규정이 동일한 법률에서 규정될 필요는 없다.
③ 재산권의 사회적 제약은 입법자의 의사에 따라 제한 없이 규정될 수 있다.
④ 행정 작용이 공익을 목적으로 한다면 이로 인한 손실은 보상할 필요가 없다.
⑤ 입법자가 별도로 규정하지 않는 한, 재산권은 그대로 보존되어야 하는 권리이다.

24. 윗글을 참고하여 <보기>의 '헌법 재판소'의 판단에 대해 추론한 내용으로 적절하지 않은 것은? [3점]

< 보 기 >

A 법률에 따르면, 국가는 도시 환경을 보전하기 위해 개발 제한 구역을 지정할 수 있고, 개발 제한 구역으로 지정된 토지에서는 건축 등 토지 사용이 제한된다. 하지만 A 법률은 개발 제한 구역 지정으로 인한 손실을 보상하는 규정은 포함하고 있지 않았다. 이러한 상황에서 A 법률에 대한 헌법 소원이 제기되었다.

헌법 재판소는 분리 이론의 입장을 취하면서, 토지 재산권의 공공성을 고려하면 A 법률은 원칙적으로 합헌이라고 판단하였다. 하지만 개발 제한 구역으로 지정되어 토지를 사용할 방법이 전혀 없는 등 개인에게 가혹한 부담이 발생하는 예외적인 경우에는 사회적 제약을 벗어나서 토지 소유자의 재산권을 과도하게 침해한다고 판단하였다. 따라서 이러한 예외적인 경우까지 고려하지 않은 A 법률은 헌법에 위반된다고 판단하였다.

① 헌법 재판소는 개발 제한 구역을 지정하는 행위가 헌법 제23조 제2항에 위반되는지를 판단하였겠군.
② 헌법 재판소는 개발 제한 구역을 지정하는 행위가 헌법 제23조 제3항과는 관련이 없다고 판단하였겠군.
③ 헌법 재판소는 개발 제한 구역을 지정하는 행위가 헌법에 위반되었는지 여부를 토지의 공공성을 근거로 판단하였겠군.
④ 헌법 재판소는 개발 제한 구역 지정으로 인한 재산권 침해는 개인에게 가혹한 부담이 발생하지 않는 범위 내에서만 가능하다고 판단하였겠군.
⑤ 헌법 재판소는 개발 제한 구역을 지정하는 행위가 개인에게 가혹한 부담을 초래한 경우, 이때의 재산권 침해는 특별한 희생에 해당한다고 판단하였겠군.

25. 문맥상 ⓐ~ⓔ를 바꿔 쓴 것으로 적절하지 않은 것은?

① ⓐ: 행정 작용으로 인한 부담을 개인이 모두 떠안게 되는 불평등을 조정하기 위해
② ⓑ: 공공필요에 의해 개인의 재산권을 수용·사용·제한하는 규정과
③ ⓒ: 헌법 제23조 제2항에 규정된 재산권의 한계 안에
④ ⓓ: 경계 이론의 입장과 분리 이론의 입장은 전혀 다른 것이 아니라
⑤ ⓔ: 재산권 침해 정도에 따라 구분되는 것이 아니라 입법자의 서로 다른 의사가 반영된 것이라고

[26~30] 다음을 읽고 물음에 답하시오.

원자핵은 양성자나 중성자와 같은 핵자들의 결합으로 이루어져 있다. 원자핵을 구성하는 양성자와 중성자의 개수를 모두 더한 것을 질량수라고 하는데, 질량수가 큰 하나의 원자핵이 질량수가 작은 두 개의 원자핵으로 쪼개지는 것을 핵분열이라고 하고 질량수가 작은 두 개의 원자핵이 결합하여 질량수가 큰 하나의 원자핵이 되는 것을 핵융합이라고 한다.

핵분열이나 핵융합은 핵자당 결합 에너지로 설명할 수 있다. 원자핵의 질량은 그 원자핵을 구성하는 개별 핵자들의 질량을 모두 더한 것보다 작다. 이처럼 핵자들이 결합하여 원자핵이 되면서 질량이 줄어든 것을 질량 결손이라고 한다. '질량-에너지 등가 원리'에 따르면 질량과 에너지는 상호 간의 전환이 가능하고, 이때 에너지는 질량에 광속의 제곱을 곱한 값과 같다. 한편 핵자들의 결합에서 줄어든 질량은 에너지로 전환되는데, 이 에너지는 원자핵의 결합 에너지와 그 크기가 같다. 원자핵의 결합 에너지란 원자핵을 개별 핵자들로 분리할 때 가해야 하는 에너지이다. 원자핵의 결합 에너지를 질량수로 나눈 것을 핵자당 결합 에너지라고 하고 그 값은 원자핵의 종류에 따라 다르다.

원자핵을 구성하는 핵자들은 핵자당 결합 에너지가 클수록 더 강력하게 결합되어 있고 이는 원자핵이 더 안정된 상태라는 것을 의미한다. 모든 원자핵은 안정된 상태가 되려는 성질이 있으므로, 핵자당 결합 에너지가 작은 원자핵들은 핵분열이나 핵융합을 거쳐 핵자당 결합 에너지가 큰 상태가 된다. 핵분열이나 핵융합도 반응 전후로 질량 결손이 일어나고, 줄어든 질량은 에너지로 전환된다.

핵분열과 핵융합에서 발생하는 에너지를 발전에 이용할 수 있다. ㉠<u>우라늄-235(^{235}U) 원자핵을 사용하는 핵분열 발전</u>의 경우, 우라늄 원자핵에 중성자를 흡수시키면 질량수가 작고 핵자당 결합 에너지가 큰 원자핵들로 분열된다. 이때 2~3개의 중성자가 방출되는데 이 중성자는 다른 우라늄 원자핵에 흡수되어 연쇄 반응을 일으킨다. 이 과정에서 질량 결손으로 인해 전환되는 에너지를 발전에 이용하는 것이다.

핵분열 발전에서는 중성자의 속도를 느리게 해야 한다. 중성자가 너무 빠르게 움직이면 원자핵에 흡수될 확률이 낮기 때문이다. 특히 핵분열 과정에서 방출된 중성자는 속도가 매우 빠르기 때문에 이를 느리게 해야 연쇄 반응을 일으킬 수 있다. 그래서 물이나 흑연을 감속재로 사용하여 중성자의 속도를 느리게 만든다. 한편 연쇄 반응이 급격하게 일어나면 과도한 에너지가 발생하여 폭발이 일어날 수 있기 때문에 제어봉을 사용한다. 제어봉은 중성자를 흡수하는 장치로, 핵분열에 관여하는 중성자 수를 조절하여 급격한 연쇄 반응을 방지한다.

핵융합 발전을 위한 시도도 계속되고 있다. 태양이 에너지를 생성하는 방법이 바로 핵융합이다. ⓐ<u>수소(^{1}H) 원자핵을 원료로 하는 태양의 핵융합</u>은 주로 태양의 중심부에서 일어난다. 먼저 수소 원자핵 2개가 융합하여 중수소(^{2}H) 원자핵이 되고, 중수소 원자핵은 수소 원자핵과 융합하여 헬륨-3(^{3}He) 원자핵이 된다. 그리고 2개의 헬륨-3 원자핵이 융합하여 헬륨-4(^{4}He) 원자핵이 된다. 이러한 과정에서 줄어든 질량이 에너지로 전환되는 것이다.

지구는 태양과 물리적 조건이 달라서 태양의 핵융합을 똑같이 재현할 수 없다. 가장 많이 시도하는 방식은 ⓑ<u>D-T 핵융합</u>이다. 이 방식에서는 중수소 원자핵과 삼중 수소(^{3}H) 원자핵이 융합하여 헬륨-4 원자핵이 된다. 중수소 원자핵과 삼

중 수소 원자핵을 핵융합 발전의 원료로 사용하는 이유는 다른 원자핵들의 핵융합보다 반응 확률이 높고 질량 결손으로 전환되는 에너지도 크기 때문이다.

하지만 지구에서 핵융합을 일으키는 것은 간단하지 않다. 양(+)의 전하를 띤 원자핵은 음(−)의 전하를 띤 전자와 전기적 인력에 의해 단단히 결합되어 있어서 일반적인 상태에서 원자핵이 융합하는 것은 불가능하다. 따라서 핵융합 반응을 일으키기 위해서는 물질을 원자핵과 전자가 분리된 상태인 플라스마 상태로 만들어야 한다. 또한 원자핵은 양의 전하를 띠고 있어서 서로 가까이 다가갈수록 척력이 강하게 작용한다. 척력을 이겨내고 원자핵이 융합하게 하기 위해서는 플라스마의 온도를 높여 원자핵이 고속으로 움직일 수 있도록 해야 한다. 따라서 핵융합 발전을 위한 핵융합로에서는 ㉡<u>플라스마를 1억 ℃ 이상으로 가열해서 핵융합의 확률을 높인다.</u> 융합로에서 플라스마의 온도를 높인 이후에는 고온 상태를 일정 시간 이상 유지하는 것도 중요하다. 플라스마는 융합로의 벽에 접촉하면 온도가 내려가기 때문에 자기장을 활용해서 플라스마가 벽에 닿지 않게 하여 고온 상태를 유지할 수 있도록 한다. 안정적인 핵융합 발전을 위해서는 고온의 플라스마를 높은 밀도로 최소 300초 이상 유지해야 한다.

26. 윗글의 내용과 일치하는 것은?

① 양성자의 질량과 중성자의 질량을 더한 것을 질량수라고 한다.
② 원자핵과 전자 사이에는 척력이 작용하여 서로 단단하게 결합되어 있다.
③ 원자핵의 결합 에너지는 핵자당 결합 에너지를 질량수로 나눈 것이다.
④ 질량－에너지 등가 원리에 따르면 질량은 에너지에 광속의 제곱을 곱한 값과 같다.
⑤ 핵자들이 결합하여 원자핵이 될 때 줄어든 질량이 전환된 에너지의 크기는 그 원자핵을 다시 개별 핵자들로 분리할 때 필요한 에너지의 크기와 같다.

27. ㉠에 대한 이해로 적절하지 <u>않은</u> 것은?

① 우라늄－235 원자핵에 전자를 흡수시켜 핵분열을 일으킨다.
② 물이나 흑연을 감속재로 사용하여 중성자의 속도를 조절한다.
③ 제어봉으로 중성자를 흡수하여 과도한 에너지가 발생하지 않도록 한다.
④ 우라늄－235 원자핵이 분열되면 우라늄－235 원자핵보다 질량수가 작은 원자핵들로 나뉜다.
⑤ 우라늄－235 원자핵이 분열되면서 방출되는 중성자의 속도를 느리게 해서 연쇄 반응을 일으킨다.

28. 윗글을 읽은 학생이 <보기>의 설명을 이해한 내용으로 가장 적절한 것은? [3점]

< 보 기 >

선생님 : 이 그림은 여러 원자핵의 핵자당 결합 에너지를 나타내고 있어요. 철($^{56}_{26}$Fe) 원자핵은 다른 원자핵들에 비해 핵자당 결합 에너지가 크죠? 철 원자핵은 모든 원자핵 중에서 핵자당 결합 에너지가 가장 크고 가장 안정된 상태예요. 철 원자핵보다 질량수가 작은 원자핵은 핵융합을, 질량수가 큰 원자핵은 핵분열을 통해 핵자당 결합 에너지가 높은 원자핵이 된답니다.

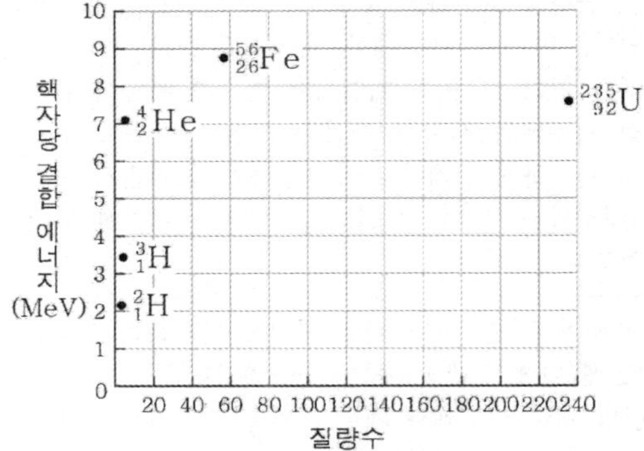

※ 원자핵의 질량수(A)와 양성자 수(Z)는 원소 기호(X)에 다음과 같이 표기한다.

$$^{A}_{Z}X$$

① 헬륨－4 원자핵은 핵융합을 거치면 더 안정된 상태의 원자핵으로 변하겠군.
② 중수소 원자핵은 삼중 수소 원자핵과 양성자의 수는 같지만 더 안정된 상태이겠군.
③ 철 원자핵의 결합 에너지는 철 원자핵의 핵자당 결합 에너지에 26을 곱한 값과 같겠군.
④ 우라늄－235 원자핵이 핵분열하여 생성된 원자핵들은 핵자당 결합 에너지가 9MeV 이상이겠군.
⑤ 우라늄－235 원자핵은 철 원자핵에 비해 원자핵을 구성하고 있는 핵자들이 더 강력하게 결합되어 있겠군.

29. ⓐ와 ⓑ에 대한 설명으로 적절하지 <u>않은</u> 것은?

① ⓐ의 과정에서 헬륨－4 원자핵의 개수는 늘어난다.
② ⓑ는 중수소 원자핵과 삼중 수소 원자핵을 원료로 사용한다.
③ 헬륨－4 원자핵은 ⓑ에서와 달리 ⓐ에서는 헬륨－3 원자핵이 융합하여 생성된다.
④ ⓐ와 ⓑ에서는 모두 반응 전후로 질량 결손이 일어나고 줄어든 질량은 에너지로 전환된다.
⑤ ⓑ를 일으키기 위해서는 ⓐ가 일어나기 위한 물리적 조건과 동일한 조건을 만들어 주어야 한다.

30. ㉡의 이유로 가장 적절한 것은?

① 원자핵이 융합로의 벽에 접촉하지 않게 하기 위해
② 자기장을 발생시켜 플라스마의 온도를 유지하기 위해
③ 원자핵이 척력을 이겨내고 서로 융합할 수 있도록 하기 위해
④ 전자를 고속으로 움직이게 하여 핵융합의 효율을 높이기 위해
⑤ 원자핵들 사이에 전기적 인력을 발생시켜 핵융합의 확률을 높이기 위해

[31 ~ 33] 다음을 읽고 물음에 답하시오.

(가)

1
양철로 만든 **달이 하나 수면 위에 떨어지**고
부숴지는 **얼음** 소리가
날카로운 호적같이 옷소매에 스며든다.

해맑은 밤바람이 이마에 서리는
여울가 모래밭에 **홀로** 거닐면
노을에 빛나는 은모래같이
호수는 **한포기 화려한 꽃밭**이 되고

여윈 추억의 가지가지엔
조각난 빙설(氷雪)이 눈부신 빛을 하다.

2
낡은 고향의 허리띠같이
강물은 길—게 **얼어붙**고

차창에 서리는 황혼 저 멀—리
노을은
나 어린 **향수(鄕愁)**처럼 **희미한 날개를 펴고 있었다.**

3
앙상한 잡목림 사이로
한낮이 겨운 하늘이 투명한 기폭(旗幅)을 떨어뜨리고

푸른 옷을 입은 **송아지**가 한마리
조그만 그림자를 바람에 나부끼며
서글픈 얼굴을 하고 **논둑 위에 서 있다.**

— 김광균, 「성호부근」 —

(나)

갈아놓은 논고랑에 고인 물을 본다.
마음이 행복해진다.
나뭇가지가 꾸부정하게 비치고
햇살이 번지고
날아가는 **새 그림자**가 잠기고
나의 얼굴이 들어 있다.
늘 홀로이던 내가
그들과 **함께** 있다.
누가 높지도 낮지도 않다.
모두가 **아름답다.**
그 안에 나는 거꾸로 서 있다.
거꾸로 서 있는 모습이
본래의 내 모습인 것처럼
아프지 않다.
산도 곁에 거꾸로 누워 있다.
늘 떨며 우왕좌왕하던 내가
저 세상에 건너가 서 있기나 한 듯
무심하고 아주 선명하다.

— 이성선, 「논두렁에 서서」 —

31. (가)와 (나)에 대한 설명으로 가장 적절한 것은?

① (가)와 (나)는 음성 상징어를 사용하여 대상의 생동감을 강조하고 있다.
② (가)와 (나)는 현재 시제를 활용하여 시적 상황에 주목하도록 하고 있다.
③ (가)와 (나)는 청자와 대화하는 방식을 활용하여 주제를 형상화하고 있다.
④ (가)와 달리 (나)는 시선을 원경에서 근경으로 이동하면서 시상을 전개하고 있다.
⑤ (나)와 달리 (가)는 동일한 시어를 반복하여 리듬감을 형성하고 있다.

32. <보기>를 바탕으로 (가)를 이해한 내용으로 적절하지 <u>않은</u> 것은? [3점]

< 보 기 >

(가)는 숫자로 구별된 세 개의 장면으로 구성되어 있다. 각 장면에서는 다양한 이미지를 통해 겨울 호수와 그 부근의 풍경이 형상화되고, 이 과정에서 애상적 정서가 환기된다.

① '1'에서는 '한포기 화려한 꽃밭'으로 표현된 호수의 모습에 '양철'과 '얼음'이 환기하는 날카롭고 차가운 감각이 연결되면서 겨울 호수의 이미지가 형상화되고 있다.
② '1'에서 '달이 하나 수면 위에 떨어지'는 모습은 겨울 호숫가를 '홀로' 거니는 화자의 상황과 맞물리면서 쓸쓸한 정서를 드러내고 있다.
③ '2'의 '강물'과 '노을'은 '낡은 고향'과 '향수'의 이미지로 연결되면서 고향에 대한 그리움의 정서를 떠올리게 한다.
④ '2'의 '희미한 날개를 펴고 있었다'는 '3'의 '논둑 위에 서 있다'와 연결되면서, '송아지'의 '서글픈 얼굴'이 드러내는 정서가 극복될 수 있는 가능성을 암시하고 있다.
⑤ '1', '2', '3'에서는 각각 '조각난 빙설', '얼어붙'은 '강물', '앙상한 잡목림'과 같은 시구가 스산한 분위기를 자아내면서 애상적 정서를 심화하고 있다.

33. (나)를 감상한 내용으로 적절하지 않은 것은?

① 화자는 '늘 떨며 우왕좌왕하던' 과거 자신의 모습과 '곁에 거꾸로 누워 있'는 '산'의 모습을 동일시하고 있군.
② '누가 높지도 낮지도 않'은 모습을 '아름답다'고 한 것에서 화자가 물에 비친 세상을 긍정적으로 보고 있음을 알 수 있군.
③ '거꾸로 서 있는 모습'을 '아프지 않'은 것으로 받아들이는 화자에게서 물에 비친 자신의 모습을 부정적이지 않은 것으로 수용하는 태도가 드러나는군.
④ '늘 홀로'라고 생각했던 화자는 '나뭇가지', '햇살', '새 그림자'와 '나의 얼굴'이 '함께 있'는 모습에서 자신이 다른 존재들과 공존하고 있음을 발견하는군.
⑤ 물에 비친 자신의 모습을 '무심하고 아주 선명하다'라고 한 것에서, 화자가 물을 보는 행위를 통해 자기 자신에 대한 인식을 달리하게 되었음을 알 수 있군.

[34 ~ 37] 다음을 읽고 물음에 답하시오.

만두 집을 했던 엄마가 어떻게 피아노를 가르칠 생각을 했는지 알 수 없다. 욕심이거나 뭔가 강요하려 한 것은 아니었다. 엄마는 배움이 짧았고, 자신의 교육적 선택에 늘 자신감을 갖지 못했다. 다만 그때 엄마는 어떤 '보통'의 기준들을 따라가고 있었으리라. **놀이 공원에 가고, 엑스포에 가는 것**처럼, 어느 시기에는 어떠어떠한 것을 해야 한다는 풍문들을 말이다. 돌이켜보면 어릴 때 엑스포에 가고 박물관에 간 것이 그렇게 재밌었던 것 같지는 않다. 하지만 나를 엑스포에 보내주고, 놀이 공원에 함께 가 준 엄마에게 고마운 마음이 든다. 누구나 겪는, **평범한 유년의 프로그램** 중 하나였을 뿐이지만, 무지한 눈으로 시대의 풍문들에 고개 끄덕였을, 김밥을 싸고 관광버스에 올랐을 엄마의 피로한 얼굴이 떠오르는 까닭이다. 이따금 내가 회전목마 위에서 비명을 지르는 동안, 한 손으로 얼굴을 가린 채 벤치에 누워 있던 엄마의 모습이 떠오르곤 한다. 신을 벗고 짧은 잠을 청하던 엄마의 얼굴은 도 — 처럼 낮고 고요했던가 그렇지 않았던가. 엄마를 따라 하느라, 피아노 의자 위에 누워 있던 나를 보고, 선생님은 라 — 처럼 놀랐던가 그렇지 않았던가. 일과 중 가장 중요한 일이 '엄마 100원만'인 줄 알았던 때이긴 했지만. 나는 헨델이 없는 헨델의 방에서 음악을 했고, 엄마는 **베토벤같이 풀린 파마머리를 한 채 귀머거리처럼 만두를 빚**었다. ㉠ <u>마침 동네에 음악 학원이 생겼고, 엄마의 만두가 불티나게 팔리던 시절이라 가능했던 일인지도 모른다.</u>

엄마는 내게 피아노를 사줬다. 읍내서부터 먼짓길을 달려 온 **파란 트럭**이 집 앞에 섰을 때, 엄마가 무척 기뻐했던 기억이 난다. **세탁기도 냉장고도 아닌 피아노라니**. 어쩐지 우리 삶의 질이 **한 뼘쯤 세련돼진** 것 같았다. 피아노는 노릇한 원목으로 돼, 학원에 있는 어떤 것보다 좋아 보였다. ㉡ <u>원목 위에 양각된 우아한 넝쿨무늬, 은은한 광택의 금속 페달, 건반 위에 깔린 레드 카펫</u>은 또 얼마나 선정적인 빛깔이던지. 그것은 우리 집에 있는 가재들과 때깔부터 달랐다. 다만 좀 멋쩍은 것은 피아노가 가정집 '거실'이 아닌, ⓐ <u>만두 가게</u> 안에 놓인다는 사실이었다. 우리 가족은 **생계와 주거**를 한 건물 안에서 해결하고 있었다. ㉢ <u>낮에는 방에 손님을 들이고, 밤에는 식구들이 이불을 펴고 자는 식으로 말이다.</u> 피아노는 나와 언니가 쓰는 작은방에 놓였다. 안방은 주방을, 작은방은 홀을 마주보고 있었다.

나는 오후 내 가게에 붙어 피아노를 연주했다. 울림 폭을 크게 해주는 오른쪽 페달을 밟고, 멋을 부려 「소녀의 기도」나 「아드린느를 위한 발라드」와 같은 곡을 말이다. 찜통에선 수증기가 푹푹 나고, 홀에서는 장사꾼과 농부들이 흙 묻은 장화를 신은 채 우적우적 만두를 씹고 있는 공간에서, 누구라도 만두를 삼키다 말고 울고 가게 만들었을 그런 연주를. 쉽고 아름답지만 촌스러워서 누구라도 가게 앞을 지나다 **얼굴을 붉히게 만들었을**, 그러나 좀더 정직한 사람이라면 만두 접시를 집어던지며 '다 때려치우라 그래!' 소리쳤을 그런 연주를 말이다. 한번은 연주가 끝난 뒤 박수 소리가 들려 고개를 돌린 적이 있다. 홀에서 웬 백인 남자가 **손뼉을 치**며 "원더풀"이라 외치고 있었다. 외국인과 나 사이에 어정쩡한 침묵이 흘렀다. 나는 부끄러웠지만 수줍게 한마디 했다. 땡큐…… 집 안에선 밀가루 입자가 햇빛을 받으며 분분히 날렸고, 건반을 짚은 손가락 아래론 지문이 하얗게 묻어났다.

[중략 부분의 줄거리] 아빠의 빚보증 때문에 가게가 어려워졌지만 엄마는 피아노만은 빼앗기지 않고 싶어 했다. 대학 진학을 앞두고 언니의 서울 반지하방으로 이사하게 된 **'나'**는, 피아노를 가지고 가 달라는 엄마의 부탁을 받게 된다.

언니의 표정은 뜨악했다. 외삼촌이 담배를 피우는 사이, 나는 사정을 설명하느라 애를 먹었다. 엄마가 다 얘기한 줄 알았는데, 언니는 아무것도 모르고 있었다. 언니가 답답한 듯 말했다.

"여기, ⓑ <u>반지하</u>야."

나는 조그맣게 대꾸했다.

"나도 알아."

우리는 트럭 앞에 모여 피아노를 올려다봤다. ㉣ <u>그것은 몰락한 러시아 귀족처럼 끝까지 체면을 차리며 우아하고 담담하게 서 있었다.</u> **외삼촌의 트럭**은 길 한가운데를 막고 있었다. 우리는 서둘러 목장갑을 꼈다. 외삼촌이 피아노의 한쪽 끝을, 언니와 내가 반대쪽을 잡았다. 외삼촌이 신호를 보냈다. 나는 깊은 숨을 쉰 뒤 피아노를 번쩍 들어 올렸다. 1980년대 산(産) **피아노가 잠시 세기말 도시의 하늘 위로 비상**했다. 그 모습이 꽤 아름다워 하마터면 탄성을 지를 뻔했다. 우리는 한 걸음씩 이동했다. 다리가 후들거리고 진땀이 났다. 사람들이 **우리를 흘깃거렸**다. 뒤에서 승용차 한 대가 비켜달라는 듯 경적을 울려댔다. 곧 건물 2층에 사는 집주인이 체육복 차림으로 내려왔다. 동글동글한 체구에, 아침 체조를 빼먹지 않을 것같이 생긴 50대 중반의 사내였다. 그는 집 앞에서 벌어진 풍경이 믿기지 않는다는 듯 아연한 표정으로 서 있었다. 나는 피아노를 든 채 어색하게 웃으며 목례했다. 언니 역시 눈치껏 사내에게 인사했다. **좁고 가파른 계단** 아래로 피아노가 천천히 머리를 디밀고 있었다. **세탁기도, 냉장고도 아닌 피아노라니**. 우리 삶이 **세 뼘쯤 민망해지는 기분**이었다. 갑자기 **쿵 — 하는 소리**가 났다. 외삼촌이 피아노를 놓친 모양이었다. 우당탕탕 — 피아노가 계단을 미끄러져 나갔다. 언니와 나는 다급하게 피아노 다리를 붙잡았다. 윙 — 하는 공명감 사이로, 악기 속 여러 개의 시간이 뭉개지는 소리가 났다. 피아노 넝쿨무늬가 고장 난 스프링처럼 흔들리고 있는 모습이 보였다. 충격 때문에 몸에서 떨어져 나간 모양이었다. 그제야 나는 내가 **오랫동안 양각된 거라 믿어온 문양이 사실은 본드로 붙여져 있던 것**이라는 걸 깨달았다. 우리는 외삼촌의 안색을 살폈다. 외삼촌은 괜찮다는 신호를 보낸 뒤 다시 계단을 내려갔다. 나는 외삼촌의 부상이나 피아노의 상태가 걱정되지 않았다. 그보다는 쿵 — 소리,

내가 처음 도착한 도시에 울려 퍼지는 그 사실적이고, 커다랗고, 노골적인 소리에 **얼굴이 붉어**졌다. 집주인은 어이없고 못마땅하다는 표정으로 ⓜ 언니와, 나와, 피아노와, 외삼촌과, 다시 피아노를 번갈아 쳐다봤다.

"학생."

주인 남자가 언니를 불렀다. 언니는 재빨리 계단을 올라갔다. 출구 쪽, 네모난 햇살 아래 뭔가 열심히 설명하고 있는 언니의 모습이 보였다. 언니는 승용차 운전자에게도 양해를 구했다. 우리는 결국 관리비를 더 내고, 피아노를 절대 치지 않겠다는 조건으로 집주인을 돌려보냈다. 집주인은 돌아서며 한마디 했는데, 치지도 않을 피아노를 왜 갖고 있느냐는 거였다.

– 김애란, 「도도한 생활」 –

34. 윗글의 서술상 특징으로 가장 적절한 것은?

① 동일한 사건을 여러 인물의 관점에서 다양하게 서술하고 있다.
② 서술자가 교체되면서 인물 간의 갈등을 다각적으로 조명하고 있다.
③ 이야기 외부의 서술자가 특정 인물의 관점에서 사건을 해석하고 있다.
④ 사건에 개입되지 않은 인물의 관점을 통해 사건을 객관적으로 전달하고 있다.
⑤ 이야기 내부의 서술자가 인물의 행위를 묘사하며 자신의 내면을 드러내고 있다.

35. ㉠ ~ ㉤에 대한 이해로 적절하지 않은 것은?

① ㉠은 추측과 짐작을 드러내는 표현을 사용하여 현재의 시각에서 지나간 일의 의미를 진술하고 있다.
② ㉡은 외양에 대한 묘사를 나열하여 인물이 대상에서 받은 인상의 근거를 제시하고 있다.
③ ㉢은 앞서 언급한 내용을 부연하여 자신의 경험에 대한 이해의 폭이 확장되었음을 강조하고 있다.
④ ㉣은 비유적인 표현을 사용하여 어울리지 않는 곳에 놓이게 된 대상을 바라보는 마음을 드러내고 있다.
⑤ ㉤은 쉼표를 빈번하게 사용하여 예기치 않은 상황에 대한 인물의 불편한 심리를 부각하고 있다.

36. ⓐ와 ⓑ를 바탕으로 윗글을 이해한 내용으로 적절하지 않은 것은?

① '파란 트럭'에 의해 ⓐ로 옮겨져 엄마를 기쁘게 했던 피아노는, '외삼촌의 트럭'에 의해 ⓑ로 옮겨지면서 언니를 당황하게 했다.
② ⓐ에서 '나'는 '손뼉을 치'는 사람이 부끄러워하는 모습을 발견하고 있고, ⓑ에서 '나'는 '우리를 흘깃거'리는 시선에서 부끄러움을 느끼고 있다.
③ ⓐ는 우리 가족이 '생계와 주거'를 모두 해결해야 했던 공간이고, ⓑ는 '나'와 언니가 '좁고 가파른 계단'을 오르내리며 살아야 하는 공간이다.
④ ⓐ에서 '나'가 누구라도 '얼굴을 붉히게 만들었을' 연주를 했던 피아노는 ⓑ로 옮겨지는 과정에서 '쿵— 하는 소리'로 '나'의 '얼굴이 붉어'지게 했다.
⑤ ⓐ에서 피아노에 대한 반가움을 드러내던 '세탁기도 냉장고도 아닌 피아노라니.'라는 표현은, ⓑ로 피아노가 옮겨지는 과정에서 나타나는 무안함을 드러내는 데 활용되고 있다.

37. <보기>를 참고하여 윗글을 감상한 내용으로 적절하지 않은 것은? [3점]

< 보 기 >

엄마가 내게 사 준 피아노는 엄마가 꿈꾸었던 '도도한 생활'의 상징으로, 부모로서 자녀가 누리기를 희망했던 삶의 기준을 의미한다. '나'는 성년이 되면서 엄마가 애써 마련해준 환경에서 벗어나 새로운 환경에 직면하게 되는데, 이 환경은 '나'의 욕구를 제한하고 지금까지 '나'가 살아왔던 환경을 재평가하도록 한다. 윗글은 이러한 과정에서 인물이 겪는 각성의 순간을 포착하고 있다.

① '놀이공원에 가고, 엑스포에 가는 것'과 같은 '평범한 유년의 프로그램'은, 엄마가 자녀에게 마련해주고 싶었던 환경의 일부이겠군.
② '베토벤같이 풀린 파마머리를 한 채 귀머거리처럼 만두를 빚'던 모습은, 피아노가 상징하는 삶에 가까워지기 위한 엄마의 수고를 보여주는군.
③ '한 뼘쯤 세련돼진' 느낌을 주던 피아노에서 '세 뼘쯤 민망해지는 기분'을 느끼게 된 것은 '나'를 둘러싼 환경의 변화 때문이겠군.
④ '피아노가 잠시 세기말 도시의 하늘 위로 비상'하는 모습에서 '나'는 자신의 욕구를 제한해 온 환경이 변화하고 있음을 확인하게 되는군.
⑤ '오랫동안 양각된 거라 믿어온 문양이 사실은 본드로 붙여져 있던 것'임을 깨달으면서, '나'는 엄마가 애써 마련해준 환경이 그리 견고하지 못한 것이었음을 알게 되는군.

[38 ~ 41] 다음을 읽고 물음에 답하시오.

(가)

[A]
고인(古人)*도 날 못 보고 **나**도 고인 못 뵈네
고인을 못 봐도 **가던 길** 앞에 있네
가던 길 앞에 있거든 아니 가고 어찌할까

<제9수>

[B]
당시(當時)에 가던 길을 몇 해를 버려 두고
어디 가 다니다가 이제야 돌아왔는고
이제야 돌아왔으니 **딴 데** 마음 말으리

<제10수>

청산(靑山)은 어찌하여 만고(萬古)에 푸르르며
유수(流水)는 어찌하여 주야(晝夜)에 그치지 않는고
우리도 그치지 마라 만고상청(萬古常靑)*하리라

<제11수>

– 이황, 「도산십이곡」 –

* 고인 : 옛 성인(聖人), 성현.
* 만고상청 : 아주 오랜 세월 동안 항상 푸름.

(나)

지나간 성인들의 가르침은 하나같이 간단하고 명료했다. 들으면 누구나 다 알아들을 수 있는 내용이었다. 그런데 학자(이 안에는 물론 신학자도 포함되어야 한다)라는 사람들이 튀어나와 불필요한 접속사와 수식어로써 **말의 갈래를 쪼개고 나누**어 명료한 진리를 어렵게 만들어 놓았다. 어떻게 살아야 할 것인가에 대한 자기 **자신의 문제는 묻어** 둔 채, 이미 뱉어 버린 말의 찌꺼기를 가지고 시시콜콜하게 뒤적거리며 이러쿵저러쿵 따지려 든다. 생동하던 언행은 이렇게 해서 지식의 울안에 갇히고 만다.

이와 같은 학문이나 지식을 나는 신용하고 싶지 않다. 현대인들은 자기 행동은 없이 남의 흉내만을 내면서 살려는 데에 맹점이 있다. 사색이 따르지 않는 지식을, 행동이 없는 지식인을 어디에다 쓸 것인가. 아무리 바닥이 드러난 세상이기로, 진리를 사랑하고 실현해야 할 지식인들까지 곡학아세(曲學阿世)*와 비겁한 침묵으로써 처신하려 드니, 그것은 지혜로운 일이 아니라 진리에 대한 배반이다.

얼마만큼 많이 알고 있느냐는 것은 대단한 일이 못 된다. 아는 것을 어떻게 살리고 있느냐가 중요하다. 인간의 탈을 쓴 인형은 많아도 인간다운 인간이 적은 현실 앞에서 지식인이 할 일은 무엇일까. 먼저 무기력하고 나약하기만 한 그 인형의 집에서 나오지 않고서는 어떠한 사명도 할 수가 없을 것이다.

무학(無學)이란 말이 있다. 전혀 배움이 없거나 배우지 않았다는 뜻이 아니다. 학문에 대한 무용론도 아니다. 많이 배웠으면서도 배운 자취가 없는 것을 가리킴이다. 학문이나 지식을 코에 걸지 않고 지식 과잉에서 오는 관념성을 경계한 뜻에서 나온 말일 것이다. 지식이나 정보에 얽매이지 않은 자유롭고 발랄한 삶이 소중하다는 말이다. 여러 가지 지식에서 추출된 진리에 대한 신념이 일상화되지 않고서는 지식 본래의 기능을 다할 수 없다. 지식이 인격과 단절될 때 그 지식인은 사이비요 위선자가 되고 만다.

책임을 질 줄 아는 것은 인간뿐이다. 이 시대의 실상을 모른 체하려는 무관심은 비겁한 회피요, 일종의 범죄다. 사랑한다는 것은 함께 나누어 짊어진다는 뜻이다. 우리에게는 우리 이웃의 기쁨과 아픔에 대해 나누어 가질 책임이 있다. 우리는 인형이 아니라 **살아 움직이는 인간**이다. 우리는 **끌려가는 짐승**이 아니라 신념을 가지고 당당하게 살아야 할 인간이다.

– 법정, 「인형과 인간」 –

* 곡학아세 : 바른 길에서 벗어난 학문으로 세상 사람들에게 아첨함.

38. (가)와 (나)의 공통점으로 가장 적절한 것은?

① 옛사람의 행적을 긍정적으로 바라보고 있다.
② 새로운 도전에 대한 기대감을 형상화하고 있다.
③ 사물의 아름다움에 대한 예찬적 태도를 드러내고 있다.
④ 자연과 하나 되는 삶의 과정을 순차적으로 제시하고 있다.
⑤ 지식인의 부정적 태도에 대한 냉소적인 인식을 나타내고 있다.

39. [A]와 [B]에 대한 설명으로 적절하지 않은 것은?

① [A]는 유사한 문장 구조를 활용하여 운율감을 형성하고 있다.
② [B]는 시간과 관련된 표현을 활용하여 상황 변화의 기점을 강조하고 있다.
③ [A]와 [B]는 모두 의문형 어구를 활용하여 화자의 태도를 드러내고 있다.
④ [A]와 [B]는 모두 부정 표현을 사용하여 반성하는 자세를 드러내고 있다.
⑤ [A]와 [B]는 모두 앞 구절의 일부를 다음 구절에서 반복하여 내용을 연결하고 있다.

※ <보기>를 참고하여 40번과 41번의 두 물음에 답하시오.

< 보 기 >

문학 작품의 감상 과정에서 독자는 작품에 제시된 대상이나 상황 간의 관계를 파악함으로써 내용을 더 잘 이해할 수 있다. (가)와 (나)의 독자는 이러한 방식을 통해 ㉠ 학문의 길을 걷는 사람이 지녀야 하는 올바른 삶의 태도를 발견하게 된다.

40. (가)와 (나)를 감상한 내용으로 적절하지 않은 것은? [3점]

① (가)의 9수에서는 '고인'과 '나'가 만나지 못하는 현실을 인식하고 학문 수양이라는 '가던 길'을 매개로 '고인'을 따르겠다는 화자의 의도가 드러나고 있다.
② (가)의 10수에서는 '당시에 가던 길'과 '딴 데'가 대비되면서 학문 수양 이외에 다른 것에는 힘을 쏟지 않겠다는 화자의 의지가 드러나고 있다.
③ (가)의 11수에서는 '청산'과 '유수'의 공통적 속성이 '우리도 그치지' 않겠다는 다짐과 연결되면서 끊임없이 학문에 정진하겠다는 자세가 드러나고 있다.
④ (나)에서는 '말의 갈래를 쪼개고 나누'는 태도와 '자신의 문제는 묻어' 두는 태도가 대비되면서 학문 수양에서 자기 중심적 태도를 버려야겠다는 다짐이 드러나고 있다.
⑤ (나)에서는 '살아 움직이는 인간'과 '끌려가는 짐승'이 대비되면서 학문을 통해 배운 신념을 바탕으로 당당하게 살아가겠다는 태도가 드러나고 있다.

41. (나)의 무학(無學)의 의미를 바탕으로 <보기>의 ㉠을 설명한 내용으로 적절하지 않은 것은?

① 지식의 과잉에서 오는 관념성을 경계하는 태도이다.
② 배움이 부족하여 지식을 인격과 별개로 보는 태도이다.
③ 많이 배웠으면서 배운 자취를 자랑하지 않는 태도이다.
④ 지식에서 추출된 진리에 대한 신념이 일상화된 태도이다.
⑤ 지식이나 정보에 얽매이지 않은 자유롭고 발랄한 태도이다.

[42 ~ 45] 다음을 읽고 물음에 답하시오.

각설 토끼는 만수산에 들어가 바위 구멍에 숨어 사니 신세가 태평하고 만사에 무심하여 혹은 일어났다 앉았다 하고 혹은 벽에 기대어 눕기도 하는 중 용왕의 말이 귀에 들리는 듯하고 용궁의 경치가 눈앞에 삼삼하여 기쁨을 이기지 못한 채 마음에 생각하기를,

'내 만수산의 일개 토끼로서 간사한 놈의 꼬임으로 거의 죽을 뻔하였지. 그러나 두세 치밖에 안 되는 혀로 만승의 임금을 유혹하여 용궁을 두루 구경하고 만수산으로 돌아왔으니 비록 소장*의 구변*이나 양평*의 지혜라도 이보다 낫지 못할 거야. 이후에 다시는 동해 가를 밟지도 말고 맹세코 용궁 사람들과 말도 말고 돌베개에 팔이나 괴고 살아갈 뿐이야.'

이때 홀연히 한 떼의 검은 구름이 남쪽으로부터 오더니 조금 있다가 광풍이 일어나 소나기가 쏟아진다. 또 우레 소리가 울리고 번갯불이 번쩍번쩍하더니 조용하고 컴컴해져 지척을 분간할 수 없었다. 토끼가 크게 놀라,

'이는 필시 용왕의 조화야.'

하고, 막 피하여 숨으려 할 제 뇌공이 바위 구멍으로 쳐들어오더니 토끼를 잡아가는데 날아가듯 빨라 잠깐 사이에 남천문 밖에 이르렀다. 토끼가 혼이 나가고 기운을 잃어 땅에 엎어졌다가 다시 깨어나 머리를 들고 보니 천상의 백옥경이었다. 토끼가 영문을 몰라 섬돌 아래에 기고 있는데 문지기가 달려들어와,

"동해용왕 광연이 명을 받아 문 밖에 왔습니다."

한다. 토끼가 이 말을 듣고 크게 놀라 마음속으로 생각하기를,

'이는 반드시 용왕이 상제에게 고하여 나를 죽이려 하는구나. 지난 번에는 궤변으로 죽을 고비를 넘겼으나 이번에는 죽음을 면할 수 없을 거야.'

하고, 머리를 구부리고 턱을 고인 채 말없이 정신 나간 듯 있었더니 조금 이따가 전상에서 한 선관이 부른다.

"**상제의 명이니 용왕과 토끼를 판결하라.**"

말이 끝나기도 전에 용왕은 전하에 꿇어 앉고 토끼를 바라보면서 몹시 한스러워 했다. 한 선관이 지필묵을 두 사람 앞에 놓더니,

"상제의 명이니 각자 느낀 바를 진술하고 **처분을 기다리**라."

한다. 용왕이 붓을 잡고 진술을 하는데 그 대강은 이러했다.

"엎드려 생각건대 소신은 모든 관리들의 장으로서 직책이 사해의 우두머리가 되어 구름과 안개를 일으키는 변화를 부리고 하늘에 오르내려 비를 내립니다. 삼가 나라의 신을 받들어 아래로 수많은 백성을 훈육하고 감히 어리석은 정성을 다하여 위로 임금님의 은혜에 보답하여 왔습니다. 하온데 한 병이 깊이 들어 몸의 위태로움이 바늘 방석에 앉은 듯하고 백 가지 약이 효험이 없으니 목숨이 조석에 달려 있습니다. 그러나 삼신산이 아득히 머니 선약을 어디서 구하며 편작이 이미 죽고 양의가 다시 나오지 않았습니다만 도사의 한마디 말을 듣고 만수산에서 토끼를 얻었으나 마침내 그 간교한 꾀에 빠져 후회한들 무슨 소용이 있겠습니까마는 세상에 놓쳐 버렸으니 다만 속수무책일 뿐입니다. 오늘 이렇게 다시 와 뵈오니 굶은 자가 밥을 얻은 듯하고 온갖 병이 다 나아 고목에 꽃이 핀 듯합니다. 엎드려 원하옵건대 전하께서는 제왕께서 작은 것을 가지고 큰 것을 바꾼 인자함을 본받아 소신의 병으로 죽게 된 목숨을 구해주소서. 엎드려 임금님께 비오니 가엾고 불쌍히 여겨 주소서." [A]

토끼가 또한 진술하기를,

"엎드려 생각건대 소신은 만수산에서 낳고 만수산에서 자라 오로지 성명*을 산중에서 다하였을 뿐 세상에 출세함을 구하지 않았습니다. 수양산에서 고사리 캐 먹다 죽은 백이의 높은 절개를 본받고 동고에서 시를 읊은 도잠의 기풍을 따랐습니다. 아침에 구름 낀 산에 올라 고라니 사슴들과 짝하여 놀고 밤에는 월궁에서 상아*와 함께 약방아를 찧었습니다. 그러는 동안에 세상 사람들에게 해를 끼치지 않았는데 어찌하다 용왕에게 원망을 사서 결박하여 섬돌 아래 놓이니 절인 생선이 줄에 꾀인 듯하고 전상에서 호령하니 뜨거운 불바람이 부는 듯합니다. 사는 것을 좋아하고 죽는 것을 싫어하는 마음에 어찌 대소가 있겠습니까? 목숨을 살려 몸을 보전함에 귀천이 있을 수 없고 더불어 죄 없이 죽게 됨은 속여서라도 살아남과 같지 않으니 오늘 뜻밖에 용왕의 비위를 거슬렸으니 어찌 감히 삶을 구하겠으며 다시 위태로운 땅을 밟아 스스로 화를 받을 것을 알겠습니다. 말을 이에 마치고자 하오니 엎드려 비옵건대 살펴주소서." [B]

4 회

옥황이 다 읽고 나서 여러 신선들과 의논하니 일광노가 나와 말한다.

"두 사람이 진술한 바로 그 옳고 그름이 불을 보듯 환하게 되었습니다. 폐하께서 병든 자를 위하여 죄 없는 자를 죽인다면 그 원망을 어찌하겠습니까? **강자를 누르고 약자를 도와 공정한 처결을 하소서.**"

옥황이 그 말이 옳다 하고 다음과 같이 판결하였다.

"대체로 천지는 만물이 머물다 가는 여관과 같고 세월은 백대에 걸쳐 지나는 손님과 같다. **낳으면 늙고 늙으면 죽는 것은 인간의 일상적 일**이오 사물의 항상 되는 일인즉 진실로 이에 초연하여 혼자 존재함을 듣지 못 했고 날개가 돋아 신선이 된다함을 듣지 못 했노라. 또 혹 병이 들어 일찍 죽는 자나 혹 상처를 입어 죽는 자는 모두 다 명이니 어찌 원혼이겠는가? 동해용왕 광연은 병이 들었으나 도리어 살고 만수산 토끼는 죄가 없으나 죽는다면 이는 마땅히 살 자가 죽는 것이다. 광연이 비록 살아날 약이 있다 하나 **토끼인들 어찌 죽음을 싫어하는 마음이 없겠는가?** 광연은 용궁으로 보내고 토끼는 세상으로 놓아주어 그 천명을 즐기게 함이 하늘의 뜻에 순응함이라."

이에 다시 뇌공을 시켜 토끼를 만수산에 압송하니 토끼가 백배사례하며 가버렸다.

[C]
이날 용왕이 적혼공에게,

"옥황이 죄 없이 죽는다 하여 토끼를 보내주는 모양이니 너는 문 밖에 그가 나오는 것을 기다리고 있다가 바로 죽여라. 그렇지 않으면 죽음을 면할 수 없으리니 입조심을 하여 비밀이 새어나지 않도록 해라."

하니 적혼공이,

"대왕의 입에서 나와 소신의 귀에 들어온 말을 어찌 아는 이가 있겠습니까?"

말을 마치자 우레 소리가 나고 광풍이 갑자기 일어 뇌공이 토끼를 압령하여 북쪽을 향하여 가니 날아가는 화살 같고 추상 같았다. 적혼공이 감히 손도 못 대고 손을 놓고 물러가니 용왕이 크게 탄식하며,

"하늘이 망해놓은 화이니 다시 바랄 게 없구나."

하고 적혼공과 더불어 손을 잡고 통곡하며 돌아갔다.

– 작자 미상, 「토공전」 –

* 소장 : 중국 전국 시대의 소진과 장의를 아울러 이르는 말.
* 구변 : 말을 잘하는 재주나 솜씨.
* 양평 : 중국 한나라 시대의 장양과 진평을 아울러 이르는 말.
* 성명 : '목숨'이나 '생명'을 달리 이르는 말.
* 상아 : 달 속에 있다는 전설 속의 선녀. 항아.

42. 윗글을 이해한 내용으로 적절하지 않은 것은?

① 만수산에서 토끼는 갑작스러운 날씨 변화가 옥황 때문이라고 생각하여 두려워했다.
② 토끼는 백옥경에서 용왕을 만나기 전까지는 자신이 잡혀 온 이유를 알지 못했다.
③ 만수산에서 토끼는 자신의 뛰어난 말솜씨에 대해 자부심을 느꼈다.
④ 토끼는 용궁에서 만수산으로 돌아온 것에 대해 만족감을 느꼈다.
⑤ 만수산에서 지내던 토끼는 용궁에서의 기억을 떠올렸다.

43. [A]와 [B]를 비교한 내용으로 적절하지 않은 것은?

① [A]와 [B]는 모두 자신의 내력을 요약하며 진술을 시작하고 있다.
② [A]와 [B]는 모두 비유적 표현을 사용하여 자신이 고난에 처했음을 부각하고 있다.
③ [A]는 제안의 문제점을 스스로 인정하고 있고, [B]는 제안에 대한 확신을 드러내고 있다.
④ [A]에는 자신에게 유리한 결과를 기대하는 모습이, [B]에는 자신에게 불리한 결과를 예상하는 모습이 나타나 있다.
⑤ [A]와 [B]는 모두 자신의 요구를 제시하며 진술을 마무리하고 있다.

44. <보기>를 바탕으로 윗글을 감상한 내용으로 적절하지 않은 것은? [3점]

< 보 기 >

윗글은 『토끼전』을 고쳐 쓴 한문 소설로 재판을 통해 갈등을 해결하는 송사 설화의 모티프가 나타난다. 용왕과 토끼는 옥황상제가 주관하는 재판 상황에 놓이게 되고, 이 상황에서는 지위의 우열보다는 진술의 우위가 판결에 영향을 미친다. 이 판결의 내용은 지위의 높고 낮음보다 생명의 가치를 존중하는 작가의 의식을 드러내고 있다.

① '상제의 명이니 용왕과 토끼를 판결하라.'라는 말에서, 송사 설화의 모티프가 쓰였음을 확인할 수 있군.
② 꿇어 앉아 함께 '처분을 기다리'는 것에서, 용왕과 토끼가 재판 당사자로서 대등한 처지에 놓이게 되었음을 알 수 있군.
③ '강자를 누르고 약자를 도와 공정한 처결을 하소서.'라는 일광노의 말에서, 토끼의 진술에 대한 지지를 확인할 수 있군.
④ '낳으면 늙고 늙으면 죽는 것은 인간의 일상적 일'이라는 말에서, 옥황이 판결을 망설이는 이유를 짐작할 수 있군.
⑤ '토끼인들 어찌 죽음을 싫어하는 마음이 없겠는가?'라는 말에서, 모든 생명은 소중하다는 작가의 의식을 확인할 수 있군.

45. [C]의 서사적 기능으로 가장 적절한 것은?

① 적혼공의 말을 통해 앞서 일어난 사건을 평가하고 있다.
② 용왕의 시도가 실패하였음을 보여 주어 주제 의식을 강조하고 있다.
③ 용왕의 탄식을 통해 용왕과 옥황 간의 새로운 갈등을 예고하고 있다.
④ 뇌공에 의해 공간이 전환되는 과정에서 공간적 배경의 사실성을 강조하고 있다.
⑤ 용왕의 지시를 따르지 않는 적혼공의 반응을 제시하여 독자의 흥미를 유발하고 있다.

＊ 확인 사항
○ **답안지의 해당란에 필요한 내용을 정확히 기입(표기)했는지 확인하시오.**

2020학년도 11월 고1 전국연합학력평가 문제지

국어 영역

5회 소요시간 /80분

제 1 교시

➡ 해설 P.41

[1 ~ 3] 다음은 강연의 일부이다. 물음에 답하시오.

안녕하세요. 강연을 맡은 ○○○입니다. 오늘은 영화 포스터의 디자인을 구성하는 글자, 이미지, 색에 대해 말씀 드리고자 합니다.

먼저 영화 포스터에서 글자는 서체와 기울기로 표현되는데요, 서체부터 살펴볼까요? (㉠ 자료 제시) 여기 역동적인 액션 장르의 포스터와 가족 이야기를 다룬 드라마 장르의 포스터가 있습니다. 액션 장르 포스터에 쓰인 고딕체는 굵은 직선으로 되어 있어 격렬한 액션 장르의 강인함을 부각합니다. 반면 드라마 장르 포스터에 쓰인 손 글씨체는 부드러운 곡선으로 되어 있어 드라마 장르의 감성적인 특징을 시각적으로 나타내지요. 또한 액션 장르 포스터의 글자가 15도 정도 기울어져 있는 게 보이실 텐데요, 일반적으로 글자를 기울여 쓰면 역동성을 표현할 수 있어 박력 있는 내용의 활극인 액션 장르에서는 포스터의 글자를 기울여 쓰는 경우가 많습니다.

다음으로 이미지를 살펴봅시다. 영화 포스터에서 이미지는 사진과 그림으로 표현되는데요, 사진을 활용하면 대상을 사실적으로 표현할 수 있고 그림을 활용하면 대상을 인상적으로 강조할 수 있습니다. (㉡ 자료 제시) 여기 두 포스터를 보시죠. 코미디 장르에서는 인물의 얼굴은 사진으로, 몸은 그림으로 표현하고 있어요. 이때 그림으로 대상의 몸을 크게 그려 과장되게 표현한 것은 웃음을 자아내는 코미디 장르의 특징을 효과적으로 드러내고 있지요. 반면 액션 장르에서는 인물이 뛰고 있는 모습의 사진을 활용해 긴박한 상황에 처한 인물을 사실적으로 드러내고 있습니다.

마지막으로 색은 영화 포스터의 전체적인 분위기를 좌우하는 요소입니다. (㉢ 자료 제시) 왼쪽에 제시된 공포 장르에서는 검은색과 선명한 빨간색이 대비를 이뤄 영화의 섬뜩한 분위기를 표현하고 있습니다. 이에 비해 오른쪽에 제시된 드라마 장르에서는 명도와 채도가 낮은 색들이 어우러져 잔잔한 분위기를 연출하고 있어요.

혹시 궁금한 점이 있다면 질문해 주세요. (청중의 질문을 듣고) 공포 장르 포스터의 디자인 요소에 대해 더 알고 싶으신가 보군요. 공포 장르의 영화 포스터는 보는 사람들이 공포감을 느낄 수 있도록 만드는 것이 중요해요. 그래서 글자의 서체는 불안감을 느낄 수 있도록 획의 끝이 뾰족한 명조체를 사용합니다. 그리고 어떤 서체라도 제목의 글자 끝에 날카로운 장식을 더하면 긴장감을 극대화할 수 있어요. 또한 적막하고 정적인 느낌을 주기 위해 글자는 기울여 쓰지 않는 경우가 많아요. 한편 이미지는 영화 내용과 관련된 사진을 주로 사용하는데, 이때 핵심 소재를 클로즈업해 시선 집중을 유도할 수 있습니다.

1. 위 강연에 대한 설명으로 가장 적절한 것은?

① 자료의 출처를 언급하여 강연 내용의 신뢰성을 확보하고 있다.
② 개인적인 일화를 소개하여 청중이 강연에 집중하도록 하고 있다.
③ 담화 표지를 사용하여 강연 내용에 대한 청중의 이해를 돕고 있다.
④ 강연 소재를 친숙한 대상에 빗대어 표현해 청중의 관심을 끌고 있다.
⑤ 최근의 경향을 분석하여 강연의 주제를 선정한 이유를 제시하고 있다.

2. 위 강연에서 강연자가 ㉠ ~ ㉢을 활용한 방식에 대한 설명으로 적절하지 않은 것은?

① ㉠: 장르별로 포스터에 사용된 서체의 특징과 그에 따른 효과를 제시하고 있다.
② ㉠: 포스터에 사용된 글자의 기울기 수치를 밝히며 기울기를 활용하는 특정 장르의 특징을 언급하고 있다.
③ ㉡: 장르별로 포스터에 사용된 인물 사진의 특징과 그에 따라 서로 다르게 나타나는 인물의 정서를 언급하고 있다.
④ ㉡: 포스터에 사용된 그림의 표현 방법을 언급하고 그림을 활용한 특정 장르의 특징과 관련지어 설명하고 있다.
⑤ ㉢: 장르별로 포스터에 색이 사용된 방식과 그에 따라 연출되는 분위기를 언급하고 있다.

3. 위 강연을 바탕으로 영화 동아리 학생이 ⓐ를 참고해 ⓑ를 수정하려 할 때 제시한 의견으로 적절하지 않은 것은? [3점]

ⓐ 영화 정보	ⓑ 영화 포스터 초안
1. 제목: 초대받지 않은 새 2. 장르: 공포 3. 내용: 어느 날 교외의 한적한 마을에 까마귀 한 마리가 날아오는데, 이 까마귀와 눈이 마주친 마을 사람들은 불행한 일을 겪게 된다.	

① 긴장감이 느껴지도록 제목의 글자 끝에 날카로운 장식을 더하는 게 좋겠어.
② 적막하고 정적인 느낌이 전달될 수 있도록 포스터의 글자들은 기울여 쓰는 게 좋겠어.
③ 불안감이 느껴지도록 포스터의 글자들은 획의 끝이 뾰족한 명조체를 사용하는 게 좋겠어.
④ 포스터에 시선이 집중되도록 현재 제시된 그림을 까마귀 눈이 클로즈업된 사진으로 교체하는 게 좋겠어.
⑤ 섬뜩한 분위기가 전달될 수 있도록 까마귀의 검은색과 대비되게 글자는 빨간색으로 표현하는 게 좋겠어.

[4 ~ 7] (가)는 [활동]에 따른 대화의 일부이고, (나)는 이를 참고하여 '학생 1'이 쓴 초고이다. 물음에 답하시오.

[활동] 「토끼전」에 대해 이야기 나누고, 성찰하는 글 작성하기

(가)

학생 1: 「토끼전」의 인물들에 대한 평가는 다양하다고 해. 그런데 나는 인물들에 대한 평가가 어떻게 달라질 수 있는지 잘 모르겠어서, 이 주제로 이야기 나눠 보고 싶어.

학생 2: 그럼 나부터 할게. 나는 용왕의 명령을 따르고자 하는 충성스러운 자라는 긍정적이지만, 자신의 목숨을 위해 타인의 희생을 초래할 명령을 내린 용왕은 부정적이라고 생각해. 어떻게 자기 살겠다고 토끼의 간을 빼앗을 생각을 할 수 있지?

학생 3: 타인의 생명을 존중하지 않는 용왕의 이기적인 태도가 문제라는 거지? (학생 2의 반응을 보고, 고개를 끄덕이며) 나도 그렇게 생각했어. 반면에 토끼는 긍정적인 인물이라고 생각해. 위기에 처했는데도 삶을 포기하지 않고 기지를 발휘하잖아. 나도 토끼처럼 어떤 상황에서도 지혜를 발휘할 수 있는 사람이 되고 싶어. [A]

학생 1: 토끼는 헛된 욕심 때문에 위기에 빠진 게 아닐까? 또 부귀영화를 기대하며 삶의 터전을 버리고 쉽게 수궁으로 간 것을 보면 토끼의 경솔함도 긍정적으로 보긴 어려울 것 같아. 그에 비하면 변치 않는 충성심으로 볼 때, 자라는 신의 있는 인물 같아. 그래서 나는 자라가 배울 점이 많은 인물이라고 생각해.

학생 3: 음, 나는 오히려 자라를 부정적으로 봤어. 임무 수행을 위해 거짓말까지 한 자라의 행동은 윤리적으로 비판받아 마땅해.

학생 1: 그래도 그 거짓말은 용왕을 살려야 한다는 대의를 위한 선의의 거짓말로 봐야 해.

학생 3: 핑계 없는 무덤이 어딨어. 자라는 용왕을 위해 거짓말을 한 거라고 스스로를 합리화하겠지만, 피해는 토끼가 보고 있잖아. 결국 자라의 거짓말은 다른 이를 위기로 몰아넣는 나쁜 거짓말일 뿐이야. 더 나아가 자라의 맹목적인 충성심도 비판받아야 한다고 생각해. 명령이 잘못되었는데도 옳고 그름은 따져 보지 않고 임무를 완수할 방법만 궁리한 거잖아. 큰 죄를 저지르고도 상급자의 명령이니까 따랐을 뿐이라고 말하는 사람들과 다르지 않아. [B]

학생 1: 듣고 보니 그렇네. 신의라는 가치는 삶을 살아가는 데 중요한 요소임은 분명한데, 자라가 좀 더 현명한 방식으로 신의를 지켰다면 더 좋았을 것 같아.

학생 2: 이야기를 나눠 보니 같은 인물에게서 각자 다른 의미를 찾아내는 점이 재미있다. 특히 인물들의 부정적인 측면에 주목해 보니 인물들 모두 옳고 그름에 대한 성찰이 부족했다는 것을 새롭게 알게 되었어.

학생 1: 그러게. 나도 이제 바람직한 삶을 위해 필요한 것이 무엇인지도 조금은 알게 된 것 같아. 그리고 인물에 대해 내린 평가에 대해 다시 생각해 보아야 할 것 같아. 이제 성찰하는 글을 쓰면 되는 거지? 글을 쓰기 위해 어제 [메모]를 해보았는데 이야기한 내용을 바탕으로 수정해야겠어.

학생 2: 오늘 한 이야기를 바탕으로 각자 쓰면 되겠다. (학생 3을 바라보며) 너 아까 공책에 필기하던데, 이야기 나눈 내용을 적은 거야?

학생 3: 응. 이야기한 내용을 요약해서 적고, 부족하지만 내 생각도 조금 덧붙였어.

학생 2: ㉠ <u>나도 글을 쓰려면 정리 내용이 필요한데, 좀 빌려줘.</u>

(나)

「토끼전」에는 여러 인물들이 등장하는데, 이들을 통해 바람직한 삶에 필요한 것들을 생각해 볼 수 있었다. 토끼가 보여 준 지혜, 자라가 지키고자 한 신의는 바람직한 삶을 위해 중요한 요소들이다. 그런데 친구들과의 대화를 통해 인물들의 부정적인 면을 확인하면서 그들에게 옳고 그름에 대한 성찰이 ⓐ <u>결렬되어</u> 있다는 것을 깨달았다.

용왕은 자신이 살기 위해 타인의 목숨을 희생시키는 명령을 내렸는데, 이는 타인의 목숨도 소중하다는 것을 깨닫는 성찰이 부족했기 때문이다. ⓑ <u>그러나</u> 토끼는 부귀영화를 기대하며 신중하게 판단하지 못하고 수궁으로 갔는데, 이는 헛된 욕심과 경솔함을 스스로 경계해야 한다는 것을 깨닫는 성찰이 부족했기 때문이다. 마지막으로 자라는 용왕에 대한 맹목적인 충성심으로 거짓말까지 했는데, 이는 무비판적인 태도와 거짓말이 초래하는 부정적인 결과를 깨닫는 성찰이 부족했기 때문이다.

바람직한 삶을 살기 위해서는 성찰하는 태도가 중요하다. 이러한 태도가 중요함에도 나 역시 토끼전의 인물들처럼 옳고 그름에 대한 성찰을 하지 못하고 행동한 적이 있다. 지난번 교내 피구 대회에 반 대표로 참가했었는데 이기고 싶은 마음에 반칙을 하고도 말하지 않은 것이다. ⓒ <u>그리고 내가 제일 좋아하는 종목은 축구이다.</u> 나는 자라와 마찬가지로, 반 대표로서 이기는 목적만을 중시했는데 돌이켜보니 나의 행동이 스포츠 정신에 어긋났다는 것을 깨닫게 되었다. 만약 좀 더 일찍 성찰을 할 수 ⓓ <u>있었기 때문에</u> 나의 거짓된 행동으로 다른 반이 피해를 입지는 않았을 것이다.

나는 토끼전의 인물들을 통해 옳고 그름에 대한 성찰이 바람직한 삶을 위해 필요하다는 것을 깨닫고 ⓔ <u>나의 삶을</u> 되돌아볼 수 있었다. 행동하기에 앞서 옳고 그름에 대해 스스로 성찰하는 삶의 태도를 지녀야겠다.

4. [A]와 [B]에 나타난 '학생 3'의 말하기 방식으로 가장 적절한 것은?

① [A]에서는 '학생 2'의 의견을 요약하여 재진술하고 있고, [B]에서는 '학생 1'의 의견을 논거를 들어 보강하고 있다.

② [A]에서는 '학생 2'의 의견에 대한 자신의 이해가 맞는지 확인하고 있고, [B]에서는 '학생 1'의 의견에 대해 근거를 들어 반박하고 있다.

③ [A]에서는 '학생 2'에게 추가적인 정보를 요청하고 있고, [B]에서는 '학생 1'의 의견을 뒷받침할 수 있는 추가적인 사례를 언급하고 있다.

④ [A]에서는 '학생 2'의 의견에 비언어적 표현을 활용하며 공감하고 있고, [B]에서는 '학생 1'의 의견에 관용적인 표현을 활용하며 동의하고 있다.

⑤ [A]에서는 '학생 2'의 의견에 동조한 뒤 화제를 전환하고 있고, [B]에서는 '학생 1'의 의견을 수용한 뒤 화제와 관련하여 현실적 한계를 지적하고 있다.

5. <보기>를 바탕으로 할 때, ㉠을 대신할 수 있는 말로 가장 적절한 것은?

<보 기>

대화를 원활하게 진행하기 위해서는 공손한 표현을 사용하는 것이 필요하다. 즉 상대방에게 부담이 되는 표현은 최소화하고, 상대방에 대한 칭찬은 극대화하는 것이 좋다.

① 네가 공책을 다 보고 나서 시간이 괜찮다면 빌려줄 수 있을까? 너는 정말 필기를 꼼꼼하게 잘하는 것 같아.
② 네가 불편하지 않다면 필기를 볼 수 있을까? 내가 동아리 활동 때문에 바빠서 지금 말고는 볼 시간이 없거든.
③ 네가 지난 활동에서도 정리 자료를 빌려주었으니 이번에도 네가 빌려주는 것이 당연해. 그때 정말 도움이 됐어.
④ 네가 이야기를 하는 동시에 필기를 하다 보니 필기 내용은 부족할 거야. 그래도 조금은 도움이 될 수도 있으니 빌려줘.
⑤ 너는 평소에도 글쓰기를 참 잘하더라. 그런데 이번 글쓰기는 수행평가에도 반영되니 너의 공책이 없으면 난 평가를 망칠 거야.

6. <보기>는 '학생 1'이 미리 작성한 메모이다. (가)를 바탕으로 <보기>를 수정하여 (나)를 작성했다고 할 때, '학생 1'이 떠올린 생각으로 적절하지 않은 것은?

<보 기>

1문단
ㅇ토끼의 부정적인 면을 언급하며 바람직한 삶을 위해 필요한 것을 보여 주는 긍정적인 인물은 자라임을 부각한다.

2문단
ㅇ토끼는 자신을 위험에 처하게 한 헛된 욕심과 경솔함이 갖는 문제에 대해 깨닫지 못했음을 지적한다.

3문단
ㅇ자라의 충성심은 오늘날의 관점에서 볼 때 의미가 있음을 부각한다.
ㅇ신의를 지키지 못해 친구와 다투었던 경험을 언급하면서 나의 행동을 반성한다.

4문단
ㅇ자라와 같은 삶을 살겠다는 다짐을 표현한다.

① 1문단: 토끼의 긍정적인 면을 언급한 '학생 3'의 말을 참고해, 자라와 마찬가지로 토끼도 바람직한 삶의 요소를 가지고 있다고 수정해야겠어.
② 2문단: 용왕에 대한 '학생 2'의 평가와 자라에 대한 '학생 3'의 평가를 활용해, 토끼의 행동과 마찬가지로 용왕의 명령과 자라의 거짓말 모두 성찰이 부족하다고 지적하는 내용으로 수정해야겠어.
③ 3문단: 자라의 충성심을 긍정적으로 평가한 '학생 2'의 말을 참고해, 오늘날 성찰하는 삶의 태도보다 신의를 지키는 삶의 태도가 더 중요하다는 내용으로 수정해야겠어.
④ 3문단: 자라의 거짓말이 토끼에게 피해를 끼쳤다는 '학생 3'의 말에 착안해, 친구와 다투었던 경험이 아니라 자라가 저지른 부정적 행동과 유사한 행동을 한 나의 경험을 제시하는 것으로 수정해야겠어.
⑤ 4문단: 인물들은 공통적으로 성찰이 부족했다는 '학생 2'의 말에 착안해, 자라와 같은 삶을 살겠다는 다짐이 아니라 성찰하는 삶을 실천하고자 하는 다짐으로 수정해야겠어.

7. ⓐ ~ ⓔ를 고쳐쓰기 위한 방안으로 적절하지 않은 것은?
① ⓐ: 부적절한 어휘이므로 '결여되어'로 고친다.
② ⓑ: 문장의 연결이 자연스럽지 못하므로 '그리고'로 고친다.
③ ⓒ: 글의 통일성을 저해하므로 삭제한다.
④ ⓓ: 문장의 호응 관계가 부적절하므로 '있었다면'으로 고친다.
⑤ ⓔ: 서술어가 부사어를 요구하므로 '나의 삶에'로 고친다.

[8 ~ 10] (가)는 작문 상황이고, (나)는 (가)를 바탕으로 쓴 학생의 초고이다. 물음에 답하시오.

(가) 작문 상황
ㅇ**글의 목적:** 지역 사회의 문제 해결을 위해 학생회에 '트래시 태그 챌린지' 봉사 활동을 건의한다.
ㅇ**예상 독자:** 우리 학교 학생회 학생들
ㅇ**예상 독자에 대한 분석**

- 우리 학교 학생회 학생들 중에는 트래시 태그 챌린지가 무엇인지 잘 모르는 학생들이 있다. .... ㉠
- 트래시 태그 챌린지가 무엇인지 알고 있더라도 우리 △△지역에 필요한 이유를 궁금해 하는 경우가 있다. .... ㉡
- 챌린지에 대해 부정적인 견해를 가진 경우도 있다. .... ㉢

(나) 학생의 초고

안녕하세요. 1학년 □□□입니다. 학생회 여러분은 '트래시 태그 챌린지'에 대해 들어 보셨나요? 트래시 태그 챌린지는 공공장소 또는 길거리 등에 쌓인 쓰레기를 치우고 전후를 비교한 사진을 SNS에 해시태그와 함께 올려 공유하는 캠페인과 같은 활동입니다. 저는 우리 △△지역의 쓰레기 문제를 해결하기 위해 학생회가 중심이 되어 전교생이 참여하는 봉사 활동으로 트래시 태그 챌린지를 추진할 것을 건의합니다.

ⓐ우리 지역은 최근 관광객이 급증하면서 그들이 버리고 간 쓰레기로 몸살을 앓고 있습니다. ⓑ관광객뿐만 아니라 지역 주민들까지도 쓰레기를 함부로 버려, 더러워진 골목은 보는 이들의 눈살을 찌푸리게 합니다. 또한 ⓒ인력 부족으로 쓰레기 처리가 잘 이루어지지 않아 골목 구석구석마다 쓰레기 더미들을 쉽게 볼 수 있습니다. 이는 관광객들뿐만 아니라 지역 주민 모두가 자발적으로 쓰레기 문제에 관심을 기울여야 함을 보여줍니다.

제 건의가 받아들여진다면 이러한 문제를 해결하는 데 큰 보탬이 될 수 있다고 생각합니다. 학생들이 트래시 태그 챌린지에 참여하게 된다면, ⓓ지역 주민 및 관광객들에게 쓰레기를 함부로 버리지 말아야 한다는 의식을 고양할 수 있습니다. 또한 ⓔ우리 동네 지리를 구석구석 잘 알고 있는 학생들을 중심으로 쓰레기를 치우게 된다면 환경미화원분들에게도 큰 도움이 될 것입니다.

물론 일부 기업들이 캠페인 활동으로 시작된 챌린지를 상업적으로 이용하여 챌린지 자체에 대해 부정적으로 생각하는 학생들도 있을 것입니다. 하지만 제가 건의한 트래시 태그 챌린지는 학생회에서 주관하여 실시하는 봉사 활동이므로 상업적으로 이용될 가능성은 없습니다.

[A]

5회

8. (가)의 ㉠ ~ ㉢을 고려하여 (나)를 작성했다고 할 때, 학생의 글에 활용된 글쓰기 전략으로 적절하지 않은 것은?

① ㉠을 고려해, 1문단에서 트래시 태그 챌린지의 개념을 설명한다.
② ㉡을 고려해, 2문단에서 우리 지역에 쓰레기 문제가 심각함을 제시한다.
③ ㉡을 고려해, 3문단에서 트래시 태그 챌린지를 통해 기대할 수 있는 효과를 언급한다.
④ ㉢을 고려해, 4문단에서 사례를 들어 상업적 목적의 챌린지가 지닌 의의를 제시한다.
⑤ ㉢을 고려해, 4문단에서 챌린지를 부정적으로 생각하는 견해가 있음을 밝히고 자신이 건의하는 트래시 태그 챌린지에 대한 입장을 밝힌다.

9. <보기>는 학생이 (나)를 작성한 후 수집한 자료이다. 자료를 활용하여 (나)의 ⓐ ~ ⓔ를 보완하고자 할 때 적절하지 않은 것은? [3점]

〈보 기〉

㉮ 통계자료

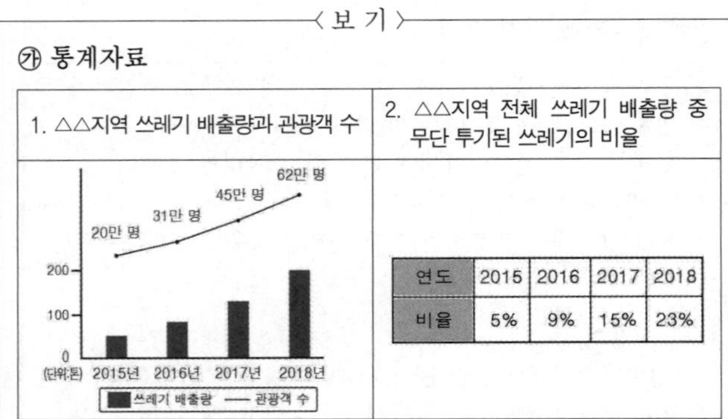

연도	2015	2016	2017	2018
비율	5%	9%	15%	23%

㉯ △△지역 거리 환경미화원 대상 설문 조사 결과

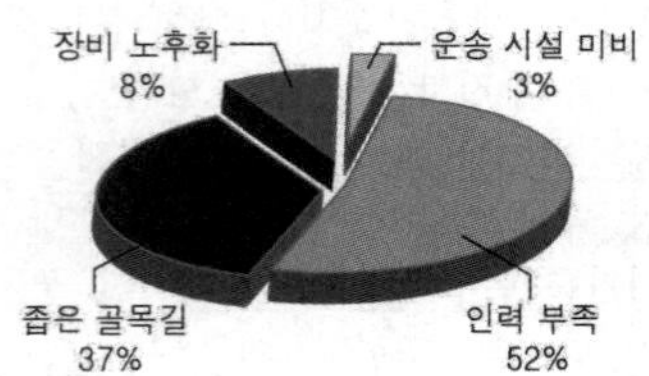

㉰ 전문가 인터뷰

캠페인의 성격을 지닌 챌린지를 통해 사람들은 자신을 돌아보고 사회 문제에 반응합니다. 지속적으로 챌린지에 노출된다면, 사람들은 특정 유형의 부정적 행동을 지양하거나 긍정적 행동을 실천하고자 하는 동기를 갖게 됩니다. 그러므로 SNS를 통한 챌린지의 확대는 사람들의 문제의식을 고양하여 사회 문제 해결에 큰 역할을 하기도 합니다.

① ⓐ: 문제 상황을 정확하게 드러내기 위해 ㉮-1을 활용하여 관광객 증가 추이와 쓰레기 배출량의 증가 추이를 수치로 추가해야겠군.
② ⓑ: 문제의 심각성을 드러내기 위해 ㉮-1과 ㉮-2를 활용하여 쓰레기양 증가와 함께 무단 투기된 쓰레기도 증가하고 있다는 내용을 추가해야겠군.
③ ⓒ: 상황 분석에 대해 설득력을 높이기 위해 ㉯를 활용하여 인력이 부족해 쓰레기 처리가 어렵다고 응답한 비율이 가장 높다는 내용을 추가해야겠군.
④ ⓓ: 건의 내용에 타당성을 강화하기 위해 ㉰를 활용하여 SNS를 통한 챌린지가 지역 주민과 관광객들의 문제의식을 고양할 수 있다는 내용을 추가해야겠군.
⑤ ⓔ: 건의 내용을 구체화하기 위해 ㉯와 ㉰를 활용하여 챌린지를 통한 사회적 관심의 증가로 좁은 골목길 쓰레기 처리의 어려움이 크다는 내용을 추가해야겠군.

10. [A]에 들어갈 내용을 <조건>에 따라 작성한 것으로 가장 적절한 것은?

〈조 건〉
ㅇ '챌린지'라는 용어를 사용할 것
ㅇ 직유법을 활용하여 건의한 내용의 수용을 촉구할 것

① 우리 학교 학생회는 희망의 등불과 같은 존재입니다. 학생회의 챌린지를 통해 우리 지역의 구석구석을 알릴 수 있습니다.
② 실천하는 학생회가 진정한 학생회입니다. 지저분한 우리 학교를 깨끗하게 만들기 위해 챌린지에 적극적으로 참여합시다.
③ 트래시 태그 챌린지를 통해 세상을 깨끗하게 만들 수 있습니다. 우리 지역이 예전의 아름다움을 되찾을 수 있도록 여러분의 소중한 마음을 모아주세요.
④ 챌린지는 우리말로 도전입니다. 우리 학교 학생들의 도전이 지역 문제를 해결하는 데 마중물과 같은 역할을 할 수 있도록 제 건의를 받아들여 주세요.
⑤ 혼자 하면 힘들지만 함께 하면 할 수 있습니다. 낙숫물이 바위를 뚫듯, 우리의 작은 노력을 모아 행복한 지역 사회를 만들어 가기 위한 발걸음에 동참해 주세요.

[11 ~ 12] 다음은 수업 장면의 일부이다. 물음에 답하시오.

선생님: 음운 변동은 음운이 일정한 환경에 따라 다르게 발음되는 현상입니다. 음운의 변동에는 한 음운이 다른 음운으로 바뀌는 교체, 두 음운이 하나의 음운으로 줄어드는 축약, 두 음운 중에서 어느 하나가 없어지는 탈락, 두 음운 사이에 음운이 덧붙는 첨가 등이 있습니다. 예를 들어 '여덟'은 [여덜]로 발음되는데 겹받침 중 'ㅂ'이 탈락되어 음운의 개수가 줄어든 것입니다. 또한 '솜이불'은 [솜:니불]로 발음되는데 'ㄴ'이 첨가되어 음운의 개수가 늘어난 것입니다. [A]

학생: 그런데 저는 '너는 나보다 키가 커서 좋겠다.'라는 문장의 '커서'에서 'ㅡ'가 탈락되었다는 것을 찾기가 어려웠어요. 음운 변동 결과가 표기에 반영되었기 때문이겠죠?

선생님: 맞아요. 그러면 음운 변동이 표기에 반영되는 경우와 표기에 반영되지 않는 경우를 용언의 활용을 예로 들어 알아봅시다. 용언 어간 끝의 모음 'ㅏ, ㅓ'가 '-아/-어'로 시작하는 어미와 결합할 때 모음 'ㅏ, ㅓ'가 탈락하는 경우, 용언 어간 끝의 모음 'ㅡ'가 '-아/-어'로 시작하는 어미와 결합하여 탈락하는 경우, 어간의 끝소리 'ㄹ'이 몇몇 어미 앞에서 탈락하는 경우는 음운 변동 결과를 표기에 반영합니다. 하지만 어간의 끝소리 'ㄴ, ㅁ' 뒤에서 어미의 첫소리가 된소리로 교체되는 경우, 어간의 끝소리 'ㅎ'이 모음으로 시작하

는 어미 앞에서 탈락되는 경우는 음운 변동 결과를 표기에 반영하지 않습니다. 가령 앞에서 말한 '커서'의 경우는 음운 변동의 결과가 표기에 반영된 것이고, '낳은'을 '나은'으로 표기하지 않는 것은 음운 변동의 결과가 표기에 반영되지 않은 것입니다.

학생: 아, 그럼 음운 변동 결과가 ㉠<u>표기에 반영된 경우</u>와 ㉡<u>표기에 반영되지 않은 경우</u>를 찾아볼게요.

11. [A]를 바탕으로 음운 변동을 이해한 내용으로 적절한 것은?

	사례	음운 변동	음운의 개수 변화
①	풀잎[풀립]	축약, 첨가	늘어남
②	흙화덕[흐콰덕]	교체, 탈락	줄어듦
③	맞춤옷[맏추몯]	축약, 탈락	줄어듦
④	옛이야기[옌:니야기]	교체, 첨가	늘어남
⑤	달맞이꽃[달마지꼳]	교체, 축약	줄어듦

12. ㉠, ㉡에 해당하는 예로 적절하지 <u>않은</u> 것은? [3점]

① ㉠: 관객이 많으니 미리 줄을 <u>서라</u>.
   ㉡: 돌아오는 기차표는 네 것만 <u>끊어라</u>.

② ㉠: 눈을 <u>떠</u> 보니 다음날 아침이었다.
   ㉡: 네가 집에 빨리 <u>가서</u> 아쉬웠다.

③ ㉠: 체육 시간에는 교실 불을 <u>꺼</u> 두자.
   ㉡: 오늘은 새 신발을 <u>신고</u> 학교에 가자.

④ ㉠: 지금 <u>마는</u> 김밥은 어머니께 드릴 점심이다.
   ㉡: 독서로 <u>쌓은</u> 지식은 삶의 자양분이 될 것이다.

⑤ ㉠: 아버지 대신 빨래를 <u>너는</u> 모습이 보기 좋다.
   ㉡: 가을빛을 <u>담고</u> 있는 감나무 열매를 본다.

13. <보기>의 학습 과제를 수행한 결과로 적절하지 <u>않은</u> 것은?

〈 보 기 〉

[학습 내용] 주어가 자기 힘으로 동작하는 것을 능동이라고 하고, 주어가 다른 주체에 의해 동작을 당하는 것을 피동이라고 한다. 피동 표현은 주로 어근에 접사 '-이-', '-히-', '-리-', '-기-', '-되다' 등이 결합하여 실현된다.

[학습 과제] 다음의 어근 목록을 활용하여 피동문을 만드시오.

풀-	읽-	안-	깎-	이용

① 이번 시험 문제는 지난번보다 잘 <u>풀렸다</u>.
② 그의 글은 오직 나에게만 아름답게 <u>읽혔다</u>.
③ 친구는 버스에서 자기 짐까지 나에게 <u>안겼다</u>.
④ 날카로운 칼날에 무성하던 잔디가 모두 <u>깎였다</u>.
⑤ 우리 학교 운동장은 가끔 주차장으로도 <u>이용되었다</u>.

14. <보기>를 바탕으로 중세 국어의 특징을 탐구한 내용으로 적절하지 <u>않은</u> 것은?

〈 보 기 〉

ᄒᆞᄅᆞᆫ 조심 아니 ᄒᆞ샤 브를 **ᄢᅳ긔** ᄒᆞ야시ᄂᆞᆯ 그 아비 그 **ᄯᆞ니ᄆᆞᆯ** 구짓고 北(북)녁 堀(굴)애 **ᄇᆞ리ᅀᆞᄫᅡ** 블 가져오라 ᄒᆞ야ᄂᆞᆯ 그 ᄯᆞ니미 아비 말 드르샤 北堀(북굴)로 **가시니 거름**마다 발 드르신 ᄯᅡ해 다 蓮花(연화)ㅣ 나니 **자최ᄅᆞᆯ 조차**

– 「석보상절」 –

[현대어 풀이]
하루는 조심하지 아니하시어 불을 꺼지게 하시거늘, 그 아비가 그 따님을 꾸짖고, 북녘 굴에 시켜서 불을 가져오라고 하거늘, 그 따님이 아비의 말을 들으시어 북굴로 가시니, 걸음마다 발을 드신 땅에 다 연꽃이 나니, 자취를 좇아

① 'ᄢᅳ긔'를 보니 현대 국어와 달리 초성에 어두 자음군이 쓰였음을 알 수 있군.
② 'ᄯᆞ니ᄆᆞᆯ, 자최ᄅᆞᆯ'을 보니 중세 국어에서도 앞말의 받침 유무에 따라 목적격 조사의 형태가 다르게 쓰였음을 알 수 있군.
③ 'ᄇᆞ리ᅀᆞᄫᅡ'를 보니 현대 국어와 달리 'ㅿ'과 'ㅸ'이 표기에 사용되었음을 알 수 있군.
④ '가시니'를 보니 중세 국어에서도 주체를 높이는 특수 어휘가 사용되었음을 알 수 있군.
⑤ '거름, 조차'를 보니 현대 국어와 달리 이어 적기를 하였음을 알 수 있군.

15. <보기 1>을 바탕으로 <보기 2>의 ㉠~㉤에 대해 탐구한 내용으로 적절한 것은?

〈보기 1〉

[한글 맞춤법]
제41항 조사는 그 앞말에 붙여 쓴다.
제42항 의존 명사는 띄어 쓴다.
제43항 단위를 나타내는 명사는 띄어 쓴다.
다만, 순서를 나타내는 경우나 숫자와 어울리어 쓰이는 경우에는 붙여 쓸 수 있다.
제46항 단음절로 된 단어가 연이어 나타날 적에는 붙여 쓸 수 있다.

〈보기 2〉

○ 꽃집에 꽃이 ㉠<u>안개꽃 밖에</u> 남아 있지 않았다.
○ 나도 ㉡<u>너만큼</u> 달리기를 잘했으면 좋겠다.
○ 남은 ㉢<u>천 원짜리</u>로 마땅히 살 것이 없었다.
○ 나는 그 사람이 그리워 ㉣<u>어찌할 줄</u> 몰랐다.
○ 기다리던 백신이 ㉤<u>7 연구실</u>에서 개발되었다.

① ㉠은 제41항을 적용해 '안개꽃밖에'로 정정해야겠군.
② ㉡은 제42항을 적용해 '너 만큼'으로 정정해야겠군.
③ ㉢은 제43항을 적용해 '천 원 짜리'로 정정해야겠군.
④ ㉣은 제43항을 적용해 '어찌할줄'로 정정해야겠군.
⑤ ㉤은 제46항을 적용해 '7연구실'로 정정해야겠군.

[16 ~ 19] 다음 글을 읽고 물음에 답하시오.

(가)

행장이 거제에 진을 치고 이순신을 해치기 위해 온갖 계책을 내고 있었다. 하루는 행장이 부하 장수인 요시라에게 말하였다.

"이순신을 결딴낼 계책을 행하라."

요시라가 명을 듣고 평소 교류가 있던 김응서를 찾아가 은근히 말하였다.

"우리 평행장은 본래 처음부터 화친하고자 했으나, 청정이 홀로 싸움을 주장하는 통에, 서로 틈이 생겨 이제는 청정을 죽이려 하고 있소이다. 오래지 않아 청정이 다시 바다에 나오리니, 내가 연락하거든 그 즉시 수군을 거느리고 나아와 공격하면 청정을 죽일 수 있을 것이오. 그렇게 되면 조선의 원수도 갚고 우리 장군의 한도 씻을 것이오." [A]

응서가 이 일을 조정에 고하니, 조정에서는 요시라의 말을 믿고 이순신에게 바다로 나아가 청정을 치게 하였다. 권율 또한 한산도에 이르러 순신에게 말하였다.

"그대는 마땅히 요시라의 약속을 믿고 기회를 잃지 않도록 하라."

하지만 이순신은 이것이 도적의 간사한 계략인 줄 알고 출전을 주저하였다.

정유년 정월에 드디어 웅천에서 보고가 올라왔다.

"이번 달 십오 일에 청정의 선봉 부대가 장문포에 이르렀다."

뒤이어 요시라에게서도 연락이 왔다.

"청정이 이미 뭍에 내렸다."

이미 기회를 잃었다는 소식이었다. 조정에서는 이 소식을 듣고 그 허물을 순신에게 물었다.

[중략 부분 줄거리] 통제사로 임명된 원균은 칠천도에서 크게 패하고, 선조는 이순신을 다시 통제사에 임명한다.

순신이 군관 십여 명과 아전 수십 명을 데리고 **진주를 지나** 옥과에 이르니, 백성들이 길을 메우고 순신을 따르거늘, 순신의 군사가 이미 백여 명이 넘었다. 순천에 이르러 무기를 내어 가지고 **보성에** 가서 보니, 겨우 십여 척의 전선이 남아 있을 뿐이었다. 전라 수사 김억추를 불러, 전선을 수습하라 하고, 또 다른 장수에게는 서둘러 전선을 만들라 하고, 또한 장수들을 모아 엄하게 주의를 주어 말하였다.

"우리는 왕명을 받자왔으니 **마땅히 죽기를 각오**하고 나라의 은혜를 갚으리라."

말씀에 의기가 깊게 배어 있으니, 장수들 중에 감동하지 않는 이가 없었다. 한편 조정에서는 이순신이 가진 배가 적어 도적을 막지 못할까 걱정하여, 차라리 육지에 올라 싸우라고 명하였다. 그러자 순신이 이렇게 임금께 아뢰어 청하였다.

임진년부터 오륙 년 동안 적이 감히 전라도와 충청도를 침범하지 못한 것은 우리 수군이 요해처를 지킨 결과입니다. 이제 신이 전선 육십 척을 거느리고 나아가 죽기를 각오하고 싸우면 가히 승리할 수 있을 것입니다. 만약 바다를 버리면 적이 서해 바다를 거쳐 한강으로 들어갈 것이니, 어찌 두렵지 아니하리이까. 그러하오나 신이 죽기 전에는 도적이 감히 업신여기지 못하리이다.

정유년 구월에 적선 수백 척이 바다를 덮어 오거늘, 순신이 **다급**하게 **명령하**길,

"십여 척 전선으로 맞아 싸우라."

하는데, 거제 부사 안위가 가만히 도망하려 하는 것이었다. 순신이 이를 보고 맨 앞에서 외쳤다.

"안위 너가 어찌 군법에 죽으려 하느냐? 너가 이제 달아나면 살 수 있을 거라 생각하느냐!"

안위가 당황하여 큰 소리로 대답하길,

"어찌 진격치 아니하리이까."

하고는, 적진에 달려들어 싸우는데, 적선이 안위의 배를 둘러싸고 공격하니 안위가 거의 죽게 되었다. 이를 본 순신이 급히 구원하러 가는데, 적선 수백 척이 함께 나와 순신을 둘러싸고 어지러이 공격하니, 대포 소리가 바다에 진동하고 **창검이 사방을 둘러싸**는지라. 순신이 바다에서 곤경에 처한 것을 보고 장수들이 탄식하여 말하길,

"우리가 이곳에 있는 것은 오로지 통제사를 믿기 때문이다. 이제 이렇듯 위태로우니 어찌 가만히 있으리오."

하고는, **전선을 휘몰아 적을 공격하**니라. 조선 수군이 죽음을 각오하고 싸우니, 적이 당황하여 잠깐 물러나게 되었다. 그러자 순신이 그 틈을 타 적을 많이 죽이니 결국 적이 패하여 달아나더라.

– 작자 미상, 「임진록」 –

(나)

S#51. 우수영. 이순신 집무실.

한 획… 한 획… 혼이 담기는 글씨. 숙연한 얼굴의 이순신이 붓을 들고 장계를 쓰고 있다.

이순신(NA*): 전하… 지금 신에게는 아직 열두 척의 배가 남아 있사옵니다. 죽을힘을 다하여 싸우면 오히려 할 수 있는 일입니다. [B]

글씨를 쓰던 오른손이 **경련**으로 **파르르 떨**린다. 왼손으로 잡고 **다시 글씨를 이어 가**는 이순신.

이순신(NA): (힘주어) 신이 살아 있는 한 적들이… 감히 우리를 업신여기지 못할 것이옵니다.

장계 쓰기를 마치자 지그시 눈을 감고 호흡을 고르는 이순신. 이때, 밖에서 소란스러운 소리가 들리더니 문이 벌컥 열린다. 안위를 비롯한 송여종, 김응함, 김억추, 송희립 등의 장수들이 몰려 들어온다.

[중략 부분 줄거리] 장수들이 출병을 앞두고 대책을 묻자, 이순신은 울돌목의 좁은 수로에서 적과 싸우려는 계획을 밝힌다.

안위: 장군! 소장 목숨을 걸고 한 말씀 올리겠습니다. 이 싸움은 불가합니다!

상기되는 이순신의 얼굴. 다른 장수들도 일제히 무릎을 꿇고 외친다.

장수 일동: 불가합니다!

안위: 아무리 적들을 울돌목의 좁은 수로에서 막는다 한들 구선도 없는 마당에 결코 **승산이 없는 싸움**입니다! 훗날을 도모하십시오. 전선이 귀하고 군사 한 명이 귀한 때입니다!

이순신: (짐짓) 정녕 그리 생각하는 것이냐?

안위: (눈물을 흘리며) 뜻을 거두지 않으시려거든 소장의 목을 베어 주십쇼. 차라리 장군의 칼에 죽겠습니다!

이순신: (의외로 **담담**하게) 그대들의 뜻이 정히 그러하다면……. 좋다, 군사들을 마당에 모으거라.

이순신의 의외의 태도에, 장수들의 안색이 다소나마 밝아진다.

S#52. 우수영. 마당. (밤).

바람에 흔들리는 횃불의 **화광(火光)이 어지럽게 군사들을 비추**고 있다. 두려움과 불안함, 그리고 뭔가 기대감들이 섞여 있는 긴장된 분위기다. 앞줄에 서 있는 안위 등 장수들의 표정에는 기대감이 크다. 이순신이 칼을 옆에 들고 군사들 앞으로 나온다.

이순신: (군사들을 쓱 훑고는) 김돌손과 황보만은 가져왔는가?

"예!" 하며 커다란 기름통을 들고 나타나는 김돌손, 황보만. 군사들의 이목이 집중된다.

이순신: 부어라!
김돌손, 황보만: (망설인다) …….
이순신: 붓지 않고 뭐 하느냐!

김돌손과 황보만이 동시에 "예!" 하고는 기름통을 들고 가서, 이순신의 등 뒤(군사들의 정면)에 위치한 우수영 **본채에 기름을 붓기 시작**한다. 놀라며 웅성거리는 군사들. 안위 등 장수들이 어안이 벙벙한 얼굴로 이순신을 쳐다본다. 군사들 뒤쪽, 나대용 옆에 서 있던 혜희가 두 눈을 지그시 감는다. 김돌손과 황보만이 기름을 다 붓자

이순신: 불을 놓아라!
김돌손: 예!

'뭔 일이래!' '안 돼!' '장군님!' '안 됩니다!' …소란스러운 소리가 터져 나온다. 안위의 표정이 싸늘하게 얼어붙는다. 김돌손이 본채 앞에 횃불을 들고 서서 이순신을 쳐다본다.

이순신: 놓아!

김돌손이 횃불을 던져 넣으면 순식간에 불길에 휩싸이는 본채. 설마설마하며 지켜보던 군사들의 낯빛이 파랗게 질린다. 할 말을 잃고 멍한 얼굴들이다. 불타는 본채를 뒤로하고 선 이순신이 입을 연다.

이순신: 아직도 살고자 하는 자가 있다니……. 통탄을 금치 못할 일이다! 우리는 죽음을 피할 수 없다!

탄식을 쏟아 내는 절망에 빠지는 군사들의 면면.

이순신: 우수사 배설이 그저 살고자 하는 욕심으로 구선에 불을 질렀다. 그래서 우리는 구선도 더 이상 없다! 싸움을 피하는 것이 사는 길이냐! 육지라고 무사할 듯싶으냐!

이미 사색이 된 군사들이 고개를 떨군다.

이순신: 똑똑히 보고 있느냐! 나는 바다에서 죽고자 우수영을 불태운다! 살아도 더 이상 돌아올 곳이 없다! 우리가 죽어야! 나라가 산다!

– 전철홍 · 김한민, 「명량」 –

*NA(내레이션): 화면 밖에서 들리는 설명 형식의 대사.

16. (가)에 대한 이해로 적절하지 <u>않은</u> 것은?

① 요시라는 행장의 명을 수행하기 위해 김응서를 찾아갔다.
② 권율은 순신에게 요시라를 믿고 청정을 공격할 것을 지시했다.
③ 김억추는 순신으로부터 전선을 수습하라는 명을 받았다.
④ 순신은 바다를 버리면 적이 한강으로 들어갈 것이라고 생각했다.
⑤ 안위는 적을 피해 달아나다가 적선에 둘러싸여 위기에 처했다.

17. (나)에 대한 설명으로 가장 적절한 것은?

① S#51에서 이순신이 숙연한 얼굴로 장계를 쓴 것은 S#52에서 장수들이 기대감을 키우는 것의 원인이 된다.
② S#51에서 안위가 이순신에게 무릎을 꿇은 것은 S#52에서 이순신의 망설임이 표출되는 것의 근거가 된다.
③ S#51에서 안위가 군사 한 명도 귀하다고 한 것은 S#52에서 군사들이 생각을 바꾸어 절망을 극복하는 것의 이유가 된다.
④ S#51에서 이순신이 군사들을 모으라 명령한 것은 S#52에서 군사들이 두려움으로 구선에 불을 지르는 것의 동기가 된다.
⑤ S#51에서 장수들이 싸움이 불가하다고 한 것은 S#52에서 이순신이 우수영 본채를 불태워 자신의 결심을 드러내는 것의 계기가 된다.

18. [A]와 [B]의 말하기 방식으로 가장 적절한 것은?

① [A]는 역사적 사실을 제시하며 상대를 조롱하고 있고, [B]는 자신의 신분을 언급하며 상대를 질책하고 있다.
② [A]는 현실의 상황을 고려하며 자신의 주장을 유보하고 있고, [B]는 주어진 상황을 분석하며 상대의 희생을 강요하고 있다.
③ [A]는 과거의 경험을 회상하며 자신의 행위를 비판하고 있고, [B]는 미래의 상황을 가정하며 자신의 행위를 정당화하고 있다.
④ [A]는 벌어질 상황을 언급하며 상대에게 정보를 제공하고 있고, [B]는 현재의 상황을 언급하며 자신의 의지를 표현하고 있다.
⑤ [A]는 문제 상황을 언급하며 상대에게 해결 방법을 제시하고 있고, [B]는 문제가 해결된 현실을 언급하며 자신의 감정을 토로하고 있다.

19. <보기>를 바탕으로 (가)와 (나)를 비교한 내용으로 적절하지 <u>않은</u> 것은? [3점]

〈 보 기 〉

서사 갈래에서는 서술자가 이야기 진행 과정을 요약하여 서술하거나 상황을 직접 묘사할 수 있고, 인물의 정서나 태도, 행동 등을 독자에게 직접 설명하기도 한다. 반면 극 갈래에서는 서술자가 없어 주로 대사를 활용하여 이야기의 진행 과정이 제시되는데, 연출을 위한 지시문을 통해 인물의 정서나 태도, 행동, 상황 등이 제시되기도 한다.

① (가)에서는 순신이 '진주를 지나' '보성에' 이르기까지의 과정을 서술자가 요약하여 서술하고 있고, (나)에서는 안위가 '승산이 없는 싸움'이라며 이순신을 설득하는 과정이 대사를 통해 제시되고 있다.
② (가)에서는 '마땅히 죽기를 각오'해야 한다는 장수들의 결심에 감동하는 순신의 정서를 서술자가 직접 설명하고 있고, (나)에서는 '본채에 기름을 붓기 시작'하자 당황하는 군사들의 정서가 지시문을 통해 제시되고 있다.
③ (가)에서는 전투를 '명령하'는 순신의 '다급'한 태도를 서술자가 직접 설명하고 있고, (나)에서는 장수들에게 대답을 하는 이순신의 '담담'한 태도가 지시문을 통해 제시되고 있다.
④ (가)에서는 '창검이 사방을 둘러싸'서 순신이 위기에 처한 상황을 서술자가 묘사하고 있고, (나)에서는 '화광이 어지럽게 군사들을 비추'는 긴장된 상황이 지시문을 통해 제시되고 있다.
⑤ (가)에서는 장수들이 '전선을 휘몰아 적을 공격하'는 행동을 서술자가 직접 설명하고 있고, (나)에서는 이순신이 '파르르 떨'리는 손의 '경련'에도 '다시 글씨를 이어 가'는 행동이 지시문을 통해 제시되고 있다.

[20 ~ 24] 다음 글을 읽고 물음에 답하시오.

특정 산업에서 선발 기업이 후발 기업보다 기술력이나 마케팅 능력 면에서 더 뛰어나다는 점을 고려하면, 선발 기업이 산업의 주도권을 유지하는 것이 자연스러워 보인다. 그런데 오늘날의 국제 경제 환경에서는 후발 기업이 선발 기업을 따라잡아 산업의 주도권이 선발 기업에서 후발 기업으로 이동하는 현상이 종종 관찰된다. 이러한 현상을 설명하는 이론으로 추격 사이클 이론이 있다.

산업의 주도권 이동과 관련하여 기업에는 세 가지 기회의 창이 열릴 수 있다. 첫 번째는 새로운 기술의 등장이다. 기존에 없었던 새로운 기술이 등장하는 경우에 선발 기업과 후발 기업은 비교적 동등한 출발점에 서게 된다. 선발 기업이 자신들의 기존 기술을 최대한 활용하고 싶은 미련을 버리지 못해 새로운 기술의 도입을 주저할 때 후발 기업이 새로운 기술을 도입한다면 선발 기업보다 유리한 상황에 놓일 수 있다. 두 번째는 시장의 갑작스러운 변화이다. 경기 순환 또는 새로운 소비자층의 등장과 같은 변화가 여기에 속하는데, 이는 새로운 기술의 등장과 마찬가지로 반복해서 발생한다. 특히 불황기에 일부 선발 기업은 적자로 인해 자원을 방출하기도 하는데, 이때 후발 기업은 이런 자원을 적은 비용으로 이용할 수 있다. 또 불황기에는 기술 이전과 지식 획득이 쉬워지고 비용도 저렴해질 수 있는데, 이 역시 후발 기업에게 이득이 될 수 있다. 세 번째는 정부의 규제 혹은 직접적인 지원이다. 이를 통해 선발 기업과 후발 기업의 비대칭적인 환경이 조성될 때 선발 기업은 시장에서 불리한 위치에 놓이게 된다. 이때 비대칭적인 환경의 의미는 정부가 산업 진입 허가 또는 보조금 등을 통해 선발 기업을 자국 시장에서 불리한 위치에 놓이게 한다는 것이다. 이는 후발 기업이 시장에 진입하면서 생기는 불리함을 상쇄할 수 있는 계기로 작용한다.

이런 기회의 창과 관련해 산업의 주도권 이동은 '정상 사이클', '중도 실패 사이클', '슈퍼 사이클'이라는 세 가지 종류의 추격 사이클로 설명이 가능하다. 이 중 정상 사이클은 다음의 네 단계를 모두 경험하는 경우이다. 제1단계는 진입 단계이다. 국영 기업 혹은 정부의 지원을 받는 민간 기업이 후발 기업으로 나타날 때, 이들은 보조금 등의 이점으로 선발 기업에 비해 일정한 비용 우위를 누린다. 제2단계는 점진적 추격 단계이다. 이 단계에서 후발 기업들은 점차 투자를 위한 이윤을 확보해 시장 점유율을 높여 간다. 투자를 위한 이윤의 확보는 선발 기업보다 후발 기업에서 일어날 가능성이 높다. 왜냐하면 선발 기업의 주주들은 투자를 위한 이윤의 확보보다는 배당*을 더 선호하는 경향이 있지만 후발 기업의 주주들은 상대적으로 반대의 경향을 보이기 때문이다. 그러나 점진적 추격 단계에 도달한 후발 기업이 저부가 가치 제품 시장에서 고부가 가치 제품 시장으로 이동하지 못하면 다음 단계로 넘어가지 못할 가능성이 높은데, 이 경우를 중도 실패 사이클이라 한다. 제3단계는 추월 단계이다. 이 단계에서 후발 기업은 확보된 이윤을 새로운 기술과 같은 기회에 신속하고 과감하게 투자하고 채택하여 산업 주도권에 갑작스럽고 큰 변화를 일으킨다. 그 결과 선발 기업은 후발 기업에 밀려 추락을 경험하게 된다. 제4단계는 추락 단계이다. 새롭게 리더가 된 후발 기업이 새 기술 및 소비 패턴의 변화를 놓친다면 이 단계에서 다른 도전자에 밀려 추락하게 된다. 그런데 제3단계에서 선발 기업을 추월한 후발 기업이 기술, 시장, 또는 규제의 변화 등에 민첩하게 대응하는 경우 산업의 주도권을 오랫동안 유지할 가능성이 높은데, 이 경우를 슈퍼 사이클이라고 한다.

결국 기업의 추격 사이클은 기회의 창들에 대한 기업의 전략적 선택에 따른 결과라고 할 수 있다. 이런 관점에서 추격 사이클 이론은 특정 요소 결정론적이기보다는 ㉠ <u>외부적 요인과 주체적 요인을 모두 중시한다고 할 수 있다.</u>

*배당: 주식을 보유한 사람들에게 그 지분에 따라 기업이 이윤을 분배하는 것.

20. 다음은 윗글에 대한 한 줄 평이다. 주제를 고려할 때 밑줄 친 부분에 들어갈 내용으로 가장 적절한 것은?

______________ 가 궁금한 분에게 추천합니다.

① 추격 사이클 이론에 대한 비판의 쟁점이 무엇인지
② 기업의 전략적 선택이 정부 정책에 미치는 영향이 무엇인지
③ 산업의 주도권 이동이 초래한 국제 경제의 위기는 무엇인지
④ 산업의 주도권 이동이 기업들 사이에서 어떻게 이루어지는지
⑤ 산업의 주도권을 가진 기업이 각종 경제 규제를 어떻게 극복하는지

21. 윗글의 내용과 일치하지 <u>않는</u> 것은?

① 산업 진입 허가와 관련된 정부의 규제를 통해 선발 기업이 자국 시장에서 불리해질 수 있다.
② 새로운 기술은 선발 기업과 후발 기업이 비교적 동등한 출발점에서 경쟁을 할 수 있게 해 준다.
③ 시장의 갑작스러운 변화 중에는 기술 이전과 지식 획득이 쉬워지는 상황이 조성되는 경우가 있다.
④ 국영 기업은 후발 기업으로 나타날 때 선발 기업에 대한 정부의 보조금으로 비용 우위를 누리기 어렵다.
⑤ 경기 순환에 따른 불황기에는 선발 기업의 적자로 인해 방출되는 자원을 후발 기업이 활용하기 용이해진다.

22. 문맥상 ㉠과 바꾸어 쓰기에 가장 적절한 것은?

① 기업에 주어지는 기회와 이에 대한 기업의 전략적 선택을 모두 고려한다고 할 수 있다.
② 특정 산업 분야의 선발 기업과 이와 다른 분야의 선발 기업을 모두 참고한다고 할 수 있다.
③ 선발 기업의 기술력과 이와 동등한 후발 기업의 마케팅 능력을 모두 인정한다고 할 수 있다.
④ 새로운 기술과 이에 대해 선발 기업이 취해야 하는 수동적 태도를 모두 강조한다고 할 수 있다.
⑤ 산업의 주도권과 그것에 의해 정부가 기업에 부여하는 의무적 역할을 모두 중시한다고 할 수 있다.

※ 윗글과 다음을 참고하여 23번과 24번 두 물음에 답하시오.

[상황]

○ A사는 B사보다 휴대전화 산업에 먼저 진입하여 산업을 선도하였다. 그런데 A사는 휴대전화 카메라 기능의 향상을 원하는 청년층의 요구에 민첩하게 대응할 수 있는 신기술을 채택하지 않았다. 이로 인해 A사는 시장 점유율 하락을 겪게 되었고 이후에는 휴대전화 산업을 선도할 수 없게 되었다.

○ B사는 개인이 창업한 기업으로 정부의 보조금으로 성장했고, 이 과정에서 얻은 이윤의 상당 부분을 주주들의 협조로 투자를 위해 확보하였다. 그 후 ⓐ 부가 가치가 높은 휴대전화를 생산하게 되었고, 휴대전화 카메라 기능을 향상시킨 신기술을 채택하여 휴대전화 산업을 선도하는 기업으로 올라섰다. 그러나 ⓑ 휴대전화 게임의 그래픽 기능 향상을 원하는 청소년층의 등장에 민첩하게 대응할 수 있는 신기술을 채택하지 않아서 매출의 감소를 경험하였다.

○ C사는 B사보다 나중에 휴대전화 산업에 진입했다. 시장 점유율을 높여가던 C사는, B사와 달리 휴대전화 게임의 그래픽 기능 향상을 가능하게 한 신기술을 채택하여 시장 점유율을 대폭 증가시켰다.

[B사 중심의 추격 사이클]

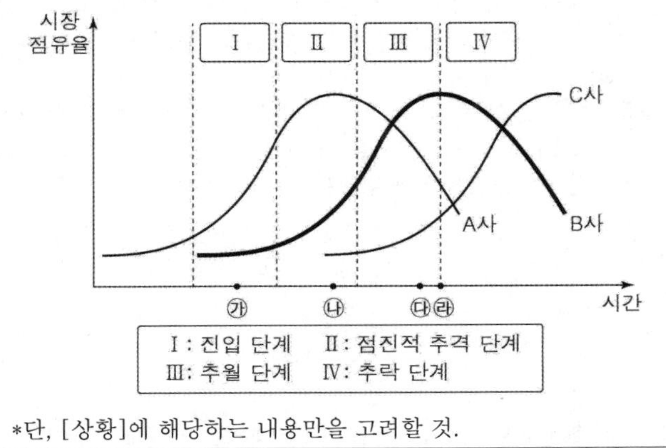

*단, [상황]에 해당하는 내용만을 고려할 것.

23. 윗글을 바탕으로 [상황]과 [B사 중심의 추격 사이클]에 대해 이해한 내용으로 적절하지 않은 것은? [3점]

① ㉮에서 B사는 A사보다 시장 점유율이 낮지만 정부가 조성하는 비대칭적인 환경 때문에 비용 우위를 누렸다.

② ㉮에서보다 ㉯에서는 B사의 시장 점유율이 높은데, 이는 B사의 주주들이 배당보다는 투자를 위한 이윤 확보를 선호한 결과이다.

③ ㉯부터의 A사 시장 점유율 변화 양상이 ㉱부터의 B사 시장 점유율 변화 양상과 유사한 것은, 반복되는 새로운 기회의 창에 대한 A사와 B사의 유사한 대응에서 비롯된 것이다.

④ ㉯와 ㉰ 사이에서 A사와 B사의 시장 점유율 우위가 바뀌고 ㉱ 이후에 B사와 C사의 시장 점유율 우위가 바뀌는 데는, 각각의 경우 새로운 기술에 대한 B사의 선택 여부가 영향을 주었다.

⑤ ㉰와 ㉱ 사이에서 A사의 시장 점유율과 달리 B사와 C사의 시장 점유율은 증가하기 때문에, A사는 새로운 도전자로서 부상하는 움직임을 보였다.

24. 윗글과 [상황]을 바탕으로 <보기>의 학습 활동을 수행한 학생의 반응으로 가장 적절한 것은?

> <보 기>
>
> [학습 활동] B사를 중심으로 ⓐ와 ⓑ에 의해 벌어질 수 있는 상황을 가정하여 각 상황에서 나타날 수 있는 추격 사이클의 종류를 파악해 보자. (단, B사에 대한 가정을 제외한 모든 조건은 동일하다.)

① 만약 B사가 ⓐ를 생산하지 못했다면 정상 사이클을 경험할 가능성이 높겠네요.

② 만약 B사가 ⓐ를 생산하지 못했다면 슈퍼 사이클을 경험할 가능성이 높겠네요.

③ B사가 ⓐ를 생산했고, 만약 ⓑ에 민첩하게 대응했다면 슈퍼 사이클을 경험할 가능성이 높겠네요.

④ B사가 ⓐ를 생산했고, 만약 ⓑ에 민첩하게 대응했다면 중도 실패 사이클을 경험할 가능성이 높겠네요.

⑤ 만약 B사가 ⓐ를 생산하지 못했고, ⓑ에 민첩하게 대응하지 못했다면 정상 사이클을 경험할 가능성이 높겠네요.

[25 ~ 28] 다음 글을 읽고 물음에 답하시오.

(가)

아배는 타관 가서 오지 않고 산비탈 **외따른 집**에 **엄매**와 나와 **단둘이서** 누가 죽이는 듯이 무서운 밤 집 뒤로는 어늬 산골짜기에서 소를 잡어먹는 노나리꾼들이 도적놈들같이 쿵쿵거리며 ㉠ 다닌다

날기멍석을 져간다는 닭보는 할미를 차 굴린다는 땅아래 고래 같은 기와집에는 언제나 니차떡에 청밀에 은금보화가 그득하다는 외발 가진 조마구* 뒷산 어늬메도 조마구네 나라가 있어서 **오줌 누러** 깨는 재밤* 머리맡의 문살에 대인 유리창으로 **조마구** 군병의 새까만 대가리 **새까만 눈알**이 들여다보는 때 나는 이불 속에 자즈러붙어 숨도 쉬지 못한다

또 이러한 밤 같은 때 **시집갈** 처녀 **막내고무**가 고개 너머 큰 집으로 치장감을 가지고 와서 **엄매**와 둘이 소기름에 쌍심지의 불을 밝히고 밤이 들도록 **바느질**을 하는 밤 같은 때 나는 아룻목의 샷귀를 들고 쇠든밤*을 내여 다람쥐처럼 밝어먹고 은행여름을 인두불에 구워도 먹고 그러다는 이불 우에서 광대넘이를 뒤이고* 또 누워 굴면서 엄매에게 웃목에 두른 평풍의 새빨간 천두의 이야기를 듣기도 하고 고무더러는 밝는 날 멀리는 못난다는 뫼추라기를 잡어 달라고 조르기도 하고

내일같이 **명절날**인 밤은 부엌에 쩨듯하니 불이 밝고 솥뚜껑이 놀으며 **구수한 내음새 곰국**이 무르끓고 방안에서는 일가집 할머니가 와서 마을의 소문을 펴며 조개송편에 달송편에 죈두기송편에 떡을 빚는 곁에서 나는 밤소 팥소 **설탕 든 콩가루소를 먹으**며 설탕 든 콩가루소가 가장 맛있다고 생각한다

나는 얼마나 반죽을 주무르며 흰가루손이 되여 떡을 빚고 싶

은지 모른다

섣달에 냅일날이 들어서 냅일날 밤에 눈이 오면 이 밤엔 쌔하얀 **할미귀신**의 눈귀신도 냅일눈*을 받노라 못 난다는 말을 **든든히** 녀기며 엄매와 나는 앙궁 우에 떡돌 우에 곱새담 우에 함지에 버치며 대냥푼을 놓고 치성이나 드리듯이 정한 마음으로 냅일눈 약눈을 ㉡ 받는다

이 눈세기물을 냅일물이라고 제주병에 **진상항아리**에 **채워두**고는 해를 묵여가며 고뿔이 와도 배앓이를 해도 갑피기를 앓어도 먹을 물이다

– 백석, 「고야(古夜)」 –

*조마구: 옛 설화에 나오는 키가 매우 작다는 심술궂은 난쟁이를 의미함.
*재밤: '재밤중'의 준말. '한밤중'의 평안 방언.
*쇠든밤: 말라서 생기가 없어진 밤.
*광대넘이를 뒤이고: 물구나무를 섰다 뒤집으며 노는 모습을 의미함.
*냅일눈: 한 해 동안 지은 농사 형편 등을 여러 신에게 제사 지내는 날인 납일에 내리는 눈. 이 눈을 받아 녹인 물은 약용으로 썼음.

(나)

겨울산에 가면
밑둥만 남은 채 눈을 맞는 나무들이 ㉢ 있다
쌓인 눈을 손으로 헤쳐내면
드러난 나이테가 나를 ㉣ 보고 있다
들여다볼수록
비범하게 생긴 넓은 이마와
도타운 귀, 그 위로 오르는 외길이 보인다
그새 쌓인 눈을 다시 쓸어내리면
거무스레 습기에 지친 손등이 있고
신열에 들뜬 입술 위로
물처럼 맑아진 눈물이 흐른다
잘릴 때 쏟은 톱밥가루는 지금도
마른 껍질 속에 흩어져
해산한 여인의 땀으로 맺혀 빛나고,
그 옆으로는 아직 나이테도 생기지 않은
꺾으면 문드러질 만큼 어린것들이
뿌리박힌 곳에서 ㉤ 자라고 있다
도끼로 찍히고
베이고 눈 속에 묻히더라도
고요히 남아서 기다리고 계신 어머니,
눈을 맞으며 산에 들면
처음부터 끝까지 나를 바라보는
나이테가 있다.

– 나희덕, 「겨울산에 가면」 –

25. (가)와 (나)의 표현상 특징에 대한 설명으로 가장 적절한 것은?

① (가)는 (나)와 달리 방언을 사용하여 향토적 정감을 환기하고 있다.
② (가)는 (나)와 달리 명사형으로 시행을 종결하여 시상을 집약하고 있다.
③ (나)는 (가)와 달리 비유를 사용하여 시상을 구체화하고 있다.
④ (나)는 (가)와 달리 색채어를 활용하여 대상의 특징을 드러내고 있다.
⑤ (가)와 (나)는 모두 음성 상징어를 활용하여 시적 상황을 부각하고 있다.

26. <보기>를 바탕으로 (가)에 대해 감상한 내용으로 적절하지 않은 것은?

〈보 기〉

이 작품은 '밤'에 대한 화자의 기억을 병렬적으로 드러내고 있다. 어린 시절의 화자에게 '밤'은 무섭고 두려운 생각에 겁이 났던 시간이자 전통적 풍속을 따르며 가족 공동체와 정겹게 함께 한 풍요롭고 평온한 시간이었는데, 행위의 나열과 선명한 감각 이미지를 통해 구체적으로 형상화되는 기억은 유년 시절 고향에 대한 화자의 그리움을 짐작하게 한다.

① 1연의 밤은 '외따른 집'에서 '엄매'와 '단둘이서' 지내며 무서움을 느꼈던 시간으로, 그 기억은 청각적 이미지를 통해 구체적으로 형상화되고 있군.
② 2연의 밤은 '오줌 누러' 잠이 깨었는데 '조마구'의 '새까만 눈알'이 자신을 들여다본다고 생각해 두려움을 느꼈던 시간으로, 그 기억은 시각적 이미지를 통해 구체적으로 형상화되고 있군.
③ 3연의 밤은 '엄매'와 '시집갈' '막내고무'가 '바느질'을 할 때 그 옆에서 놀면서 화자가 가족 공동체와 보낸 정겨운 시간으로, 그 기억은 행위의 나열을 통해 구체적으로 형상화되고 있군.
④ 4연의 밤은 '명절날' '곰국'의 '구수한 내음새'가 나고 화자가 '설탕 든 콩가루 소를 먹'는 등 먹을거리로 풍요로운 시간으로, 그 기억은 후각적 이미지와 미각적 이미지를 통해 구체적으로 형상화되고 있군.
⑤ 5연의 밤은 '할미귀신'을 '든든히' 여기고 '눈'을 받아 '진상항아리'에 '채워두'는 전통적 풍속을 따르던 평온한 시간으로, 그 기억은 행위의 나열을 통해 구체적으로 형상화되고 있군.

27. <보기>를 바탕으로 ㉠~㉤을 이해한 내용으로 적절하지 않은 것은? [3점]

〈보 기〉

서정 갈래의 현재 시제는 물리적 시간으로서의 현재가 아닌 가상적 현재를 의미하며 이를 통해 시적 효과를 유발한다. 즉, 과거 혹은 특정할 수 없는 어느 시점에서의 시적 대상과 상황에 대한 화자의 시적 체험을 현재 시제로 표현하게 되면, 독자는 화자의 주관적 인상과 인식, 그리고 감정과 행위에 집중하게 되고 그 상황이 마치 지금 여기에서 벌어지고 있는 듯한 생생함을 느끼게 된다.

① (가)의 ㉠은 소를 잡아먹는 노나리꾼이 다니는 상황이 마치 지금 여기에서 벌어지고 있는 듯한 느낌을 유발한다.
② (가)의 ㉡은 정한 마음으로 냅일눈을 받는 화자의 행위와 주관적 감정에 집중하게 한다.
③ (나)의 ㉢은 밑둥만 남아 눈을 맞고 있는 나무들에 대한 인상을 물리적 시간인 현재로 표현하고 있다.
④ (나)의 ㉣은 나이테가 자신을 보고 있다는 화자의 인식을 가상적 현재로 표현하고 있다.
⑤ (나)의 ㉤은 밑둥 옆에 어린 나무가 자라고 있는 상황을 생생하게 느끼도록 하는 시적 효과를 얻고 있다.

28. (나)의 나이테에 대한 이해로 가장 적절한 것은?

① 자식을 향한 어머니의 모성을 떠올리게 하는 대상이다.
② 자식에게 어머니의 편안한 삶을 떠올리게 하는 계기이다.
③ 자식에 대한 어머니의 희생적 사랑을 단절시키는 소재이다.
④ 어머니를 위해 헌신하는 자식의 강인함을 의미하는 소재이다.
⑤ 성장한 자식을 떠나보낸 어머니의 무상감을 드러내는 대상이다.

[29 ~ 33] 다음 글을 읽고 물음에 답하시오.

일상에서의 음식 조리 과정은 열전달에 관한 과학적 원리로 설명할 수 있다. 열전달은 열이 온도가 높은 곳에서 낮은 곳으로 이동하는 현상인데 조리 과정에서는 전도에 의한 열전달이 많이 일어난다. 전도란 물질을 이루는 입자들의 상호 작용을 통해 보다 활동적인 입자로부터 이웃의 덜 활동적인 입자로 열이 전달되는 현상이다. 이러한 전도는 온도 차이가 있는 경우에 일어나는데, 한 물질 내에서 발생하기도 하며 서로 다른 물질들이 접촉하는 경우에도 발생한다.

열전달 과정에서 단위 시간 동안 열이 전달되는 비율을 열전달률이라고 하는데 열전달률은 결국 열이 짧은 시간 동안 얼마나 많이 전달되는가를 나타내므로 음식의 조리에서 고려할 중요한 요소가 된다. 전도에 의한 열전달률은 온도 차이와 면적에 비례하고, 거리에 반비례한다. 즉, 전도가 일어나는 두 지점 사이의 온도 차이가 커질수록, 열이 전달되는 면적이 커질수록 열전달률은 높아지고, 전도가 일어나는 두 지점 사이의 거리가 멀어질수록 열전달률은 낮아진다. 이러한 현상을 수식으로 처음 정리한 사람이 푸리에이기 때문에 이를 ㉠ 푸리에의 열전도 법칙이라고 부른다. 그런데 실제로 실험을 해보면 한 물질 내에서 일어나는 전도의 경우에 다른 조건이 동일하더라도 물질의 종류가 다르면 열전달률이 다르게 나타난다. 이는 물질이 전도에 의해 열을 전달할 수 있는 능력의 척도, 즉 열전도도가 물질마다 다르기 때문이다. 따라서 푸리에의 열전도 법칙에 ⓐ 따르면 다른 조건이 같더라도 열전도도가 높은 경우 열전달률도 높게 나타난다.

[A] 튀김의 조리 과정을 푸리에의 열전도 법칙으로 설명하면 다음과 같다. 식용유의 움직임을 고려하지 않는다면, 튀김의 조리 과정은 주로 식용유와 튀김 재료 간의 전도로 파악될 수 있다. 맛있는 튀김을 만들기 위해서는 냄비를 가열하여 식용유의 온도를 충분히 높여 식용유로부터 튀김 재료로의 열전달률을 높여야 한다. 그리고 튀김 재료를 식용유에 넣으면 재료 표면에 수많은 기포들이 형성된다. 이 기포들은 식용유에서 튀김 재료로의 높은 열전달률로 인해 순간적으로 많은 열이 전달되어 생겨난 것인데 재료 표면의 수분이 수증기로 변해 식용유 속에서 기포의 형태가 된 것이다. 이 기포들은 식용유 표면으로 올라가 공기 중으로 빠져나가고 이때 지글지글 소리가 난다.

이 수증기 기포들은 튀김을 맛있게 만드는 데 중요한 역할을 한다. 수분이 수증기의 형태로 튀김 재료에서 빠져나감에 따라 재료 안쪽의 수분들은 빈자리를 채우기 위해 표면 쪽으로 이동한다. 그 결과 지속적으로 재료의 수분은 기포로 변하고 이로 인해 재료는 수분량이 줄어들면서 바삭한 식감을 지니게 된다. 또한 튀김 재료 표면의 기포들은 재료와 식용유 사이에서 일종의 공기층과 같은 역할을 해 식용유가 재료로 흡수되는 것을 막아서 튀김을 덜 기름지게 한다. 그리고 재료 표면에 생성된 기포들을 거쳐 열전달이 일어나기 때문에 기포들은 재료 표면이 빨리 타 버리지 않게 하고 튀김 재료의 안쪽까지 열이 전달되어 재료가 골고루 잘 익게 한다.

29. 윗글을 이해한 것으로 적절하지 않은 것은?

① 물질을 이루는 입자들의 상호 작용을 통해 전도가 일어난다.
② 음식의 조리 과정에서는 전도에 의한 열전달이 많이 일어난다.
③ 물질이 전도에 의해 열을 전달할 수 있는 능력은 물질마다 다르다.
④ 음식의 조리에서 단위 시간 동안 열이 전달되는 비율을 고려하는 것은 중요하다.
⑤ 열의 전도는 서로 다른 물질들이 접촉하는 경우에만 발생하며 한 물질 안에서는 발생하지 않는다.

30. <보기>는 윗글을 읽은 건축 동아리 학생들이 나눈 대화의 일부이다. ㉠을 활용한 의견으로 적절하지 않은 것은?

〈보 기〉

동아리 회장: 오늘은 에너지 효율이 높은 건물 설계에 대해 열의 전도를 중심으로 아이디어를 나눠 보자.

부원 1: 겨울철 열손실을 줄여야 하니까 지붕을 통한 열전달률을 낮추기 위해 건물의 지붕을 일반적인 지붕의 재료보다 열전도도가 낮은 재료를 사용하는 설계가 필요하다고 생각해.

부원 2: 일반적으로 벽보다 창문의 열전도도가 높으니 여름철 실내 냉방 효율을 높이고 싶다면 창문을 통한 열전달률을 낮추기 위해 건물 외벽에 설치된 창문의 면적을 줄이는 설계가 필요하다고 생각해.

부원 3: 여름철 외부 온도의 영향을 최소화하고 건물 외벽을 통한 열전달률을 낮추기 위해 외벽은 일반적인 것보다 두껍게 설계하는 것이 필요해.

부원 4: 차가운 방바닥에 빠른 난방을 하려면 난방용 온수 배관에서 방바닥으로의 열전달률을 높여야 하니 난방용 온수 배관과 방바닥이 닿는 접촉 면적을 넓히도록 설계해야겠어.

부원 5: 여름철 현관문을 통한 실외 온도의 영향을 최소화하려면 현관문을 통한 열전달률을 낮춰야 하니 같은 두께라도 열전도도가 더 높은 재질의 현관문을 사용하는 것으로 설계해야겠어.

① 부원 1의 의견 ② 부원 2의 의견
③ 부원 3의 의견 ④ 부원 4의 의견
⑤ 부원 5의 의견

31. <보기>는 [A]의 과정을 도식화한 것이다. 윗글을 바탕으로 ㉮~㉱를 이해한 것으로 적절하지 않은 것은? [3점]

< 보 기 >

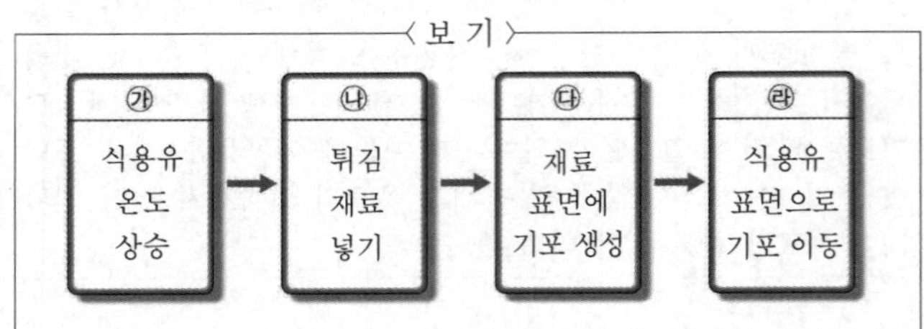

① ㉮에서는 서로 다른 물질인 냄비와 식용유 사이에서 열전달이 일어나겠군.
② ㉯의 결과로 ㉰가 진행되는 것은 튀김 재료에 순간적으로 많은 열이 전달되었기 때문이겠군.
③ ㉰에서는 열이 전달됨에 따라 튀김 재료 표면의 수분이 튀김 재료 안쪽으로 이동하겠군.
④ ㉰에서 ㉱로의 과정이 반복되면 튀김 재료의 수분량이 점차 줄어들겠군.
⑤ ㉱에서는 수증기가 공기 중으로 빠져나가면서 지글지글 소리가 나겠군.

32. <보기>는 윗글을 읽은 학생의 반응이다. ㄱ~ㄷ에 들어갈 말로 적절한 것은?

< 보 기 >

맛있는 튀김을 만들기 위해서는 기포들의 역할이 중요해. 기포들이 (ㄱ)에서 공기층과 같은 역할을 해서 식용유가 재료로 흡수되는 것을 (ㄴ)하여 튀김을 덜 기름지게 해 줘. 또 식용유에서 튀김 재료로 열이 직접 (ㄷ) 하여 재료 표면이 타지 않고 골고루 익게 해.

	ㄱ	ㄴ	ㄷ
①	튀김 재료 내부	방해	전도되게
②	튀김 재료 내부	촉진	전도되지 못하게
③	튀김 재료와 식용유 사이	방해	전도되지 못하게
④	튀김 재료와 식용유 사이	촉진	전도되게
⑤	튀김 재료와 식용유 사이	촉진	전도되지 못하게

33. ⓐ와 문맥적 의미가 가장 유사한 것은?
① 우리는 해안선을 따라 올라갔다.
② 동생은 어머니를 따라 전통 시장에 갔다.
③ 학생들이 모두 선생님의 동작에 따라 춤을 췄다.
④ 수출이 증가함에 따라 경제도 서서히 회복되어 갔다.
⑤ 그들은 자율적으로 정한 규칙에 따라 일을 진행했다.

[34 ~ 38] 다음 글을 읽고 물음에 답하시오.

인간은 지식 체계의 형성을 위해 개념을 필요로 하는데, 개념이란 여러 관념 속에서 공통 요소를 뽑아내어 종합해 얻어 낸 보편적인 관념을 말한다. 이러한 개념을 통해 체계와 기준을 머릿속에 먼저 정해 놓고 그것을 현실에 적용하는 개념주의적 태도를 지닌 근대 사상가들이 있었다. 하지만 들뢰즈는 이 세상에 동일한 것은 없다는 전제하에 세상을 개념으로만 파악하려는 태도를 비판하고 개별 대상의 다양성에 주목하는 '차이'의 철학을 제시했다.

일반적으로 차이란 서로 같지 않고 다르다는 의미로 쓰이지만 들뢰즈는 차이를 '개념적 차이'와 '차이 자체'로 구분하여 자신이 말하고자 하는 차이의 의미를 명확히 했다. 이때 개념적 차이란 개념적 종차*를 통해 파악될 수 있는, 어떤 대상과 다른 대상의 상대적 다름을 의미하며, 차이 자체란 개념으로 드러낼 수 없는 대상 자체의 절대적 다름을 의미한다. 예를 들어 소금의 보편적 특성은 짠맛이나 흰색 등으로 볼 수 있는데 이러한 특성은 소금과 설탕의 맛을 비교하거나, 소금과 숯의 색깔을 비교함으로써 파악될 수 있다. 즉 소금과 다른 대상들과의 상대적인 비교를 통해 소금의 개념적 차이가 형성되는 것이다. 그런데 ㉠소금이라는 개념으로 동일하게 분류되는 각각의 입자들은 그 입자마다의 염도와 빛깔 등이 다를 수밖에 없다. 어떤 소금 입자들은 다른 소금 입자보다 조금 더 짤 수도 있고, 흰색이 조금 더 밝을 수도 있다. 이때 각 ㉡소금 입자가 가지는 염도, 빛깔의 고유한 정도 차이에 해당하는 특성이 바로 개별 소금 입자의 차이 자체인 것이다.

들뢰즈는 개념적 차이로는 대상만의 고유한 가치나 절대적 다름이 파악될 수 없다고 하였다. 왜냐하면 개념적 차이는 다른 대상과의 비교를 통해 파악된 결과로 다른 대상에 의존하는 방식이어서, 그 과정에서 개별 대상의 고유한 특성이 무시되기 때문이다. 또한 들뢰즈는 개념이 개별 대상들을 규정함으로써 개별 대상을 개념에 포섭시키는 상황이나, 개념에 맞추어 세상을 파악함으로써 세상을 오로지 개념의 틀에 가두는 상황을 우려했다. 왜냐하면 이와 같은 상황에서는 미리 정해 둔 개념에 부합하는 개별 대상은 좋은 것으로, 그렇지 못한 개별 대상은 나쁜 것으로 규정되는 개념의 폭력이 발생할 수 있기 때문이다.

한편 들뢰즈는 개별 대상의 차이 자체를 드러낼 수 있는 작용 원리를 '반복'과 '강도'라는 용어로 설명했다. 일반적으로 반복은 같은 일을 되풀이한다는 의미로 쓰이지만 들뢰즈가 말하는 반복이란 되풀이하여 지각된 강도의 차이를 통해 개별 대상의 차이 자체를 발견해 나가는 과정을 의미한다. 이때 강도란 정량화하기 힘든, 개별 대상의 고유한 크기이자, 다른 것과 비교될 수 없는 개별 대상에 대한 감각적 경험을 의미한다. 예를 들어 어떤 사람이 피아노로 같은 악보를 반복해서 연주한다고 할 때, 각각의 ㉢연주는 결코 동일할 수 없으므로 연주가 반복될수록 연주자와 관객 모두 연주마다의 서로 다른 강도를 느끼게 된다. 즉 각각의 연주는 차이 자체를 드러내게 되는 것이다. 이처럼 들뢰즈에게 차이 자체란 반복에 의해 경험하게 되는 강도의 차이를 의미한다.

일반적으로 인간은 의사소통을 위해 서로가 동일하게 인정할 수 있는 개념을 필요로 하며, 개념을 통해 형성되는 인간의 지식 체계가 세상을 변화시킨다는 점을 고려하면 개념은 인간에게 필수적인 것이다. 들뢰즈도 이와 같은 개념의 기능을 전면적으로 부정한 것은 아니다. 다만 들뢰즈의 철학은, 개념을 최고의 가치로 숭상하면서 이 세상을 개념으로 온전히 규정하려는 기존 철학자들의 사상을 극복하고자 한 것이며 철학의 시선을 개념에서 현실 세계의 대상 자체로 돌리게 했다는 점에서 의의를 지닌다.

*종차: 상위 개념에 속한 동일한 층위의 하위 개념들 중 어떤 하위 개념이 다른 하위 개념과 구별되는 요소.

34. 윗글의 내용 전개 방식에 대한 설명으로 가장 적절한 것은?

① 기존의 관점을 비판한 특정 견해를 예를 들어 설명하고 그 의의를 밝히고 있다.
② 두 이론의 공통점과 차이점을 분석하고 이를 절충한 새로운 이론을 소개하고 있다.
③ 특정 이론의 변천 과정을 설명하고 해당 이론의 발전 방향에 대해 예측하여 전망하고 있다.
④ 특정 견해의 특징을 드러낼 수 있는 역사적 사건을 언급하고 그 견해의 장단점을 비교하고 있다.
⑤ 특정 견해를 뒷받침하는 다른 견해를 제시하고 사회적 현상을 분석하여 두 견해의 유사점을 부각하고 있다.

35. 윗글을 바탕으로 ㉠ ~ ㉢을 이해한 내용으로 가장 적절한 것은?

① ㉠과 달리 ㉡은 개념에 해당한다.
② ㉠과 달리 ㉢은 개별 대상에 해당한다.
③ ㉢과 달리 ㉡은 개별 대상에 해당한다.
④ ㉠과 ㉢은 모두 개별 대상에 해당한다.
⑤ ㉡과 ㉢은 모두 개념에 해당한다.

36. 개념의 폭력에 대한 이해로 적절하지 않은 것은?

① 개념에 개별 대상을 포섭시킴으로써 일어난다.
② 개념에 맞추어 세상을 보았을 때 생기는 문제이다.
③ 개별 대상이 지닌 고유한 특성만을 중요시할 때 나타난다.
④ 대상에 대한 보편적 관념만을 강조했을 때 발생할 수 있다.
⑤ 개별 대상이 개념과 일치하는지 여부에 따라 개별 대상의 가치가 결정되는 것이다.

37. <보기>는 온라인 수업 게시판의 일부이다. 윗글을 바탕으로 학생들이 과제를 수행했다고 할 때 ㉮와 ㉯에 들어갈 말로 가장 적절한 것은?

〈보 기〉

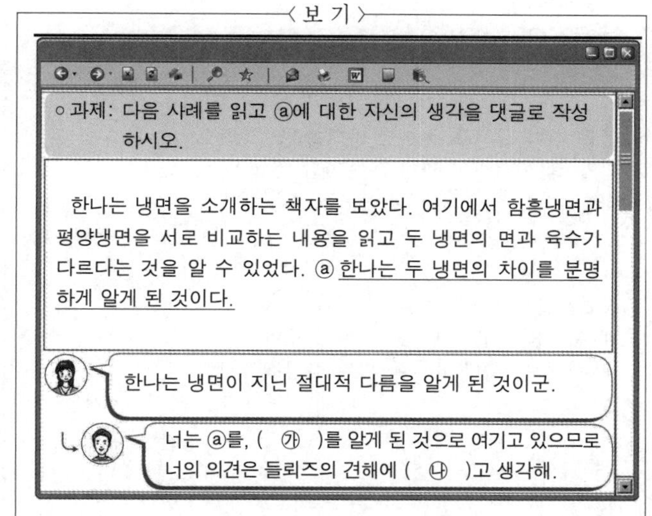

	㉮	㉯
①	차이 자체	부합한다
②	차이 자체	부합하지 않는다
③	개념적 차이	부합한다
④	개념적 차이	부합하지 않는다
⑤	개념적 종차	부합한다

38. <보기>에 대해 '들뢰즈'가 보일 수 있는 반응으로 적절하지 않은 것은? [3점]

〈보 기〉

○ 헤겔은 세상을 개념적으로 파악하기 위한 방법론으로 변증법을 제시했다. 가령 '아인슈타인'이라는 개별 대상은 '남자', '과학자' 등과 같은 더 많은 개념들을 활용한다면 완벽하게 규정될 수 있다고 본 것이 헤겔 변증법의 핵심이다.
○ 앤디 워홀은 실크스크린을 통한 대량 인쇄 작업을 거쳐 공장에서 한 가지 상품의 동일한 이미지를 작품으로 제작하였다. 이 작품들은 언뜻 보면 동일해 보였지만 실제로는 윤곽선의 번짐이나 색상에서 조금씩 차이를 느낄 수 있었다. 이러한 앤디 워홀의 작업은 같음을 생산하는 과정을 되풀이함으로써 오히려 어떠한 결과물도 같을 수 없음을 보여 준다.

① 헤겔의 변증법을 활용하더라도 아인슈타인이라는 개별 대상을 온전히 규정할 수 없겠군.
② 헤겔이 세상을 보는 방법론은 미리 만들어진 개념이 현실 세계의 개별 대상들을 규정하는 것이겠군.
③ 앤디 워홀은 같음을 생산하는 과정을 되풀이하며 제작한 결과물을 통해 동일한 강도가 지각될 수 있음을 보여 주려 한 것이겠군.
④ 앤디 워홀이 대량 인쇄 작업으로 제작한 작품들은 다른 것과 비교될 수 없는 개별 대상에 대한 감각적 경험을 가능하게 하겠군.
⑤ 앤디 워홀의 실크스크린 작품들에서는 다른 대상에 의존하는 방식으로는 파악할 수 없는 특성이 색상과 윤곽선에 대한 지각을 통해 드러나게 되는 것이겠군.

5회

[39 ~ 42] 다음 글을 읽고 물음에 답하시오.

(가)

ᄆᆞ올 사ᄅᆞᆷ들하 올흔 일 ᄒᆞ쟈ᄉᆞ라
사ᄅᆞᆷ이 되여 나셔 올티곳 못ᄒᆞ면
ᄆᆞ쇼를 갓 곳갈 싀워 밥 머기나 다ᄅᆞ랴

<제8수>

ᄑᆞᆯ목 쥐시거든 두 손으로 바티리라
나갈 데 겨시거든 막대 들고 ⓐ조ᄎᆞ리라
향음쥬 다 파ᄒᆞᆫ 후에 뫼셔 가려 ᄒᆞ노라

<제9수>

오ᄂᆞᆯ도 다 새거다 호ᄆᆡ 메고 가쟈ᄉᆞ라
내 논 다 매여든 네 논 졈 매여 주마
올 길에 뽕 따다가 누에 먹겨 보쟈ᄉᆞ라

<제13수>

– 정철, 「훈민가」 –

(나)

일곱 되 사온 쌀 꾸어 온 쌀 두 되 갑고
부족타 ᄒᆞ지 않는 말이 뜻을 순하게 ᄒᆞ오미라
깨진 그릇 좋단 말은 시가를 존중ᄒᆞ미라
날고 기는 개 달긴덜 어른 압혜 감히 치며
부인의 목소리를 문 밧게 감히 내며
해가 져서 황혼되니 무탈과경* 다행이요
달기 우러 새벽 되면 오는 날을 엇지 할고
전전긍긍 조심 마음 시각을 노흘손가
행여 혹시 눈 밖에 날가 조심도 무궁ᄒᆞ다
㉠친정에 편지하여 서러운 ᄉᆞ설 불가ᄒᆞ다
시원치 아닌 달란 말이 한 번 두 번 아니여던
번번이 염치 읍시 편지마다 ᄒᆞ잔 말가
㉡빈궁(貧窮)이 내 팔ᄌᆞ니 뉘 탓슬 ᄒᆞ잔 말가
설매를 보내어서 이웃집에 꾸러가니
도라와서 우넌 말이 전에 꾼 쌀 아니 주고
㉢염치 읍시 또 왔느냐 두 말 말고 바삐 가라
한심ᄒᆞ다 이 내 몸이 금의옥식 길녀 ᄂᆞ서
전곡(錢穀)을 모르다가 일조(一朝)에 이을 보니
이목구비 남 갓트되 엇지 이리 되얏넌고
수족이 건강ᄒᆞ니 내 힘써 벌게 되면
어느 뉘가 시비ᄒᆞ리 천한 욕을 면ᄒᆞ리라
분한 마음 다시 먹고 치산범절* 힘쓰리라
김장ᄌᆞ 이부ᄌᆞ가 제 근본 부ᄌᆞ런가
㉣밤낮으로 힘써 벌면 난들 아니 부ᄌᆞ될가
오색당ᄉᆞ 가는 실을 오리오리 ᄌᆞ아내니
유황제 곤베틀에 필필이 ᄌᆞ아내어
한림 주서 관복감이며 병ᄉᆞ 수ᄉᆞ 군복감이며
㉤길쌈도 ᄒᆞ려니와 전답 으더 역농ᄒᆞ니
때를 맞춰 힘써 ᄒᆞ니 가업이 초성*이라

(중략)

산에 가 제ᄉᆞᄒᆞ기 절에 가 불공ᄒᆞ기
불효부제* 제살흔덜 귀신인덜 도와줄가
악병이며 중병이며 이질이며 구창이며
이질 앓던 시아버지 초상흔덜 상관ᄒᆞ랴
저의 심ᄉᆞ 그러ᄒᆞ니 서방인덜 온전할가
아들 죽고 우넌 말이 아기딸이 마저 죽어
세간이 탕진ᄒᆞ니 노복인덜 잇슬손가
제ᄉᆞ음식 ᄎᆞ릴 적에 정성 읍시 ᄒᆞ엿스니
앙화(殃禍)가 엇지 읍실손가 셋째 아들 반신불수
문전옥답 큰 농장이 물난리에 내가 되고
안팎 기와 수백간이 불이 붓터 밧치 되고
태산갓치 쌓인 전곡 뉘 물건이 되단말가
참혹ᄒᆞ다 괴똥어미 단독일신 뿐이로다
일간 움집 으더 드니 기한(飢寒)을 견딜손가
다 떠러진 베치마를 이웃집의 으더 입고
뒤축 읍넌 흔 집신을 짝을 모와 으더 신고
압집에 가 밥을 ⓑ빌고 뒤집에 가 장을 빌고
초요기를 겨우 ᄒᆞ고 불 못때넌 찬 움집에
헌 거적을 뒤여스고 밤을 겨우 새여ᄂᆞ셔
새벽 바람 찬바람에 이 집 가며 저 집 가며
다리 절고 곰배팔에 희희소리 요란ᄒᆞ다
불효악행 ᄒᆞ던 죄로 앙화를 바더시니
복선화음* ᄒᆞ넌 줄을 이를 보면 분명ᄒᆞ다
딸아딸아 요내딸아 시집ᄉᆞ리 조심ᄒᆞ라
어미 행실 본을 바다 괴똥어미 경계ᄒᆞ라

– 작자 미상, 「복선화음록」 –

*무탈과경: 아무 탈 없이 하루를 보냄.
*치산범절: 재산을 늘리는 일.
*초성: 기반이 마련됨.
*불효부제: 효도와 공경을 하지 않음.
*복선화음: 착한 이에게 복을 주고 악한 이에게 재앙을 줌.

39. (가)와 (나)의 공통점으로 가장 적절한 것은?

① 청유형 어미를 활용하여 대상을 예찬하고 있다.
② 선경후정 방식을 활용하여 시상을 전개하고 있다.
③ 고사성어를 활용하여 주제 의식을 강조하고 있다.
④ 유사한 통사 구조를 활용하여 운율을 형성하고 있다.
⑤ 계절의 순환을 활용하여 시적 의미를 부각하고 있다.

40. ㉠ ~ ㉤을 이해한 내용으로 적절하지 않은 것은?

① ㉠: 자신의 서러운 처지를 친정에 알리기 어려워하고 있는 화자의 모습이 나타나 있다.
② ㉡: 가난의 원인을 타인의 잘못이 아닌 자신의 운명으로 돌리는 화자의 모습이 나타나 있다.
③ ㉢: 쌀을 꾸러 찾아간 이웃집에서 들은 말을 설매에게 하소연하는 화자의 모습이 나타나 있다.
④ ㉣: 자신도 김 장자와 이 부자처럼 부자가 될 수 있다고 생각하는 화자의 모습이 나타나 있다.
⑤ ㉤: 재산을 늘리기 위해 열심히 일하는 화자의 모습이 나타나 있다.

41. ⓐ와 ⓑ에 대한 이해로 가장 적절한 것은?

① ⓐ는 타인을 위한, ⓑ는 자신을 위한 주체의 행위를 의미한다.
② ⓐ는 절망감이 반영된, ⓑ는 기대감이 반영된 주체의 행위를 의미한다.
③ ⓐ는 단절을 초래하는, ⓑ는 화합을 유도하는 주체의 행위를 의미한다.
④ ⓐ는 자연에 순응하는, ⓑ는 자연으로 도피하는 주체의 행위를 의미한다.
⑤ ⓐ는 제기된 문제를 해결하기 위한, ⓑ는 해결된 문제의 원인을 찾기 위한 주체의 행위를 의미한다.

42. <보기>를 바탕으로 (가)와 (나)를 감상한 내용으로 적절하지 않은 것은? [3점]

〈보 기〉

조선 시대에는 옳은 일의 실천, 어른 공경, 상부상조, 부녀자의 덕목과 같은 가르침을 전달하고자 하는 작품들이 있었다. 이러한 작품들은 가르침의 전달 효과를 높이기 위해 비유 대상 혹은 화자와 대비되는 대상을 활용하고, 구체적인 청자를 제시했다. 또한 화자가 스스로 실천하려는 행위를 제시하는 방식을 활용하여 설득 효과를 높이기도 하였다.

① (가)에서 '갓 곳갈'을 쓰고 '밥'을 먹는 'ᄆᆞ쇼'를 통해, 비유 대상으로 옳은 일의 실천을 강조하고 있음을 짐작할 수 있군.
② (나)에서 '이질 앓던 시아버지'를 도와주지 않는 '귀신'을 통해, 화자와 대비되는 대상으로 상부상조를 강조하고 있음을 짐작할 수 있군.
③ (가)의 'ᄆᆞ올 사ᄅᆞᆷ들'에게 '올ᄒᆞᆫ 일 ᄒᆞ쟈스라'라고 한 것과 (나)의 '딸'에게 '시집스리 조심ᄒᆞ라'라고 한 것을 통해, 구체적인 청자를 제시하고 있음을 짐작할 수 있군.
④ (가)의 '풀목'을 '쥐시'면 '두 손으로 바티리라'는 것을 통해 어른에 대한 공경을, (나)의 '시가를 존중'하여 '깨진 그릇 좋단 말'을 한 것을 통해 부녀자의 덕목을 드러내고 있음을 짐작할 수 있군.
⑤ (가)의 '내'가 자신의 '논'을 다 매거든 '네 논'도 매어 준다는 것과 (나)의 '수족이 건강'한 '내'가 '힘써' 벌겠다는 것을 통해, 화자가 스스로 실천하려는 행위를 제시하고 있음을 짐작할 수 있군.

[43 ~ 45] 다음 글을 읽고 물음에 답하시오.

[A] 버들댁은 들판과 바다를 왼쪽에 끼고 걸었다. 들판에는 겨울 보리들이 파랬다. 바다에는 부연 먼지 같은 안개가 덮여 있었다. 그 우중충한 안개가 그녀의 마음속에도 끼어 있었다. 한숨을 쉬었다. 이 자식은 언제나 철이 들어 제 앞가림을 하고 살려는가. 죽기 전에 그놈 당당하게 사는 모습 보는 것이 소망인데 좀처럼 기미가 보이지 않았다. 그 암담한 생각을 하자 다리가 팍팍해졌다. 후유, 하고 한숨을 쉬었다.

이날 용복은 방 안으로 들어오자마자, "춥구먼 불 조깜 때제잉" 하고 보일러의 센서를 오른편으로 틀 수 있는 데까지 틀어 놓았다. 화살표가 마지막 단계인 '연속'에 가 닿았다. 곧 보일러가 부르릉 소리를 내며 가동되었다. 버들댁은 **아깝다고 밤에 잘 때 한 차례만 때**곤하는 기름을 용복은 집 안에 들어와 앉아 있는 한 **계속 때려고** 들었다. 그렇지만 버들댁은 손자가 하는 일을 **말리지 않**았다. 보일러 돌아가는 소리를 들으며 용복은 이불을 덮고 드러누웠다. 버들댁이 이렇게 **불편한 몸을 이끌고 살아가**는 것은 눈앞에 얼씬거리는 유일한 손자 용복 때문이었다. 용복은 그녀에게 있어서 **삶의 허기를 충족**시켜 주는 보물이었다.

늦둥이 아들 하나가 있었는데 막일을 하러 다니다가 싸움질을 하고는 교도소에 갔다. 두 해 뒤 겨울에 나와서 어디엔가 취직을 하고 요리 학원을 다닌다고 하더니 어느 날 갓난아기를 안고 나타났다. 앞으로 결혼할 미장원 처녀가 낳은 아기라는 것이었다. 잠시만 맡아 키워 주면 돈 벌어 결혼식 하고 살림 차린 다음 데려가겠다는 것이었다. 한데 아들은 아기를 맡기고 간 다음 종무소식이었다. 버들댁은 그 아기를 우유도 먹이고 밥도 씹어 먹여 키웠다. 그 아이가 용복이었다.

한데 용복도 제 아비의 길을 가고 있었다. 농고를 졸업하고 자동차 정비 공장에 다닌다더니 그것을 그만두고 식당 일을 한다고 했다. 이 자식도 싸움질을 하는지 가끔 눈두덩이 멍들거나 입술이 터진 채 밤 깊어 차를 몰고 찾아오곤 했다. 버들댁은 손자의 다친 얼굴을 보면 가슴이 아리고 쓰리고 미어지는 듯싶었다. 끌어안고 손으로 만지고 멍든 자리를 볼과 입술로 비벼 주었다.

"주인 양반이 시키는 대로 고분고분 일이나 할 일이지 누구하고 싸웠기에 이러냐아?"

버들댁이 애달은 소리로 말하자, 용복은 장차 국가 대표 선수가 되려고 도장에서 운동 연습을 한다고 했다.

"국가 대포가 멋 하는 것이라냐?"

"금메달만 몇 개 따면은 가만히 앉아 편히 먹고 사는 것이지잉."

㉠ <u>버들댁은 자기도 모르는 사이에 "호다!" 하고 말했다.</u> 그것은 새각시 시절에 꼬부랑 시할머니가 쓰던 말이었다. 기대한 만큼 좋은 결과가 나타나지 않을지도 모른다고 생각은 되지만, 그래도 어찌할 수 없이 더러운 소망으로 기대하면서 지껄이는 말. '좋은 일에! 제발 그렇게만 좀 된다면 얼마나 얼마나 좋겄느냐'는 말이었다.

"그런디 얼굴은 어쩌다가 그렇게 다쳤냐?"

할머니는 ㉡ <u>손자의 멍든 곳을 어루만지고 쓰다듬었다.</u> 아이고, 여기 다칠 때에 내 새끼 살이 얼마나 아팠을까. 가슴이 아리고 쓰렸다. 용복은 퉁명스럽게 말했다.

"연습하느라고 그런 것인께 염려 말고 얼른 이달 치 돈이나 내놓소."

"지난달에 가져간 돈 다 썼냐?"

㉢ "삼십만 원 그것이 돈이란가?"

"이 사람아, 그것이 먼 소리냐?"

그 돈은 버들댁이 번 돈이 아니었다. 면사무소에서 다달이 통장에 넣어 주는 무연고의 **독거노인에게 주는 생계비**였다. 버들댁은 그 돈을 **한 푼도 쓰지 않고 모두** 놔두었다가 손자에게 주곤 하는 것이었다.

[중략 부분 줄거리] 사고를 친 용복 때문에 버들댁은 돈을 꾸러 다닌다. 하지만 돈을 빌리지 못한 버들댁은 결국 광주 양반을 찾아간다.

버들댁은 광주 양반을 향해 "광주 양반, 나 돈 삼십만 원만 조끔 꿉시다이. 열흘 뒤에 돈 나오면 주께" 하고 말했다. 수문댁이 "아이고, 어질벵 앓는 사람이 염벵 하는 사람 보고 벵 고쳐 주라고 하네이. ㉣ 광주 양반도 시방 맘이 천근만근이라요" 하고 말했다. 그러자 교동댁이 그 말을 받았다.

"부산 딸이 시방 많이 아프다요."

초등학교를 마치자마자 공장에 다니겠다고 마산 공단으로 간 딸이었다. 처음에는 신발 공장에 다니다가 나중에는 버스 차장을 했다. 버스 회사들이 차장들을 해고시키자 함께 사는 남자하고 술집을 차렸다고 했다. 광주 양반은 그 딸에게 부채가 많았다. 결혼식도 치러 주지 못하고 혼수 한 가지 해 주지 못한 것이었다.

"돈 한 푼 못 벌고, **벌어 놓은 재산**이 있는 것도 아니고, 똑똑한 자식들이 있어 다달이 돈을 보내 주는 것도 아니고, 그래 장차 무슨 희망이 있는 것도 아닌디, **동네 사람들**이 불쌍하고 가련하다고 조금씩 보태 주는 **곡식이나 반찬 얻어먹고** 사는 것이 부끄럽고 구차하지도 않아서 그렇게 끈질기게 살고 있소?"

먼 일가의 조카뻘 되는 상근이 시제를 모시러 왔다가 술 얼근해진 김에 찾아와서 이 말을 하고 갔다는 소문이 난 적이 있었다. 그 말에 광주 양반은 얼굴을 붉힌 채 "글쎄 말이시이" 하고 얼버무렸다고 했다. 그러나 상근이 돌아간 다음 그는 "개자식, 지놈이 나한테 쌀 한 됫박을 보태 주었다냐, 돈 백 원짜리 한 개를 던져 주었다냐? ㉤ 지가 어쩐다고 부끄럽고 구차하지도 않아서 이렇게 끈질기게 살고 있느냐고 그래? 내사 불불 기어 다니든지 바람벽에 똥을 바르고 살든지 집어 묵고 살든지 지놈이 아랑곳할 것이 무엇이여잉?" 하고 노여워했다는 말이 마을 안에 나돌아 다녔다.

방 안에는 침묵이 흘렀다. 수문댁이 말했다.

"그 딸이 위암에 걸렸닥 안 하요? 그런디 수술비가 없어서 수술을 못한다요. 그래서 광주 양반이 그동안 **모아 놓은 돈** 사백만 원을 **다 보내** 줘뿌렀다요."

"아이고, 그래서 어쩌께라우잉? 그래도 광주 양반이 살어 있기 땜세……. 아부지 노릇 참말로 잘 하셨구먼이라우. 아부지나 된께 그런 돈을 보태 주제 세상 어느 누가 깽전 한 푼 보태 준다요?"

이렇게 위로의 말을 하는 것이지만, 버들댁의 마음은 벌써 절실 집으로 달려가고 있었다.

― 한승원, 「버들댁」 ―

43. [A]에 나타난 서술상의 특징으로 가장 적절한 것은?

① 구체적 자연물을 통해 인물의 정서를 드러내고 있다.
② 인물의 반복적 행위를 통해 성격의 변화를 암시하고 있다.
③ 요약적 진술을 통해 구체적인 시대 배경을 보여 주고 있다.
④ 과거의 회상을 통해 내적 갈등의 해소 과정을 서술하고 있다.
⑤ 현실과 환상의 교차를 통해 사건을 입체적으로 제시하고 있다.

44. ㉠ ~ ㉤에 대한 설명으로 적절하지 않은 것은?

① ㉠: 버들댁은 기대한 만큼 좋은 일이 있을 것이라 확신하고 있다.
② ㉡: 버들댁은 상처 입은 용복을 가엾게 여기며 마음 아파하고 있다.
③ ㉢: 용복은 버들댁이 주었던 돈을 대수롭지 않게 여기고 있다.
④ ㉣: 수문댁은 광주 양반의 마음이 힘들다는 것을 인식하고 있다.
⑤ ㉤: 광주 양반은 자신의 처지에 참견하는 상근의 말에 분노하고 있다.

45. <보기>를 참고하여 윗글을 감상한 내용으로 적절하지 않은 것은? [3점]

< 보 기 >

이 작품은 빈곤, 고립된 생활 환경, 젊은이의 무관심으로 인한 노인 계층의 소외된 삶과 피붙이에 대한 조건 없는 희생과 내리사랑을 서사의 중심에 두고 있다. 특히 쇠약한 몸과 경제적 궁핍 속에서도 손자를 삶의 희망으로 여기는 인물을 통해 노인 계층이 직면한 삶의 문제에 대한 주제 의식을 드러내고 있다.

① 버들댁이 '아깝다고 밤에 잘 때 한 차례만 때'는 기름을 용복이 '계속 때려고 들'어도 '말리지 않'는 것에서 피붙이에 대한 내리사랑을 짐작할 수 있겠군.
② 버들댁이 '불편한 몸을 이끌고 살아가'면서 용복을 통해 '삶의 허기를 충족'하는 것에서 쇠약한 노인이 손자에게 삶의 희망을 얻고 있음을 짐작할 수 있겠군.
③ 버들댁이 '독거노인에게 주는 생계비'를 '한 푼도 쓰지 않고 모두' 손자에게 주는 것에서 조건 없는 희생을 구현하고 있는 소외된 노인의 모습을 짐작할 수 있겠군.
④ 광주 양반이 '벌어 놓은 재산'도 없이 '동네 사람들'에게 '곡식이나 반찬 얻어먹고' 산다고 상근이 말한 것에서 노인 계층의 빈곤 문제를 짐작할 수 있겠군.
⑤ 광주 양반이 '모아 놓은 돈'을 딸에게 '다 보내'서 수술을 하지 못한다고 수문댁이 말한 것에서 노인의 경제적 궁핍에 대한 젊은이의 무관심을 짐작할 수 있겠군.

※ 확인 사항

답안지의 해당란에 필요한 내용을 정확히 기입(표기)했는지 확인하시오.

2020학년도 9월 고1 전국연합학력평가 문제지

국어 영역

6회 소요시간 / 80분

제 1 교시

➡ 해설 P.50

[1 ~ 3] 다음은 강연의 일부이다. 물음에 답하시오.

'주먹처럼 생겼다.', '흘러가는 길이가 2~3척이다.', 이것은 무엇을 표현한 말일까요? 바로 하늘을 관찰하여 표현한 말로 『승정원일기』에 기록된 내용입니다. 『승정원일기』에는 날씨 기록도 상세하게 나타나 있는데요, 오늘 여러분께 날씨로 본 『승정원일기』의 활용 가치에 대해 강연을 하려고 합니다.

『승정원일기』는 조선 시대에 왕명의 출납(出納)을 맡으면서 비서실의 기능을 했던 승정원에서 취급한 문서와 사건을 일자별로 기록한 책입니다. 원래 조선 건국 초부터 작성되었으나 임진왜란 때 상당 부분이 불타 버리고 인조 이후의 기록만 전하는데요, 1623년부터 1910년까지 288년간 쓰인 것으로 총 3,243책에 이릅니다. 『승정원일기』는 288년 동안의 날씨를 하루도 빠짐없이 기록하고 있는데, 그 기록이 매우 상세합니다. ㉠지금 보시는 화면은 『승정원일기』 중 일기의 앞부분 사진들입니다. '청(晴)'은 맑은 날, '음(陰)'은 흐린 날을 의미하며, 눈과 비, 안개 등도 따로 기록되어 있을 뿐만 아니라 맑았다가 흐려졌다는 등 날씨의 변화까지 세밀하게 구분되어 있습니다.

우리가 여기서 관심 있게 봐야 할 것은 영조가 세종 대의 측우기를 복원한 이후, 170여 년간의 강우량을 측정한 기록입니다. ㉡이 화면에서 보시는 것처럼 『승정원일기』에 나타난 강우 기록은 매우 구체적입니다. 비가 가장 적게 오는 '미우(微雨)'부터 가장 많이 오는 '폭우(暴雨)'에 이르기까지 강우량에 따라 여덟 등급으로 나누고, 시간대별로 강우량을 세밀하게 측정했습니다. 우리는 이 기록을 통해 우리나라의 기후 변화를 살펴볼 수 있습니다. ㉢다음 화면은 현대의 기상 자료와 『승정원일기』의 기록을 비교하여 나타낸 그래프입니다. 우선 시간대별 강우량을 보면, 하루 중 비가 가장 많이 오는 시간은 새벽 5시경, 가장 적게 오는 시간은 저녁 9시경으로 일치했습니다. 또한 월별 강우량을 비교했을 때, 6월부터 시작되는 장마 주기는 거의 일치하며, 연간 강수량도 평균치는 오늘날과 큰 차이가 없습니다. 그런데 주목할 만한 것이 있습니다. 1880년부터 1900년까지 유독 비가 적게 온 기간이 20년 가까이 나타난다는 점입니다. 현대의 기상 자료와 『승정원일기』의 기록을 비교한 자료를 분석하면 비가 많이 오는 경우는 2~3년에 그칠 가능성이 많고, 적게 오는 경우는 10~20년까지 계속될 가능성이 있다는 것을 알 수 있습니다.

기상 변화는 수백 년, 수천 년을 주기로 일어나는데, 『승정원일기』의 정밀하게 측정된 날씨 기록은 앞으로의 이상 기후를 예측할 수 있는 중요한 단서가 될 수 있습니다. 우리의 기록 유산일 뿐만 아니라 현재 우리의 삶과도 연관 있는 사료인 『승정원일기』의 가치를 되새겨 보는 것은 어떨까요?

1. 위 강연자의 말하기 방식으로 가장 적절한 것은?

① 비유적 표현을 통해 대상의 개념을 설명하고 있다.
② 자신의 경험을 사례로 들어 청중의 흥미를 유발하고 있다.
③ 청중의 질문에 답함으로써 청중의 궁금증을 해소하고 있다.
④ 전문가의 말을 인용하여 강연 내용의 신뢰성을 높이고 있다.
⑤ 중심 화제가 지닌 가치를 강조하며 강연을 마무리하고 있다.

2. 위 강연에서 강연자가 자료를 활용한 방식에 대한 설명으로 가장 적절한 것은? [3점]

① 『승정원일기』의 전체적인 구성을 살펴보기 위해, ㉠에 일기의 앞부분 사진들을 제시하였다.
② 『승정원일기』의 날씨 기록이 상세하다는 것을 보여 주기 위해, ㉠에 날씨가 기록된 부분의 사진을 제시하였다.
③ 『승정원일기』의 강우 기록이 구체적이라는 것을 보여 주기 위해, ㉡에 현대의 강우 기록 자료를 제시하였다.
④ 『승정원일기』에 기록된 강우량과 현재의 강우량에 큰 차이가 없다는 것을 알려 주기 위해, ㉢에 강우량의 등급표를 제시하였다.
⑤ 『승정원일기』에 나타난 기상 기록이 현대 기후 변화에 미치는 영향을 설명하기 위해, ㉢에 『승정원일기』의 기록과 현대 기상 자료를 비교한 그래프를 제시하였다.

3. <보기>는 강연을 들은 학생들이 보인 반응이다. 이에 대한 이해로 적절하지 <u>않은</u> 것은?

<보 기>

학생 1: 『승정원일기』는 방대한 양인데, 어디에 보관되어 있을까? 강연자에게 질문을 해야겠어. 그리고 얼마 전에 『승정원일기』 번역 작업에 AI가 투입된다는 기사를 봤는데 자료를 좀 더 검색해 봐야겠어.
학생 2: 조선 시대의 기록은 과거의 기록으로만 생각했었는데, 앞으로의 이상 기후를 예측하는 데 도움이 된다는 것을 알게 되어 좋았어. 그런데 조선 시대의 기후를 알 수 있는 자료가 『승정원일기』뿐일까?
학생 3: 『승정원일기』가 유네스코 세계기록유산으로 지정되었다고 하던데, 이것은 『승정원일기』가 문화유산으로서의 가치가 크다는 것을 보여 준다고 생각해. 기후뿐만 아니라 왕명 출납과 관련된 일화도 소개했다면 더 흥미로웠을 것 같아.

① '학생 1'은 강연을 들으며 생긴 궁금증을 해결할 수 있는 방법을 생각하고 있군.
② '학생 2'는 강연을 통해 이전에 몰랐던 사실을 알게 된 것을 긍정적으로 여기고 있군.
③ '학생 3'은 강연을 들으며 강연 내용에서 아쉬웠던 점을 떠올리고 있군.
④ '학생 1'과 '학생 3'은 모두 강연 내용과 관련된 자신의 배경지식을 활용하고 있군.
⑤ '학생 2'와 '학생 3'은 모두 강연 내용의 일부를 언급하며 이와 관련된 의문을 제기하고 있군.

[4~7] (가)는 마을 축제 부스 운영을 위한 토의이고, (나)는 학교 신문 기사의 초고이다. 물음에 답하시오.

(가)

학생 1: 우리 ○○동아리가 작년에 이어 올해도 마을 축제에 참여하게 됐어. 올해는 어떤 방식으로 부스를 운영하면 좋을지 이야기해 보자.

학생 2: 이번 마을 축제의 주제가 '건강한 우리 마을 만들기'니까 이와 관련된 캠페인 부스를 운영해 보면 어떨까?

학생 3: 캠페인도 의미가 있겠지만 그 활동은 작년 축제 때 해 봤으니 이번에는 다른 방식으로 운영했으면 좋겠어. 마을 주민들과 함께 무언가를 만들어 보는 것은 어때?

학생 4: 그거 좋은 생각이야. 마을 축제의 주제를 고려해 봤을 때, 마을 사람들의 건강을 지키는 데 도움이 되는 것이면 좋겠는데…….

학생 3: 공기청정기를 만들어 보면 어떨까? 우리 과학 시간에 했던 공기 정화 비교 실험 기억나? 이끼 필터가 화학적 필터보다 미세 먼지 감소율이 더 높았잖아. 이 실험 결과를 활용해서 이끼 필터를 넣은 공기청정기를 주민들과 함께 만들면 좋을 것 같아. [A]

학생 2: 좋은 의견이야. 요즘 대기 오염과 미세 먼지 문제가 심각하기도 하고, 또 우리가 수업 시간에 직접 실험했던 내용을 토대로 부스를 운영하는 것이니 더 의미가 있을 것 같아.

학생 1: 그래. 그리고 학교에서 배운 지식으로 마을 주민들과 무언가를 만드는 것이 '지식 나눔'이라는 우리 동아리의 활동 취지와도 잘 맞는 것 같아.

학생 4: 좋아. 그러면 이번 마을 축제에는 '미세 먼지로부터 호흡기 건강 지키기'를 주제로 '이끼 공기청정기 제작' 체험 부스를 운영해 보자.

학생 1: 그러면, 부스 홍보는 어떻게 할까?

학생 2: 현수막이 홍보 효과가 좋은 것 같아. 우리도 이번에는 현수막을 제작해 보자.

학생 4: 나도 그 말에 동의해. 문구를 잘 만들면 홍보 효과가 클 거야.

학생 3: 현수막에 어떤 내용이 들어가면 좋을까?

학생 4: 이끼에 공기 정화 기능이 있다는 점을 구체적으로 알려야 사람들이 우리 부스에 관심을 가질 것 같아.

학생 2: 그런데 현수막은 포스터와 달라서 많은 내용이 들어가면 오히려 홍보 효과가 떨어질 수 있어.

학생 1: 그럼, 현수막에 너무 많은 정보를 넣지 말고 몇 가지 정보만 넣어서 만들어 보자. 지식 나눔이라는 우리 동아리 활동 취지를 넣고, 부스에서 하는 체험 내용도 포함하자. 그리고 표현 효과를 높이기 위해서 대구의 방법도 사용하면 좋겠어. [B]

학생 3: 내가 한번 만들어 볼게.

학생 2: 그래. 네가 저번에 만든 우리 동아리 홍보 포스터 문구도 신입생들에게 인기가 좋았잖아.

학생 3: 이런 문구 어때? [㉠]

학생 1: 좋아. 그럼 홍보 문구는 이렇게 정하고, 세부적인 운영 계획에 대해서는 다음에 또 이야기해 보자.

(나)

[표제] 학교에서 배운 지식, 우리 마을과 함께 나눠요.

[부제] ○○동아리, 마을 주민들과 함께하는 '이끼 공기청정기 제작' 체험 부스 운영해

[전문] 지난 9월 1일 우리 학교 ○○동아리는 마을 축제에서 이끼 필터를 넣은 공기청정기를 만들어 보는 체험 부스를 운영하며 지식 나눔을 실천했다.

[본문] 지난 9월 1일 '건강한 우리 마을 만들기'를 주제로 마을 축제가 열렸다. 우리 학교 ○○동아리는 과학 수업 시간에 했던 실험 결과를 토대로 화학적 필터 대신 이끼를 필터로 활용한 공기청정기를 만드는 체험 부스를 운영하였다. 이날 부스에는 어린이부터 할아버지, 할머니까지 많은 마을 주민들이 방문하여 이끼 필터를 넣은 공기청정기를 만들어 보는 체험을 하였다. 그리고 이렇게 만든 공기청정기를 마을 주민들에게 나누어 주어 좋은 반응을 얻었다.

체험 부스를 준비한 ○○동아리 회장은 "우리가 수업 시간에 배운 내용을 활용하여 준비한 체험 프로그램에 많은 마을 주민들이 참여해 주셔서 보람을 느꼈습니다."라고 말했다. 마을 주민 김△△ 씨는 "○○동아리의 현수막 홍보 문구가 눈길을 끌어 참여하게 되었는데 학생들 덕분에 이끼에 공기 정화 기능이 있는지 처음 알게 되었고, 공기청정기도 생겨 좋았어요."라고 체험 소감을 말했다.

○○동아리는 이번 체험 부스의 성공적인 운영으로 이웃 마을 축제에도 초청되어, 지식 나눔을 계속해서 실천해 나갈 예정이다.

4. [A]의 담화에 대한 설명으로 가장 적절한 것은?

① '학생 1'은 토의의 전체 순서를 제시한 후 토의를 진행하고 있다.
② '학생 3'은 자신의 경험을 떠올리며 새로운 의견을 제시하고 있다.
③ '학생 2'는 '학생 3'이 제시한 의견이 지닌 문제점을 언급하고 있다.
④ '학생 4'는 '학생 1'의 의견에 대한 자신의 이해가 정확한지를 확인하고 있다.
⑤ '학생 4'는 예상되는 결과를 언급하며 '학생 3'의 의견을 반박하고 있다.

5. 다음 중 (가)에서 확인할 수 있는 내용이 아닌 것은?

① 올해 ○○동아리가 참여하는 마을 축제의 주제
② 수업 시간에 했던 공기 정화 비교 실험의 결과
③ 체험 부스에서 만들 이끼 공기청정기의 제작 과정
④ 이끼 공기청정기 제작 체험 활동을 계획하게 된 배경
⑤ 올해 ○○동아리가 캠페인 부스를 운영하지 않는 이유

6. [B]를 고려할 때 ㉠에 들어갈 내용으로 가장 적절한 것은?

① 학교에서 배운 지식으로 마을에서 마음을 나눠요. ○○동아리 체험 부스로 오세요.
② 건강한 우리 마을 만들기, 이끼 공기청정기 제작 체험 부스로 오면 깨끗한 공기를 만날 수 있습니다.
③ ○○동아리 체험 부스에서 여러분에게 지식과 건강을 나누어 드립니다. 이끼를 필터로 활용한 공기청정기를 함께 만들어 봐요.
④ 지식은 나누면 기쁨이 되고, 기쁨은 나누면 두 배가 됩니다. 지식과 기쁨이 가득한 우리 마을 축제에 오면 뜻깊은 경험을 할 수 있습니다.
⑤ 학교에서 마을로, 마을에서 학교로. 지식을 나눌수록 마을은 건강해집니다. ○○동아리 지식 나눔 체험 부스에서 이끼 공기청정기 만들고 건강도 챙겨 가세요.

7. 다음은 (나)에 대한 글쓰기 계획이다. (나)에 반영되지 않은 것은?

표제	○ ○○동아리의 활동 목적이 드러나도록 작성해야겠군. ……… ①
부제	○ 표제를 구체화하여 ○○동아리의 활동 내용이 드러나도록 작성해야겠군. ……… ②
전문	○ 본문에서 다룰 ○○동아리의 활동 내용을 요약해서 작성해야겠군. ……… ③
본문	○ 현장감을 살리기 위해 동아리 회장과 마을 주민의 인터뷰를 제시해야겠군. ……… ④ ○ 독자들의 궁금증을 해소해 주기 위해 이끼 공기청정기의 작동 원리를 설명해야겠군. ……… ⑤

[8～10] 다음 글을 읽고 물음에 답하시오.

[작문 상황]
○ 작문 과제 : 학생회 프로젝트의 자금 부족 문제를 해결하기 위한 건의문 작성하기
○ 예상 독자 : 학생회 임원들

[학생이 글을 쓰기 전에 떠올린 생각]
○ 크라우드 펀딩의 활용을 건의하게 된 상황을 밝혀야겠군. ……… ⓐ
○ 크라우드 펀딩의 개념을 설명해야겠군. ……… ⓑ
○ 크라우드 펀딩을 활용하여 자금을 조성하는 과정을 제시해야겠군. ……… ⓒ
○ 크라우드 펀딩을 활용할 때의 어려움을 언급해야겠군. ……… ⓓ
○ 크라우드 펀딩을 활용할 때의 장점을 설명해야겠군. ……… ⓔ

[학생의 초고]

안녕하세요. 저는 학생회 임원 1학년 이△△입니다. 지난달 학생회에서 ㉠소방서에게 도시락을 전달하는 프로젝트를 기획했지만 자금 부족으로 중단되었습니다. 이 문제를 해결하기 위한 방법을 찾던 중 최근에 프로젝트 진행을 위한 자금 조달 방식으로 크라우드 펀딩을 활용하는 경우가 많다는 것을 알게 되었습니다. 우리 학생회에서도 프로젝트에 필요한 자금을 마련하기 위해 크라우드 펀딩을 활용할 것을 건의합니다.

크라우드 펀딩은 온라인 플랫폼을 통해 프로젝트를 제시하고 익명의 사람들로부터 후원금을 받아서 자금을 마련하는 것을 말합니다. 학생회가 크라우드 펀딩을 활용한다면 학교 홈페이지의 게시판을 플랫폼으로 ㉡사용될 수 있습니다. 우선 프로젝트의 성격, 펀딩의 목표 금액, 펀딩 자금으로 완성될 결과물을 게시판에 올립니다. 그 다음에는 일정 기간을 정해 모금을 한 후, 목표 금액이 달성되면 그 결과를 게시판에 공개하는 방식으로 진행합니다.

크라우드 펀딩을 활용할 경우 여러 가지 장점이 있습니다. 크라우드 펀딩은 학교 일과 이외의 시간에도 후원이 가능하며 크라우드 펀딩에 ㉢∨ 희망하는 학생들은 다른 사람을 의식하지 않고 후원할 수 있습니다. ㉣그러나 크라우드 펀딩을 통해 학생들에게 학생회가 진행하는 프로젝트에 관심을 불러일으킬 수 있습니다. 끝으로 온전히 학생들의 힘으로 우리 지역 사회에 기여하는 일을 할 수 있다는 점에서 의의가 있습니다.

자금 부족으로 중단된 이번 프로젝트를 크라우드 펀딩을 활용해 성공적으로 마무리한다면 학생회뿐만 아니라 크라우드 펀딩에 참여한 학생들도 보람을 느낄 수 있을 것입니다. ㉤이 밖에도 우리가 실천할 수 있는 크라우드 펀딩의 종류는 다양합니다. 중단된 학생회 프로젝트를 진행하기 위해 크라우드 펀딩을 적극 활용할 것을 건의합니다.

8. '학생이 글을 쓰기 전에 떠올린 생각' 중, '학생의 초고'에 반영되지 않은 것은?

① ⓐ ② ⓑ ③ ⓒ ④ ⓓ ⑤ ⓔ

6회

9. <보기>는 '학생의 초고'를 보완하기 위해 수집한 자료이다. 자료의 활용 방안으로 적절하지 않은 것은? [3점]

<보 기>

(가) 신문 기사

크라우드 펀딩을 활용한 프로젝트 수는 매년 2~3배씩 늘고 있는 추세이다. 국내 최대 규모의 크라우드 펀딩 플랫폼인 ○○○의 진행 프로젝트 수가 2015년 501건에서 2018년 3,266건으로 6배 이상 늘었다. 2019년 10월에는 '독도 후드티' 프로젝트가 1시간 만에 목표 금액의 1,000%를 달성하기도 했다. 사회적 문제에 관심을 가지고 크라우드 펀딩에 참여하여 의미 있는 곳에 후원하고 있는 사람들이 늘고 있다.

(나) 설문 자료

크라우드 펀딩 참여자를 대상으로 한 만족도 조사

1. 크라우드 펀딩 참여에 만족한 이유

항목	비율
사회에 도움이 되는 일을 할 수 있어서	65%
관심 분야의 프로젝트를 후원할 수 있어서	23%
참여한 프로젝트의 성과를 볼 수 있어서	10%
기타	2%

2. 크라우드 펀딩에서 개선되어야 할 점

항목	비율
자금 집행의 투명성 확보	52%
프로젝트 종류의 다양화	36%
개인 정보 보안 강화	7%
기타	5%

(다) 전문가 인터뷰

크라우드 펀딩은 사람들이 온라인을 통해 쉽게 접근할 수 있을 뿐만 아니라 부담 없이 소액이라도 후원할 수 있습니다. 또한 프로젝트의 홍보 효과도 높일 수 있어 크라우드 펀딩의 방식을 이용하는 프로젝트가 많아지고 있습니다. 크라우드 펀딩의 지속적인 성장을 위해서 의무적으로 프로젝트의 진행 과정을 알리고 자금 사용 내역을 공개하는 '프로젝트 의무 공개 제도'를 마련해야 합니다.

① (가)를 활용하여, 최근에 크라우드 펀딩 방식을 통해 많은 프로젝트가 진행된다는 내용을 뒷받침한다.
② (나)-1을 활용하여, 크라우드 펀딩에 참여한다면 지역 사회에 기여하여 보람을 느낄 수 있다는 내용을 뒷받침한다.
③ (다)를 활용하여, 크라우드 펀딩 방식을 활용했을 때의 장점에 대한 근거로 삼는다.
④ (가)와 (나)-1을 활용하여, 사회적 문제를 해결하기 위해 크라우드 펀딩 제도가 개선되어야 한다는 내용을 추가한다.
⑤ (나)-2와 (다)를 활용하여, 자금 집행의 투명성 확보를 위해 크라우드 펀딩으로 모은 자금의 사용 내역을 게시판에 공개할 필요가 있다는 내용을 덧붙인다.

10. ㉠~㉤을 고쳐 쓰기 위한 방안으로 적절하지 않은 것은?
① ㉠: 조사의 사용이 잘못되었으므로 '소방서에'로 고친다.
② ㉡: 잘못된 피동 표현이므로 '사용할'로 고친다.
③ ㉢: 필요한 문장 성분이 빠져 있으므로 '참여하기를'을 추가한다.
④ ㉣: 접속어의 사용이 적절하지 않으므로 '그런데'로 고친다.
⑤ ㉤: 글의 흐름에 어긋나는 문장이므로 삭제한다.

[11~12] 다음 글을 읽고 물음에 답하시오.

(가) ○○고등학교 국어 자료실 게시판

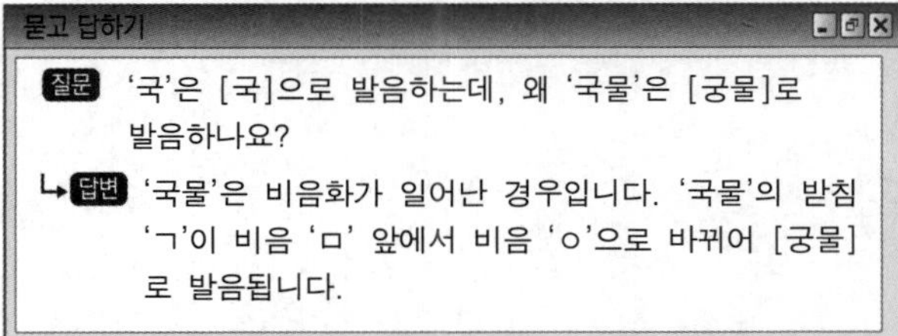

(나) 우리말에는 (가)의 사례처럼 한 음운이 일정한 환경에 따라 다르게 발음되는 경우가 있다. 이런 현상을 '음운 변동'이라고 하며 비음화, 거센소리되기, 모음 탈락 등이 이에 해당한다.

비음화는 비음이 아닌 'ㄱ, ㄷ, ㅂ'이 뒤에 오는 비음 'ㄴ, ㅁ'의 영향을 받아 각각 비음인 'ㅇ, ㄴ, ㅁ'으로 바뀌어 발음되는 현상을 말한다. 이것은 한 음운이 다른 음운의 영향을 받아 비슷하거나 같은 소리로 바뀌는 원리로, '밥만', '닫는'도 각각 [밤만], [단는]으로 발음된다. 또한 '담력[담:녁]', '종로[종노]'처럼 'ㄹ'이 비음 'ㅁ, ㅇ' 뒤에서 비음 'ㄴ'으로 바뀌어 발음되는 것도 비음화이다.

거센소리되기는 'ㄱ, ㄷ, ㅂ, ㅈ'이 'ㅎ'과 합쳐져 거센소리인 'ㅋ, ㅌ, ㅍ, ㅊ'으로 발음되는 현상을 말한다. 예로 '축하'는 'ㄱ'과 'ㅎ'이 합쳐져서 하나의 음운인 'ㅋ'이 되어 [추카]로 발음되며, 음운의 개수도 5개에서 4개로 줄어든다.

모음 탈락은 두 모음이 이어질 때 그중 한 모음이 탈락하는 현상을 말한다. '가-+-아서'가 '가서[가서]'가 되거나 '담그-+-아'가 '담가[담가]'가 되는 경우가 그 예이다.

그리고 우리말에서 음절의 끝에서 발음되는 자음은 'ㄱ, ㄴ, ㄷ, ㄹ, ㅁ, ㅂ, ㅇ'뿐이므로 그 이외의 자음이 음절의 끝에 오면 앞에 제시된 자음 중 하나로 발음하게 되는데, 이것도 음운 변동 현상에 해당한다. '부엌[부억]', '옷[옫]'이 그 예이다.

한편 음운 변동은 한 단어 안에서 한 번만 일어나기도 하고, ㉠여러 차례 일어나기도 한다. 예를 들어 '앞마당'은 먼저 음절 끝의 자음 'ㅍ'이 'ㅂ'으로 바뀐 후 비음화가 일어나 [암마당]으로 발음된다.

11. <보기>는 윗글을 바탕으로 탐구한 자료이다. ⓐ, ⓑ에 들어갈 단어를 바르게 짝지은 것은? [3점]

<보 기>

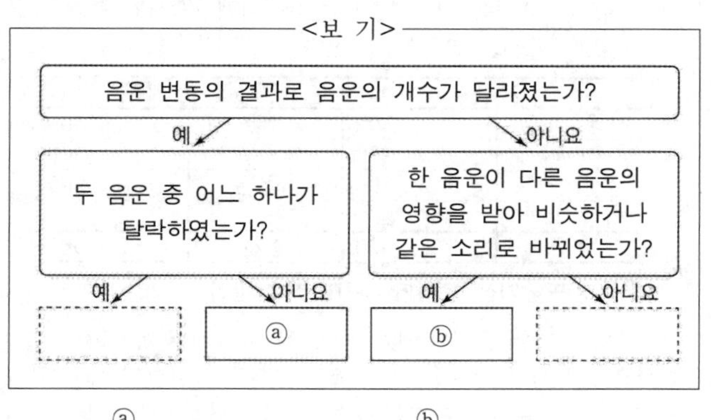

	ⓐ	ⓑ
①	창밖[창박]	능력[능녁]
②	놓다[노타]	다섯[다섣]
③	맏형[마텽]	식물[싱물]
④	쓰-+-어→써[써]	법학[버팍]
⑤	타-+-아라→타라[타라]	짐넘[짐넘]

12. 밑줄 친 단어 중 ㉠에 해당하는 예로 적절한 것은?

① 그는 자신의 뜻을 굽히지[구피지] 않았다.
② 올 가을에는 작년[장년]보다 단풍이 일찍 물들었다.
③ 미리 준비하지 않고[안코] 이제야 허둥지둥하는구나.
④ 우리 집 정원에는 개나리, 장미꽃[장미꼳] 등이 있다.
⑤ 물감을 섞는[성는] 방법에 따라 표현 효과가 달라진다.

13. <보기>는 한글 맞춤법 규정의 일부를 정리한 것이다. 이를 읽고 탐구한 내용으로 적절하지 않은 것은?

<보 기>

제16항 어간의 끝음절 모음이 'ㅏ, ㅗ'일 때에는 어미를 '-아'로 적고, 그 밖의 모음일 때에는 '-어'로 적는다. ………… ㉠

제18항 다음과 같은 용언들은 어미가 바뀔 경우, 그 어간이나 어미가 원칙에 벗어나면 벗어나는 대로 적는다.
1. '하다'의 활용에서 어미 '-아'가 '-여'로 바뀔 적 …… ㉡
2. 어간의 끝음절 '르' 뒤에 오는 어미 '-어'가 '-러'로 바뀔 적 ……………………………………………………… ㉢

① '시계를 보다.'에서 '보다'는 ㉠에 따라 어간 '보-'에 어미 '-아'가 결합해 '보아'로 적겠군.
② '간식을 먹다.'에서 '먹다'는 ㉠에 따라 어간 '먹-'에 어미 '-어'가 결합해 '먹어'로 적겠군.
③ '마당의 눈이 희다.'에서 '희다'의 어간 '희-'에 어미 '-아'가 결합하면 ㉡에 따라 '희여'로 적겠군.
④ '민수가 공부를 하다.'에서 '하다'의 어간 '하-'에 어미 '-아'가 결합하면 ㉡에 따라 '하여'로 적겠군.
⑤ '약속 장소에 이르다.'에서 '이르다'의 어간 '이르-'에 어미 '-어'가 결합하면 ㉢에 따라 '이르러'로 적겠군.

14. 밑줄 친 부분에 주목하여 <보기>의 ㄱ~ㅁ을 탐구한 내용으로 적절하지 않은 것은?

<보 기>

ㄱ. 그는 어제 고향을 떠났다.
ㄴ. 지난겨울에는 정말 춥더라.
ㄷ. 친구와 함께 본 영화는 재미있었다.
ㄹ. 작년만 해도 이곳에는 나무가 적었었다.
ㅁ. 축제 준비를 하려면 오늘 밤 잠은 다 잤네.

① ㄱ을 보니, 시간 부사어를 사용하여 과거를 나타내고 있군.
② ㄴ을 보니, 선어말 어미 '-더-'를 사용하여 과거의 경험을 회상하고 있군.
③ ㄷ을 보니, 동사는 관형사형 어미 '-(으)ㄴ'을 사용하여 과거에 일어난 일을 나타내는군.
④ ㄹ을 보니, 선어말 어미 '-었었-'을 사용하여 현재까지 지속되는 과거의 상황을 나타내는군.
⑤ ㅁ을 보니, 선어말 어미 '-았-'이 과거에 일어난 일을 나타내지 않기도 하는군.

15. <보기>는 '사전 활용하기' 학습 활동을 위한 자료이다. 이에 대한 이해로 적절하지 않은 것은?

<보 기>

재다¹ 「동사」
【…을】 【 -ㄴ지를】
[1] 자, 저울 따위의 계기를 이용하여 길이, 너비, 높이, 깊이, 무게, 온도, 속도 따위의 정도를 알아보다.
¶ 온도계로 기온을 재다.
[2] 여러모로 따져 보고 헤아리다.
¶ 일을 너무 재다가는 아무것도 못한다.

재다² 「형용사」
[1] 동작이 재빠르다.
¶ ________________
[2] 참을성이 모자라 입놀림이 가볍다.
¶ 입이 재다.

① 재다¹과 재다²는 모두 다의어이다.
② 재다¹과 재다²는 서로 동음이의 관계이다.
③ 재다¹은 재다²와 달리 문장 구조상 목적어를 필요로 한다.
④ 재다¹-[2]의 용례로 '길이가 얼마나 되는지를 재어 보아라.'를 추가할 수 있다.
⑤ 재다²-[1]의 용례로 '발걸음이 재다.'를 들 수 있다.

[16~20] 다음 글을 읽고 물음에 답하시오.

역사적으로 은행의 첫 장을 연 것은 금세공업자들이었다. 금을 스스로 보관하기 어렵다고 생각한 사람들은 금고를 가진 금세공업자에게 금을 맡기고 보관증을 받았다. 사람들은 물건을 거래할 때 금보다 보관증만을 주고받는 것이 훨씬 편리하다는 것을 알게 되면서 보관증을 오늘날의 지폐나 수표처럼 사용하게 되었다. 한편 금세공업자들은 금을 맡긴 사람들이 일시에 몰려와 금을 찾아가지 않는다는 것을 알고, 자신이 써 준 보관증만큼의 금을 반드시 가지고 있을 필요가 없음을 깨달았다. 그래서 그들은 보관된 금의 일정 부분만 남기고 나머지를 원하는 사람에게 빌려 주며 수수료를 받아 이윤을 얻었다. 그 과정에서 금세공업자들은 금의 양이 많아질수록 더 많은 수입을 얻을 수 있다고 생각하여 금을 맡기는 사람에게 사례를 했다. ㉠금세공업자가 했던 일은 결국 오늘날의 은행이 하는 일과 크게 다르지 않다.

여기서 우리는 은행의 두 가지 기능을 알 수 있다. 첫째, 돈의 여유가 있는 사람으로부터 자금을 ⓐ조성하여 이를 필요로 하는 사람에게 융통해 주는 금융중개 기능이다. 은행은 금융중개 기능을 통해 금융 시장의 거래비용을 낮추고, 조성된 자금이 효율적으로 활용되도록 자금의 흐름을 조정하는 역할을 수행한다. 은행은 자금 수요자의 수익성과 안전성을 정확하게 평가할 수 있는 안목과 정보를 가지고 있어서, 조성된 자금이 한층 더 건전하고 수익성 높은 곳으로 투자되도록 ⓑ유도하기도 한다.

둘째, 화폐를 창출하는 예금창조 기능으로, 예금창조는 신용창조라고도 한다. 다시 금세공업자의 경우를 살펴보자. 만일 금세공업자가 맡아 놓은 금 전체를 그냥 가지고만 있다면 그 경제의 통화량은 변하지 않는다. 금세공업자가 써 준 모든 보관증에 기록된 금의 합은 그가 맡아 놓은 금의 양과 같을 것이기 때문이다. 그러나 맡아 놓은 금의 일부만 지급 준비용으로 ⓒ보유하고 나머지를 다른 사람에게 대출해 줄 경우 사정은 달라진다. 금세공업자들이 맡아 놓은 금의 30%만 남겨 놓기로 결정했다면, 70%만큼의 금을 다른 사람이 빌려다 필요한 곳에 쓸 수 있다. 이는 유통되는 금의 양, 즉 통화량이 그만큼 더 늘어난 것을 뜻한다. 만약 금을 대출 받은 사람이 그것을 다른 금세공업자에게 맡기고 보관증을 받는다면 통화량은 한층 더 늘어난다. 그 금세공업자가 다시 30%만 남겨 놓고 나머지를 또 다른 사람에게 대출해 줄 것이기 때문이다.

이런 일이 반복되면 통화량은 처음의 몇 배 크기로 늘어나게 되고, 금세공업자들이 맡아 두었다고 기록된 금의 양도 늘어나게 된다. 이는 새로운 예금이 만들어진 셈으로 예금창조가 이루어졌다고 할 수 있다. 그러나 새롭게 만들어진 예금은 누군가가 빌려서 생긴 빚이기 때문에 사람들이 갚아야 할 빚도 그만큼 늘어난 상황으로 볼 수 있다. 은행의 예금창조 기능은 결국 예금의 일부만을 지급준비금으로 보유하는 지급준비제도에서 비롯되는 것이다. 은행은 예금의 일부만 보유하고 그 나머지를 대출하면서 예금통화라는 화폐를 창출하게 되고, 대출 받은 사람들은 재화와 서비스를 구입할 수 있는 능력이 커지게 된다. 이러한 화폐 창출 과정이 이루어지면 ㉡교환의 매개수단으로 쓰이는 화폐의 양이 늘어 경제의 유동성은 증가하지만, 경제가 종전에 비해 더 부유해지는 것은 아니다.

은행의 일정 시점의 총체적 재무 상태를 기록해 놓은 대차대조표를 활용하면 은행의 예금창조 기능을 좀 더 자세히 이해할 수 있다. 자금의 ⓓ조달 원천을 나타내는 자본 및 부채의 내역은 대차대조표의 오른편에 기록되며, 자금의 운용 상태를 나타내는 자산의 내역은 왼편에 기록된다. 이때 대차대조표의 오른편을 대변, 왼편을 차변이라고 한다.

자산		자본 및 부채	
지급준비금	300	예금	1,500
대출	1,200	기타 부채	300
유가증권	300	자본금	200
기타 자산	200	-	-
총계	2,000	총계	2,000

<표> 가상 은행의 대차대조표(단위: 십억 원)

<표>는 가상 은행의 대차대조표를 요약해 놓은 것이다. 일반적으로 은행의 중요한 자금 조달 원천은 예금이기 때문에 은행은 예금을 많이 유치하려고 한다. 오른편을 보면 예금이 가장 큰 비중을 차지하고 있음을 알 수 있는데, 은행의 입장에서 예금은 언제든 ⓔ요구가 있으면 지급해야 하는 부채의 성격을 갖는다. 은행이 다른 금융 기관이나 중앙은행으로부터 자금을 빌려 온 내역은 기타 부채로 나타나 있고, 마지막 항목은 은행의 자본금이다. 이렇게 조성된 자금은 왼편에 나타나 있는 여러 가지 형태의 자산으로 운영된다. 이 은행은 예금액의 일정 부분을 지급준비금으로 떼어 놓고, 나머지 자금은 대출을 해주거나 유가증권 등 그 밖의 여러 가지 자산을 보유하는 데 사용하고 있다. 이렇듯 은행의 지급준비제도와 대출을 통해 예금통화가 창출되고 있는 것이다.

[A] 그렇다면 은행은 어떻게 이득을 얻을까? 대차대조표에서도 알 수 있듯이 은행은 주로 예금으로 자금을 조달하고 대출로 자금을 운영하는데, 통상 예금 이자에 비해 대출 이자가 높으므로 양 이자의 차이로 발생한 예대 금리 차가 은행의 주된 수익원이 된다. 대출 이자가 더 높은 까닭은 차입자가 원금과 이자를 갚지 못하는 대출 손실이 일어날 수 있어, 차입자의 신용도에 맞춰 위험 할증금을 부과하기 때문이다. 은행의 영업 이익은 예대 금리 차로 발생한 수익에서 인력과 지점 조직, IT 인프라를 유지하기 위한 경상 운영비를 차감한 것이 된다. 그래서 은행은 대출 손실을 영업 이익보다 적게 유지해야만 안정적으로 이득을 얻을 수 있다. 만일 대출 손실이 영업 이익을 넘어선다면 은행은 자본금까지 잠식당하게 된다. 따라서 예금을 받아 대출을 하되 신용 위험을 적극적으로 관리해야 하는 것이 은행업의 본질이다.

16. 윗글의 내용으로 적절하지 않은 것은?

① 은행은 자금을 조성하여 필요한 사람에게 융통해 주며 금융 시장의 거래비용을 낮춘다.
② 은행의 입장에서 예금은 부채의 성격을 갖기 때문에 대차대조표에 기타 부채로 기재된다.
③ 은행의 예금창조는 예금의 일부만 보유하고 그 나머지를 대출해 주는 과정에서 일어난다.
④ 은행의 대차대조표에는 자금의 조달 원천을 나타내는 내역과 자금의 운영 상태를 나타내는 내역이 기록된다.
⑤ 은행은 조성된 자금이 수요자의 수익성과 안전성에 대한 정보를 바탕으로 건전한 곳에 투자되도록 유도한다.

17. 윗글을 읽은 학생이 ㉠에 대해 정리한 내용이다. 적절하지 않은 것은?

금세공업자가 했던 일	오늘날의 은행이 하는 일	
다른 사람의 금을 맡아 주는 것	고객의 돈을 보관해 주는 것	… ①
맡아 둔 금의 일정 부분을 남겨 두는 것	지급준비금을 보유하고 있는 것	… ②
맡아 둔 금의 일부를 원하는 사람에게 빌려 주는 것	예금의 일부를 필요한 사람에게 대출해 주는 것	… ③
금을 많이 맡아 두려고 하는 것	예금을 많이 유치하려고 하는 것	… ④
금을 맡기는 사람에게 사례하는 것	대출에 대해 이자를 부과하는 것	… ⑤

18. 윗글을 바탕으로 ㉡의 이유를 추론한 것으로 가장 적절한 것은?

① 대출을 받은 사람들에게 화폐라는 자산이 생기지만 그 경제의 통화량은 줄어들기 때문이다.
② 은행에 서류상으로 맡겨 놓은 예금이 늘어나는 만큼 창출되는 예금통화는 줄어들기 때문이다.
③ 대출을 받은 사람들이 그 돈을 다른 은행에 예금으로 맡겨도 통화량에 아무 변화가 일어나지 않기 때문이다.
④ 은행이 새로운 예금을 만들어 내는 만큼 은행에 돈을 맡긴 사람들이 부담해야 하는 부채도 늘어나기 때문이다.
⑤ 대출을 받은 사람들이 재화와 서비스를 구입할 수 있는 능력이 커진 만큼 그에 상응하는 부채도 늘어나기 때문이다.

19. [A]를 참고하여 <보기>를 이해한 내용으로 적절하지 않은 것은? [3점]

<보 기>

2019년 ○○은행의 자산은 1,000억 원인데, 이 자산은 모두 대출로 구성되어 있다. 이 중 900억 원은 예금으로, 100억 원은 자본금으로 조달한 것이다. 이 은행의 예금 금리는 평균 2%이고, 대출 금리는 평균 4%이다. ○○은행은 예대금리 차에 의해 (1,000억 원×4%)−(900억 원×2%)에 해당하는 22억 원의 수익이 발생하였고, 12억 원은 경상 운영비로 사용하였다. (단, 다른 요인은 고려하지 않는다.)

① ○○은행의 영업 이익은 예대 금리 차에 의한 수익에서 경상 운영비를 차감한 10억 원이겠군.
② ○○은행의 수익은 22억 원으로, 주로 예금으로 자금을 조달하고 대출로 자금을 운영하여 발생한 것이겠군.
③ ○○은행의 대출 금리가 평균 4%로 평균 예금 금리보다 높은 것은 대출 손실에 대한 위험 할증금이 반영된 것이겠군.
④ 만약 ○○은행의 대출 손실이 12억 원 발생했다면, ○○은행의 자본금은 잠식되었겠군.
⑤ 만약 ○○은행이 평균 2%인 예금 금리를 올린다면, 지점 조직을 유지하기 위한 비용이 더 줄어서 수익이 늘어나겠군.

20. ⓐ~ⓔ의 사전적 의미로 적절하지 않은 것은?

① ⓐ : 어떤 기준이나 실정에 맞게 정돈함.
② ⓑ : 사람이나 물건을 목적한 장소나 방향으로 이끎.
③ ⓒ : 가지고 있거나 간직하고 있음.
④ ⓓ : 자금이나 물자 따위를 대어 줌.
⑤ ⓔ : 받아야 할 것을 필요에 의하여 달라고 청함.

[21~25] 다음 글을 읽고 물음에 답하시오.

(가)

순이(順伊)가 떠난다는 아침에 말 못할 마음으로 함박눈이 나려, 슬픈 것처럼 창밖에 아득히 깔린 지도 우에 덮인다. 방안을 돌아다 보아야 아무도 없다. 벽과 천정이 하얗다. 방안에까지 눈이 나리는 것일까, 정말 너는 잃어버린 역사처럼 훌훌이 가는 것이냐, 떠나기 전에 일러둘 말이 있든 것을 [편지]를 써서도 네가 가는 곳을 몰라 어느 거리, 어느 마을, 어느 지붕 밑, 너는 내 마음속에만 남아 있는 것이냐, 네 쪼고만 발자욱을 눈이 자꾸 나려 덮여 따라갈 수도 없다. 눈이 녹으면 남은 발자욱 자리마다 꽃이 피리니 꽃 사이로 발자욱을 찾아 나서면 일 년 열두 달 하냥 내 마음에는 눈이 나리리라.

− 윤동주, 「눈 오는 지도」 −

(나)

[A]
어린 시절, 어머니에게 물었습니다
내일은 언제 오나요
하룻밤만 자면 내일이지
다음 날 다시 어머니에게 물었습니다
오늘이 내일인가요?
아니란다 오늘은 오늘이고 내일은
또 하룻밤 더 자야 한단다

[B]
고향에서 급한 [전갈]이 왔습니다
어머니 임종의 이마에
둘러앉아 있는 어제의 것들이 물었습니다
얘야 내일까지 갈 수 있을까?
그럼요 하룻밤만 지나면 내일인 걸요
어제의 것들은 물도 들고 간신히 기운도 차렸습니다
다음 날 어머니의 베갯모에
수실로 뜨인 학 한 마리가 날아오르며 다시 물었습니다
오늘이 내일이지
아니에요 오늘은 오늘이고 내일은
하룻밤을 지내야 해요

[C]
이제 더 이상 고향에서 급한 전갈이 오지 않았습니다
우리 집에는
어머니는 어제라는 집에
아내는 오늘이라는 집에
딸은 내일이라는 집에 살면서
나와 쉽게 만나는 법을 알고 있기 때문입니다

− 김종철, 「만나는 법」 −

(다)

나산 처사는 나이가 거의 팔십인데도 눈동자는 새까맣고 얼굴은 발그레하며 여유로운 모습이 마치 신선과 같다. 어느 날, 다산에 있는 암자로 나를 찾아와 말하였다.

"아름답도다, 이 암자여! 화초와 약초를 보기 좋게 심었고, 샘 가에는 바위를 둘렀으니 아무 걱정 없는 사람이 사는 곳이로다. 그러나 그대는 귀양 온 사람이라, 임금께서 그대를 사면하여 고향으로 돌아가게 하라는 명을 내렸으니, 만약 오늘이라도 사면장이 도착하면 내일 이미 그대는 여기에 없을 것이다. 그런데 무엇 때문에 꽃모종을 심고 약초 씨앗을 뿌리며 샘을 파고 못과 도랑을 만들고 바위를 세우는 등, 마치 오래오래 여기 살 것처럼 일을 벌이는가?

나는 30여 년 전 나산의 남쪽에 암자를 세우고, 거기에 사당을 모시고 거기서 자손들을 길렀다네. 그러나 대충 깎은 나무로 기둥을 세우고 낡은 밧줄로 얽어 놓았으며, 뜰과 채마밭은 가꾸지 않아 잡초가 무성하다네. 겨우 그때그때 수리만 할 뿐이라네. 왜 이와 같이 하겠는가? 내 삶이란 떠 있는 것이기 때문이네. 혹은 떠서 동쪽으로 가고, 혹은 떠서 서쪽으로 가며, 혹은 떠서 다니고, 혹은 떠서 머무네. 떠서 갔다가 떠서 돌아오니, 그 떠 있음은 그치질 않지.

그래서 내 호(號)를 '떠 있는 사람'이라는 뜻에서 '부부자(浮浮子)'라 하고, 내 사는 집을 '떠 있는 집'이라는 뜻에서 '부암(浮菴)'이라 하였네. 나도 이와 같은데, 하물며 자네야 어떠하겠나? 자네가 이렇게 정원을 가꾸는 것이 나는 이해가 되지 않네."

나는 일어나 경의를 표하며 말했다.

"아아, 통달하신 말씀이십니다. 선생께서는 삶이 떠 있다는 걸 잘 알고 계십니다. 호수 물이 넘치면 거기 있던 부평초가 도랑에 가 있고, 큰비가 내리면 나무로 깎은 인형이 물에 떠내려갑니다. 사람들은 이런 걸 잘 알고 있고, 선생께서도 스스로의 삶을 이에 비유하셨습니다.

떠 있는 것이 어찌 이뿐이겠습니까? 고기는 부레로 떠 있고, 새는 날개로 떠 있고, 물방울은 공기로 떠 있고, 구름과 안개는 수증기로 떠 있고, 해와 달은 운행하면서 떠 있고, 별자리는 연결되어서 떠 있고, 하늘은 태허(太虛)로 말미암아 떠 있고, 지구는 작은 구멍들로 말미암아 떠 있으면서 만물과 만민을 그 위에 살게 합니다. 이렇게 보면 천하에 떠 있지 않은 것이 어디 있겠습니까?

여기 어떤 사람이 있어 큰 배를 타고 바다로 나가서 배 위에 한 잔의 물을 쏟아 놓고 거기에 작은 풀잎을 배처럼 띄운다고 합시다. 그러고는 그것이 떠 있는 걸 비웃으면서 정작 자기가 바다에 떠 있는 사실은 잊어버린다면 그를 어리석다고 여기지 않을 사람이 드물 테지요. 지금 천하에 떠 있지 않은 것이 없거늘 선생께서는 떠 있음을 홀로 상심하시어 자신의 이름과 집에 그런 뜻을 드러내셨는데요, 떠 있음을 슬프게 생각하는 것은 잘못이 아닐까요?

여기 있는 화초와 약초, 물과 바위는 모두 나와 함께 떠 있는 것들입니다. 떠 있다가 서로 만나면 기뻐하고, 떠 있다가 서로 헤어지면 훌훌 잊을 따름입니다. 안 될 게 무어 있겠습니까?

그리고 떠 있는 것이 슬픈 건 아닙니다. 어부는 떠다니며 고기를 잡고, 장사꾼은 떠다니며 이익을 얻습니다. 범려는 강호를 떠다녀 화를 면했고, 서불은 바다를 떠다니다 나라를 세웠고, 장지화는 강물을 떠다니며 삶을 즐겼고, 예원진은 호수를 떠다니며 편안하게 지냈습니다. 그러니 떠다니는 것을 어찌 하찮게 생각하겠습니까? 그러므로 공자 같은 성인도 일찍이 바다를 떠 가고 싶다고 말씀하셨습니다. 생각해 보면 떠다닌다는 게 아름답지 않습니까? 물에 떠다니는 사람도 그럴진대 땅에 떠 있는 사람이 어찌 스스로 상심하겠습니까? 청컨대, 오늘 함께 나눈 말씀으로 '떠 있는 집'에 대한 글을 써서 선생의 장수를 축원하고자 합니다."

- 정약용, 「떠 있는 삶」 -

21. (가)~(다)에 대한 설명으로 가장 적절한 것은?

① (가)와 (나)에는 대상의 부재에서 느끼는 정서가 드러나 있다.
② (가)와 (다)에는 자신의 현재 모습에 대한 긍정적 인식이 드러나 있다.
③ (나)와 (다)에는 부정적인 현실이 개선되리라는 믿음이 드러나 있다.
④ (가)에는 과거에 대한 만족감이, (나)에는 미래에 대한 기대감이 드러나 있다.
⑤ (나)에는 외적 갈등이 해소되는 과정이, (다)에는 내적 갈등이 해소되는 과정이 드러나 있다.

22. 다음은 (가)를 감상하기 위한 학습 활동이다. ㉠~㉤ 중, 감상 내용으로 적절하지 <u>않은</u> 것은?

학습 활동 : 질문을 통해 작품 감상하기

○ '함박눈'이 왜 슬픈 것처럼 덮인다고 했을까?
→ ㉠ <u>순이가 떠난다는 아침에 화자의 마음이 슬펐기 때문인 것 같아.</u>

○ '벽과 천정'이 왜 하얗다고 했을까?
→ ㉡ <u>화자는 아무도 없는 방안에 눈이 내리고 있는 것처럼 느꼈기 때문인 것 같아.</u>

○ '순이'가 마음속에만 남아 있는 이유는 무엇일까?
→ ㉢ <u>화자는 순이가 가는 곳을 몰라서 순이를 만날 수 없기 때문인 것 같아.</u>

○ '발자욱'을 왜 따라갈 수도 없다고 했을까?
→ ㉣ <u>눈이 내려 순이가 간 흔적을 덮었기 때문이야.</u>

○ '일 년 열두 달' 마음에 눈이 내리는 이유는 무엇일까?
→ ㉤ <u>화자는 꽃이 피면 순이를 만나게 된다고 확신하고 있기 때문이야.</u>

① ㉠ ② ㉡ ③ ㉢ ④ ㉣ ⑤ ㉤

23. (나)의 [A]~[C]에 대한 설명으로 적절하지 않은 것은?

① [A]에서 시간에 대해 묻던 주체가 [B]에서 답하는 사람으로 바뀌고 있다.
② [B]에서 만남에 대한 화자의 긍정적인 인식이 [C]에서 부정적인 인식으로 전환되고 있다.
③ [A]와 [B]에는 화자의 경험이, [C]에는 화자의 깨달음이 드러나 있다.
④ [A]와 [B]는 대화의 형식을 통해, [C]는 독백의 형식을 통해 시적 의미를 전달하고 있다.
⑤ [A]에서 [B], [B]에서 [C]로 시간의 흐름에 따라 시상이 전개되고 있다.

24. 편지와 전갈에 대한 설명으로 가장 적절한 것은?

① '편지'와 달리 '전갈'은 화자가 대상을 만나러 가는 계기가 되는 소재이다.
② '편지'와 달리 '전갈'은 시대 상황에 대한 화자의 인식을 드러내는 소재이다.
③ '전갈'과 달리 '편지'는 화자에게 대상의 소식을 전해 주는 소재이다.
④ '편지'와 '전갈'은 모두 과거의 상황에 대한 화자의 반성을 담고 있는 소재이다.
⑤ '편지'와 '전갈'은 모두 대상에 대한 화자의 태도를 부정적으로 바꾸는 소재이다.

25. <보기>를 참고하여 (다)를 감상한 내용으로 가장 적절한 것은? [3점]

<보 기>

'떠 있음'이라는 말에는 '가변적, 유동적'이라는 의미와 '덧없다, 무상하다'는 의미가 중첩되어 있다. 우리의 삶이란 덧없는 것이고, 우리가 만나는 대상들도 덧없는 것이다. 하지만 이 작품은 그 덧없음을 슬퍼하지 말고 순순히 받아들이며 삶을 즐길 것을 제안하고 있다. 존재의 무상성을 통찰함으로써 오히려 근원적인 긍정에 도달하는 것이다.

① '나산 처사'가 자신의 집을 떠 있는 집이라고 한 것은 떠 있는 것이 아름답다는 근원적인 긍정에 도달했기 때문이겠군.
② '나산 처사'가 나산의 남쪽에 암자를 세우고 사당을 모신 것은 자신의 삶이 덧없다는 것을 인정하지 않았기 때문이겠군.
③ 글쓴이가 어부와 장사꾼을 슬프게 여기지 않은 것은 자신이 만나는 대상이 덧없는 존재임을 깨닫지 못했기 때문이겠군.
④ 글쓴이가 날개로 떠 있는 새의 처지가 자신과 비슷하다고 여긴 것은 존재의 무상성에 대해 안타까워한 것으로 볼 수 있군.
⑤ 글쓴이가 꽃모종을 심고 약초 씨앗을 뿌리는 것은 가변적인 상황에서도 덧없음을 슬퍼하지 않고 자신의 삶을 즐기고 있는 것으로 볼 수 있군.

[26~28] 다음 글을 읽고 물음에 답하시오.

103동 502호 김석만씨는 내가 입금한 돈 칠백만 원을 돌려주시오!

붉은색 매직펜으로 큼지막하게 쓴 그 글씨들을 읽고 나는 남자의 얼굴을 다시 한번 바라보았다. 분명, 어젯밤 호프집에서 만난 그 남자가 맞았다. 부스스한 머리칼도, 검은색 양복도 그대로였다. 남자는 사람들을 향해 대자보를 높이 쳐들지도 않았고, 아파트 쪽도 쳐다보지 않은 채, 그저 가만히 고개를 숙인 채 앉아만 있었다. 돗자리가 끝나는 부분엔 남자의 것으로 보이는 감색 운동화 한 켤레가 가지런히 놓여 있었다.

나는 창문을 올리고 다시 차를 움직였다. 정문 경비가 내 차를 보자 인사를 했고, 나도 꾸벅 고개를 숙였다. 망신을 주려고 온 사람이었구나. 나는 핸들을 돌리면서 그렇게 생각했다. 뭐야, 그럼 어젯밤부터 저기에 저러고 있었다는 건가? 502호? 502호에 누가 살지? 저런다고 소용이 있을까? 직접 찾아가서 담판을 내야지. 나는 속도를 높이면서 그런 생각들을 하다가 이내 다시 그날 작성해야 할 서류들과 학과 취업률 따위들을 떠올렸다. 칠백만 원이든 천칠백만 원이든 남과 남 사이에 벌어진 일이었다. 내가 참견할 만한 일도, 참견할 수도 없는 일이었다. 그저 누군지 모를 사람의 망신을 한 번 보았을 뿐, 저러다가 금세 말겠지. 나는 그렇게 생각했다. 나는 학교에 도착한 후 인터넷으로, 죽은 아이의 아빠가 단식을 시작했다는 기사와, 교육부에서 대학의 구조조정 로드맵을 발표했다는 기사를 차례로 읽었고, 교무처와 인재개발원 팀장들과 길게 통화를 했다. 그러다보니 어느 순간 점심시간이 되었고, 자연스레 아침에 보았던 남자를 잊을 수 있었다.

그러나 저러다가 말겠지, 했던 남자는 내 예상과는 다르게 몇 날 며칠 그 자리에 계속 앉아 있었다. 그사이 파란 천막 모서리에는 커튼처럼 얇은 비닐이 사면으로 매달렸고, 돗자리 위에는 새로 스티로폼 두 장이 깔렸다. 밤이 되면 비닐을 내리고, 스티로폼 위에 침낭을 깔고 자는 모양이었다. 그리고 다시 아침이 되면 비닐을 둘둘 말아올린 후, 합판에 붙인 대자보를 자신의 무릎 앞에 세웠다. 남자는 여전히 말이 없었고, 아파트 단지 안으로 들어오는 일도 없었으며, 아파트로 들어가는 사람들을 붙잡고 말을 거는 일도 없었다. 그는 그저 고요하게 거기에 앉아 있을 뿐이었다.

그 며칠 사이 나는 '참좋은 마트' 사장에게서 남자에 대한 사정을 좀더 자세히 듣게 되었다. 그게요, 사정이 좀 딱하게 됐더라구요. '참좋은 마트' 사장은 나를 비치파라솔 의자에 앉힌 후 음료수 한 병을 따주면서 말을 이었다. 저 사람이 어린 시절부터 부모 떠나서 어렵게 지낸 모양인데, 아, 얼마 전까지는 인천에 있는 무슨 세차장에서 일을 했다고 하더라구요. 한데, 저 사람 어머니라는 분이 몇 달 전에 갑자기 찾아와서는 자기가 빚을 졌으니 조금 도와달라고 하면서 계좌번호를 놓고 간 모양이에요. 알고 봤더니 이 사람 어머니라는 분이 사채를 쓴 모양인데…… 추어탕집 주방에서 일했다나 어쨌다나. 뭐 아무튼 거기에서 일하다가 관절염 때문에 그만두고 철없이 사채를 썼나봐요. 처음에 이백만 원을 빌린 게 금세 사백만 원이 되고 육백만 원이 되고 칠백만 원이 된 모양이에요. 그러니 덜컥 겁이 났겠죠. 그래서 할 수 없이 오래전부터 왕래가 없던 아들을 찾아간 모양인데…… 남자도 선뜻 돈을 보내진 못한 모양이에요. 당장 그만한 돈을 마련하기도 어려웠겠지만, 뭐 안 봐도 뻔한 거 아니겠어요. 거 왜 섭섭하고 원망 같은 게 없었겠어요. 딱

봐도 해준 것도 없는 어머니 같은데, 갑자기 찾아와서 도와달라고 하니…… 아무튼 그래도 이 사람이 몇 달 뒤에 그 계좌로 돈을 넣은 모양이에요. 군소리 없이 칠백만 원 전부.

'참좋은 마트' 사장은 그 대목에서 잠시 말을 끊었다. 언제부터인가 '란 헤어센스' 여사장도 우리 옆에 와서 자리를 잡고 앉아 있었다. 매미가 울고, 날파리가 많은 여름 저녁이었다.

한데, 여기서부터가 더 안타까운 얘기인데…… 그사이에 저 사람 어머니도 그 돈을 갚았다는 거예요. 살고 있던 방 보증금도 빼고 여기저기 아는 사람들한테 조금씩 융통도 하고…… 그리고 그 돈을 갚고 얼마 뒤에 바로 돌아가셨대요.

(중략)

아, 그래도 저 남자하고 정이 참 많이 들었는데…… 뭘 한 것도 없지만 몇 달 동안 매일매일 얼굴 보고 인사했는데……

그나마 첫서리 내리기 전에 일이 이렇게 돼서 얼마나 다행이에요. 저러다가 겨울 맞으면 큰일나죠.

502호 할머니는 나서지 않을 거 같으니까 우리가 직접 전하는 거로 하죠, 뭐. 절차가 따로 필요 있나요?

나는 거기까지만 듣고 '참좋은 마트'를 나섰다. 바로 집으로 들어가려다가 말고 나는 걸음을 멈춘 채 뒤돌아 남자를 한 번 바라보았다. 남자는 대자보판을 아예 양팔로 끌어안은 채 꾸벅꾸벅 졸고 있었다. 남자는 이제 어디로 가게 될까? 인천으로 돌아가겠지. 나는 남자의 인천 거처가 그때까지도 무사히 남아 있기를 바라보았다. 거기까지가 내가 남자를 위해 할 수 있는 전부라고 생각했다.

후에, 호프집 여주인으로부터 전해들은 이야기에 따르면, 다음날 그 남자는, 권순찬씨의 행동은, 편지봉투에 정성껏 오만원권 지폐로 칠백만 원을 마련해간 아파트 입주민들을 충분히 당혹스럽게 만들었다고 한다.

입주민 대표는 여비조로 따로 이십만 원이 든 편지봉투도 들고 갔고, 신문기자를 부르진 않았지만 '참좋은 마트' 사장이 스마트폰으로 그 모든 과정을 동영상으로 남기기로 했고, 사람들은 남자와 일일이 악수를 하며 박수를 칠 생각이었으며, 기꺼이 남자의 천막 철거 작업을 도울 작정이었지만……

하지만, 남자는 사람들의 그 모든 선의를 거부했다.

저는 이 돈을 받을 수가 없습니다.

남자는 그렇게 말하고 다시 대자보 판을 잡고 제자리에 앉았다.

아니, 권순찬씨. 이게 우리가 다른 뜻이 있는 게 아니고요. 502호 할머니 대신해서 전해드리는 겁니다. 여기 502호 할머니 돈도 포함되어 있어요.

입주민 대표가 그렇게 말했지만, 남자는 요지부동이었다.

저는 원래 그 할머니한테 돈을 받을 생각이 없었습니다. 저는 김석만씨를 만나러 온 거예요. 그 사람을 직접 만나서 일을 해결하려고요……

모여 있던 사람들의 탄식이 흐르고, 몇 번의 실랑이가 더 오갔지만, 남자는 뜻을 굽히지 않았다. 그는 아무 일 아니라는 듯 천연스럽게 스티로폼 위로 올라온 모래를 손바닥으로 쓸어내리기도 했다.

그만 갑시다! 사람들의 성의를 원 저렇게 무시해서야……

누군가 그렇게 외쳤고, 사람들은 하나둘 다시 단지 정문 쪽으로 되돌아왔다. 그것이 내가 전해들은 그날 일의 전부였다.

㉠<u>아파트엔 그가 칠백만 원에 대한 이자를 받으려 한다는 소문이 돌기 시작했다</u>.

– 이기호, 「권순찬과 착한 사람들」 –

26. 윗글의 내용과 일치하는 것은?

① 권순찬은 아파트로 들어가는 사람들을 붙잡고 김석만의 행방을 물었다.
② 권순찬은 502호 할머니에게 자신의 일을 해결해 달라고 호소하고 있다.
③ 나는 권순찬의 인천 거처가 권순찬이 돌아갈 때까지 무사히 남아 있기를 바라고 있다.
④ 나는 처음부터 권순찬이 아파트 단지 앞에서 오랫동안 머물 것이라고 예상하고 있었다.
⑤ 나는 작성해야 할 서류에 대한 생각 때문에 권순찬의 일에 참견하는 것을 다음으로 미루고 있다.

※ 다음을 참고하여 27번과 28번의 두 물음에 답하시오.

> 선생님: 이 작품의 뒷부분에서 권순찬은 누군가의 신고로 아파트에서 쫓겨납니다. 그 후, '나'는 외제차를 타고 나타난 김석만 씨를 목격하고 자신과 입주민들의 모습을 돌아보게 됩니다. 입주민들은 작품의 제목처럼 착한 사람들입니다. 그러나 문제의 원인과 해결책을 자신들의 입장에서만 찾은 입주민들은 자신들이 베푼 선의를 거절하였다는 이유로 권순찬에게 화를 냅니다. 이 작품은 문제의 진짜 원인을 보지 못하고 애꿎은 사람에게 화를 냈던 우리의 모습을 반성하게 합니다.

27. ㉠을 통해 추론할 수 있는 내용으로 가장 적절한 것은?

① 입주민들과 권순찬의 관계가 회복될 것임을 알 수 있군.
② 권순찬이 입주민들의 관심을 끌고 싶어 함을 알 수 있군.
③ 권순찬에 대한 입주민들의 생각이 바뀌고 있음을 알 수 있군.
④ 권순찬이 기다리는 김석만이 아파트에 나타날 것임을 알 수 있군.
⑤ 입주민들이 권순찬을 오해했던 자신들의 실수를 인정하고 있음을 알 수 있군.

28. 윗글을 감상한 내용으로 적절하지 <u>않은</u> 것은? [3점]

① 권순찬이 김석만을 기다린 것은 김석만을 자신이 해결하고자 하는 문제의 원인이라고 생각했기 때문이겠군.
② 입주민들이 돈을 모아 권순찬에게 주려고 한 것은 문제의 해결책을 입주민들의 입장에서 찾은 결과로 볼 수 있겠군.
③ 입주민들이 권순찬에게 화를 낸 것은 문제의 진짜 원인을 보지 못하고 애꿎은 사람에게 화를 낸 것으로 볼 수 있겠군.
④ '참좋은 마트' 사장이 권순찬의 사연을 나에게 들려주는 것은 권순찬이 지닌 문제의 진짜 원인을 파악했기 때문이겠군.
⑤ 권순찬이 입주민들의 선의를 거부한 것은 입주민들의 돈을 받는 것이 권순찬이 원하는 해결책이 아니었기 때문이겠군.

[29～31] 다음 글을 읽고 물음에 답하시오.

(가)
석양(夕陽)이 비꼈으니 그만하고 돌아가자
돛 내려라 돛 내려라
버들이며 물가의 꽃은 굽이굽이 새롭구나
지국총 지국총 어사와
㉠삼공(三公)*을 부러워하랴 만사(萬事)를 생각하랴
<춘(春) 6>

궂은 비 멎어 가고 시냇물이 맑아 온다
빋 떠라 빋 떠라
낚싯대 둘러메니 깊은 흥(興)을 못 금(禁)하겠다
지국총 지국총 어사와
㉡연강(煙江)* 첩장(疊嶂)*은 뉘라서 그려낸고
<하(夏) 1>

㉢물외(物外)에 조흔 일이 어부 생애 아니러냐
빋 떠라 빋 떠라
어옹(漁翁)을 욷디 마라 그림마다 그렷더라
지국총 지국총 어사와
사시(四時) **흥(興)**이 흔 가지나 **추강(秋江)**이 으뜸이라
<추(秋) 1>

㉣물가의 외로운 솔 혼자 어이 씩씩혼고
빋 믜여라 빋 믜여라
험한 구름 혼(恨)치 마라 세상(世上)을 가리운다
지국총 지국총 어사와
㉤파랑성(波浪聲)*을 싫어 마라 진훤(塵喧)*을 막는도다
<동(冬) 8>

– 윤선도, 「어부사시사(漁父四時詞)」 –

* 삼공: 삼정승으로, 영의정, 좌의정, 우의정을 일컬음.
* 연강: 안개 낀 강.
* 첩장: 겹겹이 둘러싼 산봉우리.
* 파랑성: 물결 소리.
* 진훤: 속세의 시끄러움.

(나)
초당 늦은 날에 깊이 든 잠 겨우 깨어
대창문을 바삐 열고 작은 뜰에 방황하니
시내 위의 버들잎은 봄바람을 먼저 얻어
위성 땅 아침 비*에 원객(遠客)의 근심이라
수풀 아래 **뻐꾹새**는 계절을 먼저 알아
태평세월 들일에는 **농부**를 재촉한다
아아 내 일이야 잠을 깨어 생각하니
세상의 모든 일이 모두가 허랑(虛浪)하다
공명(功名)이 때가 늦어 백발은 귀밑이요
산업(産業)에 꾀가 없어 초가집 몇 칸이라
백화주 두세 잔에 산수에 **정**이 들어
홍도 벽도(紅桃碧桃)* 난발(爛發)한데 지팡이 짚고 들어가니
산은 첩첩 기이하고 물은 청청 깨끗하다
안개 걷어 구름 되니 남산 서산 백운(白雲)이요
구름 걷혀 안개 되니 계산 안개 봉이 높다
앉아 보고 서서 보니 별천지가 여기로다
때 없는 두 귀밑을 돌시내에 다시 씻고
탁영대(濯纓臺) 잠깐 쉬고 세심대(洗心臺)로 올라가니
풍대(風臺)의 맑은 바람 심신이 시원하고
월사(月榭)의 **밝은 달**은 맑은 의미 일반이라

– 남석하, 「초당춘수곡(草堂春睡曲)」 –

* 위성 땅 아침 비: 왕유의 시 구절로 벗과 이별하던 장소에 아침 비가 내리는 풍경을 말함.
* 홍도 벽도: 복숭아 꽃.

29. (가)와 (나)의 공통점으로 가장 적절한 것은?
① 의인화된 대상을 통해 세태를 비판하고 있다.
② 설의적 표현을 통해 시적 의미를 강조하고 있다.
③ 영탄적 어조를 통해 화자의 정서를 부각하고 있다.
④ 촉각적 심상을 통해 시적 분위기를 조성하고 있다.
⑤ 역설적 표현을 통해 이상향에 대한 의지를 드러내고 있다.

6회

30. (가)와 (나)에 대한 설명으로 적절하지 <u>않은</u> 것은?
① (가)의 '버들'과 (나)의 '뻐꾹새'는 계절감을 드러내는 소재이다.
② (가)의 '흥'과 (나)의 '정'은 자연에서 화자가 느끼는 정서이다.
③ (가)의 '어옹'과 (나)의 '농부'는 화자의 처지에 공감하는 인물이다.
④ (가)의 '추강'과 (나)의 '밝은 달'은 화자가 긍정적으로 인식하는 대상이다.
⑤ (가)의 '낚싯대'와 (나)의 '백화주'는 풍류를 즐기는 화자의 모습을 드러내는 소재이다.

31. <보기>를 참고하여 ㉠~㉤을 감상한 내용으로 적절하지 <u>않은</u> 것은? [3점]

<보 기>

(가)에는 속세를 벗어나 자연의 아름다움을 즐기면서 유유자적한 삶을 살고자 하는 화자의 모습이 드러나 있다. 이 작품에서 자연은 화자가 지향하는 공간으로 인간 세상과 대립되는 공간을 의미한다. 화자는 인간 세상을 멀리하고 자연에 귀의하고자 하는 태도를 보이고 있다.

① ㉠은 속세의 사람들이 추구하는 가치에서 벗어난 화자의 모습을 드러낸다고 볼 수 있군.
② ㉡은 화자가 자연의 아름다움에 감탄하며 이를 즐기고 있다고 볼 수 있군.
③ ㉢은 인간 세상과 대립되는 자연으로 화자가 지향하는 공간으로 볼 수 있군.
④ ㉣은 자연에 귀의하지 못한 사람으로 화자가 안타까워하는 대상으로 볼 수 있군.
⑤ ㉤은 인간 세상을 멀리하고자 하는 화자의 태도를 드러낸다고 볼 수 있군.

[32 ~ 36] 다음 글을 읽고 물음에 답하시오.

컴퓨터의 중앙처리장치인 CPU는 데이터를 처리하기 위해 주기억장치와 끊임없이 데이터를 주고받는다. 그런데 CPU는 처리 속도가 매우 빠른 반면, 주기억장치의 처리 속도는 상대적으로 느리다. 그렇기 때문에 CPU가 명령을 실행할 때마다 주기억장치로부터 데이터를 읽어 오면 두 장치의 처리 속도의 차이로 인해 명령을 빠르게 실행할 수가 없다. 그래서 캐시 기억장치를 활용하여 데이터 처리 속도를 향상시킨다. 캐시 기억장치는 CPU 내에 또는 CPU와 주기억장치 사이에 위치한 기억장치로 주기억장치보다 용량은 작지만 처리 속도가 매우 빠르다. 이러한 캐시 기억장치에 주기억장치의 데이터 중 자주 사용되는 데이터의 일부를 복사해 두고 CPU가 이 데이터를 사용하도록 하는 과정을 '캐싱(caching)'이라고 한다.

캐싱이 효율적으로 이루어지려면 CPU가 캐시 기억장치에 저장된 데이터를 반복적으로 사용하는 것이 중요한데 이를 위해 고려되는 것이 참조의 지역성이다. 참조의 지역성은 시간적 지역성과 공간적 지역성으로 나눌 수 있다. 시간적 지역성은 CPU가 한 번 사용한 특정 데이터가 가까운 미래에 다시 사용될 가능성이 높은 것을 말하고, 공간적 지역성은 한 번 사용한 데이터 근처에 있는 데이터가 곧 사용될 가능성이 높은 것을 말한다.

한편 주기억장치는 '워드(word)' 단위로 데이터가 저장되고 캐시 기억장치는 '블록(block)' 단위로 데이터가 저장된다. 이때 워드는 비트(bit)*의 집합이고 블록은 연속된 워드 여러 개의 묶음을 말한다. 주기억장치의 데이터가 캐시 기억장치에 저장되는 장소를 '라인(line)'이라고 한다. 캐시 기억장치는 일반적으로 하나의 라인에 하나의 블록이 들어갈 수 있도록 설계되어 있기 때문에 주기억장치에서 캐시 기억장치로 데이터를 전송할 때에는 블록 단위로 데이터를 전송한다. 캐시 기억장치의 용량은 주기억장치보다 훨씬 작기 때문에 주기억장치의 블록 중에서 일부만 캐시 기억장치에 저장될 수 있다. 그러므로 캐싱을 위해서는 주기억장치의 여러 블록이 캐시 기억장치의 하나의 라인을 공유하여 사용해야 한다.

[A] 예를 들어 어떤 컴퓨터의 주기억장치의 데이터 용량을 워드 2^n개, 캐시 기억장치의 데이터 용량을 워드 M개라고 가정해 보자. 이때 주기억장치의 블록 한 개가 K개의 워드로 이루어져 있다고 하면 이 주기억장치의 총 블록 개수는 $2^n/K$개가 되며 각 워드는 n비트의 주소로 지정된다. 그리고 캐시 기억장치의 각 라인은 K개의 워드로 채워지므로 캐시 기억장치에는 총 M/K개의 라인이 만들어진다.

캐싱이 이루어질 때 CPU가 요청한 데이터가 캐시 기억장치에 있는지 여부를 확인하고 해당 데이터를 불러오기 위해 주기억장치의 데이터 주소가 사용된다. 이 주소는 '태그 필드, 라인 필드, 워드 필드'의 형식으로 구성되어 있는데 '태그 필드'는 캐시 기억장치의 특정 라인에 주기억장치의 어떤 블록이 저장되어 있는지를 구분해 주는 역할을 한다. 그리고 '라인 필드'는 주기억장치의 블록이 들어갈 캐시 기억장치의 라인을 지정해 주며, '워드 필드'는 주기억장치의 각 블록에 저장되어 있는 워드를 지정해 준다.

[B] 주기억장치의 데이터를 캐시 기억장치에 저장하는 방식에는 여러 가지가 있는데 그중 하나가 ㉠'<u>직접 매핑</u>'이다. 직접 매핑은 주기억장치의 데이터를 블록 단위로 캐시 기억장치의 지정된 라인에 저장하는 방식이다. 직접 매핑 방식에서 캐싱이 이루어지는 과정은 다음과 같다. CPU가 '태그 필드, 라인 필드, 워드 필드'로 이루어진 주소를 통해 데이터를 요청하면, 우선 요청 주소의 라인 필드를 이용하여 캐시 기억장치의 해당 라인을 확인한다. 그리고 해당 라인에 데이터가 저장되어 있으면 그 라인의 태그와 요청 주소의 태그를 비교한다. 이때 두 태그의 값이 일치하는 경우를 '캐시 히트(cache hit)'라고 하며, 캐시 히트가 일어나면 주소의 워드 필드를 이용하여 라인 내 워드들 중에서 해당 데이터를 찾아 CPU에 보내 준다. 그런데 CPU가 요청한 주소의 태그와 캐시 기억장치 라인의 태그가 일치하지 않거나 해당 라인이 비어 있어서 요청한 데이터를 찾지 못하는 경우가 있다. 이는 CPU가 요청한 데이터가 캐시 기억장치에 저장되어 있지 않다는 의미로, 이 경우를 '캐시 미스(cache miss)'라고 한다. 캐시 미스가 일어나면 요청 주소에 해당하는 블록을 주기억장치에서 복사하여 캐시 기억장치의 지정된 라인에 저장한다. 그리고 주소의 태그를 그 라인의 태그 필드에 기록하고 요청된 데이터를 CPU에 보내 준다. 만약 그 라인에 다른 블록이 저장되어 있다면 그 블록은 지워지고 새롭게 가져온 블록이 저장된다.

직접 매핑은 CPU가 요청한 데이터가 캐시 기억장치에 있는지 확인할 때 해당 라인만 검색하면 되기 때문에 검색 속도가 빠르다. 그리고 회로의 구조가 단순하여 시스템을 구성하는 비용이 저렴한 장점이 있다. 하지만 같은 라인에 저장되어야 하는 서로 다른 블록을 CPU가 번갈아 요청하는 경우, 계속 캐시 미스가 발생해서 반복적으로 블록이 교체되므로 시스템의 효율이 ⓐ<u>떨어질</u> 수 있다. 그래서 캐시 기억장치의 라인 어디에나 자유롭게 블록을 저장하는 '완전 연관 매핑', 직접 매핑과 완전 연관 매핑을 혼합한 '세트 연관 매핑' 등을 활용하기도 한다.

* 비트: 컴퓨터에서 정보를 나타내는 가장 기본적인 단위. 2진수의 0 또는 1이 하나의 비트.

32. 윗글의 내용과 일치하는 것은?

① 캐시 기억장치의 하나의 라인에는 하나의 워드만 저장될 수 있다.
② 캐시 기억장치는 주기억장치보다 용량이 크고 처리 속도가 느리다.
③ 캐시 기억장치에 저장된 데이터가 반복적으로 사용되어야 캐싱의 효율이 높아진다.
④ 시간적 지역성은 한 번 사용된 데이터 근처에 있는 데이터가 곧 사용될 가능성이 높은 것을 말한다.
⑤ 캐싱은 캐시 기억장치의 데이터 중 자주 사용되는 데이터의 일부를 주기억장치에 복사하여 사용하는 것을 말한다.

33. [A]를 참고할 때 <보기>의 ㉮~㉰에 들어갈 말을 바르게 짝지은 것은?

<보 기>

주기억장치의 데이터 용량이 64개의 워드이고, 하나의 블록이 4개의 워드로 이루어져 있다면, 주기억장치는 총 16개의 (㉮)(으)로 구성되며, 각 워드는 (㉯)의 주소로 지정된다. 또한 캐시 기억장치의 데이터 용량이 16개의 워드라면 캐시 기억장치의 라인은 (㉰)가 만들어진다.

	㉮	㉯	㉰
①	블록	6비트	4개
②	블록	8비트	6개
③	워드	8비트	4개
④	라인	6비트	4개
⑤	라인	8비트	6개

34. <보기>는 '직접 매핑' 과정을 도식화한 것이다. [B]를 바탕으로 <보기>를 이해한 내용으로 적절하지 않은 것은? [3점]

<보 기>

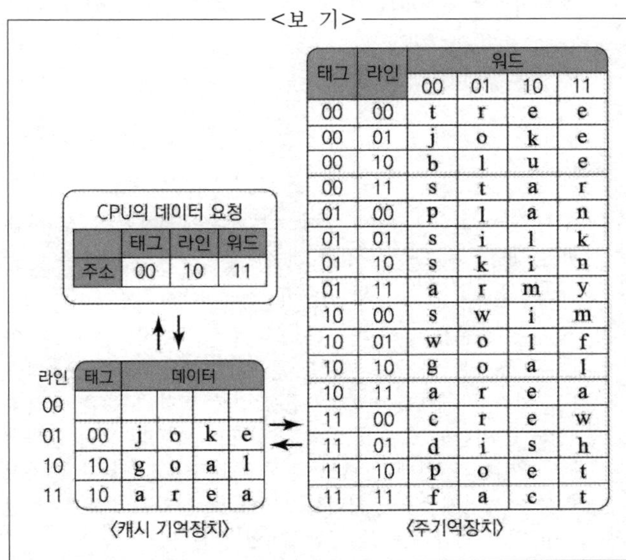

CPU의 데이터 요청

	태그	라인	워드
주소	00	10	11

라인	태그	데이터			
00					
01	00	j	o	k	e
10	10	g	o	a	l
11	10	a	r	e	a

〈캐시 기억장치〉

태그	라인	워드 00	01	10	11
00	00	t	r	e	e
00	01	j	o	k	e
00	10	b	l	u	e
00	11	s	t	a	r
01	00	p	l	a	n
01	01	s	i	l	k
01	10	s	k	i	n
01	11	a	r	m	y
10	00	s	w	i	m
10	01	w	o	l	f
10	10	g	o	a	l
10	11	a	r	e	a
11	00	c	r	e	w
11	01	d	i	s	h
11	10	p	o	e	t
11	11	f	a	c	t

〈주기억장치〉

① 요청된 주소의 '10'을 이용하여 캐시 기억장치의 라인을 확인한 후 태그 '00'이 그 라인의 태그와 일치하는지 확인하겠군.
② CPU가 요청한 데이터가 캐시 기억장치에 저장되어 있지 않으므로 캐시 미스가 일어나겠군.
③ 주기억장치의 데이터 블록 중에서 'b, l, u, e'가 복사되어 캐시 기억장치에 저장되겠군.
④ 캐시 기억장치의 라인 '01'에 저장되어 있는 데이터 블록이 삭제되겠군.
⑤ CPU의 데이터 요청에 의해 최종적으로 CPU로 보내지는 데이터는 'e'가 되겠군.

35. ㉠과 <보기>의 ㉡을 비교한 내용으로 가장 적절한 것은?

<보 기>

㉡완전 연관 매핑은 캐시 기억장치에 블록을 저장할 때 라인을 지정하지 않고 임의로 저장하는 방식이다. 이 방식은 필요한 데이터 위주로 저장할 수 있기 때문에 매핑 방식 중에 캐시 히트의 확률이 가장 높다. 그러나 히트 여부 확인이 모든 라인에 걸쳐 이루어져야 하므로 검색 시간이 가장 오래 걸린다. 그리고 회로의 구조가 복잡해서 시스템을 구성하는 비용이 높다. 주기억장치의 블록이 캐시 기억장치의 정해진 라인에 저장되는 것이 아니기 때문에 주기억장치의 주소는 태그 필드, 워드 필드로 이루어진다. 대신 블록이 교체될 때 어떤 블록을 삭제할지를 결정하는 블록 교체 알고리즘이 별도로 필요하다.

① ㉠과 달리 ㉡은 주기억장치의 주소에 태그 필드가 있다.
② ㉠과 달리 ㉡은 캐시 히트 여부를 확인하는 시간이 빠르다.
③ ㉡과 달리 ㉠은 블록 교체 알고리즘이 필요하다.
④ ㉡과 달리 ㉠은 라인을 지정하여 블록을 저장한다.
⑤ ㉠과 ㉡은 모두 회로의 구조가 복잡하다.

36. 문맥상 의미가 ⓐ와 가장 가까운 것은?
① 엔진의 성능이 떨어져서 큰일이다.
② 소매에서 단추가 떨어져서 당황했다.
③ 감기가 떨어지지 않아 큰 고생을 했다.
④ 해가 떨어지기 전에 이 일을 마치기로 했다.
⑤ 굵은 빗방울이 머리에 한두 방울씩 떨어지기 시작했다.

[37~41] 다음 글을 읽고 물음에 답하시오.

한나 아렌트는 정치를 어떤 관점에서 사유해야 하는지, 그래서 어떻게 현실을 이해해야 하는지에 대한 정치철학적 지평을 열어 준 철학자이다. 아렌트의 정치철학을 이해하기 위해서는 그녀가 생각하는 정치의 본질을 이해할 필요가 있다. 아렌트에 따르면 정치는 사적인 것이 아닌, 공적인 것에서부터 출발하고 공적인 것을 추구한다. 그렇다면 공적인 것과 사적인 것은 어떤 점에서 구별되는가? 아렌트가 이것과 관련하여 제기하는 핵심 문제는 바로 행위의 가능성이다. 그녀는 인간의 활동으로 '노동', '작업', '행위'를 제시하고 이 세 가지 활동이 서로 긴밀하게 연결되어 인간의 실존을 가능하게 한다고 말한다. 그녀가 생각하는 노동은 생물학적 욕구를 충족시키는 동물적 활동이다. 노동은 자기 보존의 수단일 뿐이고 생존을 위해 필요한 생산과 소비의 끊임없는 순환 과정 속에 종속된 것이다. 작업은 단순한 생존을 넘어서 삶의 편의를 위해 물건과 결과물을 만드는 것으로 자연과 구분되는 인간 세계를 구축하는 활동이다. 마지막으로 행위는 다른 존재들과 상호소통하며 자신의 존재를 드러내는 것으로 다수의 사람들과 공동의 관심사에 대해 의견을 나누는 활동을 의미한다. 그녀는 행위가 노동, 작업과 달리 혼자서는 할 수 없기에 오직 행위만이 타인의 지속적인 현존을 전제 조건으로 삼는다고 밝힌다. 그리고 노동과 작업을 사적인 것으로, 행위를 공적인 것으로 구분하고 행위가 이루어지는 곳을 공적 영역으로 규정한다.

아렌트는 이러한 공적인 것과 사적인 것이 이루어지는 영역이 공간적으로 분리된다고 보았다. 그리고 이러한 생각의 모델을 고대 그리스의 가정과 폴리스*의 구분에서 찾았다. 그녀는 고대 그리스인들의 가정을 노동과 작업이 이루어지는 사적 영역으로 인식했으며 가정에서 이루어지는 모든 활동은 필연성의 지배를 받는다고 보았다. 노동은 인간이 생명을 보존해야 한다는 필연성의 구속을 받고, 작업은 인간의 필요에 따라 유용한 것만을 생산해야 한다는 필연성의 구속을 받는다는 것이다. 또한 가정은 가장을 중심으로 의견이 일치하는 획일성이 지배하는 불평등의 공간으로 인식했다. 이에 반해 폴리스는 공적 영역으로서 행위가 이루어지는 자유의 공간으로 인식했다. 아렌트는 사적 영역과 공적 영역을 엄격하게 분리했지만, 그렇다고 사적 영역을 부정하지는 않았다. 사적 영역은 공적 영역을 위해 존재한다고 보았고, 가정에서 삶의 필연성을 충족한 시민들이 폴리스라는 공적 영역으로 나아갈 수 있다고 여겼다. 가정 밖으로 나온 시민들은 폴리스에서 다른 시민들을 만나 함께 공적인 문제를 자유롭게 논의하고 결정했다. 이때 자유롭다는 것은 삶의 필연성에서 벗어나 어떠한 강제나 강요도 없이 시민 모두가 평등한 위치에서 각자의 서로 다른 의견을 표현하고 공유하는 것을 의미한다. 그들은 폴리스라는 공적 영역에서 언어적 소통을 통해 타인과 관계를 맺으며 내가 누구인지, 내 의견과 다른 사람들의 의견이 어떻게 다른지를 확인할 수 있었다. 아렌트는 이러한 행위가 바로 정치라고 보았다. 결국 고대 그리스인들이 공적 영역에서 행위를 통해 자유를 실현한 것처럼 아렌트는 정치의 본질을 자유의 실현이라고 생각했다.

그런데 아렌트는 근대 이후에 '사회'가 출현했고, 이 [사회]의 출현으로 말미암아 정치의 의미가 왜곡되었다고 진단한다. 왜 아렌트는 사회의 출현을 부정적으로 생각한 것일까? 그것은 그녀가 사회를 경제적으로 조직된 여러 구성원의 거대한 가족 결합체로 보았기 때문이다. 고대 그리스에서 가정의 활동은 생계 유지에 필요한 재화나 용역을 생산하고 소비하는 노동 활동을 중심으로 이루어졌었기에 경제 활동은 본래 사적 영역에서의 활동이었다. 그런데 이러한 가정에서의 경제 활동이 근대에 이르러 사회가 출현하고 시장이 발달하면서 공적 영역으로 옮겨갔고 이로 인해 공적 영역과 사적 영역의 경계가 허물어졌다. 경제 활동이 행위의 공간이었던 공적 영역에 자리하게 되면서 공적 영역이 사라지게 되었다는 것이 아렌트의 분석이다.

결국 아렌트가 말하는 사회의 문제점은 행위가 일어날 수 있는 가능성이 배제된다는 것이다. 그녀는 이러한 사회가 등장하며 새롭게 나타난 활동 양식을 '행동'이라 부른다. 행동은 행위가 일어났던 공적인 공간에서 사람들이 오로지 사적인 이익만을 추구하는 것을 말한다. 인간 삶의 모든 것을 경제적 가치가 지배하는 근대 이후의 사회에서 사람들은 더 이상 다양한 관점을 가질 수 없게 되었다. 사람들은 다른 사람들과 함께 공동의 문제를 위해 행위하지 않고 자신의 경제적 이익의 극대화를 위해 행동하기 때문이다. 그로 인해 철저하게 경제화된 근대 이후의 사회에서 사람들은 시장 경제 논리에 따라 움직이고, 궁극적으로 행위가 일어날 가능성도 박탈당한다. 이런 의미에서 사회에서의 행동은 결코 행위가 될 수 없다. 사람들은 오직 공적 영역에서만 자신의 행위 가능성을 보존하고 자유 실현의 가능성을 찾을 수 있다. 이것이 바로 아렌트가 말하는 공적 영역을 우리가 회복하고 보존해야 하는 이유인 것이다.

* 폴리스: 고대 그리스에서 지역별로 도시 국가의 형태로 이루어진 정치 공동체.

37. 윗글의 내용 전개 방식으로 가장 적절한 것은?

① 특정 철학자의 정치 이론의 변화 과정을 설명하고 그의 견해가 지니는 의의를 강조하고 있다.
② 특정 철학자가 제시하는 인간 활동의 유형을 비교하고 그의 정치 이론이 지닌 한계를 평가하고 있다.
③ 특정 철학자가 밝힌 정치와 관련된 이론을 제시하고 그가 비판하는 근대 이후 사회의 문제를 설명하고 있다.
④ 특정 철학자의 정치와 관련된 가설을 소개하고 다양한 역사적 사례를 통해 가설의 타당성을 검토하고 있다.
⑤ 특정 철학자가 분석하는 정치 체제의 발달 단계를 고찰하고 근대 이후 사회에서 필요한 정치 체제를 제시하고 있다.

38. 윗글에 대한 이해로 적절하지 <u>않은</u> 것은?

① 자유는 다른 사람과 관계를 맺는 행위를 통해 실현되는 것이다.
② 정치는 사람들이 자유를 실현하기 위해 개인의 행위를 강제하는 것이다.
③ 정치는 인간들이 평등한 위치에서 공적인 문제에 대해 논의하는 것이다.
④ 행위는 언어적 소통을 통해 다른 사람에게 자신의 존재를 드러내는 것이다.
⑤ 행위는 인간의 생존을 위한 필연성의 구속을 벗어난 곳에서 이루어지는 것이다.

39. '한나 아렌트'의 견해에 대해 <보기>의 견해를 가진 사람이 비판한 내용으로 가장 적절한 것은?

<보 기>

인간은 노동을 통해 자아를 실현하는 창조적 존재이다. 인간에게 노동은 물질적 생활을 충족시키고, 자연과 상호작용하는 인간의 세계를 만드는 활동이다. 또한 노동은 동물과 구별되는 인간의 고유한 삶의 방식으로 노동을 통해 인간은 다른 사람들과 관계를 맺고 공동체의 구성원으로서의 자신의 삶을 깨닫게 된다. 이러한 노동으로 인간은 자유를 실현할 수 있고 인간다운 삶을 살 수 있게 된다.

① 당신은 노동을 자기 보존의 수단으로 보지만, 노동은 인간에게 자유를 가능하게 합니다.
② 당신은 노동을 정치적 활동으로 보지만, 노동은 인간의 물질적 생활을 충족시켜 줍니다.
③ 당신은 노동을 삶의 편의를 위해 물건을 만드는 활동으로 보지만, 노동으로 인간은 자아를 실현할 수 있습니다.
④ 당신은 노동을 다른 사람들과 관계를 맺는 활동으로 보지만, 노동은 다른 사람의 존재를 필요로 하지 않습니다.
⑤ 당신은 노동을 인간만이 할 수 있는 활동으로 보지만, 노동으로는 인간과 동물의 삶의 방식을 구분 지을 수 없습니다.

40. '한나 아렌트'가 말하는 사회에 대한 이해로 적절하지 않은 것은?
① 사람들은 사회에서 행위를 하기 어렵겠군.
② 사람들은 사회에서 공동의 문제에 관심을 가지지 않겠군.
③ 사람들은 고대 그리스의 가정에서 했던 경제 활동을 사회에서 하겠군.
④ 사람들은 시장 경제가 발달한 사회일수록 정치를 실현할 수 있는 영역을 확장하겠군.
⑤ 사람들은 사회를 지배하는 하나의 가치만을 추구할 뿐 다양한 관점은 갖지 못하겠군.

41. 윗글의 '한나 아렌트'와 <보기>의 '공자', '플라톤'을 비교한 내용으로 가장 적절한 것은? [3점]

<보 기>

공자는 부자 관계에서 자식이 부모를 사랑하는 것을 정치로 간주하였고, 이러한 사랑이 국가 차원으로 확장된다고 여겼다. 즉 국가는 가정의 확장이기 때문에 공적 영역과 사적 영역은 구분할 수 없고 가정에서의 관계 맺음은 정치 체제의 근본 토대가 된다는 것이다.

한편 플라톤은 정치와 관련하여 사적 영역인 가정을 이상 국가를 만드는 데 방해물로 보았다. 국가를 위해서는 개인의 욕망을 절제해야 하는데 가정은 개인의 욕망을 보호하는 역할을 하기 때문이다. 그래서 플라톤은 정치가들에게 자식과 재산을 공유할 것을 주장하며, 공적인 것을 위해 사적인 것을 지양해야 한다고 강조했다.

① '공자'와 달리 '한나 아렌트'는 공적 영역과 사적 영역을 공간적으로 분리해서 인식하고 있군.
② '공자'와 '한나 아렌트'는 모두 사적 영역에서도 정치가 이루어진다고 보고 있군.
③ '공자'와 '한나 아렌트'는 모두 가족 구성원의 관계 맺음을 정치로 인식하고 있군.
④ '플라톤'과 달리 '한나 아렌트'는 공적인 것을 위해 사적인 것을 지양해야 한다고 여기고 있군.
⑤ '플라톤'과 '한나 아렌트'는 모두 사적인 것을 공유해야만 공적인 영역에서의 정치가 가능하다고 보고 있군.

[42~45] 다음 글을 읽고 물음에 답하시오.

수적들이 현의 다리를 잡고 물에 던졌을 때, 풍랑이 현을 휩쓸다가 모래사장으로 내굴렸다. 어린 현이 물을 끝없이 토하며 어머니를 부르고 통곡하다가 사방을 둘러보니 무인지경(無人之境)이었다.

이때 절강 소흥부에 유 소사라는 재상이 있었다. 황성에서 벼슬을 하다가 나이가 들어 퇴사(退仕)하고 고향으로 돌아오는 중이었는데, 문득 울음소리가 들려왔다. 사공에게 분부하여 그 울음소리가 나는 곳에 배를 대고 내려와 보니 한 아이가 울고 있었다.

유 소사가 그 아이에게 다가가 물었다.

"네 어찌 된 아이이건대 홀로 이렇게 슬피 우느냐?"

현이 울음을 그치고 올려다보니 한 백발노인이었다. 유 소사가 이어서

"네 어디에 살고 나이는 몇이며 이름은 무엇이냐?"

하고 묻자 현이 대답했다.

"나이는 일곱 살이옵고 성명은 최현이오며, 모친을 따라 부친 적소로 찾아가다가 모친도 없사옵고 시종도 없삽기로 갈 바를 알지 못해 홀로 울었나이다."

소사가 다시금 묻기를

"부친이 어디로 갔건대 찾아가느냐?"

라 하니, 현이 대답하였다.

"부친은 벼슬을 하시다가 참소(讒訴)에 들어 유배 가셨기로, 모친과 그 적소에 찾아가는 길이었사옵니다."

유 소사가 현을 데리고 집으로 돌아와서는 부인에게 말했다.

"간밤에 한 꿈을 얻었는데, 백발노인이 와 이르되 '그대 일생 자식 없음을 서러워하매 양자를 데려왔으니 수양아들로 삼아 잘 기르라' 하시기로 이 아이를 데려왔소이다."

그러자 부인이 말하기를,

"첩도 간밤에 한 꿈을 얻었는데, 하늘에서 칠성(七星)이 떨어져 치마에 싸이거늘 이를 더욱 사랑하였습니다. 지금 짐작하옵건대 그 꿈이 허사가 아니옵니다."

하였다.

[중략 부분의 줄거리] 유 소사의 양자로 살아가던 최현은 유 소사 부부가 죽자 의지할 곳이 없어 양식을 빌며 정처 없이 떠돌던 중 한 도사를 만나게 된다.

"이 칼은 천사검(天賜劍)이요, 이 책은 옥갑경(玉甲經)이라. 성인군자가 가질 만한데, 만일 그대 곧 아니면 가질 사람이 없는 까닭으로, 사해를 두루 돌아 이제야 전하노라. 그대는 삼가 누설하지 말라."

현이 일어나 두 번 절하고,

"소생은 인간의 천한 것이라, 이 두 보배를 어찌 지니리까? 바라노니 존공은 지닐 사람에게 주옵소서."

라 하니, 도사가 웃으며 말했다.

"하늘이 그대를 내실 때 대명(大明)을 위하여 내셨도다. 또한 천사옥갑은 그대를 위하여 내신 것이니, 어찌 사양하리오?"

"설령 보배라 한들 내어 쓰지 못하오니 그 어찌 소생이 가질 바이리까? 엎드려 바라건대 존공은 가져가시어 제 임자에게 전하옵소서."

[A] "어찌 이같이 고집하는가? 이 두 가지를 가지면 영화(榮華)를 누리며 대국을 편안하게 하고 이름이 사해(四海)에 진동할 것이니, 어찌 사양함이 이같이 심하리오? 이 칼이 비록 서리었으나 쓸 때를 당하면 자연히 저절로 빠져나와 펼치면 길이가 팔 척이라. 이 두 가지 보배는 서천서역국(西天西域國)에 떨어져서 서기가 천하에 비추었으되 찾아갈 사람이 없어 이 늙은 것이 삼 년을 수고하고 그대를 찾다가, 오늘 여기에 와서 전하는 것이니 부디 잘 간수하라. 멀지 아니하여 상장군의 절월(節鉞)*과 대원수의 인신(印信)*을 찰 것이니, 그때를 당하면 이 노인의 말을 생각하리라."

현이 공손히 대답했다.

"정녕 그러하오면 사양할 수 없삽거니와, 미천한 소생을 위하

여 여러 세월을 수고하시니 마음에 황송무지하옵니다. 감히 묻고자 하니, 존공의 거주와 존호(尊號)를 알고 싶습니다."

"나의 이름은 ㉠공신술이요, 살기는 공동산에 있으니, 차후에 혹여 급한 일이 있거든 공동산으로 찾아오라. 할 말은 무궁하나 급히 떠나니, 그대는 칠 년 전에 갔던 남경 순천부로 찾아가라."

도사가 떠나가더니 불과 몇 걸음에 홀연히 사라져 보이지 않아 어디로 가는지 알 수 없었다.

현이 도사를 이별하고, 천사옥갑을 품에 품고 남경으로 향했다. 현이 여러 날만에 순천부에 이르러서는 밥을 빌러 한 집에 들어갔는데, 그 주인이 현의 구걸하는 소리를 듣고 불쌍하게 여겨 가까이 부르고는 물었다.

"그대는 어디 사람이며 어찌 이리 빌어먹는가?"

"가화공참(家禍孔慘)*하기로 자연히 걸식하오이다."

주인이 가만히 현을 보다가 다시 물었다.

"그대의 이름과 얼굴이 본 듯하니 알지 못할 일이라. 그대 혹여 남에게 적선한 일이 있는가?"

"구걸하는 아이가 어찌 사람을 구제함이 있으리오?"

"칠 년 전에 진주강 모래사장에서 금은보화로 사람을 구제한 일이 없는가? 공자는 숨기지 말고 바로 이르소서."

현이 말했다.

"서촉으로 가려 하던 중 상인 완삼이 파선하고 물가에서 울거늘, 자연히 마음에 측은하여서 약간 물건을 준 일이 있는데, 이것을 어찌 구제하였다 하리오?"

주인이 이 말을 듣고는 크게 놀라고 크게 기뻐하며 현을 붙들고 반기며 말했다.

"공자는 나를 몰라보나이까? 내가 바로 ㉡완삼이로소이다. 간밤에 한 꿈을 얻었는데 공자를 만나 은혜를 갚는 꿈이었으나, 내 어찌 공자를 뵈올 줄 알았으리오?"

완삼이 현을 붙잡고 집으로 들어가 못내 반가워하며 처자를 불러 말했다.

"진주강에서 나를 구하던 공자가 이제 오셨으니, 만일 이 공자가 아니었던들 너희들이 순천부 관비될 것을 어찌 면하였으며, 오늘날 먹고 입는 것이 어찌 군색(窘塞)을 면했으리오? 이제 뵈옵기는 천만몽매(千萬夢寐)의 일이요 하늘이 지시함이라."

완삼이 못내 사례하니 현이 또한 공손히 대답했다.

"작은 것을 주고 큰 인사를 받으니 도리어 민망하오이다."

완삼이 즉시 현의 의복을 갈아입히고는 아침저녁으로 공경을 극진히 하였다.

– 작자 미상, 「최현전」 –

* 절월: 임금이 관리가 지방에 부임할 때 주는 물건.
* 인신: 도장이나 관인.
* 가화공참: 집안이 당한 화가 매우 참혹함.

42. 윗글에 대한 설명으로 가장 적절한 것은?

① 언어유희를 활용하여 인물을 희화화하고 있다.
② 세밀한 외양 묘사를 통해 인물의 심리를 나타내고 있다.
③ 대화를 통해 이전에 일어난 사건의 정황을 드러내고 있다.
④ 풍자적 기법을 통해 인물의 부정적 성격을 강조하고 있다.
⑤ 서술자가 개입하여 사건에 대해 주관적인 평가를 하고 있다.

43. [A]에 대한 이해로 가장 적절한 것은?

① 자신의 권위를 내세우며 상대방의 책임을 추궁하고 있다.
② 과거와 현재를 비교하며 상대방의 달라진 태도를 비판하고 있다.
③ 제안을 수용할 경우 일어날 일을 언급하며 상대방을 설득하고 있다.
④ 자신의 본심을 숨긴 채 질문을 던지며 상대방의 궁금증을 유발하고 있다.
⑤ 상대방의 말과 행동이 불일치함을 지적하며 자신의 결백을 입증하고 있다.

44. ㉠과 ㉡에 대한 이해로 가장 적절한 것은?

① ㉠과 달리 ㉡은 뛰어난 지략을 활용해 최현을 돕는다.
② ㉠과 달리 ㉡은 최현이 베푼 선행에 대한 보답으로 최현을 돕는다.
③ ㉡과 달리 ㉠은 최현이 처한 개인적 위기를 해결할 수 있도록 최현을 돕는다.
④ ㉠과 ㉡은 모두 최현과의 약속을 지키기 위해 최현을 돕는다.
⑤ ㉠과 ㉡은 모두 최현이 초월적 능력을 가질 수 있도록 최현을 돕는다.

45. <보기>를 참고하여 윗글을 감상한 내용으로 적절하지 <u>않은</u> 것은? [3점]

<보 기>

「최현전」과 같은 영웅 소설에는 공통적인 서사 구조가 나타난다. 주인공은 하늘이 낸 비범한 인물로, 어린 시절 고난을 겪지만 새로운 인물들과 운명적으로 만나며 고난을 극복해 간다. 주인공은 고난과 극복의 과정을 반복하다가 결국 승리하도록 예정되어 있다.

① 하늘이 대명을 위해 최현을 냈다고 공신술이 말하는 것을 보니 최현은 비범한 인물이라고 볼 수 있겠군.
② 천사옥갑을 자신이 지닐 수 없다고 최현이 말하는 것을 보니 최현의 승리가 예정되어 있다고 볼 수 있겠군.
③ 최현이 수적을 만나 어머니와 헤어지게 되는 것을 보니 최현은 어린 시절에 고난을 겪는다고 볼 수 있겠군.
④ 유 소사 부부가 죽어서 최현이 의지할 곳을 잃은 것을 보니 최현은 또다시 고난을 겪게 된다고 볼 수 있겠군.
⑤ 유 소사가 꿈속 암시대로 최현을 만나게 되는 것을 보니 최현과 유 소사의 만남은 운명적이라고 볼 수 있겠군.

* 확인 사항
○ 답안지의 해당란에 필요한 내용을 정확히 기입(표기)했는지 확인하시오.

국어 영역

7회 소요시간 /80분

제 1 교시

➡ 해설 P.58

[1 ~ 3] 다음은 학생의 발표이다. 물음에 답하시오.

안녕하세요. '자유 주제 10분 말하기' 모둠학습 발표를 맡은 3모둠 발표자 ○○○입니다. (자료를 보여주며) 여러분, 익숙한 화면이 보이시죠? 여기 우리 학교의 웹 페이지와 ◇◇고등학교의 웹 페이지가 있습니다. 어느 쪽이 더 인상 깊고 읽기 쉬우신가요? (청중의 대답을 듣고 고개를 끄덕이며) 네. 많은 분들의 의견이 한쪽으로 모였네요. 이처럼 웹 페이지를 잘 디자인하면 사용자가 콘텐츠에 흥미를 잃지 않고 내용을 쉽게 이해할 수 있는데요. 오늘은 좋은 웹 페이지를 디자인하는 방법에 대해 말씀드리겠습니다.

웹 페이지는 인터넷 상의 웹 문서들을 가리키는 말로, 이 문서 속에는 글, 그림, 음악, 동영상도 넣을 수 있습니다. 여러분도 즐겨 찾는 웹 페이지가 있나요? (청중의 대답을 듣고) 네. 다양한 대답을 해 주셨습니다. 이렇게 많은 사람들이 다양한 웹 페이지를 즐겨 찾으면서 좋은 웹 페이지 디자인의 중요성이 함께 커지고 있는데, 좋은 웹 페이지 디자인이란 제작자의 표현 의도와 내용을 사용자에게 잘 전달하기 위해 여러 정보를 화면에 효과적으로 구성해 놓은 디자인을 말합니다.

좋은 웹 페이지를 디자인하기 위해서는 다음 세 가지를 고려해야 합니다. 첫째, 서체의 분류를 이해하고 사용해야 합니다. (사진을 보여 주며) 보시는 것처럼 서체는 크게 돋움체, 바탕체로 나뉩니다. 획의 굵기가 굵고 일정하며 굽은 곳이 거의 없는 돋움체는 내용을 강조하고 싶을 때에나 제목에 많이 사용됩니다. 반면 바탕체는 상대적으로 획의 굵기가 가늘면서도 굵기가 일정하지 않아 부드러운 느낌을 주는데요. 바탕체로 된 글을 읽을 때에는 사용자의 시선이 글자를 따라 자연스럽게 이동하기 때문에 피로감이 적어 본문에 많이 사용됩니다.

둘째, 시각적 리듬감을 만들어야 합니다. 시각적 리듬감이란 다양한 강조 요소를 활용하여 제작자가 전하고자 하는 중요한 정보와 덜 중요한 정보를 구분하여 중요한 정보가 눈에 잘 띄게 표현하는 것을 말합니다. (㉠ <u>예시 자료</u>를 보여주며) 보시는 것처럼 문서의 제목은 본문 글자 크기의 1.8배～2.2배 정도 커야 하며 굵고 진하게 나타내는 것이 좋습니다. 소제목은 제목을 읽는 데 방해가 되지 않게 하면서도 소제목을 그 자체로 강조하기 위해 굵기에 변화를 주거나, 본문 글자 크기의 1.2배～1.5배 크기 정도로 설정하는 것이 적당합니다.

마지막으로 글자의 간격을 적절히 조절해야 합니다. 글자와 글자 사이의 간격을 '자간'이라고 하는데, 글을 읽는 데에 큰 영향을 미칩니다. (사진을 보여 주며) 이 세 가지 웹 페이지를 비교해 보겠습니다. 자간이 좁게, 보통으로, 넓게 설정되어 있는데요. 보통의 경우보다 자간이 좁으면 더 쉽게 읽히고 시각적으로도 정돈된 느낌이 듭니다. 자간이 넓으면 글자와 글자 간격이 넓어져 시원해 보입니다. 다만 자간이 너무 좁거나 너무 넓으면 글을 읽을 때 독자의 집중력이 떨어지기 쉬우니 주의해야 합니다.

이상으로 발표를 마치겠습니다. 혹시 질문이 있으시면 말씀해 주세요.

1. 위 발표자의 말하기 전략으로 적절하지 <u>않은</u> 것은?

① 발표 앞부분에서 질문을 통해 청중의 관심을 끌고 있다.
② 언어적·비언어적 표현을 통해 청중의 반응을 확인하고 있다.
③ 담화 표지를 사용해 발표 내용에 관한 청중의 이해를 돕고 있다.
④ 발표 도중 자신이 말한 내용을 요약하여 청중의 호응을 유도하고 있다.
⑤ 시각 자료를 제시하여 발표 내용과 관련한 청중의 배경지식을 환기하고 있다.

2. 위 발표의 내용을 고려했을 때, ㉠으로 가장 적절한 것은?

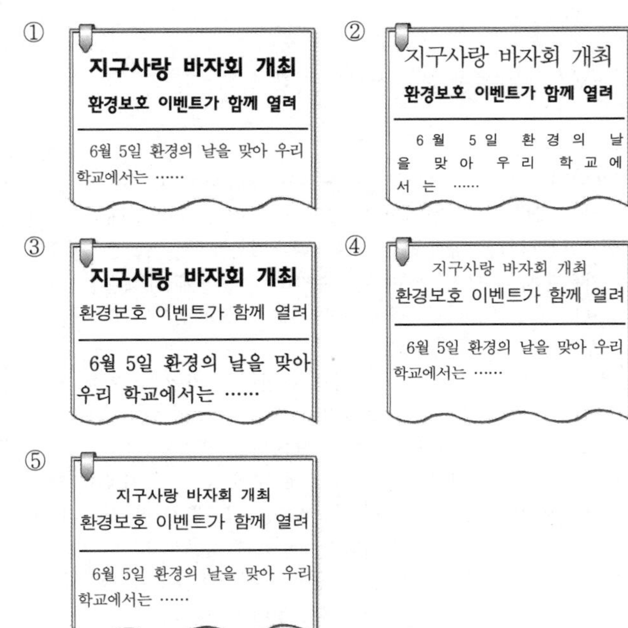

3. 다음은 학생들이 발표를 들으며 떠올린 생각이다. 이를 반영하여 발표자에게 할 질문으로 가장 적절한 것은?

> 웹 페이지에는 글뿐만 아니라 그림, 음악, 동영상도 넣을 수 있다고 했는데, 웹 페이지에서 글자를 제외한 다른 요소들은 구체적으로 어떻게 디자인해야 하는지 밝히지 않은 것 같아.

① 웹 페이지를 잘 디자인해야 하는 이유는 무엇인가요?
② 웹 페이지에 올린 글의 내용을 강조하고 싶을 때에는 어떻게 해야 하나요?
③ 웹 페이지에 올린 글을 읽을 때 피로감을 줄일 수 있는 서체는 무엇인가요?
④ 웹 페이지에 넣을 그림, 음악, 동영상을 쉽게 구할 수 있는 방법이 있나요?
⑤ 웹 페이지에 넣을 그림, 음악, 동영상을 사용자가 알기 쉽게 배치하는 방법은 무엇인가요?

7회

[4 ~ 7] (가)는 교통안전 캠페인 자원봉사자 학생을 모집하는 공고문의 초고이고, (나)는 (가)를 수정하기 위한 회의이다. 물음에 답하시오.

(가)

등굣길 안전 지킴이, 교통안전 캠페인 자원봉사자 모집!

1. 모집 대상 및 인원: 우리 학교 학생 10명
2. 자원봉사 활동 일시 및 장소: 2020년 6월 ○일 ~ 2020년 6월 △일, 등교 시간, 교문 앞
3. 자원봉사 활동 내용
   1) 자전거 통학생 안전모 착용 홍보
   2) 학생 통학 차량 정차 위치 안내
4. 자원봉사 활동 지원서 제출: 2020년 6월 □일까지 학생회장에게 직접 제출
5. 기타 사항
   – 학생회 주관
   – 봉사활동 참여 시 봉사활동 시간 인정

(나)

학생회장: 안녕하십니까? 지난 회의에서 안전한 학교생활을 위해 교통안전 캠페인을 실시하는 것과 캠페인에 필요한 자원봉사자를 모집하는 것을 다루었습니다. 오늘은 캠페인 자원봉사자 모집 공고문을 수정하는 방안에 대해 이야기해 보도록 하겠습니다. 공고문의 초고를 살펴보시고 의견을 자유롭게 말씀해주십시오.

임원 1: 캠페인 활동에 적극적으로 참여할 자원봉사자를 모집하는 것이기 때문에 교통안전 캠페인 활동에 대해 구체적이고 정확하게 안내하는 것이 중요하다고 생각합니다.

임원 2: 저도 동의합니다. 공고문에 나와 있는 자원봉사 활동 일시에 보면 등교 시간이라고 되어 있는데, 시작 시각과 종료 시각을 정확하게 제시하는 게 좋지 않을까요?

임원 3: 그렇습니다. 우리 학교 등교 시간이 8시 30분까지이고, 일찍 등교하는 학생들은 7시 30분부터 오기 시작합니다. 그래서 자원봉사 활동 시간을 7시 30분부터 8시 30분까지라고 공고문에 안내하면 좋겠습니다. [A]

임원 1: 그러면 봉사활동 시간이 하루 최대 1시간 인정된다는 내용도 기타 사항에 추가하는 게 좋겠네요.

학생회장: 네. 자원봉사 활동 일시 및 장소 항목에서 시간을 7시 30분부터 8시 30분까지로 수정하고 기타 사항에도 하루에 봉사활동으로 인정되는 시간을 구체적으로 밝히도록 하겠습니다. 혹시 장소에 대한 수정 사항은 없으신가요?

임원 1: 등교 시간에 개방되는 정문과 후문에서 캠페인을 진행하기로 했으니, 공고문에도 두 군데를 모두 표기하는 것이 좋겠습니다.

학생회장: 그렇게 수정하도록 하겠습니다. 다른 항목에 대한 의견이 있으시면 말씀해 주십시오. 그리고 캠페인 활동에 대한 추가 의견을 내 주시면 그것도 공고문에 반영하도록 하겠습니다.

임원 3: 우리 학교 정문 앞에 횡단보도가 설치되어 있습니다. 그런데 등교 시간에 쫓긴 학생들이 횡단보도의 신호를 지키지 않고 무단횡단을 하는 경우가 많습니다. 학생들의 안전을 위한 캠페인 활동이 필요하지 않을까요? [B]

임원 1: 저도 학교 앞 횡단보도에서 신호를 무시하고 건너던 학생이 차량과 부딪힐 뻔했다는 이야기를 학교 지킴이 선생님께 들은 적이 있습니다. [C]

학생회장: 횡단보도 보행과 관련하여 캠페인 활동이 필요하다고 했는데, 구체적으로 어떤 활동이 좋을까요?

임원 3: 횡단보도의 신호를 준수할 것을 홍보하는 건 어떠세요?

학생회장: 좋은 의견입니다. 그럼 자원봉사 활동 내용에 횡단보도 신호 준수 홍보를 추가하도록 하겠습니다.

임원 2: 봉사활동 지원서 서식은 어디서 받을 수 있나요?

학생회장: 봉사활동 지원서 서식은 학교 홈페이지에 탑재할 계획이었습니다. 이 부분은 공고문의 기타 사항에 추가하도록 하겠습니다. 봉사활동 지원서는 저에게 직접 제출하도록 안내되어 있는데, 다른 의견 있으십니까?

임원 1: 제가 작년에 우리 학교 다문화 축제 자원봉사자 모집에 지원한 적이 있었는데, 업무 담당 학생이 지원서를 분실하여 곤란했던 경험이 있습니다. 직접 제출하게 하면 지원 학생은 번거롭고 업무 담당 학생은 서류를 관리하기가 어렵습니다. 학생회장의 이메일로만 지원서를 받는 것이 어떨까요? [D]

임원 2: 지원서를 제출할 때 편리할 뿐만 아니라 제출된 지원서를 분실하더라도 다시 인쇄할 수 있어 관리하기 편할 것 같습니다. [E]

학생회장: 네. 공고문에 반영하겠습니다. 신청 인원이 모집 인원보다 많을 경우 어떻게 하는 것이 좋을까요?

임원 1: 지원서를 제출한 선착순으로 학생을 선발하는 것은 어떨까요?

임원 3: 이번 캠페인은 학생들이 주체가 되어 계획하고 실시하는 데 큰 의의가 있습니다. 그래서 저는 학생회에서 면접을 통해 캠페인 활동에 적극적으로 참여할 만한 학생을 선발하는 것이 좋을 것 같습니다.

학생회장: 신청 인원이 초과할 경우 자원봉사자 선발 방법에 대해 두 가지 의견이 나왔습니다. 혹시 또 다른 의견이 있습니까?

임원 2: 두 의견 중 하나를 선택하는 것이 좋겠습니다.

학생회장: 네, 그럼 다른 의견이 없으시면 다수결로 결정하도록 하겠습니다. 임원들께서는 거수로 자신의 의사를 표현해 주십시오. (거수 표결 후) 학생회에서 면접으로 선발하자는 의견이 채택되었습니다. 오늘 회의한 내용을 반영하여 공고문을 수정한 뒤 다시 회의를 소집하도록 하겠습니다. 오늘 회의 결과는 학생회 지도 선생님과 이야기해 보도록 하겠습니다. 고맙습니다.

4. (나)에 나타난 학생회장의 말하기 방식으로 적절하지 <u>않은</u> 것은?

① 이전 회의 내용을 언급하고 있다.
② 발언한 내용을 요약하여 정리하고 있다.
③ 회의 참여자의 발언 태도를 지적하고 있다.
④ 회의에서 논의해야 할 사항을 안내하고 있다.
⑤ 참여자의 의견에 대한 보충 질문을 하고 있다.

5. [A]~[E]에 대한 설명으로 적절하지 않은 것은? [3점]

① [A]: 상대의 제안을 수용하며 자신의 의견을 추가하고 있다.
② [B]: 자신의 이해 정도를 확인하며 상대의 말을 재진술하고 있다.
③ [C]: 구체적인 사례를 제시하며 상대의 의견에 동의하고 있다.
④ [D]: 기존 방식의 문제점을 지적하며 새로운 방안을 제시하고 있다.
⑤ [E]: 제안의 장점을 언급하며 상대의 의견에 긍정적인 반응을 보이고 있다.

6. (나)를 바탕으로 (가)를 수정한 것으로 적절하지 않은 것은?

1. 모집 대상 및 인원: 우리 학교 학생 10명
2. 자원봉사 활동 일시 및 장소
  1) 날짜: 2020년 6월 ○일~2020년 6월 △일
  2) 시간: 오전 7시 30분~8시 30분 ········· ㉮
  3) 장소: 우리 학교 정문과 후문 ········· ㉯
3. 자원봉사 활동 내용
  1) 자전거 통학생 안전모 착용 홍보
  2) 횡단보도 신호 준수 홍보 ········· ㉰
  3) 학생 통학 차량 정차 위치 안내
4. 자원봉사 활동 지원서 제출: 2020년 6월 □일까지 학생회장 이메일(◇◇◇@◇◇◇.com)로 제출
5. 기타 사항
  - 학생회 주관
  - 봉사활동 참여 시 봉사활동 시간 하루 최대 1시간 인정
  - 봉사활동 지원서 서식은 학생회장에게 직접 수령 ···· ㉱
  - 자원봉사자 신청 인원이 모집 인원보다 많을 경우 학생회에서 면접으로 선발 ········· ㉲

① ㉮ ② ㉯ ③ ㉰ ④ ㉱ ⑤ ㉲

7. <보기>는 회의 후 선생님과 학생회장이 나눈 대화이다. ⓐ에 들어갈 내용으로 가장 적절한 것은?

<보 기>

선생님: 캠페인에서 자원봉사자들의 역할을 추가하면 좋겠어. 자원봉사자들이 교통안전 수칙 지키기의 중요성을 알리는 피켓을 제작해서 홍보하면 어떨까? 피켓 문구는 음성상징어를 활용하면 학생들의 기억에도 잘 남을 것 같아.
학생회장: ____ⓐ____은/는 어떨까요?

① 덤벙덤벙 무단횡단 성큼성큼 병원신세
② 자전거 안전모 착용, 선택이 아닌 필수
③ 도란도란 알콩달콩 폭력 없는 행복 학교
④ 안전한 등굣길로 만드는 즐거운 학교생활
⑤ 교통신호, 지키면 안전해요 어기면 위험해요

[8~10] 다음 글을 읽고 물음에 답하시오.

(가) <작문 상황>
○ 예상 독자: 교지를 읽을 학생들
○ 목적: 다운 패딩의 소재가 지닌 문제점을 지적하고, 패딩을 구입할 때 윤리적인 선택을 하자고 주장함

(나) 학생의 초고

윤리적인 선택, 착한 패딩을 입자

-㉠ 식생활 개선으로 생명 존중의 실천을-

겨울철 패딩이나 코트에 많이 사용되는 동물성 소재를 만들 때, ㉡ 상품의 질감과 비용을 절감하기 위해 산 채로 동물의 털을 뜯는 일들이 발생하고 있다. 일반적으로 다운 패딩(down padding)* 한 벌을 만들 때 필요한 거위의 수는 15~25마리라고 한다. 그 거위들이 생후 10주부터 6주 간격으로 5~15번 정도 털을 ㉢ 뜯긴다. 이러한 동물 착취는 오리, 양, 토끼에게도 일어난다.

이처럼 비윤리적인 제조 산업에 대한 반발로 패션계는 모피 사용 중단을 선언하고 비거니즘(veganism)*을 확장해 실천하려는 움직임을 보이고 있다. '비건 패션'이란 동물의 가죽, 털이 사용되지 않은 옷이나 가방, 패션 아이템들을 뜻한다. ㉣ 이 중 합성 소재로 만든 패딩은 저렴한 가격, 손쉬운 관리 등 실용성을 갖추었다는 평가를 받고 있다. 즉, 기존의 동물성 소재들을 합성 소재나 식물성 소재로 대체하는 것이다.

㉤ 아마도 다운 패딩을 사야 한다면 'RDS 마크*'를 확인하도록 하자. 이 마크는 윤리적이고 정당한 방식으로 거위 털을 생산하는 업체만 받을 수 있다. 또한 다운 패딩 제품의 업사이클링*을 택하는 업체도 등장하고 있다. 한 벌의 옷을 다시 쓰는 것은 환경을 생각하는 행동이기도 하다.

우리는 의류를 선택적으로 구입할 수 있지만, 이용당하는 동물들에게 선택의 기회란 없다. 사람과 동물이 공존하는 세상을 위해 착한 패딩을 구입하도록 하자.

* 다운 패딩(down padding) : 오리나 거위 털을 충전재로 사용한 방한복
* 비거니즘(veganism) : 동물로부터 얻은 식품을 거부하는 채식주의
* RDS 마크 : 윤리적 다운 제품 인증 마크
* 업사이클링(up-cycling) : '업그레이드+리사이클링'의 의미로, 대상의 가치를 높이기 위해 재활용하는 일

8. 다음은 (가)를 반영하여 (나)를 작성하기 위해 학생이 메모한 내용이다. ⓐ~ⓔ 중 (나)에 반영되지 않은 것은?

<작문 계획>
○ 문제 상황과 관련된 구체적인 수치를 제시할 것 ……… ⓐ
○ 설명이 필요한 주요 용어는 따로 뜻을 풀이할 것 ……… ⓑ
○ 아래의 내용을 포함시켜 글을 쓸 것
1. 다운 소재가 지닌 문제점
: 거위를 학대하는 깃털 채취 과정
: 제조 과정상 환경오염 발생 ……… ⓒ
2. 문제 개선 방안
: 합성 소재로 대체하기 ……… ⓓ
: RDS 마크를 확인하기
: 업사이클링하기 ……… ⓔ

① ⓐ ② ⓑ ③ ⓒ ④ ⓓ ⑤ ⓔ

9. (나)의 ㉠~㉤을 고쳐 쓰기 한 이유와 그 결과로 적절하지 않은 것은?

① 글의 제목이 본문 내용과 어울리지 않으므로, ㉠을 '인간과 동물이 공존하는 세상 만들기'로 고친다.
② 문장 성분의 호응이 맞지 않으므로, ㉡을 '상품의 질감을 좋게 하고 비용을 절감하기 위해'로 고친다.
③ 주어의 능동적인 행위로 보는 것이 더 자연스러운 상황이므로, ㉢을 '뜯는다'로 고친다.
④ 문장의 위치를 잘못 배열하여 내용의 연결이 자연스럽지 않으므로, ㉣을 뒤의 문장과 순서를 바꾼다.
⑤ 문맥상 문단을 접속하는 표현이 자연스럽지 않으므로, ㉤을 '그래도'로 고친다.

10. <보기>는 초고를 수정·보완하기 위해 수집한 자료들이다. 다음 자료의 활용 방안으로 적절하지 않은 것은? [3점]

<보 기>

ㄱ. 신문 기사 제목
○ 패딩 열풍, 진원지는 10대 중·고등학생들(○○일보)
○ 열에 일곱은 롱패딩, 교복처럼 입고 등교해(△△일보)
○ 다운 패딩의 진실, 오리의 눈물이 담겨 있기도(□□신문)

ㄴ-1. 깃털이 뽑힌 거위

○ 다운 옷 한 벌
= 15 ~ 25마리의 거위

ㄴ-2. 동물 보호 인증 기준

○ 살아있는 조류의 깃털을 강제로 뽑지 않음
○ 거위의 먹이, 건강, 위생 관리와 모든 유통과정을 추적함

ㄷ. 합성 소재와 다운 소재의 대비

	합성 소재	다운 소재
세탁	○ 물세탁 후 소재의 몰림 현상이 적음	○ 물세탁 시 몰림 현상이 발생하여 드라이클리닝을 권장함(세탁비 상승)
냄새	○ 없음	○ 눈, 비에 젖으면 냄새가 발생할 수 있음
알레르기	○ 없음	○ 민감성 피부에 알레르기 현상이 발생할 수 있음

ㄹ. 인터뷰 자료
"다운 제품의 업사이클링은 헌 옷을 수거해 외피를 제거하고 거위, 오리 솜털을 꺼내 재가공하는 것입니다. 이 과정에서 시행착오를 많이 겪었지만, 롱 패딩과 숏 패딩 500여 벌을 만들어 약 1만 마리의 희생을 막았다는 것에 뿌듯함을 느낍니다. 장기적으로는 자원 절약과 환경 보호에 도움이 되겠지요."
- 다운 패딩 업사이클링 업체 대표 -

① ㄱ의 신문 기사를 활용해 서론에서 청소년이 즐겨 입는 패딩 소재에 윤리적인 문제가 있음을 제기해야겠어.
② 거위 학대의 실상을 본론의 첫 문단으로 사용하고 ㄴ-1과 같은 시각 자료를 만들어 함께 제시해야겠어.
③ ㄴ-2를 활용해 동물 보호 인증 마크와 그 기준에 대해 안내함으로써 이를 획득한 의류를 구입하자고 권유해야겠어.
④ ㄷ의 정보를 활용해 합성 소재로 만든 패딩의 단점을 소개함으로써 합리적인 소비를 유도해야겠어.
⑤ ㄹ의 경우를 들어 업사이클링 패딩의 구입이 거위 학대 문제를 개선하고 환경도 생각하는 소비 방안임을 제시해야겠어.

[11~12] 다음 글을 읽고 물음에 답하시오.

국어의 시제는 과거, 현재, 미래가 있는데, 이는 발화시와 사건시라는 시점을 기준으로 나눈 것이다. 발화시는 말하는 이가 말하는 시점을 뜻하고, 사건시는 동작이나 상태가 나타나는 시점을 가리킨다. 발화시보다 사건시가 앞서면 '과거 시제', 발화시와 사건시가 일치하면 '현재 시제', 발화시보다 사건시가 나중이면 '미래 시제'라고 한다.

시제는 다음과 같이 어미나 시간 부사를 통해 실현된다.

시제의 종류 / 문법 요소	과거 시제	현재 시제	미래 시제
선어말 어미	-았-/-었-, -았었-, -었었-, -더-	• 동사: -는-, -ㄴ- • 형용사: 없음	-겠-, -(으)리-
관형사형 어미	• 동사: -(으)ㄴ, -던 • 형용사: -던	• 동사: -는 • 형용사: -(으)ㄴ	-(으)ㄹ
시간 부사	어제, 옛날 등	오늘, 지금 등	내일, 곧 등

시간을 표현하는 문법 요소는 항상 특정한 시제만 표현하는 것은 아니다. 예를 들어 '-았-/-었-'은 주로 과거 시제를 표현하지만, 과거에 이루어진 어떤 상태가 현재까지 지속되는 경우에 쓰이기도 하고, ㉠ 미래의 상황을 표현하는 경우에 쓰이기도 한다.

> ㉮ 찬호는 어려서부터 아빠를 닮았다.
> ㉯ 네가 지금처럼 공부하면 틀림없이 대학에 붙었다.

㉮는 '찬호와 아빠의 닮음'이라는 과거의 상태가 현재까지도 지속되고 있음을 보여준다. 한편 ㉯의 '붙었다'에서 과거 시제 선어말 어미 '-었-'이 쓰였지만, 발화시에서 볼 때 '대학에 붙는 일'은 앞으로 벌어질 미래의 사건이다.

11. 윗글을 읽고 <보기>의 ⓐ~ⓒ를 탐구한 내용으로 가장 적절한 것은? [3점]

<보 기>

ⓐ 아기가 새근새근 잘 잔다.
ⓑ 영주는 어제 영화를 한 편 봤다.
ⓒ 전국적으로 비가 곧 내리겠습니다.

① ⓐ: 발화시보다 사건시가 나중인 시간 표현이 사용되었다.
② ⓐ: 관형사형 어미와 선어말 어미를 활용한 시간 표현이 나타난다.
③ ⓑ: 발화시와 사건시가 일치하는 시간 표현이 사용되었다.
④ ⓑ: 시간 부사와 선어말 어미를 활용한 시간 표현이 나타난다.
⑤ ⓒ: 발화시보다 사건시가 앞선 시간 표현이 사용되었다.

12. ㉠의 사례로 가장 적절한 것은?

① 그는 여행을 떠나기로 결심했다.
② 1919년 3월 1일, 만세운동이 일어났다.
③ 봄날 거리에 개나리가 흐드러지게 피었다.
④ 학생들이 운동장에서 축구공을 차고 있었다.
⑤ 어린 동생과 싸웠으니 난 이제 어머니께 혼났다.

13. <보기>에서 선생님의 질문에 대한 학생의 대답으로 가장 적절한 것은?

<보 기>

선생님 : 형태소는 뜻을 가진 가장 작은 말의 단위를 뜻하는 말입니다. 형태소는 다음의 두 기준에 따라 자립 형태소와 의존 형태소, 실질 형태소와 형식 형태소로 나눌 수 있습니다.

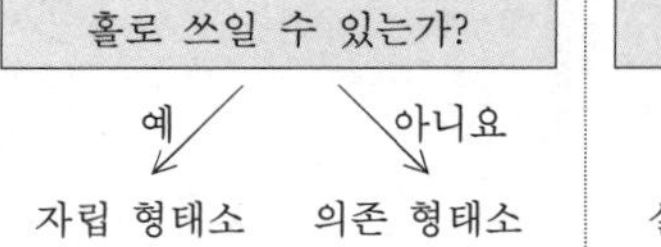

다음은 아래 '예문'을 형태소 단위로 나누고, 위 기준에 따라 분석한 결과입니다.

ㅇ 예문 : 경찰이 도둑을 잡았다.
ㅇ 형태소 분석 결과 :

형태소 / 구분 기준	경찰	이	도둑	을	잡-	-았-	-다
홀로 쓰일 수 있는가?	예	아니요	예	㉡	아니요	아니요	아니요
실질적 의미가 있는가?	㉠	아니요	예	아니요	㉢	아니요	아니요

㉠~㉢에 들어갈 대답을 모두 바르게 짝지어 볼까요?

	㉠	㉡	㉢
①	예	예	예
②	예	아니요	예
③	예	아니요	아니요
④	아니요	예	예
⑤	아니요	아니요	아니요

14. <보기>의 <표준 발음법>을 참고할 때, ㉠과 ㉡의 사례가 모두 바르게 짝지어진 것은?

<보 기>

<표준 발음법>

제23항

받침 'ㄱ(ㄲ, ㅋ, ㄳ, ㄺ), ㄷ(ㅅ, ㅆ, ㅈ, ㅊ, ㅌ), ㅂ(ㅍ, ㄼ, ㄿ, ㅄ)' 뒤에 연결되는 'ㄱ, ㄷ, ㅂ, ㅅ, ㅈ'은 된소리로 발음한다.

국밥[국빱] 솥전[솓쩐] 옆집[엽찝] (㉠)

제24항

어간 받침 'ㄴ(ㄵ), ㅁ(ㄻ)' 뒤에 결합되는 어미의 첫소리 'ㄱ, ㄷ, ㅅ, ㅈ'은 된소리로 발음한다.

신고[신ː꼬] 얹다[언따] 닮고[담ː꼬] (㉡)

	㉠	㉡
①	옷고름[옫꼬름]	젊고[점ː꼬]
②	문고리[문꼬리]	감고[감ː꼬]
③	갈등[갈뜽]	앉다[안따]
④	덮개[덥깨]	언짢게[언짠케]
⑤	술잔[술짠]	더듬지[더듬찌]

15. <보기>의 '학습 활동'을 수행한 결과로 적절한 것은?

<보 기>

[학습 활동]

다음 담화 상황에 등장하는 ㉠, ㉡이 달라질 때, 언어 예절에 적합한 높임 표현을 사용해 보자.

[담화 상황]

(내가 철수에게)

"어제 ㉠ **영희**가 ㉡ **경희**에게 선물을 주는 것을 보았어."

※ 말하는 사람인 '나'와 철수, 영희, 경희는 서로 대등한 관계임.

① ㉠이 높임의 대상인 '선생님'으로 바뀌면 조사 '가'를 '께서'로 고쳐 말해야 한다.

② ㉠이 높임의 대상인 '선생님'으로 바뀌면 조사 '에게'를 '께'로 고쳐 말해야 한다.

③ ㉡이 높임의 대상인 '선생님'으로 바뀌면 '주는'을 '주시는'으로 고쳐 말해야 한다.

④ ㉡이 높임의 대상인 '선생님'으로 바뀌면 '보았어'를 '보셨어'로 고쳐 말해야 한다.

⑤ ㉡이 높임의 대상인 '선생님'으로 바뀌면 '보았어'를 '보았습니다'로 고쳐 말해야 한다.

[16~20] 다음 글을 읽고 물음에 답하시오.

19세기 초 지질학자들은 스테노와 스미스의 층서 원리를 적용하여 전 세계의 지질학적 연구 성과를 종합했다. 우리가 흔히 쓰는 '중생대 쥐라기'와 같은 '대', '기' 등으로 나타내는 지질학적 시간 척도는 이때 확립되었다. 그러나 이러한 지질학적 시간 척도는 상대적인 척도로 한 지층이 다른 지층보다 오래되었는지 아닌지를 말해 줄 수는 있어도 실질적으로 얼마나 오래되었느냐는 말해 줄 수 없었다.

이후 많은 사람들이 지층의 정확한 연대 측정을 시도한 끝에 1905년 러더포드가 방사성 동위원소를 이용하여 지층 연대의 측정에 성공했다. 그는 암석 내 우라늄의 양을 측정하여 한 암석의 연대를 계산해 냈다. 이것이 동위원소 연대측정법의 시작이었다. 자연적으로 발생하는 방사성 동위원소를 사용해 암석의 연대를 결정하는 연대 측정 방법들은 그 후 수년간 더욱 개선되어 갔으며, 더 많은 방사성 동위원소들이 발견되고 방사성 붕괴 과정의 심층적인 이해가 이루어졌다.

지질학자들은 방사성 동위원소의 어떤 특성을 활용하여 암석의 연령을 측정하였을까? 이 질문의 답을 얻기 위해서는 먼저 방사성 동위원소가 무엇인지를 살펴볼 필요가 있다. 물질의 기본 단위인 원자 중심에는 양성자와 중성자로 이루어진 원자핵이 있다. 이 원자핵에 들어 있는 양성자 수에 따라 물질을 이루는 기본 성분인 원소의 종류가 결정된다. 탄소 원자핵에 있는 양성자 수는 6개이고, 산소 원자핵에 있는 양성자 수는 8개이다. 같은 원소라고 하더라도 원자핵에 있는 중성자 수가 다른 것들이 있는데 이를 '동위원소'라 한다. 예를 들면 탄소의 경우, '탄소-12'는 원자핵에 양성자 6개와 중성자 6개가 있는 원자이며, '탄소-14'는 양성자 6개와 중성자 8개가 있는 동위원소이다.

한편, 자연계의 모든 물질은 불안정한 상태에서 안정한 상태로 가려는 성질이 있다. 동위원소 중에는 양성자의 수가 중성자의 수에 비해 너무 많거나 또는 그 반대의 이유로 본래 원자핵의 상태가 불안정한 원소들이 있다. 그래서 불안정한 원자핵이 스스로 방사선을 방출하고 이를 통해 에너지를 잃고 안정된 상태로 가는 과정을 거치는데 이를 방사성 붕괴 또는 핵붕괴라 한다. 동위원소 중 방사성 붕괴를 ㉠ 일으키는 동위원소를 방사성 동위원소라 한다. 이들은 방사성 붕괴를 통해 불안정한 원자핵이 안정된 상태의 다른 종류의 원자핵으로 변한다. 예를 들면 방사성 동위원소인 '탄소-14'는 방사성 붕괴로 인해 중성자 1개가 붕괴되어 양성자로 바뀌고, 양성자 7개와 중성자 7개로 이루어진 원자핵을 가진 안정된 원소인 '질소-14'가 된다. 붕괴 전의 방사성 동위원소를 '모원소', 모원소의 방사성 붕괴에 의해 생성된 안정된 원소를 '자원소'라 일컫는다. 붕괴 전 방사성 동위원소인 '탄소-14'는 모원소이고 방사성 붕괴에 의해 생성된 안정된 원소인 '질소-14'는 자원소이다.

방사성 동위원소는 일정한 시간이 지나면 모원소의 개수가 원래 개수에서 절반으로 줄어드는 특성이 있다. 모원소의 개수가 원래 개수의 절반으로 줄어드는 데에 걸리는 시간을 반감기라 한다. 이때 줄어든 모원소의 개수만큼 자원소의 개수가 늘어난다. 첫 반감기 때 모원소의 개수는 처음의 반으로 줄고 두 번째 반감기에는 남은 모원소의 개수가 반으로 줄어 처음의 1/4로, 세 번째 반감기에는 또 남은 모원소의 개수가 반으로 줄어 처음의 1/8과 같은 식으로 줄어든다. 그래서 모원소와 자원소의 개수의 비율이 첫 반감기에는 1 : 1로 같아진다. 두 번째 반감기에는 1 : 3으로 되고, 세 번째 반감기에는 1 : 7로 된다. 다만, 원소에 따라 반감기가 다른데 '탄소-14'는 5730년, '포타슘-40'은 13억년, '우라늄-238'은 44억년의 반감기를 갖는다. 방사성 동위원소의 반감기는 온도나 압력에 영향을 받지 않는다. 따라서 어떤 암석에 포함된 모원소와 자원소의 비율을 알고, 그 결과와 방사성 동위원소의 반감기를 이용하면 암석이 만들어진 연대를 추정할 수 있다. 가령 어떤 암석이 생성될 때 '포타슘-40'을 함유하고 있고 이 원소가 외부 유입이나 유출, 암석의 변성작용 등 다른 외부 요인에 의한 변화가 없다고 할 때 이 암석의 방사성 동위원소 측정 결과 모원소와 자원소의 비율이 1 : 3이라면 반감기를 두 번 거쳤기 때문에 이 암석은 26억 년 전에 생성되었다고 볼 수 있다.

16. 윗글의 진술 방식으로 가장 적절한 것은?

① 방사성 동위원소의 개념을 예시를 통해 설명하고 있다.
② 원자핵의 구성 물질을 세부적 묘사를 통해 설명하고 있다.
③ 방사성 동위원소의 붕괴 과정을 유추를 통해 설명하고 있다.
④ 지층 연대 측정 방법의 발전 과정을 유형별로 분류하여 설명하고 있다.
⑤ 지질학적 시간 척도의 특징을 전문가의 의견을 인용하여 설명하고 있다.

17. 윗글에서 알 수 있는 내용으로 적절하지 않은 것은?

① 방사성 동위원소의 핵은 불안정하여 붕괴된다.
② 질소-14의 원자핵은 양성자와 중성자의 개수가 같다.
③ 방사성 동위원소의 반감기는 온도나 압력에 영향을 받는다.
④ 19세기 초 지질학자들은 지층이 형성된 연도를 정확히 알 수 없었다.
⑤ 자연계의 모든 물질은 불안정한 상태에서 안정한 상태로 가려는 성질이 있다.

18. 윗글을 바탕으로 <보기>를 이해한 내용으로 적절하지 않은 것은? [3점]

<보 기>

그림은 어떤 방사성 동위원소 ㉮가 붕괴할 때, 시간에 따른 모원소와 자원소의 함량을 나타낸 것이다.

원소의 함량(%)
100
50
0
A
B
1 2 3 4 5 6
시간(억 년)

암석 S가 생성될 때 방사성 동위원소 ㉮를 함유하고 있고 ㉮는 외부 유입이나 유출, 암석의 변성작용 등 다른 요인에 의한 변화는 없었다. 이 암석의 방사성 동위원소 ㉮를 측정한 결과 모원소와 자원소의 비율이 1 : 3이었다.

① B는 자원소와 관련이 있다.
② 암석 S의 생성 시기는 4억 년 전이다.
③ 4번의 반감기를 거치면 처음 A의 양은 1/16로 줄어든다.
④ 모원소와 자원소의 비율이 1 : 1로 같아지는데 걸리는 시간은 2억 년이다.
⑤ 시간이 지날수록 자원소와 모원소의 개수를 더한 값은 감소한다.

19. 문맥상 ㉠의 단어와 가장 가까운 의미로 쓰인 것은?

① 세찬 바람이 거친 파도를 일으켰다.
② 그의 행동은 모두에게 오해를 일으켰다.
③ 그는 혼자 힘으로 쓰러진 가세를 일으켰다.
④ 아침에 몸이 피곤했지만 억지로 몸을 일으켰다.
⑤ 그녀는 자전거를 타다 넘어진 아이를 일으켰다.

20. 윗글을 바탕으로 <보기>를 이해한 내용으로 적절하지 않은 것은?

<보 기>

탄소-14는 일정한 비율로 계속 붕괴하고 있지만 대기와 우주선(cosmic ray)의 충돌에 의하여 계속 공급된다. 연구에 의하면 지구 대기에서 탄소-14의 생성 비율이 탄소-14의 방사성 붕괴 비율과 같으며, 대기 중에 존재하는 탄소-12와 탄소-14의 구성 비율은 대체로 일정하다고 한다. 식물들은 대기 중의 이산화탄소와 물을 흡수하여 광합성을 하므로 모든 식물들은 약간의 방사성 탄소를 가지며, 식물 내 탄소-12와 탄소-14의 비율은 대기 중의 탄소-12와 탄소-14의 구성 비율과 일치한다. 아울러 그 식물의 몸을 흡수하여 탄소를 공급받는 동물과 그 동물을 먹는 동물도 결국 같은 비율이 유지된다. 그런데 생물이 죽으면 더 이상 대기 중의 탄소를 흡수하지도 배출하지도 않는다. 그래서 죽은 생물 내 탄소-12와 탄소-14의 비율에 변화가 생긴다. 방사성 동위원소인 탄소-14가 질소-14로 변하기 때문인데, 이때 생성된 질소-14는 기체이므로 죽은 생물 내부에서 외부로 빠져 나간다. 그렇지만 생물 유해나 화석의 탄소-12와 탄소-14의 비율을 측정하여 대기 중의 그 비율과 비교하면 탄소-14가 어느 정도 감소했는지 알 수 있고, 그 결과와 탄소-14의 반감기를 이용하면 그 생물이 죽은 연대를 계산할 수 있다. 다만 탄소-14는 6만 년이 지나면 측정하기 힘들 정도의 양만 남는다.

① 탄소-14를 이용한 연대측정법의 연대 측정 범위는 제한적이겠군.
② 시간이 지날수록 죽은 생물 내부에 있는 탄소-14의 개수가 줄어들겠군.
③ 방사성 붕괴는 죽은 생물 내 탄소-12와 탄소-14의 비율에 변화를 일으키겠군.
④ 탄소-14를 이용한 연대측정법으로는 살아있는 생물의 나이를 측정할 수 없겠군.
⑤ 죽은 생물 안에 남아 있는 질소-14의 양만 알아도 생물이 죽은 연대를 정확히 추정할 수 있겠군.

[21~25] 다음 글을 읽고 물음에 답하시오.

2002년 월드컵 조별 예선에서 우리나라가 폴란드를 이기고 사상 처음 1승을 거두자 'Be the Reds'라고 새겨진 티셔츠 수요가 폭발했다. 하지만 실제 월드컵 기간 동안 불티나게 팔린 티셔츠로 수익을 본 업체는 모조품을 판매하는 업체와 이를 제조하는 업체였다. 오히려 정품을 생산해 대리점에서 판매하는 ㉠스포츠 브랜드 업체는 수익을 내지 못했다. 실제로 많은 브랜드 업체들은 월드컵 이후 수요가 폭락해 팔지 못한 재고로 난처했다. 도대체 왜 이런 상황이 벌어졌을까?

간단한 문제 같지만 이 현상은 요즘 경영에서 유행처럼 번지는 공급 사슬망 관리(Supply Chain Management, SCM)의 핵심을 설명해 줄 수 있는 사례이다. 공급 사슬망이란 상품의 흐름이 고리처럼 연결되어 있고, 이들의 상관관계 또한 서로 긴밀하게 연결되어 있는 것을 말한다.

이 현상의 원인을 설명하기 위해서는 공급 사슬망의 '채찍 효과(Bullwhip effect)'를 우선 이해해야 한다. 아기 기저귀라는 상품을 예로 들어보면, 상품 특성상 소비자 수요는 일정한데 소매점 및 도매점 주문 수요는 들쑥날쑥했다. 그리고 이러한 주문 변동폭은 '최종 소비자-소매점-도매점-제조업체-원자재 공급업체'로 이어지는 공급 사슬망에서 최종 소비자로부터 멀어질수록 더 증가하였다. 공급 사슬망에서 이와 같이 수요 변동폭이 확대되는 현상을 공급 사슬망의 '채찍 효과'라 한다. 이는 채찍을 휘두를 때 손잡이 부분을 작게 흔들어도 이 파동이 끝 쪽으로 갈수록 더 커지는 현상과 유사하기 때문에 붙여진 이름이다. 이런 변동폭은 유통업체나 제조업체 모두 반길 만한 사항이 아니다. 왜냐하면 늘 수요가 일정하면 이를 기준으로 생산이나 마케팅의 자원을 적절히 분배하여 계획하고 효율적으로 운영할 수 있지만, 변동폭이 크면 계획이나 운영을 원활하게 수행하기 어렵기 때문이다.

그렇다면 이런 채찍 효과가 생기는 이유는 무엇일까? 여러 가지 이유가 있지만 첫 번째는 수요의 왜곡이다. 소비자의 수요가 갑자기 늘면 소매점은 앞으로 수요 증가를 기대하는 심리로 기존 주문량보다 더 많은 양을 도매점에 주문하게 된다. 그리고 도매점도 같은 이유로 소매점 주문량보다 더 많은 양을 제조업체에 주문한다. 즉, 공급 사슬망에서 최종 소비자로부터 멀어질수록 점점 더 심하게 왜곡되는 현상이 발생하는 것이다. 이러한 왜곡 현상은 공급자가 시장에서 제한적일 때 더 크게 발생한다. 즉 공급자가 한정된 상황에서는 더 많은 양을 주문해야 제품을 공급받기가 수월하기 때문이다. 티셔츠를 공급하는 제조업체에서 물량이 한정돼 있으면 한꺼번에 많은 양을 주문하는 도매업체에게 우선권을 주는 것은 당연하다. 결국 물건을 공급받기 위해서 업체들은 경쟁적으로 더 많은 주문을 해 공급을 보장받으려 한다. 결국 '수요의 왜곡'이 발생한다.

채찍 효과가 일어나는 두 번째 이유는 공급 사슬망에서 최종 소비자로부터 멀어질수록 대량 주문 방식을 요하기 때문이다. 예를 들면 소비자는 소매점에서 물건을 한두 개 단위로 구입하지만 소매점은 도매상에서 물건을 박스 단위로 주문한다. 그리고 다시 도매점은 제조업체에 트럭 단위로 주문을 한다. 이처럼 최종 소비자로부터 멀어질수록 기본 주문 단위가 커진다. 그런데 이렇게 주문 단위가 커질수록 재고량이 증가하게 되고, 재고량 증가는 변화에 민첩하게 대응하지 못하게 하는 원인이 된다.

채찍 효과의 세 번째 원인은 주문 발주에서 도착까지의 발주 실행 시간에 의한 시차 때문이다. 물건을 주문했다고 바로 물건이 도착하지 않는다. 주문을 처리하고 물류가 이동하는 시간이 있기 때문이다. 그런데 문제는 각 공급 사슬망 주체의 발주 실행 시간이 저마다 다르다는 데에 있다. 예를 들어 소매점이 도매점으로 주문을 했을 때 물건을 받기까지 걸리는 시간이 3~4일 정도라면, 도매점이 제조업체에 주문을 했을 때 물건을 받기까지는 몇 주 정도가 걸릴 수도 있다. 즉 최종 소비자로부터 멀어질수록 이런 물류 이동 시간이 증가하게 된다. 그리고 이처럼 발주 실행 시간이 길어지면 주문량이 많아지고, 이는 재고량 증가로 이어질 수 있다.

공급 사슬망에서 채찍 효과로 인해 발생하는 재고는 기업 입장에서는 큰 부담이 될 수 있다. 왜냐하면 재고를 쌓아둘 공간을 마련하거나 재고를 손상 없이 관리하는 데 큰 비용이 들기 때문이다. 그러므로 공급 사슬망에서 각 주체들 간에 수요와 공급 정보를 공유함으로써 불필요한 재고를 줄여야 한다.

21. 윗글에 대한 설명으로 적절한 것은?

① 사회 현상과 관련된 이론의 문제점을 지적하고 있다.
② 사회 현상의 발생 원인을 관련 개념을 통해 설명하고 있다.
③ 사회 현상과 관련된 원인을 역사적 변천 과정에 따라 설명하고 있다.
④ 사회 현상의 원인에 대한 대립적 의견들을 소개하고 그 공통점과 차이점을 설명하고 있다.
⑤ 사회 현상의 원인을 파악하기 위해 가설을 설정하고 실험을 통해 그 타당성을 검증하고 있다.

22. 윗글에 대한 이해로 적절하지 않은 것은?

① 주문 변동폭은 원자재 공급업체에 가까워질수록 커진다.
② 소비자의 수요가 일정한 상품에서는 채찍 효과가 나타나지 않는다.
③ 주문 변동폭이 클수록 유통업체와 제조업체의 계획이나 운영에 어려움이 생긴다.
④ 물건의 기본 주문 단위가 커질수록 재고량이 증가하고 변화에 민첩하게 대처하지 못한다.
⑤ 주문하고 바로 물건을 받을 수 없는 이유는 주문 처리 시간과 물류 이동 시간이 있기 때문이다.

23. 윗글을 바탕으로 ㉠의 원인을 추론한 것으로 가장 적절한 것은?

① 적정 재고량을 유지했기 때문이겠군.
② 공급 사슬망에서 벗어났기 때문이겠군.
③ 시장에서 공급자가 제한적이기 때문이겠군.
④ 수익보다 재고 관리 비용이 적었기 때문이겠군.
⑤ 발주 실행 시간이 물건을 공급받기에 짧았기 때문이군.

24. 윗글과 <보기>를 읽고 이해한 내용으로 적절하지 않은 것은?

<보 기>

예상치 못한 수요가 급격히 증가할 경우 소매점에서 재고량이 없다면 급히 도매점에 상품을 주문할 것이다. 만일 도매점에도 재고가 모자라 주문 물량을 다 소화할 수 없다면 제조업체에 추가 주문을 할 것이고 예상치 못한 주문에 야간 조업 등 계획에 없던 공장 가동을 할 수도 있다. 이처럼 최종 소비자의 갑작스러운 수요 증가로 인한 불확실성이 '소매점-도매점-제작업체'로 전달된다. 그러나 반대로 소매점에 갑작스러운 수요 증가를 흡수할 수 있는 충분한 재고가 있다면 소매점은 도매점에 계획에 없던 추가 주문을 할 필요도 없다. 공급 사슬망에서 재고는 한쪽에서 발생된 불확실성의 충격이 다른 곳으로 전이되는 것을 완화시켜주는 기능이 있다.

① 공급 사슬망에서 재고는 긍정적 측면뿐만 아니라 부정적 측면도 있다.
② 수요의 왜곡 현상과 불확실성의 전이는 공급 사슬망의 주체들에게 부담을 준다.
③ 공급 사슬망의 채찍 효과로 인해 공급자가 최종소비자로부터 가까울수록 주문량이 많다.
④ 소비자의 수요가 갑자기 늘어나면 수요의 왜곡 현상과 불확실성의 전이가 나타날 수 있다.
⑤ 수요의 왜곡을 겪은 도매점은 다음 주문부터는 기존 주문량보다 더 많은 양의 주문을 고려할 것이다.

25. 윗글을 바탕으로 <보기>에 대해 이해한 것으로 가장 적절한 것은? [3점]

<보 기>

'협력 공급 기획 예측(CPFR) 프로그램'이란 제조사와 이동통신 사업자 간 협력을 통해 물량 수요 예측을 조정해 나가는 프로세스다. 국내 이동통신 시장은 돌발적인 수요 변화가 많다. 이런 환경에서 A전자와 B통신은 CPFR 프로그램을 이용하여 판매, 재고, 생산계획의 정보를 실시간으로 공유하며 적기에 필요한 물량을 공급하고 재고를 최소화하기로 하였다. (단, 여기에서는 A전자와 B통신 외에 다른 요인이 작용하지 않는다.)

① B통신은 A전자 휴대폰을 항상 대량 주문할 것이다.
② A전자와 B통신의 휴대폰 재고량이 늘어나게 될 것이다.
③ A전자와 B통신이 서로 정보를 공유함으로써 과잉주문이 줄어들 것이다.
④ B통신이 A전자 휴대폰 공장 근처로 이전하게 되어 주문량에 상관없이 물건을 받는 시간은 일정하게 유지될 것이다.
⑤ A전자가 휴대폰을 B통신에 안정적으로 공급함으로써 국내 이동통신 시장에서 돌발적인 수요 변화가 줄어들 것이다.

[26~28] 다음 글을 읽고 물음에 답하시오.

[앞부분의 줄거리] 명나라 효종 때, 김생이라는 선비는 상사동 길가에서 영영을 보고 사랑에 빠진다. 영영을 만날 궁리를 하던 김생은 막동의 도움으로 영영의 이모인 노파에게 접근한다.

그 날도 두 사람은 술이 떨어질 때까지 마셨다.
김생은 빨간 보자기를 풀어 비단 적삼 하나를 내놓았다.
"매일 할머니를 괴롭히고도 갚을 것이 없어 걱정했는데 이것이라도 제 정성으로 아시고 받아 주시오."
노파는 김생의 마음 씀씀이에 감동하면서도 그 속마음을 알 수 없어 근심이 되었다. 노파는 아무래도 안 되겠다 싶었는지 바로 일어나서 절을 하였다.
"제가 과부 되어 살아온 지 오래지만 이웃 사람조차 도와주지 않았습니다. 그런데 도련님께서 이렇게 마음을 써 주시니 몸 둘 바를 모르겠습니다. 혹 도련님께서 소망이 있으시다면 비록 죽는 일이라도 말씀하소서."
그제야 김생은 얼굴에 슬픈 빛을 띠고 입을 열기 시작했다.
"그렇게 말씀하시니 어찌 사실대로 말하지 않겠소? 제가 어느 날 집으로 가는 길에 한 낭자를 보았습니다. 나이 어린 혈기로 뒤를 좇아왔더니 그 낭자가 들어 간 곳이 바로 이곳이었소. 그런데 그 낭자를 본 뒤부터 마음이 취한 듯 모든 일에 흥미를 잃고 그 낭자만 생각하니, 애끓는 괴로움이 벌써 여러 날이라오."
노파는 김생이 여인을 본 날짜와 여인의 복장을 물었다. 노파는 짚이는 사람이 있는 모양이었다.
"도련님께선 제 죽은 언니의 딸을 보신 것 같습니다. 그 애의 이름은 영영(英英)이라 하는데 정말 탐스러운 아이지요. 하지만……."
"하지만 뭐란 말이요?"
김생은 노파가 무슨 말을 할지 걱정되었다. 그걸 아는지 모르는지 노파는 김생보다 더 심각한 표정으로 말을 이었다.
"도련님은 그 애를 만나는 것조차 어려울 것입니다."
"그건 무슨 말이요?"
"그 애는 회산군(檜山君)의 시녀입니다. **궁중에서 나고 자라 문 밖을 나서지 못합니다.**"
"그렇다면 전에 내가 본 날은 어인 나들이었소?"
"그 때는 마침 그 애 부모의 제삿날이라 제가 회산군 부인께 청하고 겨우 데려왔었지요."
"……."
"영영은 자태가 곱고 음률이나 글에도 능통해 회산군께서 첩을 삼으려 하신답니다. 다만 그 **부인의 투기가 두려워 뜻대로 못할 뿐이랍니다.**"
김생은 크게 한숨을 내쉬며 탄식하였다.
"결국 하늘이 나를 죽게 하는구나!"
노파는 김생의 병이 깊은 것을 보고 안타까워했다. 노파는 그렇게 김생을 바라보고 있다가 한참만에 입을 열었다.
"방법이 없는 것은 아닙니다."
"그래요? 그, 그것이 무엇이오? 빨리 말해 보시오."
"단오가 한 달이 남았으니 그 때 다시 작은 제사상을 벌이고 부인에게 **영아를 보내 주십사고 청하면 그리 될 수도 있습니다.**"
김생은 그 말을 듣고 뛸 듯이 기뻐했다.
"할머니 말대로 된다면 인간의 오월 오일은 곧 천상의 칠석이오."
김생과 노파는 그렇게 서로 이야기를 하면서 **영영을 불러낼 계획을 세웠다.**
마침내 노파와 약속한 날이 되었다. 김생은 날이 밝기도 전에 그 집으로 달려갔다.

(중략)

영영을 그리는 마음은 예전보다 두 배나 더 간절하였다. 그러나 청조가 오지 않으니 소식을 전하기 어렵고, 흰기러기는 오래도록 끊기어 편지를 전할 길도 없었다. 끊어진 거문고 줄은 다시 맬 수가 없고 깨어진 거울은 다시 합칠 수가 없으니, 가슴을 졸이며 근심을 하고 이리저리 뒤척이며 잠 못 이룬들 무슨 소용이 있겠는가? 김생은 마침내 몸이 비쩍 마르고 병이 들어 자리에 누워 있었다. 그렇게 두어 달이 지나니 김생은 죽은 몸이나 다름없었다. 마침 김생의 친구 중에 이정자(李正字)라고 하는 이가 문병을 왔다. 정자는 김생이 갑자기 병이 난 것을 이상해했다. 병들고 지친 김생은 그의 손을 잡고 모든 이야기를 털어놓았다. 정자는 모든 이야기를 듣고 놀라며 말했다.
[A] "자네의 병은 곧 나을 걸세. 회산군 부인은 내겐 고모가 되는 분이라네. 그 분은 의리가 있고 인정이 많으시네. 또 부인이 소천(所天)*을 잃은 후로부터, 가산과 보화를 아끼지 아니하고 희사(喜捨)와 보시(布施)를 잘 하시니, 내 자네를 위하여 애써 보겠네."
김생은 뜻밖의 말을 듣고 너무 기뻐서 병든 몸인데도 일어나 정자의 손이 으스러져라 꽉 잡을 정도였다. 김생은 신신 부탁하며 정자에게 절까지 하였다. 정자는 그 날로 부인 앞에 나아가 말했다.
"얼마 전에 장원 급제한 사람이 문 앞을 지나다가, 말에서 떨어져 정신을 차리지 못한 것을 고모님이 시비에게 명하여 사랑으로 데려간 일이 있사옵니까?"
"있지."
"그리고 영영에게 명하여 차를 올리게 한 일이 있사옵니까?"
"있네."
[B] "그 사람은 바로 저의 친구로 김 모라 하는 이옵니다. 그는 재기(才氣)가 범인(凡人)을 지나고 풍도(風度)가 속되지 않아, 장차 크게 될 인물이옵니다. 불행하게도 상사의 병이 들어 문을 닫고 누워서 신음하고 있은 지 벌써 두어 달이 되었다 하더이다. 제가 아침저녁으로 왔다 갔다 하면서 문병하는데, 피부가 파리해지고 목숨이 아침저녁으로 불안하니, 매우 안타까이 여겨 병이 든 이유를 물어 본 즉 영영으로 인함이라 하옵니다. 영영을 김생에게 주시는 것이 어떻겠습니까?"
부인은 듣고 나서,
"내 어찌 영영을 아껴 사람이 죽도록 하겠느냐?"
하였다. 부인은 곧바로 영영을 김생의 집으로 가게 하였다. 그리하여 꿈에도 그리던 두 사람이 서로 만나게 되니 그 기쁨이야 말할 수 없을 정도였다. 김생은 기운을 차려 다시 깨어나고, 수일 후에는 일어나게 되었다. 이로부터 김생은 공명(功名)을 사양하고, **영영과 더불어 평생을 해로하였다.**

－ 작자 미상, 「영영전」 －

* 소천(所天) : 아내가 남편을 일컫는 말

26. 윗글에 대한 설명으로 가장 적절한 것은?

① 전기적 요소를 활용해 긴박한 분위기를 조성하고 있다.
② 비유적 표현을 활용해 인물 간의 갈등을 심화하고 있다.
③ 인물의 외양 묘사를 통해 영웅적 면모를 보여주고 있다.
④ 역순행적 구성을 통해 사건을 입체적으로 구성하고 있다.
⑤ 서술자의 주관적 논평을 통해 인물의 심리를 드러내고 있다.

27. [A]와 [B]에 나타난 인물의 말하기에 대한 설명으로 가장 적절한 것은?

① [A]는 상대에게 조언하고, [B]는 상대에게 거래를 제안하고 있다.
② [A]는 상대에게 칭찬하고, [B]는 상대에게 서운함을 토로하고 있다.
③ [A]는 상대에게 위로하고, [B]는 상대에게 원하는 것을 부탁하고 있다.
④ [A]는 상대에게 공감하고, [B]는 상대에게 자신의 능력을 자랑하고 있다.
⑤ [A]는 상대에게 충고하고, [B]는 상대에게 자신의 친구를 소개하고 있다.

28. <보기>를 참고하여 윗글을 감상한 내용으로 적절하지 않은 것은? [3점]

<보 기>

「영영전」은 궁녀인 영영과 선비인 김생의 신분을 초월한 사랑을 그린 작품이다. 주인공 영영을 통해 조선 시대 궁녀들의 폐쇄적인 생활상을 엿볼 수 있으며, 영영의 신분은 김생과의 사랑을 가로막는 장애물로 작용한다. 김생은 영영을 만나기 위해 노력하며, 이 과정에서 김생이 영영을 만나도록 도와주는 인물들이 등장한다. 결국, 조력자들의 도움으로 영영과 김생은 사랑의 장애물을 극복하고 사랑을 성취하여 행복한 결말을 맞이하게 된다.

① '궁중에서 나고 자라 문밖을 나서지 못합니다.'에서 조선 시대 궁녀들의 폐쇄적인 생활상을 확인할 수 있군.
② '부인의 투기가 두려워 뜻대로 못할 뿐이랍니다.'에서 회산군 부인의 투기가 김생과 영영의 사랑을 가로막는 장애물임을 확인할 수 있군.
③ '영아를 보내 주십사고 청하면 그리 될 수도 있습니다.'에서 노파도 김생이 영영을 만나도록 도와주는 조력자임을 확인할 수 있군.
④ '영영을 불러낼 계획을 세웠다.'에서 김생이 영영을 만나기 위해 노력하고 있음을 확인할 수 있군.
⑤ '영영과 더불어 평생을 해로하였다.'에서 영영과 김생이 사랑을 성취하여 행복한 결말을 맞이했음을 확인할 수 있군.

[29~32] 다음 글을 읽고 물음에 답하시오.

(가)

ⓐ 해는 출렁거리는 빛으로
내려오며
제 빛에 겨워 흘러 넘친다
㉠ 모든 초록, 모든 꽃들의
왕관이 되어
자기의 왕관인 초록과 꽃들에게
웃는다, 비유의 아버지답게
초록의 샘답게
하늘의 푸른 넓이를 다해 웃는다
하늘 전체가 그냥
기쁨이며 신전이다

해여, 푸른 하늘이여,
그 빛에, 그 공기에
취해 찰랑대는 자기의 즙에 겨운,
공중에 뜬 물인
나뭇가지들의 초록 기쁨이여

흙은 그리고 깊은 데서
㉡ 큰 향기로운 눈동자를 굴리며
넌지시 주고받으며
싱글거린다

오 이 향기
싱글거리는 흙의 향기
㉢ 내 코에 댄 깔대기와도 같은
하늘의, 향기
나무들의 향기!

– 정현종, 「초록 기쁨 – 봄숲에서」 –

(나)

㉣ 들길은 마을에 들자 붉어지고
마을 골목은 들로 내려서자 푸르러졌다
바람은 넘실 천 이랑 만 이랑
㉤ 이랑 이랑 햇빛이 갈라지고
보리도 허리통이 부끄럽게 드러났다
꾀꼬리는 엽태 혼자 날아 볼 줄 모르나니
암컷이라 쫓길 뿐
수놈이라 쫓을 뿐
황금빛 난 길이 어지럴 뿐
얇은 단장하고 아양 가득 차 있는
ⓑ 산봉우리야 오늘밤 너 어디로 가 버리련?

– 김영랑, 「오월」 –

29. (가)와 (나)의 공통점으로 가장 적절한 것은?

① 화자가 인식한 사물의 특징에서 삶의 교훈을 이끌어내고 있다.
② 이상과 현실을 대비시켜 이상에 대한 화자의 염원을 나타내고 있다.
③ 과거와 현재를 교차시켜 현실의 삶에 대한 반성의 태도를 나타내고 있다.
④ 자연물에 인격을 부여하여 화자가 자연과 교감하는 모습을 보여주고 있다.
⑤ 자연의 모습을 부각하여 자연에 합일되지 못하는 인간의 고독감을 드러내고 있다.

30. (가)의 표현상 특징에 대한 설명으로 적절하지 <u>않은</u> 것은?

① 문장부호를 활용하여 호흡의 흐름을 조절하고 있다.
② 반어적 표현을 사용하여 숨은 의미를 나타내고 있다.
③ 동일한 시어를 반복함으로써 의미를 강조하고 있다.
④ 감각적 이미지로 대상에 대한 인상을 표현하고 있다.
⑤ 영탄적 표현을 사용하여 화자의 정서를 나타내고 있다.

31. ⓐ와 ⓑ에 대한 설명으로 가장 적절한 것은?

① ⓐ는 화자의 지난 삶을 떠올리게 하는 대상이다.
② ⓐ는 기쁨을 느끼는 화자와 동일시되는 대상이다.
③ ⓑ는 화자에게 새로운 행동을 촉구하는 대상이다.
④ ⓑ는 화자가 밤의 시간에 관찰하여 파악한 대상이다.
⑤ ⓐ, ⓑ는 모두 화자가 관심을 갖고 주관적으로 인식하는 대상이다.

32. <보기>를 참고하여 ㉠ ~ ㉤을 감상한 내용으로 적절하지 <u>않은</u> 것은? [3점]

<보 기>

두 시는 모두 봄을 소재로 한 작품이다. (가)는 숲을 배경으로 해, 하늘, 나무, 꽃, 흙 등이 어우러지는 조화로움을 보여준다. (나)는 보리밭이 펼쳐진 시골을 배경으로 봄날의 정감을 표현하고 있다. 이 시에서는 들, 보리, 뫼꼬리, 산봉우리 등으로 화자의 시선이 옮겨간다.

① ㉠: 햇빛이 나무와 꽃에 비쳐 빛나는 모습을 '왕관'으로 표현한 것이라 볼 수 있어.
② ㉡: '큰 향기로운 눈동자를 굴리며'의 주체는 흙을 바라보는 화자라 볼 수 있어.
③ ㉢: 자연의 향기가 코로 전해지는 것을 비유적으로 나타낸 것이라 볼 수 있어.
④ ㉣: 화자가 본 시골길과 들판의 모습을 감각적으로 표현한 것이라 볼 수 있어.
⑤ ㉤: 보리밭의 이랑 사이로 햇빛이 비춰 반짝이는 모습을 나타낸 것이라 볼 수 있어.

[33 ~ 36] 다음 글을 읽고 물음에 답하시오.

[앞부분의 줄거리] '나'는 재개발이 시작되어 이제 곧 사라지게 될 고향 산동네를 찾아가면서 추운 겨울, 변소에 갔다가 짠지 항아리를 깨뜨렸던 어린 시절의 기억을 떠올린다.

나는 **깨진 단지**를 눈으로 찬찬히 확인하는 순간 입술을 파르르 떨었다. 어찌 떨지 않을 수 있었을까. 그 단지의 임자가 욕쟁이 함경도 할머니임에 틀림없음에랴! 이 베락 맞아 뒈질 놈의 아새낄 봤나, 하는 욕설이 귀에 쟁쟁해지자 등 뒤에서 올라온 뜨뜻한 열기가 목덜미와 정수리께를 휩싸며 치솟아 올라 추운 줄도 몰랐다. 눈을 비비고 또 비볐지만 이미 벌어진 현실이 눈앞에서 사라져 줄 리는 만무했다.

집 안팎에서 귀청이 떨어져라 퍼부어질 지청구와 매타작을 감수하는 게 상수인 듯싶었다. 아무도 밟지 않은 첫길이라고 일부러 발끝에 힘을 주어 제겨 딛고 가느라 우리 집 앞에서 변소 앞까지 뚜렷이 파인 눈 위의 내 발자국은 요즘 말로 도주 및 증거 인멸의 가능성을 일찌감치 봉쇄하고 있는 터였다. 이미 아홉 가구의 어느 방 안에서인지 잠에서 깨어난 사람들이 내 행동을 처음부터 끝까지 지켜보기라도 한 양 두런거리는 목소리들이 들려왔다. 나는 울기 전에 최후의 시도를 하기로 맘먹었다. 우랑바리나바롱나르비못다라까따라마까뿌라나……

손오공이 부리는 조화를 기대하며 입속으로 주문을 반복해서 외었다. 그러고는 고개를 홱 돌려 깨진 단지를 내려 보았다. 주문이 헛되지 않았는지 내 입가에 기쁨의 미소가 어렸다. 깨진 단지는 그 모양 그대로였지만 어떤 기발한 생각이 별똥별처럼 머릿속을 스치고 지나갔기 때문이었다. 그렇다. 눈사람이다! 나는 가슴이 터질 듯 기뻐 하늘을 향해 두 팔을 쫙 벌렸다. 일단 이 아침만큼은 별일 없이 맞이할 수 있겠지.

나는 장갑도 끼지 않은 손으로 서둘러 주위의 눈을 긁어모으기 시작했다. 마침 찰기가 좋은 눈이어서 손이 한번 닿을 때마다 흙알갱이가 알알이 박힌 눈덩이들이 붙어 올라왔다. 나는 우선 항아리 주변에 눈사람의 아랫부분을 뭉쳐 놓았다. 그리고는 조금 작은 눈덩이를 서둘러 올려놓았다. 그렇게 해서 깨진 단지를 감쪽같이 **눈사람** 속에 집어넣을 수 있었던 것이다.

"너 벌써부터 나와 노는구나. 부지런하구나."

바로 이웃방에 사는 현정이 아빠가 담배를 꼬나물고 변소에 가려고 내복 바람으로 나왔다.

"**방학 숙제로 낼 일기**를 쓰는데요, 눈사람 굴리기라도 해서 적어 넣으려구요. 앞으론 날이 따뜻해서 눈사람을 만들려 해도 그러지 못할 거예요. 이것도 금세 녹을걸요."

[중략 부분의 줄거리] 욕쟁이 할머니의 짠지 항아리를 깬 후, 깨진 단지의 흔적을 치운다. 혼날 것을 두려워한 나는 가출을 한 후 여러 곳을 방황하다 해질녘에 집으로 돌아온다.

그러곤 어느덧 해질녘…… 이미 비밀이 다 까발려졌을 아홉가구 집으로 돌아갔다. 대문간 앞에서 나는 심호흡을 몇 번이고 했다. 엄마한테 연탄집게로 맞으면 안 되는데 싶은 생각뿐이었다. 하지만 내가 대문간 앞을 흐르는 시궁창을 가로지르는 돌다리를 건너갔지만 아무도 나를 보고 아는 체하는 사람이 없었다. 내게 일제히 안됐다는 시선을 던지며 몰려들었어야 할 사람들이 평소와 다름없이 냄비를 들고 왔다 갔다 했고, 문짝에 기대 입을 가리고 웃었으며, 수돗가에 몰려나와 쌀을 일며 화기애애하게 얘기를 나누고 있었다. 심지어 수돗가에서 시래기를 다듬다 마주친 엄마도 너 점심 굶고 어디 갔다 왔니, 하는 지청구조차 내리지 않았다. 나는 무척 혼돈스러웠다. 사람들이 나를 더 곤혹스럽게 만들기 위해 일부러 짜고 그러는 것도 같았다. 나는 얼른 눈사람을 천연덕스럽게 세워두었던 변소통 쪽을 돌아다보았다. 거기엔 아무것도 없었다. 눈사람은 깨끗이 치워져 있었다. 물론 흉측한 몰골을 드러내고 있어야 할 짠지 단지도 눈에 띄지 않았다. 도대체 무슨 일이 일어난 것일까?

나는 **나를 둘러싼 세계**가 너무도 낯설게 느껴졌다. 내가 짐작하고 또 생각하는 세계하고 실제 세계 사이에는 이렇듯 머나먼 거리가 놓여 있었던 것이다. 그 거리감은 사실이 세계는 나와는 상관없이 돌아간다는 깨달음, 그러므로 나는 결코 주변으로 둘러싸인 중심이 아니라는 아슴프레한 깨달음에 속한 것이었다. 더 이상 나를 상대하지도 혼내지도 않는 세계가 너무나 괴물스럽고 슬퍼서 싱거운 눈물이라도 흘려야 직성이 풀릴 듯했다. 하긴 눈물 서너 방울쯤 짜내는 것은 일도 아니었으니까. 난 ㉠ <u>시래기 줄기가 매달린 처마 밑에 서서 몇 방울 떨구며 소리 없이 울었다.</u> 차라리 그 깨진 단지라도 제자리를 지키고 있었다면 혼은 나더라도 나는 혼돈스럽지도 불안해하지도 않았을 것 아닌가.

"뭘 잘했다고 소리 없이 눈물을 꾹꾹 짜니? 정초부터 에밀 못 잡아먹어서 그러니? 넉살 좋게 단지를 깨뜨려 눈사람 속에 파묻을 생각은 어찌 했담."

엄마가 물에 젖은 손으로 내 볼따구니를 야무지게 잡아 비틀며 어이가 없다는 듯 픽 웃음을 지었다. 그 얼얼함이 내 균형 감각을 바로 잡아 주었다. 아주머니들의 웃음소리 사이에서 나는 울음을 딱 그쳤다. 그러고는 어른처럼 땅을 쿵쾅거리며 뛰쳐나와 이 골목 저 골목을 헤집으며 어딘가를 향해 가슴이 터져라고 마구 달리고 또 달렸다. **그렇게 컸다.**

– 김소진, 「눈사람 속의 검은 항아리」 –

33. 윗글의 서술 방식에 대한 설명으로 적절한 것은?

① 인물 간의 대화를 중심으로 사건을 전개하고 있다.
② 작품 속의 서술자가 자신의 심리를 직접 서술하고 있다.
③ 소설의 내화와 외화를 넘나들면서 긴장감을 조성하고 있다.
④ 주변 인물을 서술자로 내세워 주인공의 심리를 전달하고 있다.
⑤ 서술자가 작품 밖에 위치하여 인물의 심리를 직접 서술하고 있다.

34. ㉠의 이유로 가장 적절한 것은?

① '나'의 잘못을 용서해 준 어른들에게 고마움을 느꼈기 때문이다.
② 겨울날 해질녘에 귀가하면서 쓸쓸한 분위기를 느꼈기 때문이다.
③ 가출을 감행해야만 했던 '나'의 처지가 슬프게 느껴졌기 때문이다.
④ 가출 후 무관심으로 일관하는 어른들의 태도에 분노를 느꼈기 때문이다.
⑤ '나'가 예상하는 모습과 다르게 행동하는 어른들의 모습에서 혼돈과 불안함을 느꼈기 때문이다.

35. <보기>는 윗글의 사건을 순서대로 정리한 도표이다. ㉮ ~ ㉰의 각 사건에 따른 '나'의 심리 상태로 가장 적절한 것은?

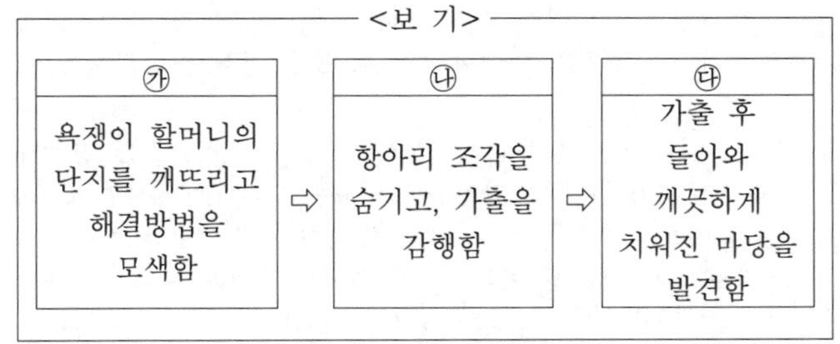

① ㉮: 단지를 깬 후, 당황하지 않고 침착함을 유지하고 있다.
② ㉮: 주문을 외운 후, 위기 상황을 모면할 수 있다는 생각에 기뻐하고 있다.
③ ㉯: 현정 아빠와 대화하기 전부터 '나'는 의기양양한 태도로 일관하고 있다.
④ ㉰: 가출 후 돌아와서, 깨끗하게 치워진 마당을 보며 편안함을 느끼고 있다.
⑤ ㉰: 볼을 비틀며 자신을 꾸짖는 엄마로 인해 심리적으로 위축되고 있다.

36. <보기>를 참고하여 윗글을 이해할 때, 적절하지 않은 것은? [3점]

<보 기>

성장 소설은 유년기에서 소년기를 거쳐 성인의 세계로 입문하는 한 인물이 겪는 내면적 갈등과 정신적 성장, 자신을 둘러싸고 있는 세계에 대한 각성과 성찰의 과정을 담고 있다. 성장 소설은 대개 성인의 입장에서 자신의 어린 시절의 체험을 재평가하고, 반성적으로 사유한 결과물을 고백의 담론 방식을 택하고 있다. 주인공은 지적, 도덕적, 정신적으로 미숙한 상태의 인물인 경우가 많다. 소설에서 내적 시간이 유년기의 시간대임에 비해서 실제적인 창작은 성인의 세계에 진입한 이후의 시간에서 이루어지기 때문에 양자가 구별되어 제시된다.

① '깨진 단지'는 '나'에게 성장의 계기가 되는 소재로 쓰였군.
② '눈사람' 속에 깨진 항아리를 은폐하는 모습에서 내면적으로 갈등하는 '나'를 살펴볼 수 있겠군.
③ '방학 숙제로 낼 일기'에서 어린 시절의 경험을 그린 소설로 볼 수 있겠군.
④ '나를 둘러싼 세계'는 미성숙한 '나'가 각성하고 성찰하는 공간으로 볼 수 있겠군.
⑤ '그렇게 컸다'는 구절을 볼 때, 성인이 어린 시절을 떠올리고 있음을 알 수 있겠군.

[37～41] 다음을 읽고 물음에 답하시오.

아리스토텔레스의 고전 논리학에서는 기본 명제를 네 가지로 분류하고 이를 각각 '전체 긍정 명제', '전체 부정 명제', '부분 긍정 명제', '부분 부정 명제'라고 이름을 붙였다. 삼단 논법에 이용되는 명제는 어떤 것이든 이 네 가지 기본 명제 중 어느 하나의 형식을 가져야 하며, 이 명제들은 그 뜻이 애매하다거나 모호하지 않아야 하므로 **표준 형식**으로 고쳐 주어야 한다.

먼저, 전체 긍정을 뜻하는 명제의 표준 형식은 "모든 철학자는 이상주의자이다."와 같이 '모든 ~는 ~이다.'로 하면 된다. 전체 부정을 뜻하는 명제의 표준 형식의 경우, "모든 철학자는 이상주의자가 아니다."라는 말은 애매하다. 왜냐하면 "철학자는 한 사람도 이상주의자가 아니다."를 뜻하는 것인지, 아니면 "철학자 중에는 이상주의자가 아닌 사람도 있다."를 뜻하는 것인지 분명하지 않기 때문이다. 그러므로 '모든 ~는 ~가 아니다.'라는 형식은 전체 부정 명제의 표준 형식이 될 수 없다. 전체 부정의 뜻을 분명하게 나타내어 줄 수 있는 표준 형식은 "어느 철학자도 이상주의자가 아니다."와 같이 '어느 ~도 ~가 아니다.'로 하면 된다. 부분 긍정을 뜻하는 명제의 표준 형식은 "어떤 철학자는 염세주의자이다."와 같이 '어떤 ~는 ~이다.'라는 형식이면 된다. '어떤'이란 말이 '어떤 낯선 사람'이라고 할 때처럼 불확정적인 대상이라는 뜻을 가질 수도 있으나 그것은 부분 긍정을 뜻하는 데는 별 문제가 되지 않는다. 마지막으로, 부분 부정을 뜻하는 명제의 표준 형식은 "어떤 철학자는 도덕주의자가 아니다."에서와 같이 '어떤 ~는 ~가 아니다.'라는 형식이면 된다.

"고래는 포유동물이다."라는 일상 언어의 문장은 모든 고래에 대한 긍정을 뜻하는 것이므로 이것을 표준 형식의 명제로 고치면 "모든 고래는 포유동물이다."가 된다. 그러나 "칼을 쓰는 자는 칼로 망한다."라는 말은 전체 긍정의 뜻으로 받아들일 수도 있고 부분 긍정의 뜻으로 받아들일 수도 있다. 이것을 "칼을 쓰는 모든 사람은 칼로 망하는 사람이다."라고 한다면 전체 긍정이 되지만, "칼을 쓰는 어떤 사람은 칼로 망하는 사람이다."라고 한다면 부분 긍정이 된다. ㉠어느 쪽 해석이 옳은가라는 문제는 논리학의 관심 문제가 아니다. 그것을 사실의 서술로 보는 사람은 칼을 쓰는 사람들 중 일부분의 사람만 칼로 망하게 된다는 사실을 긍정하는 것으로 이해하는 것이며, 그 반면 그것을 하나의 교훈적인 말로 받아들이는 사람은 그것이 하나의 ⓐ보편적인 법칙 같은 것을 뜻하는 것으로 이해하기 때문에 전체 긍정으로 읽게 되는 것이다.

"대부분의 젊은이들은 현실 부정적이다."에서 '대부분'은 전체가 아니라는 뜻이므로 이런 경우는 '어떤'으로, 즉 부분 긍정이나 부분 부정으로 이해할 수밖에 없다. 전체 중에서 단 한 사람에 대한 긍정을 한 것도 부분 긍정으로 ⓑ일반화시킬 수밖에 없으며, 한 사람만 제외한 다른 모든 사람들에 대한 긍정도 부분 긍정으로 ⓒ간주할 수밖에 없다. 명제의 양을 전체와 부분으로만 나누어 두었기 때문에 전체에 관한 것이 아닌 것은 모두 부분에 관한 것으로 표현되어야 한다는 뜻이다. 부분에 관한 명제들 중에서 그 양의 정도가 다른 것을 나타낼 수 있는 방법은 없다. 이것은 곧 모든 명제를 네 가지 기본 형식으로만 나누어야 하는 고전 논리의 한계점이 된다. 그러므로 위의 명제도 "어떤 젊은이들은 현실 부정적인 사람이다."라고 고칠 수밖에 없다.

"미국 흑인들 외에는 아무도 흑인 영가*의 참뜻을 느낄 수 없다." 이 문장에는 흑인 영가의 참뜻을 느낄 수 있는 미국 흑인에 대한 것과 그것을 느낄 수 없는 다른 사람들에 대한 것이 포함되어 있다. 따라서 "모든 미국 흑인들은 흑인 영가의 참뜻을 느낄 수 있는 사람이다."라는 명제와 "미국 흑인이 아닌 모든 사람은 흑인 영가의 참뜻을 느낄 수 없는 사람이다."라는 명제로 고쳐야 한다. 그리고 둘째 명제는 다음과 같이 전체 부정 명제로 고쳐 쓸 수 있다. "미국 흑인이 아닌 어느 사람도 흑인 영가의 참뜻을 느낄 수 있는 사람이 아니다."

일상 언어의 문장은 그것이 어떤 사실을 긍정하는 것일지라도 위에서 ⓓ검토해 본 예문들처럼 그것의 논리적 의미가 분명치 못한 것이 많다. 그것이 이용되는 경우에 따라서, 또 내용에 따라서 그 의미가 다르게 이해되어야 할 때가 많다. 이러한 문제는 논리학의 범위에 속하지 않는 것이므로 그것을 사용하는 사람이 자기대로 ⓔ타당한 이해를 할 수밖에 없는 것이다. 그러한 문장을 표준 형식의 명제로 고치고자 할 때는 먼저 적절한 해석을 한 후 그것이 이해되는 뜻에 따라서 그것에 맞는 형식으로 고쳐 주면 된다.

* 영가(靈歌) : 미국의 흑인들이 부르는 일종의 종교적인 노래

37. 윗글의 내용과 일치하는 것은?

① "미국 흑인이 아닌 모든 사람은 흑인 영가의 참뜻을 느낄 수 없는 사람이다."는 다른 명제로 고칠 수 없다.
② "칼을 쓰는 모든 사람은 칼로 망하는 사람이다."를 교훈의 말로 받아들이는 사람은 부분 긍정으로 이해한다.
③ "모든 철학자는 이상주의자가 아니다."라는 말의 표준 형식은 "모든 ~는 ~가 아니다."라는 형식이 될 수 있다.
④ 부분 명제 중에서 그 양의 정도가 다른 것을 나타낼 수 있는 방법이 없다는 점은 고전 논리의 한계로 볼 수 있다.
⑤ 일상 언어의 문장은 어떤 사실을 긍정할 경우에만 그것의 논리적 의미가 분명해진다고 볼 수 있다.

38. ㉠의 이유로 가장 적절한 것은?

① 일상 언어는 논리학의 표준 명제로 고칠 수 없기 때문이다.
② 논리학은 명제의 형식에 대해서는 문제로 삼지 않기 때문이다.
③ 일상 언어의 문장과 논리학의 문장은 본질적으로 다르기 때문이다.
④ 논리학은 일상 언어의 문장을 우선 네 가지 기본 명제의 형식으로 고친 후 해석해야 하기 때문이다.
⑤ 일상 언어의 문장들은 읽는 사람에 따라서 혹은 그것이 쓰이는 상황에 따라서 그것의 논리적 의미가 다르기 때문이다.

39. 윗글을 참고하여 <보기>에 대해 판단한 내용으로 적절하지 않은 것은?

<보 기>

"문제의식이 투철한 사람만 참석했다."

① '참석한 모든 사람은 문제의식이 투철한 사람이었다.'라는 뜻이군.
② '문제의식이 투철한 사람은 누구나 다 참석했다.'는 것을 뜻하지는 않는군.
③ '문제의식이 투철한 사람의 일부분이 참석했다.'라는 것을 긍정하지도 않는군.
④ 참석한 사람들만이 문제의식이 투철한 사람들인지 어떤지에 대한 긍정은 없군.
⑤ '문제의식이 투철한 사람만 참석했다.'는 하나의 표준 형식으로서 분명한 뜻을 지니는군.

40. 윗글을 바탕으로, <보기>의 문장들을 표준 형식의 명제로 고친 것으로 적절하지 않은 것은? [3점]

< 보 기 >

㉮ 원숭이도 나무에서 떨어진다.
㉯ 소수의 사람들만이 특혜를 받았다.
㉰ 경마에 미친 사람은 경마만 좋아한다.
㉱ 비가 오는 날이면 언제나 그는 택시를 탄다.
㉲ 이번 여름은 피서지마다 초만원을 이루었다.

① ㉮: 어떤 원숭이는 나무에서 떨어지는 원숭이이다.
② ㉯: 어떤 사람은 특혜를 받은 사람이다.
③ ㉰: 경마에 미친 모든 사람은 경마를 좋아한다.
④ ㉱: 비가 오는 모든 날은 그가 택시를 타는 날이다.
⑤ ㉲: 이번 여름의 모든 피서지는 초만원을 이루는 곳이다.

41. ⓐ ~ ⓔ의 사전적 의미로 적절하지 않은 것은?

① ⓐ: 두루 널리 미치는
② ⓑ: 구체적인 것으로 됨
③ ⓒ: 상태, 모양, 성질 따위가 그와 같다고 봄
④ ⓓ: 사실이나 내용을 분석해 따짐
⑤ ⓔ: 일의 이치로 보아 옳은

[42 ~ 45] 다음 글을 읽고 물음에 답하시오.

(가)

태산이 놉다 하되 하늘 아래 뫼히로다.
오르고 또 오르면 못 오를 리 업건마는
사람이 제 아니 오르고 뫼만 놉다 하더라.

– 양사언의 시조 –

(나)

乍晴還雨雨還晴	언뜻 개었다가 다시 비가 오고 비 오다가 다시 개이니,	[A]
天道猶然況世情	하늘의 도도 그러하거늘, 하물며 세상 인정이랴.	[A]
譽我便是還毁我	나를 기리다가 문득 돌이켜 나를 헐뜯고,	[B]
逃名却自爲求名	공명을 피하더니 도리어 스스로 공명을 구함이라.	[B]
花門花謝春何管	꽃이 피고 지는 것을, 봄이 어찌 다스릴고.	[C]
雲去雲來山不爭	구름 가고 구름 오되, 산은 다투지 않음이라.	[C]
寄語世人須記認	세상 사람들에게 말하노니, 반드시 기억해 알아 두라.	[D]
取歡無處得平生	기쁨을 취하려 한들, 어디에서 평생 즐거움을 얻을 것인가를.	[D]

– 김시습, 「사청사우(乍晴乍雨)*」 –

* 사청사우(乍晴乍雨) : 날이 맑았다 비가 오다 함, 변덕스런 날씨를 가리킴

(다)

행랑채가 퇴락*하여 지탱할 수 없게끔 된 것이 세 칸이었다. 나는 마지못하여 이를 모두 수리하였다. 그런데 그 두 칸은 앞서 장마에 비가 샌 지가 오래 되었으나, 나는 그것을 알면서도 망설이다가 손을 대지 못했던 것이고, 나머지 한 칸은 비를 한 번 맞고 샜던 것이라 서둘러 기와를 갈았던 것이다. ㉮ 이번에 수리하려고 본즉 비가 샌 지 오래된 것은 그 서까래, 추녀, 기둥, 들보가 모두 썩어서 못 쓰게 되었던 까닭으로 수리비가 엄청나게 들었고, 한 번밖에 비를 맞지 않았던 한 칸의 재목들은 완전하게 하여 다시 쓸 수 있었던 까닭으로 그 비용이 많지 않았다.

나는 이에 느낀 것이 있었다. 사람의 몸에 있어서도 마찬가지라는 사실을. 잘못을 알고서도 바로 고치지 않으면 곧 그 자신이 나쁘게 되는 것이 마치 나무가 썩어서 못 쓰게 되는 것과 같으며, 잘못을 알고 고치기를 꺼리지 않으면 해(害)를 받지 않고 다시 착한 사람이 될 수 있으니, 저 집의 재목처럼 말끔하게 다시 쓸 수 있는 것이다.

뿐만 아니라 나라의 정치도 이와 같다. 백성을 좀먹는 무리들을 내버려두었다가는 백성들이 도탄*에 빠지고 나라가 위태롭게 된다. 그런 연후에 급히 바로잡으려 하면 이미 썩어 버린 재목처럼 때는 늦은 것이다. 어찌 삼가지 않겠는가.

— 이규보, 「이옥설(理屋說)」 —

* 퇴락(頹落) : 낡아서 무너지고 떨어짐
* 도탄(塗炭) : 몹시 곤궁하거나 고통스러운 지경을 이르는 말

42. (가) ~ (다)의 공통점으로 가장 적절한 것은?

① 자신의 가치관을 성찰하며 개선하고 있다.
② 현재 처한 상황을 극복하고자 노력하고 있다.
③ 바른 삶을 살아가는 자세에 대해 말하고 있다.
④ 이념과 현실 사이의 갈등 속에서 방황하고 있다.
⑤ 추구하는 이상 세계의 모습을 구체적으로 언급하고 있다.

43. [A] ~ [D]에 대한 설명으로 적절하지 않은 것은?

① [A]에서는 자연 현상에 빗대어 세상 인정에 대한 화자의 부정적 인식을 드러내고 있다.
② [B]에서는 대구법을 사용하여 세상 인정에 대한 구체적인 사례를 들고 있다.
③ [C]에서는 가변적인 대상과 불변적인 대상을 대조하여 화자의 의도를 분명히 하고 있다.
④ [D]에서는 도치법을 활용하여 화자가 전달하고자 하는 바를 강조하고 있다.
⑤ [A] ~ [D]에서는 세상 사람들을 청자로 설정하여 묻고 답하며 시상을 전개하고 있다.

44. <보기>를 참고하여 (다)를 이해한 내용으로 가장 적절한 것은? [3점]

<보 기>

설(說)은 일반적으로 두 단계의 구조로 나뉜다. 글쓴이의 개인적인 경험을 들려주는 ㉠ 전반부와 그로부터 얻은 결과를 독자에게 전하는 ㉡ 후반부로 구분된다. 글쓴이의 주관이 직접적으로 드러나고 경험담이 기반이 되기 때문에 수필과 비슷하다.

① ㉠은 문제에 대해 다양한 해결책을 제시하고 있다.
② ㉠과 ㉡은 서로 상반되는 견해를 제시하고 있다.
③ ㉠이 사건의 결과라면 ㉡은 그 원인에 해당한다.
④ ㉡은 ㉠의 사실적 상황을 바탕으로 유추한 것이다.
⑤ ㉠은 ㉡에서 얻은 깨달음을 자신의 생활에 적용한 것이다.

45. ㉮에 대한 반응으로 가장 적절한 것은?

① 호미로 막을 걸 가래로 막았군.
② 낫 놓고 기역자도 모르는 격이군.
③ 까마귀 날자 배 떨어진 상황이군.
④ 개구리 올챙이 적 생각 못하는군.
⑤ 우물에 가서 숭늉을 찾는 경우이군.

* 확인 사항
○ 답안지의 해당란에 필요한 내용을 정확히 기입(표기)했는지 확인하시오.

2020학년도 3월 고1 전국연합학력평가 문제지

국어 영역

8회 소요시간 /80분

제 1 교시

➡ 해설 P.67

[1~3] 다음은 학생이 수업 시간에 한 발표이다. 물음에 답하시오.

여러분, 명절 하면 어떤 전통 놀이가 떠오르시나요? (청중의 반응을 살피고) 저는 지난 설날에 온 가족과 둘러앉아 윷놀이를 하게 되었는데 무척 재미있었습니다. 그래서 여러분들도 그 재미를 느껴 보셨으면 하는 마음에 오랫동안 사랑받아 온 우리 전통 놀이, 윷놀이를 소개해 드리고자 합니다. 나누어 드린 활동지를 정리하면서 잘 들어 보세요.

윷놀이는 역사가 매우 오래된 놀이로 알려져 있습니다. 윷놀이는 과연 언제 시작되었을까요? (대답을 듣고) 네, 정확히는 '모른다'라는 대답이 가장 적절할 것 같은데요, 윷놀이를 언급한 우리나라 최초의 기록은 15세기에 간행된 『목은집』이라고 합니다. 이 자료에는 고려 시대에 이미 윷놀이가 성행했음이 나타나 있는데, 이를 바탕으로 윷놀이가 삼국 시대나 그 이전에 시작되었을 것으로 짐작할 수 있습니다.

(화면을 가리키며) 이것은 과거에 사용된 윷놀이 말판인데요, 과거의 말판은 지금처럼 사각형이 아니라 이처럼 원형이었다고 합니다. 말판에는 29개의 점이 그려져 있는데, 원을 그리고 있는 바깥의 점들은 하늘과 별자리의 운행을, 원 안쪽에 있는 열십자 모양의 점들은 땅을 나타낸 것이라고 합니다. 이 말판에는 하늘과 땅을 중심으로 한 조상들의 철학이 담겨 있었던 것이지요.

(화면을 가리키며) 윷놀이에 사용되는 윷가락은 이처럼 보통 한 면은 둥글고 한 면은 평평한 짧은 나무 막대기입니다. 던진 윷가락이 바닥에 떨어지면서 둥근 부분인 '등'이나 평평한 부분인 '배'를 보이는데, 네 윷가락이 배를 보이는 개수에 따라 도, 개, 걸, 윷, 모의 다섯 가지 윷 패로 나뉩니다.

윷놀이의 규칙은 간단합니다. (손가락을 하나씩 펼치며) 도는 한 칸, 개는 두 칸, 이어서 걸, 윷, 모의 순서로 말판 위에서 말이 움직이는 거리가 한 칸씩 늘어납니다. 특히 윷이나 모를 '사리'라고 하는데, 이 경우 한 번 더 윷을 던질 기회를 얻습니다.

그렇다면 윷놀이를 할 때 윷 패가 나오는 확률은 어떻게 될까요? 대략 도가 나올 확률은 15%, 개와 걸은 각각 35%, 윷은 13%, 모는 2% 정도입니다. 윷놀이를 할 때 이 확률을 고려하면 말 놓기 전략을 짜는 데 도움이 될 수 있습니다.

윷놀이는 윷을 던지는 방법뿐만 아니라 말 놓기 전략과 같은 다양한 변수가 작용하는데요, 놀이 방식은 간단하지만 우연성과 전략의 조화로 인해 승부를 예측할 수 없는 흥미진진한 게임이죠.

지금까지 윷놀이에 대해 말씀 드렸습니다. 제 발표가 윷놀이를 이해하는 데 도움이 되셨나요? (미소를 지으며) 다음 명절에는 여러분도 가족들과 함께 신명 나는 윷놀이 한 판 즐겨 보시기 바랍니다.

1. 발표자의 말하기 방식에 대한 설명으로 적절하지 <u>않은</u> 것은?

① 화제를 선정한 이유를 밝히며 발표를 시작하고 있다.
② 비언어적 표현을 활용하여 전달의 효과를 높이고 있다.
③ 질문을 던지는 방식을 통해 청중과 상호 작용하고 있다.
④ 설명하는 내용의 출처를 언급하여 신뢰성을 확보하고 있다.
⑤ 발표의 주요 내용을 요약, 정리하며 발표를 마무리하고 있다.

2. 다음은 발표를 들은 학생이 작성한 활동지이다. ㉠~㉤ 중 적절하지 <u>않은</u> 것은?

<우리 전통 놀이, 윷놀이>

1. 윷놀이의 역사
 • (고려 시대)에 이미 성행함. ……… ㉠
2. 말판의 모양과 의미
 • 과거 : 원형 말판 → 현재 : 사각형 말판
 ↳ (하늘)과 별자리의 운행, (땅)을 나타냄. ……… ㉡
3. 윷가락과 윷 패
 • 윷가락의 등 : (평면) 부분, 배 : (곡면) 부분 ……… ㉢
 ↳ 배를 보이는 개수에 따라 윷 패를 구분함.
4. 놀이의 규칙
 • 윷 패에 따라 말의 이동 거리가 달라짐.
 • (사리)일 때 윷을 한 번 더 던짐. ……… ㉣
5. 윷 패가 나올 확률
 • 개 = (걸) > (도) > 윷 > 모 ……… ㉤

① ㉠ ② ㉡ ③ ㉢ ④ ㉣ ⑤ ㉤

3. <보기>는 발표를 들으면서 학생이 보인 반응이다. 이에 대한 이해로 가장 적절한 것은?

< 보 기 >

윷놀이를 할 때 윷 패가 나오는 확률을 소개한 내용이 참 흥미로웠어. 내가 해 본 스마트폰 윷놀이 게임에서도 개나 걸이 자주 나오고 모는 잘 안 나오던데, 스마트폰 윷놀이 게임에도 실제 윷놀이를 했을 때 나오는 윷 패의 확률이 그대로 적용되었을까?

① 발표에서 언급되지 않았던 내용들에 대해 아쉬워하며 듣고 있다.
② 발표 내용이 사실인지 발표자의 의견인지를 구분하며 듣고 있다.
③ 발표 내용이 발표 목적에 부합하고 있는지를 평가하며 듣고 있다.
④ 발표 내용과 관련된 자신의 경험을 떠올리며 궁금증을 가지고 듣고 있다.
⑤ 발표에서 언급된 내용을 바탕으로 자신의 배경지식을 수정하며 듣고 있다.

[4 ~ 7] (가)는 학생이 실시한 인터뷰이고, (나)는 이를 바탕으로 교지에 싣기 위해 쓴 초고이다. 물음에 답하시오.

(가)

학생 : 안녕하세요. 저희 교지 편집반에서 사운드 디자이너라는 직업에 대해 소개하고자 이렇게 선배님을 인터뷰하게 되었습니다. 사운드 디자이너라는 직업이 저희들에게는 무척 낯선데요, 어떤 일을 하시는 건가요?

선배 : 네, 우리가 일상에서 각종 기기들을 쓰게 되는데, 기기가 작동할 때 특유의 소리가 나잖아요? 기기에서 나는 그런 인위적인 소리를 만드는 사람이 바로 사운드 디자이너입니다. 제 작업실에 오셨으니까 사운드 디자이너들이 만든 소리 한번 들어 볼까요? (두 가지 소리를 들려준다.)

학생 : 이거 많이 듣던 소리인데요. 처음 들은 건 컴퓨터를 켰을 때 나는 소리이고, 두 번째 들은 건 문자 메시지가 왔다고 알리는 소리 같아요.

선배 : [A] 네, 맞습니다. 방금 전에 소리를 들었을 때 뭐가 제일 먼저 떠올랐나요? 그 소리가 나는 제품이 자연스럽게 떠오르지 않았나요? 우리가 제품을 사용하면서 특정 소리를 반복해서 듣다 보면 어느새 기억 속에 소리가 각인돼 해당 제품의 이미지로 남게 됩니다. 그때 각인된 소리가 어떤 이미지를 자아내느냐에 따라 제품의 이미지가 결정되는 것이죠. 그래서 제조사에서는 사운드 디자인을 중요하게 인식하고 있습니다.

학생 : 결국 제품의 소리가 제품의 이미지를 형성하기 때문에 사운드 디자인이 중요한 것이군요. 제 말이 맞나요?

선배 : 네, 맞아요.

학생 : 그럼, 사운드 디자이너들은 소리를 어떻게 만드시나요?

선배 : [B] 몇 가지 방법이 있어요. (소리를 들려주며) 자, 이 소리는 자동차의 안전을 위한 각종 경보음이죠. 이런 소리는 여기 있는 디지털 음향 기기로 직접 만듭니다. (다른 소리를 들려주며) 이 소리는 휴대폰 벨 소리인데, 이미 누군가가 만든 곡을 제품에 어울리게 변형한 겁니다. 자, 이 소리도 한번 들어 보세요. (또 다른 소리를 들려주며) 이 소리는 가짜 엔진 소리인데, 실제 자동차의 엔진 소리를 녹음하여 만든 겁니다.

학생 : 가짜 엔진 소리요? 그건 왜 필요한지 말씀해 주세요.

선배 : 요즘 전기 차나 하이브리드 차가 저속 운행을 할 때, 엔진 소리가 나지 않아서 보행자의 안전을 위협할 수도 있는데요, 그래서 가짜 엔진 소리가 필요합니다.

학생 : 듣고 보니 사운드 디자이너가 하는 일이 흥미롭기도 하고 제품을 위해 필요한 일인 것 같아요. 그럼 사운드 디자이너가 되기 위해서는 어떤 준비를 해야 할까요?

선배 : 우선 사운드 디자이너는 소리를 만드는 일을 하기 때문에 공학적인 지식과 함께 음향이나 음악에 대해 잘 알고 있어야 합니다. 또한 소리에 대한 감수성과 이해 능력을 기를 수 있도록 평소에 다양한 음악을 많이 접해보는 것도 필요합니다.

학생 : 네, 그렇군요. 끝으로 사운드 디자이너라는 직업의 전망은 어떤가요?

선배 : 우리나라의 전자 제품이 세계적으로 인정받고 있고 우리 영화나 게임의 위상이 점점 높아지는 현실을 고려할 때, 사운드 디자인 시장은 앞으로 더욱 커지리라 전망합니다. 후배님들이 사운드 디자이너라는 직업에 관심이 있다면 도전해 보면 좋겠습니다.

학생 : 네, 좋은 말씀 감사합니다.

(나)

사운드 디자이너는 우리가 사용하는 여러 가지 제품이 작동될 때 나는 소리를 만드는 사람이다. 영화나 게임, 전자 제품에서 사용되는 소리를 디지털 장비로 만들면서 예전에 음향 엔지니어로 불렸던 사람들이 사운드 디자이너로 불리기 시작했다.

우리가 어떤 제품을 사용할 때마다 나는 특정 소리를 반복해서 들으면 그 소리가 기억에 남아서 해당 제품의 이미지를 형성하게 된다. 그러므로 어떤 소리를 사용하느냐에 따라 제품의 이미지가 결정된다. 즉, 제품에 사용된 소리가 매력적일수록 소비자들에게 각인된 제품에 대한 이미지도 매력적으로 형성되는 것이다. 눈에 보이지 않는 제품의 소리가 결국 소비자들을 끌어들이는 매력으로 작용하는 셈이다.

사운드 디자인을 할 때는 디지털 음향 기기를 이용해서 새롭게 소리를 만들기도 하고, 기존의 곡을 제품에 맞게 변형하여 만들기도 한다. 또는 물소리나 자동차 소리와 같은 실제 소리를 녹음하여 사용하기도 한다.

사운드 디자이너는 소리를 만드는 작업을 해야 하기 때문에 공학적인 지식과 함께 음향이나 음악에 대한 이해도 필요하다. 그렇기 때문에 사운드 디자이너가 되려면 음향공학과나 음악과, 작곡과 등에 진학하는 것이 도움이 될 수 있다. 실제로 현장에서 활동하는 사운드 디자이너들 중에는 이러한 학과를 졸업한 사람들이 많다고 한다.

제품에 대한 이미지가 날로 중요해짐에 따라 매력적인 소리에 대한 수요가 늘어날 것으로 보인다. 따라서 사운드 디자이너의 전망은 밝다고 할 수 있다. 음악이나 음향 등에 관심이 있는 친구들은 충분히 도전해 볼 만한 분야이다.

4. <보기>의 ㄱ ~ ㄹ 중에서 (가)의 '학생'의 말하기 방식에 해당하는 것으로만 묶인 것은?

< 보 기 >

ㄱ. 상대방의 말을 요약한 뒤 자신의 이해를 점검하고 있다.
ㄴ. 상대방의 말 중 의문이 드는 점에 대해 설명을 요청하고 있다.
ㄷ. 상대방의 말이 사전에 조사한 내용과 일치하는지 확인하고 있다.
ㄹ. 상대방의 답변 내용 중에서 모르는 용어의 개념을 묻고 있다.

① ㄱ, ㄴ ② ㄱ, ㄷ ③ ㄴ, ㄷ
④ ㄴ, ㄹ ⑤ ㄷ, ㄹ

5. [A], [B]에 대한 설명으로 가장 적절한 것은?

① [A]는 청자의 경험을 환기하며, [B]는 구체적 사례를 들며 설명하고 있다.
② [A]는 청자의 반응을 확인하며, [B]는 전문가의 말을 인용하며 설명하고 있다.
③ [A]는 청자의 참여를 독려하며, [B]는 일상적 상황을 가정하며 설명하고 있다.
④ [A]는 청자의 주의를 당부하며, [B]는 추가적인 정보를 제시하며 설명하고 있다.
⑤ [A]는 청자의 관심을 유도하며, [B]는 기기의 작동 원리를 제시하며 설명하고 있다.

6. <보기>는 (나)를 쓰기 전 편집부장이 '학생'에게 조언한 (나)의 집필 방향이다. 빈칸에 들어갈 내용으로 가장 적절한 것은? [3점]

< 보 기 >

편집부장 : 보내 준 인터뷰 녹음 파일 잘 들었어. 교지에 실을 글은 인터뷰 내용을 바탕으로 작성하되 인터뷰에는 없지만 ______________을/를 언급해 주면 친구들이 진로를 탐색하는 데 도움이 될 수 있을 거야.

① 사운드 디자이너의 작업 과정
② 사운드 디자이너로서 갖는 보람
③ 사운드 디자이너와 관련된 전공 학과
④ 사운드 디자이너를 필요로 하는 산업
⑤ 사운드 디자이너라는 직업이 생긴 배경

7. <조건>에 따라 (나)에 제목을 붙일 때 가장 적절한 것은?

< 조 건 >

○ 비유법을 활용하여 표현 효과를 높일 것.
○ 사운드 디자이너가 하는 역할을 드러낼 것.

① 무에서 유를 창조하는 직업인들을 만나다
② 사운드, 세상과 나를 이어 주는 연결 고리
③ 지친 마음을 치유하는 소리의 샘을 발견하다
④ 제품에 매력적인 옷을 입히는 소리의 마법사
⑤ 사운드 디자이너, 세상에 없는 소리를 찾아서

[8 ~ 10] 다음을 읽고 물음에 답하시오.

[작문 상황]
여정, 견문, 감상이 담긴 문학 기행문을 작성한다.

[작문 계획]
a. 군산을 답사지로 택한 이유를 밝힌다.
b. 군산에 도착하기까지의 여정을 제시한다.
c. 군산 거리의 모습을 구체적으로 묘사한다.
d. 군산의 채만식 문학관에서 들은 내용을 제시한다.
e. 군산항에서 금강을 바라보며 느낀 감상을 드러낸다.

[초고]
이번 우리 문예반의 문학 기행 장소로 군산이 결정되었다. 국어 시간에 배운 채만식 소설 『탁류』의 배경이 된 군산 답사를 통해 그의 삶과 문학에 한 발자국 다가서고 싶었기 때문이었다. 문학 기행을 떠나기 전, 우리는 『탁류』를 다시 읽으며 답사 일정을 정했다.

3월의 어느 날, 우리는 ㉠ <u>설레이는</u> 마음으로 익산행 기차를 탔다. 그런데 도착할 즈음 야속하게도 차창 밖으로 비가 후드득 내리기 시작했다. 익산역에 내려 버스로 갈아탈 때는 비를 맞지 않기 위해 서둘러 발걸음을 재촉해야 했다. 다행히 군산에 도착하니 비는 멎어 있었다. 터미널에서 채만식 문학관으로 향하는 거리의 풍경은 낯설었다. 바둑판 모양으로 정리된 길과 일본식 가옥의 모습은 마치 외국에 온 듯한 느낌을 주었다. 낮은 담장을 배경으로 붉은 동백꽃이 꽃망울을 터트리고 있었다.

채만식 문학관은 군산 내항 근처 금강이 바로 내려다보이는 곳에 위치해 있었다. 문학관을 들어서자 중절모를 쓴 채만식 작가의 동상이 우리를 반겨 주었다. 파노라마식으로 펼쳐진 1층 전시실에서 작가의 삶의 흔적을 따라가며 작품과 관련된 자료들을 둘러보았다. ㉡ <u>그런데</u> 2층의 한쪽에 마련된 체험 공간에서 『탁류』의 내용을 원고지에 필사도 해 보았다. 우리는 다시 차를 타고 금강을 따라 10분쯤 이동하여 군산 내항에 도착했다. 일제 강점기 때 일본은 이곳을 통해 호남 지역의 쌀을 일본으로 수탈해 갔다고 한다. ㉢ <u>역사에</u> 수탈 현장에서 도도히 흐르는 물결을 바라보며 무거운 마음을 추슬렀다.

우리는 군산 내항 앞 근대 역사 박물관에 들렀다. 3층에는 일제 강점기 군산의 모습을 ㉣ <u>다시 재현한</u> 근대 생활관이 있었다. 특히 『탁류』에서 읽은 미두장의 모습을 직접 볼 수 있어 인상적이었다.

근대 역사 박물관을 나와 군산항으로 발길을 돌렸다. 금강이 바다와 만나 혼탁해진 물빛을 바라보며 『탁류』에 등장하는 인물들의 삶을 떠올렸다. 흐린 강물처럼 혼란스러웠을 일제 강점기, 그리고 쌀 수탈의 통로였던 군산, 그곳의 미두장에서 투기를 하다 패가망신한 정 주사와 당대 사람들의 삶의 질곡이 피부로 ㉤ <u>느꼈다</u>.

군산항을 떠날 때쯤 다시 빗방울이 떨어지기 시작했다. 서둘러 떠나려는데 길가에 소담하게 핀 민들레가 눈에 띄었다. 언젠가 책에서 읽었던 채만식의 마지막 말이 떠올랐다.

'나 가거든 손수레에 들꽃 가득가득 날 덮어 주오.'

애달픈 역사를 품은 아름다운 군산,
다시 가고 싶은…….

8. '학생'의 작문 계획 중 '초고'에 반영되지 않은 것은?

① a ② b ③ c ④ d ⑤ e

9. <보기>의 (가)와 (나)를 모두 활용하여 '초고'를 수정·보완하는 방안으로 가장 적절한 것은? [3점]

<보 기>

(가) 시각 자료

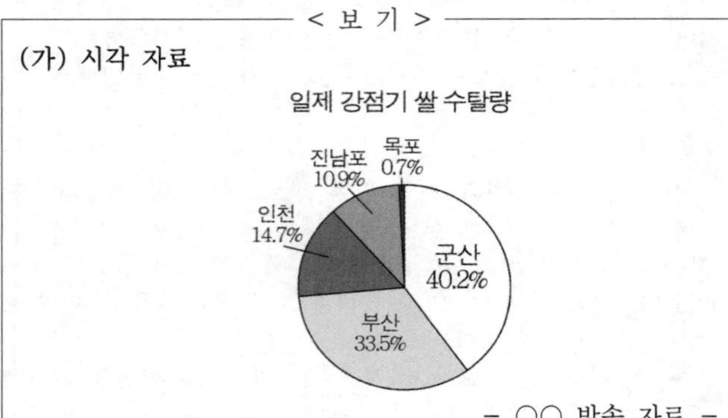

– ○○ 방송 자료 –

(나) 인터뷰 자료

"군산은 채만식의 소설, 『탁류』의 배경이 된 곳입니다. 일제 강점기 때 군산 지역은 우리나라 최대의 곡창 지대인 호남평야의 쌀이 집결되는 경제 요충지로, 일본으로 쌀이 반출되는 창구였습니다. 그러다 보니 일확천금을 노린 사람들이 전국에서 모여들어 투기와 사기, 고리대금업 등이 횡행했습니다. 이러한 일들은 주로 쌀의 시세를 이용하여 투기 행위를 하는 미두장을 중심으로 벌어졌습니다. 그 결과 가진 돈을 모두 잃고 알거지 신세로 전락하여 결국 인간성마저 잃어 가는 사람들이 많아졌습니다."

– 문화 해설사 이△△ –

① 1문단에서 『탁류』의 줄거리에 따라 군산 답사 일정을 정하게 된 계기를 소개하는 자료로 활용한다.
② 2문단에서 『탁류』의 배경인 군산의 이국적인 모습과 관련해 일본식 주거 문화를 소개하는 자료로 활용한다.
③ 3문단에서 『탁류』의 내용을 바탕으로 일본의 쌀 수탈량이 점점 증가하는 양상을 보여 주는 자료로 활용한다.
④ 4문단에서 『탁류』에서 정 주사가 몰락하게 된 결정적 원인이었던 미두장의 전국적 분포 및 그로 인한 폐해를 소개하는 자료로 활용한다.
⑤ 5문단에서 『탁류』의 배경인 군산이 일제의 식량 수탈로 혼란한 상황에서 타락한 인간들이 모인 공간으로 그려질 수 있었던 개연성을 언급하는 자료로 활용한다.

10. ㉠ ~ ㉤에 대한 고쳐 쓰기 방안으로 적절하지 않은 것은?

① ㉠: 맞춤법에 맞지 않으므로 '설레는'으로 고친다.
② ㉡: 접속 표현이 잘못 사용되었으므로 '그래서'로 고친다.
③ ㉢: 조사가 잘못 사용되었으므로 '역사의'로 고친다.
④ ㉣: 의미가 중복되므로 '다시'를 삭제한다.
⑤ ㉤: 문장 성분의 호응을 고려해 '느껴졌다'로 고친다.

11. <보기>의 '선생님'의 마지막 질문에 대한 '학생'의 대답에서 ㉠, ㉡에 들어갈 내용으로 적절한 것은? [3점]

<보 기>

선생님 : 음운 변동이 여러 번 일어날 때 최종적으로 음운의 수가 얼마나 바뀌었는지 파악하기 어려웠죠? 오늘은 좌표를 이용해서 이를 쉽게 확인해 볼게요.

이 좌표 평면에서 0인 별표(★)를 기준으로, 음운의 수가 늘어나는 '첨가'는 늘어난 음운 수만큼 위쪽으로, 음운의 수가 줄어드는 '탈락'과 '축약'은 줄어든 음운 수만큼 아래쪽으로 이동합니다. 그리고 음운의 수가 변하지 않는 '교체'는 교체 횟수만큼 오른쪽으로 이동합니다.

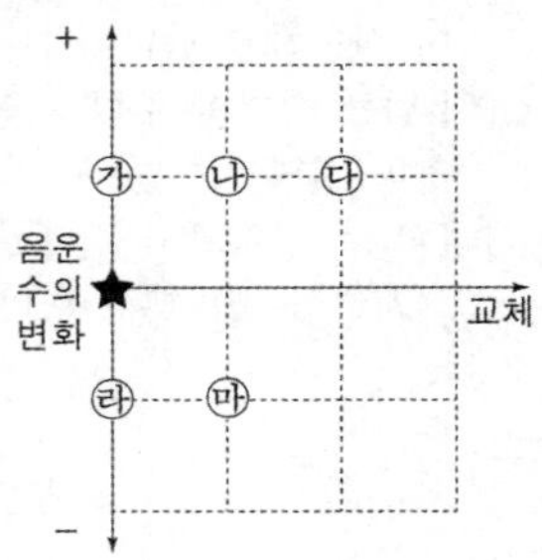

예를 들어 '걷히다'는 거센소리되기에 의해 [거티다]가 된 후 구개음화에 의해 [거치다]가 되므로, 축약과 교체가 한 번씩 일어나 ㉲로 이동합니다. 그 결과 음운의 수가 한 개 줄어든 것을 알 수 있어요.

그러면 '색연필'의 음운 변동 양상은 어떻게 될까요?

학생 : 제 생각에는 '색연필'이 '[색년필 → 생년필]'로 바뀌므로, (㉠)이/가 한 번씩 일어나 (㉡)로 이동합니다. 그 결과 음운의 수가 한 개 늘어납니다.

	㉠	㉡
①	첨가와 교체	㉮
②	첨가와 교체	㉯
③	첨가와 탈락	㉰
④	탈락과 교체	㉱
⑤	탈락과 교체	㉲

12. <보기>의 ㉠과 ㉡이 모두 적용된 예로 적절한 것은?

<보 기>

부정 표현이란 부정의 뜻을 나타내는 표현을 말한다. 부정 표현은 부사인 '안'과 '못'을 사용해서 짧게 표현할 수도 있고, ㉠'-지 아니하다'와 '-지 못하다' 등을 사용해서 길게 표현할 수도 있다. 부정 표현은 능력을 부정하거나 의지를 부정하는 것 이외에 ㉡단순히 사실이나 상태를 부정하는 의미로도 해석된다.

① 우리가 묵은 방은 두 평이 채 못 된다.
② 나는 저녁을 먹으려고 간식을 안 먹었다.
③ 그는 용기가 없어서 발표를 잘하지 못했다.
④ 다행히 소풍을 가는 날 비가 내리지 않았다.
⑤ 동생은 숙제를 한다며 놀이터에 나가지 않았다.

[13 ~ 14] 다음 글을 읽고 물음에 답하시오.

'높다'의 '높-'은 어간이기도 하고 어근이기도 하다. 그렇다면 어간일 때와 어근일 때 어떤 차이가 있을까? 이를 이해하기 위해서는 어간과 어근의 개념에 대해 살펴볼 필요가 있다.

어간은 용언 등이 활용될 때 사용하는 개념이다. 용언은 문장에서 다양한 형태로 바뀌면서 활용되는데, 형태가 변하지 않는 부분을 어간이라 하고 형태가 변하는 부분을 어미라고 한다. 예를 들어 '높다'가 '높고', '높지'와 같이 활용될 때, '높-'은 어간이고, '-고'나 '-지'는 어미이다.

이와 달리 어근은 단어를 구성할 때, 실질적 의미를 나타내는 부분을 가리키는 개념이다. 그리고 어근의 앞이나 뒤에 결합하여 특정한 의미나 기능을 더해 주는 부분을 접사라고 한다. 용언을 어근과 접사로 분석할 때 형태가 변하지 않는 어간만을 대상으로 한다. 가령, '드높다'의 경우 어간인 '드높-'에서 실질적 의미를 나타내는 '높-'은 어근이고, 그 앞에 붙어 '심하게'라는 의미를 덧붙여 주는 '드-'는 접사이다. 접사는 어근 뒤에 결합하기도 하는데, 어근 '높-'에 접사 '-이-'가 결합한 '높이다'가 이에 해당한다. 이를 정리하면 아래와 같다.

	어간			어미
	접사	어근	접사	
높다	·	높-	·	-다
드높다	드-	높-	·	-다
높이다	·	높-	-이-	-다

한편 단어는 '높다'와 같이 하나의 어근으로 구성된 경우나 '드높다'나 '높이다'와 같이 어근에 접사가 결합한 경우 이외에 두 개 이상의 어근이 결합하여 만들어지기도 한다. 예컨대 '높푸르다'의 경우 어근 '높-'과 어근 '푸르-'가 결합하여 만들어진 단어이다.

13. 윗글을 바탕으로 할 때, <보기>의 ㉠과 ㉡에 들어갈 내용으로 적절한 것은?

< 보 기 >

'높다'에서 '높-'은, 단어가 활용될 때 ____㉠____는 점에서 '어간', 단어를 구성할 때 ____㉡____는 점에서 '어근'이라고 할 수 있다.

	㉠	㉡
①	형태가 변한다	실질적 의미를 나타낸다
②	형태가 변하지 않는다	실질적 의미를 나타낸다
③	형태가 변하지 않는다	의미를 덧붙여 준다
④	의미를 덧붙여 준다	형태가 변한다
⑤	실질적 의미를 나타낸다	형태가 변하지 않는다

14. <보기>의 '자료'에서 '활동'의 a ~ c에 들어갈 단어로 적절하지 <u>않은</u> 것은?

< 보 기 >

[자료] 용언 : 검붉다, 먹히다, 자라다, 치솟다, 휘감다

[활동]

○ 어간과 어근이 일치하는 단어를 모아 봅시다.
 - ____a____

○ 어간과 어근이 일치하지 않는 단어를 모아 봅시다.
 - 어근의 앞이나 뒤에 접사가 결합한 단어 : ____b____
 - 둘 이상의 어근이 결합한 단어 : ____c____

① a : 휘감다
② a : 자라다
③ b : 먹히다
④ b : 치솟다
⑤ c : 검붉다

15. <보기>에 있는 '자료'의 밑줄 친 부분에 ㄱ ~ ㄷ에 해당하는 예를 찾아 넣으려고 할 때, 적절하지 <u>않은</u> 것은?

< 보 기 >

목적어는 문장에서 주로 서술어가 나타내는 동작의 대상이 되는 문장 성분이다. 문장에서 목적어는 다음과 같은 형태로 나타난다.

○ 체언 + 목적격 조사 '을/를'
○ 체언 + 특정한 의미를 더해 주는 보조사 ………… ㄱ
○ 체언 단독 ………… ㄴ
○ 체언 + 보조사 + 목적격 조사 ………… ㄷ

[자료]

그는 ________ 갔어.

① ㄱ의 예로 '산책을'을 넣을 수 있다.
② ㄱ의 예로 '이사도'를 넣을 수 있다.
③ ㄴ의 예로 '꽃구경'을 넣을 수 있다.
④ ㄴ의 예로 '배낭여행'을 넣을 수 있다.
⑤ ㄷ의 예로 '한길만을'을 넣을 수 있다.

8 회

[16 ~ 21] 다음 글을 읽고 물음에 답하시오.

실어증(失語症)이란 후천적인 뇌 손상으로 인해 언어의 표현과 이해에 장애가 발생하는 것이다. 1865년 프랑스의 외과 의사 브로카는 좌뇌의 전두엽과 측두엽 사이가 손상되어 나타나는 실어증을 발견하였다. 그는 이 부위를 브로카 영역이라 ⓐ 명명하고 이곳이 손상되어 나타나는 증상을 브로카 실어증이라 하였다.

이후 1874년 독일의 신경정신과 의사인 베르니케는 좌뇌의 두정엽 아래가 손상되어 나타나는 또 다른 실어증을 발견하였다. 그는 이 부위를 베르니케 영역이라 명명하고 이곳이 손상되어 나타나는 증상을 베르니케 실어증이라 하였다. 이와 같은 실어증 환자들의 뇌 손상 부위와 증상을 연구하는 과정에서 인간의 언어 처리 과정에 대한 관심이 ⓑ 대두되면서 그와 관련된 이론이 발전해 왔다.

최근 언어 처리 과정에 대한 이론은 뇌의 여러 영역들이 결합하여 언어를 처리한다는 결합주의 이론이 지배적이다. 최초의 결합주의 이론은 베르니케가 주장한 '베르니케 모형'으로, 그는 베르니케 영역과 브로카 영역 간의 긴밀한 정보 교류에 의해서 언어가 처리된다는 이론을 발표하였다. 이후 1885년 리시트하임은 베르니케 모형에 개념 중심부를 추가하여 베르니케 영역, 브로카 영역, 개념 중심부가 결합하여 언어가 처리된다는 ㉠ '리시트하임 모형'을 제시하였다. 그에 의하면 베르니케 영역은 일종의 머릿속 사전으로, 단어가 소리의 형태로 저장되어 있는 언어 중추*이고, 브로카 영역은 단어를 조합하여 문장이나 발화를 생성하는 언어 중추, 그리고 개념 중심부는 의미를 형성하거나 해석하는 언어 중추이다. 리시트하임 모형은 베르니케 영역, 브로카 영역, 개념 중심부를 꼭짓점으로 하는 삼각형 모양으로, 베르니케 영역에서 개념 중심부로, 개념 중심부에서 브로카 영역으로는 일방향으로 정보가 이동하지만, 브로카 영역과 베르니케 영역 간에는 쌍방향으로 정보가 이동한다는 특징이 있다.

리시트하임은 자신의 모형을 바탕으로 뇌에서 이루어지는 듣기와 말하기 과정을 다음과 같이 설명하였다. 우선 듣기 과정은 '베르니케 영역 → 개념 중심부'의 순서로 이루어진다. 즉, 귀로 들어온 청각 자극이 베르니케 영역으로 송부되면, 베르니케 영역은 자신이 저장하고 있는 단어 중 청각 자극과 일치하는 단어를 찾아 개념 중심부로 송부하고, 개념 중심부는 이를 받아 의미를 해석한다는 것이다. 이에 비해 말하기 과정은 '개념 중심부 → 브로카 영역 → 베르니케 영역 → 브로카 영역'과 같이 ㉮ 브로카 영역을 두 번 거치는 복잡한 순서로 이루어진다. 먼저 개념 중심부에서 말하고자 하는 의미를 형성하여 브로카 영역을 거쳐서 베르니케 영역으로 송부하면, 베르니케 영역은 이에 해당하는 단어를 찾아 브로카 영역으로 송부하고, 마지막으로 브로카 영역에서 이를 조합하여 문장이나 발화를 만든다는 것이다. 그런데 실제로 말하기 위해서는 발음 기관을 움직여 소리를 만드는 과정이 필요한데 그의 모형에는 그러한 과정이 드러나 있지 않다. 또한 그는 개념 중심부를 새롭게 추가하였으나 그것의 정확한 위치를 규명하지는 못하였다.

이후 실어증 환자들에 대한 연구가 발전됨에 따라 뇌에서 언어를 담당하는 중추가 추가로 발견되었다. 이를 토대로 1964년 게쉬윈드는 ㉡ '베르니케 - 게쉬윈드 모형'을 새롭게 제시하였다. 그는 리시트하임의 모형에서 개념 중심부를 제외하고 새롭게 운동 영역과 각회를 언어 중추로 추가하였다. <그림>은 게쉬윈드가 제시한 언어 처리 모형으로, 청각 자극을 ⓒ 수용하는 기본 청각 영역과 시각 자극을 수용하는 기본 시각 영역, 그리고 베르니케 영역, 브로카 영역, 운동 영역, 각회라는 네 개의 언어 중추를 중심으로 언어 처리 과정을 설명하고 있다. 게쉬윈드는 기존의 모형에서 개념 중심부를 제외하는 대신, 청각 형태로 단어가 저장되어 있는 베르니케 영역에서 그러한 역할도 함께 한다고 설명하였다. 즉, 베르니케 영역은 듣기와 읽기에서는 수용된 자극에 해당하는 단어를 찾아 의미를 해석하고, 말하기와 쓰기에서는 의미를 형성한 뒤 해당 단어를 찾는 역할을 한다고 보았다.

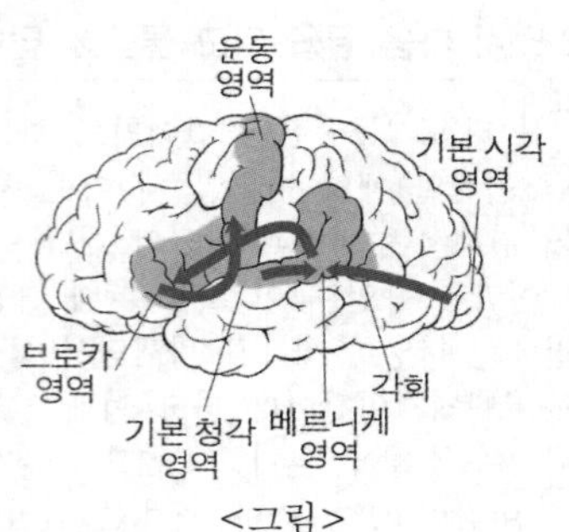

<그림>

브로카 영역에는 단어를 조합하여 문장이나 발화를 생성하는 역할 외에 말하기나 쓰기에 필요한 운동 프로그램을 만들어 운동 영역으로 송부하는 역할을 추가하였다. 그리고 운동 영역은 브로카 영역에서 받은 운동 프로그램에 근거하여 말하기나 쓰기에 필요한 신경적 지시를 내리는 기능을 ⓓ 담당한다고 보았다. 마지막으로 각회는 베르니케 영역과 인접해 있으면서 읽기에서는 시각 형태의 정보를 청각 형태로 전환하고, 쓰기에서는 청각 형태의 정보를 시각 형태로 전환하여 베르니케 영역으로 송부하는 역할을 한다고 보았다.

이 모형에 ⓔ 의거하면 듣기 과정은 '기본 청각 영역 → 베르니케 영역'의 순서로 이루어진다. 이와 달리 말하기 과정은 '베르니케 영역 → 브로카 영역 → 운동 영역'의 순서로 이루어진다. 읽기나 쓰기 과정도 듣기나 말하기 과정과 유사하지만, 베르니케 영역에 저장된 단어가 청각 형태이기 때문에 각회를 거치는 과정이 추가된다. 각회에서 처리된 정보는 베르니케 영역으로 송부되어 읽기의 경우에는 의미를 해석하고, 쓰기의 경우에는 바로 다음 단계인 브로카 영역으로 정보를 송부한다.

이처럼 뇌에 대한 연구가 발전됨에 따라 언어 처리 과정에 대한 이론도 정교화되고 있다. 특히 베르니케 - 게쉬윈드 모형은 이전의 모형과 달리 듣기와 말하기뿐만 아니라 읽기와 쓰기에 대해서도 종합적인 설명을 제시하고 있다는 점에서 오늘날 뇌의 언어 처리 과정을 설명하는 표준형으로 평가받는다.

* 언어 중추 : 언어의 생성과 이해를 관장하는 뇌의 중추.

16. 윗글의 내용과 일치하지 않는 것은?

① 실어증은 후천적인 뇌 손상으로 인해 언어 처리에 장애가 생기는 증상이다.
② 실어증 환자에 대한 연구를 바탕으로 언어 처리 과정에 대한 이론이 발전했다.
③ 베르니케가 제시한 모형은 오늘날 언어 처리 과정의 표준형으로 인정받고 있다.
④ 언어 처리 과정에 대한 이론이 발전됨에 따라 설정되는 언어 중추의 개수가 많아졌다.
⑤ 리시트하임은 뇌에서 의미 형성에 관여하는 영역의 구체적 위치를 밝혀내지 못하였다.

17. ㉠과 ㉡에 대한 설명으로 적절한 것은?

① ㉠은 실제 발음 기관을 움직여 소리를 만드는 과정에 대한 설명이 가능하다.
② ㉡은 기본 시각 영역과 기본 청각 영역을 새로운 언어 중추로 추가하였다.
③ ㉠은 ㉡과 달리 말하기, 듣기, 읽기, 쓰기의 전 과정에 대한 설명이 가능하다.
④ ㉡은 ㉠과 달리 귀로 들어온 청각 자극이 베르니케 영역으로 송부된다고 보았다.
⑤ ㉠과 ㉡ 모두 베르니케 영역에 단어가 소리의 형태로 저장되어 있다고 보았다.

18. ㉮의 이유를 추론한 내용으로 가장 적절한 것은?

① 베르니케 영역에서 개념 중심부로 직접 정보를 송부하기 때문에
② 브로카 영역과 개념 중심부 사이의 정보가 쌍방향으로 송부되기 때문에
③ 개념 중심부에서 브로카 영역으로 정보를 직접 송부하지 못하기 때문에
④ 개념 중심부에서 베르니케 영역으로 정보를 직접 송부하지 못하기 때문에
⑤ 베르니케 영역과 브로카 영역 사이의 정보가 쌍방향으로 송부되기 때문에

19. 윗글을 바탕으로 <보기>의 과정에 대해 이해한 내용으로 적절하지 <u>않은</u> 것은?

< 보 기 >

'베르니케 - 게쉬윈드 모형'에 의하면 쓰기 과정은 다음과 같은 언어 처리 과정을 거친다.

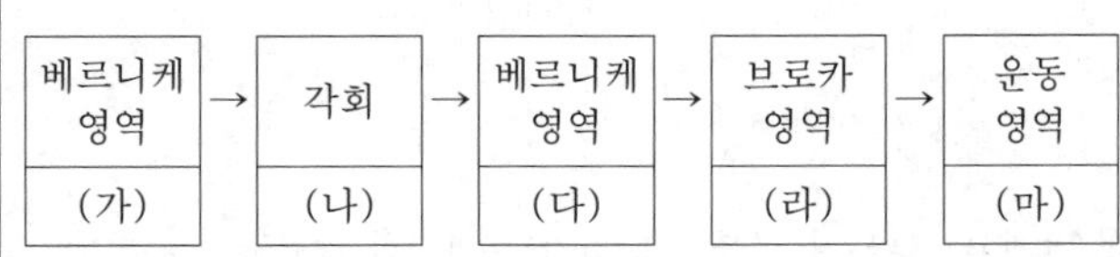

① (가) : 의미를 형성하고 해당하는 단어를 찾는다.
② (나) : 청각 형태의 정보를 시각 형태로 전환한다.
③ (다) : 각회에서 처리한 정보를 받아 의미를 해석한다.
④ (라) : 쓰기를 하는 데 필요한 운동 프로그램을 만든다.
⑤ (마) : 운동 프로그램을 바탕으로 신경적 지시를 내린다.

20. 윗글을 바탕으로 할 때, <보기>를 보고 '리시트하임(A)'과 '게쉬윈드(B)'가 진단할 만한 내용으로 적절한 것은? [3점]

< 보 기 >

[실어증 환자 관찰 결과]

○ 문법에 어긋난 문장을 사용함.
○ 조사나 어미를 제대로 사용하지 못함.
○ 단어를 조합하여 문장을 잘 만들지 못함.

① A는 B와 달리 베르니케 영역이 손상되었다고 진단하겠군.
② B는 A와 달리 브로카 영역이 손상되었다고 진단하겠군.
③ A는 브로카 영역이, B는 베르니케 영역이 손상되었다고 진단하겠군.
④ A는 개념 중심부가, B는 브로카 영역이 손상되었다고 진단하겠군.
⑤ A와 B 모두 브로카 영역이 손상되었다고 진단하겠군.

21. 문맥에 따라 ⓐ ~ ⓔ를 바꿔 쓴 것으로 적절하지 <u>않은</u> 것은?

① ⓐ : 이름 붙이고
② ⓑ : 옮겨지면서
③ ⓒ : 받아들이는
④ ⓓ : 맡는다고
⑤ ⓔ : 따르면

[22 ~ 26] 다음 글을 읽고 물음에 답하시오.

(가)

내 벗이 몇이나 하니 수석(水石)과 송죽(松竹)*이라.
동산(東山)에 달 오르니 긔 더옥 반갑구나.
두어라 이 다섯 밧긔 또 더하여 무엇하리.

<제1수>

구름 빛이 좋다 하나 검기를 자로 한다.
바람 소리 맑다 하나 그칠 적이 하노매라.
좋고도 그칠 뉘 없기는 물뿐인가 하노라.

<제2수>

㉠ 꽃은 무슨 일로 피면서 쉬이 지고
풀은 어이 하여 푸르는 듯 누르나니
아마도 변치 아닐손 바위뿐인가 하노라.

<제3수>

더우면 꽃 피고 추우면 잎 지거늘
솔아 너는 어찌 눈서리를 모르느냐.
구천(九泉)의 뿌리 곧은 줄을 글로 하여 아노라.

<제4수>

나무도 아닌 것이 풀도 아닌 것이
곧기는 뉘 시키며 속은 어이 비었느냐.
저렇게 사시(四時)에 푸르니 그를 좋아하노라.

<제5수>

작은 것이 높이 떠서 만물을 다 비추니
밤중에 광명(光明)이 너만한 이 또 있느냐.
보고도 말 아니 하니 내 벗인가 하노라.

<제6수>

– 윤선도, 「오우가(五友歌)」 –

* 송죽 : 소나무와 대나무.

(나)

작년 가을에 이웃집에서 복수초를 나누어 받았다. 뿌리는 구근이 아니라 흑갈색 잔뿌리와 검은 흙이 한데 엉겨 있고, 키는 땅에 닿을 듯이 작은데 잎도 새의 깃털처럼 잘게 갈라져 있어서 전체적으로 볼륨이 느껴지지 않아 하찮은 잡초처럼 보였다. 그전에 나는 복수초라는 화초를 사진으로 본 적은 있지만 실물을 본 적은 없기 때문에 그게 과연 눈 속에서 핀다는 그 복수초인지 잘 믿기지 않았다. 생각해서 나누어 준 분 앞이라 당장 양지바른 곳에 심긴 했지만 곧 가을이 깊어지니 워낙 시원치 않아 보이던 이파리들은 자취도 없어지고 나 역시 그게 있던 자리조차 기억 못하게 되었다.

아마 3월이 되자마자였을 것이다. 샛노란 꽃이 두 송이 땅에 닿게 피어 있었다. 하도 키가 작아서 하마터면 밟을 뻔했다. 그러나 빛깔은 진한 황금색이어서 아직 아무것도 싹트지 않은 황량한 마당에 몹시 생뚱스러워 보였다. 그리고 곧 큰 눈이 왔다. 아무리 눈 속에도 피는 꽃이라고 알려져 있어도 그 작은 키로 견디기엔 너무 많은 눈이었다. 나는 눈으로는 눈의 무게를 이기지 못해 꺾인 듯이 축 처진 소나무 가지를 바라보면서 마음으로는 그 샛노란 꽃의 속절없음을 생각하고 있었다. 대문 밖의 눈은 쳐 주었지만 마당의 눈은 그대로 방치해 두었기 때문에 녹아 없어지는 데 며칠 걸렸다. 놀랍게도 제일 먼저 녹은 데가 복수초 언저리였다. ㉡ 고 작은 풀꽃의 머리칼 같은 뿌리가 땅속 어드메서 따뜻한 지열을 길어 올렸기에 그 두터운 눈을 녹이고 더욱 샛노랗게 더욱 싱싱하게 해를 보고 있었다. 온종일 그렇게 피어 있다가 해질 무렵에는 타원형으로 오므라든다. 그러다가 아주 시들어 버릴 줄 알았는데 다음날 해만 뜨면 다시 활짝 핀다. 그러나 마냥 그럴 수는 없는 일이다. 곧 안 깨어나고 져 버리는 날이 있겠기에 그게 피어 있는 동안만이라도 누구에겐가 보여 주고 자랑하고 싶어서 나는 집에 손님만 오면 그걸 구경시킨다. 그러나 내가 기대하는 것만치 신기해 해 주는 이가 별로 없다. 어떤 친구는 마당에 피는 꽃이 백 가지도 넘는다고 해서 부러워했는데 이런 것까지 쳐서 백 가지냐고 기막힌 듯이 물었다. 듣고 보니 내가 그런 자랑을 한 적이 있는 것 같았다. 그러나 거짓말을 한 건 아니다. 그 친구는 아마 기화요초*가 어우러진 광경을 상상했었나 보다. 내가 백 가지도 넘는다고 한 것은 복수초 다음으로 피어날 민들레나 제비꽃, 할미꽃까지 다 합친 수효다. 올해는 복수초가 1번이 되었지만 작년까지만 해도 산수유가 1번이었다. 곧 4월이 되면 목련, 매화, 살구, 자두, 앵두, 조팝나무 등이 다투어 꽃을 피우겠지만 그래도 조금씩 날짜를 달리해 순서대로 피면서 그 그늘에 제비꽃이나 민들레, 은방울꽃을 거느린다. 꽃이 제일 먼저 핀 것은 복수초지만 잎이 제일 먼저 흙을 뚫고 모습을 드러낸 것은 상사초고 그 다음이 수선화다. 수선화는 벚꽃이 필 무렵에나 필 것 같고 상사초는 잎이 시들어 지상에서 사라지고 나서도 한참이나 더 있다가 꽃대를 밀어 올릴 것이다. 이렇게 그것들을 기다리고 마중하다 보니 내 머릿속에 ⓐ 출석부가 생기게 되고, 출석부란 원래 이름과 함께 번호를 매기게 되어 있는지라 100번이 넘는다는 걸 알게 되었다. 이름을 모르면 100번이라는 숫자도 나오지 않았을 것이다. 그것들이 순서를 지키지 않고 멋대로 피고 지면 이름이 궁금하지 않았을지도 모른다.

내가 출석을 부르지 않아도 그것들은 올 것이다. 그대로 나는 그것들이 올해도 하나도 결석하지 않고 전원 출석하기를 바라기 때문에 그것들이 뿌리로, 씨로 잠든 땅을 함부로 밟지 못한다. 그것들이 왕성하게 자랄 여름에는 그것들이 목마를까 봐 마음 놓고 어디 여행도 못 할 것이다. 그것들은 출석할 때마다 내 가슴을 기쁨으로 뛰놀게 했다. 100식구는 대식구다. 나에게 그것들을 부양할 마당이 있다는 걸 생각만 해도 뿌듯한 행복감을 느낀다. 내가 이렇게 사치를 해도 되는 것일까. 괜히 송구스러울 때도 있다.

그것들은 내가 기다리지 않아도 올 것이다. 그래도 나는 기다린다. 기다리는 기쁨 때문에 기다린다.

– 박완서, 「꽃 출석부 1」 –

* 기화요초 : 옥같이 고운 풀에 핀 구슬같이 아름다운 꽃.

22. (가)와 (나)의 공통점으로 가장 적절한 것은?

① 색채어를 사용하여 대상을 감각적으로 묘사하고 있다.
② 설의적 표현을 통해 대상에 대한 그리움을 강조하고 있다.
③ 음성 상징어를 사용하여 상황을 생동감 있게 그리고 있다.
④ 말을 건네는 방식을 통해 대상과의 유대감을 드러내고 있다.
⑤ 반어적 표현을 사용하여 심리 변화의 양상을 나타내고 있다.

23. <보기>를 바탕으로 (가)와 (나)를 감상한 내용으로 적절하지 않은 것은? [3점]

< 보 기 >

(가)의 화자와 (나)의 글쓴이는 모두 관찰한 경험을 바탕으로 사물의 속성을 인식하고 있다. 사물의 속성을 인식하는 것은 사물의 모습에서 추상적인 의미를 발견해 내는 것이다. 그런데 관찰된 겉모습은 사물의 속성을 인식하는 데 도움이 되기도 하지만, 경우에 따라서는 방해가 되기도 한다.

① (가)의 <제4수>에서 화자는 눈서리 속에서도 잎이 지지 않는 모습에서, 시련에 굴하지 않는 굳건함을 '솔'의 속성으로 인식하고 있군.
② (가)의 <제5수>에서 화자는 곧고 사계절 그 푸름을 잃지 않는 모습에서, 본모습을 지켜 나가는 꿋꿋함을 '대나무'의 속성으로 인식하고 있군.
③ (가)의 <제6수>에서 화자는 '달'이 높이 떠 있는 것이, 보고도 말 아니 하는 과묵함이라는 속성을 인식하는 데 방해가 된다고 생각하고 있군.
④ (나)에서 글쓴이는 하찮은 잡초처럼 보이는 겉모습으로 인해 눈 속에서 피는 '복수초'의 강인함이라는 속성을 한동안 인식하지 못했던 것이군.
⑤ (나)의 글쓴이는 작은 키로는 견디기 어려운 두터운 눈을 녹이고 꽃을 피운 모습에서, 역경을 이겨 내는 생명력을 '복수초'의 속성으로 인식하고 있군.

24. <보기>는 (가)의 시상 전개 과정을 나타낸 것이다. 이를 바탕으로 (가)를 이해한 내용으로 적절하지 않은 것은?

< 보 기 >

제1수	제2, 3수	제4, 5수	제6수
A	B	C	D

① A에서는 중심 소재를 무생물, 생물, 천상의 자연물로 묶어 제시하고 있다.
② B에서는 대조의 방식을 활용하여 중심 소재를 예찬하고 있다.
③ C에서는 B와 유사하게 대구의 방법을 활용하여 시적 운율감을 이어가고 있다.
④ B와 C에서 중심 소재로 향했던 화자의 시선이 D에서는 내면으로 이동하고 있다.
⑤ B, C, D의 각 수에서는 A에서 언급된 중심 소재를 순차적으로 배치하고 있다.

25. '꽃'에 대한 심리적 태도를 고려할 때 ㉠과 ㉡에 대한 이해로 가장 적절한 것은?

① ㉠에는 화자의 동질감이, ㉡에는 글쓴이의 이질감이 담겨 있다.
② ㉠에는 화자의 안도감이, ㉡에는 글쓴이의 불안감이 담겨 있다.
③ ㉠에는 화자의 거리감이, ㉡에는 글쓴이의 친근감이 담겨 있다.
④ ㉠에는 화자의 비애감이, ㉡에는 글쓴이의 애상감이 담겨 있다.
⑤ ㉠에는 화자의 자괴감이, ㉡에는 글쓴이의 만족감이 담겨 있다.

26. (나)의 내용을 고려할 때, ⓐ에 담긴 의미로 가장 적절한 것은?

① 더 많은 종류의 꽃들을 마당에 심고 싶어 하는 글쓴이의 소망이 담겨 있다.
② 소박한 꽃보다 화려한 꽃의 가치를 우선시했던 자신을 돌아보는 태도가 담겨 있다.
③ 추웠던 겨울이 지나고 꽃이 피는 봄이 빨리 오기를 기다리는 글쓴이의 조급함이 담겨 있다.
④ 자연의 질서에 따라 차례대로 피고 지는 꽃들에 대한 글쓴이의 애정과 기대감이 담겨 있다.
⑤ 소중하게 가꾼 꽃들을 자신만이 아니라 주변 사람들과 함께 즐기기를 바라는 마음이 담겨 있다.

[27 ~ 30] 다음 글을 읽고 물음에 답하시오.

[이전 줄거리] 나는 삼촌의 연락을 받고 멧돼지 사냥에 동참하게 된다. 물망초 카페 윤 마담과의 사랑을 이루지 못하고 방황하던 삼촌은 사냥에 취미를 붙이고 살아간다. 나와 삼촌, 도라꾸 아저씨는 새끼를 거느린 어미 멧돼지와 리기다소나무 숲에서 마주치나 사냥에 실패한다. 도라꾸 아저씨는 부상당한 삼촌을 업고 숲길을 걷는다.

숲속은 서늘했다. 묘한 침묵이 숲을 가득 메우고 있었다. 밟고 올라온 눈길을 되밟으며 우리는 조금씩 걸음을 옮겼다. 두 번째 리기다소나무 숲을 지나는 동안, 내 마음속에는 궁금증이 일었다. 감정 정리를 하는지 삼촌의 만담도 더 이상 이어지지 않았으므로 나는 궁금증을 참지 못하고 말했다.

"그란데 도라꾸 아저씨는 아까 왜 멧돼지를 안 죽였어여? 아저씨도 쏠 수 있었잖아여?"

내 물음에 도라꾸 아저씨는 ㉠ 영 딴소리였다.

"호식이가 새끼 관절 물고 늘어진 모양이라. 그라만 어미가 도망 못 가거든. 엽견* 중에는 그런 짓 하는 놈들 참 많아여."

"저게 원체 영물이라 캉께."

코맹맹이 소리로 훌쩍거리며 삼촌이 말했다. 조금 전까지 사랑이 어쩌네 수면제가 어쩌네 징징거리던 삼촌이 주인을 닮아 어디가 부러졌는지 오른쪽 뒷발을 들고 껑충껑충 뛰어가는 놈을 가리켜 영물 운운했다. 호식이 얘기가 나오니까 또 만담을 시작할 모양이었다. 삼촌 가슴속은 암만해도 푸른색인가 보다.

"하지만 그건 암수(暗數)*라. 그런 암수를 쓰만 안 되는 거라. 나도 한때 그 이름도 아름다운 물망초 윤 마담까지는 못 되더라도 헛된 공명심에 눈이 먼 적이 있어여. 불질 잘한다고 알려지만 여기저기서 해수구제* 해 달라고 부르는 일이 많다 캉께. 가서 잡아 주만 영웅 되고 참 재미나지. 근데 한 번은 을매나 대단하던지 새끼를 몰고 다니민서도 손아귀 사이로 모래알 빠지듯 몰이꾼들 사이로 잘도 피해 다니는 놈을 만난 적이 있어여. 삼백 근도 넘을까. 엄청시리 대형 멧돼지였는 거라. 그런 놈 어데 다시 만나겠나. 무려 육박 칠일 동안 그놈을 쫓아댕겼응께 말 다한 거지. 그라고 봉께 안 되겠더라. 어느 순간부터 요놈이 나 갖꼬 노나, 그런 생각이 들데. 지금 생각하만 틀린 생각이지. 살겠다고 도망가는 멧돼지 신세에 어데 사냥꾼을 갖꼬 놀겠나? 사람이든 짐승이든 숨탄것 목숨이 그래 우스운 게 아인데 말이라. 그란데 그런 생각이 한번 드니까 눈에 보이는 게 없는 거라. 우쨌든 잡아 죽이겠다는 생각뿐이지. 그래서 다음부터는 어미가 아이라, 새끼를 죽였어. 보이는 족족 쏴 죽였어여. 그래, 암수지 암수. 한 다섯 마리쯤 죽였을 끼라. 그때가 초가을잉께 아직도 새끼들 등에 줄이 쫙쫙 그어져 있을 때였어여. 한 두어 방 쏘만 새끼들은 꿈틀꿈틀하다가 죽어 버리여. 멀리 있어도 호수 작은 산탄으로 쏘만 되니까. 어미는 산탄이 박혀도 괜찮다 캐도 새끼들은 어미 보는 눈앞에서 픽픽 쓰러지지."

새끼만 노리고 다섯 마리쯤 죽인 뒤에 도라꾸 아저씨는 일행에게 다시 돌아가자고 말했다고 한다. 그때는 이미 능선을 따라 북쪽으로 삼십 킬로미터 정도는 올라간 뒤였다. 도라꾸 아저씨는 며칠간의 사냥으로 거지꼴이 된 채 그냥 돌아갈 수 없다고 불평하는 일행을 이끌고 다시 능선을 따라 돌아오기 시작했다.

"사람들이야 몰랐지만 나는 알고 있었다. 필시 쫓아온다는 거를 말이라. 뭐긴 뭐라, 어미 멧돼지지. 우리가 새끼들을 들쳐 메고 가니까 어미가 계속 그래 일정한 간격을 두고 쫓아왔어여. 죽을 줄 알민서도 계속 그래 쫓아오더라. 그래, 한 여섯 시간을 걸어가다가 새끼들 내리 놓고 다시 몰이를 시작했어여. 그래갖꼬? 잡았지. 죽을라고 쫓아온 놈이니까. 그란데 봐라, 잡는 그 순간에 나도 너맨치로 그놈하고 눈이 딱 마주쳤다. 그 눈에 뭐가 보였는가 아나? 아무것도 안 보이더라. 텅 비었더라. 결국 너는 못 쐈지? 나도 한참을 못 쐈다. 그래 벌써 죽은 놈이라 카는 거를 아는 이상은 못 쏘는 거라. 쏘만 안 되는 거라. 하지만 일행이 지켜보는데다가 공명심도 있응께 안 쏠 수가 없었다. 살아생전 총 한 번 제대로 안 쏘고 잡은 멧돼지는 그게 처음이자 마지막이라."

녹아내리는지 멀리 가지에 쌓였던 눈무지가 쏟아지는 소리가 들렸다.

"그래 총 쏘기 전에 벌써 죽은 놈이라 카만 나는 도대체 뭘 쏴 죽인 거겠나? 마을에서 영웅 대접 받고 집에 돌아와 며칠을 끙끙 앓다가 깨달았다. 잘못했다, 잘못했다, 아무래도 총을 쏘만 안 되는 거였다, 이런 생각이 머릿속에서 떠나지 않더라. 그라고 보만 그날 내가 잡은 거는 정녕 멧돼지가 아니었던 거지. 이래 산에 오만 쓸모 적은 나무나마 리기다소나무도 살아가고 청솔모도 살아가고 바람도 쉼 없이 움직이지만, 정작 그 멧돼지는 이미 죽은 거였응께 말이라."

"그라만 아저씨가 그때 쏴 죽인 거는 뭐라여?"

우리는 리기다소나무 숲을 빠져나왔다. 하얀빛과 성긴 겨울 햇살이 투명하게 서로 뒤엉키고 있었다. 도라꾸 아저씨는 코를 한 번 훌쩍였다. 눈 밟는 소리와 사냥개들이 끙끙거리는 소리만 사이를 두고 들릴 뿐이었다.

"그래 나는 한 번 죽었다."

도라꾸 아저씨는 ㉡ 또 딴소리였다.

(중략)

"저 봐라, 리기다소나무도 있고 직박구리도 있다. 저래 다 살아가고 있는 거라. 산 것들 저래 살아가게 하는 일이 을매나 용기 있는 일인가 나는 그때 다 깨달았던 기라. 내가 해수구제 한다꼬 싸돌아다니민서 짐승들 쏴 죽인 것도 용기 있어서가 아이라 나하고 마누라하고 애새끼들하고 먹고살아갈라고 그런 거라는 걸 그때야 알게 된 거다. 그것도 모르고 나는 영동군 상촌면 흥덕리 도라꾸가 세상에서 제일 용감한 사냥꾼인 줄 알았던 거라. 그라고 나니까 어데 약실에 돌멩이 하나도 못 집어넣겠더라."

삼촌을 등에 업은 도라꾸 아저씨는 지친 기색도 없이 눈 쌓인 산길을 터벅터벅 걸어 내려갔다. 아저씨의 말은 알 듯 말 듯했다.

"내가 니 삼촌을 왜 좋아하는가 아나?"

"좋은 말 상대니까 그런 거 아이라여?"

"멧돼지 눈 보고 옛날 애인 생각나서 총 못 쏜다 카는 사람 아이라. 그래 내가 니 삼촌 좋아하는 거라. 내가 뭔 소리 하는가 알겠나?"

"지금 뭔 소리 합니까? 이것도 만담입니까?"

내가 진심으로 되물었다.

― 김연수, 「리기다소나무 숲에 갔다가」 ―

* 엽견 : 사냥개.
* 암수 : 속임수.
* 해수구제 : 해로운 짐승을 몰아내어 없앰.

27. 윗글의 서술상 특징으로 가장 적절한 것은?

① 빈번하게 장면을 전환하여 사건을 속도감 있게 전개하고 있다.
② 인물의 회상을 통해 과거와 현재를 매개하는 경험을 전달하고 있다.
③ 공간의 이동에 따라 인물 간의 갈등이 해소되는 과정을 보여 주고 있다.
④ 요약적 서술과 대화를 교차하여 사건이 반전되는 양상을 부각하고 있다.
⑤ 인물의 내면 심리 묘사를 통해 현실에 대한 부정적 인식을 보여 주고 있다.

28. 윗글에서 알 수 있는 내용으로 적절하지 않은 것은?

① 삼촌은 '나'에게 사랑에 관한 자신의 이야기를 들려주었다.
② 삼촌은 사냥에 동행한 엽견 호식이가 자신을 닮았다는 점에서 영물이라 불렀다.
③ 도라꾸 아저씨는 사람들에게 능력을 인정받았던 뛰어난 사냥꾼이었다.
④ 도라꾸 아저씨는 부상당한 삼촌을 등에 업고 리기다소나무 숲을 빠져나왔다.
⑤ 도라꾸 아저씨는 삼촌이 옛 애인 생각이 나서 멧돼지에게 총을 쏘지 못한 심정을 이해했다.

29. '나'와 '도라꾸 아저씨'의 대화 양상을 고려하여, ㉠, ㉡을 이해한 내용으로 가장 적절한 것은?

① ㉠은 도라꾸 아저씨의 말에 대한 나의 놀라움을, ㉡은 불신감을 나타낸다.
② ㉠과 ㉡은 나의 질문을 가로막는 도라꾸 아저씨의 태도에 대한 반감을 드러낸다.
③ ㉠과 ㉡을 통해서 '나'가 도라꾸 아저씨의 의중을 이해하지 못하는 상황이 지속되고 있음을 알 수 있다.
④ ㉠이 ㉡으로 연결되면서 계속 만담을 이어가려는 도라꾸 아저씨에 대한 '나'의 냉소적 태도가 약화되고 있다.
⑤ ㉡은 ㉠에 담긴 의구심을 해소할 수 있는 실마리를 얻을 수 있으리라는 바람이 이루어진 데에 따른 성취감을 반영한다.

30. <보기>를 참고하여 윗글을 감상한 내용으로 적절하지 않은 것은? [3점]

< 보 기 >

이 작품은 '도라꾸 아저씨'의 인식 변화를 중심으로 이야기가 전개되고 있다. 도라꾸 아저씨는 인간과 자연을 분리된 것으로 보고 자연보다 우월한 위치에서 자연을 도구로서의 가치만 지닌 타자로 대했었다. 그런데 사냥 중 이러한 인식에 변화가 시작된다. 그는 하나의 생명을 빼앗기 위해 또 다른 생명을 수단으로 삼은 행동이 잘못이었다는 것을 깨닫게 된 것이다. 그리고 인간과 마찬가지로 자연 역시 동등한 가치를 지닌 존재라는 생태주의적 인식을 하게 된다.

① 도라꾸 아저씨의 자연에 대한 인식이 변화된 것은 죽은 새끼들을 쫓아온 어미 멧돼지와 시선을 마주한 것이 계기가 되었겠군.
② 도라꾸 아저씨가 한때 멧돼지의 생명을 우습게 여겼던 이유는 멧돼지를 자신의 공명심을 드러내는 도구로서의 가치로 판단했기 때문이겠군.
③ 도라꾸 아저씨가 자신이 한 번 죽었다고 말한 것은 멧돼지들을 거침없이 죽였던 것이 잘못된 행동이었음을 깨달았다는 것을 의미하는 것이겠군.
④ 도라꾸 아저씨가 세 사람과 마주친 멧돼지를 죽이지 않은 것은 자연 속에서 살아가는 모든 생명은 소중하다는 생태주의적 인식에서 기인한 것이겠군.
⑤ 도라꾸 아저씨가 새끼의 생명을 빼앗아 어미 멧돼지를 잡는 사냥법을 암수라고 한 삼촌의 말에 동의한 것은 멧돼지도 인간과 동등한 가치를 지닌 생명체임을 인정한 것이겠군.

[31 ~ 34] 다음 글을 읽고 물음에 답하시오.

미래주의는 20세기 초 이탈리아 시인 마리네티의 '미래주의 선언'을 시작으로, 화가 발라, 조각가 보치오니, 건축가 상텔리아, 음악가 루솔로 등이 참여한 전위예술* 운동이다. 당시 산업화에 뒤처진 이탈리아는 산업화에 대한 열망과 민족적 자존감을 ⓐ고양시킬 수 있는 새로운 예술을 필요로 하였다. 이에 산업화의 특성인 속도와 운동에 주목하고 이를 예술적으로 표현하려는 미래주의가 등장하게 되었다.

특히 미래주의 화가들은 질주하는 자동차, 사람들로 북적이는 기차역, 광란의 댄스홀, 노동자들이 일하는 공장 등 활기찬 움직임을 보여 주는 모습을 주요 소재로 삼아 산업 사회의 역동적인 모습을 표현하였다. 그들은 대상의 움직임의 ⓑ추이를 화폭에 담아냄으로써 대상을 생동감 있게 형상화하려 하였다. 이를 위해 미래주의 화가들은, 시간의 흐름에 따른 대상의 움직임을 하나의 화면에 표현하는 분할주의 기법을 사용하였다. '질주하고 있는 말의 다리는 4개가 아니라 20개다.'라는 미래주의 선언의 내용은, 분할주의 기법을 통해 대상의 역동성을 ⓒ지향하고자 했던 미래주의 화가들의 생각을 잘 드러내고 있다.

분할주의 기법은 19세기 사진작가 머레이의 연속 사진 촬영 기법에 영향을 받은 것으로, 이미지의 겹침, 역선(力線), 상호 침투를 통해 대상의 연속적인 움직임을 효과적으로 표현하였다. 먼저 이미지의 겹침은 화면에 하나의 대상을 여러 개의 이미지로 중첩시켜서 표현하는 방법이다. 마치 연속 사진처럼 화가는 움직이는 대상의 잔상을 바탕으로 시간의 흐름에 따른 대상의 움직임을 겹쳐서 나타내었다. 다음으로 힘의 선을 나타내는 역선은, 대상의 움직임의 궤적을 여러 개의 선으로 구현하는 방법이다. 미래주의 화가들은 사물이 각기 특징적인 움직임을 갖고 있다고 보고, 이를 역선을 통해 표현함으로써 사물에 대한 화가의 느낌을 드러내었다. 마지막으로 상호 침투는 대상과 대상이 겹쳐서 보이게 하는 방법이다. 역선을 사용하여 대상의 모습을 나타내면 대상이 다른 대상이나 배경과 구분이 모호해지는 상호 침투가 발생해 대상이 사실적인 형태보다는 ⓓ왜곡된 형태로 표현된다. 이러한 방식으로 미래주의 화가들은 움직이는 대상의 속도와 운동을 효과적으로 나타낼 수 있었다.

기존의 전통적인 서양 회화가 대상의 고정적인 모습에 ⓔ주목하여 비례, 통일, 조화 등을 아름다움의 요소로 보았다면, 미래주의 회화는 움직이는 대상의 속도와 운동이라는 미적 가치에 주목하여 새로운 미의식을 제시했다는 점에서 의의를 찾을 수 있다. 이러한 미래주의 회화는 이후 모빌과 같이 나무나 금속으로 만들어 입체적 조형물의 운동을 보여 주는 키네틱 아트가 등장하는 데 ㉠영감을 제공한 것으로 평가되고 있다.

* 전위예술 : 기존의 표현 예술 형식을 부정하고 새로운 표현을 추구하는 예술 경향.

31. 윗글에서 언급된 내용이 아닌 것은?

① 미래주의에 참여한 예술가들
② 미래주의가 등장하게 된 배경
③ 미래주의 화가들이 사용한 기법
④ 미래주의 회화가 발전해 온 과정
⑤ 미래주의 화가들이 추구한 미의식

32. ㉠의 구체적 내용으로 가장 적절한 것은?

① 전통 회화 양식에서 벗어나 움직이는 대상이 주는 아름다움을 최초로 작품화하려는 생각
② 기존의 방식과 달리 미적 가치를 3차원에서 실제로 움직이는 대상을 통해 구현하려는 생각
③ 사진의 촬영 기법을 회화에 접목시켜 비례와 조화에서 오는 조형물의 예술성을 높이려는 생각
④ 산업 사회의 역동적인 모습에서 벗어나 인류가 추구해야 할 미래상을 화폭에 담아내려는 생각
⑤ 예술적 대상의 범위를 구체적인 대상에서 추상적인 대상으로 확대하여 작품을 창작하려는 생각

33. 윗글을 바탕으로 <보기>를 감상한 내용으로 적절하지 않은 것은? [3점]

< 보 기 >

발라의 「강아지의 다이내미즘」은 여인이 강아지를 데리고 산책하는 모습을 그린 미래주의 회화의 대표적인 작품이다.

① 움직이는 강아지의 모습을 속도감 있게 그린 것에서 미래주의 회화의 경향을 엿볼 수 있겠군.
② 선을 교차시켜 쇠사슬의 잔상을 구체적으로 재현한 것에서 역선을 통해 사실적인 형태를 강조했음을 알 수 있겠군.
③ 강아지의 발과 바닥의 경계가 모호하게 보이는 것에서 대상과 배경의 상호 침투 효과를 엿볼 수 있겠군.
④ 강아지의 발을 중첩시켜 표현한 것은 이미지 겹침을 통해 시간의 흐름에 따른 대상의 움직임을 나타낸 것이겠군.
⑤ 사람의 다리를 두 개가 아닌 여러 개로 그린 것은 분할주의 기법을 활용하여 걷는 이의 역동적 모습을 강조한 것이겠군.

34. ⓐ ~ ⓔ의 사전적 의미로 적절하지 않은 것은?

① ⓐ : 정신이나 기분 따위를 북돋워서 높임.
② ⓑ : 시간의 경과에 따라 변하여 나감.
③ ⓒ : 어떤 목표로 뜻이 쏠리어 향함.
④ ⓓ : 사실과 다르게 해석하거나 그릇되게 함.
⑤ ⓔ : 자신의 의견이나 주의를 굳게 내세움.

[35 ~ 37] 다음 글을 읽고 물음에 답하시오.

중국 황제가 크게 화를 내어 신라를 침공하고자 하여 계란을 솜으로 여러 번 싸서 돌함에 넣고 황초를 불에 녹여 그 안을 채워서 흔들리지 않게 하고 또 구리쇠를 녹여 함에 부어 열어 보지 못하게 하여 봉서와 함께 신라에 보내었다. 봉서의 내용인즉,

㉠'너희 나라가 만약 이 함 속에 있는 물건을 알아내어 시를 바치지 못한다면, 너희 나라를 도살하여 없애 버리겠다.'

하였더라. 대국 사신이 조서를 받들고 신라에 도착하니 신라왕이 몸소 사신을 맞이하고 조서를 읽어 보시고는 즉시 나라의 선비들을 불러 모아 이르시기를,

㉡"너희 유생 중에 이 함 속에 있는 물건을 알아내어 시를 짓는 사람은 장차 관직을 높여 땅을 나누어 줄 것이다."

하시매 아무도 그 속 물건을 알아내지 못하여 온 조정이 들끓더라.

이때 아이도 왕이 내린 명령을 들었다. 또 나 승상의 딸아이가 아름답고 재예*가 뛰어나며 게다가 절개가 있다는 소문을 들은 터인지라, 떨어진 옷으로 갈아입고 거울을 수선하는 장사로 사칭하고는 서울로 들어갔다. 그러고는 승상 댁 문 앞에 이르러 '거울 수선하라'는 말을 여러 차례 외쳤다. 이에 나 승상의 딸이 그 소리를 듣고 낡은 거울을 유모에게 주어 보내고, 인해 유모를 따라 외문 밖으로 나와 사립문 틈으로 엿보았다. 그 장사 역시 몰래 눈으로 바라보고 아름다운 아가씨라 여기고는 쥐고 있던 [거울]을 고의로 떨어뜨려 깨뜨렸다. 유모가 발을 구르며 다급하게 화를 내자 장사 아이가 말하기를,

"이미 거울이 깨졌으니 발은 굴러 무엇하겠습니까? 이 몸이 노복이 되어 거울 깨뜨린 보상을 하겠으니 청을 들어주소서."

하는지라. 유모가 돌아가 승상께 고하니 승상께서 허락하시고 묻기를,

"너의 이름은 무엇이며 어디에 살고 있느냐?"

아이가 대답하되,

"거울을 고치다 깨뜨렸으니 파경노라 불러 주시옵고, 일찍 부모를 여의고 갈 곳이 없나이다."

하는지라. 승상은 파경노에게 말 먹이는 일을 하도록 하였다. 파경노가 말을 타고 나가면 말 무리들이 열을 지어 뒤따랐으며 조금도 싸우는 일이 없었다. 이후로 말들이 살찌고 여윈 말이 없었다. ㉢아침에 파경노가 말 무리들을 이끌고 나가 사방에 흩어 놓고 숲 속에서 온종일 시를 읊으면, 청의동자* 수 명이 어디서 왔는지 혹은 말을 먹이고 혹은 채찍으로 훈련시키더라. 해가 지면 말들이 구름같이 모여 파경노 앞에 늘어서서 머리를 조아리니 보는 이마다 신기함을 칭찬하지 않는 이 없더라. 나 승상 부인께서 이 소문을 듣고 승상에게 말하기를,

"파경노는 생김새가 기이하고 말 다룸도 또한 기이하니 필시 비범한 사람일 것입니다. 천한 일을 맡게 하지 마옵소서."

하니 승상도 옳게 여기고 그 말을 따랐다. 예전에 동산에다 나무와 꽃을 많이 심었으나 잘 가꾸지 못하여 거칠어지고 매몰되어 잡초 속에 묻혀 버렸는지라, 파경노로 하여금 꽃밭 가꾸는 일을 맡기었다. 파경노는 또한 한가로이 꽃밭에 앉아서 시만 읊고 있을 뿐 가꾸는 일은 하지 않으나 하늘에서 선녀가 밤에 내려와 혹은 거름을 주어 가꾸고 혹은 풀을 뽑으니 전보다 배나 더 아름답고 무성하였다.

[중략 부분의 줄거리] 승상은 시를 지으라는 임금의 명을 받고 시름에 빠진다. 파경노의 비범함을 알아차린 딸의 권유로 승상이 파경노에게 시 짓는 일을 명하자 파경노는 자신을 사위로 삼는다면 시를 짓겠다고 말한다. 파경노가 노비라는 이유로 혼인을 반대하던 승상은 딸이 설득하자 결국 파경노를 사위로 맞이한다.

다음날 아침 승상이 사람을 시켜 시 짓는 모습을 엿보라 하였다. 이때 파경노가 자기 이름을 지어 치원이라 하고, 자를 고운이라 하더라. 승상의 딸이 옆에 앉아서 시 짓기를 재촉하니 치원이 말하기를,

"시는 내일 중으로 지을 것이니 너무 재촉하지 마오."

하고는 승상의 딸더러 종이를 벽 위에 붙여 놓도록 하고 스스로 붓 대롱을 잡아 발가락에 끼우고 잤다. 승상의 딸이 근심하다가 고단하여 자는데 꿈속에 쌍룡이 하늘에서 내려와 함 위에서 서로 벗하며 무늬 옷을 입은 동자 십여 명이 함을 받들고 서서 소리 내어 노래하니 함이 열리는 듯하였다. 이윽고 쌍룡의 콧구멍에서 여러 가지 빛깔의 상서로운 기운이 나와 함 속을 환히 비추니 그 안에 붉은 옷을 입고 푸른 수건을 쓴 사람이 좌우로 늘어서서 어떤 자는 시를 지어 읊고 어떤 자는 붓을 잡아 글씨를 쓰는데, 승상이 빨리 시를 지으라고 재촉하는 소리에 놀라 깨어 보니 꿈이더라. ㉣치원 역시 깨어나 시를 지어 벽에 붙은 종이에다 써 놓으니 용과 뱀이 놀라 꿈틀거리는 듯하더라. 시의 내용인즉,

둥글고 둥근 함 속의 물건은
반은 희고 반은 노란데,
밤마다 때를 알아 울려 하건만
뜻만 머금을 뿐 토하지 못하도다.

이더라. 치원이 승상의 딸을 시켜 승상께 바치게 하니 승상이 믿지 않다가 딸의 꿈 이야기를 듣고서야 믿고 대궐로 들어가 왕께 바치었다. 왕이 보시고서 크게 놀라 물으시기를,

"경이 어떻게 알아 가지고 시를 지었느뇨?"

하시니 대답하여 아뢰되,

㉤"신이 지은 것이 아니옵고 신의 사위가 지은 것이옵니다." 하니 왕은 사신으로 하여금 대국 황제께 바치었다. 황제가 그 시를 보시고 말씀하시기를,

"'둥글고 둥근 함 속의 물건은 반은 희고 반은 노란데'는 맞는 구절이나 '밤마다 때를 알아 울려 하건만 뜻만 머금을 뿐 토하지 못하도다'라 한 것은 잘못이로다."

하고 함을 열고 달걀을 보시니 여러 날 따뜻한 솜 속에서 병아리로 되어 있으매 황제가 탄복하면서 말하기를,

"이는 천하의 기재로다."

하고 학사를 불러 보이시니, 칭찬하지 않는 자가 없었다.

– 작자 미상, 「최고운전」 –

* 재예 : 재능과 기예를 아울러 이르는 말.
* 청의동자 : 신선의 시중을 든다는 푸른 옷을 입은 사내아이.

35. 윗글에서 알 수 있는 내용으로 적절하지 않은 것은?

① '아이'는 승상 댁의 노복이 된 이후에 돌함의 존재에 대해 알게 되었다.
② '승상의 부인'은 파경노의 외모와 행동을 근거로 그가 범상한 인물이 아님을 알아보았다.
③ '승상'은 파경노에게 천한 일을 맡기지 말라는 부인의 말을 따랐다.
④ '파경노'는 승상의 딸과 결혼한 이후 자신의 이름을 스스로 치원이라 지었다.
⑤ '승상의 딸'은 치원이 지은 시에 대해 회의적인 태도를 보이는 승상에게 자신의 꿈 이야기를 들려주었다.

36. 윗글의 거울에 대한 설명으로 가장 적절한 것은?

① 아이가 승상에게 자신의 능력을 증명하는 데 사용된 소재이다.
② 승상 댁에 노복으로 들어간 아이가 겪게 될 고난을 암시하는 소재이다.
③ 아이가 승상의 사위가 되려는 내적 욕망을 실현하는 데 동원된 소재이다.
④ 혼인을 둘러싸고 아이와 승상 사이에 긴장감이 조성될 것을 예고하는 소재이다.
⑤ 아이가 승상 딸의 뛰어난 재예와 절개를 시험할 수 있는 기회를 제공하는 소재이다.

37. <보기>를 바탕으로 ㉠ ~ ㉤을 이해한 내용으로 적절하지 않은 것은? [3점]

< 보 기 >

「최고운전」은 '시 짓기'를 통해 주인공과 국가가 당면한 문제 상황이 해결되는 구조로 서사가 전개되고 있다. 이 작품은 뛰어난 능력을 가지고 있으나 신분적 한계로 인해 자신의 능력을 제대로 펼치지 못했던 실존 인물 최치원의 삶을 바탕으로 창작되었다. 최치원의 삶이 주인공에 투영되어 형상화되는 과정에서 그의 비범함이 극적으로 부각되며, 이는 주로 '시 짓기'를 통해 발휘된다.

① ㉠에서 '시 짓기'는 중국 황제가 신라를 문제 상황에 빠뜨리기 위해 내세운 불합리한 요구로군.
② ㉡에서 '시 짓기'는 국가적 문제를 해결할 수 있는 인재가 없는 신라의 상황을 보여 주는군.
③ ㉢에서 '시 짓기'는 초월적 요소와 결합하여 인물의 비범함을 드러내는군.
④ ㉣에서 '시 짓기'는 신분적 한계로 인한 울분을 직접적으로 토로하는 수단이로군.
⑤ ㉤에서 '시 짓기'는 개인의 능력을 드러냄과 동시에 국가의 위기를 해결하는 방법이 되는군.

[38 ~ 42] 다음 글을 읽고 물음에 답하시오.

최근 수입품에 높은 관세를 부과하여 국제 무역 분쟁이 발생하면서 관세에 대한 관심이 높아지고 있다. 관세란 수입되는 재화에 부과되는 조세로, 정부는 조세 수입을 늘리거나 국내 산업을 보호하기 위한 목적으로 관세를 부과한다. 그런데 관세를 부과하면 국내 경기 및 국제 교역에 영향을 미치게 된다.

관세가 국내 경기에 미치는 영향을 살펴보기 위해서는 시장에서의 수요와 공급의 원리를 알아야 한다. <그림>은 가격에 따른 수요량과 공급량의 변화를 나타내는 그래프이다.

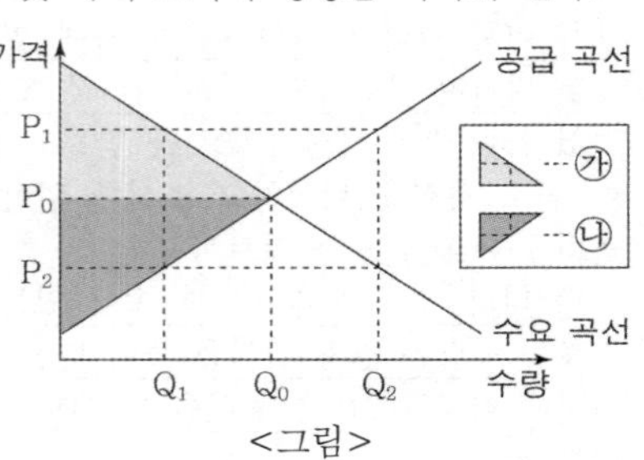

<그림>

여기서 수요 곡선은 재화의 가격에 따른 수요량의 변화를 나타내는데, 그래프에서 가격은 재화 1단위 추가 소비를 위한 소비자의 지불 용의 가격을 나타내기도 한다. 공급 곡선은 재화의 가격에 따른 공급량의 변화를 나타내는데, 그래프에서 가격은 재화 1단위 추가 생산을 위한 생산자의 판매 용의 가격을 나타내기도 한다. 수요와 공급의 원리에 따르면 재화의 균형 가격은 수요 곡선과 공급 곡선이 만나는 P_0에서 형성된다. 재화의 가격이 P_1로 올라가면 수요량은 Q_1로 줄어들고 공급량은 Q_2로 증가하지만, 재화의 가격이 P_2로 내려가면 수요량은 Q_2로 증가하고 공급량은 Q_1로 줄어든다.

이처럼 재화의 가격 변화로 수요량과 공급량이 달라지면 소비자 잉여와 생산자 잉여에도 변화가 생기게 된다. 여기서 잉여란 제품을 소비하거나 판매함으로써 얻는 이득으로, 소비자 잉여는 소비자가 어떤 재화를 구입할 때 지불할 용의가 있는 가격과 실제 지불한 가격의 차이이고, 생산자 잉여는 생산자가 어떤 재화를 판매할 때 실제 판매한 가격과 판매할 용의가 있는 가격의 차이이다. <그림>에서 수요 곡선과 실제 재화의 가격의 차이에 해당하는 ㉮는 소비자 잉여를, 실제 재화의 가격과 공급 곡선의 차이에 해당하는 ㉯는 생산자 잉여를 나타낸다. 만일 재화의 가격이 P_0에서 P_1로 올라가면 소비자 잉여는 줄어들고 생산자 잉여는 늘어나는 반면, 재화의 가격이 P_2로 내려가면 소비자 잉여는 늘어나고 생산자 잉여는 줄어들게 된다.

이를 바탕으로 관세가 국내 경기에 미치는 영향을 살펴보자. 밀가루 수입 전에 형성된 K국의 밀가루 가격이 500원/kg이고, 국제 시장에서 형성된 밀가루의 가격이 300원/kg이라고 가정해 보자. K국이 자유 무역을 통해 관세 없이 밀가루를 수입하면 국산 밀가루 가격은 수입 가격 수준인 300원/kg까지 내려가게 된다. 그 결과 국산 밀가루 공급량은 줄어들지만 오히려 수요량은 늘어나기 때문에, 국내 수요량에서 국내 공급량을 뺀 나머지 부분만큼 밀가루를 수입하게 된다. 밀가루 수입으로 국산 밀가루 가격이 하락하면 결과적으로 생산자 잉여가 감소하지만 소비자 잉여는 증가하게 된다. 증가한 소비자 잉여가 감소한 생산자 잉여보다 크기 때문에 소비자 잉여와 생산자 잉여의 총합인 사회적 잉여는 밀가루를 수입하기 전에 비해 커지게 된다.

그런데 K국이 수입 밀가루에 100원/kg의 관세를 부과할 경우, 수입 밀가루의 국내 판매 가격은 400원/kg으로 올라가게 된다. 그렇게 되면 국산 밀가루 생산자는 관세 부과 전보다

100원/kg 오른 가격에 밀가루를 판매할 수 있으므로 국산 밀가루의 공급량이 늘어 관세를 부과하기 전보다 생산자 잉여가 증가하게 된다. 반대로 소비자 입장에서는 가격이 올라가면 그만큼 수요량이 줄어들게 되므로 소비자 잉여는 감소하게 된다. 하지만 증가한 생산자 잉여가 감소한 소비자 잉여보다 작기 때문에 소비자 잉여와 생산자 잉여의 총합인 사회적 잉여는 수입 밀가루에 관세를 부과하기 전에 비해 작아지게 된다.

그런데 관세 정책이 장기화될 경우, 국내 경기가 침체에 빠질 수 있다. 예컨대 K국 정부가 국내 밀가루 산업을 보호하기 위하여 수입 밀가루에 높은 관세를 부과할 경우, 단기적으로는 국내 밀가루 생산자의 이익을 늘려 자국의 밀가루 산업을 보호할 수 있다. 하지만 높은 관세로 국내 밀가루 가격이 상승하면 밀가루를 원료로 하는 제품들의 가격이 줄줄이 상승하게 되어, 국내 소비자들은 밀가루를 이용하여 만든 제품들의 소비를 줄이게 된다. 이러한 과정이 장기화된다면 K국의 경기는 결국 침체에 빠질 수도 있다. 실제로 1930년대 국내 산업을 보호할 목적으로 시행된 각국의 관세 정책으로 인해 오히려 경제 대공황이 심화된 사례가 이를 잘 보여 주고 있다.

이렇게 볼 때 국내 산업을 보호할 목적으로 부과된 ㉠ <u>관세는 사회적 잉여를 감소시키고,</u> 해당 제품에 대한 국내 소비를 줄어들게 한다. 그리고 그와 관련된 다른 산업에까지 악영향을 미칠 수 있다. 또한 과도한 관세는 국제 교역을 감소시켜 국제 무역 시장을 침체시킬 뿐만 아니라, 국제 무역 분쟁을 야기할 소지도 있다. 이러한 이유로 대다수의 경제학자들은 과도한 관세에 대한 우려를 드러내고 있다.

38. 윗글에 대한 설명으로 가장 적절한 것은?

① 상반된 두 입장을 제시한 후 이를 절충하고 있다.
② 문제 상황을 언급한 후 해결책을 구체화하고 있다.
③ 이론의 한계를 단계적인 순서에 따라 설명하고 있다.
④ 학설이 나타난 배경과 그 학문적 성과를 분석하고 있다.
⑤ 원리를 설명한 후 구체적 사례를 들어 이해를 돕고 있다.

39. 윗글에 대한 이해로 적절하지 <u>않은</u> 것은?

① 소비자의 지불 용의 가격은 균형 가격보다 항상 높다.
② 균형 가격에서는 재화의 수요량과 공급량이 동일하다.
③ 원료의 가격은 이에 기반한 제품의 가격에 영향을 미친다.
④ 관세는 국가 간의 무역 분쟁의 원인으로 작용하기도 한다.
⑤ 대다수의 경제학자들은 과도한 관세에 대해 부정적 입장을 취한다.

40. ㉠의 이유로 적절한 것은?

① 소비자 잉여 감소분이 생산자 잉여 증가분과 같기 때문에
② 소비자 잉여 감소분이 생산자 잉여 증가분보다 크기 때문에
③ 소비자 잉여 증가분이 생산자 잉여 증가분보다 크기 때문에
④ 소비자 잉여 감소분이 생산자 잉여 감소분보다 작기 때문에
⑤ 소비자 잉여 증가분이 생산자 잉여 감소분보다 작기 때문에

41. 윗글을 바탕으로 <보기>를 설명한 내용으로 적절하지 <u>않은</u> 것은? [3점]

< 보 기 >

P국에서는 국산 바나나만을 소비하다 값싼 수입산 바나나를 관세 없이 수입하면서 국산 바나나 가격이 국제 시장 가격 수준으로 하락했다. 이에 정부에서는 국내 바나나 산업 보호를 위하여 관세를 부과하였다.

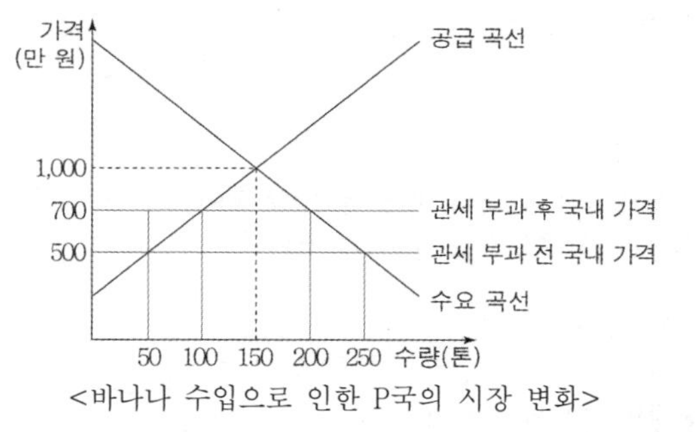

<바나나 수입으로 인한 P국의 시장 변화>

① 바나나를 수입하기 전 바나나의 국내 균형 가격은 톤당 1,000만 원이었다.
② 관세를 부과하기 이전에는 수입되는 바나나의 수량이 200톤이었다.
③ 관세를 부과하기 이전과 이후의 가격을 비교해 보니 톤당 200만 원만큼의 관세가 부과되었다.
④ 관세를 부과한 결과 국내 생산자는 바나나의 공급량을 50톤에서 100톤으로 늘리게 된다.
⑤ 관세를 부과한 결과 수입되는 바나나의 수량은 이전보다 50톤이 줄어드는 효과가 발생한다.

42. 윗글의 '관세(A)'와 <보기>의 '수입 할당제(B)'에 대해 이해한 내용으로 적절하지 <u>않은</u> 것은?

< 보 기 >

'수입 할당제'는 일정 기간 특정 재화를 수입할 수 있는 양을 제한하여 제한된 할당량까지는 자유 무역 상태에서 수입하고 그 할당량이 채워지면 수입을 전면적으로 금지하는 비관세 정책이다. 수입 할당제는 수입되는 재화의 양을 제한함으로써 그 재화의 국내 가격을 자연적으로 상승시켜 국내 생산자를 보호하는 기능을 한다.

① A는 수입품의 가격을 상승시키는 원인으로 작용하겠군.
② B는 수량을 기준으로 수입되는 재화의 양을 제한하겠군.
③ A는 B와 달리 정책 시행 시의 혜택을 국내 생산자가 보겠군.
④ B는 A와 달리 수입품에 대한 정부의 조세 수입이 없겠군.
⑤ A와 B 모두 국제 무역 규모의 감소를 유발할 수 있겠군.

8회

[43 ~ 45] 다음 글을 읽고 물음에 답하시오.

(가)

진주 장터 생어물전에는
바닷밑이 깔리는 해 다 진 어스름을,

울 엄매의 장사 끝에 남은 고기 몇 마리의
빛 발(發)하는 눈깔들이 속절없이
은전(銀錢)만큼 손 안 닿는 한(恨)이던가
울 엄매야 울 엄매,

별 밭은 또 그리 멀리
우리 오누이의 머리 맞댄 골방 안 되어
손 시리게 떨던가 손 시리게 떨던가,

진주 남강 맑다 해도
오명 가명
신새벽이나 밤빛에 보는 것을,
울 엄매의 마음은 어떠했을꼬,
달빛 받은 옹기전의 옹기들같이
말없이 글썽이고 반짝이던 것인가.

– 박재삼, 「추억에서」 –

(나)

죽장의 김삿갓은 죽고
참빗으로 이 잡던 시절도 가고
대바구니 전성 시절에

새벽 서리 밟으며 어머니는 바구니 한 줄 이고 장에 가시고 고구마로 점심 때운 뒤 기다리는 오후, 너무 심심해 아홉 살 내가 두 살 터울 동생 손 잡고 신작로를 따라 마중갔었다. 이십 리가 짱짱한 길, 버스는 하루에 두어 번 다녔지만 ㉠ 꼬박꼬박 걸어오셨으므로 가다보면 도중에 만나겠지 생각하며 낯선 아줌마에게 길도 물어가면서 ㉡ 하염없이…… 그런데 이 고개만 넘으면 읍이라는 곳에서 해가 ㉢ 덜렁 졌다. 배는 고프고 으스스 무서워져 ㉣ 한참 망설이다가 되짚어 돌아오는 길은 한없이 멀고 캄캄 어둠에 동생은 울고 기진맥진 한밤중에야 호롱 들고 찾아나선 어머니를 만났다. — 어머니는 그날 따라 버스로 오시고

아, 요즘도 장날이면
허리 굽은 어머니
플라스틱에 밀려 시세도 없는 대바구니 옆에 쭈그려앉아
㉤ 멀거니 팔리기를 기다리는
담양장.

– 최두석, 「담양장」 –

43. (가)와 (나)의 표현상 공통점으로 가장 적절한 것은?

① 동일한 어미를 반복하여 리듬감을 주고 있다.
② 역설법을 활용하여 내면 심리를 부각하고 있다.
③ 자조적인 어조를 사용하여 시적 정서를 드러내고 있다.
④ 공감각적 이미지를 사용하여 표현 효과를 높이고 있다.
⑤ 수미상관의 기법을 활용하여 주제 의식을 강조하고 있다.

44. <보기>의 수업 상황에서 선생님이 제시한 과제를 수행한 것으로 적절하지 <u>않은</u> 것은? [3점]

< 보 기 >

선생님 : 「추억에서」와 「담양장」은 '시 엮어 읽기'의 방법으로 감상하기에 좋은 작품입니다. 시 엮어 읽기란 시적 맥락을 고려하여 다른 시를 서로 비교하며 감상함으로써 작품 감상의 폭을 넓히는 방법입니다. 여러분, 이 두 작품의 시적 상황, 정서, 소재, 배경 등을 고려하면서 시 엮어 읽기를 해 볼까요?

① (가)의 '고기'와 (나)의 '대바구니'는 어머니가 가족들의 생계 유지를 위하여 장터에서 팔아야 하는 소재라는 점에서 유사합니다.
② (가)의 '울 엄매야 울 엄매'와 (나)의 '허리 굽은 어머니'에는 고단한 삶을 살아온 어머니에 대한 연민의 정이 담겨 있다는 점에서 유사합니다.
③ (가)의 '골방'에 비해 (나)의 '신작로'는 어머니를 기다리는 마음이 더 능동적인 행위로 나타나는 공간이라는 점에서 차이가 있습니다.
④ (가)의 '신새벽'과 (나)의 '한밤중'은 어머니의 부재로 인해 어린 화자가 느끼는 불안감이 해소되는 시간적 배경이라는 점에서 유사합니다.
⑤ (가)의 '말없이 글썽이고 반짝이던 것인가'에서는 어머니의 과거 삶을, (나)의 '아, 요즘도 장날이면'에서는 과거로부터 이어지는 어머니의 현재 삶을 떠올리고 있는 시적 상황이라는 점에서 차이가 있습니다.

45. <보기>를 참고하여 ㉠~㉤을 이해한 내용으로 적절하지 <u>않은</u> 것은?

< 보 기 >

시에서는 정서나 상황 등을 효과적으로 표현하기 위해 부사어를 사용하기도 한다. 따라서 부사어를 사용한 의도를 파악해 보면 시적 의미를 섬세하게 해석할 수 있어 감상의 묘미가 높아진다.

① ㉠ : 늘 걸어서 장에 다니시는 어머니의 일상을 강조한다.
② ㉡ : 어머니를 마중 갔던 길이 길고 멀었다는 것을 부각한다.
③ ㉢ : 갑작스럽게 해가 져 놀라고 겁이 난 심리를 강조한다.
④ ㉣ : 더 갈지 돌아가야 할지 주저하는 내적 갈등을 부각한다.
⑤ ㉤ : 장이 끝나 가서 장사를 마쳐야 하는 아쉬움을 강조한다.

＊ 확인 사항

○ 답안지의 해당란에 필요한 내용을 정확히 기입(표기)했는지 확인하시오.

국어 영역

9회 소요시간 /80분

제 1 교시

➡ 해설 P.76

[1 ~ 3] 다음은 강연의 일부이다. 물음에 답하시오.

안녕하세요, 역사 동아리 학생 여러분. 이번 강연을 맡은 문화재위원회 위원 ○○○입니다. 저는 문화재위원회에서 국보나 보물과 같은 문화재 지정 여부를 심의하는 역할을 맡고 있습니다. 오늘은 여러분께 국보와 보물에 대한 이야기를 해 드릴까 합니다.

(화면에 사진을 보여주며) 여러분, 이 문화재가 무엇인지 아시나요? (학생들의 답을 들은 후) 네, 숭례문과 흥인지문입니다. 왼쪽의 숭례문은 국보 제1호이고, 오른쪽의 흥인지문은 보물 제1호인데요. 둘 다 성문인데 왜 숭례문은 국보이고, 흥인지문은 보물일까요? 문화재보호법에 따르면 국보란 보물에 해당하는 문화재 중 인류 문화의 관점에서 볼 때 그 가치가 크고 유례가 드문 것으로 문화재위원회의 심의를 거쳐 지정할 수 있다고 되어 있습니다.

우리나라는 문화재 관리를 위해 지정 일자 순으로 일련번호를 부여하고 있는데, 이를 지정번호라고 합니다. 보물로 지정된 문화재가 국보로 승격되면, 해당 문화재는 보물에서 해제되며 그 보물의 지정번호는 결번으로 남습니다. 숭례문처럼 단일 건물일 경우 문화재 한 점당 지정번호가 하나씩 붙습니다. 그런데 여러 권이 묶인 책과 같은 경우에는 수량과 상관없이 한 개의 지정번호가 붙습니다. 한편 서책의 경우 동일 제목으로 판본이 유사하다면 관리의 효율성을 위해 가지번호를 붙이기도 합니다. 예를 들면 『조선왕조실록』 정족산사고본은 국보 제151-1호, 『조선왕조실록』 태백산사고본은 국보 제151-2호로 표시하는 식입니다.

이처럼 국보나 보물과 같은 문화재의 지정번호는 효율적인 관리를 위해 지정 순서에 따라 부여하는 행정상의 관리번호로, 지정번호가 문화재의 서열이나 중요성을 나타내는 것은 아닙니다. 하지만 문화재의 지정번호가 해당 문화재의 가치에 따른 서열을 나타내는 것처럼 인식될 수 있으므로 지정번호는 부여하되, 일반 시민들에게는 공개하지 말자는 의견도 있습니다.

지금까지 국보와 보물에 대해서 이야기해 보았습니다. 문화재를 국보나 보물로 지정하여 관리하는 것도 중요하지만 문화재의 가치를 높이기 위해서는 여러분의 관심이 필요합니다. 오늘 강연을 계기로 앞으로 우리 문화재에 더 많은 관심을 가져주시기를 바랍니다. 이상으로 강연을 마치겠습니다.

1. 위 강연에 대한 설명으로 적절하지 <u>않은</u> 것은?

① 구체적인 사례를 활용하여 청중의 이해를 돕고 있다.
② 시각 자료를 활용하여 내용의 전달 효과를 높이고 있다.
③ 질문을 던지는 방식을 활용하여 청중의 동의를 유도하고 있다.
④ 당부의 말로 강연을 마무리하여 청중의 태도 변화를 요구하고 있다.
⑤ 강연과 관련된 강연자의 전문성을 밝혀 내용의 신뢰성을 확보하고 있다.

2. <보기>는 학생들이 강연을 들으며 떠올린 생각이다. 이를 바탕으로 학생들의 듣기 활동을 이해한 내용으로 가장 적절한 것은?

<보 기>

학생 1: 외국 박물관에서 소장하고 있는 우리 문화재가 있다고 들었는데, 그 문화재도 국보로 지정될 수 있을까? 문화재청 홈페이지에서 자료를 찾아봐야겠어.

학생 2: 역사 동아리 부원이면서도 지금까지 문화재에 대해 크게 관심을 가지지 않았던 것이 부끄러워. 이제부터라도 문화재에 관심을 가져야겠어.

학생 3: 국보로 지정된 문화재는 누가 관리를 하는지 궁금해. 강연이 끝나고 질문을 해 볼까?

① '학생 1'은 강연에서 알게 된 새로운 내용을 요약하며 듣고 있군.
② '학생 2'는 강연에서 언급되지 않았던 내용을 추론하며 듣고 있군.
③ '학생 3'은 강연 내용에 사실과 다른 부분이 있는지를 판단하며 듣고 있군.
④ '학생 1'과 '학생 3'은 강연을 들으며 생긴 의문점을 해결하기 위한 방법을 생각하며 듣고 있군.
⑤ '학생 2'와 '학생 3'은 강연을 듣기 전 자신이 갖고 있던 배경지식을 수정하며 듣고 있군.

3. 위 강연을 들은 학생이 다음의 자료를 보고 보인 반응으로 적절하지 <u>않은</u> 것은? [3점]

국보 제319-1호
명칭: 동의보감(東醫寶鑑)
지정일: 2015. 06. 22.
수량: 25권 25책
관리 단체: 국립중앙도서관

『동의보감』은 허준(1539~1615)이 조선과 중국에 유통되던 의서와 치료법을 엮어 놓은 우리나라 최고(最高)의 한의서이다. 국립중앙도서관에서 소장하고 있는 『동의보감』은 보물 제1085-1호로 지정되어 있었으나, 유네스코 세계기록유산으로 등재되는 등 문화재적 가치가 인정되어 국보로 승격 지정되었다.

① 『동의보감』이 국보로 승격된 이후에 보물 제1085-1호라는 지정번호는 결번이 되었겠군.
② 『동의보감』의 경우 수량과 상관없이 25권 25책 모두 각각 다른 국보 지정번호를 부여받았겠군.
③ 일반 시민들이 볼 수 있는 자료에는 국보 제319-1호라는 지정번호를 공개하지 말자는 의견도 있겠군.
④ 『동의보감』보다 『조선왕조실록』의 국보 지정번호가 빠르다고 해서 『조선왕조실록』의 가치가 더 높다고 볼 수 없겠군.
⑤ 『동의보감』의 국보 지정번호에 가지번호를 붙인 것으로 보아 『동의보감』은 동일 제목의 유사한 판본이 있을 수 있겠군.

[4 ~ 7] (가)는 바둑 동아리 학생들이 학교 스포츠 축제 준비 위원회에 제출할 건의문의 초고이고, (나)는 (가)를 수정하기 위한 회의이다. 물음에 답하시오.

(가)

안녕하세요, 저희는 바둑 동아리 학생들입니다. 먼저 스포츠 축제 준비 위원회 여러분의 노력에 감사드립니다. 이렇게 글을 쓰게 된 것은 이번 스포츠 축제 경기 종목에 두뇌 스포츠 경기도 포함시켜 달라는 건의를 드리기 위해서입니다.

이번 스포츠 축제의 기획 의도는 '다양하게, 모두 함께, 의미 있게'라고 들었습니다. 그런데 이번 축제에도 신체 활동을 위주로 하는 스포츠 경기만 계획되어 있어 기획 의도를 충분히 만족시키기에 부족하다고 생각합니다. 그래서 저희는 두뇌 스포츠 경기를 열어 주실 것을 부탁드립니다. 바둑, 체스 등으로 대표되는 두뇌 스포츠는 스포츠의 일부로 인정받고 있는 추세입니다. 실제로 국내외 여러 스포츠 대회에서 바둑 경기가 정식 종목으로 채택되었습니다. 또한 학교 스포츠클럽으로도 두뇌 스포츠 종목이 개설되고 있습니다. 스포츠 축제에 두뇌 스포츠 종목이 포함되지 않는 것은 이러한 추세에 맞지 않는다고 생각합니다.

두뇌 스포츠 경기를 열면 이번 스포츠 축제의 기획 의도에 맞는 여러 가지 효과를 기대할 수 있습니다. 첫째, 학생들에게 스포츠 활동 경험을 보다 '다양하게' 제공할 수 있습니다. 기존의 스포츠 경기와 함께 두뇌 스포츠 경기를 열면 스포츠 축제가 훨씬 풍성해질 것입니다. 둘째, 학생들이 '모두 함께' 즐기는 스포츠 축제를 만들 수 있습니다. 운동 신경이 뛰어나지 않거나 신체 활동을 좋아하지 않는 학생들은 스포츠 축제를 즐기기 어려운데, 두뇌 스포츠 경기가 열리면 이런 학생들도 축제에 관심을 가지고 축제를 즐길 수 있게 될 것입니다. 셋째, 스포츠 축제가 더욱 '의미 있게' 될 것입니다. 두뇌 스포츠는 체력 강화, 집중력과 창의력 향상, 상대를 존중하는 스포츠맨십 함양 등의 높은 교육적 가치가 있기 때문입니다.

두뇌 스포츠 경기를 열 장소가 없을 것이라는 우려가 있을 수도 있습니다. 하지만 이러한 우려는 체육관에서 경기를 열면 해소될 것입니다.

(나)

학생 1: 내가 쓴 건의문을 함께 검토해 보자.

학생 2: 예상 독자에게 두뇌 스포츠라는 말이 생소할 수도 있으니까 두뇌 스포츠의 개념을 둘째 문단에 넣어 주자.

학생 1: 좋은 생각이야. 다른 부분은 어때?

[A]

학생 3: 국내외 여러 스포츠 대회에서 바둑 경기가 정식 종목으로 채택되어 있다고만 했는데 더 구체적인 내용을 적어 주자.

학생 2: 우리가 수집한 자료 중에 2016년 전국체육대회부터 바둑이 정식 종목으로 채택됐다는 기사가 있었잖아. 그걸 넣으면 좋겠어.

학생 1: 맞아, 그게 있었지. 국제 스포츠 경기 대회 관련 정보도 찾아서 반영해 볼까?

학생 3: 그래, 둘 다 쓰면 좋을 것 같아.

학생 1: 좋아. 그렇게 둘째 문단을 수정할게.

[B]

학생 3: 그런데 셋째 문단에서 두뇌 스포츠를 통해 체력을 강화할 수 있다고 했는데, 이 내용은 좀 이상한 것 같아.

학생 1: 두뇌 스포츠에서도 체력은 중요해. 바둑 기사들은 큰 대국을 치르면 체중이 몇 킬로씩 빠지기도 한대.

학생 2: 하지만 두뇌 스포츠는 보통 신체 활동이 많지 않은데, 체력을 기를 수 있다는 내용은 타당성이 떨어지는 것 같아.

학생 1: 듣고 보니 그럴 수 있겠다. 그 부분은 수정할게.

학생 2: 그리고 두뇌 스포츠가 상대를 존중하는 스포츠맨십을 길러 준다는 내용에 대한 근거를 제시해 주면 좋겠어.

학생 3: 셋째 문단에 그런 내용을 언급한 두뇌 스포츠 선수의 말을 인용하면 어떨까?

학생 1: 그래, 그렇게 하자. 좋은 생각이야.

[C]

학생 3: 넷째 문단에 두뇌 스포츠 경기를 체육관에서 열면 된다고 했는데 축제 일정상 정말 가능할까?

학생 1: 그럼 스포츠 축제 담당 선생님께 여쭤 보는 게 어떨까?

학생 2: 안 그래도 아침에 여쭤 봤는데 그날 오후에는 체육관 사용이 가능하다고 하셨어.

학생 1: 다행이다. 체육관 사용이 가능한 시간을 반영해서 글을 수정할게.

학생 3: 그런데 글이 아직 마무리되지 않은 느낌이야. 건의를 수용해 줄 것을 촉구하는 내용이 직접적으로 드러나도록 글을 마무리하자.

학생 2: 그리고 전달 효과를 높이기 위해 비유적 표현도 활용하면 좋겠어.

학생 1: 알겠어. ⓐ <u>마무리 부분에 대한 의견</u>을 반영해서 글을 써 볼게.

4. (가)를 작성하기 위한 학생의 글쓰기 계획으로 적절하지 <u>않은</u> 것은?

① 건의를 받아들일 때 기대할 수 있는 긍정적인 효과들을 제시해야겠어.

② 인사말과 함께 건의 주체를 밝혀 예상 독자에 대한 예의를 갖추어야겠어.

③ 건의가 수용되지 않았던 경험을 밝혀 건의 내용 수용의 필요성을 강조해야겠어.

④ 글의 처음 부분에 건의 내용을 직접 제시하여 건의하는 바를 명확하게 드러내야겠어.

⑤ 건의를 받아들일 때 예상되는 문제 상황을 제시하고 그에 대한 해결책을 언급해야겠어.

5. (나)를 참고하여 '학생 1'이 (가)를 고쳐 쓰기 위해 세운 계획으로 적절하지 않은 것은?

문단	고쳐 쓰기 계획
둘째 문단	'두뇌 스포츠는 두뇌를 활용하여 상대와 수 싸움을 하는 게임입니다.'라는 내용을 추가해야겠군. ················ ①
	'실제로 국내외 여러 스포츠 대회에서 바둑 경기가 정식 종목으로 채택되었습니다.'라는 내용을 '실제로 바둑은 2016년 전국체육대회와 2010년 광저우 아시안게임에서 정식 종목으로 채택되었습니다.'라는 내용으로 수정해야겠군. ················ ②
셋째 문단	마지막 문장에서 '체력 강화'라는 내용을 삭제해야겠군. ················ ③
	'바둑 기사 △△△ 9단은 언론 인터뷰에서, "바둑판은 넓지 않지만 경우의 수가 너무 많다. 한계가 없는 것이 바둑의 가장 큰 매력이다."라고 말했습니다.'라는 내용을 추가해야겠군. ················ ④
넷째 문단	둘째 문장을 '하지만 스포츠 축제 당일 오후에는 체육관을 사용할 수 있다고 하니 이러한 우려는 해소될 것입니다.'라는 내용으로 수정해야겠군. ················ ⑤

6. [A] ~ [C] 담화에 대한 설명으로 가장 적절한 것은?

① [A]에서 '학생 2'는 '학생 3'의 의견에 대해 반박하며 새로운 의견을 제시하고 있다.
② [B]에서 '학생 2'는 '학생 1'의 말을 재진술하며 '학생 1'의 의견에 공감하고 있다.
③ [B]에서 '학생 1'은 '학생 3'의 의견을 수용하면서 '학생 2'의 의견에는 반대하고 있다.
④ [C]에서 '학생 1'은 '학생 3'이 제기한 의문을 해소하기 위한 방안을 제안하고 있다.
⑤ [C]에서 '학생 1'은, '학생 2'와 '학생 3'의 대립된 주장에 대해 절충안을 제시하고 있다.

7. ⓐ를 반영하여 (가)의 마무리 부분을 작성한 것으로 가장 적절한 것은?

① 두뇌 스포츠를 스포츠 축제 경기 종목으로! 두뇌 스포츠를 좋아하는 학생들을 위해 두뇌 스포츠를 스포츠 축제 경기 종목으로 채택하여 주십시오.
② 흔히 바둑을 신선놀음이라고 합니다. 뜨거운 땀이 가득한 스포츠 축제 때 우리 모두 바둑이 선물하는 시원한 한 줄기 여유도 느낄 수 있을 것입니다.
③ 이번 스포츠 축제가 학생들의 큰 호응을 얻는 성공적인 행사가 될 것이라고 믿습니다. 학생들의 열정이 불꽃이 되어 타오르는 그날이 기대되지 않으세요?
④ 두뇌 스포츠는 이번 스포츠 축제의 기획 의도를 제대로 살릴 수 있는 일등 공신이 될 것입니다. 두뇌 스포츠를 스포츠 축제 경기 종목에 꼭 포함시켜 주십시오.
⑤ 스포츠 축제를 학생들이 함께 즐길 수 있는 행사로 만들어야 하지 않을까요? 다시 한 번 두뇌 스포츠를 스포츠 축제 경기 종목에 포함시켜 주시기를 요청합니다.

[8 ~ 10] (가)를 읽은 후, 학교 홈페이지에 게시하기 위해 (나)를 작성하였다. 물음에 답하시오.

(가) 신문 기사

○○신문

온라인상 거짓 정보가 청소년에게 미치는 영향 심각

최근 출처를 알 수 없는 거짓 정보가 온라인상에서 기승을 부리는 가운데 이것이 청소년에게 미치는 부정적 영향이 심각한 것으로 나타났다.

(나) 학생의 글

최근 온라인상에 거짓 정보가 증가하면서 청소년들에게 미치는 부정적인 영향이 심각하다고 합니다. 우리 학교 홈페이지 자유 게시판인 '대나무숲'에도 거짓 정보를 만들어 게시하거나 유포하는 일들이 눈에 띄게 늘어 문제가 되고 있습니다.

거짓 정보는 그 정보에 언급되는 당사자에게 명예 훼손, 모욕 등으로 인한 정신적 피해를 줄 수 있습니다. 그리고 정보 수용자인 학생들에게는 사실과 거짓에 대한 판단을 어렵게 만들어 의사 결정에 혼란을 야기하고, 학교 구성원 간의 갈등을 부추겨 통합을 방해함으로써 정신적인 피해를 줄 수 있습니다.

학교 '대나무숲' 게시판에 거짓 정보가 증가하는 이유는 첫째, 거짓 정보를 만들어 게시하거나 유포하는 학생들이 자신의 행위가 누군가에게 피해를 줄 수 있는 범죄 행위임을 인식하지 못하기 때문입니다. 둘째, 게시판을 이용하는 학생들이 정보의 진위 여부를 확인하는 습관과 올바른 정보를 만들어내는 능력이 부족하기 때문입니다. 셋째, '대나무숲' 게시판의 관리가 제대로 이루어지지 않기 때문입니다.

이를 해결하기 위해서는 먼저, 학생들이 거짓 정보를 만들어 게시하거나 유포하는 것이 범죄 행위임을 인식할 수 있도록 학생 자치회에서 지속적으로 캠페인을 실시해야 합니다. 다음으로 학교에서 미디어 교육을 통해 학생들이 정보를 접했을 때 진위 여부를 확인하는 습관을 기를 수 있도록 해야 합니다. 마지막으로 게시판 관리를 강화하기 위해 '대나무숲'의 운영 규칙을 정비하고, '대나무숲 모니터링단'을 운영하여 게시물에 대한 모니터링을 실시해야 합니다.

8. 작문 맥락을 고려할 때, (가)와 (나)에 대한 설명으로 가장 적절한 것은?

① (가)에서 토로하고 있는 고민에 공감하며 (나)를 통해 조언하려 하고 있다.
② (가)에 나타난 문제 상황을 주변에서 찾아 (나)를 통해 해결하려 하고 있다.
③ (가)에 드러난 상반된 입장 중 하나를 선택하여 (나)를 통해 분석하려 하고 있다.
④ (가)에서 주장하는 내용과 반대되는 내용을 찾아 (나)를 통해 반박하려 하고 있다.
⑤ (가)에 제시된 정보의 출처를 파악하여 (나)를 통해 신뢰성을 검토하려 하고 있다.

9회

※ 다음은 (나)를 보완하기 위해 추가로 수집한 자료이다. 9번과 10번 물음에 답하시오.

㉮ 우리 학교 설문 조사

1. 거짓 정보로 인한 피해 경험 유무

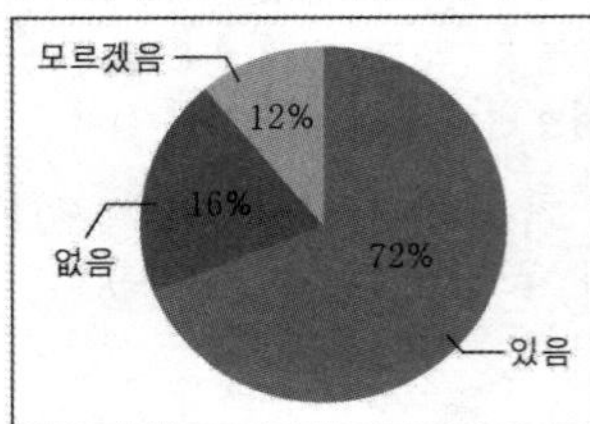

2. 거짓 정보로 인한 피해 유형

구분	비율(%)
정신적 피해	69
금전적 피해	20
신체적 피해	11

㉯ 연구 자료

미디어 리터러시 교육이란 미디어가 제공하는 정보를 비판적으로 이해하고 올바른 정보를 생산하는 능력을 길러 주는 것이다. 이를 위해 동일 사건을 다루는 다양한 정보를 비교하고 분석하여 진위 여부를 확인하는 습관을 기를 수 있는 '교차 검증하기'와, 여러 단계의 검토 과정을 거쳐 직접 뉴스를 제작해 보는 '뉴스 제작하기' 등의 방법을 활용하기도 한다.

㉰ 이웃 학교 학생과의 인터뷰

"얼마 전 학교 홈페이지 게시판에 학생회장 후보가 한 적도 없는 말을 실제로 한 것처럼 쓴 글이 게시됐고, 그 글이 무분별하게 유포돼서 문제가 된 적이 있었어요. 그 글을 사실로 믿는 학생들과 그 후보를 지지하는 학생들 사이에 다툼도 일어났어요. 그래서 ⓐ 게시판 관리자가 운영 규칙에 따라 해당 게시물에 글의 내용이 사실과 다르다는 댓글을 썼지만, 대다수의 학생들이 댓글을 보지 못했고, 결국 그 후보는 선거에서 좋은 결과를 얻지 못했어요."

9. 위 자료를 활용하여 (나)를 보완하려고 할 때 적절하지 않은 것은? [3점]

① ㉮-2를 활용하여, 거짓 정보로 인해 정신적 피해뿐만 아니라 금전적, 신체적 피해도 발생하고 있다는 내용을 문제점으로 추가한다.
② ㉯를 활용하여, 학생들이 거짓 정보를 만들어내는 것을 예방하기 위해 학교에서 미디어 교육을 통해 올바른 정보 생산 능력을 기를 수 있도록 해야 한다는 내용을 추가로 제시한다.
③ ㉰를 활용하여, 거짓 정보가 학교 구성원 간의 갈등을 부추겨 통합을 방해한다는 내용을 뒷받침하는 사례로 제시한다.
④ ㉮-1과 ㉯를 활용하여, 거짓 정보로 인한 많은 학생들의 피해를 줄이기 위해 정보의 진위 여부를 확인하는 습관을 길러줄 수 있는 '교차 검증하기'를 구체적인 방안으로 제시한다.
⑤ ㉯와 ㉰를 활용하여, 정보를 비판적으로 이해하는 능력이 부족하여 게시판 관리가 소홀하다는 내용을 문제의 원인으로 추가한다.

10. <보기>는 '대나무숲 운영 규칙'의 일부이다. ㉰의 ⓐ와 같은 문제를 해결하기 위해 <보기>의 내용을 수정한다고 할 때 가장 적절한 것은?

<보 기>

제1조 (게시판의 이용)
1항. 바르고 고운 말을 사용한다.
2항. 비교육적인 내용의 게시물은 게시하지 않는다.

제2조 (게시판의 관리)
1항. 거짓 정보로 확인된 게시물은 관리자가 해당 게시물에 댓글을 작성하여 게시물의 내용이 사실이 아님을 알린다.
2항. 게시물이나 댓글을 통해 상대방에게 욕설, 협박, 조롱 등의 언어폭력을 행하는 경우 학생 자치회와 협의하여 게시물을 삭제한다.
3항. 타인의 아이디를 도용하여 게시물을 등록한 경우 그 이용자에게 경고한다.

① 제1조 1항에 '상대방을 존중하는 경어를 사용한다.'를 추가하여 게시판을 이용할 때 상호간에 예의를 지킬 수 있게 한다.
② 제1조 2항의 '비교육적인 내용의 게시물'을 '상업성 게시물, 저작권 침해의 소지가 있는 게시물'로 구체화하여 이용자들이 해당 규칙을 명확히 이해할 수 있게 한다.
③ 제2조 1항을 '거짓 정보로 확인된 게시물은 해당 내용이 사실이 아님을 공지사항에 게시하여 모든 이용자에게 알린다.'로 수정하여 게시물이 거짓 정보임을 모든 이용자가 쉽게 알 수 있게 한다.
④ 제2조 2항의 내용 중 '학생 자치회와 협의하여'를 삭제하여 언어폭력의 위험성이 있는 게시물에 신속히 대응함으로써 그로 인한 피해를 줄일 수 있게 한다.
⑤ 제2조 3항을 '타인의 아이디를 도용하여 게시물을 등록한 경우 그 이용자의 활동을 한 달 동안 정지한다.'로 수정하여 이용자들이 아이디 도용에 대해 경각심을 가질 수 있게 한다.

[11 ~ 12] 다음 글을 읽고 물음에 답하시오.

[A] 현대 국어의 표기는 '표준어를 소리대로 적되, 어법에 맞도록 함을 원칙으로 한다.'라는 한글맞춤법 규정을 따른다. 표준어를 소리대로 적는다는 것은 표준어를 발음 나는 대로 적는 표음주의를, 어법에 맞도록 한다는 것은 각 형태소의 본 모양을 밝혀 적는 표의주의를 채택한 것이다. 그런데 일반적인 활용 규칙에서 어긋나는 경우, 합성어나 파생어를 구성함에 있어서 구성 요소가 본뜻에서 멀어진 경우 등에는 표음주의가 채택된다.

이러한 표기 원칙이 제정되기 전 국어의 표기 방식은 이어적기, 끊어적기, 거듭적기 등의 다양한 방식으로 나타났다. 자음으로 끝나는 체언이 모음으로 시작되는 조사를 만나거나 자음으로 끝나는 용언의 어간이나 어근이 모음으로 시작되는 어미나 접사를 만날 때, 이어적기는 앞 형태소의 끝소리를 뒤 형태소의 첫소리로 옮겨 적는 방식이고, 끊어적기는 실제 발음과는 달리 형태소의 본 모양을 밝혀서 끊어 적는 방식이다. 그리고 거듭적기는 앞 형태소의 끝소리를 뒤 형태소의 첫소리에도 다시 적는 표기 방식으로, '말씀+이'를 '말씀미'와 같은 방식으로 적는 것이다. 한편 'ㅋ, ㅌ, ㅍ'을 'ㄱ, ㄷ, ㅂ'과 'ㅎ'으로 나누어 표기하는 방식인 재음소화 표기가 나타나기도 했는데, '깊이'를 '깁히'와 같이 적는 경우를 예로 들 수 있다.

11. <보기>는 '한글맞춤법'의 일부를 정리한 학습지이다. [A]를 바탕으로 <보기>의 ㉠ ~ ㉤을 이해한 내용으로 적절하지 않은 것은? [3점]

〈 보 기 〉

제15항 용언의 어간과 어미는 구별하여 적는다.
예) ㉠ 먹고, ㉡ 좋아
[붙임] 두 개의 용언이 어울려 한 개의 용언이 될 적에, 앞말의 본뜻이 유지되고 있는 것은 그 원형을 밝히어 적고, 그 본뜻에서 멀어진 것은 밝히어 적지 아니한다.
(1) 앞말의 본뜻이 유지되고 있는 것 예) 돌아가다
(2) 본뜻에서 멀어진 것 예) ㉢ 사라지다, 쓰러지다

제18항 다음과 같은 용언들은 어미가 바뀔 경우, 그 어간이나 어미가 원칙에 벗어나면 벗어나는 대로 적는다.
1. 어간의 끝 'ㅂ'이 'ㅜ'로 바뀔 적 예) ㉣ 쉽다, 맵다
2. 어간의 끝음절 '르'의 'ㅡ'가 줄고, 그 뒤에 오는 어미 '-아/-어'가 '-라/-러'로 바뀔 적 예) ㉤ 가르다, 부르다

① ㉠은 단어의 기본형인 '먹다'와 마찬가지로 표의주의 방식을 채택하고 있군.
② ㉡은 어간과 어미를 구별하여 형태소의 본 모양을 밝혀 적는 방식으로 표기하고 있군.
③ ㉢은 합성어를 구성함에 있어서 앞말이 본뜻에서 멀어져 발음 나는 대로 적는 방식을 채택하고 있군.
④ ㉣은 활용할 때, '쉽고'와 같은 표의주의 표기와 '쉬우니'와 같은 표음주의 표기를 모두 확인할 수 있군.
⑤ ㉤은 활용할 때, '갈라'와 같이 일반적인 활용 규칙에서 어긋난 경우에는 표의주의 방식으로 표기하고 있군.

12. 윗글을 바탕으로 <보기>의 ⓐ ~ ⓖ를 탐구한 내용으로 적절하지 않은 것은?

〈 보 기 〉

◦ 머리셔 ᄇᆞ라매 ⓐ 노피 하ᄂᆞᆯ해 다핫고 갓가이셔 보니 아ᄉᆞ라히 하ᄂᆞᆯ햇 ⓑ ᄆᆞ레 ᄌᆞᆷ겻ᄂᆞ니
(멀리서 바람에 높이 하늘에 닿았고 가까이서 보니 아스라이 하늘의 물에 잠겼나니)
–『번역박통사』–

◦ 고경명은 광쥐 ⓒ ᄉᆞᄅᆞᆷ이니 임진왜난의 의병을 슈챵ᄒᆞ야 금산 ⓓ 도적글 티다가 패ᄒᆞ여
(고경명은 광주 사람이니 임진왜란에 의병을 이끌어 금산 도적을 치다가 패하여)
–『동국신속삼강행실도』–

◦ ⓔ ᄇᆞᆰ은 긔운이 하ᄂᆞᆯ을 ᄯᅱ노더니 이랑이 소ᄅᆡ를 ⓕ 놉히 ᄒᆞ야 나를 불러 져긔 믈 밋ᄐᆞᆯ 보라 웨거ᄂᆞᆯ 급히 눈을 ⓖ ᄃᆞ러 보니
(붉은 기운이 하늘을 뛰놀더니 이랑이 소리를 높이 하여 나를 불러 저기 물 밑을 보라 외치거늘 급히 눈을 들어 보니)
–『의유당관북유람일기』–

① ⓐ는 이어적기를 하고 있는 반면 ⓕ는 거듭적기를 하고 있군.
② ⓑ는 앞 형태소의 끝소리를 뒤 형태소의 첫소리로 옮겨 적고 있군.
③ ⓒ는 체언과 조사가 결합할 때 형태소의 본 모양을 밝혀서 끊어 적고 있군.
④ ⓓ는 앞 형태소의 끝소리를 뒤 형태소의 첫소리에도 다시 적고 있군.
⑤ ⓔ와 ⓖ는 용언의 어간이 모음으로 시작하는 어미를 만날 때 표기하는 방식이 서로 다르군.

13. <보기 1>을 바탕으로 <보기 2>에서 사용된 높임의 양상을 바르게 분석한 것은?

〈보기 1〉

주체 높임법은 서술의 주체에 해당하는 문장의 주어를 높이는 방법이고, 객체 높임법은 서술의 객체에 해당하는 목적어나 부사어가 지시하는 대상을 높이는 방법이다. 이러한 높임을 실현하기 위해서는 선어말 어미, 조사, 특수 어휘를 사용한다.

〈보기 2〉

어머니께서는 할머니를 모시고 공원에 가셨다.

	주체 높임법			객체 높임법	
	선어말 어미	조사	특수 어휘	조사	특수 어휘
①	○	×	○	○	○
②	○	○	×	○	×
③	○	○	×	×	○
④	×	×	○	×	○
⑤	×	○	×	○	×

9 회

14. <보기>는 수업 장면의 일부이다. ㉠에 해당하는 예로 적절한 것은?

〈 보 기 〉

선생님: 주어가 스스로 행동하지 않고 다른 주체에 의해 어떤 동작을 당하거나 영향을 받는 것을 피동이라고 합니다. 피동문을 만들 때는 능동사의 어근에 피동 접미사 '-이-, -히-, -리-, -기-'를 붙여서 짧은 피동을 만들거나, '-아/-어지다'와 같은 표현을 사용하여 긴 피동을 만듭니다. 그런데 ㉠ 일부 능동사의 어근에는 피동 접미사가 결합하지 못하여 짧은 피동을 만들 수 없는 경우도 있습니다.

① 물고기가 낚싯줄을 끊었다.
② 경민이가 아기의 볼을 만졌다.
③ 민수가 동생의 이름을 불렀다.
④ 다람쥐가 도토리를 땅에 묻었다.
⑤ 요리사가 음식을 접시에 담았다.

15. 다음은 사전 활용 수업 장면의 일부이다. 선생님의 설명을 참고하여 <보기>의 학습지를 탐구한 내용으로 적절하지 않은 것은?

선생님: 우리는 '표준국어대사전'의 발음정보를 통해 음절의 끝소리 규칙이나 자음군 단순화가 일어나는 체언의 발음을 확인할 수 있습니다. 이러한 경우 연음될 때의 발음에 대한 이해를 돕기 위해 조사 '이'와의 결합형이 활용정보에 제시됩니다. 활용정보에는 비음화와 구개음화가 일어날 때의 발음도 제시되어 있으며, 구개음화의 경우에는 연음될 때의 발음에 대한 이해를 돕기 위해 조사 '을'과의 결합형도 제시됩니다.

〈 보 기 〉

낯 발음: [낟]
활용: 낯이[나치], 낯만[난만]
「명사」 눈, 코, 입 따위가 있는 얼굴의 바닥.

밭 발음: [받]
활용: 밭이[바치], 밭을[바틀], 밭만[반만]
「명사」 물을 대지 아니하거나 필요한 때에만 물을 대어서 야채나 곡류를 심어 농사를 짓는 땅.

흙 발음: [흑]
활용: 흙이[흘기], 흙만[흥만]
「명사」 지구의 표면을 덮고 있는, 무기물과 유기물이 섞여 이루어진 물질.

① '낯'의 경우 발음정보를 통해 음절의 끝소리 규칙이 일어나는 것을 확인할 수 있군.
② '흙'의 경우 발음정보를 통해 자음군 단순화가 일어나는 것을 확인할 수 있군.
③ '낯'과 '밭'은 모두, 활용정보를 통해 구개음화가 일어나는 것을 확인할 수 있군.
④ '밭'과 '흙'은 모두, 활용정보를 통해 연음될 때의 발음 양상을 확인할 수 있군.
⑤ '낯', '밭', '흙'은 모두, 활용정보를 통해 비음화가 일어나는 양상을 확인할 수 있군.

[16 ~ 20] 다음 글을 읽고 물음에 답하시오.

지역난방은 열병합 발전소에서 전기 생산을 위해 사용된 열을 회수하여 인근 지역의 난방에 활용하는 것이다. 지역난방에서는 회수된 열로 데워진 물을 배관을 통해 인근 지역으로 공급함으로써 열을 수송하는 방식을 주로 사용하는데, 근래에는 열 수송의 효율성을 높이기 위해 상변화 물질을 활용하는 방식을 개발하고 있다.

열 수송에 사용되는 상변화 물질이란, 상변화를 할 때 수반되는 ㉠ 잠열을 효율적으로 사용하기 위해 활용되는 물질을 말한다. 상변화란, 물질의 상태를 고체, 액체, 기체로 분류할 때, 주변의 온도나 압력 변화에 의해 어떤 물질이 이전과 다른 상태로 변하는 것을 의미하는데, 얼음이 물이 되거나 물이 수증기가 되는 것 등이 이에 해당한다. 이러한 변화에는 열이 수반되는데, 이를 '잠열'이라고 한다. 예를 들어 비커에 일정량의 얼음을 넣고 가열하면 얼음의 온도가 올라가게 되고, 0℃에 도달하면 얼음이 물로 변하기 시작하여 비커 속에는 얼음과 물이 공존하게 된다. 그런데 비커 속 얼음이 모두 물로 변할 때까지는 온도가 올라가지 않고 계속 0℃를 유지하는데, 이는 비커에 가해진 열이 물질의 온도 변화가 아닌 상변화에 사용되었기 때문이다. 이렇게 상변화에 사용된 열이 잠열인데, 이는 물질의 온도 변화로 나타나지 않는 숨어 있는 열이라는 뜻이다. 잠열은 물질마다 그 크기가 다르며, 일반적으로 물질이 고체에서 액체가 되거나 액체에서 기체가 될 때, 또는 고체에서 바로 기체가 될 때에는 잠열을 흡수하고 그 반대의 경우에는 잠열을 방출한다. 한편 비커를 계속 가열하여 얼음이 모두 녹아 물이 된 후에는 다시 온도가 올라가기 시작한다. 이렇게 얼음의 온도가 올라가거나 물의 온도가 올라가는 것처럼 온도 변화로 나타나는 열을 '현열'이라고 한다.

그렇다면 상변화 물질의 특성을 이용하여 열 수송을 하면 어떤 장점이 있는 것일까? 상변화 물질을 활용하여 열병합 발전소에서 인근 지역 공동주택으로 열을 수송하는 과정을 통해 이를 살펴보자. 열병합 발전소에서는 발전에 사용된 수증기를 열교환기로 ⓐ 보낸다. 열교환기로 이동한 수증기는 열 수송에 사용되는 물에 열을 전달하여 물을 데운다. 이 물 속에는 고체 상태의 상변화 물질이 담겨 있는 마이크로 단위의 캡슐이 섞여 있다. 이 상변화 물질의 녹는점은 물의 어는점과 끓는점 사이에 있기 때문에, 물이 데워져 물의 온도가 상변화 물질의 녹는점 이상이 되면 상변화 물질은 액체로 상변화하게 된다. 액체가 된 상변화 물질이 섞인 물은 열교환기에서 나와 온수 공급관을 통해 인근 지역 공동주택 기계실의 열교환기로 이동한다. 이 과정에서 상변화 물질이 고체로 상변화되지 않아야 하므로 이동하는 물의 온도는 상변화 물질의 녹는점 이상으로 유지되어야 한다.

공동주택 기계실의 열교환기로 이동한 물과 캡슐 속 상변화 물질은 공동주택의 찬물에 열을 전달하면서 온도가 내려간다. 이렇게 공동주택의 찬물을 데우는 과정에서 상변화 물질의 온도가 상변화 물질의 녹는점 이하로 내려가면 캡슐 속 상변화 물질은 액체에서 고체로 상변화하면서 잠열을 방출하게 되는데, 이 역시 찬물을 데우는 데 사용된다. 즉 온수 공급관을 통해 이동해 온 물의 현열과 캡슐 속 상변화 물질의 현열, 그리고 상변화 물질의 잠열이 공동주택의 찬물을 데우는 데 모두 사용되는 것이다. 이렇게 데워진 공동주택의 물은 각 세대의 난방기로 공급되어 세대 난방을 하게 되고, 상변화 물질 캡슐이 든 물은 온

수 회수관을 통해 다시 발전소로 회수되어 재사용된다.

이와 같이 상변화 물질을 활용한 열 수송 방식을 사용하면 현열만 사용하던 기존의 열 수송 방식과 달리 현열과 잠열을 모두 사용할 수 있으므로 온수 공급관을 통해 보내는 물의 온도를 현저히 낮출 수 있어 열 수송의 효율성이 개선된다. 이때 상변화 물질 캡슐의 양을 늘릴수록 열 수송에 활용할 수 있는 잠열의 양은 증가하겠지만 캡슐의 양이 일정 수준 이상으로 늘어나면 물이 원활하게 이동할 수 없으므로 캡슐의 양을 증가시키는 데에는 한계가 있다.

16. 윗글의 내용과 일치하지 않는 것은?

① 상변화는 주변의 온도나 압력 변화에 의해 물질의 상태가 변하는 것을 의미한다.
② 열병합 발전소에서는 전기 생산에 사용된 수증기의 열을 회수하여 인근 지역으로 공급한다.
③ 상변화 물질이 들어 있는 캡슐의 양은 물의 이동을 고려해야 하므로 일정 수준 이상 늘릴 수 없다.
④ 상변화 물질을 활용하여 열을 수송하는 방식을 사용하는 것은 열 수송의 효율성을 높이기 위해서이다.
⑤ 상변화 물질을 활용한 열 수송 방식에서는 온수 공급관으로 보내는 물의 온도를 기존 방식보다 높여야 한다.

17. ㉠에 대한 설명으로 적절하지 않은 것은?

① 물질마다 크기가 각기 다르다.
② 물질의 온도 변화로 나타나지 않는다.
③ 숨어 있는 열이라는 뜻을 지니고 있다.
④ 물질의 상변화가 일어날 때 흡수되거나 방출된다.
⑤ 상변화하고 있는 물질의 현열을 증가시키는 역할을 한다.

18. <보기>는 상변화 물질을 활용한 열 수송 과정을 도식화한 것이다. 윗글을 바탕으로 <보기>에 대해 이해한 내용으로 적절하지 않은 것은? [3점]

〈보 기〉

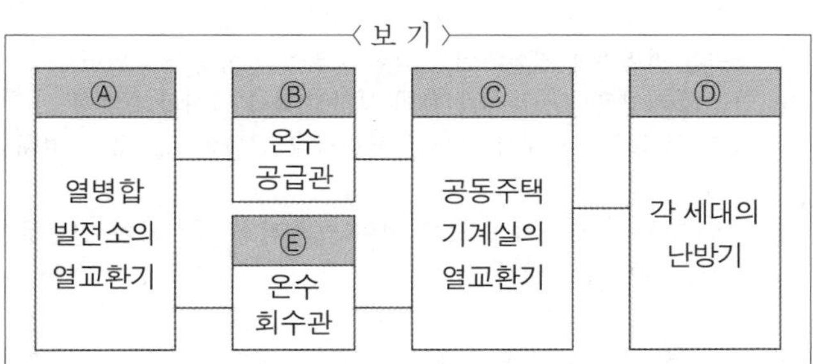

① Ⓐ에서 캡슐 속 상변화 물질의 온도는 상변화 물질의 녹는점 이상으로 올라가겠군.
② Ⓑ에서는 물에 있는 캡슐 속 상변화 물질의 상변화가 일어나지 않겠군.
③ Ⓑ와 Ⓔ를 통해 이동하는 물에 있는 상변화 물질의 상태는 서로 같겠군.
④ Ⓒ에서 공동주택의 찬물은 현열과 잠열에 의해 데워져 Ⓓ에 공급되겠군.
⑤ Ⓔ를 통해 회수된 물에 있는 상변화 물질은 Ⓐ에서 다시 상변화 과정을 거쳐 재사용되겠군.

19. 윗글을 읽은 학생이 <보기 1>을 보고 <보기 2>와 같이 메모했을 때, ㉮~㉰에 들어갈 말로 적절한 것은?

〈보기 1〉

A 기업에서는 녹는점이 15℃인 상변화 물질을 벽에 넣어 밤과 낮의 온도 차가 크더라도 벽의 온도를 일정하게 만들 수 있는 기술을 연구하고 있다.

〈보기 2〉

벽의 온도가 15℃보다 높아지면 이 상변화 물질은 (㉮)로 상변화할 것이고, 이때 잠열을 (㉯)할 것이다. 이렇게 상변화가 일어나는 중에는 상변화 물질의 온도가 (㉰) 것이다.

	㉮	㉯	㉰
①	액체	흡수	유지될
②	액체	흡수	상승할
③	액체	방출	유지될
④	고체	흡수	유지될
⑤	고체	방출	상승할

20. ⓐ와 문맥적 의미가 가장 유사한 것은?

① 그는 선물을 동생 집으로 보냈다.
② 그는 그저 멍하니 세월만 보냈다.
③ 그는 아들을 작년에 장가를 보냈다.
④ 관객들은 연주자에게 박수를 보냈다.
⑤ 그녀는 슬피 울며 정든 친구를 보냈다.

[21 ~ 24] 다음 글을 읽고 물음에 답하시오.

"좌우간, 내가 그만침이나 **청백**했기 망정이지, **다른 동간들** 당했단 소리 들었지? 누구는 맞아죽구, 누구는 집에다 불을 지르구, 누구는 팔대리가 부러지구."

푸시시 일어서다가, 비 오는 뜰을 이윽히 내다보면서, 맹순사는 곰곰이 그렇게 아낙을 타이르듯 한다. 서분이에게는 그러나, 그런 소리가 다 말 같지도 아니한 소리요 억지엣발명이었다.

"흥, 가네모도상은 그렇게 들이 긁어 먹구두, 되려 승찰 해서 부장이 된 건 어떡하구?"

㉠"<u>며칠 가나.</u>"

"그렇게만 생각허믄 뱃속은 무척 편하겠수. 여주루 내려갔든 기노시다상넨, 이살 해오는데, 재봉틀이 인장표루다 손틀 발틀 두 개에, 방안 짐이 여덟 개에, 옷이 옥상옷만 도랑꾸루 열다섯 도랑꾸드래요. 그리구두 서울루 **빼젓이** 와서 기계방아 사놓구 **돈벌이만 잘 허믄서, 활개 펴구** 삽디다. 죽길 어째 죽으며, 팔대리가 부러질 팔대린 어딨어?"

"그런 게 글쎄 다 불한당질루 장만한 거 아냐?"

"뱃속에서 꼬록 소리가 나두, 만날 청백야?"

"아무렴, 사람이 청백하면, 가난해두 두려울 게 없는 법야, 헴."

맹순사는 마침내 양복장 문을 연다. 연방 청백을 뇌던 끝에, 이 양복장을 보자니 얼굴이 간지러웠다. 유치장 간수로 있을 때에, 가구장수 하나가 경제범으로 들어와 있었는데, 서분이가 쪽지 한 장을 그에게다 주어 달라고 졸랐다. 못 이기는 체하고 전해 주었다. 그런 지 이틀 만에 이 양복장이 방 윗목에 가 처억 놓여진 것을 보았으나, 그는 내력을 물으려고 아니 하였다.

양복점 안에서 떼어 입은 대마직 국민복은 양복장보다도 조금 더 청백 순사를 얼굴 간지럽게 하였다.

작년 초가을, 좋지 못한 풍문이 들리는 파출소 건너편의 양복점에서 맞추어 입은 것이었다. 공정가격 삼십이 원 각순데, 양복을 찾아 들고는 지갑을 꺼내는 체하면서,

㉡ <u>"얼마죠?"</u>

하고 물었다. 지갑에는 돈이라야 삼 원밖에 없었다.

양복점 주인은, 온 천만에 말씀을 다 하신다면서, 어서 가시라고 등을 밀어 내었다.

이 양복장이나 양복은 한 예에 불과하고, 팔 년 동안 순사를 다니면서, 그 중에서도 통제경제가 강화된 이삼 년, 육십 몇 원이라는 월급으로는 도저히 지탱해 나갈 수 없는 생활을 뇌물 받는 것으로써 보태어 나왔다. 몇십 원씩, 돈 백 원씩 쥐어 주는 것을, 사양하다가 못 이기는 체 받아 넣기 얼말는지 모른다. 자청해 주는 것을 따담기만 한 것이 아니라, 아쉰 때면 그럴싸한 사람을 찾아가서,

㉢ <u>"수히 갚을 테니 백 원만……."</u>

하고 가져다 쓰기도 여러 번이었다.

술대접을 받기는 실로 부지기수였다. 쌀, 나무, 고기, 생선, 술 모두 다 그립지는 아니할 만큼 들어도 오고, 청해다 먹기도 하고 하였다. 못 해주었네 못 해주었네 하여도, 아낙의 옷감도 여러 번 얻어다 준 것이었었다. 공교로이 그 뉴똥치마만은 기회가 없고서 8·15가 덜컥 달려들고 말았지만.

이렇게 그는 작은 것이나마 뇌물을 먹지 아니한 것이 아니면서도, 스스로 청백하였노라고 팔분의 자신이 있었다. 맹순사의 생각엔 양복벌이나 빼앗아 입고, 돈이나 몇십 원, 돈 백 원 받아 쓰고, 쌀 나무며 찬거리나 조금씩 얻어먹고, **술대접**이나 받고 하는 것은, 아무나 예사로 하는 일이요, 하여도 죄 될 것이 없고, 따라서 독직이 되거나 **죄가 되는 것이 아니었다**. 그것이 적어도 독직이나 죄가 되자면, 몇만 원 집어먹고서 소위 팔자를 고친다는 둥, 허리띠를 푼다는 둥의 수준에 올라야 비로소 문제가 되는 것이었었다.

[중략 부분의 줄거리] 해방 직후 순사를 그만 두고 사람들을 피해 다니던 맹순사는 생활고로 인해 다시 순사가 되어 파출소로 첫 출근을 한다.

옛날의 순사와 꼭 같이 차리고 하였건만 맹순사는 웬일인지 우선 스스로가 위엄도 없고, 신도 나는 줄을 모르겠고 하였다. 만나거나 지나치는 행인들의 동정이, 전처럼 조심하는 것 같은, 무서워하는 것 같은 기색이 없고, 그저 본숭만숭이었다. 더러는 다뿍 적의와 경멸의 눈초리로 흘겨보기까지 하였다.

함부로 체포도 아니 하고, 위협도 아니 하고, 뺨 같은 것은 물론 때리지 못하게 되었고 하니, 전보다 친근스러하고 안심한 얼굴로 대하고 하여야 할 것인데, 대체 웬일인지를 모르겠었다.

걸으면서 곰곰 생각하여 보았다.

㉣ <u>'전에 많이들 행악을 했대서?'</u>

정녕 그것인 성싶었다.

'애먼 사람, 불쌍한 사람한테 못 할 짓도 많이 했지.'

'쯧, 지금 와서 푸대접받아도 한무내하지.'

'화무십일홍이요, 달도 차면 기우는 법인데, 한때 잘들 해먹었으니 인제는 그 대갚음도 받아야겠지.'

무엇인지 모를 한숨이 절로 내쉬어졌다.

마침내 ××**파출소**에 당도하였다. 여기서 맹순사는, 백성들이 **순사**를 멸시하는 눈으로 보는 연유를 또 한 가지 발견하여야 하였다.

뚜벅뚜벅 파출소 안으로 들어서는 소리에, 테이블에 엎드려 졸고 있다가 놀라 깨어 고개를 번쩍 드는 동간…….

맹순사는 무심결에,

㉤ <u>"아니, 네가 웬일이냐?"</u>

하면서 다시금 짯짯이 그를 바라다보았다.

노마.

볼때기에 있는 붉은 점이 아니더라면, 얼굴 같은 딴사람인가 하였을 것이었다.

행랑아들 노마였다.

맹순사는 금년 봄, 시방 사는 홍파동으로 이사해 오기까지 여섯 해를 눌러, 사직동 그 집에서 살았다. 그 행랑에 노마네가 전 주인 때부터 들어 있었고, 왼편 볼때기에 붉은 점이 박힌 노마는 열두 살이었다. 근처의 삼 년짜리 학원을 일 년에 작파하고서, 저무나 새나 우미관 앞에 가 놀다간, 깃대도 받아 주고 삐라도 뿌려 주고 하는 것이 일이요, 집에 들어와서는 어멈 아범한테 매맞기가 일이요 하였다. 조금 더 자라더니, **우미관패**에 들어 가지고, 밤거리로 행패를 하고 다녔고. **사람을 치다 붙잡**혀 간 것을 몇 차례 놓이게 하여 주기도 하였다.

노마는 겸연쩍은 듯, 그러나 일변 반갑기도 한 듯 싱글싱글 웃으면서,

"이렇게 됐습니다, 나리. 많이 점 가르켜 줍쇼, 나리."

"동간끼리두 나린가, 이 사람."

나이가 시킴이리라. 맹순사는 내색을 아니 하고 소탈히 그러면서 같이 웃었다.

그러나 속으로는,

'저런 것이 다 순사니, 수모도 받아 싸지.'

하였다.

– 채만식, 「맹순사」 –

21. 윗글의 서술상의 특징으로 가장 적절한 것은?

① 서술자를 교체하여 새로운 사건을 도입하고 있다.
② 장면을 빈번하게 전환하여 긴박한 분위기를 형성하고 있다.
③ 인물의 외양을 묘사하여 인물의 성격 변화를 암시하고 있다.
④ 특정 인물의 시각에서 사건을 서술하여 인물의 내면을 드러내고 있다.
⑤ 서로 다른 장소에서 동시에 일어난 사건을 제시하여 인물들의 상황을 대비하고 있다.

22. ㉠ ~ ㉤에 대한 설명으로 적절하지 <u>않은</u> 것은?

① ㉠: 맹순사는 서분이가 알고 있는 상황이 지속되지 않을 것이라고 말하고 있다.
② ㉡: 맹순사는 양복 값을 지불할 의사가 없으면서도 가격을 물어보고 있다.
③ ㉢: 맹순사는 뇌물을 받는 것으로도 모자라 상대에게 돈을 요구하고 있다.
④ ㉣: 맹순사는 과거의 행악을 생각하며 자신이 저지른 행동을 부인하고 있다.
⑤ ㉤: 맹순사는 의외의 장소에서 뜻밖의 인물인 노마를 만나 놀라고 있다.

23. 다음은 윗글에 대한 [학습 활동] 과제이다. 이를 수행한 결과로 적절하지 않은 것은?

[학습 활동] ⓐ~ⓔ에 들어갈 인물의 심리를 작품의 내용을 바탕으로 서술하시오.

공간	질문	답변	심리
방	맹순사와 대화를 나눌 때, 서분이의 심정을 드러내는 소재는?	재봉틀	ⓐ
	맹순사가 양복장을 보며 얼굴이 간지럽다고 느낀 이유는?	뇌물로 받은 것이어서	ⓑ
파출소 가는 길	행인들이 다시 순사가 된 맹순사를 바라보는 시선은?	흘겨 봄	ⓒ
	맹순사가 길을 걸으며 여러 생각들을 한 뒤 보인 행동은?	한숨을 쉼	ⓓ
파출소	맹순사가 노마와 인사를 나누며 보인 행동은?	내색을 아니 하고 웃음	ⓔ

① ⓐ: 자신들보다 부유하게 살고 있는 사람들에 대한 서분이의 부러움을 알 수 있다.
② ⓑ: 팔자를 고칠 만큼 뇌물을 많이 받지 못했다고 생각하는 모습에서 맹순사가 다른 사람들에게 느끼는 질투심을 알 수 있다.
③ ⓒ: 예전과 다른 눈초리에서 순사를 적대시하는 행인들의 마음을 알 수 있다.
④ ⓓ: 예전과 달라진 자신의 처지에 대한 맹순사의 착잡한 마음을 알 수 있다.
⑤ ⓔ: 동간이라고 말하면서도 속으로 노마를 무시하는 것에서 노마에 대해 못마땅해하는 맹순사의 마음을 알 수 있다.

24. <보기>를 참고하여 윗글을 감상한 내용으로 적절하지 않은 것은? [3점]

< 보 기 >

이 작품은 혼란스러웠던 해방 전후의 사회 현실 속에서 도덕적 관념이 부족한 인물들을 비판적으로 드러내고 있다. 특히, 부정적 인물이 스스로를 긍정적으로 인식하는 모습을 제시한 뒤 그의 실상을 드러내는 방법을 통해 인물의 허위와 위선을 고발하고 있다. 또한 해방 이후 친일 잔재를 청산하지 못해서 나타나게 된 비극적 역사의 반복을, 당대 인물들의 모습을 통해 보여주고 있다.

① 맹순사가 '다른 동간들'과 달리 자신은 '청백'하다고 말하는 모습에서 부정적 인물이 스스로를 긍정적으로 인식하고 있음을 확인할 수 있겠군.
② '빼젓이' '돈벌이만 잘 허믄서, 활개 펴구' 사는 사람에 대한 서분이의 말에서 혼란스러운 당대 사회 모습을 확인할 수 있겠군.
③ 스스로 청백하다고 여기면서 '술대접'을 받은 것은 '죄가 되는 것이 아니었다'라고 생각하는 맹순사의 모습에서 인물의 허위와 위선을 확인할 수 있겠군.
④ 해방 후 다시 '순사'가 되어 '××파출소'에서 일하게 된 맹순사의 모습에서 친일 잔재를 청산하지 못해 비극적인 역사가 반복되는 것을 확인할 수 있겠군.
⑤ '우미관패'에 들어가 '사람을 치다 붙잡'힌 노마를 놓아줬던 맹순사의 모습에서 맹순사가 도덕적 관념을 회복하는 과정을 확인할 수 있겠군.

[25 ~ 29] 다음 글을 읽고 물음에 답하시오.

비트겐슈타인은 철학의 관심사가 사람이 '생각하는 바'가 아닌 사람이 '생각하는 바를 표현하는 것'이어야 한다고 주장했다. 그는 정신이나 이성에 관심을 가졌던 종래의 철학이 명제와 사실의 관계를 간과했다고 지적하며, 새로운 철학은 '말할 수 있는 것'과 '말할 수 없는 것'의 한계를 명확하게 설정할 수 있어야 한다고 보았다.

이를 위해 비트겐슈타인은 먼저 명제와 사실의 관계를 분명히 했다. 그에 의하면 명제는 사실과 대응한다. 그래서 그는 명제와 사실을 비교해서 명제가 사실과 일치하면 참, 사실과 일치하지 않으면 거짓이라고 보았다. 이를테면 '지구는 태양 주위를 돈다.'라는 명제는 지구가 태양 주위를 돌고 있다는 실제 경험할 수 있는 사실과 비교할 때 사실과 일치하기 때문에 참이 된다. 반면 '태양은 지구 주위를 돈다.'라는 명제는 사실과 비교할 때 거짓이 된다. 이처럼 비트겐슈타인은 하나의 명제는 하나의 사실과 대응하여 참 또는 거짓으로 판단할 수 있다고 보았다.

그렇다면 '지구는 태양 주위를 돌고, 달은 지구 주위를 돈다.'와 같은 명제도 하나의 사실에 대응하는 것일까? 비트겐슈타인은 진리함수이론을 통해 이 같은 고민을 해결하고자 했다. 그는 어떤 명제는 그 안에 좀 더 단순한 형태의 명제들을 포함할 수 있다고 생각했다. 그래서 명제와 사실의 관계에 있어 논리적 기초가 되는 ㉠'요소명제'라는 언어 단위를 도입하였다. 그에 따르면 요소명제는 더 이상 분석할 수 없는 최소의 언어 단위로, 최소의 사실 단위인 '원자사실'에 대응한다. 그래서 그는 요소명제가 원자사실과 일치하면 '참(T)'이라는 진리값을, 일치하지 않으면 '거짓(F)'이라는 진리값을 갖는다고 보았으며, 명제의 진리값이 나올 수 있는 경우의 수를 진리가능성이라고 불렀다. 그에 의하면 요소명제의 진리가능성은 언제나 참과 거짓, 2개가 된다. 또한 그는 두 개 혹은 그 이상의 요소명제들로 구성된 명제를 '복합명제'라고 불렀는데, 복합명제를 구성하는 각각의 요소명제는 각각 하나의 원자사실과 대응하기 때문에 여기서 나올 수 있는 진리값을 조합한 모든 경우의 수가 복합명제의 진리가능성이 된다고 보았다. 결국 복합명제가 몇 개의 요소명제들로 이루어지느냐에 따라 요소명제의 수를 n이라고 보면, 복합명제의 진리가능성은 2^n개가 된다.

그리고 비트겐슈타인은 복합명제의 진리값은 복합명제를 구성하는 각각의 요소명제들의 진리값에 대한 진리연산을 통해 얻을 수 있다고 보았다. 이때 진리연산은 요소명제들로부터 진리함수가 만들어져 나오는 방법이며, 진리연산의 결과는 복합명제가 참이 되거나 거짓이 되는 조건을 말해주는 진리조건이 된다. 그래서 '지구는 태양 주위를 돌고, 달은 지구 주위를 돈다.'라는 복합명제의 경우에는 '지구는 태양 주위를 돈다.'라는 요소명제 p와 '달은 지구 주위를 돈다.'라는 요소명제 q가 '그리고'에 의해 결합되어 있으므로, 이 복합명제는 p와 q의 진리값에 대해 '그리고'라는 진리연산이 적용된 진리함수 $p \wedge q$로 표현할 수 있다. 진리함수 $p \wedge q$는 '지구는 태양 주위를 돈다.'가 참이고, '달은 지구 주위를 돈다.'도 참이 될 때에만 진리값이 참이 된다. 이를 비트겐슈타인이 고안한 진리표로 만들면, <표>와 같이 p와 q의 진리가능성은 TT, FT, TF, FF가 되고, $p \wedge q$의 진리조건은 TFFF가 된다.

p	q	$p \wedge q$
T	T	T
F	T	F
T	F	F
F	F	F

<표>

9회

비트겐슈타인은 이렇게 복합명제를 진리표로 만들었을 때, 진리조건에 T와 F가 함께 표기되는 명제, 즉 사실과 비교함으로써 참 또는 거짓을 판단할 수 있는 명제를 '의미 있는 명제'라고 불렀다. 그리고 그는 의미 있는 명제가 바로 우리가 '말할 수 있는 것'의 영역에 포함된다고 보았다. 반면에 그는 우리가 '말할 수 없는 것'의 영역에 포함되는 명제로 '무의미한 명제'와 '의미를 결여한 명제'를 제시했다. 무의미한 명제는 그 명제에 대응하는 사실이 없어서 참과 거짓을 가려낼 수 없는 명제이다. 그리고 의미를 결여한 명제는 그 명제에 대응하는 사실은 없지만, 언제나 참이거나 언제나 거짓인 명제이다. 만약 의미를 결여한 명제를 진리표로 만든다면 그 진리조건은 언제나 모두 참이거나 모두 거짓으로 표기되겠지만, 이는 진리연산의 결과와 상관없는 표기이다. 결국 비트겐슈타인은 진리함수이론을 통해 우리가 말할 수 있는 것의 영역에는 참 또는 거짓으로 판단할 수 있는 의미 있는 명제밖에 없다는 것을 보여줄 수 있었다.

25. 윗글에 대한 설명으로 가장 적절한 것은?

① 명제와 사실이 갖는 한계를 지적하고, 이를 극복할 수 있는 방법을 소개하고 있다.
② 명제와 사실의 공통점을 사례를 중심으로 보여주고, 특정 이론을 통해 이를 점검하고 있다.
③ 명제에 대한 통념을 비판하고, 다양한 철학자의 견해를 비교하여 새로운 주장을 내세우고 있다.
④ 명제와 사실의 관계를 밝히고, 이와 관련된 특정 이론을 구체적인 예시를 사용하여 설명하고 있다.
⑤ 명제에 대한 특정 철학자의 관점을 시대순으로 정리하고, 이에 대한 비판적 견해를 제시하고 있다.

26. 비트겐슈타인의 관점에서 ㉠을 이해한 내용으로 적절하지 않은 것은?

① 요소명제는 더 이상 쪼갤 수 없는 언어 단위이다.
② 두 개 이상의 요소명제가 결합하여 복합명제를 만들 수 있다.
③ 원자사실과의 일치 여부에 따라 요소명제의 진리값이 정해진다.
④ 요소명제의 진리값이 나올 수 있는 경우의 수는 언제나 2개이다.
⑤ 요소명제는 '무의미한 명제'를 '의미를 결여한 명제'와 구분하는 기준이다.

※ <보기>는 윗글을 참고하여, 임의의 두 명제를 각각 진리표로 만든 것이다. 27번과 28번 물음에 답하시오.

〈보 기〉

p	q	p∨q
T	T	T
F	T	T
T	F	T
F	F	F

[진리표 1]

p	q	p→(q→p)
T	T	T
F	T	T
T	F	T
F	F	T

[진리표 2]

27. 윗글을 바탕으로 <보기>의 [진리표 1]을 이해한 내용으로 적절하지 않은 것은?

① 진리연산의 결과인 진리조건은 TTTF이다.
② 복합명제의 진리값이 F일 때는 p와 q에 대응하는 원자사실이 없는 경우이다.
③ 진리조건에 T와 F가 함께 표기되어 있으므로 이 복합명제는 '의미 있는 명제'이다.
④ p와 q의 진리가능성이 TT, FT, TF일 때에 진리함수 p∨q의 진리값은 참이 된다.
⑤ 복합명제를 구성하는 요소명제가 하나 더 추가되면 이 복합명제의 진리가능성은 2^3개가 된다.

28. 윗글을 읽은 학생이 <보기>의 [진리표 1]과 [진리표 2]에 대해 보인 반응으로 가장 적절한 것은? [3점]

① [진리표 1]과 [진리표 2]의 진리함수는 서로 같겠군.
② [진리표 1]과 달리 [진리표 2]는 '의미를 결여한 명제'를 진리표로 만든 것이겠군.
③ [진리표 1]과 달리 [진리표 2]의 복합명제는 '말할 수 있는 것'의 영역에 속하겠군.
④ [진리표 1]의 복합명제와 [진리표 2]의 복합명제에 적용된 진리연산은 서로 같겠군.
⑤ 원자사실과 대응하는 요소명제의 수는 [진리표 1]에는 1개, [진리표 2]에는 2개이겠군.

29. 윗글을 이해한 학생이 비트겐슈타인의 입장에서 <보기>의 ⓐ에 대해 보인 반응으로 가장 적절한 것은?

〈보 기〉

플라톤은 정신을 통해서만 이데아를 인식할 수 있다고 보았으며 ⓐ<u>"이데아란 영원하고 불변하는 사물의 본질적인 원형이다."</u>라고 했다. 즉 그에 의하면 이데아는 육안이 아니라 마음의 눈으로 통찰되는 사물의 순수하고 완전한 형태를 가리킨다.

① ⓐ는 철학의 관심사로 삼아야 할 내용을 담은 명제라고 할 수 있겠군.
② ⓐ는 '생각하는 바를 표현한 것'이므로 '의미 있는 명제'라고 할 수 있겠군.
③ ⓐ는 '말할 수 있는 것'과 '말할 수 없는 것'의 경계를 표현한 명제라고 할 수 있겠군.
④ ⓐ는 실제 경험할 수 있으므로 진리조건이 언제나 '거짓'으로 표기되는 명제라고 할 수 있겠군.
⑤ ⓐ는 대응하는 사실이 없어, '참'과 '거짓'을 판단할 수 없기에 '무의미한 명제'라고 할 수 있겠군.

[30 ~ 32] 다음 글을 읽고 물음에 답하시오.

(가)

봄은 푸른 수레를 타고 바다 건너 머언 산맥을 넘어서 어느 삼림에 투숙(投宿)을 했다가는 기어코 언덕길을 돌아오리라고 한다

아침에도 나리꽃같이 흰 안개가 걷기 전부터 **사람들**은 언덕길에서 만날 때마다 푸른 **봄**이 오리라는 **즐거운 이야기**를 했건만 헤어질 때마다 전설같이 믿을 수 없는 제 자신들의 슬픈 이야기에 목메어 울었다

그 중 어떤 젊은 친구는 말하기를 봄은 지구에서 아주 자취를 감추었으리라고 단념을 하기도 하였다

또 **어떤 친구**는 말하기를 **봄**은 어느 아득한 성좌로 **멀리 떠나버렸다**고도 하였다

그러면서도 **그들**은 **봄**은 어느 성좌에서 **다시 오지 않나** 하고 모조리 전설 같은 이야기를 **부질없이 소곤대**기도 하였다 그러나 아무리 **옥같이 흰 백매(白梅)**가 핀다기로서니 이미 **계절이 떠나간** 이 **빈 지구**에 봄이 온다는 이야기를 믿을 수야 있겠느냐고 제각기 만나는 대로 심장을 앓았다

푸른 계절을 잃어버린
이 몹쓸 지구에 서서
도시 봄을 부르는 자는 누구냐?

– 신석정, 「봄을 부르는 자는 누구냐」 –

(나)

[A]
백두산에 도착하자 눈이 내리기 시작했다
흰 자작나무 사이로
외롭게 걸려 있던 낮달은 어느새 사라지고
잣까마귀들이 떼지어 날던 하늘 사이로
서서히 함박눈은 퍼붓기 시작했다

[B]
바람은 점점 어두워지고
멀리 백두폭포를 뒤로 하고
우리들은 말없이 천지를 향해 길을 떠났다

[C]
눈 속에 핀 흰 두견화를 만날 때마다
사랑한다 사랑한다고 속삭이며
우리들은 저마다 하나씩 백두산이 되어갔다

[D]
눈보라가 장백송 나뭇가지를 후려 꺾는 풍구(風口)에서
마침내 운명을 사랑하는 사람이 되는 일은 어려운 일이었다

[E]
올라갈수록 더 이상 올라갈 수 없는
내려갈수록 더 이상 내려갈 수 없는
눈보라치는 백두산을 오르며
우리들은 다시 천지처럼
함께 살아가야 할 날들을 생각했다

– 정호승, 「백두산을 오르며」 –

30. (가)와 (나)의 공통점으로 가장 적절한 것은?

① 의문형 어미를 통해 시적 긴장감을 유발하고 있다.
② 색채어를 활용하여 대상을 감각적으로 제시하고 있다.
③ 의성어를 활용하여 상황을 생동감 있게 묘사하고 있다.
④ 수미상관의 방식을 통해 구조적 안정감을 부여하고 있다.
⑤ 말을 건네는 방식을 통해 대상과의 친밀감을 드러내고 있다.

31. <보기>를 참고하여 (가)를 감상한 내용으로 적절하지 않은 것은? [3점]

〈보 기〉

이 작품은 일제 강점기의 부정적인 시대 상황 속에서 민족의 운명을 자연의 순환을 바탕으로 이야기하며 해방에 대한 소망을 드러내고 있다. 화자에게 해방은 절망적 상황에서 벗어난 이상적 공간의 회복을 의미한다. 또한 화자는, 민족 공동체 구성원들이 현실에 대해 체념하거나 실천적 노력 없이 소망을 이야기하는 것만으로는 절망적인 현실에서 벗어날 수 없다고 인식하고 있다.

① '봄'에 대해 '즐거운 이야기'를 하는 '사람들'은 해방을 소망하는 민족 공동체 구성원이라고 할 수 있겠군.
② '어떤 친구'가 '봄'은 '멀리 떠나버렸다'라고 말한 것에서 현실에 체념하는 모습이 드러난다고 할 수 있겠군.
③ '봄'은 '다시 오지 않나'하고 '부질없이 소곤대'는 것에서 실천적 노력 없이 소망을 이야기하기만 하는 모습이 드러난다고 할 수 있겠군.
④ '옥같이 흰 백매'는 자연이 순환하듯 민족의 운명이 회복될 것이라는 '그들'의 믿음을 보여준다고 할 수 있겠군.
⑤ '계절이 떠나간' '빈 지구'는 이상적 공간의 회복을 이루지 못한 절망적 현실을 보여준다고 할 수 있겠군.

32. (나)의 [A] ~ [E]에 대한 이해로 적절하지 않은 것은?

① [A]: 화자를 둘러싼 상황이 악화되고 있음이 드러나 있다.
② [B]: 묵묵히 목표를 향해 나아가는 화자의 모습이 드러나 있다.
③ [C]: 화자가 대상과 동화되어 가는 모습이 드러나 있다.
④ [D]: 억압적 현실에 저항하고 있는 화자의 행동이 드러나 있다.
⑤ [E]: 공동체적 삶에 대한 화자의 바람이 드러나 있다.

[33 ~ 37] 다음 글을 읽고 물음에 답하시오.

현대 사회의 기업들은 새로운 내부 조직을 만들거나 다른 기업과 합병하는 등의 방식을 통해 기업의 규모를 변화시키기도 한다. 신제도학파에서는 기업들의 이러한 규모 변화를 거래비용이라는 개념으로 설명하는데, 이를 거래비용이론이라고 한다.

거래비용이론에서 말하는 거래비용이란 재화를 생산하는 데 드는 생산비용을 제외한, 경제 주체들이 재화를 거래하는 과정에서 발생하는 모든 비용을 말한다. 즉 경제 주체가 거래 의사와 능력을 가진 상대방을 탐색하는 과정, 가격이나 교환 조건을 상대방과 협상하여 계약을 하는 과정, 또 계약 후 계약 ㉠ 이행 여부를 확인하고 강제하는 과정 등에서 발생하는 비용을 거래비용이라고 할 수 있다.

[A] 거래비용이론에서는 기업은 시장에서 재화를 거래할 때 발생하는 거래비용인 '시장거래비용'을 줄이기 위해, 재화를 자체적으로 생산하는 것에 대해 ㉡ 고려하게 된다고 보았다. 이런 상황에서 기업이 새로운 내부 조직을 만들거나 다른 기업을 합병하여 내부 조직으로 흡수하는 등의 방법을 통해 거래를 내부화하면 기업의 조직 내에서도 거래가 일어나게 된다. 그 결과 거래비용이 발생하게 되고, 이를 '조직내거래비용'이라고 한다. 이때 시장거래비용과 조직내거래비용을 합친 것을 '총거래비용'이라고 하며, 기업은 총거래비용을 고려하여 기업의 규모를 결정하게 된다.

예를 들어 어떤 제품을 생산하는 기업을 가정해 보자. 이 기업에서는 시장거래를 통해 다른 기업으로부터 모든 부품을 조달하여 제품을 생산할 수도 있고, 반대로 기업 내부적으로 모든 부품을 제조하여 제품을 생산할 수도 있다. 만약 이 기업이 다른 기업과의 시장거래를 통해 모든 부품을 조달한다면 조직내거래비용은 발생하지 않고, 시장거래비용만 발생하게 될 것이다. 이런 상황에서 기업은 시장거래비용을 줄이기 위해 시장거래에서 조달하던 부품의 일부를 기업 내에서 생산하려 할 것이다. 이렇게 기업이 부품을 자체 생산하여 내부 거래를 증가시키면 시장거래비용은 감소하지만, 조직내거래비용은 증가하게 된다. 이때 기업은 총거래비용이 최소가 되는 지점까지 내부 조직의 규모를 확대하여 부품을 자체 생산할 수 있고, 이 지점이 바로 기업의 최적규모라고 할 수 있다.

그렇다면 ㉮ 거래비용이 발생하는 요인은 무엇일까? 거래비용이론에서는 이를 인간적 요인과 환경적 요인으로 나누어 설명한다. 인간적 요인에는 인간의 제한된 합리성과 기회주의적 속성이 있다. 먼저, 인간은 거래 상황 속에서 정보를 수집하고 처리할 때 완벽하게 합리적인 선택을 할 수 있는 존재는 아니라는 것이다. 다음으로 인간은 효용의 극대화를 위해 자신의 이익만을 추구하는 기회주의적 ㉢ 면모를 보일 가능성이 높다는 것이다. 이와 같은 인간적 요인으로 인해 거래 상황 속에서 인간은 완벽한 선택을 할 수 없고, 거래 상대를 전적으로 신뢰할 수는 없으므로 거래의 과정 속에서 거래비용이 발생하게 된다는 것이다.

환경적 요인에는 자산특수성과 정보의 불확실성 등이 있다. 먼저 자산특수성이란 다양한 거래 주체를 통해 일반적으로 구할 수 있는 자산이 아닌, 특정 거래 주체와의 거래에서만 높은 가치를 갖는 자산의 속성을 말한다. 따라서 특정 주체와의 거래에서는 높은 가치를 갖던 것이 다른 주체와의 거래에서는 가치가 하락하는 경우, 자산특수성이 높다고 할 수 있다. 이때 자산특수성이 높으면 경제 주체들은 기회주의적으로 행동할 가능성이 커질 수 있기 때문에 이를 ㉣ 보완하고자 다양한 안전장치를 마련하려 할 것이다. 이로 인해 거래비용은 더 높아질 수 있는 것이다. 다음으로 거래 상대의 정보를 확인할 수 없는 상황에서 거래 주체는 자신의 이익을 위해 정보를 ㉤ 공유하지 않을 가능성이 높다. 그렇기 때문에 일반적으로 정보가 불확실한 거래 상황일수록 거래 주체들은 상대의 정보를 알아내기 위한 노력을 할 것이고, 이로 인해 거래비용은 높아지게 된다.

33. 윗글을 통해 알 수 있는 내용으로 적절하지 않은 것은?

① 거래비용의 종류
② 총거래비용의 개념
③ 시장거래비용을 줄이는 방법
④ 기업의 규모가 변화하는 이유
⑤ 기업 규모와 생산비용의 관계

34. 거래비용이 발생하는 상황으로 적절하지 않은 것은?

① 도자기 장인이 직접 흙을 채취하여 도자기를 빚을 때
② 집을 구매하려는 사람이 집을 판매하는 사람을 탐색할 때
③ 가구를 생산하는 사람이 원목 판매자와 재료 값을 흥정할 때
④ 소비자가 인터넷을 설치하기 위해 통신사와 약정서를 작성할 때
⑤ 제과 업체가 계약대로 밀가루가 제대로 공급되고 있는지 확인할 때

35. [A]를 바탕으로 <보기>를 이해한 내용으로 적절하지 않은 것은? [3점]

<보 기>

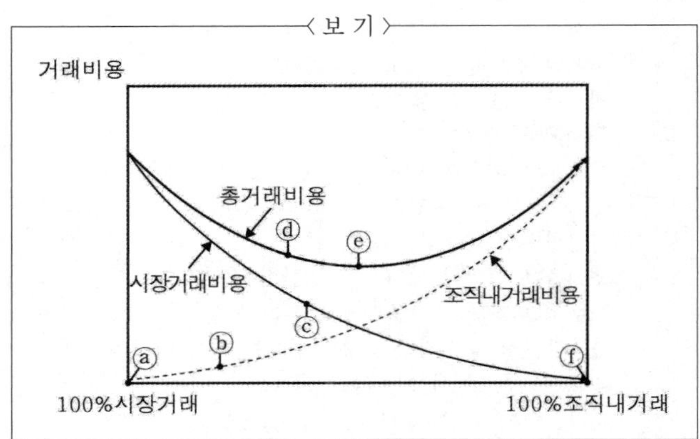

① 조직내거래비용이 ⓐ에서 ⓑ로 증가했다면 기업은 시장에서 조달했던 부품의 일부를 자체 생산하겠다는 결정을 했기 때문이겠군.
② 시장거래비용이 ⓒ에서 ⓕ로 감소했다면 기업이 내부 거래를 증가시켰기 때문이겠군.
③ ⓓ에서 ⓔ로 총거래비용이 줄었다면 내부 조직의 규모를 축소하겠다는 결정을 했기 때문이겠군.
④ 총거래비용이 ⓔ에서 최소가 된다면 이 지점이 기업의 최적 규모라고 할 수 있겠군.
⑤ ⓕ에서는 기업이 모든 부품을 기업 내부적으로 제조하기 때문에 시장거래비용은 발생하지 않겠군.

36. ㉮를 바탕으로 <보기>를 이해한 내용으로 적절하지 않은 것은?

<보 기>

사례 1: 자동차를 조립하여 판매하는 A 기업은 자동차에 들어가는 부품 중 볼트를 특정 기업을 선정하지 않고 다양한 기업을 통해 조달하고 있다.

사례 2: 의료기구 생산 업체인 B 기업은 핵심 부품을 C 기업을 통해서만 조달하고 있어, 안정적인 생산과 조달을 위해 두 기업은 계약을 할 때 장기간의 계약 기간을 계약 조건으로 명시하였다.

사례 3: D 기업은 새로 개발한 제품의 원재료를 외국의 E 기업에서 조달하고자 하였으나, E 기업이 원재료의 품질 정보를 세부적으로 제공하지 않아 신제품 생산에 차질이 발생하게 되었다.

① A 기업이 조달하는 볼트의 자산특수성은 높지 않다고 할 수 있겠군.
② B 기업과 C 기업이 계약 조건으로 장기간의 계약 기간을 명시한 것은 거래에 있어 안전장치를 마련한 것으로 볼 수 있겠군.
③ B 기업과 C 기업은 거래하는 핵심 부품이 지닌 특성으로 인해 상대가 기회주의적으로 행동할 가능성을 염려했다고 볼 수 있겠군.
④ D 기업과 E 기업 간의 거래에서는 정보의 불확실성으로 인해 거래 비용이 높아질 가능성이 있겠군.
⑤ E 기업이 원재료의 품질 정보를 세부적으로 제공하지 않은 것은 D 기업을 탐색하는 과정에서 완벽하게 합리적인 선택을 하였기 때문이겠군.

37. ㉠ ~ ㉤의 사전적 의미로 적절하지 않은 것은?
① ㉠: 둘 이상의 일을 한꺼번에 행함.
② ㉡: 생각하고 헤아려 봄.
③ ㉢: 사람이나 사물의 겉모습이나 그 됨됨이.
④ ㉣: 모자라거나 부족한 것을 보충하여 완전하게 함.
⑤ ㉤: 두 사람 이상이 한 물건을 공동으로 소유함.

[38 ~ 41] 다음 글을 읽고 물음에 답하시오.

(가)
일조(一朝) 낭군(郎君) **이별 후**에 **소식조차 돈절(頓絶)***하야
자네 일정 못 오던가 **무삼 일로 아니 오더냐**
이 아해야 말 듣소
황혼 저문 날에 개가 짖어 못 오는가
이 아해야 말 듣소
춘수(春水)가 만사택(滿四澤)*하니 **물**이 깊어 못 오던가
이 아해야 말 듣소
하운(夏雲)이 다기봉(多奇峰)*하니 **산**이 높아 못 오던가
이 아해야 말 듣소
한 곳을 들어가니 육관대사 성진(性眞)이는 석교상(石橋上)에서 팔선녀 다리고 희롱한다
지어자 좋을시고
병풍에 그린 황계(黃鷄) 수탉이 두 나래 둥덩 치고 짜른 목을 길게 빼어 긴 목을 에후리어
사경일점(四更一點)*에 날 새라고 **꼬꾀요 울거든 오랴는가**
자네 어이 그리하야 아니 오던고
너란 죽어 **황하수(黃河水)** 되고 날란 죽어 **도대선(都大船)*** 되야
밤이나 낮이나 낮이나 밤이나
바람 불고 물결치는 대로 어하 둥덩실 **떠서 노자**
저 ㉠달아 보느냐
임 계신 데 명휘(明暉)를 빌리려문* 나도 보게
이 아해야 말 듣소
추월(秋月)이 양명휘(揚明暉)하니 달이 밝아 못 오던가
어데를 가고서 네 아니 오더냐
지어자 좋을시고

– 작자 미상, 「황계사」 –

* 돈절: 편지, 소식 따위가 갑자기 끊어짐.
* 춘수가 만사택: 봄철의 물이 사방의 못에 가득함.
* 하운이 다기봉: 여름 구름이 많은 기이한 봉우리를 이룸.
* 사경일점: 새벽 1시에서 3시 사이인 사경(四更)의 한 시점(時點).
* 도대선: 큰 나룻배.
* 명휘를 빌리려문: 밝은 빛을 비춰주렴.

(나)
온갖 꽃들 피어나 고운 비단을 펼쳐 놓은 듯한데, 푸른 숲 사이로 다문다문 보이니 참으로 알록달록하다. 들판에는 푸른 풀이 무성이 돋아 소들이 흩어져 풀을 뜯는다. 여인들은 광주리 끼고 야들야들한 뽕잎을 따는데 부드러운 가지를 끌어당기는 손이 옥처럼 곱다. 그들이 서로 주고받는 민요는 무슨 가락의 무슨 노래일까.

가는 사람과 앉은 사람, 떠나는 사람과 돌아오는 **사람들** 모두가 **봄을 즐기느라 온화한 표정**이니 그 따뜻한 기운이 나에게도 전해지는 것 같다. 그런데 먼 사방을 바라보는 나의 마음은 왜 이토록 민망하고 답답하기만 할까.

봄이 되어 붉게 장식한 궁궐에도 해가 길어지니, 온갖 일들로 바쁜 **천자(天子)**에게도 여유가 생긴다. 화창한 봄빛에 설레어 가끔 높은 대궐에 올라 먼 곳을 바라보노라면 장구 소리는 높이 울려 퍼지고, 발그레한 살구꽃이 일제히 꽃망울 터뜨린다. 너른 중국 땅의 아름다운 **경치**를 바라보니 기쁘고 흡족하여 옥잔에 술을 가득 부어 마신다. 부귀한 사람이 봄을 볼 때는 이러하리라.

9회

왕족과 귀족의 자제들은 호탕한 벗들과 더불어 꽃을 찾아다니는데, 수레 뒤에는 붉은 옷 입은 기생들을 태웠다. 가는 곳마다 자리를 펼쳐 옥피리와 생황을 연주하게 하며, 곱게 짠 비단 같은 울긋불긋한 꽃을 바라보고, 취한 눈을 치켜뜨고 이리저리 거닌다. 화려하고 사치스러운 사람이 봄을 볼 때는 이러하리라.

한 어여쁜 부인이 빈 방을 지키고 있다. 천 리 멀리 떠도는 남편과 이별한 뒤 소식조차 아득해져 한스럽다. 마음은 물처럼 일렁거려, 쌍쌍이 나는 ㉡ 제비를 보다가 난간에 기대어 눈물 흘린다. 슬프고 비탄에 찬 사람이 봄을 볼 때는 이러하리라.

<중략>

군인이 출정하여 멀리 고향을 떠나와 지내다가 변방에서 또 봄을 맞아 풀이 무성히 돋는 걸 볼 때나, 남쪽 지방으로 귀양 간 나그네가 어두워질 무렵 푸른 단풍나무를 보게 될 때면, 언제나 발길을 멈추고 고개를 들어 이윽히 보고 있지만 마음은 조급하고 한스러워진다. 집 떠난 **나그네**가 봄을 볼 때는 이러하리라.

여름날에는 찌는 듯한 더위가 고생스럽고, 가을은 쓸쓸하기만 하며, 겨울에는 꽁꽁 얼어붙어 괴롭다는 걸 나는 잘 알고 있다. 이 세 계절은 너무 한 가지에만 치우쳐서 변화의 여지도 없이 꽉 막힌 것 같다. 그러나 봄날만은 **보이는 경치와 처한 상황**에 따라, 때로는 따스하고 즐거운 마음이 들게도 하고, 때로는 슬프고 서러워지게 하기도 하고, 때로는 절로 노래가 나오게 하기도 하고, 때로는 흐느껴 울고 싶게 만들기도 한다. 사람들의 마음을 하나하나 건드려 움직이니 그 마음의 가닥은 천 갈래 만 갈래로 모두 다르다.

그런데 나 같은 이는 어떠한가. 취해서 바라보면 즐겁고, 술이 깨어 바라보면 서럽다. 곤궁한 처지에서 바라보면 구름과 안개가 가려진 것 같고, 출세하고 나서 바라보면 햇빛이 환히 비치는 것 같다. 즐거워할 일이면 즐거워하고 슬퍼할 일이면 슬퍼할 일이다. 닥쳐오는 상황을 마주하고 변화하는 조짐을 순순히 따르며 나를 **둘러싼 세상**과 더불어 움직여 가리니, 한 가지 법칙만으로 헤아릴 수는 없는 것이다.

– 이규보, 「봄의 단상」 –

38. (가)와 (나)의 공통점으로 가장 적절한 것은?

① 환상적 공간의 묘사를 통해 긴장된 분위기를 드러내고 있다.
② 부르는 말의 반복을 통해 자신의 고조된 감정을 드러내고 있다.
③ 추측을 나타내는 표현을 통해 자신의 생각을 드러내고 있다.
④ 언어유희를 통해 현실에 대한 태도를 간접적으로 드러내고 있다.
⑤ 명령형 어조를 통해 대상에 대한 생각을 강조하여 드러내고 있다.

39. <보기>를 바탕으로 (가)를 감상한 내용으로 적절하지 않은 것은? [3점]

〈보 기〉

「황계사」는 임과 이별한 상황에서 화자가 느끼는 답답함과 그리움을 형상화한 작품이다. 화자는 임과의 재회가 늦어지는 이유를 외부적 요인에서 찾으려 하거나, 불가능한 상황을 가정함으로써 임이 돌아오지 않는 것에 대한 원망을 드러내고 있다. 그런데 이런 원망에는 이별의 상황에서 벗어나 임과 재회하기를 간절하게 바라는 화자의 마음이 담겨 있다.

① '이별 후'에 '소식조차 돈절'한 것에서, 화자가 임과 이별한 상황임을 알 수 있군.
② '무삼 일로 아니 오더냐'라고 하는 것에서, 임과 이별한 상황에서 느끼는 화자의 답답한 심정을 알 수 있군.
③ '물'이 깊고 '산'이 높다는 것에서, 화자가 임과 이별하게 된 이유를 외부적 요인에서 찾고 있음을 알 수 있군.
④ '병풍에 그린 황계'가 '꼬꾀요 울거든 오라는가'라고 하는 것에서, 불가능한 상황을 가정하여 임이 돌아오지 않는 것에 대한 원망을 드러내고 있음을 알 수 있군.
⑤ '황화수'와 '도대선'이 되어 '떠서 노자'라고 한 것에서, 화자가 재회를 간절히 바라고 있음을 알 수 있군.

40. <보기>는 (나)의 내용을 구조화한 것이다. 이에 대한 이해로 적절하지 않은 것은?

〈보 기〉

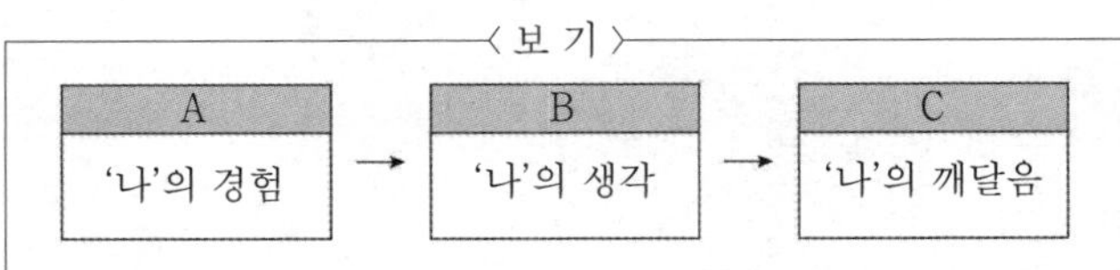

① A에서 자신과 달리 '봄을 즐기느라 온화한 표정'인 '사람들'을 바라본 경험은 B가 시작되는 계기가 된다고 볼 수 있군.
② B에서 '천자'가 봄의 '경치'를 바라보는 모습을 통해 봄을 대하는 부귀한 사람의 태도를 생각하고 있군.
③ B에서 '왕족과 귀족의 자제들'과 '나그네'가 봄을 대하는 입장은 서로 대비되는군.
④ B의 생각들은, 봄을 '보이는 경치와 처한 상황'에 따라 다르게 받아들일 수 있다는 C의 깨달음으로 이어지는군.
⑤ A의 경험으로부터 이어진 C의 깨달음은 자신을 '둘러싼 세상'을 변화시키고자 하는 의지로 확장되는군.

41. ㉠과 ㉡에 대한 설명으로 가장 적절한 것은?

① ㉠은 화자의 소망을 드러내는, ㉡은 인물의 처지를 부각하는 소재이다.
② ㉠은 화자의 처지와 동일시되는, ㉡은 인물의 상황과 대비되는 소재이다.
③ ㉠은 화자의 행동을 유도하는, ㉡은 인물의 외적 갈등을 해소하는 소재이다.
④ ㉠은 화자와 대상을 연결해 주는, ㉡은 인물과 대상을 단절시키는 소재이다.
⑤ ㉠은 화자의 부정적 인식을 내포하는, ㉡은 긍정적 인식을 투영하는 소재이다.

[42 ~ 45] 다음 글을 읽고 물음에 답하시오.

조중인이 무녀를 보내어 요사한 모함을 저질러 놓고, 녹재에게 부탁하여 황성 왕래하는 길에 주막을 차려 놓게 하였음이라. 지나가는 사람 중 왕진사 댁 하인이라 하면 억지로라도 데려와서 술과 고기를 많이 먹이고 밥값을 적게 받으니, 내왕하는 하인들이 어디로 갈 때는 반드시 녹재의 주막에 들르는 것처럼 되어 어길 때가 없더라.

무녀가 녹재의 주막으로 돌아와 하는 말이,

"㉠ 이리이리하여 불을 질러 놓았으니 조만간에 하인이 이리를 지나가리라." 하더라.

과연 며칠이 지나매, 소주 왕진사 댁 하인이 서간을 가지고 가는 중이라. 그가 주막 앞을 지나가자 녹재가 깜짝 놀라는 척 반기며 오래 못 본 안부를 묻고, 술을 많이 먹이자 하인이 취하여 편지보를 녹재에게 맡기고는 거꾸러져 잠이 드는지라. 녹재가 편지보를 헤치고 봉한 것을 떼어 보니 편지 사연이 과연 그 말이매, 편지를 없애고 다시 글씨를 본떠 써넣되

"안부를 전하노니 집안은 무사하고 공직에 힘쓰라."

라는 내용으로 하여 다시 봉하여 편지보에 넣었더라. 이튿날 하인이 떠나려 하여, 편지보를 내어 주니 의심 없이 받아 가지고 올라가더라.

하인이 황성에 득달하여 서간을 올리되 왕시랑도 범연히 간과하고, 집안은 무사한 모양이라 답장을 봉하여 환송하였더니, 하인이 내려가는 길에 다시 녹재의 집에 찾아들었는지라. 녹재가 반가워하며 간곡하게 술대접을 하니 하인이 또한 술 힘을 이기지 못하여 대취하매, 녹재가 답장 편지를 또 떼어 없애고 다시 시랑의 필적으로 답장을 위조하여,

"집안 괴변을 어찌 일부러 뜻하였으리까마는, 듣자오매 소자의 처로 인하여 심란한 일이 많사옵니다. 그 전에도 의심할 일이 많사오나 그 허물을 따로 묻지 않은 채 그저 집에 두었삽는데, 필경은 탄로나게 되었으니 소자의 사람 몰라본 불찰입니다. 복중에 무엇이 있다는 말씀은 더구나 소자는 모르는 일이라, 어찌하여 거짓을 사뢰리까? 소자의 소견에는 그런 더러운 인물은 어찌 잠시라도 집에 두며, 죽어도 죄가 남사오니 내치면 저에게 덕이 될 것이오나 처분대로 하사이다." 하였더라.

이튿날 하인이 편지를 찾아보고 내려가 왕진사께 올리니, 진사가 그 사연을 보고 안으로 들어와 오부인과 의논하였는데, 죽이자 하여도 거지중난(擧止重難)*하고 내쳐도 남에게 부끄러운지라. 이리저리 생각하다가 마지못하여 즉시 송부인을 불러 앞에 세우고는 수죄(數罪)*하여,

"㉡ 네 내 집에 들어와 몇 해 아니 되었는데 내가 너를 믿고 내 집안 살림을 맡겼거늘, 요망한 무녀를 통하여 흉측한 태도로 음담패설을 주고받느냐? 네 복중에 있다는 자식에 대해서도 네 남편은 모른다 하니 그것은 어찌된 일이냐?"

하고는 장패주의 편지와 왕시랑의 답장을 던지는지라. 송씨가 기색(氣塞)하여 한동안 진정하지 못하다가,

"자부(子婦)가 불초(不肖)하여 구고(舅姑)*님의 노함을 끼쳤사오니 산들 무엇하리까마는, 다만 신명을 생각하니 절통한 일이옵니다. 부모 양친을 십여 세에 여의옵고 부앙천지(俯仰天地) 의지할 데 없사와 어린 동생과 외가에 탁신(託身)하온바 외숙부께 사랑을 받지는 못하였으나 무한히 공경하며 대하여 나갔삽더니, 천우신조(天佑神助)하여 어진 시댁을 만났사와 일평생을 모시고자 하였사오나, 이런 악명(惡名)을 입사오니 다시 무슨 말씀을 하오리까? 처분대로 할 뿐이로소이다."

[중략 부분의 줄거리] 강제 결혼의 무산에 대한 보복으로 조중인에 의해 모함 받은 송부인은 시댁에서 쫓겨나게 되고 홀로 아들인 갈용을 낳아 기른다. 어느 날 갈용은 살인 사건에 휘말리고, 이를 해결하기 위해 조정에서 명사관으로 파견된 왕시랑은 송부인과 재회하게 된다.

이때 송부인, 명사관*이 들어와 갈용의 초사를 받는다는 말에 오가는 말을 듣고자 하여 관문 밖에서 엿보고 있었더라. 바라보니 그 명사관이 다른 이 아니라 자신의 남편 왕시랑이라. 이것이 어찌된 일인고 하여, 송부인이 여광여취(如狂如醉)하여 부지불각(不知不覺) 중에 몸이 절로 움직여 뜰 아래 들어서서는,

"첩은 죄인의 어미옵더니, 사람이 불민(不敏)하여 시댁에서 쫓겨났사오나, 가장은 천 리 밖에 있사왔고, 첩을 불쌍히 생각하기는커녕 인편에 대어 죽여라, 내쫓아라 하오니, 첩이 어디 가서 살며 어찌 시댁이 용납하리니까? 그런 연유로 이 지경이 되었삽는데, 듣사오매 명사관께서 명사를 잘하신다 하오니, 살옥*은 차치(且置)하옵고 그 일부터 명사하옵소서. 첩의 무고함을 어찌 보지 못하고, 멀리 있음에도 그리 집안을 자세히 알면서 복중지물(腹中之物)이 자기 자식인 줄 어찌 모르며, 첩이 그전부터 수상한 짓을 하는 것을 보았다 하나 무슨 일을 보셨던고? 첩에게 죄가 설령 있거든 여기서 죽여 주시고, 만일 무죄한 듯하거든 소상히 명사하와 애매한 누명을 씻어 주옵소서. 복명지신(復命之臣)이 그만 일을 명사치 못하오면 그 녹을 자시옵기 어찌 부끄럽지 아니하시리까? 만일 첩의 말을 곧이 아니 들을 터이면, 여기 증거할 것이 있사오니 이것을 보옵소서."

하고 송부인이 품에서 편지봉투를 내어 앉은 앞에 던지니, 왕시랑이 상혼실백(傷魂失魄)*하여 그것을 아니 보지 못할 터이라. 차차로 펴 보니 한 장은 자신의 답장이라 하나 사연은 전혀 알지 못하는 것이라 막측기단*하여, 다시 묻고자 하나 하인들 앞에 말하기가 편치 않기에 따로 분부하여

"㉢ 심기 불평하니 죄인을 물리라."

하시니 갈용과 송부인이 함께 물러나오더라.

이 날 밤에 왕시랑이 일을 마친 후에, 통인 하나를 불러 초롱을 들리고 호장의 집을 찾아 별당으로 들어가니, 송부인이 촛불을 돋우고 혼자 앉았다가 처연히 보고는

"㉣ 이 어찌된 일이시니까? 더러운 죄라 하신 터에 무엇이 답답하여 첩을 찾아보러 와서는 서 계시니이까? 모르는 자식을 낳았으니 더럽다고 하다가 죽이거라 내치거라 하와 다시 준절답장(峻節答狀)하오시고 다시 보려 하심은 천만뜻밖이로소이다."

왕시랑이 다 듣고는

"이것이 어찌된 일이오?" 라고 도리어 물으니, 송부인이 대답하여

"날더러 도로 물으시니 무슨 말씀으로 대답하오리까?"

하매, 왕시랑이 대답하기를

"나도 내 죄를 아오이다. 비록 그러하오나 이 일은 알아보고 말 것이니, 그리 염려하지 마소서. 편지도 답장도 내 한 바 아니라, 난들 어찌 알았으리오? 이것이 운명사이니, 분명히 괴상한 용무를 꾸민 놈이 있는 모양이라. ㉤ 설마 그 놈을 잡지 못하리니까? 내 사환이 분주하여 오래 근친 못한 탓이로소이다."

라고 하더라. 송부인이 그 말을 들으니 자신의 발명도 대강된 듯하고, 왕시랑의 편지에 서운했던 것이 비로소 풀리는지라. 그런 줄 이제 알았으니 어찌 소회를 서로 풀어놓으며 정다운 이야기가 서로 없으리오?

– 작자 미상, 「송부인전」 –

9회

* 거지중난: 일을 함이 중대하고도 어려움.
* 수죄: 범죄 행위를 들추어냄.
* 구고: 시부모님.
* 명사관: 중요한 사건을 조사하는 일을 맡아 하는 관리.
* 살옥: 살인 사건에 대한 죄를 다스리는 일.
* 상혼실백: 상심하여 제정신을 잃음.
* 막측기단: 일의 시작을 헤아려 알지 못함.

42. 윗글에 대한 설명으로 가장 적절한 것은?

① 대화를 통해 인물이 처한 상황을 보여 주고 있다.
② 전기적 요소를 통해 비현실적 장면을 부각하고 있다.
③ 과장된 상황을 통해 인물의 해학성을 강조하고 있다.
④ 배경에 대한 묘사를 통해 낭만적 분위기를 형성하고 있다.
⑤ 꿈과 현실의 교차를 통해 사건을 입체적으로 구성하고 있다.

43. ㉠~㉤에 대한 설명으로 적절하지 않은 것은?

① ㉠: 왕진사 댁 하인이 주막을 지나갈 것이라는 무녀의 예측이 드러나 있다.
② ㉡: 송부인이 죄를 지었다고 생각하여 질책하는 왕진사의 태도가 드러나 있다.
③ ㉢: 주변 상황을 의식하여 질문하기를 미루는 왕시랑의 모습이 드러나 있다.
④ ㉣: 왕시랑이 명사관으로서 공과 사를 구분하기를 바라는 송부인의 마음이 드러나 있다.
⑤ ㉤: 사건의 진상을 밝히려는 왕시랑의 태도가 드러나 있다.

44. <보기>를 바탕으로 윗글을 감상한 내용으로 적절하지 않은 것은? [3점]

<보 기>

이 작품은 남편이 부재한 상황에서 가족 외부의 인물에 의해 모함을 받게 된 주인공이, 남성 중심 사회의 현실적 모순에 의해 희생당하는 모습을 다루고 있다. 이 과정에서 주인공은 자신의 억울함을 적극적으로 항변하지 못하고 가정에서 퇴출당해 시련과 고난을 겪게 되지만, 이후 입신양명을 이룬 남편과의 만남에서 적극적인 태도로 오해를 풀고 모함에서 벗어나게 된다.

① 송부인이 왕시랑에게 명사를 부탁하는 장면에서, 오해를 풀고자 하는 적극적인 모습을 확인할 수 있겠군.
② 왕진사가 송부인을 수죄하는 장면에서, 여성의 정절을 중시하는 남성 중심 사회의 모습을 짐작할 수 있겠군.
③ 왕시랑이 송부인에게 누명을 벗겨주기로 약속하는 장면에서, 왕시랑이 입신양명을 이룬 목적을 짐작할 수 있겠군.
④ 녹재가 왕진사 댁 하인에게 술을 먹이는 장면에서, 가족 외부의 인물이 주인공을 모함하려는 모습을 확인할 수 있겠군.
⑤ 송부인이 왕시랑에게 자신의 처지를 밝히며 억울함을 호소하는 장면에서, 과거에 송부인이 겪은 시련과 고난을 짐작할 수 있겠군.

45. <보기>는 윗글의 서간의 이동을 도식화한 것이다. 이를 이해한 내용으로 가장 적절한 것은?

<보 기>

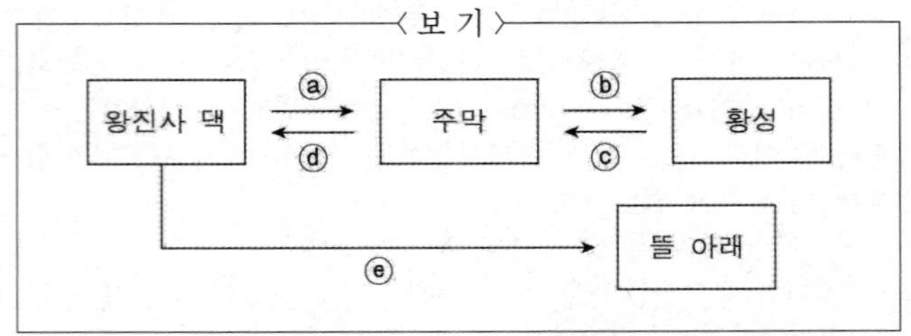

① ⓐ의 서간에는 집안은 무사하고 공직에 힘쓰라는 내용이 담겨있다.
② 왕시랑은 ⓑ의 서간을 통해 집안에 문제가 생겼음을 알게 되었다.
③ ⓑ의 서간과 ⓓ의 서간은 모두 녹재에 의해 위조된 것이다.
④ ⓒ의 서간과 ⓓ의 서간은 모두 송부인에게 전달되지 않았다.
⑤ 왕시랑은 ⓔ의 서간의 내용을 송부인과 만나기 전부터 알고 있었다.

※ 확인 사항

답안지의 해당란에 필요한 내용을 정확히 기입(표기)했는지 확인하시오.

2019학년도 9월 고1 전국연합학력평가 문제지

국어 영역

10회 소요시간 /80분

제 1 교시

➡ 해설 P.85

[1~3] 다음은 강연의 일부이다. 물음에 답하시오.

'우리나라 고등학생의 평균 키는 몇이지?', '이번 국어 시험 평균이 얼마야?' 등의 질문을 한번쯤은 해 보셨죠? 이렇게 우리가 흔하게 하는 질문 가운데 '평균'이라는 한 단어에 주목해 보겠습니다. 이때 '평균'은 보편적인 것, 대표적인 것이며, 어떤 집단의 속성을 잘 보여주는 지표가 되곤 합니다. 그런데 평균이 정말 보편적이고 대표적인 값이라고 할 수 있을까요? 우리가 알고 있는 평균의 의미를 다시 생각해 보기 위해 오늘 '평균에서 벗어난 삶'을 주제로 강연을 하려고 합니다.

1940년대 말, 미국 공군에서는 비행기 사고를 줄이기 위해 조종사들의 훈련을 강화했지만 사고가 줄지 않자, 결국 전문가를 부르게 됩니다. 인류학자였던 대니얼스는 4,063명의 조종사의 키와 가슴둘레, 팔 길이 등 조종석 설계상 가장 연관성이 높다고 판단되는 10개 항목의 신체 지수를 측정하고 평균값을 냈습니다. 이 평균값과 조종사 4,063명 각각의 신체 지수를 비교해 보니 10개 항목이 모두 평균에 속하는 사람은 단 한 명도 없었습니다. 어떤 조종사는 팔 길이가 평균보다 길지만 다리 길이는 평균보다 짧은가 하면 또 어떤 조종사는 가슴둘레가 평균보다 넓은 편이지만 엉덩이둘레는 좁은 편으로 나타나는 식이었습니다. 평균을 기준으로 만들어 놓은 비행기 조종석이 누구에게도 맞을 수 없는 조종석이 되어 버려 조종을 어렵게 만들었던 것입니다.

신체 지수조차 이렇게 각 부분이 다른데 인간의 지적 능력이나 성향에 이르면, 그 편차는 더 커질 수밖에 없을 것입니다. 그런데도 우리는 여러 분야에서 평균에 이르려고 노력합니다. 그러다 보니 평균을 뛰어넘어야 한다는 압박감을 느끼기도 하고, 평균에 이르지 못해 좌절하거나 열등감에 사로잡히기도 합니다.

그러나 평균적인 사람도, 평균적인 삶도 존재하지 않습니다. 인간의 신체, 지적 능력, 삶의 모습 등에는 다양한 속성이 존재합니다. 키는 평균보다 크지만 팔 길이는 짧은 사람이 있듯이, 미술은 평균 이상으로 잘하는데 수학은 어려워하는 사람도 얼마든지 존재할 수 있습니다. 따라서 우리는 평균에서 벗어나 있다고 걱정하지 않아도 됩니다. 행복도 마찬가지입니다. 평균적 행복이란 없습니다. 우리가 평균적 행복이라고 말하는 것은 타인의 취향에 나를 대입한 것이지요. 이런 평균적 삶을 따르기보다는 타인과 구별 짓는 색다른 경험을 해 보는 건 어떨까요? 스스로 원하는 것을 선택하는 힘을 기르는 것이 그 시작일 것입니다.

1. 강연자의 말하기 방식에 대한 설명으로 적절하지 <u>않은</u> 것은?

① 강연 주제를 선정하게 된 이유를 밝히고 있다.
② 청중의 경험을 환기하며 강연의 화제를 제시하고 있다.
③ 청중의 태도 변화를 제안하며 강연을 마무리하고 있다.
④ 구체적 사례를 활용하여 주장하는 내용을 뒷받침하고 있다.
⑤ 강연 순서를 제시하여 청중이 내용을 예측할 수 있도록 하고 있다.

2. 위 강연을 들은 학생들의 듣기 전략에 따른 반응으로 가장 적절한 것은? [3점]

듣기 전략		청중의 반응
강연에서 언급되지 않은 내용을 추론하며 듣는다.	➜	○ 평균을 기준으로 만든 조종석이 누구에게도 맞을 수 없었다는 점이 놀라웠어. ······ ①
강연자가 활용한 자료의 오류를 판단하며 듣는다.	➜	○ 어떤 방식으로 조종사의 신체 지수 10개 항목의 평균을 냈을까? ······ ②
강연을 통해 새롭게 알게 된 점을 정리하며 듣는다.	➜	○ 사람들은 지적 능력의 평균보다는 신체 지수의 평균에 주목하는 경우가 더 많아. ······ ③
강연자의 주장에 대한 구체적인 근거를 찾으며 듣는다.	➜	○ 강연자는 상품의 규격을 표준화할 때 평균이 유용한 값이라고 생각하고 있어. ······ ④
강연을 통해 자신의 경험을 떠올리고 성찰하며 듣는다.	➜	○ 평균을 뛰어넘어야 한다는 압박감에 조바심을 내던 나의 모습을 돌아보게 됐어. ······ ⑤

3. 위 강연을 들은 학생이 강연 주제를 고려하여 <보기>의 'A 씨'에게 조언할 내용으로 가장 적절한 것은?

<보 기>

A 씨는 식당에 가면 가장 많이 팔린다는 베스트 메뉴를 선택하여 먹는다. 또한 서점에서는 베스트셀러 1위부터 10위까지의 순위 안에서 책을 선택하여 구매하는 편이다.

① 타인의 기준을 따르기보다는 자신의 특별한 기준을 찾아 선택해 보세요.
② 각 분야의 전문가들이 실제로 경험한 이야기를 참고하여 판단해 보세요.
③ 복잡한 것들을 여러 단계에 거쳐 단순하게 만든 후에 양자택일해 보세요.
④ 철저한 사전 조사를 통해 선택에 필요한 의사 결정의 시간을 줄여 보세요.
⑤ 짧은 기간에 많이 팔린 것보다는 오랫동안 잘 팔리는 것들에 관심을 가져 보세요.

[4~7] (가)는 인터뷰의 일부이고, (나)는 학교 신문에 실을 글의 초고이다. 물음에 답하시오.

(가)

학생 기자 : 안녕하세요? 저는 학교 신문 동아리 기자 1학년 ○○○입니다. 지난 환경의 날에 학생회에서 다양한 행사를 진행하셨잖아요. 특히 '업사이클링' 행사가 학생들에게 반응이 좋아서 이에 대한 기사를 쓰고 싶어 찾아오게 되었습니다.

학생 회장 : 반갑습니다. '업사이클링' 행사에 참여했었나요?

학생 기자 : 네. 폐현수막으로 에코백을 만들어 친구들에게 나눠 주는 행사에 참여했습니다. 행사에 참여하고 나서, 버려진 현수막이 또 다른 형태로 쓰일 수 있다는 것에 흥미가 생겼습니다. [A]

학생 회장 : 업사이클링을 제대로 체험하셨네요. 먼저 업사이클링의 단어 뜻을 설명해 볼게요. 업사이클링은 '업그레이드(Upgrade)'와 '리사이클링(Recycling)'이 합쳐진 말로, 버려지거나 다 쓴 물건에 디자인이나 활용도를 더해 새로운 제품으로 재탄생시키는 것을 뜻합니다. 업사이클링은 단순히 물건을 재활용하는 차원을 넘어 버려진 물건의 새로운 가치를 발견하는 일이라고 할 수 있습니다. [B]

학생 기자 : (고개를 끄덕이며) 네. 정말 좋은 일이군요. 선배님은 업사이클링 활동이 어떤 의의가 있다고 생각하세요?

학생 회장 : 무엇보다도 쓸모없어진 재료나 물건을 활용한다는 점에서 쓰레기의 양을 줄여 환경을 보호한다는 의미가 있죠. 또한 다양한 디자인을 접목한 상품을 만들어 경제적 효과까지 창출할 수 있다고 생각해요.

학생 기자 : 그래서 요즘 환경을 생각하는 사람들이나 사회적 기업들이 업사이클링 제품에 관심을 가지는 것이군요. 저희 누나가 쓰는 가방도 폐현수막으로 만든 것이더라고요. 이번 축제에서도 업사이클링 관련 행사를 진행한다고 알고 있는데, 이번에는 무엇을 하나요?

학생 회장 : 버려진 방수천을 활용해 필통을 만들어 보려고 합니다.

학생 기자 : 아, 저번 행사와 같은 활동이군요?

학생 회장 : 그렇게 볼 수도 있겠지만, (멸종 위기 물고기의 사진들을 보여 주며) 이번에는 환경뿐만 아니라 생태계 보호의 필요성을 강조하기 위해 멸종 위기의 물고기 모양을 디자인한 필통을 만들어 볼까 합니다.

학생 기자 : 정말 뜻깊은 행사가 되겠군요. 저도 참여하고 싶네요. 학생회에서 이런 업사이클링 행사들을 기획한 이유가 있을 것 같아요. [C]

학생 회장 : 학생회에서는 학생들이 업사이클링 활동을 경험해 봄으로써 환경과 생태계를 지키는 것이 생각보다 어려운 일이 아니라는 것을 알리고 싶었습니다. 또한 이러한 작은 실천이 결국 우리 지구를 지키는 일이 될 수 있다는 것을 말하고 싶었습니다.

학생 기자 : 말씀 잘 들었습니다. 선배님 덕분에 아주 유익한 글을 쓸 수 있을 것 같습니다.

학생 회장 : 도움이 되었다고 하니 다행이네요. 감사합니다.

(나)

지구의 환경 문제에 대한 우려의 목소리가 점점 커지면서 환경 보호 활동에 대한 관심이 높아졌다. 사람들은 그동안 단순히 물건을 재활용했던 것을 넘어 좀 더 가치 있는 활동에 관심을 가지게 되었다. ㉠ 그런데 생활 속에서 쓸모없어진 폐기물에 생명을 불어넣는 '업사이클링'에 주목하고 있다. 환경 친화적인 삶을 실천하는 방법으로 새롭게 떠오르고 있는 업사이클링에 대해 알아보자.

업사이클링은 '업그레이드'와 '리사이클링'이 합쳐진 말로, 버려지거나 다 쓴 물건에 디자인이나 활용도를 더해 새로운 제품으로 재탄생시키는 것을 뜻한다. 환경을 보호하고, 경제적 가치를 창출할 수 있다는 점에서 많은 사람들이 업사이클링 활동에 관심을 가지고 참여하고 있으며, 사회적 기업들도 업사이클링 상품들을 ㉡ 개시하고 있다. 업사이클링 활동에 참여하는 것이 어렵다고 생각하는 학생들이 많지만, 이미 이러한 활동은 여러 곳에서 활발히 진행되고 있다. 지난 환경의 날에 우리 학교의 학생회에서 진행한 '폐현수막으로 에코백 만들기'와 이번 축제 때 우리가 하게 될 '방수천을 활용한 필통 만들기'도 업사이클링과 ㉢ 관련되어진 활동이다.

그렇다면 우리가 생활 속에서 ㉣ 실천하기 위해서 어떻게 해야 할까? 무엇보다도 버려진 것들에 관심을 가지고, 그것을 새로운 물건이 될 수 있는 재료로 바라보는 자세가 필요하다. 폐타이어를 활용해 미끄러지지 않는 신발을 만든 것도 폐타이어를 쓰레기가 아닌 신발의 밑창이 될 수 있는 재료로 보았기 때문에 가능했다. ㉤ 또한 상품의 원래 용도에 맞는 사용법을 지켜 사용 기간을 늘려야 한다. 평소 쓸모가 없다고 생각했던 것들의 가치 있는 재활용을 고민함으로써 쓰레기도 소중한 자원이 될 수 있다는 사실을 깨닫고, 업사이클링을 일상생활 속에서 실천해 봤으면 좋겠다.

4. [A]~[C]의 담화에 대한 설명으로 적절하지 않은 것은?

① [A] : 학생 기자는 자신의 경험을 언급하면서 화제와 관련한 활동에서 느낀 점을 말하고 있다.
② [B] : 학생 기자는 학생 회장의 말에 긍정적으로 반응하며 듣고 있다.
③ [B] : 학생 회장은 학생 기자의 요청에 따라 화제가 지닌 의의를 설명하고 있다.
④ [C] : 학생 회장은 시각 자료를 보여 주며 행사의 의도를 설명하고 있다.
⑤ [C] : 학생 기자는 학생 회장이 질문한 내용에 대한 자신의 이해가 정확한지를 확인하고 있다.

5. (가)에서 학생 기자가 할 수 있는 추가 질문으로 가장 적절한 것은?

① 업사이클링의 단어 뜻은 무엇인가요?
② 업사이클링 관련 행사를 기획한 의도는 무엇인가요?
③ 업사이클링에 사회적 기업들이 관심을 가지는 이유는 무엇인가요?
④ 업사이클링 상품에 활용된 다양한 디자인에는 어떤 것들이 있나요?
⑤ 업사이클링과 관련하여 이번 축제에서 계획한 행사는 어떤 것들이 있나요?

6. 다음은 (나)를 쓴 과정의 일부를 정리한 것이다. (나)에 반영되지 않은 것은?

글쓰기 과정	글쓰기 계획
내용 생성하기	○ 인터뷰에서 언급되지 않은 업사이클링 제품에 대한 자료를 추가로 수집해야겠어. ······· ①
내용 조직하기	○ 글의 처음 부분에서는 사람들이 업사이클링에 주목하게 된 배경을 제시해야겠어. ············ ② ○ 글의 끝부분에서는 일상생활에서 업사이클링을 실천하기 위해 필요한 자세에 대해 언급해야겠어. ············ ③
표현하기	○ 구체적인 예를 들어 업사이클링 활동을 설명해야겠어. ············ ④ ○ 비유적 표현을 활용하여 업사이클링 활동을 활성화시키기 위한 노력을 강조해야겠어. ··· ⑤

7. ㉠~㉤을 고쳐 쓰기 위한 방안으로 적절하지 않은 것은?

① ㉠: 접속어의 사용이 부적절하므로 '그러나'로 고친다.
② ㉡: 단어의 사용이 잘못되었으므로 '출시'로 고친다.
③ ㉢: 피동 표현이 불필요하게 중복되었으므로 '관련된'으로 고친다.
④ ㉣: 필요한 문장 성분이 빠져 있으므로 '업사이클링을'을 추가한다.
⑤ ㉤: 글의 흐름에 어긋나는 문장이므로 삭제한다.

[8~10] 다음 글을 읽고 물음에 답하시오.

[작문 상황]

○ 작문 과제 : 우리 주변의 문제를 찾고, 그에 대한 자신의 생각을 밝히는 글 쓰기.

○ 글의 목적 : 학교 건물의 문제점을 알리고 개선 방안을 제시하려고 함.

[학생의 초고]

여러분은 학교에서 얼마나 많은 시간을 보내고 있는지 생각해 본 적이 있습니까? 학생들이 오래 머무는 공간인 학교는 학생들의 생활에 많은 영향을 끼칩니다. 그만큼 학교는 학생에게 중요한 곳이지만 현재 학교 건물의 공간에는 문제가 있다고 생각합니다. 그래서 저는 학교 건물의 문제점을 살펴보고 이를 개선할 수 있는 방안에 대해 이야기해 보려고 합니다.

특별 활동실, 강당, 식당, 도서관 등의 다양한 시설이 학교 건물 안에 생겨나면서 학생들이 사용하는 실내 건물 면적은 점점 늘어났습니다. 하지만 학교가 들어선 땅의 면적은 그대로이기 때문에 학교 건물은 점차 고층화될 수밖에 없었습니다. 저는 이러한 학교의 고층화로 인해 몇 가지 문제가 생겼다고 생각합니다.

우선 학생들이 쉬는 시간을 활용하는 데 제약이 생깁니다. 제한된 시간 안에 매번 몇 층의 계단을 내려가 밖에 나갔다 오기는 어렵습니다. 이렇다 보니 학생들은 거의 교실에서만 지내게 되었고, 운동장에 나가거나 야외 활동을 할 기회도 자연스럽게 줄어들게 되었습니다.

또한 학교의 고층화로 인해 교실의 천장 높이도 제한적일 수밖에 없습니다. 높은 천장이 학생들의 창의력을 향상시키는 데 도움이 된다는 사실을 아십니까? 그런데 우리나라의 교실은 보통 2.6미터 정도의 높이로 동일하다고 합니다. 천장 높이를 높게 하면 층간 높이도 같이 높아지기 때문에 지금보다 높은 천장을 만들기가 어려웠던 것입니다.

학교의 고층화로 인해 생긴 문제점을 해결하려면 건물을 새로 짓는 방법밖에 없다고 생각할 수도 있습니다. 그러나 최근 학생 수가 줄고 빈 교실이 생기면서 학교 건물이 달라질 수 있는 기회가 생겼습니다. 그래서 저는 학급의 교실을 되도록 저층에 배치하는 방안을 제안합니다. 그러면 학생들이 좀 더 쉽게 운동장에 나가서 공놀이를 하거나 학교 정원을 거닐며 가볍게 산책을 즐길 수도 있을 것입니다. 또한 일부 빈 교실은 천장을 기존보다 높게 만들어 이러한 공간에서 학생들이 다양하고 창의적인 활동을 할 수 있게 하려는 시도도 필요하다고 생각합니다.

8. '학생의 초고'에 대한 설명으로 가장 적절한 것은?

① 새로운 이론들을 비교하며 주제를 부각하고 있다.
② 질문의 방식을 활용하여 독자의 관심을 끌고 있다.
③ 용어의 개념을 정의하며 현상에 대해 설명하고 있다.
④ 자료의 출처를 언급하며 내용의 신뢰성을 높이고 있다.
⑤ 관용 표현을 사용하여 상황의 심각성을 드러내고 있다.

9. <보기>는 '학생의 초고'를 보완하기 위해 추가로 수집한 자료이다. 이를 활용할 방안으로 적절하지 않은 것은? [3점]

<보 기>

(가) 통계 자료 및 설문 조사 분석 자료

1. 고등학교 학생 1인당 학교 실내 건물 면적(㎡)

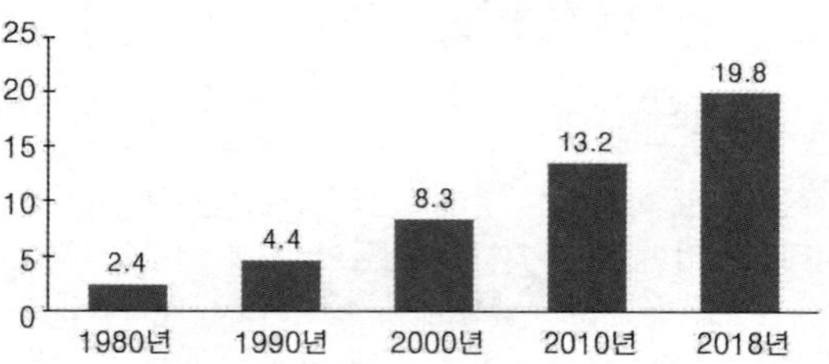

2. 쉬는 시간 활용에 대한 설문 조사 분석 자료

A고등학교 학생들을 상대로 조사한 '쉬는 시간에 주로 어디에 있나요?'라는 질문에 '교실 등 실내'라고 답한 학생이 73%, '운동장 등 실외'라고 답한 학생이 27%였음. '교실 등 실내'라고 답한 학생들에게 그 이유를 물은 결과 '교실에서 운동장까지 내려가기 너무 멀어서'라는 답변이 57%로 가장 높은 비율을 차지함.

(나) 신문 기사

천장의 높이와 창의력 사이에 상관관계가 있다는 연구 결과가 발표되었다. 조운 메이어스-레비 교수의 연구에 의하면 각각 2.4미터, 2.7미터, 3미터의 천장이 있는 공간에서 학생들에게 시험을 보게 한 결과, 3미터 천장의 공간에서 시험을 본 학생들이 낮은 천장의 공간에서 시험을 본 학생들에 비해 창의적 문제를 2배나 더 많이 해결한 것으로 나타났다.

(다) 전문가 인터뷰

학생들은 하루의 대부분을 교실이나 복도 등 주로 실내에서 생활하는 경우가 많습니다. '지식은 책에서 배우고, 지혜는 자연에서 배운다.'라는 말이 있습니다. 학생들이 학교에서 자주 실외로 나가 바깥 풍경을 만날 수 있도록 공간을 개선할 필요가 있습니다.

① (가)-1을 학생들이 학교에서 사용하는 실내 건물 면적이 늘어났다는 내용의 보충 자료로 활용한다.
② (가)-2를 학교의 고층화로 인해 학생들이 쉬는 시간에도 주로 교실에서 지내게 된다는 내용을 뒷받침하는 자료로 활용한다.
③ (나)를 교실 천장의 높이가 학생들의 창의력 향상에 영향을 준다는 내용의 근거 자료로 활용한다.
④ (가)-1과 (나)를 학교 실내 건물의 활용도를 높이는 것보다 천장 높이를 개선하는 것이 더 시급함을 밝히는 추가 자료로 활용한다.
⑤ (가)-2와 (다)를 교실에서 실외로 이동하는 시간을 줄이기 위한 공간 개선의 필요성을 강조하는 자료로 활용한다.

10. <보기>는 초고를 쓴 학생이 선생님에게 보낸 이메일의 일부이다. ㉠에 들어갈 내용으로 가장 적절한 것은?

<보 기>

선생님께서 조언해 주신 내용 중에서 '(㉠)'을 반영하여 초고의 마지막에 아래의 문단을 추가하였습니다.

> 프랑스는 공간이 생활에 미치는 영향을 중요하게 여깁니다. 그래서 다양한 공간 디자인의 학교 건축물을 만들고 그 속에서 학생들이 인성과 창의성을 키우며 자라나게 합니다. 우리도 공간과 생활의 관계를 생각해 학교 건물의 변화를 위해 노력한다면, 학생들의 학교생활에 긍정적인 변화가 일어나고 학생들의 창의적 사고력을 기르는 데에도 도움을 줄 수 있을 것입니다.

① 주장을 구체화하는 계획과 개선 방안을 요약할 것.
② 주장의 실현 가능성과 개선 방안의 문제점을 추가할 것.
③ 주장의 원인이 되는 배경과 개선 방안의 한계를 밝힐 것.
④ 주장을 강화하는 사례와 개선 방안의 기대 효과를 포함할 것.
⑤ 주장에 대한 예상 반응과 개선 방안의 긍정적 결과를 제시할 것.

[11~12] 다음 글을 읽고 물음에 답하시오.

'홀쭉이'와 '홀쭈기' 중 무엇이 올바른 표기일까? 이런 질문에 답을 제시해 주고 있는 것이 바로 한글 맞춤법이다. 한글 맞춤법 제1항을 보면, '한글 맞춤법은 표준어를 소리대로 적되, 어법에 맞도록 함을 원칙으로 한다.'라고 나와 있다.

한글 맞춤법의 기본적인 원칙은 표준어를 소리 나는 대로 적는 것이다. 그러나 단어나 문장이 만들어지는 과정에서 소리가 바뀌는 경우에는 사정이 달라진다. 그래서 함께 제시된 것이 '어법에 맞도록' 적는다는 원칙이다. 어법에 맞게 적는다는 것은 형태소들이 만나 소리가 바뀔지라도 형태소의 본 모양을 밝히어 적는 것을 의미한다.

국어의 단어와 문장은 형태소들이 결합하여 만들어진다. 형태소는 체언이나 용언의 어간 등 실질적인 의미를 표시하는 실질 형태소와, 접사나 용언의 어미, 조사처럼 실질 형태소에 결합하여 보조적 의미를 덧붙이거나 문법적 관계를 표시하는 형식 형태소로 나뉜다. 예를 들어 '꽃나무', '덮개'를 보면 실질 형태소(꽃, 나무)끼리 만나 이루어지거나 실질 형태소(덮-)에 형식 형태소(-개)가 붙어 단어가 만들어진다. 또한 '모자를 쓰다'에서는 실질 형태소(모자, 쓰-)에 각각 형식 형태소(를, -다)가 붙어 문장이 만들어진다.

그렇다면 어떠한 경우에 '어법에 맞도록' 적어야 할까? 체언에 조사가 붙거나 용언의 어간에 어미가 붙어 소리가 바뀔 때 형태를 밝히어 적는다. 예를 들어 '꽃이'는 [꼬치]로, '잡아'는 [자바]로 발음되지만 각각 '꽃이'와 '잡아'와 같이 실질 형태소와 형식 형태소를 구별하여 적어야 한다.

두 개의 용언이 어울려 한 개의 용언이 될 때에 '들어가다'처럼 앞말의 본뜻이 유지되고 있는 것은 그 원형을 밝히어 적는다. 다만, '드러나다'처럼 앞말이 그 본뜻에서 멀어진 것은 원형을 밝히어 적지 않는다.

어근에 접사가 붙어 새로운 말이 만들어질 때에도 소리 나는 대로 적지 않고 형태를 밝히어 적는다. 예를 들어 '삶'은 '살다'의 어간 '살-'에 접미사 '-ㅁ'이 붙어서 파생된 명사로 [삼:]이라 발음되지만 '삶'으로 적는다. 그리고 '많이'는 '많다'의 어간 '많-'에 접미사 '-이'가 붙어서 부사가 된 것으로 [마:니]라고 발음되지만 '많이'로 적는다. 이처럼 ㉠ 용언의 어간에 '-이'나 '-음/-ㅁ'이 붙어서 명사로 된 것과 ㉡ 용언의 어간에 '-이'나 '-히'가 붙어서 부사로 된 것은 그 어간의 원형을 밝히어 적는다. 다만, ㉢ 어간에 '-이'나 '-음'이 붙어서 명사로 바뀐 것이라도 그 어간의 뜻과 멀어진 것은 원형을 밝히어 적지 않는다.

11. 윗글을 바탕으로 <보기>를 탐구한 내용으로 적절하지 않은 것은? [3점]

<보 기>

○ 먹을(ⓐ) 것은(ⓑ) 많았지만, 마음 편히 먹고 있을 수만은(ⓒ) 없었다.

○ 집으로 돌아오다가(ⓓ) 너무 지쳐 쓰러질(ⓔ) 뻔했다.

① ⓐ는 용언의 어간 '먹-'에 어미 '-을'이 결합했으므로 형태를 밝히어 적었군.
② ⓑ는 체언 '것'에 조사 '은'이 붙었으므로 형태를 밝히어 적었군.
③ ⓒ는 실질 형태소 '수'와 형식 형태소 '만', '은'이 결합했으므로 형태를 밝히어 적지 않았군.
④ ⓓ는 앞말의 본뜻이 유지되고 있으므로 형태를 밝히어 적었군.
⑤ ⓔ는 앞말이 본뜻에서 멀어졌으므로 형태를 밝히어 적지 않았군.

12. 윗글의 ㉠~㉢에 해당하는 예로 적절하지 않은 것은?
① ㉠ : 나는 고양이에게 먹이를 주었다.
② ㉠ : 모두들 그의 정신력을 높이 칭찬했다.
③ ㉡ : 나는 그 사실을 익히 들어 알고 있다.
④ ㉢ : 그는 상처에서 흐르는 고름을 닦았다.
⑤ ㉢ : 그들은 새로 만든 도로의 너비를 측정했다.

13. <보기>는 표준 발음법의 된소리되기 중 일부이다. ㉠과 ㉡에 해당하는 예가 바르게 짝지어진 것은?

<보 기>

㉠ 받침 'ㄱ(ㄲ, ㅋ, ㄳ, ㄺ), ㄷ(ㅅ, ㅆ, ㅈ, ㅊ, ㅌ), ㅂ(ㅍ, ㄼ, ㄿ, ㅄ)' 뒤에 연결되는 'ㄱ, ㄷ, ㅂ, ㅅ, ㅈ'은 된소리로 발음한다.

㉡ 어간 받침 'ㄴ(ㄵ), ㅁ(ㄻ)' 뒤에 결합되는 어미의 첫소리 'ㄱ, ㄷ, ㅅ, ㅈ'은 된소리로 발음한다.

	㉠	㉡
①	늦게[늗께]	얹다[언따]
②	옆집[엽찝]	있고[읻꼬]
③	국수[국쑤]	늙다[늑따]
④	묶어[무꺼]	껴안다[껴안따]
⑤	앉다[안따]	머금다[머금따]

14. <보기>를 참고할 때, ㉠~㉢을 이해한 내용으로 적절하지 않은 것은?

<보 기>

다른 사람의 말이나 생각 등을 원래의 내용과 형식 그대로 옮겨 표현하는 것을 '직접 인용', 원래의 내용을 전달하되 말하는 사람의 관점에서 표현하는 것을 '간접 인용'이라 한다.

직접 인용은 큰따옴표와 종결 표현에 따른 문장 부호를 사용하고, 조사 '라고'를 붙여 표현한다. 간접 인용은 문장 부호 없이, 앞말의 종결 어미에 조사 '고'를 붙여 표현한다. 간접 인용문은 화자의 관점에서 표현하기 때문에 직접 인용문과 비교할 때 인칭, 지시 표현, 높임 표현, 시간 표현, 종결 표현 등에서 변화가 나타나기도 한다.

㉠ 어제 진우는 "내일 떠나고 싶다."라고 했다.
→ 어제 진우는 오늘 떠나고 싶다고 했다.
㉡ 아들이 나에게 "잠시만 집에 계세요."라고 했다.
→ 아들이 나에게 잠시만 집에 있으라고 했다.
㉢ 그 바다에서 아영이는 "나는 이곳이 마음에 들어."라고 했다.
→ 그 바다에서 아영이는 자기는 그곳이 마음에 든다고 했다.

① ㉠ : 직접 인용문에서 쓰인 조사 '라고'가 간접 인용문에서 '고'로 달라졌다.
② ㉠ : 직접 인용문에서 쓰인 시간 표현 '내일'이 간접 인용문에서 '오늘'로 달라졌다.
③ ㉡ : 직접 인용문에서 실현된 주체 높임 표현이 간접 인용문에서 객체 높임 표현으로 바뀌었다.
④ ㉢ : 직접 인용문에서 쓰인 1인칭이 간접 인용문에서 3인칭으로 바뀌었다.
⑤ ㉢ : 직접 인용문에서 쓰인 지시 표현 '이곳'이 간접 인용문에서 '그곳'으로 달라졌다.

10회

15. <보기>는 단어 학습을 위해 활용한 사전의 일부이다. 탐구 결과로 적절하지 않은 것은?

<보 기>

개다¹ 동
「1」 흐리거나 궂은 날씨가 맑아지다.
¶ 비가 개다.
「2」 (비유적으로) 언짢거나 우울한 마음이 개운하고 홀가분해지다.
¶ 마음이 활짝 개다.

개다² 동 【…을】 【…을 …에】
가루나 덩이진 것에 물이나 기름 따위를 쳐서 서로 섞이거나 풀어지도록 으깨거나 이기다.

개다³ 동 【…을】
옷이나 이부자리 따위를 겹치거나 접어서 단정하게 포개다.
¶ 이부자리를 개고 방을 청소하다.

① '개다¹', '개다²', '개다³'은 동음이의어이다.
② '개다¹' 「1」의 용례로 '기분이 개다.'를 추가할 수 있다.
③ '개다²'의 용례로 '가루약을 찬물에 개어 먹다.'를 들 수 있다.
④ '개다³'의 반의어로 '펴다'를 들 수 있다.
⑤ '개다³'은 '개다¹'과 달리 목적어를 필요로 한다.

[16~20] 다음 글을 읽고 물음에 답하시오.

서양 철학은 ㉠존재에 대한 물음에서 시작되었다. 고대 그리스 철학자 파르메니데스는 있는 것은 있고 없는 것은 없다고 말했다. 그는 어떤 존재가 있다가 없어지고 없다가 있게 되는 일은 불가능하다며 존재의 생성과 변화, 소멸을 부정했다. 그에게 존재는 영원하며 절대적이고 불변성을 가지는 것이었다. 이에 반해 헤라클레이토스는 존재의 생성과 변화를 긍정했다. 그는 존재하는 모든 것이 변화의 과정 중에 있으며 끊임없이 생성과 소멸을 반복하는 것이라고 생각했다. 존재에 대한 두 철학자의 견해는 플라톤의 이데아론에 영향을 주었다. 플라톤은 존재를 끊임없이 변하는 존재와 영원히 변하지 않는 존재로 나누었다. 그는 우리가 경험하는 현실 세계의 존재는 변한다고 생각했다. 그리고 현실 세계에 존재하는 모든 것의 근원을 이데아로 ⓐ상정하고 이데아를 영원하고 불변하는 존재, 그 자체로 완전한 진리로 여겼다. 반면에 현실 세계의 존재는 이데아를 모방한 것일 뿐 이데아와 달리 불완전하다고 보았다. 또한 감각을 통해 인식할 수 있는 현실 세계의 존재와 달리 이데아는 오직 이성에 의해서만 인식할 수 있다는 이성 중심의 사유를 전개했다. 플라톤의 이러한 철학적 견해는 이후 서양 철학의 주류가 되었다.

그러나 플라톤의 견해를 바탕으로 한 서양 철학의 주류적 입장은 근대에 이르러 니체에 의해 강한 비판을 받았다. 헤라클레이토스의 견해를 받아들인 니체는 영원히 변하지 않는 존재, 절대적이고 영원한 진리는 없다고 주장했다. 또한 우리가 살고 있는 현실 세계가 유일한 세계라면서 '신은 죽었다'라고 선언하며 형이상학적 이원론*이 말하는 진리, 신 중심의 초월적 세계, 합리적 이성 체계 모두를 부정했다. 니체는 형이상학적 이원론이 진리를 영원불변한 것으로 고정하고, 현실 너머의 이상 세계와 초월적 대상을 생명의 근원으로 설정함으로써 인간이 현실의 삶을 부정하도록 만들었다고 보았다. 그래서 생명의 근원과 삶의 의미를 상실한 인간은 허무에 ⓑ직면하게 되었다는 것이다.

니체는 허무에서 벗어나기 위해서는 생명의 본질을 ⓒ회복해야 한다고 했다. 그는 인간이 자신의 삶을 지향할 수 있게 하는 것을 '힘에의 의지'로 보았다. 니체가 말하는 '힘에의 의지'는 주변인이나 사물을 자기 마음대로 지배하고 억압하려는 의지가 아니라 자기 극복을 이끌어 내고 생명의 상승을 지향하는 의지로 이해할 수 있다. 니체는 이러한 '힘에의 의지'가 생성과 변화의 끊임없는 과정 중에서 창조적 생성 작용을 하는데, 그 최고의 형태가 예술이라고 했다. 그는 본능에 내재한 감성을 바탕으로 하는 예술적 충동을 중시하였고, 예술가의 창작 활동을 인간의 삶의 가치 상승을 도와주는 '힘에의 의지'로 보았다. 그는 예술을 통해 생명력을 회복하고 허무를 극복할 수 있음을 강조한 것이다.

이러한 니체의 철학적 견해는 20세기 초의 예술가들에게 많은 영향을 주었는데, 특히 회화에서 독일의 표현주의가 니체의 철학을 ⓓ수용했다. 표현주의는 전통적인 사실주의 미학을 따르지 않았다. 사실주의 미학은 형이상학적 이원론에 근거하여 존재와 진리의 참모습을 모방하는 것을 예술의 목적으로 받아들이는 재현의 미학이었다. 그러나 니체의 철학적 관점에서 예술을 이해한 [표현주의 화가들]은 예술의 목적을 대상의 재현이 아니라 인간의 감정과 충동을 표현하는 것으로 생각했다. 그들은 사실주의 미학에서 이성보다 열등한 것이라고 여겼던 감정을 존재의 본질을 드러내는 것으로 보았다. 그들이 생각하는 인간의 감정은 시시각각 변화하며 생성과 소멸을 반복하는 것이었기에 그림을 그리는 동안에도 매 순간 변화하는 감정을 중시했다. 그래서 대상의 비례와 고유한 형태를 왜곡하고, 색채도 실제보다 더 강하게 과장해서 그리거나 대비되는 원색을 대담하게 사용하는 등의 방법을 통해 자신의 감정과 충동을 표현했다. 또한 원근법에 얽매이지 않는 화면 구성을 보임으로써 작품에서 드러나는 공간이 현실 공간의 재현이 아니라 화가 자신의 감정을 표현하기 위한 상징과 의미를 생산하는 공간이라는 인식을 드러냈다.

표현주의 화가들은 이성과 합리성의 가치를 추구하던 당시 사회의 분위기에 ⓔ반발하며 예술가로서의 감정적, 주관적인 표현을 예술이 추구해야 하는 가치로 보았다. 그들은 자유로운 형태와 색채로 자신들이 가지고 있던 내면의 불안, 공포, 고뇌 등을 예술로써 극복하려고 노력하면서 강한 생명력을 보여 주었다. 결국 화가의 내면을 적극적으로 표현했던 표현주의는 니체의 철학을 근거로 예술에 대한 새로운 해석을 보여 주었다고 할 수 있다.

* 형이상학적 이원론: 세계를 경험의 세계와 경험을 초월한 세계로 나누고, 사물의 본질과 존재의 근본 원리를 사유를 통해 연구하는 이론.

16. 윗글에 대한 설명으로 가장 적절한 것은?
① 니체의 철학적 개념을 예술 양식의 발전 단계에 따라 정리하고 있다.
② 예술에 대한 니체의 견해가 시대에 따라 달리 평가받는 원인을 분석하고 있다.
③ 예술에 대한 니체의 시각과 서양 철학의 주류적 입장의 장단점을 비교하고 있다.
④ 예술에 대한 여러 철학자들의 견해가 니체에 의해 통합되는 과정을 살펴보고 있다.
⑤ 서양 철학의 주류적 입장을 부정하는 니체의 철학이 예술에 미친 영향을 설명하고 있다.

17. ㉠에 대한 이해로 가장 적절한 것은?
① 헤라클레이토스와 니체는 ㉠이 변화한다고 생각했다.
② 파르메니데스와 플라톤은 ㉠이 불완전하다고 여겼다.
③ 플라톤과 헤라클레이토스는 영원히 변하지 않는 ㉠이 있다고 보았다.
④ 파르메니데스는 헤라클레이토스와 달리 ㉠의 생성을 긍정했다.
⑤ 플라톤은 니체와 달리 ㉠의 근원을 감각을 통해 인식할 수 있다고 보았다.

18. 윗글에 나타난 [표현주의 화가들]의 생각으로 적절하지 않은 것은?
① 인간의 감정을 존재의 본질을 드러내는 것으로 인식했다.
② 존재와 진리의 참모습을 모방하는 것이 중요하다고 여겼다.
③ 시시각각 변화하며 생성과 소멸을 반복하는 감정을 중시했다.
④ 예술가로서의 주관적 표현을 예술이 추구해야 하는 가치라고 생각했다.
⑤ 작품에서 드러나는 공간을 화가의 감정을 표현하기 위한 공간으로 인식했다.

19. 윗글에 나타난 니체의 사상과 연결 지어 <보기>의 작품을 감상한 내용으로 가장 적절한 것은? [3점]

<보 기>

독일 표현주의 화가인 키르히너의 <해바라기와 여인의 얼굴(1906)>은 창가에 놓인 해바라기 꽃병과 여인의 모습을 그린 작품으로 화가의 내면이 잘 표현되었다는 평가를 받는다. 해바라기는 노란색, 꽃병은 녹색, 배경은 주황색의 화려한 원색으로 그려져 있고, 해바라기 앞의 여인은 슬프고 우울해 보인다. 활짝 핀 해바라기의 윤곽은 빨갛고 두터운 선으로 그려져 해바라기의 노란색과 대비를 이루고 있다. 또한 여인보다 뒤에 있는 해바라기 꽃병이 더 크게 그려진 화면 구성을 보이고 있다.

① 여인을 슬프고 우울해 보이게 그린 것을 보니 인간은 결코 허무를 극복할 수 없다는 니체의 철학과 관련된 것으로 볼 수 있겠군.
② 해바라기를 강조한 화면 구성을 보니 현실 너머의 이상 세계를 생명의 근원이라고 여긴 니체의 견해가 반영된 것으로 볼 수 있겠군.
③ 해바라기의 노란색과 윤곽의 빨간색을 대비한 것을 보니 초월적 세계를 재현한 것이 현실 세계라는 니체의 입장과 관련된 것으로 볼 수 있겠군.
④ 해바라기, 꽃병, 배경 등을 화려한 원색으로 그린 것을 보니 감성을 바탕으로 한 예술적 충동을 중요하게 여겼던 니체의 생각에 영향을 받은 것으로 볼 수 있겠군.
⑤ 해바라기 꽃병과 여인을 원근법에 어긋나게 그린 것을 보니 인간은 자기 주변의 사물을 지배해야 한다는 의지를 강조한 니체의 주장이 수용된 것으로 볼 수 있겠군.

20. ⓐ~ⓔ의 사전적 의미로 적절하지 않은 것은?
① ⓐ: 어떤 정황을 가정적으로 생각하여 단정함.
② ⓑ: 어떠한 일이나 사물을 직접 당하거나 접함.
③ ⓒ: 온전하게 보호하여 유지함.
④ ⓓ: 어떠한 것을 받아들임.
⑤ ⓔ: 어떤 상태나 행동 따위에 대하여 거스르고 반항함.

10 회

[21~23] 다음 글을 읽고 물음에 답하시오.

직장인 A 씨는 셔츠 정기 배송 서비스를 신청하여 일주일간 입을 셔츠를 제공 받고, 입었던 셔츠는 반납한다. A 씨는 셔츠를 직접 사러 가거나 세탁할 필요가 없어져 시간을 절약할 수 있게 되었다. 이처럼 소비자가 회원 가입 및 신청을 하면 정기적으로 원하는 상품을 배송 받거나, 필요한 서비스를 언제든지 이용할 수 있는 경제 모델을 ㉠'구독경제'라고 한다.

신문이나 잡지 등 정기 간행물에만 적용되던 구독 모델은 최근 들어 그 적용 범위가 점차 넓어지고 있다. 이로 인해 사람들은 소유와 관리에 대한 부담은 줄이면서 필요할 때 사용할 수 있는 방식으로 소비를 할 수 있게 되었다. 이러한 구독경제에는 크게 세 가지 유형이 있다. 첫 번째 유형은 ⓐ정기 배송 모델인데, 월 사용료를 지불하면 칫솔, 식품 등의 생필품을 지정 주소로 정기 배송해 주는 것을 말한다. 두 번째 유형은 ⓑ무제한 이용 모델로, 정액 요금을 내고 영상이나 음원, 각종 서비스 등을 무제한 또는 정해진 횟수만큼 이용할 수 있는 모델이다. 세 번째 유형인 ⓒ장기 렌털 모델은 구매에 목돈이 들어 경제적 부담이 될 수 있는 자동차 등의 상품을 월 사용료를 지불하고 이용하는 것을 말한다.

최근 들어 구독경제가 빠르게 확산되고 있는데, 그 이유는 무엇일까? 경제학자들은 구독경제의 확산 현상을 '합리적 선택 이론'으로 설명한다. 경제 활동을 하는 소비자가 주어진 제약 속에서 자신의 효용을 최대화하려는 것을 합리적 선택이라고 하는데, 이때 효용이란 소비자가 상품을 소비함으로써 얻는 만족감을 의미한다. 소비자들이 한정된 비용으로 최대한의 만족을 얻기 위해 노력한 결과가 구독경제의 확산으로 이어졌다는 것이다. 이것은 최근의 소비자들이 상품을 소유함으로써 얻는 만족감보다는 상품을 사용함으로써 얻는 만족감을 더 중요시한다는 것을 보여 준다고 할 수 있다.

구독경제는 소비자의 입장에서 소유하기 이전에는 사용해 보지 못하는 상품을 사용해 볼 수 있다는 장점이 있다. 구독경제를 이용하면 값비싼 상품을 사용하는 데 큰 비용을 들이지 않아도 되고, 상품 구매 행위에 들이는 시간과 구매 과정에 따르는 불편함 등의 문제를 해결할 수 있다. 생산자의 입장에서는 상품을 사용하는 고객들의 정보를 수집하고, 이를 통해 개별화된 서비스를 제공하여 고객과의 관계를 지속적으로 유지할 수 있다. 또한 매월 안정적으로 매출을 올릴 수 있다는 장점도 있다.

그러나 구독경제의 확산이 경제 활동의 주체들에게 긍정적인 면만 있는 것은 아니다. 소비자의 입장에서는 구독하는 서비스가 지나치게 많아질 경우 고정 지출이 늘어나 경제적으로 부담이 될 수 있다. 생산자의 입장에서는 상품이 소비자에게 만족감을 주지 못하거나 고객과의 관계를 지속적으로 유지하지 못할 경우 구독 모델 이전에 얻었던 수익에 비해 낮은 수익을 얻는 경우도 있다. 따라서 소비자는 합리적인 소비 계획을 수립하고 생산자는 건전한 수익 모델을 연구하여 자신의 경제 활동에 도움이 되는 방향으로 구독경제를 활용할 필요가 있다.

21. 윗글의 내용과 일치하지 않는 것은?

① 생산자는 구독경제를 통해 이용 고객들에게 개별화된 서비스를 제공할 수 있다.
② 소비자는 구독경제를 이용함으로써 상품 구매 행위에 드는 시간을 줄일 수 있게 되었다.
③ 소비자는 구독경제를 통해 회원 가입 시 개인 정보를 제공해야 하는 부담을 없앨 수 있다.
④ 생산자는 구독경제를 통해 고객과의 관계를 지속적으로 유지할 경우 안정적으로 매출을 올릴 수 있다.
⑤ 한정된 비용으로 최대한의 만족을 얻으려는 소비자의 심리가 구독경제 확산에 영향을 미치게 되었다.

22. 윗글의 ㉠과 <보기>의 ㉡을 비교한 내용으로 가장 적절한 것은?

<보 기>

㉡'공유경제'는 한번 생산된 상품이나 서비스를 여럿이 공유해 사용하는 협력 소비를 통해 비용을 줄이고 소비자의 만족도를 높이는 경제 모델이다. 공유경제는 자원의 활용도를 높이고 자원의 불필요한 소비를 줄일 수 있어 친환경적이라는 평가를 받고 있다. 공유경제의 영역은 주택, 의류 등의 유형자원에서 시간, 재능 등의 무형자원으로 확장되고 있다.

① ㉠은 ㉡과 달리 여러 사람이 서비스를 공유하는군.
② ㉠은 ㉡과 달리 자원의 불필요한 소비를 줄일 수 있다는 점에서 친환경적이군.
③ ㉡은 ㉠과 달리 소비자에게 서비스를 주기적으로 제공하여 구매 비용을 줄이는군.
④ ㉠과 ㉡은 모두 유형자원보다 무형자원을 더 많이 활용하는군.
⑤ ㉠과 ㉡은 모두 소비자의 부담은 줄이면서 상품을 사용함으로써 얻는 효용에 관심을 가지는군.

23. ⓐ~ⓒ에 해당하는 사례로 적절하지 않은 것은?

① ⓐ: 매월 일정 금액을 지불하고 정수기를 사용하는 서비스
② ⓐ: 월정액을 지불하고 주 1회 집으로 식재료를 보내 주는 서비스
③ ⓑ: 월 구독료를 내고 읽고 싶은 도서를 마음껏 읽을 수 있는 스마트폰 앱
④ ⓑ: 정액 요금을 결제하고 강좌를 일정 기간 원하는 만큼 수강할 수 있는 웹사이트
⑤ ⓒ: 월 사용료를 지불하고 정해진 기간에 집에서 사용할 수 있는 의료 기기

[24~26] 다음 글을 읽고 물음에 답하시오.

전기레인지는 용기를 가열하는 방식에 따라 하이라이트 레인지와 인덕션 레인지로 나눌 수 있다. 하이라이트 레인지는 상판 자체를 가열해서 열을 발생시키는 ㉠직접 가열 방식이고, 인덕션 레인지는 상판을 가열하지 않고 전자기유도 현상을 통해 용기에 자체적으로 열을 발생시키는 ㉡유도 가열 방식이다.

하이라이트 레인지는 주로 니크롬으로 만들어진 열선을 원형으로 배치하고 열선의 열을 통해 그 위의 세라믹글라스 판을 직접 가열한다. 이렇게 발생한 열이 용기에 전달되어 음식을 조리할 수 있게 된다. 하이라이트 레인지는 비교적 다양한 소재의 용기를 쓸 수 있지만 에너지 효율이 낮아 조리 속도가 느리고 상판의 잔열로 인한 화상의 우려가 있다.

인덕션 레인지는 표면이 세라믹글라스 판으로 되어 있고 그 밑에 나선형 코일이 설치되어 있다. 전원이 켜지면 코일에 2만Hz 이상의 고주파 교류 전류가 흐르면서 그 주변으로 1초에 2만 번 이상 방향이 바뀌는 교류 자기장이 발생하게 되고, 그 위에 도체인 냄비를 놓으면 교류 자기장에 의해 냄비 바닥에는 수많은 폐회로*가 생겨나며 그 회로 속에 소용돌이 형태의 유도 전류인 맴돌이전류가 발생한다. 이때 흐르는 맴돌이전류가 냄비 소재의 저항에 부딪혀 줄열 효과*가 나타나게 되고 이에 의해 냄비에 열이 발생하게 되는데, 이때 맴돌이전류의 세기는 나선형 코일에 흐르는 전류의 세기에 비례한다.

인덕션 레인지의 가열 원리는 강자성체의 자기 이력 현상과도 관련이 있다. 일반적으로 물체는 자기장의 영향을 받으면 자석의 성질을 갖게 되는데 이것을 자화라고 하며, 자화된 물체를 자성체라고 한다. 자성체의 자화 세기는 물체에 가해 준 자기장의 세기에 비례하여 커지다가 일정값 이상으로는 더 이상 커지지 않는데, 이를 자기 포화 상태라고 한다. 이때 물체에 가해 준 자기장의 세기를 줄이면 자화의 세기도 줄어들기 시작하며, 외부의 자기장이 사라지면 자석의 성질도 사라진다. 그런데 강자성체의 경우에는 외부 자기장의 세기가 줄어들어도 자화의 세기가 상대적으로 천천히 줄어들게 되고 외부 자기장이 사라져도 어느 정도 자화된 상태를 유지하게 되는데, 이를 자기 이력 현상이라고 하며 자성체에 남아 있는 자화의 세기를 잔류 자기라고 한다. 그리고 처음에 가해 준 외부 자기장의 역방향으로 일정 세기의 자기장을 가해 주면 자화의 세기가 0이 되고, 자기장을 더 세게 가해 주면 반대쪽으로 커져 자기 포화 상태가 된다. 이러한 과정을 반복하면 자기장의 세기에 따른 자화의 세기는 일정한 곡선을 그리게 되는데 이를 자기 이력 곡선이라고 한다. 이 과정에서 자기에너지는 열에너지로 전환되어 자성체의 온도를 높이는데, 이때 발생하는 열에너지는 자기 이력 곡선의 내부 면적과 비례한다. 만약 인덕션에 사용하는 냄비의 소재가 강자성체인 경우, 자기 이력 현상으로 인해 냄비에 추가로 열이 발생하게 된다.

이러한 가열 방식 때문에 인덕션 레인지는 음식 조리에 필요한 열을 낼 수 있도록 소재의 저항이 크면서 강자성체인 용기를 사용해야 한다는 제약이 있다. 또한 고주파 전류를 사용하기 때문에 조리 시 전자파에 대한 우려도 있다. 하지만 직접 가열 방식보다 에너지 효율이 높아 순식간에 용기가 가열되기 때문에 상대적으로 빠르게 음식을 조리할 수 있다. 그리고 무엇보다 상판이 직접 가열되지 않기 때문에 발화에 의한 화재의 가능성이 매우 낮고, 뜨거운 상판에 의한 화상 등의 피해로부터 비교적 안전하다는 장점이 있다.

* 폐회로 : 전류가 흐를 수 있도록 구성된 회로.
* 줄열 효과 : 도체에 전류를 흐르게 했을 때 도체의 저항 때문에 열에너지가 증가하는 현상.

24. ㉠과 ㉡에 대한 설명으로 적절한 것은?

① ㉠은 유도 전류를 이용하여 용기를 가열한다.
② ㉡은 상판을 가열하여 그 열로 음식을 조리한다.
③ ㉠은 ㉡에 비해 상대적으로 화상의 위험이 적다.
④ ㉠은 ㉡과 달리 빠른 시간 안에 용기를 가열할 수 있다.
⑤ ㉡은 ㉠보다 사용할 수 있는 용기 소재에 제약이 많다.

25. 윗글을 바탕으로 <보기>의 '전기레인지'를 이해한 내용으로 적절하지 않은 것은?

<보 기>

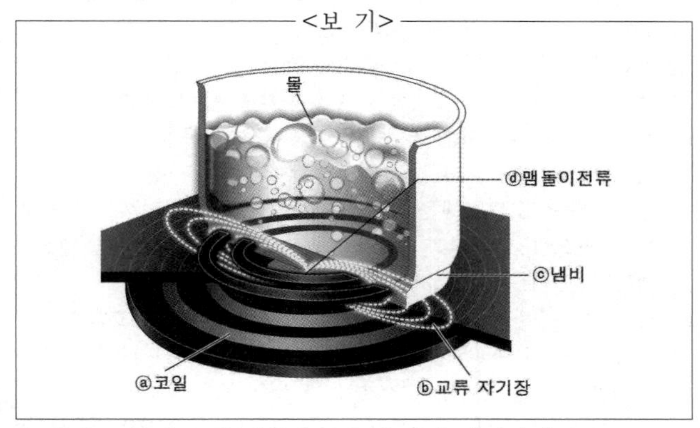

① ⓐ에 고주파 교류 전류가 흐르면 ⓑ가 만들어지는군.
② ⓑ의 영향을 받으면 ⓒ의 바닥에 ⓓ가 발생하는군.
③ ⓒ 소재의 저항이 커지면 ⓑ의 세기도 커지겠군.
④ ⓓ의 세기는 ⓐ에 흐르는 전류의 세기에 비례하겠군.
⑤ ⓓ가 흐르면 ⓒ 소재의 저항에 의해 열이 발생하는군.

26. 윗글을 바탕으로 <보기>를 이해한 내용으로 적절하지 않은 것은? [3점]

<보 기>

아래 그림은 두 물체 A, B의 자기장의 세기에 따른 자화 세기의 변화를 나타낸 자기 이력 곡선이다.

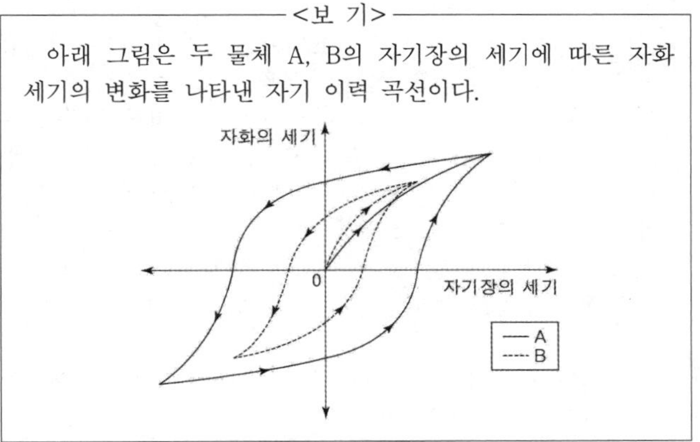

① 외부 자기장이 사라져도 자석의 성질을 지닌다는 점에서 A와 B는 모두 인덕션 레인지 용기의 소재로 적합하겠군.
② A 소재의 용기 외부에 가해지는 자기장의 세기가 커질수록 발생하는 열에너지의 크기는 계속 증가하겠군.
③ 인덕션 레인지의 전원을 차단했을 때 A 소재의 용기가 B 소재의 용기보다 잔류 자기의 세기가 더 크겠군.
④ 용기의 잔류 자기를 제거하기 위해서는 B 소재의 용기보다 A 소재의 용기에 더 큰 세기의 자기장을 가해 주어야겠군.
⑤ B 소재의 용기는 A 소재의 용기보다 자기장의 변화에 따라 발생하는 열에너지가 적겠군.

[27~30] 다음 글을 읽고 물음에 답하시오.

우리 몸에는 외부의 환경이나 미생물로부터 스스로를 지키기 위한 자기 방어 시스템이 있는데, 이를 자연치유력이라고 한다. 우리 몸은 이상이 생겼을 때 자기 진단과 자기 수정을 통해 이를 정상적으로 회복하기 위해 노력한다. 인체의 자연치유력 중 하나인 ㉠'오토파지'는 세포 안에 쌓인 불필요한 단백질과 망가진 세포 소기관*을 분해해 세포의 에너지원으로 사용하는 현상이다.

평소에는 우리 몸이 항상성*을 유지할 정도로 오토파지가 최소한으로 일어나는데, 인체가 오랫동안 영양소를 섭취하지 못하거나 해로운 균에 감염되는 등 스트레스를 받으면 활성화된다. 예를 들어 밥을 제때에 먹지 않아 영양분이 충분히 공급되지 않으면 우리 몸은 오토파지를 통해 생존에 필요한 아미노산과 에너지를 얻는다. 이외에도 몸속에 침투한 세균이나 바이러스를 오토파지를 통해 제거하기도 한다.

그렇다면 오토파지는 어떤 과정을 거쳐 일어날까? 세포 안에 불필요한 단백질과 망가진 세포 소기관이 쌓이면 세포는 세포막을 이루는 구성 성분을 이용해 이를 이중막으로 둘러싸 작은 주머니를 만든다. 이 주머니를 '오토파고솜'이라고 ⓐ부른다. 오토파고솜은 세포 안을 둥둥 떠다니다가 리소좀을 만나서 합쳐진다. '리소좀'은 단일막으로 둘러싸인 구형의 구조물로 그 속에 가수분해효소를 가지고 있어 오토파지 현상을 주도하는 역할을 한다. 오토파고솜과 리소좀이 합쳐지면 '오토파고리소좀'이 되는데 리소좀 안에 있는 가수분해효소가 오토파고솜 안에 있던 쓰레기들을 잘게 부수기 시작한다. 분해가 끝나면 막이 터지면서 막 안에 들어 있던 잘린 조각들이 쏟아져 나온다. 그리고 이 조각들은 에너지원으로 쓰이거나 다른 세포 소기관을 만드는 재료로 재활용된다.

이러한 오토파지가 정상적으로 작동하지 않으면 불필요한 단백질과 망가진 세포 소기관이 세포 안에 쌓이면서 세포 내 항상성이 무너져 노화나 질병을 초래한다. 그래서 과학자들은 여러 가지 실험을 통해 오토파지를 활성화시키는 방법을 연구하거나 오토파지를 이용해 병을 치료하는 방법을 찾고 있다. 자연치유력에는 오토파지 이외에도 '면역력', '아포토시스' 등이 있다. '면역력'은 질병으로부터 우리 몸을 지키는 방어 시스템이다. ㉡'아포토시스'는 개체를 보호하기 위해 비정상 세포, 손상된 세포, 노화된 세포가 스스로 사멸하는 과정으로 우리 몸을 건강한 상태로 유지하게 한다. 이러한 현상들을 통해 우리는 우리 몸을 지킬 수 있는 것이다.

* 세포 소기관: 세포핵, 골지체, 소포체, 리보솜, 리소좀 등의 세포 안에 들어 있는 작은 기관들.
* 항상성: 생체가 여러 가지 환경 변화에 대응하여 생명 현상이 제대로 일어날 수 있도록 일정한 상태를 유지하는 성질. 또는 그런 현상.

27. 윗글의 표제와 부제로 가장 적절한 것은?
① 세포의 재생 능력
- 리소좀의 구조와 기능을 중심으로
② 인체의 자연치유력
- 오토파지의 원리를 중심으로
③ 질병을 예방하는 방법
- 세포의 면역력을 중심으로
④ 노화를 막기 위한 방법
- 아포토시스의 원리를 중심으로
⑤ 우리 몸의 자기 면역 방어
- 오토파지를 활성화시키는 방법을 중심으로

28. 윗글을 바탕으로 <보기>를 이해한 내용으로 적절하지 않은 것은? [3점]

<보 기>

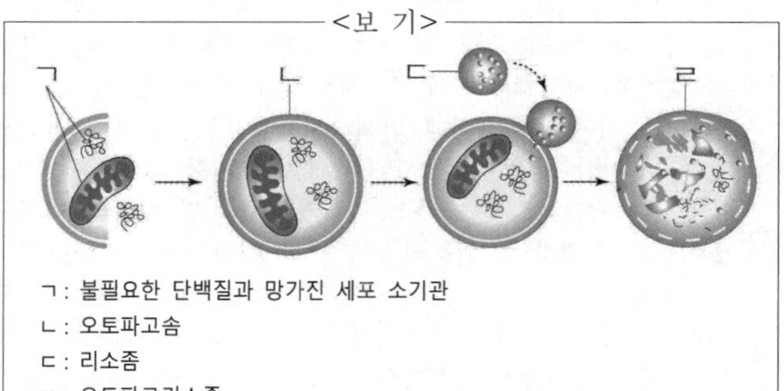

ㄱ: 불필요한 단백질과 망가진 세포 소기관
ㄴ: 오토파고솜
ㄷ: 리소좀
ㄹ: 오토파고리소좀

① 세포 안에 ㄱ이 쌓이면 오토파지가 일어나겠군.
② ㄴ은 ㄱ을 이중막으로 둘러싸 작은 주머니로 만든 것이겠군.
③ ㄴ이 ㄷ과 결합하면 ㄴ 안의 가수분해효소가 ㄱ을 잘게 분해하겠군.
④ 분해가 끝나면 막이 터지면서 ㄹ 안의 잘린 조각들이 쏟아져 나오겠군.
⑤ ㄹ에서 나온 조각들은 에너지원으로 쓰이거나 재활용되겠군.

29. ㉠과 ㉡에 대한 설명으로 가장 적절한 것은?
① ㉠은 ㉡과 달리 세포 소기관보다는 개체를 보호하기 위해 일어난다.
② ㉡은 ㉠과 달리 손상된 세포가 스스로 사멸함으로써 우리 몸의 항상성을 유지한다.
③ ㉡은 ㉠과 달리 우리 몸에 영양 공급이 부족하거나 바이러스가 침투했을 때 발생한다.
④ ㉠과 ㉡은 모두 생존에 필요한 아미노산과 에너지를 다량으로 얻기 위해 작동한다.
⑤ ㉠과 ㉡은 모두 작동 과정에서 세포가 분해되어 다른 세포 소기관을 만드는 데 활용된다.

30. 문맥상 의미가 ⓐ와 가장 가까운 것은?
① 그는 속으로 쾌재를 불렀다.
② 푸른 바다가 우리를 부른다.
③ 그 가게에서는 값을 비싸게 불렀다.
④ 도덕 기준이 없는 혼돈 상태를 아노미라고 부른다.
⑤ 그녀는 학교 앞을 지나가는 친구를 큰 소리로 불렀다.

[31~33] 다음 글을 읽고 물음에 답하시오.

(가)
백성들의 어려움이여, 백성들의 어려움이여 蒼生難蒼生難
흉년 들어 ㉠너희들은 먹을 것이 없구나 年貧爾無食
㉡나는 너희들을 구제할 마음이 있어도 我有濟爾心
너희들을 구제할 힘이 없구나 而無濟爾力
백성들의 괴로움이여, 백성들의 괴로움이여 蒼生苦蒼生苦
날이 추워 네가 이불이 없을 때 天寒爾無衾
㉢저들은 너희들을 구제할 힘이 있어도 彼有濟爾力
너희들을 구제할 마음이 없구나 而無濟爾心
원컨대, 잠시라도 소인배의 마음을 돌려서 願回小人腹
군자의 생각을 가져 보게나 暫爲君子慮
군자의 귀를 빌려 暫借君子耳
백성의 말을 들어 보게나 試聽小民語
백성은 할 말 있어도 임금은 알지 못하니 小民有語君不知
오늘 백성들은 모두 살 곳을 잃었구나 今歲蒼生皆失所
궁궐에서는 매양 백성을 걱정하는 조서 내리는데 北闕雖下憂民詔
지방 관청에 전해져서는 한갓 헛된 종이 조각 州縣傳看一虛紙
서울에서 관리를 보내 백성의 고통을 물으려 特遣京官問民瘼
역마로 날마다 삼백 리를 달려도 馹騎日馳三百里
백성들은 문턱에 나설 힘도 없어 吾民無力出門限
어느 겨를에 마음속 일을 말이나 하겠소 何暇面陳心內事
비록 한 고을에 한 서울 관리 온다고 해도 縱使一郡一京官
서울 관리는 귀가 없고 백성은 입이 없다네 京官無耳民無口
급회양* 같은 착한 관리를 불러다가 不如喚起汲淮陽
아직 죽지 않은 백성을 구해봄만 못하리라 未死孑遺猶可救

– 어무적, 「유민탄(流民歎)」 –

* 급회양: 중국 한나라 때 선정(善政)을 베푼 것으로 유명한 태수.

(나)
내 이미 **백구** 잊고 백구도 **나**를 잊네
둘이 서로 잊었으니 누군지 모르리라
언제나 해옹을 만나 이 둘을 가려낼꼬

붉은 잎 산에 가득 **빈 강**에 쓸쓸할 때
가랑비 낚시터에 낚싯대 제 맛이라
세상에 **득 찾는 무리** 어찌 알기 바라리

내 귀가 시끄러움 네 바가지 버리려믄
네 귀를 씻은 샘에 내 소는 못 먹이리*
공명은 **해진 신**이니 벗어나서 즐겨보세

옥계산 흐르는 **물** 못 이루어 **달** 띄우네
맑으면 갓끈 씻고 흐리거든 발 씻으리
어찌타 **세상 사람 청탁(淸濁)*** 있는 줄 모르는고

– 이별, 「장육당육가(藏六堂六歌)」 –

* 네 귀를~못 먹이리: 벼슬 제안을 듣고 귀가 더럽혀졌다며 영수에 귀를 씻은 허유와 그 물을 소에게도 먹이지 않으려 했다는 소부의 고사에서 차용한 것임.
* 청탁: 맑음과 흐림을 아울러 이르는 말.

31. (가)와 (나)에 대한 설명으로 가장 적절한 것은?
① (가)는 (나)와 달리 색채 대비를 통해 시적 분위기를 환기하고 있다.
② (가)는 (나)와 달리 선경후정의 방식을 통해 시상을 전개하고 있다.
③ (나)는 (가)와 달리 대구적 표현을 사용하여 시적 운율감을 형성하고 있다.
④ (가)와 (나) 모두 설의적 표현을 활용하여 시적 의미를 부각하고 있다.
⑤ (가)와 (나) 모두 자연물에 인격을 부여하여 화자의 정서를 드러내고 있다.

32. ㉠~㉢에 대한 설명으로 적절하지 않은 것은?
① ㉠은 자신들의 삶을 돌보지 않는 ㉡을 원망하고 있다.
② ㉡은 ㉠을 구제하지 못하는 것에 안타까움을 느끼고 있다.
③ ㉡은 ㉢이 군자와 같은 생각을 갖기를 바라고 있다.
④ ㉢은 ㉠의 삶을 구제할 힘을 지니고 있다.
⑤ ㉢은 ㉠이 겪고 있는 문제를 해결하지 않고 있다.

33. <보기>를 참고하여 (나)를 감상한 내용으로 적절하지 않은 것은? [3점]

<보 기>

(나)는 갑자사화로 인해 유배되었다 풀려난 작가가 옥계산에 은거하며 쓴 작품이다. 이 작품을 통해 작가는 세속적 가치를 멀리하고 자연 속에서 자연과 하나 되어 풍류를 즐기는 삶을 추구하고 있음을 보여주고 있다. 또한 옳고 그름을 분간하지 못하는 사람들을 비판하면서 분별 있는 삶의 자세에 대한 의지도 드러내고 있다.

① '백구'와 '나'가 서로 잊어 누군지 모른다는 것에서 화자가 자연과 하나가 된 삶을 살고 있음을 보여주는군.
② '빈 강'에서 쓸쓸해 하는 모습에서 유배되었다 풀려나도 '득 찾는 무리'로부터 벗어나기 어려운 화자의 현실이 드러나는군.
③ '공명'을 '해진 신'에 비유한 것에서 화자가 세속적 삶의 가치를 멀리하고 있음이 드러나는군.
④ '옥계산'에서 '물', '달'과 함께 지내는 모습에서 화자의 자연 친화적 삶의 태도가 드러나는군.
⑤ '세상 사람'을 '청탁'을 모르는 사람들로 여기는 것에서 맑고 탁함을 분간할 수 있어야 한다는 화자의 인식이 드러나는군.

[34~38] 다음 글을 읽고 물음에 답하시오.

(가)

[A]
물로 사흘 배 사흘
먼 삼천 리
더더구나 걸어 넘는 먼 삼천 리
삭주구성*은 산을 넘은 육천 리요

[B]
물 맞아 함빡히 젖은 제비도
가다가 비에 걸려 오노랍니다
저녁에는 **높은 산**
밤에 높은 산

[C]
삭주구성은 산 너머
먼 육천 리
가끔가끔 **꿈**에는 사오천 리
가다 오다 돌아오는 길이겠지요

[D]
서로 떠난 몸이길래 몸이 그리워
님을 둔 곳이길래 곳이 그리워
못 보았소 새들도 집이 그리워
남북으로 오며 가며 아니합디까

[E]
들 끝에 **날아가는 나는 구름**은
밤쯤은 어디 바로 가 있을 텐고
삭주구성은 산 너머
먼 육천 리

– 김소월, 「삭주구성(朔州龜城)」 –

* 삭주구성 : '삭주'와 '구성'은 평안북도에 있는 지역. '구성'은 김소월의 고향임.

(나)

이른 아침 차를 타고 나가 보니 아낙네들은 **얼어붙은 땅**을 파고 무씨를 갈고 있었습니다 그네들의 등에 업힌 아이들은 고개를 떨군 채 잠들어 있었습니다 남정네들은 어디 갔는지 보이지 않았습니다 ㉠ <u>논두렁</u>에 불이 타고 흰 연기가 천지를 둘렀습니다

진흙길을 따라가다 당신을 만났습니다 무릎까지 오는 장화를 신고 **당신**은 아직 물이 마르지 않은 뻘밭에서 흙투성이 연뿌리를 캐고 있었습니다

혹시 당신이 찾은 것은 연뿌리보다 질기고 빳센 **당신의 상처**가 아니었습니까 삽에 찍힌 연뿌리의 동체에서 굵다란 물관 구멍을 통해 사라진 것은 **도로(徒勞)*뿐인 한 생애**가 아니었습니까 **목청을 다해** 불러도 한사코 당신은 삽을 찍어 얼어붙은 연뿌리를 캐고 있었습니다

– 이성복, 「당신」 –

* 도로 : 헛되이 수고함. 보람 없이 애씀.

(다)

담장 위 장미가 붉은 혀를 깨물고 있다. 비누 냄새 풍기는 하수도 물이 길 따라 흘러내린다. 물소리도 길 따라 휘어지며 흘러내린다. 저녁 식사 시간 골목길은 음식 냄새들의 유원지다. 종량제 쓰레기봉투를 뜯고 있던 고양이가 도망간다. 전봇대에는 가스 배달, 중국집 전화번호 스티커가 신속히 붙는다. 한때 골목대장이었던 아이가 가장이 되어 아파트 경비하러 급히 내닫는다. 처녀가 힐끗 뒤돌아본다. 사내의 발짝 소리가 멈칫한다. 두부장수가 리어카를 세워 놓고 더 좁은 골목길로 종을 울리며 들어가자 붉은 장화를 신은 비둘기 분대가 후드득 리어카에 낙하한다. 아침 일곱 시, 더 넓은 골목길에 가 살기 위하여 직장 나가는 샐러리맨들의 발짝 소리가 발짝 소리에 밟힌다. 얼어붙은 길 위에 던진 연탄재가 부지직 소리를 낸다. 허리가 낫처럼 휜 할머니가 숨이 찬지 허리는 펴지 못하고 고개만 들고 숨을 고른다. 가로등이 켜지고 나방 그림자가 벽에 부딪친다.

(중략)

건축가 이일훈 선생의 강의를 들은 적이 있다. 강의 중 슬라이드를 보는 시간이 있었다. 고건축물에서 현대 최첨단 건축물까지 다양한 건축물 설명을 듣는 도중 느닷없이 한적한 곳에 덩그렇게 서 있는 시골 방앗간 풍경이 떴다. 이 선생은 잠깐 사이를 두더니 말을 이었다. "나는 이 방앗간을 보는 순간 눈시울이 뜨거워지고 눈물이 났습니다. 완벽한 건축물을 만났기 때문이죠. 장식이라곤 아무것도 없이 양철 지붕만 올려놓았지만, 여기 어디 버릴 게 있습니까, 부족한 게 있습니까?" 가슴이 찡했다. 나도 어느 골목길에서였던가 그 비슷한 느낌을 받아 보았기에 더 그랬을 것이다. 나도 완벽한 골목길을 만났었다. 그 골목길은 밥을 먹고 있는 방이, 변을 보고 있는 화장실이, 달팽이만한 초인종 달린 대문이 양쪽으로 잇닿아 있었다. 이 골목은 담장이 없어 길이 담장이구나. 길이 담장이 될 수 있다니! 이렇게 평화롭고 완벽한 담장이 어디 있겠는가. 이렇게 완벽한 담장을 가진 골목길에서 사람들이 살아가고 있다니. 불신의 산물로 세워지는 담장과, 함께 살아가는 똑같은 인간이라는 믿음으로 세운 이 길 담장과의 그 어마어마한 차이. 길 담장 체험 후 나는 왠지 모르게 골목길이 건강해 보이기 시작했다. 그도 그런 것이, 그도 그럴 수 있는 것이, 우리가 살고 있는 ㉡ <u>골목길</u>이 어떤 길인가!

노동을 마치고 술 취해 귀가하던 가장이, 아내와 자식새끼들 생각에 머리채를 흔들며 정신을 가다듬고 발걸음을 바로 잡던 길 아닌가. 만삭의 아낙네들이 한 손에 남편과 자식새끼들에게 먹일 시장바구니를 들고 한 손으로 허리를 짚으며 가족이 살고 있는 집을 향해 걷던 길이 아닌가. 철없는 아이들 즐겁게 뛰어 노는 웃음소리가 흘러넘치는 길이 아닌가. 밥숟가락보다도 더 우리들의 삶 때가 묻어 반질반질 윤기가 도는 길 아닌가…….

– 함민복, 「길의 열매 집을 매단 골목길이여」 –

34. (가)~(다)에 대한 설명으로 가장 적절한 것은?

① (가)와 (나)는 명사로 시행을 마무리하여 여운을 주고 있다.
② (가)와 (다)는 대비적 상황을 제시하여 주제 의식을 강조하고 있다.
③ (나)와 (다)는 반어적 표현을 통해 대상의 의미를 부각하고 있다.
④ (가)~(다)는 모두 음성 상징어를 사용하여 생동감을 부여하고 있다.
⑤ (가)~(다)는 모두 공감각적 이미지를 통해 계절감을 드러내고 있다.

35. [A]~[E]를 감상한 내용으로 적절하지 않은 것은?
① [A]에서는 '물로 사흘 배 사흘'을 통해 삭주구성이 먼 곳에 있음을 보여 주고 있군.
② [B]에서는 '높은 산'을 반복하며 삭주구성이 가기 어려운 곳임을 나타내고 있군.
③ [C]에서는 삭주구성이 더 멀어진 '꿈'속 상황을 제시하여 화자의 안타까움을 드러내고 있군.
④ [D]에서는 '님을 둔 곳이길래'를 통해 삭주구성을 그리워하는 이유를 제시하고 있군.
⑤ [E]에서는 자유롭게 '날아가는 나는 구름'을 통해 삭주구성에 가고 싶은 화자의 마음을 부각하고 있군.

36. <보기>를 바탕으로 (나)를 감상한 내용으로 적절하지 않은 것은? [3점]

<보 기>

이 작품의 화자는 노동을 하며 고단하게 살아온 사람들의 모습을 그리고 있다. 그리고 그들의 고달픈 처지와 삶의 상처를 떠올리며, 그들에 대한 연민의 정서를 드러내고 있다.

① '얼어붙은 땅'은 아낙네들이 일하는 것을 더 고단하게 한다고 볼 수 있겠군.
② 물이 마르지 않은 뻘밭에서 일하는 '당신'은 고된 노동을 하고 있는 사람으로 볼 수 있겠군.
③ 화자가 '당신의 상처'를 연뿌리보다 질기고 뻣세다고 한 것은 그들의 삶에 대한 연민을 드러낸 것으로 볼 수 있겠군.
④ '도로뿐인 한 생애'는 나아지지 않는 삶을 살아가는 사람들의 고달픈 처지를 드러냈다고 볼 수 있겠군.
⑤ 화자가 '목청을 다해' 당신을 부른 것은 삶의 상처를 위로받고 싶은 마음을 드러낸 것으로 볼 수 있겠군.

37. ㉠과 ㉡에 대한 설명으로 가장 적절한 것은?
① ㉠은 ㉡과 달리 지나온 삶에 대한 그리움의 공간이다.
② ㉠은 ㉡과 달리 실현하고 싶은 소망이 드러나는 공간이다.
③ ㉡은 ㉠과 달리 현실에 대한 부정적 인식이 드러나는 공간이다.
④ ㉠과 ㉡은 모두 생활을 이어가는 삶의 터전으로서의 공간이다.
⑤ ㉠과 ㉡은 모두 자연의 섭리에 대한 깨달음이 나타나는 공간이다.

38. 다음은 (다)에 대한 학생의 감상문이다. ⓐ~ⓔ 중, 적절하지 않은 것은?

이 글에서 ⓐ글쓴이는 골목길의 다양한 풍경과 그 안의 모습을 보여 주고 있다. ⓑ글쓴이는 시골 방앗간이 완벽한 건축물이라고 말하는 이일훈 선생의 강의에 공감하며, ⓒ자신이 만났던 완벽한 골목길을 떠올리게 되었다. ⓓ이일훈 선생의 강의는 글쓴이가 골목길에 대한 자신의 편견을 발견하고 후회하는 계기가 되었다. 그리고 ⓔ글쓴이는 골목길을 우리들의 삶 때가 묻은 길이라고 표현하며 골목길에 대한 애정을 드러내고 있다.

① ⓐ ② ⓑ ③ ⓒ ④ ⓓ ⑤ ⓔ

[39~41] 다음 글을 읽고 물음에 답하시오.

[앞부분의 줄거리] 떡볶이 가게에서 일하는 '나'는 주인 아줌마가 약속한 날짜에 임금을 주지 않자 홧김에 가게의 봉숭아 화분을 망가뜨린다. 그리고 아르바이트 경력이 많은 용우의 도움을 받아 밀린 임금을 받아 내려고 한다.

어느새 모여든 사람들에게 들으라는 듯이 아줌마가 악을 쓴다.

"대드는 게 아니고, 돈 달라고 하는 건데요."

용우도 지지 않는다. ㉠삶의 현장이 용우를 저렇게 단련시켰다. 그런데 나 이민수는 뭐란 말인가.

"자아, 그래, 돈 줄란다. 나한테 대드는 꼴은 밉지만 그래도 친구랍시고 와서 거드는 것이 가상해서 내가 돈을 주긴 준다마는……. 가만있어봐라, 아이 민수야, 니 지난번에 말도 안 하고 무단결근한 날 있었지? 그것도 하필 제일 바쁜 날에."

"말하고 빠졌는데요."

㉡그날은 학교 폭력 문제로 학원이고 알바고 어떤 이유가 있어도 학교 끝나고 모두 남으라고 담임이 오금을 박는 바람에 어쩔 수가 없었다. 우리는 그날 담임에게 기합을 받았고 나는 분명히 아줌마한테 전화를 했는데 단지 아줌마가 전화를 받지 않았을 뿐이다. ㉢그런데 이제 와서 무단결근이라니.

"무단결근 시 이틀 치 일당 제한다는 약속 안 잊었지?"

나는 그런 약속을 한 기억이 없다. 그러나,

"그리고, 망가진 화분 값은 당연히 민수 니가 물어야겠지? 자아, 그러면 얼마야, 삼천 곱하기 이십며칠……."

아줌마와의 담판은 지루했다. 용우는 삼천칠백칠십 원을 들이댔고 아줌마는 끝까지 삼천 원을 고수했다. ㉣두 사람의 대결은 팽팽했고 나는 웬일인지 너무도 피곤해서 알바비고 뭐고 다 그만두고만 싶은 마음이 간절해지기 시작했다. 나는 문득, 내가 망가뜨린 봉숭아 화분에 눈이 갔다. 화분은 깨졌지만 봉숭아는 다행히 아직 살아 있었다. 뿌리에 흙덩이를 감은 채 넘어진 봉숭아는 **천연덕스럽게 꽃을 피우고** 있었다. 나는 문득 봉숭아꽃이 참 아름답다는 생각을 했다. 봉숭아는 아름다운데 아름다운 봉숭아를 키우는 떡볶이집 아줌마는 왜 아름답지 않을까. ㉤아줌마가 원래부터 저렇게 아름답지 않은 사람이었을까? 원래부터 아름답지 않은 사람도 아름다운 꽃을 기를 수 있을까? 아줌마에게도 이 꽃처럼 아름다운 때가 있기나 했을까. 내가 한참 돈보다 꽃 생각을 하고 있는데 느닷없이 천지를 진동하는 아줌마의 울음소리가 났다.

"내가아, 내가아, 저놈의 쥐알만 한 새끼들한테 무시를 당할 만큼, 나쁜 사람이 아녀어, 근데에, 저놈의 새끼들이 나를 떡볶이집 아줌마로 보고 무시하는 거야아……. 아이고, 내가 떡볶이 팔아서 무신 부자가 되겠다고 저런 놈의 새끼들한테……. 아이고오……."

고개를 들 수가 없었다. **아줌마가 원망하는 대상이 나라는 사실**이 죽고 싶도록 괴로워서 나는 꼼짝도 할 수가 없었다. 아줌마가 애끓는 소리로 우는 것이 꼭 엄마 같아서 더 그랬다. 용우가 내 등을 탁 쳤다.

"야아, 이 아줌마 진짜 독하다. 죽어도 삼천칠백칠십으로 안 준다."

"세상에, 우리 회사 말이다. 무섭다, 무서워."

"왜?"

"듣자 하니, 노조 만든다고 짜르고 잡담한다고 짤라서들 데모를 한다네."

"그러게, 내가 그랬잖아, 그 빈자리에 엄마가 들어갔다고. 그러니, 엄마도 안심할 순 없잖아."

"내가 뭘? 나야 뭐 노조도 안 할 거고 잡담도 안 할 건데."

"그게 문제야. 노동자가 당연히 노조 하고 일하면서 말도 할 수 있는 거지, 사람이 기계야, 말도 못 하게?"

"그러다 짤리면?"

"내 말은 엄마같이 짤릴 거 무서워하는 사람들이 함부로 짤리지 않는 세상 만들어야 한다는 거지, 그러려면……."

"그러려면?"

"노동자끼리 단결해야지."

"근데, 이 기집애가 갈수록 이상한 소리 하네. 그래서 내가 짤리기라도 해봐라, 니 등록금이 나오나."

엄마와 누나는 오늘도 '엄마 회사' 이야기다.

밖에 나갔다 온 아버지에게서 술 냄새가 진동한다. 아버지가 철퍼덕 현관에 주저앉는다.

"아이고, 이놈의 세상, 먹고살기가 왜 이리 힘드냐, 당최 헐 수 있는 일이 없구나."

아버진 새로운 일거릴 끝내 못 찾은 모양이다. 잡담만 해도 일하는 사람을 쫓아내는 회사에 들어간 엄마도 왠지 불안하다. 용우가 어렵게 받아낸 돈을 꺼내 본다. 돈이 돈이 아니라 왠지 자꾸만 눈물로 보인다. 저 돈 때문에 내가 울고 아줌마가 울고 엄마가 울고 아버지가 운다. 돈 때문에 울지 않는 건 무엇일까. 아줌마네 집 가게 앞에 나둥그러진 봉숭아가 생각난다. **봉숭아는 돈 때문에 울지 않는다**. 내가 발로 차 버렸는데도 죽지도 않는다. 아, 그러고 보면 봉숭아가 이 세상에 가장 힘이 센가, 그 아름다운 꽃, 봉숭아가! 그러고 보면 아름다운 것들은 힘이 센지도 모른다. 그렇다는 것을 알게 된 것도 어쩌면 내가 아줌마네 가게에서 일을 했기 때문에, 아버지 말씀대로 **밖에서 공부를 한 덕분**이 아닐까. 이렇게 생각하니 아줌마가 그리 밉지가 않는 것이 참 이상한 일이다.

"아이고, 아무리 세상 험해도 젤 이쁜 것은 요것들이구나."

엄마는 베란다에 나가 식물들에 물을 주고 있다. 나는 돈이 든 봉투를 안방에 밀어놓고 집을 나왔다.

'아줌마 떡볶이' 집 봉숭아가 아직도 무사하길 바라며 나는 화분 가게로 갔다. 내가 아줌마네 봉숭아를 다시 화분에 심으려는 이유는, 내가 황폐해지지 않기 위해서다. 나는 아름다워서 **힘센 봉숭아**를 닮아 넘어져도 기를 쓰고 살아나리라. 나는 화분을 안고 밤바람을 가르며 떡볶이 가게로 달려갔다.

\- 공선옥, 「힘센 봉숭아」 -

39. 윗글에 대한 설명으로 적절하지 않은 것은?

① '아버지'는 새로운 일거리를 찾지 못한 것을 가족의 탓으로 돌리고 있다.
② '엄마'는 일자리를 잃을 것이 두려워 노조에 가입하는 것을 꺼려하고 있다.
③ '누나'는 노동자의 권리가 보장되는 세상을 만들어야 한다고 생각하고 있다.
④ '아줌마'는 '나'의 무단결근을 이유로 지급해야 할 임금을 줄이려 하고 있다.
⑤ '용우'는 '나'의 밀린 아르바이트 임금을 받아 내기 위해 아줌마와 맞서고 있다.

40. ㉠~㉤에 나타난 '나'의 심리로 가장 적절한 것은?

① ㉠: 삶의 현장에서 단련된 용우를 안타깝게 여기고 있다.
② ㉡: 아줌마와의 약속을 지키지 못한 것을 뉘우치고 있다.
③ ㉢: 아줌마의 일방적인 주장에 억울해 하고 있다.
④ ㉣: 아줌마와의 담판에서 진 용우에게 실망하고 있다.
⑤ ㉤: 아줌마가 원래부터 나쁜 사람이었음을 확신하고 있다.

41. <보기>를 참고하여 윗글을 감상한 내용으로 적절하지 않은 것은? [3점]

<보 기>

이 작품에서 '나'는 삶의 현장에서 돈이 우선인 세상과 사람들의 각박한 인심을 경험한다. 그러나 '나'는 '봉숭아'를 보며 위기 속에서도 생명력을 유지하는 것이 얼마나 아름다운지를 느낀다. 이를 통해 물질보다 더 중요한 가치가 있다는 것을 깨닫고 정신적 황폐함을 이겨낼 수 있다는 희망을 가지며 한층 성장하게 된다.

① '나'는 넘어진 봉숭아가 '천연덕스럽게 꽃을 피우고' 있는 것을 보며 위기 속에서도 생명력을 유지하는 것의 아름다움을 발견하고 있군.
② '나'가 '아줌마가 원망하는 대상이 나라는 사실'에 괴로워한 것은 돈이 우선인 세상에 적응하지 못하는 자신이 부끄러웠기 때문이겠군.
③ '나'는 '봉숭아는 돈 때문에 울지 않는다'는 것을 알고 물질보다 더 중요한 가치가 있다는 것을 깨닫게 되었군.
④ '나'는 '밖에서 공부를 한 덕분'에 아름다운 것들이 힘이 세다는 것을 알게 되며 성장할 수 있게 되었군.
⑤ '나'는 '힘센 봉숭아'를 닮아 정신적 황폐함을 이겨 내고 희망을 갖고 살아가야겠다고 다짐하고 있군.

[42~45] 다음 글을 읽고 물음에 답하시오.

[앞부분의 줄거리] 유연과 최월혜의 혼례 날 도적 장군이 최 씨를 납치하여 서해무릉으로 끌고 간다. 유연은 부모의 명을 거역하고 최 씨를 찾기 위해 집을 나온다.

마침내 일 년이 지났을 때 유생은 강원도 금산사에 이르렀다. 여기서 유생은 부처님에게 빌어볼 결심을 하고 머리를 깎고 중이 되었다. 이어 부처님에게 나아가 이렇게 빌었다.

[A] "소생 유연은 부모님께 근심을 끼치고 길가를 떠도는 나그네가 되었다가 이곳에 이르렀습니다. 이렇게 노상유객(路上遊客)이 되어 떠도는 이유는 잃어버린 배필을 다시 만나 끊어진 인연을 잇기 위해서입니다. 엎드려 바라건대 부처님께서는 대자대비의 은덕을 내리시어 유연의 정성을 살펴주시기 바라옵니다. 부처님의 은덕으로 최 씨를 만난다면 금은보화를 아끼지 않고 절을 중수(重修)하여 부처님에게 공양하겠습니다."

이렇게 축원하고 절 방으로 돌아와 그 밤을 지낼 때 유생이 한 꿈을 꾸었는데, 꿈속에서 부처님이 나타나 말하였다.

"너희 부부의 정성이 이미 하늘에 이르렀으니 장차 하늘의 도움이 있을 것이다. 또 네 아내는 아직 빙옥(氷玉) 같은 절행을 지키며 살아 있으니 안심하여라. 그러나 네게는 아직 인연이 멀었으니 삼 년이 지나야 만날 수 있으리라. 아내를 찾게 되거든 절을 중수하여라."

유생이 놀라 잠에서 깨어 보니 남가일몽이었다. 놀랍기도 하고 기쁘기도 하여 다시 절을 올리고 축원을 드린 뒤 유생은 금산사를 떠났다.

동구 밖에 나오자마자 유생은 곧바로 동네 아낙에게 고깔과 누비 바랑을 만들어 달라 하여 어깨에 걸쳐 메고 구절죽장(九節竹杖)을 짚고 길을 나섰는데 영락없는 스님의 행색이었다.

유생이 길을 나선 뒤 팔도강산 방방곡곡과 사해팔방으로 두루 돌아다니며 산속이든 바닷가든 아니 간 곳이 없었다. 고갯마루 남쪽이나 북쪽에 들어가든지 산골짜기에 들어가든지 집집마다 하나하나 방문하여 탐문하였으니 그가 겪은 천신만고의 고생과 세상사의 모진 고통은 말로 표현할 수 없을 정도였다.

이렇게 길거리를 전전하며 어느덧 이 년의 세월이 지난 어느 봄날이었다. 이때 유생은 장삿배를 따라 아니 간 데 없이 다녔는데, 아무리 찾아도 최 씨의 거처를 알 수 없었다. 또 기력도 다하여 겨우 근근이 머리 들 힘밖에 없었다. 이에 하늘을 우러러보며 길이 탄식하여 말하였다.

[B] "아득하고 아득한 하늘이시여! 유연과 최 씨를 낳으시고 어찌 이처럼 서로의 연분을 막으십니까? 저는 이제 조상과 부모에게 큰 죄를 지은 몸이 되었습니다. 천 가지 만 가지 일을 겪으며 고생한 것은 모두 최 씨를 만나 연분을 잇기 위함이온데, 천지신명께서는 어찌 이다지 무심하시어 끝내 조금의 도움도 주지 않으십니까?"

말을 마치고 유생은 정신이 아득해져 선창(船窓)에 기대어 쓰러지고 말았다. 이때 비몽사몽 사이에 문득 금산사 부처님이 나타나 이렇게 말하였다.

"네 수액(數厄)이 이제 거의 다 사라졌으므로 머지않아 최 씨를 만날 것이니라. 그러나 최 씨의 거처가 깊고 깊으니 신중하게 찾아야 하느니라. 이후 다시 몽조(夢兆)가 있을 것이다."

유생이 깨어나 꿈속의 일을 생각해보니 바로 최 씨를 만날 수 있다는 몽조였다. 이에 마음속으로 크게 기뻐하고 다시 기운을 차려 최 씨를 찾아 나섰다.

이때 도적 장군이 최 씨를 훔쳐온 뒤, 그녀가 옥 같은 얼굴에 선녀 같은 자태를 지녔음을 보고 만고의 절색이라 여겼다. 이에 크게 기뻐하고 즐거워하며 급히 길일을 택하여 혼례를 치르고자 하였으나, 최 씨가 송죽(松竹)처럼 꼿꼿한 마음으로 정절을 지키며 목숨을 지푸라기처럼 여겼기 때문에 만약 위력으로 핍박하다가는 아름다운 보옥이 부서지고 향기로운 꽃이 떨어지는 환란이 있을 것 같았다. 이에 장군은 다만 빨리 세월이 지나 최 씨가 체념하고 마음을 돌릴 때까지 기다리기로 하였다.

(중략)

최 씨가 서해무릉에 온 지 수삼 년이 지났으나 몸을 일으켜 연보(蓮步)를 옮김이 없었는데, 이 날은 꿈속 일에 의심이 생겨 한번 나갈 결심을 하였다. 이에 계선이 크게 기뻐하며 하인들에게 채비를 차리라고 일렀다.

계선이 이끄는 대로 따라와 나와 보니, 서쪽으로 강물이 굽돌아 흐르는 곳에 산 우물이 있었고, 그 앞에 흰 옷을 입은 여승이 바랑을 메고 대나무 막대기를 쥐고 표연히 서 있었다. 최 씨가 은근히 눈을 들어 살펴보니, 삿갓 밑에 옥 같은 얼굴을 한 여승은 다름이 아니라 바로 자신의 지아비 유연이었다.

최 씨가 보니 낯빛과 용모가 바뀌고 풍채와 신수가 초췌하여 가슴이 찢어지는 듯하였다. 더구나 이렇게 머리를 깎고 중이 되는 부끄러움도 무릅쓰고 허다한 풍상(風霜)과 천신만고의 고생을 겪은 것이 모두 자신 때문이었으니, 최 씨의 심정이 오죽하였겠는가?

아주 놀라고 무척 기뻐하며 침통해하다 가만히 생각해보니 지금이 오히려 아주 위태로운 상황이었다. 남들이 유생의 정체를 안다면 어찌 될 것인가? 생각이 여기에 미치자 몸과 마음이 어지러워 능히 진정할 수 없었으나, 옆에 계선이 있고 또 좌우의 눈과 귀가 두려워 반갑고 놀라운 기색을 억지로 참으며 어찌할 바를 몰라 하였다.

한편 유생은 온 나라를 떠돌아다녔어도 끝내 찾지 못하다가 오늘 여기서 최 씨를 만나게 되니 천만의외였다. 그때 유생은 그저 대문 밖에 앉아 좌우로 경치를 구경하고 있었는데 안으로부터 사람 소리가 아스라이 들리더니 한 소저가 아리따운 비단 옷을 입고 걸어오고 있었다. 혹시나 하여 여러 번 살펴보니 초췌해진 얼굴과 슬픔에 젖은 모습 때문에 바로 알아보기 어려웠으나 선명하고 참신하며 미려한 그 모습은 완연히 최 씨였다.

– 작자 미상, 「서해무릉기(西海武陵記)」 –

42. 윗글에 대한 설명으로 가장 적절한 것은?

① 언어유희를 통해 웃음을 유발하고 있다.
② 풍자적 서술을 통해 인물의 행위를 비판하고 있다.
③ 서술자의 개입을 통해 주관적 견해를 드러내고 있다.
④ 구체적 시대 상황을 통해 인물의 처지를 나타내고 있다.
⑤ 사건의 반전을 통해 인물 간의 갈등을 구체화하고 있다.

10회

43. <보기>를 참고하여 윗글을 이해한 내용으로 적절하지 않은 것은?

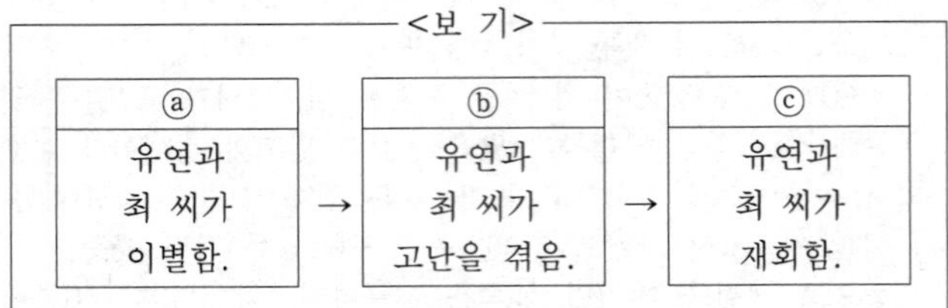

① ⓐ는 도적 장군이 최 씨를 납치한 사건으로 인한 것이군.
② ⓑ에서 유연은 ⓒ를 위해 팔도강산을 헤매게 되는군.
③ ⓑ에서 유연은 초월적 존재를 통해 ⓒ를 예상하게 되는군.
④ ⓑ에서 최 씨는 계선의 신뢰를 얻어 ⓒ를 준비하게 되는군.
⑤ ⓒ에서 최 씨는 유연의 정체가 탄로날까 봐 걱정하고 있군.

44. [A]와 [B]의 말하기 방식으로 가장 적절한 것은?
① [A]는 예상되는 부정적 결과를 경고하고 있고, [B]는 자신의 말을 들어주지 않는 상대를 비판하고 있다.
② [A]는 문제의 원인을 찾아 해결 방법을 제시하고 있고, [B]는 상황을 가정하며 자신의 요구를 드러내고 있다.
③ [A]는 조건을 내세워 자신의 입장을 밝히고 있고, [B]는 자신의 잘못을 인정하며 상대에게 용서를 구하고 있다.
④ [A]는 상대의 잘못으로 인해 겪은 어려움을 호소하고 있고, [B]는 자신의 어려움을 해결해 줄 것을 요청하고 있다.
⑤ [A]는 행동의 이유를 밝히며 원하는 바를 드러내고 있고, [B]는 자신에게 도움을 주지 않는 상대를 원망하고 있다.

45. 다음은 윗글을 읽고 문학 탐구 보고서를 쓰기 위해 작성한 계획서이다. (가)에 들어갈 내용으로 적절하지 않은 것은? [3점]

[의문]
왜 제목을 '유연전'이나 '최씨전'이라고 하지 않고 '서해무릉기'라고 했을까?

[탐구 과제 설정]
'서해무릉'이라는 장소가 지닌 의미가 중요한 것 같으니 인물별로 그 의미를 탐구해 봐야겠어.

[자료 조사]
'서해무릉'에서 등장인물들은 개인적 욕망을 꿈꾸기도 하고 시련을 겪기도 한다. 또한 애정을 지켜 나가거나 소망을 실현하기도 하며 내적으로 성숙해지기도 한다.

[탐구 결과]

(가)

① 수삼 년이 지나도록 유연과 떨어져 지낸 것을 보니 '최 씨'에게는 시련을 겪는 공간으로 볼 수 있다.
② 최 씨를 납치한 뒤 혼례하려고 한 것을 보니 '도적 장군'에게는 욕망을 드러내는 공간으로 볼 수 있다.
③ 잃어버린 배필인 최 씨와 다시 만나게 된 것을 보니 '유연'에게는 소망을 실현하는 공간으로 볼 수 있다.
④ 도적 장군으로부터 정절을 지키며 마음을 돌리지 않은 것을 보니 '최 씨'에게는 애정을 지키는 공간으로 볼 수 있다.
⑤ 유연이 최 씨의 도움으로 용맹과 지략을 갖추게 되는 것을 보니 '유연'에게는 내적으로 성숙해지는 공간으로 볼 수 있다.

＊ 확인 사항
○ 답안지의 해당란에 필요한 내용을 정확히 기입(표기)했는지 확인하시오.

국어 영역

11회 소요시간 /80분

제 1 교시

➡ 해설 P.94

[1 ~ 3] 다음은 강의의 일부이다. 물음에 답하시오.

여러분 안녕하세요? 여러분들은 연극이나 콘서트 같은 공연을 좋아하시나요? (청중의 반응을 보고) 네, 저도 여러분들처럼 아이돌 가수의 공연을 즐겨 보는 편입니다. 공연을 다채롭게 만드는 다양한 요소들이 있을 텐데요. 그중에서도 오늘은 관객과 공연자의 소통 공간인 무대에 대해 알아보겠습니다.

무대는 공연자가 공연을 하는 곳으로 공연장의 일정 부분을 비워 관객에게 잘 보이도록 설치된 공간을 말하는데, 형태에 따라 원형 무대, 프로시니엄 무대, 돌출 무대로 나눌 수 있습니다.

(사진을 보여 주며) 음악 교과서에서 본 적이 있으시죠? (청중의 대답을 듣고) 네, 매년 여름 이탈리아에서 열리고 있는 오페라 축제의 무대인 '아레나'인데요. 이것이 바로 원형 무대입니다. 원형 무대는 중앙에 원형 또는 사각형의 무대가 있고 그 둘레를 객석이 둘러싸고 있는 형태로, 사방에서 관객과 공연자가 접촉할 수 있기 때문에 규모가 큰 공연장이라 해도 관객과 공연자의 거리가 매우 가깝게 느껴집니다. 그래서 관객과 공연자가 직접적으로 소통하거나 관객의 참여를 유도하는 데에 이상적인 형태입니다. 그러나 무대 전체가 개방되어 있기 때문에 공연자가 등장할 때나 퇴장할 때 관객에게 노출될 뿐 아니라 조명을 숨기거나 다양한 무대 장치를 사용하는 데 제약이 있어서 연출에 어려움이 따릅니다.

(사진을 보여 주며) 이런 형태의 무대는 연극이나 뮤지컬 공연장에서 많이 보셨을 겁니다. 이런 무대를 프로시니엄 무대 혹은 액자 무대라고 합니다. 그런데 '프로시니엄'은 무슨 뜻일까요? (청중의 반응을 보고) 네, 아무래도 생소하게 들리실 텐데요. 프로시니엄은 '객석과 무대를 갈라놓는 뚫린 벽'을 의미합니다. 이 무대는 액자의 틀에 해당하는 프로시니엄 아치가 객석과 무대를 분리하고 있으며, 무대 양쪽에서 창고 역할을 하는 윙, 무대의 앞부분인 에이프런, 그리고 음악 연주자들을 위해 무대 앞쪽에 바닥을 낮추어 설치한 공간인 오케스트라 피트로 구성되어 있습니다. 객석에서는 프로시니엄 아치를 통해서 무대의 정면으로만 공연을 볼 수 있기 때문에 관객이 공연에 집중할 수 있으며, 연출가는 보이지 않는 곳에 설치된 다양한 무대 장치를 활용하여 장면을 화려하게 연출할 수 있습니다. 하지만 무대의 세계와 관객의 세계가 분리되기 때문에 원형 무대와 달리 관객과 공연자의 소통이 제한적입니다.

프로시니엄 무대의 단점을 보완한 형태가 돌출 무대입니다. (사진을 보여 주며) 보시다시피 무대의 에이프런 부분이 반도(半島) 모양으로 객석을 향하여 돌출되어 있고, 객석이 삼면 또는 반원형으로 무대를 둘러싸고 있는 형태입니다. 패션쇼에서 자주 볼 수 있는 무대이지요. 돌출 무대의 이러한 형태는 프로시니엄 무대에 비해 관객과 공연자의 소통을 원활하게 하며, 강한 시각적 효과를 만들어 내기 때문에 관객은 공연 후 그 느낌을 오랫동안 간직할 수 있습니다. 그렇지만 이 무대는 프로시니엄 무대에 비해 관객에게 개방되는 정도가 크기 때문에 무대 장치를 활용해 장면을 전환하는 등 화려한 연출을 시도하는 데에는 제약이 있습니다.

1. 강의자의 말하기 전략으로 적절하지 않은 것은?

① 강의 내용의 출처를 밝혀 신뢰성을 높이고 있다.
② 강의 중 질문을 하며 청중의 반응을 확인하고 있다.
③ 중심 화제의 개념을 정의하여 청중의 이해를 돕고 있다.
④ 중심 화제를 하위 개념으로 나누고 예를 들어 설명하고 있다.
⑤ 시각 자료를 활용하여 강의 내용을 효과적으로 전달하고 있다.

2. 강의 내용을 고려할 때 <보기>의 '한국 탈판'의 무대 형태로 가장 적절한 것은?

<보 기>

'한국 탈판'은 서구 근대극 무대와 달리 '객석과 무대를 갈라놓는 뚫린 벽'이 없고, 노는 자(공연자)와 보는 자(관객)가 한 호흡을 이루는 한국적 무대 형태이다. 노는 자와 보는 자가 함께 소통하기도 하고, 보는 자가 공연에 직접 참여하기도 하는 민중놀이의 놀이판인 것이다.

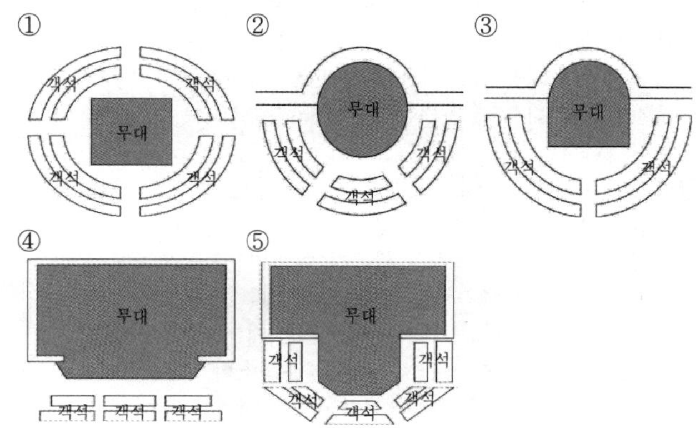

3. 다음은 학생이 강의를 들으며 떠올린 생각이다. 이를 바탕으로 학생의 듣기 활동을 이해한 내용으로 가장 적절한 것은?

지난번 우리 학생회가 주최한 축제 무대가 프로시니엄 무대였구나. 공연 기획사에서 다양한 무대 장치를 사용할 수 있는 장점이 있다고 했고, 우리도 학생들이 집중하기에 적합하다고 판단해서 그런 무대 형태로 결정했지. 그런데 학생들은 공연자와 가까이에서 소통할 수 없어서 아쉬워했어. 내년부터는 다양한 무대 장치를 사용하는 것이 다소 어렵더라도, 공연자와 학생들이 직접적으로 소통할 수 있도록 돌출 무대를 설치하는 게 좋겠어.

① 설문 자료를 바탕으로 중심 화제의 가치를 판단하고 있다.
② 강의를 통해 새롭게 알게 된 사실에 의문을 제기하고 있다.
③ 강의 내용을 구조적으로 파악하여 전체 내용을 정리하고 있다.
④ 강의 내용에 대해 자신이 이해한 것을 구체적 상황에 적용하고 있다.
⑤ 강의 내용 중에서 사실과 다른 부분에 대해 비판적으로 평가하고 있다.

11 회

[4~7] (가)는 라디오 대담이고, (나)는 (가)를 청취한 학생이 학교 신문에 실을 글의 초고이다. 물음에 답하시오.

(가)

진행자 : 폐사한 거북이의 코에서 플라스틱 빨대가 발견된 소식이 많은 사람들에게 충격을 준 이후, 플라스틱 쓰레기 문제에 대한 관심이 높아졌습니다. 오늘은 한국해양과학기술원 서○○ 연구원과 함께 플라스틱 쓰레기로 인한 해양 오염에 대해 알아보겠습니다. 반갑습니다.

연구원 : 네, 반갑습니다.

진행자 : 얼마 전에도 고래상어 뱃속에서 엄청난 양의 플라스틱 쓰레기가 나온 사건이 있었는데요. 바다에 있는 플라스틱 쓰레기양이 어느 정도인지 궁금합니다.

연구원 : 현재 전 세계 바다에 1억 6천만 톤 이상의 플라스틱이 떠 있는 상태인데 거기에 매년 약 800만 톤이 새로 유입되고 있습니다.

진행자 : 800만 톤이 워낙 큰 수치다보니 실감이 나지 않는데요.

연구원 : 1분마다 쓰레기 트럭 한 대 분량의 플라스틱이 바다에 버려지고 있다고 보시면 됩니다. 이 플라스틱 쓰레기의 대다수는 육지나 강에 아무렇게나 버려진 것으로 바람이나 물살에 쓸려 바다로 흘러 들어간 것입니다. 우리나라에서도 집중호우와 태풍으로 해마다 10만 9400톤가량의 쓰레기가 육지에서 바다로 유입되는데 이 가운데 70% 이상이 플라스틱입니다.

진행자 : 육지에 버려져 있던 쓰레기 가운데 바다로 쓸려 들어간 플라스틱의 양이 꽤 많았네요. [A]

연구원 : 집중호우와 태풍에 휩쓸려 들어가는 것 외에도 분리수거 후 저개발 국가로 수출된 플라스틱 쓰레기 중 재활용 처리 비용이 높다는 이유로 바다에 폐기되는 양이 많은 것으로 드러났고요. 도로변 미세 플라스틱, 하수처리시설 방류수에 포함된 미세 플라스틱이 일상적으로 바다에 유입되고 있습니다.

진행자 : 상황이 심각하군요. 플라스틱 쓰레기의 규모를 보니 해양 오염도 심각할 것 같은데요?

연구원 : 그렇습니다. 지난해 저희가 인근 해역의 굴, 담치, 게 등의 어패류를 채집해 내장과 배설물을 분석한 결과 139개체 중 97%에서 5㎜ 미만 크기의 미세 플라스틱이 검출되었습니다. [B]

진행자 : 그러니까 어패류 체내에 플라스틱이 쌓이고 있다는 말씀이신가요?

연구원 : 네, 현재 바다에는 여러 형태의 미세 플라스틱이 쌓여 있어 플랑크톤을 비롯한 해양 생물의 먹이가 되고 있습니다. 그 결과, 미세 플라스틱 알갱이는 물론 플라스틱에서 발생하는 유해 물질이 먹이 사슬 과정에서 농축되고 있는 상황입니다.

진행자 : 플라스틱으로 인한 해양 오염이 우리 식탁의 안전을 위협하고 있군요. 우리나라만의 문제는 아닐 텐데요. 국제적으로 함께 고민해야 할 것 같습니다.

연구원 : 네, 해양 오염을 줄이기 위한 국제 협약으로 '런던 협약 및 의정서'가 있습니다. 매년 '런던 협약 및 런던 의정서 합동 과학 그룹 회의'를 통해 해양 투기 폐기물 평가 지침을 검토하고 연구 활동을 공유하는 한편 해양 환경 보전을 위한 기술 협력 및 지원 사항을 논의하고 있습니다. 이와 같은 국제적 관심과 협력이 각국의 플라스틱 사용 규제 정책 도입으로 이어지고 있고 플라스틱의 유해성 연구, 해양 쓰레기 제거 기술 연구 또한 힘을 얻고 있습니다.

진행자 : 불행 중 다행이네요. 그렇다면 우리 청취자들이 해양 오염 개선을 위해 일상에서 실천할 수 있는 방법에는 어떤 것이 있을까요?

연구원 : 해양 오염을 개선하는 데 중요한 것은 무엇보다도 플라스틱 쓰레기양을 줄이는 것입니다. 플라스틱 제품을 하나라도 덜 쓰기를 당부 드리고, 사용 후 플라스틱은 재활용될 수 있도록 부착물을 제거하신 후 세척해서 배출해 주시기를 부탁드립니다.

진행자 : 이제 플라스틱 빨대 하나라도 덜 쓰려는 노력을 해봐야겠습니다. 오늘 말씀 잘 들었습니다.

(나)

얼마 전 라디오 방송에서, 전 세계 바다에 떠 있는 플라스틱 쓰레기양이 무려 1억 6천만 톤 이상이라는 말을 들었다. 그동안 우리는 얼마나 많은 플라스틱을 쓰고 버려왔던 것일까? 일주일간 나의 생활을 돌아보았더니, 패스트푸드점 음식, 편의점 도시락을 이용하면서 플라스틱으로 만든 용기, 뚜껑, 일회용 숟가락, 빨대를 버리고 있었으며 매일 마시고 버리는 생수병만 해도 적지 않았다.

매년 세계에서 바다로 배출하는 플라스틱 쓰레기양은 대략 800만 톤이며, 5㎜ 미만 크기의 미세 플라스틱 수는 플랑크톤 수의 180배이다. 이 가운데는 바다로 유입된 플라스틱 쓰레기가 햇빛과 파도에 부서져 생긴 것도 있고 우리가 의식하지 못한 채 바다로 흘려보낸 미세 플라스틱도 있다. 치약, 세정제의 원료로 쓰인 미세 플라스틱과 합성 섬유로 만들어진 옷을 세탁할 때마다 떨어져 나오는 미세 플라스틱 또한 방류수를 통해 바다로 흘러 들어가고 있다. 바다 속의 미세 플라스틱은 해양 생물의 먹이가 되면서 먹이 사슬 과정에서 농축되어 수산물을 섭취하는 우리의 건강에 해를 끼친다.

해양 오염 상황을 개선하기 위해서는 바다로 흘러가는 플라스틱 쓰레기양을 줄이려는 노력이 필요하다. 우선 다회용 식기를 제공하는 매장을 이용하고 개인 컵을 휴대하여 일회용 플라스틱 사용을 줄여야 한다. 또, 다른 소재가 부착되어 있거나 잔여물이 남은 플라스틱의 경우 재활용률이 낮으므로 요구르트, 컵 커피 같은 플라스틱 포장 상품을 이용할 때에는 알루미늄 뚜껑 부분을 제거한 뒤 세척해서 버릴 필요가 있다.

4. <보기>는 진행자가 (가)를 준비하면서 떠올린 생각이다. (가)에 반영되지 않은 것은?

<보 기>

㉠화제와 관련된 최근의 사례를 언급한 후, 대담의 중심 화제를 소개함으로써 청취자의 관심을 유도해야겠어. ㉡바다에 있는 플라스틱 쓰레기양의 규모도 확인하여 청취자가 문제의 심각성을 실감하도록 해야지. 그 다음, ㉢해양 오염 개선을 위한 국제 협약의 성과를 소개하도록 요청함으로써 전문적인 정보가 제공되도록 해야겠어. 대담을 끝내기 전에, ㉣청취자들이 문제 해결에 참여할 수 있는 방법에 대해 질문한 후 ㉤일상생활에서 실천할 수 있는 예를 들며 마무리해야겠어.

① ㉠ ② ㉡ ③ ㉢ ④ ㉣ ⑤ ㉤

5. [A], [B]를 이해한 내용으로 가장 적절한 것은? [3점]

① [A]: '연구원'은 구체적 수치를 활용하여 '진행자'의 동의를 구하고 있다.
② [A]: '진행자'는 '연구원'이 언급한 정보를 이용하여 이어질 내용을 예측하고 있다.
③ [A]: '연구원'은 연구 결과를 토대로 해결책을 모색하고 있다.
④ [B]: '연구원'은 외국의 통계 자료와 비교하여 우리나라의 현황을 보고하고 있다.
⑤ [B]: '진행자'는 물음의 형식을 이용하여 자신의 이해가 정확한지 확인하고 있다.

6. 다음은 (가)를 반영하여 (나)를 작성하기 위한 학생의 작문 계획이다. (나)에서 언급하지 않은 것은?

○ 대담에서 연구원이 언급한 정보를 활용하여 플라스틱 쓰레기로 인한 해양 오염 실태를 독자에게 알려야겠어. …………………… ①
○ 플라스틱 소비에 대한 개인적 경험을 활용하여 독자가 플라스틱 쓰레기에 대한 문제의식을 공유하도록 해야겠어. ……………… ②
○ 대담에서 연구원이 언급하지 않은 정보를 추가로 조사하여 생활 하수를 통해 배출되는 미세 플라스틱에 대해 독자가 구체적으로 인지하도록 해야겠어. …………………………………………………… ③
○ 대담에서 연구원이 언급한 내용에 대한 예를 들어 독자가 실천해야 할 방법을 명료하게 파악하도록 해야겠어. ……………………… ④
○ 다른 소재의 재활용률보다 플라스틱의 재활용률이 낮음을 지적하여 플라스틱 재활용률을 높일 수 있도록 독자의 참여를 유도해야겠어. ………………………………………………………… ⑤

7. 다음 선생님의 조언에 따라 (나)에 내용을 추가하고자 할 때, 가장 적절한 것은?

선생님: 독자에게 글의 의도를 효과적으로 전달하려면 마지막에 상황의 심각성을 한 번 더 언급하고, 앞서 제안했던 실천이 갖는 의의를 나타내면 좋습니다.

① 플라스틱은 생산되는 데 5초, 쓰이는 데 5분, 분해되는 데 500년이 걸리는 소재로 알려져 있다. 그런데 최근 플라스틱 쓰레기를 재활용한 신소재 연구가 진행 중이라는 반가운 소식이 들리고 있다. 플라스틱 쓰레기가 유용한 신소재로 재탄생할 날도 멀지 않았다.
② 우리나라 남해 연안의 미세 플라스틱 오염도는 세계 최고 수준으로 바닷물 $1m^3$에 평균 21만 개의 미세 플라스틱 입자가 들어 있는 것으로 확인되었다. 플라스틱 사용을 줄이고 재활용률을 높이려는 노력이 모이면 해양 환경을 위협하는 플라스틱 쓰레기가 줄어들 것이다.
③ 태평양의 동서쪽에는 한반도 면적의 7배 크기인 쓰레기 섬과 미국에서 두 번째로 큰 텍사스 주 면적의 2배 크기인 쓰레기 섬이 떠다니는데, 쓰레기 섬의 90%를 차지하는 것은 플라스틱이다. 현재의 추세라면, 2050년 무렵 바다에는 물고기보다 플라스틱이 더 많아질 것으로 전망된다.
④ 유엔환경계획은 미세 플라스틱이 체내에 쌓이면 심각한 질병을 유발할 수 있다고 경고해왔다. 치약, 화장품 생산에 쓰였던 미세 플라스틱 알갱이의 위험성이 알려지자 호두 껍데기나 코코넛 껍데기 같은 유기 물질로 원료를 바꾸는 기업의 노력이 이어지고 있어 상황이 개선될 것이다.
⑤ 미국, 멕시코, 중국 등 9개국 11개 브랜드 생수 259병을 조사한 결과 93% 제품에서 미세 플라스틱이 검출되었고, 21개국에서 판매되는 소금을 분석한 결과 90% 제품에 미세 플라스틱이 함유된 것으로 드러났다. 이처럼 우리가 버린 플라스틱이 우리의 식탁으로 돌아와 건강을 위협하고 있다.

[8～10] 다음을 읽고 물음에 답하시오.

(가) 작문 상황
- 작문 과제 : 사회 문제 중 하나를 중심 화제로 선정한 후 관련 자료를 수집하여 문제 상황에 대한 해결 방안을 제시하는 글을 신문에 투고해 보자.
- 예상 독자 : 신문 구독자들
- 글의 목적 : 항생제 오남용 예방을 위한 설득적 글쓰기
- 글의 주제 : 항생제 오남용의 실태를 알고 항생제를 올바르게 사용하기 위해 노력하자.

(나) 글의 초고

항생제는 우리 몸에 들어온 세균을 죽이거나 세균의 생장을 억제하는 물질로, 적절하게 사용하면 질병을 빠르게 치료하는 데 도움이 되고 생명 연장을 위해서도 꼭 필요한 약이다. 1928년 최초의 항생제 '페니실린'이 개발된 이후 콜레라, 결핵 등 치료가 힘들었던 질환을 항생제로 치료할 수 있게 됨으로써 인간의 평균 수명이 약 40세에서 71.4세로 연장되었다. 그러나 항생제를 오남용하면 항생제에 대한 내성이 점점 강해짐에 따라 인류가 페니실린이 발견되기 이전의 암흑시대로 되돌아갈 수 있다는 내용의 보고서가 발표되었다. '항균 내성에 대한 고찰'이라는 이 보고서에서는 세계적으로 매년 70만 명 이상이 항생제 내성균으로 사망하고 있으며 2050년에는 3초마다 1명꼴로, 매년 1,000만 명이 사망하게 될 것이라고 경고하고 있다.

내성이란 항생제에 우리 몸이 익숙해져서 더 이상 약의 효과가 없어진 상태로, 우리 몸속에 내성을 지닌 슈퍼박테리아가 생기면 질병 치료에 심각한 문제가 발생한다. 세균이 항생제에 맞서기 위해 유전자 변이를 일으켜 내성이 강력해짐으로써 사람들이 아주 사소한 상처나 가벼운 감기에도 목숨을 잃는 날이 올지도 모르기 때문이다.

그렇다면 항생제에 대한 내성이 발생하는 이유는 무엇일까? 항생제 오남용 때문이라는 의견이 지배적이다. 보건복지부 자료에 따르면 우리나라에서 항생제를 매일 복용하는 사람은 1,000명 중 31.7명으로 OECD 회원국 중 조사 대상 12개 나라 평균 23.7명보다 현저히 높다. 우리는 평소 가벼운 감기에도 항생제를 처방받는 경우가 빈번하다. 하지만 항생제는 세균을 죽일 수 있을 뿐 세포벽에 옮는 바이러스는 죽일 수 없다. 감기 같은 질환은 바이러스성 질환으로 항생제 처방 없이 체내의 면역 작용만으로도 치료가 되는 경우가 많은데 사람들은 체내에서 면역 작용이 일어나는 동안 발생하는 열이나 콧물, 가래 등을 참지 못해 병원을 찾는다. 그러면 의사들이 항생제가 포함된 감기약을 처방하기도 하는데, 이러한 일들이 반복되는 과정에서 내성이 생길 수 있다. 문제는 항생제를 오남용하면 정작 항생제가 필요한 질병에 걸렸을 때는 내성으로 인해 치료가 힘들어질 수도 있다는 것이다.

그러나 이러한 문제 때문에 항생제를 무조건 기피하는 것 또한 잘못이다. 치료를 위해서 항생제가 반드시 필요한 경우도 있기 때문이다. 항생제에 대한 편견으로 인해 증상이 호전되는 것 같다고 판단해서 임의로 복용을 중단하면, 세균이 완벽하게 사라지지 않은 상태에서 오히려 항생제에 대해 내성이 생기게 된다. 항생제를 복용하는 것 자체가 내성으로 이어지는 것이 아니라 항생제의 오남용이 내성을 만드는 것이다. 무조건적인 항생제 사용은 자제하되 항생제 복용이 필요한 경우에는 반드시 제시된 방법과 기간을 준수하여 올바른 방법으로 항생제를 사용해야 할 것이다.

8. 다음은 (나)를 쓰기 위해 떠올린 생각이다. (가)를 참고하여 ⓐ～ⓔ를 점검한 내용 중 (나)에 반영되지 않은 것은?

ⓐ 중심화제에 대해 어떻게 독자의 관심을 유도할까?
ⓑ 항생제란 무엇일까?
ⓒ 항생제를 오남용하는 실태는 어느 정도일까?
ⓓ 항생제 오남용이 문제가 되는 이유는 무엇일까?
ⓔ 항생제 오남용 방지를 위한 실천 방안은 무엇일까?

① ⓐ : 예상 독자를 고려하여 문제 상황을 알 수 있는 통계자료를 활용해야겠어.
② ⓑ : 중심 화제를 쉽게 이해할 수 있도록 항생제의 개념과 효과를 설명해야겠어.
③ ⓒ : 문제 상황을 드러내기 위해 다른 나라와 비교해서 오남용 실태를 제시해야겠어.
④ ⓓ : 글의 목적을 고려하여 항생제 오남용으로 인해 초래될 부정적 상황을 언급해야겠어.
⑤ ⓔ : 주제와의 관련성을 고려하여 개인적·사회적 차원에서의 실천 방안을 제안해야겠어.

9. (나)의 글을 신문에 실을 때, 표제와 부제로 가장 적절한 것은?

① 양날의 검, 항생제
  – 적정 사용으로 내성 예방
② 세균 생장 억제하는 항생제
  – 바이러스성 질환엔 무용
③ 예방적 차원의 항생제 처방
  – 내성률 감소로 평균 수명 연장
④ 항생제에 대한 오해와 진실
  – 유전자 변이 항생제, 면역 체계 파괴
⑤ 세균성 감염병 치료제, 항생제
  – 슈퍼박테리아 출현으로 더 큰 질병 유발

10. <보기>는 (나)를 보완하기 위해 추가로 수집한 자료이다. 자료의 활용 방안으로 적절하지 않은 것은? [3점]

<보 기>

ㄱ. 설문 자료

ㄱ-1. 항생제 사용에 대한 인식

설문 대상: 전국 만 20세 이상의 성인 남녀 1000명

항목	비율
1. 열이 날 때 집에 보관해 둔 항생제를 임의로 복용한 적이 있다.	18.5%
2. 증상이 좋아지면 처방된 항생제를 임의로 중단해도 된다.	67.5%
3. 항생제 복용이 감기 치료에 도움이 된다.	56.4%

ㄱ-2. 항생제 처방 실태

설문 대상: 자발적으로 참여한 의사 864명

항목	비율
1. 열과 기침으로 내원한 환자의 감염 원인이 세균인지 아닌지 알 수 없는 상황에서 항생제를 처방한 적이 있다.	50.1%
2. 항생제가 필요하지 않은 경우에도 항생제를 처방한 적이 있다.	43.6%

2-1. 항생제가 필요하지 않은 경우에도 항생제를 처방하는 이유

추적 관찰이 필요하나 환자가 다시 내원하지 않을 것 같아서 (5.9%)
환자에게 설명할 시간이 부족해서 (5.9%)
환자 상태가 악화될 것이 걱정되어서 (45.9%)
환자의 요구가 있어서 (42.3%)

(질병관리본부, 2017)

ㄴ. 보고서

항생제 사용 및 내성에 대한 교육이 항생제에 대한 인식 개선에 높은 효과가 있는 것으로 확인되었다. 전국 55개 학교에서 보건교사가 '올바른 항생제 사용, 건강한 대한민국'이라는 주제로 수업을 실시하고 학생들의 인식 변화를 조사하였다. 그 결과 학생들이 감기를 치료하는 데 항생제가 효과가 없다는 것과 항생제로 치료하는 중 임의로 항생제 복용을 중단해서는 안 된다는 사실을 알게 된 비율이 30% 이상씩 높아진 것으로 나타났다.

ㄷ. 전문가 인터뷰

"우리나라 국민의 항생제에 대한 내성률은 67.7%로 프랑스 20%, 영국 13.6%에 비해 현저히 높습니다. 항생제에 대한 내성률을 감소시키기 위한 대책에는 항생제 오남용 방지, 철저한 병원 감염 관리, 새로운 항생제의 개발 및 백신의 보급 등이 있습니다. 특히 항생제의 오남용은 항생제 내성 발생의 가장 중요한 위험 요인으로 알려져 있고, 항생제 사용량이 많을수록 내성률도 높습니다."

- □□□ 연구원 -

① ㄱ-1과 ㄱ-2를 활용하여 항생제를 처방하는 의사와 처방받는 환자 모두 인식 개선이 필요하다는 내용을 추가한다.
② ㄱ-2를 활용하여 의사들의 적절한 항생제 처방이 필요하다는 내용을 추가한다.
③ ㄴ을 활용하여 항생제 오남용 방지를 위한 교육이 필요하다는 내용을 추가한다.
④ ㄷ을 활용하여 항생제 사용량과 내성률의 상관관계를 바탕으로 항생제를 오남용하지 말아야 함을 강조한다.
⑤ ㄱ-2와 ㄷ을 활용하여 항생제 오남용으로 인한 문제를 개선하기 위해서는 정부의 적극적인 지원이 필요함을 추가한다.

[11~12] 다음 글을 읽고 물음에 답하시오.

서술어에 따라 완전한 문장을 이루기 위해 필요로 하는 문장 성분의 개수가 다른데, 이를 '서술어의 자릿수'라 한다.

'한 자리 서술어'는 주어만을 필요로 한다.

예 아기가 운다.

'두 자리 서술어'는 주어 외에 목적어, 보어, 필수적 부사어 중에서 하나의 문장 성분을 더 필요로 한다.

예 경찰이 도둑을 잡았다.
물이 얼음이 되었다.
아들이 아빠와 닮았다.

'세 자리 서술어'는 주어, 목적어, 필수적 부사어를 반드시 필요로 한다.

예 그녀는 그 아이를 제자로 삼았다.

위 문장에서 부사어인 '아빠와', '제자로'는 필수적 성분으로서, 생략되었을 경우 불완전한 문장이 된다. 이러한 부사어를 ㉠필수적 부사어라 한다.

한편 문장에서 사용되는 의미의 차이에 따라 그 자릿수를 달리하는 서술어도 있다.

예 ㉮ 나는 그녀를 생각한다.
㉯ 나는 그녀를 선녀로 생각한다.

㉮의 '생각하다'는 '사람이나 일 따위에 대하여 기억하다'는 뜻으로 주어와 목적어를 필요로 하는 두 자리 서술어이다. 이에 비해 ㉯의 '생각하다'는 '의견이나 느낌을 가지다'는 뜻으로 주어, 목적어, 부사어를 필요로 하는 세 자리 서술어이다.

11. <보기>는 국어사전의 일부이다. 윗글을 바탕으로 ⓐ~ⓓ를 이해한 것으로 적절한 것은?

<보 기>

듣다01 [-따] [들어, 들으니, 듣는[든-]]
「동사」
[1] 【…을】
사람이나 동물이 소리를 감각 기관을 통해 알아차리다.
¶ 나는 숲에서 새소리를 ⓐ듣는다.
[2] 【…에게 …을】
주로 윗사람에게 꾸지람을 맞거나 칭찬을 듣다.
¶ 그 아이는 누나에게 칭찬을 자주 ⓑ듣는다.
[3] 【…을 …으로】
어떤 것을 무엇으로 이해하거나 받아들이다.
¶ 그들은 고지식해서 농담을 진담으로 ⓒ듣는다.

듣다02 [-따] [들어, 들으니, 듣는[든-]]
「동사」
【…에】
눈물, 빗물 따위의 액체가 방울져 떨어지다.
¶ 차가운 빗방울이 지붕에 ⓓ듣는다.

① ⓐ는 세 자리 서술어이다.
② ⓑ는 주어와 목적어만을 필수적으로 요구하는 서술어이다.
③ ⓒ는 주어 외에 두 개의 문장 성분을 더 필요로 한다.
④ ⓐ와 ⓓ는 필요로 하는 문장 성분이 서로 같다.
⑤ ⓑ와 ⓓ는 의미에 차이가 있지만 서술어 자릿수는 같다.

12. 밑줄 친 부분이 ㉠에 해당되지 않는 것은?

① 그 아이는 매우 영리하게 생겼다.
② 승윤이는 통나무로 식탁을 만들었다.
③ 이 지역의 기후는 벼농사에 적합하다.
④ 나는 이 일을 친구와 함께 의논하겠다.
⑤ 작년에 부모님께서 나에게 큰 선물을 주셨다.

13. <보기>를 참고하여 음운 변동 사례에 대해 이해한 것으로 적절하지 않은 것은?

<보 기>

음운의 변동은 어떤 음운이 다른 음운으로 바뀌는 **교체**, 어떤 음운이 없어지는 **탈락**, 새로운 음운이 생기는 **첨가**, 두 음운이 하나의 음운으로 합쳐지는 **축약**으로 구분된다.

① '밥물[밤물]'이 발음될 때에는 'ㅂ'이 'ㅁ'의 영향을 받아 'ㅁ'으로 교체되는 현상이 일어난다.
② '광한루[광:할루]'가 발음될 때에는 'ㄴ'이 'ㄹ'의 영향을 받아 'ㄹ'로 교체되는 현상이 일어난다.
③ '좋아[조:아]'가 발음될 때에는 모음으로 시작되는 어미와 만나 'ㅎ'이 탈락하는 현상이 일어난다.
④ '색연필[생년필]'이 발음될 때에는 첨가되는 'ㄴ'으로 인해 'ㄱ'이 'ㅇ'으로 교체되는 현상이 일어난다.
⑤ '옷 한 벌[오탄벌]'이 발음될 때에는 'ㅅ'이 탈락한 후 첨가되는 'ㄷ'이 'ㅎ'과 만나 'ㅌ'으로 축약되는 현상이 일어난다.

14. 다음은 수업의 일부이다. 이를 참고할 때, 띄어쓰기가 바르게 된 문장은?

학생: 선생님, '뿐'은 앞말에 붙여 쓰는 경우도 있고 띄어 쓰는 경우도 있던데 어떻게 띄어 써야 하나요?
선생님: 품사에 따라 띄어쓰기가 달라져요. '나에게는 너뿐이야.'에서처럼 '너'라는 체언 뒤에 붙어서 한정의 뜻을 나타낼 때의 '뿐'은 조사이기 때문에 앞말에 붙여 써야 해요. 그런데 '그녀는 조용히 웃을 뿐이었다.'에서의 '뿐'은 체언을 수식하는 관형어 '웃을' 뒤에 붙어서 '따름'이라는 뜻을 나타내는 의존 명사이기 때문에 앞말과 띄어 써야 해요.
학생: '뿐'과 같이 띄어쓰기가 달라지는 예가 더 있나요?
선생님: 대표적인 예로 '대로, 만큼'이 있어요.

① 아는**대로** 모두 말하여라.
② 마음이 약해질**대로** 약해졌다.
③ 모든 것이 자기 생각 **대로** 되었다.
④ 손님들은 먹을 **만큼** 충분히 먹었다.
⑤ 그 사람은 말 **만큼**은 누구보다 앞선다.

15. 다음은 높임 표현에 대한 탐구 학습지이다. ㉮에 들어갈 내용으로 적절하지 않은 것은? [3점]

▶ 높임 표현의 종류와 실현 방식에 대해 이해하고 <보기> 문장에 나타난 높임 표현을 설명해 보자.

종류	실현 방식
상대 높임	·대화의 상대, 즉 듣는 이를 높이거나 낮춤 ·종결어미 '-습니다', '-다', '-(으)십시오', '-(아/어)라' 등을 사용
주체 높임	·서술의 주체, 즉 문장의 주어를 높임 ·선어말 어미 '-(으)시-' 결합 ·주격 조사 '께서' 사용 ·특수 어휘 '계시다', '주무시다' 등 사용
객체 높임	·서술의 객체, 즉 문장의 목적어나 부사어를 높임 ·부사격 조사 '께' 사용 ·특수 어휘 '드리다', '뵙다' 등 사용

<보 기>

㉠ 채윤아, 할아버지께 물 좀 갖다 드려라.
㉡ 선생님, 어제 부모님께서 할머니를 모시고 여행을 가자고 말씀을 하셨습니다.

㉮ ____________________

① ㉠은 종결어미 '-어라'를 사용하여 대화 상대인 '채윤'을 낮추고 있다.
② ㉠은 부사격 조사 '께'를 사용하여 서술의 객체인 '할아버지'를 높이고 있다.
③ ㉡은 특수 어휘 '말씀'을 사용하여 서술의 객체인 '할머니'를 높이고 있다.
④ ㉡은 종결어미 '-습니다'를 사용하여 대화 상대인 '선생님'을 높이고 있다.
⑤ ㉡은 주격 조사 '께서'와 선어말 어미 '-시-'를 사용하여 서술의 주체인 '부모님'을 높이고 있다.

[16~21] 다음 글을 읽고 물음에 답하시오.

식물의 생장에는 물이 필수적이다. 동물과 달리 식물은 잎에서 광합성을 통해 생장에 필요한 양분을 만들어 내는데, 물은 바로 그 원료가 된다. 물은 지구 중심으로부터 중력을 받기 때문에 높은 곳에서 낮은 곳으로 흐르지만, 식물은 지구 중심과는 반대 방향으로 자란다. 따라서 식물이 줄기 끝에 달려 있는 잎에 물을 공급하려면 중력의 반대 방향으로 물을 끌어 올려야 한다. 미국의 캘리포니아 레드우드 국립공원에는 세계에서 키가 가장 큰 세쿼이아가 있다. 이 나무는 키가 무려 112m에 이르며, 뿌리는 땅속으로 약 15m까지 뻗어 있다고 한다. 따라서 물이 뿌리에서 나무의 꼭대기에 있는 잎까지 도달하려면 127m나 끌어 올려져야 한다. 펌프 같은 장치도 보이지 않는데 대체

물이 어떻게 그 높은 곳까지 올라갈 수 있는 것일까? 식물은 어떤 힘을 이용하여 뿌리에서부터 잎까지 물을 끌어 올릴까? 식물이 물을 뿌리에서 흡수하여 잎까지 보내는 데는 뿌리압, 모세관 현상, 증산 작용으로 생긴 힘이 복합적으로 작용한다.

[A] 호박이나 수세미의 잎을 모두 ⓐ 떼어 내고 뿌리와 줄기만 남기고 자른 후 뿌리 끝을 물에 넣어 보면, 잘린 줄기 끝에서는 물이 힘차게 솟아오르지는 않지만 계속해서 올라온다. 뿌리털을 둘러싼 세포막을 경계로 안쪽은 땅에 비해 여러 가지 유기물과 무기물들이 더 많이 섞여 있어서 뿌리 바깥보다 용액의 농도가 높다. 다시 말해 뿌리털 안은 농도가 높은 반면, 흙 속에 포함되어 있는 물은 농도가 낮다. 이때 농도의 균형을 맞추기 위해 흙 속에 있는 물 분자는 뿌리털의 세포막을 거쳐 물 분자가 상대적으로 적은 뿌리 내부로 ⓑ 들어온다. 이처럼 농도가 낮은 흙 속의 물을 농도가 높은 뿌리 쪽으로 이동시키는 힘이 생기는데, 이를 뿌리압이라고 한다. 즉 뿌리압이란 뿌리에서 물이 흡수될 때 밀고 들어오는 압력으로, 물을 위로 밀어 올리는 힘이다.

물이 담긴 그릇에 가는 유리관을 ⓒ 꽂아 보면 유리관을 따라 물이 올라가는 것을 관찰할 수 있다. 이처럼 가는 관과 같은 통로를 따라 액체가 올라가거나 내려가는 것을 모세관 현상이라고 한다. 모세관 현상은 물 분자와 모세관 벽이 결합하려는 힘이 물 분자끼리 결합하려는 힘보다 더 크기 때문에 일어난다. 따라서 관이 가늘어질수록 물이 올라가는 높이가 높아진다. 식물체 안에는 뿌리에서 줄기를 거쳐 잎까지 연결된 물관이 있다. 물관은 말 그대로 물이 지나가는 통로인데, 지름이 75㎛(마이크로미터, 1㎛=0.001mm)로 너무 가늘어 눈으로는 볼 수 없다. 이처럼 식물은 물관의 지름이 매우 작기 때문에 ㉠ 모세관 현상으로 물을 밀어 올리는 힘이 생긴다.

뜨거운 햇볕이 내리쬐는 더운 여름철에는 큰 나무가 만들어 주는 그늘이 그렇게 고마울 수가 없다. 나무가 만들어 주는 그늘이 건물이 만들어 주는 그늘보다 더 시원한 이유는 무엇일까? ㉮ 나무의 잎은 물을 수증기 상태로 공기 중으로 내보내는데, 이때 물이 주위의 열을 흡수하기 때문에 나무의 그늘 아래가 건물이 만드는 그늘보다 훨씬 시원한 것이다. 식물의 잎에는 기공이라는 작은 구멍이 있다. 기공을 통해 공기가 들락날락하거나 잎의 물이 공기 중으로 증발하기도 한다. 이처럼 식물체 내의 수분이 잎의 기공을 통하여 수증기 상태로 증발하는 현상을 ㉡ 증산 작용이라고 한다. 가로 세로가 10×10cm인 잔디밭에서 1년 동안 증산하는 물의 양을 조사한 결과, 놀랍게도 55톤이나 되었다. 이는 1리터짜리 페트병 5만 5천 개 분량에 해당하는 물의 양이다. 상수리나무는 6~11월 사이에 약 9,000kg의 물을 증산하며, 키가 큰 해바라기는 맑은 여름날 하루 동안 약 1kg의 물을 증산한다.

기공의 크기는 식물의 종류에 따라 ⓓ 다른데 보통 폭이 8㎛, 길이가 16㎛ 정도밖에 되지 않는다. 크기가 1cm^{2}인 잎에는 약 5만 개나 되는 기공이 있으며, 그 대부분은 잎의 뒤쪽에 있다. 이 기공을 통해 그렇게 엄청난 양의 물이 공기 중으로 증발해 버린다. 증산 작용은 물을 식물체 밖으로 내보내는 작용으로, 뿌리에서 흡수된 물이 줄기를 거쳐 잎까지 올라가는 원동력이다. 잎의 세포에서는 물이 공기 중으로 증발하면서 아래쪽의 물 분자를 끌어 올리는 현상이 일어난다. 즉, 물 분자들은 서로 잡아당기는 힘으로써 연결되는데, 이는 물 기둥을 형성하는 것과 같다. 사슬처럼 연결된 물 기둥의 한쪽 끝을 ⓔ 이루는 물 분자가 잎의 기공을 통해 빠져 나가면 아래쪽 물 분자가 끌어 올려지는 것이다. 증산 작용에 의한 힘은 잡아당기는 힘으로 식물이 물을 끌어 올리는 요인 중 가장 큰 힘이다.

16. 윗글의 내용과 일치하지 않는 것은?

① 식물의 종류에 따라 기공의 크기가 다르다.
② 식물의 뿌리압은 중력과 동일한 방향으로 작용한다.
③ 식물이 광합성 작용을 하기 위해서는 반드시 물이 필요하다.
④ 뿌리에서 잎까지 물 분자들은 사슬처럼 서로 연결되어 있다.
⑤ 물관 내에서 물 분자와 모세관 벽이 결합하려는 힘으로 물이 위로 이동한다.

17. [A]와 <보기>를 이해한 것으로 적절하지 않은 것은? [3점]

<보 기>

삼투 현상이란 용액의 농도가 낮은 곳에서 높은 곳으로 선택적 투과성 막을 통해 물이 이동하는 현상이다. 이때 물이 이동하는 힘을 삼투압이라 하며, 이 힘은 용액의 농도에 따라 비례한다. 삼투 현상의 예로 배추를 소금물에 담그면 소금 입자는 이동하지 못하고 배추에 있는 물이 소금물 쪽으로 이동하여 배추가 절여지는 것을 들 수 있다.

① 뿌리털을 둘러싼 세포막은 선택적 투과성 막 역할을 한다.
② 소금물에 소금을 추가하면 배추에서 빠져 나오는 물이 이동하는 힘이 커진다.
③ 선택적 투과성 막을 흙 속의 물 분자는 통과할 수 있지만 소금 입자는 통과할 수 없다.
④ 흙 속의 물과 배추의 물이 이동하면 뿌리털 안의 용액과 소금물의 농도가 높아진다.
⑤ 뿌리가 흙 속의 물을 흡수하는 것과 배추에서 물이 빠져 나오는 것은 용액의 농도 차이 때문에 발생한다.

18. ㉠과 ㉡에 대한 설명으로 적절하지 않은 것은?

① ㉠은 관의 지름에 따라 물이 올라가는 높이가 달라진다.
② ㉡이 일어나면 물이 식물체 내에서 빠져 나와 주변의 온도를 낮춘다.
③ ㉠에 의해서는 물의 상태가 바뀌지 않고, ㉡에 의해서는 물의 상태가 바뀐다.
④ ㉠으로 물을 위로 밀어 올리는 힘이, ㉡으로 물을 위에서 잡아당기는 힘이 생긴다.
⑤ ㉠에 의해 식물이 물을 밀어 올리는 힘보다 ㉡에 의해 식물이 물을 끌어 올리는 힘이 더 작다.

11회

19. ㉮와 같은 현상이 일어나는 예로 적절한 것은?

① 피부에 알코올 솜을 문지를 때
② 주머니 난로의 액체가 하얗게 굳어갈 때
③ 음식물을 공기 중에 오래 두어 부패될 때
④ 이누이트 족이 얼음집 안에 물을 뿌릴 때
⑤ 폭죽에 들어있는 화약이 터져 불꽃이 발생할 때

20. 학생이 <보기>와 같은 실험을 하였다. 윗글을 바탕으로 <보기>에 대한 반응으로 적절한 것은?

<보 기>

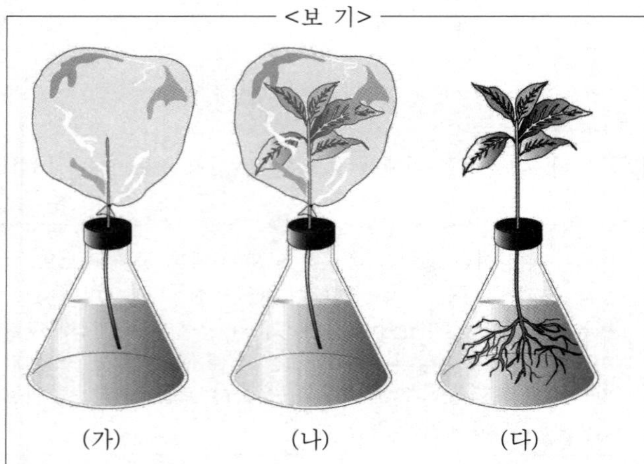

크기와 종류가 같은 식물 셋을 (가)는 줄기만, (나)는 줄기와 잎만을 남겨 비닐을 씌운다. (다)는 뿌리, 줄기, 잎을 그대로 둔다. 셋을 물에 담아 햇빛 등이 동일한 조건에서 변화를 관찰하였다.

① (가)보다 (나)의 비닐 안쪽 면에 물방울이 덜 맺힐 것이다.
② (가)의 용기에 담긴 물이 (나), (다)의 용기에 담긴 물보다 더 많이 줄어들 것이다.
③ (나)에서는 한 가지 힘이, (다)에서는 두 가지 힘이 작용하여 물이 이동한다.
④ (가), (나), (다) 모두 물 분자들이 연결된 물 기둥이 형성될 것이다.
⑤ (가), (나), (다) 모두 공기가 식물 내부로 출입하는 현상이 일어나지 않는다.

21. 문맥상 ⓐ~ⓔ와 바꿔 쓰기에 가장 적절한 것은?

① ⓐ: 삭제(削除)하고
② ⓑ: 투입(投入)된다
③ ⓒ: 부착(附着)하면
④ ⓓ: 상이(相異)한데
⑤ ⓔ: 조성(造成)하는

[22~26] 다음 글을 읽고 물음에 답하시오.

현대 산업 사회에서는 주로 대량 생산이 이루어지기 때문에 그 과정에서 결함 상품이 발생하고, 이에 따라 소비자의 피해도 발생한다. 이런 경우 피해를 입은 소비자가 구제를 받기 위해서는 제조물의 제조 과정에서 제조자의 과실이 있었고 그 과실에 따른 결함으로 피해가 발생하였음을 입증하여야 하는데 그것은 상당히 어렵다. 이에 소비자가 쉽게 피해 구제를 받을 수 있도록 하기 위해 제조물 책임법을 제정하여 시행하고 있다.

㉮ 제조물 책임법은 제조업자에게 고의나 과실이 없더라도 제조물의 결함으로 인해 생명·신체·재산상의 손해를 입은 사람에 대하여 제조업자가 손해 배상 책임을 지도록 하는 법률이다. 이 법이 적용되는 ⓐ 제조물과 ⓑ 제조업자의 범위를 살펴보면, 제조물은 공산품, 가공 식품 등의 제조 또는 가공된 물품을 의미하는 것으로, 일상생활에서 사용하고 있는 거의 모든 물품이 포함된다. 또한 중고품, 폐기물, 부품, 원재료도 적용 대상이 된다. 그러나 미가공 농수축산물 등은 원칙적으로 제조물의 범위에서 제외되는데, 농수축산물 등 일차 농산품에까지 확대할 경우 농업인 등이 쉽게 소송의 대상이 될 뿐만 아니라 연대 책임 조항에 의하여 유통업자와 가공업자의 과실에 대해서도 불공정하게 책임을 질 우려가 있기 때문이다. 그리고 손해 배상의 책임 주체인 제조업자에는 부품 또는 완성품의 제조업자, 제조물 수입을 업(業)으로 하는 자, 자신을 제조자 혹은 수입업자로 표시한 자가 포함된다. 제조업자를 알 수 없는 경우에는 제조물의 공급업자도 해당된다.

제조물 책임은 제조물에 결함이 존재하는가 여부에 의해 결정되는데, 결함의 유형에는 제조상의 결함, 설계상의 결함, 표시상의 결함이 있다. 제조상의 결함은 제조업자가 제조 또는 가공상의 주의 의무를 이행하였음에도 불구하고 제조물이 원래 의도한 설계와 다르게 제조 또는 가공됨으로써 안전하지 못하게 된 경우이며, 설계상의 결함은 제조업자가 소비자를 고려하여 합리적으로 설계했다면 피해나 위험을 줄이거나 피할 수 있었음에도 그렇게 하지 않아 제조물이 안전하지 못하게 된 경우를 말한다. 표시상의 결함은 제조업자가 합리적인 설명·지시·경고 또는 그밖의 표시를 하였더라면 해당 제조물에 의하여 발생할 수 있는 피해나 위험을 줄이거나 피할 수 있었음에도 이를 표시하지 않은 경우를 말한다.

그런데 피해자가 제조업자에게 손해 배상을 청구하려면 원칙적으로 제조물의 결함 사실과 손해 발생의 사실, 그리고 제조물의 결함과 손해 발생의 인과 관계를 입증해야 한다. 하지만 소비자의 입장에서 이를 입증하는 것은 쉽지 않다. 그래서 제조물 책임법은 소비자가 제조물을 통상적인 방법으로 사용하다가 사고가 발생했다는 사실만 입증하면 해당 제조물 자체에 결함이 있었고 그 결함으로 인하여 피해가 발생한 것으로 추정하도록 하고 있다.

한편 제조물의 결함으로 손해가 발생한 경우에 제조업자는 다음 중 어느 하나를 입증하면 손해 배상 책임을 면할 수 있다. 첫째, 제조업자가 해당 제조물을 공급하지 아니한 사실, 둘째, 제조업자가 해당 제조물을 공급한 때의 과학·기술 수준으로는 결함의 존재를 발견할 수 없었다는 사실, 셋째, 제조업자가 해당 제조물을 공급할 당시의 법령이 정하는 기준을 준수함으로써 제조물의 결함이 발생한 사실 등이다. 그밖에 원재료 또는 부품 제조업자의 경우에는 해당 원재료 또는 부품을 사용한 제조물 제조업자의 설계 또는 제작에 관한 지시로 인하여 결함이 발생하였다는 사실을 입증하면 책임을 지지 않아도 된다. 그러나 면책 사유에 해당하더라도 제조업자가 제조물의 결함을 ㉠ 알면서도 적절한 피해 예방 조치를 하지 않은 경우, 또는 주의를 기울였다면 충분히 알 수 있었을 결함을 발견하지 못한 경우에는 책임을 피할 수 없다.

제조물 책임법에 따른 제조업자의 배상 의무는 피해자의 생명·신체 또는 재산상의 손해에 대한 것으로 한정되고, 결함이 있는 제조물 자체는 민법에 따라 유통업자나 판매업자에게 구제받아야 한다. 예컨대, 결함이 있는 녹즙기로 인하여 손을 다쳤을 경우, 치료비는 제조업자에게 배상받고 불량품인 녹즙기는 판매업자에게 환불받을 수 있다.

22. 윗글을 읽고 해결할 수 있는 질문으로 적절한 것을 <보기>에서 고른 것은?

<보 기>

ㄱ. 제조물 책임법이 제정된 배경은 무엇인가?
ㄴ. 제조물의 결함을 해결할 수 있는 방안은 무엇인가?
ㄷ. 제조물 책임법이 적용되는 제조물과 제조업자의 범위는 어디까지인가?
ㄹ. 제조물 책임법상 피해자가 손해 배상을 청구할 수 있는 기한은 언제까지인가?

① ㄱ, ㄴ ② ㄱ, ㄷ ③ ㄴ, ㄷ
④ ㄴ, ㄹ ⑤ ㄷ, ㄹ

23. 윗글을 바탕으로 <보기>의 사례를 이해한 반응으로 적절하지 않은 것은?

<보 기>

(가) A는 안심 버튼이 있어 사용 중 넘어져도 뜨거운 물이 쏟아지지 않는다는 광고를 보고 B사의 전기 주전자를 C마트에서 구입하였다. 그러나 물을 끓이던 도중 B사의 전기 주전자가 넘어져 쏟아진 물에 생후 8개월 된 A의 딸이 양팔에 2~3도의 화상을 입었다. 한국소비자원의 조사 결과 주전자의 개폐 버튼 부분이 잘못 결합되어 물이 새는 결함이 발견되었다.

(나) D가 E사의 승용차 탈취제를 구입하여 사용 설명서에 따라 에어컨 통풍구에 분사하던 중 승용차에 화재가 발생하였다. 제품 사용 설명서에는 탈취제가 LP가스를 포함하고 있어 화재가 발생할 위험이 있다는 문구가 없었다. 조사 결과 탈취제의 LP가스가 화재의 원인으로 밝혀졌다.

① A가 B사에 책임을 물으려면 전기 주전자를 통상적으로 사용했음을 입증해야겠군.
② A는 B사로부터 전기 주전자에 대해 환불을 받을 수 있겠군.
③ B사는 제조상의 결함을 지닌 제품을 생산했군.
④ D는 승용차 화재로 인해 발생한 피해에 대해 E사에 손해 배상을 청구할 수 있겠군.
⑤ E사가 제조한 승용차 탈취제는 표시상의 결함을 지녔군.

24. ㉮와 <보기>의 ㉯를 비교한 것으로 적절하지 않은 것은? [3점]

<보 기>

㉯ 리콜제도는 소비자의 생명·신체 및 재산상에 위해를 끼치거나 끼칠 우려가 있는 제품 결함이 발견된 경우, 제조업자 스스로 또는 정부의 강제 명령에 의해 제품의 결함 내용을 소비자에게 알리고 제품 전체를 대상으로 수거·파기 및 수리·교환·환급 등의 적절한 시정 조치를 취함으로써 결함 제품으로 인한 위해 확산을 방지하고자 하는 소비자 보호 제도이다.

소비자의 입장에서 보면 결함 제품에 의한 피해의 확산을 방지하여 안전한 소비 생활을 영위할 수 있도록 하며, 기업의 입장에서 보면 안전사고를 미연에 방지함으로써 소비자 피해에 대한 손해 배상의 부담을 줄일 수 있다.

① ㉮가 사후 피해 구제에 중점을 두고 있다면, ㉯는 결함 제품에 의한 피해 확산 방지에 중점을 두고 있다.
② ㉮는 결함 제품으로 인한 소비자 피해 사실에 대해, ㉯는 결함 제품에 대해 책임을 지는 제도이다.
③ ㉮와 달리 ㉯는 제품 결함이 발견된 경우 소비자에게 결함 내용을 알리는 제도이다.
④ ㉯와 달리 ㉮는 소비자의 요청이 있어야만 이행된다.
⑤ ㉮와 ㉯는 모두 제조물의 결함으로 인한 소비자의 손해 발생을 필수 조건으로 하고 있다.

25. ⓐ와 ⓑ에 대한 이해로 적절하지 않은 것은?

① 화장품, 건전지와 달리 고등어는 ⓐ에 포함되지 않는다.
② 중고 자동차는 ⓐ에 포함되며, 이를 수입하는 자는 ⓑ에 해당된다.
③ 복숭아 통조림은 ⓐ에 포함되고, 이를 제조한 자와 복숭아를 생산한 자 모두 ⓑ에 해당된다.
④ 자동차 부품의 결함으로 자동차가 고장이 났다면 자동차 부품을 만든 자는 ⓑ에 해당되므로 손해 배상의 책임이 있다.
⑤ 전자 제품에 결함이 발생했지만 제품을 공급했을 당시의 기술 수준으로는 발견할 수 없었던 결함이라면 ⓑ는 손해 배상에 대한 면책 요건을 갖추고 있다.

26. 문맥상 의미가 ㉠과 가장 가까운 것은?

① 이 문제는 당신이 알아서 처리해야 한다.
② 밖으로 나와서야 날씨가 추운 것을 알았다.
③ 그녀는 차는 없었지만 운전을 할 줄 알았다.
④ 그 사람은 공부만 알지 세상 물정을 통 모른다.
⑤ 그녀는 그의 사랑 고백을 농담으로 알고 지나쳤다.

[27~29] 다음 글을 읽고 물음에 답하시오.

희망

훗날 문성현이 어른이 되어서 자신의 기억을 더듬어 올라갔을 때, 가장 어린 날의 광경은 막냇동생 승현의 돌날이었으니 그가 여덟 살이 되었을 때였다. 그때 그는 방안에 혼자 누워 있었다. 힘겹게 주위를 둘러보았다. 아무도 곁에 없었다. 얼마나 울어젖혔는지 목이 잔뜩 쉬어 있었다. 사람들은 모두 문 저쪽에 모여들 떠들고 있었다.

뭘 잡나 보자구. 돈을 잡아 재벌이 되려나, 책을 잡아 학자가 되려나.

잡는다, 잡아… 앗따따 활이다 활! 큰 장군이 될라. 좋지 좋아.

사람들의 웃음소리가 왁자하게 들려 왔다. 성현은 계속하여 울려고 했다. 그런데 갑자기 울 수가 없었다. 여느 때 같으면 그는 누군가가 나타날 때까지 마구 몸부림을 치며 울었을 것이다. 아무도 자신처럼 볃정대며 울지 않는다는 것을 그는 그 순간에 깨달았던 것이다. 자신은 다른 이와 너무나 달랐다. 다른 사람들은 말을 사용했다. 그러나 그는 그렇지 못했다. 불편할 때나 화가 날 때나 무언가 마음대로 되지 않을 때 그는 마구 고함을 지르며 울어젖혔던 것이다.

그날부터 그는 죽은 듯이 조용해졌다. 절대로 울지 않았다. 불가피한 경우를 제외하고는 소리도 지르지 않았다. 그는 말을 잘 하지 못했다. 말을 하려 해도 입이 따라 주지 않았다. 답답했다. 그러나 다시는 고함치며 울지 않았다. 자신의 울음소리는 그 누구에게보다도 스스로에게 너무나 끔찍하고 지겨웠다. 그는 벙어리처럼 행동했다. 배가 고파도, 대소변으로 아랫도리를 적셔도 그는 짜증을 내거나 화내지 않았다. 다른 이가 방에 들어올 때까지 그는 다만 참고 견뎌 내었다. 그때부터 그는 슬펐다. ㉠ <u>울음을 몸 밖으로 터뜨리지 않으니 몸 안에 눈물이 고였다.</u>

조용해지고 나니 마음이 안정되었다. 마음이 안정되고 나니 그는 자신의 고개가 필요 없이 마구 흔들림을 깨닫게 되었다. 오른쪽으로 조금 튼다고 하는 것이 어느새 고개는 어깨 너머까지 돌아갔다. 다시 똑바로 하려고 하면 이번에는 왼쪽으로 홱 돌아가 버렸다. 그는 조금씩 요령을 터득해갔다. 무엇보다도 침착해야 했다. 마음의 안정이 필요했다. 천천히, 아주 천천히. 팔다리 역시 마찬가지였다. 펴지지 않는 손가락, 발가락이야 어쩔 수 없는 노릇이었지만 마음만 푸근히 진정하고 나면 남이 민망할 정도로 사지가 꼬이지는 않았다. 그리고 그는 입을 다물었다. 체머리를 흔들면서 헤벌어진 입으로 침을 흘리는 것이 얼마나 흉한지 거울에 비친 자신을 보고 그는 깜짝 놀랐다. 그때부터 그는 참으로 슬펐다. 벌어진 입을 다물고 나니 가슴으로 드는 헛헛한 바람을 내쏟을 방법이 없었다.

훗날 문성현이 어른이 되어서까지 그의 이부자리 밑에 간직하고 있었던 장난감 [활]은 바로 막냇동생 승현의 돌상에 돌잡이로 올렸던 것이었다. 대나무를 별러 노끈으로 묶은 그것은 그의 어린 시절 희망의 상징이었다. 일부러 누가 그에게 가져다준 것은 아니었다. 방구석에 활이 놓여 있는 것을 보고 그가 몸을 뒤치어 자신의 요 밑에 집어 넣었던 것이다. 우현의 나이가 여섯 살이었으니 아마도 어른들을 피해 성현이 있는 건넌방에 가지고 와서 놀다가 무심코 놓고 간 것이 분명했다.

앗따따 활이다 활! 큰 장군이 될라. 그 작고 조잡한 활에는 누군가의 목소리가 묻어 있었다. 그는 몇 번이고 되풀이했다. 하아, 하, 화, 화아아알. 화아알. 활.

조용해지고부터, 체머리를 흔들지 않고부터, 입을 다물고부터 그는 [텔레비전]을 보기 시작했다. 그 속에 산과 들, 밀림이 있었다. 몸집이 큰 코끼리, 기린, 갖가지 색깔의 크고 작은 새들이 있었다. 현미경으로나 보일 만한 조그만 나비, 개구리알도 있었다. 먼 나라에는 이상한 풍습을 가진 이상한 사람들이 있었다. 세상은 볼수록 흥미진진한 것들로 가득 차 있었다. 다른 이처럼 앉지도 서지도 걸어다닐 수도 없는 그에게는 텔레비전을 통해 보는 다른 이들의 삶이 한편으로는 가슴 떨리는 열망이었으나 또 한편으로는 부서뜨리고 싶은 안타까움이기도 했다.

그래도 어린 그에게는 희망이 있었다. 다른 이와 결코 같을 수는 없지만, 너무나 더디고 서투르기는 했지만 그는 조금씩 달라지고 있었다. 번버듬한 채로 자라는 그의 몸피, 그는 그때 고작 십대였던 것이다. 힘겹기 짝이 없었지만 그는 텔레비전으로 기어가 자신이 보고 싶을 때 그것을 켤 수 있게 되었다. 그리고 라디오를 켜고 끌 줄 알게 되었다. 선풍기도 작동할 수 있게 되었다. 그 후, 그는 무엇보다도 중요한 결심을 하게 되었다. 혼자 앉는 법을 익히기로 결심했던 것이다.

노력해서 안 되는 일이란 없다고 그는 뇌까렸다. 가슴속에 희망을 품은, 한창 자라고 있는 십대의 사내아이에게는 스스로 앉는 연습이란 단지 모든 것의 시작에 불과했다. 자유롭게 앉을 수 있게 된 후에는 서는 연습을 할 계획이었다. 두 다리로 선 후에는 조심조심 발을 떼고, 그리고 걷고, 뛸 예정이었다. 개켜놓은 옷처럼 축 처진 자신의 아랫도리가 풍선처럼 부풀어, ㉡ <u>머지않아 그는 다른 아이들처럼 거리를 활보할 것이며 신이 나면 춤이라도 멋지게 추어댈 참이었다.</u> 그리고… 말을 타고 들판을 가로질러 활시위를 당길 생각이었다. 까마득히 보이는 들판 끝 과녁에 예리한 화살을 날리면 쏘는 것마다 명중, 명중. 앗따따 활이다 활! 큰 장군이 될라. 그는 조용히 입을 떼었다. 하아, 하, 화, 화아아알. 화아알. 활.

<중략>

두 달이 지난 어느 날, 그는 드디어 혼자 앉기에 성공했다. 두 번째로 혼자 앉은 것은 그때로부터 보름이 지난 어느 저녁 때의 일이었다. 그는 요령을 터득해 갔다. 재빨리 상체를 들어 올리면서 반동을 이용하는 방법이었다. 그가 제대로 앉는 데에는 적어도 5분 이상의 시간이 소요되었다. 그는 시간을 줄이기 위해, 익숙하게 앉기 위해 연습에 연습을 계속했다. 그가 앉는 연습을 한 건넛방 벽은 꼴이 말이 아니었다. ㉢ <u>아쉬운 대로 덧붙인 도배지가 2, 3일이면 흙과 함께 떨어져 나갔다.</u> 벽 속의 외얽이가 허옇게 드러나는 참이었다. 어머니가 환히 웃으셨다.

㉣ <u>"그래 성현아. 그깟 흙벽 뻥 뚫어 버려라."</u>

혼자 앉는 법을 익히고 나니 휠체어에 앉는 것도 훨씬 편했다. 누구보다도 신이 나신 분이 아버지였다. 주말이 되면 아버지는 성현을 휠체어에 태워 골목 밖으로 데려 나갔다. 수많은 사람들, 차들, 상점들. 아버지가 들뜬 목소리로 그에게 물었다.

"성현아, 힘드냐? 안 힘들지? 하나도 안 힘들지?"

물론. ㉤ <u>하나도 힘이 들지 않았다. 힘들다니. 더 힘든 고난이, 더더욱 힘든 고난이 한꺼번에 몰려온다 해도 그는 절대로 힘들 수가 없었다.</u> 그는 이제 곧 다른 사람들처럼 서고 걷고 달릴 참이었다. 아버지는 끝없이 휠체어를 밀었다. 까짓 보도블록으로 포장된 모든 길, 이참에 다 걸어낼 참이었다.

– 윤영수, 「착한 사람 문성현」 –

27. 윗글에서 알 수 있는 내용으로 적절한 것은?

① 사람들은 문성현에게 훗날 큰 장군이 될 것이라고 덕담을 해 주었다.
② 우현은 형 문성현을 위해 자신의 활을 부모 몰래 형의 방에 갖다 주었다.
③ 승현의 돌날은 문성현이 다른 사람과의 차이를 인식하는 계기가 되는 날이었다.
④ 문성현은 자신의 최종 목표를 혼자 스스로 앉는 것에 두고 연습을 했다.
⑤ 문성현은 거울을 보며 남과 다른 자신의 모습을 긍정적으로 받아들였다.

28. 활과 텔레비전에 대한 이해로 적절하지 않은 것은?

① '활'은 문성현이 미래 자신의 모습에 대해 기대와 희망을 품게 한다.
② '텔레비전'은 문성현과 외부 세계를 이어주는 매개체 역할을 한다.
③ '활'은 '텔레비전'과 달리 문성현과 그의 동생 우현이 정서적 유대감을 갖게 한다.
④ '텔레비전'은 '활'과 달리 문성현에게 복합적인 감정을 유발한다.
⑤ '활'과 '텔레비전'은 모두 문성현이 자신의 장애를 극복하고자 노력하게 되는 동기를 부여한다.

29. <보기>를 참고하여 ㉠ ~ ㉤을 감상한 내용으로 적절하지 않은 것은? [3점]

<보 기>

「착한 사람 문성현」은 뇌성 마비를 앓는 주인공의 삶을 탄생, 희망, 혼란, 평온, 분노, 살아 있음 등 6개의 소제목으로 나눠 그린 작품이다. 끊임없는 시련 속에서도 자신의 한계를 극복하기 위해 노력하는 주인공과 이를 따뜻하게 감싸주는 집안사람들의 모습을 통해 삶의 존엄성과 희망의 의미를 감동적으로 그리고 있다. 또한 이 작품은 전지적 작가 시점이지만 주인공의 입장에 초점을 맞춘 서술과 객관적인 사실 전달을 통해 독자들로 하여금 스스로 삶의 의미를 성찰하게 하고 있다.

① ㉠은 자신이 남과 다르다는 사실에 대한 슬픔을 밖으로 드러내고 싶지 않은 주인공의 상황을 객관적으로 전달하고 있군.
② ㉡은 다른 아이들처럼 행동할 수 있으리라는 주인공의 바람으로, 소제목 '희망'의 의미를 구체적으로 보여 주고 있군.
③ ㉢은 자신의 신체적 한계를 이기기 위해 끊임없이 노력한 주인공이 남긴 흔적을 보여 주고 있군.
④ ㉣은 장애를 극복하려고 애쓰는 주인공을 따뜻하게 감싸주고 격려하려는 어머니의 모성애를 담고 있군.
⑤ ㉤은 주인공에게 닥친 고난에 대한 인식을 주인공의 입장에 초점을 맞추어 서술함으로써 독자들에게 삶의 의미를 되돌아보게 하고 있군.

[30 ~ 33] 다음을 읽고 물음에 답하시오.

(가)

여승(女僧)은 합장(合掌)하고 절을 했다
가지취의 내음새가 났다
쓸쓸한 낯이 옛날같이 늙었다
ⓐ 나는 불경(佛經)처럼 서러워졌다

평안도(平安道)의 어늬 산(山) 깊은 금점판*
나는 파리한 여인(女人)에게서 옥수수를 샀다
여인은 나 어린 딸아이를 따리며 가을밤같이 차게 울었다

섶벌*같이 나아간 지아비 기다려 십 년(十年)이 갔다
지아비는 돌아오지 않고
어린 딸은 도라지꽃이 좋아 돌무덤으로 갔다

산(山)꿩도 설게 울은 슬픈 날이 있었다
산(山)절의 마당귀에 여인의 머리오리가 눈물방울과 같이 떨어진 날이 있었다

– 백석, 「여승」 –

* 금점판 : 금광의 일터.
* 섶벌 : 재래종의 일벌.

(나)

김천의료원 6인실 302호에 산소마스크를 쓰고 암 투병 중인 그녀가 누워 있다
㉠ 바닥에 바짝 엎드린 가재미처럼 그녀가 누워 있다
㉡ 나는 그녀의 옆에 나란히 한 마리 가재미로 눕는다
가재미가 가재미에게 눈길을 건네자 그녀가 울컥 눈물을 쏟아낸다
한쪽 눈이 다른 한쪽 눈으로 옮아 붙은 야윈 그녀가 운다
그녀는 죽음만을 보고 있고 ⓑ 나는 그녀가 살아온 파랑 같은 날들을 보고 있다
좌우를 흔들며 살던 그녀의 물속 삶을 나는 떠올린다
그녀의 오솔길이며 그 길에 돋아나던 대낫의 뻐꾸기 소리며
㉢ 가늘은 국수를 삶던 저녁이며 흙담조차 없었던 그녀 누대*의 가계를 떠올린다
두 다리는 서서히 멀어져 가랑이지고
폭설을 견디지 못하는 나뭇가지처럼 등뼈가 구부정해지던 그 겨울 어느 날을 생각한다
㉣ 그녀의 숨소리가 느릅나무 껍질처럼 점점 거칠어진다
㉤ 나는 그녀가 죽음 바깥의 세상을 이제 볼 수 없다는 것을 안다
한쪽 눈이 다른 쪽 눈으로 캄캄하게 쏠려버렸다는 것을 안다
나는 다만 좌우를 흔들며 헤엄쳐 가 그녀의 물속에 나란히 눕는다
산소호흡기로 들이마신 물을 마른 내 몸 위에 그녀가 가만히 적셔준다

– 문태준, 「가재미」 –

* 누대 : 여러 대.

11회

30. (가)와 (나)의 공통점으로 가장 적절한 것은?

① 자연물에 감정을 이입하여 화자의 심리를 드러내고 있다.
② 비유적 표현을 통해 시적 상황을 효과적으로 나타내고 있다.
③ 현재 시제를 사용하여 시적 상황을 현장감 있게 제시하고 있다.
④ 상승과 하강의 이미지를 대비하여 시적 의미를 강화하고 있다.
⑤ 음성 상징어를 사용하여 시적 대상이 지닌 정서를 생동감 있게 드러내고 있다.

31. ⓐ, ⓑ에 대한 설명으로 적절한 것은?

① ⓐ는 자신과 시적 대상의 삶을 비교하고 있다.
② ⓐ는 시적 대상으로 인해 삶을 바라보는 관점이 변하고 있다.
③ ⓑ는 시적 대상을 통해 자신이 추구하는 삶의 모습을 드러내고 있다.
④ ⓑ는 시적 대상과의 상호작용을 통해 정서적으로 교감하는 모습을 드러내고 있다.
⑤ ⓐ와 ⓑ는 모두 시상이 전개되면서 시적 대상과 하나가 되려는 의지를 드러내고 있다.

32. <보기>를 바탕으로 (가)를 감상한 내용으로 적절하지 않은 것은? [3점]

<보 기>

「여승」은 한 여인의 비극적 삶을 통해 일제의 식민지 수탈로 농촌 공동체가 몰락하고 가족 공동체가 파괴되는 당대의 현실을 그리고 있다. 이 작품은 가족의 생계를 위해 집을 떠난 지아비를 찾아 금점판을 떠돌다가 어린 딸마저 잃고 여승이 되어 버린 한 여인의 기구한 인생을 4연 12행의 짧은 구성으로 밀도 있게 보여 준다. 또한 이 시의 시상은 시간적 흐름에 따르지 않고 시간적 순서를 재구성하여 전개되고 있는 것이 특징이다.

① 여인이 '금점판'에서 '옥수수'를 팔고 '나'가 그 '옥수수'를 사는 것은 농촌 공동체의 몰락과 이를 회복하기 위한 행위로 볼 수 있군.
② '섶벌같이 나아간 지아비'가 '십 년이' 지나도록 '돌아오지' 않은 사실은 가난으로 인해 가족 공동체가 파괴된 모습으로 볼 수 있군.
③ '어린 딸'이 '도라지꽃이 좋아 돌무덤'으로 갔다는 것은 남편을 찾아 떠돌다가 딸마저 잃게 된 여인의 기구한 삶을 드러낸 것이군.
④ '여인의 머리오리가 눈물방울과 같이 떨어진 날'은 여인이 현실의 삶을 견디지 못하고 여승이 된 날로 볼 수 있군.
⑤ 여인의 비극적인 삶을 재구성하여 1연에서는 여승이 된 현재 모습을, 2~4연에서는 여승이 되기까지의 과거 모습을 보여 주고 있군.

33. ㉠ ~ ㉤에 대한 이해로 적절하지 않은 것은?

① ㉠: 병상에 누워 투병하는 그녀의 모습에서 납작한 가재미를 떠올리고 있다.
② ㉡: 투병 중인 그녀에 대한 나의 연민과 위로가 구체적 행위로 드러나 있다.
③ ㉢: 가난하고 힘들게 살았던 그녀의 과거 삶이 드러나 있다.
④ ㉣: 죽음이 임박해지고 있는 그녀의 현재 상황이 드러나 있다.
⑤ ㉤: 죽음을 받아들일 수밖에 없는 그녀의 체념적 태도가 나타나 있다.

[34~37] 다음 글을 읽고 물음에 답하시오.

중국 역사에서 전국 시대는 전쟁으로 점철된 시대였다. 여러 사상가들이 혼란한 정국을 수습하고 백성들을 고통에서 벗어나게 하기 위한 대안을 마련하였는데, 이 과정에서 그들의 이론을 뒷받침할 형이상학적 체계로서의 인성론이 대두되었다. 인성론은, 인간의 본성은 선하다는 성선설, 인간의 본성이 악하다는 성악설, 인간의 본성에는 애초에 선과 악이라는 구분이 전혀 없다는 성무선악설 등으로 분류될 수 있다. 맹자와 순자를 비롯한 사상가들은 인간 본성에 대한 이론적 탐구에서 더 나아가 사회적·정치적 관점으로 인성론을 구성하고 변형시켜 왔다.

[A] 맹자의 성선설이 국가 공권력에 저항하기 위해 호족들 및 지주들이 선한 본성을 갖춘 자신들을 간섭하지 말라는 이념적 논거로 사용되었다면, 순자나 법가의 성악설은 군주가 국가 공권력을 정당화할 때 그 논거로서 사용되었다. 즉 선악이란 윤리적 개념이 정치적 개념과 불가분의 관계에 놓여 있다는 사실을 확인할 수 있다. 성선설에서는 개체가 외부의 강제적인 간섭 없이도 '정치적 질서'를 낳고 유지할 수 있다고 본 반면, 성악설에서는 외부의 간섭이 없을 경우 개체는 '정치적 무질서'를 초래할 뿐인 존재라고 본 것이다.

한편 ㉠고자는 성무선악설을 통해 인간이 가지고 있는 식욕과 같은 자연적인 욕구가 본성이므로 이를 정치적이면서 동시에 윤리적인 범주로서의 선과 악의 개념으로 다룰 수 없다고 주장했다. 그는 인간의 본성을 '소용돌이치는 물'로 비유했는데, 이러한 관점은 소용돌이처럼 역동적인 삶의 의지를 지닌 인간을 규격화함으로써 그 역동성을 마비시키려는 일체의 외적 간섭에 저항하는 입장을 취하도록 하였다.

㉡맹자는, 인간의 본성을 역동적인 것으로 간주한 고자의 인성론을 비판하였다. 맹자는 살아있는 버드나무와 그것으로 만들어진 나무 술잔의 비유를 통해, 나무 술잔으로 쓰일 수 있는 본성이 이미 버드나무 안에 있다고 보았다. 맹자는 인간이 선천적으로 지닌 이러한 본성을 인의예지 네 가지로 규정하였다. 고통에 빠진 타인을 측은히 여기는 동정심, 즉 측은지심은 인간이라면 누구나 갖고 있다고 보고, 측은한 마음은 인간의 의식적 노력에서 나온 것이 아니라 불쌍한 타인을 목격할 때 저절로 내면 깊은 곳에서 흘러나온다고 본 것이 맹자의 관점이었다. 다시 말해 인간은 스스로의 노력으로 본성을 실현할

수 있는 존재, 즉 타인의 힘이 아닌 자력으로 수양할 수 있는 존재라고 보았다. 이것이 바로 맹자 수양론의 기본 전제이다.

모든 인간은 선한 본성을 지니고 있고, 이 선한 본성의 실현은 주체 자신의 노력에 의해서만 가능하다는 맹자의 성선설을 순자는 사변적이고 낙관적이며 현실 감각이 결여된 주장으로 보았다. 선한 인간이 되기 위해서 인간은 국가 질서, 학문, 관습 등과 같은 외적인 것에 의존할 필요가 없다고 본 맹자의 논리는 현실 사회에서 국가 공권력과 사회 규범의 역할을 전적으로 부정하는 논거로도 사용될 수 있었기 때문이다. ㉢순자의 견해처럼 인간의 본성이 악하다고 전제할 때 그것을 교정하고 순치할 수 있는 외적인 강제력, 다시 말해 국가 권력이나 전통적인 제도들이 부각될 수 있다. 국가 질서와 사회 규범을 정당화하기 위한 순자의 견해는 성악설뿐만 아니라 현실주의적 인간관에서 비롯되었다.

순자는 인간의 욕망이 무한하지만 그것을 충족시켜줄 재화는 매우 한정되어 있다고 보고 이런 모순을 해결하기 위해서 국가에 의해 예(禮)가 만들어졌다는 입장을 견지하였다. 만약 인간에게 외적인 공권력과 사회 규범이 없는 경우를 가정한다면 인간들은 자신들의 욕망 충족에 있어 턱없이 부족한 재화를 놓고 일종의 전쟁 상태에 빠지게 될 것이고, 그 결과 사회는 걷잡을 수 없는 무질서 상태로 전락하게 될 것이다. 맹자의 성선설이 비현실적일 뿐만 아니라 정치적 질서를 해칠 가능성이 있다고 본 순자의 비판은, 바로 인간과 사회에 대한 이와 같은 견해로부터 나온 것이다.

34. 윗글에 대한 설명으로 가장 적절한 것은?

① 인성에 대한 세 견해의 장단점을 비교하고 있다.
② 인성론의 등장 배경과 다양한 견해를 소개하고 있다.
③ 인성론의 역사적 의의와 한계에 대해 분석하고 있다.
④ 인성론이 등장한 시대적 상황을 구체적 자료를 통해 제시하고 있다.
⑤ 인성에 대한 두 견해를 제시하며 이를 절충한 이론을 소개하고 있다.

35. [A]를 통해 '인성론'에 대해 이해한 내용으로 가장 적절한 것은?

① 사회의 발전을 위한 갈등 유지의 당위성을 인정하였다.
② 권력자의 윤리 의식과 통치력이 상반된다고 판단하였다.
③ 정치적 입장을 정당화하는 이념적인 수단으로 사용되었다.
④ 초자연적 존재와 대비되는 인간 본성의 우위를 추구하였다.
⑤ 인간의 타고난 본성을 거스르는 인위적 노력을 배격하였다.

36. 윗글의 '순자'와 <보기>의 '홉스'가 모두 동의할 만한 진술로 가장 적절한 것은? [3점]

<보 기>

홉스의 『리바이어던』에 따르면, 인간은 본성이 이기적이므로 자신의 이익을 극대화하기 위해 '자연 상태'에서 '만인의 만인에 대한 투쟁' 상태로 비참하게 살아갈 수밖에 없다. 이를 극복하기 위해 공동의 권력을 만들었는데 이것이 바로 리바이어던이다. 이는 공동의 평화와 방어를 위해 필요한 모든 힘과 수단을 이용할 수 있는 절대 권력이다. 사람들은 리바이어던 같은 절대 통치자에게 복종을 약속하고 대신 통치자는 사람들의 안전을 보장해 주는데, 국가는 바로 이러한 계약에 따라 만들어졌다.

① 인간의 이기적 본성이 사회의 혼란과 무질서를 초래함을 인정해야 한다.
② 인간은 공동의 평화를 위해 국가 권력에 대해 비판적 태도를 지녀야 한다.
③ 통치자는 권력을 유지하기 위해 한정된 재화의 균등한 분배에 힘써야 한다.
④ 대립적 상황의 해결을 위하여 인간의 본성이 발현되는 자연 상태로 돌아가야 한다.
⑤ 사회의 질서를 유지하기 위한 제도와 규범은 구성원들의 계약에 의해 마련되어야 한다.

37. ㉠~㉢의 관점에서 <보기>를 이해한 것으로 적절하지 <u>않은</u> 것은?

<보 기>

가난과 배고픔 때문에 빵을 훔친 장발장은 체포되어 19년 동안 감옥 생활을 한다. 출소한 장발장은 신분증에 전과가 적혀 있어 잠잘 곳도, 일자리도 구할 수 없게 된다. 오직 미리엘 주교만은 이런 그를 따뜻하게 맞아주었으나, 장발장은 은촛대를 훔치다가 경관에게 붙잡힌다. 하지만 미리엘 주교는 은촛대는 장발장이 훔친 것이 아니라 선물로 준 것이라고 말하며 사랑을 베풀어 주었고, 이에 감동받은 장발장은 정체를 숨기고 선행을 베풀며 살아간다.

① ㉠: 장발장이 배가 고파 빵을 먹고 싶은 것은 인간의 자연스러운 욕구에서 비롯된 것으로 이해할 수 있다.
② ㉠: 미리엘 주교가 은촛대를 장발장에게 준 선물이라고 말한 것은 역동적 삶의 의지를 규격화하려는 행위로 볼 수 있다.
③ ㉡: 미리엘 주교가 장발장에게 편히 쉴 곳을 마련해 준 것은 불쌍한 사람을 측은히 여기는 마음에 따른 것으로 이해할 수 있다.
④ ㉡: 장발장이 선행을 베풀며 살아가는 모습은 스스로의 노력으로 선한 본성을 실현하는 것으로 볼 수 있다.
⑤ ㉢: 장발장이 체포되어 수감된 것은 본성을 바로잡기 위한 사회 규범에 의거한 것으로 볼 수 있다.

11 회

[38~40] 다음 글을 읽고 물음에 답하시오.

앞부분 줄거리 | 경기도 장단에 사는 선비 김 주부는 무남독녀 매화를 슬하에 두고 있었다. 조정의 간신들이 김 주부를 해치려고 하자, 그는 매화를 남장시켜 길거리에 두고 부인과 함께 구월산으로 몸을 피한다. 부모를 잃은 매화는 조 병사 집 시비에게 발견되어 그 집 아들인 양유와 함께 글공부를 하면서 성장한다.

이때에 양유 매화를 찾아 학당으로 돌아오매 매화 눈물 흔적 있거늘 양유가 가로되,

"그대 어찌하여 먼저 왔으며 슬픈 기색이 있느뇨. 아마도 곡절이 있도다. 오늘 사람들이 여자가 남복을 입었다 하니 그 일로 그러한가 싶으니 그럼 여자가 분명한가?"

하더라. 매화 흔연히 웃으며 가로되,

"어린아이 부모를 생각하니 어찌 아니 슬프리요. 또 내 몸이 여자면 여자로 밝히고 길쌈을 배울 것이지 남복을 입고 남을 속이리요. 본디 골격이 연연하매 지각없는 사람들이 여자라 하거니와, 일후 장성하여 골격이 웅장하면 장부 분명하올지라."

하고 단정히 앉아 풍월을 읊으니 소리 웅장하여 호치(皓齒)를 들어 옥반(玉盤)을 치는 듯 진시 남자의 소리 같은지라. 양유 그 소리 들으며 남자가 분명하되 이향(異香)이 만당(滿堂)하여 다만 매화의 태도를 보고 마음만 상할 따름일러라.

이때는 놀기 좋은 춘삼월이라. 춘풍을 못 이겨 양유 매화를 데리고 경개(景槪)를 따라 놀더니 서로 풍월 지어 화답하매 매화 ⓐ 양유 글을 받아 보니 하였으되,

양유선득춘(楊柳先得春) 양유는 먼저 봄빛을 얻었는데,
매화하불락(梅花何不樂) 매화는 어찌 즐겁지 아니하는고.

하였더라. 양유가 ⓑ 매화의 글을 받아 보니 하였으되,

호접미지화(胡蝶未知花) 나비가 꽃을 알지 못하고,
원앙부득수(鴛鴦不得水) 원앙새가 물을 얻지 못하였도다.

하였거늘 이에 양유가 그 글을 받아 보고 크게 놀라 기뻐하여 가로되,

"그대 행색이 다르기로 사랑하였더니 풍모가 정녕 여자로다. 그러하면 백년해로 어떠하뇨."

매화 고개를 숙이고 수색(愁色)이 만안하여 가로되,

"나는 과연 여자이거니와 그대는 사부(士夫)집 자제요, 나는 유리걸식하는 사람이라. 어찌 부부 되기 바라리요. 낸들 양지작을 모르리요마는 피차 부모의 명이 없삽고 또한 예절을 행치 못하면 문호에 욕이 되올 것이니 어찌 불효짓을 하리요. 부모의 명을 받아 백년해로한다면 낸들 아니 좋으리까."

양유 희색이 만안하여 가로되,

"그대 말이 당연하도다."

마침 이때에 시비 옥란이 급히 와 여쭈오되,

"외당에 상객이 왔으매 생원님이 급히 찾나이다."

양유 매화를 데리고 외당으로 들어가매 과연 상객이 있는지라. 병사가 가로되,

"두 아이 상을 보라."

한대 상객이 가로되,

"매화의 상을 보니 여자로소이다."

병사가 가로되,

"그대 상을 잘못 보았도다. 어찌 여자라 하리요."

상객이 가로되,

"여자가 남복을 입고 남을 속이려니와, 내 눈에 어찌 벗어나리요."

매화 무료하여 학당에 돌아가니라. 양유의 상을 보고 가로되,

"내두(來頭)*에 일국의 재상이 되었으되, 불쌍코 가련토다. 나이 16세 되면 호식(虎食)*할 상이오니 어찌 가련치 아니하리요."

병사가 크게 놀라 가로되,

"어디서 미친놈이 상객이라 하고 왔도다."

하인을 불러 쫓아내라 한대 상객 일어나 두 걸음에 인홀불견(仞忽不見)*이거늘 실로 고이하여 살펴보니 상객 앉았던 자리에 한 봉서 놓였거늘 즉시 개탁(開坼)*하니 하였으되,

'양유와 매화로 부부 아니 되면 임진 3월 초삼일에 필연 호식(虎食)하리라.'

하였더라. 병사 대경하여 무수히 슬퍼하다가 매화를 불러 가로되,

"너를 보고 여자라 하니 실로 고이하도다."

하시고 무수히 슬퍼하시거늘 매화 두 번 절하고 가로되,

"소녀 어찌 기망(欺罔)*하오리까. 소녀 과연 여자로소이다. 일찍 부모를 이별하옵고 일신을 감출 길 없사와 남복을 입고 기망하였사오니 죄를 범하였나이다."

하거늘 병사 크게 놀라며 또한 크게 기뻐하여 더욱 사랑하여 가로되,

"오늘부터 내당에 들어가 출입치 말라."

하시고 매화의 손을 이끌어 내당에 들어가 부인을 대하여 가로되,

"매화는 여자라 하니 어찌 사랑치 아니하리요. 행실을 가르치라."

하거늘 최 씨 부인이 크게 기뻐하여 연연하더라. 이때 병사 외당에 나가 양유를 불러 가로되,

"매화는 여자라 하니 일후는 매화로 더불어 한자리에 앉지 말라."

하신대 양유 어찌 부모의 명령을 거역하리요.

차설이라. 매화는 여복을 입고 내당에 거처하고, 양유는 학당에 있으매, 시서(詩書)에 뜻이 없고 다만 생각이 매화뿐이로다. 월명사창(月明紗窓)* 빈 방 안에 홀로 앉아 탄식할 제,

"매화야, 너는 무슨 일로 남복을 입고 나를 속였느냐. 부모의 명이 지엄하시니 뉘로 하여금 공부하며 뉘로 하여금 노잔 말가."

이렇듯이 자탄할 제, 이때 최 씨 부인 양유의 계모라 매화의 인물 탐하여 매일 사랑하시더니 제 상처한 남동생 있으매 혼사할 뜻이 있어 모계(謀計)를 꾸미더라. 하루는 병사 내당에 들어와 부인 최 씨를 대하여 가로되,

"전일 상객이 이러이러하니 내두 길흉을 어찌하리요. 매화는 양유와 동갑이요, 인물이 비범하니 혼사함이 어떠하리이까."

부인이 변색하여 가로되,

"병사 어찌 그런 말씀을 하시나이까. 양유는 사부 후계요, 매화는 유리걸식하는 아이라, 근본도 아지 못하고 어찌 인물만 탐하리까."

병사 옳이 여겨 가로되,

"부인의 말씀이 옳도다. 일후에 장단골 가서 매화 근본을 알리라."

– 작자 미상, 「매화전」 –

* 내두(來頭) : 지금부터 다가오게 될 앞날.
* 호식(虎食) : 호랑이에게 잡아 먹힘.
* 인홀불견(仞忽不見) : 보이다가 슬쩍 없어져 보이지 않음.
* 개탁(開坼) : 봉한 편지나 서류를 뜯음.
* 기망(欺罔) : 그럴듯하게 속여 넘김.
* 월명사창(月明紗窓) : 달이 밝게 비치는 창.

38. 윗글의 서술상의 특징으로 가장 적절한 것은?

① 사건 진행 과정에서 과거와 현재가 교차되고 있다.
② 장면을 빈번하게 전환하여 긴박한 분위기를 조성하고 있다.
③ 공간적 배경을 활용하여 주제를 암시적으로 드러내고 있다.
④ 인물과 인물의 첨예한 갈등을 중심으로 사건이 전개되고 있다.
⑤ 인물의 심리를 서술자가 직접 제시하여 독자의 이해를 돕고 있다.

39. 윗글의 인물에 대한 이해로 적절하지 않은 것은?

① 양유는 여자가 남복을 입었다는 사람들의 말을 듣고 매화의 정체를 의심하고 있다.
② 매화는 부모의 허락을 전제로 양유의 청혼을 긍정적으로 받아들이고 있다.
③ 상객은 양유와 매화가 혼인하지 않으면 양유에게 불행이 닥칠 것을 예고하고 있다.
④ 병사는 매화의 용모와 양유의 적극적인 결혼 의지를 바탕으로 둘의 혼인에 대해 최 씨의 동의를 구하고 있다.
⑤ 최 씨는 매화의 근본을 핑계 삼아 양유와 매화의 혼인을 반대하고 있다.

40. <보기>를 참고할 때, ⓐ와 ⓑ에 대한 이해로 적절하지 않은 것은? [3점]

<보 기>

고전 소설 속에 삽입된 시는 서사 맥락 속에서 다양한 역할을 수행한다. 인물의 심리를 함축적으로 드러내거나 인물을 비유적으로 표현하기도 하고, 주제를 집약적으로 전달하기도 한다. 또한 사건을 전개시키거나 사건 전개의 방향을 암시하기도 하고 분위기 형성, 인물들 간의 의사소통의 매개체 역할을 수행하기도 한다.

① ⓐ는 양유의 심리 상태를 함축적으로 드러내고 있다.
② ⓐ를 본 후 매화가 ⓑ로 답한 것은 인물 간의 의사소통 행위로 볼 수 있다.
③ ⓑ에서 '나비'는 양유를, '꽃'은 매화를 비유적으로 표현한 것으로 볼 수 있다.
④ ⓑ를 본 후 양유가 매화에게 청혼한 것으로 볼 때 ⓑ는 사건을 전개하는 역할을 했다고 볼 수 있다.
⑤ ⓐ와 ⓑ는 양유와 매화의 앞날이 순탄하지 않을 것이라는 사건 전개의 방향을 암시하고 있다.

[41~45] 다음을 읽고 물음에 답하시오.

(가)

잠아 잠아 짙은 잠아 이내 눈에 쌓인 잠아
염치 불구 이내 잠아 검치 두덕* 이내 잠아
어제 간밤 오던 잠이 오늘 아침 다시 오네
잠아 잠아 무삼 잠고 가라 가라 멀리 가라
세상 사람 무수한데 구태 너는 간 데 없어
원치 않는 이내 눈에 이렇듯이 자심(滋甚)*하뇨
주야에 한가하여 월명 동창 혼자 앉아
삼사경 깊은 밤을 허도(虛度)이 보내면서
잠 못 들어 한하는데 그런 사람 있건마는
㉠ 무상불청(無常不請)* 원망 소래 온 때마다 듣난고니
석반(夕飯)*을 거두치고 황혼이 대듯마듯
㉡ 낮에 못 한 남은 일을 밤에 할랴 마음먹고
언하당(言下當)* 황혼이라 섬섬옥수(纖纖玉手)* 바삐 들어
등잔 앞에 고개 숙여 실 한 바람 불어 내어
드문드문 질긋 바늘 두엇 뜸 뜨듯마듯
난데없는 이내 ⓐ 잠이 소리 없이 달려드네
㉢ 눈썹 속에 숨었는가 눈알로 솟아 온가
이 눈 저 눈 왕래하며 무삼 요수 피우든고
맑고 맑은 이내 눈이 절로 절로 희미하다

– 작자 미상, 「잠노래」 –

* 검치 두덕 : 욕심 언덕.
* 자심(滋甚) : 더욱 심함.
* 무상불청(無常不請) : 청하지 않은.
* 석반(夕飯) : 저녁밥.
* 언하당(言下當) : 말이 끝나자마자 바로. 여기서는 '그런 생각을 하자마자 바로'의 뜻임.
* 섬섬옥수(纖纖玉手) : 가냘프고 고운 여자의 손.

(나)

귓도리 저 귓도리 어여쁘다 저 귓도리
어인 귓도리 지는 달 새는 밤의 긴 소리 쟈른 소리 ㉣ 절절(節節)이 슬픈 소리 제 혼자 우러 네어 사창(紗窓) ⓑ 여왼 잠을 살뜰히도* 깨우는구나
두어라 제 비록 미물(微物)이나 ㉤ 무인동방(無人洞房)에 내 뜻 알 이는 너뿐인가 하노라

– 작자 미상, 「귓도리 저 귓도리~」 –

* 살뜰히도 : 알뜰하게도, 여기서는 '얄밉게도'의 뜻임.

(다)

물은 하나의 국가요, 용은 그 나라의 군주다. 물고기 가운데 큰 것으로 고래, 곤어, 바닷장어 같은 것은 군주를 안팎에서 모시는 여러 신하이다. 그 다음으로 메기, 잉어, 다랑어, 자가사리 같은 것은 서리나 아전의 무리다. 이밖에 크기가 한 자 못 되는 것들은 물나라의 만백성이라 할 수 있다. 상하가 서로 차례가 있고 큰 놈이 작은 놈을 통솔하니, 그것이 어찌 사람과 다르겠는가?

그러므로 용은 물나라를 다스리면서, 날이 가물어 마르면 반드시 비를 내려 주고, 사람이 물고기를 다 잡아 버릴까 염려하여서는 큰 물결을 겹쳐 일어나게 하여 덮어 준다. 그러한 것이 물고기에 대해서 은혜를 끼침이 아닌 것은 아니다.

하지만 물고기에게 인자하게 베푸는 것은 한 마리 용뿐이요,

11회

물고기를 학대하는 것은 수많은 큰 물고기들이다. 고래와 암코래는 조류를 들이마셔서 작은 물고기를 잡아먹는 일을 자신의 시서(詩書)로 삼고, 교룡과 악어는 물결을 헤치며 삼키고 씹어 먹어 작은 물고기를 잡아먹는 것을 거친 땅의 농사일로 삼으며, 문절망둑, 쏘가리, 두렁허리, 가물치의 족속은 틈을 타서 발동을 해서 작은 물고기를 자신의 은이요 옥으로 삼는다. 강자는 약자를 삼키고, 지위가 높은 자는 아랫것을 약탈하니, 진실로 강한 자, 높은 자가 싫증 내지 않는다면 작은 물고기는 반드시 남아나지 않을 것이다.

슬프다! 작은 물고기가 없다면 용이 누구와 더불어 군주가 되며, 저 큰 물고기들이 어찌 으스댈 수 있겠는가? 그러므로 용의 도리란 작은 물고기들에게 구구한 은혜를 베풀어 주는 것보다, 차라리 먼저 그들을 해치는 족속들을 물리치는 것만 못하리라!

아아, 사람들은 물고기에게만 큰 물고기가 있는 줄 알고 사람에게도 큰 물고기가 있는 줄을 알지 못하니, 물고기가 사람을 슬퍼하는 것이 어찌 사람이 물고기를 슬퍼하는 것보다 심하지 않다고 하랴?

– 이옥, 「어부(魚賦)」 –

41. (가) ~ (다)의 공통점으로 가장 적절한 것은?

① 대상의 부재로 인한 그리움의 심정을 드러내고 있다.
② 현실의 어려움을 극복하려는 의지적 태도를 보이고 있다.
③ 이상과 현실의 괴리에 대해 절망적인 심경을 표출하고 있다.
④ 부정적인 현재 상황에 대해 탄식하는 태도를 드러내고 있다.
⑤ 일상생활과 관련된 사물의 속성에서 삶의 교훈을 이끌어 내고 있다.

42. (가), (나)에 대한 설명으로 적절한 것은?

① (가)와 달리 (나)는 동일한 시어의 반복을 통해 운율을 형성하고 있다.
② (나)와 달리 (가)는 청각적 심상을 통해 계절감을 드러내고 있다.
③ (가)와 (나)는 모두 시간적 배경을 통해 시적 상황을 구체화하고 있다.
④ (가)와 (나)는 모두 설의적 표현을 통해 시적 의미를 강조하고 있다.
⑤ (가)와 (나)는 모두 색채의 대비를 통해 표현 효과를 높이고 있다.

43. ⓐ, ⓑ에 대한 이해로 가장 적절한 것은?

① ⓐ는 화자의 목적을 이루기 위한 보조적 수단이다.
② ⓑ는 외부적 요인으로 인해 방해 받고 있다.
③ ⓐ와 달리 ⓑ는 화자가 현실로부터 벗어나기 위한 행위이다.
④ ⓑ와 달리 ⓐ는 화자의 고통을 해소시키고 있다.
⑤ ⓐ와 ⓑ는 모두 화자가 거부하는 대상이다.

44. ㉠ ~ ㉤을 감상한 내용으로 적절하지 <u>않은</u> 것은?

① ㉠ : 화자와 상반된 처지에 있는 사람이 '잠'에게 불만을 드러내고 있다.
② ㉡ : 쉬지도 못하고 밤늦게까지 일을 해야 하는 화자의 고달픈 삶이 나타나 있다.
③ ㉢ : '잠'을 의인화하여 잠이 쏟아지는 화자의 현재 상황을 해학적으로 표현하고 있다.
④ ㉣ : 화자의 내면적 슬픔을 '귓도리'의 울음소리를 통해 간접적으로 드러내고 있다.
⑤ ㉤ : 혼자 살아가는 자신의 외로운 처지를 알아주는 유일한 대상이 '귓도리'라는 화자의 인식이 드러나 있다.

45. <보기>를 바탕으로 (다)를 감상한 내용으로 적절하지 <u>않은</u> 것은? [3점]

<보 기>

「어부」는 국가의 상황을 물속의 세계에 빗대고, 군주를 '용'에, 여러 신하를 '큰 물고기'에, 백성을 '작은 물고기'에 빗대어 현실 세계를 비판하고 있다. 글쓴이는 나라의 근본은 '작은 물고기'인 백성이므로 백성들을 수탈하는 '큰 물고기', 즉 관리들을 잘 다스리는 것이 군주로서 해야 할 가장 중요한 일임을 강조하고 있다.

① 용이 큰 물결을 일어나게 하여 물고기를 덮어 주는 것은 백성을 어질게 살피는 군주의 모습으로 볼 수 있군.
② 교룡과 악어가 작은 물고기를 잡아먹는 것은 백성을 수탈하는 관리들의 모습으로 볼 수 있군.
③ 작은 물고기가 없으면 용이 군주가 될 수 없다고 하는 것은 나라의 근본이 백성에게 있다는 글쓴이의 인식을 보여 주는군.
④ 작은 물고기를 해치는 족속을 물리치는 것이 용의 도리라고 하는 것은 군주가 해야 할 가장 중요한 일이 관리를 잘 다스리는 일임을 말해 주는군.
⑤ 사람들이 사람에게도 큰 물고기가 있는 줄을 알지 못한다고 하는 것은 관리들의 수탈에 적극적으로 저항하지 않는 백성의 태도를 비판하는 것이군.

※ 확인 사항
○ 답안지의 해당란에 필요한 내용을 정확히 기입(표기) 했는지 확인하시오.

국어 영역

12회 소요시간 /80분

제 1 교시

➡ 해설 P.104

[1 ~ 3] 다음은 학생이 수업 시간에 한 발표의 일부이다. 물음에 답하시오.

안녕하세요. '세계로 가는 길' 모둠의 마지막 발표자 ○○○입니다. 앞에서 세계 여러 나라에 대한 정보를 소개했었는데, 이제 여행을 갈 때 필요한 여권을 소개할 차례입니다. 저는 먼저 여권은 무엇인지, 여권을 발급받으려면 무엇을 준비하고 유의해야 하는지, 그리고 여권에 기재되는 정보에는 어떤 것들이 있는지 발표하려고 합니다.

여러분, 여권이 무엇인지 아시나요? (청중의 반응을 살피고) 여행할 나라로부터 받는 입국 허가증을 여권으로 알고 있는 친구가 있는데, 그건 비자라고 합니다. 여권은 해외에서 자신의 국적과 신분을 증명하기 위해 사용하는 신분증입니다.

여권을 신청하려면 사진과 신분증 등이 필요합니다. 특히 사진이 중요한데요, (스마트폰으로 얼굴을 찍는 자세를 취하며) 여러분들은 아마 이렇게 비스듬한 각도로 찍어서 얼굴이 갸름하고 예쁘게 보이는 사진을 여권에 넣고 싶을 겁니다. 하지만 여권용 사진은 정면을 바라보고 얼굴 전체가 잘 드러난 것이어야 합니다. 왜 그럴까요? (청중의 대답을 듣고 고개를 끄덕이며) 네, 맞습니다. 여권을 제시한 사람이 본인인지 확인할 수 있어야 하기 때문입니다.

그렇다면, 여권에 기재되는 정보에는 어떤 것들이 있을까요? 여권의 신원 정보 면에는 사진, 여권의 종류, 여권 번호, 로마자 성명, 주민등록번호, 발급일과 기간 만료일 등이 실려 있습니다.

여권 종류는 알파벳 약자의 조합으로 표시됩니다. 예를 들어 'PS'는 유효 기간 동안 우리나라를 기준으로 출입국에 한 번만 사용할 수 있는 여권이고, 'PM'은 여러 번 사용할 수 있는 여권을 나타냅니다. 여권 번호는 여권 종류를 나타내는 알파벳과 숫자 여덟 개의 조합으로 되어 있는데, 이 숫자는 위조나 변조를 막기 위해 무작위로 부여됩니다. 여권에는 로마자 성명도 실려 있어요. 로마자 성명은 한글 성명의 발음과 일치하게 로마자로 표기하도록 하고 있습니다. '기호'라는 이름을 예로 들어 볼게요. '기'의 경우 로마자 표기법에 따르면 (칠판에 적어 보여 주며) 'GI'로 표기해야 합니다. 그런데 많은 사람들이 여권에 'KI'로 쓰고 있어요. 이런 경우, 여권을 발급받을 때 'KIHO'로 등록했다면 유효 기간 만료 전에 로마자 표기법에 따라 'GIHO'로 정정하는 게 제한됩니다. 그래서 여권을 신청할 때 성명을 어떻게 로마자로 표기할지 신중하게 결정해야 합니다. 그리고 주민등록번호는 생년월일을 제외한 뒷부분이 기재되는데 2020년부터 발급될 여권에는 개인 정보 보호를 위해 기재되지 않을 예정이라고 합니다.

한 가지 유용한 정보를 더 알려 드릴게요. 여권에는 개인 정보가 수록되어 있기 때문에 국내에서도 신분증으로 활용될 수 있습니다. 단, 유효 기간이 만료되기 전이어야 합니다.

1. 발표에 반영된 학생의 계획으로 적절하지 않은 것은?

① 구체적인 예를 들어 청중의 이해를 돕는다.
② 자료의 출처를 밝혀 발표의 신뢰성을 높인다.
③ 비언어적 표현을 활용하여 청중의 흥미를 유발한다.
④ 청중의 대답을 유도하는 질문을 던져 청중과 상호 작용한다.
⑤ 도입부에서 발표 내용을 안내해 청중이 예측하며 듣게 한다.

2. 다음은 여권의 신원 정보 면 자료이다. 위 발표를 들은 청중이 ㉠ ~ ㉤에 대해 보인 반응으로 적절하지 않은 것은?

① ㉠: 정면을 바라보고 얼굴 전체가 드러나 여권 소지자가 본인이라는 것을 확인할 수 있겠군.
② ㉡: 이 여권은 기간 만료일까지 출입국할 때 여러 번 사용할 수 있겠군.
③ ㉢: 이 여권을 소지한 사람이 다른 나라로부터 입국 허가를 받았음을 알 수 있겠군.
④ ㉣: 로마자 표기법에 따라 한글 이름과 발음이 일치하게 표기한 이름을 실었다고 볼 수 있겠군.
⑤ ㉤: 2020년 이후에 여권을 발급받는다면 수록되지 않을 정보이겠군.

3. <보기>에 나타난 학생의 듣기 전략으로 적절한 것은?

< 보 기 >

'그러고 보니 한국어능력시험을 볼 때, 기간 만료 전의 여권도 신분증으로 제시할 수 있다는 안내문을 보고 여권을 가지고 간 적이 있어. 여권이 있으면 나중에 대학수학능력시험을 보러 갈 때 신분증으로 활용할 수 있겠다.'

① 발표 내용 중 이해하기 어려운 점에 대해 의문을 떠올리며 들었다.
② 정보 전달에 적합한 내용 조직 방식을 사용했는지 평가하며 들었다.
③ 발표자가 제시한 정보들 사이의 공통점과 차이점을 파악하며 들었다.
④ 발표 내용과 관련된 자신의 경험을 떠올리고 유사한 상황에 적용하며 들었다.
⑤ 발표 내용을 요약하며 자신이 들은 내용을 잘 이해하고 있는지 점검하며 들었다.

12 회

[4 ~ 7] (가)는 학생들이 나눈 대화이고, (나)는 (가)에서 언급된 내용을 바탕으로 작성한 모집 안내문이다. 물음에 답하시오.

(가)

학생 1 : 어제 천문대 견학을 가서 새롭게 알게 된 게 있었어. 병찬아, 너 어떤 것을 별이라고 하는지 알아?

학생 2 : 밤하늘에 반짝이는 것들이 모두 별이 아니라는 것은 알지만, 어떤 것이 별이고 어떤 것이 아닌지는 잘 모르겠어.

학생 1 : 스스로 빛을 내는 천체들만 별이라고 하고, 별의 빛을 반사하는 것은 행성이야. ㉠ 예를 들어 태양은 스스로 빛을 내니까 별이고 지구는 태양의 빛을 반사하니까 별이 아니라 행성인 거야. 그리고 계절에 따라 잘 보이는 별자리가 다르다는 거 알고 있니?

학생 2 : ㉡ 응, 지구가 태양 주위를 1년에 걸쳐 한 바퀴씩 돌기 때문에 계절에 따라 잘 보이는 별자리가 다르다는 것을 책에서 읽은 적이 있어.

학생 1 : 정확하게 알고 있네. 천문대에서 해설을 맡은 분에게 들은 별자리의 유래도 재미있었어. 옛날 아라비아반도 초원에서 목동들이 늦은 밤에 양떼를 지키며 밤하늘의 밝은 별들을 서로 연결해 여러 가지 모양을 상상했대. 목동들은 주로 양, 황소, 사자 등 동물의 이름을 따 별자리 이름을 붙였다는 거야. 그러다가 15세기에 배를 타고 남반구까지 항해하면서 선원들은 북반구에서 보지 못한 별들을 발견하고 새로운 별자리 이름을 지었대. 어떤 이름을 지었을까?

학생 2 : ㉢ 글쎄. 선원들이 지었으니까 아무래도 항해와 관련된 것이나 바다에서 볼 수 있는 것들로 별자리 이름을 지었을 것 같은데, 맞아?

학생 1 : 그래, 맞아. 선원들은 남반구에서 발견한 별자리에 고래자리, 나침반자리 등의 이름을 붙였대. 어제 천문대를 견학하면서 별자리와 우주에 대해 더 공부해 보고 싶다는 생각을 했어. 그래서 말인데, 우리가 천체 연구 자율 동아리를 만들면 어떨까? ㉣ 자율 동아리를 만들면 네가 관심을 가지고 있는 천체 물리학도 공부할 수 있으니까 좋을 거 같은데.

학생 2 : 그래. 정말 좋은 생각이다. 나도 함께 할게.

학생 1 : 그럼, 자율 동아리에서 어떤 활동을 할지 같이 생각해 보자. 천체 연구 자율 동아리의 성격을 잘 보여 주는 활동이 중심이 되어야 할 거 같은데.

학생 2 : 별과 우주를 깊이 있게 이해하기 위해서는 전문 서적을 선택해서 함께 읽고 공부하는 것은 어떨까?

[A]
학생 1 : 전문 서적을 가지고 공부하면 동아리 부원들에게는 너무 어렵지 않을까? 별과 우주를 이해하기 쉽고 재미있게 설명한 교양서적이나 과학 잡지면 좋을 것 같은데. 또 한 가지 활동만 하면 단조로울 수 있으니까 정기적으로 천문대로 가서 별자리를 관측하는 프로그램도 넣으면 어떨까?

학생 2 : 천문대는 우리 학교에서 가깝지 않으니까 부원들이 가기가 쉽지 않을 거야. 대신 학교 운동장에서 별자리를 관측하면 어떨까? 과학 선생님께 말씀드리면 학교에 있는 천체 망원경을 빌릴 수 있을 것 같은데.

학생 1 : 그래. 그리고 카메라로 별자리 사진을 찍어서 사진전 같은 것도 하면 좋겠다.

[B]
학생 2 : 좋은 생각이야. 이제 동아리 부원을 어떻게 모집할지 생각해 보자. 동아리 모집 안내문을 써서 학교 게시판에 붙이면 될 것 같은데, 어떻게 쓸까?

학생 1 : 자율 동아리 부원 모집을 알리는 글이라는 것이 분명히 드러나도록 해야 할 것 같아. 자율 동아리 이름도 함께 알리고, 본문에서는 천체 연구 자율 동아리를 어떤 목적으로 만들었는지, 누구를 모집하는지, 그리고 어떤 활동을 할 것인지 밝혀 주자.

학생 2 : 그리고 천체 연구 자율 동아리 활동이 가진 의미를 강조하자. 마지막에는 지원 방법도 소개하고.

학생 1 : 좋아. ㉤ 요즘 블로그를 통해 지원을 받는 동아리들도 많은데, 우리도 그렇게 하는 건 어때?

학생 2 : 그래. 지원자들이 블로그에 댓글을 달아 신청하도록 하면 되겠다.

(나)

'별바라기' 부원을 모집합니다.

안녕하세요. 깊어 가는 밤, 반짝이는 별들이 가득한 하늘을 바라보면서 감동했던 기억이 있으신가요? 별들로 가득 찬 밤하늘의 아름다움을 느끼며, 별자리와 우주에 대해 공부하기 위해 천체 연구 자율 동아리 '별바라기'를 만들려고 합니다.

우리 '별바라기'는 천문학과 우주에 관심이 있는 친구뿐만 아니라 별을 좋아하는 친구라면 누구나 함께할 수 있습니다. 자율 동아리가 구성되면 천체와 우주 관련 추천 도서를 읽으며 함께 이야기를 나누고자 합니다. 그리고 학교 운동장에서 망원경으로 별자리를 관측할 것입니다. 또한 동아리 활동을 하며 찍은 별자리 사진을 모아 학교 축제 때 천체 사진전도 열 계획입니다.

별자리와 우주에 대해 자유롭게 공부하며 다양한 활동을 할 수 있는 '별바라기'는 학창 시절의 소중한 추억이 될 것입니다. '별바라기' 활동에 관심이 있는 친구들의 많은 참여를 기대합니다. 동아리 활동을 함께하고 싶은 친구들은 블로그를 방문해 지원해 주시기 바랍니다. 스마트폰을 이용해 오른쪽에 있는 QR 코드를 찍거나 인터넷 주소창에 https://blog.star□□□.com 을 직접 입력하면 블로그에 연결됩니다.

4. 대화의 흐름을 고려할 때, ㉠ ~ ㉤에 대한 설명으로 적절하지 않은 것은?

① ㉠ : 자신이 던진 질문과 관련하여 상대방의 이해를 돕기 위해 구체적인 예를 제시하는 발화이다.

② ㉡ : 상대방이 한 질문에 대해 배경지식을 바탕으로 답을 하는 발화이다.

③ ㉢ : 상대방이 한 말을 근거로 한 자신의 추측이 맞는지 확인하기 위한 발화이다.

④ ㉣ : 상대방의 관심사를 언급하며 자신의 제안에 대한 동의를 이끌어 내기 위한 발화이다.

⑤ ㉤ : 상대방의 말을 듣고 추가 질문을 통해 구체적인 설명을 요청하는 발화이다.

5. [A]에 대한 이해로 가장 적절한 것은?

① 학생 1은 학생 2와 달리 상대방이 제안한 방안에 대한 자신의 이해가 정확한지 확인하고 있다.
② 학생 2는 학생 1과 달리 물음의 형식으로 자신이 제안한 방안의 타당성을 강조하고 있다.
③ 학생 1은 자신이 제안한 방안의 장단점을, 학생 2는 상대방이 제안한 방안의 장단점을 설명하고 있다.
④ 학생 1과 학생 2는 모두 상대방의 말을 듣고 자신이 제안한 방안을 일부 수정하고 있다.
⑤ 학생 1과 학생 2는 모두 상대방이 제안한 방안의 문제점을 지적한 후 이에 대한 대안을 언급하고 있다.

6. 다음은 (나)를 바탕으로 만든 '별바라기' 블로그이다. '작성 방법'을 고려할 때, 댓글 내용으로 적절하지 않은 것은? [3점]

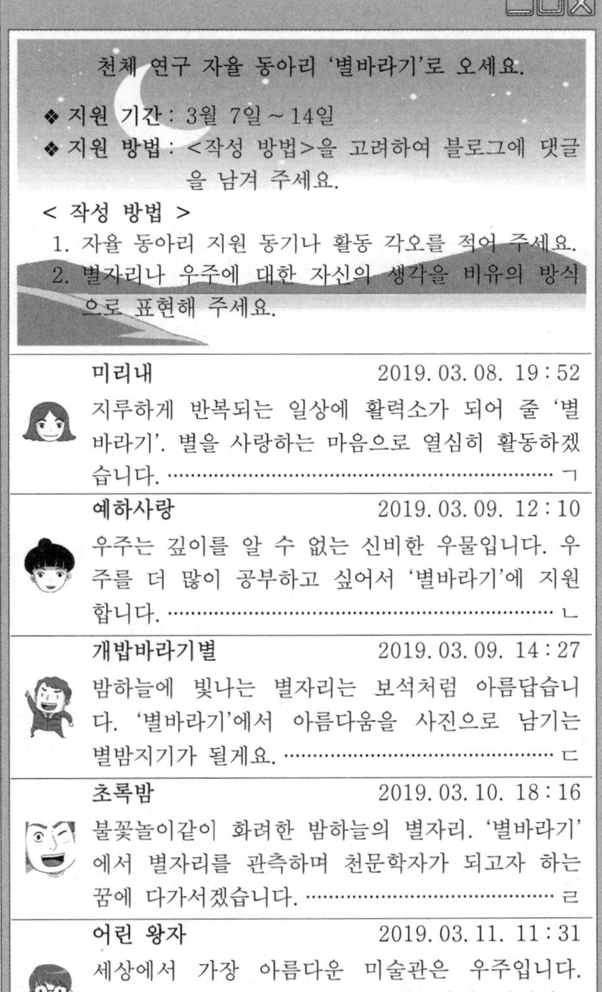

천체 연구 자율 동아리 '별바라기'로 오세요.

❖ 지원 기간 : 3월 7일 ~ 14일
❖ 지원 방법 : <작성 방법>을 고려하여 블로그에 댓글을 남겨 주세요.

< 작성 방법 >
1. 자율 동아리 지원 동기나 활동 각오를 적어 주세요.
2. 별자리나 우주에 대한 자신의 생각을 비유의 방식으로 표현해 주세요.

미리내 2019. 03. 08. 19 : 52
지루하게 반복되는 일상에 활력소가 되어 줄 '별바라기'. 별을 사랑하는 마음으로 열심히 활동하겠습니다. ㄱ

예하사랑 2019. 03. 09. 12 : 10
우주는 깊이를 알 수 없는 신비한 우물입니다. 우주를 더 많이 공부하고 싶어서 '별바라기'에 지원합니다. ㄴ

개밥바라기별 2019. 03. 09. 14 : 27
밤하늘에 빛나는 별자리는 보석처럼 아름답습니다. '별바라기'에서 아름다움을 사진으로 남기는 별밤지기가 될게요. ㄷ

초록밤 2019. 03. 10. 18 : 16
불꽃놀이같이 화려한 밤하늘의 별자리. '별바라기'에서 별자리를 관측하며 천문학자가 되고자 하는 꿈에 다가서겠습니다. ㄹ

어린 왕자 2019. 03. 11. 11 : 31
세상에서 가장 아름다운 미술관은 우주입니다. 우주의 아름다움을 '별바라기'와 함께 찾아가고 싶어요. ㅁ

① ㄱ ② ㄴ ③ ㄷ ④ ㄹ ⑤ ㅁ

7. [B]를 고려할 때, (나)에 반영된 내용으로 적절하지 않은 것은?

① 자율 동아리를 어떤 목적으로 만들었는지를 밝혀 주자는 의견에 따라, 밤하늘의 아름다움을 느끼고 별자리와 우주에 대해 공부하기 위해 자율 동아리를 만들었다는 내용을 담았다.
② 자율 동아리에서 누구를 모집하는지를 밝혀 주자는 의견에 따라, 천문학과 우주에 관심을 가졌거나 별을 좋아하는 친구들은 누구나 지원할 수 있다는 내용을 담았다.
③ 자율 동아리에서 어떤 활동을 할 것인지를 밝혀 주자는 의견에 따라, 독서와 별자리 관측을 하고, 사진전을 열 계획이라는 내용을 담았다.
④ 자율 동아리 활동의 의미를 강조하자는 의견에 따라, 관심사를 자유롭게 공부하는 과정에서 진로를 탐색할 수 있다는 내용을 담았다.
⑤ 자율 동아리에 지원하는 방법을 소개하자는 의견에 따라, QR 코드를 찍거나 인터넷 주소를 직접 입력하여 방문한 블로그에서 지원할 수 있다는 내용을 담았다.

[8 ~ 10] (가)는 초고 작성을 위한 메모이고, (나)는 학생의 초고이다. 물음에 답하시오.

(가) 초고 작성을 위한 메모

[작문 과제]
최근 청소년들의 관심을 끌고 있는 1인 방송에 대해 조사하여 교지에 기고할 글을 써 보자.

[학생이 떠올린 생각]
○ 1인 방송의 개념과 현황에 대해 설명하며 시작해야겠어. ······ ⓐ
○ 1인 방송이 청소년 사이에서 확산된 이유를 설명해야겠어. ······ ⓑ
○ 1인 방송이 청소년에게 주는 긍정적 효과를 설명해야겠어. ······ ⓒ
○ 1인 방송이 청소년에게 미치는 부정적 영향을 설명해야겠어. ······ ⓓ
○ 청소년에게 부정적 영향을 끼치는 1인 방송에 대한 규제의 필요성을 언급하며 마무리해야겠어. ······ ⓔ

(나) 학생의 초고

개인이 제작하여 다수의 사람들에게 영상 콘텐츠를 ㉠ 제시하는 방송을 1인 방송이라고 한다. 최근 들어 1인 방송이 활성화되고 있으며, 이에 따라 화장하는 방법을 소개하는 방송, 음식을 먹는 모습을 보여 주는 방송, 게임을 소개하는 방송 등의 1인 방송을 즐겨 찾는 청소년들이 점점 늘어나고 있다.

1인 방송이 청소년 사이에서 확산되는 이유는 무엇일까? 그것은 1인 방송이 청소년들이 관심을 가질 만한 다양한 콘텐츠를 생산하고 있기 때문이다. ㉡ 이로 인해 1인 방송 진행자가 청소년의 장래 희망으로 급부상하고 있다. 다양한 콘텐츠를 생산할 수 있었던 배경으로는 고성능 스마트 기기 카메라와 영상 편집 애플리케이션의 보편화로 누구나 쉽게 다양한 콘텐츠를 제작할 수 있게 ㉢ 된 점이다.

그렇다면 청소년들은 1인 방송을 보며 어떤 긍정적 효과를 얻을 수 있을까? 우선 청소년들은 1인 방송을 통해 기존의 미디어에서 접하기 어려웠던 진로나 취미 생활 등에 대한 유익한 정보를 얻을 수 있을 뿐만 아니라 여가를 즐김으로써 스트레스를 해소할 수 있다. ㉣그래서 댓글을 달거나 채팅을 통해 진행자와 직접적으로 소통하며 방송에 참여하는 색다른 묘미와 즐거움을 느낄 수 있다.

그런데 최근 시청자의 관심을 끌기 위해 비속어 등 규범에 맞지 않는 언어 표현을 하거나 선정적, 폭력적 내용을 담고 있는 방송이 늘어나고 있다. 문제는 청소년이 모방 심리가 강하기 때문에 이러한 방송에 지속적으로 ㉤노출되어질 경우 언어 생활이나 가치관에 부정적인 영향을 끼칠 수 있다는 것이다. 실제로 1인 방송 진행자가 사용하는 막말과 비속어 등이 청소년들 사이에서 유행어처럼 번지고, 1인 방송에서 본 잘못된 행동을 모방하는 사례가 늘고 있다.

따라서 청소년들은 잘못된 내용을 방송하는 1인 방송에 대해 비판적 태도를 가져야 한다. 그리고 청소년 스스로가 주체적으로 1인 방송의 콘텐츠를 선별하여 시청하는 태도가 필요하다.

8. (가)에서 학생이 글을 쓰기 전에 떠올린 생각 중 (나)에 반영되지 않은 것은?

① ⓐ ② ⓑ ③ ⓒ ④ ⓓ ⑤ ⓔ

9. (나)를 수정·보완하는 과정에서 <보기>의 두 자료를 모두 활용하는 방안으로 가장 적절한 것은? [3점]

<보 기>

○ 조사 자료

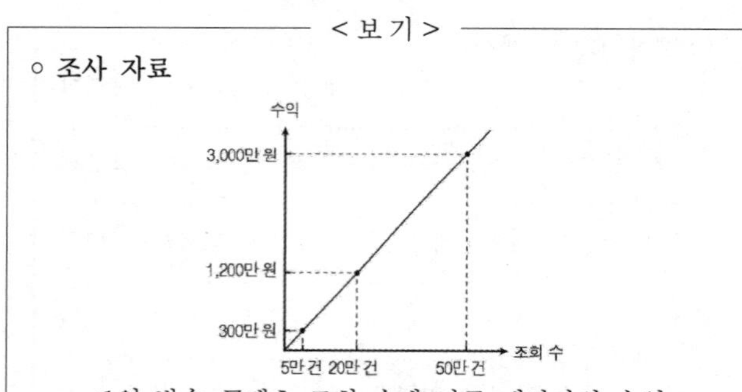

<1인 방송 콘텐츠 조회 수에 따른 제작자의 수익>

○ 1인 방송 제작자 인터뷰

"제가 1인 방송을 할 때, 막말 등을 섞어서 자극적인 콘텐츠로 방송을 했더니 그렇지 않았을 때보다 조회 수가 크게 늘어났어요. 그 이후로 조회 수를 늘리기 위해 더 자극적인 콘텐츠를 제작하려는 유혹을 느낄 수밖에 없었습니다."

① 1인 방송에 대해 청소년들의 관심이 집중되는 이유가 자극적인 콘텐츠를 다수 포함하고 있기 때문임을 제시한다.
② 1인 방송에서 자극적인 콘텐츠가 늘어나는 이유가 조회 수가 제작자의 이익으로 이어지기 때문이라는 내용을 추가한다.
③ 1인 방송에 대한 규제를 강화하는 이유가 자극적인 콘텐츠를 즐기는 청소년들이 크게 증가하고 있기 때문임을 추가한다.
④ 1인 방송의 제작자가 자극적인 콘텐츠를 적극적으로 개발하는 이유가 콘텐츠의 다양성을 추구하기 위함임을 제시한다.
⑤ 1인 방송에서 부적절한 언어를 사용하는 것이 1인 방송을 조회하는 청소년의 수가 늘어나게 되는 요인이 됨을 제시한다.

10. (나)의 ㉠~㉤을 고쳐 쓰기 위한 방안으로 적절하지 않은 것은?

① ㉠: 단어의 사용이 잘못되었으므로 '제공'으로 고친다.
② ㉡: 문단의 통일성을 고려하여 4문단의 마지막 문장 뒤로 옮긴다.
③ ㉢: 주어와 서술어의 호응 관계를 고려하여 '되었다는 점을 들 수 있다'로 고친다.
④ ㉣: 접속 표현의 사용이 잘못되었으므로 '또한'으로 교체한다.
⑤ ㉤: 피동 표현이 중복되었으므로 '노출될'로 고친다.

11. 다음은 학생들이 '-쟁이'와 '-장이'에 대해 탐구한 내용이다. ㄱ~ㅁ에 제시된 탐구 결과 중 적절하지 않은 것은? [3점]

탐구 목표	어근의 뒤에 붙어 새로운 단어를 만드는 접미사 중 '-쟁이'와 '-장이'의 의미와 쓰임을 구분해 사용할 수 있다.
탐구 자료	(1) 고집쟁이: 고집이 센 사람. 거짓말쟁이: 거짓말을 잘하는 사람. (2) 노래쟁이: '가수(歌手)'를 낮잡아 이르는 말. 그림쟁이: '화가(畫家)'를 낮잡아 이르는 말. (3) 땜장이: 땜질을 직업으로 하는 사람. 옹기장이: 옹기 만드는 일을 직업으로 하는 사람.
탐구 결과	○ (1)의 '-쟁이'의 의미는 '어떤 속성을 많이 가진 사람'으로 볼 수 있다. ······ ㄱ ○ (2)와 (3)은 둘 다 직업과 관련된 말이지만, '기술자'를 의미할 때는 '-장이'를 쓴다. ······ ㄴ ○ (1)~(3)을 볼 때, '-쟁이'와 '-장이'는 모두 명사와 결합하여 새로운 단어를 만든다. ······ ㄷ ○ (1)~(3)을 볼 때, '-쟁이'와 '-장이'는 모두 어근의 품사를 변화시키지 않는 접미사이다. ······ ㄹ ○ (1), (2), (3)의 예로 '욕심쟁이', '대장쟁이', '중매장이'를 각각 추가할 수 있다. ······ ㅁ

① ㄱ ② ㄴ ③ ㄷ ④ ㄹ ⑤ ㅁ

[12 ~ 13] 다음 글을 읽고 물음에 답하시오.

<대화 1>

<자료>

관형어는 문장을 구성하는 성분 중 하나로, 품사 가운데 명사나 대명사와 같은 체언 앞에서 그 뜻을 꾸며 주는 기능을 한다. 예를 들어 '모든 책'의 '모든'은 뒤에 오는 명사 '책'에 '빠짐이나 남김이 없이 전부의.'라는 의미를 더해 주는 관형어이다.

다음 문장들의 밑줄 친 부분은 모두 관형어이다.

ㄱ. 선생님의 목소리가 들린다.
ㄴ. 마실 물이 있다.
　　맑은 물이 있다.
ㄷ. 온갖 꽃이 활짝 피어 있다.

ㄱ은 체언에 관형격 조사 '의'가 결합하여 관형어가 된 경우이다. '선생님의'는 명사 '선생님'에 관형격 조사 '의'가 결합하여 '목소리'를 꾸며 주고 있다. 이 경우 '선생님 목소리'와 같이 관형격 조사 없이 명사만으로도 관형어가 될 수 있다. 하지만 관형격 조사 '의'를 반드시 써야 하는 경우가 있고, '의'가 생략되면 의미가 달라지는 경우도 있다.

ㄴ은 동사나 형용사와 같은 용언의 어간에 관형사형 어미 '-(으)ㄴ', '-(으)ㄹ' 등이 결합하여 관형어가 된 경우이다. '마실'은 동사의 어간 '마시-'에 관형사형 어미 '-ㄹ'이 결합하여 '물'을 꾸며 주고 있고, '맑은'은 형용사의 어간 '맑-'에 관형사형 어미 '-은'이 결합하여 '물'을 꾸며 주고 있다.

ㄷ은 관형사가 관형어가 된 경우이다. 관형사는 체언 앞에서 체언의 뜻을 꾸며 주는 품사이다. 관형사 '온갖'은 명사 '꽃'을 꾸며 주며 '이런저런 여러 가지의.'라는 의미를 더해 주고 있다. 관형사는 체언과 달리 조사와 결합할 수 없으며, 용언과 달리 활용이 불가능하다는 특성이 있다.

<대화 2>

12. [A], [B]에 들어갈 말을 바르게 짝지은 것은?

	[A]	[B]
①	품사가 무엇인가	의미가 무엇인가
②	품사가 무엇인가	문장 성분이 무엇인가
③	문장 성분이 무엇인가	문장의 종류가 무엇인가
④	문장의 종류가 무엇인가	의미가 무엇인가
⑤	문장의 종류가 무엇인가	문장 성분이 무엇인가

13. 윗글을 참고하여 <보기>를 이해한 것으로 적절하지 않은 것은?

< 보 기 >

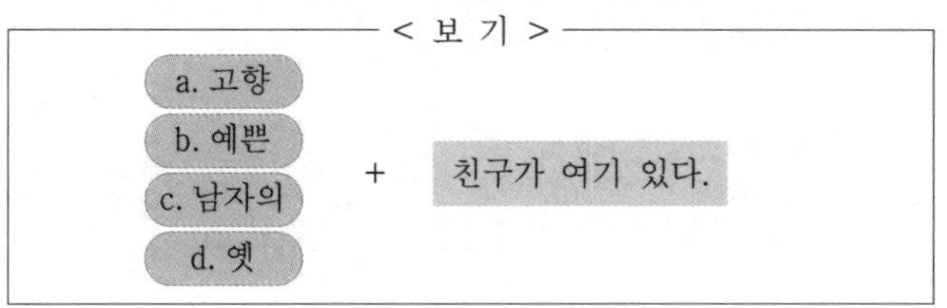

① a ~ d는 모두 체언 '친구'를 꾸며 주는 역할을 한다.
② a는 조사가 없이 체언만으로 관형어가 된 경우이다.
③ b는 용언의 어간 '예쁘-'에 관형사형 어미 '-ㄴ'이 결합된 것이다.
④ c에서 관형격 조사 '의'가 생략되어도 문장의 원래 의미가 달라지지 않는다.
⑤ d는 조사가 결합할 수 없으며 활용이 불가능하다.

14. <보기>의 '활동 1'과 '활동 2'를 연결하여 '활동 자료'의 단어를 탐구한 내용으로 적절한 것은?

< 보 기 >

[활동 자료]
국민[궁민], 글눈[글룬], 명랑[명낭], 신랑[실랑], 잡념[잠념]

[활동 1] 음운 변동이 있는 음운은 '1', 없는 음운은 '0'으로 표시하면 '국물[궁물]'은 '001000'으로 표시할 수 있습니다. '활동 자료'의 단어는 어떻게 표시될까요?

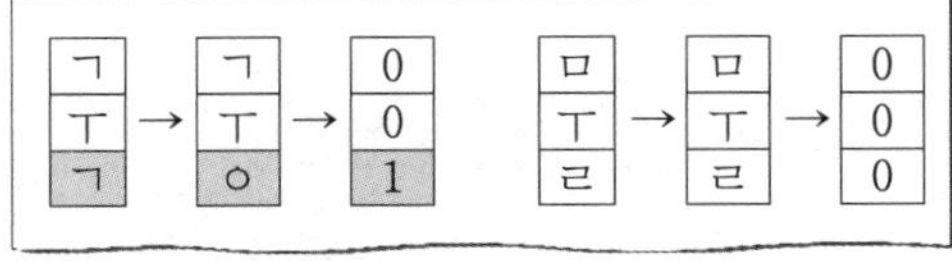

[활동 2] '활동 자료'의 단어를 발음할 때 순행 동화가 일어나는지 역행 동화가 일어나는지 알아봅시다.

○ 순행 동화 : 뒤의 음운이 앞의 음운의 영향을 받아 그와 비슷하거나 같게 소리 나는 현상.
○ 역행 동화 : 앞의 음운이 뒤의 음운의 영향을 받아 그와 비슷하거나 같게 소리 나는 현상.

① '국민'은 '001000'으로 표시할 수 있으므로 순행 동화이다.
② '글눈'은 '000100'으로 표시할 수 있으므로 역행 동화이다.
③ '명랑'은 '001000'으로 표시할 수 있으므로 순행 동화이다.
④ '신랑'은 '000100'으로 표시할 수 있으므로 역행 동화이다.
⑤ '잡념'은 '001000'으로 표시할 수 있으므로 역행 동화이다.

12회

15. <보기>의 [A]~[C]에 들어갈 예를 바르게 짝지은 것은?

< 보 기 >

○ ㄱ~ㄷ은 높임 표현이 사용된 문장들이다. 아래의 순서도에 따라 ㄱ~ㄷ을 분류해 보자.

ㄱ. 나는 할아버지께 선물을 드렸다.
ㄴ. 할아버지께서 지금 우리 집에 계신다.
ㄷ. 어머니께서는 할아버지를 모시고 집에 가셨다.

⇩

주어가 나타내는 대상인 주체를 높이는가? — 아니오 ➡ [A]

⬇ 예

문장의 목적어나 부사어가 나타내는 대상인 객체를 높이는가? — 아니오 ➡ [B]

⬇ 예

[C]

	[A]	[B]	[C]
①	ㄱ	ㄴ	ㄷ
②	ㄱ	ㄷ	ㄴ
③	ㄴ	ㄱ	ㄷ
④	ㄴ	ㄷ	ㄱ
⑤	ㄷ	ㄴ	ㄱ

[16 ~ 20] 다음 글을 읽고 물음에 답하시오.

(가) [1] 산촌(山村)에 눈이 오니 돌길이 묻혔어라
㉠ 시비(柴扉)를 열지 마라 날 찾을 이 뉘 있으랴
밤중만 일편명월(一片明月)이 긔 벗인가 하노라

[2] 창(窓)밖에 워석버석 임이신가 일어 보니
혜란 혜경(蕙蘭蹊徑)*에 낙엽(落葉)은 무슨 일이고
어즈버 유한한 간장(肝腸)이 다 긏을까 하노라

[3] 노래 삼긴 사람 시름도 하도 할샤
일러 다 못 일러 불러나 풀었던가
진실로 풀릴 것이면은 나도 불러 보리라

– 신흠, 「방옹시여(放翁詩餘)」 –

* 혜란 혜경 : 난초가 자라난 지름길.

(나) 너를 꿈꾼 밤
문득 인기척에
잠이 깨었다.
문턱에 귀대고 엿들을 땐
거기 아무도 없었는데
베개 고쳐 누우면
지척에서 들리는 ⓐ 발자국 소리.
나뭇가지 스치는 소매깃 소리.
아아, 네가 왔구나.
산 넘고 물 건너
누런 해 지지 않는 서역(西域) 땅에서
나직이 신발을 끌고 와
다정하게 부르는
ⓑ 너의 목소리,
오냐, 오냐,
안쓰런 마음은 만리 길인데
황망히 ㉡ 문을 열고 뛰쳐나가면
밖엔 하염없이 내리는 ⓒ 가랑비 소리,
후두둑,
댓잎 끝에 방울지는
봄비 소리.

– 오세영, 「너의 목소리」 –

16. (가)와 (나)의 표현상 공통점으로 가장 적절한 것은?

① 영탄적 표현을 통해 감정을 효과적으로 표출하고 있다.
② 명사로 시상을 마무리하여 시적 여운을 자아내고 있다.
③ 의문형 진술을 활용하여 심리적 태도를 부각하고 있다.
④ 말을 건네는 방식을 사용하여 친밀감을 강화하고 있다.
⑤ 자연물에 인격을 부여하여 주제 의식을 드러내고 있다.

17. 다음은 탐구 학습을 통해 (가)의 [2]와 (나)를 비교하여 정리한 내용이다. ㄱ~ㅁ 중, 적절하지 않은 것은? [3점]

시적 상황: (가)의 [2]	시적 상황: (나)
'워석버석' 소리가 남	'나뭇가지 스치는' 소리가 남
⋮	⋮
'일어'나 봄	'뛰쳐' 나감
⋮	⋮
'낙엽'이 짐	'봄비'가 내림

⇨

작품상의 공통점
- ○ 계절적 이미지가 분위기 형성에 기여함. ······ ㄱ
- ○ 상황 판단의 근거로 감각적 현상을 제시함. ······ ㄴ
- ○ 상대방에 대한 심경이 행동을 통해 표출됨. ······ ㄷ
- ○ 판단 오류의 원인이 시간적 배경에 있음을 드러냄. ······ ㄹ
- ○ 부재하는 대상에 대한 화자의 반응을 중심으로 시상이 전개됨. ······ ㅁ

① ㄱ ② ㄴ ③ ㄷ ④ ㄹ ⑤ ㅁ

18. ㉠과 ㉡에 대한 설명으로 가장 적절한 것은?

① ㉠에는 ㉡과 달리 화자의 소망이 투영되어 있다.
② ㉡에는 ㉠과 달리 화자의 억울한 심정이 내재되어 있다.
③ ㉠에는 화자의 단절감이, ㉡에는 화자의 기대감이 담겨 있다.
④ ㉠에는 냉소적 태도가, ㉡에는 관조적 태도가 반영되어 있다.
⑤ ㉠과 ㉡에는 결핍 상태가 충족된 내면 심리가 나타나 있다.

19. <보기>를 바탕으로 (가)를 감상한 내용으로 적절하지 않은 것은?

< 보 기 >

(가)는 선조의 총애를 받던 신흠이 선조 사후 '계축옥사'에 연루되어 관직을 박탈당하고 김포로 내쫓겼던 시기에 쓴 시조 30수 중 일부이다. 이들 30수는 자연 지향, 세태 비판, 연군, 취흥 등의 다양한 주제 의식을 형성하고 있으며, 우리말 시가에 대한 작가의 인식도 엿볼 수 있다. 그 서문 격인 「방옹시여서」에는 창작 당시 그의 심경이 다음과 같이 적혀 있다. "내 이미 전원으로 돌아오매 세상이 진실로 나를 버렸고 나 또한 세상사에 지쳤기 때문이다."

① '산촌'은 세상과 대비되는 공간으로서의 자연의 의미를 지니는 것이겠군.
② '일편명월'은 세태를 비판하고 자신의 억울한 처지를 호소하는 작가를 상징하는 것이겠군.
③ '임'을 군왕으로 이해한다면 '간장이 다 긏을까 하노라'는 임금을 향한 신하의 애끓는 심정이 함축된 것이겠군.
④ '시름'은 정치적 혼란기에 정계에서 쫓겨나 버림받은 작자의 복잡한 심경을 나타내는 것이겠군.
⑤ '노래'는 세상사에 지치고 뒤엉킨 작가의 마음을 풀어 내는 수단으로서의 성격을 지니는 것이겠군.

20. ⓐ ~ ⓒ와 관련하여 (나)를 이해한 내용으로 적절하지 않은 것은?

① 화자가 꾼 '꿈'은 빗소리를 ⓐ로 여기는 계기가 된다고 볼 수 있겠군.
② '너'에 대한 화자의 그리움이 고조됨에 따라 빗소리가 ⓐ에서 ⓑ로 인식된다고 볼 수 있겠군.
③ ⓑ는 '산 넘고 물 건너' 들려오는 것이기에 화자에게 반가움과 동시에 과거의 추억을 환기한다고 볼 수 있겠군.
④ '하염없이 내리는' ⓒ는 하강의 이미지를 통해 만남이 무산된 화자의 좌절감과 조응한다고 볼 수 있겠군.
⑤ ⓑ가 ⓒ임을 알고 난 후의 화자의 허탈감이 '후두둑'을 통해 청각적 이미지로 부각된다고 볼 수 있겠군.

[21 ~ 24] 다음 글을 읽고 물음에 답하시오.

최근 예술 분야에서는 과학 기술을 이용하여 새로운 장르를 ⓐ 개척하려는 시도가 이루어지고 있다. 이러한 배경을 바탕으로 등장한 예술의 하나가 바로 '㉠ 엑스레이 아트(X-ray Art)'이다. 엑스레이 아트는 엑스레이 사진을 활용하여 만든 예술 작품을 의미한다.

엑스레이 아트의 거장인 닉 베세이는 엑스레이를 활용하여 오브제* 내부에 ⓑ 주목한 작품을 만들었다. 그는 「튤립」이라는 작품을 통해 꽃봉오리에 감추어진 암술과 수술을 드러냄으로써, 꽃의 보이지 않는 내부의 아름다움을 탐색하였다. 또한 「셀피」라는 작품을 통해 현대 사회의 외모 지상주의를 비판하기도 했다. 이 작품은 자기 얼굴을 찍는 사람의 모습을 엑스레이로 촬영한 것으로, 엑스레이로 인체를 촬영할 경우 외양이 드러나지 않는 점을 이용하여 창작 의도를 나타낸 것이다.

엑스레이 아트의 창작 의도를 ⓒ 구현하기 위해서는 오브제의 특성을 고려해야 한다. 이는 오브제의 재질과 두께에 따라 엑스레이의 투과율이 달라지기 때문이다. 이러한 이유로 엑스레이 아트에서는 엑스레이가 투과되지 않는 물질이 포함된 오브제를 배제하기도 하고, 역으로 이를 활용하기도 한다. 촬영을 할 때에는 오브제의 두께에 따라 엑스레이의 강도와 오브제에 엑스레이가 투과되는 시간을 조절해야 의도하는 명도의 사진을 얻을 수 있다. 또한 오브제와 근접한 거리에서 촬영해야 하는 엑스레이의 특성상, 가로 35cm, 세로 43cm인 엑스레이 필름의 크기보다 오브제가 클 경우 오브제를 여러 부분으로 나누어서 촬영한다. 한편 작품 창작 의도를 구현하는 데 오브제의 모든 구성 요소가 필요하지 않다면 오브제의 일부 구성 요소만 선택하여 창작 의도를 드러낼 수도 있다. 그리고 오브제가 겹쳐 있을 경우, 창작 의도와 다른 사진이 나올 수 있으므로 이를 고려하여 오브제를 적절하게 ⓓ 배치하고 촬영 각도를 결정한다.

이렇게 촬영한 엑스레이 사진은 컴퓨터 그래픽 작업을 거치는데, 창작 의도를 드러내기 위해 여러 장의 사진을 합성하기도 한다. 특히 항공기 동체와 같이 크기가 큰 대상을 오브제로 삼아 여러 날에 걸쳐 촬영할 경우, 촬영할 당시의 기온, 습도 등의 영향으로 각각의 사진들마다 명도가 다르게 나타날 수 있다. 그러므로 그래픽 작업을 통해 사진들의 명도를 보정한 뒤, 이 사진들을 퍼즐처럼 맞추어 하나의 사진으로 합성하여 작품을 완성한다.

엑스레이는 대상의 골격이나 구조를 노출하는 기술이라는 점에서 차가운 느낌을 주기도 한다. 하지만 이를 활용한 엑스레이 아트는 발상의 전환을 통해 감상자들에게 기존의 예술 작품과는 다른 미적 감수성을 불러일으킨다는 점에서 현대 예술의 외연을 넓히는 데 ⓔ 기여하였다는 평가를 받고 있다.

* 오브제(objet) : 일상 용품이나 물건을 본래의 용도로 쓰지 않고 예술 작품에 사용하는 기법 또는 그 물체.

21. 윗글에서 언급된 내용이 아닌 것은?

① 엑스레이 아트의 개념
② 엑스레이 아트의 작품 사례
③ 엑스레이 아트의 창작 방법
④ 엑스레이 아트의 등장 배경
⑤ 엑스레이 아트의 발전 양상

12 회

22. 윗글을 바탕으로 할 때, <보기>의 작품에 대해 보인 반응으로 적절하지 않은 것은? [3점]

< 보 기 >

「버스」는 실제 버스와 사람을 오브제로 삼아, 이를 여러 날에 걸쳐 각각 촬영한 뒤 합성한 엑스레이 아트이다. 작가는 작품의 창작 의도를 구현하는 데 필요한 바퀴나 차체 등의 일부 구성 요소들만 선택하였다. 그리고 버스의 측면이 보이도록 촬영하여 버스에 타고 있는 사람들의 여러 가지 자세와 인체 골격의 다양한 모습을 드러내고 있다.

<닉 베세이, 「버스」>

① 물체를 투과하는 엑스레이를 이용한 것은 일상적 시선으로는 볼 수 없는 인체 골격의 모습을 보여 주려는 의도였겠군.
② 바퀴나 차체 등의 일부 구성 요소만 선택한 것에는 필요하지 않은 부분을 배제하려는 작가의 의도가 반영된 것이겠군.
③ 버스의 측면이 보이도록 촬영한 것은 촬영 각도에 따라 엑스레이가 투과되지 않는 효과를 이용하기 위한 것이겠군.
④ 작품이 한 번에 촬영한 사진처럼 보이는 것은 컴퓨터 그래픽 작업을 통해 각 사진의 명도를 보정한 결과이겠군.
⑤ 엑스레이 필름보다 큰 실제 크기의 오브제를 선정하였기 때문에 촬영한 여러 장의 사진을 합성한 것이겠군.

23. ㉠의 의의로 가장 적절한 것은?

① 오브제를 찍은 사진에 의도적인 변형을 가하여 오브제의 실체를 감추는 예술이다.
② 실존하지 않는 대상을 그래픽 작업으로 만들어 사회의 병폐를 풍자하는 예술이다.
③ 인체나 사물의 외양을 있는 그대로 드러냄으로써 아름다움의 의미를 구현하는 예술이다.
④ 눈에 보이지 않을 만큼 작은 오브제를 가시화하여 대상의 본질에 대해 탐색하는 예술이다.
⑤ 겉으로 드러나지 않는 오브제의 내부를 의도적으로 보여 주어 예술의 영역을 확장한 예술이다.

24. ⓐ ~ ⓔ의 사전적 의미로 적절하지 않은 것은?

① ⓐ : 새로운 물건을 만들거나 새로운 생각을 내어놓음.
② ⓑ : 관심을 가지고 주의 깊게 살핌.
③ ⓒ : 어떤 내용이 구체적인 사실로 나타나게 함.
④ ⓓ : 사람이나 물자 따위를 일정한 자리에 알맞게 나누어 둠.
⑤ ⓔ : 도움이 되도록 이바지함.

[25 ~ 27] 다음 글을 읽고 물음에 답하시오.

"그 아이는 안 죽었소. 누가 내린 자식이라고 그리 쉽게 죽을 것 같소? 틀림없이 미륵보살님이 지켜 주고 계실 것이요."
"뭣이라고? 함께 갔던 친구가 하는 말인데, 그러면 그 녀석이 거짓말을 했단 말이여?"
"어젯밤 꿈에도 그 아이가 저 건너 미륵바위 곁에 서 있습디다. 꼭 옛날 당신이 징용 가셨을 때 미륵바위 곁에 서 계셨던 것맨키로 의젓하게 서서 웃고 있습디다."
한몰댁은 마치 남의 이야기하듯 차근하게 말했다.
"뭣이? 옛날 징용 갔을 적에 임자 꿈에 내가 미륵바위 곁에 서 있었던 것맨키로?"
영감은 눈을 끔벅이며 할멈을 건너다봤다. ㉠그때 일은 너무도 신통했다. 탄광에서 갱도가 무너져 죽었다고 집에 사망 통지서까지 온 영감이 죽지 않고 살아왔던 것이다.
왜정 때 북해도 탄광에 징용으로 끌려갔을 때였다. 교대를 하러 갱으로 들어가려는데 갑자기 배탈이 났다. 평소 그를 곱게 보던 십장이 함바에서 쉬라고 했다. 그 뒤 한 시간도 채 못 되어 탄광은 수라장이 되고 말았다. 낙반 사고였다. 구조를 하느라 탄광은 벌집을 쑤셔 놓은 꼴이었다. 그러나 갱 사정을 손바닥 보듯 알고 있던 영감은 그들을 구출할 수 없다는 걸 잘 알고 있었다. 순간, 도망치자는 생각이 번개처럼 머리를 쳤다. 도둑놈은 시끄러울 때가 좋더라고 도망치기에는 이보다 좋은 기회가 없을 것 같았다. 더구나 자기가 갱 속에 들어가지 않았다는 것은 십장만 알고 있는데, 그도 갱 속에 들어갔으므로 자기가 없으면 갱에서 죽은 걸로 치부할 게 틀림없었다.
주먹을 사려쥐었다. 그러나 탈주는 목숨을 거는 일이었다. 잡히면 그대로 총살이었다. 광부였지만 전시 동원령에 따라 끌려왔기 때문에 그들의 탈주도 군인들 탈영하고 똑같이 취급됐다. 그렇지만 여기 있으면 자기도 언제 죽을지 몰랐다. 전시물자 수급이 달리자 목표량 채우기에만 눈이 뒤집혀 안전 따위는 안중에도 없고, 몽둥이로 소 몰듯 몰아치기만 했다. 작업조건도 조건이지만 우선 밥이 적어 견딜 수가 없었다. 이판사판이었다. 예사 때도 지나새나* 궁리가 그 궁리였으므로 도망칠 길목은 웬만큼 어림잡고 있었다. 밤이 이슥하기를 기다려 철조망을 뛰어넘었다.
집에는 사망 통지서와 함께 유골이 왔다. 무슨 일인가 하고 나간 시어머니는 그 자리에서 짚단 무너지듯 까무러쳤다. 그러나 한몰댁은 어리벙벙한 표정으로 서 있었다. 아무래도 그게 자기 남편 유골 같지 않았고, 죽었다는 실감도 들지 않았다. 그 순간 전날 밤 꿈에 나타난 미륵보살이 떠올랐다. 미륵보살이 인자하게 웃고 있었고, 그 곁에 남편이 의젓하게 서 있었다.
"그이는 안 죽었소."
한몰댁은 시어머니에게 꿈 이야기를 하며 틀림없이 미륵보살님이 지켜 주고 계실 거라 했다. 그러나 시어머니는 그런 소리는 귀여겨듣지도 않고 시름시름 앓다가 그 길로 세상을 뜨고 말았다. 그렇지만 한몰댁은 눈물 한 방울 흘리지 않고, 그때까지 그래왔듯이 새벽마다 미륵바위 앞에서 더 정성스레 치성을 드렸다. 8·15가 되었다. 꿈결에 싸여 온 듯 남편이 살아왔다.

[중략 줄거리] 한몰 영감 내외는 6·25 때 의용군으로 나간 아들이 북쪽에 살아 있다고 믿으며 살아간다. 산업화에 의한 댐 건설로 마을이 수몰되기 전 지낸 마지막 당제가 끝나고 한몰 영감은 혼자 남아 도깨비들에게 아들의 안전을 지켜 달라고 부탁한다.

"자네들 사는 길속을 내가 잘 몰라서 하는 말인디, 만당 간에 그런 일이 있으면 우리 집 녀석한테 말을 전할 방도를 한번 생각해 보게. 천행으로 그런 방도가 있거든 그 녀석한테 이렇게 쪼깐 전해 주게. 자네 부모들은 둘이 다 무탈한께 그것은 한나도 걱정 말고, 혹간에 그쪽에서 간첩으로 내려가라고 하거든 죽으면 거그서 죽제 간첩으로는 절대로 내려오지 말라더라고 전해 줘. 이쪽 남한에는 어디를 가나 골목골목 간첩 잡으라는 표때기 안 붙은 데가 없고, 군인이야, 경찰이야, 예비군이야, 더구나 삼천만 원, 오천만 원 상금까지 걸려 어느 한구석 발붙일 데가 없다고 저저이 일러줘. 아무리 지가 홍길동이라 하더라도 여그 와서야 어느 골목에 발을 붙일 것이며, 어느 그늘에 은신을 할 것인가? 없네, 없어. 발붙일 데가 없어."

영감은 손사래까지 치며 절레절레 고개를 젓는다.

"자네들한테 이런 말이라도 하고 난께 속이 쪼깐 터진 것 같네. 사상이 뭣인가 모르겄네마는, 그 사상이란 것도 사람이 살자는 사상이제 죽자는 사상은 아닐 것인디, 피붙이들이 생나무 가지 찢어지듯 찢어져서 삼십 년을 내리 소식 한 번 듣지 못하고 산대서야 그것이 지대로 된 사상이겄어? 아무리 이빨 감시로 총 겨누고 있어도 이 꼴이라면 이제는 피차에 쪼깐……."

영감은 말을 뚝 그친다. 저쪽에서 플래시 불이 나타났다. 서울서 밤차를 타고 온 사람들 같았다.

"아이고, 사람이 오네. 나 가야겄네. 그럼 돌아온 한식날 보세."

영감은 담배꽁초를 짓이겨 끄고 부랴부랴 동네로 내닫는다.

이듬해 봄부터 댐에 물이 차기 시작했다. 산중턱까지 물이 찬 댐은 물빛이 유난히 푸르렀다. 멀리 바다로 날아가던 물새들도 푸른 물빛에 끌려 여기 내려앉아 자맥질을 하다 떠나고, 하늘에 떠 있는 흰구름도 제 아름다운 자태를 수면에 비춰 보며 한가롭게 멈춰 있기도 했다.

감내골 가는 장구목재 잿길은 재를 넘어 조금 내려가다가 물속으로 들어가 버린다. 동네가 없어졌으므로 댐을 막은 뒤부터 이 길을 다니는 사람은 거의 없다. 이따금 극성스런 낚시꾼들이나 바쁜 걸음을 칠 뿐이다. 새벽 장꾼들처럼 바삐 나대던 낚시꾼들은 느닷없이 앞을 가로막는 큼직한 안내판 앞에 우뚝 걸음을 멈춘다. 관광지 안내판 크기의 이 안내판을 읽고 난 낚시꾼들은 어리둥절한 표정으로 고개를 갸웃거리다가 눈을 옆으로 돌린다.

거기 오두막집이 한 채 있다. 싸리나무 울타리가 가지런하고 마당이며 토방이 여간 정갈하지 않다. 토방과 집터서리에는 벌통이 여남은 통 놓여 있고, 집 근처 네댓 마지기 밭에는 조그마한 남새밭을 내놓고는 모두 메밀을 갈아, 가을이면 하얗게 핀 메밀꽃이 따가운 햇살에 눈이 부실 지경이다.

발길이 바쁜 낚시꾼들이지만, 이 집을 보고 나면 고개를 갸웃거리다가 다시 안내판으로 눈이 간다. 안내판 한쪽 귀퉁이에는 호롱불이 걸려 위쪽이 시커멓게 그을려 있고, 그 곁에는 끄트머리에 창의비라 쓰인 비석도 하나 서 있다. 그들은 서툰 글씨지만 정성 들여 또박또박 쓰여 있는 안내판을 다시 읽는다.

"이 재 너매 잇뜬 감내골 동내는 저수지 뗌을 마거서 한집도 업써 모두 다 업써저불고, 거그 살든 부님이 어매 한몰댁하고 아배 한몰 영감은 이 집서 산다. 부님이 아배 이름은 김진구다."

– 송기숙, 「당제」 –

* 지나새나: 해가 지거나 날이 새거나 밤낮없이.

25. <보기>에서 윗글에 대한 설명으로 적절한 것을 모두 골라 바르게 짝지은 것은?

< 보 기 >

ㄱ. 방언을 사용하여 대화를 실감나게 전달하고 있다.
ㄴ. 사건이 반복되면서 인물 간 갈등이 심화되고 있다.
ㄷ. 배경 묘사를 통해 장면을 선명하게 제시하고 있다.
ㄹ. 주인공이 서술자가 되어 자신의 경험을 서술하고 있다.

① ㄱ, ㄷ ② ㄴ, ㄷ ③ ㄷ, ㄹ
④ ㄱ, ㄴ, ㄹ ⑤ ㄴ, ㄷ, ㄹ

26. ㉠에 대하여 '한몰 영감'이 회상했을 법한 내용으로 적절한 것은?

① '낙반 사고 이전에는 탈출을 감행할 생각을 하지 않았지.'
② '탈출을 결심하고도 동료에 대한 의리 때문에 괴로워했어.'
③ '갱도가 붕괴되었을 때 나도 동료들을 구하려 노력했었지.'
④ '탄광 사람들은 내가 갱도에서 죽었다고 생각했었을 거야.'
⑤ '내가 갱도에 들어가지 않은 것을 십장이 몰라 다행이었어.'

27. <보기>를 바탕으로 윗글을 감상한 내용으로 적절하지 <u>않은</u> 것은? [3점]

< 보 기 >

「당제」는 민족 수난의 역사와 산업화를 겪은 농촌을 배경으로 한몰 영감 내외와 마을 사람들이 경험한 아픔을 보여준다. 아래와 같이 이 작품의 두 축은 '역사'와 '신앙'으로, 초월적 세계에 대한 믿음을 통해 현실의 문제들을 해결해 가고자 하는 사람들의 모습을 드러낸다.

역사(현실)	………	신앙(초월적 세계)

'미륵바위'는 개개인이 초월적 세계를 향해 직접적으로 기원할 수 있는 대상이고, '마을신'에게 제사를 지내는 '당제'는 두 세계를 매개하는 의식이다. '도깨비'는 두 세계의 매개자로서 마을 사람들의 일상과 함께한다. 이처럼 소설은 현실의 삶이 초월적 세계와의 교류를 통해 지탱되고 이어져 감을 보여 주고 있다.

① 남편이 살아 있다는 '한몰댁'의 확신은 '꿈'이 소망을 이루어 주어 초월적 세계를 구현한다는 믿음에서 비롯된 것이겠군.
② '한몰댁'이 수난을 겪을 때 '미륵바위'를 찾은 것은 초월적 세계를 통해 현실의 문제를 해결하고자 한 것이겠군.
③ '한몰 영감'이 '도깨비'에게 아들을 부탁한 것은 현실과 초월적 세계가 교류하는 모습을 보여 주는 것이겠군.
④ '댐' 건설로 '감내골'이 물에 잠기게 된 것은 산업화 시대의 농촌 사람들이 겪어야 했던 아픔을 보여 주는 것이겠군.
⑤ '한몰 영감' 부부가 '안내판'을 세운 것은 초월적 세계에 대한 믿음이 그들의 삶을 지탱하고 있음을 보여 주는 것이겠군.

12회

[28 ~ 33] 다음 글을 읽고 물음에 답하시오.

심리학자인 카너먼은 인간이 논리적 사고 과정을 통해 합리적으로 문제를 해결하기보다는 직감에 의해 문제를 해결하는 경향이 강하다고 주장하였다. 예컨대 "영어 단어 중 R로 시작하는 단어와 R이 세 번째에 있는 단어 중 어느 것이 더 많은가?"라는 질문에, 실제로는 후자의 단어가 더 많지만 전자의 단어가 더 쉽게 떠오르기 때문에 대부분의 사람들은 R로 시작하는 단어가 더 많다고 대답한다. 그는 이를 ㉠ 해당 사례를 자주 접하거나 쉽게 떠올릴 수 있으면, 발생 빈도수가 높다고 판단하는 인간의 심리적 특성에 기인한다고 보았다. 그는 실제 인간의 행동에 나타나는 다양한 양상을 연구하여 인간은 합리적 선택을 한다는 전통 경제학의 전제에 반기를 들고, 심리학적 연구 성과를 경제학에 접목시킨 새로운 이론을 제안했다.

전통 경제학에서는 인간을 합리적 선택을 하는 존재로 가정하고, 시장에서의 재화와 용역의 생산, 분배, 소비 활동을 연구한다. 전통 경제학의 대표적 이론인 기대 효용 이론에 따르면, 인간은 대안이 여러 개일 때 각 대안의 효용을 계산하여 자신에게 최대 이득을 주는 대안을 선택한다. 이때 '효용'이란 재화를 소비할 때 느끼는 만족감이다. 어떤 대안의 기댓값인 기대 효용은, 대안을 선택했을 때 발생할 수 있는 개별 사건의 효용에, 각 사건의 발생 확률을 곱해 모두 더한 값이다.

예컨대 동전을 던져 앞면이 나오면 20,000원을 얻고 뒷면이 나오면 10,000원을 잃는 게임 A, 앞면이 나오면 10,000원을 얻고 뒷면이 나오면 5,000원을 잃는 게임 B가 있다고 해 보자. 화폐 효용은 그것의 액면가와 같다고 할 때, 동전의 앞면, 뒷면이 나올 확률은 각각 0.5이므로, 게임 A의 기대 효용은 (20,000원 × 0.5) − (10,000원 × 0.5) = 5,000원, 게임 B의 기대 효용은 (10,000원 × 0.5) − (5,000원 × 0.5) = 2,500원이다. 기대 효용 이론에 따라 합리적 판단을 한다면 기대 효용이 더 큰 게임 A를 선택해야 하지만, 실제 선택 상황에서는 대다수의 사람들이 게임 B를 선택한다.

카너먼은 이러한 선택의 문제를 설명하기 위해 전망 이론을 제시하였다. ⓐ 전망 이론은 이득보다 손실에 대해 민감하게 반응하는 인간의 심리가 선택 행동에 미치는 영향을 설명하는 이론이다. 여기서 '전망'은 이득과 손실에 대해 사람들이 느끼는 심리 상태를 의미한다. 전망은 대안을 선택했을 때 발생할 수 있는 개별 성과의 가치에, 각각의 결정 가중치*를 곱해 모두 더한 값이다.

<그림>은 전망 이론에서 이득과 손실에 대한 인간의 반응을 설명하는 그래프다. 여기서 x축은 성과를, y축은 성과에 대해 사람들이 부여하는 가치(v)를 나타낸다. 그리고 두 축이 교차하는 지점은 현재 '나'의 상황을 의미하는 준거점으로, 이를 기준으로 오른쪽은 이득 영역이고, 왼쪽은 손실 영역이다. 이 그래프에서 이득 영역의 $v(a)$와 손실 영역의 $v(-a)$의 절댓값을 비교하면 후자의 값이 더 크다는 것을 알 수 있는데, 이는 같은 크기의 이득과 손실이 있을 때 이득감보다 손실감이 더 크다는 것을 의미한다.

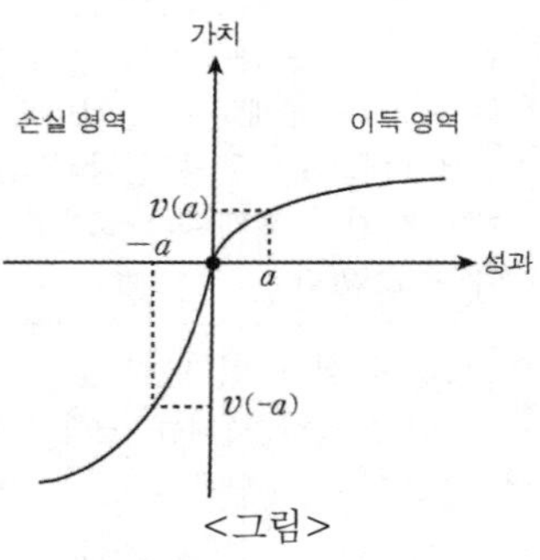

<그림>

이 그래프에 따라 앞서 예를 든 게임 A와 B 중에서 사람들이 후자를 더 많이 선택하는 이유를 분석하면, 20,000원을 얻었을 때의 이득감이 10,000원을 얻었을 때의 이득감보다 크지만, 10,000원을 잃었을 때의 손실감이 5,000원을 잃었을 때의 손실감보다 훨씬 더 크기 때문에, 더 큰 손실감을 피하고자 하는 심리가 반영된 결과로 해석할 수 있다.

전망 이론에서는 이러한 심리가 실제 선택 행동에 영향을 미치는 현상을 ⓑ '틀 효과'로 설명한다. 이에 따르면 사람들은 여러 대안 중 하나를 선택할 때, 선택 상황이 자신에게 이득을 주는지, 손실을 주는지에 따라 전자를 '긍정적 틀'로, 후자를 '부정적 틀'로 인식한다. 그 결과 사람들은 긍정적 틀에서는 확실한 이득을 주는 대안을 선택하고, 부정적 틀에서는 불확실한 손실을 주는 대안을 선택한다. 불확실성을 '위험'이라 할 때, 불확실성을 피해 확실성을 추구하는 것은 '위험 회피 성향'에, 불확실성을 추구하는 것은 '위험 추구 성향'에 해당하므로, 사람들은 긍정적 틀에서는 위험 회피 성향을, 부정적 틀에서는 위험 추구 성향을 보인다고 할 수 있다. 다음의 선택 상황에서 이와 같은 틀 효과를 확인할 수 있다.

> **[상황 1]** 100만 원이 있으며, Ⓐ안과 Ⓑ안 중 택 1
> ○ Ⓐ안 : 0.5의 확률로 100만 원을 받거나, 아무것도 받지 못한다.
> ○ Ⓑ안 : 1의 확률로 50만 원을 받는다.
>
> **[상황 2]** 100만 원이 있으며, Ⓒ안과 Ⓓ안 중 택 1
> ○ Ⓒ안 : 0.5의 확률로 100만 원을 잃거나, 아무것도 잃지 않는다.
> ○ Ⓓ안 : 1의 확률로 50만 원을 잃는다.

'상황 1'은 이득을 주는 상황으로, 사람들은 이를 긍정적 틀로 인식하므로 많은 사람들이 이득이 불확실한 Ⓐ안보다 이득이 확실한 Ⓑ안을 선택한다. 반대로 '상황 2'는 손실을 주는 상황으로, 사람들은 이를 부정적 틀로 인식하므로 많은 사람들이 손실이 확실한 Ⓓ안보다 손실이 불확실한 Ⓒ안을 선택한다.

전통 경제학은 인간이 합리적 선택을 한다는 전제로 이상적인 경제 상황을 설명했다면, 카너먼은 이러한 전제를 비판하며 실제 인간의 삶에서 나타나는 선택 행동의 특성을 심리학에 근거해 설명했다. 그 결과 인간의 선택 과정에 영향을 주는 요인들에 주목해 행동 경제학이라는 새로운 분야를 개척하였다.

* 결정 가중치 : 어떤 성과에 대해 사람들이 주관적으로 느끼는 발생 확률.

28. 윗글의 내용과 일치하지 <u>않는</u> 것은?

① 기대 효용 이론은 자신의 현재 상황을 준거로 하여 나타나는 선택 행동의 다양한 양상을 분석하였다.
② 기대 효용 이론에 따르면 인간은 여러 대안이 있을 때 자신에게 가장 큰 이득을 주는 대안을 선택한다.
③ 카너먼은 인간이 논리적 사고 과정보다는 직감에 의존해 문제를 해결하는 경향이 강하다고 주장하였다.
④ 카너먼은 심리학적 연구 성과를 경제학에 접목시켜 전통 경제학과 구별되는 새로운 이론을 구축하였다.
⑤ 카너먼은 인간이 합리적인 선택을 한다는 전통 경제학의 전제를 실제 인간의 행동을 근거로 반박하였다.

29. ㉠에 해당하는 사례로 가장 적절한 것은?

① **(질문)** 신은 존재하는가?
(대답) 그렇다. 왜냐하면 신이 없음을 증명한 사람이 없기 때문이다.

② **(질문)** '1부터 10까지의 합'과 '11부터 15까지의 합' 중 더 큰 것은?
(대답) 전자이다. 왜냐하면 전자가 후자보다 많은 숫자를 더하기 때문이다.

③ **(질문)** '교통사고로 인한 사망률'과 '당뇨로 인한 사망률' 중 사망률이 더 높은 것은?
(대답) 전자이다. 왜냐하면 전자를 후자보다 매체를 통해 자주 보기 때문이다.

④ **(질문)** '지방이 10% 함유된 우유'와 '지방이 90% 제거된 우유' 중 선택하고 싶은 것은?
(대답) 후자이다. 왜냐하면 후자가 전자보다 지방이 적게 함유된 식품으로 느껴지기 때문이다.

⑤ **(질문)** '한 명이 빵 한 개를 만드는 것'과 '열 명이 빵 열 개를 만드는 것' 중 시간이 더 오래 걸리는 것은?
(대답) 후자이다. 후자가 전자보다 힘이 더 많이 드는 일로 느껴지기 때문이다.

30. <보기>는 윗글의 <그림>에 대한 설명이다. A, B에 들어갈 내용을 바르게 짝지은 것은?

<보 기>

이득 영역에서는 성과가 동일한 크기로 증가할 때마다 성과에 대하여 부여하는 가치의 크기가 (　　A　　)하는 폭이 (　　B　　).

	A	B
①	증가	작아진다
②	증가	커진다
③	증가	같아진다
④	감소	작아진다
⑤	감소	커진다

31. '카너먼'의 입장에서 윗글의 '상황 1'과 '상황 2'에 대해 설명한 것으로 적절하지 않은 것은?

① Ⓑ안의 50만 원과 Ⓓ안의 50만 원에 대해 사람들이 부여하는 가치는 다르다.
② Ⓐ안을 선택하는 사람들은 위험 회피 성향이고, Ⓒ안을 선택하는 사람들은 위험 추구 성향이다.
③ Ⓐ, Ⓒ안은 이득이나 손실이 불확실한 대안, Ⓑ, Ⓓ안은 이득이나 손실이 확실한 대안에 해당한다.
④ '상황 1'에서 Ⓑ안을 선택하는 사람이 많은 것은 사람들이 불확실한 이득보다 확실한 이득을 선호하기 때문이다.
⑤ '상황 2'에서 Ⓒ안을 선택하는 사람이 많은 것은 확실한 손실을 꺼리는 인간의 심리가 반영된 결과이다.

32. ⓐ를 바탕으로, <보기>의 밑줄 친 부분의 이유를 추론한 것으로 가장 적절한 것은?

<보 기>

"먼저 써 보시고 한 달 후에 제품이 마음에 들지 않으면 반품하십시오. 금액은 전액 환불해 드립니다."라는 광고 문구에 많은 소비자들이 귀가 솔깃해져 쉽게 제품을 구매한다. 하지만 막상 한 달 후, 제품이 마음에 들지 않더라도 사용하던 제품을 반품하고 구매한 금액을 환불받는 소비자는 소수에 지나지 않는다. 이는 이득과 손실에 대한 심리 반응의 차이를 이용한 효과적인 판매 전략이라 할 수 있다.

① 제품을 사용하는 기간만큼 제품을 통해 얻는 이득감이 줄어들기 때문에
② 제품에 대한 불만족은 심리적인 현상일 뿐, 제품 자체의 문제가 아니기 때문에
③ 제품을 반품했을 때의 이득감이 제품을 그대로 사용했을 때의 이득감보다 더 크기 때문에
④ 제품을 반품할 때 느끼는 손실감이 구매한 금액을 환불받을 때 느끼는 이득감보다 크게 느껴지기 때문에
⑤ 제품을 구매하는 과정에 투입된 시간과 노력을 계산했을 때, 제품을 반품하는 것이 합리적 선택이기 때문에

33. ⓑ를 고려할 때, <보기>의 '상황'에 대한 사람들의 선택을 예측한 것으로 적절한 것은? [3점]

<보 기>

[상황]
○○ 지역에 전염병이 돌아 600명의 주민이 죽을 것으로 예상된다. 이 전염병을 막기 위한 프로그램 ㉮와 ㉯가 있다.

- 프로그램 ㉮ : 400명의 사람이 죽게 됨.
- 프로그램 ㉯ : 아무도 죽지 않을 확률이 3분의 1이고, 600명이 죽게 될 확률이 3분의 2임.

[질문]
만약 여러분이 정책 담당자라면 프로그램 ㉮와 ㉯ 중 어느 것을 선택하겠는가?

① 사람들은 상황을 부정적 틀로 인식하기 때문에 프로그램 ㉮를 선택하는 사람들이 더 많을 것이다.
② 사람들은 상황을 부정적 틀로 인식하기 때문에 프로그램 ㉯를 선택하는 사람들이 더 많을 것이다.
③ 사람들은 상황을 긍정적 틀로 인식하기 때문에 프로그램 ㉮를 선택하는 사람들이 더 많을 것이다.
④ 사람들은 상황을 긍정적 틀로 인식하기 때문에 프로그램 ㉯를 선택하는 사람들이 더 많을 것이다.
⑤ 사람들은 상황을 긍정적 틀로 인식하기 때문에 프로그램 ㉮와 ㉯를 선택하는 사람들이 비슷할 것이다.

12회

[34 ~ 38] 다음 글을 읽고 물음에 답하시오.

우리는 내비게이션을 통해 목적지까지의 경로를 ⓐ탐색하거나 스마트폰을 이용해 자신이 현재 있는 위치를 확인할 수 있다. 이는 GPS(Global Positioning System)로 인해 가능한 것이다. 그렇다면 GPS는 어떻게 현재 위치를 파악하는 것일까?

GPS는 크게 GPS 위성과 GPS 수신기 등으로 구성된다. 현재 지구를 도는 약 30개의 GPS 위성은 일정한 속력으로 정해진 궤도를 돌면서, 자신의 위치 정보 및 시각 정보를 담은 신호를 지구로 송신한다. 이 신호를 받은 수신기는 위성에서 신호를 보낸 시각과 자신이 신호를 받은 시각의 차이를 근거로, 위성 신호가 수신기까지 이동하는 데 걸린 시간을 계산하여 위성과 수신기 사이의 거리를 구한다. 위성이 보낸 신호는 빛의 속력으로 이동하므로, 신호가 이동하는 데 걸린 시간(t)에 빛의 속력(c)을 곱하면 위성과 수신기 사이의 거리(r)를 구할 수 있다. 이를 식으로 ⓑ표시하면 '$r = t \times c$'이다.

그런데 GPS가 현재 위치를 정확하게 파악하기 위해서는 상대성 이론을 고려해야 한다. 상대성 이론에 따르면 대상이 빠르게 움직일수록 시간은 느리게 흐르고, 대상에 미치는 중력이 약해질수록 시간은 빠르게 흐른다. 실제로 위성은 지구의 자전 속력보다 빠르게 지구 주변을 돌고 있기 때문에 지표면에 비해 시간이 느리게 흘러, 위성의 시간은 하루에 약 7.2 ㎲*씩 느려지게 된다. 또한 위성은 약 20,000 km 이상의 상공에 있기 때문에 중력이 지표면보다 약하게 작용해 지표면에 비해 시간이 하루에 약 45.8 ㎲씩 빨라지게 된다. 그 결과 ㉠GPS 위성에 있는 원자시계의 시간은 지표면의 시간에 비해 매일 약 38.6 ㎲씩 빨라진다. 이러한 차이는 하루에 약 11 km의 오차를 발생시킨다. 이를 방지하기 위해 GPS는 위성에 ⓒ탑재된 원자시계의 시간을 지표면의 시간과 일치하도록 조정하여 위성과 수신기 사이의 거리를 정확하게 구하게 된다.

이렇게 계산된 거리는 수신기가 자신의 위치를 파악하는 데 사용되는데, 이를 이해하기 위해서는 삼변 측량법을 알아야 한다. 삼변 측량법은 세 기준점 A, B, C의 위치와, 각 기준점에서 대상 P까지의 거리를 이용하여 P의 위치를 측정하는 방법이다.

가령, <그림>과 같이 평면상의 A(0, 0)에서 거리가 5만큼 떨어진 지점에, B(4, 0)에서 거리가 3만큼 떨어진 지점에, C(0, 3)에서 거리가 4만큼 떨어진 지점에 P(x, y)가 있다고 하자. 평면상의 한 점에서 같은 거리에 있는 점을 모두 ⓓ연결하면 원이 된다. 그러므로 A를 중심으로 반지름이 5인 원, B를 중심으로 반지름이 3인 원, C를 중심으로 반지름이 4인 원을 그리면 세 원이 교차하는 지점이 하나 생기는데, 이 지점이 바로 P(4, 3)의 위치가 된다. 이때 세 개의 점 A, B, C를 GPS 위성으로 본다면 이들의 좌표 값은 위성의 위치 정보이고, P의 좌표 값은 GPS 수신기의 위치 정보에 해당한다고 할 수 있다.

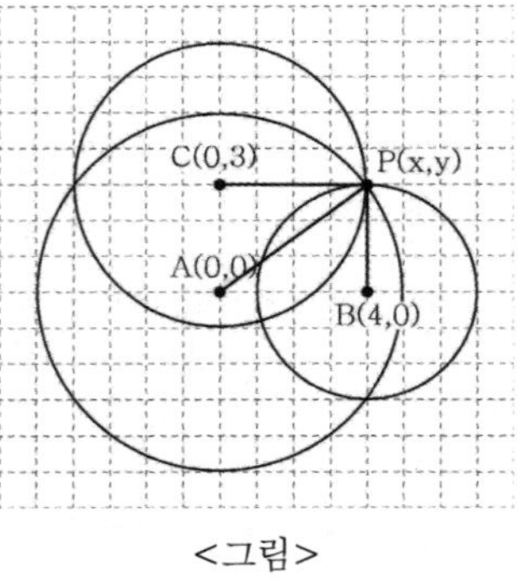

<그림>

그러나 실제 공간은 2차원 평면이 아닌 3차원 입체이기 때문에 GPS 위성으로부터 ⓔ동일한 거리에 있는 점들은 원이 아니라 구(球)의 형태로 나타난다. 그 결과 세 개의 GPS 위성을 중심으로 하는 세 개의 구가 겹치는 지점은 일반적으로 두 군데가 된다. 하지만 이 중 한 지점은 지구 표면 가까이에 위치하게 되고, 나머지 한 지점은 우주 공간에 위치하게 된다. GPS 수신기는 이 두 교점 중 지구 표면 가까이에 있는 지점을 자신의 현재 위치로 파악하게 된다.

* ㎲(마이크로초) : 1초의 100만분의 1.

34. 윗글의 내용 전개 방식으로 가장 적절한 것은?

① GPS에 적용된 원리를 구체적으로 설명하고 있다.
② GPS의 발전 과정을 시간의 순서로 제시하고 있다.
③ GPS를 다른 대상과 비교하며 장단점을 설명하고 있다.
④ GPS의 다양한 종류를 일정 기준에 따라 분류하고 있다.
⑤ GPS의 유용성을 설명하며 앞으로의 전망을 제시하고 있다.

35. 윗글에서 알 수 있는 내용으로 적절하지 않은 것은?

① GPS 위성은 약 20,000 km 이상의 상공에서 일정한 속력으로 정해진 궤도를 돈다.
② GPS를 이용하면 스마트폰이나 내비게이션으로 현재의 위치 정보를 확인할 수 있다.
③ GPS 수신기는 GPS 위성에 보낸 신호를 바탕으로 자신의 위치 정보를 계산한다.
④ GPS 위성과 GPS 수신기 간의 거리를 빛의 속력으로 나누면 위성의 신호가 수신기에 도달하는 데 걸린 시간이 된다.
⑤ 삼변 측량법이란 기준점의 위치 및 대상과 기준점 사이의 거리를 이용하여 대상의 위치를 파악하는 방법이다.

36. 문맥을 고려할 때, ㉠의 이유로 가장 적절한 것은?

① GPS 위성에는 지구의 중력이 지표면에 비해 강하게 작용하기 때문이다.
② GPS 위성이 지구를 도는 속력이 지구가 자전하는 속력보다 느리기 때문이다.
③ GPS 위성이 지구를 도는 방향과 지구가 자전을 하는 방향이 동일하기 때문이다.
④ GPS 수신기가 GPS 위성의 신호를 받는 과정에서 시간의 차이가 생기기 때문이다.
⑤ GPS 위성의 이동 속력으로 인한 시간의 변화보다 중력으로 인한 시간의 변화가 더 크기 때문이다.

37. 윗글을 바탕으로 <보기>에 대해 이해한 내용으로 적절하지 않은 것은? [3점]

< 보 기 >

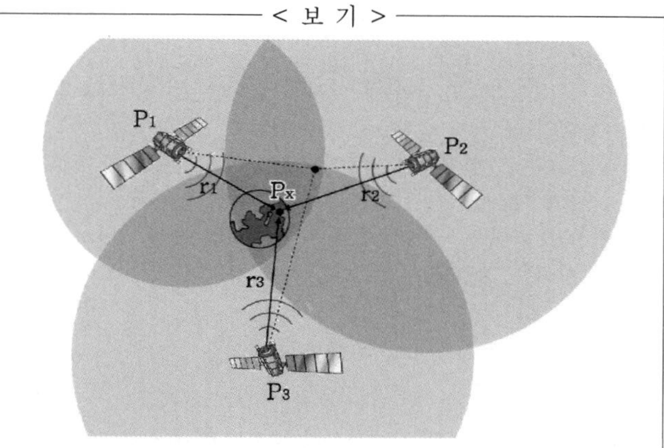

* P_1, P_2, P_3 : GPS 위성.
* r_1, r_2, r_3 : GPS 위성과 GPS 수신기 P_X와의 거리.
(단, 현재 $r_1 < r_2$, $r_2 = r_3$임. 시간과 속력에 영향을 미치는 다른 요소는 고려하지 않음.)

① $P_1 \sim P_3$가 송신하는 신호에는 위성의 위치 정보와 위성이 신호를 보낸 시각 정보가 담겨 있다.
② $P_1 \sim P_3$의 위치 정보가 달라져도 $r_1 \sim r_3$의 값이 변하지 않으면, 각각의 위성이 보낸 신호가 P_X에 도달하는 데 걸리는 시간은 달라지지 않는다.
③ P_1에서 보낸 신호가 P_X에 도달하는 데 걸린 시간이 실제보다 짧게 계산되면, r_1의 값은 실제보다 작게 계산된다.
④ P_1이 송신한 신호가 P_X에 도달할 때까지 걸린 시간은 P_2가 송신한 신호가 P_X에 도달할 때까지 걸린 시간보다 길다.
⑤ $r_1 \sim r_3$를 반지름으로 하는 구의 교점 중 지표면에 가까운 교점이 P_X의 현재 위치이다.

38. 문맥상 ⓐ~ⓔ와 바꾸어 쓸 수 있는 말로 적절하지 않은 것은?

① ⓐ : 찾거나
② ⓑ : 나타내면
③ ⓒ : 태운
④ ⓓ : 이으면
⑤ ⓔ : 같은

[39 ~ 41] 다음 글을 읽고 물음에 답하시오.

S#49. 몽타주*
○ 산채 정식처럼 각종 산나물과 된장찌개를 정갈하게 무치고 끓이고 소박한 상을 정사에게 올리는 장금.
○ 사신, 먹으며 가운데 미간이 찡그려진다.
○ 보는 장금과 장번 내시, 오겸호, 불안하고,
○ 다음날은 각종 해조류 반찬이 눈에 띄게 많은 밥상.
○ 보는 정사. 미역국에 고기 대신 생선이 들어가 있다.
○ 먹고는 역시 가운데 미간이 찡그려지는 정사.
○ 보는 장금과 장번 내시, 오겸호, 불안.
○ 흰 생선 살을 잘 발라내고 있는 장금.
○ 생선 살을 넣은 두부로 두부전골을 끓이는 장금.
○ 두부전골을 중심으로 올려지는 상.
○ 먹어 보고는 역시 미간이 심하게 찡그려지는 사신 정사.
○ 말린 나물과 버섯들을 걷어 가는 장금.
○ 대나무 밥을 하는 장금.
○ 사신에게 올려지는 상. 보면 물김치와 톳나물, 버섯나물과 산나물 그리고 대나무 밥이 올려져 있고.
○ 먹고는 미간을 찡그리는 사신의 모습.
○ 보는 장금의 모습.

S#55. 태평관 연회장
들어오는 장금, 보면, 화려하게 차려진 음식상이 있다. 이때, 오겸호와 장번 내시가 사신을 모시고 나오고, 상을 보는 정사, 놀라는데, 그를 바라보는 최 상궁과 금영의 표정에 자신감이 넘친다. 한 켠에는 불안한 표정으로 서 있는 장금.

오겸호: 그동안 (장금을 보며) 궁녀의 불경한 짓거리로 본의 아니게 무례를 저질렀습니다.
정 사: …….
오겸호: 하여 오늘부터는 만한전석을 올릴 것입니다!
정 사: 만한전석을? (장금을 본다.)
오겸호: 오늘은 저 불경한 것의 처결이 있는 날이니 원하시는 대로 벌을 내리고 마음껏 드십시오!
장 금: …….
금 영: (장금을 보는데)

정사, 역시 장금을 본다. 그러고는 자신의 앞에 놓인 음식을 보고, 다시 한 번 장금을 보고는 수저를 들어 음식을 먹기 시작한다. 보는 최 상궁과 금영, 회색이 가득하고, 정사는 계속 먹어 보는데, 미간이 찌푸려지지 않는다. 오겸호 정사의 미간을 보고는 입가에 미소를 띠며 최 상궁을 보면 최 상궁 목례를 하고, 불안한 장금, 계속 먹는 사신 정사. 최 상궁과 장번 내시의 표정, 이제는 끝이라는 듯 바라보는 금영의 표정. 절망에 휩싸이는 장금의 표정.

S#56 태평관 연회장 안
모두가 지켜보는 가운데 음식을 먹던 정사, 수저를 놓는다. 모두들 정사를 바라보는데,

오겸호: 대인! 대인을 능멸한 나인이옵니다.
정 사: …….
오겸호: 어찌 하올까요?
정 사: 앞으로 산해진미는 이것으로 끝이오!
모 두: ……?

12회

정 사 : (장금에게) 이 정도 먹은 것은 용서해 주겠느냐?
장 금 : …….
정 사 : 오늘의 만한전석은 참으로 훌륭하였소.
오겸호 : 예, 앞으로 연회는 이틀 동안 계속될 것이옵니다.
정 사 : 정성은 고마우나, 사양해야 할 듯하오.
오겸호 : 대인, 그게 무슨 말씀이온지, 그동안, 저 나인의 방자한 행동으로 입에 맞지 않는 음식을 드시느라 고생하셨던 것을 송구하게 생각하여 준비한 음식입니다. 어찌하여 마다시는지요.
정 사 : (웃으며) 저 방자한 나인 때문이오.
오겸호 : 무슨 말씀이신지?
정 사 : 그동안 나는 맛있고 기름진 음식만을 탐해 왔소. 하여, 지병인 소갈을 얻었음에도, 사람이란 참으로 약한 존재인지라, 알면서도 그런 음식을 끊을 수가 없었소이다.
모 두 : …….
정 사 : (장금에게) 나는 조선의 사람도 아니며, 오래 있을 사람도 아니다. 대충 내가 원하는 음식을 해 주어 보내면 될 것을, 어찌하여 고집을 피웠느냐?
장 금 : …….
장번 내시 : 어서 아뢰어라.
장 금 : 저는 다만 마마님의 뜻을 따랐을 뿐이옵니다.
정 사 : 그 뜻이 무엇이냐?
장 금 : 그 어떠한 경우에도, 먹는 사람에게 해가 되는 것을, 올려서는 안 된다는 것입니다. 그것이 음식을 하는 자의 도리라 하셨습니다.
정 사 : 그로 인해 자신에게 크나큰 위험이 닥쳐도 말이냐?
장 금 : 이미, 한 상궁 마마님께서 끌려가시며 제게 몸소 보여 주시지 않으셨습니까?
정 사 : (웃으며) 참으로 고집불통인 스승과 제자로다.
모 두 : (보면)
정 사 : 그래, 하여, 알았다. 음식을 하는 자가 도리와 소신이 있듯이 음식을 먹는 자 또한 도리가 있어야 한다는 것을.
모 두 : …….
정 사 : 음식을 해 주는 자가 올곧은 마음으로 내 몸을 지켜주려는데 정작 먹는 자인 내가 내 몸을 소홀히 하여, 나를 해치는 음식을 먹는다는 것이 말이 안 되지. 먹는 자에게도 도리가 있는 것이었어.
모 두 : …….
정 사 : 갖은 향신료에 절어 있던 차라 네가 올린 음식이 처음에는 풀 냄새만 나더니 먹으면 먹을수록, 그 재료 고유의 맛이 느껴지면서 참으로 맛있었다. 또 다른 맛의 공간이더구나. 비록 조선의 작은 땅덩어리에 사나, 네 배포와 심지는 대륙의 땅보다도 크구나.
장 금 : …….
정 사 : 가는 날까지 내 음식은 고집불통인 네 스승과 너에게 맡기겠노라!

– 김영현 각본, 「대장금(大長今)」 –

* 몽타주 : 각각 촬영한 화면을 이어 붙여 다양한 효과를 연출하는 기법으로, 사건을 속도감 있게 보여 주는 효과를 나타내기도 함.

39. 윗글을 통해 알 수 있는 내용으로 적절한 것은?

① 한 상궁은 정사의 뜻을 알고 장금에게 음식을 준비하도록 했다.
② 장금과 금영은 정사가 먹을 음식을 기쁜 마음으로 함께 준비하였다.
③ 정사는 오겸호의 조언에 따라 장금이 만든 음식을 억지로 먹고 있었다.
④ 오겸호는 만한전석을 준비하라고 한 정사의 지시에 불만을 가지고 있었다.
⑤ 정사는 떠나는 날까지 음식을 준비하라고 할 만큼 장금에 대한 신뢰를 보였다.

40. <보기>를 통해 윗글을 감상한 내용으로 적절하지 <u>않은</u> 것은? [3점]

< 보 기 >

음식은 먹는 사람의 건강을 지키는 수단이자 맛에 대한 욕망을 충족하는 수단이기도 하다. 이 둘은 상충되기도 하지만 조화를 이루기도 한다. 「대장금」은 다양한 음식을 소재로 한 일련의 사건과 음식에 대한 소신을 지키는 장금의 모습에서 전통 음식 문화에 대한 자부심을 느끼게 한다.

① 정사는 '소갈'에 걸리고도 맛있고 '기름진 음식'을 끊을 수 없었다는 점에서 맛에 대한 욕망을 제어하지 못하였음을 알 수 있군.
② 장금이 정사가 싫어하는 것을 알면서도 '생선'과 '산나물'을 이용하여 만든 음식을 올리는 것은 정사의 건강을 우선시했기 때문이군.
③ 정사는 장금이 만든 음식에서 '재료 고유의 맛'을 느끼며 건강을 지키는 것과 맛에 대한 욕망이 조화를 이룰 수 있음을 깨닫게 되는군.
④ 장금은 정사가 '만한전석'과 같이 건강을 해치는 음식을 선호하는 것을 보고 음식을 먹는 자의 도리를 지키지 않는다고 말하며 안타까워했군.
⑤ 장금이 위험을 무릅쓰고 먹는 사람의 건강에 도움이 되는 음식을 고집하는 것에서 '음식을 하는 자의 도리'를 지키고자 하는 소신을 확인할 수 있군.

41. S#49를 제작하기 위한 회의 내용으로 적절하지 <u>않은</u> 것은?

① 음식을 정성스럽게 만드는 장금의 솜씨를 강조할 필요가 있습니다. 음식을 만드는 손을 클로즈업하면 좋겠습니다.
② 이틀에 걸친 사건을 짧은 장면으로 이어 붙인 장면입니다. 사건이 속도감 있게 전달될 수 있도록 편집하면 좋겠습니다.
③ 불안해하는 오겸호를 담은 장면이 반복됩니다. 배우의 표정 연기를 통해 긴장감이 고조되도록 연출을 하면 좋겠습니다.
④ '음식 준비 – 사신의 시식 – 장금의 기대 – 사신의 평가'가 이어지고 있습니다. 이 순서대로 장면들을 편집하면 좋겠습니다.
⑤ 조선 시대를 배경으로 하고 있습니다. 사실성이 드러나도록 당시의 의복과 소품을 고증하여 준비하는 것이 좋겠습니다.

[42 ~ 45] 다음 글을 읽고 물음에 답하시오.

[앞부분 줄거리] 선관의 점지로 태어난 신유복은 어려서 부모를 잃고 유리걸식한다. 유복의 인물됨을 알아본 상주 목사는 호장의 딸 경패를 유복과 혼인하게 한다. 그러나 유복은 가난하다는 이유로 호장 부부, 경패의 두 언니, 그 남편 유소현, 김평의 미움을 받고 경패와 함께 쫓겨난다.

해는 서산에 걸렸다. 처녀가 저녁연기를 좇아 밥을 빌러 다녔다. 유복이 처녀와 마을로 들어가 밥을 빌어먹고 방앗간을 찾아가 거적을 얻어다 깔고 둘이 마주 누워 팔을 베고 같이 자니 신세가 궁했다. 유복은 활달한 영웅이요, 처녀 역시 여자 중의 군자였다. 고어에 흥이 다하면 슬픔이 오고 괴로움이 다하면 즐거움이 온다고 하였는데 하늘이 어찌 어진 사람을 곤궁 속에 던져두시겠는가. 처녀도 유복의 늠름한 풍채와 잘 생긴 용모를 대하니 정이 깊이 들었다. 그러므로 고생을 어찌 한탄할 것인가. 이튿날 밥을 빌어먹고 처녀가 유복에게 말했다.

"슬프도다. 이 세상에서 가장 귀한 것이 사람인데, 사람만 못한 짐승도 집이 있건만, 우리는 어째서 의지할 곳조차 없나하고 생각하면 애달픈 생각이 듭니다. 저 건너 북쪽 돌각담이 임자가 없는 것이니 돌각담을 헐고 움이나 한 간 묻어 봅시다."

동리로 재목과 이엉을 구걸하니 사람들이 불쌍히 여겨 서로 다투어가며 주었다. 처녀가 유복과 더불어 움을 묻고 거적을 얻어 깔고 밥을 빌어다가 나눠 먹고 그 밤을 지내니, 마치 커다란 저택에서 좋은 음식을 먹은 것같이 흐뭇하였다. 그러나 깊은 정이야 어디다 비할 수 있으랴. 남의 방앗간에서 잠자던 것은 한바탕 꿈이었다. 인근 사람들이 유복의 가련한 정상과 경패의 지극한 정성을 불쌍히 여겨 음식을 아끼지 않고 주며, 호장 부부를 욕하지 않는 사람이 없었다. 유복이 남의 집의 물도 길어주고 방아질도 해주니 허기를 면하였다. 그러나 의복이 없어 초라하였다.

처녀가 하루는 유복에게 말했다.

[A] "옛글에 '장부 세상에 나서 입신하여 세상에 이름을 드날려 문호를 빛나게 하며, 조상 향불을 빛나게 하라' 하였으니 문필을 배우지 않으면 공명을 어떻게 바라겠습니까? 그래서 옛 사람도 낮이면 밭 갈고, 밤이면 글을 읽어, 성공하여 길이길이 기린각에 화상을 그린 족자가 붙어 훗날에 유전하는 것을 장부다운 일로 여겼습니다. 무식한 사람으로 영웅호걸이 되었다는 말은 듣지 못했습니다."

유복이 처녀의 말을 듣고 감동되어 말했다.

[B] "내 어려서 글자나 읽었지만 어찌 이런 마음이 없겠소마는 글을 배우려 한들 어디서 배우며 책 한 권도 없으니 어쩌겠소. 또한 장차 외로운 당신은 누구를 의지한단 말이요?"

낭자가 말했다.

"그것은 염려 마십시오. 나는 혼자라도 이 움을 떠나지 않을 것이오. 내가 양식을 당할 것이니 아무 염려 마십시오. 들리는 말에 의하면 뒤 절에 원강 대사라 하는 중이 도승이며, 또한 천하 문장이라 하니 거기 가서 간절히 부탁하면 글을 가르쳐 줄 듯하오니 올라가십시오."

낭자는 바로 나아가 책 한 권을 얻어다가 주며 말했다.

"공자의 나이 열세 살이니 팔 년을 공부하여 이십이 되거든 내려오십시오. 그렇게 하시면 반가이 맞아들이겠지만 만일 그 전에 내려오시면, 절대로 세상에 있지 않겠습니다."

이렇듯 가기를 재촉하였다. 유복이 낭자의 정성을 거절 못하여 책을 옆에 끼고 절로 올라갔다. 그리고 대사를 보고 자초지종을 말하니 대사는 유복을 보고 놀라며 위로하였다.

"십삼 년 전에 규성이 무주 땅에 떨어졌기 때문에 영웅이 난 줄 알았으나 다시 광명이 없기에 분명히 곤란이 있다는 것을 짐작했지만, 오늘에야 겨우 만나게 되었군. 장부의 초년고생은 영웅호걸의 사업 재료가 되는 법, 사람이 고초를 겪지 못하면 교만한 사람이 되리라."

그 날부터 글을 가르쳐 주니 유복은 본래 하늘의 선동이라 한 자를 가르치면 백 자를 능통하였다.

(중략)

유복은 그럭저럭 과거 날이 당도하여 과거 보는 장소의 기구를 차려 가지고 과거 보는 곳으로 들어갔다. 자리를 얻지 못하고 민망해 하다가 한 곳을 바라보니 유소현, 김평이 자리를 넓게 점령하고 앉았다. 그러나 저네들이 제 글을 짓지 못하여 남의 손을 빌려 과거를 보려고 주안을 많이 차려 같이 과거 보는 이를 관대히 대하고 있었다. 유복이 속마음에 반가워 그 옆으로 들어갔다. 세상에 용서받지 못할 놈이 유복을 보고 벌컥 화를 내며 꾸짖었다.

"이 거지 놈이 어디로 들어왔냐? 저놈을 어서 잡아내라. 사람이 많이 모인 것을 보고 좇아 왔으니 빨리 잡아내라. 눈앞에서 썩 없어져라."

유복이 분한 마음을 먹고 다른 곳으로 가서 헌 거적을 얻어 깔고 앉았다. 이윽고 글 제목이 내어 걸리었다. 유복이 한번 보고 한숨에 줄기차게 써 내려가서 순식간에 제일 먼저 바치고 여관으로 돌아와 방 붙기를 기다리고 있었다.

그런데 유소현, 김평 두 놈이 겨우 남에게 글장이나 얻어 보고는 방 기다릴 염치가 없었던지 곧 출발하여 내려갔다. 이때 호장 부부와 경옥 경란이 반기며 나와 영접하였다. 술상을 차려 놓고 술을 권하니 그 두 놈이 널리 친구를 청하여 흥청댔다. 이때 경패 그 두 사람이 과거에 갔다가 무사히 돌아온 것을 알고 행여나 낭군을 과거 보는 장소에서 만나 보았는가 궁금히 여겨 소식을 들으러 갔었다. 마침 흘러나오는 소리를 들었다. 유소현, 김평이 바깥사랑에서 호장더러 '유복을 과거 보는 장소에서 만나 끌어 쫓아냈다.'는 말을 하니까 호장이 듣고 큰소리로 '그 놈을 잘 박대하였네.'하고 손뼉을 치며 말했다. 이때 낭자는 그 지껄이는 말을 듣고 낭군이 과거 보는 장소에 무사히 간 것을 알고 기뻐했으나 그 두 놈의 소위를 생각하면 괘씸하기 짝이 없었다. 움집으로 돌아와 탄식하며 말했다.

"세상에 몹쓸 놈도 있구나. ㉠ <u>낭군이 타인과 달라 찾아갔으면 함께 과거를 볼 것이지 도리어 많은 사람 앞에서 모욕을 주다니!</u> 낭군인들 오죽이나 분통이 터졌나?"

겨죽을 쑤어 놓고 먹으려 하나 목이 메어 못 먹고 하늘을 우러러 축원하였다.

"유유히 공중 높이 솟아 있는 일월은 굽어 살피소서. 낭군의 몸이나 무사히 돌아오게 하여 주옵소서."

낭자는 몹시 서러워하였다.

유복이 궐문 밖에서 기다리고 있었다. 이 날 전하께서 시험관을 데리고 글을 고르시더니 갑자기 유복의 글을 보시고 칭찬하시었다.

"이 글은 만고의 충효를 겸하였으니 만장 중에 제일이라."

급히 비밀히 봉한 것을 뜯어보시니 전라도 무주 남면 고비촌 신유복이라 있었다. 그래서 장원랑의 신유복을 대궐에 입시시키라고 하교를 전달하는 전명사알에게 하교하시었다.

― 작자 미상, 「신유복전(申遺腹傳)」 ―

12 회

42. 윗글의 서술상 특징으로 가장 적절한 것은?

① 순간적으로 장면을 전환하여 사건의 환상적 면모를 부각하고 있다.
② 서술자가 등장인물이나 사건에 대한 자신의 생각을 직접 드러내고 있다.
③ 장면마다 서술자를 달리 설정하여 사건의 전모를 명확히 드러내고 있다.
④ 시대적 배경에 대한 요약적 설명을 통해 사건의 인과 관계를 드러내고 있다.
⑤ 인물의 외양을 과장되게 묘사하여 부정적 인물에 대한 풍자를 드러내고 있다.

43. [A]와 [B]에 나타난 인물의 말하기에 대한 설명으로 적절하지 않은 것은?

① [A]에서 경패는 옛글을 인용하여 상대방의 각성을 촉구하고 있다.
② [A]에서 경패는 상대방의 동정심에 호소해 자신의 결정을 따르도록 유도하고 있다.
③ [A]에서 경패는 설의적 물음을 구사하여 자신의 의중을 상대방에게 드러내고 있다.
④ [B]에서 유복은 자신의 현재 처지를 들어 답답한 심경을 토로하고 있다.
⑤ [B]에서 유복은 상대방이 처하게 될 상황을 우려하여 행동에 나서기를 주저하고 있다.

44. ㉠에 나타난 '경패'의 마음을 속담으로 표현할 때, 가장 적절한 것은?

① '선무당이 사람 잡는다'라고 어설픈 행동을 마구 일삼아 낭군을 곤경에 빠뜨리려 했군.
② '믿는 도끼에 발등 찍힌다'라고 낭군이 철석같이 믿었던 사람들인데 도리어 배신하고 괴로움을 주었군.
③ '달면 삼키고 쓰면 뱉는다'라고 베풀어 준 은혜도 모르고 낭군이 어려울 때 헌신짝처럼 도리를 저버렸군.
④ '동냥은 못 줘도 쪽박은 깨지 마라'라고 도움을 주지는 못할망정 낭군을 곤란한 지경에 처하게 만들었군.
⑤ '닭 잡아먹고 오리발 내민다'라고 얕은꾀로 자신들의 이익을 취하고도 낭군에게 아무 잘못이 없는 척했군.

45. <보기>를 바탕으로 윗글을 정리할 때, ⓐ~ⓔ에 대한 설명으로 적절하지 않은 것은? [3점]

< 보 기 >

「신유복전」은 하늘에서 내려온 적강(謫降)의 인물인 유복의 일대기를 다룬 영웅담이다. 이 소설에는 쫓겨난 여성이 남편을 출세시키는 이야기인 '쫓겨난 여인 발복(發福) 설화'가 수용되어 있다. 이 소설은 대체로 아래와 같은 기본 구조를 바탕으로 서사가 전개된다.

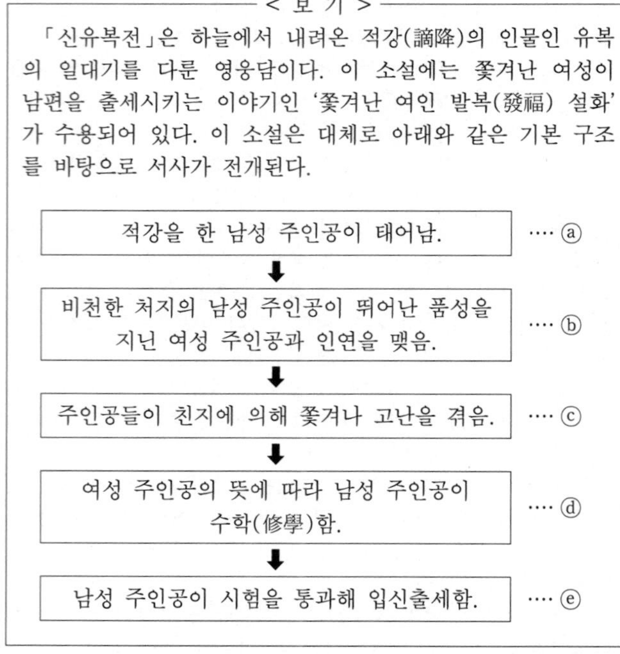

① ⓐ: 규성이 무주 땅에 떨어져서 영웅이 난 줄 알았다는 원강대사의 말에서 유복이 적강의 인물임이 제시된다.
② ⓑ: 떠돌아다니는 처지였던 유복이 여자 중의 군자인 경패와 부부가 되어 서로 사랑하며 살아간다.
③ ⓒ: 호장 부부에 의해 쫓겨나고 인근 동리 사람들에게조차 외면을 당하여 움집에서 곤궁하게 살아간다.
④ ⓓ: 이십이 될 때까지는 절에서 내려오지 말라는 경패의 뜻에 따라 유복이 원강 대사에게 글을 배운다.
⑤ ⓔ: 유복이 과거 시험에서 뛰어난 실력을 발휘하여 장원 급제하고 전하의 명령으로 대궐에 입시하게 된다.

※ 확인 사항
◦ 답안지의 해당란에 필요한 내용을 정확히 기입(표기) 했는지 확인하시오.

2018학년도 11월 고1 전국연합학력평가 문제지

국어 영역

13회 소요시간 /80분

제 1 교시

➡ 해설 P.114

[1 ~ 3] 다음은 강연의 일부이다. 물음에 답하시오.

안녕하세요. 오늘 강연을 맡은 ○○○입니다. 여러분은 혹시 숲길을 걸으며 상쾌한 기분을 느껴본 적 있나요? (학생들의 대답을 듣고 고개를 끄덕이며) 네, 이는 바로 식물들이 공기를 쾌적하게 만들어 주는 기능을 하고 있기 때문인데요. 우리가 생활하는 실내 공간에서도 식물들의 이러한 기능을 확인할 수 있습니다. 오늘은 식물이 공기를 쾌적하게 만드는 원리와 실내 공간의 특성에 맞게 식물을 배치하는 방법에 대해 알려 드리겠습니다.

먼저 식물이 어떻게 실내 공기를 쾌적하게 만들어 주는지 살펴볼까요? 식물의 잎은 실내 공간에 있는 오염 물질들을 흡수하여 광합성의 원료로 사용합니다. 이때 실내로 유입되는 빛의 양이 많아지게 되면 광합성 속도가 빨라져서 식물의 잎은 더 많은 오염 물질을 없애 줍니다. 또한 공기 중 일부 오염 물질은 화분의 토양에 흡수된 후 식물과 공생 관계에 있는 미생물에 의해 분해되어 제거됩니다. 그리고 식물에서 나오는 수분, 또 광합성 과정에서 나오는 산소로 인해 식물은 실내 공기를 쾌적하게 만들어 줍니다.

그렇다면 어떤 식물이든지 실내 공간에 두기만 하면 공기가 쾌적하게 바뀔까요? 물론 대부분의 식물들은 공기를 쾌적하게 만드는 기능을 하지만, 공간의 특성에 따라 그에 알맞은 식물을 놓아둔다면 공기를 더욱 쾌적하게 만들 수 있습니다. 하루의 피로를 풀고 숙면을 취하는 공간인 침실에는 낮이 아닌 밤에 이산화탄소를 흡수하고 산소를 배출하는 호접란을 두는 것이 좋습니다. 욕실에는 각종 냄새와 암모니아 가스를 잘 제거하는 관음죽을 놓는 것이 좋습니다. 그리고 주방의 경우에는 스킨답서스를 두는 것이 좋은데, 이는 음식을 조리하는 과정에서 발생하는 일산화탄소를 스킨답서스가 잘 흡수하기 때문입니다. 거실은 공간의 면적이 넓고 가족 구성원 모두가 주로 생활하는 곳이죠? 따라서 거실에는 크기가 커서 많은 양의 오염 물질을 잘 제거하는 인도고무나무를 놓는 것이 좋습니다. 빛은 잘 들지만 외부로부터 오염 물질이 잘 유입되는 공간인 발코니에는 특히 햇빛을 많이 필요로 하고 다양한 오염 물질을 잘 제거하는 제라늄이 적합합니다. (시각 자료를 보여 주며) 그렇다면 이 그림을 보면서 실내 공간의 특성에 맞게 식물들이 적절하게 배치되었는지 확인해 볼까요?

1. 위 강연자의 말하기 방식으로 가장 적절한 것은?

① 강연 내용의 출처를 밝혀 신뢰성을 높이고 있다.
② 대상의 변모 과정을 드러내어 역사적 의의를 드러내고 있다.
③ 개념을 정의하며 강연을 시작하여 청중의 이해를 돕고 있다.
④ 구체적인 예를 활용하여 강연 내용을 효과적으로 전달하고 있다.
⑤ 청중이 제기한 문제점을 언급하여 대상의 필요성을 강조하고 있다.

2. 다음은 강연자가 사용한 시각 자료이다. 강연을 들으며 시각 자료를 본 학생이 떠올린 생각으로 적절하지 <u>않은</u> 것은? [3점]

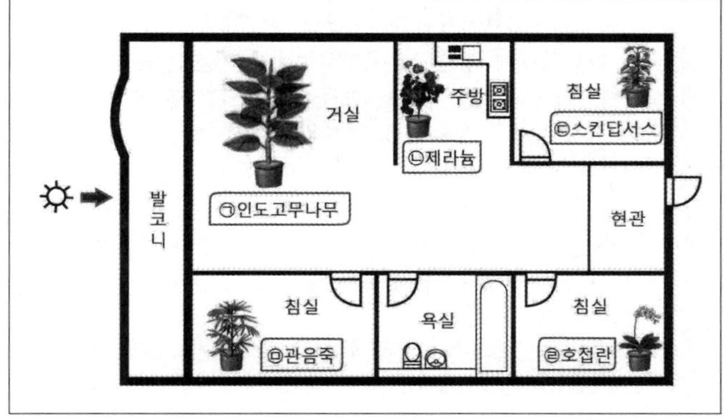

① ㉠은 크기가 커서 넓은 공간의 오염 물질을 제거하는 데 적합하므로 거실에 배치된 것이 적절하군.
② ㉡은 햇빛을 많이 필요로 하고 다양한 오염 물질을 제거하는 데 적합하므로 발코니에 배치되는 것이 좋겠군.
③ ㉢은 조리 과정에서 발생하는 일산화탄소를 잘 흡수하는 기능이 있으므로 주방에 배치되는 것이 좋겠군.
④ ㉣은 밤보다 낮에 이산화탄소를 흡수하므로 침실에 배치된 것이 적절하군.
⑤ ㉤은 각종 냄새와 암모니아 가스를 제거하는 데 적합하므로 욕실에 배치되는 것이 좋겠군.

3. 강연 내용에 대한 이해를 바탕으로 추가 설명을 요청하는 학생의 질문으로 적절하지 <u>않은</u> 것은?

① 토양에 흡수되는 오염 물질에는 구체적으로 어떤 것들이 있나요?
② 미생물이 오염 물질을 분해하여 제거하는 과정은 어떤 순서로 진행되나요?
③ 실내 공기를 쾌적하게 만들어 주는 수분이 식물에서 나오는 원리는 무엇인가요?
④ 실내로 유입되는 빛의 양은 오염 물질이 제거되는 데에 어떠한 영향을 미치나요?
⑤ 공기를 쾌적하게 만들려면 공간의 면적에 따라 필요한 식물의 개수는 어떻게 달라지나요?

[4 ~ 7] (가)는 '△△시 청소년참여위원 모집 공고문'에 따라 학생이 작성한 자기소개서이고, (나)는 (가)를 바탕으로 실시한 면접의 일부이다. 물음에 답하시오.

[청소년참여위원 모집 공고문]

2018년 △△시 청소년참여위원회에서 청소년참여위원을 모집합니다. △△시의 청소년 정책 및 사업에 대한 의견 제시, 청소년 관련 프로그램 운영, 캠페인 개최 등과 같은 활동에 관심 있는 청소년들의 많은 지원 바랍니다.

- 모집 대상: △△시에 거주하는 청소년
- 신청 방법: 자기소개서를 작성하여 △△시 청소년참여위원회 홈페이지를 통해 제출
- 선발 방법
  - 1차 (서류): 청소년을 위한 정책 제안이 포함된 자기소개서 심사
  - 2차 (면접): 자기소개서를 바탕으로 한 개별 질문

(가)

저는 저희 학교에서 열린 '△△시 청소년참여위원들과의 소통의 장'에 참여하면서 청소년참여위원회를 처음 알게 되었습니다. 그런데 그때 청소년 정책 및 사업에서 주체적인 역할을 하는 청소년참여위원들의 모습이 인상 깊었습니다. 그래서 청소년참여위원에 관심이 생겼는데 이번에 '△△시 청소년참여위원 모집 공고문'을 보고 지원하였습니다.

청소년참여위원이 갖춰야 할 중요한 자질은 창의적 능력과 소통 능력이라고 생각합니다. 저는 고등학교 1학년 때 학급자치회장으로서 '마음을 전해요'라는 학급 프로그램을 운영한 경험이 있습니다. 교실에서 활용도가 낮았던 게시판에 평소 친구들에게 느낀 고마움을 정기적으로 적게 했습니다. 운영에 어려움도 있었지만, 교우 관계는 더욱 좋아졌고 학년 말에 실시한 설문 조사에서 70% 이상의 학생들이 이 프로그램이 매우 좋았다고 응답했습니다. 저는 창의적 능력이란 의미 있는 목적을 이루기 위해 변화를 만들어 내는 능력이라고 생각합니다. 청소년의 아이디어로 공동체의 의미 있는 변화를 이끌어 내는 청소년참여위원회 활동에서 저의 창의적 능력은 반드시 필요하다고 생각합니다.

또한 학생자치회 임원 활동은 저의 소통 능력을 신장시켰습니다. 처음에는 학생자치회 회의 중에 제 의견만 강조하다 보니 안건에 대한 합의점을 찾기 힘들었습니다. 이런 상황이 저의 태도에서 비롯되었다는 생각이 들어 깊이 반성하였습니다. 그 후 상대방의 의견을 경청하는 태도를 가지려고 노력한 결과 합의점을 원활하게 찾을 수 있었습니다. 이 과정에서 함양할 수 있었던 소통 능력은 많은 사람들과 대화하고 의견을 조율해 나가야 하는 청소년참여위원회 활동에서 핵심적인 자질이 될 것이라고 생각합니다.

제가 제안하는 △△시 청소년을 위한 정책 중 첫 번째는 '전공체험 프로그램'입니다. 현재 △△시에 있는 학교들에서 주로 진행되고 있는 진로 탐색 활동은 외부 기관과의 연계성이 부족하고 강의 위주로 구성되어 있어 진로 탐색이 충분히 이루어지지 못하고 있습니다. △△시와 대학이 협약을 맺고 내실 있는 전공체험 프로그램을 운영하는 사업은 학생들에게 충실한 진로 탐색의 기회를 줄 것이라 생각합니다. 두 번째로 △△시의 특색 있는 문화와 청소년을 이어주는 '한마음 축제'를 제안합니다. 우리 시의 특색 있는 문화에 청소년들의 끼와 열정이 더해진 축제는 학업에 지친 청소년들의 삶에 활력을 불어넣어 주며 청소년들의 주체성을 함양할 수 있는 좋은 기회가 될 것이라 생각합니다.

제가 △△시 청소년참여위원이 된다면 저의 창의적 능력과 소통 능력을 바탕으로 청소년들의 목소리에 귀 기울이고, 그들의 의견이 반영된 정책 및 사업을 제안할 수 있도록 노력하겠습니다.

(나)

지원자: 안녕하십니까? 지원자 □□□입니다.

면접관: 반갑습니다. 청소년참여위원에 지원한 동기가 무엇인가요?

지원자: 저는 저희 학교 행사에서 만난 청소년참여위원들이 청소년 정책 및 사업에서 주체적인 역할을 한다는 점에 깊은 감명을 받았습니다. 그래서 저는 학급자치회와 학생자치회 임원 역할을 한 경험을 바탕으로 △△시의 청소년 관련 정책 및 사업에 적극적으로 참여하고 싶어 지원하였습니다. [A]

면접관: △△시 청소년 관련 정책 및 사업에 적극적으로 참여하고 싶어 지원했다는 이야기군요. 그렇다면 △△시의 정책 제안에 참여한 경험이 있나요?

지원자: 네, 우리 지역에 있는 학교 앞 도로에 안전한 등하교를 위해 횡단보도보다 육교를 설치해 달라는 제안을 △△시 홈페이지에 올려 본 경험이 있습니다. [B]

면접관: 그렇군요. 그런데 자기소개서를 보니 '마음을 전해요' 프로그램을 운영하는 데 어려움이 있었다고 했는데, 자세히 설명해 줄 수 있을까요?

지원자: 몇몇 학생들의 장난으로 다른 친구들이 상처를 받는 경우도 있었고, 메모를 적게 받은 친구들은 속상함을 표현하기도 했습니다. 하지만 친구들의 마음을 헤아리며 프로그램의 좋은 취지를 바탕으로 설득하여 많은 친구들로부터 긍정적인 반응을 이끌어 냈습니다. [C]

면접관: 공동체를 대상으로 프로그램을 운영하는 경우 그 프로그램에서 소외된 사람들과도 공감할 줄 아는 것이 중요하다는 사실을 깨달았겠군요. 그 밖에 지원자가 자기소개서에서 제안한 정책 중 '한마음 축제'의 목적과 구체적인 운영 방안에 대해 말해 보세요.

지원자: 축제의 목적은 △△시의 문화를 축제에 참여하는 우리 지역의 청소년들에게 알리고 그들의 삶에 활력을 불어넣어 주는 것입니다. 또한 청소년들이 축제를 직접 기획하고 운영함으로써 그들에게 주체성을 키워 주는 것입니다. 그리고 죄송하지만 축제의 구체적인 운영 방안에 대해서도 질문하신 것이 맞습니까? [D]

면접관: 네, 맞습니다. 긴장하지 말고 편안히 답변하면 됩니다.

지원자: 감사합니다. 우선 청소년들이 △△시의 특색을 살려 축제 거리를 조성하는 것입니다. 또한 축제에 참여한 또래 친구들에게 우리 시의 유래와 특징 등을 소개하는 시간을 갖는 것입니다. [E]

4. (가)에 대한 설명으로 가장 적절한 것은?

① 구체적인 수치를 활용하여 지원 분야의 현황을 제시하고 있다.
② 권위 있는 사람의 말을 인용하여 지원 분야에 대한 전문성을 드러내고 있다.
③ 지원자가 자신이 지닌 자질을 언급하며 지원 분야에 대한 포부를 밝히고 있다.
④ 스스로 묻고 답하는 방식을 통해 지원 분야에 대한 자기 점검 능력을 부각하고 있다.
⑤ 지원자가 자신의 독서 경험을 언급하며 지원 분야에 대한 잠재력을 드러내고 있다.

5. 다음은 수업 시간에 학생이 작성한 메모이고, <보기>는 ㉠ ~ ㉢을 고려하여 학생이 세운 글쓰기 계획이다. (가)에 반영되지 않은 것은?

> 자기소개서를 작성할 때는 ㉠ 지원 동기와 ㉡ 관련 분야에 대한 역량 그리고 ㉢ 지원하는 곳에서 자기소개서 내용으로 요구하는 사항을 포함하는 것이 중요하다.

<보 기>

○ ㉠을 드러내기 위해, 청소년참여위원회를 알게 된 계기를 언급하고, 청소년참여위원에 대한 관심을 밝혀야겠어. ………… ⓐ

○ ㉡을 부각하기 위해, 학급자치회장으로서 창의적인 학급 프로그램을 운영한 경험을 제시하여 청소년참여위원으로서 역량을 갖추고 있음을 보여 줘야겠어. ………… ⓑ

○ ㉡을 부각하기 위해, 학생자치회 활동에서 겪었던 어려움과 해결 과정을 제시하여 청소년참여위원으로서 갖춰야 할 소통 능력이 있음을 드러내야겠어. ………… ⓒ

○ ㉢을 고려하여, 현재 △△시에 있는 학교들에서 주로 진행되고 있는 진로 탐색 활동의 장점을 제시하고 '전공체험 프로그램' 운영을 제안하여 기대되는 효과를 강조해야겠어. ………… ⓓ

○ ㉢을 고려하여, 우리 시의 문화와 청소년을 이어주는 축제를 제안하고 이를 통해 청소년들이 얻을 수 있는 긍정적인 효과를 언급해야겠어. ………… ⓔ

① ⓐ ② ⓑ ③ ⓒ ④ ⓓ ⑤ ⓔ

6. [A] ~ [E]에 대한 설명으로 가장 적절한 것은?

① [A]: (가)에서 제시한, 다른 시와 △△시의 청소년참여위원회 활동을 비교한 내용을 언급하여 지원 분야에 대해 관심을 갖게 된 계기를 드러내고 있다.
② [B]: (가)에서 제시하지 않은, △△시 홈페이지에 학교 앞 육교 설치에 대한 정책 제안 경험을 언급하며 지원 분야와 관련한 자신의 경험을 드러내고 있다.
③ [C]: (가)에서 제시한, 학급자치회장이 선생님과 학생들 사이에서 갖춰야 할 중립적 역할에 대한 깨달음을 언급하며 지원 분야에서 요구되는 태도를 드러내고 있다.
④ [D]: (가)에서 제시하지 않은, 청소년의 주체성 함양 효과를 언급하여 축제 운영이라는 청소년 사업과 관련한 정책 제안의 목적을 구체적으로 설명하고 있다.
⑤ [E]: (가)에서 제시하지 않은, 청소년을 중심으로 이루어지는 공동체 활동의 필요성을 언급하며 축제 운영에 관한 정책의 실천 방안을 설명하고 있다.

7. (나)에서 확인할 수 있는 '면접관'에 대한 설명으로 적절하지 않은 것은?

① 지원자의 경험과 관련된 어려움에 대해 질문하고 있다.
② 지원자의 질문을 들은 후 긴장을 풀어주는 말을 하고 있다.
③ 지원자의 답변을 들은 후 답변 내용의 일부를 재진술하고 있다.
④ 지원자의 답변을 들은 후 지원자가 깨달은 점을 추측하여 말하고 있다.
⑤ 지원자의 답변 내용에 대한 오류를 지적하며 추가 설명을 요청하고 있다.

[8 ~ 10] (가)는 학생의 메모이고, (나)는 (가)를 바탕으로 쓴 초고이다. 물음에 답하시오.

(가) 초고 작성을 위한 메모

- **작문 상황**: 동아리 부스 운영 방식을 글감으로 하여 우리 학교 교지에 글을 싣고자 함.
- **글의 목적**: 예상 독자인 우리 학교 학생들을 설득하는 글.
- **주제**: 체험 및 전시 동아리 부스를 상설 운영할 필요가 있다.
- **자료**: 우리 학급 학생을 대상으로 한 인터뷰 내용.

(나) 글의 초고

우리 학교에서는 학년 말 동아리 발표회 날을, 오전에는 부스를 마련하여 체험 및 전시 활동을 하고 오후에는 강당에서 공연 활동을 하는 방식으로 운영해 왔다. 하지만 체험 및 전시를 운영하는 동아리 소속 학생들을 중심으로 이런 방식을 개선해야 한다는 요구가 제기되었고, 이로 인해 학생들 사이에서도 동아리 부스 운영 방식에 대한 논의가 한창이다.

이 논의에 대한 학생들의 생각을 알고 싶어 우선 우리 학급 학생들을 대상으로 인터뷰를 해 보니 실제로 대부분의 학생들은 현행 부스 운영 방식에 대해 만족하지 않는다고 답하였다. 동아리 부스를 운영했던 친구들은 짧은 운영 시간 때문에 학생들에게 자신들이 준비한 체험 활동을 충분히 제공하지 못했고 전시물들도 다양하게 보여 주기 어려웠다고 하였다. 그리고 부스를 방문했던 친구들은 시간이 부족하여 체험과 관람을 충분히 하지 못했다고 답했다. 결국 체험 및 관람 시간이 부족하다는 것이 지금의 부스 운영 방식의 가장 큰 문제임을 알 수 있었다.

이러한 문제를 해결할 수 있는 방법으로 대다수의 학생들이 동아리 부스를 상설로 운영하자는 의견을 제시하였다. 부스를 상설로 운영하면 무엇보다 충분한 시간을 확보할 수 있다. 그렇게 되면 부스를 운영하는 학생들은 의욕적으로 준비한 체험 활동이나 다양한 전시물들을 친구들에게 충분히 제공해 줄 수 있다. 또한 부스를 방문하는 학생들은 원하는 만큼 충분히 체험과 관람에 참여할 수 있을 것이다. 물론 동아리 부스가 상설로 운영되면 그것이 학생들의 교과 학습 능력을 저하시킬 수 있다는 의견도 있었다. 하지만 동아리 부스를 상설로 운영하는 것이 학생들의 교과 학습 능력을 향상시키는 측면도 크다. 무엇보다도 부스 상설 운영으로 체험 및 전시 기간을 늘리는 것이 학생들의 불만을 해소할 수 있는 효과적인 대안임에는 분명하다.

동아리 활동의 결과를 상설 부스 운영을 통해 나누는 것은 더 많은 학생들이 서로의 흥미와 관심을 공유할 수 있다는 점에서 의의가 있다. 그러나 동아리 부스를 상설로 운영하는 경우 부스 운영 시에 쓰레기가 많이 배출될 수 있으니 학교 환경 정화에 유의해야 한다.

8. (가)의 내용이 (나)에 반영된 것으로 가장 적절한 것은?

① 글의 주제를 고려하여, 현행 동아리 운영 방식의 장점을 제시하였다.
② 글의 목적을 고려하여, 동아리의 종류 및 운영의 우수 사례를 제시하였다.
③ 글감의 성격을 고려하여, 각 동아리에서 부스 운영자를 선발하는 방식을 제시하였다.
④ 예상 독자의 소속을 고려하여, 우리 학교에서 동아리 부스 운영 방식에 대한 논의가 활발하게 이뤄지고 있음을 제시하였다.
⑤ 자료의 특징을 고려하여, 학급 학생을 대상으로 한 인터뷰의 내용이 학생 전체의 의견이 아닐 수도 있다는 한계를 제시하였다.

9. 다음은 (나)를 보완하기 위해 추가로 수집한 자료이다. 자료의 활용 방안으로 적절하지 않은 것은? [3점]

<자 료>

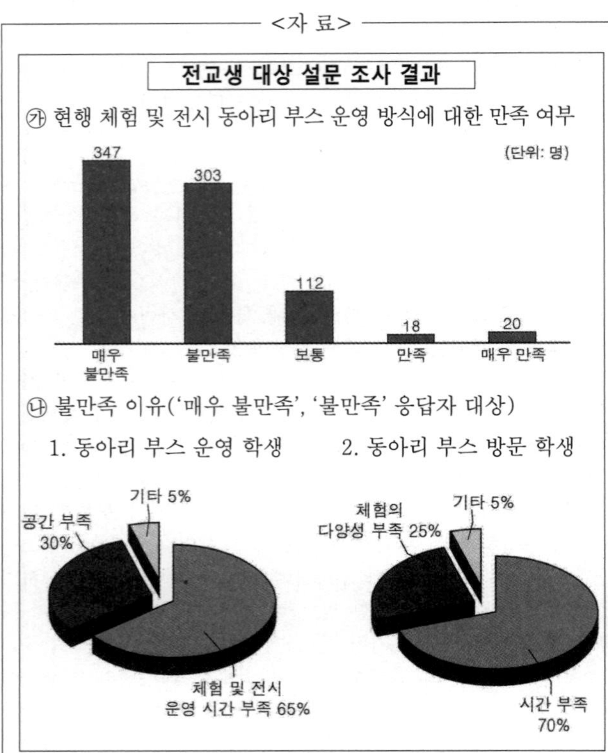

㉰ 교육 전문가 칼럼

청소년기 학생들에게는 자아를 성장시키고 진로를 구체화할 수 있는 다양한 경험이 중요하다. 이를 가능하게 하는 효과적인 교육 활동이 바로 동아리 활동이다. 그중에서도 체험이나 전시 부스는 학생들이 다양한 경험을 할 수 있게 해 준다는 점에서 이를 적극적으로 활용하는 것이 좋다. 그러나 학교 현장에서는 부스 운영 시간의 부족으로 어려움을 겪고 있다. 이런 현실 속에서 부스를 상설 운영하는 것은 더 많은 학생들이 다양한 경험을 할 수 있도록 하는 효과적인 개선책이 될 것이다. 이를 통해 학생들이 부스를 직접 만들거나 체험하는 과정이 지속적으로 이루어진다면, 이 과정에서 길러진 자발성과 탐구력을 통해 교과 학습 능력이 크게 향상될 수 있다.

① ㉮를 활용하여, 동아리 부스를 운영하는 현재의 방식에 대해 우리 학교 학생들이 만족하지 않는다는 것을 부각해야겠어.
② ㉯-1을 활용하여, 동아리 부스를 운영하는 학생들이 현행 부스 운영 방식에 만족하지 않는 이유가 시간 부족 때문이라는 것을 부각해야겠어.
③ ㉰를 활용하여, 동아리 부스를 운영하는 새로운 방식에 대해 일부 학생들이 제기한 문제에 대한 반박의 근거를 추가해야겠어.
④ ㉯-1과 ㉰를 활용하여, 부스를 운영하는 학생의 불만족 이유 중 가장 비중이 큰 것을 해결하는 데 부스 상설 운영이 효과적인 대안임을 부각해야겠어.
⑤ ㉯-2와 ㉰를 활용하여, 부스를 방문한 학생들의 가장 큰 불만을 해결하는 방법으로 학교 공간을 재구성하여 적극적으로 활용해야 한다는 것을 추가해야겠어.

10. <보기>는 초고를 읽은 교지 편집부의 검토 의견과 이에 따라 학생이 고쳐 쓴 글이다. ㉠에 들어갈 내용으로 가장 적절한 것은?

<보 기>

[교지 편집부의 검토 의견]
초고 잘 읽었습니다. (㉠)하여 마지막 문단을 고쳐 주시면 좋겠습니다.

[고쳐 쓴 글]
학교에서 동아리 활동은 학생들의 다양한 흥미와 관심을 반영하여 이루어지는 활동이라는 점에서 가치가 있다. 동아리 활동의 결과를 상설 부스 운영을 통해 나누는 것은 더 많은 학생들이 서로의 흥미와 관심을 공유할 수 있다는 점에서 의의가 있다.

① 동아리 활동의 가치는 추가, 동아리 부스 운영의 효과는 삭제
② 동아리 활동의 가치는 추가, 동아리 부스 상설 운영의 유의점은 삭제
③ 동아리 부스 운영의 지원 방안은 추가, 동아리 활동의 유의점은 삭제
④ 동아리 부스 상설 운영의 의의는 추가, 동아리 부스 운영의 가치는 삭제
⑤ 동아리 부스 상설 운영의 의의는 추가, 동아리 부스 상설 운영의 유의점은 삭제

11. <보기>를 바탕으로 사례들을 분석한 내용 중 적절하지 않은 것은?

〈 보 기 〉

음운의 교체는 특정한 음운 환경에서 한 음운이 다른 음운으로 바뀌는 음운 변동 현상이다. 두 음절이 인접한 경우 ㉠ 앞말의 끝소리와 뒷말의 첫소리가 만나는 상황이나 ㉡ 앞말의 끝소리가 연음되어 뒷말의 가운뎃소리와 만나는 상황에서 음운이 교체될 때, 발음의 결과 ⓐ 앞의 음운만 변한 경우나 ⓑ 뒤의 음운만 변한 경우도 있지만 ⓒ 두 음운이 모두 변한 경우도 있다.

① '마천루[마철루]'는 ㉠이면서 ⓐ에 해당한다.
② '목덜미[목떨미]'는 ㉠이면서 ⓑ에 해당한다.
③ '박람회[방남회]'는 ㉠이면서 ⓒ에 해당한다.
④ '쇠붙이[쇠부치]'는 ㉡이면서 ⓐ에 해당한다.
⑤ '땀받이[땀바지]'는 ㉡이면서 ⓒ에 해당한다.

12. <보기 1>을 바탕으로 <보기 2>의 ㉠ ~ ㉤에 대해 탐구한 내용으로 적절하지 않은 것은?

〈보기 1〉

<한글 맞춤법>

제15항 용언의 어간과 어미는 구별하여 적는다.

[붙임 1] 두 개의 용언이 어울려 한 개의 용언이 될 적에, 앞말의 본뜻이 유지되고 있는 것은 그 원형을 밝히어 적고, 그 본뜻에서 멀어진 것은 밝히어 적지 아니한다.

제19항 어간에 '-이'나 '-음/-ㅁ'이 붙어서 명사로 된 것과 '-이'나 '-히'가 붙어서 부사로 된 것은 그 어간의 원형을 밝히어 적는다.

제23항 '-하다'나 '-거리다'가 붙는 어근에 '-이'가 붙어서 명사가 된 것은 그 원형을 밝히어 적는다.

〈보기 2〉

○ 나는 모퉁이를 ㉠ 도라가다 예쁜 꽃을 보았다.
○ 바닷물이 빠지자 갯벌이 ㉡ 드러났다.
○ 날씨가 너무 더워서 ㉢ 얼음이 녹았다.
○ 건축 기사가 건물의 ㉣ 노피를 측량했다.
○ 요새 동생이 밥을 잘 먹지 못해 ㉤ 홀쭈기가 되었다.

① ㉠은 제15항 [붙임 1]을 적용해 '돌아가다'로 정정해야겠군.
② ㉡은 제15항 [붙임 1]을 적용해 '드러났다'로 표기한 것이 적절하군.
③ ㉢은 제19항을 적용해 '얼음'으로 표기한 것이 적절하군.
④ ㉣은 제23항을 적용해 '높이'로 정정해야겠군.
⑤ ㉤은 제23항을 적용해 '홀쭉이'로 정정해야겠군.

[13 ~ 14] 다음 글을 읽고 물음에 답하시오.

담화 상황에서 화자가 자신의 의도를 명확하게 전달하고 청자와 원활하게 의사소통을 하기 위해서는 대상과 상황에 맞게 문법 요소를 활용해야 한다. 이러한 문법 요소에는 높임 표현, 피동 표현 등이 있다.

높임 표현은 화자가 대상의 높고 낮은 정도를 언어적으로 구별하는 것이다. 이는 화자가 높이려는 대상이 누구인지에 따라 주체 높임, 객체 높임, 상대 높임으로 구분된다. 주체 높임은 서술어의 주체를 높이는 방식이다. 이는 일반적으로 서술어에 선어말 어미 '-(으)시-'가 붙어서 실현되며, '주무시다, 잡수시다'와 같은 특수한 어휘나 조사 '께서'로 실현되기도 한다. 주체 높임에는 높임의 대상을 직접적으로 높이는 방식과 높이려는 대상의 신체 일부분, 소유물, 생각 등과 관련된 서술어에 '-(으)시-'를 사용해 높임의 대상을 간접적으로 높이는 방식이 있다. 객체 높임은 목적어나 부사어가 지시하는 대상, 즉 서술어의 객체를 높이는 방식이다. 이는 보통 '드리다, 모시다'와 같은 특수한 어휘나 조사 '께'로 실현된다. 상대 높임은 청자를 높이거나 낮추는 방식이다. 상대 높임은 종결 어미를 통해 실현되는데 하십시오체, 하오체, 하게체, 해라체와 같은 격식체와 해요체, 해체와 같은 비격식체로 나뉜다. 보통 공적인 상황에서 예의를 갖추며 상대를 높일 때에는 격식체의 하십시오체를 사용하고, 사적인 상황에서 친밀감을 드러내며 높일 때에는 비격식체의 해요체를 사용한다.

[A] 한편 피동 표현은 주어가 다른 주체에 의해 동작이나 행위를 당하는 것을 표현하는 것이다. 이와 반대로 주어가 동작이나 행위를 제힘으로 함을 표현하는 것은 능동 표현이라고 한다. 그런데 능동 표현을 피동 표현으로 바꾸거나 피동 표현을 능동 표현으로 바꾸면 문장 성분에 변화가 일어난다. 피동 표현은 능동의 동사에 피동 접미사 '-이-', '-히-', '-리-', '-기-'가 붙거나, 동사의 어간에 '-어/아지다', '-게 되다' 등이 붙어서 실현된다. 그리고 일부 명사 뒤에 '-되다'가 결합하여 실현되기도 한다. 피동 표현이 실현되면 동작이나 행위를 당하는 대상이 주어로 나타나므로 동작이나 행위를 당한 대상이 강조되는 효과가 있다. 그런데 간혹 피동 표현을 만드는 요소를 중복으로 결합하여 이중 피동 표현을 사용하는 일이 발생한다. 이러한 경우 잘못된 표현이 되어 화자의 의도를 효과적으로 드러내기 어렵고 상대방과의 원활한 의사소통을 방해할 수 있다. 그러므로 피동 표현의 쓰임새를 정확하게 이해하여 피동 표현을 사용하는 일은 중요하다.

13. 윗글을 바탕으로 <보기>를 탐구한 내용으로 적절하지 않은 것은?

〈 보 기 〉

ㄱ. (회장이 학급 친구들에게) 지금부터 학급 회의를 시작하겠습니다.
ㄴ. (언니가 동생에게) 나는 지난주에 할머니를 뵙고 왔어.
ㄷ. (형이 동생에게) 할아버지께서는 지금 어디 계시니?
ㄹ. (학생이 선생님에게) 선생님의 옷이 멋지십니다.
ㅁ. (아들이 어머니에게) 아버지께 다녀왔어요.

① ㄱ: '회장'은 공적인 상황에서 종결 어미를 사용하여 상대인 '학급 친구들'을 높이고 있다.
② ㄴ: '언니'는 특수한 어휘를 사용하여 객체인 '할머니'를 높이고 있다.
③ ㄷ: '형'은 조사와 선어말 어미를 사용하여 주체인 '할아버지'를 높이고 있다.
④ ㄹ: '학생'은 선어말 어미를 사용하여 '선생님'을 간접적으로 높이고 있다.
⑤ ㅁ: '아들'은 조사를 사용하여 객체인 '아버지'를 높이고 있다.

14. [A]를 바탕으로 <보기>의 ㉠ ~ ㉤에 대해 설명한 것으로 적절하지 않은 것은? [3점]

〈 보 기 〉

학생 1: 어제 유기견 보호 센터에서 한 봉사활동은 어땠어?
학생 2: 응, 좋았어. 강아지들과 놀아 주고 산책도 했어. 그리고 친구들의 마음이 ㉠ 담긴 성금도 전달했지.
학생 1: ㉡ 버려지는 강아지들이 ㉢ 구조되는 데 성금이 ㉣ 쓰인다고 해서 나도 모금에 동참했어.
학생 2: 아, 그래? 유기견 보호 행사가 다음 주에 ㉤ 열린다는데 너도 같이 갈래?
학생 1: 응. 좋아.

① ㉠은 능동의 동사에 피동 접미사 '-기-'가 결합하여 실현된 피동 표현이다.
② ㉡은 피동 접미사 '-리-'가 쓰인 동사의 어간에 '-어지다'가 중복해서 결합한 이중 피동 표현이다.
③ ㉢은 명사 뒤에 '-되다'가 결합하여 주어가 행위를 당하는 것을 표현하고 있다.
④ ㉣은 '쓴다고'와 같이 능동 표현으로 바뀔 경우 ㉣의 주어가 목적어로 바뀐다.
⑤ ㉤은 행사를 여는 주체보다 '유기견 보호 행사'가 강조되는 효과가 드러나는 피동 표현이다.

13회

15. <보기 1>을 바탕으로 <보기 2>의 ㉠~㉤을 탐구한 내용으로 적절하지 않은 것은?

〈보기 1〉

조사와 어미는 앞말의 뒤에 붙어서 문장 안에서 문법적 의미를 표시한다는 점에서 유사한 특징을 지닌다.

〈보기 2〉

나랏 말ᄊᆞ미 ㉠中듕國귁에 달아 文문字ᄍᆞᆼ와로 서르 ᄉᆞᄆᆞᆺ디 ㉡아니ᄒᆞᆯᄊᆡ 이런 젼ᄎᆞ로 ㉢어린 百ᄇᆡᆨ姓셩이 니르고져 홇 ㉣배 이셔도 ᄆᆞᄎᆞᆷ내 제 ㉤ᄠᅳ들 시러 펴디 몯ᄒᆞᇙ 노미 하니라

– 『훈민정음』 언해 –

[현대어 풀이]
우리나라의 말이 중국과 달라 문자와 서로 통하지 아니하므로 이런 까닭으로 어리석은 백성이 말하고자 하는 바가 있어도 마침내 제 뜻을 능히 펴지 못하는 사람이 많다.

	탐구 대상	비교 대상	탐구한 내용
①	㉠의 '에'	'중국과'의 '과'	'에'는 앞말이 장소임을 표시하는 조사이다.
②	㉡의 '-ㄹᄊᆡ'	'아니하므로'의 '-므로'	'-ㄹᄊᆡ'는 앞말이 뒤에 오는 내용과 인과 관계로 연결됨을 표시하는 어미이다.
③	㉢의 '-ㄴ'	'어리석은'의 '-은'	'-ㄴ'은 앞말이 뒤에 오는 말을 수식함을 표시하는 어미이다.
④	㉣의 'ㅣ'	'바가'의 '가'	'ㅣ'는 앞말이 문장의 주어임을 표시하는 조사이다.
⑤	㉤의 '을'	'뜻을'의 '을'	'을'은 앞말이 문장의 목적어임을 표시하는 조사이다.

[16~20] 다음 글을 읽고 물음에 답하시오.

현대 사회에서 개인은 소비자로서 여러 가지 제품을 구매한다. 그런데 소비자 개인의 가치관, 구매하려는 제품의 특징, 그리고 구매와 관련된 상황에 따라 제품에 기울이는 소비자의 관심이 달라진다. 이를 설명하기 위한 개념으로 대표적인 것이 소비자의 '관여도'이다.

[A] 관여도란 주어진 상황에서 특정 제품에 대해 개인이 자신과의 관련성을 ⓐ지각하는 정도를 의미한다. 소비자의 관여도를 결정하는 요인에는 '개인적 요인', '제품에 의한 요인', '상황적 요인'이 있다. 개인적 요인은 개인에게 국한되는 성향이나 자아 정체성 등을 의미하는데, 이는 쉽게 변하지 않는 특징을 가진다. 소비자는 이 요인을 통해 의미를 ⓑ부여한 특정 제품에 지속적으로 높은 관여도를 가지게 된다. 예를 들어 품위 있는 겉모습을 중시하는 성향을 지닌 소비자는 자신의 품위를 충분히 드러낼 수 있다고 의미를 부여한 특정 의류에 지속적으로 높은 관여도를 유지한다. 다음으로 제품에 의한 요인은 특정 제품이 지닌 특징을 의미하는데, 이 특징은 대다수의 소비자들이 가지고 있는 욕구를 충족시킬 수 있는 것이다. 따라서 소비자들은 제품의 이러한 특징으로 인해 이 제품에 높은 관여도를 가지게 된다. 예를 들어 실용성을 극대화하여 제작된 특정 주방 기기가 있다고 한다면, 실용성을 ⓒ추구하는 대다수의 소비자들은 이 제품이 자신들의 욕구를 충족시켜 줄 수 있다고 생각하여 해당 제품에 높은 관여도를 가지게 된다. 마지막으로 상황적 요인은 소비자가 제품의 구매와 관련된 특정 상황을 의미하는데, 상황은 끊임없이 변화하기 때문에 상황적 요인은 개인적 요인에 비해 지속적이지 않다. 예를 들어 평소 오디오에 관심이 없던 소비자가 가족들을 위해 오디오를 구매해야 하는 상황에 놓이게 되면 오디오에 대한 관여도는 일시적으로 높아진다.

이와 같은 요인들이 상호 작용하여 결정되는 소비자 관여도는 제품에 대해 소비자가 자신과의 관련성을 인지하는 척도이다. 그러므로 소비자에게 제품을 판매하는 사람들의 입장에서는 소비자 관여도가 중요한 기준이 될 수밖에 없다. 즉 제품 판매자들은 더 많은 소비자들에게 자신들의 제품을 판매하기 위해 소비자 관여도를 바탕으로 제품들을 분류하고 이에 따라 판매 전략을 세운다.

'FCB Grid 모델'은 판매 전략을 세우기 위해 소비자 관여도에 따라 제품을 분류하는 대표적인 모델이다. 이 모델은 소비자 관여도를 두 가지 차원으로 구분한다. 첫 번째 차원은 소비자가 구매와 관련한 의사 결정 과정에 기울이는 노력의 정도를 바탕으로 소비자 관여도를 고관여와 저관여로 구분하는 것이다. 두 번째 차원은 소비자가 제품에 대해 반응하는 ⓓ경향에 따라 이성적 관여와 감성적 관여로 구분하는 것이다. FCB Grid 모델에서의 고관여와 저관여는 소비자들이 특정 제품에 대해 상대적으로 높거나 낮은 수준의 관련성을 갖는다고 지각하는 경우를 의미한다. 고관여는 구매할 제품이 소비자들 자신에게 유발할 수 있는 위험이 큰 경우, 제품의 가격이 높은 경우, 제품의 특성이 복잡한 경우, 선택 가능한 제품이 많은 경우 등에 주로 나타난다. 반면 저관여는 고관여와 각각 반대인 경우에 주로 나타난다. 그렇기 때문에 소비자들이 제품을 구매하는 과정은 고관여일 때와 저관여일 때가 다르다. 즉 고관여일 때는 소비자가 제품에 대해서 더 많이 알아보려는 노력을 기울이지만, 저관여일 때는 고관여일 때보다 노력을 덜 기울인다. 한편 이성적 관여와 감성적 관여는 소비자들이 특정 제품에 대해 이성적 혹은 감성적 부분에 상대적으로 높은 관련성을 갖는다고 지각하는 경우를 의미한다. 이성적 관여는 특정 제품에 대해 소비자들이 편리함, 성능, 실용성 등을 먼저 고려하는 것을 의미하고, 감성적 관여는 특정 제품에 대해 충족감, 즐거움, 자부심 등을 먼저 고려하는 것을 의미한다.

이러한 FCB Grid 모델을 바탕으로 제품 판매자들은 다음과 같은 판매 전략을 세울 수 있다. 먼저 고관여이며 이성적 관여에 해당하는 제품의 경우에는 소비자에게 제품의 편리함, 성능, 실용성에 대한 구체적인 정보를 제공하는 전략이 필요하다. 다음으로 고관여이며 감성적 관여에 해당하는 제품의 경우에는 소비자에게 제품에 대한 좋은 느낌을 줄 수 있는 광고 문구, 이미지 등의 다양한 정보를 제공하는 것이 좋다. 그리고 저관여이며 이성적 관여에 해당하는 제품의 경우에는 소비자에게 할인권이나 견본 등을 제공하여 소비자가 제품의 기능을 먼저 직접 경험하게 한 후 제품을 습관적으로 구매하도록 하는 전략이 필요하다. 마지막으로 저관여이며 감성적 관여에 해당하는 제품의 경우에는 광고에 인기 모델을 등장시켜 소비자가 이 모델과의 동일시를 통해 신중한 고민 없이 해당 제품을 구매하여 사용하게 한다. 이 과정에서 소비자가 제품에 대해 충족감을 느껴 지속적으로 그 제품을 구매하도록 유도하는 것이 좋다.

판매 전략을 세우기 위해 고안된 FCB Grid 모델은 제품을 분류하는 절대적인 기준은 아니다. 왜냐하면 사회나 시장 상황이 늘 변하고 문화권마다 차이가 존재하기 때문이다. 따라서 제품 판매자들은 FCB Grid 모델을 활용하되 제품 판매와 관련된 역동적이고 복잡한 제반 여건을 ⓔ반영하여 판매 전략을 세울 필요가 있다.

16. 윗글에서 알 수 있는 내용으로 적절하지 않은 것은?

① 현대 사회에서 소비자가 특정 제품에 대해 가지는 관심의 정도는 다르다.

② 소비자 관여도는 제품에 대해 소비자가 자신과의 관련성을 인지하는 척도이다.

③ 소비자 관여도는 제품을 판매하는 사람들의 입장에서 중요한 기준이 될 수밖에 없다.

④ 'FCB Grid 모델'에 의해 제품이 분류된 양상은 사회의 변화와 문화권 차이에 따라 달라질 수 있다.

⑤ 'FCB Grid 모델'은 제품 판매 전략을 바탕으로 소비자 관여도를 두 가지 차원으로 구분한 모델이다.

※ <보기>는 특정 시기의 'FCB Grid 모델'의 일부이다. 윗글과 <보기>를 바탕으로 17번과 18번 물음에 답하시오.

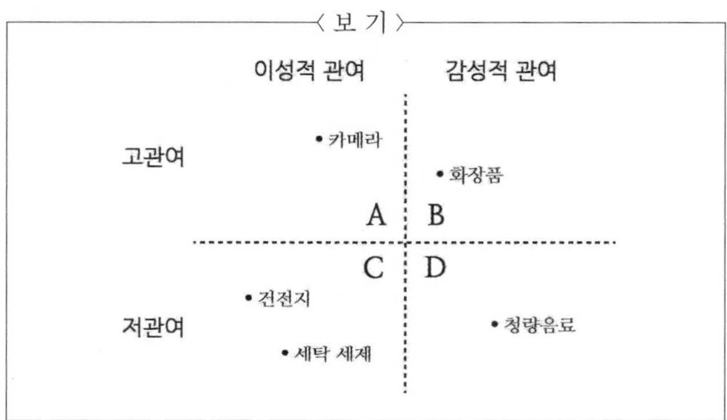

17. 다음의 ㉠~㉥을 <보기>의 A~D로 분류한 것으로 가장 적절한 것은?

> • 사람들은 ㉠ 의약품으로 인한 부작용이 걱정되어 의약품의 효능에 대해 꼼꼼하게 살펴보고 구매한다.
> • 사람들은 가격이 싼 ㉡ 볼펜에 대해서는 성능을 따지기보다 예쁜 디자인이 주는 즐거움을 고려하여 즉흥적으로 볼펜을 구매한다.
> • 사람들은 선택 가능한 제품이 많은 ㉢ 휴대폰에 대해 면밀하게 비교 분석하여 좀 더 사용하기에 편리한 것을 구매한다.
> • 사람들은 ㉣ 통조림이 쉽게 음식이 상하지 않아 안심할 수 있기 때문에 실생활에서 유용하게 활용될 수 있다고 판단하여 별다른 고민 없이 구매한다.
> • 사람들은 ㉤ 반지가 고가인 경우에 충분한 만족감을 얻을 수 있는지를 고려하여 여러 매장을 둘러보고 구매한다.
> • 사람들은 ㉥ 치약이 구강을 청결하게 해 준다는 실용적인 기능 외의 다른 기능들이 상대적으로 적기 때문에 아무 제품이나 쉽게 구매한다.

	A	B	C	D
①	㉢	㉠	㉣, ㉤	㉡, ㉥
②	㉢	㉣	㉤, ㉥	㉠, ㉡
③	㉠, ㉡	㉢, ㉣	㉤	㉥
④	㉠, ㉢	㉤	㉣, ㉥	㉡
⑤	㉠, ㉢	㉣, ㉤	㉡	㉥

18. <보기>의 A~D에 해당하는 제품에 대한 판매 전략으로 적절하지 않은 것은?

① 카메라 홍보 책자를 제작할 때는 제품의 구조나 작동 방식을 자세하게 기술하여 카메라의 실용성을 강조한다.

② 화장품 광고는 사람들에게 호감을 줄 수 있는 다양한 문구를 통해 사람들이 제품에 대한 좋은 느낌을 가질 수 있도록 유도한다.

③ 대형 판매점 입구에서 사람들에게 소량의 건전지를 무료로 나누어 주어 공익적 가치를 추구하는 기업의 이미지를 홍보한다.

④ 세탁 세제를 구매할 수 있는 할인권을 제공하여 사람들이 해당 제품을 부담 없이 구매하여 사용해 보게 한다.

⑤ 텔레비전 광고에서 유명 연예인이 청량음료를 마시는 장면을 연출하여 이 광고를 본 사람들이 자신과 연예인을 동일시하여 제품을 구매하도록 유도한다.

19. [A]를 바탕으로 <보기>를 이해한 것으로 적절하지 않은 것은? [3점]

〈 보 기 〉

> 어렸을 때부터 갑은 운동보다 독서를, 을은 독서보다 운동을 더 중시하는 성향을 보이며 살아왔다. 그래서 갑은 서적에, 을은 운동 기구에 더 큰 의미를 부여하여 왔다. 그런데 운동 부족으로 체력이 약해진 갑은 독서보다 운동이 절실하게 필요해져서 운동 기구를 알아보게 되었다. 그러던 중 갑은 자전거가 대다수의 사람들이 만족하는 운동 기구이어서 자전거를 구입해 운동을 시작하였다. 그리고 을은 갑을 위로하기 위해 평소에 관심이 없었던 시집에 대해 열심히 알아보고 그 중 한 권을 구매해 선물하였다. 갑은 지금 시집보다 자전거가 필요하다고 판단하여 이를 구입하고 운동을 시작하였다. 그러나 곧 건강이 회복되자 운동을 그만두고 을이 선물한 시집을 읽기 시작하면서 다시 독서에 전념하였다.

① 갑은 자전거가 지닌 특징인 제품에 의한 요인에 의해 자전거에 대한 관여도가 높아졌군.

② 갑은 체력이 약해졌다는 상황적 요인에 의해 운동 기구에 대한 관여도가 일시적으로 높아졌군.

③ 을은 갑에게 선물을 하기 위한 상황적 요인에 의해 시집에 대한 관여도가 높아졌군.

④ 을은 갑을 위로해야 하는 개인적 요인에 의해 서적에 대한 관여도가 높아졌군.

⑤ 갑과 을은 각자가 갖고 있는 성향이 다르다는 개인적 요인에 의해 서로 다른 제품에 대해 각각 높은 관여도를 갖고 있군.

20. ⓐ~ⓔ의 사전적 의미로 적절하지 않은 것은?

① ⓐ: 그러하다고 생각하여 옳다고 인정함.

② ⓑ: 사물이나 일에 가치, 의의 따위를 붙여 줌.

③ ⓒ: 목적을 이룰 때까지 뒤좇아 구함.

④ ⓓ: 현상이나 사상, 행동 따위가 어떤 방향으로 기울어짐.

⑤ ⓔ: 다른 것에 영향을 받아 어떤 현상을 나타냄.

[21 ~ 25] 다음 글을 읽고 물음에 답하시오.

금성의 다른 이름인 ‘샛별’은 새벽에 보이기 때문에 사람들이 금성에 ⓐ <u>붙인</u> 이름이다. 실제로 금성은 하루 종일 관측할 수 있는 것이 아니라 새벽이나 초저녁에만 볼 수 있다. 이러한 현상이 생기는 이유는 무엇일까?

이는 천체의 ‘겉보기 운동’과 관련이 있다. 지구는 하루에 한 바퀴 자전하면서 태양 주위를 일 년에 한 바퀴 공전한다. 이로 인해 지구상의 관측자가 하늘의 천체를 볼 때, 관측 시기에 따라 천체의 위치가 다르게 보이기도 한다. 왜냐하면 관측자에게는 지구가 움직이는 것이 아니라 상대적으로 하늘의 천체가 움직이는 것처럼 보이기 때문이다. 이처럼 지구의 자전이나 공전으로 인해 지구에서 관측할 때 천체가 움직이는 것처럼 보이거나 실제 움직임과는 다르게 보이는 현상을 ‘겉보기 운동’이라 한다.

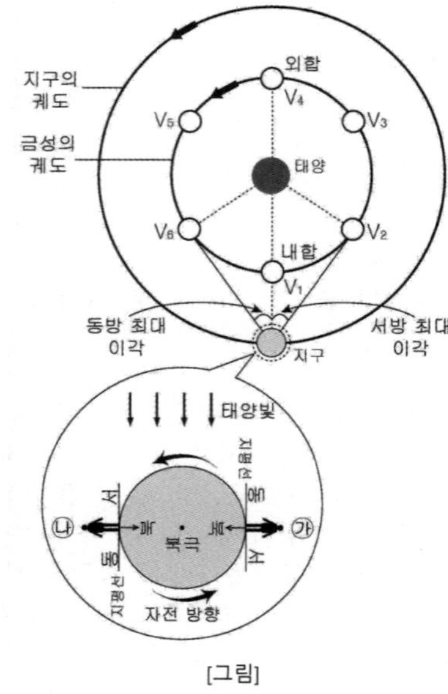

[그림]

겉보기 운동을 이해하기 위해서는 먼저 관측자에게 보이는 천체의 움직임에 대해 알아야 한다. 천체는 지구의 자전 때문에 지구 자전 방향의 반대 방향으로 움직이는 것처럼 보이게 된다. 이는 마치 고개를 왼쪽으로 돌리면 사물은 오른쪽으로 이동하는 것처럼 보이는 것과 같다. [그림]의 ㉮, ㉯에서처럼 관측자의 위치를 중심으로 할 때, 관측자가 북반구 중위도에서 북쪽을 바라보고 있으면 관측자의 왼쪽이 서쪽이 된다. 이때 지구의 자전 방향은 시계 반대 방향 즉, 서에서 동으로의 방향이므로 하늘의 천체는 상대적으로 동에서 서로 움직이는 것처럼 보이는 것이다. 결국 겉보기 운동은 관측자의 위치를 중심으로 천체가 움직이는 방향을 살펴본 것이다.

또한 천체들 사이의 상대적 위치 관계도 겉보기 운동을 이해하는 데 중요하다. 지구 공전 궤도보다 안쪽에서 공전하는 천체인 내행성, 지구, 태양의 위치 관계를 내행성 중 하나인 금성을 중심으로 살펴보면 다음과 같다. [그림]에서 태양, 금성, 지구가 일직선상에 위치할 때를 ‘합’이라고 하는데, 지구－금성－태양의 순서로 위치할 때를 ‘내합’, 지구－태양－금성의 순서로 위치할 때를 ‘외합’이라고 한다. 또한 지구상의 관측자가 태양과 행성을 바라보았을 때, 관측자가 태양을 바라본 방향과 행성을 바라본 방향 사이의 각을 ‘이각’이라고 한다. 즉, 관측자가 보았을 때 금성이 태양으로부터 얼마만큼의 각거리*로 떨어져 있는가를 의미한다. ‘이각’은 다시 ‘동방 이각’과 ‘서방 이각’으로 나눌 수 있는데, 이는 [그림]의 V_5, V_6에서처럼 금성이 태양보다 동쪽에 있는 경우와 V_2, V_3에서처럼 서쪽에 있는 경우로 구분한 것이다. 또한 금성이 V_6과 V_2에 있을 때 태양으로부터 가장 멀리 떨어진 것처럼 보인다. 이때의 이각을 각각 ‘동방 최대 이각’과 ‘서방 최대 이각’이라고 한다.

관측자에게 보이는 천체의 움직임, 상대적 위치 관계 등을 바탕으로 금성이 관측되는 시각과 시간, 위상과 크기, 밝기를 살펴보면 다음과 같다. 먼저 금성이 관측되는 시각은 지구에서 바라본 금성의 위치에 따라 달라진다. 만약 [그림]에서 금성이 외합인 V_4에서 내합인 V_1사이인 동방 이각에 위치하고, 관측자가 ㉮에 서 있다면 금성은 관측자의 지평선 아래에 있게 되므로 관측되지 않는다. 하지만 지구의 자전으로 인해 관측자의 위치가 ㉯로 변하면, 금성은 관측자의 지평선 위에 있게 되고 태양은 지평선 아래에 있게 되므로 태양이 진 후 초저녁 서쪽 하늘에서 금성을 관측할 수 있다. 반대로 금성이 서방 이각에 위치하는 경우에는 동일한 이유로 관측자는 ㉯가 아닌 ㉮에서 금성을 관측할 수 있다. 또한 태양과 금성, 지구의 위치 관계가 내합과 외합일 때에는 금성이 태양과 함께 뜨고 지기 때문에 관측되기 어렵다. 따라서 금성은 동방 최대 이각 또는 서방 최대 이각의 안쪽에 위치할 때만 관측 가능하고, 합의 위치에서는 관측이 어려운 것이다. 한편 금성이 관측되는 시간은 금성의 이각에 따라 달라진다. 이각이 클수록 태양과 금성의 각거리는 커지므로 금성을 더 오래 볼 수 있다. 따라서 금성은 최대 이각에 위치할수록 오래 관측되고, 합에 위치할수록 짧게 관측된다. 이런 이유로 금성은 항상 태양을 중심으로 좌, 우 일정한 이각 내에서만 관측된다.

또한 금성이 관측되는 위상과 크기는 금성의 위치, 지구와 금성의 거리에 따라 달라진다. 금성의 위상은 금성이 태양과의 상대적 위치에 따라 지구상의 관측자에게 보이는 모양으로, 금성은 스스로 빛을 내지 못하고 태양빛을 받아 빛나는 것처럼 보인다. 이때 태양빛을 받는 면이 지구를 향하는 정도에 따라 보이는 형태가 다르다. 금성은 지구에서 멀어질수록 보이는 크기가 줄어들지만 태양빛을 받는 면의 전체를 볼 수 있어 보름달에 가까운 형태로 관측된다. 반면 지구로 가까워질수록 보이는 크기는 커지지만 태양빛을 받는 면의 일부분만 볼 수 있으므로 초승달 또는 그믐달에 가까운 형태로 관측된다. 그리고 최대 이각의 위치에 있을 때에는 반달에 가까운 형태로 관측된다.

마지막으로 금성의 밝기는 보이는 크기와 지구와의 거리에 따라 결정된다. 금성은 동방 최대 이각을 지나 내합으로 갈수록 점점 밝아지다가 밝기가 줄어든다. 일정 위치까지는 보이는 면이 줄어드는 효과보다 거리가 가까워지는 효과가 크게 작용을 하여 더 밝게 보인다. 그러다가 일정 위치를 지나 내합의 위치에 가까워질수록 거리가 가까워지는 효과보다 보이는 면이 줄어드는 효과가 커지기 때문에 밝기가 줄어든다. 마찬가지로 금성의 밝기는 내합을 지나 서방 최대 이각으로 갈수록 더 밝아지다가 서방 최대 이각에 가까워질수록 밝기가 줄어들게 된다.

* 각거리: 관측자로부터 두 천체에 이르는 두 직선이 이루는 각도로 나타내는 천체 간 거리.

21. 윗글을 이해한 내용으로 적절하지 <u>않은</u> 것은?

① 관측자가 관측한 천체의 움직임은 천체의 실제 움직임과는 다르다.
② 겉보기 운동은 천체를 중심으로 관측자의 위치 변화를 살펴본 것이다.
③ 지구상의 관측자에게 천체의 위치는 관측 시기에 따라 다르게 보인다.
④ 겉보기 운동에서 보이는 천체 움직임의 방향은 지구 자전 방향과 반대이다.
⑤ 북반구 중위도에 서서 북쪽을 바라보는 관측자에게 서쪽은 관측자의 왼쪽 방향에 해당한다.

※ 다음은 금성의 이각을 일정 기간 지구에서 관측하여 그래프로 나타낸 것이다. 윗글과 그래프를 바탕으로 22번과 23번 물음에 답하시오.

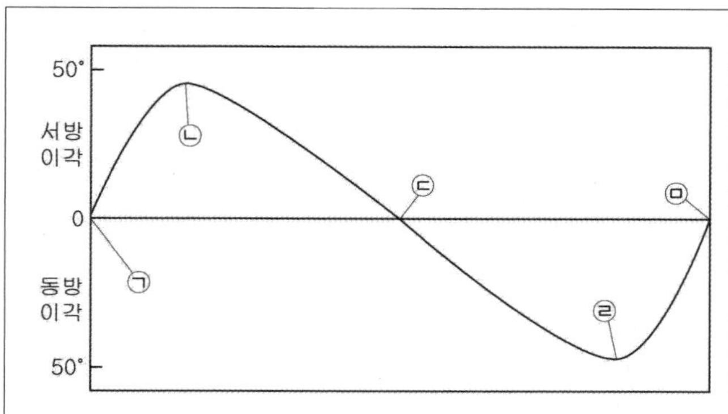

22. 윗글을 읽은 학생이 ㉡에 대해 <보기>와 같이 반응했다고 할 때, ⓐ ~ ⓓ에 들어갈 말로 적절한 것은?

〈 보 기 〉

"금성의 위치가 ㉡일 때, 금성은 태양보다 (ⓐ)에 위치하지만, 북반구 중위도에 있는 관측자가 보기에는 (ⓑ) 하늘에서 볼 수 있어. 그러므로 새벽에는 금성이 관측자의 지평선 (ⓒ)에, 초저녁에는 지평선 (ⓓ)에 있겠군."

	ⓐ	ⓑ	ⓒ	ⓓ
①	동쪽	서쪽	위	위
②	동쪽	서쪽	아래	위
③	서쪽	동쪽	위	아래
④	서쪽	동쪽	아래	위
⑤	서쪽	동쪽	아래	아래

23. 윗글을 바탕으로 ㉠ ~ ㉤에 대해 이해한 내용으로 적절하지 않은 것은? [3점]

① 금성의 이각이 ㉠에서 ㉡으로 변할수록 각거리는 커지며, 금성을 볼 수 있는 시간은 길어진다.
② 금성의 이각이 ㉡에서 ㉢으로 변할수록 금성을 볼 수 있는 시간은 짧아지며, 점점 보름달에 가까운 형태로 볼 수 있다.
③ 금성의 이각이 ㉢에서 ㉣로 변할수록 금성을 볼 수 있는 시간은 길어지며, 점점 반달에 가까운 형태로 볼 수 있다.
④ 금성의 이각이 ㉣에서 ㉤으로 변할수록 각거리는 작아지며, 관측자에게 보이는 형태가 점점 달라진다.
⑤ 금성의 이각이 ㉣에서 ㉤으로 변할수록 금성을 볼 수 있는 시간은 길어지며, 점점 초승달에 가까운 형태로 볼 수 있다.

24. 윗글과 <보기>에 대해 알 수 있는 내용으로 적절한 것은?

〈 보 기 〉

지구 공전 궤도보다 바깥쪽을 도는 천체를 외행성이라 하는데, 지구에서 관측하기 쉬운 외행성은 화성이 대표적이다. 화성, 지구, 태양의 위치 관계를 살펴보면 태양–지구–화성의 순으로 위치할 때를 '충'이라고 하며, 화성–태양–지구의 순으로 위치할 때를 '합'이라 부른다. 또한 화성이 지구를 중심으로 태양과 90°로 놓이는 때를 '구'라고 하는데, 화성이 동쪽에 있으면 '동구', 서쪽에 있으면 '서구'로 구분한다. 또한 화성은 이각이 180°일 때 가장 밝게 보이며, 지구와의 거리에 따라 크기가 변한다. 즉 지구에서 가까울수록 더 크게 관측되지만, 멀수록 더 작게 관측된다.

① 금성은 최대 이각에서 가장 크게, 화성은 합에서 가장 밝게 관측된다.
② 금성은 최대 이각에서 가장 밝게, 화성은 합에서 가장 작게 관측된다.
③ 금성은 내합 부근에서 가장 크게, 화성은 충에서 가장 밝게 관측된다.
④ 금성은 내합 부근에서 가장 밝게, 화성은 충에서 가장 작게 관측된다.
⑤ 금성은 외합 부근에서 가장 밝게, 화성은 구에서 가장 크게 관측된다.

25. 밑줄 친 단어 중, ⓐ와 문맥적 의미가 가장 유사한 것은?

① 운동을 해서 다리에 힘을 붙였다.
② 그는 나에게 다정하게 말을 붙여 왔다.
③ 아이와 정을 붙이고 나니 떨어지기가 싫다.
④ 아이들에게 희망을 붙이고 사는 것이 큰 낙이다.
⑤ 그는 자기 소설에 어떤 제목을 붙일까 고민 중이다.

[26 ~ 28] 다음 글을 읽고 물음에 답하시오.

용쇠는 역시 아무 대꾸가 없다.

"내 자식이니까 내 맘대로 한다구? 자네는 이렇게 생각할는지 모르겠네마는 그러나 부모가 자식을 때릴 권리가 어디 있나? 사람에게 수족을 붙여준 것은 일하라는 것이지 남을 함부로 때리라는 것은 아니야. 부모나 자식이나 사람이기는 일반이라 하면 제 자식이나 남의 자식이나 그리 등분이 없을 게다. 덮어놓고 제 뜻만 맞추라고 남을 강제하는 것은 포학한 짓이 아닌가? 얼걱박이*를 밉다고 암만 뚜드려 준대야 그게 별안간 빤질빤질해질 이치는 없지! 자네는 오늘부터 짐승을 배우게!"

"무얼? 짐승을?"

하고 용쇠는 얼굴이 빨개지며 불안한 표정으로 쳐다본다.

"그래! 짐승을 배우란 말이야! 자네 집에 제비가 제비 새끼를 치지 않는가? 그 어미 제비를 배우란 말이야! 공자님의 말이나 누구의 말보다도."

용쇠는 그게 무슨 소리인지 다만 자기를 모욕하는 줄만 알았다. 그래 ㉠ 속으로는 분하였지마는 그대로 참고 들었다.

용쇠가 이렇게 혼이 난 뒤에 동리 사람들은 더욱 정도룡을 두려워하였다. 그러나 그를 경외하기는 그전부터 하였다. 그것은 그의 건장한 체격과 또한 그의 의리 있는 심지가 누구든지 자연히 그를 신뢰하고 싶은 마음이 생기게 하였다. 그것은 그를 미워하는 사람까지도 속으로는 그의 행동을 감복하였다. 그래 그의 이름이 근사한 것을 기화로 그를 모두 계룡산 정도령(鄭道令)이라 하였다.

13 회

그에 대한 이러한 존경은 건넛말 양반촌에서도-유명한 김 주사까지도-그를 만만히 보지 못하였다. 그래 고양이 있는 집에서 기를 펴지 못하고 사는 생쥐같이 지내던 이 동리 사람들이 그로 말미암아 적지 않은 힘을 입었다. ㉡그래 이 동리 사람들은 어른 아이 없이 그를 참으로 정도령같이 믿으며 그의 말이라면 모두 복종하게 되었다. 물론 이 동리의 크거나 적은 일은 그의 계획과 지휘로 해결되었다. 그런데 그를 그중 사랑하기는 어린아이들과 여자들이었다. 그것은 **무지한 남자와 부모의 횡포를 규탄**해 주는 까닭으로 그러하였다. 마치 일전에 **용쇠를 혼내 주듯** 하므로.

그렇다고는 하지마는 이 **동리 사람들**의 생활은 참으로 가련하였다. 용쇠는 그래도 딸이나 팔아먹었지마는 늙은 부모하고 어린 자식들에 식구는 우글우글한데 양식이 떨어져서 굶주리는 집이 경성드뭇하였다*. 더구나 지금은 농가에서는 제일 어려운 보릿고개를 당한 판이니까. 모는 심어야겠는데 보리는 아직 덜 익어서 채 익지도 않은 **풋보리**를 베어다가 뽀얀 물을 짜내서 **죽물을 끓여 먹는** 집도 많다.

[중략 부분의 줄거리] 마을의 지주 김 주사는 춘이네가 소작하던 논을 하루아침에 일본인 고리대금업자에게 넘긴다. 소작하던 논을 떼이고 먹고살기가 어려워진 춘이 조모는 김 주사를 찾아간다.

[A] 김 주사는 감투를 쓰고-그는 지금 도 평의원이다마는 감투 쓸 일은 이 밖에도 많다. 전 금융조합장, 전 보통학교 학무위원, 전 군참사, 적십자사 정사원, 지주회 부회장-(이담에 죽을 때에는 명정을 쓰기가 어려울 만큼 이렇게 직함이 많았다)-점잖은 목소리로 논 떼는 이유를 이렇게 말하였다.

"여태까지 몇 해를 잘 지어 먹었으니 인제는 고만 지어 먹게. 다른 사람도 좀 지어 먹어야지."

그때 노파는 벌벌 떨리는 목소리로

"아이구 나으리! 지금 와서 논을 떼면 어찌합니까? 그러면 제 집 식구는 모다 굶어 죽겠습니다!"

하고 개개빌어보았으나 김 주사는 그런 것은 나는 모르고, **내 땅은 내 말대로 언제든지 뗄 수 있지 않느냐**-뒵다 불호령을 하였다.

그래도 ㉢춘이 조모는 한나절을 애걸복걸하며 올 일 년만 더 지어 먹게 해달래 보았으나 그는 도무지 막무가내이었다. 벌써 다시 변통이 없을 줄 안 **춘이 조모**는 그 길로 나오다가 그 집 대뜰 위에서 그 아래로 물구나무를 서서 고만 그 자리에 즉사하였다. 그는 지금 여든다섯 살인데 여기까지도 간신히 지팡이를 짚고 기어 왔었다.

[B] 그러나 김 주사는 조금도 개의치 않고 하인을 명하여 송장을 문밖으로 끌어내게 하였다. 그리고 송장 찾아가라고 춘이 집으로 전갈을 시키고 일변 구장을 불러서 경찰서로 보고하게 하였다. 김 주사는 마침 그 일인과 술을 먹을 때이므로 그는 물론 튼튼한 증인이 되었다.

행여 무슨 도리나 있는가 하고 기다리던 춘이 모자는 천만뜻밖에 이 기별을 듣고 천지가 아득하여 전지도지* 쫓아갔다. ㉣그들은 지금 시체 옆에 엎드려서 오직 섧게 통곡할 뿐이었다.

그런데 정도룡은 오늘 자기 집 모를 심다가 이 기별을 듣고는 한달음에 뛰어들어 왔다. 벌써 마을 사람들은 많이 모여 서서 김 주사의 포학한 행위를 욕하고 있다. 그중에 핏기 있는 원득이는 이 당장에 쫓아가서 그놈을 박살내자고 팔을 걷고 나서는데 겁쟁이들은 우물쭈물 **눈치만 보**고 겉으로 돈다. 더구나 **김 주사 집 땅을 부치는 사람들**은 아무 말도 못 하고 벌써부터 **꽁무니를 사리**려 든다.

"허-참 그거 원…… 나는 논을 갈다 왔는데 좀 가 보아야겠군!"

하고 ㉤용쇠가 머리를 주죽주죽하며 돌아서는 바람에 나도 나도 하고 몇 사람이 그 뒤를 따라서려 하는데 별안간 정도룡은 벽력같이 소리를 질렀다.

"동리에 큰일이 났는데 제 집 일만 보러 드는 늬놈들도 김 주사 같은 놈이다."

이 바람에 개 한 마리가 자지러지게 놀라서 깨갱거리며 달아난다. 그래 그들은 머주하니 돌쳐섰다. 이때의 정도룡은 눈에서 불덩이가 왔다 갔다 하였다. 그는 아이들을 늘어 놓아서 들에 있는 사람들을 모조리 불러들였다. 그들은 그의 전갈을 듣고 모두 뛰어들어 왔다. 더구나 용쇠 같은 이 났단 말을 듣고.

정도룡은 그들을 **일일이 지휘하**여 일 치를 순서를 분배한 후 나머지 사람들은 상여를 메고 위선 김 주사 사는 동리로 급히 갔다.

- 이기영, 「농부 정도룡」 -

* 얼걱박이: 얼굴에 흠이 많은 이를 이르는 말.
* 경성드뭇하다: 많은 수효가 듬성듬성 흩어져 있음.
* 전지도지: 엎드러지고 곱드러지며 몹시 급히 달아나는 모양.

26. [A]와 [B]에 대한 설명으로 가장 적절한 것은?

① [A]에서는 외양 묘사를, [B]에서는 배경 묘사를 통해 현실감을 부각하고 있다.
② [A]에서는 열거를, [B]에서는 행위 제시를 통해 인물의 성격을 드러내고 있다.
③ [A]에서는 인물의 대립을, [B]에서는 상황 제시를 통해 사건의 분위기를 드러내고 있다.
④ [A]와 [B] 모두 공간의 이동을 통해 갈등을 심화시키고 있다.
⑤ [A]와 [B] 모두 인물의 내적 독백을 통해 사건의 흐름을 지연시키고 있다.

27. <보기>를 바탕으로 윗글을 감상한 내용으로 적절하지 않은 것은? [3점]

〈보 기〉

이 작품은 일제 강점기 농촌을 배경으로 지주의 부당한 행위와 이로 인해 핍박받던 궁핍한 소작농들의 삶을 사실적으로 드러내고 있다. 특히 불의를 참지 못하는 인물이, 현실적 이해관계 때문에 불합리한 현실을 외면하는 사람들을 일깨우며 올바른 삶의 가치를 실천하기 위해 노력한다는 점이 특징적이다.

① '용쇠를 혼내 주듯' '무지한 남자와 부모의 횡포를 규탄'하는 정도룡의 모습에서 올바른 삶의 가치를 중시하는 인물의 태도를 알 수 있군.
② '동리 사람들'이 '풋보리'로 '죽물을 끓여 먹는' 모습에서 일제 강점기 농촌의 궁핍한 삶을 알 수 있군.
③ '내 땅은 내 말대로 언제든지 뗄 수 있지 않느냐'라고 말하는 김 주사의 모습에서 소작농을 핍박하는 지주의 태도를 알 수 있군.
④ '김 주사 집 땅을 부치는 사람들'이 '눈치만 보'며 '꽁무니를 사리'는 모습에서 현실적 이해관계를 외면하는 사람들의 단면을 알 수 있군.
⑤ '춘이 조모'의 장례를 '일일이 지휘하'는 정도룡의 모습에서 불의를 참지 못하는 인물의 실천적 노력을 알 수 있군.

28. ㉠ ~ ㉤에서 알 수 있는 인물의 심리에 대한 설명으로 적절하지 않은 것은?

① ㉠: 자기가 저지른 잘못에 대한 용쇠의 뉘우침이 드러나 있다.
② ㉡: 정도룡에 대한 동리 사람들의 신뢰감이 드러나 있다.
③ ㉢: 지금까지 소작하던 논을 떼인 춘이 조모의 막막함이 드러나 있다.
④ ㉣: 가족의 갑작스런 죽음에 대한 춘이 모자의 애통함이 드러나 있다.
⑤ ㉤: 자신의 일에만 관심을 갖는 사람들에 대한 정도룡의 분노가 드러나 있다.

[29 ~ 32] 다음 글을 읽고 물음에 답하시오.

(가)

㉠<u>남은 다 쟈는 밤에 ᄂᆡ 어이 홀로 ᄭᆡ야</u>
옥장(玉帳) 깁푼 곳에 쟈는 님 ᄉᆡᆼ각ᄂᆞᆫ고
㉡<u>천리(千里)에 외로운 ᄭᅮᆷ만 오락가락 ᄒᆞ노라</u>

\- 송이 -

(나)

그립고 그리워도 볼 수가 없어
마음은 바람에 나부끼는 종이 연 같아라
㉢<u>돗자리라면 말아 두고 돌이라면 굴러 낼 수 있으련만</u>
<u>이 마음의 응어리 어느 때나 고칠까</u>
그리운 사람은 멀리 하늘 모퉁이에 있는데
구름 뜬 하늘 아래 늘어진 푸른 버들
아득한 시름은 끝이 없어라
㉣<u>홀로 앉아 공후를 타니</u>
<u>공후는 하소연하는 듯 흐느끼는 듯</u>
다 타도록 비단 적삼 젖는 줄도 몰랐네
원컨대 쌍쌍이 나는 [새]가 되어서
임 향한 창 앞에 서 있고자
원컨대 **밝은 달이 되어**
임의 창문 휘장 뚫어 비춰 들고자
㉤<u>슬픈 노래 잠 못 드는 밤 어찌 이리 긴고</u>
꿈속에서도 요산 남쪽 건너지 못하였네
기나긴 그리움에 공연히 애만 끊노라

\- 성현, 「장상사(長相思)」 -

(다)

명황(明皇)*은 귀비(貴妃)*를 주겨나 여ᄒᆡ여니
셟다 셟다 ᄒᆞᆫ들 우리ᄀᆞ티 셜울런가
사라셔 못 보니 더욱 ᄒᆞ나 망극(罔極)ᄒᆞ다
수심(愁心)은 블이 되여 **가ᄉᆞᆷ**애 픠여나니
절로 난 그 블이 **ᄂᆞᆷ의 탓도 아니로ᄃᆡ**
내ᄒᆡ 하 셜워 수인씨(燧人氏)*를 원(怨)ᄒᆞ노라
함양궁전(咸陽宮殿)*이 다ᄆᆞᆫ 삼월(三月) 블거셔도
지금(至今)에 그 블를 오래 ᄐᆞ다 ᄒᆞ것마ᄂᆞᆫ
이 원수(怨讎) 이 블은 몃 삼월(三月)을 디내연고
눈믈은 임우(霖雨)이 되고 한숨은 ᄇᆞᄅᆞᆷ이 되여
불거니 ᄲᅳ리거니 그츨 적도 업서시니
이 비로 뎌 블을 ᄭᅥᆷ즉도 ᄒᆞ다마ᄂᆞᆫ
엇ᄶᅵᄒᆞᆫ [블]인디 풍우중(風雨中)에 ᄐᆞ노왜라
수화상극(水火相克)*도 거즛말이 되엿고야
픠거니 ᄲᅳ리거니 승부(勝負) 업시 싸호거든
죠고만ᄒᆞᆫ 몸은 전장(戰場)이 되엿ᄂᆞ다
아이고 하ᄂᆞ님아
칠석(七夕)비 ᄂᆞ리워 이 싸홈 말이쇼셔
어엿ᄲᅳᆫ 이 몸은 살가 너겨 ᄇᆞ라ᄂᆡ다
알고져 전생(前生)의 므슴 죄(罪)를 지어두고
여흴 제 검던 머리 희도록 못 보ᄂᆞᆫ고
ᄉᆞ랑은 혜염업서* 노소(老少)도 모ᄅᆞᄂᆞᆫ가
십년전(十年前) 맹서(盟誓)를 오ᄂᆞᆯ 믄득 ᄉᆡᆼ각ᄒᆞ니
금석(金石) ᄀᆞᄐᆞᆫ 말ᄉᆞᆷ이 어제론덧 그제론덧 귀예 징징ᄒᆞ야시니
이 ᄆᆞᄋᆞᆷ 이 맹서(盟誓) 진토(塵土)이 되다 니ᄌᆞᆯ소냐
아소온 **내 뜻은 다시 볼가 ᄇᆞ라거든**
일년(一年) 삼백일(三百日)에 니친 ᄒᆞᆯ니 이실소냐

\- 박인로, 「상사곡(相思曲)」 -

* 명황, 귀비: 당나라 현종과 양귀비. 안사의 난으로 양귀비가 죽음.
* 수인씨: 중국 고대 전설상의 제왕. 불을 쓰는 법을 전하였다고 함.
* 함양궁전: 진나라 때 중국 함양에 지어진 궁전으로 항우가 불태웠는데 삼 개월 동안 꺼지지 않았다고 함.
* 수화상극: 물과 불은 서로 용납하지 않는다는 뜻.
* 혜염업서: 생각이 없어서.

29. (가) ~ (다)에 대한 공통점으로 가장 적절한 것은?

① 의문형 표현을 활용하여 화자의 정서를 강조하고 있다.
② 색채어를 활용하여 대상을 감각적으로 형상화하고 있다.
③ 언어유희를 활용하여 화자의 태도를 해학적으로 표현하고 있다.
④ 풍자의 기법을 활용하여 대상에 대한 비판 의식을 드러내고 있다.
⑤ 계절감을 나타내는 시어를 활용하여 시적 분위기를 조성하고 있다.

30. ㉠ ~ ㉤에 대한 설명으로 적절하지 <u>않은</u> 것은?

① ㉠: '남'과 화자의 서로 다른 상황을 통해 화자가 놓인 외로운 처지를 표현하고 있다.
② ㉡: 화자의 '꿈'을 통해 화자가 먼 곳에서 여유롭게 살고자 하는 염원을 표현하고 있다.
③ ㉢: '돗자리', '돌'과 대비되는 화자의 마음을 통해 화자의 맺혀 있는 감정을 강조하고 있다.
④ ㉣: 화자가 연주하는 '공후'의 소리를 통해 화자의 답답함과 슬픔을 표현하고 있다.
⑤ ㉤: 화자가 '밤'에 잠을 자지 못하는 상황을 통해 화자의 애절한 감정을 강조하고 있다.

13 회

31. <보기>를 바탕으로 (나)와 (다)를 감상한 내용으로 적절하지 <u>않은</u> 것은? [3점]

〈보 기〉

'충신연주지사'는 충성스러운 신하가 왕을 그리워하며 부른 노래를 의미하는데, (나)와 (다)가 여기에 속한다. 이러한 주제 의식을 담은 노래들은 신하가 왕으로부터 멀리 떨어져 이별이 오래 지속된 상황에서 생긴 감정을 표현하고 있다. 왕에 대한 신하의 사랑과 그리움을 주로 표현하며, 자신의 마음을 몰라주는 왕에 대한 원망을 드러내기도 한다.

① (나)의 '그리운 사람'이 '멀리 하늘 모퉁이에 있는데'라고 한 것은 신하가 왕으로부터 멀어져 있는 상황을 나타낸 것이겠군.
② (나)의 '기나긴 그리움에 공연히 애만 끊노라'라고 한 것은 신하가 왕을 그리워하고 있음을 나타낸 것이겠군.
③ (다)의 '수심'이 '가ᄉᆞᆷ'에 피어난 것이 'ᄂᆞᆷ의 탓도 아니로ᄃᆡ'라고 한 것은 신하가 자신의 마음을 몰라주는 왕을 원망하고 있음을 나타낸 것이겠군.
④ (다)의 '여흴 제 검던 머리 희도록 못 보ᄂᆞᆫ고'라고 한 것은 신하와 왕이 오랫동안 이별하고 있음을 나타낸 것이겠군.
⑤ (나)의 '밝은 달이 되어' '임의 창문 휘장'에 비추겠다는 것과 (다)의 '내 뜻은 다시 볼가 ᄇᆞ라거든'이라고 한 것은 왕에 대한 신하의 사랑을 나타낸 것이겠군.

32. [새]와 [뻘]에 대한 설명으로 가장 적절한 것은?

① [새]는 화자의 심리 전환을 표출하고, [뻘]은 화자의 성격 변화를 유도하고 있다.
② [새]는 화자의 현재 상황을 표현하고, [뻘]은 화자의 미래 모습을 암시하고 있다.
③ [새]는 화자의 내적인 갈등을 강조하고, [뻘]은 화자의 외적인 화해를 보여주고 있다.
④ [새]는 화자의 간절한 바람을 드러내고, [뻘]은 화자의 애타는 정서를 부각하고 있다.
⑤ [새]는 화자의 반성적인 태도를 나타내고, [뻘]은 화자의 실천적인 행위를 제시하고 있다.

[33 ~ 37] 다음 글을 읽고 물음에 답하시오.

일반적으로 사람들은 정서와 감정을 동일한 것으로 여긴다. 그런데 오늘날의 심리 철학에서는 '정서'라는 개념을 특정 시점에서의 주관의 정신 상태라고 정의하면서 정서와 감정을 개념적으로 구분하고, 정서의 본질에 대해 이전부터 계속되어 온 철학적 탐구를 이어가고 있다.

정서의 본질에 대한 전통적인 논의는 크게 두 방향의 이론으로 설명할 수 있는데, 하나는 '감정 이론'이고 다른 하나는 '인지주의적 이론'이다. 다음 사례에서 드러나는 정서의 요소를 바탕으로 두 이론의 대립하는 방향성을 확인할 수 있다. 민호가 전신주 옆에서 버스를 기다리고 있을 때, 전신주 변압기에서 연기가 솟아났고 민호는 갑자기 공포에 빠져들게 된 상황을 가정해 보자. 이때 민호의 공포라는 정서에서 감정적 요소에 해당하는 것은 민호가 느끼는 공포감이라는 느낌이고, 인지적 요소에 해당하는 것은 민호가 연기를 보았을 때 '민호 자신이 위험한 상황에 처했다.'라는 명제로 표현될 수 있는 판단이나 믿음이다. 감정 이론은 전자를 중심으로 정서를 정의하는 이론이고, 인지주의적 이론은 후자를 중심으로 정서를 정의하는 이론이다.

㉠<u>감정 이론</u>은 특정 정서를 그 정서가 내포하는 특정 감정 즉 자신도 모르게 생기는 느낌과 동일시하는 이론이다. 감정 이론에 따르면, 정서를 이해하는 것은 인지적인 요소가 아니라 감정적인 요소를 통해서 가능하다. 즉 상황에 대해서 어떻게 판단하고 믿느냐가 아니라 어떻게 느끼느냐를 이해하는 것을 통해서만 가능하다는 것이다. 감정 이론은 앞의 예에서 공포라는 민호의 정서를 공포감이라는 감정적 요소와 동일시하면서 민호의 정서를 이해하는 데 있어 인지적 요소는 배제한다. 인지적 요소인 판단과 믿음은 앞의 예에서 민호가 연기를 보았다고 가정했을 때 그 '연기'와 같은 구체적인 대상을 전제하는데, 감정 이론은 판단과 믿음을 배제하기 때문에 정서의 지향적인 성격을 부정한다. 또한 감정 이론을 바탕으로 할 때, 감정은 정서와 동일시되므로 의지에 의해 통제되기 힘든 감정의 속성은 그대로 정서의 속성이 된다.

감정 이론은 사람들이 일상적으로 정서를 감정과 동일시하는 보편적인 성향을 잘 설명할 수 있다는 장점을 지닌다. 사람들이 '어떤 사람이 공포의 정서 상태에 있다.'라는 말의 의미를 전달하기 위해서, 이 말보다 '어떤 사람이 공포를 느낀다.'라는 말을 더 자연스럽게 여기는 것은 정서와 감정을 동일시하는 사람들의 보편적인 성향을 잘 보여 준다. 그러나 감정 이론은 정서들을 분류하는 데 한계를 지닌다. 왜냐하면 감정 이론은 감정 외적인 인지적 요소를 배제하고 감정적 요소만을 강조하기 때문에 개별 정서의 차이를 구분하여 설명하지 못하고 단지 각각의 정서가 다르게 느껴진다고 이야기한다. 그리고 감정 이론은 정서가 규범적 성격을 가질 수 있다는 점을 설명할 수 없다. 왜냐하면 감정 이론은, 어떻게 느끼느냐에 대한 감정 외적인 상황을 고려하지 않은 채 내적인 감정과 동일시되는 정서 자체에 초점을 맞추기 때문이다. 그래서 감정 이론은 그 정서의 규범적인 적절성 여부, 즉 그 정서가 당위적인 가치 기준에 부합하는지 여부를 판단하는 것이 불가능하다.

인지주의적 이론은 정서의 인지적 요소를 정서와 동일시하거나 적어도 정서의 필수적인 요소로 인정하는 이론이다. 이 이론에 따르면, 감정 자체는 정서와 동일시될 수 없고 판단이나 믿음과 같은 인지적 요소들의 복합체에 의해 초래되는 결과일 뿐이다. 인지주의적 이론은, 앞의 예에서 민호가 자신의 머리 위에 변압기가 떨어질 수 있다고 판단하여 위험한 상황에 처했다고 믿는 것을 민호가 경험하는 공포라는 정서 상태와 동일시하거나 적어도 이 공포라는 정서를 규정하는 데 필수적인 요소로 인정한다. 그리고 민호의 공포감은 민호의 판단과 믿음의 결과로 가지게 된 감정일 뿐이라고 본다.

인지주의적 이론의 장점은 앞서 언급한 감정 이론의 두 가지 문제점을 해결할 수 있다는 것이다. 인지주의적 이론은 정서들을 개별 정서로 분류하는 것이 가능하다. 왜냐하면 사람들이 비슷하다고 생각하는 정서를 판단이나 믿음이라는 인지적 요소를 바탕으로 각각의 정서로 구분할 수 있기 때문이다. 그리고 인지주의적 이론은 정서가 규범적 성격을 가질 수 있다는 점을 설명할 수 있다. 왜냐하면 인지주의적 이론이 정서와 동일시하거나 적어도 정서의 필수적인 요소로 여기는 판단과 믿음에는 당위적인 가치 기준이 개입될 수 있기 때문이다. 그러나 인지주의적 이론은 인지적 요소만을 지나치게 강조하기 때문에, 사람들의 보편적인 성향에서 드러나는 감정적 요소를 경시하고 있다.

ⓐ <u>감정 이론과 인지주의적 이론은 유사한 맥락에서 한계를 지니고 있다.</u> 그래서 오늘날의 심리 철학은 두 이론을 정서의 다면적인 성격을 설명하기 위한 철학적 바탕으로 삼되, 두 이론과 달리 정서의 다면적 성격을 종합적으로 설명할 수 있는 새로운 이론적 틀을 마련하기 위해 노력하고 있다.

33. 윗글의 전개 방식에 대한 설명으로 가장 적절한 것은?

① 중심 화제에 대한 대비되는 두 이론을 소개한 후 각 이론의 장단점을 제시하고 있다.
② 중심 화제에 대한 상반된 이론을 제시한 후 두 이론을 절충한 새로운 이론을 비판하고 있다.
③ 중심 화제에 대한 두 이론의 가설을 제시하고 통계를 바탕으로 가설의 타당성을 검증하고 있다.
④ 중심 화제에 대한 두 이론의 대표적인 학자들을 제시하고 그들이 후속 연구에 미친 영향을 소개하고 있다.
⑤ 중심 화제에 대해 새롭게 등장한 두 이론과 각각의 등장 배경을 소개하고 기존 이론의 등장 배경과 대비하고 있다.

34. 윗글을 바탕으로 <보기>를 이해한 내용으로 적절하지 <u>않은</u> 것은? [3점]

〈 보 기 〉

집에 가던 수아는 갑자기 비가 내리자 버스 정류장에서 비를 피하고 있었다. 그때 멀리서 수아를 본 어머니가 웃는 얼굴로 우산을 들고 수아에게 다가왔다. 어머니를 만난 수아는 행복이라는 정서를 가지게 되었다.

① 감정 이론에 따르면, 수아가 집에 갈 때 어머니를 만난 특정 시점에서 가지게 된 행복이라는 정서는 수아가 느낀 감정인 행복감 자체와 동일시된다고 보겠군.
② 감정 이론에 따르면, 수아의 행복이라는 정서를 이해하려면 '수아가 비를 맞지 않게 하려고 어머니가 우산을 들고 나왔다.'라는 명제로 표현될 수 있는 요소는 배제해야겠군.
③ 인지주의적 이론에 따르면, 자신을 본 어머니의 웃는 얼굴을 보게 됨으로써 수아가 가지게 된 행복이라는 정서는 감정에서 비롯된 결과라고 보겠군.
④ 인지주의적 이론에 따르면, 수아의 행복이라는 정서를 설명하기 위해서는 어머니가 우산을 들고 수아에게 다가오는 상황을 고려해야 한다고 보겠군.
⑤ 인지주의적 이론에 따르면, 어머니의 표정과 행동이라는 구체적인 대상에 대한 수아의 판단은 수아가 가지게 된 행복이라는 정서 상태의 필수적인 요소로 인정되겠군.

35. 윗글과 <보기>에 대해 설명한 내용으로 가장 적절한 것은?

〈 보 기 〉

정서의 본질을 설명하는 전통적인 이론 중에서 행동주의 이론은 정서의 본질을 인간에게 가해지는 자극과 이에 대한 반응의 관계를 통해 파악하려고 했다. 행동주의 이론에 따르면, 인간의 모든 기능은 공통적으로 자극과 반응의 원리를 통해 설명될 수 있기 때문에 인간의 정서도, 내적인 감정이 아니라 자극에서 초래된 외적인 반응으로서의 특정한 행동과 현상으로 기술될 수 있다는 것이다.

① 감정 이론과 행동주의 이론은 모두 인간에게 가해지는 자극을 통해서 인지적인 요소가 정서의 필수적인 요소임을 증명할 수 있다고 보고 있다.
② 인지주의적 이론과 행동주의 이론은 모두 인간의 외적인 반응에 주목하여 사람의 마음에 일어나는 감정 그 자체인 정서를 설명하려 하고 있다.
③ 감정 이론은 행동주의 이론과 달리, 인간이 어떻게 느끼느냐에 대한 스스로의 판단은 특정한 행동을 하게 만든다는 사실에 초점을 두어 정서를 설명하려 하고 있다.
④ 행동주의 이론은 감정 이론과 달리, 인간의 정서는 내적인 감정이 아니라 자극과 반응으로 기술될 수 있다는 특징에 주목하여 정서라는 개념을 설명할 수 있다고 보고 있다.
⑤ 행동주의 이론은 인지주의적 이론과 달리, 인간의 모든 기능을 설명할 수 있는 공통적인 원리가 아닌 특수한 대상에 적용되는 원리를 바탕으로 정서에서의 감정적 요소를 설명하려 하고 있다.

36. 윗글의 ㉠과 <보기>의 Ⓐ에 대해 보인 반응으로 적절하지 <u>않은</u> 것은?

〈 보 기 〉

Ⓐ <u>제임스의 이론</u>에 따르면, 사람이 공포라는 정서 상태에 있을 때 얼굴이 핼쑥해지고 등줄기에 식은땀이 흐르는 등 여러 가지 신체적 변화가 발생하는데 이러한 물리적인 변화는 의지에 의해 통제되기 힘든 특정 느낌을 동반한다. 제임스는 이러한 느낌을 중심으로, 느낌들의 복합체, 즉 신체적 감각의 복합체를 공포라는 정서와 동일시한다.

① ㉠과 Ⓐ는 정서의 지향적인 성격을 전제한다는 점에서 유사하겠군.
② ㉠과 Ⓐ는 느낌이라는 것을 중심으로 정서를 이해한다는 점에서 유사하겠군.
③ ㉠과 Ⓐ는 의지에 의해 통제되기 힘든 정서의 속성을 인정한다는 점에서 유사하겠군.
④ ㉠은 감정과 정서의 속성을 동일시하여 정서를 이해하려 하고 있군.
⑤ Ⓐ는 신체적 감각의 복합체를 정서와 동일시하여 정서를 이해하려 하고 있군.

37. ⓐ에 대한 설명으로 가장 적절한 것은?

① 감정 이론과 인지주의적 이론은 모두 정서가 규범적인 속성을 가질 수 있다는 점을 설명하지 못한다.
② 감정 이론과 인지주의적 이론은 모두 사람들이 느끼는 개별 정서의 차이를 구분하여 설명하지 못한다.
③ 감정 이론과 인지주의적 이론은 모두 특정 요소만을 강조하여 정서의 본질을 종합적으로 설명하지 못한다.
④ 감정 이론과 인지주의적 이론은 모두 정서에 대해서 사람들이 지니고 있는 보편적인 성향을 반영하지 못한다.
⑤ 감정 이론과 인지주의적 이론은 모두 상황에 따른 정서의 적절성 여부를 결정하는 당위적인 가치 기준을 제시하지 못한다.

[38 ~ 41] 다음 글을 읽고 물음에 답하시오.

(가)

직업소개에는 실업자들이 일터와 같이 출근하였다. 아무 일도 안하면 일할 때보다는 야위어진다. 검푸른 황혼은 언덕 아래로 깔리어오고 가로수와 절망과 같은 나의 기-ㄴ 그림자는 군집(群集)의 대하(大河)에 짓밟히었다.

바보와 같이 거물어지는 하늘을 보며 나는 나의 키보다 얇은 가로수에 기대어 섰다. **병든 나**에게도 고향은 있다. 근육이 풀릴 때 향수는 실마리처럼 풀려나온다. 나는 젊음의 자랑과 희망을, 나의 무거운 절망의 그림자와 함께, 뭇사람의 웃음과 발길에 채이고 밟히며 스미어오는 황혼에 맡겨버린다.

제 집을 향하는 많은 군중들은 시끄러이 떠들며, 부산-히 어둠 속으로 흩어져버리고. 나는 공복의 가는 눈을 떠, 희미한 노등(路燈)을 본다. 띄엄띄엄 서 있는 포도(鋪道)* 위에 잎새 없는 ㉠ <u>가로수</u>도 나와 같이 공허하고나.

고향이여! 황혼의 저자에서 나는 **아리따운 너의 기억**을 찾아 나의 마음을 전서구*와 같이 날려보낸다. 정든 고샅*. 썩은 울타리. 늙은 아베의 하-얀 상투에는 몇 나절의 때묻은 회상이 맺혀 있는가. 우거진 송림 속으로 곱게 보이는 고향이여! **병든 학이었다. 너는 날마다 야위어가는……**

어디를 가도 사람보다 일 잘하는 기계는 나날이 늘어나가고, 나는 병든 사나이. 야윈 손을 들어 오랫동안 타태*와, 무기력을 극진히 어루만졌다. 어두워지는 황혼 속에서, 아무도 보는 이 없는, 보이지 않는 황혼 속에서, **나는 힘없는 분노와 절망을 묻어버린다.**

- 오장환, 「황혼(黃昏)」 -

* 포도: 포장도로.
* 전서구: 편지를 보내는 데 쓸 수 있게 훈련된 비둘기.
* 고샅: 시골 마을의 좁은 골목길. 또는 골목 사이.
* 타태: 열심히 하려는 마음이 없고 게으름.

13 회

(나)

모래는 모두가
작지만 고집센 한 알이다
그러나 한 알만의 모래는 없다
한알한알이 **무수하게 모여서 모래**다
오죽이나 외로워 그랬을까 하고 보면
웬걸 모여서는 서로가
모른 체 등을 돌리고 있는 모래
모래를 서로 손잡게 하려고
신이 모래밭에 하루종일 **봄비를 뿌**린다
하지만 뿌리면 뿌리는 그대로
모래 밑으로 모조리 새나가 버리는 봄비
자비로운 신은 또 민들레 **꽃씨**를
모래밭에 한 옴큼 날려 보낸다
싹트는 법이 없다
더 이상은 손을 쓸 도리가 없군
구제불능이야
신은 드디어 포기를 결정한다
신의 눈 밖에 난 **영원한 갈증**!

– 이형기, 「모래」 –

(다)

여러 사람이 **맨살 부대끼며 오래 살**다보면 어느덧 비슷한 말투, 비슷한 욕심, 비슷한 얼굴을 가지게 됩니다.

서로 바라보면 거울 대한 듯 비슷비슷합니다. 자기가 다른 사람과 비슷하다는 사실, 여럿 중의 평범한 하나에 불과하다는 사실은 대부분의 사람들이 못마땅하게 여깁니다. 기성품처럼 개성이 없고 값어치가 훨씬 떨어지는 것으로 받아들입니다. '개인의 세기(世紀)'에 살고 있는 우리들의 당연한 사고입니다.

그러면 다른 사람과 조금도 닮지 않은 개인이나 탁월한 천재가 과연 있는가. 물론 없습니다. 있다면 그것은 외형만 그럴 뿐입니다. 다른 사람과 아무런 내왕이 없는 '순수한 개인'이란 ㉡ <u>무인도</u>의 로빈슨 크루소처럼 소설 속에나 있는 것이며, **천재**란 그것이 어느 개인이나 순간의 독창이 아니라 **오랜 중지(衆智)*의 집성**이며 협동의 결정(結晶)임을 우리는 알고 있습니다.

우리들이 잊고 있는 것은 아무리 **담장을 높이**더라도 사람들은 결국 서로가 서로의 일부가 되어 함께 햇빛을 나누며, 함께 비를 맞으며 '함께' 살아가고 있다는 사실입니다.

화폐가 중간에 들면, 쌀이 남고 소금이 부족한 사람과, 소금이 남고 쌀이 부족한 사람이 서로 만나지 않더라도 교환이 이루어집니다. 천 갈래 만 갈래 분업과 **거대한 조직**, 그리고 거기서 생겨나는 **물신성(物神性)***은 사람들의 만남을 멀리 떼어놓기 때문에 '함께' 살아간다는 뜻을 깨닫기 어렵게 합니다.

같은 이해(利害), 같은 운명으로 연대된 '한 배 탄 마음'은 '나무도 보고 숲도 보는' 지혜이며, 한 포기 미나리아재비나 보잘것없는 개똥벌레 한 마리도 그냥 지나치지 않는 '열린 사랑'입니다. 한 그루의 나무가 되라고 한다면 나는 산봉우리의 낙락장송보다 수많은 나무들이 **합창하는 숲 속**에 서고 싶습니다. 한 알의 물방울이 되라고 한다면 저는 단연 바다를 선택하고 싶습니다. 그리하여 가장 많은 사람들이 모여 사는 나지막한 동네에서 비슷한 말투, 비슷한 욕심, 비슷한 얼굴을 가지고 싶습니다.

– 신영복, 「비슷한 얼굴–계수님께」 –

* 중지: 여러 사람의 지혜.
* 물신성: 사람과 사람의 사회적인 관계가 그가 소유한 물질과 물질의 관계로 나타나는 것. 또는 그렇게 보이는 사회 현상의 성격.

38. (가) ~ (다)에 대한 설명으로 적절하지 <u>않은</u> 것은?

① (가)와 (나)는 모두 영탄적 어조를 통해 화자의 정서를 부각하고 있다.
② (가)와 (다)는 모두 비유적 표현을 통해 대상의 의미를 강조하고 있다.
③ (나)와 (다)는 모두 공간을 대비하여 지향하는 가치를 부각하고 있다.
④ (가)는 (나)와 달리, 음성 상징어를 통해 시각적 인상을 구체화하고 있다.
⑤ (다)는 (나)와 달리, 처음과 끝에 동일한 구절을 배치하여 주제를 강조하고 있다.

39. <보기>를 바탕으로 (가)를 감상한 내용으로 적절하지 <u>않은</u> 것은?

〈보 기〉

「황혼」에는 1930년대 도시 노동자로서 화자가 느끼는 무력감과 절망감이 드러나 있다. 특히 기계화가 가속되는 현실 속 화자와 나날이 퇴락해 가는 고향, 이 모두가 병든 것으로 형상화되어 근대 자본주의에 대한 작가의 회의적 태도를 엿볼 수 있다.

① '병든 나', '병든 학'을 통해 화자와 고향 모두가 병든 것으로 형상화되고 있음을 알 수 있군.
② '아리따운 너의 기억'을 통해 근대 자본주의를 지향하는 작가의 태도를 확인할 수 있군.
③ '너는 날마다 야위어가는'을 통해 나날이 퇴락해 가는 고향의 모습을 짐작할 수 있군.
④ '어디를 가도 사람보다 일 잘하는 기계는 나날이 늘어나가고'를 통해 기계화가 가속되는 현실을 확인할 수 있군.
⑤ '나는 힘없는 분노와 절망을 묻어버린다'를 통해 화자가 현실에 대해 느끼는 무력감을 짐작할 수 있군.

40. <보기>를 바탕으로 (나)와 (다)를 이해한 것으로 적절하지 <u>않은</u> 것은? [3점]

〈보 기〉

문학은 종종 집단 속에 놓인 개인의 모습을 통해 공동체적 삶을 드러낸다. 독선적인 태도를 지닌 개인은 스스로를 소외시켜 자신의 삶을 황폐하게 만들면서 동시에 공동체적 삶으로 나아가지 못한다. 그러나 정서적 공감을 바탕으로 연대하는 개인은 서로에게 기대면서 집단 속에서 완성되며 공동체적 삶을 이룩하게 된다.

① (나)의 '무수하게 모여서' 된 '모래'와 (다)의 '맨살 부대끼며 오래 살'아 가는 '여러 사람'은 모두 집단 속에 놓인 개인의 모습을 보여 준다.
② (나)의 '모른 체 등을 돌리'는 행위와 (다)의 '담장을 높이'는 행위는 연대하지 않으려는 태도를 의미한다.
③ (나)의 '봄비를 뿌'려주는 '신'과 (다)의 '거대한 조직'에서 생겨난 '물신성'은 개인이 직면하게 되는 소외의 원인에 해당한다.
④ (나)의 '꽃씨'가 '싹트는 법이 없'는 '모래밭'은 개인들의 황폐한 삶을, (다)의 '오랜 중지의 집성'인 '천재'는 집단 속에서 완성되어 가는 개인의 삶을 보여준다.
⑤ (나)의 '영원한 갈증'은 공동체적 삶으로 나아가지 못한 삶의 모습을, (다)의 '합창하는 숲 속'은 서로에게 기대어 이룩한 공동체적 삶의 모습을 의미한다.

41. ㉠과 ㉡에 대한 이해로 가장 적절한 것은?

① ㉠, ㉡은 모두 성숙의 이미지가 드러난다.
② ㉠, ㉡은 모두 자족의 이미지가 드러난다.
③ ㉠은 단절의 이미지가, ㉡은 소통의 이미지가 드러난다.
④ ㉠은 고독의 이미지가, ㉡은 고립의 이미지가 드러난다.
⑤ ㉠은 상생의 이미지가, ㉡은 공존의 이미지가 드러난다.

[42 ~ 45] 다음 글을 읽고 물음에 답하시오.

주인이 문 왈,

"네 나이 몇이나 하며, 또 이름은 무엇이라 하며 네 부모는 어떠한 사람이뇨."

묻거늘, 장경이 답 왈,

"연은 십삼 세요, 이름은 장경이로소이다. **어버이를 난중에 잃고** 어찌할 줄 모르고 **두루 다니며 빌어먹**삽네다."

주인이 자탄 왈,

"나의 자식과 연갑이로다. 한가지로 다니며 **불 사환***이나 하라."

하거늘, 장경이 이 말을 듣고 기뻐하더라.

그 주인은 그 고을 **관비** 차영이라. 세간이 요부하매* 장경을 달래어 제 자식의 구실을 시키고, 제 자식은 행신코자 하여 장경을 집에 두고 부려 보니 영민하거늘, 관가의 대임소지로 정하니, 관가에서 장경을 부려 보니 영민하거늘, 그날부터 **방자 구실**을 하되 수청을 잘하니 사람마다 칭찬하더라.

각설이라. 차영이 무상하여 장경의 머리도 아니 빗기고 옷도 아니 하여 주니, **의상이 남루한 중에 머리에 이는 무수하고 몸에는 더러운 내가 나니**, 동무 방자들이며 관속배가 곁에 오지 못하게 하니, 독부 되어 그 정상이 차마 보지 못할러라. 그러하기로 혹 마루 밑에도 자고 부엌에서도 자며 어미를 부르다가 날이 새면 방자 구실을 하여 지내더니, 일일은 저 입고 온 옷이 해어져 옷깃만 남았으니, 부모를 생각하고 슬피 울다가 옷을 벗어 이를 잡노라 혼솔기를 떼어 보니 하였으되,

"여남 북촌 설학동 처사 장취의 자 경(景)이요, 자는 각(珏)이라. 기사년 십이월 이십육일 해시생이라."

하였거늘, 장경이 그 글을 보고 부친 유서와 필적을 보고 통곡하다가 모친 지환과 유서를 한데 간수하고 매일 슬퍼하더라.

그 고을에 초운이라 하는 기생이 있으되 나이 십삼 세라. 남방 제읍에 유명하더니, 초운이 매일 장경을 어여삐 여겨 관가 제반도 얻어 주며, 머리에 이도 잡아 주며 배고파하면 제 밥을 갖다가 주며, 따뜻한 음식을 얻어도 저는 아니 먹고 가져다가 먹이고, **장경곧 울면 저도 우니** 보는 사람이 아니 괴이히 여길 이 없더라.

이러구러 초운이 나이 십칠 세라. 옥안운빈(玉顔雲鬢)이며 설부화용(雪膚花容)*은 남방에 유명한지라. 사람마다 천금을 싣고 취코자 하되, 초운의 마음이 철석같아서 몸을 허하지 아니하고 ⓐ <u>매일 장경만 잊지 못하니</u>, 제 부모 초운을 불러 이르되,

"우리 너를 낳아 괴로이 길러 나이 이제 장성하였으니 천금을 받아 우리 주림을 구하는 것이 당연하거늘, 네 부모의 은혜를 생각지 아니하느냐."

초운이 대 왈,

"내 몸이 비록 천하나 천금을 귀히 여기지 아니하기를 내 또한 고집하니 거스르지 마옵소서."

하니,

"네 마음이 그러하면 재상의 첩이 되고자 하느냐, 절도사의 부실이 되고자 하느냐, **명사를 좇고자 하느냐**, 수재를 섬기고자 하느냐."

초운이 대 왈,

"만약 진 시절에 동산수재하던 사안석 같으면 가히 재상의 총첩이 될 것이요, 삼국 시절에 사인오국하던 주공 곧 같으면 가히 절도사의 부실이 될 것이요, 한무제 시절에 봉황곡 타던 사마상여 같으면 가히 부실이 될 것이요. 이제 넓은 천하에 어찌 그런 사람이 있어 섬기리까. 장경은 비록 인물은 남루하나 형산백옥이 진토에 묻혔으되, 때를 만나지 못하여 세상 사람이 알지 못하나 불구에 대장군 인검을 잡을 사람이니, 천금은 쉬우나 이 사람 만나기는 쉽지 아니하오니, 부모는 초운의 굳은 절개를 훼치 말으소서."

하니, 부모 천금을 못 얻고 마음에 애연하여 장경을 원망하더라.

[중략 부분의 줄거리] 이후 장경은 소 목사를 따라 황성으로 가게 되고 능력을 인정받아 벼슬길에 오른다. 원수가 되어 남이적을 멸하고 황성으로 돌아오는 길에 초운과 다시 만난다.

[A]

원수가 초운을 보며 전일을 생각하고 슬픔이 간절하나 잠깐 참고 문 왈,

"네 이름이 남방에 유명하매, 한 번 보고자 하여 부른즉, 무슨 병이관데 즉시 아니 오느냐."

초운이 여쭈오되,

"소인의 병은 누년이 지나되 백약이 무효하오니 민망하여이다."

원수 왈,

"온갖 병이 다 각각 근본이 있는지라. 너는 무슨 근본이 있느냐."

초운이 여쭈오되,

"황공하오나 근본을 묻자오니 실상을 아뢰나이다. 과연 이 골에 장수재라 하는 사람과 언약이 중하옵더니, 전관 소 목사가 데려갔삽기로 이별 삼 년에 자연 병이 되었나이다."

원수 왈,

"그는 거짓말이로다. 소 목사는 나와 일가라. 내 항상 그 댁에 다니되 장수재라 함은 금시초문이로다. 연즉 다른 사람을 인연함이라."

초운이 대 왈,

"어찌 그러하리이까. 원경에 가다가 죽었삽거나 혹 중로에서 버리고 가옵거나 하였나이다."

하며 눈물을 흘리거늘, 원수 속이지 못하여 눈물을 뿌리고 왈,

"네 병이 즉시 나을 약이 내게 있노라."

하며 월귀탄을 주시거늘, 초운이 받아 보니 장수재가 이별할 때 드린 것이라. 비록 백 년인들 어찌 모르리오. 마음을 진정치 못하여 생각하되,

'원수가 소 목사의 일가라 하니, 분명 장수재의 서간을 가져왔거나 불연즉 나를 취코자 앗아 옴이라.'

하더니, 원수 초운의 손을 잡고 눈물을 흘려 왈,

"운랑은 나를 모르느냐. 자세히 보아라."

초운이 아뢰되,

"소인은 하방천기라, 존명을 어찌 알리이까."

원수 왈,

"운랑 낭랑아, 칠 년 방자 구실하던 장경을 모르느냐."

초운이 이 말을 듣고 꿈인 듯 생신 듯 반가움을 이기지 못하여 원수의 소매를 잡고 기절하거늘, 원수 손을 잡고 왈,

"운랑아, 진정하라. 이제는 네 병이 즉시 나으리라."

하고 못내 반기거늘, 초운이 겨우 인사를 차려 품을 열고 사운시를 드리거늘 받아 보니 당시 이별시라. 원수 마음이 비창함을 이기지 못하여 하더라. 초운이 울며 왈,

"소첩이 잔명을 보전하여 살았다가 오늘날 대원수 행차 와 찾으심을 어찌 뜻하오리까."

하고 못내 즐기거늘, 원수 소 왈,

"내 너를 그리던 정곡이야 어이 다 측량하리오."

하시니, 일읍 인민이 그제야 장경인 줄 알고 못내 반겨 차례로 문

13 회

안하거늘, 차영 부처를 불러 칠 년 은혜를 이르고 채단을 주시며 양육하던 은혜를 갚노라 하시니, 차영의 부처가 못내 황감하더라.

– 작자 미상, 「장경전」 –

* 사환: 잔심부름을 시키기 위하여 고용한 사람.
* 요부하다: 살림이 넉넉함.
* 설부화용: 눈처럼 흰 살갗과 꽃처럼 고운 얼굴이라는 뜻으로, 미인의 용모를 이르는 말.

42. 윗글에 대한 설명으로 가장 적절한 것은?

① 행동의 묘사와 대화를 통해 인물을 희화화하고 있다.
② 잦은 장면 전환을 통해 긴박한 분위기를 조성하고 있다.
③ 꿈과 현실을 교차하여 사건을 입체적으로 구성하고 있다.
④ 비현실적 공간을 설정하여 사건을 새로운 국면으로 전환하고 있다.
⑤ 서술자가 직접 개입하여 인물에 대한 자신의 생각을 드러내고 있다.

43. [A]와 <보기>를 비교하여 감상한 내용으로 적절하지 않은 것은? [3점]

〈보 기〉

나졸이 춘향을 올리면서 형방이 이르되,
"어사또가 분부하여 오늘부터 너를 수청 들이라 하시니 그대로 거행하라."
춘향이 여쭈오되,
"소녀 전임 사또 자제 도련님과 백년언약을 맺었기로 분부 시행 못하겠습니다."
어사 이르되,
"노류장화는 사람들이 모두 꺾는다 하니, 너 같은 천한 기생이 어찌 이 도령을 믿고 수절하리오. 바삐 수청 들라."
하니 춘향이 여쭈오되,
"아무리 천한 기생이온들 이미 맹세한 후에 어찌 일구이언하리오. 사또께서 소녀를 찢어 죽이실지라도 마음은 바꾸지 못하리로소이다."
어사 왈,
"너같이 절개가 굳으니 어찌 아름답지 아니리요."
하고 기생들을 분부하여 춘향이 쓴 칼을 이로 물어뜯어 벗기라 하니 누구 명령이라 거역하리오. 모든 기생들이 달려들어 물어뜯어 벗겨 내니 어사가 춘향에게 이르되,
"네 얼굴 들어 나를 보라."
하거늘 춘향이 여쭈오되,
"보기도 싫고 말씀 상대하기도 어렵사오니 바삐 죽여 소녀의 원을 이루게 하소서."
어사가 이 말을 듣고 도리어 가련하게 여겨 말하되,
"아무리 싫어도 잠깐 눈을 들어 자세히 보라."
하니 춘향이 그 말을 듣고 의아하여 눈을 들어 살펴본즉 의심 없는 이 도령이라.

– 작자 미상, 「춘향전(경판본)」 –

① [A]에서 장경이 원수가 되어 초운을 만나는 것과, <보기>에서 이 도령이 어사로 춘향과 만나는 것을 보니 장경과 이 도령 모두 높은 지위로 상대방과 다시 만나고 있군.
② [A]에서 초운이 병이 들어 백약이 무효하다는 것과, <보기>에서 춘향이 칼을 쓰고 있는 것을 보니 초운과 춘향 모두 고통을 겪고 있군.
③ [A]에서 초운이 장경과의 언약이 중하였다고 말하는 것과, <보기>에서 춘향이 전임 사또 자제 도련님과 백년언약을 맺었다고 말하는 것을 보니 초운과 춘향 모두 과거의 언약을 중시하고 있군.
④ [A]에서 장경이 슬픔을 잠시 참고 초운을 속이는 것과, <보기>에서 어사가 춘향에게 수청을 들라고 요구하는 것을 보니 장경과 이 도령 모두 상대방의 마음을 시험하고 있군.
⑤ [A]에서 초운이 원수의 소매를 잡고 기절하는 것과, <보기>에서 춘향이 어사에게 바삐 죽여 소녀의 원을 이루어 달라고 하는 것을 보니 초운과 춘향 모두 상대방의 정체를 알아차리지 못하고 있군.

44. <보기>를 바탕으로 윗글을 이해한 내용으로 적절하지 않은 것은?

〈보 기〉

이 작품에서 주인공은 전쟁으로 인해 부모와 이별한 것을 계기로 하층민으로 살아가면서 고난을 겪는다. 이때 평민 이하의 신분을 가진 인물들이 조력자로 등장하여 주인공에게 현실적인 도움을 주기도 한다. 주인공은 인물의 능력을 알아보는 조력자들을 통해 일상생활에서의 고통을 덜거나 정서적 공감을 얻는다.

① 장경이 '어버이를 난중에 잃'은 것을 통해, 장경이 전쟁으로 인해 부모와 이별한 것을 알 수 있다.
② '두루 다니며 빌어먹'던 장경에게 '관비' 차영이 '불 사환'을 하게 한 것을 통해, 차영이 현실적인 도움을 주는 평민 이하 신분의 조력자임을 알 수 있다.
③ 장경이 '방자 구실'을 하며 '의상이 남루한 중에 머리에 이는 무수하고 몸에는 더러운 내가 나'는 모습을 통해, 장경이 하층민으로 살아가며 고난을 겪고 있음을 알 수 있다.
④ '장경 곧 울면 저도 우'는 초운의 모습을 통해, 초운이 장경에게 정서적으로 공감하는 조력자임을 알 수 있다.
⑤ 초운의 부모가 초운에게 '명사를 좇고자 하느냐'라고 말한 것을 통해, 초운의 부모가 장경의 능력을 알아보며 초운의 의사를 긍정적으로 받아들이고 있음을 알 수 있다.

45. ⓐ에서 '초운'의 심정을 나타내는 말로 가장 적절한 것은?

① 결초보은(結草報恩)
② 사면초가(四面楚歌)
③ 오매불망(寤寐不忘)
④ 이심전심(以心傳心)
⑤ 풍수지탄(風樹之嘆)

※ 확인 사항

답안지의 해당란에 필요한 내용을 정확히 기입(표기)했는지 확인하시오.

국어 영역

14회 소요시간 /80분

제 1 교시

➡ 해설 P.124

[1~3] 다음은 강연의 일부이다. 물음에 답하시오.

안녕하세요? 저는 '정의로운 삶'이라는 주제로 강연을 하게 된 김○○입니다. 여러분은 '정의로운 삶'이 어떤 삶이라고 생각하나요? 이에 대한 답을 얻기 위해 '정의(正義)'를 정의해 보겠습니다. (청중 웃음) '정의'의 사전적 의미는 '진리에 맞는 올바른 길'이고, 철학적으로는 '개인 간의 올바른 도리, 또는 사회를 구성하고 유지하는 공정한 방법이나 길'을 뜻합니다. 저는 오늘 이 자리에서 이솝 우화 「토끼와 거북이」를 토대로 정의로운 삶에 대하여 이야기해 보려고 합니다.

여러분, 이 이야기의 교훈은 무엇일까요? (청중의 대답을 들은 후) 네, 맞아요. 느려도 꾸준히 노력하면 승리한다는 것이지요. 그런데 이 이야기에는 '정의로운 삶'과 관련하여 몇 가지 생각해 볼 문제점이 있어요. 우선, 토끼의 제안에 대해 함께 생각해 봅시다. 토끼는 거북이에게 왜 뭍에서 경주를 하자고 했을까요? (청중의 대답을 들은 후) 네, 그래요. 토끼는 뭍에서 살고 거북이도 가끔 뭍에 올라오니까, 뭍에서 경주하는 게 아무런 문제가 없다고 생각했을 거예요. 우리도 뭍에 살고 있으니까 그동안 토끼의 제안을 전혀 이상하다고 느끼지 못했던 것이지요. 하지만 토끼의 제안은 거북이의 입장은 전혀 고려하지 않은, 토끼에게만 유리한 것이었기 때문에 둘의 경주는 시작부터 공정하지 않다고 볼 수 있습니다.

다음으로 생각해 볼 문제는 거북이의 승리에 관한 것입니다. 여러분도 잘 알다시피, 거북이는 토끼가 경주 중간에 잠을 잤기 때문에 승리할 수 있었어요. 토끼의 실수를 거북이가 놓치지 않고 기회로 삼았던 것이죠. 겉으로는 꾸준히 노력하면 성공한다고 말하지만 속으로는 타인의 허점이나 실수를 기회로 삼아야 한다는 것을 말하고 있다고 볼 수 있습니다. 이런 내용은 우리도 모르는 사이에 '상대의 실수를 놓치지 말고 이용하라.'는 생각을 하게 만들 수 있어요. 과연 이러한 과정을 통해 얻은 승리를 정의롭다고 말할 수 있을까요?

지금까지 살펴본 ㉠<u>토끼와 거북이의 경주</u>를 통해 우리는 정의를 실현하는 과정과 절차에 주목해야 할 것입니다. 이를 위해 다음과 같은 점을 기억하면 좋겠습니다. 어떤 일을 할 때 자신의 입장에서만 생각하는 것은 아닌지, 누군가의 실수를 기회로 삼아 자신의 성공이나 행복을 얻으려고 하는 것은 아닌지 살펴보는 것이 정의로운 삶의 시작이라는 것을 말이에요.

1. 강연자의 강연 계획으로 적절하지 <u>않은</u> 것은?

① 강연 중 질문을 하며 청중과 상호작용을 해야겠어.
② 강연의 중심 내용을 정리하며 강연을 마무리해야겠어.
③ 통계 자료를 활용하여 강연 내용의 신뢰성을 높여야겠어.
④ 강연 주제와 관련된 용어의 개념을 설명하여 강연 내용에 대한 청중의 이해를 도와야겠어.
⑤ 순서를 나타내는 말을 사용하여 청중이 강연 내용을 구조적으로 파악할 수 있도록 해야겠어.

2. <보기>를 바탕으로 ㉠에 대해 이해한 내용으로 가장 적절한 것은? [3점]

<보 기>

절차적 정의는 결과에 도달하기까지의 과정이 공정했다면 결과의 불평등 또한 정당화된다고 본다. 즉 공정한 절차가 있고, 이 절차를 제대로 따른다면 어떤 결과가 나오더라도 그 결과는 공정하다고 말할 수 있다.

① 뭍은 토끼에게 더 유리한 장소였기 때문에 과정 자체가 공정하지 않습니다.
② 거북이가 경주 장소를 바다로 바꾼다면 공정한 절차를 확보할 수 있습니다.
③ 거북이가 승리한 것은 정의로운 결과이므로 과정에는 아무 문제가 없습니다.
④ 토끼가 중간에 잠을 잔 것은 결과의 불평등을 정당화하기 위한 것이었다고 볼 수 있습니다.
⑤ 거북이의 꾸준한 노력이 결과를 바꾼 것이므로 공정한 절차로 경기가 진행되었다고 볼 수 있습니다.

3. <보기>는 강연을 들은 후 학생들이 보인 반응이다. 강연을 바탕으로 이를 분석한 것으로 적절하지 <u>않은</u> 것은?

<보 기>

학생 1: 승리하기 위해 상대의 실수를 이용한 것이 왜 나쁜 것인지 잘 모르겠어.
학생 2: 「토끼와 거북이」를 통해 정의로운 삶이라는 주제를 이끌어내는 것이 신선하게 느껴져.
학생 3: 수업 시간에 배운 정의에 대한 철학자들의 이론을 떠올리며 들으니 내용을 이해하는 데 도움이 되었어.
학생 4: 학급회의 때 내 입장만 생각해서 의견을 고집했던 적이 있었는데, 지금 생각해 보니 정의롭지 못한 행동이었어.
학생 5: '최대 다수의 최대 행복'이라는 목적을 달성하는 것이 '정의'라고 알고 있었는데, 강연을 통해서 '정의'를 실현하는 과정도 중요하다는 것을 알게 되었어.

① 학생 1은 강연에서 언급되지 않은 내용을 추론하고 있군.
② 학생 2는 강연자의 주제 접근 방식을 긍정적으로 생각하고 있군.
③ 학생 3은 자신의 배경지식을 활용하여 강연 내용을 이해하고 있군.
④ 학생 4는 강연 내용과 관련된 자신의 경험을 떠올리고 있군.
⑤ 학생 5는 강연을 통해 새롭게 알게 된 점을 언급하고 있군.

[4~7] (가)는 '사회자 모집 공고'에 따라 실시한 면접의 일부이고, (나)는 행사 후 학생이 작성한 소감문의 초고이다. 물음에 답하시오.

사회자 모집 공고

'문학으로 소통하는 영화감독과의 만남' 행사를 진행할 사회자를 모집합니다.

○ 면접일: 2018. 9. 5.
○ 영화 작품명: 동백꽃(박진 감독, 김유정 원작)

(가)

학생: 안녕하세요? '문학이 좋다, 영화가 좋다'의 사회를 맡고 싶은 1학년 최지영입니다.

교사: 네, 반갑습니다. 정식 행사명을 바꿔 말씀하셨네요. 이유가 무엇인가요?

학생: 행사 제목을 재미있게 만들면 학생들의 많은 참여를 이끌어 낼 수 있을 거라는 생각에 이름을 바꿔 보았습니다. 지난 학기에 '교내 인문학 특강'이라는 제목만 보고 지루할까 봐 신청을 주저했던 적이 있었는데, 막상 강연을 들어 보니 재미있었고, 도움도 많이 되었기 때문입니다.

교사: 학생들에게 흥미를 불러일으키기 위해 행사 이름을 새롭게 지었다는 것이군요. 좋은 생각입니다. 지원 동기를 간단하게 말씀해 주세요.

학생: 저의 장래 희망은 문화부 기자입니다. 그래서 신문 기사를 읽거나 인터뷰 영상을 보며 혼자 취재 연습을 하곤 했습니다. 그러던 중 이번 모집 공고를 보고 실제로 문화계 인사를 만나 인터뷰를 할 수 있는 좋은 기회라는 생각이 들어 지원했습니다.

교사: 그렇다면 이번 행사의 사회를 맡기 위해 무엇을 준비했나요?

학생: 저는 감독님의 작품 세계를 이해하기 위해 감독님에 대한 다큐멘터리를 보기도 하고, 감독님의 영화를 소개한 기사를 찾아 읽기도 했습니다.

교사: 감독님과 인터뷰를 하게 된다면 무엇을 질문하고 싶습니까?

학생: 주로 1930년대 소설을 영화로 만드신 이유에 대해 질문하고 싶습니다. 그리고 우리의 공감을 이끌어 내기 위해 문학 속 인물들을 영화 속에서 어떻게 재탄생시키셨는지 질문을 할 예정입니다.

교사: 혹시 행사 진행을 위해 추가적으로 계획한 것이 있나요?

학생: 메모판을 만들어 학생들의 질문을 받은 후, 그 내용도 인터뷰 대본에 넣을 생각입니다. 그렇게 하면 행사 홍보도 되고, 참가 학생들이 자기가 한 질문이 나온다는 기대로 행사에 더 집중할 수 있을 것 같습니다.

교사: 인터뷰 내용 준비와 행사 홍보를 한꺼번에 할 계획이란 말씀이군요. 행사를 위해 고민한 점이 돋보이네요. 수고하셨습니다.

(나)

'문학으로 소통하는 삶이란 무엇일까?' 행사 참여 전에는 문학으로 소통한다는 것의 의미를 잘 몰랐지만, 이번 행사에서 문학이 소통의 도구가 될 수 있다는 것을 알게 되었다.

감독님은 문학을 매개로 과거와 현재가 소통할 수 있다는 것을 보여 주고자 1930년대 소설을 영화로 만든다고 하셨다. 본격적인 영화 작업에 들어가기 전 감독님은 원작 소설을 이해하기 위해 원고지에 한 자 한 자 옮겨 적는다고 하셨다. 이것은 원작을 그대로 영화에 담아내기 위한 작업이기도 하지만, 작품 속 인물들과 만날 수 있는 설레는 시간이라고 하셨다. 그리고 작품 속 인물을 통해 현재를 살아가는 우리의 공감을 이끌어 내고 싶다고 하셨다.

이번 행사를 통해 문학 작품이 시대를 아우르며 다양한 사람들의 삶을 이해하게 해 주는 통로가 된다는 것을 깨달았다.

[A]

4. (가)의 면접 상황에서 학생에 대한 평가로 적절하지 않은 것은?

① 감독에 대한 정보를 얻기 위해 자료를 찾아보았군.
② 면접 지원 동기를 자신의 진로와 연관 지어 말하고 있군.
③ 청중의 집중도를 높일 수 있는 행사 전 계획을 밝히고 있군.
④ 수집한 자료의 장단점을 언급하며 자신의 견해를 드러내고 있군.
⑤ 자신의 경험을 바탕으로 행사 이름을 바꾼 이유를 설명하고 있군.

5. (가)에 나타난 교사의 말하기 방식에 대한 설명으로 가장 적절한 것은?

① 학생의 답변을 요약하며 긍정적으로 평가하고 있다.
② 학생이 답변한 내용의 논리적 오류를 지적하고 있다.
③ 학생의 요청에 따라 면접 진행 순서를 안내하고 있다.
④ 학생의 답변에 대해 자신의 이해가 맞는지 질문하고 있다.
⑤ 학생의 답변 중 모호한 내용에 대해 설명을 요구하고 있다.

6. 다음은 (나)를 쓰기 위해 학생이 작성한 메모이다. (나)에 반영되지 않은 것은?

· 감독님의 영화 제작 동기를 소개한다. ……… ①
· 행사를 통해 깨달은 내용을 언급한다. ……… ②
· 행사의 내용과 관련된 질문으로 시작한다. ……… ③
· 원작 소설가에 대한 감독님의 평가를 소개한다. ……… ④
· 원작 이해를 위한 감독님의 작업 방식을 소개한다. ……… ⑤

7. <조건>을 고려하여 (나)의 [A]에 들어갈 내용을 작성한다고 할 때, 가장 적절한 것은?

<조 건>

○ 행사 이후 '나의 다짐'을 언급할 것.
○ 비유적 표현을 활용할 것.

① 문학은 과거의 사람이 나에게 건네는 인사라고 생각했다. 나는 얼마나 많은 사람과 인사를 나눌 수 있을까?
② 소설과 영화가 밀접한 관계가 있다는 것을 알게 되었다. 영화를 이해하기 위해 다양한 소설을 읽을 것이다.
③ 문학은 나에게 일곱 빛깔 무지개처럼 다채롭게 다가왔다. 문학을 통해 다양한 사람을 만나는 즐거움을 맛보았기 때문이다.
④ 문학을 바탕으로 만든 감독님의 영화는 나에게 많은 것을 알려 주었다. 소설 속 동백꽃이 생강꽃의 강원도 사투리라는 것도 알게 되었다.
⑤ 문학이라는 타임머신을 타고 다녀온 시간 여행은 다른 사람을 이해할 수 있었던 경험이었다. 앞으로도 문학 속 다양한 인물들을 만나야겠다.

[8~10] 다음 글을 읽고 물음에 답하시오.

[작문 상황]
- **작문 과제**: 공부에 대한 자신의 생각을 정리해서 쓰기
- **작문 목적**: 예상 독자인 학생들을 설득하기

[학생의 초고]

3-5-19. 이 숫자들은 무엇을 뜻할까? 이것은 미래 세대가 살아가게 될 방식을 숫자로 표현한 것이다. 미래 세대는 살아가는 ㉠기간 동안 3개 이상의 영역에서 5개 이상의 직업을 갖고 이와 관련하여 19개 이상의 서로 다른 일을 경험하게 된다고 한다. 그만큼 배워야 할 지식도 늘어나게 된다. 이런 시대에 대비하기 위해 우리는 평생 공부를 해야 한다. 지금도 나이와 상관없이 평생 학습에 참여하며 배움을 지속하는 사람들이 늘어나고 있고, 이런 추세는 앞으로도 계속될 것이다. ㉡그리고 단순히 평생 공부만 한다고 해서 지식이 빠르게 늘어나는 시대를 대비할 수 있을까? 평생 공부를 하는 것도 중요하지만, 공부하는 방법도 바뀌야 한다. 왜냐하면 평생 공부를 하더라도 폭발적으로 증가하는 지식을 모두 습득하기란 불가능하기 때문이다.

이제는 많은 지식을 쌓는 것보다 하루가 다르게 늘어나는 지식을 구분하고 조합하여 창조하는 '공부할 줄 아는 능력'이 필요하다. 많이 아는 것보다는 세상의 변화를 읽어 내는 능력, 필요할 때 원하는 지식을 찾아내 융합하여 활용할 수 있는 능력이 더없이 중요해진 셈이다. ㉢모방은 창조보다 중요하다. 그렇다면 어떻게 '공부할 줄 아는 능력'을 키울 수 있을까?

미국의 ○○대학에서는 4년 내내 100권의 고전을 읽는다. 철학부터 수학, 과학, 역사에 이르기까지 다양한 고전을 읽고 토론하는 것이 교육 과정의 전부다. 취업에 몰두하는 다른 대학과 달리 ○○대학은 학생들이 스스로 생각하는 힘을 키우는 것을 최우선 과제로 삼는다. 온종일 책을 읽고 토론하며, 그 속에서 ㉣자신에 생각을 키워 나간다. 이런 과정을 통해 이들은 기존의 지식을 쌓는 데 그치지 않고 자신에게 필요한 지식인지를 ㉤판결하고 이를 조합하여 새로운 지식으로 창조하며 '공부할 줄 아는 능력'을 기르게 되는 것이다.

과거에는 공부를 많이 한 사람이 필요했다면 이제는 어떠한 분야에서든 지속적으로 '공부할 줄 아는 능력'이 있는 사람이 필요하다. 우리는 이런 사람으로 성장하기 위해 노력해야 한다.

8. '학생의 초고'에 대한 설명으로 가장 적절한 것은?

① 구체적인 사례를 들어 공부 방법의 방향을 안내하고 있다.
② 공부의 개념을 정의하며 공부와 대학 진학의 연관성을 밝히고 있다.
③ 예상되는 반론을 제시하며 미래 세대의 공부 방식을 비판하고 있다.
④ 공부에 대한 통념을 반박하며 나이에 따른 공부 시기의 한계를 언급하고 있다.
⑤ 설문 조사 결과를 활용하여 시대에 따른 공부 목표의 차이점을 드러내고 있다.

9. <보기>는 '학생의 초고'를 보완하기 위해 추가로 수집한 자료이다. 자료의 활용 방안으로 적절하지 않은 것은? [3점]

<보 기>

(가) 신문 기사

미래학자 버크민스터 풀러는 '지식 두 배 증가 곡선'으로 인류의 지식 총량이 늘어나는 속도를 설명했다. 그에 따르면 인류의 지식 총량은 100년마다 두 배씩 증가해 왔다. 그러던 것이 1990년대부터는 25년으로, 현재는 13개월로 그 주기가 단축됐다. 2030년이 되면 지식 총량이 3일에 두 배씩 증가한다고 한다.

(나) 통계 자료

1. 평생 학습 참여율

우리나라 성인의 평생 학습 참여율은 2015년 36.8%, 2016년 40.6%, 2017년 44.2%로 증가함.

2. 평생 학습 참여 분야(2017년)

(다) 인터뷰 내용

"저희 연구팀은 융합과학 프로젝트를 수행하면서 이미 알고 있던 국어와 수학, 물리의 기본 지식들을 활용해 연구에 필요한 주요 개념들을 정리했습니다. 그 후 정리된 개념들을 관련짓고 융합하여 결과물을 만들 수 있었습니다. 이번 프로젝트를 통해 다양한 분야의 기존 지식들을 융합하면 유용한 새 지식을 만들어 낼 수 있다는 것을 깨닫게 되었습니다."

① (가)를 활용하여 지식이 빠르게 늘어나는 미래 시대의 상황을 보여 주어야겠군.
② (나)-1을 활용하여 평생 학습에 참여하고 있는 사람이 늘어나고 있음을 보여 주어야겠군.
③ (다)를 활용하여 기존의 지식을 조합하여 새로운 지식으로 만드는 공부의 사례를 보여 주어야겠군.
④ (가)와 (나)-2를 활용하여 지식의 증가 속도를 따라가지 못해 학력이 뒤처지고 있는 상황을 보여 주어야겠군.
⑤ (가)와 (다)를 활용하여 많은 지식 중에서 필요한 지식을 찾아서 활용할 수 있는 공부가 중요함을 보여 주어야겠군.

10. ㉠~㉤을 고쳐 쓰기 위한 방안으로 적절하지 <u>않은</u> 것은?

① ㉠: 단어의 의미가 중복되었으므로 '기간'을 삭제해야겠어.
② ㉡: 접속어의 사용이 적절하지 않으므로 '그래서'로 고쳐야겠어.
③ ㉢: 글의 통일성을 해치는 문장이므로 삭제해야겠어.
④ ㉣: 조사의 사용이 잘못되었으므로 '자신의'로 고쳐야겠어.
⑤ ㉤: 어휘의 사용이 적절하지 않으므로 '판단'으로 바꿔야겠어.

[11~12] 다음 글을 읽고 물음에 답하시오.

'I like you.'를 번역할 때, 듣는 이가 친구라면 '난 널 좋아해.'라고 하겠지만, 할머니라면 '저는 할머니를 좋아해요.'라고 할 것이다. 왜냐하면 우리말은 상대에 따라 높임 표현이 달리 실현되기 때문이다.

'높임 표현'이란 말하는 이가 어떤 대상을 높이거나 낮추는 정도를 구별하여 표현하는 방법을 말한다. 국어에서 높임 표현은 높임의 대상에 따라 주체 높임, 상대 높임, 객체 높임으로 나누어진다.

주체 높임은 서술의 주체를 높이는 방법이다. 주체 높임을 실현하기 위해 선어말 어미 '-(으)시-'를 사용하며, 주격 조사 '이/가' 대신에 '께서'를 쓰기도 한다. 그 밖에 '계시다', '주무시다' 등과 같은 특수 어휘를 사용하여 높임을 드러내기도 한다. 그리고 주체 높임에는 직접 높임과 간접 높임이 있다. 직접 높임은 높임의 대상인 주체를 직접 높이는 것이고, ㉠<u>간접 높임</u>은 높임의 대상인 주체의 신체 일부, 소유물, 가족 등을 높임으로써 주체를 간접적으로 높이는 것이다.

상대 높임은 말하는 이가 듣는 이를 높이거나 낮추어 말하는 방법이다. 상대 높임은 주로 종결 표현을 통해 실현되는데, 아래와 같이 크게 격식체와 비격식체로 나뉜다.

격식체	하십시오체	예 합니다, 합니까? 등
	하오체	예 하오, 하오? 등
	하게체	예 하네, 하는가? 등
	해라체	예 한다, 하냐? 등
비격식체	해요체	예 해요, 해요? 등
	해체	예 해, 해? 등

격식체는 격식을 차리는 자리나 공식적인 상황에서 주로 사용하며, 비격식체는 격식을 덜 차리는 자리나 사적인 상황에서 주로 사용한다. 그렇기 때문에 같은 대상이라도 공식적인 자리인지 사적인 자리인지에 따라 높임 표현이 달리 실현되기도 한다.

객체 높임은 목적어나 부사어가 지시하는 대상, 즉 서술의 객체를 높이는 방법이다. 객체 높임은 '모시다', '여쭈다' 등과 같은 특수 어휘를 통해 실현되며, 부사격 조사 '에게' 대신 '께'를 사용하기도 한다.

11. 다음 문장 중 ㉠의 예로 적절한 것은?

① 아버지께서 요리를 하셨다.
② 교수님께서는 책이 많으시다.
③ 어머니께서 음악회에 가셨다.
④ 선생님께서 우리의 이름을 부르신다.
⑤ 할아버지께서는 마을 이장이 되셨다.

12. 윗글을 바탕으로 <보기>의 ⓐ~ⓔ를 탐구한 내용으로 적절하지 <u>않은</u> 것은? [3점]

<보 기>

(복도에서 친구와 만난 상황)
성호: 지수야, ⓐ<u>선생님께서 발표 자료 가져오라고 하셨어.</u>
지수: 지금 바빠서 ⓑ<u>선생님께 자료 드리기 어려운데,</u> 네가 가져다 드리면 안 될까?
성호: ⓒ<u>네가 선생님을 직접 뵙고,</u> 자료를 드리는 게 좋을 것 같아.
지수: 알았어.

(교무실로 선생님을 찾아간 상황)
선생님: 지수야, 이번 수업 시간에 발표해야지? 발표 자료 가져왔니?
지수: 여기 있어요. ⓓ<u>열심히 준비했어요.</u>
선생님: 그래, 준비한 대로 발표 잘 하렴.

(수업 중 발표 상황)
지수: ⓔ<u>이상으로 발표를 마치겠습니다.</u>
성호: 궁금한 점이 있는데, 질문해도 되겠습니까?

① ⓐ: 조사 '께서'와 선어말 어미 '-시-'를 사용하여 서술의 주체인 선생님을 높이고 있군.
② ⓑ: 조사 '께'와 특수 어휘 '드리다'를 사용하여 서술의 객체인 선생님을 높이고 있군.
③ ⓒ: 특수 어휘 '뵙다'를 사용하여 서술의 주체인 선생님을 높이고 있군.
④ ⓓ: 듣는 사람인 선생님을 높이기 위해 '준비했어요'라는 종결 표현을 사용하고 있군.
⑤ ⓔ: 수업 중 발표하는 공식적인 상황이므로 '마치겠습니다'라고 격식체를 사용하고 있군.

13. <보기 1>의 표준 발음법에 따라 <보기 2>의 ㉠~㉤을 발음한다고 할 때, 적절하지 않은 것은?

<보기 1>

표준 발음법

제9항 받침 'ㄲ, ㅋ', 'ㅅ, ㅆ, ㅈ, ㅊ, ㅌ', 'ㅍ'은 어말 또는 자음 앞에서 각각 대표음 [ㄱ, ㄷ, ㅂ]으로 발음한다.

제12항 'ㅎ(ㄶ, ㅀ)' 뒤에 'ㄱ, ㄷ, ㅈ'이 결합되는 경우에는, 뒤 음절 첫소리와 합쳐서 [ㅋ, ㅌ, ㅊ]으로 발음한다.

제14항 겹받침이 모음으로 시작된 조사나 어미, 접미사와 결합되는 경우에는, 뒤엣것만을 뒤 음절 첫소리로 옮겨 발음한다.(이 경우, 'ㅅ'은 된소리로 발음함.)

제23항 받침 'ㄱ(ㄲ, ㅋ, ㄳ, ㄺ), ㄷ(ㅅ, ㅆ, ㅈ, ㅊ, ㅌ), ㅂ(ㅍ, ㄼ, ㄿ, ㅄ)' 뒤에 연결되는 'ㄱ, ㄷ, ㅂ, ㅅ, ㅈ'은 된소리로 발음한다.

<보기 2>

주름이 ㉠많던 그 이마에는
㉡젊어 품었던 꿈들 사라졌지만
너희가 없으면 나도 ㉢없단다.
㉣꽃처럼 ㉤웃던 우리 어머니

① ㉠은 제12항 규정에 따라 [만턴]으로 발음해야겠군.
② ㉡은 제14항 규정에 따라 [절머]로 발음해야겠군.
③ ㉢은 제14항, 제23항 규정에 따라 [업딴다]로 발음해야겠군.
④ ㉣은 제9항 규정에 따라 [꼳]으로 발음해야겠군.
⑤ ㉤은 제9항, 제23항 규정에 따라 [옫떤]으로 발음해야겠군.

14. <보기>를 참고할 때, 밑줄 친 부분이 한글 맞춤법에 맞게 쓰인 것은?

<보 기>

한글 맞춤법

제56항 '-더라, -던'과 '-든지'는 다음과 같이 적는다.

1. 지난 일을 나타내는 어미는 '-더라, -던'으로 적는다. (ㄱ을 취하고, ㄴ을 버림.)

ㄱ	ㄴ
깊던 물이 얕아졌다.	깊든 물이 얕아졌다.

2. 물건이나 일의 내용을 가리지 아니하는 뜻을 나타내는 조사와 어미는 '(-)든지'로 적는다. (ㄱ을 취하고, ㄴ을 버림.)

ㄱ	ㄴ
배든지 사과든지 마음대로 먹어라.	배던지 사과던지 마음대로 먹어라.

① 영화나 보러 가던가.
② 그 사람 말 잘하든데!
③ 얼마나 깜짝 놀랐든지 몰라.
④ 어찌하던지 간에 나는 신경 안 써.
⑤ 무엇이든지 주저하지 말고 시작해 봐.

15. 다음은 단어 학습을 위해 활용한 사전의 일부분이다. 탐구 결과로 적절하지 않은 것은?

무르다² 「동사」
[1] 【…을】
㉠ 사거나 바꾼 물건을 원래 임자에게 도로 주고 돈이나 물건을 되찾다.
¶ 흠 있는 책을 돈으로 물렀다.
㉡ 이미 행한 일을 그 전의 상태로 돌리다.
¶ 한 수만 물러 주게.
[2] 【…으로】 있던 자리에서 뒤로 옮기다.
¶ 가운데 앉지 말고 뒤로 물러 벽 쪽으로 붙어 앉으렴.

무르다³ 「형용사」
㉠ 여리고 단단하지 않다.
¶ 무른 살
㉡ 마음이 여리거나 힘이 약하다.
¶ 성질이 무르다.

① 무르다²와 무르다³은 서로 동음이의 관계에 있군.
② 무르다²는 여러 가지 의미를 지니고 있는 다의어이군.
③ 무르다²의 [1]-㉠의 유의어로 '빼다'가 가능하겠군.
④ 무르다²는 무르다³과 달리 주어 이외의 문장 성분을 필요로 하는군.
⑤ 무르다³의 ㉡의 용례로 '그는 마음이 물러서 모진 소리를 못한다.'를 추가할 수 있겠군.

[16~19] 다음 글을 읽고 물음에 답하시오.

열차 운행의 중요한 과제는 열차를 신속하게 운행하면서도 열차끼리의 충돌 사고를 방지하는 것이다. 열차를 운행할 때는 일반적으로 역과 역 사이에 일정한 간격으로 구간을 설정하고 하나의 구간에는 한 대의 열차만 운행하도록 하는데, 이러한 구간을 '폐색구간'이라고 한다. 폐색구간을 안전하게 관리하면서도 열차 운행의 속도를 높이는 데 도움을 주기 위해서 열차나 선로에는 다양한 안전장치들이 설치되어 있다.

'자동폐색장치(ABS)'는 폐색구간의 시작과 끝에 신호를 설치하고 궤도회로*를 이용하여 열차의 위치에 따라 신호를 자동으로 제어하는 장치이다. 폐색구간에 열차가 있을 때에는 정지 신호인 적색등이 켜지고, 열차가 폐색구간을 지나간 후에는 다음 기차가 진입해도 좋다는 녹색등이 표시된다. 이를 바탕으로 뒤따라오는 열차의 기관사는 앞 구간의 열차 유무를 확인하여 열차의 운행 속도를 제어하고 앞 열차와의 안전거리를 유지하며 열차 사고를 방지한다.

그런데 악천후나 응급 상황으로 기관사가 신호기에 표시된 정지 신호를 잘못 인식하거나 확인하지 못해 충돌 사고가 발생하는 경우가 있다. 이러한 충돌 사고를 방지하기 위한 장치를 설치하는데, 이를 '자동열차정지장치(ATS)'라고 한다. ATS는 선로 위의 지상장치와 열차 안의 차상장치로 구성되는데, 열차가 지상장치를 통과할 때 지상장치에서 차상장치로 신호기 점등 정보를 보낸다. 이때 차상장치에 '정지'를 의

14 회

미하는 적색등이 켜지면 벨이 울려 기관사에게 알려 준다. 그러면 기관사는 이를 확인하고 제동장치를 작동하여 열차를 감속하거나 정지시키는 등 열차 전반의 운행을 제어하고 앞 열차와의 안전거리를 유지해야 한다. 그런데 벨이 5초 이상 계속 울리고 있는데도 열차 속도가 줄어들지 않으면 ATS는 이를 위기 상황으로 판단하고 제동장치에 비상 제동을 명령하여 자동으로 열차를 멈춰 서게 한다. 이렇게 ATS는 위기 상황으로 인한 충돌 사고를 예방해 준다. 하지만 ㉠ <u>평상시 기관사의 운전 부담을 줄여 주는 데는 한계가 있다.</u>

[A]
'자동열차제어장치(ATC)'는 신호에 따라 여러 단계로 나누어진 열차 제한 속도 정보를 지상장치에서 차상장치로 전송한다. 그리고 전송된 제한 속도를 넘지 않도록 열차의 속도를 자동으로 감시하고 제어함으로써 선행 열차와의 충돌을 막아주고 좀 더 효율적인 열차 운행이 가능하게 해준다. ATC는 송수신장치, 열차검지장치, 속도신호생성장치, 속도검출기, 처리장치, 제동장치 등으로 구성되어 있다.

여러 개의 궤도회로로 나뉜 선로 위를 A열차와 B열차가 달리고 있다고 가정해 보자. A, B열차가 서로 다른 궤도회로에 각각 진입하면 지상의 송수신장치에서 열차검지장치로 신호를 보내고 열차검지장치는 이 신호를 바탕으로 선로 위에 있는 A, B열차의 위치를 파악한다. 속도신호생성장치는 앞서가는 A열차의 위치와 뒤따라오는 B열차의 위치를 바탕으로 B열차가 주행해야 할 적절한 속도를 연산하여 B열차의 제한 속도를 결정한다. 이 속도는 B열차가 위치하고 있는 궤도회로에 전송되고 지상의 송수신장치를 통해 B열차에 일정 시간 간격으로 계속 전달된다.

그러면 B열차의 운전석 계기판에는 수신된 제한 속도와 속도검출기를 통해 얻은 B열차의 현재 속도가 동시에 표시되어 기관사가 제한 속도를 확인하며 운전할 수 있도록 한다. 이때 열차의 현재 속도가 제한 속도를 초과하면 처리장치에서 자동으로 신호를 보내고 신호를 받은 제동장치가 작동되며 열차의 속도를 줄여 준다. 속도가 줄어 제한 속도 이하가 되면 제동이 풀리고 기관사는 속도를 높이게 된다. ATC는 열차가 제한 속도를 넘지 않도록 자동으로 속도를 조절하기 때문에 과속으로 인한 사고를 예방해 주지만, 제한 속도 안에서는 기관사가 직접 속도를 감속하고 가속해야 한다는 점에서 기관사의 부담은 여전히 남아 있다.

많은 사람들이 이용하는 열차의 특성상 열차 충돌 사고가 발생하면 큰 인명 피해로 이어진다. 그래서 현재까지도 열차 사이의 안전거리를 확보하면서도 운행 간격을 최대한 단축하고 열차의 운행 속도를 높이는 기술에 대한 연구가 지속적으로 이루어지고 있다.

* 궤도회로: 레일을 전기회로의 일부로 사용하여 레일상의 열차를 검지하는 회로. 신호와 경보기 등을 제어하고 지상에서 차상에 정보를 전달함.

16. 윗글의 표제와 부제로 가장 적절한 것은?

① 열차 운행의 과제
  – 안전장치의 종류와 작동 원리를 중심으로
② 열차 안전사고의 현황
  – 폐색구간에서의 발생 사례를 중심으로
③ 열차 운행 구간의 종류
  – 안전장치의 필요성과 운행 속도를 중심으로
④ 열차 사이의 운행 간격 조절
  – 속도검출기의 작동 과정을 중심으로
⑤ 열차 속도 검출 방식의 역사
  – 자동열차정지장치와 자동열차제어장치를 중심으로

17. 윗글의 내용과 일치하지 <u>않는</u> 것은?

① '폐색구간'은 한 대의 열차만 운행하도록 정해진 구간이다.
② '자동폐색장치'는 정지 신호를 오인하여 발생하는 사고를 예방해 준다.
③ '자동폐색장치'는 궤도회로를 이용하여 열차 위치에 따라 신호를 자동으로 제어한다.
④ '자동열차정지장치'는 지상장치와 차상장치로 구성되어 있다.
⑤ '자동열차정지장치'는 위기 상황에서 자동으로 작동하여 열차를 정지시킨다.

18. [A]를 바탕으로 <보기>의 ⓐ~ⓔ를 이해한 내용으로 적절하지 <u>않은</u> 것은? [3점]

<보 기>

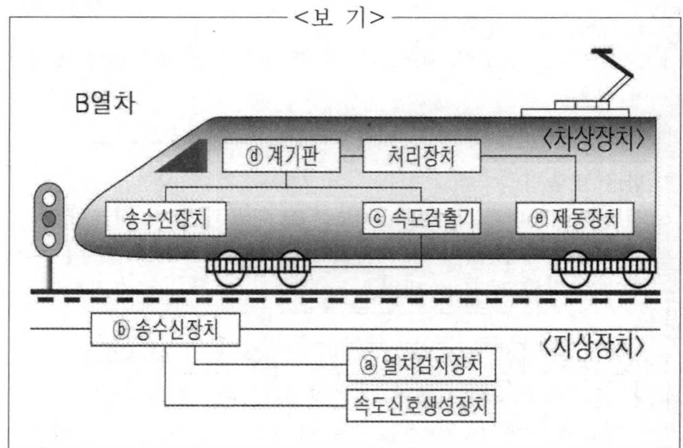

① ⓐ는 선로 위에 있는 B열차의 위치를 파악한다.
② ⓑ를 통해 B열차의 운행 제한 속도가 차상장치에 주기적으로 전달된다.
③ ⓒ는 B열차가 주행해야 할 속도를 연산하여 제한 속도를 결정한다.
④ ⓓ를 통해 B열차의 기관사는 운행 제한 속도와 현재 속도를 확인할 수 있다.
⑤ ⓔ는 B열차가 제한 속도를 초과할 경우 처리장치에서 신호를 받아 열차의 속도를 줄여 준다.

19. 윗글을 바탕으로 ㉠의 이유를 추론한 것으로 가장 적절한 것은?

① 정지 신호가 수신될 때 벨이 울리기 때문에
② 열차의 운전석 안에도 신호 정보가 표시되기 때문에
③ 기관사가 신호기 정보를 직접 조작해야 하기 때문에
④ 비상시에 열차의 충돌을 자동으로 방지할 수 있기 때문에
⑤ 기관사가 열차의 운행 속도를 직접 조절해야 하기 때문에

[20~22] 다음 글을 읽고 물음에 답하시오.

스피노자의 윤리학을 이해하기 위해서는 코나투스(Conatus)라는 개념이 필요하다. 스피노자에 따르면 실존하는 모든 사물은 자신의 존재를 유지하기 위해 노력하는데, 이것이 바로 그 사물의 본질인 코나투스라는 것이다. 정신과 신체를 서로 다른 것이 아니라 하나로 보았던 그는 정신과 신체에 관계되는 코나투스를 충동이라 부르고, 다른 사물들과 같이 인간도 자신을 보존하고자 하는 충동을 갖고 있다고 보았다. 특히 인간은 자신의 충동을 의식할 수 있다는 점에서 동물과 차이가 있다며 인간의 충동을 욕망이라고 하였다. 즉 인간에게 코나투스란 삶을 지속하고자 하는 욕망을 의미한다.

스피노자에 따르면 코나투스를 본질로 지닌 인간은 한번 태어난 이상 삶을 지속하기 위해 힘쓴다. 하지만 인간은 자신의 힘만으로 삶을 지속하기 어렵다. 인간은 다른 것들과의 관계 속에서만 삶을 유지할 수 있으므로 언제나 타자와 관계를 맺는다. 이때 타자로부터 받은 자극에 의해 신체적 활동 능력이 증가하거나 감소하는 변화가 일어난다. 감정을 신체의 변화에 대한 표현으로 보았던 스피노자는 신체적 활동 능력이 증가하면 기쁨의 감정을 느끼고, 신체적 활동 능력이 감소하면 슬픔의 감정을 느낀다고 생각했다. 또한 신체적 활동 능력이 감소하는 것과 슬픔의 감정을 느끼는 것은 코나투스가 감소하고 있음을 보여주는 것, 다시 말해 삶을 지속하고자 하는 욕망이 줄어드는 것이라고 여겼다. 그래서 인간은 코나투스의 증가를 위해 자신의 신체적 활동 능력을 증가시키고 기쁨의 감정을 유지하려고 노력한다는 것이다.

한편 스피노자는 선악의 개념도 코나투스와 연결 짓는다. 그는 사물이 다른 사물과 어떤 관계를 맺느냐에 따라 선이 되기도 하고 악이 되기도 한다고 말한다. 코나투스의 관점에서 보면 선이란 자신의 신체적 활동 능력을 증가시키는 것이며, 악은 자신의 신체적 활동 능력을 감소시키는 것이다. 이를 정서의 차원에서 설명하면 선은 자신에게 기쁨을 주는 모든 것이며, 악은 자신에게 슬픔을 주는 모든 것이다. 한마디로 인간의 선악에 대한 판단은 자신의 감정에 따라 결정된다는 것을 의미한다.

이러한 생각을 토대로 스피노자는 코나투스인 욕망을 긍정하고 욕망에 따라 행동하라고 이야기한다. 슬픔은 거부하고 기쁨을 지향하라는 것, 그것이 곧 선의 추구라는 것이다. 그리고 코나투스는 타자와의 관계에 영향을 받으므로 인간에게는 타자와 함께 자신의 기쁨을 증가시킬 수 있는 공동체가 필요하다고 말한다. 그 안에서 자신과 타자 모두의 코나투스를 증가시킬 수 있는 기쁨의 관계를 형성하라는 것이 스피노자의 윤리학이 우리에게 하는 당부이다.

20. 윗글에서 다룬 내용으로 적절하지 <u>않은</u> 것은?

① 코나투스의 의미
② 정신과 신체의 유래
③ 감정과 신체의 관계
④ 감정과 코나투스의 관계
⑤ 코나투스와 관련한 인간과 동물의 차이

21. 윗글을 바탕으로 <보기>를 이해한 내용으로 가장 적절한 것은? [3점]

<보 기>

쇼펜하우어는 욕망을 인간과 세계의 본질로 생각했다. 그의 관점에서 보면 인간을 포함한 모든 사물은 욕망을 충족하기 위해 노력하지만, 채우고 채워도 욕망은 완전히 충족될 수 없다. 그래서 그는 삶을 욕망의 결핍이 주는 고통의 시간이라고 말했고, 이러한 고통으로부터 벗어나기 위해 욕망을 부정하면서 욕망을 절제해야 한다는 금욕주의를 주장했다.

① 쇼펜하우어는 스피노자처럼, 욕망을 부정적으로 판단하고 있군.
② 쇼펜하우어는 스피노자처럼, 인간은 욕망에 따라 행동해야 한다고 보고 있군.
③ 쇼펜하우어는 스피노자처럼, 삶을 욕망의 결핍이 주는 고통의 시간이라고 여겼군.
④ 쇼펜하우어는 스피노자와 달리, 욕망을 인간의 본질로 보고 있군.
⑤ 쇼펜하우어는 스피노자와 달리, 인간이 욕망에서 벗어나야 한다고 보고 있군.

22. 윗글에 나타난 선악에 대한 스피노자의 입장으로 적절하지 <u>않은</u> 것은?

① 자신에게 기쁨을 주는 것은 선이다.
② 선악은 사물 자체가 가지고 있는 성질이다.
③ 선악에 대한 판단은 타자와의 관계에 따라 달라진다.
④ 자신의 신체적 활동 능력을 감소시키는 것은 악이다.
⑤ 기쁨의 관계 형성이 가능한 공동체는 선의 추구를 위해 필요하다.

[23~26] 다음 글을 읽고 물음에 답하시오.

[앞부분의 줄거리] 아버지는 도시 변두리에서 노새 마차를 몰면서 연탄 배달 일을 한다. 어느 날 가파른 골목을 오르던 마차가 넘어지면서 노새가 달아나 버리고 아버지와 '나'는 노새를 찾아 헤맨다.

[A] 까마귀 새끼라는 것은 우리 아버지가 까맣게 연탄재를 뒤집어쓰고 다닌대서 그 아들인 나를 가리키는 말이다. 사실 아버지는 노상 시커먼 몰골을 하고 다녔다. 옷은 물론 국방색 신발도 어느새 깜장 구두가 되어 있었다. 손 얼굴 할 것 없이 온몸이 껌정투성이였다. 어쩌다가 헹 하고 코를 풀면 콧물조차도 까맸다. 그런 가운데에서도 눈 하나만은 퀭하니 크게 빛났다. 아이들은 그런 아버지를 보고 까마귀라고 불러댔으나 차마 대놓고 그러지는 못하고, 만만한 나만 보면 까마귀 새끼라고 놀려댔다. 하지만 저희네들 아버지는 별것이었던가. 영길이네 아버지는 조그마한 기계와 연탄불을 피워가지고 다니면서, 뻥 소리와 함께 생쌀을 납작하게 눌러 튀겨내는 장사를 하고 있었고, 종달이네 형님은 번데기 장수였다. 순철이네 아버지는 시장 경비원이었고, 귀달네 아버지는 포장마차에서 장사를 하고 있었다. 그래서 우리는 영길이더러 '뻥', 종달이더러는 '뻔'이라는 별명을 붙여주었으며, 순철이 귀달이도 모두 하나씩 별명을 가지고 있었다. 그러니까 내가 까마귀 새끼라는 별명을 가지고 있다는 것은 어떻게 보면 당연한 것이고 별로 억울할 것도 없었다.

㉠ <u>내가 집에 돌아온 것은 밤 열 시도 넘어서였으나 아버지는 그때까지 돌아오지 않고 있었다.</u> 할머니와 어머니는 동네 사람들의 귀띔으로 미리 사건을 알고 있었던지, 내가 들어서자 얼른 뛰어나오며 허겁지겁 물었다.

"찾았니?"

"아버지는 어떻게 되셨어?"

내가 혼자 들어서는 걸 보면 찾지 못한 것을 번연히 알면서도 어머니는 다그쳐 물어댔다. 어머니는 나에게 밥을 줄 생각도 하지 않고 한숨만 내리 쉬고 올려 쉬곤 하였다.

아버지가 돌아온 것은 통행금지 시간이 거의 되어서였다. 예상한 일이지만 아버지는 빈 몸이었고 형편없이 힘이 빠져 있었다. 그때까지 식구들은 아무도 잠들지 않았다. 작은형도 일이 일인지라 기타도 치지 않고 죽은 듯이 방안에만 처박혀 있었다. ㉡ <u>아버지를 보고도 아무도 말을 하지 않았다.</u> 다만 할머니만이 말을 걸었다.

"이제 오니?"

"네."

그뿐, 아버지는 더는 말이 없었다. 그리고는 어머니가 보아온 밥상을 한옆으로 밀어놓고는 쓰러지듯 방 한가운데 드러눕고 말았다. 아버지는 지금 내일부터 당장 벌이를 나갈 수 없는 아픔보다도 길들여 키워온 노새가 가여워서 저러는지도 모를 일이었다. 아버지는 원래가 마부였다. 서울에 올라오기 전 시골에서도 줄곧 말마차를 끌었다. 어쩌다가 소달구지를 끄는 적도 있기는 했으나 얼마 가지 않아서 도로 말마차로 바꾸곤 했다. 그런 아버지였으므로 서울에 올라와서는 내내 말마차 하나로 버텨나왔었는데 어떻게 마음먹었는지 노새로 바꾸고 만 것이다. 노새나 말이나 요즘은 그놈의 삼륜차 때문에 아버지의 일감이 자칫 줄어드는 듯하기도 했다. 웬만한 오르막길도 끄떡없이 오르고, 웬만한 골목 안 집까지도 드르륵 들이닥치니 아버지의 말마차가 위협을 느낌직도 했고, 사실 일감을 빼앗기기도 했다. 그런데도 그때마다 아버지는 큰소리였다. "휘발유 한 방울 안 나오는 나라에서 자동차만 많으면 뭘 해." 마치 애국자처럼 말하는 것이었으나 나는 아버지의 그 말 뒤에 숨은 오기 같은 것을 느낄 수 있었다. 너무 고단해서였을까, 이날 밤 나는 앞뒤를 가릴 수 없을 만큼 깊이 잠에 빠졌던 것 같다.

(중략)

아버지는 술이 약한 편이어서 저러다가 어쩌나 하고 걱정이 되었다.

"아버지, 고만 드세요. 몸에 해로워요."

"으응."

대답하면서도 아버지는 술잔을 놓지 않았다. 얼마나 지났을까. 안주를 계속 주워 먹었으므로 어느 정도 시장기를 면한 나는 비로소 아버지를 쳐다보았다.

㉢ <u>"이제부터 내가 노새다. 이제부터 내가 노새가 되어야지 별수 있니? 그놈이 도망쳤으니까. 이제 내가 노새가 되는 거지."</u>

기분 좋게 취한 듯한 아버지는 놀라는 나를 보고 히힝 한 번 웃었다. 나는 어쩐지 그런 아버지가 무섭지만은 않았다. 그러면 형들이나 나는 노새 새끼고, 어머니는 암노새고, 할머니는 어미 노새가 되는 것일까? 나도 아버지를 따라 히히힝 웃었다. 어른들은 이래서 술집에 오는 모양이었다. 나는 안주만 집어먹었는데도 술 취한 사람마냥 턱없이 즐거웠다. 노새 가족-노새 가족은 우리 말고는 이 세상에 또 없을 것이었다.

그러나 이러한 생각은 아버지와 내가 집에 당도했을 때 무참히 깨어지고 말았다. 우리를 본 어머니가 허둥지둥 달려 나와 매달렸다.

㉣ <u>"이걸 어쩌우. 글쎄 경찰서에서 당신을 오래요. 그놈의 노새가 사람을 다치고 가게 물건들을 박살을 냈대요. 이걸 어쩌지."</u>

"노새는 찾았대?"

"찾고나 그러면 괜찮게요? 노새는 간데온데없고 사람들만 다치고 하니까, 누구네 노새가 그랬는지 수소문 끝에 우리 집으로 순경이 찾아왔지 뭐유."

오늘 낮에 지서에서 나온 사람이 우리 노새가 튀는 바람에 여기저기서 많은 피해를 입었으니 도로 무슨 법이라나 하는 법으로 아버지를 잡아넣어야겠다고 이르고 갔다는 것이었다. 아버지는 술이 확 깨는 듯 그 자리에 선 채 한동안 눈만 뒤룩뒤룩 굴리고 서 있더니 힝 하고 코를 풀었다. 그리고는 아무 말 없이 스적스적 문밖으로 걸어 나갔다. 나는 "아버지" 하고 뒤를 따랐으나 아버지는 돌아보지도 않고 어두운 골목길을 나가고 있었다.

㉤ <u>나는 그 순간 또 한 마리의 노새가 집을 나가는 것 같은 착각을 일으켰다.</u> 그리고는 무엇인가가 뒤통수를 때리는 것을 느꼈다. 아, 우리 같은 노새는 어차피 이렇게 비행기가 붕붕거리고, 헬리콥터가 앵앵거리고, 자동차가 빵빵거리고, 자전거가 쌩쌩거리는 대처에서는 발붙이기 어려운 것인가 하는 생각이 들었다. 언젠가 남편이 택시 운전사인 칠수 어머니가 하던 말, "최소한도 자동차는 굴려야지 지금이 어느 땐데 노새를 부려." 했다는 말이 생각났다. 그러나 그것은 잠깐 동안이고 나는 금방 아버지를 쫓았다. 또 한 마리의 노새를 찾아 캄캄한 골목길을 마구 뛰었다.

– 최일남, 「노새 두 마리」 –

23. 윗글에 대한 설명으로 가장 적절한 것은?

① 상징적 소재를 통해 주제를 형상화하고 있다.
② 풍자적 기법을 통해 인물을 희화화하고 있다.
③ 시점의 전환을 통해 상황을 입체적으로 보여주고 있다.
④ 사건의 반전을 통해 갈등이 해소될 것임을 암시하고 있다.
⑤ 회상을 통해 외부 이야기에서 내부 이야기로 이동하고 있다.

24. 사건에 대한 이해로 가장 적절한 것은?

① '아버지'가 '칠수 어머니'의 충고를 받아들이는 계기가 된다.
② '나'와 '노새'가 동네 아이들의 놀림거리가 되는 계기가 된다.
③ '나'의 가족이 시골을 떠나 도시에 정착하게 되는 계기가 된다.
④ '아버지'가 당장 벌이를 나갈 수 없는 어려움에 처하는 계기가 된다.
⑤ '동네 사람들'이 '아버지'가 노새를 끄는 이유를 알게 되는 계기가 된다.

25. ㉠~㉤에 대한 이해로 적절하지 않은 것은?

① ㉠: 늦게까지 '노새'를 찾는 '아버지'의 절박함을 느낄 수 있군.
② ㉡: 가족들이 '노새'를 찾지 못한 '아버지'의 무능력함에 실망하고 있음을 알 수 있군.
③ ㉢: 달아난 '노새'를 대신하려는 '아버지'의 가장으로서의 책임감을 느낄 수 있군.
④ ㉣: '어머니'가 '노새'로 인해 생긴 문제를 걱정하고 있음을 알 수 있군.
⑤ ㉤: '나'는 힘들고 지친 '아버지'를 '노새'와 같다고 생각하고 있음을 알 수 있군.

26. [A]를 <보기>와 같이 바꾸어 썼을 때 나타나는 효과로 가장 적절한 것은?

<보 기>

"까마귀 새끼."
영길이가 놀렸다.
"너네 아버지는 까마귀, 넌 까마귀 새끼."
종달이가 거들었다.
"신발도 깜장 구두, 연탄재 뒤집어쓴 껌정투성이."
아버지가 시장 경비원인 순철이도 한마디 했다.
"그래, 나 까마귀 새끼다. 그러는 니들은 뭐가 달라서."
"너네 아버지는 콧물도 까맣더라."
귀달네 아버지는 포장마차에서 장사를 하는데, 귀달이도 나를 놀린다. 나도 뻥튀기 장수 아들 영길이와 번데기 장수 동생 종달이의 별명을 불렀다.
"영길이는 뻥, 종달이는 뻰."

① 외양을 묘사하여 인물의 성격을 드러내고 있다.
② 호흡이 긴 문장을 사용하여 인물의 심리를 드러내고 있다.
③ 인물의 성격 변화 과정을 제시하여 긴장감을 고조하고 있다.
④ 새로운 인물을 등장시켜 인물 간의 대립 구도를 드러내고 있다.
⑤ 인물 간의 대화를 보여 주어 상황을 현장감 있게 제시하고 있다.

[27~29] 다음 글을 읽고 물음에 답하시오.

화룡이 기뻐하며 쌀을 내어 줄 때에 잠깐 살펴보니 그 처녀의 인물이 대단히 빼어났더라. 세상의 사람 같지가 않거늘 마음속에 의심하되,

"신선이 산중에 하강하였는가?"

하였더니 한참 있다가 방에서 나와 말하되,

"방안에 들어와서 저녁을 드십시오."

하거늘 화룡이 사양하여 말하기를,

"허기를 면하는 것도 다행이거늘 감히 방에 들어가겠습니까?"

하니 처녀가 말하기를,

"병이 들었는데 찬 곳에서 음식을 드시면 병이 낫지 아니할 것이니 상공은 사양치 마소서."

화룡이 여러 번 사양하다가 마지 못하는 체하고, 방에 들어가 살펴보니 세간은 많지 아니하나 아주 넉넉하고 깨끗하게 보이거늘 한편으로는 이상하고 또 한편으로는 괴상하더니 그 처녀가 밥상을 가져오기에 밥을 먹으려 할 때 처녀가 좋은 술을 금잔옥대에 가득 부어 권하며 말하되,

"낭군은 허물하지 마옵소서. 이곳이 사실은 인간의 집이 아니라 무덤입니다. 그리고 나는 사람이 아니라 이 무덤의 임자입니다. 그대와 전생의 연분이 중하나 남북으로 멀리 떨어져 있기 때문에 서로 만나 볼 길이 없었더니 천만 뜻밖에 이 앞으로 지나가심을 보고 전생의 인연을 맺고자 하여 과연 첩이 은근하게 공자를 만류하여 발을 무겁게 하고 온 몸이 부어서 움직이지 못하게 하였나이다. 첩이 그렇게 한 것이오니 낭군은 첩의 죄를 용서하소서."

하고 술 석 잔을 권하거늘 화룡이 그 말을 듣고 한편으로는 반갑고 한편으로는 두려워 밥을 다 먹고 상을 물리니 몸의 부었던 기색이 없어지고 기운이 특별히 씩씩해지거늘 한참 동안 진정하다가 말하기를,

"그대와 더불어 인간 세상에 태어났으나 천생연분의 인연이 없거늘 평생의 인연이 중하다 하오니 알지 못하겠습니다. 인간 세상의 부모는 뉘시며 연세는 얼마나 되며 성명은 무엇이라 하나이까?"

처녀가 대답하기를

[A] "인간 세상의 부모는 황승상이요, 어머니는 우강노 강처사의 따님입니다. 저의 이름은 월게요, 자는 의선이며, 사는 곳은 황성 영분관에서 살았습니다. 부모는 늦도록 자식이 없다가 늦어서야 저를 낳아 나이가 십팔 세가 되어 구혼할 때 기주 땅에 살고 있는 최상서의 아들과 정혼하였습니다. 그러나 첩이 생각한즉 마음에 부당하고 또 혼인은 인간의 중대한 일이라서 천정연분이 아니면 부부 사이의 화목한 즐거움이 없을 것이고 또 그로 인하여 집안이 불안할 것이며 또 집안이 불안하면 부모에게 욕이 될 뿐만 아니라 혼인을 거절하지 아니하면 낭군을 만날 길이 없으므로 부모의

슬하를 떠나 죽어서 이곳에 와서 기다리고 있었습니다. 낭군이 오늘 밤 여기서 머물고 가시면 이번 과거에 장원급제 할 것이며 장래에 벼슬이 높아져서 대장군 절월*과 승상의 인수*를 청춘에 가질 수 있을 것이고 부귀와 영화는 천하에 으뜸이 될 것입니다. 낭군은 저를 귀신이라 생각 마시고 오늘 밤에 혼인의 맹세를 이루어 둔 후 내일 날이 채 밝기 전에 이 앞의 오동나무가 세 번 소리를 내면 날이 새나니 그 소리를 들으시고 급히 나가소서."

[중략 부분의 줄거리] 장원급제한 화룡은 월게와 인연을 이어가다가, 더 이상 함께 할 수 없게 되자 선계에서 받아온 꽃과 약수로 월게를 살려낸다. 한편 최상서는 재주가 뛰어난 화룡을 꺼려하여 해치려고 한다.

석시랑은 황제의 총애가 있으므로 마음대로 해치지 못하여 상서는 매일 해칠 꾀를 생각하더니 문득 하나의 묘한 계책을 생각하여 천자에게 아뢰고 관상을 잘 보는 진성인이란 사람을 불러 계교를 가르치되,

"황제가 그대를 불러들이거든 이리이리 대답하라."

하고 당부하여 보내고 황제께 들어가 아뢰되,

"황상께서는 새로 장원급제한 석화룡을 어떻게 보시기에 사랑하시고 시랑 겸 학사로 대접하시나이까?"

황제가 말씀하시되,

"화룡은 하늘이 짐에게 주신 바이라. 어찌 대접하지 아니하리요."

상서가 아뢰되,

[B] "관상 잘 보는 진성인의 관상 보는 법은 털끝만큼도 잘못 보는 법이 없더니 그가 화룡의 관상을 보고 크게 의심하기에 소신이 그 까닭을 물으니 진성인이 답하기를, '천자께서 화룡을 중하게 여기시나 마침내 반역의 마음을 나타낼 것이고 또 그의 부모가 장사랑에게 벼슬하고 있으니 필경은 호랑이를 길러서 화를 남기는 경우가 될 것이며 십 년 내에 국가에 반역하리라.' 합니다."

황상이 진성인을 불러 후원에 들어가 은근히 물으실 때 진성인이 최상서의 말대로 아뢰니 황제가 크게 의심하여 최상서에게 다시 물으니 최상서가 아뢰되,

"황제께서 진성인의 말을 자세히 들어 보셨나이까? 이것은 적지 아니한 근심입니다. 폐하는 빨리 화룡을 멀리 하옵소서."

황제가 깊이 생각에 잠기시니 최상서가 또 아뢰되,

"화룡을 까닭 없이 죽이지는 못할 것이나 이제 제 한 몸을 용납하지 못하도록 유배를 하시면 후환이 없을 것입니다."

황제가 오히려 믿지 아니하거늘 최상서가 또 아뢰되,

"소신이 물러가서 자세히 살펴서 아뢰겠습니다."

하고 물러 나와 묘한 계책을 생각하여 즉시 상소하되,

"예부시랑 석화룡은 반역한 죄인 장사랑에게 저의 부모를 보내어 벼슬하게 하고 자신은 태연하게 조정에 벼슬하여 나라의 사정을 알아서 몰래 적과 내통하는 일이 있사오니 이는 지극한 간신입니다. 폐하는 각별히 처치하옵소서."

하였거늘, 황제가 그 상소를 보시고 깊이 생각하시다가,

"화룡을 해랑도에 유배하라." 하시더라.

– 작자 미상, 「석화룡전」 –

* 절월: 출정하는 대장에게 왕이 주던 깃발과 도끼로 생살권(生殺權)을 상징함.
* 인수: 관청의 관리가 직무상 사용하는 도장에 단 끈.

27. 윗글의 내용과 일치하지 않는 것은?

① 최상서는 황제를 설득하기 위해 진성인을 이용하였다.
② 월게는 화룡에게 약속을 어긴 것에 대해 용서를 구하였다.
③ 화룡은 월게를 보고 신선이 하강한 것으로 의심을 하였다.
④ 황제는 하늘의 뜻을 내세워 화룡에 대한 애정을 드러내었다.
⑤ 화룡은 월게를 만나기 전에 월게와의 인연을 알지 못하였다.

28. [A]와 [B]의 말하기 방식으로 가장 적절한 것은?

① [A]에서는 권위를 내세우며, 자신의 입장을 변호하고 있다.
② [A]에서는 자신의 요구를 제시하며, 이를 수락할 경우에 상대방에게 일어날 일을 알려 주고 있다.
③ [B]에서는 다른 사람의 말을 인용하여, 상대방을 치켜세우고 있다.
④ [B]에서는 상대방이 선택할 수 있는 여러 방안을 제안하며, 자신의 소망을 이루려 하고 있다.
⑤ [A]와 [B]에서는 자신의 경험을 언급하며, 상대방을 위로하고 있다.

29. <보기>는 윗글을 시간의 흐름에 따라 정리한 것이다. 이를 바탕으로 윗글을 이해한 내용으로 적절하지 않은 것은? [3점]

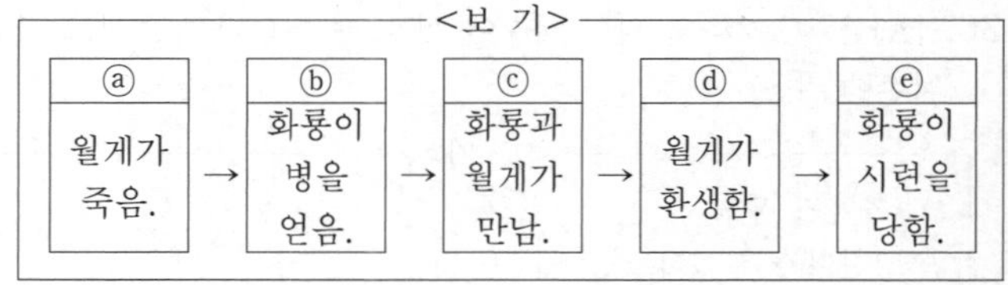

① ⓐ: 원하지 않는 사람과의 정혼이 월게를 죽음에 이르게 하였군.
② ⓑ: 화룡과 인연을 맺고 싶은 월게가 화룡의 몸을 부어오르게 하고 움직이지 못하게 한 것이군.
③ ⓒ: 월게가 화룡에게 무덤의 임자가 자신임을 밝힌 것은 오랜 기다림으로 인한 원망 때문이군.
④ ⓓ: 화룡이 선계에서 얻은 꽃과 약수로 월게를 되살린 것은 월게와 함께하고 싶은 마음 때문이군.
⑤ ⓔ: 최상서의 모함으로 인해 화룡은 해랑도로 유배를 가게 되겠군.

[30~32] 다음 글을 읽고 물음에 답하시오.

우리 몸 안에서 가장 큰 장기는 간으로, 커다란 크기만큼 하는 일이 많아서 '인체의 화학 공장'이라고 한다. 우선 우리가 음식을 섭취하게 되면 위나 장에서 영양소를 흡수하게 되는데, 여기서 흡수된 여러 영양소는 대부분 혈액을 통해 간으로 이동한다. 간은 그 영양소들을 몸에서 요구하는 다른 영양소로 만들거나, 우리 몸을 위해 저장하기도 한다. 이런 것들이 가능한 이유는 간의 구조와 혈액의 공급 방식 때문이다.

간은 육각형 기둥 모양의 [간소엽]이라는 작은 공장들로 이루어져 있고 그 내부는 간의 주요 기능을 수행하는 간세포로 채워져 있다. 간소엽의 중심부에는 중심 정맥이 놓여 있어 간을 거친 혈액을 간정맥으로 보내 심장으로 흐르게 한다. 그리고 육각형 기둥의 각 모서리에는 간문맥, 간동맥, 담관이 지나가고 있는데, 간문맥과 간동맥은 혈액이 다른 장기에서 간으로 유입되는 관이고, 담관은 담즙이 간에서 배출되는 관이다.

인체의 거의 모든 장기의 혈액 순환은 혈액이 동맥으로 들어와 모세혈관을 거치면서 산소와 영양소의 교환이 이루어진 다음에 정맥을 통해 나가는 방식이다. 그러나 간의 혈액 순환은 예외적으로 혈액이 간동맥과 간문맥이라는 2개의 혈관을 통해서 들어와 미세혈관을 지나 중심 정맥으로 흘러 나간다. 이 과정을 자세히 살펴보면 동맥인 '간동맥'을 통해서 들어오는 혈액은 산소를 운반하고, 소장과 간을 연결하는 혈관인 '간문맥'을 통해서 들어오는 혈액은 위나 장에서 흡수된 영양소를 간으로 이동시킨다. 이 두 혈관들은 간소엽 내부에서 점차 가늘어져 '시누소이드'라는 미세혈관으로 합쳐지는데, 시누소이드는 밭이랑처럼 길게 배열되어 있는 간세포들 사이에 위치해 있다. 시누소이드를 흐르는 혈액은 대사 활동에 필요한 산소와 영양소를 간세포에 공급하고, 간세포의 대사 활동의 결과물인 대사산물과 이산화탄소 같은 노폐물 등을 흡수하는데 이러한 과정을 '물질 교환'이라 한다. 이렇게 시누소이드를 거친 혈액은 중심 정맥으로 유입된 후, 다시 간정맥으로 합쳐져 심장으로 ㉠ <u>들어가는</u> 것이다.

이러한 혈액 순환을 통해서 간에서는 단백질 합성이 일어난다. 식사를 통해 몸으로 들어온 단백질은 위나 장에서 아미노산의 형태로 분해되어 혈액과 함께 간으로 이동된다. 간세포는 시누소이드를 통해 공급된 아미노산을 분해하여 혈액 응고에 관여하는 새로운 단백질을 합성한다. 이때 아미노산이 분해되는 과정에서 유독 물질인 암모니아가 생성되는데, 간은 이것을 요소로 변화시켜 콩팥으로 보내어 몸 밖으로 배출하게 한다. 또한 간은 비타민 A를 저장하기도 하고, 지방의 소화를 촉진시키는 담즙을 생산하여 담관을 통해 쓸개로 보내기도 한다.

그러나 간의 일부 기능은 간세포만으로 감당할 수 없어서 간은 다른 세포의 도움을 받아야 한다. 간세포와 시누소이드 사이에 존재하는 세포들 중 쿠퍼세포는 몸 안으로 들어온 바이러스를 면역 체계에 노출시켜 몸이 면역 작용을 할 수 있도록 유도한다. 이처럼 간은 1분마다 1.4L의 혈액을 여과하면서 복잡하고 중요한 기능을 담당하여 우리 몸이 건강을 유지할 수 있도록 하고 있는 것이다.

30. 윗글에서 알 수 있는 내용으로 적절하지 <u>않은</u> 것은?

① 쿠퍼세포는 몸이 면역 작용을 할 수 있도록 돕는다.
② 간은 우리 몸에 필요한 영양소를 만들거나 저장한다.
③ 간에서 나온 혈액은 간정맥을 통해 심장으로 흐른다.
④ 간으로 이동된 요소는 간동맥에 의해 몸 밖으로 배출된다.
⑤ 간은 다른 장기와 달리 2개의 혈관으로 혈액을 공급받는다.

31. <보기>는 [간소엽]의 일부를 확대한 그림이다. 윗글을 바탕으로 ⓐ~ⓔ를 이해한 내용으로 적절하지 <u>않은</u> 것은? [3점]

<보 기>

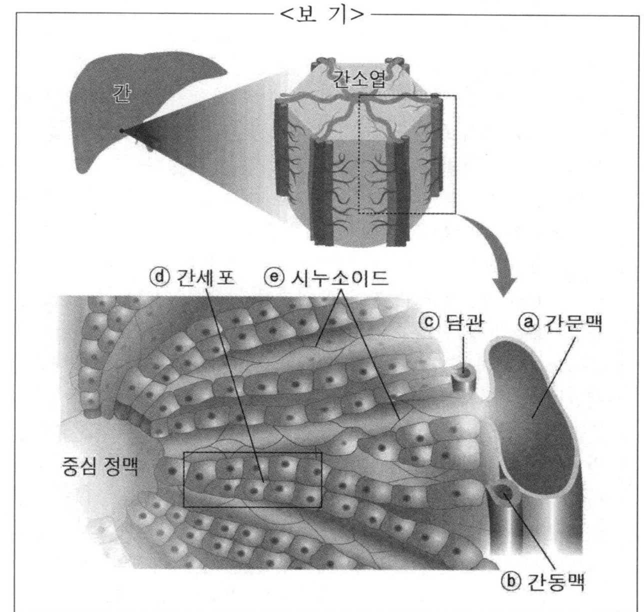

① 장에서 흡수된 영양소는 ⓐ를 통해서 간으로 들어오는군.
② 간에서 만들어진 담즙은 ⓒ를 통해 쓸개로 보내지는군.
③ ⓓ는 ⓔ에서 산소와 영양소를 공급받아 대사 활동을 하는군.
④ ⓔ에서 만들어진 노폐물은 중심 정맥으로 보내지는군.
⑤ ⓔ는 ⓐ와 ⓑ가 간소엽 내부에서 점차 가늘어져 합쳐진 것이군.

32. ㉠의 문맥적 의미와 가장 유사한 것은?

① 그는 방으로 <u>들어가</u> 버렸다.
② 통신비로 <u>들어간</u> 돈이 너무 많다.
③ 고생을 많이 했는지 눈이 쑥 <u>들어갔다</u>.
④ 다음 주부터 본격적인 선거전으로 <u>들어간다</u>.
⑤ 동생은 올해 여덟 살이 되어 초등학교에 <u>들어갔다</u>.

[33~37] 다음 글을 읽고 물음에 답하시오.

범죄란 사회 질서를 파괴하고 타인의 육체나 정신에 고통을 주거나 재산 또는 명예에 손상을 입히는 행위로, 사회의 안녕과 개인의 안전에 해를 끼친다. 그래서 사람들은 여러 논의를 통해 범죄 발생률을 낮추려고 노력해 왔고, 그 결과 탄생한 것이 바로 '범죄학'이다.

㉠<u>'고전주의 범죄학'</u>은 법적 규정 없이 시행됐던 지배 세력의 불합리한 형벌 제도를 비판하며 18세기 중반에 등장했다. 고전주의 범죄학에서는 범죄를 포함한 인간의 모든 행위는 자유 의지에 입각한 합리적 판단에 따라 이루어지므로, 범죄에 비례해 형벌을 부과할 경우 개인의 합리적 선택에 의해 범죄가 억제될 수 있다고 보았다. 고전주의 범죄학의 대표자인 베카리아는 형벌은 법으로 ⓐ <u>규정해야</u> 하고, 그 법은 누구나 이해할 수 있도록 문서로 만들어야 한다고 강조했다. 또한 형벌의 목적은 사회 구성원에 대한 범죄 행위의 예방이며, 따라서 범죄를 저지를 경우 누구나 법에 의해 확실히 처벌받을 것이라는 두려움이 범죄를 억제할 것이라고 확신했다. 이러한 고전주의 범죄학의 주장은 각 국가의 범죄 및 범죄자에 대한 입법과 정책에 많은 영향을 끼쳤다.

19세기 중반 이후 사회 혼란으로 범죄율과 재범률이 증가하자, 범죄의 원인을 과학적으로 증명하려 한 ㉡<u>'실증주의 범죄학'</u>이 등장했다. 실증주의 범죄학은 고전주의 범죄학의 비과학성을 비판하며, 범죄의 원인을 개인의 자유 의지로는 통제할 수 없는 생물학적·심리학적·사회학적 요소에서 찾으려 했다. 이 분야의 창시자인 롬브로소는 범죄 억제를 위해서는 범죄자들의 개별적 범죄 기질을 도출하고 그 기질에 따른 교정이나 교화, 또는 치료를 실시해야 한다고 생각했다. 이를 위해 그는 범죄자만의 특성과 행위 원인을 연구하여 범죄자들의 유형을 ⓑ <u>구분하고</u> 그 유형에 따라 형벌을 달리할 것을 주장했다. 그는 출생부터 범죄자의 기질을 타고나 범죄를 저지를 수밖에 없는 범죄자의 경우 초범일지라도 무기한 구금을 해야 하지만, 우발적으로 범죄를 저지른 범죄자의 수감에는 반대했고, 이러한 생각은 이후 집행 유예 제도의 이론적 기초가 되었다. 비록 차별과 편견이 개입됐다는 비판을 받기는 했지만, 롬브로소의 연구는 이후 범죄 생물학, 범죄 심리학, 범죄 사회학의 탄생과 발전에 큰 영향을 끼쳤다.

이러한 범죄학의 큰 흐름들은 범죄를 억제하려는 그동안의 법체계와 정책의 근간이 되어 왔다. 하지만 1970년대 이후 이러한 시도들의 범죄 감소 효과에 대한 비판이 일면서, 환경에 의한 범죄 유발 요인과 환경 개선을 통한 범죄 기회의 감소 효과 등을 연구하는 '환경 범죄학'이 주목받기 시작했다. 이러한 가운데 건축학이나 도시 설계 전문가들은 범죄의 원인과 예방의 해법을 환경과 디자인에서 찾아야 한다고 주장했다. 바로 '셉테드(CPTED)'라 불리는 범죄 예방 설계가 그것이다. 셉테드는 건축 설계나 도시 계획 등을 통해 대상 지역의 방어적 공간 특성을 높여, 범죄 발생 가능성을 줄이고 지역 주민들이 안전감을 느끼도록 하여 궁극적으로 삶의 질을 ⓒ <u>향상시키는</u> 종합적인 범죄 예방 전략을 의미한다.

[A] 셉테드는 다음의 원리로 이루어진다. 우선 '자연적 감시의 원리'는 공간과 시설물에 대한 가시권을 확보하고 잠재적 범죄자의 은폐 장소를 최소화시킴으로써 내부인이나 외부인의 행동을 주변 사람들이 자연스럽게 관찰할 수 있게 만드는 것이다. 다음으로 '접근 통제의 원리'는 보행로, 조경, 문 등을 통해 사람들의 통행을 일정한 경로로 ⓓ <u>유도하여</u> 허가받지 않은 사람들의 출입을 통제하거나 차단하는 것을 말한다. '영역성의 원리'는 안과 밖이라는 공간 영역을 조성하여 외부인의 침범 기준을 명확히 ⓔ <u>확립하는</u> 것을 말한다. 이 외에도 공공장소 및 시설에 대한 내부인들의 활발한 사용을 유도하여 그 근방의 범죄를 감소시킨다는 '활동의 활성화 원리', 공공장소와 시설물이 처음 설계된 대로 지속적으로 유지 및 관리되어야 한다는 '유지 및 관리의 원리'가 있다. 이 모든 원리는 범죄 예방의 전략과 목표를 범죄자 개인이 아닌 도시 및 건축 환경의 설계와 계획에 두고 있다는 점에서 공통적이다.

우리나라는 2005년 즈음부터 셉테드를 도입하여 도시 설계와 건축물에 범죄 예방 설계 활용을 본격화하기 시작했다. 그동안의 법과 정책, 그리고 셉테드가 동시에 강화된다면 좀 더 안전한 사회를 만들 수 있을 것이다.

33. 윗글에 대한 설명으로 가장 적절한 것은?

① 예상되는 반론을 반박하며 주장을 강화하고 있다.
② 필자의 관점을 명시한 후 다른 관점과 비교하고 있다.
③ 핵심 개념의 가치와 효용을 비유적으로 제시하고 있다.
④ 통시적 관점에서 문제 해결을 위한 방법들을 설명하고 있다.
⑤ 두 이론의 장점을 절충하여 새로운 이론으로 통합하고 있다.

34. ㉠과 ㉡에 대한 이해로 적절하지 <u>않은</u> 것은?

① ㉠은 법적 근거 없이 부과된 형벌은 정당하지 않다고 지적하고 있군.
② ㉡은 범죄자들의 특성과 행위 원인을 바탕으로 범죄자의 유형을 구분해야 한다고 말하고 있군.
③ ㉠은 ㉡과 달리 연구의 초점을 범죄의 처벌보다는 범죄의 원인에 두고 있군.
④ ㉠은 ㉡과 달리 범죄에 따른 형벌을 예외 없이 적용하는 것이 범죄율을 낮출 수 있다고 보고 있군.
⑤ ㉡은 ㉠과 달리 인간의 자유 의지를 통해서는 범죄 욕구를 제어할 수 없다고 판단하고 있군.

35. 윗글과 <보기>를 읽은 학생이 보일 수 있는 반응으로 가장 적절한 것은? [3점]

<보 기>

'합리적 선택이론'은 합리적 인간성을 기본 가정으로 하여 각각의 상황에 따른 잠재적 범죄자의 의사 결정 과정을 설명한다. 즉 잠재적 범죄자들은 개인과 주변 상황 등을 모두 종합해 범죄로 인한 이익과 범죄의 실패 위험을 비교한 후 범행의 실행 여부를 결정한다는 것이다. 따라서 범죄가 발각될 환경적 요건이 강화될 경우 범죄 실행을 포기하게 된다고 설명한다.

① 베카리아는 합리적 선택이론의 인간에 대한 기본 가정을 비판하겠군.
② 베카리아와 합리적 선택이론은 모두 도덕성을 바탕으로 한 인간의 의사 결정 과정을 중시하고 있군.
③ 롬브로소가 범죄자의 유형을 구분한 것은 합리적 선택이론에 의해 정당성이 확보될 수 있겠군.
④ 셉테드와 달리 합리적 선택이론은 합리적 판단이 불가능한 인간이 범죄를 유발한다고 보고 있군.
⑤ 셉테드와 합리적 선택이론은 모두 환경적 요인의 개선이 범죄 예방의 수단이라고 주장하고 있군.

36. [A]를 참고하여 <보기>의 사례를 설명한 것으로 적절하지 <u>않은</u> 것은?

<보 기>

□□학교는 개교한 지가 오래돼 다소 음침한 느낌을 주는 곳이었다. 이에 학교는 교내 외진 장소에 다양한 운동 시설을 설치해 학생들의 이용을 활성화하고 학생들의 안전을 위해 그곳에 CCTV를 설치했다. 사람들의 시선을 막고 있는 학교 담장은 철거하고, 대신 작은 나무와 꽃들을 심은 화단을 조성했다. 또한 외부인의 출입을 통제하기 위해 후문을 폐쇄하여 사람들의 통행을 정문으로 유도했고, 학생들과 교사는 환경지킴이라는 동아리를 조직하여 개선된 학교 환경을 유지하기 위한 봉사 활동을 주기적으로 실시하고 있다.

① 후문을 폐쇄한 것은 '접근 통제의 원리'를 통해 사람들의 통행을 정문으로 유도하기 위한 것이다.
② 학교 담장을 허문 것은 '자연적 감시의 원리'를 통해 학교 시설물에 대한 가시권을 확보하기 위한 것이다.
③ 봉사 동아리를 조직해 운영하는 것은 '유지 및 관리의 원리'를 통해 환경 설계 효과를 지속시키려는 것이다.
④ 다양한 운동 시설을 설치한 것은 '활동의 활성화 원리'를 통해 외진 장소에서의 범죄 발생률을 낮추려는 것이다.
⑤ 교내 외진 장소에 CCTV를 설치한 것은 '영역성의 원리'를 통해 안과 밖이라는 공간 영역을 명확하게 확립한 것이다.

37. 문맥상 ⓐ~ⓔ와 바꿔 쓰기에 적절하지 <u>않은</u> 것은?

① ⓐ: 고쳐야 ② ⓑ: 나누고 ③ ⓒ: 높이는
④ ⓓ: 이끌어 ⑤ ⓔ: 세우는

[38~42] 다음 글을 읽고 물음에 답하시오.

(가)

어와 성은(聖恩)이야 **망극(罔極)할사 성은(聖恩)이다**
강호(江湖) 안로(安老)도 분(分) 밧긔 일이어든
하물며 두 아들 정성을 다해 봉양함은 또 어인가 하노라
<제2수>

전나귀 바삐 몰아 다 저문 날 오신 손님
보리피 거친 밥에 찬물(饌物)*이 아조 업다
아희야 배 내어 띄워라 그물 놓아 보리라 <제4수>

달 밝고 바람 잔잔하니 물결이 비단일다
단정(短艇)*을 비스듬히 놓아 오락가락 하는 흥(興)을
백구(白鷗)야 하 즐겨 마라 **세상(世上) 알가 하노라**
<제5수>

모래 우희 자는 ㉠ <u>백구(白鷗)</u> 한가(閑暇)할샤
강호(江湖) 풍취(風趣)를 네가 지닐 때 내가 지닐 때
석양(夕陽) 반범귀흥(半帆歸興)*은 너도 날만 못 하리라
<제6수>

식록(食祿)*을 긋친 후(後)로 어조(漁釣)*을 생애(生涯)하니
헴 업슨 아이들은 괴롭다 하지마는
두어라 강호한적(江湖閑適)이 **이 내 분(分)인가 하노라**
<제9수>

– 나위소, 「강호구가(江湖九歌)」 –

* 찬물: 반찬이 될 만한 것. / * 단정: 자그마한 배.
* 반범귀흥: 돛을 반쯤 올리고 돌아오는 멋.
* 식록: 먹고 살기 위한 벼슬. / * 어조: 낚시질.

(나)

이자(李子)가 저녁의 서늘함을 맞아, 뜰에 나가 거닐다가 ㉡ <u>거미</u>가 있는 것을 보았다. 짧은 처마 앞에 거미줄을 날리며 해바라기 가지에 그물을 펴고 있었다. 가로로 치고 세로로 치고 벼리로 하고 줄로 하는데, 그 너비는 한 자가 넘고 그 제도는 규격에 맞으며 촘촘하며 성글지 않아 실로 교묘하고도 기이하였다. 이자는 그것이 간교한 마음이 있다고 여겨 지팡이를 들어서 거미줄을 걷어 버렸다. 그것을 다 걷어내고는 또 내치려고 하는데, 거미줄 위에서 소리치는 것이 있는 듯하였다.

"나는 내 줄을 짜서 내 배를 도모하려 하거늘 그대에게 무슨 관계가 있다고 이같이 나를 해치는가?"

이자가 성내어 말하였다.

"덫을 설치하여 산 것을 죽이니 벌레들의 적이다. 나는 다시 또 너를 제거하여 다른 벌레들에게 덕을 베풀려고 한다."

다시 웃으며 말하는 것이 있었다.

"아, 어부가 설치한 그물에 바닷물고기가 걸려드는 것이 어부가 포학해서이겠는가? 우인(虞人)*이 놓은 그물에 들짐승이 푸줏간에 올려지는 것이 어찌 우인의 교(敎)이겠는가? 법관이 내건 법령에 뭇 완악한 사람이 옥에 갇히는 것이 어찌 법관의 잘못이겠는가? 그대는 어찌하여 복희씨(伏羲氏)의 그물*을 시비하지 아니하고 백익(伯益)의 불태움*

을 부정하지 아니하며 고요(皐陶)의 형벌 제정을 책망하지 아니하는가? 무엇이 이것과 다르겠는가? 더구나 그대는 내 그물에 걸려든 놈을 알기나 하는가? 나비는 허랑방탕한 놈일 뿐 분단장을 하여 세상을 속이고 번화함을 좋아하여 좇으며 흰 꽃에 아첨하고 붉은 꽃에 아양 떤다. 이 때문에 내가 그물로 잡게 되는 것이다. 파리는 참으로 소인배라. 옥 또한 참소를 입었고 술과 고기에 자기 목숨을 잊어버리고 이익을 좋아하여 싫증 내지 않는다. 이 때문에 내가 그물로 잡게 되는 것이다. 매미는 자못 청렴 정직하여 글하는 선비와 비슷하지만 '선명(善鳴)'이라 스스로 자랑하며 시끄럽게 울어 그칠 줄 모른다. 이리하여 내 그물에 걸려들게 된 것이다. 벌은 실로 시랑 같은 놈이라. 제 몸에 꿀과 칼을 지니고 망령되이 관아에 나아간다고 하면서 공연히 봄꽃 탐하기를 일삼는다. 이리하여 내 그물에 걸려든 것이다. 모기는 가장 엉큼한 놈이라. 성질이 흉악한 짐승같아 낮에는 숨고 밤에는 나타나서 사람의 고혈을 빨아댄다. 그렇기에 내 그물에 걸려든 것이다. 잠자리는 품행이 없어 경박한 공자처럼 편안히 있을 겨를이 없으며 홀연히 회오리바람인 양 날아다닌다. 그렇기에 또한 내가 그물로 잡게 되는 것이다. 그 밖에 부나방이 화(禍)를 즐기는 것, 초파리가 일을 좋아하는 것, 반딧불이가 허장성세하여 불빛을 내는 것, 하늘소가 함부로 그 이름을 훔치는 것, 선명한 옷차림을 한 하루살이 무리, 수레바퀴를 막아서는 말똥구리 무리와 같은 것들은 재앙을 스스로 만들어 흉액을 피할 줄 모르니 그물에 몸이 걸려 간과 뇌가 땅바닥을 칠하게 된다. 아, 세상은 성강(成康)의 시절이 아니어서 형벌을 놓아두고 쓰지 않을 수 없고, 사람은 신선이나 부처가 아니어서 소찬(素餐)만 먹을 수도 없다. 저들이 그물에 걸린 것은 곧 저들의 잘못이지 내가 그물을 쳤다고 하여 어찌 나를 미워한단 말인가? 또 그대가 저들에게 어찌하여 사랑을 베풀면서 나에게만은 어찌하여 화를 내고, 나를 훼방하면서까지 도리어 저들을 감싸준단 말인가? 아, 기린은 사로잡을 수 없는 것이고 봉황은 유인할 수 없는 것이니 군자는 도를 알아서 죄를 지어 구속됨으로써 재앙을 입지 않아야 한다. 이러한 것을 거울 삼아 삼가고 힘쓸지어다! 그대의 이름을 팔지 말며 그대의 재주를 자랑하지 말며 이욕으로 화를 부르지 말며 재물에 목숨을 바치지 마라. 경박하거나 망령되이 굴지 말며 원망하거나 시기하지 말며 땅을 잘 가려서 밟고 때에 맞추어 오고 가야 한다. 그렇지 않으면 세상에는 더 큰 거미가 있으니 그 그물이 나보다 천 배, 만 배가 될 뿐이 아닐 것이다."

이자가 이 말을 듣고, 지팡이를 던지고 달아나다가 세 번이나 자빠지면서 문지방에 이르렀는데 문에 자물쇠를 채우고서야 몸을 구부리고 비로소 한숨을 쉬었다. 거미는 그 실을 내어 다시 처음과 같이 그물을 치고 있었다.

– 이옥, 「거미를 읊은 부」 –

* 우인: 고대 중국에서 산림(山林)을 맡아보던 벼슬아치.
* 복희씨의 그물: 복희씨는 중국 신화 속에 나오는 사람으로 노끈을 맺어 그물을 만들어서 사냥하고 고기를 잡았다고 함.
* 백익의 불태움: 백익은 순임금의 신하로 산에 불을 질러 태우자 짐승이 도망하여 숨었다고 함.

38. (가)와 (나)에 대한 설명으로 가장 적절한 것은?

① (가)에는 유한한 삶에 대한 회의적 태도가 드러나 있다.
② (가)에는 초월적 세계에 대한 동경의 태도가 드러나 있다.
③ (나)에는 자신의 한계를 극복하려는 의지적 태도가 드러나 있다.
④ (나)에는 부정적인 세상의 모습을 비판하는 태도가 드러나 있다.
⑤ (가)와 (나)에는 이상과 현실의 괴리에 대해 고뇌하는 태도가 드러나 있다.

39. ㉠과 ㉡을 비교한 내용으로 가장 적절한 것은?

① ㉠은 화자의, ㉡은 이자의 심리적 갈등을 해소시켜 주는 소재이다.
② ㉠은 화자에게, ㉡은 이자에게 인생의 무상함을 느끼게 하는 소재이다.
③ ㉠은 화자의 정서를 부각하는 소재이고, ㉡은 이자에게 깨달음을 주는 소재이다.
④ ㉠은 화자가 외로움을 느끼게 하는 소재이고, ㉡은 이자에게 두려움을 주는 소재이다.
⑤ ㉠은 화자의 과거를 떠올리게 하는 소재이고, ㉡은 이자가 미래를 예측하게 하는 소재이다.

40. (가)의 표현상의 특징으로 가장 적절한 것은?

① 과거와 미래를 대비하여 주제를 부각하고 있다.
② 연쇄법을 사용하여 시적 의미를 강조하고 있다.
③ 반어적 표현을 통해 시적 긴장감을 조성하고 있다.
④ 영탄적 어조를 통해 화자의 정서를 표현하고 있다.
⑤ 근경에서 원경으로 시선을 이동하며 시상을 전개하고 있다.

41. <보기>를 참고하여 (가)를 감상한 내용으로 적절하지 않은 것은? [3점]

<보 기>

「강호구가」는 나위소가 관직에서 물러난 뒤 고향인 나주에 돌아와 영산강을 배경으로 지은 작품이다. 이 작품은 나이가 들어 벼슬에서 물러난 처지에서 성은(聖恩)의 감격을 드러내며, 강호에서 자연을 즐기며 소박하게 살아가는 어부의 생활을 노래하였다. 또한 세속의 삶을 부러워하지 않고, 강호의 삶에 만족하는 태도가 잘 표현되어 있다.

① '망극할사 성은이다'에는 자연을 즐기며 자식의 봉양을 받는 것을 임금의 은혜로 여기는 모습이 드러나 있군.
② '아희야 배 내어 띄워라 그물 놓아 보리라'에는 손님을 대접하기 위해 낚시를 하는 소박한 삶의 모습이 드러나 있군.
③ '세상 알가 하노라'에는 자연에서 누리는 흥을 세속의 사람들에게 알리고자 하는 모습이 드러나 있군.
④ '식록을 긋친 후로 어조을 생애하니'에는 관직에서 물러난 뒤 강호에서 어부의 삶을 살고 있는 모습이 드러나 있군.
⑤ '이 내 분인가 하노라'에는 자연에서 유유자적하는 삶에 만족하는 모습이 드러나 있군.

42. <보기>를 바탕으로 (나)를 이해한 내용으로 적절하지 않은 것은?

<보 기>

[A]		[B]		[C]
이자가 거미줄을 걷음.	→	거미가 이자에게 말함.	→	이자가 달아남.

① 이자는 다른 벌레들을 살리기 위해 [A]의 행동을 하는군.
② 거미는 [B]에서 벌레들이 그물에 걸린 이유를 설명하고 있군.
③ 거미는 [B]에서 벌레들의 모습을 인간들의 삶의 모습으로 확장하고 있군.
④ [B]에서 거미는 근거를 들어 [A]의 행동이 잘못되었음을 지적하고 있군.
⑤ [C]에서 이자는 [B]에 의문을 품고 이를 해결할 방법을 모색하고 있군.

[43~45] 다음 글을 읽고 물음에 답하시오.

(가)

설악산 대청봉에 올라
발아래 구부리고 엎드린 작고 큰 **산**들이며
떨어져 나갈까 봐 잔뜩 겁을 집어먹고
언덕과 골짜기에 바짝 달라붙은 **마을**들이며
다만 무릎께까지라도 다가오고 싶어
안달이 나서 몸살을 하는 **바다**를 내려다보니
온통 세상이 다 보이는 것 같고
또 **세상살이 속속들이** 다 알 것도 같다
그러다 **속초**에 내려와 하룻밤을 묵으며
중앙시장 바닥에서 다 늙은 **함경도 아주머니**들과
노령노래 안주 해서 소주도 마시고
피난민 신세타령도 듣고
다음 날엔 **원통**으로 와서 뒷골목엘 들어가
지린내 땀내도 맡고 악다구니도 듣고
싸구려 하숙에서 **마늘 장수**와 실랑이도 하고
젊은 군인 부부 사랑싸움질 소리에 잠도 설치고 보니
세상은 아무래도 산 위에서 보는 것과 같지만은 않다
지금 우리는 혹시 세상을
너무 **멀리**서만 보고 있는 것은 아닐까 아니면
너무 **가까이**서만 보고 있는 것은 아닐까

– 신경림, 「장자를 빌려 - 원통에서」 –

(나)

누군가 나에게 물었다. 시가 뭐냐고
나는 시인이 못됨으로 잘 모른다고 대답하였다.
무교동과 종로와 명동과 남산과
서울역 앞을 걸었다.
저녁녘 남대문 시장 안에서
빈대떡을 먹을 때 생각나고 있었다.
그런 사람들이
엄청난 고생 되어도
순하고 명랑하고 맘 좋고 인정이
있으므로 슬기롭게 사는 사람들이
그런 사람들이
이 세상에서 알파이고
고귀한 인류이고
영원한 광명이고
다름 아닌 시인이라고.

– 김종삼, 「누군가 나에게 물었다」 –

43. (가)와 (나)의 공통점으로 가장 적절한 것은?

① 도치의 방식을 활용하여 주제를 부각하고 있다.
② 자연물을 이용하여 화자의 정서를 표현하고 있다.
③ 계절적 배경을 통해 시적 분위기를 조성하고 있다.
④ 유사한 시구를 반복하여 시적 의미를 강조하고 있다.
⑤ 설의적 표현을 통해 현실에 대한 화자의 인식을 드러내고 있다.

14회

44. <보기>를 참고하여 (가)를 감상한 내용으로 적절하지 않은 것은? [3점]

<보 기>

이 시는 장자의 '추수편'에 실린 '대지관어원근(大知觀於遠近)'을 빌려 '큰 지혜는 멀리서도 볼 줄 알고, 가까이서도 볼 줄 아는 것'이라는 생각을 드러낸 작품이다. 특히 공간의 이동에 따른 관점의 변화를 그리며, 삶을 바라보는 태도에 대한 성찰을 드러내고 있다.

① '설악산 대청봉'에서 화자가 본 '산들'과 '마을들'은 '멀리'에서 본 세상의 모습이라 할 수 있겠군.
② 화자는 '바다'를 내려다보며 '세상살이 속속들이' 알기 위해서는 '가까이'에서 보아야 함을 깨달았겠군.
③ '함경도 아주머니들', '마늘 장수' 등을 만난 것은 화자에게 '가까이'에서 세상을 보는 경험이 되었겠군.
④ '속초'와 '원통'에서 겪은 일들로 인해 삶을 바라보는 화자의 관점이 변화하였겠군.
⑤ 화자는 '멀리'와 '가까이'에서 본 세상의 모습을 비교하며 삶을 바라볼 때 두 관점이 모두 필요하다고 느꼈겠군.

45. 다음은 학생이 (나)를 감상한 내용이다. 적절하지 않은 것은?

이 시의 제목을 보니, ㉠시란 무엇인가에 대한 질문이 이 시를 쓴 계기가 된 것 같아. 화자는 이 질문에 대해, ㉡자신은 '시인이 못됨으로' 모른다고 대답하였어. 그래서 ㉢여러 곳을 다니며 사람들에게 그 답을 물어보던 중, ㉣남대문 시장에서 질문에 대한 답을 얻게 되었어. 화자는 이런 경험을 통해 ㉤삶이 고되어도 맘 좋고 인정 넘치는 사람들이 다름 아닌 시인이라고 생각하게 된 것 같아.

① ㉠ ② ㉡ ③ ㉢ ④ ㉣ ⑤ ㉤

* 확인 사항

○ 답안지의 해당란에 필요한 내용을 정확히 기입(표기)했는지 확인하시오.

2018학년도 6월 고1 전국연합학력평가 문제지

국어 영역

15회 소요시간 /80분

제 1 교시

➡ 해설 P.133

[1~3] 다음은 학생이 수업 시간에 한 발표이다. 물음에 답하시오.

안녕하세요? 제가 ㉠사진을 하나 보여 드리겠습니다. 무슨 장면일까요? (청중의 대답을 듣고) 네, 맞습니다. 감나무 꼭대기에 감이 하나 달려 있는 장면입니다. 그런데 감나무에 왜 감을 하나만 남겨 두었을까요? (청중의 대답을 듣고) 네, 예로부터 우리 조상은 감을 수확할 때, 까치와 같은 날짐승이 겨우내 먹을 수 있도록 감을 다 따지 않고 나뭇가지에 몇 개 남겨 놓았습니다. (화면의 중심 부분을 손가락으로 가리키며) 이것을 '까치밥'이라고 합니다. 바로 이 '까치밥'과 관련된 문화에 대해 지금부터 발표하고자 합니다.

'까치밥'은 우리 조상들이 까치를 길조로 여겼기 때문에 생겨났습니다. 까치가 울면 반가운 손님이 온다는 말이 있듯, 까치는 좋은 소식을 전해 주는 새로 믿어 왔습니다. 그래서 수확때가 되면 까치들에게 고마움의 뜻으로 열매를 남겨두어 겨울에도 까치들이 굶주리지 않게 했는데 이것이 굳어져 '까치밥' 풍습이 된 것입니다. 그중에서 감이 대표적인 '까치밥'이 된 이유는 감나무가 높이 자라 감을 따기 힘들기 때문이기도 하지만, 감의 수확 시기가 새들이 먹이를 구하기 힘들어지는 시기와 맞물리기 때문입니다. 이처럼 '까치밥' 문화는 마음의 여유를 지니면서 주변을 돌보며 살았던 우리 조상들의 공동체 정신과 배려를 나타낸다고 할 수 있습니다.

㉡두 번째 사진을 보겠습니다. 이것은 『대지』의 작가인 펄 벅이 경주를 방문했을 때의 사진입니다. 이때 펄 벅은 '까치밥'을 보고 "따기 힘들어 그냥 두었나요?"라고 물었다가 "겨울새들을 위해 남겨둔 것입니다."라는 기자의 설명에 "바로 그거예요."라고 탄성을 내질렀다고 합니다. 이후에 펄 벅은 「살아있는 갈대」라는 작품에서 날짐승까지 배려한 한국인의 고운 마음에 감동을 받았다고 했습니다. 이처럼 외국인의 눈에도 우리나라의 '까치밥' 문화는 아름답게 보였습니다.

하지만 현대에 와서 이 아름다운 '까치밥' 문화가 사라지고 있습니다. 많은 사람들이 각자 일이 바쁘다는 이유로 자신의 일만 중요시하고 이웃에는 관심조차 없습니다. 이렇게 더불어 살아가는 공동체 정신이 사라지면서 '까치밥' 문화도 사라지고 있습니다.

㉢「콩 세 알」이란 시에서 농부는 콩을 심을 때 세 알씩 심는다고 하였습니다. 한 알은 하늘의 새를 위해, 또 한 알은 땅속 벌레들을 위해, 나머지 한 알은 사람이 먹기 위해서입니다. 생계 수단인 농사를 지으면서도 새와 땅속의 벌레까지 생각하는 것. 바로 이것이 '까치밥' 문화의 공동체 정신입니다. 공동체 정신이 사라지고 있는 요즘, 조상들의 아름다운 '까치밥' 문화의 의미를 다시 살려야 할 것입니다.

1. 다음은 위 발표를 위해 사전에 세운 발표 계획이다. 발표한 내용에 반영되지 않은 것은?

- **주제**
  - 현대에 '까치밥' 문화가 사라지고 있으니 '까치밥' 문화의 의미를 되살리자고 제안해야겠어. ······ ①
- **청중 분석**
  - '까치밥'이라는 단어가 낯선 친구들이 있을 테니, 의미를 설명해야겠어. ······ ②
  - 친구들은 감이 '까치밥'을 대표하게 된 이유가 궁금할 수 있으니, 그 이유를 설명해야겠어. ······ ③
- **내용**
  - '까치밥'의 유래를 까치가 길조라는 조상들의 인식과 관련지어 설명해야겠어. ······ ④
  - '까치밥'에 대한 개인적 경험을 제시하여, 중심 화제에 대한 공감을 이끌어내야겠어. ······ ⑤

2. 위 발표에서 학생이 자료를 활용한 방식에 대한 설명으로 가장 적절한 것은?

① 까치의 식성을 보여 주기 위해 감나무를 찍은 ㉠을 제시하였다.
② '까치밥'에 대한 인식의 변화를 설명하기 위해 감나무 꼭대기에 까치밥이 달려 있는 ㉠을 제시하였다.
③ '까치밥'의 유래를 설명하기 위해 펄 벅이 경주를 방문한 ㉡을 제시하였다.
④ '까치밥'에 대한 외국인의 인식을 드러내기 위해 펄 벅이 경주를 방문한 ㉡을 제시하였다.
⑤ 까치에 대한 농부의 인식을 보여주기 위해 ㉢의 내용을 제시하였다.

3. 다음은 위 발표를 들으며 학생이 떠올린 생각이다. 이를 바탕으로 발표자에게 질문할 내용으로 가장 적절한 것은? [3점]

> '까치밥' 문화가 사라진 원인은 공동체 정신이 사라져서라기보다는 도시에 모여 살면서 주거 환경이 바뀌었기 때문인 것 같은데, 이에 대해서는 밝히지 않은 것 같아.

① 조상들의 배려와 공동체 정신이 드러나는 것이 '까치밥' 문화라고 했는데요, '까치밥' 문화가 사라진 시기는 언제인가요?
② '까치밥' 문화를 도시화와 관련지어 다룬 것 같은데요, 구체적으로 '까치밥' 문화와 도시화는 어떻게 관련되어 있는가요?
③ 주거 환경과 관련해서 해결 과제에 대해서는 말씀하지 않았는데요, 까치의 주거 환경을 살리기 위해 우리가 할 수 있는 노력은 무엇인가요?
④ '까치밥' 문화가 사라진 원인을 공동체 정신의 차원에서 다룬 것 같은데요, 우리가 사는 주거 환경과도 관련지어 원인을 생각해 볼 수 있지 않을까요?
⑤ 주거 환경과 관련하여 '까치밥' 문화가 사라진 원인을 주로 다루었는데요, 현대에서 '까치밥' 문화를 되살리기 위해 주거 환경을 어떻게 바꾸면 되나요?

15회

[4 ~ 7] (가)는 동아리 학생들이 나눈 토의의 일부이고, (나)는 이를 참고하여 '민재'가 쓴 글의 초고이다. 물음에 답하시오.

(가)

민재 : 오늘 사회는 내 차례지? 자, 그러면 이번 동아리 시간에는 ㉠2학기 또래상담 행사를 어떻게 운영할 것인지에 대해 토의하려고 해. 자유롭게 의견을 말해줘.

우승 : 나는 2학기 행사를 주간 행사로 확대하면 좋겠어. 1학기 때는 행사 당일에 한 번만 상담했더니, 우리가 배운 대화 방법을 잘 활용해 보지 못했고, 친구의 고민도 제대로 파악하기 어려웠어. [A]

수연 : 맞아. 나는 1학기 때 처음 보는 후배와 상담했는데, 그 친구의 상황을 잘 모르고 겉도는 대화만 하고 끝난 것 같아 미안했어. 2학기 때는 상담이 한 번으로 끝나지 않도록 주간 행사로 바꾸면 좋겠어. [B]

진희 : 그래. 또래 간의 소통과 공감이라는 행사의 취지를 실현하려면 행사 시간이 더 많이 필요할 것 같아.

민재 : ㉡그러면 다들 주간 행사로 확대하는 데 동의하니까, 주간 행사를 어떤 프로그램으로 구성하면 좋을지 말해 보자.

진희 : 첫 번째 프로그램으로 게임을 하는 건 어떨까? 잘 모르는 사이인데 처음부터 속마음을 터놓기는 어렵잖아. 같이 게임을 하면 어색한 분위기를 깰 수 있을 거야.

수연 : 좋은 생각이야. 우리가 같이 공부한 상담심리 책에서도 서로 신뢰하며 친근감을 느끼는 관계인 '래포' 형성이 중요하다고 했었잖아. 함께 놀 수 있는 게임을 하면서 친근한 관계를 만들 수 있을 거야. [C]

민재 : 그런데, 진희야. ㉢게임도 종류가 다양한데 구체적으로 어떤 게임을 말하는 건지 예를 들어줄래?

진희 : 얼마 전 수업 시간에 '우정의 종이비행기'를 만들었는데, 각자 자신의 이야기를 적어 비행기로 날리고, 날아 온 비행기에 서로 비밀 댓글을 적어 주었어. 이런 게임처럼 함께 어울릴 수 있는 유익한 게임들을 더 찾아볼게.

민재 : 좋아. 그러면 그런 게임을 하기로 하고, 그 다음으로는 어떤 프로그램을 진행하면 좋을까?

우승 : 심리 검사는 어떨까? 검사를 통해 그 친구의 심리 상태에 대한 객관적인 정보를 얻을 수 있고, 검사 결과를 바탕으로 상담을 체계적으로 진행할 수 있을 거야.

진희 : 맞아. 상담 받는 친구들도 자신의 심리 상태나 기본적인 성향을 인식하는 기회가 될 수 있을 거야. [D]

수연 : 그런데 검사 결과를 해석하는 게 가능할까? 내 생각엔 안될 것 같아. 우리가 또래 상담자 교육과정을 수료했지만, 아직 상담 전문가라고 할 수는 없잖아.

우승 : 음, 네 말도 맞아. 하지만 혼자 할 수 있는 자가진단 검사도 있으니, 우리가 해석할 수 있는 검사들도 있을 거야. 2학기까지는 시간이 있으니까 상담 선생님께 부탁드려서 여러 가지 심리 검사를 공부해 보자. [E]

수연 : 좋아. 같이 공부해 보자.

민재 : ㉣그러면 우승이가 선생님께 말씀드려 볼래?

우승 : 그래. 내가 자세히 여쭤 볼게.

민재 : ㉤자, 그럼 2학기 또래상담 주간 행사 프로그램을 게임, 심리 검사, 검사 결과를 바탕으로 상담하기의 순으로 진행해 보자. 그리고 홍보도 중요하니까 내가 동아리 소식지에 2학기 행사에 대해 소개하는 글을 써서 보낼게.

(나)

제목: [   ]

안녕하세요. ○○고등학교 또래상담 동아리 '수호천사'입니다. 저희는 또래상담에 관심이 많은 학생들이 모여, 또래 상담자 교육과정을 수료하고, 친구들과 상담하며 교내에 소통의 문화를 만들기 위해 노력하는 자율동아리입니다.

사실 고등학생 때는 가족, 친구 관계, 진로 등에 대한 여러 가지 고민들이 많아지는 시기입니다. 하지만 진심을 터놓을 수 있는 상대를 만나기는 쉬운 일이 아닙니다. 혼자 괴로워하거나 시간이 지나면 괜찮아질 거라며 참아보기도 합니다. 그렇지만 내버려둔다고 그것이 쉽게 해결되지는 않습니다. 그래서 저희 동아리는 혼자만의 고민을 안고 있는 여러분들과 소통하고 공감하기 위해 '2학기 또래상담 주간 행사'를 준비했습니다.

9월 둘째 주에 예정된 이번 행사는 1학기와 달리 새로운 프로그램을 준비하여 체계적으로 진행하려고 합니다. 첫째, '먼저 다가가 친구 되기'입니다. 본격적인 상담을 시작하기에 앞서 내담자와 또래 상담자가 서로 친해질 수 있는 게임을 마련할 것입니다. 감정 빙고 게임, 고민 풍선 터뜨리기, 우정의 종이비행기 날리기 등으로 같이 놀면서 어울리고자 합니다. 둘째, '내 마음 들여다보기'입니다. 문장완성검사, 청소년용 이고그램(Egogram) 성격검사 등을 통해 여러분의 심리 상태와 기본적인 성향을 알아보려고 합니다. 셋째, '고민 나누고 함께 해결하기'입니다. 심리 검사 결과를 바탕으로 여러분의 마음 깊숙이 감추어 둔 고민을 이야기하고 해결의 방향을 함께 찾아나갈 것입니다.

"누군가 내 이야기를 듣고 나에게 공감해 주면, 나는 새로운 눈으로 세상을 다시 보게 되어 앞으로 나아갈 수 있게 된다."라고 심리학자 칼 로저스가 말했습니다. 또래상담을 통해 친구에게 고민을 이야기하고 공감 받는 것만으로 우리의 마음은 한결 편안해질 수 있습니다. 2학기 또래상담 주간 행사에 오시면 그동안 숨겨 둔 고민을 마음껏 표현할 수 있습니다. 저희 '수호천사'는 온 마음을 다해 여러분의 이야기에 귀 기울이겠습니다.

4. ㉠ ~ ㉤에 대한 이해로 적절하지 <u>않은</u> 것은?

① ㉠ : 토의 참여자들이 논의해야 할 사안을 안내하고 있다.
② ㉡ : 토의 중 합의된 내용을 언급하며 다음 논의로 이어가고 있다.
③ ㉢ : 토의 참여자의 발언에 대한 보충 설명을 요청하고 있다.
④ ㉣ : 토의 참여자의 발언 순서를 조정하고 있다.
⑤ ㉤ : 토의에서 논의된 내용을 요약하여 정리하고 있다.

5. [A] ~ [E]에 대한 설명으로 적절하지 <u>않은</u> 것은?

① [A] : '우승'은 이전 행사의 문제점을 바탕으로 자신의 주장을 제시하고 있다.
② [B] : '수연'은 자신의 경험을 바탕으로 '우승'의 의견에 동조하고 있다.
③ [C] : '수연'은 참여자들이 공유하는 배경지식을 활용해 '진희'의 의견을 지지하고 있다.
④ [D] : '진희'는 '우승'이 제시한 방안의 또 다른 장점을 추가하고 있다.
⑤ [E] : '우승'은 '수연'의 의견을 전적으로 수용하여 자신이 제시한 방안을 수정하고 있다.

6. 다음은 (가)를 바탕으로 (나)를 작성하기 위한 '민재'의 작문 계획이다. (나)에 반영된 내용으로 적절하지 않은 것은? [3점]

1문단
• 먼저 우리 동아리가 어떤 동아리인지 알리고, 2학기 또래상담 행사에 대한 신뢰감을 줄 수 있도록 또래 상담자 교육과정을 수료했다는 내용을 언급해야겠어. …… ①

2문단
• 진심으로 소통할 수 있는 상대를 만나기가 어려움을 언급하여 예상 독자와 공감대를 형성하고, 토의에서 진희가 말한 행사의 취지를 이와 연결하여 제시해야겠어. …… ②

3문단
• 토의에서 정한 또래상담 주간의 세 가지 프로그램을 설명할 때 해당 프로그램의 특성을 보여주는 명칭을 새롭게 붙여서 소개해야겠어. …… ③
• 각 프로그램의 진행 내용을 구체적으로 소개할 수 있도록 토의 후에 추가로 친구들이 조사해 온 여러 게임과 심리검사 종류를 알려 주어야겠어. …… ④

4문단
• 상담의 효과와 관련하여 전문가의 말을 인용하고, 토의에서 논의된 또래상담의 개인적, 사회적 효과를 함께 제시하여 행사의 참여를 유도해야겠어. …… ⑤

7. <보기>는 (나)를 쓴 후 '민재'와 '수연'이 나눈 대화이다. 이를 바탕으로 (나)의 제목을 작성하려고 할 때 가장 적절한 것은?

<보 기>

민재 : 제목을 아직 못 정했어. 어떻게 하면 좋을까?
수연 : 읽어보니까 나는 마지막 문단이 인상적이던데, 거기에서 핵심 단어를 가져와 제목을 만들면 좋을 것 같아.
민재 : 그래? 거기서 단어를 찾아봐야겠다. 그리고 제목에 동아리 이름도 같이 활용하면 홍보에 도움이 되겠지?
수연 : 물론이지. 또한 1학기 행사보다 개선된 점을 부제로 덧붙이면 좋겠어.

① 당신의 슬픔을 어루만지는 수호천사가 있습니다
- 2학기 또래상담 주간에 체험하는 다양한 프로그램 안내
② 내 이야기에 공감해 줄 수호천사를 만나다
- 세 가지 프로그램으로 체계화된 또래상담 주간 행사
③ 마음과 마음을 연결하는 또래상담 이야기
- 또래상담 행사가 9월 둘째 주에 당신을 찾아갑니다
④ 소통과 공감의 문화, 우리가 만들어가요
- 고민을 함께 나누고 해결하는 또래상담 행사
⑤ 수호천사와 함께하는 우정 상담소
- 친구와 대화하는 법을 배워 보는 시간

[8~10] 다음을 읽고 물음에 답하시오.

(가) 작문 상황
• 작문 과제 : 사회 문제를 선정한 후 관련 자료를 수집하여 문제의 해결 방안을 제시하는 글을 교지에 써 보자.
• 예상 독자 : 우리 학교 학생들
• 글의 목적 : 온실가스 문제 해결을 위한 설득적 글쓰기
• 글의 주제 : 탄소 배출권 제도의 개념과 효과를 알고 온실가스를 감축하기 위한 노력에 동참하도록 하자.

(나) 학생의 초고

비쩍 마른 북극곰의 사진을 본 적이 있습니까? 북극곰이 마른 이유는 지구 온난화로 북극에 얼음이 녹아 먹잇감이 부족하기 때문입니다. 지구 온난화는 생태계의 변화를 초래하여 지구의 환경을 위협하는 주요한 요인이 되고 있습니다. 특히 지구 온난화의 주범인 온실가스는 사회적으로 크게 문제가 되고 있어 이를 해결해야 할 필요성이 커지고 있습니다.

우리나라에서도 온실가스 배출량이 점점 늘어 심각한 사회 문제가 되고 있습니다. 이를 해결하기 위해 나온 것이 바로 탄소 배출권 제도입니다. 탄소 배출권 제도란 정부가 매년 온실가스를 많이 배출하는 기업들의 탄소 배출 총량을 정한 뒤 배출권을 할당해 주고 배출권이 모자라는 기업은 남는 기업에 비용을 지불하여 사서 쓰도록 하는 제도입니다. 우리나라 역시 2015년부터 탄소 배출권을 거래할 수 있는 제도가 도입되어 시행되고 있습니다.

탄소 배출권 제도를 시행함으로써 여러 효과를 얻을 수 있습니다. 첫째, 기업이 자율적으로 온실가스를 감축할 수 있습니다. 정부가 직접 규제하는 것이 아니라 기업 스스로 온실가스를 감축함으로써 온실가스와 관련된 사회적 비용을 줄일 수 있습니다. 둘째, 오염 방지 기술이 발전할 수 있습니다. 기업들은 탄소 배출로 인한 비용 낭비를 막기 위해 탄소 배출을 줄이려고 노력할 것이고, 이로 인해 오염 방지 기술이 발전할 수 있을 것입니다.

온실가스 감축을 위해서는 사회적 노력과 함께 개인적인 노력도 필요합니다. 우리나라 1인당 온실가스 배출량이 점점 증가하고 있기 때문입니다. 온실가스 감축을 위해서 개개인이 휴지 대신 손수건을 쓰면 연간 6kg의 온실가스를 줄일 수 있고, 종이컵 3개를 쓰는 대신 개인 컵을 이용하면 연간 8.3kg의 온실가스 배출을 줄일 수 있습니다. 또 컴퓨터 절전 프로그램인 그린터치를 사용하고 탄소 중립 인증 제품을 사는 것만으로도 온실가스 배출을 크게 줄일 수 있습니다.

지구 온난화 문제가 심각한 만큼 온실가스를 줄이기 위한 실천이 반드시 필요합니다. ㉮ <u>온실가스 배출을 줄이기 위한 노력에 청소년들도 동참해야 합니다.</u>

8. 다음은 (나)를 쓰기 전 자유 연상한 내용이다. (가)를 참고하여 ⓐ~ⓔ를 점검한 내용 중 (나)에 반영되지 않은 것은?

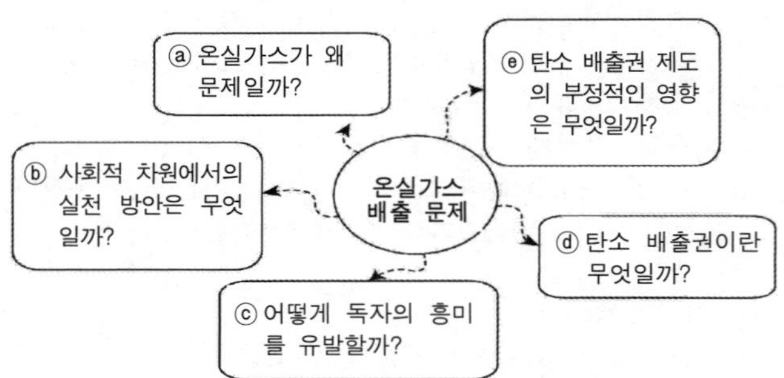

① ⓐ: 글의 목적을 고려하여 온실가스에 대한 정의를 설명해야겠어.
② ⓑ: 작문 과제를 고려하여 '개인적 차원에서의 실천 방안'이라는 내용도 제시해야겠어.
③ ⓒ: 예상 독자를 고려하여 문제 상황을 쉽게 알 수 있는 사례를 활용해서 글을 시작해야겠어.
④ ⓓ: 독자들의 배경지식을 고려하여 탄소 배출권 제도의 개념과 효과를 설명해야겠어.
⑤ ⓔ: 주제와의 관련성을 고려하여 글을 쓸 때 다루지 않는 것이 좋겠어.

9. <보기>는 (나)를 보완하기 위해 추가로 수집한 자료이다. 이를 활용할 방안으로 적절하지 않은 것은?

<보 기>

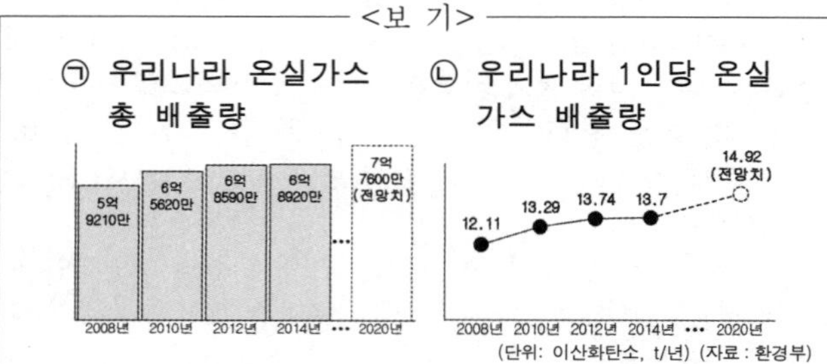

㉢ **전문가 인터뷰**

지구 온난화로 인해 지구는 지난 100년간 평균 기온이 1.85℃ 상승하였습니다. 만약 현재 수준으로 온실가스를 배출한다면 2099년에는 전 지구의 평균 기온은 현재보다 3.7℃가 상승하게 되고, 이는 자연 재해 및 생태계의 변화를 초래하여 인류 생존에 큰 피해가 예상됩니다. 따라서 온실가스 배출을 줄이기 위한 제도적 장치를 더욱 강화해야 합니다.

① ㉠을 활용하여 2문단에서 우리나라 온실가스 배출이 사회 문제가 되고 있다는 내용을 뒷받침한다.
② ㉡을 활용하여 4문단에서 온실가스에 대한 개인의 인식 전환을 위해 사회적 차원의 지원이 필요하다는 내용을 추가한다.
③ ㉢을 활용하여 1문단에서 지구 온난화와 온실가스의 관련성을 설명하여 온실가스 문제의 위험성을 강조한다.
④ ㉠과 ㉢을 활용하여 3문단에서 온실가스 문제 해결을 위한 사회적 노력으로 탄소 배출권 제도의 확대 필요성을 추가한다.
⑤ ㉡과 ㉢을 활용하여 4문단에서 개개인의 노력이 지구 온난화 문제 해결에 기여할 수 있다는 내용을 보충한다.

10. <보기>는 초고에 대한 교지 편집장의 조언이다. <보기>에 따라 ㉮를 고쳐 쓴 내용으로 가장 적절한 것은?

<보 기>

청소년들이 온실가스 감축에 동참할 수 있도록 ㉮를 보다 설득력 있게 서술하면 좋겠어. 온실가스 감축이 지닌 의의와 일상에서 온실가스 감축을 실천하는 것의 어려움을 드러내면서 앞의 내용과 긴밀하게 잘 연결되는지도 고려하여 수정하면 좋겠어.

① 왜냐하면 온실가스를 줄이기 위한 실천은 곧 자신과 세계를 지키고 나아가 환경을 지키는 것이기 때문입니다. 청소년들이 온실가스를 줄이는 일을 생활 속에서 실천하여 더 나은 세계를 만들어 가는 주체가 되도록 합시다.
② 왜냐하면 온실가스를 줄이기 위한 노력은 환경을 살리는 길이기 때문입니다. 일상에서 일회용품 사용을 줄이는 일이 쉽지 않겠지만 청소년들도 더 나은 환경을 만들어 가는 일에 동참하도록 합시다.
③ 따라서 청소년도 온실가스 문제를 해결해야 할 의무가 있습니다. 그렇기에 우리는 기업이 온실가스 감축을 제대로 실천하는지 적극적으로 살피는 데 동참하도록 합시다.
④ 따라서 온실가스 배출 문제는 이전과 다른 시선으로 보아야 합니다. 귀찮고 번거롭겠지만 청소년들도 물건을 살 때마다 온실가스 감축을 생각하는 자세를 가집시다.
⑤ 하지만 일상에서 일회용품을 줄이는 일은 그렇게 어려운 일이 아닙니다. 개개인이 손수건과 종이컵을 사용하여 온실가스 감축에 모두 동참하도록 합시다.

11. <보기>는 음운 변동에 대한 선생님의 설명이다. 질문에 대한 답으로 적절한 것은?

<보 기>

• 선생님: 음운 변동은 결과에 따라 한 음운이 다른 음운으로 바뀌는 교체, 두 개의 음운이 하나의 음운으로 합쳐지는 축약, 두 개의 음운 중 하나의 음운이 없어지는 탈락, 원래 없던 음운이 새로 덧붙는 첨가가 있습니다.

• 다음 '잡일'과 동일한 음운 변동 과정이 일어나는 단어는 무엇일까요?

잡일 → [잡닐] → [잠닐]
첨가 교체

① 법학[버팍]
② 담요[담뇨]
③ 국론[궁논]
④ 색연필[생년필]
⑤ 한여름[한녀름]

12. <보기>의 설명을 참고할 때, ㉠을 분석한 내용으로 적절하지 않은 것은?

<보 기>

'형태소'는 뜻을 가진 말의 가장 작은 단위이다. 형태소는 의미의 유무에 따라 구체적인 대상이나 동작, 상태를 표시하는 실질적인 의미를 지닌 실질 형태소와 문법적인 기능을 수행하는 형식 형태소로 나눌 수 있다. 그리고 자립성의 유무에 따라 다른 말에 기대어 쓰이지 않고 홀로 사용될 수 있는 자립 형태소와 다른 말에 기대어 사용되는 의존 형태소로 나눌 수 있다.

㉠ 하늘이 매우 높고 푸르다.

① 자립 형태소는 모두 4개이다.
② 형식 형태소는 모두 3개이다.
③ 의존 형태소는 모두 5개이다.
④ 실질 형태소이면서 의존 형태소는 모두 2개이다.
⑤ 실질 형태소이면서 자립 형태소는 모두 2개이다.

13. <보기>는 '용언의 활용'에 대한 설명이다. ㉠의 예로 적절하지 않은 것은? [3점]

<보 기>

용언이 활용할 때 어간이나 어미의 기본 형태가 바뀌지 않거나 바뀌어도 일반적인 음운 규칙으로 설명할 수 있는 경우를 '규칙 활용'이라고 한다. 반면, 어간이나 어미의 기본 형태가 바뀌는 것을 일반적인 음운 규칙으로 설명할 수 없는 경우를 ㉠'불규칙 활용'이라고 한다.

(가) 그녀가 모자를 벗는다.
그녀가 모자를 벗으며 방으로 들어간다.
(나) 그는 시골에 집을 짓고 있다.
그는 시골에 집을 지으며 행복해 했다.

(가)는 어간 '벗-' 뒤에 어미 '-으며'가 붙었을 때 어간의 형태가 바뀌지 않는 규칙 활용을 하는 반면, (나)는 어간 '짓-' 뒤에 어미 '-으며'가 붙었을 때 어간의 형태가 '지-'로 바뀌는 불규칙 활용을 한다.

① 그는 우물에서 물을 퍼 먹었다.
② 그는 형의 말을 비밀로 묻어 두었다.
③ 그녀는 음악을 들으면서 공부를 한다.
④ 그녀는 어머니를 도와 집안일을 하였다.
⑤ 그녀는 옥상에 올라 하늘을 바라보았다.

14. 다음 문장들을 수정할 때 고려한 사항으로 적절하지 않은 것은?

㉠	그녀는 학교에서 되었다. ↳ 그녀는 학교에서 회장이 되었다.
㉡	그는 나보다 낚시를 더 좋아한다. ↳ 그는 내가 낚시를 좋아하는 것보다 더 낚시를 좋아한다.
㉢	우리 집의 특징은 앞마당이 넓다. ↳ 우리 집의 특징은 앞마당이 넓다는 것이다.
㉣	우리는 환경을 개선시켜야 할 의무가 있다. ↳ 우리는 환경을 개선해야 할 의무가 있다.
㉤	그들은 조용히 정숙을 유지하고 있었다. ↳ 그들은 정숙을 유지하고 있었다.

① ㉠: 서술어가 요구하는 문장성분인 주어를 추가한다.
② ㉡: 문장의 중의성을 해소한다.
③ ㉢: 주어와 서술어가 호응이 될 수 있도록 한다.
④ ㉣: 불필요한 사동 표현을 사용하지 않는다.
⑤ ㉤: 의미가 중복되는 어휘를 삭제한다.

15. <보기>의 밑줄 친 부분에 해당하는 예로 적절한 것은?

<보 기>

객체 높임은 문장의 목적어나 부사어가 지시하는 대상, 곧 객체에 대한 높임의 태도를 나타내는 표현이다. 객체 높임은 주로 '모시다, 여쭙다' 등 높임의 의미가 있는 특수 어휘에 의해 실현되거나 부사격 조사 '께'를 통해 실현되기도 한다.

① 선생님께서는 댁에 계십니다.
② 형은 어머니께 그 책을 드렸다.
③ 할아버지께서는 눈이 밝으십니다.
④ 할머니, 아버지가 지금 막 도착했어요.
⑤ 윤우야, 선생님께서 빨리 교무실로 오라고 하셔.

[16~19] 다음 글을 읽고 물음에 답하시오.

[A] 고대 중국인들은 인간이 행하지 못하는 불가능한 일은 그들이 신성하다고 생각한 하늘에 의해서 해결 가능하다고 보았다. 그리하여 하늘은 인간에게 자신의 의지를 심어 두려움을 갖고 복종하게 하는 의미뿐만 아니라 인간의 모든 일을 책임지고 맡아서 처리하는 의미로까지 인식되었다. 그 당시에 하늘은 인간에게 행운과 불운을 가져다 줄 수 있는 힘이고, 인간의 개별적 또는 공통적 운명을 지배하는 신비하고 절대적인 존재라는 믿음이 형성되었다. 이러한 하늘에 대한 인식은 결과적으로 하늘을 권선징악의 주재자로 보고, 모든 새로운 왕조의 탄생과 정치적 변천까지도 그것에 의해 결정된다는 믿음의 근거로 작용하였다. 하지만 그러한 하늘에 대한 인식은 인간 지혜의 성숙과 문명의 발달로 인한 새로운 시대의 요구에 의해서 대폭 수정될 수밖에 없었다.

순자의 하늘에 대한 주장은 그 당시까지 진행된 하늘의 논의와 엄격히 구분될 뿐만 아니라 그것을 매우 새롭게 변모시킨 하나의 획기적인 사건으로 규정지을 수 있다. 순자는 하늘을 단지 자연현상으로 보았다. 그가 생각한 하늘은 별, 해와 달, 사계절, 추위와 더위, 바람 등의 모든 자연현상을 가리킨다. 따라서 하늘은 사람을 가난하게 만들 수도 없고, 병들게 할 수도 없고, 재앙을 내릴 수도 없고, 부자로 만들 수도 없으며, 길흉화복을 줄 수도 없다. 사람들이 치세(治世)*와 난세(亂世)*를 하늘과 연결시키는 것은 심리적으로 하늘에 기대는 일일 뿐이다. 치세든 난세든 그 원인은 사람에게 있는 것이지 하늘과는 무관하다. 사람이 받게 되는 재앙과 복의 원인도 모두 자신에게 있을 뿐 불변의 질서를 갖고 있는 하늘에 있지 않다.

하늘은 그 자체의 운행 법칙을 따로 갖고 있어 인간의 길과 다르다. 천체의 운행은 불변의 정규 궤도에 따른다. 해와 달과 별이 움직이고 비가 내리고 바람이 부는 것은 모두 제 나름의 길이 있다. 사계절은 말없이 주기에 따라 움직일 뿐이다. 물론 일식과 월식이 일어나고 비바람이 아무 때나 일고 괴이한 별이 언뜻 출현하는 경우는 있을 수 있다. 하지만 이런 일이 항상 벌어지는 것은 아니며 하늘이 이상 현상을 드러내 무슨 길흉을 예시하는 것은 더더욱 아니다. 즉, 하늘은 아무 이야기도 하지 않는데 사람들은 하늘과 관련된 이야기를 만들어 낸다는 것이다. 그래서 순자는 천재지변이 일어난다고 해서 하늘의 뜻이 무엇인지 알려고 노력할 필요가 없다고 말한다. 그것이 바로 순자가 말하는 **불구지천**(不求知天)의 본뜻이다.

순자가 말한 '불구지천'의 뜻은 자연현상으로서의 하늘이 아니라 하늘에 무슨 의지가 있다고 주장하고 그것을 알아내겠다고 덤비는 종교적 사유의 접근을 비판하려는 것이다. 그러니까 억지로 하늘의 의지를 알려고 힘을 쏟을 필요가 없다. 사람들은 자연현상에 대해 특별한 의미를 부여하지 말고 오직 인간 사회에서 스스로가 해야 할 일을 열심히 해야 한다. 즉, 재앙이 닥치면 공포에 떨며 기도나 하는 것이 아니라 적극적인 행위로 그것을 이겨내야 한다는 것이다.

순자의 관심은 하늘에 있지 않고 사람에 있었다. 특히 인간 사회의 정치야말로 순자가 중점을 둔 문제였다. 순자는 "하늘은 만물을 낳을 수 있지만 만물을 변별할 수는 없다."라고 말한다. 이는 인간도 만물의 하나로 하늘이 낳은 존재이나 하늘은 인간을 낳았을 뿐 인간을 다스리려는 의지는 갖고 있지 않다는 것이다. 따라서 하늘은 혈기나 욕구를 지닌 존재도 아니다. 그저 만물을 생성해 내는 자연일 뿐이다.

* 치세 : 잘 다스려져 태평한 세상.
* 난세 : 전쟁이나 사회의 무질서 따위로 어지러운 세상.

16. 윗글의 논지 전개 방식으로 가장 적절한 것은?

① 특정 대상에 대한 새로운 관점을 제시하고 그 관점에 대한 내용을 구체화하고 있다.
② 문제를 제기한 후 그 원인을 다양한 측면에서 논리적으로 분석하고 있다.
③ 특정 이론에 대한 비판들을 검토하고 그 이론에 대한 의의를 밝히고 있다.
④ 상반된 입장의 장점과 단점을 종합하여 더 나은 결론을 도출하고 있다.
⑤ 특정한 가설을 설정하고 구체적 사례를 들어 증명하고 있다.

17. [A]에 드러나는 '하늘'에 대한 고대 중국인들의 인식으로 적절하지 <u>않은</u> 것은?

① 인간에게 자신의 의지를 심어 인간이 두려움을 갖고 복종해야 하는 존재로 인식하였다.
② 인간 왕조의 탄생이나 정치적 변천과 무관한 존재로 인식하였다.
③ 인간이 할 수 없는 불가능한 일을 해결할 수 있다고 인식하였다.
④ 인간의 힘으로 거스를 수 없는 신비한 존재로 인식하였다.
⑤ 인간의 길흉화복을 결정짓는 주체로 인식하였다.

18. **불구지천**에 대한 설명으로 적절한 것을 <보기>에서 있는 대로 모두 고른 것은?

<보 기>

ㄱ. 재앙이 닥쳤을 때 하늘에 기대기보다 인간들의 의지를 중시한다.
ㄴ. 자연은 제 나름대로 변화의 길이 있으며 이는 인간의 길과 다르다.
ㄷ. 치세와 난세의 원인을 권선징악의 주재자인 하늘에서 찾고자 한다.
ㄹ. 하늘의 의지를 알아보려는 종교적 사유의 접근을 비판하고자 한다.

① ㄱ, ㄴ ② ㄱ, ㄷ ③ ㄷ, ㄹ
④ ㄱ, ㄴ, ㄹ ⑤ ㄴ, ㄷ, ㄹ

19. 윗글의 순자와 <보기>의 맹자의 견해를 비교한 내용으로 가장 적절한 것은? [3점]

<보 기>

맹자는 하늘이 인륜의 근원이며, 인륜은 하늘의 덕성이 발현된 것으로 본다. 하늘이라는 존재는 이런 면에서 도덕적으로 의의를 가진다고 했다. 따라서 사람이 하늘의 덕성을 받아 그것을 자신의 덕성으로 삼고, 이를 노력하고 수양하여 실현해 나가면 사람의 덕성과 하늘의 덕성은 서로 통하게 된다는 것이다.

① 순자는 맹자와 달리 하늘은 인간에 내재하는 가장 본질적인 근원이라 생각하였다.
② 순자는 맹자와 달리 비가 내리고 바람이 부는 것을 하늘의 도덕적 의지의 표현이라 생각하였다.
③ 맹자는 순자와 달리 하늘은 인간의 도덕 근거로서의 의미를 지닌다고 생각하였다.
④ 맹자는 순자와 달리 자연의 힘을 이용할 줄 아는 인간의 주체적, 능동적 노력을 강조하였다.
⑤ 순자와 맹자는 인간이 하늘의 덕성을 본받아 자신의 능력을 최대한 발휘해야 할 것을 강조하였다.

[20~23] 다음 글을 읽고 물음에 답하시오.

(가)
어느 집 담장을 넘어 달겨드는
이것은,
치명적인 ㉠냄새

식은 ㉡감자알 굵작거리며 평상에 엎드려 산수 숙제를 하던, 엄마 내 친구들은 내가 감자가 좋아서 감자밥 도시락만 먹는 줄 알아. 열한 식구 때꺼리를 감자 없이 무슨 수로 밥을 해 대냐고, 귀밝은 할아버지는 땅밑에서 감자알 크는 소리 들린다고 흐뭇해하셨지만 엄마 난 땅속에서 자라는 것들이 무서운데, 뿌리 끝에 댕글댕글한 어지럼증을 매달고 식구들이 밥상머리를 지킨다 하나둘 숟가락 내려놓을 때까지 엄마 밥주발엔 숟가락 꽂히지 않는다.

어릴 적 질리도록 먹은 건 싫어하게 된다더니, 감자 삶는 냄새
이것은,
치명적인 그리움

꽃은 꽃대로 놓아두고 저는 땅 밑으로만 궁그는,
㉢꽃 진 자리엔 얼씬도 하지 않는,
열한 개의 구덩이를 가진 늙은 애기집

– 김선우, 「감자 먹는 사람들」 –

(나)

[A]
산 너머 고운 노을을 보려고
그네를 힘차게 차고 올라 발을 굴렀지
노을은 끝내 **어둠**에게 잡아먹혔지
나를 태우고 날아가던 ㉣그넷줄이
오랫동안 삐걱삐걱 떨고 있었어

[B]
어릴 때는 ㉤나비를 좇듯
아름다움에 취해 땅끝을 찾아갔지
그건 아마도 끝이 아니었을지도 몰라
그러나 살면서 몇 번은 **땅끝**에 서게도 되지
파도가 끊임없이 땅을 먹어 들어오는 막바지에서
이렇게 뒷걸음질치면서 말야

[C]
살기 위해서는 이제
뒷걸음질만이 허락된 것이라고
파도가 아가리를 쳐들고 달려드는 곳
찾아나선 것도 아니었지만
끝내 발 디디며 서 있는 땅의 끝,
그런데 이상하기도 하지
위태로움 속에 아름다움이 스며 있다는 것이
땅끝은 늘 젖어 있다는 것이
그걸 보려고
또 몇 번은 **여기**에 이르리라는 것이

– 나희덕, 「땅끝」 –

20. (가)와 (나)에 대한 설명으로 가장 적절한 것은?

① (가)는 설의적 표현을 통해 대상의 속성을 강조하고 있다.
② (가)는 반어적 표현을 활용하여 대상에 대한 냉소적 태도를 드러내고 있다.
③ (나)는 구체적 청자와의 대화를 통해 시상을 전개하고 있다.
④ (나)는 특정한 종결 어미를 반복하여 운율을 형성하고 있다.
⑤ (가)와 (나)는 화자의 이동 경로에 따라 화자의 정서를 구체화하고 있다.

21. 다음은 (가)의 화자가 어머니께 쓴 편지의 일부이다. 시적 상황을 고려할 때, ⓐ~ⓔ 중 적절하지 않은 것은?

… 어머니, 그 시절 저는 ⓐ학교에 감자밥 도시락을 싸서 다니는 것이 그렇게 좋지만은 않았습니다. 그래서 어느 날인가 그 얘기를 했더니 곁에 계시던 ⓑ할아버지께서는 감자 드시는 것이 오히려 좋다시며 저를 나무라셨지요. 지금 생각해 보면 감자라도 밥에 섞지 않으면 11명이나 되는 식구들을 먹이기가 쉽지 않았음을 이해하게 됩니다. 특히 ⓒ식구들의 밥이 모자랄까봐 식구들이 밥을 다 먹을 때까지 기다리시던 어머니의 모습이 아직도 눈에 선합니다. 하지만 그때 저는 어렸고, ⓓ감자에 대한 거부감까지 가지고 있었습니다. ⓔ그런데 지금은 왜 이렇게 그리운지 모르겠습니다. 그것은 아마 어머니의 가족에 대한 사랑을 깨달아서가 아닌가 합니다. …

① ⓐ ② ⓑ ③ ⓒ ④ ⓓ ⑤ ⓔ

22. [A]~[C]에 대한 이해로 적절하지 않은 것은? [3점]

① [A]에서 화자는 '어둠'을 통해 자신이 느끼는 암담한 심정을 드러내고 있다.
② [A]에서 화자는 '그네'를 굴림으로써 이상적 대상에 다가가고 싶은 마음을 표현하고 있다.
③ [B]에서 화자는 '땅끝'을 현실에서 벗어난 이상적 공간으로 인식하고 있다.
④ [C]에서 화자는 달려드는 '파도'를 삶의 위태로움으로 인식하고 있다.
⑤ [C]에서 화자는 '여기'에서 삶에 대한 역설적 깨달음을 얻고 있다.

23. <보기>를 참고할 때, ㉠~㉤ 중 ㉮에 해당되는 것으로 가장 적절한 것은?

<보 기>

기억은 어떻게 재생되느냐에 따라 자발적 기억과 비자발적 기억으로 나눌 수 있다. 자발적 기억은 우리 의지에 따라 수행되는 기억이고, 비자발적 기억은 어떤 사건이나 사물 혹은 사람과 우연히 마주쳤을 때 발생하는 기억이다. 완전히 잊었다고 생각했던 과거의 일이 어떤 일을 계기로 우연히 떠오를 때가 있는데 이런 기억이 바로 비자발적 기억이다. 이때 ㉮비자발적 기억을 우연히 떠오르게 하는 요인으로 시각적 경험뿐 아니라 후각, 촉각적 경험 등도 작용한다.

① ㉠ ② ㉡ ③ ㉢ ④ ㉣ ⑤ ㉤

[24~26] 다음 글을 읽고 물음에 답하시오.

[앞부분 줄거리] 덕순은 동네 어른으로부터 이상한 병에 걸린 사람이 병원에 가면 월급도 주고 병도 고쳐 준다는 말을 듣는다. 덕순은 열세 달이 되도록 배가 불러만 있는 아내가 이상한 병에 걸렸다고 믿고, 아내를 업고 팔자를 고칠 희망에 차 대학병원으로 향한다.

"이 뱃속에 어린애가 있는데요, 나올려다 소문이 적어서 그대로 죽었어요. 이걸 그냥 둔다면 앞으로 일주일을 못 갈 것이니 불가불 수술을 해야 하겠으나 또 그 결과가 반드시 좋다고 단언할 수도 없는 것이매 배를 가르고 아이를 꺼내다 만일 사불여의*하여 불행을 본다더라도 전혀 관계없다는 승낙만 있으면 내일이라도 곧 수술을 하겠어요."

하고 나 어린 간호부는 조금도 거리낌 없는 어조로 줄줄 쏟아 놓다가,

"어떻게 하실 테야요?"

"글쎄요……."

덕순이는 이렇게 얼떨떨한 낯으로 다시 한번 뒤통수를 긁지 않을 수 없었다.

간호부의 말이 무슨 소린지 다는 모른다 하더라도 속대중으로 저쯤은 알아챘던 것이니 아내의 생명이 위험하다는 그 말이 두렵기도 하려니와 겨우 아이를 뱄다는 것쯤, 연구 거리는 못 되는 병인 양 싶어 우선 낙심하고 마는 것이다. 하나 이왕 버린 노릇이매,

"그럼 먹을 것이 없는데요……."

"그건 여기서 입원시키고 먹일 것이니까 염려 마셔요……."

"그런데요 저……."

하고 덕순이는 열적은* 낯을 무얼로 가릴지 몰라 주볏주볏,

"월급 같은 건 안 주나요?"

"무슨 월급이오?"

"왜 여기서 병을 고치면 월급을 주는 수도 있다지요."

"제 병 고쳐 주는데 무슨 월급을 준단 말이오?"

하고 맨망스레도 톡 쏘는 바람에 덕순이는 고만 얼굴이 벌게지고 말았다. 팔자를 고치려던 그 계획이 완전히 어그러졌음을 알자, 그의 주린 창자는 척 꺾이며 두꺼운 손으로 이마의 진땀이나 훑어보는 밖에 별 도리가 없는 것이다. 하나 아내의 생명은 어차피 건져야 하겠기로 공손히 허리를 굽신하여,

"그럼 낼 데리고 올게, 어떻게 해주십시오."

하고 되도록 빌붙어 보았던 것이, 그때까지 끔찍끔찍한 소리에 얼이 빠져서 멀뚱히 누웠던 아내가 별안간 기급을 하여 일어나 살뚱맞은 목성으로,

"나는 죽으면 죽었지 배는 안 째요."

하고 얼굴이 노랗게 되는 데는 더 할 말이 없었다. 죽이더라도 제 원대로나 죽게 하는 것이 혹은 남편 된 사람의 도릴지도 모른다. 아내의 꼴에 하도 어이가 없어,

"죽는 거보담야 수술을 하는 게 좀 낫겠지요!"

비소*를 금치 못하고 섰는 간호부와 의사가 눈에 보이지 않도록, 덕순이는 시선을 외면하여 뚱싯뚱싯 아내를 업고 나왔다. 지게 위에 올려놓은 다음 엎디어 다시 지고 일어나려니 이게 웬일일까, 아까 오던 때와는 갑절이나 무거웠다.

㉠덕순이는 얼마 전에 희망이 가득히 차 올라가던 길을 힘 풀린 걸음으로 터덜터덜 내려오고 있었다. 보지는 않아도 지게 위에서 소리를 죽여 훌쩍훌쩍 울고 있는 아내가 눈앞에 환한 것이다. 학식이 많은 의사는 일자무식인 덕순이 내외보다는 더

많이 알 것이니 생명이 한 이레를 못 가리라던 그 말을 어째 볼 도리가 없다. 인제 남은 것은 우중충한 그 냉골에 갖다 다시 눕혀 놓고 죽을 때나 기다리고 있을 따름이었다.

덕순이는 눈 위로 덮는 땀방울을 주먹으로 훔쳐 가며 장차 캄캄하여 올 그 전도를 생각해 본다. 서울을 장대고 왔던 것이 벌이도 제대로 안 되고 게다가 인젠 아내까지 잃는 것이다. 지에미붙을! 이놈의 팔자가, 하고 딱한 탄식이 목을 넘어오다 꽉 깨무는 바람에 한숨으로 터져 버린다.

한나절이 되자 더위는 더한층 무서워진다.

덕순이는 통째 짓무를 듯싶은 등어리를 견디지 못하여 먼젓번에 쉬어 가던 나무 그늘에 지게를 벗어 놓는다. 땀을 들여 가며 아내를 가만히 내려다보니 그동안 고생만 시키고 변변히 먹이지도 못하였던 것이 갑자기 후회가 나는 것이다. ㉡ 이럴 줄 알았더면 동넷집 닭이라도 훔쳐다 먹였을 걸 싶어,

"울지 말아, 그것들이 뭘 아나 제까짓 게!"

하고 소리를 빽 지르고는,

"채미* 하나 먹어 볼 테야?"

"채민 싫어요."

아내는 더위에 속이 탔음인지 한길 건너 저쪽 그늘에서 팔고 있는 얼음냉수를 손으로 가리킨다. 남편이 한푼 더 보태어 담배를 사려던 그 돈으로 얼음냉수를 한 그릇 사다가 입에 먹여까지 주니 아내도 황송하여 한숨에 들이켠다. ㉢ 한 그릇을 다 먹고 나서 하나 더 사다 주랴 물었을 때 이번에 왜떡이 먹고 싶다 하였다. 덕순이는 이것이 마지막이라는 생각으로 나머지 돈으로 왜떡 세 개를 사다 주고는 그대로 눈물도 씻을 줄 모르고 그걸 오직오직 깨물고 있는 아내를 이윽히 바라보고 있었다. 그러나 아내가 무슨 생각을 하였는지 왜떡을 입에 문 채 훌쩍훌쩍 울며,

㉣ "저 사촌 형님께 쌀 두 되 꿔다 먹은 거 부대 잊지 말구 갚우."

하고 부탁할 제 이것이 필연 아내의 유언이라 깨닫고는,

"그래 그건 염려 말아!"

"그리구 임자 옷은 영근 어머니더러 사정 얘길 하구 좀 빨아 달래우."

하고 이야기를 곧잘 하다가 다시 입을 일그리고 훌쩍훌쩍 우는 것이다.

덕순이는 그 유언이 너무 처량하여 눈에 눈물이 핑 돌아 가지고는 지게를 도로 지고 일어선다. 얼른 갖다 눕히고 죽이라도 한 그릇 더 얻어다 먹이는 것이 남편의 도릴 게다.

㉤ 때는 중복, 허리의 쇠뿔도 녹이려는 뜨거운 땡볕이었다.

덕순이는 빗발같이 내려붓는 등골의 땀을 두 손으로 번갈아 훔쳐 가며 끙끙 내려올 제, 아내는 지게 위에서 그칠 줄 모르는 그 수많은 유언을 차근차근 남기자, 울자, 하는 것이다.

– 김유정, 「땡볕」 –

* 사불여의 : 일이 뜻대로 되지 아니함.
* 열적은 : 부끄러운
* 비소 : 남을 비방하거나 비난하여 웃음.
* 채미 : 참외의 사투리.

24. 윗글의 서술상 특징으로 가장 적절한 것은?

① 시점의 변화를 통해 사건을 다각적으로 제시하고 있다.
② 특정 인물의 심리에 초점을 맞춰 사건을 서술하고 있다.
③ 객관적인 시선으로 등장인물들의 행동을 관찰하고 있다.
④ 이야기 속의 이야기를 통해 인물의 심리를 드러내고 있다.
⑤ 과거와 현재의 반복적인 교차로 사건의 원인을 드러내고 있다.

25. ㉠~㉤에 대한 이해로 적절하지 <u>않은</u> 것은?

① ㉠ : 상황에 대한 덕순의 인식이 달라졌음을 보여 준다.
② ㉡ : 덕순의 어려운 가정 형편과 아내에 대한 안타까운 마음을 드러낸다.
③ ㉢ : 아내를 위로함으로써 상황이 나아질 것이라는 기대감을 드러낸다.
④ ㉣ : 비정한 현실 속에서도 따뜻한 인간미를 잃지 않는 아내의 모습을 보여 준다.
⑤ ㉤ : 덕순 내외가 겪는 삶의 힘겨움과 가혹한 현실을 드러낸다.

26. <보기>를 참고하여 윗글을 감상한 내용으로 적절하지 <u>않은</u> 것은? [3점]

<보 기>

김유정 작품의 특징은 중심인물들이 대부분 순박하고 어리숙하다는 점이다. 작가는 그런 인물들을 연민의 시선으로 바라봄으로써 인물이 겪는 문제의 원인이 개인이 아니라 부조리한 사회에 있음을 보여준다.

작가는 「땡볕」에서 이러한 문제의식을 보여주기 위해 인물의 성격과 대비되는 속성을 가진 대학병원을 배경으로 설정했다. 덕순 내외는 동네 어른의 말만 믿고 희망에 차 대학병원을 찾았으나 돈이 없어 병을 치료하지 못하고 비극적 죽음을 앞두게 된다. 이를 통해 근대 자본주의 사회의 비인간성과 모순을 비판하고 있다.

① 돈이 없어 죽음을 맞을 수밖에 없는 부조리한 현실을 통해 당대 사회의 문제를 비판하고 있군.
② 동네 어른의 말만 믿고 무작정 병원을 찾아가는 모습을 통해 덕순의 어리숙한 성격을 알 수 있군.
③ 죽음을 앞두고 소리 죽여 우는 아내의 모습을 통해 비극적 상황에 좌절하는 개인을 형상화하고 있군.
④ 덕순이 월급을 받을 수 없다는 사실에 실망하는 장면을 통해 자본주의 사회의 비인간성을 보여주고 있군.
⑤ 순박한 인간미를 가진 인물과 냉정한 속성을 지닌 대학병원의 대비를 통해 작가의 문제의식이 부각되고 있군.

15회

[27~32] 다음 글을 읽고 물음에 답하시오.

냉수 속 얼음은 1시간을 ⓐ 넘기지 못하고 모두 녹아버린다. 반면 북극 해빙 또한 얼음이지만, 10℃가 넘는 한여름에도 다 녹지 않고 바다에 떠 있다. 왜 해빙의 수명은 냉수 속 얼음보다 긴 걸까?

해빙의 수명이 긴 이유를 알기 위해서는 냉수 속 얼음에 작용하는 열에너지의 전달에 관한 두 가지 원리를 먼저 살펴볼 필요가 있다. 첫째, 열에너지는 온도가 높은 곳에서 낮은 곳으로 전달되는데, 이 때문에 온도가 다른 물체들이 서로 접촉하면 '열적 평형'을 이루려고 한다. 열적 평형은 접촉한 물체들의 열이 똑같아져 서로 어떠한 영향도 주거나 받지 않는 상태이다. 예를 들어 3℃인 냉장고 속에 얼음이 든 냉수를 오랜 시간 동안 두면, 냉수와 얼음의 온도는 모두 3℃가 되어 얼음이 모두 녹아 버릴 것이다. 둘째, 열에너지는 두 물체 사이의 접촉 면을 통해서만 전달되며, 접촉 면이 클수록 전달되는 열에너지의 양은 커진다. 앞서 말한 상황에서는 열에너지가 냉수와 얼음이 맞닿는 면을 통해 전달되므로, 얼음이 냉수와 더 많이 맞닿을수록 전달되는 열에너지도 커진다. 따라서 열적 평형을 이루기 전까지 두 물체 간 전달되는 열에너지의 양은 둘 사이의 온도 차, 접촉 시간, 접촉 면의 면적과 비례함을 알 수 있다.

그러면 얼음이 모두 녹아 물로 변하는 데에는 시간이 얼마나 걸릴까? 이를 알아내기 위해서 3℃로 유지되는 냉수 속에 정육면체인 얼음 하나를 완전히 잠기게 해서 공기와 접촉할 수 없는 상황을 설정해 보자. 실험 결과 한 변의 길이가 1㎝인 정육면체 얼음이 완전히 녹는 시간은 약 2시간이다. 한편, 같은 냉수 속에 한 변의 길이가 1㎝인 정육면체 얼음 8개를 담근다고 해 보자. 8개의 얼음이 모두 물에 잠겨 있을 때에도 얼음이 완전히 녹는 데에 걸리는 시간은 여전히 약 2시간이다. 왜냐하면 각각의 얼음 주변을 물이 완전히 둘러싸고 있어 각각의 얼음이 접촉한 면적은 모두 같으며, 각각의 얼음의 부피는 동일하기 때문이다. 즉, 물에서 각각의 얼음으로 전달되는 열에너지의 양은 물과 얼음의 접촉 면이 모두 동일하다면 개수가 얼마든 변함이 없다.

그런데 한 변의 길이가 1cm인 정육면체 8개를 붙여 한 변의 길이가 2cm인 정육면체 하나로 만들어 냉수 속에 넣는다면 어떻게 될까? 이때는 결과가 달라진다. 얼음덩어리 전체의 부피는 8㎤로 같지만, 물과 접촉한 정육면체 얼음의 총 면적이 달라지기 때문이다. 한 변의 길이가 1㎝인 정육면체 얼음 8개가 각각 물에 잠겨 있다고 할 때의 물에 접촉하는 얼음의 총 면적은 48㎠이지만, 이것을 붙여 각 변의 길이를 2㎝로 만든 정육면체 얼음이 물과 접촉하는 총 면적은 24㎠이다. 물과 접촉하는 면적이 절반으로 줄었기 때문에 같은 시간 동안 물에서 얼음으로 전달되는 열에너지의 양도 반으로 줄어들게 된다. 따라서 이 얼음이 다 녹는 데 필요한 시간은 2배만큼 늘어난 약 4시간가량이다.

이를 북극 해빙에 적용해 보자. 이때 해빙은 정육면체이며 공기와 접촉하지만 공기와 열에너지를 교환하지 않는다고 가정하자. 해빙은 바다 위에 떠 있기에 물에 잠긴 정육면체 얼음과 달리 바닥 부분만 바닷물과 접촉하고 있다. 그래서 바닷물의 열에너지는 해빙과 바닷물이 접촉하는 바닥 부분으로만 전달된다. 이는 정육면체의 여섯 면 중 한 면만 닿는 것이기 때문에, 같은 부피의 해빙은 물에 잠긴 정육면체 얼음덩어리보다 녹는 시간이 6배 오래 걸린다. 따라서 수명이 훨씬 긴 것이다.

북극 해빙이 쉽게 녹지 않는 또 다른 이유는 부피와 면적 간의 관계 때문이다. 먼저 얼음이 녹는다는 것은 얼음의 부피가 없어진다는 것이기 때문에, 얼음의 부피가 클수록 녹아야 할 얼음의 양은 많다. 또한 얼음이 녹는 것은 앞서 살펴봤듯이 얼음이 물에 닿는 면적과 관련이 있기 때문에, 물에 닿는 면적이 넓을수록 얼음이 녹는 양은 많다. 따라서 얼음이 녹는 시간은 부피가 클수록 길어지고 물에 닿는 면적이 클수록 짧아짐을 알 수 있다. 여기서 길이가 L배 커지면 면적은 L^2, 부피는 L^3만큼 비례하여 커진다는 '제곱-세제곱 법칙'을 적용하면 얼음이 녹는 시간은 L배만큼 길어짐을 알 수 있다. 예를 들어 한 변의 길이가 2㎝인 정육면체 얼음은 한 변의 길이가 1㎝인 정육면체 얼음보다 길이가 2배 길기 때문에 녹는 시간도 2배 긴 약 4시간가량이 된다. 또한 여기서 면적이 늘어나는 것보다 부피가 늘어나는 비율이 훨씬 큼도 알 수 있다. 북극 해빙의 면적은 수천만㎢가 넘지만 부피는 이보다 계산하기 어려울 정도로 매우 크기 때문에 해빙이 녹는 시간은 그만큼 늘어나는 것이다. 결국 해빙은 실제 다양한 조건을 고려하더라도 물에 닿는 면이 한 면뿐이고, 닿는 면적에 비해 부피가 매우 크기 때문에 10℃가 넘는 북극의 한여름에도 다 녹지 않고 바다에 떠 있을 수 있는 것이다.

27. 윗글을 읽을 때 사용할 독서 전략으로 가장 적절한 것은?

① 질문에 대한 글쓴이의 추론 과정을 분석하며 읽는다.
② 질문에서 묻는 개념의 변천 과정에 주목하며 읽는다.
③ 질문에 대한 다양한 의견들을 서로 비교해 가며 읽는다.
④ 질문과 관련된 사람들의 일반적인 생각을 비판하며 읽는다.
⑤ 질문에 대한 글쓴이의 입장과 반대되는 의견을 찾으며 읽는다.

28. 윗글의 내용으로 적절하지 않은 것은?

① 북극 해빙의 면적은 부피에 반비례한다.
② 열에너지는 온도가 높은 곳에서 낮은 곳으로 이동한다.
③ 북극 해빙은 물에 닿는 면이 한 면이어서 녹는 시간이 길어진다.
④ 얼음이 물과 접촉하는 면적과 전달되는 열에너지의 양은 비례한다.
⑤ 열적 평형 상태에서는 접촉한 두 물체 간 열에너지의 전달이 일어나지 않는다.

29. 윗글을 바탕으로 <보기>를 추론한 내용 중 가장 적절한 것은?

<보 기>

시우는 윗글을 읽고 얼마 전에 다녀온 석빙고를 떠올린 뒤, 한여름에 석빙고의 정육면체 얼음들을 녹지 않게 하기 위한 가장 효율적인 방법이 무엇인지에 대해 탐구해 보았다.

① 얼음들을 원형으로 만들어 보관한다.
② 얼음들을 일정 간격을 두고 보관한다.
③ 얼음들을 한 줄로 높이 세워 보관한다.
④ 얼음들의 표면에 차가운 물을 뿌려서 보관한다.
⑤ 얼음들을 정육면체 한 덩어리로 만들어 보관한다.

30. 윗글을 참고하여 <보기>의 상황을 분석한 결과로 적절하지 않은 것은? [3점]

<보 기>

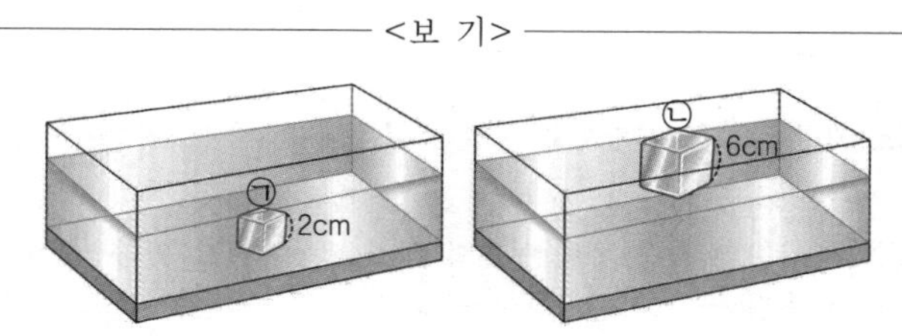

* 위 실험에서 수온은 3℃로 일정하게 유지되며, 물에 완전히 잠긴 얼음 ㉠과 물 위에 떠 있는 얼음 ㉡은 모두 정육면체이고, 물 이외의 다른 요인을 통해 전달되는 열에너지는 고려하지 않음.

① ㉠과 ㉡의 면적은 9배 차이가 난다.
② ㉠과 ㉡의 부피는 27배 차이가 난다.
③ ㉠을 6시간 후에 관찰하면 완전히 녹아 있을 것이다.
④ ㉠을 ㉡처럼 물에 띄운다면, 완전히 녹는 시간은 약 8시간이다.
⑤ ㉡을 한 변이 3㎝인 정육면체 얼음 8개로 쪼갠 뒤 물에 잠기게 할 때 완전히 녹는 시간은 약 6시간이다.

31. 윗글과 <보기>를 통해 추론할 수 있는 내용으로 적절한 것은?

<보 기>

일반적으로 동물이 생산하는 열에너지는 동물의 무게와 부피에 비례한다. 코끼리는 무게와 부피가 육상 동물 중 가장 크다. 그래서 코끼리는 때때로 커다란 귀를 흔들어 부채질을 해야만 체온을 일정하게 유지할 수 있는데, 이는 귀에 수많은 모세혈관이 있어 귀를 흔들면 혈액의 온도를 낮출 수 있기 때문이다.

① 코끼리는 외부 기온이 체온보다 높아지면 체온을 유지하기가 쉬울 것이다.
② 코끼리는 다른 육상 동물에 비해 몸에서 만들어내는 열에너지가 부족할 것이다.
③ 더운 지역에 사는 코끼리는 다른 지역에 사는 코끼리보다 귀의 면적이 작을 것이다.
④ 코끼리는 다른 육상 동물에 비해 열에너지 방출에 필요한 피부 면적이 충분하지 않을 것이다.
⑤ 평균보다 몸무게가 많이 나가는 코끼리는 평균적인 코끼리보다 귀를 펄럭거리는 횟수가 적을 것이다.

32. 밑줄 친 단어 중 ⓐ의 문맥적 의미와 가장 유사한 것은?

① 그는 목감기에 걸려 밥을 넘기지 못했다.
② 그는 나무를 제대로 베어 넘기지 못했다.
③ 그는 네트 너머로 배구공을 넘기지 못했다.
④ 그는 끝내 원고를 출판사에 넘기지 않았다.
⑤ 그는 그 일을 처리하는 데 일주일을 넘기지 않았다.

[33~36] 다음 글을 읽고 물음에 답하시오.

각설 대명(大明) 성화 년간에 형주(荊州) 구계촌(九溪村)에 한 사람이 있으되, 성은 홍(洪)이요 이름은 무라. 세대 명문거족(名門巨族)으로 소년 급제하여 벼슬이 이부시랑에 있어 충효 강직하니, 천자 사랑하사 국사를 의논하시니, 만조백관이 다 시기하여 모함하매, 죄 없이 벼슬을 빼앗기고 고향에 돌아와 농업에 힘쓰니, 가세는 부유하나 슬하에 일점혈육이 없어 매일 슬퍼하더니, 일일은 부인 양씨(梁氏)와 더불어 탄식하며 말하기를,

"나이 사십에 아들이든 딸이든 자식이 없으니, 우리 죽은 후에 후사를 누구에게 전하며 지하에 돌아가 조상을 어찌 뵈오리오."

부인이 공손하게 말하기를,

"불효삼천(不孝三千)에 무후위대(無後爲大)*라 하오니, 첩이 귀한 가문에 들어온 지 이십여 년이라. 한낱 자식이 없사오니, 어찌 상공을 뵈오리까. 원컨대 상공은 다른 가문의 어진 숙녀를 취하여 후손을 보신다면, 첩도 칠거지악을 면할까 하나이다."

시랑이 위로하여 말하기를,

"이는 다 내 팔자라. 어찌 부인의 죄라 하리오. 차후는 그런 말씀일랑 마시오." 하더라.

이때는 추구월 보름이라. 부인이 시비(侍婢)를 데리고 망월루에 올라 월색을 구경하더니 홀연 몸이 곤하여 난간에 의지하매 비몽간(非夢間)에 선녀 내려와 부인께 재배하고 말하기를,

"소녀는 상제(上帝) 시녀옵더니, 상제께 득죄하고 인간에 내치시매 갈 바를 모르더니 세존(世尊)이 부인댁으로 지시하옵기로 왔나이다."

하고 품에 들거늘 놀라 깨달으니 필시 태몽이라. 부인이 크게 기뻐하여 시랑을 청하여 몽사를 이야기하고 귀한 자식 보기를 바라더니, 과연 그달부터 태기 있어 열 달이 차매 일일은 집안에 향취 진동하며 부인이 몸이 곤하여 침석에 누웠더니 아이를 탄생하매 여자라. 선녀 하늘에서 내려와 옥병을 기울여 아기를 씻겨 누이고 말하기를,

"부인은 이 아기를 잘 길러 후복(厚福)을 받으소서."

하고 문을 열고 나가며 말하기를,

"오래지 아니하여서 뵈올 날이 있사오리다."

하고 문득 가옵거늘 부인이 시랑을 청하여 아이를 보인대 얼굴이 도화(桃花) 같고 향내 진동하니 진실로 월궁항아(月宮姮娥)*더라. 기쁨이 측량 없으나 남자 아님을 한탄하더라. 이름을 계월(桂月)이라 하고 장중보옥(掌中寶玉)*같이 사랑하더라.

계월이 점점 자라나매 얼굴이 화려하고 또한 영민한지라. 시랑이 계월이 행여 수명이 짧을까 하여 강호 땅에 곽도사라 하는 사람을 청하여 계월의 상(相)을 보인대, 도사 지그시 보다가 말하기를,

"이 아이 상을 보니 다섯 살이 되는 해에 부모를 이별하고

15 회

십팔 세에 부모를 다시 만나 공후작록(公侯爵祿)*을 올릴 것이오, 명망이 천하에 가득할 것이니 가장 길하도다."
시랑이 그 말을 듣고 놀라 말하기를,
"명백히 가르치소서."
도사 말하기를,
"그 밖에는 아는 일이 없고 천기를 누설치 못하기로 대강 설화하나이다."
하고 하직하고 가는지라. 시랑이 도사의 말을 듣고 도리어 듣지 않은 것만 못하다 여기고, 부인을 대하여 이 말을 이르고 염려 무궁하여 계월을 남복(男服)으로 입혀 초당에 두고 글을 가르치니 한 번 보면 다 기억하는지라. 시랑이 안타까워 말하기를,
"네가 만일 남자 되었다면 우리 문호를 더욱 빛낼 것을 애닯도다." 하더라.

[중략 줄거리] 장사랑의 난이 일어나 계월은 부모와 헤어졌지만, 여공의 구원으로 살아나고 그의 아들 보국과 함께 공부하여 과거에 급제한다. 이후 서달의 난을 진압하고 부모와 재회하게 된다. 그러던 중 계월이 여자임이 밝혀지면서 천자의 중매로 보국과 결혼을 한다. 이후 오왕과 초왕이 황성을 침입하자, 계월은 원수로 임명되고 보국과 함께 출전한다.

이튿날, 원수 중군장에게 분부하되,
"오늘은 중군장이 나가 싸워라." 하니,

[A] 중군장이 명령을 듣고 말에 올라 삼척장검을 들고 적진을 향해 외치기를,
"나는 명나라 중군장 보국이라, 대원수의 명을 받아 너희 머리를 베라 하니 바삐 나와 내 칼을 받으라."
하니, 적장 운평이 이를 듣고 크게 화를 내며 말을 몰아 싸우더니 세 번도 채 겨루지 못하여 보국의 칼이 빛나며 운평 머리 말 아래 떨어지니 적장 운경이 운평 죽음을 보고 대분하여 말을 몰아 달려들거늘, 보국이 승기 등등하여 장검을 높이 들고 서로 싸우더니 수합이 못하여 보국이 칼을 날려 운경의 칼 든 팔을 치니 운경이 미처 손을 올리지 못하고 칼 든 채 말 아래에 나려지거늘,
보국이 운경의 머리를 베어들고 본진으로 돌아오던 중, 적장 구덕지 대노하여 장검을 높이 들고 말을 몰아 크게 고함하며 달려오고, 난데없는 적병이 또 사방으로 달려들거늘, 보국이 황겁하여 피하고자 하더니 한순간에 적병이 함성을 지르고 보국을 천여 겹 에워싸는지라 사세 위급하매 보국이 앙천탄식하더니,

이때 원수 장대에서 북을 치다가 보국의 위급함을 보고 급히 말을 몰아 장검을 높이 들고 좌충우돌하며 적진을 헤치고 구덕지 머리를 베어 들고 보국을 구하여 몸을 날려 적진을 충돌할 새, 동에 가는 듯 서장을 베고 남으로 가는 듯 북장을 베고 좌충우돌하여 적장 오십여 명과 군사 천여 명을 한 칼로 베고 본진으로 돌아올 새, 보국이 원수 보기를 부끄러워하거늘, 원수 보국을 꾸짖어 말하기를,
"저러하고 평일에 남자라 칭하고 나를 업신여기더니, 언제도 그리할까."
하며 무수히 조롱하더라.

– 작자 미상, 「홍계월전」 –

* 불효삼천에 무후위대 : 삼천 가지 불효 중 자식 없는 것이 가장 큰 불효임을 이르는 말.
* 월궁항아 : 전설 속에서 달에 산다는 선녀로, 아름다운 여인을 흔히 비유적으로 이르는 말.
* 장중보옥 : 귀하고 보배롭게 여기는 존재를 비유적으로 이르는 말.
* 공후작록 : 높은 지위에 오른다는 말.

33. 윗글에 대한 설명으로 적절한 것은?

① 외양 묘사를 통해 인물을 희화화하고 있다.
② 요약적 서술을 통해 인물의 내력을 제시하고 있다.
③ 대립된 공간을 설정하여 인물 간의 갈등을 제시하고 있다.
④ 초월적 존재와의 대화를 통해 인물의 고뇌가 드러나고 있다.
⑤ 여러 개의 이야기를 나열하여 다양한 관점에서 사건을 재구성하고 있다.

34. 윗글에 대한 이해로 적절하지 않은 것은?

① '홍무'는 '양씨 부인'과 함께 자식이 없음을 한탄하고 있다.
② '양씨 부인'은 '홍무'에게 첩을 들일 것을 권하고 있다.
③ '곽도사'는 '계월'이 어려움에 처할 것을 알려 주고 있다.
④ '홍무'는 '계월'에게 남장을 시켜 위험을 피하려 하고 있다.
⑤ '보국'은 '원수'의 명령을 따르지 않아 위험에 처하고 있다.

35. <보기>를 바탕으로 윗글을 감상한 내용으로 적절하지 않은 것은? [3점]

<보 기>

「홍계월전」은 남성보다 비범한 능력을 가진 여성 주인공이 위기를 극복하는 모습을 그린 작품으로, 영웅의 일대기 구조를 가지고 있다. 영웅의 일대기 구조에서 주인공은 고귀한 혈통을 지니고 태어나며 잉태나 출생의 과정이 일반인들과 다르다. 어려서부터 비범하나 일찍 부모와 이별하거나 죽을 고비와 같은 위기에 처하고, 양육자 혹은 조력자에 의해 위기에서 벗어난다. 자라서 다시 위기에 부딪치며, 이 위기를 극복하고 승리자가 된다.

① 이부시랑 홍무의 딸로 태어난 사실을 통해 계월이 고귀한 혈통을 지니고 있음을 알 수 있다.
② 선녀가 꿈에서 양씨에게 말하는 내용을 통해 계월을 잉태하는 과정이 일반인들과 다름을 알 수 있다.
③ 계월이 태어났을 때 시랑이 안타까워하는 모습을 통해 어릴 때 위기에 처한 계월의 모습을 알 수 있다.
④ 여공이 계월을 구해 주는 내용을 통해 조력자에 의해 위기에서 벗어난다는 것을 알 수 있다.
⑤ 계월이 보국을 구해 주는 장면을 통해 여성 영웅의 비범한 능력을 알 수 있다.

36. [A]를 <보기>의 시나리오로 각색했다고 할 때, 고려한 내용으로 적절하지 않은 것은?

<보 기>

S# 120. ⓐ (ELS*) 영경루 전쟁터

보국 : ⓑ (삼척장검을 들고 적진을 향해 외치며) 나는 명나라 중군장 보국이라. 대원수의 명을 받아 너희 머리를 베려 하니 적장은 어서 나와 내 칼을 받아라!

운평 : (큰 칼을 휘두르며) 가소롭구나. 감히 어디서 그런 말을…. 내 칼을 받아라.

운평과 보국이 세 번도 채 겨루지 않아 보국의 칼에 운평이 죽는다.

운경 : (운평이 죽는 모습을 보며) 네 이놈!(칼을 휘두르며 말을 몰아 달려 나감.)

보국 : (칼을 막으며) ⓒ 너도 같이 저승길로 보내 주마.

보국이 운경을 죽이고 의기양양한 얼굴을 하고 본진으로 말을 돌린다.

구덕지 : (긴 칼을 휘두르고 크게 고함을 치며) 네 이놈! 살아서 돌아갈 생각을 하지 마라.

ⓓ (E*) 적병들이 사방에서 나타나 보국을 포위한다.

보국 : ⓔ (CU*) (탄식하며) 아뿔싸, 내가 너무 방심했구나.

* ELS : 아주 멀리서 넓은 지역을 조망하는 촬영 기법.
* E : 극, 영화, 방송 등에서 소리 등의 효과.
* CU : 대상의 일부를 두드러지게 강조하기 위해 크게 찍거나 화면에 크게 나타내는 촬영 기법.

① ⓐ에서 대규모 전쟁의 모습을 보여 주기 위해 멀리서 전쟁터를 조망하면서 촬영해야겠어.
② ⓑ에서 장군의 위엄을 드러내기 위해 삼척장검과 이에 어울리는 갑옷을 소품으로 준비해야겠어.
③ ⓒ에서 인물의 당황한 심리를 드러내기 위해 떨리는 목소리로 연기하도록 해야겠어.
④ ⓓ에서 인물의 상황을 부각하기 위해 긴박한 분위기의 효과음을 사용해야겠어.
⑤ ⓔ에서 위기에 처한 인물의 심정을 강조하기 위해 표정을 확대해서 촬영해야겠어.

[37～41] 다음 글을 읽고 물음에 답하시오.

인간은 집단생활을 하기 때문에 분쟁이 발생할 수밖에 없다. 그래서 문제가 발생하는 것을 예방하거나 문제를 원만히 해결하기 위해 규칙을 만든다. 여러 규칙 중 사회 구성원들의 합의에 따라 만들어지고 강제성을 가진 규칙을 법이라고 한다. 이때 강제성은 공공의 이익을 실현하기 위해 사회 구성원들이 동의할 때만 발휘될 수 있다. 이러한 법은 몇 가지 특징이 있는데 먼저 법은 행동의 결과를 중시한다. 왜냐하면 다른 사람이 행동을 평가할 수 있고 그 변화도 확인할 수 있어야 하기 때문이다. 그리고 법은 국민의 자유와 권리를 보호한다. 만약 법이 없다면 권력자나 국가 기관이 멋대로 권력을 휘두를 수 있을 것이다. 마지막으로 법은 최소한의 간섭만 한다. 개인이 처리해도 되는 일까지 법이 간섭한다면 사람들은 숨이 막혀 평온하게 살기 힘들 것이다.

대표적인 법에는 ㉠ 민법과 형법이 있다. 민법은 국가 기관이 아닌, 사람들 간의 권리관계를 다루는 법률로서 재산 관계와 가족 관계로 구성되어 있다. 근대 사회에서 형성된 민법의 원칙은 오늘날까지도 중요하게 여겨지고 있다. 중요 원칙 중 하나는 개인의 사유 재산에 대해 절대적 지배를 인정하고 국가를 비롯한 단체나 개인은 다른 사람의 사유 재산 행사에 간섭하지 못한다는 것이다. 그리고 다른 사람에게 끼친 손해는 그 행위가 위법이고 동시에 고의나 과실에 의한 경우에만 책임을 진다는 원칙도 있다. 그런데 이 원칙들은 경제적 강자가 경제적 약자를 지배하는 수단으로 악용되기도 하여 20세기에 들면서 제한이 생겼다. 그 결과 개인의 사유 재산에 대한 지배는 여전히 보장되지만 공공복리에 적합하도록 행사해야 한다는 것과 같은 수정된 원칙들이 적용되고 있다.

반면, 형법은 범죄와 형벌을 규정하는 법률로서 ㉡ '죄형법정주의'라는 기본 원칙이 있다. 죄형법정주의는 범죄의 행위와 그 범죄에 대한 처벌을 미리 법률로 정해 두어야 한다는 것이다. 그래서 범죄 발생 당시에는 없었던 법이 나중에 생겨도 그것을 소급해서 적용할 수 없다. 또한 민법과 달리 어떤 사항을 직접 규정한 법규가 없을 때, 그와 비슷한 사항을 규정한 법규를 유추하여 적용할 수도 없다.

[A] 형법을 위반한 범죄가 발생하면, 먼저 수사 기관이 수사를 한다. 수사를 개시하는 단서로는 고소, 고발, 인지가 있는데, 이 중 고소는 피해자가 하는 반면 고발은 제3자가 한다. 일반적으로 범죄는 수사기관이 인지하는 것만으로도 수사를 시작할 수 있다. 하지만 명예훼손죄, 폭행죄 등은 수사를 진행했더라도 피해자가 원하지 않으면 처벌하지 않는다. 수사 결과 피의자*가 죄를 범했다고 의심할 만한 충분한 이유가 있다면 구속 영장을 받아 체포해 구속한다. 만약 범죄를 실행 중인 경우는 구속 영장 없이 체포 가능한데, 이 경우 48시간 이내에 구속 영장을 신청해야 하고, 법원은 신청서가 접수된 시간으로부터 48시간 이내에 구속 영장의 발부 여부를 결정해야 한다. 수사 결과 범죄 혐의가 인정되면 검사는 재판을 청구하는데 이를 기소라고 한다. 이때 검사는 피의자의 나이, 환경, 동기 등을 참작하여 기소를 하지 않을 수 있다. 기소로 재판 절차가 시작되면 법원은 사건을 심리*하여 범죄 사실이 확인된 경우 유죄를 선고한다. 유죄가 인정되면 법원이 형을 선고하고 집행 절차에 들어간다.

15회

그런데 만약 동물이 위법한 행동을 하여 다른 사람에게 손해를 끼치면 어떻게 될까? 결론부터 말하면 동물은 아무런 책임이 없다. 법에서는 인간 이외의 것들은 생명의 유무와 상관없이 모두 물건으로 보는데 물건에는 법적 권리가 없다. 법적 권리가 없는 것은 의무와 책임도 없다. 그러므로 동물은 민, 형법상의 책임을 지지 않아도 된다. 다만 손해를 입은 사람은 민법에 따라 동물의 점유자*에게 배상을 받을 수 있다.

* 피의자 : 수사 기관으로부터 범죄의 의심을 받게 되어 수사를 받고 있는 자.
* 심리 : 재판의 기초가 되는 사실이나 법률적 판단을 심사하는 행위.
* 점유자 : 어떤 물건을 소유하고 사실상 지배하는 사람.

37. 법에 관한 설명으로 적절하지 않은 것은?

① 문제가 발생하는 것을 예방하기 위해 사회 구성원의 의사를 반영하여 만든다.
② 권력자의 권력 행사를 제한하여 국민들의 자유와 권리를 지키는 역할을 한다.
③ 법의 간섭이 지나치게 커지게 되면 개인이 삶을 평온하게 유지하기 힘들 것이다.
④ 다른 사람들이 행동을 평가하고 그 변화를 확인할 수 있어야 하므로 결과를 중시한다.
⑤ 목적이 공익과 무관하더라도 사회 구성원의 동의가 있다면 강제성이 발휘될 수 있다.

38. ㉠에 대한 설명으로 적절하지 않은 것은?

① 경제적 강자로부터 경제적 약자를 보호하기 위해 원칙이 수정되었다.
② 국가 기관이 아닌 사람들 간의 권리관계에 문제가 생겼을 경우 적용한다.
③ 위법한 행위가 발생했을 때 의도적으로 잘못을 한 경우에만 책임을 물을 수 있다.
④ 20세기에 들면서 공공복리에 적합하지 않을 경우 개인의 재산권 행사를 제한할 수 있게 되었다.
⑤ 개인이 재산을 사용하는 것에 대해 국가나 타인이 간섭하지 못한다는 원칙이 근대 사회에서 형성되었다.

39. ㉡과 관련 있는 말로 적절한 것은?

① 착한 사람은 법이 필요 없고 나쁜 사람은 법망을 피해 간다.
② 법의 생명은 논리에 있는 것이 아니라 경험에 있다.
③ 형법의 반은 이익보다는 해를 끼칠지 모른다.
④ 법률이 없으면 범죄도 없고 형벌도 없다.
⑤ 철학 없는 법학은 출구 없는 미궁이다.

40. [A]를 바탕으로 <보기>를 이해한 내용으로 적절한 것은?

<보 기>

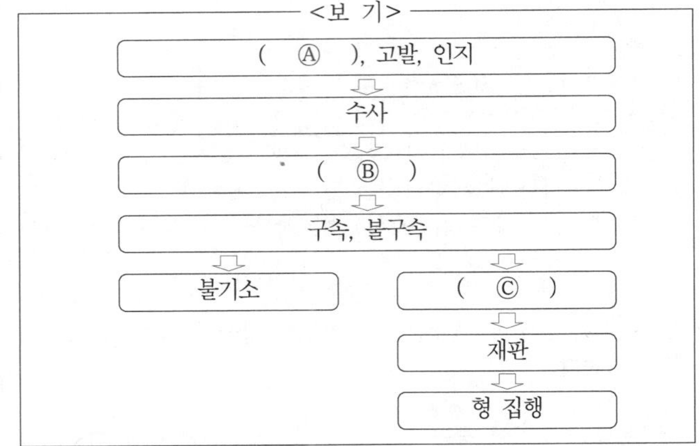

① Ⓐ는 범죄의 피해자와 연관이 있는 제3자가 한다.
② 명예훼손죄, 폭행죄는 Ⓐ가 없어도 수사를 진행할 수 있다.
③ 범죄를 실행 중인 범인을 Ⓑ하였을 경우 48시간 이내에 구속 영장을 발부받아야 한다.
④ 범죄 혐의가 인정될 경우 반드시 Ⓒ를 해야 한다.
⑤ 재판에서 심리를 담당하는 주체가 Ⓒ의 여부를 결정한다.

41. 윗글과 <보기 1>을 참조하여 <보기 2>를 이해한 내용으로 적절하지 않은 것은? [3점]

<보 기 1>

민법 제759조(동물의 점유자의 책임)
① 동물의 점유자는 그 동물이 타인에게 가한 손해를 배상할 책임이 있다. …….

형법 제257조(상해, 존속상해)
① 사람의 신체를 상해한 자는 7년 이하의 징역, 10년 이하의 자격정지 또는 1천만 원 이하의 벌금에 처한다. …….

<보 기 2>

A는 사고로 몸의 대부분을 기계로 대체해 로봇같이 보이지만 여전히 직장생활을 하고 세금을 내는 등 이전과 같은 생활을 하고 있다. B는 C가 구입한 로봇으로 행동과 겉모습이 인간과 구별이 안 된다. 그런데 만약 A와 B가 사람을 때려 다치게 하였다면 법적으로 어떻게 해야 할까?

① 민법 제759조 ①에 따르면 B는 동물과 같이 물건이므로 법적 책임이 없다.
② 민법 제759조 ①을 유추하여 적용한다면 B의 점유자인 C에게 손해 배상 책임을 물을 수 있다.
③ 형법 제257조 ①에 따르면 A는 '사람의 신체를 상해한 자'에 해당하므로 형법에 따른 책임을 져야 한다.
④ 형법 제257조 ①을 유추하여 적용한다면 C는 징역이나 벌금에 처해질 수 있다.
⑤ 형법 제257조에 향후 B가 사람을 다치게 한 행위에 관한 조항이 추가되더라도 이번 사건에 대해서는 B를 처벌할 수 없다.

[42~45] 다음 글을 읽고 물음에 답하시오.

(가)
어리석고 세상물정 어둡기는 나보다 더한 이 없다
길흉화복을 하늘에 맡겨 두고
누항(陋巷)* 깊은 곳에 초가를 지어 두고
궂은 날씨에 썩은 짚이 땔감이 되어
세 홉 밥 닷 홉 죽에 연기(煙氣)도 많기도 많구나
설 데운 숭늉에 고픈 배를 속일 뿐이로다
㉠ 생애 이러하다 대장부의 뜻을 옮기겠는가
안빈일념(安貧一念)*을 적을망정 품고 이셔
옳은 일을 좇아 살려 하나 날이 갈수록 어긋난다
<중략>
소 한 번 주마 하고 엉성하게 하는 말씀
친절하다 여긴 집에
㉡ 달 없는 황혼에 허위허위 달려가서
[A] 굳게 닫은 문 밖에 우두커니 혼자 서서
큰 기침 에헴이를 오래토록 하온 후에
어와 그 뉘신고 염치 없는 내옵노라
초경도 거윈데 그 어찌 와 계신고
해마다 이러하기 구차한 줄 알건마는
소 없는 가난한 집에 걱정 많아 왔노라
공짜로나 값을 쳐서나 줌 직도 하지마는
다만 어제 밤에 건넛집 저 사람이
목 붉은 수꿩을 구슬 같은 기름에 구워 내고
갓 익은 삼해주(三亥酒)를 취하도록 권하거든
이러한 은혜를 어이 아니 갚을런고
내일로 주마 하고 큰 언약 하였거든
실약(失約)이 미편(未便)하니* 말하기가 어려왜라
사실이 그러하면 설마 어이할고
헌 모자 숙여 쓰고 축 없는 짚신에 설피설피 물러 오니
풍채 적은 모습에 개 짖을 뿐이로다
누추한 집에 들어간들 잠이 와서 누웠으랴
북창에 기대 앉아 새벽을 기다리니
무정한 오디새는 이 내 한을 돕는구나
㉢ 아침이 끝나도록 슬퍼하며 먼 들을 바라보니
즐거운 농가(農歌)도 흥 없이 들리는구나
세상 인정 모른 한숨은 그칠 줄을 모르는구나
㉣ 아까운 저 쟁기*는 볏보님도 좋을시고*
가시 엉킨 묵은 밭도 쉽게 갈련마는
빈 집 벽 가운데에 쓸데없이 걸렸구나
봄농사도 거의로다 팽개쳐 던져 두자
강호(江湖)에서 큰 꿈을 생각한 지도 오래더니
먹고 사는 것이 누가 되어 아아 잊었구나
저 물가를 바라보니 푸른 대나무가 많기도 많구나
㉤ 교양 있는 선비들아 낚싯대 하나 빌려다오
갈대꽃 깊은 곳에 명월청풍(明月淸風) 벗이 되어
임자 없는 **풍월강산**(風月江山)에 절로절로 늙으리라

– 박인로, 「누항사(陋巷詞)」 –

* 누항 : 누추한 곳.
* 안빈일념 : 가난 속에서도 마음을 편히 갖겠다는 생각.
* 실약이 미편하니 : 약속을 어기기가 어려우니.
* 쟁기 : 말이나 소에 끌려 논밭을 가는 농기구.
* 볏보님도 좋을시고 : 쟁기 날이 잘 관리된 상태라는 의미로 추정됨.

(나)
다음은 어느 중로(中老)의 여인에게서 들은 이야기다. 여인이 젊었을 때였다. 남편이 거듭 사업에 실패하자, 이들 내외는 갑자기 가난 속에 빠지고 말았다.

남편은 다시 일어나 사과 장사를 시작했다. 서울에서 사과를 싣고 춘천에 갔다 넘기면 다소의 이윤이 생겼다.

그런데 한 번은, 춘천으로 떠난 남편이 이틀이 되고 사흘이 되어도 돌아오지를 않았다. 제 날로 돌아오기는 어렵지만, 이틀째에는 틀림없이 돌아오는 남편이었다. 아내는 기다리다 못해 닷새째 되는 날 남편을 찾아 춘천으로 떠났다.

"춘천에만 닿으면 만나려니 했지요. 춘천을 손바닥만하게 알았나 봐요. 정말 막막하더군요. 하는 수 없이 여관을 뒤졌지요. 여관이란 여관은 모조리 다 뒤졌지만, 그이는 없었어요. 하룻밤을 여관에서 뜬눈으로 새웠지요. 이튿날 아침, 문득 그이의 친한 친구 한 분이 도청에 계시다는 것이 생각나서, 그분을 찾아 나섰지요. 가는 길에 혹시나 하고 정거장에 들러 봤더니……."

매표구 앞에 늘어선 줄 속에 남편이 서 있었다. 아내는 너무 반갑고 원망스러워 말이 나오지 않았다.

[B] 트럭에다 사과를 싣고 춘천으로 떠난 남편은, 가는 길에 사람을 몇 태웠다고 했다. 그들이 사과 가마니를 깔고 앉는 바람에 사과가 상해서 제 값을 받을 수 없었다. 남편은 도저히 손해를 보아서는 안 될 처지였기에 친구의 집에 기숙을 하면서, 시장 옆에 자리를 구해 사과 소매를 시작했다. 그래서, 어젯밤 늦게서야 겨우 다 팔 수 있었다는 것이다. 전보도 옳게 제 구실을 하지 못하던 8·15 직후였으니…….

함께 춘천을 떠나 서울로 향하는 차 속에서 남편은 아내의 손을 꼭 쥐었다. 그때만 해도 세 시간 남아 걸리던 **경춘선**, 남편은 한 번도 그 손을 놓지 않았다. 아내는 한 손을 맡긴 채 너무도 행복해서 그저 황홀에 잠길 뿐이었다.

그 남편은 그러나 6·25 때 죽었다고 한다. 여인은 어린 자녀들을 이끌고 모진 세파(世波)와 싸우지 않으면 안 되었다.

"이제 아이들도 다 커서 대학엘 다니고 있으니, 그이에게 조금은 면목이 선 것도 같아요. 제가 지금까지 살아올 수 있었던 것은, 춘천서 서울까지 제 손을 놓지 않았던 그이의 손길, 그것 때문일지도 모르지요."

여인은 조용히 웃으면서 이렇게 말을 맺었다.

지난날의 가난은 잊지 않는 게 좋겠다. 더구나 그 속에 빛나던 사랑만은 잊지 말아야겠다. "행복은 반드시 부와 일치하지 않는다."라는 말은 결코 진부한 일 편의 경구(警句)만은 아니다.

– 김소운, 「가난한 날의 행복」 –

42. (가)와 (나)의 공통점으로 가장 적절한 것은?

① 특정한 인물을 통해 자신의 삶을 반성하고 있다.
② 감정의 절제를 통해 사건을 객관적으로 바라보고 있다.
③ 공간의 이동을 통해 대상에 대한 그리움을 드러내고 있다.
④ 영탄적 표현을 활용하여 화자의 간절한 소망을 드러내고 있다.
⑤ 구체적 일화를 활용하여 지향하는 삶의 태도를 드러내고 있다.

15회

43. [A]와 [B]에 대한 이해로 적절하지 않은 것은?

① [A]는 규칙적인 음보 사용을 통해 리듬감을 형성하고 있다.
② [B]는 경구를 활용하여 글을 효과적으로 마무리하고 있다.
③ [A]는 [B]와 달리 비유적 표현을 활용하여 인물의 특징을 드러내고 있다.
④ [B]는 [A]와 달리 특정한 어휘를 사용하여 구체적 시대상을 반영하고 있다.
⑤ [A]와 [B]는 모두 대화를 활용하여 중심인물의 상황을 전달하고 있다.

44. <보기>를 참고하여 ㉠~㉤을 이해한 것으로 적절하지 않은 것은? [3점]

<보 기>

「누항사」는 전란을 겪은 사대부가 누항에서 스스로 노동하며 가난하게 살면서도 이상적 삶을 추구하려고 노력하는 모습을 그리고 있다. 화자가 처한 상황과 심리의 변화는 다음과 같은 흐름을 나타낸다.

	ⓐ		ⓑ		ⓒ
상황	몸소 농사를 지어야 함.	⇨	농사를 짓기 위한 소를 빌리지 못함.	⇨	명월청풍과 더불어 한가롭게 삶.
심리	안빈일념을 추구함.		암담함을 느낌.		시름을 잊고자 함.

① ㉠에는 ⓐ의 심리에서 드러나는 가치를 이루고자 하는 화자의 의지가 드러나고 있다.
② ㉡에는 ⓐ의 상황을 해결하고자 하는 화자의 다급한 심정이 제시되어 있다.
③ ㉢에는 ⓑ의 심리가 화자의 처량한 모습을 통해 드러나고 있다.
④ ㉣에는 ⓒ의 심리가 화자의 눈에 비친 대상에 투영되어 있다.
⑤ ㉤에는 ⓒ의 상황을 실천하기 위한 화자의 의도가 드러나고 있다.

45. (가)의 풍월강산과 (나)의 경춘선에 대한 설명으로 가장 적절한 것은?

① '풍월강산'은 환상적 세계를, '경춘선'은 낭만적 세계를 의미하는 공간이다.
② '풍월강산'은 현재의 소망을 다짐하는, '경춘선'은 과거의 추억이 깃든 공간이다.
③ '풍월강산'은 과거에 대한 동경을, '경춘선'은 현재의 자긍심을 드러내는 공간이다.
④ '풍월강산'은 현재의 어려움을 비판하는, '경춘선'은 미래의 희망을 기원하는 공간이다.
⑤ '풍월강산'은 전통적인 삶의 모습을, '경춘선'은 현대적인 삶의 모습을 드러내는 공간이다.

※ 확인 사항
○ 답안지의 해당란에 필요한 내용을 정확히 기입(표기) 했는지 확인하시오.

2018학년도 3월 고1 전국연합학력평가 문제지

국어 영역

제 1 교시

16회 소요시간 / 80분

➡ 해설 P.143

[1 ~ 3] 다음은 '세마포르'에 대한 강연의 일부이다. 물음에 답하시오.

여러분, 과거에는 먼 곳까지 메시지를 전달하기 위해 어떤 시각 통신 수단을 사용했을까요? (청중의 대답을 들은 후 고개를 끄덕이며) 네, 그렇습니다. (화면을 가리키며) 화면에 보이는 것처럼 봉화가 있었습니다. 봉화는 수 킬로미터 간격으로 세운 봉화대에 불을 붙여 메시지를 빠르게 전달할 수 있긴 했지만, 특정한 몇 가지 메시지만 전달할 수 있다는 제약이 있었습니다. 이러한 제약에서 벗어난 시각 통신 수단이 바로 오늘 말씀 드릴 세마포르입니다. 세마포르가 무엇인지 궁금하시죠?

1792년에 프랑스에서 발명된 세마포르는 다양하고 구체적인 메시지를 먼 곳까지 전달할 수 있는 획기적인 시각 통신 수단이었습니다. 그렇다면 세마포르는 어떤 방식으로 메시지를 전달했을까요? (화면을 가리키며) 이 화면은 세마포르에 쓰인 탑의 구조를 나타낸 것입니다. 탑의 지붕에는 나무 기둥이 세워져 있는데, 이 기둥 꼭대기에는 선풍기 날개처럼 회전이 가능한 긴 널빤지가 하나 매달려 있습니다. 그리고 긴 널빤지 양 끝에 각도 조절이 가능한 짧은 널빤지가 매달려 있습니다. 이 널빤지들의 각도를 각각 조절하면 여러 형태를 만들 수 있는데, 이렇게 만들어진 각각의 형태들이 로마자나 숫자의 의미를 갖는 것입니다. (청중의 표정을 살피고) 여러분의 표정을 보니 잘 이해하지 못하신 것 같네요. 자, 여기에 제시된 예를 같이 보시죠.

(화면을 가리키며) 화면에 보이는 것은 각각 로마자 A와 숫자 7을 의미하는 형태입니다. 긴 널빤지가 수평을 유지한 상태에서 양쪽의 짧은 널빤지가 수직으로 세워져 있는 형태는 A이고요, 긴 널빤지와 짧은 널빤지 모두가 수평인 형태는 7입니다. 세마포르는 이러한 널빤지의 형태를 탑에서 탑으로 시간 차를 두어 차례대로 전달해 나가는 방식을 통해 글자를 하나씩 전달하였습니다. 이 방식으로 (손가락 세 개를 펴며) 1분에 3개의 글자를 전달할 수 있었는데, 200여 킬로미터 떨어진 곳까지 글자 100개를 전송하는 데 채 1시간도 걸리지 않았다고 합니다. 다만 산과 같은 고지대에 세워졌음에도 불구하고 가시거리가 제대로 확보되지 않은 상황에서는 전송 효율이 떨어진다는 문제가 있었습니다.

이러한 한계에도 불구하고 세마포르는 유용한 시각 통신 수단으로 자리매김을 했습니다. (화면을 가리키며) 화면에서처럼 수 킬로미터 간격으로 500여 개에 이르는 송수신 탑을 세워 5,000 킬로미터에 달하는 곳까지 메시지를 전달할 수 있었는데요, 프랑스는 세마포르를 활용해 긴박한 상황을 단시간에 멀리까지 전파할 수 있었기 때문에 다른 유럽 국가들과의 경쟁에서 우위를 차지할 수 있었습니다.

1. 위 강연자의 말하기를 이해한 내용으로 적절하지 <u>않은</u> 것은?

① 화제와 관련된 수치를 제시하여 청중의 이해를 돕고 있다.
② 청중의 질문에 대답하면서 청중과 상호 작용을 하고 있다.
③ 앞부분에 화제를 제시하며 청중의 호기심을 유발하고 있다.
④ 비언어적 표현을 활용하여 의사 전달의 효과를 높이고 있다.
⑤ 다른 대상과 비교하는 방법으로 화제의 특성을 밝히고 있다.

2. 위 강연에서 제시했을 시각 자료로 적절하지 <u>않은</u> 것은?

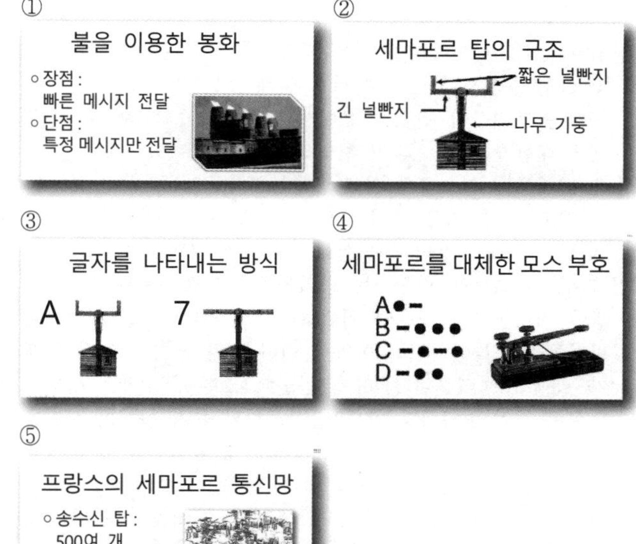

3. 위 강연을 들은 학생이 <보기>와 같이 반응했다고 할 때, 학생의 듣기 전략에 대한 설명으로 가장 적절한 것은?

< 보 기 >

"산꼭대기에서 바라보는 아름다운 경치를 기대하며 정상에 올랐는데 안개 때문에 바로 앞에 있는 산도 잘 안 보여서 아쉬웠던 적이 있었어. 세마포르에 이용된 탑이 수 킬로미터 간격으로 세워졌기 때문에 만약 안개가 꼈다면 잘 안 보였을 것 같아. 가시거리가 확보되지 않은 상황에서 세마포르의 전송 효율이 떨어진다고 한 것이 그런 의미이겠구나."

① 강연 내용 중에서 사실과 다른 부분을 판단하며 비판적으로 평가하고 있다.
② 강연에 언급된 내용을 자신이 직접 경험했던 일과 관련지어 이해하고 있다.
③ 강연의 내용을 구조적으로 파악하여 전체 내용을 간략하게 정리하고 있다.
④ 강연을 듣기 전에 지니고 있었던 의문을 강연 내용을 통해 해소하고 있다.
⑤ 강연의 내용이 강연 목적에 부합하고 있는지를 객관적으로 분석하고 있다.

16 회

[4 ~ 7] (가)는 '반려동물 인수제'를 주제로 한 라디오 대담의 일부이고, (나)는 (가)를 바탕으로 학생이 작성한 기사문의 초고이다. 물음에 답하시오.

(가) 대담

진행자 : 최근 반려동물을 키우는 가구가 증가하면서 반려동물의 불법 유기도 늘어나 사회적 문제가 되고 있습니다. 이런 문제를 해결하기 위해 정부에서 도입하려는 반려동물 인수제에 대한 사회적 논의가 활발하게 진행되고 있는데요, 오늘은 반려동물 인수제에 대해 동물복지과 김○○ 과장님과 동물 보호 단체 최○○ 대표님을 모시고 이야기를 나누어 보겠습니다. 김 과장님, 반려동물 인수제가 무엇인가요?

김 과장 : 반려동물 인수제는 반려동물을 키울 수 없게 된 사람이 반려동물을 정부에 위탁하는 제도입니다. 불법 유기된 반려동물이 늘어나면서 이와 관련된 여러 가지 사회적 문제가 발생하고 있습니다. 유기 동물 보호에 소요되는 사회적 비용이 점차 증가하고 있으며, 야생화된 유기 동물이 시민들의 안전을 위협하는 문제가 발생하고 있습니다. 이런 문제를 해결하기 위해 반려동물 인수제를 도입할 필요가 있습니다.

진행자 : 정부 위탁을 통해 불법 유기를 줄이자는 것이군요. 그렇다면 반려동물 인수제의 위탁 절차와 위탁된 동물들은 어떻게 되는지 궁금합니다.

김 과장 : 반려동물을 키울 수 없게 된 사람이 양육 포기 신청을 한 후 일정한 비용을 내고 동물 보호소에 맡기면, 정부가 나머지 비용을 보조해 반려동물을 관리하면서 새로운 주인과 연결해 줍니다. 보호소에 위탁된 동물을 입양하는 사람에게 정부가 양육 비용 등을 지원하여 입양을 활성화한다면, 반려동물 인수제가 효과를 거둘 수 있을 것입니다. 실제로 이 제도가 시행되고 있는 미국과 영국 등에서도 이 같은 정부의 노력으로 동물 입양이 활발하게 이루어지고 있습니다.

진행자 : 네, 그렇군요. 김 과장님의 이런 의견에 대해 최 대표님은 어떻게 생각하시는지요?

최 대표 : 물론 저도 반려동물 입양이 활성화되면 반려동물 인수제를 통해 불법 유기 동물 문제가 개선될 수 있을 것이라 생각합니다. 그런데 우리나라에서는 동물 보호소에 있는 동물이 입양되는 비율이 채 30%가 되지 않습니다. 이는 동물을 쉽게 살 수 있는 우리나라에서, 버려졌던 동물을 입양하는 것을 사람들이 꺼려하기 때문입니다. 따라서 반려동물 인수제가 도입되더라도 단순히 정부의 양육 비용 지원만으로는 입양률이 크게 달라지지 않으리라 생각합니다. 이런 상황에서 반려동물 인수제는 시기상조이며, 오히려 합법적으로 동물 보호소에 유기되는 동물들이 늘어날 수 있습니다.

진행자 : 입양률이 낮은 상황에서 반려동물 인수제 시행은 시기상조라고 생각하시는군요. 그렇다면 반려동물 불법 유기 문제를 어떻게 해결해야 한다고 생각하십니까?

최 대표 : 불법 유기된 반려동물이 늘어나는 문제의 근본적인 원인부터 생각해 보아야 합니다. 저는 반려동물을 쉽게 사고 버릴 수 있는 소유물로 생각하는 것이 원인이라고 생각합니다. 이제는 반려동물을 하나의 생명체로 존중하고 양육에 책임을 지는 사회적 분위기를 형성하기 위해 노력할 때입니다. 이와 함께 반려동물을 키우기 위한 사전 교육을 의무화하고 반려동물을 불법적으로 유기했을 때 법적 처벌을 강화하는 등의 제도적 장치를 마련하는 것도 필요할 것입니다.

진행자 : 김 과장님은 반려동물 인수제를 도입하자는 의견을, 최 대표님은 그보다는 문제의 근본적인 원인 해결이 더 중요하다는 의견을 주셨습니다. 청취자 게시판도 뜨거운데요, 청취자 의견을 살펴보고 계속 진행하겠습니다.

(나) 초고

㉠ 탄탄대로, 반려동물 인수제

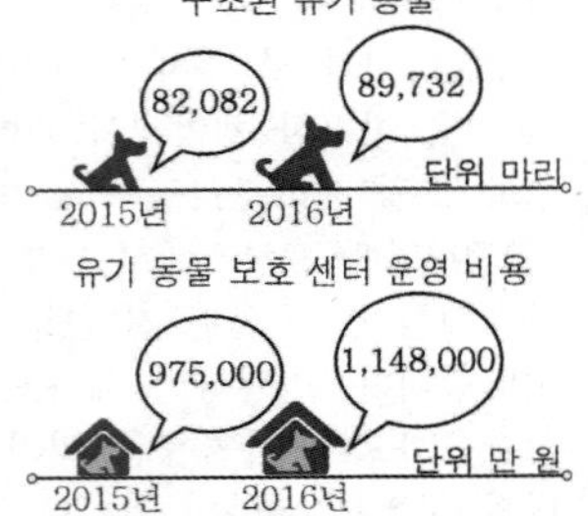

반려동물을 키우는 가구가 늘어나는 만큼 불법 유기되는 동물의 수가 ㉡ 갑작스럽게 급증하고 있고, 이에 따른 사회적 문제가 늘어나고 있다. 농림축산식품부에 따르면 2016년 유기 동물 보호 센터의 운영 비용이 약 114억 원으로 전년 대비 17% 가량 증가했다.

한 설문 조사 결과, 반려동물을 포기하는 이유에는 장기간 부재(25.9%), 경제적 문제(11.6%) 등이 있다고 나타났다. 반려동물을 키울 수 없는 이와 같은 사정을 고려했을 때, 반려동물 주인에게 반려동물을 버리지 말고 무조건 키워야 한다고 강요할 수 없다는 의견이 있다. ㉢ 현재 국내 반려동물 시장의 규모는 1조 4천억 원 수준으로 추정된다. 그래서 양육이 어려워진 반려동물을 보호소에 위탁하면 정부에서 입양처를 연결해 주는 반려동물 인수제의 도입이 필요하다는 주장이 제기되고 있다. 반려동물의 양육을 합법적으로 포기할 수 있는 절차를 마련하여, 불법 유기로 인해 발생할 수 있는 사회적 문제를 예방하자는 취지이다.

그러나 한편에서는 반려동물에 대한 인식이 개선되지 않은 채로 반려동물 인수제가 시행되면 ㉣ 법적, 양심적 면죄부를 주어 오히려 반려동물의 양육을 쉽게 포기하는 풍토가 생길 수 있다고 주장한다. 지금도 동물 보호소의 많은 동물들이 예산과 공간의 부족으로 ㉤ 안락사하고 있는데, 반려동물 인수제가 시행되면 보호소의 동물들이 더욱 증가하여 이를 관리하는 문제가 심화될 수 있다는 것이다. 그러므로 반려동물 인수제의 시행보다는 반려동물을 가족처럼 여기는 사회적 분위기 조성이 선행되어야 한다는 주장이 있다.

반려동물 인수제의 시행을 주장하는 입장과 이로 인해 발생할 수 있는 문제점을 제기하는 입장이 팽팽하게 맞서고 있는 가운데, 반려동물 인수제에 대한 사회적 논의가 활발하게 진행되고 있다.

4. (가)의 대담 참여자의 말하기 방식으로 적절하지 <u>않은</u> 것은?

① '진행자'는 대담자의 발언을 정리하고 대담자의 발언에 대해 추가 설명을 요청하고 있다.
② '김 과장'은 반려동물 인수제에 대해 소개하면서 제도를 도입해야 할 필요성을 언급하고 있다.
③ '김 과장'은 외국의 사례를 바탕으로 반려동물 인수제로 인해 거둘 수 있는 효과를 설명하고 있다.
④ '최 대표'는 통계 자료를 제시하여 반려동물 인수제 실시에 대한 사람들의 거부감을 언급하고 있다.
⑤ '최 대표'는 반려동물 인수제의 부작용을 거론하고, 반려동물 불법 유기 문제의 근본적인 해결 방안을 제시하고 있다.

5. (가)에서 '김 과장'과 '최 대표'가 모두 동의하고 있는 의견으로 적절한 것은?

① 반려동물 인수제가 시행되더라도 반려동물의 불법 유기를 줄일 수 없다.
② 반려동물 입양이 활성화되면 반려동물 인수제가 효과를 거둘 수 있을 것이다.
③ 반려동물 인수제가 도입되면 불법 유기된 동물의 입양률이 크게 증가할 것이다.
④ 반려동물 인수제가 정착되려면 반려동물의 양육 포기를 위한 절차가 강화되어야 한다.
⑤ 반려동물 인수제를 통해 입양한 사람에게 양육 비용을 지원하면 입양률이 크게 늘어날 것이다.

6. (가)를 참고하여 세운 작문 계획 중 (나)에 반영된 내용으로 적절하지 <u>않은</u> 것은?

① 대담에서 언급된, 반려동물 인수제의 개념과 취지를 제시해야겠어.
② 대담에서 언급된, 반려동물 인수제 실시에 대한 서로 다른 입장을 소개해야겠어.
③ 대담에서 언급된, 반려동물 입양의 자격 조건에 대해 구체적으로 설명해야겠어.
④ 대담에서 언급되지 않은, 반려동물 양육 포기 사유를 설문 조사 자료를 활용하여 언급해야겠어.
⑤ 대담에서 언급된, 불법 유기 동물로 인해 사회적 비용이 증가하고 있는 현황을 시각 자료를 활용하여 제시해야겠어.

7. ㉠~㉤을 고쳐 쓰기 위한 방안으로 적절하지 <u>않은</u> 것은?

① ㉠: 글 전체 흐름에 맞지 않으므로 '뜨거운 논란'으로 고친다.
② ㉡: 의미가 중복되었으므로 '급증하고'로 고친다.
③ ㉢: 문단의 통일성을 해치고 있으므로 삭제한다.
④ ㉣: 필요한 문장 성분이 빠져 있으므로 '반려동물 주인들에게'를 첨가한다.
⑤ ㉤: 주어와의 호응이 맞지 않으므로 '안락사시키고'로 고친다.

[8 ~ 10] 다음을 읽고 물음에 답하시오.

(가) 작문 상황 및 내용 구성 방안

■ **작문 상황** : <u>㉠자율 동아리에서 '스몸비'와 관련된 사고를 예방하기 위한 캠페인</u>의 일환으로 누리 소통망(SNS)에 글을 올리고자 한다.

■ **글의 내용 구성**
- 스몸비 관련 사고의 심각성 …………… ⓐ
- 스몸비의 개념과 행동 특성 …………… ⓑ
- 스몸비 문제로 인한 세대 갈등 …………… ⓒ
- 스몸비 예방 캠페인의 목적 …………… ⓓ
- 스몸비 예방 캠페인의 실행 방법 …………… ⓔ

(나) 초고

멈춰, 스몸비! 반갑습니다. 저희는 자율 동아리 '안전지대'입니다. 얼마 전 인근 학교 학생이 스마트폰을 사용하면서 길을 건너던 중 오는 차를 보지 못해 교통사고를 크게 당한 적이 있습니다. 저희는 이 소식을 듣고 스마트폰에 집중한 채 걸어 다니는 것이 얼마나 심각한 위험인지 깨닫게 되었습니다. 더욱이 최근 들어 스마트폰 사용이 늘어나면서 이러한 교통사고뿐만 아니라 여러 보행 사고가 증가하고 있다고 합니다.

여러분, '스몸비'라는 말을 들어 본 적이 있나요? 스몸비는 '스마트폰'과 '좀비'를 합성하여 만들어진 단어로, 스마트폰에 집중한 채 좀비처럼 걷는 사람들을 일컫는 말입니다. 보행 중 스마트폰을 사용하지 않는 사람들에 비해 스몸비는 보행 속도가 느리고, 외부 자극에 대한 인지 능력이 떨어지는 행동 특성을 보인다고 합니다. 그 결과 위험을 피할 수 있는 시간을 충분히 확보하지 못해 사고가 일어날 확률이 높습니다. 문제는 대다수의 스몸비가 보행 중 스마트폰 사용이 위험하다는 것을 알면서도 스마트폰 사용을 자제하지 못하고 있다는 점입니다.

이와 같은 상황에서 저희 '안전지대'는 스몸비와 관련된 안전사고를 예방하기 위해 '멈춰, 스몸비!' 캠페인을 시작하였습니다. 저희는 누리 소통망을 통해 스몸비의 위험성을 알리고, <u>㉡스몸비에 대한 보고서</u>를 작성하여 각 학급에 배부할 예정입니다. 또한 '스마트폰 게임하며 공 피하기' 등의 체험 활동을 기획하여 스몸비의 위험성을 일깨우고자 합니다. 저희의 노력이 스몸비에 대한 사회적 경각심을 불러일으켜 스몸비와 관련된 안전사고 예방을 위한 여러 방안이 모색되기를 희망합니다.

8. ⓐ~ⓔ 중 '초고'에 반영되지 <u>않은</u> 것은?

① ⓐ ② ⓑ ③ ⓒ ④ ⓓ ⑤ ⓔ

9. <조건>에 따라 작성한 ㉠의 문구로 가장 적절한 것은?

< 조 건 >
- 스몸비에 대한 경각심을 환기할 것.
- 직유법을 활용하여 문구의 표현 효과를 높일 것.

① 좀비, 좀 비켜!
② 안전은 스몸비 앞에서 멈춘다.
③ 거북이처럼 걷는 당신, 몹시 거북합니다.
④ 스몸비, 닳아 가는 배터리처럼 안전도 방전!
⑤ 스몸비 승객 여러분, 이번 역은 병원, 병원입니다.

10. (나)에서 언급된 내용을 바탕으로 ㉡을 작성하고자 한다. <보기>의 자료를 활용하는 방안으로 적절하지 않은 것은? [3점]

< 보 기 >

Ⅰ. 연구 자료

(ㄱ) 스몸비 관련 교통사고(연도별 건수)

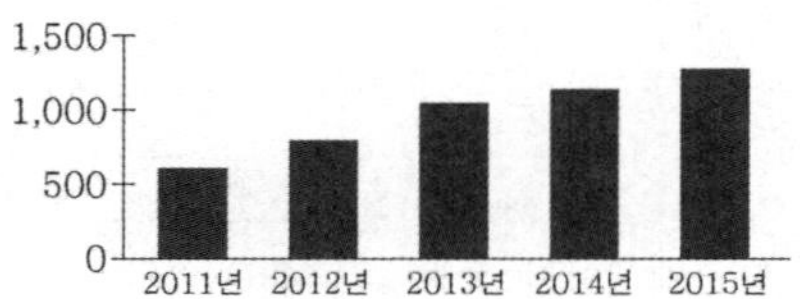

(ㄴ) 보행 중 스마트폰 사용에 따른 인지 거리 변화

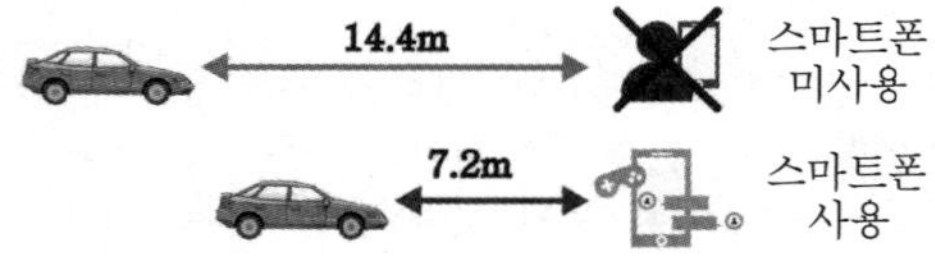

Ⅱ. 전문가 인터뷰

"보행 중 스마트폰을 사용하면 평소에 비해 시야 폭이 56%, 전방 주시율도 15% 정도 감소하여 사물을 인지하는 능력이 떨어지게 됩니다. 한 설문 조사에 따르면 전체 응답자 중 84%가 보행을 할 때 스마트폰 사용이 위험하다는 사실을 알고 있다고 응답하였습니다. 그럼에도 불구하고 많은 사람들이 보행 중에 스마트폰을 사용하고 있습니다. 따라서 이런 사람들에 대한 계도가 시급합니다."

Ⅲ. 신문 기사

스몸비로 인한 문제를 해결하기 위해 다른 나라에서는 어떤 방법을 사용할까? A국은 보행 중 스마트폰 사용자에게 벌금을 부과하고 있으며, B국은 바닥의 표지판이나 횡단보도 등의 시설물을 활용하여 보행 중 스마트폰 사용의 위험성을 경고하고 있다. 또한 C국은 보행 중에는 스마트폰 사용이 차단되는 애플리케이션을 개발하여 스마트폰 사용자들이 이를 의무적으로 설치하도록 할 계획이다.

① Ⅰ-(ㄱ)을 첫째 문단과 연결하여, 스몸비 관련 교통사고가 증가하고 있는 추세를 구체적으로 보여 주는 자료로 활용한다.
② Ⅱ를 둘째 문단과 연결하여, 위험성을 알고도 고치지 않는 스몸비에 대한 계도의 필요성을 보여 주는 자료로 활용한다.
③ Ⅲ을 셋째 문단과 연결하여, 스몸비 문제 해결을 위한 다양한 방안의 예를 보여 주는 자료로 활용한다.
④ Ⅰ-(ㄴ)과 Ⅱ를 둘째 문단과 연결하여, 보행 중 스마트폰을 사용하면 인지 능력이 저하됨을 보여 주는 자료로 활용한다.
⑤ Ⅱ와 Ⅲ을 셋째 문단과 연결하여, 스몸비 문제를 해결하기 위해 기업의 협조가 필수적임을 보여 주는 자료로 활용한다.

[11 ~ 12] 다음 글을 읽고 물음에 답하시오.

음운의 동화는 인접한 두 음운 중 어느 한쪽 또는 양쪽이 서로 비슷하거나 같은 소리로 바뀌는 현상이다. 국어의 대표적인 동화에는 비음화, 유음화, 구개음화가 있다.

비음화는 비음이 아닌 'ㅂ, ㄷ, ㄱ'이 비음 'ㅁ, ㄴ' 앞에서 비음 'ㅁ, ㄴ, ㅇ'으로 바뀌어 소리 나는 현상이다. 예를 들어 '국민'이 [궁민]으로 발음되는 것은 비음화에 해당한다. 유음화는 비음 'ㄴ'이 유음 'ㄹ'의 앞이나 뒤에서 유음 'ㄹ'로 발음되는 현상이다. 유음화의 예로는 '칼날[칼랄]'이 있다. ㉠아래의 자음 체계표를 보면, 비음화와 유음화는 그 결과로 인접한 두 음운의 조음 방식이 같아진다는 것을 알 수 있다.

조음 위치 / 조음 방식	입술소리	잇몸소리	센입천장소리	여린입천장소리
파열음	ㅂ, ㅍ	ㄷ, ㅌ		ㄱ, ㅋ
파찰음			ㅈ, ㅊ	
비음	ㅁ	ㄴ		ㅇ
유음		ㄹ		

구개음화는 끝소리 'ㄷ, ㅌ'이 모음 'ㅣ'로 시작되는 조사나 접미사 앞에서 구개음 'ㅈ, ㅊ'으로 발음되는 현상이다. 가령 '해돋이'가 [해도지]로 발음되는 것이 이에 해당한다. 이는 동화 결과로 조음 위치와 조음 방식이 모두 바뀌는 현상이다.

아래 그림을 보면 '해돋이'가 [해도디]가 아닌 [해도지]로 소리 나는 이유를 알 수 있다. [1]과 [2]에서 보듯이, 'ㄷ'과 'ㅣ'를 발음할 때의 혀의 위치가 달라 '디'를 발음할 때는 혀가 잇몸에서 입천장 쪽으로 많이 움직여야 한다. 그러나 [2]와 [3]을 보면, 'ㅈ'과 'ㅣ'를 발음할 때의 혀의 위치가 비슷하기 때문에 '지'를 발음할 때는 혀를 거의 움직이지 않아도 된다.

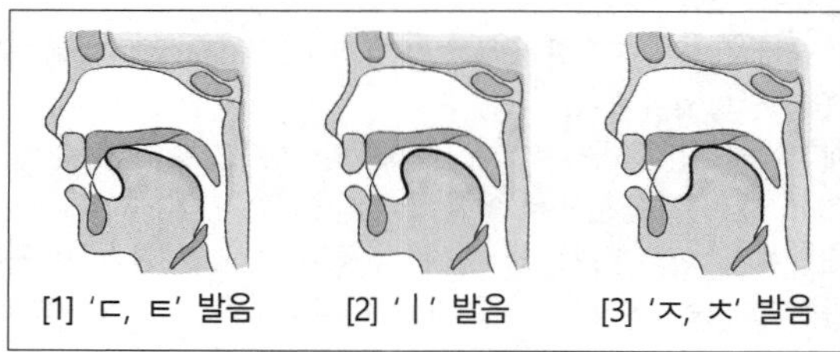

[1] 'ㄷ, ㅌ' 발음 [2] 'ㅣ' 발음 [3] 'ㅈ, ㅊ' 발음

비음화, 유음화, 구개음화는 동화 결과 인접한 두 음운의 성격이 비슷하거나 같은 소리로 바뀐다는 점에서 유사하다. 이처럼 성격이 비슷하거나 같은 소리가 연속되면 발음할 때 힘이 덜 들게 되므로 발음의 경제성이 높아진다.

11. 윗글의 내용에 대한 이해로 적절하지 않은 것은?

① 음운의 동화는 인접한 두 음운이 비슷하거나 같은 소리로 바뀌는 현상이다.
② 음운의 동화로 조음 위치나 조음 방식이 바뀌면 발음의 경제성이 높아진다.
③ 구개음화와 달리 비음화와 유음화가 일어나는 인접한 두 음운은 모두 자음이다.
④ 구개음화는 자음으로 시작되는 조사나 접미사 앞에서는 일어나지 않는다.
⑤ 구개음화는 동화의 결과로 자음과 모음의 소리가 모두 바뀌는 현상이다.

12. ㉠을 참고할 때, <보기>의 a～c에서 일어난 음운 동화에 대한 설명으로 적절한 것은?

< 보 기 >

a. 밥물[밤물] b. 신라[실라]
c. 굳이[구지]

① a : 비음화의 예로, 조음 방식만 바뀐 것이다.
② a : 유음화의 예로, 조음 방식만 바뀐 것이다.
③ b : 비음화의 예로, 조음 위치만 바뀐 것이다.
④ b : 유음화의 예로, 조음 위치만 바뀐 것이다.
⑤ c : 구개음화의 예로, 조음 방식만 바뀐 것이다.

13. <보기>의 [자료]를 근거로 할 때, [활동]에 대한 답으로 적절한 것은? [3점]

< 보 기 >

[자료]

'구문 도해'는 문장의 짜임을 그림으로 풀이한 것이다. 국어학자 최현배는 아래 그림과 같이 문장의 구문 도해를 나타내었다.

이 구문 도해는 '그가 새 옷을 드디어 입었다.'라는 문장을 나타낸 것이다. 중간에 내리그은 세로줄 왼편에는 주성분인 주어(그가), 목적어(옷을), 서술어(입었다)를, 오른편에는 부속 성분인 관형어(새), 부사어(드디어)를 배치하였다. 그리고 서로 다른 두 성분 사이에는 가로로 외줄을 그었는데, 특히 주어 부분과 그 외의 부분을 구분할 때에는 가로로 쌍줄을 그었다. 또한 조사는 앞말과의 사이에 짧은 세로줄을 그어 표시하였다.

그|가 ‖ 새 ‖ 옷|을 ‖ 드디어 ‖ 입었다

[활동]

다음 문장의 구문 도해를 나타내시오.

나는 그 책도 샀다.

① ② ③ ④ ⑤

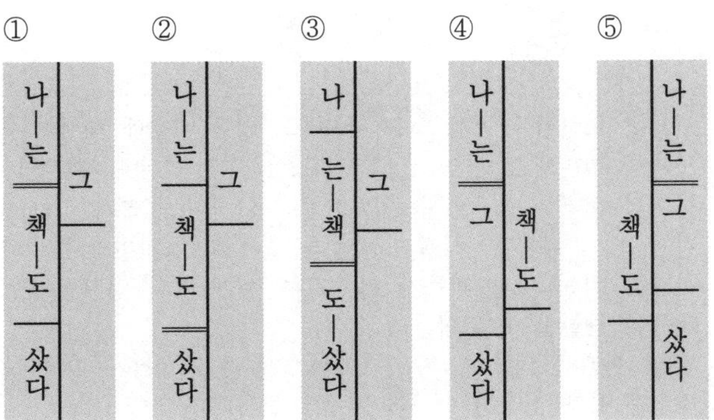

14. <보기>에 제시된 국어사전의 정보를 탐구한 내용으로 적절하지 않은 것은?

< 보 기 >

없다 [업:따] [없어, 없으니, 없는]
　형 사람, 동물, 물체 따위가 실제로 존재하지 않는 상태이다. ¶ 각이 진 원은 없다.

있다 [읻따] [있어, 있으니, 있는]
　(1) 동 **【…에】** 사람이나 동물이 어느 곳에서 떠나거나 벗어나지 아니하고 머물다. ¶ 그는 학교에 있다.
　(2) 형 사람, 동물, 물체 따위가 실제로 존재하는 상태이다. ¶ 날지 못하는 새도 있다.

① '없다'는 장음 부호(:)를 표시하여 어간이 긴소리로 발음된다는 것을 나타내고 있군.
② '있다'는 하나의 표제어 아래에 두 가지의 뜻을 제시한 것으로 보아 다의어라고 할 수 있군.
③ '있다(1)'은 주어 외에 필수적으로 갖추어야 하는 문장 성분에 대한 정보를 나타내고 있군.
④ '없다'와 '있다(2)'는 품사가 서로 같고, 의미상 반의 관계에 있음을 알 수 있군.
⑤ '없다'와 '있다'는 모두 활용할 때 어간의 형태가 불규칙적으로 변하는 단어에 해당하는군.

15. <보기>의 ㉠～㉤에 나타난 중세 국어의 특징을 현대 국어와 비교하여 이해한 내용으로 적절하지 않은 것은?

< 보 기 >

나·랏:말ᄊᆞ·미㉠ 中듕國·귁·에 달·아文문字·ᄍᆞᆼ·와·로서르ᄉᆞᄆᆞᆺ·디 아·니 ᄒᆞᆯ·ᄊᆡ·이런 젼·ᄎᆞ·로㉡ 어·린 百·ᄇᆡᆨ姓·셩·이 니르·고·져·홇·배이·셔·도ᄆᆞᄎᆞᆷ:내 제㉢ ·ᄠᅳ·들 시·러펴·디:몯홇·노·미하·니·라·내·이·ᄅᆞᆯ爲·윙·ᄒᆞ·야:어엿·비너·겨·새·로·스·믈여·듧字·ᄍᆞᆼ·ᄅᆞᆯ ᄆᆡᇰ·ᄀᆞ노·니:사ᄅᆞᆷ:마·다:ᄒᆡᅇ·ᅇᅧ:수·ᄫᅵ니·겨·날·로·ᄡᅮ·메㉣ 便뼌安한·킈ᄒᆞ·고·져홇㉤ ᄯᆞᄅᆞ·미니·라

－『세종어제훈민정음(世宗御製訓民正音)』－

[현대어 풀이]

우리나라의 말이 **중국과** 달라 한자와는 서로 통하지 아니하여서 이런 까닭으로 **어리석은** 백성이 말하고자 하는 바가 있어도 마침내 제 **뜻을** 능히 펴지 못하는 사람이 많다. 내가 이를 위하여 가엾게 여겨 새로 스물여덟 자를 만드니, 사람마다 하여금 쉽게 익혀 날마다 쓰는 데 **편하게** 하고자 할 **따름이다.**

① ㉠ : 조사 '에'는 앞말이 사건의 원인이 됨을 나타낸다.
② ㉡ : 현대 국어의 '어리다'와 단어의 의미가 서로 다르다.
③ ㉢ : 단어의 초성에 서로 다른 두 자음자를 나란히 적었다.
④ ㉣ : 현대 국어에서 사용되지 않는 자음자가 있었다.
⑤ ㉤ : 한 음절의 종성을 다음 자의 초성에 옮겨 표기하였다.

16회

[16 ~ 19] 다음 글을 읽고 물음에 답하시오.

18세기 경험론의 대표적인 철학자 흄은 '모든 지식은 경험에서 나온다.'라고 주장하면서, 이성을 중심으로 진리를 탐구했던 데카르트의 합리론을 비판하고 경험을 중심으로 한 새로운 철학 이론을 구축하려 하였다. 그러나 지나치게 경험만을 중시한 나머지, 그는 과학적 탐구 방식 및 진리를 인식하는 문제에 대해서도 비판하기에 이른다. 그 결과 ㉠흄은 서양 근대 철학사에서 극단적인 회의주의자로 평가받는다.

흄은 지식의 근원을 경험으로 보고 이를 인상과 관념으로 구분하여 설명하였다. 인상은 오감(五感)을 통해 얻을 수 있는 감각이나 감정 등을 말하고, 관념은 인상을 머릿속에 떠올리는 것을 말한다. 가령, 혀로 소금의 '짠맛'을 느끼는 것은 인상이고, 머릿속으로 '짠맛'을 떠올리는 것은 관념이다. 인상은 단순 인상과 복합 인상으로 나뉘는데, 단순 인상은 단일 감각을 통해 얻은 인상을, 복합 인상은 단순 인상들이 결합된 인상을 의미한다. 따라서 '짜다'는 단순 인상에, '짜다'와 '희다' 등의 단순 인상들이 결합된 소금의 인상은 복합 인상에 해당한다. 그리고 단순 인상을 통해 형성되는 관념을 단순 관념, 복합 인상을 통해 형성되는 관념을 복합 관념이라 한다. 흄은 단순 인상이 없다면 단순 관념이 존재하지 않는다고 보았다. 그런데 '황금 소금'은 현실에 존재하지 않기 때문에 그 자체에 대한 복합 인상은 없지만, '황금'과 '소금' 각각의 인상이 존재하기 때문에 복합 관념이 존재할 수 있다. 따라서 복합 관념은 복합 인상이 없더라도 존재할 수 있다. 하지만 흄은 '황금 소금'처럼 인상이 없는 관념은 과학적 지식이 될 수 없다고 말하였다.

흄은 과학적 탐구 방식으로서의 인과 관계에 대해서도 비판적 태도를 보였다. 그는 인과 관계란 시공간적으로 인접한 두 사건이 반복해서 발생할 때 갖는 관찰자의 습관적인 기대에 불과하다고 말하였다. 즉, '까마귀 날자 배 떨어진다'라는 속담이 의미하는 것처럼 인과 관계는 필연적 관계임을 확인할 수 없다는 것이다. 그는 '까마귀가 날아오르는 사건'과 '배가 떨어지는 사건'을 관찰할 수는 있지만, '까마귀가 날아오르는 사건이 배가 떨어지는 사건을 야기했다.'라는 생각은 추측일 뿐 두 사건의 인과적 연결 관계를 관찰할 수 없다고 주장한다. 결국 인과 관계란 시공간적으로 인접한 두 사건에 대한 주관적 판단에 불과하므로, 이런 방법을 통해 얻은 과학적 지식이 필연적이라는 생각은 적합하지 않다고 흄은 비판하였다.

[A] 또한 흄은 진리를 알 수 있는가의 문제에 대해서도 회의적인 태도를 취했다. 전통적인 진리관에서는 진술의 내용이 사실(事實)과 일치할 때 진리라고 본다. 하지만 흄은 진술 내용이 사실과 일치하는지의 여부를 판단할 수 없다고 보았다. 예를 들어 '소금이 짜다.'라는 진술이 진리가 되기 위해서는 실제 소금이 짜야 한다. 그런데 흄에 따르면 우리는 감각 기관을 통해서만 세상을 인식할 수 있기 때문에 실제 소금이 짠지는 알 수 없다. 그러므로 '소금이 짜다.'라는 진술은 '내 입에는 소금이 짜게 느껴진다.'라는 진술에 불과할 뿐이다. 따라서 비록 경험을 통해 얻은 과학적 지식이라 하더라도 그것이 진리인지의 여부는 확인할 수 없다는 것이 흄의 입장이다.

이처럼 흄은 경험론적 입장을 철저하게 고수한 나머지, 과학적 지식조차 회의적으로 바라보았다는 점에서 비판을 받기도 했다. 하지만 그는 이성만 중시했던 당시 철학 사조에 반기를 들고 경험을 중심으로 지식 및 진리의 문제를 탐구했다는 점에서 근대 철학에 새로운 방향성을 제시했다는 평가를 받는다.

16. 윗글을 통해 알 수 있는 내용이 아닌 것은?

① 데카르트는 이성을 중시하는 관점에서 진리를 찾으려고 하였다.
② 전통적 진리관에 따르면 진리 여부를 판단하는 것은 불가능하다.
③ 흄은 지식의 탐구 과정에서 감각을 통해 얻은 경험을 중시하였다.
④ 흄은 합리론에 반기를 들고 새로운 철학 이론을 구축하려 하였다.
⑤ 흄은 인상을 갖지 않는 관념은 과학적 지식이 될 수 없다고 보았다.

17. [A]를 바탕으로 할 때, ㉠의 이유로 가장 적절한 것은?

① 인상이 없는 지식은 진리가 아니라고 보았기 때문에
② 이성만으로는 진리를 탐구할 수 없다고 보았기 때문에
③ 실재 세계의 모습은 끊임없이 변한다고 보았기 때문에
④ 주관적 판단으로 진리를 찾을 수 있다고 보았기 때문에
⑤ 경험을 통해서도 진리를 확인할 수 없다고 보았기 때문에

18. 윗글에서 언급된 '흄'의 관점에서 <보기>를 이해한 것으로 적절하지 않은 것은?

< 보 기 >

① 사과를 보면서 달콤한 맛을 떠올리는 것은 관념에 해당한다.
② 사과를 보면서 '빨개'라고 느끼는 것은 복합 인상에 해당한다.
③ 사과의 실제 색을 알 수 없으므로 '이 사과는 빨개.'라는 생각은 '내 눈에는 이 사과가 빨갛게 보여.'라는 의미일 뿐이다.
④ 사과를 먹는 것과 피부가 고와지는 것 사이의 인과적 연결 관계를 관찰할 수 없다.
⑤ '매일 사과를 먹으니 피부가 고와졌어.'라는 생각은 반복되는 경험을 통해 형성된 습관적 기대에 불과하다.

19. <보기>의 사례를 통해 '흄'의 주장을 반박한다고 할 때, 그 내용으로 가장 적절한 것은? [3점]

< 보 기 >

아래 그림과 같이 무채색을 명도의 변화에 따라 나열한 도표가 있다고 가정하자. 도표의 한 칸을 비워 둔 채 어떤 사람에게 "5번 빈칸에 들어갈 색은 어떤 색인가요?"라고 질문하였다. 그 사람은 빈칸에 들어갈 색을 태어나서 한 번도 본 적이 없지만, 주변 색과 비교하여 그 색이 어떤 색인지 알아맞혔다.

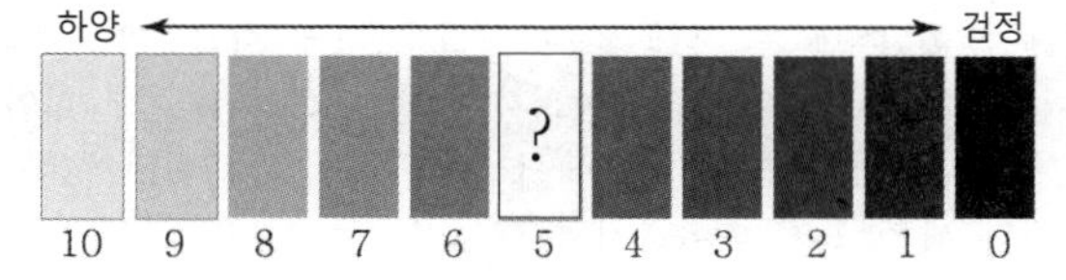

① 세계는 우리의 감각 기관과 독립하여 존재하지 않는다.
② 감각적으로 경험하지 않은 단순 관념이 존재할 수 있다.
③ 관찰과 경험을 통해서 얻은 지식은 필연성을 갖게 된다.
④ 관념을 단순 관념과 복합 관념으로 구분하는 기준은 없다.
⑤ 외부 세계가 어떤 모습인지를 객관적으로 확인할 수 있다.

[20 ~ 24] 다음 글을 읽고 물음에 답하시오.

(가) 한국 서정 시가는 고대로부터 현대에 이르기까지 형식적 요소와 내용적 요소가 계승되거나 새롭게 변용, 창조되면서 문학적 전통을 이어왔다. 서정 시가의 전통은 일반적으로 형식적 측면에서는 3음보, 또는 4음보의 율격을 바탕으로 한 규칙적인 음보율을 보이고 있다는 점을, 내용적 측면에서는 한(恨)의 정서, 해학과 풍자, 자연 친화, 이상향 추구 등을 담아내고 있다는 점을 들 수 있다. (나)의 「초부가(樵夫歌)」는 4음보를 바탕으로 산간에서 나무꾼들이 나무를 하면서 부르던 민요이고, (다)의 「길」은 3음보를 바탕으로 나그네의 처지를 노래한 현대시이다. (나)와 (다)는 형식적, 내용적 측면에서 한국 서정 시가의 전통을 잇고 있는 작품이라고 할 수 있다.

(나) 나무하러 가자 이히후후* 에헤
남 날 적에 나도 나고 나 날 적에 남도 나고
세상 인간 같지 않아 이놈 팔자 무슨 일고
지게 목발 못 면하고 어떤 사람 팔자 좋아
고대광실 높은 집에 사모*에 풍경 달고
만석록*을 누리건만 이런 팔자 어이하리 [A]
항상 지게는 못 면하고 남의 집도 못 면하고
죽자 하니 청춘이요 사자 하니 고생이라
세상사 사라진들 치마 짧은 계집 있나
다박머리 자식 있나 광 넓은 논이 있나
사래 긴 밭이 있나 버선짝도 짝이 있고
토시짝도 짝이 있고 털먹신도 짝이 있는데
쳉이* 같은 내 팔자야 자탄한들 무엇하리
한탄한들 무엇하나 청천에 ㉠ 저 기럭아
너도 또한 임을 잃고 임 찾아서 가는 길가 [B]
더런 놈의 팔자로다 이놈의 팔자로다
언제나 면하고 오늘도 이 짐을 안 지고 가면
어떤 놈이 밥 한 술 줄 놈이 있나
가자 이히후후 [C]

– 작자 미상, 「초부가(樵夫歌)」 –

* 이히후후 : 나무를 할 때 내뱉는 한숨 소리.
* 사모 : 관복을 입을 때 쓰는 모자.
* 만석록 : 만 석의 녹봉.
* 쳉이 : 곡식을 까불러 쭉정이 등을 골라내는 '키'의 방언.

(다) 어제도 하로밤
나그네 집에
가마귀 가왁가왁 울며 새웠소.

오늘은
또 몇 십 리
어디로 갈까.

산으로 올라갈까
들로 갈까
오라는 곳이 없어 나는 못 가오.

말 마소, 내 집도
정주(定州) 곽산(郭山)*
차(車) 가고 배 가는 곳이라오.

여보소, 공중에
㉡ 저 기러기
공중엔 길 있어서 잘 가는가?

여보소, 공중에
저 기러기
열 십자(十字) 복판에 내가 섰소.

갈래갈래 **갈린 길**
길이라도
내게 바이* 갈 길은 하나 없소.

– 김소월, 「길」 –

* 정주(定州) 곽산(郭山) : 김소월의 고향.
* 바이 : 아주 전혀.

16회

20. (가)를 바탕으로 (나)와 (다)를 감상한 내용으로 적절하지 <u>않은</u> 것은?

① (나)의 '세상 인간 같지 않아 이놈 팔자 무슨 일고'에서는 4음보의 전통적인 율격을 확인할 수 있군.
② (나)의 '지게 목발 못 면하고'를 통해 작품 속의 화자가 나무꾼임을 알 수 있군.
③ (나)의 '사자 하니 고생이라'에서는 고달픈 삶을 살아가는 화자의 한의 정서를 엿볼 수 있군.
④ (다)의 '어제도 하로밤/나그네 집에'에서는 3음보의 전통적 율격이 두 행에 걸쳐 구현되어 있음을 알 수 있군.
⑤ (나)의 '나무하러 가자'와 (다)의 '산으로 올라갈까'에서는 모두 이상향을 추구하는 화자의 태도를 엿볼 수 있군.

21. (나)와 (다)의 공통점으로 가장 적절한 것은?

① 말을 건네는 듯한 어투를 통해 정서를 나타내고 있다.
② 선명한 색채 대비를 통해 화자의 심리를 부각하고 있다.
③ 수미상응의 시상 전개를 통해 구성상 안정감을 주고 있다.
④ 공감각적 이미지를 활용하여 계절의 흐름을 표현하고 있다.
⑤ 반어적 표현을 활용하여 화자가 처한 상황을 강조하고 있다.

22. ㉠과 ㉡에 대한 설명으로 가장 적절한 것은?

① ㉠은 ㉡과 달리 화자에게 삶의 깨달음을 주고 있다.
② ㉠은 ㉡과 달리 화자가 부러워하는 대상에 해당한다.
③ ㉡은 ㉠과 달리 화자의 처지와 대조를 이루고 있다.
④ ㉡은 ㉠과 달리 임에 대한 화자의 그리움을 환기한다.
⑤ ㉠과 ㉡은 모두 화자의 심정을 위로해 주는 대상이다.

23. [A] ~ [C]에 대한 설명으로 적절하지 않은 것은?

① [A]는 빈부와 귀천의 불평등한 상황을 제시하여 현실에서 느끼는 괴로움을 토로하고 있다.
② [B]는 유사한 문장 구조를 사용하여 가난하고 외롭게 살아가는 화자의 모습을 강조하고 있다.
③ [C]는 체념적인 어조를 활용하여 고생을 면할 기약이 없는 삶을 한탄하고 있다.
④ [A]와 [C]는 고된 노동을 할 때 내뱉는 한숨 소리를 통해 화자의 심정을 표현하고 있다.
⑤ [A] ~ [C]는 모두 짝이 있는 물건을 열거하며 화자의 애상감을 점층적으로 표현하고 있다.

24. <보기>를 참고하여 (다)를 감상한 내용으로 적절하지 않은 것은? [3점]

< 보 기 >

'길'은 목적지를 향한 길일 수도 있고, 원점으로 되돌아오는 길일 수 있으며, 지향점을 상실한 채 방황하는 길일 수도 있다. 김소월의 「길」은 이와 같은 길의 속성을 바탕으로 일제 강점기에 삶의 터전인 고향을 상실한 우리 민족의 비애를 길과 연결된 다양한 공간을 통해 형상화하고 있다.

① '나그네 집'에 '어제도' 머물렀던 것은 목적지를 잃은 화자의 방황이 계속되고 있음을 보여 준다고 할 수 있겠군.
② '들'은 삶의 터전인 고향을 잃어 어디로도 갈 수 없는 화자의 비애와 연관 지어 이해할 수 있겠군.
③ '정주 곽산'은 지향점이지만 '오라는 곳'이 아니라는 점에서 화자의 슬픔을 심화한다고 볼 수 있겠군.
④ '열십자 복판'은 화자가 되돌아가고 싶은 원점으로서 화자의 갈등을 야기하는 공간이라고 할 수 있겠군.
⑤ '갈린 길'은 일제 강점기에 삶의 방향을 잃어버린 우리 민족의 모습을 상징적으로 보여 준다고 할 수 있겠군.

[25 ~ 27] 다음 글을 읽고 물음에 답하시오.

우리 집안은 일찍부터 논이나 밭뙈기 한 두렁도 가져 본 적 없었으므로, 아버지는 낫이나 호미 자루 한 번 잡아 보지 않았다. 그렇다고 일정한 직업을 가져 본 적도 없었다. 일 년을 따져 평균 아홉 달은 집을 떠나 어디론가 떠돌아 다녔고, 집에 붙어 있는 나머지 달은 낚시로 소일했다. 이태 전 봄까지만도 우리는 읍내 거리 장마당 부근에 살았다. 그때 역시 엄마는 근동 **장터를 떠돌며 어물 장사를** 했고, 아버지는 읍내에서 사 킬로 정도 떨어진 지금 우리가 사는 주남 저수지에 낚시를 다니며, 늘 집 떠날 궁리만 하고 지냈다. 새마을 도로가 확장되는 통에 우리가 세 든 읍내 장터 집이 헐리게 되자, 아버지는 엄마를 졸라 주남 저수지 옆 민 씨 별채로 이사를 오게 되었다.

"주남 저수지는 우리나라에서 알아주는 철새 도래지 아인가. 내가 새를 무척 좋아하거덩."

아버지가 말했다.

"㉠ 당신이사 땅으로 걸어댕기는 철새인께 날아댕기는 철새가 좋겠지예. 그런데 새 구경하는 거도 좋지만 그 구경 댕기모 밥이 생기요 떡이 생기요?"

엄마는 말도 되잖은 소리란 듯 한숨을 내쉬며 돌아앉고 말았다.

"그거 말고도, 관리인 민 씨 말이 타지에서 오는 낚시꾼들 뒷바라지나 해 주모 찬값 정도는 번다 안카나……."

엄마는 그쪽으로 이사하면 당장 장사 다니는 길이 먼 줄을 알면서도, 어떻게 아버지가 집에 눌러 있을까 싶었던지 그 말에 선선히 동의했다. 그러나 주남 저수지 쪽으로 이사 와서 보름을 채 못 넘겨 아버지는 슬그머니 집을 떠나고 말았다. 부산과 마산의 낚시꾼들이 떡밥은 물론 술이며 안주 접시까지 심부름시키는 데 아버지는 더 참아 낼 수 없었던 것이다. 더러운 세상, 나쁜 놈들이라며 전에는 입에 담지 않던 욕설을 술김에 종종 뱉더니, 기어코 그 떠돌이 병에 발동이 걸렸다. 늘 궁금한 일이지만, 아버지는 집을 떠나 떠돌 동안 숙식을 어떻게 해결하고 다니는지 알 수 없었다. 그로부터 두 달 뒤, 여름이 끝날 무렵에서야 아버지는 돌아왔다. 그 행려 끝에 무슨 결심을 굳혔는지 돌배산 자락을 덮은 민 씨네 대나무 밭의 굵은 대몇 그루를 쪄와 방패연을 만들기 시작했다. 내가 어릴 때 아버지는 더러 방패연을 만들어 주기도 했지만, 근래에는 한 번도 없던 짓거리였다. 대나무를 가늘게 쪼개어 햇빛에 말려선, 장두칼로 다듬고, 한지에 바람 구멍을 뚫어, 거기에 다섯 개 댓개비를 붙여 방패연을 만드는 솜씨는 아버지가 지닌 유일한 기술 같아 보였다. 천장 가운데 태극무늬나 붉은 원을 오려 붙여 만든 연이 큰 놈은 두 번 접은 신문지만 했고 작은 놈은 교과서만 한 크기도 있었다.

"㉡ 겨울도 아인데 그 많은 연을 어데다 팔라 캅니꺼?"

내가 물었다.

"머 꼭 돈이 목적이라서 맹그나. 쓸모읎어도 맹글고 싶으이께 맹들제. 참새가 날라 카모 기러기만큼 와 하늘 높이 몬 날겠노. 먼 데꺼정 갈 필요가 읎으이께 지 오를 만큼 오르고 말지러."

아버지가 쓸데없이 비유까지 곁들여 말했다.

"옛적에 연 맹글어 줬다는 돌아가신 할아부지 생각이 나서 맹글어예?"

"사람은 어데 갈 **목적이 읎어도 어떤 때는 연맨크로 그냥 멀리로 떠나 댕기**고 싶은 꿈이 있는 기라. ㉢ 그런 꿈 읎이 일만 하는 사람은 꼭 개미 같아. 사람은 개미가 아이잖나.

돈 벌라고 밤낮으로 일만 하는 사람을 보모 사람 사는 목적이 저런가 싶을 때가 있지러. 그 사람들이 보모 **내 같은 사람이 쓸모없이 보일란지 몰라도…….**"

아버지가 어설픈 미소를 띠어 보였다.

"묵고살기 바쁘모 그래 산천 구경하고 싶어도 몬 떠나는 거 아입니꺼."

하며, 나는 엄마를 생각했다.

"그렇기사 하겠제. 그라고 보모 나는 아매 떠돌아댕기는 팔자를 타고났나 보제."

아버지가 시무룩이 말했다.

[중략 부분 줄거리] 나와 아버지는 낚시꾼들에게 방패연을 팔러 가지만 연은 거의 팔리지 않는다. 그 무렵 아버지는 훌쩍 또 집을 떠나고, 장마가 시작된 여름밤에 다시 돌아온다. 나는 장사 가신 어머니를 마중 나가기 위해 자전거를 끌고 장터로 간다.

뇌성이 다시 한차례 하늘 복판에서 쪼개졌다. 엄마는 흠칫 어깨를 떨었고, 나는 몸이 오그라드는 듯한 놀람으로 무심결에 자전거 핸들을 눌러 잡았다.

"짝대기라 캤나? 그라몬 어데 다쳤단 말인가?"

"그렇지는 않은 거 같고……."

"늘 배창자가 아푸다더니 속병이 생긴 게로구나. 객지로 돌아댕기며 굶기도 오지게 굶었을끼고."

그럴 줄 알았다는 듯 엄마는 아무렇지 않게 말했다.

"㉣ 참, 양석 떨어졌을 낀데 너그들 저녁밥은 우쨌노?"

"장 씨 집에서 라면 두 봉지 꿔다 묵었지예."

"아부지는?"

"읍내서 묵고 왔다 캅디더."

자전거 짐받이에 얹힌 함지박을 고무줄로 묶고, 나는 천천히 자전거를 몰았다. 함지박 쪽에서 쿰쿰한 비린내가 코끝을 따라왔다. 그 냄새는 이미 후각에 익은 엄마의 냄새이기도 했다.

"㉤ 엄마, 자전거에 타예. 그라몬 퍼뜩 갈 수 있을 낀데."

다른 때 같으면 사양했을 엄마가 오늘따라 아무 말없이 안장 앞쪽 파이프에 머릿수건을 깔고 올라앉았다. 내색은 않았지만 엄마 역시 아버지를 빨리 만나고 싶은 모양이었다. 힘주어 페달을 밟자 엄마 온몸에서 풍겨 나는 비린내가 내 쪽으로 옮아왔다.

"쯧쯧, 그래도 숨질이 붙었으몬 **더러 처자슥은 보고 싶은지 집구석이라고 찾아**드니……. 원수도, 그런 원수가 어딨노. 그런 남정네가 이 시상에 몇이나 될꼬. 그래 굶으미 맥 놓고 떠돌아댕기도 우째 안죽 객사를 안 하는공 모리겠데이."

엄마는 한숨 끝에 아버지를 두고 혼잣말을 중얼거렸다.

뙤약볕 아래 장터마다 싸다니느라 까맣게 그을린 엄마 얼굴을 떠올리자, 나는 공연히 코허리가 찡하게 쓰렸다. 엄마는 키가 작고 몸매가 깡마른데다 살결이 검어, 볼 때마다 안쓰럽고 측은한 마음이 마음 귀퉁이에 그늘을 만들었다. 그럴 적마다 아버지에 대한 원망 또한 반사적으로 감정을 자극했다. 아버지에 대한 원망 섞인 감정은 증오라기보다 썰물이 되어 당신을 내 옆에서 멀리로 밀어내는 작용을 했다. 아버지에 대한 그런 마음은 엄마의 경우도 비슷하리라 여겨졌다. 다만 **순환의 법칙을 좇아** 한때의 미움도 시간이 흐르면 연민으로 녹아, 끝내 **밀물**이 되어 엄마 여윈 마음을 다시 채워 주리란 점만이 다를 뿐이었다.

– 김원일, 「연(鳶)」 –

25. 윗글의 서술상 특징에 대한 설명으로 적절한 것은?

① 장면마다 다른 서술자를 설정하여 사건을 다각도로 제시하고 있다.
② 사건을 체험한 서술자가 중심인물과 관련된 자신의 생각을 드러내고 있다.
③ 외부 이야기에서 내부 이야기로 장면을 전환하면서 사건을 전개하고 있다.
④ 작품 밖의 서술자가 중심인물의 내적 갈등이 해소되는 과정을 서술하고 있다.
⑤ 동시에 일어나는 두 개의 사건을 병렬적으로 배치하여 긴장감을 조성하고 있다.

26. ㉠~㉤에 대한 이해로 적절하지 않은 것은?

① ㉠: 저수지 근처로 이사를 가자는 아버지의 제안을 못마땅해 하는 어머니의 푸념이 담겨 있다.
② ㉡: 뜬금없이 많은 연을 만드는 아버지의 행동에 대해 의아해 하는 '나'의 심리가 담겨 있다.
③ ㉢: 생계를 위한 경제적 활동에 얽매이고 싶지 않은 아버지의 삶의 태도가 담겨 있다.
④ ㉣: 어려운 가정 형편 속에서 자식들을 걱정하는 어머니의 애정이 담겨 있다.
⑤ ㉤: 아버지의 끼니를 염려하는 마음에 어머니를 빨리 모셔 가려는 '나'의 의도가 담겨 있다.

27. <보기>를 참고하여 윗글을 감상한 내용으로 적절하지 않은 것은? [3점]

< 보 기 >

이 작품은 역마살을 타고나 여기저기 떠돌아다니는 아버지의 삶과, 생계를 책임진 채 아버지에 대한 원망과 애정을 안고 살아가는 어머니의 삶을 그리고 있다. 작품의 주요 소재인 '연'은 바람이 부는 대로 하늘을 날아다니지만 연줄로 '얼레'에 매여 있어 지상으로 돌아올 수밖에 없다. '연'과 '얼레'의 이러한 속성은 이리저리 떠돌다 가족들이 있는 집으로 돌아오는 아버지의 삶을 형상화하는 데 기여하고 있다.

① '장터를 떠돌며 어물 장사를' 하는 것에서, 가족의 생계를 떠안고 사는 어머니의 삶을 엿볼 수 있어.
② '목적이 읎어도 어떤 때는 연맨크로 그냥 멀리로 떠나 댕기'는 삶에 대해 말한 부분에서, 아버지가 하늘을 나는 연처럼 자유롭게 떠돌며 살기를 원한다는 것을 알 수 있어.
③ '내 같은 사람이 쓸모없이 보일란지 몰라도'라고 말한 부분에서, 아버지가 역마살로 인해 무능할 수밖에 없었던 자신의 삶을 후회하고 있음을 엿볼 수 있어.
④ '더러 처자슥은 보고 싶은지 집구석이라고 찾아'든다는 말에서, 어머니는 아버지에게 가족들이 얼레와 같은 역할을 하고 있다고 생각하고 있음을 알 수 있어.
⑤ '순환의 법칙을 좇아' 미움도 시간이 흐르면 연민이 되어 '밀물'처럼 마음을 채워 준다는 부분에서, 아버지에 대한 원망과 애정을 안고 사는 어머니에 대한 나의 인식을 엿볼 수 있어.

16회

[28 ~ 30] 다음 글을 읽고 물음에 답하시오.

사진이 등장하면서 회화는 대상을 사실적으로 재현(再現)하는 역할을 사진에 넘겨주게 되었고, 그에 따라 화가들은 회화의 의미에 대해 고민하게 되었다. 19세기 말 등장한 인상주의와 후기 인상주의는 전통적인 회화에서 중시되었던 사실주의적 회화 기법을 거부하고 회화의 새로운 경향을 추구하였다.

인상주의 화가들은 색이 빛에 의해 시시각각 변화하기 때문에 대상의 고유한 색은 존재하지 않는다고 생각하였다. 인상주의 화가 모네는 대상을 사실적으로 재현하는 회화적 전통에서 벗어나기 위해 빛에 따라 달라지는 사물의 색채와 그에 따른 순간적 인상을 표현하고자 하였다.

모네는 대상의 세부적인 모습보다는 전체적인 느낌과 분위기, 빛의 효과에 주목했다. 그 결과 빛에 의한 대상의 순간적 인상을 포착하여 대상을 빠른 속도로 그려 내었다. 그에 따라 그림에 거친 붓 자국과 물감을 덩어리로 찍어 바른 듯한 흔적이 남아 있는 경우가 많았다. 이로 인해 대상의 윤곽이 뚜렷하지 않아 색채 효과가 형태 묘사를 압도하는 듯한 느낌을 준다. 이와 같은 기법은 그가 사실적 묘사에 더 이상 치중하지 않았음을 보여 주는 것이었다. 그러나 모네 역시 대상을 '눈에 보이는 대로' 표현하려 했다는 점에서 이전 회화에서 추구했던 사실적 표현에서 완전히 벗어나지는 못했다는 평가를 받았다.

후기 인상주의 화가들은 재현 위주의 사실적 회화에서 근본적으로 벗어나는 새로운 방식을 추구하였다. 후기 인상주의 화가 세잔은 "회화에는 눈과 두뇌가 필요하다. 이 둘은 서로 도와야 하는데, 모네가 가진 것은 눈뿐이다."라고 말하면서 사물의 눈에 보이지 않는 형태까지 찾아 표현하고자 하였다. 이러한 시도는 회화란 지각되는 세계를 재현하는 것이 아니라 대상의 본질을 구현해야 한다는 생각에서 비롯되었다.

세잔은 하나의 눈이 아니라 두 개의 눈으로 보는 세계가 진실이라고 믿었고, 두 눈으로 보는 세계를 평면에 그리려고 했다. 그는 대상을 전통적 원근법에 억지로 맞추지 않고 이중 시점을 적용하여 대상을 다른 각도에서 바라보려 하였고, 이를 한 폭의 그림 안에 표현하였다. 또한 질서 있는 화면 구성을 위해 대상의 선택과 배치가 자유로운 정물화를 선호하였다.

세잔은 사물의 본질을 표현하기 위해서는 '보이는 것'을 그리는 것이 아니라 '아는 것'을 그려야 한다고 주장하였다. 그 결과 자연을 관찰하고 분석하여 사물은 본질적으로 구, 원통, 원뿔의 단순한 형태로 이루어졌다는 결론에 도달하였다. 이를 회화에서 구현하기 위해 그는 이중 시점에서 더 나아가 형태를 단순화하여 대상의 본질을 표현하려 하였고, 윤곽선을 강조하여 대상의 존재감을 부각하려 하였다. 회화의 정체성에 대한 고민에서 비롯된 ㉠ <u>그의 이러한 화풍은 입체파 화가들에게 직접적인 영향을 미치게 되었다.</u>

28. 윗글의 내용과 일치하지 <u>않는</u> 것은?

① 사진은 화가들이 회화의 의미를 고민하는 계기가 되었다.
② 전통 회화는 대상을 사실적으로 묘사하는 것을 중시했다.
③ 모네의 작품은 색채 효과가 형태 묘사를 압도하는 듯한 느낌을 주었다.
④ 모네는 대상의 고유한 색 표현을 위해서 전통적인 원근법을 거부하였다.
⑤ 세잔은 사물이 본질적으로 구, 원통, 원뿔의 형태로 구성되어 있다고 보았다.

29. 윗글을 바탕으로 할 때, <보기>의 선생님의 질문에 대한 대답으로 적절하지 <u>않은</u> 것은? [3점]

< 보 기 >

선생님 : (가)는 모네의 「사과와 포도가 있는 정물」이고, (나)는 세잔의 「바구니가 있는 정물」입니다. 이 두 작품은 각각 모네와 세잔의 작품 경향이 잘 반영되어 있는 작품으로 평가받고 있습니다. 두 화가의 작품 경향을 바탕으로 (가)와 (나)를 감상해 볼까요?

(가)

(나)

① (가)에서 포도의 형태를 뚜렷하지 않게 그린 것은 빛에 의한 순간적인 인상을 표현한 것이라고 볼 수 있겠군요.
② (나)에서는 질서 있게 화면을 구성하기 위해 의도적으로 대상이 선택되고 배치된 것으로 볼 수 있겠군요.
③ (가)와 달리 (나)에 있는 정물들의 뚜렷한 윤곽선은 대상의 존재감을 부각시키기 위해 사용한 것으로 볼 수 있겠군요.
④ (나)와 달리 (가)의 식탁보의 거친 붓 자국은 대상에서 느껴지는 인상을 빠른 속도로 그려 낸 결과라고 볼 수 있겠군요.
⑤ (가)와 (나) 모두 사물을 단순화해서 표현한 것을 통해 사실적인 재현에서 완전히 벗어났다는 평가를 받을 수 있겠군요.

30. <보기>를 바탕으로 할 때, 세잔의 화풍을 ㉠과 같이 평가한 이유로 가장 적절한 것은?

< 보 기 >

입체파 화가들은 사물의 본질을 표현하고자 대상을 입체적 공간으로 나누어 단순화한 후, 여러 각도에서 바라보는 관점으로 사물을 해체하였다가 화폭 위에 재구성하는 방식을 취하였다. 이러한 기법을 통해 관찰자의 위치와 각도에 따라 각기 다르게 보이는 대상의 다양한 모습을 한 화폭에 담아내려 하였다.

① 대상의 본질을 드러내기 위해 다양한 각도에서 바라보아야 한다는 관점을 제공하였기 때문에
② 대상을 복잡한 형태로 추상화하여 대상의 전체적인 느낌을 부각하는 방법을 시도하였기 때문에
③ 사물을 최대한 정확하게 묘사하기 위해 전통적 원근법을 독창적인 방법으로 변용시켰기 때문에
④ 시시각각 달라지는 자연을 관찰하고 분석하여 대상의 인상을 그려 내는 화풍을 정립하였기 때문에
⑤ 지각되는 세계를 있는 그대로 표현하기 위해 사물을 해체하여 재구성하는 기법을 창안하였기 때문에

[31 ~ 33] 다음 글을 읽고 물음에 답하시오.

조세는 국가의 재정을 마련하기 위해 경제 주체인 기업과 국민들로부터 거두어들이는 돈이다. 그런데 국가가 조세를 강제로 부과하다 보니 경제 주체의 의욕을 떨어뜨려 경제적 순손실을 초래하거나 조세를 부과하는 방식이 공평하지 못해 불만을 야기하는 문제가 나타난다. 따라서 조세를 부과할 때는 조세의 효율성과 공평성을 고려해야 한다.

우선 ㉠ 조세의 효율성에 대해서 알아보자. 상품에 소비세를 부과하면 상품의 가격 상승으로 소비자가 상품을 적게 구매하기 때문에 상품을 통해 얻는 소비자의 편익*이 줄어들게 되고, 생산자가 상품을 팔아서 얻는 이윤도 줄어들게 된다. 소비자와 생산자가 얻는 편익이 줄어드는 것을 경제적 순손실이라고 하는데 조세로 인하여 경제적 순손실이 생기면 경기가 둔화될 수 있다. 이처럼 조세를 부과하게 되면 경제적 순손실이 불가피하게 발생하게 되므로, 이를 최소화하도록 조세를 부과해야 조세의 효율성을 높일 수 있다.

㉡ 조세의 공평성은 조세 부과의 형평성을 실현하는 것으로, 조세의 공평성이 확보되면 조세 부과의 형평성이 높아져서 조세 저항을 줄일 수 있다. 공평성을 확보하기 위한 기준으로는 편익 원칙과 능력 원칙이 있다. 편익 원칙은 조세를 통해 제공되는 도로나 가로등과 같은 공공재*를 소비함으로써 얻는 편익이 클수록 더 많은 세금을 부담해야 한다는 원칙이다. 이는 공공재를 사용하는 만큼 세금을 내는 것이므로 납세자의 저항이 크지 않지만, 현실적으로 공공재의 사용량을 측정하기가 쉽지 않다는 문제가 있고 조세 부담자와 편익 수혜자가 달라지는 문제도 발생할 수 있다.

능력 원칙은 개인의 소득이나 재산 등을 고려한 세금 부담 능력에 따라 세금을 내야 한다는 원칙으로 조세를 통해 소득을 재분배하는 효과가 있다. 능력 원칙은 수직적 공평과 수평적 공평으로 나뉜다. 수직적 공평은 소득이 높거나 재산이 많을수록 세금을 많이 부담해야 한다는 원칙이다. 이를 실현하기 위해 특정 세금을 내야 하는 모든 납세자에게 같은 세율을 적용하는 비례세나 소득 수준이 올라감에 따라 점점 높은 세율을 적용하는 누진세를 시행하기도 한다.

수평적 공평은 소득이나 재산이 같을 경우 세금도 같게 부담해야 한다는 원칙이다. 그런데 수치상의 소득이나 재산이 동일하더라도 실질적인 조세 부담 능력이 달라, 내야 하는 세금에 차이가 생길 수 있다. 예를 들어 소득이 동일하더라도 부양가족의 수가 다르면 실질적인 조세 부담 능력에 차이가 생긴다. 이와 같은 문제를 해결하여 공평성을 높이기 위해 정부에서는 공제 제도를 통해 조세 부담 능력이 적은 사람의 세금을 감면해 주기도 한다.

* 편익 : 편리하고 유익함.
* 공공재 : 모든 사람들이 공동으로 이용할 수 있는 재화나 서비스.

31. 윗글에 대한 설명으로 가장 적절한 것은?

① 상반된 두 입장을 비교, 분석한 후 이를 절충하고 있다.
② 대상을 기준에 따라 구분한 뒤 그 특성을 설명하고 있다.
③ 대상의 개념을 그와 유사한 대상에 빗대어 소개하고 있다.
④ 통념을 반박하며 대상이 가진 속성을 새롭게 조명하고 있다.
⑤ 시간의 흐름에 따라 대상이 발달하는 과정을 서술하고 있다.

32. ㉠과 ㉡에 대한 설명으로 적절하지 않은 것은?

① ㉠은 조세가 경기에 미치는 영향과 관련되어 있다.
② ㉡은 납세자의 조세 저항을 완화하는 데 도움이 된다.
③ ㉠은 ㉡과 달리 소득 재분배를 목적으로 한다.
④ ㉡은 ㉠과 달리 조세 부과의 형평성을 실현하는 것이다.
⑤ ㉠과 ㉡은 모두 조세를 부과할 때 고려해야 하는 요건이다.

33. <보기>는 경제 수업의 일부이다. 윗글을 바탕으로 할 때, 선생님의 질문에 적절하게 답한 학생을 모두 골라 바르게 묶은 것은? [3점]

< 보 기 >

선생님 : 여러분, 아래 표는 소득을 기준으로, A, B, C의 세금 공제 내역을 가정한 것입니다. 표를 보고 조세의 공평성이 어떻게 적용되었는지 각자 분석해 볼까요?

구분	소득 (만 원)	세율 (%)	공제액 (만 원)	납부액 (만 원)	공제 항목
A	3,000	5	0	150	공제 없음
B	3,000	5	100	50	부양가족 2인
C	4,000	10	100	300	부양가족 2인

성근 : A와 달리 B에게 공제 혜택을 부여함으로써 조세의 공평성이 약화되고 있어요. ……… ㄱ
수지 : B가 A와 달리 부양가족 공제를 받은 것은 실질적인 조세 부담 능력을 고려한 것이네요. ……… ㄴ
현욱 : B와 C의 납부액에 차이가 있는 것은 편익 원칙을 적용하여 세금을 징수했기 때문이에요. ……… ㄷ
유미 : B의 세율이 5%이고, C의 세율이 10%인 것은 수직적 공평을 위한 누진세가 적용된 결과겠네요. ……… ㄹ

① ㄱ, ㄷ　② ㄴ, ㄹ　③ ㄷ, ㄹ
④ ㄱ, ㄴ, ㄷ　⑤ ㄱ, ㄴ, ㄹ

16회

[34 ~ 36] 다음 글을 읽고 물음에 답하시오.

S#90. 전철역 안 / 오후

경숙, 비틀거리며 뒤편에 있는 의자로 가서 앉는다. 점점 일그러지는 그녀의 표정. 조금씩 새어 나오는 신음 소리. 배를 움켜쥔 손. 의자로 점점 기울어져 눕다시피 되는 경숙. 점점 흐려지는 눈빛.

(플래시백*)

동물원의 인파 속에 서 있는 젊은 경숙과 어린 초원. 초원은 한쪽 손에 풍선을 들고 멍하게 서 있고, 경숙은 초원의 손을 잡고 있다. 우울한 표정의 경숙, 초원을 바라보고 서 있다. ⓐ스르륵 풀리는 초원의 손. 초원, 사람들 틈으로 마술처럼 사라진다.

S#93. 병원 병실 / 밤

경숙 이왕 이렇게 세상에 태어난 이상, 뭐 하나라도 즐길 수 있는 거, 살아 있다는 기분 느낄 수 있는 거 하나쯤 엄마가 만들어 주고 떠나자. 그런데 어느 날 보니……. 그러면서, 내가 좋아하고 꿈꾸고 위로받고 있는 거였어. 아무것도 모르는 애를 멋대로 굴려 가면서. 하지만 그만둘 수가 없었어. 그럼 난 살 수가 없을 것 같았거든. (눈물을 떨군다) …… 애가 기억하더라구. 옛날에 동물원에서 잃어버렸던 걸……. 기억나지 당신도? 사실은 말야, 그때, 내가 초원이를 버렸던 거야. 사람들 틈에서 손을 놓았지. 도저히, 키울 자신이 없었거든……. 그러니까, 제 살자고 애를 버렸던 엄마가, 이제 또 제가 살려고 애를 그렇게 한평생 못살게 군 거야.

희근 당신 그때 스물일곱이었어.

경숙 지금은 아니야. 담임 선생님이 그랬어. 애가 힘들어도 힘들단 소리를 안 한대. 내가 늘 그랬거든. 초원이 힘들어, 안 힘들어? 안 힘들지? 힘들지 않지? 좋지? 좋아하지? …… 십오 년을 그렇게 애를 다그쳤어. 그래서 이젠 힘들다, 하기 싫단 말을 아예 못 해. 어떡하지? 우리 초원이 불쌍해서? 어쩜, 초원이는 엄마가 자길 또 내버릴까 봐, 그렇게 열심히, 힘들단 소리도 못 하고 지금껏 산 거 아닐까, 여보? 어떡하지? 그럼 나 정말 지옥 갈 거야, 그치?

S#94. 병원 정원 / 낮

정욱 예전에 초원이 마라톤 좋아한다고 했을 때, 내가 직접 달려 보지도 않고 그딴 소리하지 말라고 한 거 기억나요?

허공을 바라보고 있는 경숙에게 진지하게 계속 말하는 정욱.

정욱 그건 정말 모르는 거예요. 직접 뛰어 본 사람만 아는 거죠. 승부를 위해, 기록을 위해, 다른 사람을 위해 뛰는 거랑은 다른 거거든요. 그럴 땐 멈추고 싶죠. 그리고 멈춰 서 있으면……. 그 느낌은 쉽게 까먹어요. 그럼 영영 다시 뛸 수 없죠. (경숙을 바라보며) 제가 페이스메이커 할게요. 같이 뛴다구요.

경숙 하지만, 우리 앤 달라요, 남들과 달라요. 똑같지 않다구요! 그걸 깨닫는 데 20년 걸렸어요. 바보처럼……. 그깟 200시간으로 뭐가 달라졌을 것 같아요? 어림도 없어요. 애 맘을 아냐구요? 그걸 알면, 난 지금 당장 죽어도 소원이 없어요. (큰 목소리로) 가세요! 이젠, 안 해요! 내가 그놈의 걸 알 때까지 하루라도 더 살기 위해서라도 이제 마라톤 안 해요!

S#95. 몽타주

- 학교로 가는 승합차에 올라타는 초원. 차에 타기 전 아파트를 올려다보지만 엄마가 늘 손 흔들어 주던 자리엔 아무도 없다. ……… ㉠
- 병원에서 탁상 달력을 바라보는 경숙. 10월 10일 날짜에 눈이 간다. 미련을 버리려는 듯, 텔레비전을 켠다. ……… ㉡
- 아파트 복도 구석에 앉아 정욱이 사준 얼룩말 러닝화를 박스에서 꺼내 보는 초원. 냄새를 킁킁 맡아 본 후, 다시 박스에 넣는다. ……… ㉢

[중략 부분 줄거리] 경숙은 퇴원하고, 초원은 정욱에게 마라톤 훈련을 받지 않으나 깊은 밤 운동장을 스스로 달린다. 10월 10일 마라톤 대회가 열리는 날, 초원은 혼자 대회 현장으로 향한다. 초원이 사라지자 놀란 경숙과 동생 중원은 초원을 찾아 나서고, 대회 현장에서 초원을 발견한다.

S#101. 춘천 공설 운동장 / 아침

경숙, 초원을 잡아끌지만, 초원은 움직일 생각을 안 한다.

경숙 너 뛰다가 쓰러지면 또 주사 맞잖아. 주사 맞을 거야?
초원 (머뭇거리다가 이내) 안 쓰러져. 초원이 안 쓰러져.

그 순간 '타앙' 울리는 출발 총성. '와아'하는 함성 소리와 함께 물밀 듯이 밀려 나가기 시작하는 사람들. 그 틈바구니에서 손을 붙잡은 채, 서로 노려보고 있는 초원과 경숙.

중원 (가운데에 서서 간절한 표정으로) 엄마!
경숙 초원아, 나중에 오자. 오늘은 안 돼. 너 혼자선 안 돼.

초원 모자와 거칠게 부딪치면서 출발하는 사람들. 달려 나가는 수많은 사람들 틈에서, 보였다 안 보였다 하는 초원과 경숙. 하지만 초원의 손을 꼭 잡고 있는 경숙.

경숙 초원아, 엄마가 잘못했어. 이제, 이런 거 안 시킬게.
초원 초원이 다리는…….

경숙, 숨이 멎는 듯

초원 초원이 다리는……?
경숙 (경숙의 눈가가 젖어 들고) 백만 불짜리 다리…….

어느새, ⓑ스르르 손이 풀리고, 초원은 바람처럼 군중들 틈으로 사라진다.

— 정윤철, 윤진호, 송예진 각본, 「말아톤」 —

* 플래시백 : 영화가 순차적으로 진행되는 도중 과거 시간대의 장면을 삽입하는 기법.

34. 윗글을 영화로 연출하기 위한 연출자의 주문 사항으로 적절하지 않은 것은?

① S#93에서 경숙이 말할 때, 자책감을 담아낼 수 있는 표정으로 연기해 주세요.
② S#94에서 정욱이 경숙을 설득할 때, 진지한 태도가 드러나는 어조로 대사를 해 주세요.
③ S#94에서 경숙이 정욱의 제안을 거절할 때, 감정을 억누르려는 차분한 목소리로 연기해 주세요.
④ S#101에서 마라톤 대회가 시작되는 상황일 때, 생생한 현장감이 부각될 수 있는 효과음을 넣어 주세요.
⑤ S#101에서 초원과 경숙이 대화할 때, 마라토너들은 일시에 그들의 주변을 빠르게 지나쳐 가도록 해 주세요.

35. <보기>를 감독의 인터뷰라고 할 때, <보기>를 바탕으로 S#95의 ㉠~㉢을 감상한 내용으로 적절하지 않은 것은? [3점]

< 보 기 >

"S#95에서 몽타주 기법을 사용한 것은 장면과 장면을 연결해 주면서 사건을 압축적으로 전개하고자 했기 때문입니다. 몽타주 기법을 사용하게 되면 장면들이 서로 연결되면서, 하나의 장면만으로는 보여 줄 수 없었던 사건의 진행 과정과 인물의 심리를 관객들이 짐작할 수 있게 됩니다. 그리고 자칫 느슨해질 수 있는 사건 전개에 속도감을 부여하여 영화에 대한 몰입도를 높일 수 있습니다."

① ㉠은 S#90과 연계된 S#93에서 경숙이 입원한 것과 관련하여 초원의 일상에 변화가 생겼음을 알 수 있게 하는군.
② ㉡은 S#94에서의 대사와는 달리 초원의 마라톤 대회 참가에 대해 경숙이 미련을 가지고 있었음을 알 수 있게 하는군.
③ ㉢은 S#101에서 마라톤을 하고 싶어 하는 모습을 보이는 초원과 연결하여 이해할 수 있겠군.
④ ㉡, ㉢을 통해 초원과 경숙의 모습을 대비하여 S#101에서 중원에 의해 두 사람의 갈등이 해소될 것임을 나타내는군.
⑤ ㉠~㉢을 나열한 것은 초원과 경숙의 일상을 압축적으로 보여 줌으로써 속도감 있게 사건을 전개하기 위한 것이군.

36. ⓐ와 ⓑ를 연계하여 초원에 대한 경숙의 인식 변화를 이해한 것으로 가장 적절한 것은?

① 책임을 져야 하는 부담스러운 존재에서 의지를 지닌 주체적인 존재로 인정하게 되었음을 알 수 있다.
② 보살핌을 받지 못하던 소외된 존재에서 남을 위해 애쓰는 대견한 존재로 인식하게 되었음을 알 수 있다.
③ 다가가기 어려운 고독한 존재에서 먼저 마음을 열고 다가오는 살가운 존재로 인식하게 되었음을 알 수 있다.
④ 가르침에 잘 따르는 순종적인 존재에서 자기 고집만 내세우는 야속한 존재로 받아들이게 되었음을 알 수 있다.
⑤ 함께하며 위안을 얻는 존재에서 뒤늦게 속마음을 알게 되어 미안함을 느끼는 존재로 생각하게 되었음을 알 수 있다.

[37 ~ 41] 다음 글을 읽고 물음에 답하시오.

초고층 건물은 높이가 200미터 이상이거나 50층 이상인 건물을 말한다. 이런 초고층 건물을 지을 때는 건물에 ⓐ작용하는 힘을 고려해야 한다. 건물에 작용하는 힘에는 수직 하중과 수평 하중이 있다. 수직 하중은 건물 자체의 무게로 인해 땅 표면에 수직 방향으로 작용하는 힘이고, 수평 하중은 바람이나 지진 등에 의해 건물에 가로 방향으로 작용하는 힘이다.

수직 하중을 견디기 위해서 ⓑ고안된 가장 단순한 구조는 ㉠보기둥 구조이다. 보기둥 구조는 기둥과 기둥 사이를 가로지르는 수평 구조물인 보를 설치하고 그 위에 바닥판을 놓은 구조이다. 보기둥 구조에서는 설치된 보의 두께만큼 건물의 한 층당 높이가 높아지지만, 바닥판에 작용하는 하중이 기둥에 집중되지 않고 보에 의해 ⓒ분산되기 때문에 수직 하중을 잘 견딜 수 있다.

위에서 아래 방향으로만 작용하는 수직 하중과 달리 수평 하중은 사방에서 작용하는 힘이기 때문에 초고층 건물의 안전에 미치는 영향이 수직 하중보다 훨씬 크다. 수평 하중은 초고층 건물의 안전을 위협하는 주요 요인인데, 바람은 건물에 작용하는 수평 하중의 90% 이상을 차지한다. 건물이 많은 도심에서는 넓은 공간에서 좁은 공간으로 바람이 불어오면서 풍속이 빨라지는 현상이 발생해 건물에 작용하는 수평 하중을 크게 만든다. 그리고 바람에 의해 공명 현상*이 발생하면 건물이 매우 크게 흔들리게 되어 건물의 안전을 위협하게 된다.

건물이 수평 하중을 견디기 위해서는 기본적으로 뼈대에 해당하는 보와 기둥을 아주 단단하게 붙여야 하지만, 초고층 건물의 경우 이것만으로는 수평 하중을 견디기 힘들다. 그래서 등장한 것이 ㉡코어 구조이다. 코어는 빈 파이프 모양의 철골 콘크리트 구조물을 건물 중앙에 세운 것으로, 코어에 건물의 보와 기둥들을 강하게 접합한다. 이렇게 하면 외부에서 작용하는 수평 하중에도 불구하고 코어로 인해 건물이 크게 흔들리지 않게 된다. 그런데 초고층 건물은 그 높이가 높아질수록 수평 하중이 커지고 그에 따라 코어의 크기도 커져야 한다. 코어 구조는 가운데 빈 공간이 있어 공간 활용의 효율성이 떨어지기 때문에 현대의 초고층 건물은 ㉮코어에 승강기나 화장실, 계단, 수도, 파이프 같은 시설을 설치하는 경우가 많다.

그런데 초고층 건물의 높이가 점점 높아지면 코어 구조만으로는 수평 하중을 완벽하게 견뎌 낼 수 없다. 그래서 ㉢아웃리거-벨트 트러스 구조를 사용하여 코어 구조를 보완한다. 아웃리거-벨트 트러스 구조에서 벨트 트러스는 철골을 사용하여 건물의 외부 기둥들을 삼각형 구조의 트러스로 짜서 벨트처럼 둘러 싼 것으로 수평 하중을 ⓓ지탱하는 역할을 한다. 삼각형 구조의 트러스로 외부 기둥들을 연결하면 외부에서 작용하는 힘이 철골 접합부를 통해 전체적으로 분산되기 때문에 코어에 무리한 힘이 가해지는 것을 예방할 수 있다. 그리고 아웃리거는 콘크리트를 사용하여 건물 외벽에 설치된 벨트 트러스를 내부의 코어와 ⓔ견고하게 연결한 것으로, 아웃리거와 벨트 트러스는 필요에 따라 건물 중간중간에 여러 개가 설치될 수 있다.

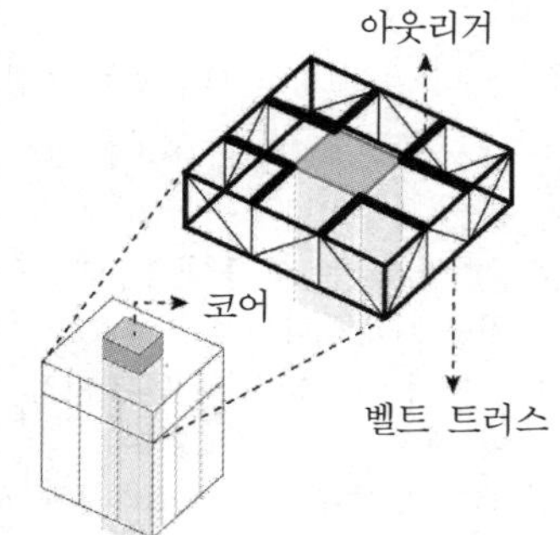

<아웃리거 - 벨트 트러스 구조>

그런데 아웃리거는 건물 내부를 가로지를 수밖에 없어서 효율적인 공간 구성에 방해가 된다. 이런 단점을 극복하기 위해 ㉯ 아웃리거를 기계 설비층에 설치하거나 층과 층 사이, 즉 위층 바닥과 아래층 천장 사이에 설치하기도 한다.

[A] 초고층 건물은 특수한 설비를 이용하여 바람으로 인한 건물의 흔들림을 줄이기도 하는데 대표적인 것이 TLCD, 즉 동조 액체 기둥형 댐퍼이다. TLCD는 U자형 관 안에 수백 톤의 물이 채워진 것으로 초고층 건물의 상층부 중앙에 설치한다. 바람이 불어 건물이 한쪽으로 기울어져도 물은 관성의 법칙에 따라 원래의 자리에 있으려 하기 때문에 건물이 기울어진 반대 쪽에 있는 관의 물 높이가 높아진다. 그렇게 되면 그 관의 아래로 작용하는 중력도 커지고, 이로 인해 건물을 기울어지게 하는 힘을 약화시켜 흔들림이 줄어들게 된다. 물이 무거울수록 그리고 관 전체의 가로 폭이 넓어질수록 수평 방향의 흔들림을 줄여 주는 효과가 크다. 하지만 그에 따라 수직 하중이 증가하므로 TLCD는 수평 하중과 수직 하중을 함께 고려하여 설계해야 한다.

* 공명 현상 : 진동체가 그 고유 진동수와 같은 진동수를 가진 외부의 힘을 받아 진폭이 뚜렷하게 증가하는 현상.

37. 윗글의 내용에 대한 이해로 적절하지 않은 것은?

① 수직 하중은 수평 하중과 달리 사방에서 건물에 가해지는 힘이다.
② 건물이 높아질수록 건물에 가해지는 수직 하중은 증가한다.
③ 보기둥 구조에서 보의 두께는 한 층당 높이에 영향을 준다.
④ 넓은 공간에서 좁은 공간으로 바람이 불어오면 풍속이 빨라진다.
⑤ 공명 현상은 건물에 가해지는 수평 하중을 증가시키는 요인이 된다.

38. ㉠ ~ ㉢을 설명한 내용으로 적절하지 않은 것은?

① ㉠은 기둥과 기둥 사이에 설치한 수평 구조물 위에 바닥판을 놓는 구조이다.
② ㉠에서 보는 건물에 작용하는 수직 하중이 기둥에 집중되는 것을 예방한다.
③ ㉡에서 코어는 건물의 높이가 높아짐에 따라 그 크기가 커져야 한다.
④ ㉢에서 트러스는 아웃리거와 코어의 결합력을 높여 수평 하중을 덜 받게 한다.
⑤ ㉡과 ㉢을 함께 사용하면 건물에 작용하는 수평 하중을 견디는 힘이 커진다.

39. 문맥을 고려할 때, ㉮와 ㉯의 이유로 가장 적절한 것은?

① 건물의 외부 미관을 살리기 위해서
② 건물의 건설 비용을 줄이기 위해서
③ 건물의 공간을 효율적으로 활용하기 위해서
④ 건물에 작용하는 외부의 힘을 줄이기 위해서
⑤ 필요에 따라 공간의 용도를 변경하기 위해서

40. [A]를 바탕으로 <보기>의 'TLCD'를 이해한 내용으로 적절하지 않은 것은? [3점]

< 보 기 >

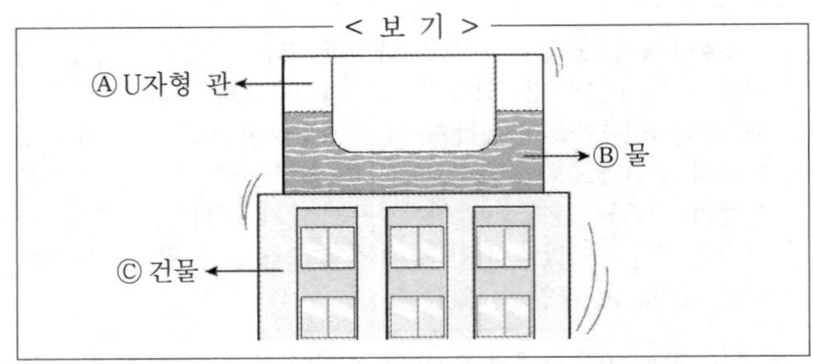

① Ⓐ가 한쪽으로 기울어도 Ⓑ는 원래의 자리에 있으려 할 것이다.
② Ⓐ가 왼쪽으로 기울면 오른쪽 관에 있는 Ⓑ의 높이가 왼쪽보다 높아질 것이다.
③ Ⓐ 전체의 가로 폭이 넓어질수록 Ⓒ가 수평 하중을 견디는 효과가 작아질 것이다.
④ Ⓐ 안에 있는 Ⓑ의 양이 많을수록 Ⓒ에 작용하는 수직 하중이 증가할 것이다.
⑤ Ⓐ에 채워진 Ⓑ의 무게가 무거울수록 Ⓒ의 수평 방향의 흔들림을 줄여 주는 효과가 클 것이다.

41. ⓐ ~ ⓔ의 사전적 의미로 적절하지 않은 것은?

① ⓐ : 어떠한 현상을 일으키거나 영향을 미침.
② ⓑ : 연구하여 새로운 것을 생각해 냄.
③ ⓒ : 갈라져 흩어짐.
④ ⓓ : 어떤 상태나 현상을 그대로 보존함.
⑤ ⓔ : 굳고 단단함.

[42 ~ 45] 다음 글을 읽고 물음에 답하시오.

[앞부분 줄거리] 군관 직책의 배비장은 제주 목사가 벌인 잔치에 자신은 여색을 멀리한다며 참석하지 않는다. 이에 제주 목사는 기생 애랑을 시켜 배비장을 유혹하게 하고, 애랑은 자신에게 반한 배비장에게 삼경에 집으로 오라는 편지를 보낸다.

강호에 병이 들어 덧없이 죽겠더니, 낭자 회답이 반갑도다. 삼경에 기약 두고, 해 지기만 바라더니, 석양이 다 저물어 간다. 방자 입시(入侍) 보내고 빈방 안에 문을 닫고 그 여자에게 잘 뵈려고 다시 의관을 차릴 적에, 외올 망건 정주 탕건, 쾌자, 전립 관대 띠에 동개*를 차 제법 그럴싸하고 빈방 안에 혼자 우뚝 서서 도깨비 들린 듯이 혼잣말로 두런거리며 연습 삼아 하는 말이,

"가만가만 걸어가서 여자 문 앞에 들어서며 기침 한 번을 가만히 하면 그 여인이 기척 채고 문을 펄쩍 열것다. 걸음을 한번 팔자걸음으로 이렇게 걸어 들어가, 옛말에 이르기를, '수인사(修人事) 대천명(待天命)이라.' 하니, ㉠ 여자에게 한 번 이렇게 군대의 예절로 뵈렸다."

한창 이리 연습할 제, 방자놈이 뜻밖에 문을 펄쩍 열며,

"나리, 무엇하오?"

배비장 깜짝 놀라,

"너 벌써 왔느냐?"

"예, 군례 전에 대령하였소."

"㉡ 이놈, 내 깜짝 놀라 바로 땀이 난다."

하며 동개한 채로 썩 나서니, 달이 진 산에 까마귀 울고, 고기잡이 불빛이 물에 비친다. 앞개울에 있던 사람은 돌아가고, 봄바람에 학이 운다.

"앞서 기약 맺은 낭자, 이 밤중에 어서 찾아가자."

거들거려 가려 할 제 방자놈 이른 말이,

[A]
"나으리, 생각이 전혀 없소. 밤중에 유부녀 희롱 가오면서 비단 옷 입고 저리 하고 가다가는 될 일도 안 될 것이니, 그 의관 다 벗으시오."

"벗으면 초라하지 않겠느냐?"

"초라하거든 가지 마옵시다."

"이 애야, 요란히 굴지 마라. 내 벗으마."

활짝 벗고 알몸으로 서서,

"어떠하냐?"

"그것이 참 좋소마는, 누가 보면 한라산 매 사냥꾼으로 알겠소. 제주 인물 복색으로 차리시오."

"제주 인물 복색은 어떤 것이냐?"

"개가죽 두루마기에 노펑거지*를 쓰시오."

"그것은 너무 초라하구나."

"초라하거든 그만두시오."

"말인즉 그러하단 말이다. 개가죽이 아니라, 도야지가죽이라도 내 입으마."

하더니, **구록피(狗鹿皮) 두루마기에 노평거지**를 쓰고 나서서 앞뒤를 살펴보며,

"이 애야, 범이 보면 개로 알겠다. 군기총(軍器銃) 하나만 내어 들고 가자."

"무섭거든 가지 마옵시다."

"이 애야, 그러하단 말이냐? 네 성정 그러한 줄 몰랐구나. ㉢ 정 못 갈 터이면, 내 업고라도 가마."

배비장이 뒤따라가며 하는 말이,

"기약 둔 사랑하는 여자, 어서 가 반겨 보자."

서쪽으로 낸 대나무로 얽은 창 돌아들어, 동쪽에 있는 소나무로 만든 댓돌에 다다르니, 북쪽 창에 밝게 켠 등불 하나만이 외로이 섰는데, 밤은 깊은 삼경이라. 높은 담 구멍 찾아가서 방자 먼저 기어들며,

"쉬, 나리 잘못하다가는 일 날 것이니, 두 발을 한데 모아 요령 있게 들이미시오."

배비장이 방자 말을 옳게 듣고 두 발을 모아 들이민다. 방자놈이 안에서 배비장의 두 발목을 모아 쥐고 힘껏 잡아당기니, ⓐ 부른 배가 딱 걸려서 들도 나도 아니하는구나. 배비장 두 눈을 희게 뜨고 이를 갈며,

"좀 놓아다고!"

하면서, **죽어도 문자(文字)는 쓰**던 것이었다.

"포복불입(飽腹不入)하니 출분이기사(出糞而幾死)로다.*"

방자가 안에서 웃으며 탁 놓으니, 배비장이 곤두박질하였다가 일어나 앉으며 하는 말이,

"매사가 순리로 아니 되니 큰 낭패로다. 산모의 해산법으로 말하여도 아이를 머리부터 낳아야 순산이라 하니, 내 상투를 들이밀 것이니 잘 잡아당겨라."

방자놈이 배비장의 상투를 노평거지 쓴 채 왈칵 잡아당기나, 아무리 하여도 나은 줄 모르겠다. 죽을 고비에서 살아났으니, 목숨은 원래 하늘에 달렸음이라. 뻥 하고 들어가니 배비장이 아프단 말도 못 하고,

"㉣ 어허, 아마도 내 등에는 꼰질곤자판*을 놓았나 보다."

(중략)

배비장이 한편 좋기도 하고 한편 조심도 되어, **가만가만 자취 없이 들어가서 이리 기웃 저리 기웃** 문 앞에 가서 사뿐사뿐 손가락에 침을 발라 문 구멍을 배비작 배비작 뚫고 한 눈으로 들여다보니, 깊은 밤 등불 아래 앉은 저 여인, 나이 겨우 이팔의 고운 태도라, 켜 놓은 등불이 밝다 한들 너를 보니 어두운 듯, 피는 복숭아꽃이 곱다 하되 너를 보니 무색한 듯, **저 여인 거동 보소** 김해 간죽 백통관에 삼등초를 서뿐 담아 청동화로 백탄 불에 사뿐 질러 빨아낸다. 향기로운 담배 연기가 한 오라기 보랏빛으로 피어나니 붉은 안개 피어 돋는 듯, 한 오리 두 오리 풍기어서 창 구멍으로 돌아 나온다. 배비장이 그 담뱃내를 손으로 움키어 먹다가 생 담뱃내가 콧구멍으로 들어가서 재채기 한 번을 악칵 하니, 저 여인이 놀라는 체하고 문을 펄쩍 열뜨리고,

"도적이야."

소리 하니, 배비장이 엉겁결에,

"문안드리오."

저 여인이 보다가 하는 말이,

"㉤ 호랑이를 그리다가 솜씨 서툴러서 강아지를 그림이로고, 아마도 뉘 집 미친개가 길 잘못 들어 왔나 보다."

인두판으로 한 번 지끈 치니 배비장이 하는 말이,

"나는 개가 아니오."

"그러면 무엇이냐?"

"**배 걸덕쇠요.**"

– 작자 미상, 「배비장전(裵裨將傳)」 –

* 동개 : 활과 화살을 찬 주머니.
* 노평거지 : 노끈으로 만든 벙거지.
* 포복불입(飽腹不入)하니 출분이기사(出糞而幾死)로다. : 배가 불러 들어갈 수 없으니 똥이 나와 죽겠구나.
* 꼰질곤자판 : 고누판. '고누'는 장기와 비슷한 옛날의 놀이.

42. <보기>를 바탕으로 윗글을 감상할 때, 적절하지 않은 것은? [3점]

< 보 기 >

「배비장전」은 판소리계 소설로, 판소리 창자의 말투가 고스란히 드러나 있고 리듬감이 있는 율문체를 통해 당대 서민들의 삶과 정서를 드러내고 있다. 또한 다른 사람의 책략에 의해 주인공이 금욕적 다짐을 훼손당해 웃음거리가 되는 남성 훼절형 모티프를 바탕으로 하는 서사 구조를 보여 준다. 이를 통해 지배 계층의 허세에 대한 풍자와 조롱을 드러내고 신분 질서가 무너져 가는 당대 시대상 등을 반영하고 있다.

① '가만가만 자취 없이 들어가서 이리 기웃 저리 기웃'에서 글자 수를 규칙적으로 반복하여 인물의 행동을 리듬감 있게 묘사하는 율문체를 확인할 수 있겠군.
② '저 여인 거동 보소'라는 표현에서 청중을 향한 판소리 창자의 목소리가 직접 드러나는 판소리계 소설로서의 특징을 확인할 수 있겠군.
③ 배비장이 방자에 의해 '구록피 두루마기에 노평거지'까지 쓰면서 훼절한 상황에서 서민 계층에 의해 조롱당하는 지배 계층의 모습을 엿볼 수 있겠군.
④ 담 구멍에 걸려 있는 상황에서도 '죽어도 문자는 쓰'는 배비장의 모습을 통해 지배 계층의 허세에 대한 풍자를 엿볼 수 있겠군.
⑤ 배비장이 애랑을 만나자마자 '배 걸덕쇠요.'라고 격식을 차리며 말하는 데서 신분 질서가 무너져 가는 당대의 시대적 현실을 확인할 수 있겠군.

43. [A]의 재담 구조를 <보기>와 같이 도식화할 때, 이에 대한 설명으로 적절하지 않은 것은?

< 보 기 >

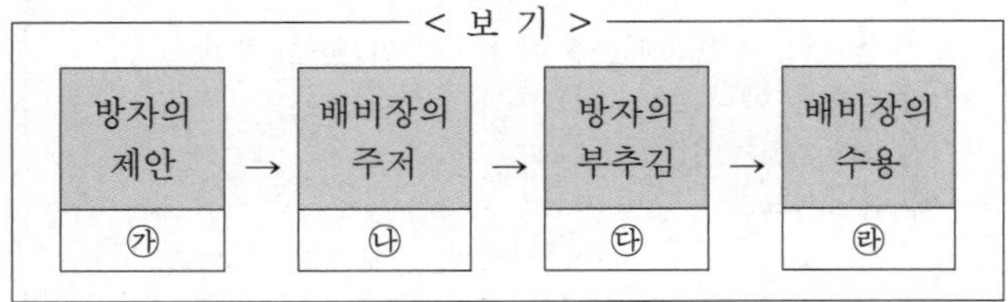

① ㉮에서 방자는 배비장의 권위를 깎아내리는 말을 하고 있다.
② ㉯에서 배비장은 자신의 체면을 생각하며 반응하고 있다.
③ ㉰에서 방자는 긍정적인 결과를 제시하며 설득하고 있다.
④ ㉱에서 배비장은 방자의 말에 할 수 없이 호응하고 있다.
⑤ ㉮ ~ ㉱에서 방자가 대화를 주도하며 재담의 구조가 반복되고 있다.

44. ㉠ ~ ㉤에 대한 설명으로 적절하지 않은 것은?

① ㉠ : 애랑의 환심을 사기 위해 노력을 하고 있는 배비장의 모습이 나타나 있다.
② ㉡ : 방자에게 자신의 행동을 들켰을까 봐 당황하는 배비장의 태도가 나타나 있다.
③ ㉢ : 애랑을 만나고 싶어 하는 배비장의 간절한 마음이 나타나 있다.
④ ㉣ : 방자에 대한 불만을 노골적으로 드러내는 배비장의 모습이 나타나 있다.
⑤ ㉤ : 배비장의 정체를 알고도 짐짓 모른 체하는 애랑의 태도가 나타나 있다.

45. ⓐ의 상황을 나타내는 한자 성어로 가장 적절한 것은?

① 진퇴양난(進退兩難)
② 중과부적(衆寡不敵)
③ 역지사지(易地思之)
④ 난형난제(難兄難弟)
⑤ 고장난명(孤掌難鳴)

※ **확인 사항**
○ **답안지의 해당란에 필요한 내용을 정확히 기입(표기) 했는지 확인하시오.**

2017학년도 11월 고1 전국연합학력평가 문제지

국어 영역

제 1 교시

17회 소 요 시 간 /80분

➡ 해설 P.152

[1 ~ 3] 다음은 학생의 발표이다. 물음에 답하시오.

여러분, "나이가 들수록 시간 참 빨리 간다!"라는 어른들의 말씀을 많이 들어 보셨죠? 시간이 실제로 점점 빨라지는 건 아닌데, 왜 이런 느낌이 드는 걸까요? (화면을 가리키며) 자, ㉠그림을 보세요. 이건 어린 학생들과 노인들을 대상으로 '시간' 하면 떠오르는 이미지를 그리게 한 실험의 결과입니다. 보시다시피 어린 학생들은 정적인 이미지를, 노인들은 동적인 이미지를 그렸습니다. 왜 이런 결과가 나왔을까요? (목소리에 힘을 주며) 제가 오늘 이 궁금증을 풀어 드리도록 하겠습니다.

혹시 '시간 수축 효과'라고 들어 보신 적 있으세요? 마치 타임머신이 등장하는 공상 과학 영화 속에서나 나올 법한 용어 같지 않나요? 하지만 이는 심리학 용어로 나이가 들수록 시간이 빨리 흐르는 듯한 느낌을 받는 현상을 말합니다. 심리학자들은 이 현상에 대해 여러 가지 견해를 제시하고 있습니다. 그중 대표적인 두 가지를 소개하고자 합니다.

첫 번째는 '생리 시계 효과'입니다. 생리 시계 효과란 신체가 노화되면서 몸이 느끼는 생리학적 시간이 실제 시간보다 느려져 상대적으로 실제 시간의 흐름을 더욱 빠르다고 느끼는 현상을 말합니다. 사람의 생리학적 시계는 도파민이라는 신경 전달 물질의 영향을 받는데, 노화와 함께 도파민의 방출이 줄어들고 생리학적 시계도 느려진다고 해요. 미국의 신경학자 피터 맹건은 실험을 통해 이를 확인했습니다. 먼저 사람들을 나이에 따라 세 집단으로 나누고 마음속으로 3분을 헤아리게 한 후 버튼을 누르게 했더니, 청년층은 평균 3분 3초, 중년층은 3분 6초, 노년층은 3분 40초에 버튼을 눌렀습니다. 이처럼 노년층일수록 생리학적 시계가 느려집니다. 그렇다면 3분 40초를 3분으로 인식한 노년층과, 3분 3초를 3분으로 인식한 청년층 중에서 누가 더 시간이 빠르게 흘러간다고 느꼈을까요? (청중의 대답을 듣고) 네, 맞습니다. 노년층은 청년층보다 실제 시간을 더 짧다고 느꼈기 때문에 시간이 빨리 지나갔다고 생각했을 것입니다.

두 번째는 '회상 효과'입니다. 회상 효과란 나이가 든 사람이 과거를 회상했을 때, 최근의 경험보다 젊은 시절의 경험들을 훨씬 더 많이 기억해 내는 현상을 말합니다. 그 이유는 젊은 시절에 겪은 일들이 주로 새로운 경험들이라서 그렇습니다. 일반적으로 기억할 일이 많은 시기는 길게 느껴지고, 기억할 게 없는 시기는 짧게 느껴진다고 해요. 그래서 노년층은 새로운 경험이 많았던 청년기와는 달리 노년기에는 새로운 경험이 적기 때문에 노년기를 기억할 게 별로 없는 시기로 느껴 상대적으로 시간이 빨리 흐른다고 인식하게 되는 것입니다.

지금까지 시간 수축 효과에 대해 알아봤는데요. 어른들께서 시간이 빨리 간다는 말씀을 왜 하시는지 이제 이해가 되시죠? 그럼 이상 발표를 마치겠습니다.

1. 위 발표에 대한 설명으로 적절한 것은?

① 시간 수축 효과의 개념을 제시한 후 그에 대한 두 가지 견해를 소개하고 있다.
② 시간 수축 효과의 문제점을 언급한 후 이를 극복할 수 있는 방안을 제시하고 있다.
③ 시간 수축 효과의 의의를 설명한 후 시간 수축 효과를 다른 심리 현상들과 비교하고 있다.
④ 시간 수축 효과의 원인에 대해 상반되는 가설들을 제시한 후 발표자의 견해를 덧붙이고 있다.
⑤ 시간 수축 효과의 긍정적인 측면을 강조한 후 바람직한 생활 태도를 담은 조언으로 발표를 시작하고 있다.

2. 위 발표에서 사용한 말하기 전략으로 적절하지 <u>않은</u> 것은?

① 반언어적 표현을 활용하여 청중의 주의를 집중시키고 있다.
② 발표의 마지막에 내용을 요약하여 청중의 이해를 돕고 있다.
③ 구체적 수치를 제시하여 발표 내용의 신뢰성을 높이고 있다.
④ 질문을 던지며 화제에 대한 청중의 관심을 불러일으키고 있다.
⑤ 순서를 나타내는 담화 표지를 활용하여 내용을 전개하고 있다.

3. 다음은 ㉠의 일부이다. 발표를 들은 학생이 (가)와 (나)를 보며 보인 반응으로 적절하지 <u>않은</u> 것은?

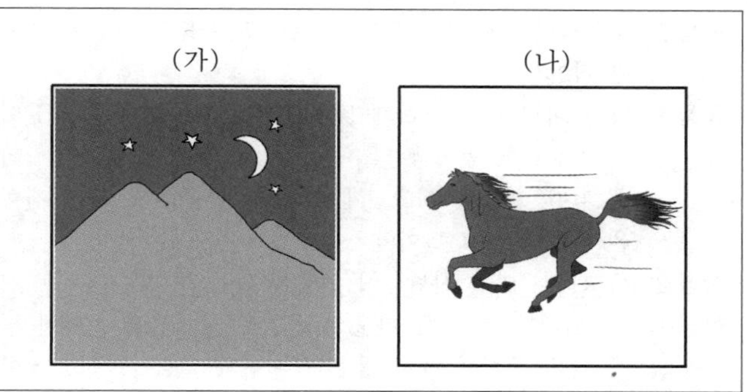

① (가)를 그린 사람은 '시간' 하면 떠오르는 이미지로 '달리는 기차'보다 '서 있는 나무'를 선택하겠군.
② 회상 효과에 따르면, (나)를 그린 사람은 자신의 젊은 시절에 비해 새로운 경험을 할 가능성이 낮겠군.
③ 회상 효과에 따르면, (나)를 그린 사람은 현재 시기를 별로 기억할 게 없는 시기로 느낄 가능성이 높겠군.
④ 생리 시계 효과에 따르면, (나)를 그린 사람은 (가)를 그린 사람에 비해, 생리학적 시계가 상대적으로 느리게 가겠군.
⑤ 생리 시계 효과에 따르면, (나)를 그린 사람은 (가)를 그린 사람에 비해, 피터 맹건의 실험에 참여했을 경우 더 일찍 버튼을 누르겠군.

17회

[4 ~ 7] (가)는 학생들이 나눈 대화의 일부이고, (나)는 이를 참고하여 학생이 쓴 수필의 초고이다. 물음에 답하시오.

(가)

학생 1: 무슨 생각을 그렇게 해?

학생 2: 우리 학교 학생들이 읽을 교지에 수필을 기고하기로 해서 그거 생각하느라고…….

학생 1: 무슨 주제로 쓸 건데?

학생 2: 배려하는 말하기에 대해 쓰려고 해. 요즘 학급에서 사소하지만 기분을 상하게 하는 말 때문에 친구들끼리 다투는 일이 좀 잦았거든.

학생 1: 아, 그래서 배려하는 말하기를 생각했구나!

학생 2: 응. 그런데 흥미를 끌 만한 소재가 떠오르지 않아 고민이야.

학생 1: ㉠ 음……. 그러면 언총을 소개하면서 글을 써 보면 어때?

학생 2: 언총? 그게 뭐야?

학생 1: 그건 말을 묻는 무덤이야. 인문학 기행 갔을 때 봤는데 인상적이었어. 네가 글을 쓰는 데 도움이 될 것 같아.

학생 2: ㉡ 언총에 대해 좀 더 자세히 설명해 주면 좋겠어.

학생 1: 물론이지. 그때 경북 예천군 한대 마을에 갔었어. 그 마을은 옛날부터 다양한 성씨들이 모여 살다 보니 말 때문에 시비가 잦아 싸움이 끊이질 않았대. 그래서 해결 방안을 찾던 중 우연히 마을을 찾아온 나그네가 방법 하나를 알려 준 거지.

학생 2: 아, 그 나그네가 언총을 알려 준 거구나.

학생 1: ㉢ 그건 아니야. 그 나그네는 한대 마을을 둘러싸고 있는 야산의 모양이 개가 입을 벌리고 있는 모습과 닮아 마을이 시끄러울 수밖에 없다고 말하면서 야산에 커다란 재갈바위를 박으라고 말했대. 지형적으로 개의 입을 다물게 만든 거지.

학생 2: 정말? 야산에 바위 하나 박았다고 마을의 갈등이 해결된 거야?

학생 1: 그건 아니고, 나그네가 알려 준 방법이 마을 사람들에게 자신들의 언어생활을 돌아볼 수 있는 계기를 만들어 준 거지. 마을을 시끄럽게 만든 건 누구일까, 혹시 자신은 아닐까 하고 말이야.

학생 2: ㉣ 그래서 마을 사람들이 언총을 만든 거야?

학생 1: 오, 이해가 빠른데? 마을 사람들은 상스럽고 원망이 담긴 말을 종이에 써서 묻은 후, 흙과 돌을 수북이 쌓아 올려 말 무덤을 만들었어. 이는 덕담과 칭찬의 말만 하겠다는 마을 사람들의 약속이었지. 이렇게 한 후부터 이 마을에서는 말로 인한 싸움이 없어져 마을 사람들은 평온하고 화목하게 지냈다고 해.

학생 2: 싸움의 원인이 될 만한 말을 아예 묻어 버리는 방법이라니. 결국 불화의 원인이 되는 말을 없애려고 마을 사람들이 함께 노력한 결과물이 말 무덤이구나. 참 인상적이네.

학생 1: ㉤ 그렇지. 나도 나그네가 알려 준 방법보다 사람들이 말 무덤을 만들었다는 사실이 더 인상 깊었어.

학생 2: 고마워. 덕분에 글을 어떻게 풀어가야 할지 알 것 같아.

(나)

얼마 전 친구가 무심코 던진 말 때문에 마음이 많이 상했었는데, 또 다른 친구가 건넨 위로의 말로 그 상처가 아문 적이 있었다. 이렇듯 말이라는 것은 상대방에게 상처가 ⓐ 되어, 위로가 되기도 한다. 그래서 양날의 검과 같은 말을 어떻게 사용해야 할지 생각하게 되었고, 그 해답의 ⓑ 빌미를 경북 예천군 한대 마을에 있는 '언총(言塚)'에서 찾을 수 있었다.

한대 마을에서는 다양한 성씨들이 모여 살다 보니 말로 인한 시비가 끊이지 않았다. 그러던 중 한 나그네가 말다툼을 줄이기 위한 방법을 알려 주었다. 나그네는 마을 야산이 개가 짖는 ⓒ 모양의 형상으로 생긴 것을 잦은 말다툼의 원인으로 보고 야산에 커다란 바위를 박아 지형적으로 개의 입을 다물게 해야 한다고 조언했다. 마을 사람들은 나그네의 조언을 실행하면서 자신들의 언어생활을 성찰하게 되었다. 이를 계기로 마을 사람들은 불화의 원인이 될 수 있는 상스럽고 원망이 담긴 말을 종이에 적어 땅에 묻은 후 그 위에 흙과 돌을 쌓아 말 무덤을 만들었는데 이를 '언총(言塚)'이라고 부른다. 언총을 만든 후 마을은 평안해졌다고 한다.

한대 마을의 전설에서 인상 깊었던 점은 지형을 바꾸는 것에서 더 나아가 마을 사람들이 스스로의 성찰을 통해 말다툼을 해결하려고 함께 노력했다는 것이다. ⓓ 한대 마을은 자연 경관이 수려해서 한번쯤 가 볼 만하다. 마을 사람들은 타인의 조언을 수동적으로 받아들이는 것에 그치지 않고 이를 자기반성의 계기로 삼아 말다툼의 문제를 해결하기 위한 공동체의 합의와 약속을 이끌어낸 것이다.

'혀 밑에 죽을 말이 있다.'라는 속담이 있듯이 말은 자신과 자신을 포함한 공동체에 문제를 발생시킬 수 있다. ⓔ 그러므로 우리는 자신들의 언어생활을 반성하며 해야 할 말과 하지 말아야 할 말을 구분해야 한다. 한대 마을 사람들처럼 우리 모두 마음속에 말 무덤을 하나씩 만들어, 상대방을 비난하는 말은 묻어 버리고 상대방을 위로하고 격려하는 말을 사용하는 현명한 사람이 되었으면 하는 바람이다.

4. (가)의 ㉠ ~ ㉤에 나타난 의사소통 방식으로 적절하지 않은 것은?

① ㉠은 상대방의 문제점을 지적하며 새로운 제안을 하고 있다.
② ㉡은 상대방이 제시한 화제를 언급하며 추가 정보를 요청하고 있다.
③ ㉢은 상대방이 잘못 이해한 내용을 바로잡으며 자신의 이야기를 이어가고 있다.
④ ㉣은 상대방의 이야기에서 궁금한 점을 질문함으로써 적극적으로 듣는 태도를 보이고 있다.
⑤ ㉤은 상대방의 말을 긍정함으로써 공감하며 듣는 태도를 드러내고 있다.

5. 다음은 (가)의 '학생 2'가 (나)를 쓴 후, '학생 1'과 나눈 대화의 일부이다. (가)와 (나)를 고려할 때, [A]에 들어갈 말로 가장 적절한 것은? [3점]

> 학생 1: 교지에 실을 글은 다 썼다며. 내가 말해 준 내용도 담은 거야? 어떻게 썼는지 궁금한데?
> 학생 2: 네가 ______[A]______

① 한대 마을로 인문학 기행을 다녀왔던 경험에 대해 말해 줬잖아. 그래서 나도 예전에 인문학 기행을 다녀왔던 내 경험과 관련된 내용을 글에 포함했어.
② 한대 마을 사람들이 문제를 해결하기 위해 지형을 변화시킨 이야기를 해 줬잖아. 그래서 나도 우리가 주변의 문제를 해결하기 위해 지형을 변화시킨 내용을 글에 포함했어.
③ 한대 마을 사람들이 덕담과 칭찬을 나누었던 구체적인 사례를 말해 줬잖아. 그래서 나도 사람들이 덕담과 칭찬의 말을 실천했으면 하는 바람과 관련된 내용을 글에 포함했어.
④ 한대 마을처럼 바람직한 언어생활을 위해 언총을 만든 다른 마을들에 대해서 말해 줬잖아. 그래서 나는 언총을 발견할 수 있는 마을들의 언어생활과 관련된 내용을 글에 포함했어.
⑤ 한대 마을 사람들이 말 무덤을 만들어 상스럽고 원망이 담긴 말을 묻었다고 했잖아. 그래서 나는 우리들도 마음속에 말 무덤을 만들어 상대방을 비난하는 말을 묻어 버리자는 내용을 글에 포함했어.

6. (나)에 사용된 글쓰기 전략으로 가장 적절한 것은?
① 독자의 이해를 돕기 위해 참고한 문헌을 소개하고 있다.
② 독자의 관심을 유도하기 위해 설문 조사 자료를 제시하고 있다.
③ 내용을 효과적으로 전달하기 위해 비유적 표현을 사용하고 있다.
④ 글의 일관성을 확보하기 위해 공간적 순서로 내용을 조직하고 있다.
⑤ 문제 상황의 심각성을 드러내기 위해 전문가의 말을 인용하고 있다.

7. ⓐ ~ ⓔ를 고쳐 쓰기 위한 방안으로 적절하지 않은 것은?
① ⓐ: 앞뒤의 맥락을 고려하여 '되기도 하고'로 바꿔야겠어.
② ⓑ: 어휘의 사용이 부적절하므로 '실마리'로 바꿔야겠어.
③ ⓒ: 단어의 의미가 중복되었으므로 '모양의'를 삭제해야겠어.
④ ⓓ: 글의 통일성을 해치는 문장이므로 삭제해야겠어.
⑤ ⓔ: 문장 간의 연결 관계를 고려할 때 '그러나'로 고쳐야겠어.

[8 ~ 10] 다음을 읽고 물음에 답하시오.

작문 상황

○ **글의 독자**: 학생회 임원들
○ **글의 목적**: LOUD 캠페인 활용을 건의함.

학생이 떠올린 생각

○ 학교에서 발생하는 공공의 문제들을 언급해야겠어. ………… ⓐ
○ LOUD 캠페인의 개념을 간략히 정의해야겠어. ………………… ⓑ
○ LOUD 캠페인의 바탕이 되는 철학을 설명해야겠어. ………… ⓒ
○ LOUD 캠페인의 경제적인 효과를 강조해야겠어. ……………… ⓓ
○ LOUD 캠페인의 구체적인 방법들을 제시해야겠어. ………… ⓔ

학생의 초고

안녕하세요? 저는 1학년 △반 김○○입니다. 우리가 학교에서 함께 생활하다 보면 여러 가지 문제가 발생합니다. 예를 들어, 몸이 불편한 학생들을 위한 승강기를 무분별하게 이용하거나, 분리배출을 제대로 하지 않는 일 등이 바로 그런 문제들입니다. 그동안 학교와 학생회에서는 이런 문제를 해결하기 위해 다양한 규제 방안을 시행해 왔지만 그 효과는 미미했습니다. 그래서 이러한 규제 방안에만 의존하기보다는 LOUD(Look Our society Upgrade Daily life) 캠페인을 활용할 것을 건의합니다.

[A] LOUD 캠페인이란, 작은 아이디어로 공공의 문제에 대해 긍정적인 변화를 이끌어 내는 문제 해결 활동입니다. LOUD 캠페인의 밑바탕에는 대중을 규제나 지도의 대상으로 보는 것이 아니라 소통과 공감의 대상으로 보아야 한다는 철학이 깔려 있습니다. 이런 철학을 바탕으로 LOUD 캠페인은 대규모 행사와 같은 거창한 방식이 아니라 홍보물 부착과 같이 손쉽게 실천할 수 있는 방식으로 이루어집니다. 이와 같은 방식으로 대중에게 쉽게 다가갈 수 있는 LOUD 캠페인은 대중의 공감을 이끌어 내고 자발적 실천을 유도할 수 있으며, 더 나아가 시민 의식의 성장과 시민 주도적 소통 문화의 형성에도 기여할 수 있습니다.

이러한 LOUD 캠페인의 구체적인 방법에는 여러 가지가 있는데 이 중 대표적인 두 가지 방법을 소개하고자 합니다. 첫째, 문제가 발생하는 현장을 캠페인 장소로 선정하는 것입니다. 평소에는 그다지 관심을 가지지 않았던 공공의 문제를 그것이 발생하는 현장에서 직접 접하게 함으로써 더욱 분명하게 인식시키려는 방법입니다. 둘째, 단순한 문자나 이미지를 활용하는 것입니다. 이는 불필요한 정보를 제외하여 문제의 본질을 쉽고 분명하게 인식시키려는 방법입니다.

[가]

8. '학생이 떠올린 생각' 중 '학생의 초고'에 반영되지 않은 것은?
① ⓐ ② ⓑ ③ ⓒ ④ ⓓ ⑤ ⓔ

17회

9. <조건>에 따라 '학생의 초고'의 마지막 단락을 작성하고자 할 때, [가]에 들어갈 내용으로 가장 적절한 것은?

〈 조 건 〉
○ 학교에서 LOUD 캠페인을 도입했을 때의 기대 효과를 언급할 것.
○ 질문의 형식을 활용하여 글을 마무리할 것.

① LOUD 캠페인은 큰 실천보다는 작은 실천을 바탕으로 하는 활동입니다. 여러분도 주저하지 마시고 LOUD 캠페인에 적극적으로 동참해 보시는 게 어떨까요?
② LOUD 캠페인을 실천하고 있는 나라들이 많다는 사실을 아십니까? 우리도 평소에 그다지 관심을 가지지 않았던 학교 공공의 문제에 주목해 보는 건 어떨까요?
③ LOUD 캠페인을 실천하여 우리 모두의 작은 노력들이 모인다면 학교에서 발생하는 다양한 공공 문제를 해결할 수 있습니다. 즐겁고 행복한 학교, 함께 만들어 가면 어떨까요?
④ 지금까지의 방법과는 다른 LOUD 캠페인의 실천은 우리 모두의 자발적인 참여를 이끌어 낼 수 있습니다. 그리고 학교 내 공공 문제를 해결할 수 있는 효과적인 방법이라는 것을 기억해야 합니다.
⑤ 작은 촛불 하나가 세상을 밝히는 것처럼 우리 개인의 작은 실천이 모이면 학교 전체의 실천이 됩니다. 학교 내 공공 문제를 해결할 수 있는 효과적인 방법, 그것은 바로 LOUD 캠페인의 실천입니다.

10. [A]를 바탕으로, 학생회 임원들에게 LOUD 캠페인에 대해 구체적으로 소개하는 발표를 하고자 한다. <보기>를 활용할 방안으로 적절하지 <u>않은</u> 것은? [3점]

〈 보 기 〉

마을을 변화시킨 새로운 시도

LOUD 캠페인으로 큰 효과 거둬

◇◇ 마을의 분리수거장에 새로운 홍보물이 등장해 눈길을 끌고 있다. 종량제 봉투가 아닌 검은색 봉투에 담긴 쓰레기가 이 수거장에 무단으로 버려지는 것이 마을의 골칫거리였다. 행정 기관의 지속적인 단속에도 문제는 해결되지 않았는데, LOUD 캠페인 방식의 홍보물이 수거장 벽에 부착된 이후 주민들의 자발적인 노력으로 쓰레기 무단 투기가 크게 줄어든 것이다. -□□일보-

① 홍보물이 분리수거장에 부착되었다는 것은, LOUD 캠페인이 문제가 발생하는 현장을 캠페인 장소로 선정한다는 것의 예로 활용할 수 있겠군.
② 다양한 이미지들을 순차적으로 나열하여 홍보물을 만든 것은, LOUD 캠페인이 거창한 방식으로 문제 상황을 각인시킨다는 것의 예로 활용할 수 있겠군.
③ '무단 투기?' 등의 간단한 문구가 제시된 것은, LOUD 캠페인이 문제의 본질을 분명하게 인식시키기 위해 단순한 문자를 이용한다는 것의 예로 활용할 수 있겠군.
④ 지속적인 단속으로도 무단 투기 문제가 해결되지 않았다는 것은, 대중을 규제해야 할 대상으로만 보아서는 안 된다는 LOUD 캠페인의 철학을 부각시키는 예로 활용할 수 있겠군.
⑤ 홍보물 부착 이전과 달리 주민들의 자발적인 노력으로 쓰레기 무단 투기가 줄어들었다는 것은, LOUD 캠페인을 통해 시민 의식이 성장할 수 있다는 것의 예로 활용할 수 있겠군.

11. 다음은 문법 수업의 내용을 정리한 학생의 노트이다. 이를 바탕으로 <보기>를 탐구한 내용으로 적절하지 <u>않은</u> 것은?

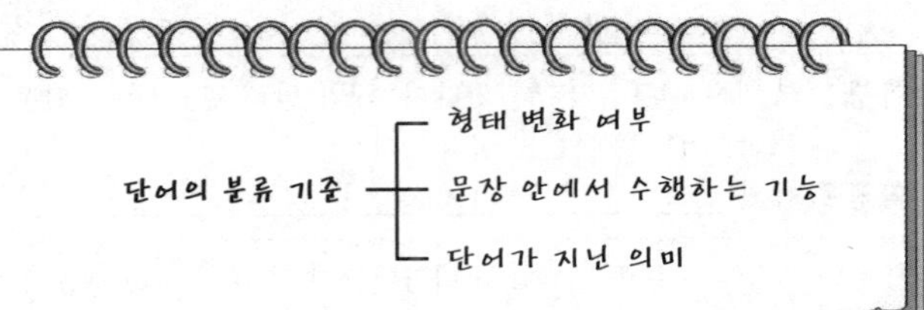

〈 보 기 〉
○ 우리도 두 팔을 넓게 벌려 원 하나를 이루었다.
○ 동생이 나무로 된 탁자에 그린 꽃만 희미하다.

① '도'와 '만'은 형태가 변하지 않는 단어이다.
② '이루었다'와 '그린'은 형태가 변하는 단어이다.
③ '두'와 '하나'는 문장 안에서 수식의 기능을 하는 단어이다.
④ '나무'와 '꽃'은 사물의 이름을 나타내는 단어이다.
⑤ '넓게'와 '희미하다'는 대상의 상태를 나타내는 단어이다.

12. 다음은 표준 발음법의 일부이고, <보기>는 이를 학습하는 과정에서 학생들이 나눈 대화이다. ㉠ ~ ㉤ 중 적절하지 <u>않은</u> 것은? [3점]

제23항 받침 'ㄱ(ㄲ, ㅋ, ㄳ, ㄺ), ㄷ(ㅅ, ㅆ, ㅈ, ㅊ, ㅌ), ㅂ(ㅍ, ㄼ, ㄿ, ㅄ)' 뒤에 연결되는 'ㄱ, ㄷ, ㅂ, ㅅ, ㅈ'은 된소리로 발음한다.
제24항 어간 받침 'ㄴ(ㄵ), ㅁ(ㄻ)' 뒤에 결합되는 어미의 첫소리 'ㄱ, ㄷ, ㅅ, ㅈ'은 된소리로 발음한다.
제26항 한자어에서, 'ㄹ' 받침 뒤에 연결되는 'ㄷ, ㅅ, ㅈ'은 된소리로 발음한다.

〈 보 기 〉
학생 1: '국밥'의 표준 발음은 [국밥]이야, [국빱]이야?
학생 2: 표준 발음법 제23항에 따르면, [국빱]이 맞아. ……… ㉠
학생 3: '아무리 뻗대도 소용이 없다.'에서 '뻗대도'는 받침 'ㄷ' 뒤에 'ㄷ'이 연결되기 때문에 [뻗때도]로 발음하겠네. ……… ㉡
학생 2: '그가 집에 간다.'에서 '간다'는 [간다]로 발음하는데, '껴안다'는 왜 [껴안따]로 발음하지?
학생 3: '간다'의 기본형이 '가다'이므로 'ㄴ'은 어간 받침이 아니야. 그래서 표준 발음법 제24항을 적용할 수 없어.
학생 1: 표준 발음법 제24항에 따르면, '껴안다'는 [껴안따]로 발음하는 것이 맞아. ……… ㉢
학생 2: 그러면 '그녀를 수양딸로 삼고 싶었다.'에서 '삼고'는 어간 받침 'ㅁ' 뒤에 'ㄱ'이 결합되어 [삼:꼬]로 발음해야겠네. ……… ㉣
학생 3: '결과(結果)'는 [결과]로 발음하는데, '갈등(葛藤)'은 왜 [갈뜽]으로 발음하지?
학생 1: '갈등(葛藤)'은 표준 발음법 제26항에 따라 [갈뜽]으로 발음하지만, '결과(結果)'는 여기에 해당되지 않아. ……… ㉤

① ㉠ ② ㉡ ③ ㉢ ④ ㉣ ⑤ ㉤

[13 ~ 14] 다음 글을 읽고 물음에 답하시오.

올바른 문장이란 문장 성분이 잘 갖추어진 문장이다. 문장 성분이란 문장 안에서 일정한 문법적 기능을 하는 각 부분들을 일컫는다. 문장 성분은 문장을 이루는 데 골격이 되는 주성분, 주로 주성분의 내용을 수식하는 부속 성분, 다른 문장 성분과는 직접적인 관련이 없는 독립 성분으로 나뉜다.

주성분에는 주어, 서술어, 목적어, 보어가 있다. 주어는 문장에서 동작의 주체, 혹은 상태나 성질의 주체를 나타내는 성분이다. 서술어는 주어의 동작, 상태, 성질 따위를 풀이하는 기능을 하는 성분이다. 목적어는 서술어의 동작 대상이 되는 성분이고, 보어는 '되다, 아니다'와 같은 서술어가 필요로 하는 문장 성분 중에서 주어를 제외한 성분이다. 부속 성분에는 관형어와 부사어가 있다. 관형어는 주로 체언*을 수식하고, 부사어는 주로 용언*을 수식하는 성분이다. 독립 성분에 해당하는 독립어는 문장의 어느 성분과도 직접적인 관련이 없는 성분이다.

[A] 이러한 문장 성분들이 제대로 갖추어지지 않아서 문장이 올바르지 않은 경우는 주로 다음과 같다. 첫째, 문장 성분 간의 호응이 이루어지지 않은 경우이다. 여기에는 주어와 서술어의 호응, 목적어와 서술어의 호응, 부사어와 서술어의 호응이 이루어지지 않은 경우 등이 있다. 가령 "내가 가장 원하는 것은 자전거를 가지고 싶다."는 주어 '내가 가장 원하는 것은'과 서술어 '가지고 싶다'가 어울리지 않아 잘못된 문장이다. "지수는 시간이 나면 음악과 책을 듣는다."는 목적어 '책을'과 서술어 '듣는다'가 어울리지 않아서, "다들 시험 치느라 여간 힘들다."는 부사어 '여간'과 서술어 '힘들다'가 어울리지 않아서 잘못된 문장이다. 둘째, 반드시 필요로 하는 문장 성분이 생략된 경우이다. 여기에는 문장 안에서 목적어나 부사어가 반드시 필요함에도 불구하고 생략된 경우 등이 있다. 예컨대 "나도 읽었다."는 서술어 '읽었다'가 반드시 필요로 하는 목적어가 생략되어서, "아이가 편지를 넣었다."는 서술어 '넣었다'가 반드시 필요로 하는 부사어가 생략되어서 잘못된 문장이다.

* 체언: 문장에서 주로 주어, 목적어, 보어가 되는 자리에 오는 단어들.
* 용언: 문장의 주어를 서술하는 기능을 가진 단어들.

13. 윗글을 바탕으로 다음 문장을 분석한 내용으로 적절한 것은?

야호! 우리가 드디어 힘든 관문을 통과했어.

	주성분	부속 성분	독립 성분
①	우리가, 통과했어	힘든, 관문을	야호, 드디어
②	우리가, 힘든, 관문을	통과했어	야호, 드디어
③	우리가, 드디어, 통과했어	힘든, 관문을	야호
④	우리가, 관문을, 통과했어	드디어, 힘든	야호
⑤	관문을, 통과했어	우리가, 힘든	야호, 드디어

14. 다음은 [A]에 대한 학습 활동지 중 일부이다. 작성한 내용으로 적절하지 <u>않은</u> 것은?

학습 활동: 올바른 문장 표현 익히기

• 잘못된 문장
㉠ 그는 친구에게 보냈다.
㉡ 이번 일은 결코 성공해야 한다.
㉢ 그의 뛰어난 점은 필기를 잘한다.
㉣ 할아버지께서 입학 선물을 주셨다.
㉤ 사람들은 즐겁게 춤과 노래를 부르고 있다.

• 잘못된 이유
㉠: 서술어가 반드시 필요로 하는 목적어가 생략됐어. ……… ①
㉡: 부사어와 서술어가 어울리지 않아. ……… ②
㉢: 주어와 서술어가 어울리지 않아. ……… ③
㉣: 서술어가 반드시 필요로 하는 부사어가 생략됐어.
㉤: 목적어와 서술어가 어울리지 않아.

• 고쳐 쓴 문장
㉠: 그는 친구에게 답장을 보냈다.
㉡: 이번 일은 반드시 성공해야 한다.
㉢: 그의 뛰어난 점은 필기를 잘한다는 것이다.
㉣: 할아버지께서 어제 입학 선물을 주셨다. ……… ④
㉤: 사람들은 즐겁게 춤을 추고 노래를 부르고 있다. ……… ⑤

15. <보기>를 바탕으로 ⓐ ~ ⓒ에 대해 이해한 내용으로 적절하지 <u>않은</u> 것은?

<보 기>

[자료]

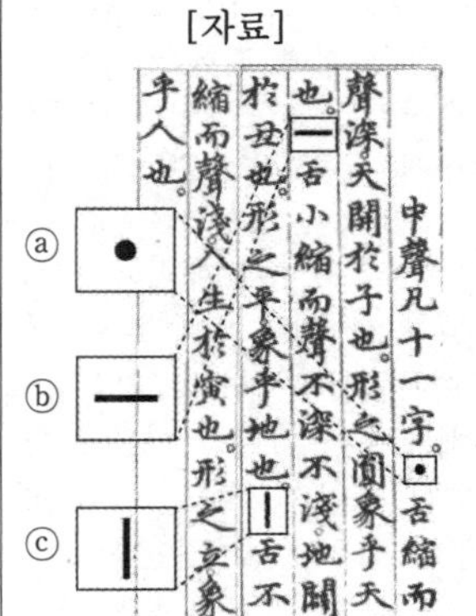

[현대어 해석]

가운뎃소리는 모두 열한 자(字)다. '·'는 혀를 오그라지게 해서 조음하고 소리는 깊으니, …… 모양이 둥근 것은 하늘을 본뜬 것이다. 'ㅡ'는 혀를 조금 오그라지게 해서 조음하고 소리는 깊지도 얕지도 않으니, …… 모양이 평평함은 땅을 본뜬 것이다. 'ㅣ'는 혀를 오그라들지 않게 조음하고 소리가 얕으니, …… 그 모양이 서 있는 꼴은 사람을 본뜬 것이다.

– 「훈민정음 제자해(訓民正音 制字解)」 –

① ⓐ는 ⓒ와 달리 발음할 때 얕은 소리가 나겠군.
② ⓑ는 ⓐ와 달리 글자 모양이 평평하게 생겼군.
③ ⓒ는 ⓐ와 달리 발음할 때 혀가 오그라들지 않겠군.
④ ⓐ, ⓑ, ⓒ는 모두 가운뎃소리 열한 자에 포함되는군.
⑤ ⓐ, ⓑ, ⓒ는 대상의 모양을 본뜬 것이라는 공통점이 있군.

[16 ~ 21] 다음 글을 읽고 물음에 답하시오.

길거리에서 넘어져 무릎을 다친 사람이 "아!"라고 소리를 지른다면 우리는 그 사람이 통증을 느끼고 있다고 생각한다. 이렇게 타인의 의도나 마음을 이해하는 것을 '공감'이라고 한다. 공감은 인간 생활의 중요한 요소 중 하나이다. 공감으로 인해 사람은 소외감을 극복할 수 있고, 서로 협력할 수 있으며, 이타적인 행위를 할 수 있기 때문이다. 그렇다면 공감은 어떻게 이루어지는 것일까?

20세기까지 공감은 '이론-이론(Theory-Theory)'과 '모의 이론(Simulation Theory)'을 통해 주로 설명되어 왔다. 이론-이론은, 사람이 세상을 접하면서 마음의 작동 방식에 대한 개념적 이론을 갖게 되는데 이를 바탕으로 논리적 추론을 함으로써 타인의 마음을 이해할 수 있다는 이론이다. 사람은 누구나 넘어졌던 경험이 있다. 이러한 경험을 통해, 자신이 다쳤다는 사건, 통증을 느낀다는 마음, 소리를 지른다는 표현, 이 세 가지 사이에는 인과적 법칙이 있다는 개념적 이론을 갖게 된다. 그렇기 때문에 사람은 넘어져 다친 타인이 소리를 지르는 모습을 관찰했을 때 개념적 이론에 근거하여 그가 통증을 느꼈을 것이라고 추론할 수 있다. 이론-이론에 따르면, 사람은 4세부터 마음의 작동 방식에 대한 개념적 이론을 갖게 되어 자기중심적으로 사고하지 않고, 자신의 마음과 타인의 마음이 다를 수 있다는 것을 알게 된다. 이를 통해 비로소 타인의 마음을 이해할 수 있게 된다는 것이다. 이와 달리 모의 이론은 자신이 타인과 같은 상황에 처했다면 어떠할지를 상상함으로써 타인을 이해할 수 있다는 이론이다. 모의 이론에 따르면, 사람은 타인의 상황에 자신을 투사시킨 후 그 상황에서 자신의 마음 상태를 상상하는 모의실험을 하고, 그로 인해 얻은 생각을 다시 타인에게 투사함으로써 타인의 마음을 이해할 수 있다. 넘어져 다친 사람이 소리를 지르는 것을 보았을 때, 그 상황에서 자신이라면 어떤 마음이었을지를 상상으로 재현해 봄으로써 타인의 마음을 이해할 수 있다는 것이다. 이는 동일한 상황에서는 모의실험을 한 자신의 마음과 타인의 마음이 서로 유사하다는 것과, 타인의 마음보다 자신의 마음에 접근하기가 더 쉽다는 것을 전제로 한다.

이론-이론과 모의 이론은 한동안 상호 배타적인 논쟁을 해왔다. 모의 이론 측에서는 마음의 작동 방식에 대한 개념적 이론이 실제로 존재하지 않는다고 지적하였고, 이론-이론 측에서는 모의실험이 타인의 마음을 정확하게 재현할 수 없다고 지적하였다.

최근에는 두 이론을 통합하려는 움직임이 활발해지고 있다. 대표적으로 리버먼은 두 이론을 통합한 [두 체계 이론]을 내세운다. 리버먼에 따르면 사람은, 모의 이론에서 말하는 모의실험으로 타인의 마음을 이해하는 '거울 체계'뿐만 아니라 이론-이론에서 말하는 마음의 작동 방식에 대한 개념적 이론을 통해 타인의 마음을 이해하는 '심리화 체계'를 모두 가지고 있다. 그런데 "타인이 무엇을 하고 있는가?"라는 질문을 통해 타인의 상황을 곧바로 이해할 수 있을 때는 거울 체계가 작동하고, "타인이 왜 그렇게 했는가?"라는 질문을 통해 추상적 이유를 알고자 할 때는 심리화 체계가 작동한다. 다시 말해 낮은 수준에서 타인의 행위를 이해하기 위해 '무엇'에 대한 질문을 던지는 순간에는 거울 체계가, 높은 수준에서 타인의 신념이나 동기를 이해하기 위해 '왜'에 대한 질문을 던지는 순간에는 심리화 체계가 작동한다는 것이다. 리버먼의 주장에서 주목할 점은 두 체계의 서로 다른 작동 방식과 두 체계 사이의 순차적인 관계이다. 한 사람이 타인의 행위를 관찰할 경우 거울 체계가 무의식적이면서 자동적으로 작동한다. 이후 의식적인 노력을 기울여 생각에 몰입할 수 있을 때에 비로소 심리화 체계가 작동한다. 이는 어떤 사람이 '무엇'을 하고 있는지를 이해하는 과정이 '왜' 그렇게 하는지를 이해하기 위한 과정에 선행하면서 논리적 추론의 전제가 됨을 의미한다.

[A] 다만, 리버먼은 더욱 복잡한 과정을 거치지 않으면 공감이 완성되지 않는다면서 진정한 공감은 거울 체계와 심리화 체계의 작동을 바탕으로 정서적 일치와 실천적 동기까지 나아가야 가능하다고 설명한다. 즉, 타인의 감정 상태와 동일한 느낌을 가지게 되고, 이후 타인을 도와야겠다는 마음이 형성되었을 때 비로소 공감이 완성된다고 보는 것이다.

16. 윗글의 전개 방식에 대한 설명 중 가장 적절한 것은?

① 두 이론의 차이점을 설명한 후 두 이론을 통합한 이론을 소개하고 있다.
② 이론의 역사적 변천을 소개하고 이론들의 전망에 대해서 예측하고 있다.
③ 새로운 이론이 탄생하는 과정을 기존 이론이 탄생한 과정과 대비하여 설명하고 있다.
④ 특정한 이론이 가진 문제점을 구체적 사례를 통해서 강조하고 해결 방안을 제시하고 있다.
⑤ 사회 현상의 원인을 설명하는 두 이론을 소개하고 타당성 측면에서 그 이론들의 우열을 가리고 있다.

17. '이론-이론'에 근거하여 <보기>를 이해한 내용으로 적절하지 <u>않은</u> 것은?

< 보 기 >

[실험 상황]
3 ~ 5세의 아동들에게 인형극을 보게 한 후 "방으로 돌아온 샐리가 구슬을 찾기 위해 어디부터 살펴볼까?"라는 질문을 하였다.

[인형극 내용]
샐리와 앤이 함께 방에서 놀고 있다. 샐리는 바구니 안에 자신의 구슬을 넣는다. 샐리가 방을 나가 산책을 간 사이에 앤이 그 구슬을 상자로 옮긴다. 이후 샐리가 다시 방으로 돌아온다.

[실험 결과]
실험 대상자의 30%는 샐리가 바구니에서 구슬을 찾을 것이라고 답하였고, 70%는 상자에서 구슬을 찾을 것이라고 답하였다.

① 상자에서 구슬을 찾을 것이라고 답한 70%의 아동들은 자기중심적 사고를 통해 샐리의 행위를 예측하였겠군.
② 타인의 마음을 인과적으로 추론할 수 있는 아동들은 구슬의 실제 위치를 샐리가 모르고 있다는 것을 파악하였겠군.
③ 바구니에서 구슬을 찾을 것이라고 답한 30%의 아동들은 자신과 샐리가 구슬이 어디에 있는지에 대한 생각이 다를 수 있음을 이해했겠군.
④ 샐리의 마음에 공감한 아동들은 앤이 구슬을 상자로 옮겼다는 것을 알고 있기 때문에 샐리가 상자에서 구슬을 찾을 것이라고 생각했겠군.
⑤ 마음의 작동 방식에 대한 개념적 이론을 가진 아동들은 앤의 행동이 구슬이 있는 위치에 대한 샐리의 믿음에 아무런 영향을 미치지 못했을 것이라고 보았겠군.

18. 두 체계 이론에 따라 <보기>의 ㉠에 대해 이해한 것으로 적절한 것은?

< 보 기 >

㉠ ○○씨는 일요일마다 복지시설을 방문하는 동료를 보면서 그의 신념이 무엇일까에 대해 깊이 고민하였다.

① 거울 체계만이 작동되었을 것이다.
② 심리화 체계만이 작동되었을 것이다.
③ 거울 체계가 작동된 후 심리화 체계가 작동되었을 것이다.
④ 심리화 체계가 작동된 후 거울 체계가 작동되었을 것이다.
⑤ 거울 체계와 심리화 체계의 작동이 동시에 시작되었을 것이다.

19. [A]를 이해한 내용으로 적절하지 않은 것은?
① 타인의 마음 상태를 파악했다고 하더라도 별다른 감정을 느끼지 않는다면 진정한 공감이라고 할 수 없다.
② 타인의 아픔을 알고 함께 느꼈지만, 타인을 도우려 하지 않고 그 감정을 회피한다면 진정한 공감이라고 할 수 없다.
③ 타인이 무엇을 하려는지 의도는 이해했지만, 타인의 정서 상태와 전혀 다른 느낌을 가진다면 진정한 공감이라고 할 수 없다.
④ 타인의 슬픔을 알고 함께 느꼈기에 타인을 도와주려 했지만, 상황이 여의치 않아 돕지 못한다면 진정한 공감이라고 할 수 없다.
⑤ 타인의 고통을 이해하고 동일하게 느꼈지만, 자신의 상황에 더 관심이 많아 타인을 돕지 않으려 했다면 진정한 공감이라고 할 수 없다.

20. 윗글과 <보기>를 이해한 내용으로 가장 적절한 것은? [3점]

< 보 기 >

갈레세는 어떤 사람이 컵을 향해 손을 뻗을 때, 손을 뻗은 사람과 이를 바라본 사람의 뇌에서 똑같은 영역이 활성화된다는 '운동 공명 이론'을 제시했다. 즉 관찰자의 두뇌는 의식적인 노력 없이도 관찰 대상의 두뇌를 거울처럼 반영한다는 것이다. 이를 통해 그는 관찰자가 관찰 대상의 마음에 대해 자동적으로 모의실험을 할 수 있다는 것에서 관찰만으로도 타인의 마음을 이해할 수 있다는 것을 주장하였다.

① 갈레세는 자신의 운동 공명 이론과 리버먼의 심리화 체계가 동일하다고 보겠군.
② 갈레세는 의식적인 노력 없이도 타인의 마음을 이해하는 체계가 있다는 리버먼의 견해를 부정하겠군.
③ 리버먼은 사람이 관찰을 통해 타인의 마음에 대해 자동적으로 모의실험을 할 수 있다는 갈레세의 견해에 동의하겠군.
④ 리버먼은 관찰자와 관찰 대상의 두뇌에서 똑같은 영역이 활성화된 것을 심리화 체계의 작동과 동일한 과정으로 보겠군.
⑤ 갈레세는 리버먼과 달리 타인의 마음에 대한 이해가, 낮은 수준에서 높은 수준으로 순차적으로 이루어진다는 견해를 제시하였군.

21. 윗글을 바탕으로 알 수 있는 내용으로 가장 적절한 것은?
① 이론-이론은 모의실험이 타인의 마음을 정확하게 재현할 수 있다고 인정한다.
② 모의 이론은 동일한 상황에서는 자신의 마음이 타인의 마음과 다르다는 것을 전제로 한다.
③ 모의실험은 "아!"라고 소리를 지르는 타인의 마음 상태를 나에게 투사하는 과정을 통해 이루어진다.
④ 이론-이론에서는 2세 아동들은 4세 아동들에 비해 마음의 작동 방식에 대한 개념적 이론의 질적 수준이 낮다고 본다.
⑤ 모의실험을 통해 타인에게 공감할 수 있다고 보는 견해는 타인의 마음보다 자신의 마음에 접근하기 더 쉽다는 데서 출발한다.

[22 ~ 24] 다음 글을 읽고 물음에 답하시오.

종호는 준학이를 군용 침대 한끝에 앉힌 후,
"너 정말 어디 아픈 데 있는 거지?" 하고 물었다.
준학이는 창백하고 동글납작한 얼굴을 반쯤 모로 숙인 채,
"아뇨." 하고는 저고리 앞섶만 만지작거렸다.
"갑자기 배가 아프다든가 그렇지 않니?"
"아뇨."
종호는 잠시 사이를 두어,
"그럼 왜 **밤중에 울곤** 하니?"
준학이는 창백한 얼굴을 한 번 들었다가 곧 다시 숙이고는 아무 말이 없었다.
"어머니, 아버지 생각나서 그러니?"
준학이는 점점 고개를 밑으로 떨구어 버렸다.
"물론 어머니, 아버지 생각이 날 테지. 하지만 너만이 부모를 잃은 게 아니란다. **여기 와 있는 애들 전부가 다 부모 없**는 애들이 아니냐, 나두 6·25 때 단 한 분 계시던 어머니를 잃은 사람이다. 바로 국군이 서울을 탈환하던 날, 석 달 동안이나 나를 천장 속에 감추어 놓구, 잡수실 것두 변변히 못 잡숫구, 잠두 제대루 못 주무시면서 내 몸만 염려해 주시던 어머니를 이제 조금만 참으면 되는 그날에 여의구 말았다. **유탄에 맞**으신 거다. 아마 나만 없었던들 **어머니**는 달리 몸을 피하셨을는지두 모르지. 그렇지만 내가 염려스러워서 방안에 꼼짝 않구 계시다가 그 변을 당하셨다."

[A]
"그럼 선생님도 꿈에 어머니를 보시겠네요?"
준학이가 고개를 들었다.
"보구 말구."
"어떤 꿈이에요?"
준학이가 눈을 빛냈다.

"그야 여러 가지지. 어떤 때는 어머니와 마주 앉아 음식을 먹기두 하구, 어떤 때는 같이 창경원에 벚꽃 구경두 가구, 그리구 또 어떤 때는 내가 제일 좋아하는 수밀도를 어머니가 치마폭 가득히 담아다 주시기두 하구……."
"그럼 제 꿈과는 달라요."
준학이는 곧 기가 죽은 음성으로,
"제가 꾸는 꿈은 언제나 어두운 곳에서 어머니, 아버지가 저를 부르는 꿈이에요. 목소리만 들려요. 밤은 아닌 것 같은데 얼굴은 뵈지 않아요. 그래서 나도 소리를 지르지요. 내가 여기 있다구요. 하지만 어머니, 아버지도 내가 있는 곳이 뵈지

않는가 봐요. 그냥 서로 소리만 지르다가 울어 버리곤 해요……."

준학이는 목구멍 속으로 흑하고 느끼고 나서,

"그때 제가 집에 있지 않은 게 잘못이에요. ……어머니, 아버지 몰래 놀러 나왔던 게 잘못이에요."

"아니지. 그건 네 혼자 생각뿐이다. 지금 네 부모님은 너만이라두 무사한 걸 기뻐하실 게다. 우리 어머니두 그러셨다. 내가 천장에 숨어 있느라니까 별안간 어머님의 신음 소리가 들려왔다. 내려다봤더니, 어머님이 가슴에 피를 흘리구 쓰러져 있지 않겠니? 그러면서두 어머님은 나를 보자, 얘야 난 괜찮다, 어서 잠자쿠 가 숨어 있거라, 한참만 더 숨어 있거라, 하시기만 하셨다."

준학이가 물기 어린 눈으로 종호를 바라보았다.

이번에는 종호 편에서 소년의 눈을 피해 고개를 돌리고 말았다. 자기의 눈에도 솟아오를 듯한 눈물을 소년에게 보이지 않기 위해서였다. 실은 종호에게도 좀 전에 이 소년에게 말한 것과 같은 좋은 꿈만 보이는 것은 아니었다. 어머니가 세상 떠날 때의 장면이 새로운 형태로 나타나 종호를 괴롭히기도 하는 것이었다.

[중략 부분 줄거리] 종호는 준학의 슬픔을 덜어 주기 위해 준학에게 운동을 제안한다. 또한 종호는 소년원 아이들이 운동할 수 있도록 평행봉을 만든다.

종호는 남준학과 약속한 대로 그 다음날부터 **아침 산보**를 계속했다. 거의 밤마다 무서운 꿈에 시달리는 이 남달리 예민한 소년의 신경을 그렇게 해서 좀 누그려 보려는 것이었다.

그러나 남준학 소년과 아침 산보를 하는 데 있어서도 종호는 마음을 쓰지 않으면 안 되었다. 애들에게 어느 한 애만을 편애하는 듯한 인상을 주지 않기 위해서였다. 그래서 몸이 약해 뵈는 몇 애를 더 아침 산보에 참가시켰다. 그중에 차돌이도 끼어 있었다.

차돌이는 역시 목수일에 재질이 있어서 나무같은 것을 바라보는 눈이 보통 사람과 달랐다. 산보 도중에 곧잘 소나무를 가리키며, 이런 것은 기와집 도릿감으로 넉넉하고 저런 것은 초가집 기둥감, 요런 것으론 지게를 만들면 제격이겠다는 둥, 목수의 소견을 가지고 말하는 것이었다.

아침 산보를 시작한 지 일주일 가까이 되어서였다. 장태운이 자기도 산보에 끼겠다고 했다. 그러나 종호는 허락하지 않았다.

그동안 장태운은 김 목사의 주선으로 동대문 밖에 있는 모 중학교에 편입이 돼 있었다. 이것으로써 누구든지 공부만 하면 소년원에서도 상급 학교에 갈 수 있다는 본보기를 보인 셈이었다.

이 장태운 소년이 얼마 전 야경대를 조직했을 때는 제 편에서 나서다시피 해서 대장이 되어 주었다. 종호 편에서도 당분간은 이 소년을 내세우느니밖에 다른 도리가 없다고 생각했다. 이렇게 소년원 내에서 적잖은 주목의 대상이 돼 있는 애인지라, 그를 아침 산보에까지 넣어줄 수 없는 것이었다. 사소한 일 같지만 그를 아침 산보에 참가시킨다는 것이 자칫 다른 애들 편에서 볼 때 지나치게 특수한 취급을 받는 애라는 느낌을 줄는지도 모르기 때문이었다.

이럭저럭 아침 산보를 시작한 지도 한 열흘 남짓 된 어느 날 아침이었다.

종호 곁에 서서 산으로 오르던 남준학이,

"선생님 전 요새 꿈을 안 꿔요." 했다.

"그래?"

종호는 그동안 한번도 이 애에게 꿈 이야기를 묻지 않고 있었다. 조금이라도 부담을 갖게 하지 말고 혼자 극복하도록 하려는 것이었다.

"벌써 며칠째 돼요. 꿈 안 꾸는 게요."

"몸만 튼튼해지면 그까짓 꿈같은 건 다 달아나 버리구 마는 법야."

"그리고 요샌 자기 전에 평행봉 운동도 해요. 어저께는 턱걸일 다섯 번이나 한걸요."

종호는 **한결 생기가 돋혀 있는 소년**의 동그마한 얼굴을 내려다보며 가슴속 깊이 맑은 아침 공기를 한번 힘껏 들이마셨다.

– 황순원, 「인간접목」 –

22. [A]에 대한 이해로 가장 적절한 것은?

① 새로운 인물의 발화를 통해 사건의 의미를 강조하고 있다.
② 상상적 상황의 묘사를 통해 사건의 허구성을 강화하고 있다.
③ 공간적 배경의 제시를 통해 긴장된 분위기를 조성하고 있다.
④ 대화와 행위를 통해 인물의 심리를 간접적으로 제시하고 있다.
⑤ 의문과 추측의 진술을 통해 다른 인물에 대한 반감을 드러내고 있다.

23. [제 꿈]에 대한 설명으로 가장 적절한 것은?

① 인물의 종교적 신념을 부각한다.
② 인물의 내재된 자책감을 드러낸다.
③ 인물의 비윤리적 태도를 강조한다.
④ 인물의 가식적인 면모를 보여준다.
⑤ 인물의 현실 극복 의지를 표출한다.

24. <보기>를 참고하여 윗글을 감상한 내용으로 적절하지 <u>않은</u> 것은? [3점]

〈보 기〉

전후(戰後) 소설은 전쟁의 폭력성이 불러온 비극적 경험을 주로 형상화하고 있다. 전쟁이라는 소용돌이 속에서 인물들은 인간성의 상실, 죽음의 체험, 공동체의 해체 등을 겪게 되는 것이다. 특히 가족 공동체의 해체는 가족의 죽음이나 이산(離散)으로 발생한 경우가 많다. 이때 인물들은 정신적 상처와 아픔을 겪게 되지만, 이를 수용하고 극복하여 새롭게 성장하는 모습으로 그려진다.

① '밤중에 울곤'하는 '준학이'의 모습에서 가족 구성원의 죽음으로 인한 정신적 상처를 확인할 수 있겠군.
② '여기 와 있는 애들 전부가 다 부모 없'다는 것에서 전쟁의 소용돌이 속에서 가족 공동체가 해체된 현상을 확인할 수 있겠군.
③ '어머니'가 '유탄에 맞'고 죽었다는 것에서 전쟁이 지닌 폭력성을 확인할 수 있겠군.
④ '아침 산보'에 아이들을 구별해 참여시킨 것에서 인간성을 상실한 공동체의 단면을 확인할 수 있겠군.
⑤ '한결 생기가 돋혀 있는 소년'의 얼굴에서 아픔을 극복하고 새롭게 성장하는 모습을 확인할 수 있겠군.

[25 ~ 28] 다음 글을 읽고 물음에 답하시오.

일반적으로 의사들은 청진기를 통해 들리는 심장음*으로 환자의 상태를 점검한다. 심장은 우리 몸에 혈액을 안정적으로 순환시키는 기관으로 펌프와 같은 작용을 하는데, 매우 짧은 시간에 수축과 이완을 반복한다. 이러한 심장의 주기적인 리듬을 '심장 박동'이라고 하며 이 과정에서 심장음이 발생되는 것이다. 그렇다면 심장 박동은 구체적으로 어떤 과정을 거쳐 일어나며, 심장음은 왜 발생하는 것일까?

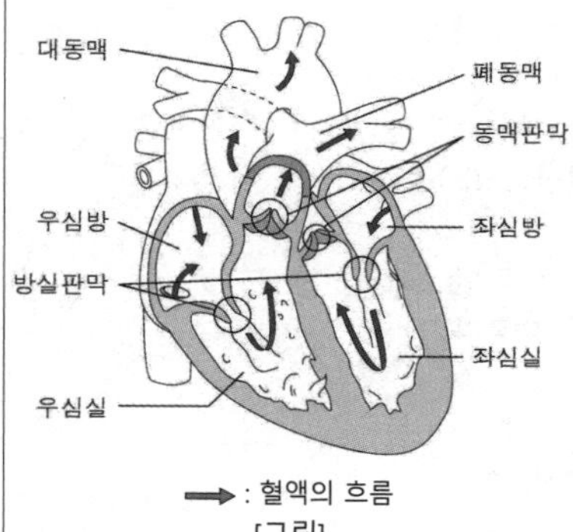

[그림]

이 궁금증을 해결하기 위해서는 우선 ㉠ 심장의 구조와 혈액의 순환 과정을 살펴볼 필요가 있다. 심장은 [그림]과 같이 우심방과 우심실, 좌심방과 좌심실로 구성되어 있다. 각 심방과 심실 사이에는 방실판막이 있고, 우심실과 폐동맥 사이, 좌심실과 대동맥 사이에는 동맥판막이 있다. 여기서 판막은 혈액을 한 방향으로만 흐르게 하는 역할을 한다는 점에서 마치 한쪽으로만 열리는 출입문에 비유될 수 있다. 방실판막은 심방에서 심실로만 열리는데, 심방의 압력이 심실의 압력보다 높을 경우에만 열린다. 동맥판막 역시 압력의 차이로 인해 심실에서 동맥으로만 열린다. 그리고 혈액의 순환 과정은 다음과 같다. 혈액은 몸 전체의 세포와 조직에 산소를 공급하고 이들로부터 이산화탄소를 받은 후 우심방, 우심실을 거쳐 폐동맥을 통해 폐로 이동된다. 이후 폐에서 산소를 공급받은 혈액은 좌심방으로 되돌아와 좌심실을 거쳐 대동맥을 통해 몸 전체로 나가게 된다. 이 과정에서 우심실과 좌심실은 동시에 수축됨으로써 같은 양의 혈액을 폐나 몸 전체로 내보내는데, 혈액을 폐로 보내는 것보다 몸 전체로 보낼 때 더 강한 힘이 필요하므로 좌심실 벽이 우심실 벽보다 더 두껍다.

㉡ 심장의 박동은 심실 확장기, 등용적 심실 수축기, 심실 수축기를 포함하는 수축 단계와 등용적 심실 이완기, 심실 채우기를 포함하는 이완 단계를 반복적으로 거친다. 이 과정은 약 0.8초를 주기로 하여 좌심방과 좌심실, 우심방과 우심실에서 동시에 일어난다. 먼저 동방결절*에서 발생한 전기 신호가 심방의 근육으로 전달되면 심방이 수축된다. 이로 인해 심방의 압력이 심실의 압력보다 조금 높아지므로 심방에서 심실로 혈액이 흘러 심실의 크기가 지속적으로 커지는데 이를 심실 확장기라고 한다. 이 시기에는 심방을 수축시킨 전기 신호가 방실판막과 심방 벽을 진동시켜 '제4심장음'이 발생한다. 그리고 동방결절에서 발생한 그 전기 신호가 방실결절*을 통해 심실 전체로까지 전달되면 심실이 수축되기 시작한다. 이로 인해 심실의 압력이 증가하여 심방의 압력보다 높아지므로 방실판막이 닫힌다. 그런데 심실의 압력은 동맥의 압력보다 여전히 낮기 때문에 동맥판막은 닫혀 있다. 따라서 수축으로 인한 심실의 압력 증가가 일정 수준에 이르기 전까지는 4개의 판막은 모두 닫혀 있다. 이는 혈액의 이동이 순간적으로 중지된 상태이므로 심실의 크기는 일정하게 유지되는데 이를 등용적 심실 수축기라고 한다. 이 시기에는 방실판막이 닫힐 때 길고 둔한 소리가 발생하는데 이를 '제1심장음'이라고 한다. 수축 단계의 마지막 과정인 심실 수축기는, 계속 증가해 온 심실의 압력이 동맥의 압력보다 높아지게 되어 동맥판막이 열리고 혈액이 심실에서 몸 전체나 폐로 빠져나가는 시기를 말한다. 이 시기에는 심실의 압력이 심방의 압력보다 높기 때문에 방실판막은 여전히 닫혀 있고, 혈액은 심실 밖으로 빠져나갔으므로 심실의 크기는 이전 시기보다 작아진다.

전기 신호로 인한 수축 단계가 끝나고 심실이 이완되면 심실의 압력이 동맥의 압력보다 낮아져 동맥판막이 닫히게 된다. 그런데 심실의 압력은 심방의 압력보다 여전히 높으므로 방실판막은 열리지 않는다. 따라서 이완으로 인한 심실의 압력 감소가 일정 수준에 이르기 전까지는 4개의 판막이 모두 닫혀 있다. 이 상태에서는 등용적 심실 수축기처럼 심실의 크기가 일정하게 유지되는데 이를 등용적 심실 이완기라고 한다. 이 시기에는 동맥판막이 닫힐 때 '제1심장음'보다 짧고 예리한 소리가 발생하는데 이를 '제2심장음'이라고 한다. 이후 심실이 이완되면서 계속 감소해 온 심실의 압력이 심방의 압력보다도 낮아지면 방실판막이 열려 심실로 혈액이 조금씩 들어오는데 이를 심실 채우기라고 한다. 이때 방실판막이 열리면서 '제3심장음'이 발생한다.

이처럼 심장의 박동은 심장의 수축과 이완에 따른 압력 또는 크기의 변화와 밀접한 관련이 있으며 시기별로 일정한 심장음을 발생시킨다는 특성이 있다. '제1심장음'과 '제2심장음'은 일반적으로 의사들이 청진기를 통해 분명하게 들을 수 있다. '제3심장음'은 그 소리가 약해서 소아나 청소년들에게서만 들리며, '제4심장음'은 음정이 낮고 짧아 드물게 들린다. 만약 판막이나 혈관 등에 이상이 생길 경우 정상적인 심장음 이외의 소리가 발생하고 이를 통해 질병이 감지될 수 있는 것이다.

* 심장음: 심장 기능에 의해 생기는 음.
* 동방결절: 전기 신호를 생성하여 심장을 수축시킴으로써 심장 박동의 리듬을 결정하는 심장의 한 부분.
* 방실결절: 특수 심장 근육의 하나로 동방결절에서 진행된 흥분을 심실 근육 쪽으로 전달하는 기능을 가진 심장의 한 부분.

25. 윗글의 내용과 일치하지 않는 것은?

① 우심실 벽이 좌심실 벽보다 더 두껍다.
② 판막은 혈액을 한 방향으로만 흐르게 한다.
③ '제3심장음'은 소아나 청소년들에게서만 들린다.
④ 심장은 우리 몸에 혈액을 안정적으로 순환시키는 기관이다.
⑤ 판막이나 혈관에 이상이 생기면 정상적인 심장음 이외의 소리가 발생한다.

26. ㉠을 중심으로 윗글을 이해한 내용으로 적절하지 않은 것은?

① 심장의 혈액을 심실 밖으로 내보낼 때에는 심실과 동맥 사이의 동맥판막이 열린다.
② 심장의 우심방에 들어온 혈액을 다시 몸 전체로 내보낼 때에는 판막 4개를 거쳐야 한다.
③ 심장의 각 심실로 들어온 혈액을 심장 밖으로 내보낼 때에는 심장의 방실판막은 닫혀 있다.
④ 심장의 각 심방으로 들어온 혈액을 심실로 내보낼 때에는 심방에서 심실 방향으로 판막이 열려야 한다.
⑤ 심장의 혈액을 좌심실에서 내보내기 시작할 때에는 우심실에서 내보내기 시작할 때와 달리 동맥판막이 열린다.

[27 ~ 28] <보기>는 ⓒ의 과정을 도식화한 것이다. 윗글과 <보기>를 참고하여 27번과 28번의 두 물음에 답하시오.

〈보 기〉

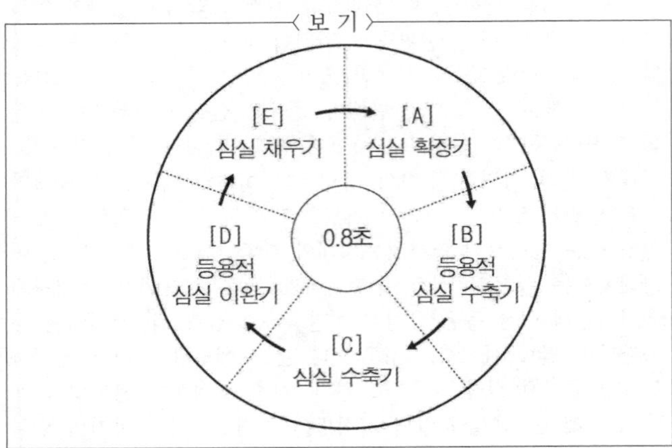

27. 윗글을 바탕으로 [A]~[E]에 대해 이해한 내용으로 적절하지 <u>않은</u> 것은? [3점]

① [A]에서 [B]로 되면서, 혈액의 이동이 순간적으로 중지되어 심실의 크기가 일정하게 유지된다.
② [B]에서 [C]로 되면서, 심실 속 혈액량은 줄어들며 심실의 크기는 작아진다.
③ [C]에서 [D]로 되면서, 심실은 이완하며 청진기로 들을 수 있는 '제2심장음'이 발생한다.
④ [D]에서 [E]로 되면서, 심실은 이완되어 심실 속의 혈액량이 줄어든다.
⑤ [E]에서 [A]로 되면서, 전기 신호로 인해 심방이 수축되고 '제4심장음'이 발생한다.

28. 윗글을 읽은 학생이 [B]와 [D]에 대해 <보기>와 같이 반응했다고 할 때, ㉮ ~ ㉰에 들어갈 말로 적절한 것은?

〈보 기〉

"이 글을 읽고 심방, 심실, 동맥을 압력이 높은 순서대로 나열했을 때, [B]와 [D]에서 그 순서가 동일하다는 점을 발견했어. 즉 압력이 가장 높은 것은 (㉮)이고, 그 다음 높은 것은 (㉯)이며, 가장 낮은 것은 (㉰)이라는 사실을 알게 되었어."

	㉮	㉯	㉰
①	심방	심실	동맥
②	심방	동맥	심실
③	심실	심방	동맥
④	동맥	심실	심방
⑤	동맥	심방	심실

[29 ~ 32] 다음 글을 읽고 물음에 답하시오.

(가)

겨우 소한(小寒)을 넘어 선 [뜰]에 내려
매화나무 가지 아래 서서 보니
치운 공중에 가만히 뻗고 있는
그 가녀린 가지마다에
어느새 어린 꽃봉들이 수없이 생겨 있다.

밤이면는 내가 새벽마다 일어 앉아
싸늘한 책장을 손끝으로 넘기며 느끼는
엊저녁 그 모색(暮色) 속 **한천(寒天) 아래 까무러치듯**
외로이도 **얼어붙던 먼 산산(山山)**들!
그러면서도 무엔지
아련하고도 따뜻이 마음 뜸 돌던 느낌을
이 가지들도 느껴 왔는지 모른다.

오늘도 표연히 집을 나서
어디고 먼 바닷가에나 가서
그 바다의 양양(洋洋)함을 바라보고
홀로이 생각에 젖었다 오굔음*!
이런 수럿한 심정도 어쩌면
저 가지들을 바라보고 있을 적에
내가 느껴 배운 것인지도 모른다.

매운 바람결이 몰려 닿을 적마다
어린 꽃봉들을 머금은 **가녀린 가지**는
외로움에 스스로 다쳐서는 안 된다!고
살래살래 **타일르듯 흔들거린다.**

— 유치환, 「매화나무」 —

* 오굔음: 오고 싶음.

(나)

튼튼한 것 속에서 틈은 태어난다
서로 힘차게 껴안고 굳은 ㉠ <u>철근과 시멘트</u> 속에도
숨쉬고 돌아다닐 길은 있었던 것이다
길고 가는 한 줄 선 속에 빛을 우겨넣고
버팅겨 허리를 펴는 틈
미세하게 벌어진 그 선의 폭을
수십 년의 시간, 분, 초로 나누어본다
아아, 얼마나 느리게 그 틈은 벌어져온 것인가
그 느리고 질긴 힘은
핏줄처럼 건물의 속속들이 뻗어 있다
서울, 거대한 빌딩의 정글 속에서
다리 없이 벽과 벽을 타고 다니며 우글거리고 있다
지금은 화려한 ㉡ <u>타일과 벽지</u>로 덮여 있지만
새 타일과 벽지가 필요하거든
뜯어보라 두 눈으로 확인해보라
순식간에 구석구석으로 달아나 숨을
그러나 어느 구석에서든 천연덕스러운 꼬리가 보일
틈! 틈, 틈, 틈, 틈틈틈틈틈……
어떤 철벽이라도 비집고 들어가 사는 이 틈의 정체는
사실은 한 줄기 ㉢ <u>가냘픈 허공</u>이다

하릴없이 구름이나 풀잎의 등을 밀어주던
나약한 힘이다
이 힘이 어디에든 스미듯 들어가면
튼튼한 것들은 모두 금이 간다 갈라진다 무너진다
튼튼한 것들은 결국 없어지고
가냘프고 나약한 허공만 끝끝내 남는다

- 김기택, 「틈」 -

(다)

해가 저문 어느 날, 오막살이 토굴에 사는 노승 앞에 더벅머리 학생이 하나 찾아왔다. 아버지가 써 준 편지를 꺼내면서 그는 사뭇 불안한 표정이었다.

사연인즉, 이 망나니를 학교에서고 집에서고 더 이상 손댈 수 없으니, 스님이 알아서 사람을 만들어 달라는 것이었다. 물론 노승과 그의 아버지는 친분이 있는 사이였다.

편지를 보고 난 노승은 아무런 말도 없이 몸소 후원에 나가 늦은 저녁을 지어 왔다. 저녁을 먹인 뒤 발을 씻으라고 대야에 가득 ㉣더운 물을 떠다 주었다. 이때 더벅머리의 눈에서는 주르륵 눈물이 흘러내렸다.

그는 아까부터 훈계가 있으리라 은근히 기다려지기까지 했지만 스님은 한 마디 말도 없이 시중만을 들어 주는 데에 크게 감동한 것이다. 훈계라면 진저리가 났을 것이다. 그에게는 백 천 마디 좋은 말보다는 다사로운 손길이 그리웠던 것이다.

이제는 가고 안 계신 한 노사(老師)로부터 들은 이야기다. 내게는 생생하게 살아 있는 노사의 모습이다.

산에서 살아 보면 누구나 다 아는 일이지만, 겨울철이면 나무들이 많이 꺾인다. 모진 비바람에도 끄떡 않던 아름드리나무들이, 꿋꿋하게 고집스럽기만 하던 그 소나무들이 ㉤눈이 내려 덮이면 꺾이게 된다. 가지 끝에 사뿐사뿐 내려 쌓이는 그 가볍고 하얀 눈에 꺾이고 마는 것이다.

깊은 밤, 이 골짝 저 골짝에서 나무들이 꺾이는 메아리가 울려올 때, 우리들은 잠을 이룰 수 없다. 정정한 나무들이 부드러운 것 앞에서 넘어지는 그 의미 때문일까. 산은 한겨울이 지나면 앓고 난 얼굴처럼 수척하다.

사밧티의 온 시민들을 공포에 떨게 하던 살인귀 앙굴리말라를 귀의시킨 것은 부처님의 불가사의한 신통력이 아니었다. 위엄도 권위도 아니었다. 그것은 오로지 자비였다. 아무리 흉악무도한 살인귀라 할지라도 차별없는 훈훈한 사랑 앞에서는 돌아오지 않을 수 없었던 것이다.

바닷가의 조약돌을 그토록 둥글고 예쁘게 만든 것은 무쇠로 된 정이 아니라, 부드럽게 쓰다듬는 물결이다.

- 법정, 「설해목(雪害木)」 -

29. (가) ~ (다)에 대한 설명으로 가장 적절한 것은?

① (가)와 (나)는 명령형 어미를 통해 화자의 의지를 강조하고 있다.
② (가)와 (다)는 음성 상징어를 통해 장면을 구체화하고 있다.
③ (나)와 (다)는 색채 대비를 통해 대상의 이미지를 부각하고 있다.
④ (가)는 (다)와 달리, 비유적 표현을 통해 대상의 모습을 형상화하고 있다.
⑤ (다)는 (나)와 달리, 영탄적 표현을 통해 화자의 감정을 나타내고 있다.

30. <보기>를 바탕으로 (가)를 감상한 내용으로 적절하지 않은 것은?

< 보 기 >

유치환의 「매화나무」는 화자와 대상의 교감을 다루고 있다. 화자는 자신이 느끼는 한겨울 추위 속 온기를 매화나무와 공유하고 있다고 여긴다. 또한 지금 자신이 느끼는 정서 역시 매화나무로부터 환기된 것이라 생각한다. 그리고 화자가 느끼는 이러한 교감을 통해 화자는 매화나무로부터 자기 내면의 고독을 위로받는다.

① '한천 아래 까무러치듯'이 '얼어붙던 먼 산산들'에서 화자가 느끼는 한겨울의 추위를 짐작할 수 있겠군.
② '아련하고도 따뜻이 마음 뜸 돌던 느낌'을 매화나무 '가지들도 느껴 왔는지 모른다'에서 화자가 매화나무와 온기를 공유했다고 여겼음을 알 수 있겠군.
③ '저 가지들'을 보고 '내가 느껴 배운 것인지도 모른다'에서 화자의 정서가 매화나무로부터 환기된 것임을 짐작할 수 있겠군.
④ '꽃봉'에 '매운 바람결이 몰려 닿을 적마다'에서 바람이 매화나무를 위로하고 있음을 알 수 있겠군.
⑤ '가녀린 가지'가 '외로움에 스스로 다쳐서는 안 된다'고 '타일르듯 흔들거린다'에서 화자가 느끼는, 매화나무와의 교감을 엿볼 수 있겠군.

31. <보기>를 바탕으로 ㉠ ~ ㉤을 이해한 것으로 적절하지 않은 것은? [3점]

< 보 기 >

작고 연약한 존재나 거창하지 않고 평범한 행위들이 때때로 강인한 힘을 발휘한다. 대개 이런 작은 존재들은 무언가에 가려져 있고, 평범한 행위들은 일상적인 삶으로 여겨진다. 그러나 이렇게 가려진 존재나 일상적 행위 속에서 끈질긴 생명력이나 감동을 느낄 수 있으며, 이를 통해 강한 힘을 확인할 수 있다.

① ㉠은 서로 힘차게 껴안고 있는 존재로, 작은 틈조차 허용하지 않는 강인한 삶을 이룩하고 있다.
② ㉡은 틈을 덮고 있는 것으로, 작은 존재들을 가려서 드러나지 않게 하고 있다.
③ ㉢은 어떤 철벽이라도 비집고 들어가 사는 것으로, 끈질긴 생명력을 지니고 있다.
④ ㉣은 노승이 학생을 위해 떠다 준 것으로, 이러한 행위는 거창하지는 않지만 상대를 감동시키는 힘을 가지고 있다.
⑤ ㉤은 아름드리나무를 꺾는 존재로, 가볍고 연약해 보이지만 강한 힘을 발휘하고 있다.

32. (가)의 뜰과 (다)의 바닷가에 대한 설명으로 가장 적절한 것은?

① '뜰'은 현재의 기대가, '바닷가'는 현실의 불안이 드러나는 공간이다.
② '뜰'은 자연의 섭리가, '바닷가'는 자연의 현상이 드러나는 공간이다.
③ '뜰'은 문명의 가치가, '바닷가'는 소유의 한계가 드러나는 공간이다.
④ '뜰'은 환희의 정서가, '바닷가'는 체념의 정서가 드러나는 공간이다.
⑤ '뜰'은 자연의 결핍이, '바닷가'는 자연의 충만이 드러나는 공간이다.

[33 ~ 37] 다음 글을 읽고 물음에 답하시오.

경제학에서는 디지털화되어 있는 상품과 아날로그 형태로 존재하나 디지털화될 수 있는 상품, 이 모두를 '정보재'라 일컫는다. 예를 들어 각종 컴퓨터 소프트웨어뿐만 아니라 영화, 방송 등의 콘텐츠 및 이들을 디지털화한 것 등이 이에 해당된다. 그렇다면 정보재는 어떠한 특성이 있으며, 생산자는 어떤 전략으로 정보재를 소비자에게 판매하고 있을까? 이를 정보재의 하나인 컴퓨터 소프트웨어를 중심으로 수요와 공급 측면에서 살펴보도록 하자.

먼저 수요 측면의 특성으로 정보재를 사용하는 소비자에게서 나타나는 '잠김효과'를 들 수 있다. ㉠잠김효과란 어떤 정보재를 사용하기 시작한 소비자가 그것에 익숙해지면 다른 정보재보다 이미 사용하던 것을 계속 사용하려는 경향을 말한다. 이러한 경향은 새로운 정보재를 이용하려면 그것에 익숙해지기 위해 많은 돈, 노력, 시간 등의 '전환비용'이 필요하기 때문에 발생한다. 물론 치약이나 비누 등 일반적인 상품에도 잠김효과는 나타난다. 하지만 정보재는 그 효과가 더 강하게 나타나는 경우가 많다. 왜냐하면 가령 일부 소프트웨어 프로그램의 경우 의무 사용 기간을 지키지 않았을 때 지불해야 하는 위약금과 같은 것까지도 전환비용에 포함되기 때문이다.

정보재의 이러한 수요 측면의 특성을 고려하여 새로운 정보재를 판매하려는 기업은, 소비자가 그 정보재 사용에 익숙해지도록 일정 기간 소비자에게 상품을 무료로 사용하게 하거나 상품의 일부 기능만을 제공하는 판매 전략을 사용한다. 이는 기업이 소비자를 배려하는 것처럼 보일 수도 있지만 실제로는 수요 측면에서 드러나는 정보재의 특성에 맞는 판매 전략을 쓰는 것으로 이해할 수 있다.

다음으로 공급 측면에서, 정보재는 원본의 개발에 ⓐ드는 초기 고정비용*은 크지만 디지털로 생산·유통되기 때문에 원본의 복제를 통한 재생산에 투입되는 추가적인 한계비용*은 매우 작다는 특성이 있다. 따라서 원본을 개발하지 않고 재생산만 하는 신규 기업이 시장에 진입할 경우 적은 비용으로 원본의 재생산이 가능하다. 원본을 개발·재생산하는 기업과 원본을 재생산만 하는 기업들이 있고 이들이 동일한 정보재로 시장에서 경쟁한다고 가정해 보자. 이러한 상황에서 가격 인하 경쟁이 일어나 정보재 가격이 낮아지면, 원본을 개발·재생산하는 기업은 초기 고정비용을 회수할 수 없어 이윤을 남길 수 없게 될 것이다. 그래서 정부는 지적재산권, 상표권, 특허권 등과 같은 법적 제도를 통해 정보재 원본을 개발·재생산하는 기업을 보호하기도 한다.

[A] 한편, 법제도의 보호를 받게 된 기업은 정보재의 소비자를 고려하여 판매 전략을 선택하게 되는데, 이는 정보재에 대한 소비자의 기호나 가치에 따른 '상품차별화'나 '가격차별화' 전략으로 나타나게 된다. 기업은 시장의 상황에 따라 두 전략을 각각 혹은 동시에 사용하기도 한다. 상품차별화 전략에는 소비자의 기호에 따라 상품의 내용이나 기능을 약간씩 다르게 만든 '버전(version)' 등을 활용하는 방식이 있다. 그리고 가격차별화 전략은 동일한 정보재라도 소비자에 따라 가치가 달리 평가되는 경향을 활용하는 방식을 통해서 이루어진다. 생산자는 소비자의 정보를 사전에 최대한 파악하여, 모든 소비자에게 동일한 가격을 책정하기보다는 소비자가 평가하는 정보재의 가치에 따른 최대 지불 의사*를 기준으로 정보재의 가격을 결정하게 된다. 가령 소비자 사이에 재판매가 불가능한 시장에서 소비자의 유형별 정보를 사전에 알고 있는 기업이 어떤 정보재를 판매하고, 각 소비자는 가격이 자신의 최대 지불 의사 금액 이하일 때 반드시 구입하며 최대 구입 횟수는 1회라고 가정한다. 그 정보재의 초기 고정비용은 1,000원, 한계비용은 0원이며, 소비자 유형에는 갑과 을이 존재하고, 최대 지불 의사 금액은 갑 유형이 800원, 을 유형이 400원이다. 만약 생산자가 두 유형의 최대 지불 의사 금액 중 하나만 선택해서 가격을 책정할 경우, 즉 800원 혹은 400원으로 책정한다고 하면 정보재를 갑 유형만 구매하는 경우와, 갑과 을 유형이 모두 구매하는 경우가 발생한다. 이때 두 경우 각각 800원의 수입만을 올릴 수 있게 된다. 그러나 생산자가 각각의 최대 지불 의사 금액을 기준으로 가격을 다르게 책정해 정보재를 각각 판매한다면, 두 유형으로부터 받은 금액의 합은 1,200원으로 초기 고정비용인 1,000원을 초과하게 되어 생산자에게 200원의 이윤이 발생하게 된다.

* 고정비용: 생산량의 변동 여하에 관계없이 불변적으로 지출되는 비용.
* 한계비용: 생산물 한 단위를 추가로 생산할 때 필요한 총비용의 증가분.
* 최대 지불 의사: 어떤 품질의 어느 물건에 대해서는 최대 얼마까지 지불하고 사겠다는 의도.

33. 윗글에서 다룬 내용이 아닌 것은?

① 정보재의 정의
② 정보재의 종류
③ 정보재의 공급 측면에서의 특징
④ 정보재 시장에서의 법적 제도의 필요성
⑤ 정보재 시장에서의 디지털 기술의 변화 과정

34. 윗글을 읽고 <보기>에 대해 추론한 것으로 적절하지 않은 것은?

<보 기>

기업의 생산관리 프로그램을 판매하는 '병'과 '정'이 있다. '병'은 2년째 자신의 제품을 이용하고 있는 ○○ 기업이 자신의 제품을 계속 사용하도록 하기 위해서, 자신과 3년 연장 계약을 체결하면 ○○ 기업에 이용 요금을 할인해 주기로 한다. 단, ○○ 기업이 계약을 파기할 경우 '병'에게 위약금을 지불해야 한다. 그런데 ○○ 기업은 새롭게 출시된 '정'의 제품이 더 좋다고 생각하여 '정'에게 구매를 문의하였다. '정'은 ○○ 기업이 '병'의 제품을 쓰고 있는 것을 알고, 자신의 제품을 사용하도록 유도하기 위해, 3년 동안 ○○ 기업이 자신의 제품을 이용한다면 '병'이 제시한 요금보다 훨씬 저렴하게 해 주겠다고 ○○ 기업에 제안했다. 그런데 ○○ 기업은 '정'의 제품을 새롭게 익혀야 하는 것에 부담을 느꼈다.

① 만약 ○○ 기업이 '병'의 제품을 계속 사용하기로 결심했다면 전환비용에 부담을 느꼈다고 볼 수 있겠군.
② ○○ 기업에 '병'이 일정 기간 동안 이용 요금의 할인을 제안한 것은 잠김효과를 강화하기 위한 것으로 볼 수 있겠군.
③ '정'이 ○○ 기업에 '병'보다 저렴한 요금을 제시한 것은 '병'의 제품에 의해 발생하는 잠김효과를 약화시키려는 전략으로 볼 수 있겠군.
④ 만약 ○○ 기업이 '병'과의 연장 계약 후 1년 만에 계약을 파기하고 '정'과 계약했다면, 발생할 위약금은 전환비용이라고 볼 수 있겠군.
⑤ 만약 ○○ 기업이 '정'과 계약했다면, 여기에는 ○○ 기업이 '병'의 제품에 의해 발생한 전환비용을 늘리려는 의도가 담겨 있다고 볼 수 있겠군.

35. 기업이 ㉠을 발생시키기 위해 활용할 판매 전략으로 가장 적절한 것은?

① 정보재의 생산 계획을 세분화하여 생산 절차를 개선한다.
② 정보재의 안전한 사용을 위해 보안 유지 기술 향상에 힘쓴다.
③ 정보재 생산에 소요되는 원가 절감을 위해 생산 공정을 점검한다.
④ 정보재 유통에 드는 비용을 줄이기 위해 전국적 판매망을 구축한다.
⑤ 정보재를 무료로 제공하지만 사용 기간을 제한하여 그 이후에는 기능을 멈추게 한다.

36. [A]에 근거하여 <보기>를 이해했을 때 적절하지 않은 것은? [3점]

<보 기>

아래의 표는 어느 가상의 소프트웨어 a버전과 b버전에 대해 소비자의 유형별 최대 지불 의사를 나타낸 것이다. a버전의 초기 고정비용은 130원, b버전의 초기 고정비용은 70원이며 각각의 한계비용은 0원이다.

소비자 유형	a버전에 대한 최대 지불 의사	b버전에 대한 최대 지불 의사
㉮	80원	50원
㉯	60원	30원

* 소프트웨어를 생산하는 기업은 소비자의 유형별 정보를 알고 있으며, 소비자들 사이의 재판매는 불가능하다고 가정함.
* 소비자는 가격이 자신의 최대 지불 의사 금액 이하일 때 반드시 구입하며, 최대 구입 횟수는 1회라고 가정함.

① 생산자가 a버전만을 출시할 때 80원으로 가격을 책정하면, a버전이 ㉮에게만 판매되어 수입은 초기 고정비용보다 적겠군.
② 생산자가 a버전만을 출시할 때 60원으로 가격을 책정하면, a버전이 ㉮와 ㉯ 모두에게 판매되어 수입이 초기 고정비용보다 많겠군.
③ 생산자가 b버전만을 출시할 때 50원으로 가격을 책정하면, b버전이 ㉮에게만 판매되어 50원의 수입을 얻겠군.
④ 생산자가 b버전만을 출시할 때 30원으로 가격을 책정하면, b버전이 ㉮와 ㉯ 모두에게 판매되지만 수입은 초기 고정비용보다 적겠군.
⑤ 생산자가 b버전만을 출시할 때 ㉮에게는 50원, ㉯에게는 30원으로 가격을 책정하면, b버전이 ㉮와 ㉯ 모두에게 판매되어 수입이 초기 고정비용보다 많겠군.

37. ⓐ의 문맥적 의미와 가장 가까운 것은?

① 그는 교내 합창 동아리에 들었다.
② 꽃은 해가 잘 드는 데 심어야 한다.
③ 잔치 음식을 준비하는 데 돈이 많이 든다.
④ 올해 들어 해외 여행자 수가 부쩍 늘었다.
⑤ 좋은 생활 습관이 들면 자기 발전에 도움이 된다.

[38 ~ 41] 다음 글을 읽고 물음에 답하시오.

(가)

조선 시대 사대부들이 향유했던 대표적인 문학 갈래인 시조에는 사대부들이 지향하는 삶이 잘 나타나 있다. 그런데 다수의 시조 작품에서 사대부가 자연 속에서 심성을 도야하며 안빈낙도(安貧樂道)하는 삶을 추구하는 모습이 드러나 있어 사대부는 현실 정치의 참여보다는 자연 속에 은둔하는 삶을 지향한다고 여겨지는 경향이 있다. 하지만 이는 유학적 가르침을 내면화했던 사대부에 대한 정확한 인식이라고 보기 어렵다.

조선 시대 사대부들의 삶은 관직의 유무에 따라 '출(出)'과 '처(處)'로 구분하여 이해될 수 있다. 유교 사회에서 '출'은, 유교적 가르침을 부단히 수양한 사대부가 관직에 나아가 사대부로서 품었던 정치적 포부를 펼치는 이상적인 삶의 형태로 이해될 수 있다. 사대부들은 유교적 가치관이 바로 서서 순리대로 정치가 실현되는 세상에서는 관직에 나아가 유교적 가르침을 실천하며 백성들을 '인(仁)'과 '의(義)'로써 다스리는 것을 자신들의 이상으로 여긴 것이다.

그런데 사대부들은 자신들이 직면한 시대의 상황에 따라 '출'의 가치를 달리 인식하기도 하였다. 유교적 가치관이 바로 서지 못해 나라가 혼란스러운 상황일 때, 사대부들은 '출'을 의롭지 못하다고 여겨 '처'를 선택하기도 한 것이다. 즉 그들은 의로움을 지키기 위해 스스로 '출'을 거부하고 '처'를 선택하는 것을 이상적이라고 여겼다. 그러나 사대부들은 '처'의 삶을 살면서도 혼란스러운 세상에 대한 근심을 표현하며 우국충정을 드러내는 것으로 자신의 본분을 지키려 하였다.

조선 시대 사대부들은 시조에서 '궁달(窮達)'이라는 표현도 자주 사용했는데, 이 또한 '처'와 '출'의 맥락과 관련지어 이해될 수 있다. '궁(窮)'은 '빈궁(貧窮)'과 '빈천(貧賤)'을, '달(達)'은 '영달(榮達)'과 '부귀(富貴)'를 의미한다. 여기서 빈궁과 빈천은 혼탁한 세상으로 인해 자신의 정치적 포부를 펼치지 않는 삶을, 영달과 부귀는 고위 관직에 올라 자신의 뜻을 펼칠 수 있는 삶을 의미한다고 볼 수 있다. 이런 점에서 '궁'은 '처'와, '달'은 '출'과 비슷한 맥락을 지닌다고 볼 수 있다. 따라서 빈천과 부귀는 앞에서 언급한 사대부의 삶의 처지와 관련지어 볼 때 단순히 경제적 상황만을 의미하는 것이 아니라 보다 확장된 의미를 가진다.

결국 관직의 유무에 따른 사대부의 처지와 그와 관련된 그들의 삶의 태도는 '출-달-부귀'와 '처-궁-빈천'이라는 대조적 맥락을 통해서 설명할 수 있다. 이와 같은 맥락을 잘 보여주는 시조 작품으로 권호문의 시조와 임제의 시조를 들 수 있다.

[A]
출(出)하면 **치군택민(致君澤民)*** 처(處)하면 조월경운(釣月耕雲)*
총명하고 밝은 군자(君子)는 이것을 즐기나니
하물며 **부귀(富貴)**는 **위기(危機)**라 **빈천거(貧賤居)를 하오리라***

— 권호문, 「한거십팔곡」 중 제8수 —

[B]
부귀(富貴)를 탐(貪)치 말고 **빈천(貧賤)을 사양(辭讓)** 마라
부귀빈천(富貴貧賤)이 절로 절로 도ᄂᆞ이
부귀(富貴)는 **위기(危機)**라 탐(貪)하다가 **신명(身命)**을 못ᄂᆞ이라*

— 임제 —

권호문과 임제는 당파 싸움이 극심했던 시기인 16세기 중후반을 살았던 인물이다. 권호문은 진사시에 합격하고 임제는 문과에 급제했지만, 자연에 은거하며 산림처사로 사는 삶을 선택했다. 그들의 시조에는 혼탁한 정치 현실에서 벼슬길에 나아가는 것이 위기라는 인식이 잘 드러나 있다.

* 치군택민: 목숨을 바쳐 임금을 섬기고 백성에게 은덕이 미치게 함.
* 조월경운: 달빛 아래서 고기 낚고 구름 속에서 밭을 갊. 곧 은둔 생활을 뜻함.
* 빈천거를 하오리라: 가난하게 지내리라.
* 신명을 못ᄂᆞ이라: 목숨을 부지하기 어렵다는 뜻.

(나)

이편은 저 외다* 하고 저편은 이 외다 하니
매일(每日)의 하는 일이 이 **싸움뿐**이로다
이 중의 **고립(孤立) 무조(無助)***는 님이신가 하노라

<제14수>

싸움에 시비만 하고 **공도(公道) 시비(是非)*** 아니 하네
어찌하여 세상 형편 이같이 되었는고
물불보다 심한 **환난** 날로 길어 가는구나

<제25수>

나라가 굳으면 집조차 굳으리라
집만 돌아보고 나라 일 아니 하네
하다가 명당(明堂)*이 기울면 어느 집이 굳으리오

<제26수>

공명(功名)을 원찮커든 **부귀(富貴)**인들 바랄소냐
초가 한 간에 괴로이 혼자 앉아
밤낮에 **우국상시(憂國傷時)***를 못내 설워 하노라

<제28수>

— 이덕일, 「우국가」 —

* 외다: 그르다.
* 고립 무조: 홀로 있어 도움이 없음.
* 공도 시비: 공평하고 바른 도리를 따짐.
* 명당: 임금이 조회를 받던 장소.
* 우국상시: 나라를 걱정하고 시절의 혼란함에 마음이 상함.

38. (가)에 대한 설명으로 가장 적절한 것은?

① 사대부들은 경제적인 상황에 따라 '출' 혹은 '처'의 삶을 선택한다.
② '영달'은 사대부가 지향하는 자연 속에서의 은둔의 삶을 의미한다.
③ 사대부들은 관직에 나아간 삶인 '빈궁'을 통해서 안빈낙도를 추구한다.
④ '궁'은 고위 관직에 올라 자신의 뜻을 펼칠 수 있는 삶을 의미한다고 볼 수 있다.
⑤ 사대부는 '처'의 상황에서 우국충정을 드러냄으로써 자신의 본분을 지키고자 하였다.

39. (가)를 바탕으로 [A]와 [B]를 이해한 것으로 적절하지 않은 것은?

① [A]의 '치군택민'은 관직에 나아가 유교적 가르침을 실천하는 것을 의미한다.
② [A]의 '빈천거를 하오리라'에는 '처'의 삶을 살겠다는 화자의 의지가 드러나 있다.
③ [B]의 '빈천을 사양 마라'에는 관직에 나아가지 않는 '처'의 삶을 거부해야 한다는 화자의 태도가 드러나 있다.
④ [B]의 '신명을 못ᄂᆞ이라'는 나라의 유교적 가치관이 흔들리는 상황에서 '출'을 선택했을 때 초래할 결과를 의미한다.
⑤ [A]와 [B]에서 화자가 '부귀'의 삶을 지향하지 않는 것에서는 당파 싸움이 심한 시대에 '출'의 삶을 '위기'라고 여기는 화자의 인식이 드러나 있다.

40. (가)를 바탕으로 (나)를 감상한 내용으로 적절하지 않은 것은? [3점]

① <제14수> : '싸움뿐'인 당대의 시대에 화자가 '고립 무조'를 선택한 것은 유교적 가르침을 바탕으로 자신을 수양하기 위해 '궁'의 삶을 지향한 것으로 볼 수 있겠군.
② <제25수> : '공도 시비'를 하지 않아 '환난'이 길어진다는 화자의 인식에서 정치가 순리대로 실현되지 않는 당대의 현실을 짐작할 수 있겠군.
③ <제26수> : '집만 돌아보고 나라 일 아니 하'는 사람들의 모습은, 유교적 가치를 바르게 실천하지 않은 당대의 사대부들의 모습을 드러낸 것이라 볼 수 있겠군.
④ <제28수> : '공명'과 '부귀'를 바라지 않는 화자의 모습에서 화자가 '달'의 삶을 지향하지 않음을 알 수 있겠군.
⑤ <제28수> : '초가 한 간'에서 '우국상시'를 느끼는 것은, '궁'의 상황에서도 화자가 혼란스러운 세상에 대해 근심을 드러낸 것이라 볼 수 있겠군.

41. [B]와 (나)의 표현상의 공통점으로 가장 적절한 것은?

① 동일한 시어를 반복하여 의미를 강조하고 있다.
② 대화체를 사용하여 대상과의 친밀감을 드러내고 있다.
③ 점층적 표현을 사용하여 화자의 태도를 부각하고 있다.
④ 설의적 표현을 활용하여 화자의 정서를 강조하고 있다.
⑤ 상승 이미지를 반복하여 화자의 의지를 나타내고 있다.

[42 ~ 45] 다음 글을 읽고 물음에 답하시오.

차설, 성주 땅에 심현이란 재상이 있어 다만 일자(一子)를 두었으되 이름은 의량이라. 방년 십오에 등과 입신하여 명망이 조야에 가득하매, 심상서 지극히 사랑하여 아름다운 규수를 구할새 추상서 집 처녀의 용모 재질이 매우 뛰어남을 듣고 매파를 보내어 통혼하니, 추상서 또한 이왕 심의량의 문장 조화가 출중함을 아는고로 허락하여 보내고 즉시 소저를 불러 심상서 집 사연을 이른대, 소저 듣기를 마치고 얼굴빛을 달리하며 대왈,

"소녀 일찍 아뢰지 못함은 여자의 도리에 당돌하온고로 자연 미루어 지체하였더니, 이제 대인 말씀을 듣사오매 어찌 숨기리이까? 소녀 운향사에 갔을 때에 남양 땅에 있는 양상서의 아들 산백을 만나 삼년 함께 고생하였는데, 정의 상합하여 천지께 맹서하여 사생간(死生間) 서로 저버리지 말자 하오되 다만 종적을 속였삽더니, 양생은 본래 총명이 과인한고로 소녀의 본적을 살피옵고 춘정(春精)*을 금치 못하매, 소녀 급히 도망하여 집으로 오면서 벽상에 이별시를 기록하여 언약을 잊지 말자 하옵고 왔사온즉, 비록 예를 이루지 아니하였사오나 맹약은 이미 하였으매, 부모 아직 양생을 못 보신지라, 조만간에 양생이 찾아오리니, 바라옵건대 부모는 소녀의 깊은 정회를 살피소서."

하거늘, 상서 대로 왈,

"내 집이 비록 패망하나, 너 같은 불효녀를 두어 문호에 욕되게 할 줄 어찌 생각하여 헤아렸으리요. 다시 이런 말을 내지 말라."

하니, 소저 황급 왈,

[A] "소녀의 맹세를 위하여 규중 처자로 올바른 도리를 다함에 응하고자 함이오니, 이제 소녀 하온 말씀은 정절에 마땅하온 바이어늘 어찌 문호에 욕된다 하시나니이까. 비록 맹약이라도 중도에 약속을 저버리건대 이 또한 절개를 지키지 아니하옴이니, 부모는 다시금 생각하소서."

하고, 침소에 돌아와 심중에 헤오되,

㉠'<u>부명(父命)을 좇은즉 절개를 잃음이요, 좇지 아니한즉 불효되리니</u>, 차라리 내 몸이 죽어 혼백이라도 양생을 의지하리라.'

하고 베개를 의지하여 누웠더니, 문득 시비 들어와 양생의 말을 일일이 고하거늘, 소저 부모 알까 생각하여 시비로 하여금 후원 앵춘당으로 양생을 인도하라 하고, 내당에 들어가 부친께 고왈,

"운향사의 지주 고한대 양생이 왔다 하오니, 엎드려 원하옵건대 부친은 한번 봄을 허락하소서."

상서 노왈,

"네 끝내 아비를 가벼이 여겨 이런 말을 하는데, 누구 빨리 양생을 쫓아 보내라."

하니, 소저 슬피 울며 왈,

"이제 그가 불원 천리하고 왔삽거늘, 어찌 박절히 쫓아 보내리이까."

한대, 상서 듣기를 마치고 헤오되,

'일이 이렇게 되었으니 잠깐 보게 하리라.'

하고 비로소 허락하니, 소저 침소에 돌아와 기쁨을 이기지 못하여 단장을 고치고 후당에 나아가 양생을 맞아 예절을 갖추어 마주 대하니 양생이 눈물을 머금으며 왈,

"내 낭자를 이별한 후 무성한 근심으로 세월을 허비하다가 만가지 즐거움이 소용이 없고 헛되이 근심하여 가오니, 낭자는 이 사정을 어여삐 여기소서."

하더라.

[중략 부분의 줄거리] 아버지의 반대로 추소저가 양생의 구애를 거절하자 양생은 추소저가 왕래하는 길가에 자신을 묻어줄 것과 자신의 편지를 추소저에게 전해 달라는 것을 유언으로 남기고 죽는다. 추소저는 심의량과의 혼례 후 양생의 죽음을 알게 되어 신행을 핑계로 양생의 무덤에 가서 제문을 올린다. 그때 갑자기 무덤이 갈라지고 추소저가 무덤 안으로 뛰어들자 신행을 따라가던 일행은 당황해 한다. 한편 추소저는 죽어 양생을 만나게 되고 둘은 함께 지장왕 앞에 이르게 된다.

지장왕이 황건역사를 명하여 이르되,

"이 두 사람을 데리고 인간에 내려가 혼백을 육신에 붙이고 오라."

한대, 역사 수명하고 양인을 거느려 운남산으로 향할새, 한곳에 다다르니 산수는 수려하고 화초는 난만한데 단청을 곱게 하여 아름답게 꾸민 집이 아득하며 수놓은 문과 담장이 영롱하거늘, 양생이 문왈,

"이곳은 어디며, 이 집은 뉘 집이뇨?"

역사 왈,

"그대 인생살이에 시력이 상하여 고향을 모르는도다. 이 산은 봉래산이요, 이 집은 수정궁이라. 전일 그대 삼신산 신선과 더불어 풍경을 완상하여 세월을 보내더니, 이월 그믐은 영보도군(靈寶道君)의 탄일이라. 상제 잔치를 열어 즐기실새, 이때 낭자 참례하였다가 일시 춘정을 이기지 못하여 그대와 더불어 외통함을 상제 아시고 그대 양인을 적강(謫降)*하시니라."

하더라.

차시는 추구월(秋九月) 보름이라. 월출동령하여 청광이 조용한 곳에 한 줄 무지개 월궁으로부터 일어나 하나는 추씨의 무덤에 박히고 하나는 양생의 무덤에 박히더니, 문득 두 무덤이 일시에 갈라지며 무덤 속 오운(五雲)이 일어나는 곳에 두 사람의 시체가 움직여 일어나며 무지개 다리를 좇아 한곳에 모이매, 서로 반가움을 이기지 못하여 들입다 붙들고 왈,

"오늘날 우리 양인의 만남이 어찌 하늘이 정함이 아니리요."

하고, 서로 이끌어 평강으로 향하여 가니라.

차설, 앞서 추씨를 신행(神行)*하여 가던 일행이 소저가 무덤 속으로 들어감을 보고 일변 신기히 여기며 일변 매우 급하여 어찌할 바를 몰라 서로 돌아보아 왈,

"돌아가 무슨 말씀으로 노야께 고하리요."

하며 망설이다가, 인하여 본부(本府)에 돌아가 소저의 전후 사연을 세세히 고하거늘, 상서 부부 이 말을 듣고 몹시 놀라 왈,

"우리 부부 늘그막에 일녀를 두었다가 양가 자식으로 말미암아 천고에 없는 변괴를 당하니 누구를 원망하리요."

하며, 주야 슬퍼하여 왈,

[B] "당초에 여아의 말을 좇아 심가를 거절하고 양산백을 찾아 결혼하였던들 저희 평생을 즐길 것이요, 우리 또한 의탁할 곳이 있을 것이어늘, 내 생각이 미욱하여 이 지경을 당하매 어찌 후회함을 면하리요."

하더니, 이럭저럭 수삭이 지난 후 일일은 문득 시비 기쁜 빛이 얼굴에 가득하여 엎드러지고 곱드러지며 급히 들어와 왈,

"우리 소저 살아 오시나이다."

하며 허둥지둥하거늘, 상서 부부 반신반의하며 급히 물어 왈,

"세상에 죽은 사람이 살아옴을 보지 못하였거든, 너희는 어떠한 사람을 보고 소저라 하여 우리 심사를 산란케 하는다."

하였더니, 이윽고 시비 등이 일제히 소저와 양생을 데리고 들어오며 매우 기뻐하거늘, 상서 부부 황망히 소저를 붙들고 울며 왈,

"네 진짜 살아 오느냐, 네 죽은 혼이 우리를 희롱함이냐. 네 우리를 버리고 어디를 갔다가 이제 돌아오느냐. 그 진짜와 가짜를 깨닫지 못하매 너는 실정을 베풀어라. 저 선비는 뉘뇨?"

소저 눈물을 거두고 가로되,

"소녀 부모께 불효를 끼침이 죄당만사(罪當萬死)*오며, 차인은 운향사에서 함께 고생하던 양생이로소이다. 소녀 양생과 더불어 전생 인연이 있삽기로 이승에서 부부 되어 백년 동락하려 하옵다가, 조물(造物)이 시기하므로 양생이 함원치사(含怨致死)*하고 소녀 또한 여차여차하여 죽었삽더니 명부에서 우리 양인을 불쌍히 여기사, 세상에 도로 나가 전생의 미진한 연분을 맺으라 하시고 소녀와 양생의 혼백을 보내어 육신에 붙이매, 이러므로 우리 양인이 환생하오니 이 어찌 인력으로 하올 바이리까."

하더라.

- 작자 미상, 「양산백전」 -

* 춘정(春精): 남녀 간의 정.
* 적강(謫降): 신선이 인간 세상에 내려오거나 사람으로 태어남.
* 신행(新行): 혼인 때 신랑이 신부집에 가거나, 신부가 신랑집으로 가는 일.
* 죄당만사(罪當萬死): 지은 죄가 너무 커서 죽어 마땅함.
* 함원치사(含怨致死): 원한을 품고 죽음에 이름.

42. 윗글에 대한 설명으로 가장 적절한 것은?

① 인물의 말을 통해 사건을 요약적으로 제시하고 있다.
② 구체적인 시대를 언급하여 내용의 사실성을 높이고 있다.
③ 삽입 시의 내용을 통해 앞으로 일어날 일을 예고하고 있다.
④ 언어유희를 활용하여 인물의 상황을 해학적으로 드러내고 있다.
⑤ 장면에 따라 서술자를 교체하여 다양한 관점에서 사건을 해석하고 있다.

43. [A]와 [B]에 대한 이해로 가장 적절한 것은?

① [A]는 자신의 본분에 충실할 것을 밝히며 상대방을 설득하고 있고, [B]는 자신에게 일어났던 일을 돌이켜 보며 스스로에 대한 자긍심을 표출하고 있다.
② [A]는 미래에 일어날 일을 예측하며 상대방의 태도 변화를 유도하고 있고, [B]는 과거에 일어난 일을 회상하며 상대방에 대한 서운함을 토로하고 있다.
③ [A]는 상대방의 부도덕한 행위를 언급하며 상대방에 대한 불신을 드러내고 있고, [B]는 상대방 견해의 논리적 모순점을 제시하여 상대방을 비판하고 있다.
④ [A]는 자신의 신분과 처지를 근거로 하여 자신의 생각이 옳음을 드러내고 있고, [B]는 자신의 지위와 상황을 근거로 하여 자신의 결정이 불가피함을 드러내고 있다.
⑤ [A]는 자신의 주장이 정절에 어긋나지 않음을 내세우며 상대방이 생각을 바꾸기를 바라고 있고, [B]는 현재와는 다른 상황을 가정하여 자신의 행동을 뉘우치고 있다.

44. <보기>를 참고하여 윗글을 이해한 내용으로 적절하지 않은 것은? [3점]

< 보 기 >

「양산백전」에서 남녀 주인공인 양산백과 추소저는 초월 세계와 현실 세계를 넘나들며 사랑을 이어가고 있다. 주인공들이 이동하는 공간을 시간 순서에 따라 도식화하면 다음과 같다. 여기서 적강, 죽음, 재생의 모티프는 주인공들이 다른 세계로 이동하게 되는 요인으로 작용한다.

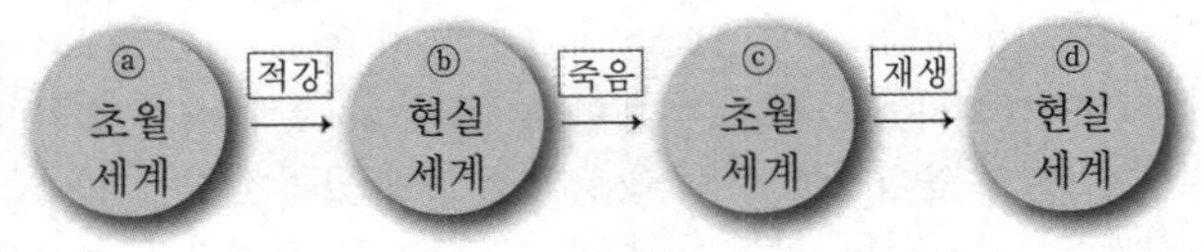

① ⓐ에서 ⓑ로 양산백과 추소저가 적강한 것은 상제에 의해 이루어진 사건이군.
② ⓑ에서 추소저는 자신의 의사와 달리 심의량과의 혼례가 추진되기 때문에 시련을 겪고 있군.
③ ⓑ에서 양산백은 추상서가 추소저와의 대면을 허락하지 않았기 때문에 추소저를 보지 못한 채 죽어 ⓒ로 가게 되는군.
④ ⓒ에서 양산백은 자신이 ⓐ에서 신선과 함께 생활했던 일을 황건역사를 통해 듣게 되었군.
⑤ ⓓ에서 추소저는 상서 부부에게 자신과 양산백이 재생하게 된 이유를 설명하며 자신들의 재생이 필연적임을 강조하고 있군.

45. 윗글을 읽은 독자가 ㉠에 대해 <보기>와 같이 반응하였다고 할 때, (　　)에 들어갈 말로 가장 적절한 것은?

< 보 기 >

"추소저는 (　　　)의 상황에서 고민이 많았을 거야."

① 조삼모사(朝三暮四)　② 진퇴양난(進退兩難)
③ 금의환향(錦衣還鄕)　④ 일거양득(一擧兩得)
⑤ 주객전도(主客顚倒)

※ 확인 사항

답안지의 해당란에 필요한 내용을 정확히 기입(표기)했는지 확인하시오.

2017학년도 9월 고1 전국연합학력평가 문제지

국어 영역

18회 소요시간 /80분

제 1 교시

➡ 해설 P.160

[1~2] 다음은 학생의 발표이다. 물음에 답하시오.

여러분, 안녕하세요.

우리 다독다독 모둠에서 발표할 주제는 '공간의 아름다움을 추구한 도서관'입니다. 요즘은 단순하게 도서관의 크기뿐만 아니라 공간의 아름다움도 중요시한다고 하는데요, 그래서 이런 추세에 맞는 도서관에 대해 소개하려고 합니다.

(화면을 보여주며) 뒤에 있는 분들도 잘 보이시나요?

(청중의 반응을 살핀 후) 먼저 소개할 도서관은 네덜란드 로테르담에 있는 북 마운틴 도서관입니다. 2012년에 개관된 북 마운틴은 자연을 주제로 하여 도서관 전체를 하나의 거대한 숲처럼 꾸몄습니다. 도서관은 피라미드형 건물로 사면은 자연 채광이 가능한 유리로 되어 있습니다. 도서관의 내부 서가에는 북 마운틴이라는 이름에 걸맞게 7만 권이 넘는 종이 책과 8만 권의 전자책을 산 모양으로 배치하고 있습니다. 방문객들은 마치 자연 속에서 일광욕을 즐기듯 남녀 누구나 책과 즐거운 시간을 보낼 수 있다고 합니다.

다음으로 (화면을 보여주며) 이집트의 알렉산드리아 도서관입니다. 기원전 220년부터 세계적인 수준을 자랑했던 고대 알렉산드리아 도서관은 2002년 새롭게 개관되었습니다. 이 도서관의 외관은 떠오르는 태양을 형상화하여 건축했는데, 이것은 태양이 인간 세계와 문화 활동을 비춰준다는 고대의 의미를 되살린 것이라고 합니다. (화면의 특정 부분을 손가락으로 가리키며) 도서관의 외벽에는 한글을 비롯한 세계의 문자들을 새긴 석판이 모자이크처럼 장식되어 있습니다.

끝으로 우리 한국인이 설계한 독일의 슈투트가르트 시립 도서관입니다. (동영상을 보여주고) 보신 것처럼 도서관 중심에는 1층부터 4층까지 하나로 통하는 공간이 있는데, 이곳은 지식의 근원을 상징한다고 합니다. 또 1층 한가운데에는 정사각형 모양의 작은 분수가 있는데, 이곳은 도시의 번잡함에서 벗어나 내면의 자아와 마주하는 경험을 할 수 있는 공간이라고 합니다. 5층부터 9층까지는 나선형 계단의 중앙 열람실 공간이 역피라미드 모양으로 펼쳐져 있고, 천장이 넓게 뚫려 있어 자연 채광이 가능합니다.

(미소를 지으며) 어떠신가요? 여러분들도 이런 도서관에서 책을 읽으며 즐거운 시간을 보내고 싶지 않으신가요? (청중을 둘러보며) 지금까지 공간의 아름다움을 추구한 도서관에 대해 발표하였습니다. 앞으로 우리나라에도 아름다운 공간미를 살린 특색 있는 도서관이 더 많이 생겼으면 하는 기대를 하며 발표를 마치겠습니다.

1. 위 발표에 대한 설명으로 가장 적절한 것은?

① 비유적 표현을 통해 주제를 강조하며 발표를 마무리하고 있다.
② 구체적인 사례를 제시하여 발표 내용을 효과적으로 전달하고 있다.
③ 어려운 용어의 의미를 풀어서 제시하며 청중의 이해를 돕고 있다.
④ 질문을 통해 발표 내용에 대한 청중의 이해 여부를 확인하고 있다.
⑤ 활용한 자료의 출처를 제시하여 발표 내용의 신뢰성을 높이고 있다.

2. 다음은 위 발표를 듣고 작성한 모둠별 상호 평가지이다. 평가한 결과로 적절하지 않은 것은?

<모둠별 상호 평가지>

◦ 단 원: (3) 배려하는 말하기
◦ 모둠명: (다독다독)

평가 내용	그렇다	아니다	
◦ 상대방의 상황을 배려하는 표현을 사용하고 있다.	√		…… ①
◦ 비속어를 사용하여 청중을 비하하는 표현을 하고 있다.		√	…… ②
◦ 주어진 상황에 어울리는 비언어적 표현을 사용하고 있다.	√		…… ③
◦ 말하기 상황에 맞지 않는 불필요한 표현을 사용하고 있다.		√	…… ④
◦ 성을 차별하여 공동체의 결속을 방해하는 표현을 사용하고 있다.	√		…… ⑤

[3~5] 다음은 두 학생의 대화이다. 물음에 답하시오.

학생1 : 다음 주에 우리 반 자리를 새로 정하기로 했잖아. 그래서 담임 선생님께서 어떤 방식으로 하면 좋을지 반장과 부반장이 미리 생각해 보라고 하셨어. 뭐, 좋은 방법 없을까?

학생2 : 아, 그래. ㉠ <u>작년에 해봤던 방법인데, 이 방법은 어떨까?</u> 일찍 오는 사람부터 원하는 자리에 앉기. 우리 반에 지각하는 사람이 많으니까 나름대로 효과가 있지 않을까?

학생1 : (상대방을 살펴보며) 그것도 좋은데, 집이 먼 친구들한테는 너무 불리하니까 그것 말고 다른 방법은 없을까?

학생2 : 그럼, ㉡ <u>제비뽑기 알지?</u> 이 방법은 어떨까?

학생1 : 응, 그거 참 좋다. 근데 제비뽑기는 결과에 따라서 눈이 좋지 않은 학생까지도 맨 뒷자리에 앉아야 하는 문제가 생길 거 같아. 이런 친구들도 배려해야 하지 않을까?

학생2 : ㉢ <u>맞아! 그런 문제가 있을 수 있겠구나.</u> 그럼 먼저 제비뽑기를 하고 원하는 사람끼리 자리를 서로 맞바꿀 수 있게 해주면 문제가 해결되지 않을까?

학생1 : 아휴, 참! 아니야. (말이 빨라지며) 그런 예외 조항을 두면 서로 친한 사람끼리만 앉게 될 수도 있고, 부탁을 하니까 원치 않아도 들어줘야 하는 상황이 발생할 수 있어. 그러면 제비뽑기를 하는 의미도 없어지는 거잖아. 하여튼 난 반대야.

학생2 : ㉮ <u>너는 무슨 말을 그렇게 빨리 하냐. 무슨 말인지 못 알아듣겠어.</u>

학생1 : 그러니까, 네가 말한 거처럼 예외를 두면 다른 문제가 생길 수 있으니까 다른 방법을 더 찾아보자는 말이야.

학생2 : 응, 그렇구나. 그럼, 눈이 좋지 않은 친구들을 배려할 수 있는 방법은 뭐가 있을까?

학생1 : (손뼉을 치며) 아! 이거 어때? ㉣ <u>우선 눈이 좋지 않은 친구들을 위한 구역을 정하고, 그 친구들만 제비뽑기를 하게 하자.</u> 다른 친구들은 나머지 구역에서 제비뽑기하고.

학생2 : 그거 좋은 생각이다. 그 정도의 배려는 우리 반 친구들도 해줄 수 있다고 생각해. ㉤ <u>그리고 한 달에 한 번씩 제비뽑기를 다시 해서 자리를 바꾸는 게 어때?</u>

학생1 : 응, 좋아. 한 달에 한 번 바꾸면 잘 모르는 친구하고 짝도 할 수 있고, 안 좋은 자리에 앉았던 친구도 좋은 자리로 갈 수 있는 기회도 생기고.

학생2 : 좋아. 그럼 자리 정하기는 제비뽑기로 하되, 눈이 좋지 않은 친구들은 앞자리에서 따로 제비뽑기를 하고, 한 달에 한 번씩 자리를 바꾸는 걸로 말씀드리자. 선생님께는 내가 말씀드릴게.

학생1 : 그래, 좋아. 이렇게 우리의 일치된 의견을 선생님께 말씀드릴 수 있어서 더 의미 있는 거 같아.

3. ㉠ ~ ㉤에 대한 설명으로 적절하지 <u>않은</u> 것은?

① ㉠: 화제와 관련된 자신의 경험을 활용하여 의견을 드러내려 하고 있다.
② ㉡: 자신이 말하려는 내용과 관련하여 상대의 배경지식을 확인하고 있다.
③ ㉢: 발생할 수 있는 문제에 대해 공감하며 상대의 의견을 수용하고 있다.
④ ㉣: 상대방이 제기한 문제에 대한 해결 방안을 우회적으로 제시하고 있다.
⑤ ㉤: 상대방이 가질 수 있는 부담을 줄이기 위한 표현을 사용하고 있다.

4. 두 학생을 의견 일치에 도달하게 한 말하기 방법으로 가장 적절한 것은?

① 상대방의 감정에 직접 호소하며 의견 관철하기
② 반대 의견에 대한 절충안을 통해 양보 유도하기
③ 상대방의 의견에 대해 칭찬을 이어 가며 격려하기
④ 상대방의 의견에 동의하며 추가로 의견을 제시하기
⑤ 객관적인 근거 자료를 통해 자신의 제안을 설득하기

5. <보기>를 참고하여 ㉮를 수정한 것으로 적절한 것은? [3점]

<보 기>

대화를 할 때는 상대방을 배려하고 존중하면서 공손하고 예절 바르게 말해야 한다. 이를 위한 방법 중에 문제를 자신의 탓으로 돌려서 상대방이 관용을 베풀 수 있게 하는 대화의 원리가 있다.

① 난 네 생각이 별로 좋지 않아. 예외 조항을 두면 왜 나쁘다는 거지?
② 방금 말한 거 내가 잘 이해하지 못해서 그러는데, 천천히 다시 한 번 말해 줄래?
③ 내가 다음에 맛있는 거 사 줄게. 미안하지만 다시 한 번 자세히 말해 주면 안 되겠니?
④ 너는 조리 있게 말을 잘하는 거 같아. 근데 말이 조금 빠른 편이라 이해하기가 어려워.
⑤ 네 생각도 참 좋은데, 지금처럼 네 생각만 강요하듯이 말하는 것은 좋지 않다고 생각해.

[6~10] 다음을 읽고 물음에 답하시오.

(가) 작문 상황

제13회 교내 백일장
- ○ 글제 : 안개, 내일, 촛불
- ○ 분야 : 운문, 산문
- ○ 장소 : 운동장
- ○ 일시 : 2017년 9월 6일 오전 9시~11시
- ○ 유의사항 : 인터넷이나 책 등을 이용할 수 없음.

○○ 고등학교 국어교과부

(나) 초고

눈 내린 뒤라 옅은 구름이 끼어 있어서 보름달이 어스름하였다. 중학교를 졸업한 지 어느덧 일 년이 지났다. 고등학교 생활은 중학교와 달라 힘들었다. 친하게 지냈던 선생님이 보고 싶어졌다. (㉮) 늦은 시간이었지만 중학교 때 고전문학반을 ㉠ 담당하셨든 선생님 댁을 찾아갔다. 선생님께서 댁에 계시려나 생각하며 골목에 들어섰다. 마침 선생님 서재의 창문에 불이 켜져 있는 것이 보였다.

사모님께서는 반갑게 맞아주시며 선생님께서 계신 서재로 안내하셨다. ㉡ 선생님께서는 책을 보고 계셨다. 그때 갑자기 정전이 되었다. 촛불을 켰다. ㉢ 촛불에 비친 내 그림자가 어지럽게 벽에서 춤추고 있었다. 촛불을 대하고 마주 앉으니 고등학교 생활로 힘들었던 내 마음이 편안해지는 것 같았다.

선생님과 말씀을 나누다 문득 창문을 보니 창밖에 무엇인가 흔들리는 빛이 있어서 나는 선생님께 ㉣ 물었다.

[A] 저것은 무엇이냐는 내 질문에 선생님께서는 웃으시며 나의 곁을 한번 보라고 말씀하셨다. 내 앞에 있는 촛불이 꺼지려고 하면서 불꽃이 커졌다 작아졌다 하는 것이었다. 나는 그제야 방금 전에 본 현상이 촛불 때문에 그랬다는 것을 알았다.

곧 초가 다 타 버려 마침내 컴컴한 방에 두 사람이 있게 되었다. ㉤ 그래서 우리는 너무도 태연하게 웃으며 이야기하였다. 나는 이런 말씀을 드렸다.

"선생님과 한동네에 살 때, 눈 오는 밤에 찾아뵌 일이 있었어요. 선생님은 손수 차를 끓이셨고 저는 화로에 떡을 노릇노릇 굽고 있었어요. 그런데 갑자기 불기운이 화끈 올라와 손이 뜨거워지는 바람에 떡을 화로에 떨어뜨렸잖아요. 선생님과 저는 서로 쳐다보며 몹시 즐거워했죠. 그런데 몇 년 새에 선생님의 머리는 눈처럼 허옇게 세고 저 역시 수염이 거뭇거뭇 돋았네요."

이 말끝에 서로 한참을 바라보았고 선생님은 내게 흐뭇한 미소를 지어 보이셨다. 나는 아직도 선생님께서 손수 끓여주셨던 차의 온기처럼 따뜻했던 그 미소를 잊을 수 없다.

6. (가)를 고려할 때, (나)에 반영된 글쓰기 전략으로 적절하지 않은 것은?

① 백일장이니까 문학적 표현을 사용하여 문예적 성격이 잘 드러나는 글을 써야겠어.
② 글제는 촛불로 하면서 주제는 사제 간의 사랑으로 해야겠어.
③ 심리나 상황 묘사에 자신이 있으니까 글의 분야는 산문을 선택해야겠어.
④ 글 쓸 시간이 짧으니까 중심 내용을 앞에다 두고 뒷받침하는 내용을 뒤쪽에 두어야겠어.
⑤ 글감을 찾는 데 매체를 이용할 수 없으니까 체험한 것을 바탕으로 글감을 마련해야겠어.

7. 다음은 학생이 (나)를 쓰기 위해 적은 것이다. ⓐ~ⓔ를 활용한 결과로 적절하지 않은 것은? [3점]

○ 구성 ······ ⓐ
- 순차적 구성 : 독자를 자연스럽게 글의 내용에 차츰 빠져 들게 한다.
- 역순행적 구성 : 결말에 대한 독자의 흥미를 불러일으킨다.

○ 문학에서 중요한 것은 형상화
- 시공간적 배경이나 사건 등을 통해 주제를 간접적으로 전달하는 것이 중요하다. ······ ⓑ

○ 표현 효과
- 감각적 표현은 독자에게 강한 인상, 공감을 이끌어내기 쉽다. ······ ⓒ
- 공통점과 차이점을 이용하면 대상의 의미를 잘 드러낼 수 있다. ······ ⓓ

○ 선생님에 대한 기억 ······ ⓔ
- 친구들에게 아픈 친구를 위해 문자를 보내자고 하신 일
- 선생님 댁을 혼자서 방문한 일

① ⓐ에서 순차적 구성을 택하여 시간적 순서로 글을 썼다.
② ⓑ에 주의하여 주제어를 글에 사용하지 않았다.
③ ⓒ에 따라 시각, 촉각 등의 감각적 표현을 사용했다.
④ ⓓ를 고려하여 대조적인 시간과 공간을 배경으로 설정했다.
⑤ ⓔ에서 선생님에 대한 기억 중 개인적 경험을 소재로 했다.

18회

8. [A]를 <보기>와 같이 바꾼다면, 이유로 적절하지 않은 것은?

<보 기>

"저건 뭐죠?"
할 때에 선생님께서는 웃으시며
"뭔 일인지 곁을 한번 봐라. 뭐가 보이냐?"
하신다. 나는 불꽃이 커졌다 작아졌다 하는 촛불을 보며 말한다.
"아하, 촛불 때문이네요. 역시 선생님은 제 등불이세요."

① 호흡이 긴 문장을 사용하여 심리 전달의 효과를 높인다.
② 시제를 바꾸어 장면이 현재의 상황인 것처럼 느끼게 한다.
③ 친근한 말투를 사용하여 두 사람이 가까운 사이임을 보여준다.
④ 단조로운 글의 흐름을 대화 장면으로 전환하여 생기를 부여한다.
⑤ 선생님 말씀의 의미를 깨달은 기쁨을 새로운 문장을 추가하여 나타낸다.

9. <보기>를 고려할 때, ㉮에 들어갈 문장으로 가장 적절한 것은?

<보 기>

선생님에 대한 기억을 사물의 속성을 이용하여 대구로 표현하고 싶어.

① 어디선가 들려오는 종소리같이 선생님에 대한 내 기억은 파도처럼 밀려오더니 물거품처럼 사라지고 있었다.
② 구름을 벗어난 보름달은 선생님을 보고파하는 내 마음을 아는지 사방을 환하게 비춰 주었다.
③ 사방이 쥐 죽은 듯 고요하여 눈길을 걷는 내 발자국 소리가 천둥소리처럼 크게 느껴졌다.
④ 시간에 점점 무디어져 가는 선생님에 대한 기억을 오늘밤 새록새록 깨우고 싶어졌다.
⑤ 눈길이 미끄러워 처음엔 토끼처럼 빠르게 뛰다가 나중엔 고양이처럼 조심히 걸었다.

10. ㉠~㉤을 고쳐 쓰기 위한 방안으로 적절하지 않은 것은?

① ㉠: 어미의 쓰임이 잘못되었으므로 '담당하셨던'으로 바꾼다.
② ㉡: 글의 흐름을 고려하여 '서재에 들어서니'를 넣는다.
③ ㉢: 글의 통일성을 고려하여 삭제한다.
④ ㉣: 대상과의 높임 관계를 고려하여 '여쭈었다'로 바꾼다.
⑤ ㉤: 접속어의 사용이 부적절하므로 '따라서'로 고친다.

[11~12] 다음을 읽고 물음에 답하시오.

한글 맞춤법 제1장 총칙의 제1항은 '한글 맞춤법은 표준어를 ㉮ 소리대로 적되, 어법에 맞도록 함을 원칙으로 한다.'이다. 여기서 소리대로 적는다는 것은 '구름'과 같이 표준어를 발음 형태대로 적는 것을 의미한다. 그리고 어법에 맞도록 한다는 것은 한 단어가 다양한 발음 형태로 나타나는 경우에 뜻을 쉽게 파악하기 어려운 점을 고려하여 형태소의 원형을 밝혀 적는 것을 의미한다.

형태소의 원형을 밝히는 경우를 살펴보자. 단어는 형성 방법에 따라 두 개 이상의 어근이 결합되는 합성어와 어근의 앞이나 뒤에 파생 접사가 붙는 파생어가 있다. 이때 합성어와 같이 어근끼리 연결된 경우에는 각 어근의 본래의 뜻이 유지되면 소리대로 적지 않고 끊어적기를 한다.

예 '국' + '물' → '국물' (○) / '궁물' (×)

단, '이[齒]'가 합성어에서 '니'로 소리가 날 경우에는 어근의 의미 유지와 관계없이 '니'로 적는다.

파생어의 경우에는 어근에 접두사가 붙으면 형태소의 원형을 밝혀 적는다. 그리고 어근에 접미사가 붙을 때에 어근의 본래의 뜻이 유지되면 원형을 밝혀 끊어적기를 한다.

예 '먹-'[食] + '-이' → '먹이' (○) / '머기' (×)

이처럼 형태소의 원형을 밝혀 적을 것인지에 대한 판단에는 어근이 본래의 뜻을 유지하는가가 중요한 요소이며 이를 토대로 어법에 맞게 적기를 할 수 있는 것이다.

11. ㉮에 해당하는 예로 적절한 것은?

① 빛 ② 옷 ③ 잎 ④ 바깥 ⑤ 하늘

12. 윗글을 통해 <보기>의 ㉠~㉤에 대해 이해한 내용으로 적절하지 않은 것은? [3점]

<보 기>

· 사건의 전모가 ㉠ 드러나다. (들다+나다)
· 집으로 ㉡ 돌아가다. (돌다+가다)
· 그의 얼굴에 ㉢ 웃음이 피어났다. (웃다+-음)
· ㉣ 노름은 절대로 해서는 안 되는 일이었다. (놀다+-음)
· ㉤ 사랑니를 뺐더니 통증이 한결 나아졌다. (사랑+이[齒])

① ㉠은 어근이 본래 의미에서 멀어져 소리대로 적은 것이겠군.
② ㉡은 어근의 본래 의미가 유지되어 끊어 적은 것이겠군.
③ ㉢은 어근의 본래 의미가 유지되어 끊어 적은 것이겠군.
④ ㉣은 어근이 본래 의미에서 멀어져 소리대로 적은 것이겠군.
⑤ ㉤은 어근이 본래 의미에서 멀어져 소리대로 적은 것이겠군.

13. 다음 표를 참고할 때, <보기>의 놀이에서 승리할 수 있는 카드는?

혀의 앞뒤	전설 모음		후설 모음	
입술의 모양 / 혀의 높이	평 순	원 순	평 순	원 순
고 모 음	ㅣ	ㅟ	ㅡ	ㅜ
중 모 음	ㅔ	ㅚ	ㅓ	ㅗ
저 모 음	ㅐ		ㅏ	

<보 기>

◎ 한글 모음 놀이의 승리 조건
– 아래의 조건을 모두 만족하는 모음 카드를 제시할 것
· 입천장의 중간점을 기준으로 혀의 가장 높은 부분을 앞쪽에 둔 상태로 발음하는 모음
· 입술을 평평하게 해서 발음하는 모음
· 입을 조금 벌리고 혀가 입천장에 닿을 만큼 높은 상태로 발음하는 모음

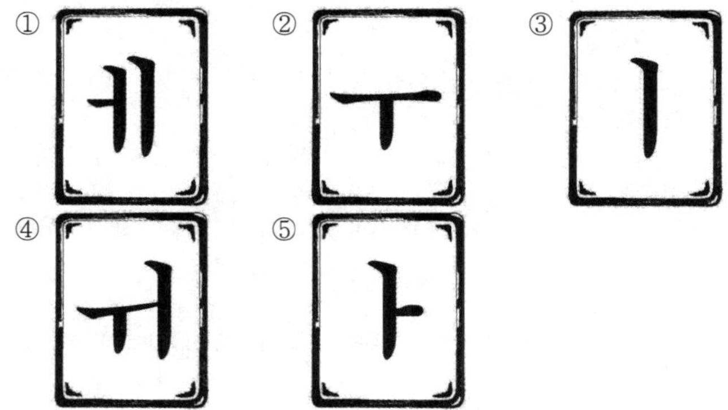

14. 다음은 자음 습득에 관한 탐구 자료이다. 이에 대한 이해로 적절하지 않은 것은?

'엄마'와 '아빠' 중에 어느 단어가 상대적으로 낮은 연령에서 발음하기가 쉬울까? 자음은 발음을 할 때 공기의 흐름이 방해를 받기 때문에 제약이 많아 연령에 따라 습득되는 자음들이 다르다. 연령에 따른 자음의 발달 단계를 살펴보면 우선 두 입술 사이에서 나는 소리가 가장 먼저 발달한다. 그 중에서도 코로 공기를 내보내는 비음이자 울림소리인 'ㅁ'이 2세 때 습득된다. 그 후 3세 때에는 파열음이자 안울림소리인 'ㅃ'을 습득하게 된다. 따라서 'ㅁ'을 'ㅃ'보다 먼저 습득하게 되므로 아동들은 부모의 호칭 중 음성학적으로 '아빠'보다 '엄마'를 보다 쉽게 발음할 수 있는 것이다.

① 'ㅁ'은 'ㅃ'보다 강하게 파열되며 나는 소리구나.
② 'ㅁ'은 'ㅃ'과 달리 목청을 울리면서 소리를 내게 되는구나.
③ 'ㅁ'은 'ㅃ'과 달리 코로 공기를 내보내면서 소리를 내게 되는구나.
④ 'ㅁ'과 'ㅃ'은 모두 두 입술 사이에서 나는 소리구나.
⑤ 'ㅁ'과 'ㅃ'은 모두 공기의 흐름이 방해를 받는 소리구나.

15. 다음 대화 상황에 드러난 어휘의 양상에 대한 설명으로 적절한 것은?

① 성별에 따라 달리 사용되는 어휘가 나타난다.
② 특정 세대의 문화가 반영된 어휘가 나타난다.
③ 지역적으로 격리되면서 달라진 어휘가 나타난다.
④ 불쾌감을 유발하는 어휘와 이를 대신하는 어휘가 나타난다.
⑤ 전문적인 일을 효과적으로 수행하기 위한 어휘가 나타난다.

18회

[16~19] 다음 글을 읽고 물음에 답하시오.

(가) 나 보기가 역겨워
가실 때에는
말없이 고이 보내 드리우리다

영변에 약산
진달래꽃
아름 따다 가실 길에 뿌리우리다

가시는 걸음걸음
놓인 그 꽃을
사뿐히 즈려밟고 가시옵소서

나 보기가 역겨워
가실 때에는
죽어도 아니 눈물 흘리우리다

– 김소월, 「진달래꽃」 –

(나) **죽는 날까지 하늘을 우러러**
한 점 부끄럼이 없기를
잎새에 이는 바람에도
나는 **괴로워했다.**
별을 노래하는 마음으로
모든 죽어가는 것을 사랑해야지
그리고 나한테 **주어진 길을**
걸어가야겠다.

오늘 밤에도 별이 바람에 스치운다.

– 윤동주, 「서시」 –

16. (가), (나)의 공통점으로 적절한 것은?
① 자연물을 이용해 화자의 정서를 표현하고 있다.
② 대조적 이미지를 형성하여 시상을 전개하고 있다.
③ 역설적 상황을 통해 부정적 현실을 비판하고 있다.
④ 비유적 표현을 통해 대상에 대한 거부감을 나타내고 있다.
⑤ 음성상징어를 사용하여 대상이 지닌 슬픔을 표현하고 있다.

17. (가), (나)의 화자와 관련된 설명으로 가장 적절한 것은?
① (가)에서 화자의 과거 행위는 현재 이별의 원인이 되고 있다.
② (나)에서 화자는 과거에 자신이 처했던 상황을 망각하고 있다.
③ (가)의 화자는 (나)와 달리 미래의 상황에 대해 긍정적으로 인식하고 있다.
④ (나)의 화자는 (가)와 달리 과거의 경험과 미래에 대한 다짐을 드러내고 있다.
⑤ (가)와 (나)의 화자는 모두 시간의 흐름 속에서 감정을 전환하고 있다.

18. (가)는 『개벽』에 처음 발표되었을 때 <보기>와 같았다. 수정한 이유를 추측한 내용으로 적절하지 <u>않은</u> 것은?

<보 기>

나보기가 역겨워
가실째에는 **말업시**
고히고히 보내들이우리다.

영변엔 약산
그 진달내쯧을
한아름 싸다 가실길에 뿌리우리다.

가시는길 **발거름마다**
뿌려노흔 그쯧을
고히나 즈려밟고 가시옵소서.

나보기가 역겨워
가실째에는
죽어도 아니, 눈물흘니우리다.

① 1연의 '말업시'의 행갈이를 통해 4연과의 형태적 안정감을 부여하려 한 것이군.
② 2연의 '영변엔 약산'을 수정하여 낭독을 부드럽게 하려 한 것이군.
③ 2연의 '그', '한–'을 삭제하여 4음보를 형성하려 한 것이군.
④ 3연의 '발거름마다'의 일부 단어를 반복하여 리듬감을 살리려 한 것이군.
⑤ 4연의 반점을 제거하여 운율의 통일성을 형성하려 한 것이군.

19. <보기>를 참고하여 (나)를 이해할 때, 적절하지 <u>않은</u> 것은? [3점]

<보 기>

윤동주는 이상을 지향하는 자아와 이를 실천하지 못하는 현실적 자아의 충돌로 인해 나타나는 고뇌를 담은 작품을 다수 창작하였다. 그는 절대적 가치를 추구하는 윤리적인 삶을 꿈꾸지만 현실에서 이를 완전하게 실현하지 못하는 자신을 성찰하는 과정에서 부끄러움을 드러낸다. 그는 이러한 성찰과 이상 추구의 의지를 지속적으로 시에 반영하면서 시인으로서의 숙명을 보여주고 있다.

① '죽는 날까지'는 이상을 지향하는 자아의 숙명을 강조하여 표현한 것이다.
② '하늘을 우러러'는 절대적 가치를 지향하는 자아의 모습을 표현한 것이다.
③ '괴로워했다'는 현실에서 이상을 실현하지 못하는 고뇌를 나타낸 것이다.
④ '별을 노래하는 마음'은 윤리적 삶과 현실의 삶 사이의 갈등을 표현한 것이다.
⑤ '주어진 길을 걸어가야겠다'는 이상 실현을 위한 의지를 드러낸 것이다.

[20~22] 다음 글을 읽고 물음에 답하시오.

종이가 개발되기 전, 인류는 동물의 뼈나 양피지 등에 필요한 정보를 기록해 왔다. 하지만 담긴 정보량에 비해 부피가 방대하였고 그로 인해 보존과 가독에 어려움을 겪었다. 그런데 종이의 개발로 부피가 줄어들면서 종이로 된 책이 주된 기록 매체가 되었고 책의 보존성과 가독성, 휴대성 등을 더욱 높이기 위한 제책 기술의 발달이 요구되었다.

서양은 종이 책을 만들기 시작했을 때 제지 기술이 동양에 비해 미숙했고 질 나쁜 종이로 책을 제작해야 했기에 책의 내구성을 높이기 위한 기술이 필요했다. 그래서 표지에 가죽을 씌우거나 나무판을 덧대는 방법을 개발했는데 이를 양장(洋裝)이라 한다. [양장]은 내지 묶기와 표지 제작을 따로 한 후에 합치는 방법이다. 내지는 실매기 방식을 활용해 실로 단단히 묶고, 표지는 판지에 천이나 가죽 등의 마감 재료를 접착하여 만든다. 표지와 내지를 결합할 때는 책등*과 결합되는 내지 부분에 접착제를 발라 책등에 붙인다. 또한 내지보다 두껍고 질긴 종이인 면지를 표지와 내지 사이에 접착제로 붙여 이어줌으로써 책의 내구성을 높인다. 표지 부착 후에는 가열한 쇠막대로 앞뒤 표지의 책등 쪽 가까운 부분을 눌러 홈을 만들어 책의 펼침성이 좋도록 한다.

18세기 말에 유럽은 산업혁명으로 인쇄가 기계화되면서 대량 생산을 위한 기반이 갖추어지고, 경제의 발전으로 일부 계층에만 국한됐던 독서 인구가 확대되어 제책 기술도 대량 생산이 가능한 방식으로 발전해야 했다. 이를 위해 간편하게 철사를 사용해 매는 제책 기술이 개발되었는데 처음에는 '옆매기'라 불리는 기술을 사용하였다. 그러나 옆매기는 책장 넘김이 용이하지 않아 '가운데매기'라 불리는 중철(中綴)이 주된 방식으로 자리 잡았다. 중철은 인쇄지를 포개놓고 책장이 접히는 한가운데 부분을 ㄷ자형 철침을 이용해 매었는데, 보통 2개의 철침으로 표지와 내지를 고정하지만 표지나 내지가 한가운데서부터 떨어지는 경우가 잦아 철침을 4개로 박기도 하였다. 중철은 광고지, 팸플릿 등 오랜 보관이 필요 없거나 분량이 적은 인쇄물에 사용해 왔으며, 중철된 책은 쉽게 펼치거나 넘길 수 있고 두루마리처럼 말아서 간편하게 휴대할 수도 있다.

20세기 중반에는 화학 접착제가 개발되며 무선철(無線綴)이라는 제책 기술이 등장했다. 이름처럼 실이나 철사 없이 화학 접착제만으로 책을 묶는 방식이다. 이 방법은 자동화가 가능해 대량 생산에 더욱 적합했고, 생산 단가가 낮아지면서 판매 가격을 낮출 수 있어 책의 대중화에 기여했다. 그리고 1990년대에는 습기경화형 우레탄 핫멜트가 개발되면서 개발 초보다 내구성이 더욱 강화된 책을 만들게 되었다. 무선철 기술은 지금도 계속 보완, 발전하고 있으며 그로 인해 오늘날 대부분의 책은 무선철 방식으로 제작되고 있다.

* 책등 : 책을 매어 놓은 쪽의 표지 부분

20. 윗글의 표제와 부제로 가장 적절한 것은?
① 제책 기술의 발전과 한계
　– 문제점 진단과 보완 방안을 중심으로
② 제책 기술 현대화의 경향
　– 화학 접착제의 개발을 중심으로
③ 제책 기술의 등장 배경과 유형
　– 책 묶기 방식의 발전 과정을 중심으로
④ 제책 기술의 발전과 사회적 영향
　– 기술 개발의 방향과 문제점을 중심으로
⑤ 제책 기술의 필요성과 의의
　– 책의 내구성 향상 단계를 중심으로

21. <보기>는 [양장]에 따라 제작한 책의 단면이다. ㉠~㉤에 대한 설명으로 적절하지 않은 것은? [3점]

<보 기>

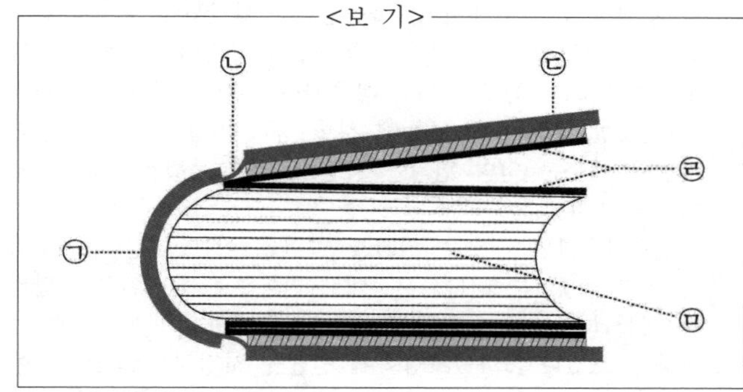

① ㉠은 접착제를 활용하여 ㉤과 결합되도록 하였다.
② ㉡은 가열한 쇠막대로 눌러 펼침성을 향상시켰다.
③ ㉢은 따로 제작한 뒤 실매기를 통해 ㉣과 결합시켰다.
④ ㉣은 ㉤보다 튼튼한 종이를 사용해 책의 내구성을 높였다.
⑤ ㉤은 실로 묶은 후 ㉣을 활용하여 ㉢과 결합시켰다.

22. 윗글과 <보기>를 고려할 때, 제책 회사가 제시할 의견으로 가장 적절한 것은?

<보 기>

올해 문집 제작을 위한 요구 사항을 말씀드립니다. 작년에 제작된 문집은 간편하게 말아서 휴대가 가능했지만 표지의 한가운데가 떨어지는 문제가 있었습니다. 이에 대한 보완이 필요하며 올해는 분량이 100쪽 이상 증가한 점과 학생들이 오래도록 문집을 보관하고 싶어 하는 점을 고려해 주시기 바랍니다. 또한 문집 제작 비용을 절감하는 방향으로 제안서를 보내주시기 바랍니다.

① 표지가 쉽게 떨어지지 않게 철침으로 옆을 묶겠습니다.
② 분량이 증가한 점을 고려하여 내지와 표지를 별도로 제작한 후 묶겠습니다.
③ 표지와 내지의 결합력을 높이기 위해 철침을 2개에서 4개로 늘려 묶겠습니다.
④ 오래도록 보관할 수 있게 실매기를 한 후 튼튼한 면지를 접착제로 붙이겠습니다.
⑤ 책의 단가를 낮추고 내구성을 높이기 위해 성능이 좋은 화학 접착제를 사용하여 묶겠습니다.

18회

[23~26] 다음 글을 읽고 물음에 답하시오.

18세기 조선에서는 진경산수화가 유행하였다. 진경산수화는 우리나라의 산하를 직접 답사하고 화폭에 담은 산수화이다. 무엇보다 진경(眞景)은 대상의 겉모습만을 묘사하지 않고, 대상의 본질을 표현한 그림임을 강조한 말이다. 하지만 대상의 본질에 대한 이해는 작가에 따라 다르게 나타났다.

이 시기의 대표적인 작가인 겸재 정선은 중국의 화법인 남종문인화 기법을 바탕으로 우리 산하를 주체적으로 그려내었다. 성리학에 깊은 이해를 가졌던 겸재는 재구성과 변형, 즉 과감한 생략과 과장으로 학문적 이상과 우리의 산하에 대한 감흥을 표현했다. 또한 겸재는 음과 양의 조화를 화폭에 담고자 했다.

㉠ <u><구룡폭도></u>에서 물줄기가 내 눈 앞에서 쏟아지는 듯한 감흥을 표현하기 위해 겸재는 앞, 위, 아래에서 본 것을 모두 한 그림에 담아냈다. 폭포수를 강조하기 위해 물줄기를 길고 곧게 내려 긋고 위에서 본 물웅덩이를 과장되게 둥글게 변형하였다. 그림을 보는 이들이 폭포수의 감흥에 집중할 수 있도록 실재하는 폭포 너머의 봉우리를 과감히 생략했다. 절벽은 서릿발 같은 필선을 통해 강한 양의 기운을 표현한 반면 절벽의 나무는 먹의 번짐을 바탕으로 한 묵법을 통해 음의 기운을 그려냈다.

진경산수화의 새로운 전기를 마련한 이는 단원 김홍도이다. 국가의 공식 행사를 사실대로 기록하는 화원이었던 단원은 계산된 구도로 전대에 비해 더욱 치밀하고 박진감 넘치는 화풍을 보였다. 그는 초상화에 인물을 사실적으로 묘사하여 인물의 정신까지 담아내려고 한 것처럼 대상의 완벽한 재현으로 자연에서 느낀 감흥에 충실하려고 하였다. 특히 중국을 거쳐 들어온 서양화법 중 원근법, 투시법 등을 수용해 보다 사실적인 경치를 그려내었다.

정조의 명을 ⓐ <u>받아</u> 단원이 그린 <구룡연>은 금강산의 구룡폭포를 직접 찾아가 그 모습을 담은 것이다. 흘러내리는 물줄기, 폭포 너머로 보이는 봉우리, 폭포 앞의 구름다리까지 사진을 찍은 듯이 생략 없이 그렸다. 과장과 꾸밈이 없이 보이는 그대로의 각도로 그린 것이다. 그리고 절벽 바위 하나하나의 질감을 나타내기 위해 선의 굵기와 농담에 변화를 주어 입체감 있게 표현하였다.

진경산수화는 우리나라의 산천이 곧 진경이라는 당시 사람들의 생각을 담고 있는 소중한 전통인 것이다. 우리 산하를 진경으로 표현함에는 우리 국토에 대한 애정, 우리 문화에 대한 자긍심이 담겨 있다. 이러한 진경산수화는 19세기 여러 작가들에게 영향을 미쳤다.

23. 윗글의 서술 방식에 대한 설명으로 적절한 것은?
① 작가 의식과 작품을 연관 지어 서술하고 있다.
② 작품의 독창성을 문답 형식으로 설명하고 있다.
③ 작품에 대한 여러 관점의 이론을 상호 비교하고 있다.
④ 화풍의 변천과정에서 나타난 문제점을 제시하고 있다.
⑤ 작품의 예술성을 전문가의 평을 근거로 강조하고 있다.

24. 윗글을 통해 알 수 있는 내용으로 적절하지 <u>않은</u> 것은?
① 겸재는 성리학자로서 자신의 학문적 이상을 화폭에 담으려고 하였다.
② 단원은 실재하는 경치의 감흥을 사실적인 묘사로 표현하고자 하였다.
③ 진경산수화는 서양 화법의 영향 없이 우리 고유의 화법으로 그려졌다.
④ 진경산수화는 우리 산하에 대한 관심이 높아진 시대 분위기를 반영하고 있다.
⑤ 겸재와 단원은 필선과 농담의 변화를 통하여 대상의 본질을 표현하고자 하였다.

25. ㉠과 <보기>를 비교한 설명으로 가장 적절한 것은?

<보 기>

[1절] 박연폭포가 흘러가는 물은 범사정*으로 감돌아든다.
[2절] 박연폭포가 제 아무리 깊다 해도 우리네 양인(兩人)의 정만 못하리라.
[13절] 구만장천 걸린 폭포 은하수를 기울인 듯 신비로운 풍경에 심신이 새로워지누나.

(후렴) 에~ 에루화 좋고 좋다 어지럼마 디여라 내 사랑아

– 경기민요, 「박연폭포」 –

* 범사정(泛槎亭) : 박연폭포 앞에 있는 정자

① ㉠은 대상에 대한 감흥을, <보기>는 자신들의 사랑을 표현하기 위해 폭포를 소재로 하고 있다.
② ㉠은 한 방향에서 바라본, <보기>는 여러 방향에서 바라본 폭포를 표현하고 있다.
③ ㉠은 실재하는 대상을 생략하여, <보기>는 대상과의 차이를 강조하여 폭포수에 집중하도록 하고 있다.
④ ㉠은 원근법을 활용하여, <보기>는 흐르는 물의 모습을 묘사하여 폭포를 입체감 있게 표현하였다.
⑤ ㉠은 묵법을 활용하여, <보기>는 자연물에 비유하여 음양의 원리를 표현하였다.

26. ⓐ의 문맥적 의미와 가장 유사한 것은?
① 그녀는 어두운 옷보다 밝은 옷이 잘 <u>받는다</u>.
② 그는 갑작스레 딱딱한 억양으로 말을 <u>받았다</u>.
③ 정부는 국민으로부터 세금을 <u>받아</u> 국가를 운영한다.
④ 내일까지 서류를 제출하라는 학교의 통고를 <u>받았다</u>.
⑤ 회사의 미래를 생각하면 그 사람을 <u>받지</u> 않을 수 없다.

[27~30] 다음 글을 읽고 물음에 답하시오.

금리는 이자 금액을 원금으로 나눈 비율로 '이자율'이라고 한다. 자금의 수요자에게는 자금을 빌린 대가로 지급하는 비용이 발생하며, 공급자에게는 현재의 소비를 희생한 대가로 이자 수익이 생긴다. 금융시장에서 금리는 자금의 수요자와 공급자를 연결시키는 역할을 한다.

금리는 일반적으로 '명목금리'와 '실질금리'로 구분한다. 명목금리는 금융 자산의 액면 금액에 대한 금리이며, 실질금리는 물가상승률을 감안한 금리로 명목금리에서 물가상승률을 빼면 알 수 있다. 물가상승률이 높아지면 돈의 실제 가치인 실질금리는 낮아지고, 물가상승률이 낮아지면 실질금리는 높아진다. 예를 들어 1년 만기 정기예금의 명목금리가 6%인데 1년 사이 물가가 7% ㉠올랐다면, 실질금리는 -1%로 예금 가입자는 돈의 가치인 구매력에서 손해를 본 셈이다.

그리고 명목금리보다는 일정 기간 실현된 실제의 이자 수익률인 '실효수익률'을 따져 보아야 한다. 실효수익률은 이자의 계산 방식에 따라 달라진다. 예를 들어 보통 '만기 1년의 연리 6%'는 돈을 12개월 동안 은행에 예치할 경우 6%의 이자가 붙는다는 의미이다. 정기예금은 목돈인 100만 원을 납입하고 1년 뒤에 이자로 6만 원을 받지만, 매월 일정액을 불입해 목돈을 만드는 정기적금은 계산법이 ㉡다르다. 정기적금은 첫째 달에 불입한 10만 원은 만기까지 12개월 분 6%의 이자가 붙지만, 둘째 달에 불입한 10만 원은 11개월의 이자 5.5%만 받는다. 돈의 예치 기간이 줄면 이자도 줄어 실효수익률은 3.9%에 불과하다. 이런 이자 계산의 방식은 대출금리도 유사하다. 1년 뒤에 원금을 한 번에 ㉢갚는다면, 대출금리가 연 6%일 경우 6만 원을 이자로 내야 한다. 하지만 원금을 12개월로 나누어 갚으면, 줄어든 원금만큼 매월 이자도 적어진다.

또 예금이나 적금의 기간이 길어서 이자를 여러 번 받는다면, 매번 지급된 이자가 원금이 되어서 이자에 이자가 붙는 복리인지, 원금에 대한 이자만 ㉣붙는 단리인지도 살펴야 실효수익률을 알 수 있다. 여기에 이자는 금융소득이어서 소득세 14.0%와 주민세 1.4%를 내야 한다는 것도 생각해야만 실제로 내 손에 들어오는 이자 금액이 나온다.

결국 돈을 어떻게 쓰고, 모으고, 굴리고, 빌릴지의 선택 상황에서 정확한 계산을 해야 손해를 보지 않는다. 현재의 소비를 ㉤늦추고 미래를 계획하는 사람이라면, 자신의 자산을 안전하게 형성할 필요가 있다. 금리에 대한 정확한 이해와 계산이 현재의 소비와 미래의 소비를 결정하는 중요한 기준이라는 점을 잊지 말아야 한다.

27. 윗글을 읽은 학생이 정리한 메모이다. 적절하지 않은 것은?

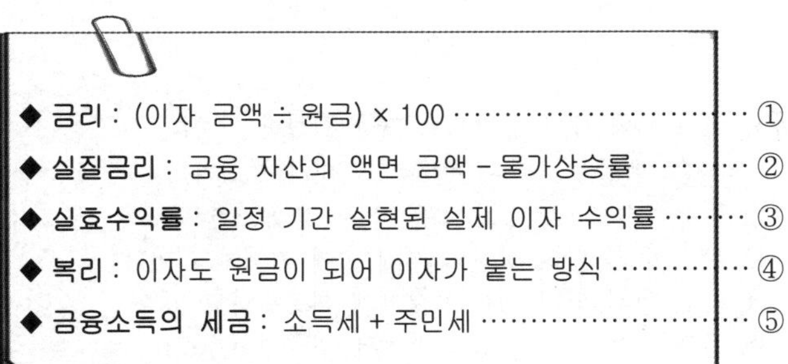
◆ **금리** : (이자 금액 ÷ 원금) × 100 ·························· ①
◆ **실질금리** : 금융 자산의 액면 금액 - 물가상승률 ·········· ②
◆ **실효수익률** : 일정 기간 실현된 실제 이자 수익률 ········ ③
◆ **복리** : 이자도 원금이 되어 이자가 붙는 방식 ··············· ④
◆ **금융소득의 세금** : 소득세 + 주민세 ························· ⑤

28. 윗글을 통해 알 수 있는 내용으로 적절하지 않은 것은?

① 금리는 자금의 수요자와 공급자가 존재해야 결정될 수 있다.
② 물가가 하락하면 실질금리가 명목금리보다 더 커지는 상황이 발생할 수 있다.
③ 금리는 지금 소비할 것인가와 소비를 늦출 것인가를 판단하는 기준이 될 수 있다.
④ 실효수익률을 알아내려면 이자가 붙는 시기와 이자가 계산되는 방식을 따져보아야 한다.
⑤ 정기예금은 목돈을 형성할 때, 정기적금은 목돈이 형성되었을 때 각각 이용되는 방법이다.

29. 윗글을 참고할 때, <보기>의 [A]에 들어갈 내용으로 가장 적절한 것은? [3점]

<보 기>

영수는 자영업을 하는 부모님을 도와드리며 용돈으로 매월 15만 원을 받고, 5만 원을 학용품비로 사용하고 있다. 학교에서 금융교육을 받고 380만 원 정도인 대학입학등록금을 혼자 힘으로 마련할 생각으로, 은행의 저축상품을 알아보았다. 현재 연 6% 금리의 3년 만기 정기적금과 정기예금이 있으며, 모두 단리로 계산된다고 한다. 영수가 따져 보았더니, 정기적금의 실효수익률은 9.25%이었다. 영수의 상황을 들은 아버지가 [A]라고 조언하였다.

① 용돈 5만 원을 매월 정기적금에 넣으면, 3년 뒤에는 목돈이 생겨 대학입학등록금을 낼 수 있어.
② 용돈 15만 원 전부를 3년 동안 매월 정기적금에 넣어도 은행 금리가 낮아서, 대학입학등록금은 마련할 수 없어.
③ 쓰고 남은 용돈 10만 원을 매월 정기예금에 넣으면, 3년 후에 원금과 이자를 받아 380만 원이 넘는 목돈이 되네.
④ 3년 동안 매월 10만 원씩 내는 정기적금에 들면, 20만 원이 넘는 이자가 생겨서 대학입학등록금을 충당할 수 있지.
⑤ 정기예금의 실효이자율이 정기적금보다 높으니, 3년 동안 매월 10만 원을 정기예금에 넣으면 대학입학등록금을 마련할 수 있어.

30. 문맥상 ㉠~㉤과 바꾸어 쓸 수 없는 것은?

① ㉠: 인상(引上)되었다면
② ㉡: 용이(容易)하다
③ ㉢: 상환(償還)한다면
④ ㉣: 부가(附加)되는
⑤ ㉤: 보류(保留)하고

18 회

[31~35] 다음 글을 읽고 물음에 답하시오.

(가) 향가와 시조는 일반적으로 형식적 측면에서 전승 과정에 초점을 두고 두 갈래의 영향 관계를 설명한다. 시조의 기원에 대한 다양한 설 중, 10구체 향가에서 비롯하였으리라는 설에 바탕을 두고 설명하는 학자들은 초기의 4구체나 과도기 형태인 8구체가 아닌, 10구체를 향가 중에서 정제된 형식으로 본다. 10구체는 대개 '4구+4구+2구'의 형태로 시상을 전개하다가 낙구에 주제를 제시하며 시상을 마무리한다. 이러한 형태는 후대 평시조가 정제된 틀을 갖추게 된 데에 영향을 끼쳤는데, 특히 낙구의 감탄사는 시조의 종장 첫 구에 나타나는 감탄사에 영향을 미쳤으리라는 것이다. 향가의 감탄사와 시조 종장의 감탄사는 앞에 나온 내용을 정서적으로 고양시키거나 환기시켜 노래의 내용을 완결하는 효과가 있다.

이런 전승 과정을 거쳐 형성된 시조가 오늘날까지 창작될 수 있었던 것은, 간결한 형식에서 기인한 바가 크다고 할 수 있다. 이러한 평시조의 형식적 특징은 조선 후기에 접어들어 그 변화가 두드러지게 나타난다. 각 장 4음보의 정형성이 파괴되어 시조의 장형화가 이루어지고 사설시조가 출현하게 된다.

향가와 시조는 형식적 측면에서와는 달리 내용적 측면에서의 영향 관계를 설명하기는 어렵다. 10세기 말 무렵까지 창작됐던 향가는 현재까지 가사가 전해지는 것이 총 25수에 불과하고, 위홍과 대구화상이 간행했다는 향가집 『삼대목』도 현재 전해지지 않는다. 현재 전하는 작품들의 내용은 주로 불교적 신앙심을 바탕으로 한 것이 많지만, 추모(追慕), 축사(逐邪), 안민(安民), 연군(戀君) 등 다양하다.

반면, 고려 말에 발생하여 조선 시대에 들어 본격적으로 융성한 시조는 시조가 지니는 형식미 때문에 조선 전기 사대부들의 미의식과 정신세계를 표현하는 데 적합한 갈래로 자리 잡았다. 이 시기 시조의 주제는 유교적 이념과 자연에 대한 동경이었는데, 이는 조선 사대부들의 이상이기도 했다. 조선 후기 시조는 자기 자신에 대한 새로운 인식과 실학의 대두로 인하여 관념적이고 형식적인 경향에서 벗어났다. 그러면서 시조에는 새로운 인간성을 발견하고 다양한 현실적 삶을 표현하고자 하는 경향이 나타났다.

(나) ㉠ <u>임금</u>은 아버지요
신하는 사랑하실 어머니요
백성은 어린 아이라고 한다면
백성이 사랑을 알 것입니다.
꾸물거리며 사는 백성들
이들을 먹여 다스려
이 땅을 버리고 어디로 갈 것인가 한다면
나라가 다스려짐을 알 것입니다.
아으, 임금답게 신하답게 백성답게 한다면
나라가 태평할 것입니다.

– 충담사, 「안민가」 –

(다) 평생에 일이 업서 산수 간에 노니다가
강호에 ㉡ <u>님자</u>되니 세상 일 다 니제라
엇더타 강산풍월이 긔 벗인가 ᄒᆞ노라

– 낭원군의 시조 –

31. (가)를 이해한 내용으로 적절하지 <u>않은</u> 것은?
① 향가는 현재 전하는 것보다 더 많은 작품이 있었을 것이다.
② 향가의 4구체는 발전 과정에서 볼 때 초기 형태에 해당한다.
③ 향가와 달리 시조는 지금까지도 작품 창작이 계속되고 있다.
④ 시조의 형식미는 조선 전기 사대부들의 미의식을 드러내는 데 적합했다.
⑤ 시조는 실학의 영향을 받아 관념적인 내용을 담으려는 경향이 나타났다.

32. (가)를 바탕으로 (나)와 (다)를 이해한 것으로 적절하지 <u>않은</u> 것은?
① (나)의 '4구+4구+2구' 형태는 (다)의 '초장+중장+종장'의 3단 구성 형성에 영향을 준 것이군.
② (나)의 '아으'는 전승의 측면에서 (다)의 '엇더타'와 영향 관계에 있군.
③ (다)의 4음보 율격은 (나)에서 '4구'가 반복되는 형태의 영향을 받은 것이군.
④ (다)의 종장에 주제가 제시된 것은 (나)의 9구와 10구에 주제가 제시된 것과 동일한 방식이군.
⑤ (나)와 (다)의 형식은 모두 각각의 갈래에서 대표적인 형식이군.

33. ㉠과 ㉡에 대한 설명으로 가장 적절한 것은?
① ㉠은 '백성'을, ㉡은 '벗'을 그리워하고 있다.
② ㉠은 '이 땅'에 있고, ㉡은 '산수 간'에 있다.
③ ㉠은 ㉡과 달리 상상의 세계 속에 존재하고 있다.
④ ㉡은 ㉠과 달리 대상의 부재에 괴로워하고 있다.
⑤ ㉠과 ㉡은 모두 자신의 처지에 만족하고 있다.

34. <보기>는 (가)의 안민(安民)이 (나)에서 어떻게 구현되고 있는지를 나타낸 것이다. ⓐ ~ ⓔ에 대한 이해로 적절하지 않은 것은?

<보 기>

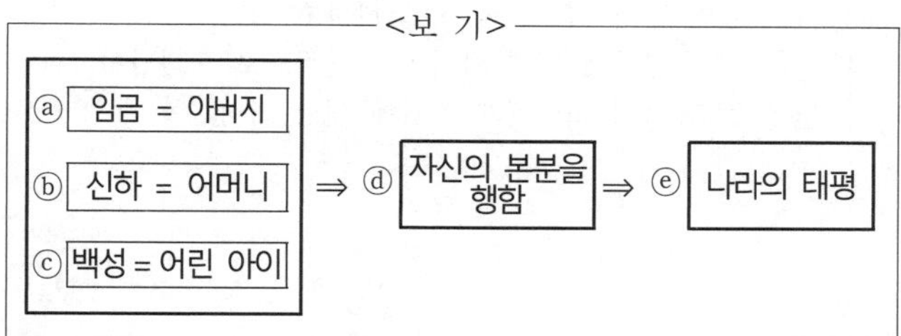

① ⓐ ~ ⓒ로 보아 국가를 가족의 확대된 형태로 생각한 것이군.
② ⓐ와 ⓑ가 ⓒ를 잘 먹여 다스리는 일이 통치의 근본이군.
③ ⓓ는 ⓑ와 ⓒ에게 ⓐ가 당부하는 것이군.
④ ⓓ에는 민심을 중시하는 정치의식이 담겨 있군.
⑤ ⓔ에 도달할 수 있는 방법은 ⓓ이겠군.

35. (가)와 <보기>를 바탕으로 (다)를 감상한 내용으로 가장 적절한 것은? [3점]

<보 기>

낭원군의 시조는 조선시대 왕족의 정치 참여 금지로 인해 자신의 능력을 표출할 수 없었던 심정을 속세에서 벗어나 자연과 벗하는 모습으로 읊은 것이다.

① 자신의 능력을 표출하지 못하는 상황에서 벗어나기 위한 노력을 '평생에 일'로 표현하였군.
② 정치적 한계에서 벗어나고 싶은 마음을 '산수 간에 노니다가'로 해소했군.
③ 왕족의 역할을 다하고자 하는 의지를 '강호에 남자되니'에 담고 있군.
④ 왕족이기 때문에 현실 정치에 참여할 수 없는 체념의 정서를 '엇더타'에 집약해서 나타냈군.
⑤ 자연과 함께하고자 하는 마음을 '강산풍월'을 '벗'하는 것에 드러냈군.

[36~38] 다음 글을 읽고 물음에 답하시오.

고등학교 1학년 때 형의 주벽으로 가계가 파산을 겪은 뒤부터, 그리고 마침내 그 형이 세 조카아이와 그 아이들의 홀어머니까지를 포함한 모든 장남의 책임을 내게 떠맡기고 세상을 떠난 뒤부터 일은 줄곧 그렇게만 되어 온 셈이었다.

고등학교와 대학교와 군영 3년을 치러 내는 동안 노인은 내게 아무것도 낳아 기르는 사람의 몫을 못 했고, 나는 또 나대로 그 고등학교와 대학과 군영의 의무를 치르고 나와서도 자식 놈의 도리는 엄두를 못 냈다. 노인이 내게 베푼 바가 없어서가 아니라 그럴 처지가 못 되었기 때문이다. 나는 나대로 형이 내게 떠맡기고 간 장남의 책임을 감당하기를 사양치 않을 수가 없었기 때문이었다.

노인과 나는 결국 그런 식으로 서로 주고받을 것이 없는 처지였다. 노인은 누구보다 그것을 잘 알고 있었다. 그렇기 때문에 내게 대해선 소망도 원망도 있을 수 없었다.

[중략 부분의 줄거리] K시에서 공부하며 고등학교 1학년을 보내고 있던 '나'는 형이 재산을 탕진해 집을 팔았다는 소식을 듣고 고향에 온다. 당시 노인은 '나'에게 상처를 주지 않으려고 새 집주인의 양해를 얻어 내가 그 집에서 하룻밤을 잘 수 있게 하였다. 다음날 새벽 노인은 눈길을 헤치며 차 타는 곳까지 '나'를 바래다준 후 홀로 눈길을 되돌아왔다.

"길을 혼자 돌아가시던 그때 일을 말씀이세요?"

"눈길을 혼자 돌아가다 보니 그 길엔 아직도 우리 둘 말고는 아무도 지나간 사람이 없지 않았겄냐. 눈발이 그친 신작로 눈 위에 저하고 나하고 ㉠둘이 걸어온 발자국만 나란히 이어져 있구나."

"그래서 어머님은 그 발자국 때문에 아들 생각이 더 간절하셨겠네요."

"간절하다뿐이었겄냐. 신작로를 지나고 산길을 들어서도 굽이굽이 돌아온 ㉡그 몹쓸 발자국들에 아직도 도란도란 저 아그의 목소리나 따뜻한 온기가 남아 있는 듯만 싶었제. 산비둘기만 푸르륵 날아올라도 저 아그 넋이 새가 되어 다시 되돌아오는 듯 놀라지고, 나무들이 눈을 쓰고 서 있는 것만 보아도 뒤에서 금세 저 아그 모습이 뛰어나올 것만 싶었지야. 하다 보니 나는 굽이굽이 외지기만 한 그 산길을 저 아그 발자국만 따라 밟고 왔더니라. 내 자석아, 내 자석아, 너하고 둘이 온 길을 이제는 이 몹쓸 늙은 것 혼자서 너를 보내고 돌아가고 있구나!"

"어머님 그때 우시지 않았어요?"

"울기만 했겄냐. 오목오목 디뎌 논 그 아그 발자국마다 한도 없는 눈물을 뿌리며 돌아왔제. 내 자석아, 내 자석아, 부디 몸이나 성히 지내거라. 부디부디 너라도 좋은 운 타서 복 받고 살거라……. 눈앞이 가리도록 눈물을 떨구면서 눈물로 저 아그 앞길만 빌고 왔제……."

노인의 이야기는 이제 거의 끝이 나 가고 있는 것 같았다. 아내는 이제 할 말을 잊은 듯 입을 조용히 다물고 있었다.

"그런디 그 서두를 것도 없는 길이라 그렁저렁 시름없이 걸어온 발걸음이 그래도 어느 참에 동네 뒷산을 당도해 있었구나. 하지만 나는 그 길로는 차마 동네를 바로 들어설 수가 없어 잿등 위에 눈을 쓸고 아직도 한참이나 시간을 기다리고 앉아 있었더니라……."

"어머님도 이젠 돌아가실 거처가 없으셨던 거지요."

한동안 조용히 입을 다물고 있던 아내가 이제 더 이상 참을 수가 없어진 듯 갑자기 노인을 추궁하고 나섰다. 그녀의 목소리는 이제 울먹임 때문에 떨리고 있었다.

나 역시도 이젠 더 이상 노인을 참을 수가 없었다. 이제나마 노인을 가로막고 싶었다. 아내의 추궁에 대한 그 노인의 대꾸가 너무도 두려웠다. 노인의 대답을 들을 수가 없었다. 하지만 그 역시도 불가능한 일이었다.

나는 아직도 눈을 뜰 수가 없었다. 불빛 아래 눈을 뜨고 일어날 수가 없었다. 사지가 마비된 듯 가라앉아 있는 때문만이 아니었다. 졸음기가 아직 아쉬워서도 아니었다. 눈꺼풀 밑으로 뜨겁게 차오르는 것을 아내와 노인 앞에 보일 수가 없었다. 그것이 너무도 부끄러웠기 때문이었다. 아내는 이번에도 그러는 나를 알고 있었던 것 같았다.

"여보, 이젠 좀 일어나 보세요. 일어나서 당신도 말을 좀 해보세요."

그녀가 느닷없이 나를 세차게 흔들어 깨웠다. 그녀의 음성은 이제 거의 울부짖음에 가까웠다. 그래도 나는 일어날 수가 없었다. 뜨거운 것을 숨기기 위해 눈꺼풀을 꾹꾹 눌러 참으면서 내처 잠이 든 척 버틸 수밖에 없었다.

음성이 아직 흐트러지지 않고 있는 건 오히려 그 노인뿐이었다.

"가만 두거라. 아침 길 나서기도 피곤할 것인디 곤하게 자고 있는 사람 뭣하러 그러냐."

노인은 일단 아내의 행동을 말려 두고 나서 아직도 그 옛얘기를 하는 듯한 아득하고 차분한 음성으로 당신의 남은 이야기를 끝맺어 가고 있었다.

"그런디 이것만은 네가 잘못 안 것 같구나. 그때 내가 뒷산 잿등에서 동네를 바로 들어가지 못하고 있었던 일 말이다. 그건 내가 갈 데가 없어 그랬던 건 아니란다. 산 사람 목숨인데 설마 그때라고 누구네 문간방 한 칸이라도 산 몸뚱이 깃들일 데 마련이 안됐겄냐. 갈 데가 없어서가 아니라 아침 햇살이 활짝 퍼져 들어 있는디, 눈에 덮인 그 우리 집 지붕까지도 햇살 때문에 볼 수가 없더구나. 더구나 동네에선 아침 짓는 연기가 한참인디 그렇게 ⓐ <u>시린 눈</u>을 해 갖고는 그 햇살이 부끄러워 차마 어떻게 동네 골목을 들어설 수가 있더냐. 그놈의 말간 햇살이 부끄러워서 그럴 엄두가 안 생겨나더구나. 시린 눈이라도 좀 가라앉히고자 그래 그러고 앉아 있었더니라……."

– 이청준, 「눈길」 –

36. 윗글의 서술상 특징으로 가장 적절한 것은?

① 관련성이 없는 사건을 삽화처럼 나열하였다.
② 인물의 대화를 통해 과거의 이야기를 제시하였다.
③ 같은 시간에 서로 다른 장소에서 일어난 사건을 서술하였다.
④ 외부 상황과 관련 없이 떠오르는 인물의 의식을 기술하였다.
⑤ 공간에 따라 서술자를 달리하여 상황을 입체적으로 드러내었다.

37. ㉠과 ㉡을 비교한 내용으로 적절하지 <u>않은</u> 것은?

① ㉠과 ㉡은 동일한 공간에 존재한다.
② ㉠과 ㉡에는 동일 인물의 발자국이 있다.
③ ㉠과 ㉡의 발자국은 같은 곳을 향하고 있다.
④ ㉡은 ㉠과 달리 노인의 감정이 표면적으로 드러난다.
⑤ ㉡은 ㉠과 달리 노인에게 아들에 대한 거리감을 갖게 한다.

38. <보기>의 선생님의 질문에 대한 학생의 대답으로 가장 적절한 것은? [3점]

<보 기>

선생님 : 이 소설에서 '노인'으로 표현되는 어머니는 햇살이 비치는 아침에 다른 사람이 주인이 돼 버린 집을 바라봅니다. 그 집에서 아들을 하룻밤 재웠죠. 햇살은 자연적이고 근원적인 빛으로서 만물을 속속들이 비추는 기능을 합니다. 어머니는 이러한 햇살에 자신의 모습을 비추어 봅니다. 이 점에 주목하여 ⓐ에 드러난 '노인'의 심리를 말해볼까요?

학생 : 노인은 ( )

① 아들을 떠나보내고 돌아갈 곳이 없어서 서러웠을 것입니다.
② 자식과 주고받을 것이 없는 관계가 된 것이 슬펐을 것입니다.
③ 자신이 베푼 사랑을 알아주지 않은 아들이 서운했을 것입니다.
④ 아들이 가장의 역할을 감당해야 하는 상황에 처하게 한 것이 미안했을 것입니다.
⑤ 아들에게 부모의 도리를 다하지 못한 자신의 무력한 삶이 한스러웠을 것입니다.

[39~42] 다음 글을 읽고 물음에 답하시오.

우주 탐사선이 지구에서 태양계 끝까지 날아가기 위해서는 일정 속도 이상에 이르러야 한다. 그러나 탐사선의 추진력만으로는 이러한 속도에 도달하기 어렵다. 추진력을 마음껏 얻을 수 있을 정도로 큰 추진체가 달린 탐사선을 만들 수 없기 때문이다. 대신에 탐사선을 다른 행성에 접근시키는 '스윙바이(Swing-by)'를 통해 속도를 얻는다. 스윙바이란, 말 그대로 탐사선이 행성에 잠깐 다가갔다가 다시 멀어지는 것이다. 탐사선이 행성에 다가갔다가 멀어지는 것만으로 어떻게 속도를 얻을 수 있는지 그 원리에 대해 알아보자.

스윙바이의 원리를 이해하기 위해서는 행성이 정지한 채로 있지 않고 태양 주위를 공전한다는 점을 떠올려야 한다. 그리고 뒤에서 바람이 불면 달리기 속도가 빨라지듯이 외부의 영향으로 물체의 속도가 변한다는 점도 기억해야 한다. 탐사선을 행성에 접근시켜 행성의 공전을 이용하는 스윙바이는 그림과 같이 나타낼 수 있다.

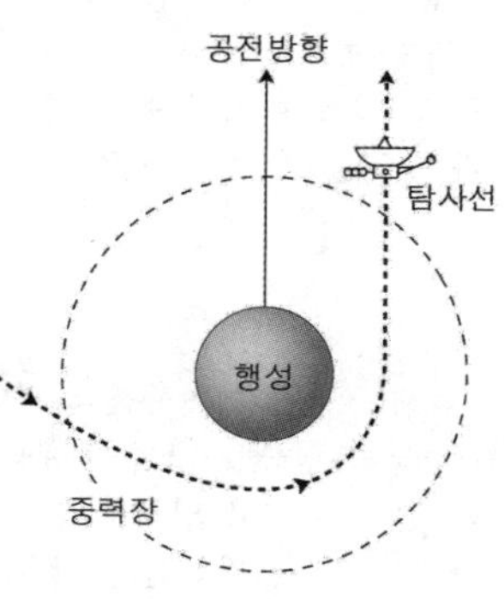

탐사선이 공전하는 행성에 접근하여 중력의 영향권인 중력장에 진입할 때에는 행성의 공전 방향과 탐사선의 진입 방향이 서로 달라 탐사선의 속도 증가는 크지 않다. 그런데 탐사선이 곡선 궤도를 그리며 방향을 바꾸어 행성의 공전 방향에 가까워지면 탐사선의 속도는 크게 증가된다. 왜냐하면 탐사선이 행성에서 멀어지는 방향이 행성의 공전 방향에 가까울수록 스윙바이를 통한 속도 증가의 효과는 크기 때문이다.

탐사선의 속도 증가에 행성의 중력도 영향을 미친다고 생각할 수도 있다. 탐사선이 행성에 다가가다 보면 행성이 끌어당기는 중력의 영향으로 탐사선의 속도가 증가하기 때문이다. 그러나 스윙바이를 마친 후 탐사선의 '속도의 크기' 변화에 행성의 중력이 영향을 미치지는 못한다. 왜냐하면 탐사선이 행성 중력의 영향권에서 벗어나면서 중력의 영향으로 얻은 만큼의 속도를 잃기 때문이다. 탐사선을 롤러코스터에 비유한다면 쉽게 이해할 수 있다. 롤러코스터는 높은 곳에서 낮은 곳으로 내려갈 때 속도가 증가하지만, 가장 낮은 지점을 지나 다시 위로 올라가면서 속도가 감소한다.

㉠<u>스윙바이는 행성의 공전 속도를 훔쳐오는 것이다</u>. 그런데 운동량 보존 법칙에 따라 스윙바이를 통해 탐사선과 행성이 주고받은 운동량은 같다. 이 말은 탐사선의 속도가 빨라진 것처럼 행성의 속도는 느려졌다는 것을 의미한다. 서로 주고받은 운동량은 질량과 속도 변화량을 곱한 것이므로 행성에 비해 질량이 작은 탐사선은 속도가 크게 증가하지만, 질량이 매우 큰 행성은 속도가 거의 줄어들지 않는다. 실제로 지구와의 스윙바이를 통해 초속 8.9㎞의 속도를 얻은 '갈릴레오 호'로 인해 지구의 공전 속도는 1억 년 동안 1.2cm 쯤 늦어지게 되었다.

39. 윗글을 읽고 답할 수 있는 질문이 <u>아닌</u> 것은?

① 탐사선이 스윙바이를 하는 까닭은?
② 스윙바이 동안에 행성의 중력이 변하는 이유는?
③ 스윙바이를 할 때 행성의 공전이 중요한 이유는?
④ 스윙바이를 통해 속도를 효과적으로 얻는 방법은?
⑤ 스윙바이 후 행성의 공전 속도 변화가 매우 작은 이유는?

40. 윗글을 바탕으로 <보기>를 이해할 때, 적절하지 <u>않은</u> 것은? [3점]

<보 기>

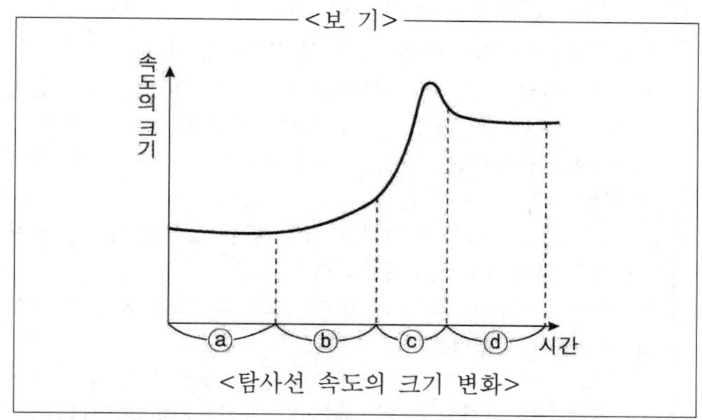

<탐사선 속도의 크기 변화>

① ⓐ에서 탐사선은 행성의 중력에 영향을 받지 않는다.
② ⓑ에서 탐사선은 행성에 점점 가까워진다.
③ 스윙바이로 속도가 빨라진 탐사선은 ⓓ에서 행성으로부터 멀어져 간다.
④ ⓑ에서 속도의 크기 변화는 ⓒ에서 속도의 크기 변화와 같다.
⑤ 탐사선은 ⓑ~ⓒ에서 방향을 바꾸어 행성의 공전 방향에 가까워진다.

41. <보기>는 스윙바이의 이해를 돕기 위한 사례이다. 윗글의 공전하는 행성과 가장 유사한 것은?

<보 기>

어떤 사람이 궁수가 탄 말을 출발시켰다. 시속 30km로 **달리는 말** 위에서 궁수가 말의 진행방향으로 시속 150km의 **화살**을 쏘아, **정면에 있는 과녁**에 맞힌다면 궁수에게 화살은 시속 150km로 날아가는 것으로 보인다. 그런데 **옆에 서 있는 사람**에게는 그 화살이 시속 180km로 날아가는 것으로 관찰된다.

① 어떤 사람 ② 달리는 말 ③ 화살
④ 정면에 있는 과녁 ⑤ 옆에 서 있는 사람

42. ㉠을 이해한 것으로 적절한 것은?

① 탐사선이 얻은 속도와 행성이 잃은 공전 속도가 같다.
② 탐사선이 얻은 속도가 행성이 잃은 공전 속도보다 작다.
③ 탐사선이 얻은 운동량이 행성이 잃은 운동량과 같다.
④ 탐사선이 얻은 운동량이 행성이 잃은 운동량보다 작다.
⑤ 탐사선이 잃은 운동량이 행성이 얻은 운동량보다 크다.

18회

[43~45] 다음 글을 읽고 물음에 답하시오.

길동 등이 임금에게 아뢰었다.

[A] "신의 아비가 나라의 은혜를 많이 입었사온데, 신이 어찌 감히 나쁜 짓을 하오리까마는, 신은 본래 천한 종의 몸에서 났는지라, 그 아비를 아비라 못 하옵고 그 형을 형이라 못 하와, 평생 한이 맺혔기에 집을 버리고 도적의 무리에 참여하였사옵니다. 그러나 백성은 추호도 범하지 않고 각 읍 수령이 백성들을 들볶아 착취한 재물만 빼앗았을 뿐입니다. 이제 십 년이 지나면 조선을 떠나 갈 곳이 있사오니, 엎드려 빌건대 성상께서는 근심하지 마시고 신을 잡으라는 공문을 거두어 주십시오."

하고, 말을 마치며 여덟 명이 한꺼번에 넘어지므로, 자세히 보니 다 풀로 만든 허수아비였다. 임금이 더욱 놀라며 진짜 길동을 잡으라는 공문을 다시 팔도에 내렸다.

길동이 허수아비를 없애고 두루 다니다가 사대문에 글을 써 붙였는데, 그 글에다,

"소신 길동은 아무리 하여도 잡지 못할 것이오니, 병조판서 벼슬을 내리시면 잡히겠습니다."

고 하였다. 임금이 그 글을 보고 신하들을 모아 의논하니, 여러 신하들이 말했다.

"이제 그 도적을 잡으려 하다가 잡지 못하고 도리어 병조판서를 제수하심은 이웃 나라에도 창피스러운 일입니다."

임금이 옳다고 여기고 다만 경상 감사에게 길동 잡기를 재촉하니, 경상 감사가 왕명을 받고는 황공하고 죄송하여 어쩔 줄을 몰랐다.

하루는 길동이 공중으로부터 내려와 절하고 말했다.

"제가 지금은 진짜 길동이오니, 형님께서는 아무 염려 마시고 결박하여 서울로 보내십시오."

감사가 이 말을 듣고는 손을 잡고 눈물을 흘리면서 말했다.

"이 철없는 아이야. 너도 나와 동기인데 부형의 가르침을 듣지 않고 온 나라를 떠들썩하게 하니, 어찌 애닯지 않으랴. 네가 이제 진짜 몸이 와서 나를 보고 ㉠ <u>잡혀가기ᄅᆞᆯᄌᆞ원ᄒᆞ니도로혀긔특ᄒᆞᆫᄋᆞᄒᆡ로다</u>."

하고, 급히 길동의 왼쪽 다리를 보니, 과연 혈점이 있었다. 즉시 팔다리를 단단히 묶어 죄인 호송용 수레에 태운 뒤, 건장한 장교 수십 명을 뽑아 철통같이 싸고 풍우같이 몰아가도, 길동의 안색은 조금도 변치 않았다. 여러 날 만에 서울에 다다랐으나, 대궐 문에 이르러 길동이 한번 몸을 움직이자, 쇠사슬이 끊어지고 수레가 깨어져, 마치 매미가 허물 벗듯 공중으로 올라가며, 나는 듯이 운무에 묻혀 가 버렸다. 장교와 모든 군사가 어이없어 다만 공중만 바라보며 넋을 잃을 따름이었다. 어쩔 수 없이 이 사실을 보고하니, 임금이 듣고,

"천고에 이런 일이 어디 있으랴?"

하며, 크게 근심을 했다. 이에 여러 신하 중 한 사람이 아뢰기를,

"길동의 소원이 병조판서를 한번 지내면 조선을 떠나겠다는 것이라 하오니, 한번 제 소원을 풀면 제 스스로 은혜에 감사하오리니, 그때를 타 잡는 것이 좋을까 하옵니다."

고 했다. 임금이 옳다 여겨 즉시 길동에게 병조판서를 제수하고 사대문에 글을 써 붙였다.

그때 길동이 이 말을 듣고 즉시 고관의 복장인 사모관대에 서띠를 띠고 덩그런 수레에 의젓하게 높이 앉아 큰 길로 버젓이 들어오면서 말하기를,

"이제 홍 판서 사은(謝恩)하러 온다."

고 했다. 병조의 하급 관리들이 맞이해 궐내에 들어간 뒤, 여러 관원들이 의논하기를,

"길동이 오늘 사은하고 나올 것이니 도끼와 칼을 쓰는 군사를 매복시켰다가 나오거든 일시에 쳐 죽이도록 하자."

하고 약속을 하였다. 길동이 궐내에 들어가 엄숙히 절하고 아뢰기를,

"소신의 죄악이 지중하온데, 도리어 은혜를 입사와 평생의 한을 풀고 돌아가면서 전하와 영원히 작별하오니, 부디 만수무강하소서."

하고, 말을 마치며 몸을 공중에 솟구쳐 구름에 싸여 가니, 그 가는 곳을 알 수가 없었다.

(중략)

한편, 길동이 제사를 극진히 받들어 삼년상을 마치고 나서는, 모든 영웅을 모아 무예를 익히며 농업에 힘을 쓰니, 병사는 잘 조련되고 양식도 풍족했다. 남쪽에 율도국이라는 나라가 있었으니, 기름진 평야가 수천 리나 되어 실로 살기 좋은 나라라, 길동이 매양 마음속으로 생각해 오던 바였다. 모든 사람을 불러 말하기를,

"내가 이제 율도국을 치고자 하니 그대들은 최선을 다하라."

하고는 그날 진군을 하였다. 길동은 스스로 선봉장이 되고, 마숙으로 후군장을 삼아, 잘 훈련된 병사 오만을 거느리고 율도국 철봉산에 다다라 싸움을 걸었다. 율도국 태수 김현충이 난데없는 군사가 이름을 보고 크게 놀라, 왕에게 보고하는 한편 한 부대의 군사를 거느리고 내달아 싸웠다. 길동이 이를 맞아 싸워 한 번의 접전에 김현충을 베고 철봉을 얻어 백성을 달래어 위로하였다. 정철로 철봉을 지키게 하고, 대군을 지휘해 움직여 바로 도성을 치는데, 격서(檄書)를 율도국에 보냈으니, 그 내용은 이러하였다.

[B] "의병장 홍길동은 글을 율도왕에게 부치나니, 대저 임금은 한 사람의 임금이 아니요, 천하 사람의 임금이라. 내 하늘의 명을 받아 병사를 일으켜 먼저 철봉을 파하고 물밀듯 들어오고 있으니, 왕은 싸우고자 하거든 싸우고, 그렇지 않으면 일찍 항복하여 살기를 도모하라."

왕이 다 보고 나서 소리쳐 말하기를,

"우리 나라가 철봉을 굳게 믿거늘, 이제 잃었으니 어찌 대항하랴."

하고는, 모든 신하를 거느리고 항복했다.

길동이 성중에 들어가 백성을 달래어 안심시키고 왕위에 오른 후, 전의 율도왕으로 의령군을 봉했다. 마숙과 최철로 각각 좌의정과 우의정을 삼고, 나머지 여러 장수에게도 각각 벼슬을 내리니, 조정에 가득 찬 신하들이 만세를 불러 하례하였다. 왕이 나라를 다스린 지 삼 년에 산에는 도적이 없고, 길에서는 떨어진 물건을 주워 가지지 않으니, 태평세계라고 할 만하였다.

- 「홍길동전」 -

43. ㉠은 「홍길동전」의 경판본을 옮긴 것이다. <보기>를 바탕으로 ㉠을 바르게 끊은 것은?

<보 기>

고소설은 띄어쓰기도 되어 있지 않고 지금은 쓰지 않는 문자도 있어 내용 파악이 쉽지 않다. 이때 어절 단위로 끊어 읽는 것이 의미 파악의 시작이다.

① ᄌᆞᆸ혀가기ᄅᆞᆯ∨ᄌᆞ원ᄒᆞ니∨도로혀∨긔특ᄒᆞᆫ∨ᄋᆞ히로다
② ᄌᆞᆸ혀가기ᄅᆞᆯ∨ᄌᆞ원ᄒᆞ니∨도로∨혀긔∨특ᄒᆞᆫ∨ᄋᆞ히로다
③ ᄌᆞᆸ혀∨가기ᄅᆞᆯ∨ᄌᆞ∨원ᄒᆞ니∨도로혀긔∨특ᄒᆞᆫ∨ᄋᆞ히로다
④ ᄌᆞᆸ혀∨가기ᄅᆞᆯ∨ᄌᆞ∨원ᄒᆞ니∨도로혀∨긔특ᄒᆞᆫ∨ᄋᆞ∨히로다
⑤ ᄌᆞᆸ혀가∨기ᄅᆞᆯ∨ᄌᆞ원∨ᄒᆞ니∨도로∨혀긔∨특ᄒᆞᆫ∨ᄋᆞ∨히로다

44. [A]와 [B]에 대한 설명으로 적절한 것은?

① [A]는 자신의 권위를 내세워 상대에게 충고하고 있다.
② [B]는 상대와 같은 입장임을 내세워 동의를 구하고 있다.
③ [B]는 [A]와 달리 상대의 의도를 알고 이에 답하고 있다.
④ [A]와 [B]는 모두 상황을 가정하여 상대의 행위를 평가하고 있다.
⑤ [A]와 [B]는 모두 자신의 행위를 정당화하며 상대의 태도 변화를 꾀하고 있다.

45. <보기>를 참고하여 윗글을 이해한 내용으로 적절하지 <u>않은</u> 것은? [3점]

<보 기>

「홍길동전」이 지금까지 인기를 얻는 이유는 독자들의 흥미를 불러일으키는 길동의 활약이 돋보이기 때문이다. 길동은 백성의 편에 서서 백성이 살기 좋은 세상을 구현하려고 하며, 초월적 능력을 발휘하여 위기를 극복한다. 또한 새 나라를 건설하며, 자신이 가진 신분적 한계를 극복한다. 이러한 모습은 독자들의 기대를 충족시키며 공감을 이끌어낸다.

① 새 나라를 건설하려는 모습은 길동이 율도국을 공격하는 것에서 드러나는군.
② 초월적 능력을 발휘하는 모습은 잡히지 않기 위해 길동이 도술을 부리는 것에서 나타나는군.
③ 신분적 한계를 극복하는 모습은 미천한 신분이었던 길동이 왕위에 오르는 것에서 알 수 있군.
④ 백성의 편에 서서 펼치는 활약은 수령이 백성들에게 착취한 재물을 길동이 빼앗았다는 것에서 파악할 수 있군.
⑤ 백성이 살기 좋은 세상을 구현하려는 노력을 인정받는 모습은 길동이 병조판서에 제수되는 것에서 확인할 수 있군.

* 확인 사항

○ 답안지의 해당란에 필요한 내용을 정확히 기입(표기)했는지 확인하시오.

이 면은 여백입니다.

2017학년도 6월 고1 전국연합학력평가 문제지

국어 영역

19회 소요시간 /80분

제 1 교시

➡ 해설 P.169

[1~3] 다음은 학생의 발표이다. 물음에 답하시오.

평소 공부할 때, 조용한 공간에서는 집중이 잘 되지 않는 분들 있으신가요? (청중의 반응을 보고) 네, 꽤 많으시군요. 너무 조용한 곳보다는 약간의 소음이 있는 곳에서 공부가 더 잘된다고 여기신다면 그것은 백색소음이 만들어낸 효과라고 볼 수 있습니다. 소음은 보통 귀에 거슬리는 불쾌하고 시끄러운 소리지만, 백색소음은 집중력을 향상시켜 주는 효과가 있는 것으로 알려져 있습니다. 그렇다면 백색소음이란 무엇일까요? 이 시간에는 백색소음에 대해 발표하겠습니다.

백색소음은 음높이가 다른 여러 소리가 합쳐진 것으로 우리 귀에 익숙하면서도 거슬리지 않는 소음을 뜻합니다. (그림을 보여주며) '빨주노초파남보' 무지개 색깔의 빛이 모두 합쳐진 투명한 빛을 백색광이라 부르는 것과 같이 다양한 음높이의 소리가 합쳐진 것을 백색소음이라고 합니다. 프리즘에 비춰보지 않는 한 육안으로는 백색광을 무지개 색으로 구분하기 어려운 것처럼 백색소음 역시 귀로는 각각의 음높이를 구분하기 어렵습니다. 백색소음이 있는 공간에서 사람들은 소리를 듣기는 하지만, 어떤 음인지 뚜렷하게 인식하지 못합니다. 그래서 사람들은 소리가 있다는 정도로 받아들일 뿐, 소리에 신경 쓰지 않고 하던 일에 집중할 수 있습니다.

그러면 백색소음에는 어떤 것이 있을까요? (소리를 들려주면서) 지금 듣고 계신 빗소리, 물 흐르는 소리, 선풍기 돌아가는 소리가 주변에서 흔히 들을 수 있는 백색소음입니다. 백색소음은 파도 소리, 바람 소리, 시냇물 흘러가는 소리처럼 자연에서 나는 소리와, 진공청소기 소리, 공기 정화기 소리처럼 인공적인 소리로 나눌 수 있습니다.

백색소음은 주변의 소리를 덮어주는 작용을 하기 때문에 집중력과 안정감을 높이는 것으로 알려져 있습니다. (동영상을 보여주며) 백색소음을 들려주었을 때의 뇌파 반응을 검사했더니, 불안 및 긴장과 관련된 베타파가 줄어들면서 평온한 상태를 나타내는 알파파가 크게 증가한 것으로 나타났습니다. (도표를 보여주며) 한국산업심리학회 연구에 따르면 백색소음으로 인해 집중력은 47.7% 향상되었고, 학습에 소요된 시간은 13.63% 단축되었으며, 스트레스는 27.1% 감소하였다고 합니다.

그렇다고 해서 백색소음을 일부러 찾아 들으면 오히려 신경이 쓰여 집중도가 떨어질 수 있고, 오랜 시간 듣게 되면 귀에 해로울 수 있으므로 주의가 필요합니다. 그리고 백색소음의 크기는 50~70dB 정도가 가장 효과적이라고 하니 너무 큰 백색소음은 피해야겠습니다.

제 발표가 백색소음의 이로운 면을 활용하는 데 도움이 되었으면 좋겠습니다. 이상 발표를 마치겠습니다.

1. 발표에 반영된 학생의 발표 계획으로 가장 적절한 것은?

① 발표 흐름을 예상할 수 있도록 발표 순서를 안내하면서 발표를 시작해야겠어.
② 화제에 대한 이해를 돕기 위해 다른 대상의 속성을 활용하여 설명해야겠어.
③ 청중이 발표 내용에 집중하도록 개인적 일화를 구체적으로 언급해야겠어.
④ 화제에 대한 청중의 궁금증을 해소하기 위해 질의응답 시간을 가져야겠어.
⑤ 발표 내용을 효과적으로 기억하고 활용할 수 있도록 요약하면서 마무리해야겠어.

2. 발표 내용에 대한 이해로 적절하지 않은 것은?

① 백색소음은 우리 주변에서 흔히 들을 수 있다.
② 오랜 시간 백색소음을 듣게 되면 청력에 부정적 영향을 줄 수 있다.
③ 백색소음이 귀에 거슬리지 않는 것은 음높이가 뚜렷이 인식되지 않기 때문이다.
④ 인공적인 백색소음보다 자연에서 나는 백색소음이 집중력을 높이는 데 효과적이다.
⑤ 백색소음이 집중력과 안정감을 높여 주는 것은 주변의 소리를 덮어주기 때문이다.

3. 다음은 발표를 들은 학생의 생각이다. 이 학생이 활용한 듣기 전략을 <보기>에서 골라 바르게 묶은 것은?

> ○ 과학 시간에 뇌파의 종류와 특징에 대해 배운 적이 있어. 그때 배운 내용을 떠올리며 들으니 이해하기 쉽군.
> ○ 50 ~ 70dB 크기의 백색소음을 듣는 것이 효과적이라고 하는데 이를 증명할 자료가 제시되지 않아 믿기 어렵군.

<보 기>

ㄱ. 발표 내용의 신뢰성을 평가하며 듣는다.
ㄴ. 발표 내용과 연관된 배경지식을 활용하며 듣는다.
ㄷ. 발표자가 활용한 보조 자료의 효과를 평가하며 듣는다.
ㄹ. 발표자가 청중에게 던진 질문의 의도를 추론하며 듣는다.

① ㄱ, ㄴ ② ㄱ, ㄷ ③ ㄴ, ㄷ ④ ㄴ, ㄹ ⑤ ㄷ, ㄹ

[4~5] 다음 대화를 읽고 물음에 답하시오.

정민 : 아인아, 발표 원고 읽어 봤어?
아인 : 당연하지. ㉠ 너, 원고 잘 썼더라. 특히, 우리가 여행을 꿈꾸는 것은 농경 사회 이전까지 생존을 위해 자주 옮겨 다니던 조상으로부터 여행 DNA를 물려받아서일지도 모른다는 부분이 흥미로웠어.
정민 : 아니야. ㉡ 네가 좋게 봐 줘서 그렇지 부족한 부분이 많을 거야.
아인 : 내가 쓴 원고는 어땠어?
정민 : 잘 읽었는데…. 우리 발표 주제가 '십대를 위한 여행지 소개'인데 우리 주변의 여행지를 너무 많이 소개해서 좀 줄여야겠더라.
아인 : 그렇지? 그러면 그 부분을 좀 줄이고 애들한테 설문조사해서 '여행 가서 해보고 싶은 일'을 넣을까?
정민 : ㉢ 그런데 그건 발표 주제와 어울리지 않으니까 네가 제안한 설문조사를 활용해서 '가고 싶은 우리 주변의 여행지 순위'를 알아보는 게 어떨까?
아인 : 그래, 설문조사 결과를 보고 높은 순위 중심으로 소개할 여행지를 정하는 방법도 좋을 것 같아. 역시 너랑 한 팀이라 정말 든든해.
정민 : 아냐. ㉣ 나는 발표할 때 너무 떨어서 실수가 많거든. 나야말로 자신감 있게 발표하는 너랑 한 팀이라 다행이야.
아인 : 너 혹시 발표할 생각만 하면 가슴이 뛰고 손에 땀이 나고 그래?
정민 : 응. 어떨 땐 머릿속이 하얗게 되면서 열심히 준비한 내용도 기억이 안 나서 발표를 망친 적도 있어.
아인 : 그걸 '말하기 불안'이라고 한대. 나도 발표 전에 많이 떠는 편이어서 지난번에 국어 선생님께 고민 상담도 했거든. 그때 선생님께서 알려주신 방법대로 발표 연습을 하면서 많이 나아졌어.
정민 : 진짜? 수업 시간에 너 발표하는 것을 보면 자신감 있어 보이던데. 너도 발표 때 긴장하는구나.
아인 : 선생님의 말씀으로는 유명한 연설가들도 모두 '말하기 불안'을 겪는다고 하셨어.
정민 : 네 얘기 들으니까 마음이 좀 가벼워지네. 그런데 선생님께서 알려주신 방법이 대체 뭐야?
아인 : 그 방법은 그렇게 어려운 것은 아니야.

[A]

정민 : 들어보니 그렇게 어려운 것은 아니네. 나도 잘할 수 있을 것 같아. 그럼… 우리 발표 연습은 언제부터 시작할까?
아인 : ㉤ 여행지를 소개하는 부분을 수정하려면 시간이 좀 필요하겠는데…. 미안하지만 네가 괜찮다면 다음 주부터 시작해도 될까?
정민 : 그래. 그동안 나도 원고를 좀 더 다듬을게.

4. ㉠~㉤에 대한 설명으로 적절하지 않은 것은?

① ㉠은 상대방이 쓴 원고의 특정 부분을 언급하며 상대방을 칭찬하고 있다.
② ㉡은 상대방의 평가에 대해 자신을 낮추면서 겸손하게 말하고 있다.
③ ㉢은 상대방의 의견에 대한 문제점을 언급한 후, 의견의 일부를 수용하고 있다.
④ ㉣은 문제의 원인을 자신의 탓으로 돌림으로써 상대방에게 미안한 마음을 전달하고 있다.
⑤ ㉤은 자신의 요구를 일방적으로 전하지 않고 상대방의 의사를 물어봄으로써 양해를 구하고 있다.

5. [A]에 들어갈 말을 구성한 것 가운데 <보기>의 ⓐ에 해당하는 것으로 가장 적절한 것은? [3점]

<보 기>

말하기 불안에 대처하는 방법에는 체계적 둔감화와 인식 전환이 있다. ⓐ 체계적 둔감화는 긴장감이 느껴지는 말하기 상황을 떠올리며 긴장된 근육을 이완시키는 연습을 통해 긴장감에 대한 신체의 반응을 둔화시키는 것이다. 인식 전환은 말하기 상황에 대한 부정적 인식을 긍정적으로 바꾸는 것이다.

① 이 발표가 나를 불안하게 만들 만큼 대단한 것인지 질문해 보는 거야. 그럼 불안할 이유가 없다는 것을 알게 될 거야.
② 예전에 발표를 잘하지 못했더라도 성공적으로 발표를 해낸 자신의 모습을 상상해 보는 거야. 그럼 자신감이 생길 거야.
③ 이 발표를 친구들과 좋은 생각을 나누고 자신을 돋보이게 할 수 있는 기회로 받아들여 보는 거야. 그럼 상황을 더 즐길 수 있을 거야.
④ 50미터 달리기를 할 때처럼 가장 떨리는 순간은 발표 직전 뿐이고 막상 시작하면 괜찮을 것이라고 생각해 보는 거야. 그럼 불안한 마음이 줄어들 거야.
⑤ 발표를 상상하면서 심호흡을 천천히 반복한 다음 주먹을 여러 번 쥐었다 폈다 해 보는 거야. 그러면 몸의 긴장이 풀어지면서 마음이 안정될 거야.

[6~8] 다음을 읽고 물음에 답하시오.

<작문 상황>

가정 내 연간 전력 사용량의 6% 이상이 전자 제품의 대기전력이라는 신문 기사를 읽고, 대기전력을 줄이는 습관을 권장하는 글을 쓰기로 함.

<작문 계획>

Ⅰ. 처음 : 대기전력에 대한 주의 환기 ………… ㉠
Ⅱ. 중간
 1. 대기전력의 개념 ………… ㉡
 2. 대기전력의 발생 원인과 실태
  1) 대기전력으로 인한 에너지 소비량 제시 ………… ㉢
  2) 대기전력의 발생 원인 ………… ㉣
  3) 대기전력이 발생하는 가전제품
 3. 대기전력을 줄이는 방법 ………… ㉤
  1) 가전 기기의 플러그 뽑기
  2) 절전형 멀티탭 사용하기
  3) 에너지절약 마크 제품 구입하기
Ⅲ. 끝 : 대기전력을 줄이는 생활 습관의 실천 촉구

<초고>

우리 가정 내에는 많은 전자 제품이 있다. 그런데 우리가 전자 제품을 사용할 때 직접 사용하지 않은 전기 에너지에 대한 요금을 내고 있다는 사실을 알고 있을까? 전자 제품의 작동과 관계없이 소비되는 에너지가 의외로 많다는 사실을 알고 있는 사람은 드물 것이다.

이렇게 소비되는 에너지를 '대기전력'이라 한다. 즉, 대기전력이란 전원이 꺼진 상태에서 전기 제품이 소비하는 전력으로, 실질적으로 사용되지 않고 낭비되는 에너지를 말한다. 그러면 대기전력이 발생하는 원인은 무엇일까?

이는 전자레인지나 오디오와 같이 표시창이 있는 제품, 텔레비전처럼 리모컨으로 켜고 끌 수 있는 제품의 경우 내부 전원이 살아 있기 때문이다. 이러한 제품을 사용할 때 플러그를 찾아 콘센트에 꽂는 일이 불편하다고 그냥 내버려 두면 우리도 모르게 전력을 소비하게 되는 것이다.

가정 내 대기전력으로 인한 에너지 소비 현실에 관해 알아보기 위해 한국전기연구원은 최근 전국 105개 표본 가구를 대상으로 대기전력을 실측했다. 그 결과에 따르면 셋톱박스, 인터넷모뎀, 에어컨 등은 대기전력이 가장 많이 발생하는 기기임에도 불구하고 콘센트에 꽂아 두는 경우가 많았다.

전자 제품의 사용이 많아질수록 이러한 대기전력은 더욱 늘어난다. 하지만 가정에서 몇 가지 간단한 실천으로 대기전력을 줄일 수 있다. 첫 번째 방법은 전원 버튼에 표시되어 있는 마크를 보고 대기전력이 있는 제품과 없는 제품을 구별한 후, 대기전력이 있는 제품은 외출이나 취침 전에 플러그를 뽑는 것이다. 또, 대기전력을 차단하는 절전형 멀티탭을 사용하는 것도 좋다. 멀티탭의 개별 스위치를 끄는 것은 플러그를 뽑는 것과 같은 효과를 얻을 수 있다. 그리고 가정에서 새로 가전제품을 구입할 때 먼저 에너지절약 마크를 확인하는 것도 좋은 방법이다. 에너지절약 마크가 있는 대기전력 저감 우수 제품을 구입하여 사용한다면 대기전력을 줄일 수 있기 때문이다.

[A]

6. 작문 계획의 ㉠~㉤ 중 '초고'에 반영되지 않은 것은?

① ㉠ ② ㉡ ③ ㉢ ④ ㉣ ⑤ ㉤

7. 초고를 수정·보완하기 위해 수집한 자료이다. 다음 자료의 활용 방안으로 적절하지 않은 것은? [3점]

(가)

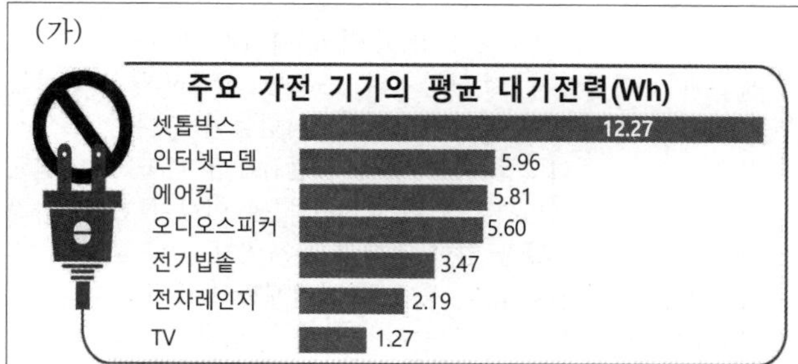

(나)-1 <전원 버튼에 표시되어 있는 마크>

대기전력이 있는 제품 / 대기전력이 없는 제품

(나)-2 <에너지절약 마크>

에너지절약

(다) 전문가 견해 (한국전기연구원 ○○○ 박사)

"플러그를 자주 뽑았다 꽂으면 전기 요금이 많이 나온다고 생각하시는 분들이 계신데, 이는 근거가 없습니다. 플러그를 뽑아 두는 것이 대기전력을 절약할 수 있는 최고의 방법입니다. 대개 4인 가구의 경우 전자레인지와 에어컨 등 사용하지 않고 꽂혀 있는 전자 제품 플러그가 10개가 넘습니다. 이때 플러그만 뽑아도 연간 10만 원 이상의 전기료를 절감할 수 있습니다. 또, 대기전력 저감성이 우수하여 정부가 제시한 기준을 만족한 제품에는 에너지절약 마크가 부착되어 있으니 이런 제품을 구입하는 것이 좋습니다."

① (가)는 대기전력이 발생하는 가전제품의 실태를 보여주는 자료로 활용해야겠군.
② (나)-1은 플러그를 뽑지 않아도 되는 가전제품을 구별하는 자료로 활용해야겠군.
③ (나)-2는 멀티탭 사용의 중요성을 설명하는 자료로 활용해야겠군.
④ (다)는 전력 소비에 대한 잘못된 인식이 대기전력을 발생시킨다는 자료로 활용해야겠군.
⑤ (나)-2와 (다)는 대기전력을 줄이는 방안을 설명하는 자료로 활용해야겠군.

19 회

8. [A]에 들어갈 내용을 <조건>에 맞게 쓴 것으로 가장 적절한 것은?

<조 건>
- 비유적 표현을 활용할 것
- 가정 내 대기전력을 줄이는 생활 습관을 실천하자는 내용을 담을 것

① 가랑비에 옷 젖듯이 우리도 모르는 사이에 대기전력의 양이 늘어나고 있다. 가정에서 플러그 뽑기와 절전형 멀티탭 사용을 생활화하는 것이 대기 전력을 줄이는 지름길이다.
② 스마트폰이나 태블릿 PC 등 다양한 휴대용 제품이 보급되어 충전을 위한 전력 사용이 증가하고 있다. 충전이 완료된 후 플러그를 뽑지 않으면 대기전력이 발생될 것이다.
③ 내가 지킨 실내 적정 온도가 우리의 에너지 경제를 미소 짓게 한다. 가정에서 냉·난방기의 온도를 적정하게 설정하는 사소한 생활 습관이 에너지 절약의 디딤돌이 된다.
④ 전원을 끄고 플러그를 뽑는 것을 습관화해야 한다. 대기전력으로 버려지는 에너지만 연간 4,000억 원 이상이 된다. 가전제품의 대기전력 발생 양이 적다고 무시해서는 안 되겠다.
⑤ 가전제품의 에너지 효율 등급은 가전제품의 얼굴이다. 가정에서 에너지 효율 등급이 높은 제품을 구입하여 에너지 절약을 생활화할 수 있도록 하는 제도적인 뒷받침이 필요하다.

[9~10] 다음은 학생이 쓴 글의 초고이다. 물음에 답하시오.

오늘 미술 시간에 보색에 대해 알게 되었다. 가장 흥미로웠던 것은 수술복을 청록색으로 정하는 데에 보색의 원리를 ㉠ 이용했다. 빨간색과 청록색을 섞으면 무채색인 검은색이 된다. 이처럼 보색이란 다른 색상의 두 빛깔이 섞여 무채색이 될 때 이 두 빛깔을 서로 일컫는 말이다. 빨간색을 많이 보는 의사의 눈에는 빨간색의 보색인 청록색의 잔상이 남게 되는데, 이는 빨간색으로 피로해진 시신경이 감각의 균형을 이루기 위해 스스로 일으킨 반작용이다. 만약, 수술복이 흰색일 경우 시야를 혼동시켜 집중력을 떨어뜨릴 수 있기 때문에 이를 방지하기 위해 수술복을 청록색으로 만들었다는 것이다. ㉡ 청록색은 우리 주위에서 가장 많이 볼 수 있는 색이다.

특히 나는 우리 눈이 어떤 색을 계속 보면 저절로 그 보색을 떠올리게 된다는 사실이 인상적이었다. 이것은 한쪽으로 치우치는 것을 막고 균형을 ㉢ 맞추려는 우리 몸의 작용인 것이다. 음식을 짜게 먹으면 물을 먹고 싶은 것도 우리 몸이 염분의 농도를 적당히 유지하여 균형 상태를 이루려는 힘이 작용하여 나타난 현상이다.

균형을 잡아야 하는 것은 우리가 살아가는 사회에서도 필요한 것 같다. 생각해 보면 나 역시 친구들과의 관계에서 내 생각만 주장하며 ㉣ 받아들이려 하지 않았던 적도 있었다. 나뿐만 아니라 우리 주변에서도 한쪽의 의견만을 주장하며 다투는 경우를 많이 본다. 우리 눈이 한 가지 색을 ㉤ 장시간 오래 보면 보색을 떠올리듯이, 우리도 항상 다른 쪽의 경우를 떠올리며 균형을 이루려고 노력하는 것이 중요하다는 것을 깨달았다.

9. 초고의 내용으로 볼 때 학생의 작문 계획에 대한 설명으로 적절하지 <u>않은</u> 것은?

① 보색의 원리를 사회적 차원으로 확장해서 적용해야겠어.
② 수업 시간에 배운 내용을 나의 경험과 연결하여 삶의 교훈을 이끌어 내야겠어.
③ 우리 몸에 나타나는 현상을 보색의 원리와 연관 지어 독자의 공감을 이끌어 내야겠어.
④ 보색의 원리가 적용된 사례를 들어 독자들이 내용을 쉽게 이해할 수 있도록 해야겠어.
⑤ 보색에서 깨달은 삶의 원칙을 함께 실천해 나갈 것을 적극적으로 권유하며 글을 끝맺어야겠어.

10. ㉠~㉤을 고쳐 쓰기 위한 방안으로 적절하지 <u>않은</u> 것은?

① ㉠: 주어와 서술어의 호응이 어색하므로 '이용했다는 점이다'로 고친다.
② ㉡: 글의 통일성을 해치는 문장이므로 삭제한다.
③ ㉢: 어휘의 사용이 부적절하므로 '맞히려는'으로 바꾼다.
④ ㉣: 문장의 완결성을 고려하여 '나와 의견이 다른 친구의 생각을'을 첨가한다.
⑤ ㉤: 단어의 의미가 중복되므로 '장시간'을 삭제한다.

11. <보기>의 (ㄱ)과 (ㄴ)에 나타나는 음운 변동으로 적절한 것은? [3점]

<보 기>

음운 변동은 한 음운이 다른 음운으로 바뀌는 '교체', 원래 있던 음운이 없어지는 '탈락', 없던 음운이 추가되는 '첨가', 두 개의 음운이 합쳐져서 하나로 되는 '축약'으로 분류할 수 있다.

단어에 따라 아래 예와 같이 한 단어에서 두 가지 음운 변동이 일어나는 경우도 있다.

(예) 물약 → [물냑] → [물략]
　　　　　(ㄱ)　　　(ㄴ)

	(ㄱ)	(ㄴ)
①	첨가	교체
②	첨가	탈락
③	탈락	교체
④	교체	첨가
⑤	교체	축약

12. <보기>의 ⓐ에 해당하는 예로 적절한 것은?

<보 기>

미래 시제를 나타내는 선어말 어미 '-겠-'은 용언의 어간에 붙어 화자의 추측이나 ⓐ의지, 가능성의 의미로 쓰인다.

① 나는 이번 시험에 합격하고야 말겠다.
② 그렇게 쉬운 것은 삼척동자도 알겠다.
③ 이 많은 일을 어떻게 혼자 다 하겠니?
④ 오늘 눈이 많이 와서 길이 미끄럽겠다.
⑤ 지금 떠나면 내일 새벽에 도착하겠구나.

13. <보기>는 단어를 학습하기 위해 활용한 사전 자료이다. 이에 대한 탐구 내용으로 옳지 않은 것은?

<보 기>

어리다[1] 「동사」

㉠ 【 …에 】 눈에 눈물이 조금 괴다.

¶ 갑순이의 두 눈에 어느덧 눈물이 어리고 있었다.

㉡ 【 …에 】 어떤 현상, 기운, 추억 따위가 배어 있거나 은근히 드러나다.

¶ 밤을 새우고 난 그의 얼굴에 피로한 기색이 어렸다.

어리다[2] 「형용사」

㉠ 나이가 적다. 10대 전반을 넘지 않은 나이를 이른다.

¶ 나는 어린 시절을 시골에서 보냈다.

㉡ 생각이 모자라거나 경험이 적거나 수준이 낮다.

¶ ______________________

① '어리다[1]'과 '어리다[2]'는 모두 다의어이다.
② '어리다[1]'은 목적어가 필요한 동사이다.
③ '어리다[1]'과 '어리다[2]'는 동음이의 관계에 있다.
④ '어리다[1]'의 ㉡에 해당하는 또 다른 용례로, '입가에 미소가 어리다.'를 추가할 수 있다.
⑤ '어리다[2]'의 ㉡에 들어갈 예로, '저의 어린 소견을 경청해 주셔서 고맙습니다.'와 같은 문장을 들 수 있다.

14. <보기>의 ㉠에 해당하는 예로 적절한 것은?

<보 기>

부사어는 문장 내에서 다른 성분을 꾸며 주는 부속성분이므로 생략할 수 있다. 그러나 부사어 중에는 문장을 구성하는 데 꼭 필요한 부사어도 있는데 이를 ㉠'필수 부사어'라고 한다. 예를 들어 '그는 비겁하게 굴었다.'에서 '비겁하게'는 부사어이지만 이 말이 빠지면 문법적으로 완전한 문장을 이루지 못하므로 '비겁하게'는 필수 부사어이다.

① 철수가 매우 빨리 달렸다.
② 나는 철수에게 선물을 주었다.
③ 그녀는 마침내 꿈을 이루었다.
④ 정원에 장미가 예쁘게 피었다.
⑤ 나는 오후에 할머니 댁을 방문했다.

15. <보기>를 바탕으로 단어 형성법에 대해 탐구한 것으로 적절하지 않은 것은?

<보 기>

단어에서 실질적 의미를 나타내는 중심 부분을 어근이라 하고, 어근에 붙어 그 뜻을 더하는 부분을 접사라고 한다. 단어는 형성 방법에 따라 단일어와 파생어, 합성어로 나누어진다. 단일어는 '바다', '놀다'와 같이 하나의 어근으로 이루어진 말이고, 파생어는 '군살'이나 '멋쟁이'처럼 어근과 접사의 결합으로 이루어진 말이다. 합성어는 어근과 어근이 결합한 말로 '달빛'이나 '뛰놀다'와 같은 말이 이에 해당한다.

① '치솟다'는 접사가 어근에 붙어 뜻을 더하고 있으므로 파생어이군.
② '밤하늘'은 실질적 의미를 지닌 어근끼리 결합하였으므로 합성어이군.
③ '지우개'는 어근에 접사가 결합한 파생어이고, '닭고기'는 어근끼리 결합한 합성어이군.
④ '나무꾼'과 '검붉다'는 모두 실질적인 뜻을 가진 어근끼리 결합하였으므로 합성어이군.
⑤ '개살구'와 '부채질'은 모두 어근에 접사가 결합하여 이루어진 단어이므로 파생어에 해당하는군.

[16~18] 다음 글을 읽고 물음에 답하시오.

고려 말 중앙 집권 체제의 약화와 왕권의 쇠퇴 속에서 조선 왕조를 세운 신흥 사대부들은 지주층이었기 때문에 노비 노동력이 필요했다. 그러나 이들은 강력한 중앙 집권 체제의 확립을 위해 국역(國役)* 대상인 양인 계층의 폭을 넓히려 하였다. 따라서 노비가 꼭 있어야 하더라도 되도록 양인을 더 많이 확보하려는 것이 새 왕조가 추구한 국역 정책의 기본 방향이었다.

이처럼 국역 대상의 확보를 새 왕조 통치 체제의 발판으로 추구하면서, 법제적으로 모든 사회 구성원을 일단 ㉠ 양인과 ㉡ 천인으로 나누었다. 이들 사이에는 의무와 권리에서 차등이 있었는데 먼저 의무 면에서 양인 남자는 국역인 군역(軍役)과 요역(徭役)*의 의무가 있었다. 이에 비해 천인은 군역에서 철저히 배제되었다.

권리 면에서 양인과 천인은 신체와 생명의 보호와 같은 인간의 기본권을 공권력으로 보장받을 수 있는지에서 뚜렷이 차이가 났다. 천인인 노비는 재산으로 보아 매매·상속·양도·증여의 대상이 되었으며, 사는 곳을 옮길 자유가 없었다. 노비와 양인이 싸우면 노비가 한 등급 더 무거운 벌을 받는 것은 양·천 사이의 법적 지위의 차이를 잘 보여준다. 그보다 권리 면에서 양·천의 가장 분명한 차이는 관직 진출권이 있느냐는 것이었다. 양인 중에도 관직 진출권이 제한된 사람이 적지 않았으나 양인은 일단 관직 진출권이 있었다. 더러 노비가 국가에 큰 공로를 세워 정규 관직인 유품직(流品職)을 받기도 하였으나 이때는 반드시 양인이 되는 종량(從良) 절차를 먼저 밟아야 했다.

그러나 이러한 양·천 구분은 국가의 법적 구분이었지, 실제 사회 구성은 좀 더 복잡했다. 양·천이라는 법적 구분 아래 사회 구성원은 상급 신분층인 양반 계층, 의관·역관과 같은 기술관이나 서얼 등의 중인 계층, 양인 중 수가 가장 많았던 평민 계층, 노비가 주류인 천민 계층으로 나뉘었다.

조선을 양반 관료 사회라고 규정하듯이 양반은 정치·사회·경제 면에서 갖가지 특권과 명예를 독점적으로 누리면서 그 아래인 중인·평민·천민과는 격을 달리했다. 이를 반상(班常)이라는 말로 표현한다. 반상은 곧 신분을 지배자와 피지배자로 나눈 것으로서, 반상의 반(班)에는 중인이 들어가지 않았지만 상(常)에는 평민부터 노비까지 포함되었다. 이러한 구분은 법적 구분과는 달리 사회 통념상으로 최고 신분인 양반의 지배자적 위치를 돋보이게 하려는 의식에서 생겼다고 하겠다.

이처럼 국가 차원의 법적 규범인 양천제와 당시 실제 계급 관계를 반영한 사회 통념상 구분인 반상제가 서로 섞여 중세의 신분 구조를 이루었다. 중세 사회가 발전하면서 신분 구조는 양천제라는 법제적 틀에서 차츰 사회 통념상의 신분 규범이 규정 요소로 확고히 자리 잡는 방향으로 변화했다. 이는 지주제의 확대와 발전, 그리고 조선 사회의 안정과 변동을 나타내는 것이기도 하였다.

* 국역 : 나라에서 백성들에게 지우던 부역.
* 요역 : 나라에서 16세 이상 60세 미만의 남자에게 관아의 임무 대신 시키던 노동.

16. 윗글을 통해 알 수 있는 내용으로 적절하지 않은 것은?

① 중인은 반상제에서 '반'에 포함되지 않았다.
② 양인 가운데 평민층의 수가 양반층의 수보다 더 많았다.
③ 조선 시대 사회 구성원은 사회 통념상 네 계층으로 나뉘었다.
④ 지주제의 확대와 발전은 양천제에서 반상제로의 변화와 관련이 있었다.
⑤ 조선의 국역 정책은 노동력 확보를 위해 노비의 수를 최대한 늘리는 것을 우선시하였다.

17. ㉠과 ㉡에 대한 설명으로 적절하지 않은 것은?

① ㉠과 ㉡ 모두 군역의 의무를 이행해야 했다.
② ㉡은 ㉠과 달리 관직 진출권이 원칙적으로 없었다.
③ ㉡이 국가에 큰 공을 세울 경우 ㉠이 될 수 있었다.
④ ㉠은 법적 지위 면에서 ㉡보다 우월한 위치에 있었다.
⑤ ㉡에 속하는 노비는 마음대로 거주지를 옮길 수 없었다.

18. '채수'의 견해를 윗글과 관련 지어 이해한 내용으로 가장 적절한 것은? [3점]

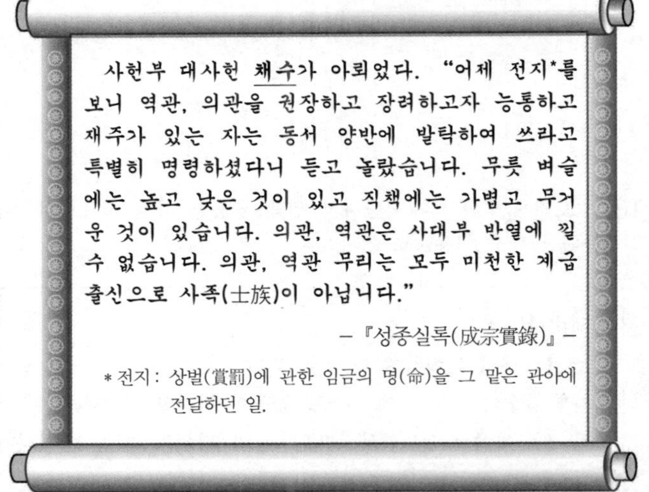
사헌부 대사헌 채수가 아뢰었다. "어제 전지*를 보니 역관, 의관을 권장하고 장려하고자 능통하고 재주가 있는 자는 동서 양반에 발탁하여 쓰라고 특별히 명령하셨다니 듣고 놀랐습니다. 무릇 벼슬에는 높고 낮은 것이 있고 직책에는 가볍고 무거운 것이 있습니다. 의관, 역관은 사대부 반열에 낄 수 없습니다. 의관, 역관 무리는 모두 미천한 계급 출신으로 사족(士族)이 아닙니다."

-『성종실록(成宗實錄)』-

* 전지 : 상벌(賞罰)에 관한 임금의 명(命)을 그 맡은 관아에 전달하던 일.

① 벼슬에는 높고 낮음이 있고 직책에는 가볍고 무거운 것이 있다고 한 것은 당시 모든 사회 구성원을 양인과 천인으로 나누려는 의도로 볼 수 있군.
② 의관, 역관 무리는 모두 미천한 계급 출신으로 사족이 아니라고 한 것은 국가의 법적 규범인 양천제가 흔들릴 것에 대한 위기감을 드러낸 것이군.
③ 의관, 역관과 같은 중인을 동서 양반에 발탁하려는 임금의 조치에 반대하는 것은 양반의 지배자적 위치를 돋보이게 하려는 의식을 반영한 것이겠군.
④ 기술직을 권장하는 대책을 세우고 시행하는 데 대해 우려를 나타낸 것은 양반들이 누려온 독점적 권력이 중인에게 집중될 것에 대한 불만을 표시한 것으로 보아야겠군.
⑤ 재주가 있는 자를 양반에 발탁하도록 한 임금의 명령에 놀라움을 드러낸 것은 신분에 따라 공권력으로 인간의 기본권을 보장받을 수 있는 범위에 대한 시각차를 보여주는군.

[19～22] 다음 글을 읽고 물음에 답하시오.

희소성 높은 최고급 커피의 생두 가격은 어떻게 결정 될까? 그것은 바로 경매이다. 경매를 통한 가격 결정 방식은 수요자들이 해당 재화의 가치를 서로 다르게 평가하고 있거나, 해당 재화의 가치를 정확히 ⓐ가늠할 수 없을 때 주로 사용된다. 커피나무는 환경에 ⓑ민감한 식물로, 일조량과 온도와 토질에 따라서 생두의 맛과 품질이 천차만별이다. 그래서 같은 지역이라 하더라도 매년 커피 생두의 품질이 달라지는 것이다. 이처럼 생두의 품질이 매년 다양한 이유로 달라지는 상황에서 해당 커피 생두의 가치를 결정하는 가장 수월한 방법은 단연 경매라 할 수 있다.

경매를 통한 가격 결정 방식을 사용하는 또 다른 이유는 구매자와 판매자의 숫자가 극단적으로 불일치할 때 가격을 결정하는 유용한 방법이기 때문이다. 특정 재화의 판매자가 한 명인데, 이를 구매하고자 하는 사람이 여러 명이라면 경매를 통해 가장 높은 가격을 ⓒ지불하고자 하는 사람에게 판매할 수 있다. 최고급 커피 생두 역시 이러한 이유에서 경매로 가격을 결정한다. 이 밖에도 골동품, 미술품 등은 현재 동일한 이유로 경매를 통해 가격을 결정하고 있다. 이와는 반대로 특정 재화의 구매자는 한 명인데, 이를 판매하고자 하는 사람이 여러 명일 경우에도 경매는 유용한 방식이다. 가장 저렴한 가격을 제시한 사람에게서 구매하면 되기 때문이다. 현재 전투기와 같이 정부만이 유일한 구매자라 할 수 있는 국방 관련 물품이 일종의 경매인 경쟁 입찰로 결정된다.

경매는 입찰* 방식의 공개 ⓓ여부에 따라 공개 구두 경매와 밀봉 입찰 경매로 구분할 수 있다. 먼저 공개 구두 경매는 경매에 참여하는 사람들을 모두 한 자리에 모아 놓고 누가 어떠한 조건으로 경매에 응하는지를 공개적으로 진행하는 방식을 말한다. 이러한 공개 구두 경매는 다시 영국식 경매와 네덜란드식 경매로 구분할 수 있다. ㉠영국식 경매는 오름 경매 방식으로, 우리가 가장 흔히 접하는 낮은 가격부터 시작해서 가장 높은 가격을 제시한 사람이 낙찰자*가 되는 방식을 말한다. 이러한 영국식 경매를 통해 가격을 결정하고 있는 대표적인 품목으로는 와인과 앞서 소개한 최고급 생두가 여기에 해당한다.

이와는 반대로 판매자가 높은 가격부터 제시해 가격을 점점 낮추면서 가장 먼저 응찰*한 사람을 낙찰자로 정하는 방식이 ㉡네덜란드식 경매다. 이것이 내림 경매 방식이다. 내림 경매 방식은 튤립 재배로 유명한 네덜란드에서 오래 전부터 이용해오던 방식이며, 국내에서도 수산물 도매시장에서 생선 가격을 결정할 때 이 방식을 통해 가격을 결정한다.

공개적으로 진행되는 경매와는 달리 경매 참여자들이 서로 어떠한 가격에 응찰했는지를 확인할 수 없는 밀봉 입찰 경매가 있다. 밀봉 입찰 경매는 낙찰자가 지불하는 금액을 어떻게 결정하느냐에 따라 최고가 밀봉 경매와 차가 밀봉 경매로 ⓔ구분된다. 최고가 밀봉 경매는 응찰자 중 가장 높은 가격을 적어 냈을 때 낙찰이 되는 것으로 낙찰자는 자신이 적어 낸 금액을 지불한다. 차가 밀봉 경매의 낙찰자 결정 방식은 최고가 밀봉 경매와 동일하다. 그러나 낙찰자가 지불하는 금액은 자신이 적어 낸 금액이 아니라 응찰자가 적어 낸 금액 중 두 번째로 높은 금액이다.

* 입찰 : 경매 참가자에게 각자의 희망 가격을 제시하게 하는 일.
* 낙찰자 : 경매나 경쟁 입찰 따위에서 물건이나 일을 받기로 결정된 사람.
* 응찰 : 입찰에 참가함.

19. 윗글의 '경매'에 대한 설명으로 적절하지 않은 것은?

① 재화의 가치를 정확하게 평가할 수 없을 때 주로 쓴다.
② 오름 경매 방식에서는 최고가를 제시한 사람에게 낙찰된다.
③ 수요자가 재화의 가치를 서로 다르게 평가할 때 주로 쓴다.
④ 구매자와 판매자의 수가 극단적으로 불일치할 때 유용하다.
⑤ 내림 경매 방식은 구매자가 입찰금액을 제시해 경매가 시작된다.

20. ㉠과 ㉡에 대한 이해로 적절하지 않은 것은? [3점]

① ㉠은 경매에 참여한 사람이 경쟁자가 제시한 입찰 금액을 알 수 있다.
② 희소성이 있는 최고급 생두는 ㉠의 방식을 통해 가격을 결정하는 대표적 품목이다.
③ ㉡ 방식에서 낙찰 가격은 경매에서 최초로 제시된 금액보다 높아질 수 없다.
④ ㉠과 ㉡ 모두 경매에 나온 재화의 낙찰 가격을 알 수 있다.
⑤ 경매에 참가한 사람이 다수일 경우 ㉠과 ㉡ 모두 가장 먼저 응찰한 사람이 낙찰자가 된다.

21. 윗글을 바탕으로 할 때, <보기>의 ㉠～㉣에 들어갈 내용으로 적절한 것은?

<보 기>

'밀봉 입찰 경매'로 진행되는 경매에 A, B, C 세 사람이 각각 10만 원, 8만 원, 6만 원으로 입찰에 참가하였다. 이 경매가 '최고가 밀봉 경매'라면 낙찰자는 (㉠)이며 낙찰자가 지불할 금액은 (㉡)이다. '차가 밀봉 경매'라면 낙찰자는 (㉢)이며 낙찰자가 지불할 금액은 (㉣)이다.

	㉠	㉡	㉢	㉣
①	A	10만 원	A	10만 원
②	A	10만 원	A	8만 원
③	A	8만 원	B	10만 원
④	B	8만 원	B	6만 원
⑤	B	8만 원	C	6만 원

22. ⓐ～ⓔ의 사전적 의미로 적절하지 않은 것은?

① ⓐ : 목표나 기준에 맞고 안 맞음을 헤아려 봄.
② ⓑ : 자극에 빠르게 반응을 보이거나 쉽게 영향을 받음.
③ ⓒ : 어떠한 것을 받아들임.
④ ⓓ : 그러함과 그러하지 아니함.
⑤ ⓔ : 일정한 기준에 따라 전체를 몇 개로 갈라 나눔.

19회

[23~27] 다음 글을 읽고 물음에 답하시오.

(가)

우리나라의 고전 영웅 소설은 민중적 영웅 소설과 귀족적 영웅 소설로 나눌 수 있다.

민중적 영웅 소설은 미천한 처지에서 태어났지만 스스로 탁월한 능력을 지닌 주인공이 적대자와의 싸움에서 패배하는 서사 구조로 이루어져 있다. 이 유형은 구전 설화에서 흔히 볼 수 있는데 고전 소설의 경우 「임진록」의 김덕령 같은 인물이 이에 해당한다. 민중적 영웅 소설은 작품 수가 많지 않다. 비극적 영웅의 삶을 다룬 구전 설화는 널리 퍼져 있지만 소설로 많이 창작되지는 않았다.

귀족적 영웅 소설은 고대 신화에서 「홍길동전」까지 내려온 영웅의 일대기 구조를 그대로 계승하면서도 부분적으로 달라졌다. 비정상적인 출생을 통해 신성성을 드러내는 신화의 주인공을 늦게 얻은 외아들로 바꾸거나, 힘이 미약하여 시련을 겪을 수밖에 없는 주인공이 조력자의 도움을 받아 영웅으로 변신하는 점 등이 달라졌다. 주인공이 적대자의 모해 때문에 겪게 되는 뜻하지 않은 시련을 극복하면서 왕권이 위협 당하는 지배 체제의 위기도 아울러 해결하는 것으로 결말을 삼았다.

민중적 영웅 소설과 달리 귀족적 영웅 소설은 당대의 구전 설화와는 직접적인 관련을 갖지 않은 채 소설로 대단한 성공을 거두어 그 유형에 속하는 작품이 수십 편이나 창작되었다. 귀족적 영웅 소설이 인기를 누린 이유는 유교적 가치관을 토대로 흥미 위주의 사건을 설정한 데 있다. 세계를 천상과 지상으로 구분하는 이원론적 세계관을 바탕으로 선과 악의 대결을 다루면서 긴장을 조성하였다. 악의 횡포는 선한 주인공을 위기에 빠뜨리고 불행으로 몰아넣지만 결국에는 선이 승리하는 결말을 통해 도덕적 당위성을 확보하였다.

(나)

<앞부분의 줄거리> 중국 명나라 이부시랑 이익은 오랫동안 자식이 없다가 금화산 백운암의 노승에게 시주하여 대봉을 낳는다. 이후 간신 왕희의 참소로 대봉과 함께 백설도로 유배된다. 유배를 가던 중 왕희의 명령을 받은 사공들이 이익과 대봉을 물에 던진다. 바다에서 표류하다 서해 용왕이 보낸 동자의 도움으로 살아난 대봉은 금화산 백운암에서 수련하면서 세월을 보낸다.

이때에 이공자 대봉이 **금화산** 백운암에 있어 밤낮으로 공부를 부지런히 하여, 시서백가(詩書百家)와 육도삼략(六韜三略)을 모르는 바가 없더라. 세월이 여류(如流)하여 나이 이팔(二八)에 이르렀더니, 일일은 노승이 공자더러 왈,

"이제는 공자가 액운이 다하고 길운(吉運)이 돌아왔으니 빨리 경성에 올라가 공명을 이루라."

공자가 대답하기를,

[A] "소생의 궁박한 명(命)이 대사의 두터운 은혜를 입사와 칠 년을 의지하였삽더니, 오늘날 나가라 하시니 부모의 생사를 알지 못하고, 무인지경(無人之境)에 어디로 가라 하시니잇고?"

노승 왈,

[B] "공자가 이 절에서 노승과 칠 년을 동거하였사오나, 금일은 인연이 다하였으니 장차 공자의 부모를 만나고 국난(國難)을 평정하여 공을 이루소서."

말을 마치고 떠날 준비를 재촉하니, 공자 왈,

"여기서 중원(中原)*이 얼마나 되며, 어디로 가야 도달하리잇가?"

노승 왈,

"황성은 예서 일만사천 리요, **농서**는 삼천 리오니, 농서로 가오면 자연 중원을 도달하리이다."

하며 바랑을 열고 실과를 내어 주며 왈,

"서(西)로 향하여 가다가 시장하거든 이로써 요기하소서."

하고 서로 이별할 새, 피차에 연연한 정을 이기지 못하더라.

이 날 공자가 금화산을 떠나 농서로 향하다가 천문(天文)*을 살펴보니 북방 신성이 태극을 범하였거늘, 북흉노가 중국을 범하는 줄 알고 분기를 이기지 못하여 밤낮으로 바삐 달려가더라.

각설. 흉노가 대병을 거느려 상군 땅에 다달아 묵특남, 동돌수를 돌아보며 왈,

[C] "중원 산천을 보니 장부의 마음이 즐겁도다. 오늘은 비록 명 황제의 강산이나 지나는 길은 반드시 우리 천지될 것이니 어찌 즐겁지 않으리오? 중원에 비록 인물이 많다 하나 나 같은 영웅과 그대 같은 명장이 어디 있으리오?"

하며 **상군읍**에 이르러 보니, 대명(大明) 대원수 곽대의 성중에 들어 군사를 쉬게 하고 격서를 보내어 싸움을 청하거늘, 흉노가 동돌수를 불러 대적하라 하니, 동돌수 내달아 곽대의와 싸워 수합에 못하여 곽대의를 사로잡고 진중에 들어가 좌충우돌하니, 명진 장졸 장수를 잃고 적세를 당치 못할 줄 알고 성문을 열어 항복하거늘, 동돌수가 항서를 받고, 이튿날 북해 태수가 나와 항복하거늘 북지를 또 얻고, 이튿날 진주를 얻고, 또 이튿날 건주를 쳐 얻고, 하북에 다다르니 절도사 이동식이 군사를 거느려 대적하다가 패하여 달아나거늘 하북을 얻고, 군사를 재촉하여 여러 날 만에 기주에 이르니 자사가 대적하다가 도망하거늘, 흉노의 장졸이 **기주성** 안에 들어가 자칭 천자라 하고 군사로 하여금 인민의 쌀과 곡식을 노략질하니, 그 때 백성이 다 견디지 못하여 도망하더라.

(중략)

각설. 이때는 기축 정월 초순이라. 천자가 **금릉**으로 피란하였다가 적세 급함을 당치 못할 줄 알고 성문을 굳게 닫고 종시 접전치 아니하더니, 적장 묵특남이 군사를 몰아 사면으로 점점 싸고 철기 오천을 거느려 성문을 깨치고 성중에 들이 달아 좌우충돌하며 명진 장졸을 습격하여 죽이니, 명진의 군량이 다 떨어지고 기운 피곤하여 능히 접전치 못하는지라. 우승상 왕희와 병부상서 진택이 황제께 주하되,

"사세 가장 위급하오니 바라옵건대 황상은 항복하옵소서."

천자가 마지못하여 옥새를 끌러 목에 걸고 진문 밖에 나아가 용포 소매를 들어 옥루를 씻으며 하늘을 우러러 통곡 왈,

"구주 강산이 흉노의 땅이 되고 종묘 사직이 오늘날 망케 되었으니 어찌 통분치 아니 하리오? 원수 장계운이 만일 있더면 어찌 이 욕을 당하리오?"

하시니, 좌우제장과 만조백관이 누가 아니 통곡하리오? 흉노는

장대에 높이 앉아 승전고를 울리며 항복함을 재촉하는 호령이 눈서리같이 엄한지라.

이때 대봉이 점점 오며 바라보니 천자께서 흰 옷에 흰 띠를 두르고 진문 밖에 나와 통곡하시고 제장 군졸이 다 우는지라. 이 경상 보매 분한 기운이 하늘을 찌를 듯하니 눈을 부릅뜨고 소리를 벽력같이 지르며 청룡언월도를 비껴 적진에 달려들어 크게 꾸짖어 왈,

"역적 흉노야! 네가 중원을 침범하기도 죽음을 면치 못하거든 감히 천자를 핍박하니 하늘이 두렵지 아니하랴? 나는 대국 충의장군 이대봉이라. 나의 청룡도로 반적의 머리를 베어 우리 황상의 분을 풀리라."

하고 청룡도를 들어 적장의 머리를 풀 버히듯 하니, 묵특남이 정신을 수습치 못하여 피하고자 하거늘, 다시 칼을 들어 묵특남의 머리를 베어 칼 끝에 꿰어 들고 좌충우돌하니, 군중이 크게 어지러워 죽는 자 태반이라.

– 작자 미상, 「이대봉전」 –

* **중원** : 중국의 황허 강 중류의 남부 지역. 흔히 한때 군웅이 할거했던 중국의 중심부나 중국 땅을 가리킴.
* **천문** : 우주와 천체의 온갖 현상과 그에 내재된 법칙성.

23. (가)를 이해한 내용으로 적절하지 않은 것은?

① 귀족적 영웅 소설은 유교적 이념을 바탕으로 하고 있다.
② 귀족적 영웅 소설에 비해 민중적 영웅 소설은 많이 창작되지 않았다.
③ 귀족적 영웅 소설은 선한 주인공이 승리하는 결말을 통해서 도덕적 당위성을 드러내고 있다.
④ 민중적 영웅 소설의 주인공은 미천한 신분이지만 적대자와의 대결에서 승리하는 인물이다.
⑤ 신화에 나타나는 주인공의 비정상적인 출생은 귀족적 영웅 소설에서 변형되어 계승되고 있다.

24. (나)에 대한 설명으로 가장 적절한 것은?

① 내적 독백을 활용하여 인물의 갈등을 드러내고 있다.
② 현실과 꿈을 교차하여 사건을 입체적으로 드러내고 있다.
③ 배경 묘사를 통해 인물의 심리를 간접적으로 제시하고 있다.
④ 사건을 요약적으로 제시하여 전개 속도를 빠르게 하고 있다.
⑤ 장면에 따라 서술자를 달리하여 사건이 새로운 국면으로 전환되고 있다.

25. [A]~[C]의 말하기 방식에 대한 설명으로 가장 적절한 것은?

① [A]는 과거의 일을 언급하며 상대방의 요청을 긍정적으로 수용하고 있다.
② [B]는 상황의 불리함을 내세워 자신의 요청에 대한 상대방의 동의를 구하고 있다.
③ [B]는 과거와 현재의 상황을 언급하며 미래에 해결해야 할 과제를 상대방에게 당부하고 있다.
④ [C]는 자신의 권위를 내세우며 상대방에게 굴복을 강요하고 있다.
⑤ [C]는 미래 상황을 예측하며 상대방의 태도 변화를 요구하고 있다.

26. (나)의 공간적 배경을 다음과 같이 도식화할 때, ⓐ~ⓔ에 대한 설명으로 적절하지 않은 것은?

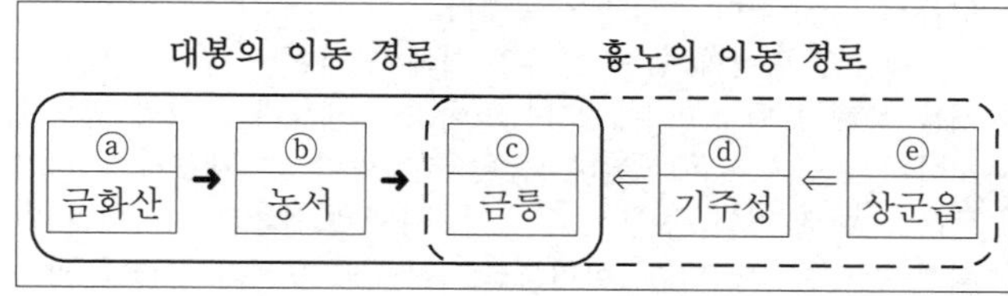

① 대봉은 ⓐ에서 수련을 하여 세상에 나아갈 능력을 갖추었다.
② 대봉은 ⓑ로 가던 도중 천문을 살펴보고 나라가 위기에 빠졌음을 알게 되었다.
③ 흉노의 공격을 방어하지 못한 천자는 ⓒ로 피란하여 대봉을 기다렸다.
④ 흉노가 ⓓ에 쳐들어가 노략질을 하자 백성들은 견디지 못하여 도망갔다.
⑤ 명나라 군사는 ⓔ에서 흉노와 싸웠지만 패하여 항복하였다.

27. (가)를 바탕으로 (나)를 감상한 내용으로 적절하지 않은 것은? [3점]

① 대봉이 흉노를 물리치는 것을 통해 지배 체제의 위기를 해결하는 모습을 보여주는군.
② 신하들이 천자에게 항복을 권하는 사건은 대봉이 적대자의 모해로 겪는 시련으로 이어지는군.
③ 노승에게 칠 년 동안 의지하였다는 대봉의 말을 통해서 노승이 대봉의 조력자임을 알 수 있군.
④ 대봉이 금릉으로 가서 천자를 구하고자 하는 것은 유교적 가치인 충을 실천하는 행위로 볼 수 있군.
⑤ 중원을 차지하려는 흉노와 이에 맞서는 대봉의 대결을 통해 당대의 독자들에게 긴장감을 불러일으켰겠군.

19회

[28~32] 다음 글을 읽고 물음에 답하시오.

인체는 70%가 수분이다. 수분은 인체의 세포를 유지하고 세포가 일을 하면서 생성하는 여러 가지 노폐물을 배출하는데 관여한다. 인체의 세포는 일종의 화력 발전소이다. 연기가 나지 않을 뿐이지 들어오는 음식을 잘 분해하고 연소시켜서 에너지를 만든다. 몸은 이 에너지를 이용하여 축구도 하고 달리기도 한다. 이때 여러 가지 노폐물이 발생하는데, 이 노폐물들을 인체 밖으로 내보내야 한다. 그래야만 몸이 늘 일정한 상태, 즉 항상성을 유지하게 된다. 노폐물을 몸 밖으로 내보내는 역할은 주로 신장이 한다.

㉠ 신장의 주 역할은 노폐물을 걸러내어 오줌으로 내보내는 것이다. 이 일이 진행되는 곳은 네프론이라는 장치인데, 신장 하나에 100만 개 정도가 있다. 네프론은 사구체, 보먼주머니, 세뇨관으로 이루어지는데 이곳에서 노폐물이 여과되고 필요한 영양분, 즉 포도당, 수분 등이 재흡수되기도 한다. 포도당은 100% 재흡수되는데, 당이 재흡수되지 않고 소변에 섞여 나오면 당뇨병을 의심해 볼 수 있다. 몸 안의 수분량에 따라 수분을 재흡수하는 양이 결정되므로 몸 안의 수분이 적으면 배출하는 수분의 양을 줄인다. 이 때문에 소변이 노랗게 되는데 이것은 몸의 수분이 적다는 신호이다.

노폐물은 혈액의 압력 차이에 의해 모세혈관 덩어리인 사구체를 통해 보먼주머니에 모이고 이것이 세뇨관을 거쳐 방광에 모아져 오줌으로 배설된다. 물론 분자량이 큰 세포나 단백질 등은 그대로 혈액 속에 남아 있다. 이때 노폐물뿐만 아니라 인체에 필요한 무기염류, 아미노산, 물 등도 혈액의 압력에 의해 보먼주머니로 나온다. 보먼주머니에 모인 물질 중 필요한 것은 세뇨관에서 다시 모세혈관 속으로 재흡수된다. 이와 같이 신장은 신체 내의 노폐물을 몸 밖으로 내보내는 여과와 필요한 것은 계속 사용할 수 있게 하는 재흡수의 기능으로 우리 몸을 항상 일정 상태로 유지한다. 이러한 중요한 역할을 하는 신장에 이상이 생기면 우리 몸은 중대 위기에 봉착한다.

신장 기능에 이상이 생기면 인체에 여러 가지 문제가 생긴다. 우선 노폐물이 걸러지지 않고 농도가 높아짐으로써 세포가 제대로 작용을 하지 못하게 되고, 얼굴이 붓는 증상에서부터 신장이 제 기능을 못하는 신부전증의 단계에까지 이른다. 이러한 경우 생명이 위험해진다. 물론 신장 이식 등의 방법도 있지만, 기증자가 나타나지 않으면 인공 신장에 의지해야 한다. 신부전 환자는 한 번에 4~5시간은 소요되는 괴로운 혈액 투석을 일주일에 서너 번씩 해야 한다.

사실 ㉡ 인공 신장은 정확한 말이 아니다. 인공 신장이라면 신장을 대신하여 몸 안에 장착하여 계속 쓸 수 있어야 하는데, 여기서 말하는 인공 신장이란 일종의 혈액 투석기이다. 즉 체외에서 신장의 기능인 노폐물의 여과 기능을 대신하는 수단이다.

인공 신장에서는 노폐물인 요소 등을 제거해야 하는데 요소가 제거되는 근본 원리는 물질의 농도 차이이다. 물이 담긴 컵에 잉크 한 방울을 떨어뜨렸을 때, 잉크가 ㉢ 퍼져 나가는 것은 컵 속의 잉크 농도를 균일하게 하려는 성질 때문이다. 노폐물인 요소도 농도가 높은 곳에서 낮은 곳으로 이동한다. 인공 신장에서도 같은 원리로 노폐물이 제거된다. 즉 반투막을 사이에 두고 한쪽에는 노폐물이 있는 혈액을 통과시키고 다른 한쪽에는 노폐물이 없는 투석액을 통과시키면 노폐물은 농도 차이에 의해 농도가 높은 혈액에서 낮은 투석액으로 이동한다. 물론 혈액 속의 세포들과 분자량이 큰 단백질 등은 반투막을 통과하지 못하므로 다시 몸속으로 들어간다. 또한 무기염류, 포도당 등이 빠져나가지 않게 하려면, 반투막을 중심으로 양쪽이 같은 농도가 되도록 하면 된다.

실제 병원에서 쓰이는 혈액 투석기는 가는 여과관이 여러 개 모여 있는 구조의 중공사막*을 사용한다. 가는 여과관이 수백 개 다발로 있기 때문에 빠른 속도로 투석을 진행할 수 있다. 혈액이 흐르는 방향과 투석액이 흐르는 방향이 같으면 처음에는 노폐물 농도 차이가 있어서 노폐물이 이동하지만 농도가 비슷해지면 노폐물의 이동이 줄어든다. 따라서 혈액과 투석액이 서로 반대 방향으로 흐르도록 해 노폐물의 농도 차이가 일정하게 유지되도록 한다.

* **중공사막** : 사람의 혈액을 걸러주는 인공신장 투석기의 필터.

28. 윗글에 대한 설명으로 가장 적절한 것은?

① 혈액의 구성 물질을 소개하고, 각각의 기능이 무엇인지 설명하고 있다.
② 인공 신장의 구조와 원리를 제시하고, 인공 신장의 발전 과정을 설명하고 있다.
③ 신장 기능의 이상에 따른 결과를 제시하고, 다른 장기에 미치는 영향을 살피고 있다.
④ 인체의 노폐물 여과 과정을 설명하고, 인공 신장의 혈액 여과 원리를 제시하고 있다.
⑤ 신장을 이식하는 방법과 의학적인 한계를 설명하고, 이에 대한 대안을 제시하고 있다.

29. 윗글을 통해 알 수 있는 내용으로 가장 적절한 것은?

① 소변에 당이 섞여 배출되면 소변 색이 노랗게 된다.
② 신장은 무기염류, 아미노산 등을 노폐물과 함께 몸 밖으로 배출한다.
③ 인체에 필요한 단백질은 사구체에서 여과된 후 모세혈관으로 재흡수된다.
④ 걸러진 노폐물은 세뇨관을 통해 보먼주머니에 모아져 오줌으로 배설된다.
⑤ 세포가 생성하는 여러 가지 노폐물을 제거해야 인체의 항상성을 유지할 수 있다.

30. ㉠과 ㉡에 대한 설명으로 적절한 것은? [3점]

① ㉠과 ㉡ 모두 인체의 수분을 늘리는 기능이 있다.
② ㉠과 ㉡ 모두 여과한 물질을 다시 흡수하는 기능이 있다.
③ ㉠과 ㉡ 모두 혈액 속의 요소 성분을 제거하는 기능을 한다.
④ ㉠은 농도의 차이로, ㉡은 압력의 차이로 노폐물을 걸러 낸다.
⑤ ㉠의 기능에 이상이 생겼을 때, ㉡을 환자의 체내에 이식한다.

31. 윗글을 바탕으로 <보기>의 '혈액 투석기'를 이해한 내용으로 적절하지 않은 것은?

<보 기>

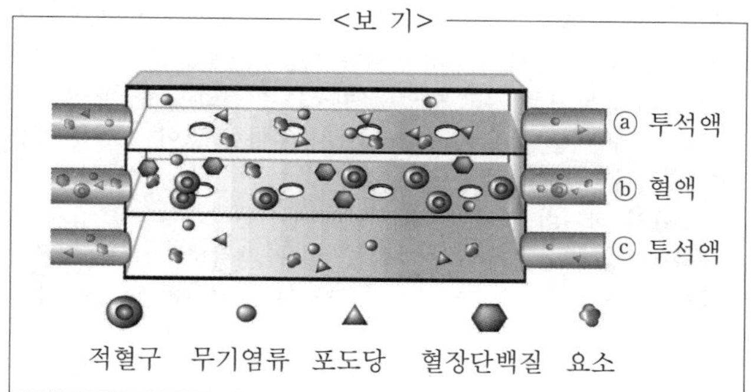

① ⓐ와 ⓒ의 요소 농도는 ⓑ보다 높다.
② ⓐ와 ⓑ, ⓑ와 ⓒ 사이의 막은 반투막이다.
③ ⓐ, ⓑ, ⓒ의 무기염류, 포도당 농도는 같다.
④ ⓐ와 ⓒ는 ⓑ와 반대 방향으로 흐른다.
⑤ ⓐ와 ⓑ, ⓑ와 ⓒ 사이에서 세포와 단백질은 이동하지 않는다.

32. 밑줄 친 단어 중 ㉢과 문맥적 의미가 가장 유사한 것은?

① 꽃향기가 방 안에 퍼져 있다.
② 라면이 푹 퍼져서 탱탱 불었다.
③ 사람들은 목적지에 도착하자 푹 퍼졌다.
④ 강의 하류에는 삼각주가 넓게 퍼져 있다.
⑤ 그의 자손들은 전국에 널리 퍼지게 되었다.

[33~35] 다음 글을 읽고 물음에 답하시오.

지휘자와 오케스트라가 베토벤의 교향곡을 소리로 재현해 내지 않는다면 베토벤의 명곡은 결코 우리 앞에 '생생한 소리'로서 존재할 수 없다. 지휘자와 오케스트라가 작곡가의 악보를 소리로 바꾸는 과정에서 '**음악 해석**'이라는 것이 이루어진다. 지휘자는 자신의 음악적 관점을 리허설을 통해 전달하고, 여러 가지 손동작과 표정, 몸짓 등으로 감정을 표현하거나 음악의 느낌을 단원들에게 전달하며 훌륭한 연주를 이끌어 낸다. 그 순간 지휘자는 단지 박자만 맞추는 것이 아니라 음악을 해석하고 있는 것이다.

일반인들에게 음악 해석이란 말은 조금 낯설지도 모른다. 엄연히 작곡가가 남긴 악보가 있고, 지휘자나 연주자는 악보에 써 있는 대로 음악을 지휘하거나 연주를 하면 될 테니 연주의 차이도 거기서 거기 아니냐고 할 수도 있다. 하지만 막상 악보를 보고 연주를 해보면 이것이 간단한 문제가 아니라는 것을 알게 된다. 가령 '점점 느리게 연주하라'는 뜻의 '리타르단도'라든가 '점점 빠르게 연주하라'는 뜻의 '스트린젠도'라는 기호가 나타났을 때 과연 어디서부터 어떻게 느려져야 하고 어떻게 빨라져야 할까? 작곡가가 아무리 악보를 정교하게 그린다해도 작곡가는 연주자들에게 자신이 의도한 음악을 정확하게 전달해 낼 수 없다. 이것이 바로 '악보의 불완전성'이며 이 불완전성이야말로 다양한 음악 해석을 가능하게 한다.

그럼 베토벤의 「교향곡 5번」이 지휘자의 관점에 따라 얼마나 다르게 연주될 수 있는지 살펴보자. 1악장 도입부만 해도 지휘자마다 천차만별이다. 베토벤 「교향곡 5번」을 여는 '따따따딴~'의 네 음은 베토벤의 운명이 문을 두드리는 소리라고 해서 흔히 '운명의 동기'라고 불린다. 운명의 동기가 나타나는 1악장의 첫 페이지에 베토벤은 '알레그로 콘 브리오' 즉 '빠르고 활기 있게' 연주하라고 적어 놓았다. 그리고 그 옆에는 정확한 템포를 지시하기 위해 2분 음표를 메트로놈 108로 연주하라고 적어 놓았다. 1악장은 2/4박자의 곡이므로 2분 음표의 템포는 곧 한 마디의 템포인 셈인데, 한 마디를 메트로놈 108의 속도로 연주한다는 것은 연주자들을 긴장시킬 만한 매우 빠른 템포이다.

하지만 정확하고 무자비하기로 유명한 지휘자 토스카니니는 정확하게 베토벤이 원하는 템포 그대로 운명의 동기를 연주한다. 그리고 운명의 동기를 반복적으로 구축하며 운명이 추적해 오는 것 같은 뒷부분도 사정없이 몰아친다. 그의 해석으로 베토벤 음악의 추진력은 더욱 돋보인다.

반면 음악을 주관적으로 해석하기로 유명한 푸르트벵글러는 베토벤이 적어 놓은 메트로놈 기호에 별로 신경을 쓰지 않았다. 푸르트벵글러의 지휘로 재탄생한 운명의 노크 소리는 매우 느린 템포로 연주된다. 그럼에도 불구하고 한 음 한 음 힘 있고 또렷하게 표현된 그 소리는 그 어느 노크 소리보다 가슴을 울리는 웅장함을 담고 있다. 두 번째 노크 소리의 여운이 끝나기가 무섭게 시작되는 '운명의 추적' 부분에서도 푸르트벵글러는 이 작품에 대한 독특한 시각을 보여 준다. 그는 여기서 도입부의 느린 템포와는 전혀 다른 매우 빠른 템포로 음악을 이끌어 가면서 웅장하게 표현된 운명의 동기와는 대조적으로 더욱 긴박감 넘치는 운명의 추적을 느끼게 한다. 푸르트벵글러는 비록 1악장 도입부에서 베토벤이 적어 놓은 메트로놈 기호를 지키지는 않았다. 하지만 도입부에 나타난 두 번의 노크 소리를 느리고 웅장하게 연주한 후 뒷부분의 음악은 빠르고 긴박감 넘치게 이끌어 감으로써 베토벤 음악이 지닌 웅장함과 역동성을 더욱 잘 부각시키고 있다. 그렇다면 푸르트벵글러의 해석이 틀렸다고 할 수 있을까? 악보에 충실하고자 했던 토스카니니와 악보 너머의 음악적 느낌에 더 충실하고자 했던 푸르트벵글러 중 누가 옳은 것일까?

음악에선 틀린 음을 연주하는 것 이외에 틀린 것이란 없다. 틀린 것이 아니라 다른 것이다. 여러 가지 '다름'을 허용하는 것이야말로 클래식 음악을 더욱 생동감 넘치는 현재의 음악으로 재현하는 원동력이 된다.

19회

33. 윗글의 논지 전개 방식으로 가장 적절한 것은?

① 화제의 변천 과정을 역사적으로 살펴보고 있다.
② 낯선 개념을 익숙한 대상에 빗대어 설명하고 있다.
③ 다양한 관점을 소개하면서 절충안을 모색하고 있다.
④ 구체적인 사례를 들어 화제에 대한 이해를 돕고 있다.
⑤ 대상에 대한 서로 다른 관점의 장·단점을 비교하고 있다.

34. '음악 해석'에 대한 이해로 적절하지 않은 것은?

① 동일한 곡이라도 지휘자마다 연주자에게 다른 요구를 할 수 있다.
② 악보를 통해 작곡가의 의도를 연주자에게 완벽하게 전달하기는 어렵다.
③ 작곡가가 악보에 자신의 의도를 정확하게 담았다면 음악 해석은 불필요하다.
④ 음악 해석은 지휘자나 연주자가 작곡가의 악보를 소리로 재현할 때 이루어진다.
⑤ 지휘자는 동작이나 표정을 통해 연주자들에게 자신이 해석한 음악의 느낌을 전달한다.

35. 윗글을 바탕으로 <보기>에 대해 보인 반응으로 적절하지 않은 것은? [3점]

<보 기>

베토벤 당시의 호른으로는 재현부에서 C장조로 낮아진 제2주제의 팡파르를 연주할 수 없었다. 그래서 베토벤은 자신의 「교향곡 5번」 1악장 재현부에서 제2주제 팡파르를 호른과 음색이 가장 유사한 목관 악기인 바순으로 연주하도록 했다. 그러나 19세기에 관악기의 개량이 이루어지면서 어떤 음이든 연주할 수 있는 호른이 널리 보급되었다. 그러자 어떤 지휘자들은 베토벤 「교향곡 5번」 1악장의 재현부에서 제2주제 팡파르를 호른으로 연주해야 한다고 주장했다. 하지만 어떤 지휘자들은 베토벤이 악보에 적어 놓은 그대로 바순의 연주를 고집했다.

① 베토벤은 당시 악기의 한계 때문에 자신이 의도한 바를 정확하게 구현하지 못했겠군.
② 토스카니니는 베토벤이 악보에 적어 놓은 그대로 바순으로 연주하는 데 동조했겠군.
③ 자신의 음악 해석에 따라 호른이나 바순 이외의 악기로 연주하는 지휘자도 있을 수 있겠군.
④ 호른으로 연주를 해야 한다고 주장한 지휘자들은 악보에 충실한 음악 해석을 중요시했겠군.
⑤ 윗글의 글쓴이는 바순과 호른 중 어떤 악기로 연주해도 그 지휘자의 연주가 틀렸다고는 생각하지 않겠군.

[36~39] 다음 글을 읽고 물음에 답하시오.

(가) 학창 시절에는 유별나게도 학년이 바뀌고 반이 바뀌어 친구들과 뿔뿔이 흩어져야 하는 신학기가 싫었다. 마음으로 간절히 원했던 친구는 거의 언제나 다른 반으로 가 버렸고, 한 반이 되지 않기를 빌고 빌었던 친구는 어김없이 한 반으로 편성되곤 하는 불행 아닌 불행 앞에서 얼마나 많이 속상해 했는지 모른다.

그래서 학년이 바뀌면 처음 얼마 동안은 늘 마음을 잡지 못했다. 아침에 눈을 떠 학교에 갈 일을 생각하면 가슴 한쪽이 싸늘해지곤 하던 그 느낌을 지금도 나는 선연히 떠올릴 수가 있다.

(중략)

이제는 반이 나뉘고 새로운 급우들한테서 낯섦을 실컷 맛봐야 하는 신학기 따위는 영영 내 곁에서 사라졌다. 그 대신 사랑하고 믿어 주는 것보다 시기하고 미워하며, 또는 빼앗고 속이는 일이 더 많은 황폐한 세상살이에 낯가림하며 사는 나날 속으로 내던져지고 말았다.

망망대해를 헤매는 것처럼 힘든 인생의 항해는 신학기 잠시의 외로움을 극복하는 일 따위와는 비교도 할 수 없을 만큼 두려움 가득한 일이다. 삶은 고난 투성이고 끝없는 인내를 요구하기만 하는데, 홀로 헤치는 ㉠ <u>파도</u>는 높고 거칠기만 한 것이다.

바로 이때에 영혼을 함께 나눌 친구가 절실히 필요해진다. 인생이란 험난한 항해를 같이 겪고 있다는 동지애를 느낄 수 있는 친구, 혹은 내 삶의 따뜻한 동반자라는 느낌이 전해져 오는 친구와 같이 있는 시간에는 이 세상도 한번 살아 볼 만하다는 용기가 솟는다. 그런 친구와 돈독한 우정을 서로 교환하고 있는 이들이라면, 적어도 실패한 삶은 아니라고 단정할 수 있는 것이다.

살아가면서 그런 우정을 가꾸는 이들을 종종 만난다. 비록 나의 친구는 아니지만 그 모습을 보는 일은 참 아름답다. 언젠가 친구가 사업에 실패해서 낙향하여 쓸쓸히 살아가는 것을 안쓰러워하다 못해 자기도 다니던 직장을 정리하고 가족과 함께 시골로 내려가 친구 옆에서 땅을 일구는 사람을 만난 적이 있었다.

이미 결혼하여 각각의 식솔을 이끌고 있는 두 사람한테는 참으로 어려운 결정이었겠지만, 양쪽 집의 가족들 모두는, 한결같이 이렇게 말하였다. 냉혹한 이 세상에 대항하기 위해 두 집이 힘을 합쳤으니 얼마나 든든하냐고.

누군가는 말했다. 친구 없이 사는 일만큼 ㉡ <u>무서운 사막</u>은 없다고. 또 누군가는 말했다. 친구 없이 사는 것은 증인 없이 사라지는 일이라고.

– 양귀자, 「사막을 같이 가는 벗」 –

(나) 우리가 눈발이라면
허공에서 쭈빗쭈빗 흩날리는
㉢ <u>진눈깨비</u>는 되지 말자.
세상이 바람 불고 춥고 어둡다 해도
사람이 사는 마을
가장 낮은 곳으로
따뜻한 ㉣ <u>함박눈</u>이 되어 내리자.
우리가 눈발이라면

잠 못 든 이의 창문 가에서는
편지가 되고
그이의 ⓜ깊고 붉은 상처 위에 돋는
새살이 되자.

- 안도현, 「우리가 눈발이라면」 -

(다) 벼는 서로 어우러져
기대고 산다.
햇살이 따가워질수록
깊이 익어 스스로를 아끼고
이웃들에게 저를 맡긴다.

서로가 서로의 몸을 묶어
더 튼튼해진 백성들을 보아라.
죄도 없이 죄지어서 더욱 불타는
마음들을 보아라. 벼가 춤출 때,
벼는 소리 없이 떠나간다.

벼는 가을 하늘에도
서러운 눈 씻어 맑게 다스릴 줄 알고
바람 한 점에도
제 몸의 노여움을 덮는다.
저의 가슴도 더운 줄을 안다.

벼가 떠나가며 바치는
이 넓디넓은 사랑,
쓰러지고 쓰러지고 다시 일어서서 드리는
이 피 묻은 그리움,
이 넉넉한 힘…….

- 이성부, 「벼」 -

36. (가) ~ (다)에 대한 설명으로 가장 적절한 것은?

① (가)와 (나)는 계절적 배경을 드러내는 소재를 통해 경건한 분위기를 형성하고 있다.
② (가)와 (다)는 구체적 지명을 제시하여 향토성을 드러내고 있다.
③ (가)와 (다)는 대상을 의인화하여 말을 건네는 방식으로 친근감을 드러내고 있다.
④ (나)와 (다)는 동일한 시어를 반복하여 시적 의미를 강조하고 있다.
⑤ (나)와 (다)는 명사형으로 마무리함으로써 독자에게 여운을 주고 있다.

37. ㉠ ~ ㉤에 대한 이해로 적절하지 않은 것은?

① ㉠: 글쓴이가 세상살이에서 헤쳐 나가야 할 고난을 의미한다.
② ㉡: 글쓴이에게 부정적 의미의 공간으로 인식되고 있다.
③ ㉢: '함박눈'과 대조적인 의미를 지닌 시어이다.
④ ㉣: '편지', '새살'처럼 세상에 필요한 존재이다.
⑤ ㉤: 화자에게 그리움을 불러일으키는 매개체이다.

38. (가)를 <보기>와 같이 구조화할 때, 이해한 내용으로 적절하지 않은 것은?

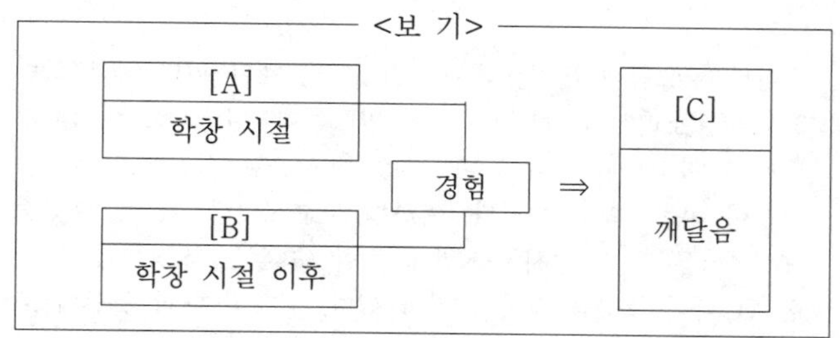

① [A]: 글쓴이는 신학기 때 원했던 친구들과 반이 달라져 낯섦과 외로움을 경험했다.
② [B]: 글쓴이는 [A]보다 세상살이가 더 힘들다는 것을 절실하게 경험했다.
③ [B]: 글쓴이는 사업에 실패해서 낙향한 친구와 함께 시골에서 돈독한 우정을 나누었다.
④ [B]: 글쓴이는 주변 사람들의 모습을 통해 힘든 삶을 함께 헤쳐 나갈 친구가 있다면 실패한 삶은 아니라고 생각했다.
⑤ [C]: 글쓴이는 [B]의 경험을 통해 힘들 때 진정한 우정을 나눌 수 있는 친구의 필요성을 느꼈다.

39. <보기>를 바탕으로 (다)에 드러난 벼의 속성을 민중의 모습과 연결했을 때, 적절하지 않은 것은?

<보 기>

이성부의 「벼」는 벼의 속성을 민중과 연결시켜 희생과 인내를 통해 고난에 대응하는 민중의 강인한 생명력을 보여 주고 있다. 이를 통해 고통스러운 현실에 분노와 절망을 느끼면서도 자신의 내면을 다스리고 서로 단결하는 공동체 의식을 보여 주고 있는 것이다.

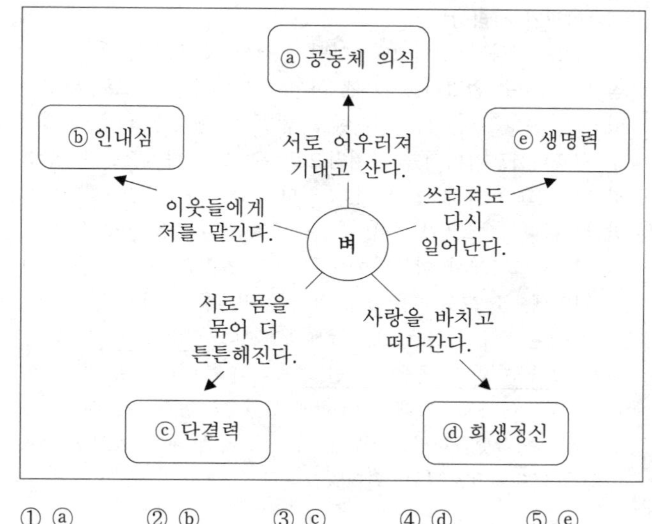

① ⓐ ② ⓑ ③ ⓒ ④ ⓓ ⑤ ⓔ

[40~42] 다음 글을 읽고 물음에 답하시오.

미안하구나.

아버진 그렇게 얘기했다. 또 그 소리. 내가 일만 한다 하면 늘 같은 소리였다. 처음엔 들을 만했는데, 결국 들으나마나가 돼버린 지 오래다. 나이 마흔다섯에 시간당 삼천오백 원, 즉 그것이 아버지의 산수였다. 여하튼 무슨 상사(商社)에 다녔는데, 여하튼 '무슨 상사'라고밖에 말할 수 없는 직장이었다. 딱 한 번 나는 그곳을 찾아간 적이 있다. 중학생 때의 일인데 도시락을 갖다 주는 심부름이었다. 약도가 틀렸나? 엄마가 그려 준 약도를 몇 번이고 확인하며 근처의 골목을 서성이고 서성였다. 간신히 찾아낸 아버지의 사무실은–여하튼 그곳에 있기는 한, 그런 ⓐ 사무실이었다. 쥐들이 다닐 것 같은 어둑한 복도와, 형광등과, 칠이 벗겨진 목조의 문. 혹시 외국(外國)인가? 라는 생각이 들 만큼이나 '을씨년'스러운 곳이었다. 깜짝이야. 그런 단어가 머릿속에 있었다니. 넉넉한 환경은 아니어도, 제법 메탈리카 같은 걸 듣던 시절이었다. 그래도 세상은 뭔가 ESP 플라잉브이('메탈리카'가 사용한 기타의 모델명)와 같은 게 아닐까, 막연한 생각을 나는 했었다. 했는데, 해서 문을 열고 들어서자–꼬박꼬박 도시락만 먹어온 얼굴의 아버지가 가냘픈 표정으로 사무를 보고 있었다. 아버지, 저 왔어요.

원래 좀 노는 편이었는데, 이상하게 그날 이후 나는 조용한 소년이 되어 버렸다. 뭐랄까, 그때는 몰랐지만–그 순간 마음속에 <나의 산수>와 같은 게 생겨났기 때문이었다. 아마도 그랬다고, 지금의 나는 생각한다. 그것은 슬픈 일도 기쁜 일도 아니었으며, 누구를 원망할 성질의 것은 더더욱 아니었다. 그저, 말 그대로 수(數)였던 것이다. 말수가 줄어든 대신, 나는 열심히 알바를 하고 돈을 모으기 시작했다. 야, 세상은 한 방이야.–어울리던 친구들이 안쓰럽단 투로 말했지만, 나는 알고 있었다. 결국 이들도 같은 산수를 할 수밖에 없단 사실을. 넌 뭘 할 건데? 나? 글쎄 요샌 연예계가 어떨까 싶어.

(중략)

그 겨울의 어느 날이었다.

아버지가 사라졌다.

정말로 사라진 것이었다. 어떤 조짐도 보이지 않았고, 어떤 짐작도 할 수 없었다. 처음엔 사고가 아닌가 백방으로 뛰어다녔지만, 사고의 흔적은 어디에도 없었다. 행적에 대해 말해줄 수 있습니까? 아버지를 마지막으로 본 것은 나였으므로, 당연히 나는 그에 대해 할 말이 있었다. 그날 아침 ⓑ 전철역에서 만났습니다. 전철역에서요? 네, 아버지는 출근을 하는 길이었고, 저는 그곳에서 아르바이트를 하고 있었습니다. 종종 만나는 편인데, 늘 그랬듯 그날도 역시 아버지를 밀어 드렸습니다. 뭐 특이한 점은 없었나요? 글쎄요… ㉠ 그러고 보니 '잠깐만, 다음 걸 타자'하고 몸을 한 번 뺐습니다. 그런 적은 처음이었나요? 네, 아마도. 그래서 어떻게 했나요? 힘드신가 보다, 라고 쉽게 생각했습니다. 그래서 다음 열차에 태워 보냈습니다. 순순히 타던가요? 그런, 편이었습니다.

그리고 그것이, 아버지의 마지막 모습이었다. 아버지는 회사에도 가지 않았고, 집으로도 오지 않았다. 말 그대로의, 실종. ㉡ 경찰은 요즘 그런 사람들이 꽤 있다는 말로 나를 위로했지만, 그런 사람들이 꽤 있다고 해서 위로가 될 리 없었다. 그 후의 기억은… 잘 정리가 되지 않는다. 나는 아버지의 회사를 상대로 밀렸던 두 달치 임금을 받아냈고, 이는 보통 힘든 일이 아니었고, 이런저런 서류를 마련해 할머니를 관인 '사랑의 집'에 보내고, 이 또한 정말 까다롭고 힘든 일이었으며, 경찰서와 병원을 꾸준히 오고, 가고, 또 여전히 일을 했다, 해야만 했다. 때로 새벽의 전철에 지친 몸을 실으면, 그래서 나는 어둠 속의 누군가에게 몸을 떠밀리는 기분이었다. 밀지 마, 그만 밀라니까. 왜 세상은 온통 '푸시'인가. 왜 세상엔 <풀맨>이 없는 것인가. 그리고 왜, 이 열차는

삶은, 세상은, 언제나 흔들리는가. 그렇게

흔들리던 겨울이 가고, 봄이 왔다. 봄은 금성인과 화성인이 모두 부러워할 만큼이나 근사한 계절이었다. 끝내 아버지는 돌아오지 않았지만, 대신 어머니의 의식이 기적처럼 돌아왔다. ㉢ 의식이 돌아왔다는 사실보다도, 퇴원을 할 수 있다는 사실이 기뻐 나는 울었다. 글쎄 그 정도의 서러운 이유라면, 누구나 눈물이 나오지 않았을까? 이제 재활 치료만 받으면 됩니다. 의사란 사람이, 그렇게 얘기했다. 재활 치료만 받으면 되는 거겠지. 의사란 사람이, 그렇게 말했으니.

그렇게 우리 집은 다시금 숨을 트고 있었다. 아버지가 사라졌지만 할머니란 짐을 덜게 된 까닭으로, 또 엄마가 스스로 자신의 병원비를 번 까닭으로–그대로, 그렇게. 근처의 지붕에서 지켜본다면, 아마도 그것은 잔디의 작은 싹이 움을 튼 모습과 비슷한 광경이었을 것이다. 살아, 있다. ㉣ 무사하진 않았지만, 그래도 유사한 산수를 할 수 있단 것은 얼마나 큰 삶의 축복인가. 사라지기 전에, 사라지기 전에 말이다.

봄이 얼마나 완연한 날이었을까. 일을 마친 나는 잠시 역사의 벤치에서 졸다가–깊고, 완연한 잠을 자 버리고 말았다. 그리고 눈을 떴다. 목이 말랐다. 여느 때처럼 미린다 한 잔을 마시고 나자, 탄산수처럼 쏘는 느낌의 봄볕이 피부를 찔러 왔다. 당연히 <얼음 없음>인 봄볕 속에는, 그래서 그만큼의 온기가 더 스며 있었다. 아아, 마치 기지개처럼 나는 다릴 뻗고 고갤 젖혔다. 여전히 구름은 흘러가고 지구는 돌고, 그리고 다시 고개를 들었는데–건너편 플랫폼의 지붕 부근에 떠 있는 이상한 얼굴 하나가 눈에 들어왔다. 저것은 설마

기린이 아닌가. 그것은 정말 한 마리의 기린이었다. 기린은 단정한 차림새의 양복을 입고, 플랫폼의 이곳저곳을 천천히 거닐고 있었다. 오전의 역사는 한가했고, 아무리 한가해도 그렇지–사람들은 그럴 수도 있지 뭐,의 표정으로 그닥 신경을 쓰지 않는 눈치였다. 이거야 원, 누군가 한 사람은 긴장을 해야 하는 게 아닌가,란 생각으로 나는 기린을 예의, 주시했다. 끄덕끄덕 머리를 흔들며 걷던 기린이 코너 근처의 벤치 앞에서 멈춰 섰다. 그리고, 앉았다. 그것은 그리고, 앉았다,라고 해야 할 만큼이나 분리되고, 모션이 큰 동작이었다. 이상하게도 그

순간, 나는 기린이 아버지란 생각을 했다. 이유는 알 수 없지만 그런 확신이 들었다. 나는 이미 통로를 뛰어가고 있었다. 사라지기 전에, 사라지기 전에.

다행히 기린은 꼼짝 않고 앉아 있었다. 주저주저 그 곁으로 다가간 나는, 주저주저 기린의 곁에 조심스레 앉았다. 막상 앉으니-기린은 앉은키가 엄청나고, 전체적으로 다소곳하고 무신경한 느낌이었다. 기린은 이쪽을 쳐다보지도 않는데, 나는 혼자 울고 있었다. ⓜ 이상하게도 자꾸만 눈물이 나오는 것이었다. 아버지… 곧장 나는 가슴 속의 말을 꺼냈고, 기린의 무릎 위에 내 손을 올려놓았다.

- 박민규, 「그렇습니까? 기린입니다」 -

40. ⓐ와 ⓑ에 대한 이해로 적절하지 않은 것은?

① ⓐ는 아버지의 초라한 삶이 나타나는 공간이다.
② ⓐ에서 본 아버지의 모습은 '나'가 정신적으로 성장하는 계기가 된다.
③ ⓑ는 현실적 요소와 환상적 요소가 뒤섞인 공간이다.
④ ⓐ와 ⓑ는 각각 아버지와 '나'가 서로에게 자신의 삶을 보여주는 공간이다.
⑤ ⓐ에서의 아버지와는 달리 ⓑ에서의 '나'는 자신이 처한 현실에 절망감을 느끼고 있다.

41. ㉠~ⓜ에 대한 이해로 적절한 것은?

① ㉠: 아버지가 사라진 후에야 아버지의 행동이 평소와 달랐음을 '나'가 알아차린 것으로 볼 수 있다.
② ㉡: 경찰이 '나'의 아버지의 실종에 대해 큰 관심을 두고 있다는 것을 알 수 있다.
③ ㉢: 병원비가 줄었다는 사실보다는 어머니의 병세가 호전되었다는 것에 기뻐하는 '나'의 심리가 나타나 있다.
④ ㉣: 이전보다 집안의 경제 사정이 나아졌다는 사실에 대한 '나'의 자부심이 드러나 있다.
⑤ ⓜ: '나'를 외면하는 아버지의 냉정한 태도에 대한 원망의 심리가 드러나 있다.

42. <보기>는 윗글을 쓴 작가의 말이다. <보기>를 바탕으로 윗글을 감상한 내용으로 적절하지 않은 것은? [3점]

<보 기>

우리는 살벌한 현실 속에서 살아가고 있습니다. 현실의 무게에 짓눌려 자신만의 '산수'조차 감당하지 못하고 현실로부터 도피하는 '아버지'의 모습은 어쩌면 이 땅 모든 아버지의 또 다른 내면의 욕망인지도 모릅니다. 현실이 더욱 팍팍해지기에 자신이 감당해야 하는 삶의 무게는 점점 무거워집니다. 또 인간은 마치 짐짝처럼 '푸시맨'이 밀면 밀리는 대로 구겨지듯 그저 전동차 안으로 들어갑니다. 그 혼잡한 곳에 들어가야 현실과 연결될 수 있음을 알기에 스스로 인간이기를 포기하고 짐짝처럼 머리를 들이밀고 몸을 쑤셔 넣어야 하는 것입니다. 이 무한 경쟁의 시대에 적응하지 못한 자는 아무도 신경 쓰지 않는 '기린'으로 살아갑니다.

① '아버지'가 사라진 것은 자신이 져야 할 현실의 무게를 감당하지 못하고 현실로부터 도피한 것으로 볼 수 있군.
② '아버지'의 가출로 인해 '나'가 집안에서 해야 할 일이 많아진 것은 '나'가 감당해야 하는 삶의 무게가 더 무거워졌다는 것을 의미하는군.
③ 플랫폼에서 '나'가 발견한 '기린'은 경쟁의 시대에 적응하지 못하고 누구의 관심도 받지 못하는 '아버지'의 모습을 상징적으로 나타내고 있군.
④ 전동차 안으로 밀리는 대로 짐짝처럼 들어가는 '아버지'의 모습에서 어쩔 수 없이 현실 속으로 들어가야만 하는 현대인의 모습을 발견할 수 있군.
⑤ 마흔다섯의 나이에 시간당 삼천오백 원을 받는 '아버지'와 어린 나이에 아르바이트를 하며 돈을 모으는 '나'의 모습은 자신만의 산수조차 감당하지 못하는 현실을 보여주고 있군.

[43~45] 다음을 읽고 물음에 답하시오.

(가) 방(房) 안에 켜 있는 촉(燭)불 눌과 이별하였기에
겉으로 눈물 지고 속 타는 줄 모르는고
저 촉(燭)불 날과 같아서 속 타는 줄 모르도다
\- 이 개 -

(나) 꿈에 다니는 길이 자취가 남는다면
님의 집 창(窓) 밖에 석로(石路)라도 닳으리라
꿈길이 자취 없으니 그를 슬퍼하노라
\- 이명한 -

(다) 님이 오마 하거늘 저녁밥을 일찍 지어 먹고
중문 나서 대문 나가 지방 위에 치달아 앉아 이수(以手)로 가액(加額)하고* 오는가 가는가 건넌 산 바라보니 거머흿들* 서 있거늘 저야 님이로다. 버선 벗어 품에 품고 신 벗어 손에 쥐고 곰븨님븨 님븨곰븨 천방지방 지방천방* 진 데 마른 데 가리지 말고 워렁충창* 건너가서 정(情)엣말 하려 하고 곁눈을 흘깃 보니 상년(上年) 칠월 사흗날 갉아 벗긴 주추리 삼대* 살뜰이도 날 속였구나
모쳐라 밤일세망정 행여 낮이런들 남 웃길 뻔 하괘라
\- 작자 미상 -

* **이수로 가액하고** : 손을 들어 이마에 얹고.
* **거머흿들** : 검은 듯 흰 듯한 것.
* **곰븨님븨 님븨곰븨 천방지방 지방천방** : 엎치락뒤치락 허둥거리는 모양.
* **워렁충창** : 우당탕퉁탕.
* **주추리 삼대** : 밭머리에 모아 세워 둔 삼의 줄기.

43. (가)~(다)의 공통점에 대한 설명으로 가장 적절한 것은?

① 청각적 심상을 활용하여 애상적 분위기를 조성하고 있다.
② 영탄적 표현을 통해 시적 상황에 대한 화자의 정서를 부각하고 있다.
③ 자조적 어조를 통해 과거의 행동에 대한 화자의 자책감을 드러내고 있다.
④ 역설적 표현을 통해 부정적인 상황에 대한 화자의 극복 의지를 나타내고 있다.
⑤ 가정적 상황을 제시하여 현재에 비해 미래가 나아질 것이라는 기대감을 드러내고 있다.

44. (가), (나)에 대한 이해로 적절하지 <u>않은</u> 것은?

① (가)의 '겉으로 눈물 지고'에서 '눈물'은 촛농이 흘러내리는 모습을 비유한 것으로 화자의 슬픔을 형상화하고 있다.
② (가)의 '저 촉(燭)불 날과 같아서'에서 '촉(燭)불'은 화자와 동일시되는 대상이다.
③ (나)의 '꿈에 다니는 길'에서 '꿈'에는 화자의 소망이 투영되어 있다.
④ (나)의 '석로(石路)라도 닳으리라'에서 '닳으리라'는 임에 대한 화자의 간절한 그리움을 드러내고 있다.
⑤ (나)의 '그를 슬퍼하노라'에서 '슬퍼하노라'는 자신을 찾아 주지 않는 임에 대한 화자의 원망이 담겨 있다.

45. <보기>를 바탕으로 (다)를 감상한 내용으로 적절하지 <u>않은</u> 것은? [3점]

<보 기>

조선 후기에 등장한 사설시조는 형식 면에서 평시조와 달리 중장이 제한 없이 길어졌다. 내용 면에서는 실생활 소재들을 활용하여 일상에서 일어나는 문제를 주로 다루었는데 솔직함, 해학성, 애정을 서슴없이 표현하려는 대담성 등을 그 특징으로 하며 비유, 상징 등 다양한 표현기법을 활용하여 대상을 생동감 있게 그려 냈다.

① '곰븨님븨', '천방지방' 같은 음성상징어를 활용하여 화자의 행동을 생동감 있게 표현하고 있군.
② 일상에서 흔히 볼 수 있는 '버선', '신'이라는 소재를 활용하여 임의 소중함을 상징하고 있군.
③ '주추리 삼대'를 임으로 착각하여 달려가는 화자의 우스꽝스러운 모습에서 해학성을 느낄 수 있군.
④ 임을 그리워하는 절실한 마음을 드러내기 위해 화자의 행동을 구체적으로 제시하다 보니 중장이 길어졌군.
⑤ '진 데 마른 데 가리지' 않고 임에게 가서 '정(情)엣말'을 하려는 모습에서 애정을 표현하려는 화자의 대담성을 엿볼 수 있군.

※ 확인 사항
○ 답안지의 해당란에 필요한 내용을 정확히 기입(표기)했는지 확인하시오.

국어 영역

20회 소요시간 /80분

제 1 교시

➡ 해설 P.176

[1 ~ 3] 다음은 토의의 일부이다. 물음에 답하시오.

부장 : 우리 '자연 사랑' 환경 동아리는 매년 동아리 첫 시간에 그 해 어떤 활동을 할지 토의합니다. 작년에는 하천 정화 활동을 했었는데, 올해는 어떤 활동이 좋을지에 대해 논의해 봅시다. 먼저 활동에 대한 제안을 들은 후 부원들의 질의를 받고, 투표를 통해 활동을 정하도록 하겠습니다. 이제 의견을 말씀해 주시기 바랍니다.

[A]

부원 1 : 작년 활동이 의미는 있었지만, 학교 밖으로 나가서 활동하는 것이 부담스러웠습니다. 거리도 멀었고, 그만큼 실제로 활동할 수 있었던 시간도 부족했습니다. 그래서 저는 올해는 학교 안에서의 활동이 좋다고 생각해서 동아리 시간마다 한 권씩 책을 읽을 것을 제안합니다. 독서를 통해 환경 관련 공부를 하면 좋겠습니다.

부원 2 : 저도 학교 안에서의 활동에 동의합니다. 그래서 현재 쓰레기장처럼 쓰이고 있는 학교 운동장 옆 공터를 텃밭으로 가꾸면 좋겠습니다. 화학 비료 대신 천연 비료를 만들어 사용한다면 환경 문제에 대한 관심을 높일 수 있습니다. 학교도 깨끗해질 수 있고요.

부장 : 독서를 통해 환경 관련 공부를 하자는 의견과 운동장 옆 공터를 텃밭으로 가꾸자는 의견이 나왔습니다. 다른 의견 없으십니까? 그럼 독서 활동부터 질문을 받도록 하겠습니다.

[B]

부원 3 : 우리 동아리는 우리가 직접 참여하고, 실천하는 환경 관련 활동을 목적으로 만들어졌습니다. 독서가 이러한 우리 동아리의 목적에 적합할까요?

부원 1 : 독서가 동아리의 목적과 다소 거리가 있다는 점은 저도 인정합니다. 하지만 직접 체험하는 환경 관련 활동만큼 독서를 통해 환경에 대해 아는 것도 의미 있다고 생각합니다.

부원 3 : 저도 환경에 대해 아는 것이 중요하다고는 생각합니다. 하지만 우리 동아리의 목적을 생각한다면 독서는 적절하지 않으며, 쓰레기 줍기와 같은 활동을 하는 것이 좋다고 봅니다.

부원 4 : 저는 독서 활동 방법에 대해 묻고 싶습니다. 부원마다 읽고 싶은 책도 다르고 읽는 속도도 달라서 같은 책을 동시에 읽기 어려운데, 이를 해결할 좋은 방법이 있나요?

부원 1 : 각자 원하는 책을 정해서 동아리 시간에 자율적으로 읽으면 됩니다.

부원 4 : 그렇다면 독서는 동아리 활동보다는 개인이 자율적으로 하는 것이 더 낫다고 봅니다.

부장 : 다음은 텃밭 가꾸기에 대해 질문을 받도록 하겠습니다.

부원 3 : 공터를 텃밭으로 가꾸려면 먼저 무엇을 해야 하나요?

부원 2 : 우선 교장선생님께 허락을 받아서 공터를 텃밭으로 조성해야 합니다.

부원 4 : 텃밭을 가꾸기 위해서는 많은 노력이 필요할 텐데, 그래도 우리가 꼭 텃밭을 가꾸어야 하나요? 텃밭을 가꾸는 과정에서 우리가 배울 수 있는 것은 무엇인가요?

부원 2 : [㉮]

1. [A], [B]에 대한 이해로 적절하지 <u>않은</u> 것은? [3점]

① [A]에서 '부원 1'은 작년 동아리 활동의 문제점을 근거로 교내에서 할 수 있는 독서 활동을 제안하고 있다.
② [A]에서 '부원 2'는 예상되는 긍정적인 결과를 근거로 텃밭 가꾸기 활동을 제안하고 있다.
③ [B]에서 '부원 1'은 '부원 3'의 질문에 작년의 활동을 토대로 독서가 동아리 활동으로 적합한 이유를 설명하고 있다.
④ [B]에서 '부원 3'은 '부원 1'의 의견에 부분적으로 동의하면서도 독서 활동이 동아리의 목적에 부합하지 않는다고 생각하고 있다.
⑤ [B]에서 '부원 4'는 독서 활동에서 생길 수 있는 문제를 거론하며 '부원 1'에게 그 해결 방법에 대해 질문하고 있다.

2. '부장'의 역할에 대한 설명으로 적절하지 <u>않은</u> 것은?

① 토의를 하게 된 배경을 설명하고 있다.
② 토의에서 논의할 주제를 안내하고 있다.
③ 토의 참여자들의 발언 기회를 제한하고 있다.
④ 토의 참여자들의 발언 내용을 정리하고 있다.
⑤ 토의가 어떻게 진행될지 절차를 소개하고 있다.

3. 다음은 토의를 준비하는 과정에서 '부원 2'가 찾은 자료이다. 이를 활용하여 ㉮에서 할 수 있는 답변으로 가장 적절한 것은?

> **1. 텃밭 관리 방법**
> 자신이 심은 작물은 스스로 관리하며, 지지대 세우기와 천연 비료 만들기 등은 시간을 정해서 모두 함께 한다.
>
> **2. 텃밭 운영의 효과**
> 맡은 일에 대한 책임감을 기르는 동시에 함께 힘을 합하는 과정에서 협동심을 기를 수 있다.

① 동아리 일지에 텃밭을 가꾸는 과정을 기록한다면, 식물이 자라는 과정을 배울 수 있을 것입니다.
② 동아리 부원 중 희망하는 사람들만 텃밭을 가꾸기로 한다면, 동아리 활동을 통해 자발성을 배울 수 있을 것입니다.
③ 텃밭을 가꾸는 과정과 관련된 책을 읽는다면, 환경 문제와 관련해서 텃밭이 왜 중요한지 배울 수 있을 것입니다.
④ 텃밭을 가꾸면서 인근 농촌 마을을 방문한다면, 지지대 세우기나 천연 비료 만드는 방법을 배울 수 있을 것입니다.
⑤ 텃밭의 구역을 나누어서 자신이 맡은 구역을 가꾸고 협업이 필요한 일은 함께 한다면, 책임감과 협동심을 배울 수 있을 것입니다.

20회

[4 ~ 5] 다음은 학생이 한 발표이다. 물음에 답하시오.

여러분, 우리 반에서 실시하고 있는 멘토링에 대해 아시지요? (청중의 대답을 듣고) 네. 시작한 지 얼마 되지 않았지만, 저도 벌써 멘토 친구에게 큰 도움을 받고 있답니다. 제가 오늘 발표하려는 내용은 바로 멘토에 관한 것입니다.

'멘토'라는 말은 어떻게 생겨났을까요? (청중의 반응을 살핀 후) 저도 발표를 준비하면서 처음 알게 된 사실인데요, 놀랍게도 멘토는 원래 인물의 이름이었다고 합니다. 고대 그리스의 서사시 『오디세이』에 나오는 영웅 오디세우스 왕의 절친한 친구 '멘토'가 바로 그 주인공입니다. 오디세우스는 트로이 전쟁에 출정하면서 아들 텔레마코스의 교육을 멘토에게 부탁했습니다. 10여 년에 걸친 멘토의 가르침에 힘입어 텔레마코스는 훌륭하게 성장했고, 돌아온 오디세우스는 그런 아들의 모습에 감격하여 멘토에게 "역시 자네답다. 역시 멘토답다!"라고 크게 칭찬을 했다고 하네요. 그 이후로 사람들 사이에서 훌륭하게 제자를 키워낸 사람을 가리켜 '멘토'라고 부르게 되었다고 합니다.

참 재미있는 이야기지요? 그런데 멘토라는 말의 정확한 뜻을 아시나요? (청중의 반응을 살핀 후) 스승을 뜻하던 멘토라는 말은 오늘날 조언자, 상담자, 정신적 지주 등의 의미로도 쓰입니다. 그리고 멘토의 상대자, 즉 멘토에게 조력을 받는 사람을 '멘티'라고 합니다. 저는 오늘 발표를 준비하기 위해 멘토의 유래와 그 의미에 대해 찾아보면서, 멘토가 멘티에게 줄 수 있는 긍정적인 영향이 참 많다는 생각이 들었습니다. 현명한 멘토, 성실한 멘티가 되기 위해 모두 노력한다면 우리 반의 학급 멘토링 프로그램도 잘 정착할 것이라고 생각합니다. 이상으로 발표를 마치겠습니다.

4. 학생이 세운 발표 계획 중, 발표에 반영되지 <u>않은</u> 것은?

① 청중과 공유하는 경험을 환기하는 방식으로 발표를 시작해야겠어.
② 용어를 풀어 줌으로써 청중이 가질 수 있는 의문을 해소해야겠어.
③ 화제와 관련이 있는 이야기를 소개하면서 청중의 흥미를 유발해야겠어.
④ 질문을 던지며 청중과 상호 작용하여 청중이 주의를 집중할 수 있도록 해야겠어.
⑤ 마무리 부분에서는 청중의 이해도를 점검하고 그 결과를 바탕으로 발표 내용을 요약해야겠어.

5. 다음은 위 발표를 들은 청중의 반응이다. 이에 대한 분석으로 가장 적절한 것은?

> 청중 1: 발표자는 우리 반의 멘토링 프로그램을 계기로 발표 주제를 선정한 것 같아.
> 청중 2: 예전에 『오디세이』를 읽은 적이 있는데도 멘토가 거기에서 유래했는지는 몰랐네.
> 청중 3: 스승을 뜻하던 멘토라는 말이 오늘날 다른 의미로도 쓰이게 된 계기가 구체적으로 무엇이었을지 자료를 조사해 봐야겠어.

① '청중 1'은 발표의 표현 방식에 대해 평가하면서 들었군.
② '청중 2'는 발표에 활용한 자료가 믿을 만한지 점검하며 들었군.
③ '청중 3'은 발표 내용과 관련하여 추가 정보를 수집하려고 하는군.
④ '청중 1'과 '청중 3'은 발표자가 한 발표의 동기에 공감하고 있군.
⑤ '청중 2'와 '청중 3'은 발표 내용이 사실인지 발표자의 의견인지를 구분하며 들었군.

[6 ~ 8] 다음을 읽고 물음에 답하시오.

[교지 편집부의 요청 내용]
이번 교지에 실릴 특별 기획 주제는 '급식'입니다. 급식과 관련한 다양한 문제 중, 우리 학교의 잔반 문제와 그 해결 방안을 다룬 글을 써 주세요.

[글을 쓰기 전에 떠올린 생각]
○ 급식 도우미로 활동했던 경험을 언급하면서 글을 시작해야겠어. ········ ⓐ
○ 학생들을 대상으로 급식 만족도를 조사하고 그 결과를 설문지와 함께 인용해야겠어. ········ ⓑ
○ 잔반 문제의 원인을 음식에 대한 학생들의 태도와 관련해서 언급해야겠어. ········ ⓒ
○ 잔반 문제의 해결책을 제시하고, 이로 인해 예상되는 긍정적인 결과도 함께 설명해야겠어. ········ ⓓ
○ 학생들의 적극적인 참여를 촉구하는 내용으로 글을 마무리해야겠어. ········ ⓔ

[초고]

작년부터 급식 도우미 활동을 하면서, 급식 후 버리는 잔반의 양이 많다는 사실을 알게 되었다. 우리 학교는 자율 배식을 하고 있고, 급식의 질에 대한 학생 만족도도 높은 편이다. 학교에서도 수요일을 '잔반 없는 날'로 정해 잔반을 가장 적게 남긴 학급에게 특별 후식을 제공하는 등 잔반 ㉠ 줄이기에 필요성을 강조하고 있다. ㉡ 그리고 우리 학교 점심시간은 다른 학교에 비해 짧다. 이러한 상황에도 불구하고 잔반이 줄어들지 않는 원인은 무엇이며, 해결책으로는 어떤 것이 있을지 생각해 보자.

우선 음식에 대한 학생들의 태도에서 원인을 찾을 수 있다. 한 끼의 식사에 담긴 정성과 노력을 모르는 상황에서 학생들은 ∨㉢∨ 버리는 일을 쉽게 생각할 수밖에 없다. 다음으로 자율 배식을 하면서 많은 학생들이 밥과 반찬을 필요 이상으로 식판에 담는다는 것이 문제다. 이로 인해 잔반이 좀처럼 줄어들지 않는 것이다. 또한 '잔반 없는 날'과 같은 방식은 단 하루, 일시적으로만 효과를 발휘할 뿐 학생들의 행동을 변화시키기에는 부족하다는 점도 잔반 문제가 잘 해결되지 않는 원인이 된다.

잔반을 줄이면 환경과 급식의 질 등에서 얻게 되는 이점이 많기 때문에, 우리도 구체적인 해결책을 통해 적극적으로 잔반 줄이기에 나서야 한다. 우선 많은 학생들이 자발적으로 급식 도우미 활동에 ㉣ 함께 동참하는 것이다. 급식 준비와 정리 과정을 거들어 보면, 음식을 대하는 태도도 달라질 것이다. 둘째, 잔반을 줄이는 데 성공한 학교의 실제 사례를 참고하는 것도 좋은 방법이다. 특히 음식의 분량 조절과 관련된 사례를 찾아 우리 학교에 적용한다면 잔반 문제 해결에 큰 도움이 될 것이다. 셋째, '잔반 없는 날'의 운영 방식을 개선할 필요가 있다. '잔반 없는 날'을 늘리고 홍보 캠페인을 ㉤ 벌이면 잔반을 좀 더 줄일 수 있을 것이다. 우리의 작은 실천이 차곡차곡 쌓일 때 잔반 없는 학교를 만들 수 있다. 여러분의 적극적인 참여가 절실하다.

6. ⓐ ~ ⓔ 중 '초고'에 반영되지 않은 것은?

① ⓐ ② ⓑ ③ ⓒ ④ ⓓ ⑤ ⓔ

7. <보기>의 자료를 활용하여 초고를 보완하고자 할 때, 적절하지 않은 것은? [3점]

< 보 기 >

(가) 우리 학교 자료(급식 인원 1,729명, 연간 290회 급식)

1.

연간 1인당 평균 잔반량	46.8 kg
연간 잔반 처리 비용	8,006,229원

2.

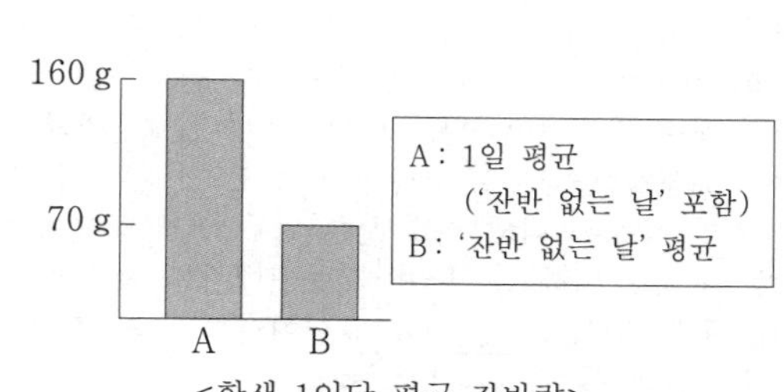

<학생 1인당 평균 잔반량>

(나) 우리 학교 영양교사 인터뷰

"잔반통에 쌓인 잔반을 볼 때면 무척 안타까워요. 음식을 만드는 데에 들어가는 저희들의 노력도 그렇지만, 이 재료들을 생산하기 위해 많은 사람들이 애를 쓰고 있거든요."

(다) 학교 급식 잔반 줄이기 보고서

잔반을 줄이면 식품을 생산하고 소비하고 처리하는 과정에서 발생하는 환경오염을 줄일 수 있다. 또한 잔반 줄이기를 통해 잔반 처리 비용이 감소하면, 이를 식품비에 재투입하여 같은 급식비로 학생들에게 질 높은 급식을 제공할 수 있다.

(라) 신문 기사

○○ 중학교 학생들은 자발적으로 학교 잔반을 줄이기 위해 새로운 식판을 만들었다. 이 식판은 자신이 식판에 담은 양을 가늠할 수 있도록 되어 있는데, 이 식판을 도입한 후 ○○ 중학교의 잔반이 급감하였다고 한다.

① (가)의 1을 활용하여, 첫째 문단에서 급식 후 버리는 잔반의 양이 많다는 내용에 구체적인 수치를 추가한다.
② (가)의 2를 활용하여, 둘째 문단에서 '잔반 없는 날'의 효과가 일시적으로만 발휘된다는 내용의 근거를 제시한다.
③ (나)를 활용하여, 둘째 문단에서 자율 배식이 잔반 문제의 주요 원인임을 강조한다.
④ (다)를 활용하여, 셋째 문단에서 잔반을 줄이면 얻게 되는 이점이 많다는 내용에 대한 근거를 추가한다.
⑤ (라)를 활용하여, 셋째 문단에서 잔반을 줄이는 데 성공한 학교의 실제 사례로 보강한다.

8. ㉠ ~ ㉤을 고쳐 쓰기 위한 방안으로 적절하지 않은 것은?

① ㉠ : 조사의 사용이 부적절하므로 '줄이기의'로 바꾼다.
② ㉡ : 통일성을 해치는 문장이므로 삭제한다.
③ ㉢ : 필요한 문장 성분이 빠져 있으므로 '음식을'을 첨가한다.
④ ㉣ : 의미의 중복을 피하기 위해 '함께'를 삭제한다.
⑤ ㉤ : 어휘의 사용이 부적절하므로 '벌리면'으로 바꾼다.

[9 ~ 10] 다음을 읽고 물음에 답하시오.

[작문 과제]
다큐멘터리를 시청하고, 감상문을 써 보자.

[작문 일지]
오늘 작문 과제는 다큐멘터리를 시청하고 감상문을 쓰는 것이었다. 선생님께서 보여 주신 다큐멘터리는 황제펭귄의 특성에 대한 것으로, 유익한 내용을 담고 있었다. 특히 '허들링'이라는 황제펭귄의 독특한 행동은 우리들의 삶의 자세를 돌아볼 수 있게 하여 감동적이었다. 그래서 나는 황제펭귄의 '허들링'이 주는 교훈을 중심으로 감상문을 썼다. 첫 번째 문단에서는 황제펭귄의 특징에 대해 서술하였다. 두 번째 문단에서는 '허들링'에 대해 소개하고, 세 번째 문단에서는 '허들링'이 주는 교훈에 대해 썼다. ㉠ 네 번째 문단에서는 나의 생활 태도에 대한 반성과 다짐이 드러나도록 하였다.

[학생의 글]
얼마 전, 수업 시간에 황제펭귄에 관한 다큐멘터리를 보았다. 턱시도를 입고 황금색 목도리를 두른 듯한 모습의 황제펭귄은 '남극의 신사'라는 별명을 가지고 있다. 황제펭귄은 키가 1 m, 몸무게가 50 kg 가량 되는데, 황제펭귄의 항아리처럼 둥근 배에는 한겨울을 버텨낼 영양분이 저장되어 있다. 황제펭귄은 한겨울이 되면 바다에서 나와 남극에 서식하며 새끼를 낳는다. 한겨울에 영하 90도까지 기온이 내려가는 남극에는 황제펭귄의 천적이 없기 때문이다.

극심한 남극의 추위를 황제펭귄은 어떻게 견뎌낼까? 황제펭귄은 '허들링(Huddling)'이라는 독특한 생존 방식으로 혹한을 이겨낸다. 황제펭귄은 맹추위가 찾아오면 약속이나 한 듯이 한 자리에 모여 서로서로 몸을 붙여 체온을 나눈다. 이때 황제펭귄은 동그란 원을 그리면서 안에서 밖으로, 밖에서 안으로 질서정연하게 움직이는데, 이를 '허들링'이라고 한다. 모여 있다 보면 무리의 한 가운데는 따뜻하지만 바깥쪽은 추위에 노출되기 때문에, '허들링'을 하면서 서로의 자리를 맞바꾸는 것이다.

황제펭귄의 '허들링'은 우리에게 시련을 극복하기 위해 필요한 마음가짐, 모두가 함께 살아가는 데 필요한 자세를 가르쳐 준다. 서로가 서로를 껴안아 줄 때 혹독한 시련도 극복해 낼 수 있다는 것, 내가 누군가를 위해 눈보라를 맞아줄 때 그 누군가도 나에게 온기를 전해 준다는 것. 이것은 우리들이 살아가면서 기억해야 할 삶의 지혜일 것이다.

[A]

9. '작문 일지'와 '학생의 글'을 고려할 때, 글을 쓰는 과정에서 선택한 방법만을 <보기>에서 있는 대로 고른 것은?

< 보 기 >

ⓐ 묻고 답하는 방식으로 대상의 특성을 소개한다.
ⓑ 사례를 들어 대상이 지니는 한계점을 구체화한다.
ⓒ 비유적 표현을 활용하여 대상에 대한 이해를 돕는다.
ⓓ 대조적 대상과의 차이점을 중심으로 대상의 특징을 설명한다.

① ⓐ, ⓑ
② ⓐ, ⓒ
③ ⓑ, ⓓ
④ ⓐ, ⓑ, ⓒ
⑤ ⓐ, ⓒ, ⓓ

10. ㉠을 고려할 때, [A]에 들어갈 내용으로 가장 적절한 것은?

① 다큐멘터리를 보면서 나는 황제펭귄이 나보다 더 현명한 삶을 살고 있는 것 같아 부끄러웠다. 지금껏 나는 가족, 친구들 사이에서 어려운 일이 생겼을 때 내 입장만을 생각하며 함께 문제를 해결하려고 하지 않았다. 이제부터라도 협력하고 배려하는 자세로 생활해야겠다.
② 나는 추위를 꿋꿋이 이겨내는 황제펭귄을 통해 나약한 내 자신을 반성하게 되었다. 또한 부정적인 상황이나 환경을 적극적으로 변화시켜 나가는 황제펭귄의 모습이 감동적이기도 했다. 황제펭귄이 주는 감동을 다른 친구들도 함께 느꼈으면 좋겠다.
③ 다큐멘터리를 보는 내내 황제펭귄의 모습이 경이롭게 느껴졌다. 황제펭귄은 어쩌면 우리 인간보다 지혜로운 동물이 아닐까 하는 생각이 들기도 했다. 우리 모두가 황제펭귄의 지혜를 실천한다면 세상은 얼마나 따뜻할까?
④ 나는 평소 다큐멘터리를 보는 것에 그다지 흥미를 느끼지 못하고 있었다. 하지만 황제펭귄에 관한 다큐멘터리를 통해, 새로운 것을 알게 되는 기쁨을 맛볼 수 있었고, 삶의 지혜를 얻을 수 있었다.
⑤ 우리도 살아가면서 혹독한 시련과 맞부딪쳐야 할 때가 있다. 시련은 우리를 넘어지게 하지만, 우리를 강인하게 만들어 주기도 한다. 우리가 시련을 피하지 말고 맞닥뜨려야 하는 이유가 여기에 있다.

[11 ~ 12] 다음 글을 읽고 물음에 답하시오.

국어 문장에서 서술어로 쓰이는 것은 용언인 동사와 형용사, 그리고 체언에 '이다'가 붙어서 이루어지는 표현이다.

(1) 준영이가 책을 읽는다. / 읽느냐? / 읽는구나.
(2) 준영아, 책을 읽어라. / 읽자.

(1), (2)는 동사 '읽다'가 문장 안에서 그 형태가 변하는 예이다. 이때 변하지 않는 부분인 '읽-'은 어간이고, 변하는 부분인 '-는다, -느냐, -는구나, -어라, -자'는 어미이다. 이처럼 용언 어간에 여러 가지 어미가 붙는 일을 '활용'이라 한다.

(3) 꽃이 예쁘다. / 예쁘냐? / 예쁘구나.
(4) 꽃아, *예뻐라. / *예쁘자. (*표는 비문법적인 표현.)

(3), (4)는 형용사 '예쁘다'가 활용하는 예이다. (1), (2)와 비교해 보았을 때, 동사와 형용사는 활용의 방식에서 차이를 보인다. 먼저 (1)과 (3)에서 볼 수 있듯이, 동사 활용에는 '-는/ㄴ다, -느냐, -는구나'가 쓰이지만 형용사 활용에는 '-다, -(으)냐, -구나'가 쓰인다. 다음으로 (2)와 (4)에서 볼 수 있듯이, 동사 어간과 달리 형용사 어간에는 명령형 어미 '-아라/어라', 청유형 어미 '-자'가 붙을 수 없다. '꽃이 참 예뻐라!'와 같이 '예뻐라'가 쓰이기도 하는데, 이때의 '-어라'는 명령형 어미가 아니라 감탄형 어미이다.

(5) 이것이 책이다.(*책이는다.) / 책이냐?(*책이느냐?) / 책이로구나.(*책이는구나.) / *책이어라. / *책이자.

(5)는 체언 '책'에 '이다'가 결합한 어절 전체가 문장에서 서술어로 쓰이는 예이다. (5)에서 볼 수 있듯이, '이다'도 용언처럼 활용을 한다. 이때 '-는/ㄴ다, -느냐, -는구나', 그리고 명령형 어미 '-아라/어라', 청유형 어미 '-자' 등의 어미와는 결합하지 않는다. 이런 점을 고려하면 '이다'의 활용 양상은 대체로 (3), (4)에 나타난 형용사의 활용 양상과 유사하다는 것을 알 수 있다.

11. 윗글에 대한 이해로 적절하지 않은 것은?

① 동사와 형용사는 문장에서 서술어로 쓰일 수 있다.
② 형용사는 활용할 때 감탄형 어미와 결합할 수 있다.
③ 용언이 활용할 때 어간에 붙는 부분을 어미라고 한다.
④ 동사는 형용사에 비해 '이다'와 활용 양상이 유사하다.
⑤ '이다'는 활용할 때 명령형 어미나 청유형 어미와는 결합하지 않는다.

12. 윗글을 바탕으로 <보기>의 ⓐ~ⓔ를 이해한 내용으로 적절하지 않은 것은? [3점]

< 보 기 >

ⓐ 나는 주로 저녁에 씻는다.
ⓑ 오늘 날씨가 정말 춥구나.
ⓒ 규연아, 지금 밥 먹자.
ⓓ 창문을 활짝 열어라.
ⓔ 그는 어떤 사람이냐?

① ⓐ의 '씻는다'는 어간이 '-는다'와 결합한 것으로 보아 동사이다.
② ⓑ의 '춥구나'는 어간이 '-구나'와 결합한 것으로 보아 형용사이다.
③ ⓒ의 '먹자'는 어간이 청유형 어미 '-자'와 결합한 것으로 보아 동사이다.
④ ⓓ의 '열어라'는 어간이 명령형 어미 '-어라'와 결합한 것으로 보아 형용사이다.
⑤ ⓔ의 '사람이냐'는 체언에 '이다'가 결합한 말이 활용한 것이다.

13. 다음은 음운 변동에 대한 선생님의 설명이다. 질문에 대한 답으로 적절한 것은?

선생님 : 음운 변동에는 한 음운이 다른 음운으로 바뀌는 현상인 '교체', 있던 음운이 없어지는 현상인 '탈락', 없던 음운이 새로 생기는 현상인 '첨가', 두 음운이 하나의 음운으로 합쳐지는 현상인 '축약'이 있습니다.
그러면 '국물[궁물]'과 '몫[목]'에서는 각각 어떤 음운 변동이 일어날까요?

	국물	몫
①	교체	탈락
②	교체	첨가
③	탈락	축약
④	첨가	교체
⑤	첨가	탈락

14. ⓐ~ⓔ 중 <보기>의 ㉠에 해당하지 않는 것은?

< 보 기 >

높임 표현에는 말하는 이가 듣는 이에 대하여 높이거나 낮추어 말하는 상대 높임, 서술의 주체를 높이는 주체 높임, 목적어나 부사어가 나타내는 대상, 즉 서술의 객체를 높이는 ㉠ 객체 높임이 있다.

선생님 : 지은아, 방학은 잘 보냈니?
지은 : 네. 제 용돈으로 할머니께 ⓐ 드릴 선물을 사서 할머니 댁에 다녀왔어요.
선생님 : 기특하다. 할머니를 ⓑ 뵙고 왔구나. 가서 무엇을 했니?
지은 : 아버지께서 할머니를 ⓒ 모시고 병원에 가신 사이에 저는 ⓓ 큰아버지께 인사를 드리고 왔어요.
선생님 : 저런, 할머니께서 ⓔ 편찮으셨나 보다.

① ⓐ ② ⓑ ③ ⓒ ④ ⓓ ⑤ ⓔ

15. <보기>의 (가), (나)에 들어갈 내용으로 적절한 것은?

< 보 기 >

단어는 문맥에 따라 여러 가지 뜻을 가진다. 그래서 반의어도 여럿이 될 수 있다. 예를 들어 '시계가 서다.'에서 '서다'의 반의어는 '가다'인데, '기강이 서다.'에서 '서다'의 반의어는 '무너지다'가 된다. '벗다'도 문맥에 따라 여러 가지 뜻을 가지기 때문에 반의어가 여럿이다.

단어	예문	반의어
벗다	외투를 벗다.	입다
	(가)	쓰다
	배낭을 벗다.	(나)

	(가)	(나)
①	누명을 벗다.	메다
②	안경을 벗다.	끼다
③	장갑을 벗다.	차다
④	모자를 벗다.	걸다
⑤	허물을 벗다.	들다

[16 ~ 19] 다음 글을 읽고 물음에 답하시오.

사람들은 하루에도 수많은 일들을 판단하면서 살아간다. 판단을 할 때마다 필요한 모든 정보를 수집하여 이용하고자 하면, 정보를 수집하는 것도 힘들뿐더러 그 정보를 처리하는 것도 부담이 된다. 그렇기 때문에 사람들은 과거 경험을 바탕으로 어림짐작을 하게 되는데, 이를 휴리스틱이라고 한다. 이러한 휴리스틱에는 대표성 휴리스틱과 회상 용이성 휴리스틱, 그리고 시뮬레이션 휴리스틱 등이 있다.

대표성 휴리스틱은 어떤 대상이 특정 집단에 속할 가능성을 판단할 때, 그 대상이 특정 집단의 전형적인 이미지와 얼마나 닮았는지에 따라 판단하는 경향을 말한다. 우리는 키 198 ㎝인 사람이 키 165 ㎝인 사람보다 농구 선수일 가능성이 높을 것이라 판단한다. 이와 같이 대표성 휴리스틱은 흔히 첫인상을 형성할 때나 타인에 대해 판단을 할 때 작용한다. 그런데 대표성 휴리스틱에 따른 판단은 그 대상이 가지고 있는 특정 집단의 전형적인 속성에만 주목하여 이루어진 것이다. 따라서 이러한 판단은 신속한 결정을 내리는 데 도움이 되기도 하지만, 항상 정확하고 객관적인 것이라고 보기는 어렵다.

회상 용이성 휴리스틱은 당장 머릿속에 잘 떠오르는 정보에 의존하여 판단하는 경향을 말한다. 사람들에게 작년 겨울 독감에 걸린 환자들이 얼마나 많았는지 물어보면, 일단 자기 주변에서 발생한 사례들을 떠올려 추정하게 된다. 이러한 추정은 적절할 수도 있지만, 실제 발생 확률과는 다를 수도 있다. 사람들은 최근에 자신이 경험한 사례, 생동감 있는 사례, 충격적이거나 극적인 사례들을 더 쉽게 회상한다. 그래서 비행기 사고 장면을 담은 충격적인 뉴스 보도 영상을 접하게 되면, 그 장면이 자꾸 떠올라 자동차보다 비행기가 더 위험하다고 생각하게 되는 것이다. 그러나 이것은 실제 사고 발생 확률을 고려하지 못한 잘못된 판단이다.

시뮬레이션 휴리스틱은 과거에 발생한 특정 사건이나 미래에 일어날 일들을 마음속에 떠올려 그 장면을 상상해 보는 것이다. 범죄 용의자를 심문하는 경찰관이 그 용의자의 진술에 기초해서 범죄 장면을 머릿속에 그려보는 것이 이에 해당한다. 이때 경찰관은 그 용의자를 범인으로 가정해야만 그가 범죄를 저지르는 장면을 머릿속에 떠올려 볼 수 있다. 이러한 가상적 장면을 자꾸 머릿속에 떠올리다 보면, 그 용의자가 정말 범인인 것처럼 생각하게 된다. 그래서 그가 범인임을 입증하는 객관적인 증거를 충분히 수집하기도 전에 그를 범인이라고 판단할 가능성이 높아지는 것이다.

이처럼 휴리스틱은 종종 판단 착오를 낳기도 하지만, 경험에 기반하여 답을 찾는 효율적인 방법이라고 ⓐ <u>볼</u> 수도 있다. 일상생활에서 우리의 판단과 추론이 항상 합리적인 사고 과정을 거쳐 일어나는 것은 아니다. 우리는 '결정을 위한 시간이 많지 않다.'는 가정을 무의식적으로 하고 있다. 휴리스틱은 우리가 쓰고 싶지 않아도 거의 자동적으로 작용한다. 그리고 수많은 대안 중 순식간에 몇 가지 혹은 단 한 가지의 대안만을 남겨 판단하기 쉽게 만들어 준다. 이런 점에서 인간은 ㉠<u>'인지적 구두쇠'</u>라고 할 만하다.

16. 윗글의 내용과 일치하지 <u>않는</u> 것은?

① 일상생활 속에서 사람들은 과거 경험을 바탕으로 어림짐작을 하게 된다.
② 사람들은 충격적인 경험을 충격적이지 않은 경험보다 더 쉽게 회상한다.
③ 휴리스틱에 따른 판단은 사실에 부합하는 판단일 수도 있고 그렇지 않을 수도 있다.
④ 가상적인 상황을 반복하여 상상하면 마치 그 상황이 실제 사실인 것처럼 느껴질 수 있다.
⑤ 다른 사람의 입장이 되어 가상적인 상황을 생각함으로써 정확하고 객관적인 판단을 내릴 수 있다.

17. ㉠의 의미를 가장 잘 나타내고 있는 것은?

① 인간은 세상의 수많은 일들을 판단할 때 가능하면 노력을 덜 들이려는 경향이 있다.
② 인간은 주변 세계에 의미를 부여하고 앞으로 일어날 일을 예측하려는 욕구를 가지고 있다.
③ 인간은 과학적이고 체계적으로 정보를 처리하여 정확하고 객관적인 판단을 하려는 경향이 있다.
④ 인간은 판단에 필요한 정보나 판단하기 위한 시간이 부족하기 때문에 휴리스틱을 의도적으로 사용한다.
⑤ 인간은 일상생활 속에서 판단이나 결정을 할 때 가능한 모든 대안의 장점과 단점을 분석하여 결론을 도출한다.

18. 다음은 휴리스틱과 관련한 실험 내용이다. 윗글로 보아 <보기>의 ㉮에 들어갈 내용으로 가장 적절한 것은?

< 보 기 >

한 심리학 실험에서 연구자들은 사람들에게 '영미는 31세로 감성적이며 새로운 곳에 대한 호기심이 많은 여성이다. 대학에서 국어국문학을 전공하였고 사진 동아리에서 꾸준히 활동하였다.'라는 정보를 제시한 후, 영미가 현재 어떤 모습일지 A와 B 중 가능성이 높은 순서대로 배열하도록 하였다.

A. 영미는 은행원이다.
B. 영미는 여행 블로그를 운영하는 은행원이다.

B는 A의 부분집합이므로, 적어도 B보다 A일 가능성이 높다. 그러나 대부분의 사람들은 A보다 B일 가능성이 더 높다고 판단했다. 이에 대해 연구자들은 대표성 휴리스틱이 이러한 판단을 유도한 것이라고 보았다. 사람들이 (㉮) 보고, B의 '영미는 여행 블로그를 운영'에 주목했기 때문이라는 것이다.

① 최근에 여행 블로그가 유행하고 있다는 점을 고려해
② 대표적인 여행 블로그는 어떤 특징이 있는지 판단해
③ 영미가 은행원보다는 여행 블로그 운영자에 더 어울린다고
④ 가고 싶은 장소를 여행 블로그에서 검색했던 경험을 떠올려
⑤ 영미가 은행원이 되어 고객들에게 친절하게 대하는 모습을 상상해

19. ⓐ와 가장 유사한 의미로 사용된 것은?

① 김 씨는 오십이 넘어 늦게 아들을 보았다.
② 나는 날씨가 좋을 것으로 보고 세차를 했다.
③ 그녀는 남편이 사업에 실패할까 봐 걱정했다.
④ 다른 사람의 흉을 보는 것은 좋지 못한 습관이다.
⑤ 그는 보던 신문을 끊고 다른 신문을 새로 신청했다.

[20 ~ 23] 다음 글을 읽고 물음에 답하시오.

두 나라가 자발적으로 무역을 하기 위해서는 두 나라 모두 이익을 얻을 수 있어야 한다. 만일 무역 당사국이 이익을 전혀 얻지 못하거나 손실을 본다면, 이 나라는 무역을 하지 않을 것이기 때문이다. 그러면 무역을 통해 이익이 발생할 수 있는 이유는 무엇일까? 또 무역에서 수출입 재화는 각각 어떻게 결정될까?

A국과 B국에서 자동차와 신발을 생산하는 상황을 가정해 보자. 아래 <그림>과 같이 A국은 이용 가능한 생산요소*를 모두 투입하여 최대 자동차 10대 혹은 신발 1,000켤레를 만들 수 있다. 한편, B국에서는 동일한 조건하에 자동차 3대 또는 신발 600켤레를 생산할 수 있다.

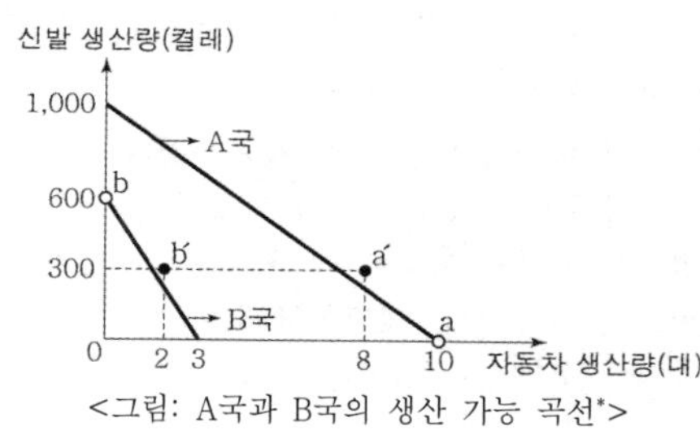

<그림: A국과 B국의 생산 가능 곡선*>

이때 국가 간 비교 우위 산업의 차이에 의해서 무역의 이익이 발생할 수 있다. 비교 우위란 어떤 재화 생산의 기회비용이 다른 나라보다 작은 경우를 의미하며, 이때 기회비용이란 그 재화 생산으로 인해 포기해야 하는 다른 재화의 가치를 말한다. 위의 상황에서 A국이 자동차를 1대 더 생산하기 위해서는 신발 생산을 100켤레 줄여야 한다. 즉, A국 입장에서 자동차 1대 생산의 기회비용은 신발 100켤레와 같다. 한편, B국은 자동차 1대 생산의 기회비용이 신발 200켤레가 된다. 이 경우 A국의 자동차 생산의 기회비용이 B국의 그것보다 작으므로, A국이 자동차 생산에 있어 비교 우위를 갖고 있다. 반면, ㉠B국은 신발 생산에 있어 비교 우위를 갖게 된다.

따라서 A국이 자동차를 특화해 B국에 수출하고, B국은 신발을 특화해 A국에 수출하면 무역을 하지 않을 때에 비해 양국 모두 이익을 얻을 수 있다. 위 <그림>에서 A국이 자동차만 10대 생산(a)하고 B국이 신발만 600켤레를 생산(b)해서 양국이 무역을 한다고 하자. 이때 A국이 자동차 2대를 수출하고 그 대신 B국으로부터 신발 300켤레를 수입한다면, A국은 자동차 8대와 신발 300켤레의 조합(a′)을, B국은 자동차 2대와 신발 300켤레의 조합(b′)을 소비할 수 있다. 즉 무역을 통해 양국은 무역 이전에는 생산할 수 없었던 재화량의 조합을 생산하는 것과 같은 효과를 갖게 되어 무역을 통한 이익을 얻을 수 있다.

이처럼 각국의 비교 우위 산업이 존재하는 이유에 대해 20세기 초의 경제학자 헥셔는 국가 간 생산요소 부존량*의 상대적 차이가 비교 우위를 낳는다고 보았다. 그에 따르면, 각국은 타국에 비해 상대적으로 풍부한 생산요소를 집약적으로 사용하는 재화의 생산에 비교 우위를 갖는다. 즉 재화마다 각 생산요소들이 투입되는 비율이 다르기 마련인데, 어떤 재화 생산에 특정 생산요소가 집약적으로 사용된다면 그 생산요소를 다른 나라들에 비해 풍부하게 보유하고 있는 국가가 해당 재화의 생산에 비교 우위를 갖게 된다는 것이다. 예를 들어, 어떤 국가가 자동차·선박 등 자본 집약재의 수출국이고 신발·의류 등 노동 집약재의 수입국이라면, 그 국가는 타국에 비해 자본은 상대적으로 풍부하고 노동은 그렇지 않다고 판단할 수 있다.

각국의 비교 우위 산업은 국가 간 생산요소 부존량의 상대적 차이가 변화함에 따라 바뀔 수도 있다. 우리나라도 과거 경공업 위주의 노동 집약적 산업에서 자본 집약적인 중화학 공업, 최근의 지식 집약적인 IT 산업까지 주요 산업 및 수출품이 변화해 왔다. 이는 경제 성장에 따라 각 생산요소들의 부존 비율이 변화함으로써 우리나라의 비교 우위 산업이 변화해 왔기 때문이다.

* 생산 가능 곡선 : 한 경제의 이용 가능한 생산요소들을 가장 효율적으로 투입하여 생산할 수 있는 각 재화 생산량의 조합을 나타낸 선.
* 생산요소 : 재화를 생산하기 위해 필요한 노동, 자본 등의 투입 요소.
* 생산요소 부존량 : 한 경제 내에 존재하고 있는 생산요소의 양.

20. 윗글에 대한 설명으로 적절하지 <u>않은</u> 것은?

① 단계적인 순서에 따라 이론의 한계를 지적하고 있다.
② 권위자의 견해를 들어 현상의 원인을 설명하고 있다.
③ 질문을 던짐으로써 독자의 관심을 유도하고 있다.
④ 핵심 개념을 설명하여 독자의 이해를 돕고 있다.
⑤ 가상적 상황을 예로 들어 현상을 설명하고 있다.

21. 윗글을 통해 답할 수 <u>없는</u> 질문은?

① 각국의 비교 우위 산업이 변할 수 있는 이유는 무엇인가?
② 자발적인 무역이 한 나라의 각 재화 생산에 어떤 영향을 미칠 수 있는가?
③ 어떤 재화 생산에 투입되는 각 생산요소의 비율은 어떻게 결정되는가?
④ 자발적인 무역에서 어떤 재화가 수출품이 되고 어떤 재화가 수입품이 되는가?
⑤ 국가 간 생산요소 부존량의 상대적 차이가 자발적인 무역에 미치는 영향은 무엇인가?

22. ㉠의 이유로 가장 적절한 것은?

① B국의 신발 생산의 기회비용이 자국의 자동차 생산의 기회비용보다 크기 때문이다.
② B국의 신발 생산의 기회비용이 A국의 신발 생산의 기회비용보다 작기 때문이다.
③ B국의 신발 생산의 기회비용이 A국의 자동차 생산의 기회비용보다 작기 때문이다.
④ 이용 가능한 생산요소를 모두 투입했을 때, B국이 A국보다 신발 생산량이 더 커지기 때문이다.
⑤ 이용 가능한 생산요소를 모두 투입했을 때, B국의 자동차 생산량보다 신발 생산량이 더 커지기 때문이다.

23. 윗글에 근거하여 <보기>의 상황을 이해한 것으로 적절하지 <u>않은</u> 것은? [3점]

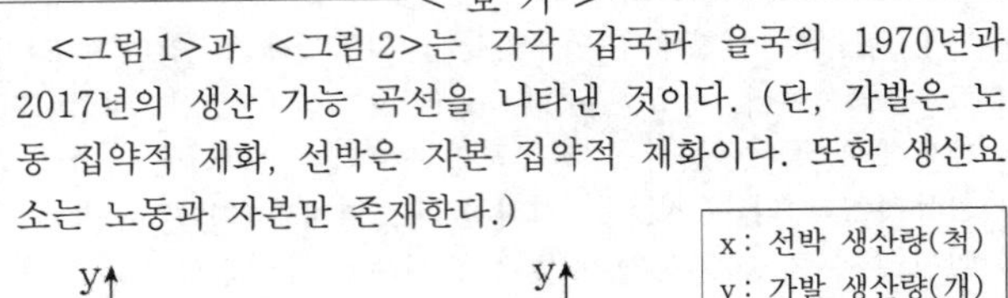
< 보 기 >

<그림 1>과 <그림 2>는 각각 갑국과 을국의 1970년과 2017년의 생산 가능 곡선을 나타낸 것이다. (단, 가발은 노동 집약적 재화, 선박은 자본 집약적 재화이다. 또한 생산요소는 노동과 자본만 존재한다.)

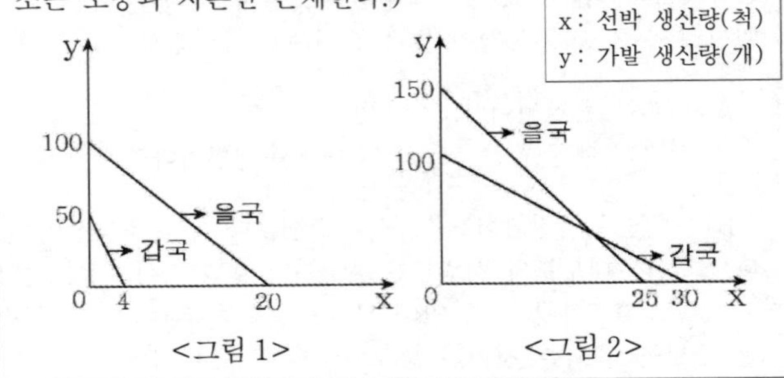

<그림 1> <그림 2>

① 1970년, 갑국이 선박을 2척 더 생산하기 위해서는 가발 생산을 25개 줄여야 했을 것이다.
② 1970년, 갑국은 을국에 비해 자본보다는 노동이 상대적으로 풍부했을 것이다.
③ 2017년, 선박 생산의 기회비용은 을국이 갑국에 비해 2배 이상 클 것이다.
④ 2017년, 을국은 갑국에 비해 노동의 부존 비율이 상대적으로 클 것이다.
⑤ 2017년, 갑국이 을국에 선박 1척을 수출하고 을국으로부터 가발 4개를 수입한다면, 무역 전에 비해 갑국이 소비할 수 있는 재화량의 조합이 늘어날 것이다.

[24 ~ 26] 다음 글을 읽고 물음에 답하시오.

절에서 시간을 알리거나 의식을 행할 때 쓰이는 종을 범종이라고 한다. 범종은 불교가 중국에 유입되면서 나타나기 시작하여 우리나라와 일본의 사찰로 퍼져 나갔다. 중국 종의 영향 속에서도 우리나라와 일본의 범종은 각각 독특한 조형 양식을 발전시켰는데, 우리나라 범종의 전형적인 조형 양식은 신라에서 완성되었다. 신라에서는 독창적이고 섬세한 조형 양식을 지닌 대형 종을 주조하였는데, 이는 중국이나 일본의 주조 공법으로는 만들기 어려운 것이었다. 이러한 신라 종의 조형 양식은 조선 초기를 기점으로 한 ㉠<u>큰 변화</u>가 나타나기 전까지 후대의 범종으로 계승되었다.

신라 종의 몸체는 항아리를 거꾸로 세워 놓은 것과 비슷하게 가운데가 불룩하게 튀어나온 모습을 하고 있다. 이와 달리 중국 종은 몸체의 하부가 팔(八) 자로 벌어져 있으며, 일본 종은 수직 원통형으로 되어 있다. 범종의 정상부에는 종을 매다는 용 모양의 고리인 용뉴(龍鈕)가 있는데, 신라 종의 용뉴는 쌍용 형태인 중국 종이나 일본 종의 용뉴와는 달리 한 마리 용의 모습을 하고 있다. 그리고 용뉴 뒤에는 우리나라의 범종에서만 특징적으로 나타나는 음통이 있다.

주조 공법이 발달했던 신라의 범종에는 섬세한 문양들이 장식되어 있어 중국 종이나 일본 종과 차이를 보인다. 신라 종의 상부와 하부에는 각각 상대와 하대라고 부르는 동일한 크기의 문양 띠가 있는데, 여기에는 덩굴무늬나 연꽃무늬 등의 불교적 상징물이 장식되어 있다. 상대 바로 아래 네 방향에는 사다리꼴의 유곽이 있으며 그 안에 연꽃 봉우리 형상이 장식된 유두가 9개씩 있어, 단순한 꼭지 형상의 유두가 있는 일본 종이나 유두와 유곽 모두 존재하지 않는 중국 종과 차이를 보인다. 그리고 가장 불룩하게 튀어나온 종의 정점부에는 타종 부위인 당좌(撞座)가 있으며, 이 당좌 사이에는 천인상(天人像)이 아름답게 장식되어 있어 가로 세로의 띠만 있는 일본 종과 차이가 있다.

고려 시대에는 이러한 신라 종의 조형 양식이 미약한 변화 속에서 계승된다. 전기에는 상대와 접하는 종의 상판 둘레에 견대라 불리는 어깨 문양의 장식이 추가되고 유곽과 당좌의 위치가 달라지며, 천인상만 부조되어 있던 자리에 삼존불 등이 함께 나타난다. 그리고 고려 후기로 가면 전기 양식의 견대가 연꽃을 세운 모양으로 변하고, 원나라의 침입 이후 전래된 라마교의 영향으로 범자(梵字) 문양 등의 장식이 나타난다. 한편, 범종이 소형화되어 신라 종의 조형 양식이 계승되면서도 그러한 조형 양식을 지닌 대형 종의 주조 공법은 사라지게 된다.

조선 초기에는 새 왕조를 연 왕실 주도로 다시 대형 종이 주조된다. 이때 조선에서는 신라의 대형 종 주조 공법을 대신하여 중국 종의 주조 공법을 도입하게 된다. 그러면서 중국 종처럼 음통이 없이 쌍용으로 된 용뉴가 등장하며, 당좌가 사라지고, 신라 종의 섬세한 장식 대신 중국 종의 전형적인 장식들이 나타나게 된다. 이후 불교를 억제하는 정책에 따라 한동안 범종 제작이 통제되었고, 16세기에 사찰 주도로 소형 종이 주조되면서 사라졌던 신라 종의 조형 양식이 다시 나타난다. 그 후 이러한 혼합 양식과 복고 양식이 병립하다가 복고 양식이 사라지면서 우리나라의 범종은 쇠퇴기에 접어들게 된다.

24. 윗글의 내용과 일치하지 않는 것은?

① 고려 시대까지 우리나라의 범종은 외국의 영향을 받지 않으며 신라 종의 조형 양식을 계승하였다.
② 신라 종의 상부와 하부에는 불교적 상징물이 장식되어 있는 동일한 크기의 문양 띠가 있다.
③ 신라 시대부터 범종에 장식되어 있었던 당좌는 조선 시대에 들어와 사라지기도 하였다.
④ 우리나라와 일본에서 범종이 만들어진 것은 중국에서 불교가 전파된 것과 관련이 있다.
⑤ 신라에서는 중국이나 일본과는 다른 주조 공법으로 대형 종을 주조하였다.

25. <보기>는 신라 시대에 만들어진 범종의 그림이다. 이 범종의 ⓐ~ⓔ와 관련된 설명으로 적절하지 않은 것은?

< 보 기 >

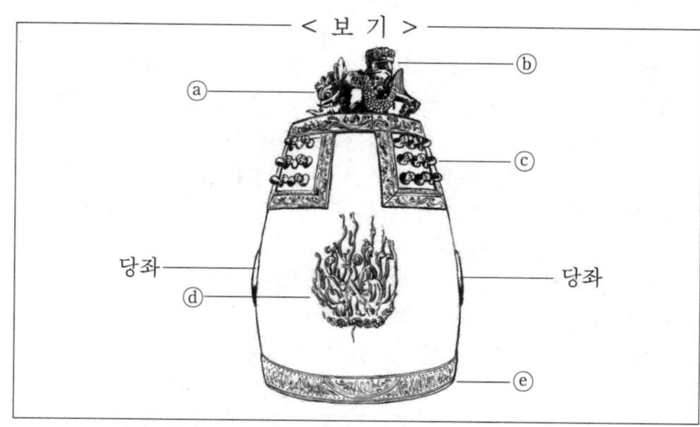

① 용이 한 마리인 형태의 ⓐ는 쌍용 형태인 중국 종이나 일본 종과 차이가 있다.
② ⓑ는 중국 종이나 일본 종에는 존재하지 않는 신라 종의 독특한 조형 양식에 해당한다.
③ 중국 종에는 ⓒ가 존재하지 않고, 일본 종에 존재하는 것은 ⓒ와 형상이 다르다.
④ 일본 종은 신라 종과 달리 ⓓ의 주변에 가로 세로의 띠가 있다.
⑤ 신라 종은 중국 종이나 일본 종과 달리 몸체의 정점부가 ⓔ 부분보다 불룩하게 튀어나와 있다.

26. ㉠이 나타나게 된 이유로 가장 적절한 것은? [3점]

① 조선 시대에 불교를 억제하는 정책을 펴면서 범종 제작이 통제되었기 때문이다.
② 고려 시대에 종이 소형화되면서 신라 종의 조형 양식이 전승되지 못했기 때문이다.
③ 중국 종의 주조 공법으로 대형 종을 만들면서 중국 종의 조형 양식을 따르게 되었기 때문이다.
④ 16세기에 사찰 주도로 범종을 주조할 때 신라 종의 조형 양식을 복원하는 데 한계가 있었기 때문이다.
⑤ 조선 초기에 사찰 주도로 대형 종을 주조하면서 섬세한 조형 양식을 지닌 신라 종을 따르고자 했기 때문이다.

[27 ~ 30] 다음 글을 읽고 물음에 답하시오.

과학에서 관심을 갖는 대상을 '계(system)'라고 하고, 계를 제외한 우주의 나머지 부분은 '주위(surroundings)', 계와 주위 사이는 '경계(boundary)'라고 한다. 계는 주위와 에너지나 물질의 교환이 모두 일어나지 않는 '고립계', 주위와 물질 교환 없이 에너지 교환만 일어나는 '닫힌계', 주위와 물질 및 에너지 교환이 모두 일어나는 '열린계'로 나눌 수 있다.

열역학 제1법칙에 따르면 우주의 에너지 총량은 일정하므로, 계와 주위의 에너지 합 또한 일정하다. 계와 주위 사이에 에너지 교환이 있다면, 계의 에너지가 감소할 때 주위의 에너지는 증가하며, 계의 에너지가 증가할 때 주위의 에너지는 감소하게 된다. 계와 주위 사이에 에너지 교환이 일어날 때, 계의 에너지가 증가하면 +로, 계의 에너지가 감소하면 -로 표시한다. 한편, 계가 열을 흡수하는 과정은 흡열 과정, 계가 열을 방출하는 과정은 발열 과정이라고 하는데, 열은 에너지의 대표적인 형태이므로, 흡열 과정에 관련된 열은 $+Q$로, 발열 과정에 관련된 열은 $-Q$로 나타낼 수 있다.

[가] 계의 에너지는 온도, 압력, 부피 등의 열역학적 변수들에 의해 결정되므로, 열역학적 변수들이 ㉠ <u>같은</u> 계들은 같은 '상태'에 있다고 할 수 있다. <그림>과 같이 피스톤이 연결된 실린더가 있고, 실린더에는 보일-샤를의 법칙을 만족하는 기체가 들어 있다고 가정해 보자. 먼저, 피스톤을 고정하지 않은 채 실린더 속 기체의 압력이 P_1로 일정하도록 유지한 상태에서 실린더를 가열하여 실린더 속 기체의 온도가 T_1에서 T_2가 되도록 하면, 온도가 높아짐에 따라 실린더 속 기체의 부피는 증가하게 된다. 한편, 피스톤을 고정하여 실린더 속 기체의 부피를 일정하게 하고 실린더를 가열하면, 실린더 속 기체의 온도가 T_1에서 T_2가 되는 동안 실린더 속 기체의 압력은 P_1에서 P_2로 증가하는데, 온도가 T_2인 상태를 유지하면서 고정시켰던 피스톤을 풀면 실린더 속 기체의 압력이 P_1이 될 때까지 실린더 속 기체의 부피는 증가하게 된다.

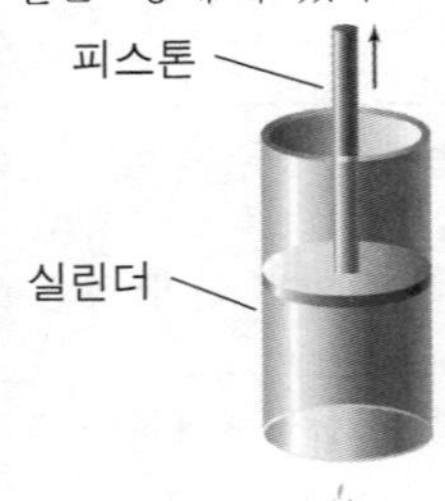

전자의 경우를 A, 후자의 경우를 B라고 하면, A는 T_1, P_1인 초기 상태에서 T_2, P_1인 최종 상태가 되었고, B는 T_1, P_1인 초기 상태에서 T_2, P_2인 상태를 거쳐 T_2, P_1인 최종 상태가 되었다고 할 수 있다. 그리고 두 계라 할 수 있는 A와 B가 같은 상태에 있으면, A와 B의 실린더 속 기체의 내부 에너지*는 서로 같다고 할 수 있다.

이때 A의 초기 상태와 B의 초기 상태, A의 최종 상태와 B의 최종 상태는 각각 같지만, 초기 상태에서 최종 상태에 이르는 경로는 다르다. 따라서 두 계가 같은 상태에 있다고 해서 두 계가 만들어진 과정이 같다고 할 수는 없다. 또한 어떤 계의 변화가 일어나는 경로는 초기 상태에서 최종 상태로 진행하면서 거치는 일련의 상태들로 이루어져 있으며, 이 두 상태를 연결하는 경로는 무한히 많다.

* 기체의 내부 에너지 : 기체가 가지고 있는 에너지를 의미하며, 기체의 부피가 일정할 때 기체의 내부 에너지는 온도에 의해 결정된다.

27. 윗글의 내용과 일치하지 <u>않는</u> 것은?

① 열역학적 변수들이 같은 두 계는 같은 상태에 있다.
② 열역학 제1법칙에 따르면 우주의 에너지 총량은 일정하다.
③ 열린계에서는 주위와 물질 교환 없이 에너지 교환만 일어난다.
④ 어떤 계가 초기 상태에서 최종 상태로 진행하면서 거칠 수 있는 경로는 무한히 많다.
⑤ 계와 주위 사이에 에너지 교환이 일어날 때 계의 에너지가 증가하면 주위의 에너지는 감소한다.

28. 윗글을 바탕으로 <보기>를 이해한 내용으로 가장 적절한 것은?

< 보 기 >

물이 담긴 수조에 절반 정도 잠기도록 놓인 비커 속 물에 진한 황산을 넣어서 묽은 황산 용액을 만들면, 묽은 황산 용액은 물론 비커 주위의 수조 속 물의 온도까지 높아진다. 이는 황산이 이온으로 되면서 열이 방출되고, 이 열이 수조 속 물에도 전달되기 때문이다.

① 묽은 황산 용액이 만들어지는 과정은 발열 과정으로, 이 과정과 관련된 열은 $-Q$로 표시되겠군.
② 진한 황산을 넣은 물은 주위와 물질 및 에너지 교환이 일어나는 고립계에 해당하겠군.
③ 비커 속 물의 에너지와 수조 속 물의 에너지는 모두 감소했겠군.
④ 묽은 황산 용액은 수조 속의 물로부터 에너지를 흡수했겠군.
⑤ 비커 속의 물과 수조 속의 물은 모두 경계에 해당하겠군.

29. <보기>는 [가]를 그래프로 표시한 것이다. <보기>를 참고하여 [가]를 이해한 내용으로 적절하지 <u>않은</u> 것은? [3점]

< 보 기 >

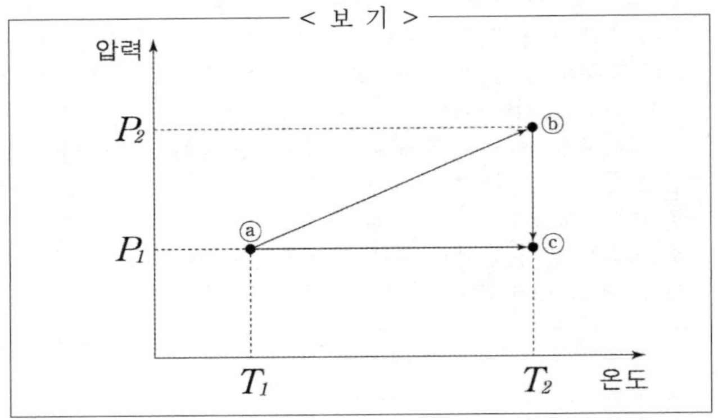

① A의 경우 ⓐ 상태에서 ⓒ 상태가 되는 경로에서 실린더 속 기체의 부피가 증가한다.
② B의 경우 ⓐ 상태에서 ⓑ 상태가 되는 경로에서 온도가 점차 높아진다.
③ B의 경우 ⓑ 상태에서 ⓒ 상태가 되는 경로에서 실린더 속 기체의 부피가 증가한다.
④ ⓐ 상태에서 실린더 속 기체의 내부 에너지는 A의 경우와 B의 경우가 같을 것이다.
⑤ ⓒ 상태에서 실린더 속 기체의 내부 에너지는 A의 경우보다 B의 경우가 클 것이다.

30. 문맥을 고려할 때 ㉠과 바꾸어 쓰기에 가장 적절한 것은?

① 동일한
② 동반한
③ 동화한
④ 균일한
⑤ 유일한

[31 ~ 33] 다음 글을 읽고 물음에 답하시오.

(가)
산비알에 돌밭에 저절로 나서
저희들끼리 자라면서
재재발거리고 떠들어 쌓고
밀고 당기고 간지럼질도 시키고
시새우고 토라지고 다투고
시든 잎 생기면 서로 떼어주고
아픈 곳은 만져도 주고
끌어안기도 하고 기대기도 하고
이렇게 저희들끼리 자라서는
늙으면 동무나무 썩은 가질랑
슬쩍 잘라주기도 하고
세월에 곪고 터진 상처는
긴 혀로 핥아주기도 하다가
열매보다 아름다운 이야기들을
머리와 어깨와 다리에
가지와 줄기에
주렁주렁 달았다가는
별 많은 밤을 골라 그것들을
하나하나 떼어 온 고을에 뿌리는
우리 동네 늙은 느티나무들

\- 신경림, 「우리 동네 느티나무들」 -

(나)
나는 구부러진 길이 좋다.
구부러진 길을 가면
나비의 밥그릇 같은 **민들레**를 만날 수 있고
감자를 심는 **사람**을 만날 수 있다.
날이 저물면 울타리 너머로 밥 먹으라고 부르는
어머니의 목소리도 들을 수 있다.
구부러진 하천에 물고기가 많이 모여 살듯이
들꽃도 많이 피고 별도 많이 뜨는 **구부러진 길.**
구부러진 길은 산을 품고 마을을 품고
구불구불 간다.
그 구부러진 길처럼 살아온 사람이 나는 또한 좋다.
반듯한 길 쉽게 살아온 사람보다
흙투성이 감자처럼 ⓐ <u>울퉁불퉁</u> 살아온 사람의　[A]
ⓑ <u>구불구불</u> 구부러진 삶이 좋다.
구부러진 주름살에 **가족을 품고 이웃을 품고 가는**
구부러진 길 같은 사람이 좋다.

\- 이준관, 「구부러진 길」 -

31. (가)와 (나)의 표현상의 특징에 대한 설명으로 가장 적절한 것은?

① (가)와 (나)는 모두 시간의 흐름을 따라 시상을 전개하고 있다.
② (가)와 (나)는 모두 화자가 대상에 말을 건네는 방식으로 친근한 분위기를 만들고 있다.
③ (가)는 역설적 표현으로, (나)는 반어적 표현으로 의미를 강조하고 있다.
④ (가)는 시각적 심상을 중심으로, (나)는 청각적 심상을 중심으로 대상을 묘사하고 있다.
⑤ (가)는 특정 어미의 반복을 통해, (나)는 특정 시어들의 반복을 통해 리듬감을 살리고 있다.

32. <보기>를 참조하여 (가)와 (나)를 감상한 내용으로 적절하지 <u>않은</u> 것은? [3점]

< 보 기 >

자연의 순리를 파괴하고 건설된 현대 문명사회는 과도한 경쟁과 강자에 의한 약자 지배가 심화되고 있다. 그러나 자연의 다양한 생명들은 생겨난 그대로의 모습으로 조화를 이루고 있으며, 서로 의존하면서 하나의 생명 공동체를 이룬다. 문학은 이러한 자연의 모습에서 현대 문명사회의 문제들을 극복할 수 있는 대안으로서의 삶의 원리와 인간형을 성찰하고 있는데, (가)와 (나)는 이러한 관점에서 살펴볼 수 있다.

① (가)의 '산비알에 돌밭에 저절로 나서'는 생겨난 그대로의 모습으로 존재하는 자연을 형상화한 것으로 볼 수 있다.
② (가)의 '아픈 곳은 만져도 주고/끌어안기도 하고 기대기도 하고'에서는 서로 의존하면서 살아가는 공생의 원리를 찾아볼 수 있다.
③ (가)의 '우리 동네 늙은 느티나무들'은 강자에 의한 약자 지배가 심화되면서 다양성이 훼손된 자연 공동체를 상징적으로 보여준다고 할 수 있다.
④ (나)의 '구부러진 길'은 '민들레', '사람', '들꽃' 등의 다양한 생명이 조화를 이루는 생명 공동체의 원리를 발견하는 공간으로 볼 수 있다.
⑤ (나)의 '가족을 품고 이웃을 품고 가는/구부러진 길 같은 사람'은 과도한 경쟁으로 생겨난 현대 문명사회의 문제들을 극복할 수 있는 대안으로서의 인간형으로 볼 수 있다.

33. [A]의 시적 맥락을 고려할 때, ⓐ와 ⓑ에 대한 이해로 가장 적절한 것은?

① ⓐ는 '흙투성이 감자'의 긍정적 의미와 어울리고, ⓑ는 '구부러진 삶'의 부정적 측면과 어울린다.
② ⓐ는 ⓑ와 더불어 '반듯한 길 쉽게'와 의미상 대비를 이루며 '흙투성이 감자'의 이미지와 어울린다.
③ ⓐ는 ⓑ와 더불어 '흙투성이 감자'의 이미지를 강화하면서 '구부러진 삶'에 대한 비관적 인식을 드러낸다.
④ ⓐ는 '구부러진 길처럼 살아온 사람'의 내면을 드러내고, ⓑ는 '반듯한 길 쉽게 살아온 사람'의 내면을 드러낸다.
⑤ ⓐ는 '반듯한 길'을 소극적으로 수용하는 태도를 반영하고, ⓑ는 '구부러진 길'을 적극적으로 예찬하는 태도를 반영한다.

20회

[34 ~ 37] 다음 글을 읽고 물음에 답하시오.

[앞부분의 줄거리] 윤창권은 가족과 함께 일제 치하의 고향을 떠나 만주 장자워푸에서 황무지를 개간하는 조선 이주민 집단에 합류한다.

깊은 겨울엔 땅 속이 한 길씩 언다. 얼기 전에 삼십 리 대간선*은 째어 놓아야 내년 봄엔 물이 온다. ㉠이것을 실패하면 황무지엔 잡곡이나 뿌릴 수밖에 없고, 그 면적에 잡곡이나 뿌려 가지고는 그 다음해 먹을 수가 없다.

창권이넨 새로 와서 지리도 어둡고, 가역(家役)*도 끝나기 전이라 동네에서 제일 가까운 구역을 맡았다. ㉡한 삼 마장 길이 되는 대간선의 끝 구역이었다. 그것을 쿨리* 다섯 명을 데리고, 넓이 열두 자, 깊이 다섯 자로, 얼기 전에 뚫어 놔야 한다. 여간 대규모의 수리공사가 아니다. 창권은 가역 때문에 처음 얼마는 쿨리들만 시키었으나, 날이 자꾸 추워지는 것이 겁나 집일 웬만한 것은 어머니와 아내에게 맡기고 봇도랑 내는 데만 전력하였다.

㉢쿨리들은 눈만 피하면 꾀를 피웠다. 우묵한 양지쪽에 앉아 이를 잡지 않으면 졸고 있었다. 빨리 하라고 소리를 치면 그들도 알아들을 수 없는 말로 마주 투덜대었다. 다행히 돌은 없으나 흙일은 변화가 없어 타박타박해 힘들고 지리했다.

이런 일이 반이나 진행되었을까 한 때다. 땅도 자꾸 얼어들어 일도 힘들어졌거니와 더 큰 문제가 일어났다. 이날도 역시 모두 제 구역에서 제가 맡은 쿨리들을 데리고 일을 하는데 쿨리들이 먼저 보고 둔덕으로 뛰어올라가며 뭐라고 떠들어 댔다. 창권이도 둔덕으로 올라서 보았다. 한편 쪽에서 갈가마귀떼처럼 이곳 토민들이 수십 명씩 무더기가 져서 새까맣게 몰려오는 것이다.

'마적떼 아닌가!'

그러나 말을 탄 사람은 하나도 없다. 그들은 더러는 이쪽으로 몰려 오고 더러는 동네로 들어간다. 창권은 집안 식구들이 걱정된다. 삽을 든 채 집으로 뛰어들어가다가 그들 한패와 부딪쳤다. 앞을 턱 막아서더니 쭉 에워싼다. 까울리, 까울리방즈,* 어쩌구 한다. 조선 사람이냐고 묻는 눈치다. 그렇다고 고개를 끄덕이니까 한 자가 버럭 나서며 창권이가 잡은 삽을 낚아 챈다. 창권은 기운이 부쳐서가 아니라 얼떨결에 삽자루를 놓쳤다. 삽을 빼앗은 자는 삽을 번쩍 쳐들고 창권을 내려치려 한다. 창권은 얼굴이 퍼렇게 질려 뒤로 물러났다. 창권에게 발등을 밟힌 자가 창권의 등덜미를 갈긴다. 그러고는 일제 깔깔 웃어 댄다. 삽을 들었던 자도 삽을 휘휘 두르더니 밭 가운데로 팽개쳐 버린다. 그리고는 창권의 멱살을 잡고 봇도랑 내는 데로 끄는 것이다.

창권은 꼼짝 못 하고 끌렸다. 뭐라고 각기 제대로 떠들고 삿대질이더니 창권을 봇도랑 바닥에 고꾸라뜨린다. 창권이뿐 아니라 봇도랑 일을 하던 쿨리들도 붙들어 가지고 힐난이다. 봇도랑을 못 내게 하는 모양이다. ㉣그러자 윗구역에서, 또 그 윗구역에서 여깃말 할 줄 아는 조선 사람들이 내려왔다. 동리에서도 조선 사람들이 소리를 지르며 나타났다. 창권은 눈이 째지게 놀랐다. 윗구역에서 내려오는 조선 사람 하나가 괭이를 둘러메고 여기 토민들 몰켜선 데로 뭐라고 여깃말로 호통을 치면서 그냥 닥치는 대로 찍으려 덤벼드는 것이다. 몰켜 섰던 토민들은 와 흩어져 버린다. 창권을 둘러쌌던 패들도 슬금슬금 물러선다. 동리에서는 조선 부인네들 몇은 식칼을 들고, 낫을 들고 달려들 나오는 것이다. 낫과 식칼을 보더니 토민들은 제각기 사방으로 흩어져 달아난다. 창권은 사지가 부르르 떨렸다.

'여기선 저럭해야 사나 부다! 아니, 이 봇도랑은 우리 목줄이 아니고 뭐냐!'

아까 등덜미를 맞고, 멱살을 잡히고 한 분통이 와락 터진다. ㉤다리 오금이 날갯죽지처럼 뻗는다.

"덤벼라! 우린 여기서 못 살면 죽긴 마찬가지다!"

달아나는 녀석 하나를 다우쳤다. 뒷덜미를 낚아챘다. 공중걸이로 나가떨어진다. 또 하나 쫓아가는데 뒤에서 어머니의 목소리가 난다. 어머니가 달려오며 붙든다.

이 장자워푸를 수십 리 둘러 사는 토민들이 한덩어리가 되어 조선 사람들이 보동* 내는 것을 반대하는 것이었다.

[A]
반대하는 이유는 극히 단순한 것이었다. 보동을 내어 논을 풀면 그 논에서들 나오는 물이 어디로 가느냐?였다. 방바닥 같은 들이라 자기네 밭에 모두 침수가 될 것이니 자기네는 조선 사람들 때문에 농사도 못 짓고 떠나야 옳으냐는 것이다. 너희들도 그 물을 끌어다 벼농사를 지으면 도리어 이익이 아니냐 해도 막무가내였다. 자기넨 벼농사를 지을 줄도 모르거니와 이밥을 못 먹는다는 것이다. 고소하지도 않을 뿐더러 배가 아파진다는 것이다. 그럼 먹지는 못하더라도 벼를 장춘으로 가지고 가 팔면 잡곡을 몇 배 살 돈이 나오지 않느냐? 또 벼농사를 지을 줄 모르면 우리가 가르쳐 줄 터이니 그대로 해보라고 하여도 완강히 반대로만 나가는 것이었다. 그리고 조선 사람이 칼이나 낫으로 덤비면 저희에게도 도끼도 몽둥이도 있다는 투로 맞서는 것이다.

조선 사람들은 일을 계속하기가 틀렸다. 쿨리들이 다 달아났다. 땅이 자꾸 얼었다. 삼동 동안은 그냥 해토*되기만 기다리는 수밖에 없고, 해토가 된다 하여도 조선 사람들의 힘만으로는, 못자리는 우물물로 만든다 치더라도, 모낼 때까지 봇물을 끌어오게 될지 의문이다.

그러나 이 보동 이외에 달리 살 길은 없다. 겨울 동안에 황채심과 몇몇 이곳 말 잘하는 사람들은 나서 이웃 동네들을 가가호호 방문하였다. 보동을 낸다고 해서 물을 무제한으로 끌어오는 것이 아니요, 완전한 장치로 조절한다는 것과 조선서는 봇물이 오면 수세를 내면서까지 밭을 논으로 만든다는 것과 여기서도 한 해만 지어 보면 나도 나도 하고 물이 세가 나게 될 것과 우리가 벼농사 짓는 법도 가르쳐 주고, 벼만 지어 놓으면 팔기는 우리가 나서 주선해 줄 것이니 그것은 서로 계약을 해도 좋다고까지 역설하였으나 하나같이 쇠귀에 경읽기였다. 뿐만 아니라 어떤 동네에선 사나운 개를 내세워 가까이 오지도 못하게 하였다.

조선 사람들은 지칠 대로 지치고 악만 남았다.

추위는 하루같이 극성스럽다. 더구나 늦게 지은 창권이네 집은 벽이 모두 얼음장이 되었다. 그냥 견딜 수가 없어 방 안에다 조짚을 엮어 둘러쳤다. 석유도 귀하거니와 불이 날까 보아 등잔도 별로 켜지 못했다. 불 안 켜는 밤이면 바람 소리는 더 크게 일어났다.

- 이태준, 「농군」 -

* 대간선 : 수로나 도로 등의 시설에서 중심이 되는 큰 줄기의 선.
* 가역 : 집을 짓거나 고치는 일.
* 쿨리 : 육체노동에 종사하는 현지인 노동자.
* 까울리, 까울리방즈 : 중국인이 한국인을 낮추어 부르는 말.
* 보동 : 보를 둘러쌓은 둑.
* 해토 : 얼었던 땅이 풀림.

34. 윗글에 대한 설명으로 가장 적절한 것은?

① 인물의 대화를 직접적으로 인용하여 사건의 진행을 더디게 하고 있다.
② 심리적 갈등을 드러내기 위해 인물의 내면을 위주로 서술하고 있다.
③ 서술자가 주인공으로 등장하여 자신의 체험을 이야기하고 있다.
④ 상황의 현장감을 부각하기 위해 현재 시제를 활용하고 있다.
⑤ 시점의 변화를 통해 사건을 다각적으로 제시하고 있다.

35. ㉠~㉤에 대한 설명으로 적절하지 않은 것은?

① ㉠: 가정과 예상되는 결과를 연쇄적으로 제시하여 상황의 시급함을 강조하고 있다.
② ㉡: 작업의 규모와 기한을 밝혀 '창권'의 부담을 구체화하고 있다.
③ ㉢: 행동 묘사를 통해 '쿨리들'의 불성실한 면모를 구체적으로 드러내고 있다.
④ ㉣: 유사한 문장을 반복하여 상황의 반전이 시작되는 지점을 부각하고 있다.
⑤ ㉤: 비유를 통해 '창권'이 느낀 두려움을 생생하게 표현하고 있다.

36. <보기>를 참고하여 윗글을 감상한 내용으로 적절하지 않은 것은? [3점]

< 보 기 >

이 작품의 등장인물들은 하나의 공간에서 각기 자신들에게 익숙한 생활 방식을 고수하려는 과정에서 충돌한다. 한 편은 이 공간을 변화시킴으로써 기존의 생활 방식을 지속하고 공간의 이질성을 극복하려 한다. 하지만 다른 편의 입장에서 이러한 행위는 자신들에게 익숙한 생활 방식에 대한 침해이자, 익숙한 공간을 낯설게 만들려는 시도로 인식된다. 이들 간의 충돌은 생존의 문제와 직결되면서 한층 더 절박한 양상을 띠게 된다.

① '장쟈워푸'의 혹독한 기후와 낯선 언어는, 조선인 집단에 갓 합류한 창권으로 하여금 공간에 대해 이질감을 느끼게 하는 요인으로 볼 수 있군.
② 조선인들이 봇도랑을 내는 것은 '장쟈워푸'라는 낯선 공간을 벼농사가 가능한 땅으로 만들어 자신들에게 익숙한 생활 방식을 지속하려는 시도라 할 수 있군.
③ 조선인들이 일하는 구역에 '토민들'이 몰려와 방해하는 이유는 자신들이 유지해 오던 기존의 생활 방식을 조선인들이 침해하고 있다고 생각했기 때문이겠군.
④ 창권이 봇도랑을 '우리 목줄'로 인식하는 것은 공간의 변화 여부가 생존과 직결되어 있음을 깨닫게 된 것으로 볼 수 있군.
⑤ 조선인들과 '토민들'이 대립하는 것은 양측 모두 '장쟈워푸'라는 공간을 변화시키고자 하지만 그 방식을 놓고 의견이 엇갈리기 때문인 것으로 파악할 수 있군.

37. [A]에 대한 이해로 가장 적절한 것은?

① 문제 제기에 대해 다양한 대안을 열거하면서 최선의 해결책을 이끌어내고 있다.
② 주장과 반론이 교차되는 과정에서 입장의 차이를 좁혀나가는 모습을 그려내고 있다.
③ 역사적 배경을 서술하면서 사건의 근본적 원인을 과거의 시대 상황에서 탐색하고 있다.
④ 설득이 실패하는 상황을 반복적으로 제시하여 문제의 해결이 쉽지 않을 것임을 강조하고 있다.
⑤ 공동체가 난관에 대처하는 방식을 서술하여 개인의 문제를 집단의 것으로 수용하는 과정을 구체화하고 있다.

[38 ~ 40] 다음 글을 읽고 물음에 답하시오.

[앞부분의 줄거리] 안평대군은 열 명의 궁녀를 뽑아 자신의 궁에 두고서 외부와의 교류를 금하고 시 짓기를 가르쳤다.

[A]
"처음 보았을 때에는 우열을 가릴 수 없었으나 거듭 읽노라니 자란의 시가 뜻이 심원하여 나도 모르게 감탄하고 흥겨운 마음이 드는구나. 나머지 시들 또한 모두 맑고 좋은데, 유독 운영의 시만은 서글피 누군가를 그리워하는 마음이 보이거늘 그리는 사람이 누군지 모르겠다. 준엄히 캐물을 일이로되 그 재주가 아까워 그냥 덮어두기로 한다."
저는 뜰로 내려가 엎드려 울며 대답했습니다.
"시를 짓는 중에 우연히 나온 말이지. 어찌 다른 뜻이 있겠습니까? 지금 주군께 의심을 받으니 첩은 만 번 죽어도 유감이 없나이다."
대군은 자리에 앉으라 명하고 이렇게 말했습니다.
"시는 진정한 마음에서 우러나오는 것이라서 가리고 숨길 수가 없는 법이다. 너는 더 말하지 말아라."

그리고는 비단 열 꾸러미를 내어 우리 열 사람에게 나누어 주었습니다. 대군이 일찍이 제게 사사로운 마음을 보인 적이 없으나 궁중 사람들은 모두 대군의 마음이 제게 있다는 걸 알고 있었습니다.

우리 열 사람은 방으로 돌아와 아름다운 등불을 환히 밝히고는 칠보로 만든 책상 위에 『당율』한 권을 놓아두고 궁녀들의 원망을 담은 옛사람들의 시 중 어떤 작품이 훌륭한지 토론을 벌였습니다. 저 혼자 병풍에 기대어 흙으로 빚어 놓은 인형처럼 근심스레 말이 없자 소옥이 저를 돌아보고 말했습니다.

[B]
"낮에 연기를 읊은 시로 주군에게 의심을 받더니 그 때문에 근심스러워 말이 없는 거니? 아니면 주군의 뜻이 네게 있겠기에 속으로 기뻐서 말이 없는 거니? 네 속을 모르겠구나."
제가 옷깃을 여미고 대답했습니다.
"너는 내가 아닌데 어찌 내 마음을 안단 말이니? 지금 막 시 한 편을 지으려는데, 묘안이 떠오르지 않아 고심하느라 말하지 않았던 것뿐이야."
은섬이 이렇게 말했습니다.
"어딘가 뜻이 향하는 곳이 있어 마음이 여기 있지 않으니 옆 사람의 말이 지나가는 바람 소리처럼 들리겠지. 네가 말하지 않는 까닭을 알긴 어렵지 않아. 어디 내가 한번 맞혀 볼까?"
그러더니 창밖의 포도 시렁을 주제로 칠언 사운의 시를 지어보라 재촉하더군요.

[중략 부분의 줄거리] 운영은 진사와 처음 만났을 때의 일을 들려주며 진사에 대한 자신의 마음을 자란에게 털어 놓는다.

"나는 이때부터 자려 해도 잠을 이루지 못하고 먹는 것이 줄었으며 마음이 답답하여 모르는 사이에 옷과 허리띠가 헐렁해졌단다. 너는 이 일을 기억 못하겠니?"

자란이 이렇게 대답했습니다.

"잊고 있었는데 지금 네 말을 듣고 보니 술에서 막 깨어난 듯 어슴푸레 생각이 날 듯 말 듯 하구나."

그 뒤로 대군이 진사와 자주 만났으나 저희들을 가까이 두지 않았기에 저는 그때마다 문틈으로 엿보고 했답니다. 하루는 고운 종이에 오언 사운의 시 한 수를 적었어요.

베옷 입고 가죽 띠 두른 선비
옥 같은 얼굴 신선과 같지.
늘 주렴 사이로만 바라보나니
월하노인*의 인연 어디 없는지?
얼굴 씻으매 눈물이 물을 이루고
거문고 타매 한스러움 현을 울리네.
가슴 속 원망 끝이 없어서
고개 들고 하늘에 하소연하네.

[이 시]와 금비녀 하나를 함께 싸서 열 겹으로 거듭 봉하여 진사에게 주고자 했지만 전달할 방법이 없었답니다. 그날, 달 밝은 밤에 대군이 술자리를 크게 열어 손님을 모으고 진사의 재주를 매우 칭찬하며 일전에 진사가 지은 시 두 편을 내보였습니다. 모인 사람들이 돌려 보며 칭찬하기를 마지않더니 모두들 진사를 한번 만나보고 싶어 했습니다. 대군이 즉시 하인과 말을 보내 진사를 초청했습니다. 잠시 후 진사가 도착하여 자리로 오는데, 얼굴이 수척하고 몸은 홀쭉한 것이 예전의 기상이라곤 전혀 찾아볼 수가 없었습니다. 대군이 위로하며 이렇게 말했습니다.

"진사는 굴원의 마음이 있는 것도 아니면서 연못가에서의 초췌한 모습부터 미리 가진 게요?"

모여 있던 이들이 한바탕 크게 웃었지요. 진사가 일어나 인사하고 말했습니다.

"저는 빈천한 유생으로서 외람되이 나리의 은총을 받았습니다. 그러나 복이 지나치면 재앙이 생기는 법인지, 질병이 온몸을 휘감아 요사이 식음을 전폐하고 있습니다. 다른 사람의 도움 없이는 움직이기 어려우나 지금 부르심을 받자와 겨우 부축을 받고 와서 인사드립니다."

손님들이 모두 몸가짐을 바루어 공손함을 표했습니다. 진사는 나이 어린 유생으로서 말석에 앉았기에 저희가 있던 안쪽 방과는 단지 벽 하나를 사이에 두고 있을 뿐이었습니다.

밤이 이미 다하여 손님들이 모두 취했을 때입니다. ㉠ <u>제가 벽에 구멍을 뚫고 엿보니 진사 역시 제 뜻을 알고 모퉁이를 향해 앉아 있더군요</u>. 저는 봉한 편지를 구멍 사이로 던졌습니다. 진사는 편지를 주워 집으로 돌아가서 뜯어보고는 슬픔을 이기지 못해 편지를 차마 손에서 놓지 못했답니다. 그리워하는 정이 지난날보다 곱절이 되어 버틸 수 없을 지경이었고, 답장을 보내고자 하나 전할 방도가 없는지라 홀로 수심에 잠겨 탄식할 뿐이었지요.

– 작자 미상, 「운영전」 –

* 월하노인 : 부부의 인연을 맺어 준다는 전설상의 노인.

38. [A], [B]에 대한 설명으로 적절하지 <u>않은</u> 것은?

① [A]에서 대군은 여러 궁녀들의 시와 비교하면서 운영의 시에 대한 평가를 내리고 있다.
② [A]에서 대군은 시에 대한 자신의 생각을 근거로 운영의 대답을 거짓이라고 판단하고 있다.
③ [B]에서 소옥은 [A]의 상황에 근거하여 운영이 침묵하는 이유를 추측하고 있다.
④ 운영은 [A]의 대군과 [B]의 소옥 모두에게 자신의 진심을 우회적으로 드러내고 있다.
⑤ [B]에서 은섬은 운영이 딴 곳에 마음을 두고 있음을 언급하면서 운영의 말이 사실인지를 시험하려 하고 있다.

39. 윗글과 관련하여 [이 시]를 이해한 내용으로 적절하지 <u>않은</u> 것은?

① '베옷 입고 가죽 띠 두른 선비 / 옥 같은 얼굴 신선과 같지'는 진사에 대한 운영의 호감을 반영한 표현으로 볼 수 있군.
② '주렴 사이로만 바라보나니'는 진사를 문틈으로 엿볼 수밖에 없었던 운영의 처지와 유사한 구절로 볼 수 있군.
③ '월하노인의 인연 어디 없는지?'는 진사와 인연을 맺기 어려운 자신의 처지에 대한 운영의 한탄이 담긴 것으로 볼 수 있군.
④ '얼굴 씻으매' 흐르는 '눈물'은 자신의 마음을 알아채지 못했던 자란에 대한 운영의 서운함을 드러낸 것으로 볼 수 있군.
⑤ '거문고를 타매' 드러나는 '한스러움'은 혼자 병풍에 기대어 근심스레 말이 없던 운영의 심정과 연결할 수 있군.

40. ㉠을 나타내기에 가장 적절한 것은?

① 이심전심(以心傳心)
② 인과응보(因果應報)
③ 견물생심(見物生心)
④ 역지사지(易地思之)
⑤ 수구초심(首丘初心)

[41 ~ 42] 다음 글을 읽고, 물음에 답하시오.

[앞부분의 내용] 노비 소이는 한자를 몰라 이도(세종)가 심온에게 보낸 비밀 명령(밀지)이 바뀐 것을 눈치 채지 못한다. 이로 인해 심온과 소이의 가족은 모두 죽게 되고, 소이는 충격으로 실어증에 걸린다. 그 후 소이는 궁궐 나인이 되어 한자를 익히게 된다. 한편 이도는 농민들을 위해 '농사직설'을 편찬하지만, 한자를 몰라 이를 활용하지 못하는 백성들을 목격한다.

#23. 이도의 집무실(밤, 회상)

어두운 얼굴로 터덜터덜 들어오는 이도. 탁자 위에 그사이 늘어난 작은 모형들이 있다. 자격루, 혼천의, 향약집성방, 앙부일구(이름 모두 자막 표기) 등등을 보는 이도.

이도 : (스스로 비웃듯이 보며) 또…… 지랄을 했단 말인가……. 헛지랄…….

하고는 자격루를 들어 보인다. 무표정하게 내던지는 이도. 놀라는 근지, 목야, 덕금. 이도, 하나씩 때려 부순다. 무표정하게. '농사직설'을 집어 찢으려는데, 그때 들어온 정인지가 몸으로 말린다.

정인지 : (감히 몸으로 안으며) 전하! 아니 되옵니다!
이도 : (막무가내로 찢으려는데)
정인지 : 전하, 실패가 아니옵니다! 농사직설이 보급되어, 실제로 수확량이 늘고 백성들의 살림이 풍요로워지고 있지 않사옵니까!
이도 : (확 노려보며) 네깟 놈도 정치가랍시고, 숲만 보는 것이냐? 나무는 보지 않아? 풍성해진 숲 안에 한 그루 한 그루 썩어 가는 나무들은 상관없단 말이냐!
정인지 : (아무 말 못하는데)

이도, 정인지를 밀치고 확 나가려는데, 구석에 서 있는 소이가 보인다. 앞에서 벌벌 떨고 있는 궁녀들과 달리 차가운 무표정의 소이.

이도 : (그런 소이에게 시선 고정한 채) 너희들 모두 나가 있거라.

정인지, 불안하게 보다가 근지, 목야, 덕금을 데리고 나간다. 소이, 역시 무표정한 얼굴로 서 있는데.

이도 : 어찌 그리 보는 것이야.
소이 : (무표정하게 보고) …….
이도 : (소이에게 한 발짝씩 다가가며) 그 긴 세월 조금도 변하지 않는구나. 그 마음은 얼마나 단단하기에 그리 열리지 않는 것이냐.
소이 : (역시 반응 없이 무표정하게 본다) …….
이도 : 이해를 구했고, 용서를 구했다. 이 나라의 임금인 내가! 너에게 다 자세히 설명했다.
이도 : 너희들을 살리려 밀지를 보냈지만, 밀지가 바뀌었다고! 내가 죽이려고 한 것이 아니었다고. 난 누구에게도 당당히 말할 수 있어! 할 만큼 했다고! 헌데 바뀌지 않아. 너도, 세상도, 변하지 않는다.
소이 : …….
이도 : 네가 이리된 것이 온전히 나의 책임이냐? 네가 인생을 그따위로 사는 것도 온전히 내 책임이냐? 너의 남은 삶이 모두 내 책임인 것이냐? 아니다!
소이 : …….
이도 : (멱살을 잡으며) 넌 네 인생을 위해 아무 것도 하지 않는다! 너희들은 세 살배기 아기처럼 세상을 향해 떼를 쓰고 있을 뿐이야! 아니냐? 말을 해 봐! 말을!
소이 : (무표정하게) …….
이도 : (보다가 체념한 듯) 너도…… 말…… 못하는 게 벼슬이냐? 좋겠구나…….

하고 돌아서 나가려는데, 소이가 탁자에 있던 붓을 들어 종이에 한자로 무엇인가를 쓴다. 나가다 말고 소이가 쓴 것을 읽어 보는 이도. 자막 '아기라면 키우셔야지요.' 놀라서 소이와 종이를 번갈아 보는 이도에서 cut*.

#24. 글자방(밤, 회상)

글자 없는 글자방. 세필 붓을 쾅 놓는 이도.

이도 : 앞으로 이걸로 네 의견을 적거라.
소이 : (이도 보다가 세필 붓 보는데)
이도 : 지금 내가 얘기하는 것에 대해 네 생각을 적어 보거라.
소이 : (보면)
이도 : (약간 긴장한 채) 글자를…… 만들려 한다.
소이 : (보면) ……?
이도 : 쉬운 글자……. 너무나 쉬운 글자……. 어떠하냐?
소이 : (약간 놀라고) ……!
이도 : 아기를…… 키우라고 하지 않았느냐?
소이 : ……!
이도 : (초조한 듯 설명을 덧붙이며) 제아무리 멍청하다 해도, 배울 수 있는 쉬운 글자, 그런 걸 만들려 한다. 어찌 생각하느냐?

소이 드디어, 붓을 든다. 그리고 수첩에 뭔가 쓰는 소이. '是(옳을 시).' ㉠ <u>결연한 표정의 이도.</u>

– 김영현 · 박상연, 「뿌리 깊은 나무」 –

* cut : 장면을 중지한다는 의미.

41. ㉠의 연출 계획으로 가장 적절한 것은?

① 이도의 불안감이 잘 드러나도록 화면이 흔들리는 효과를 주어야겠어.
② 굳은 의지가 잘 드러나도록 이도 역을 맡은 배우의 얼굴을 근접해서 찍어야겠어.
③ 이도의 결정에 영향을 끼친 인물이 드러나도록 여러 인물의 모습을 삽입해야겠어.
④ 충격을 받은 모습이 잘 드러나도록 이도 역을 맡은 배우를 높은 곳에서 내려다보듯이 찍어야겠어.
⑤ 내면의 갈등을 숨기고 있는 이도의 심리가 잘 드러나도록 배우의 목소리를 내레이션으로 넣어야겠어.

42. <보기>를 참고하여 윗글을 감상한 내용으로 적절하지 않은 것은? [3점]

< 보 기 >

이 작품은 '세종(이도)이 한글을 창제하였다.'라는 역사적 사실의 기록에 작가의 허구적 상상력이 더해져 있다. 이러한 허구적 상상력의 하나가 한글 창제의 과정에서 세종이 노비 출신의 나인 '소이'를 비롯한 하위 계층과도 소통하였다는 설정이다. 작가는 이러한 설정을 통해 백성의 입장에서 고뇌하고 좌절한 끝에 한글을 창제하게 되는 인간 이도의 모습을 강조하고자 하였다.

① '농사직설'이 한자로 씌어져 백성들에게 소용이 없었기 때문에 이도가 '쉬운 문자'를 만들고자 한 것으로 볼 수 있군.
② '나무는 보지 않아?'라는 이도의 말은 자신에 대한 당대 정치가들의 비판으로 인해 좌절하는 이도의 모습을 보여 주고 있군.
③ '아기'의 함축적 의미를 활용하여 백성을 '떼를 쓰'는 '아기'로 여기는 이도의 인식과 '아기라면 키우셔야지요.'라는 소이의 글을 연결하고 있군.
④ 이도가 소이에게 자신의 뜻을 밝히고 이에 대한 의견을 묻는 것은 백성의 입장을 고려하는 이도의 모습을 보여주는 것으로 볼 수 있군.
⑤ '글자방'은 한글 창제 과정에서 이도가 소이와 같은 하위 계층과 소통하는 공간이군.

[43 ~ 45] 다음 글을 읽고 물음에 답하시오.

적객*에게 벗이 없어 공량(空樑)*의 제비로다
㉠종일 하는 말이 무슨 사설 하는지고
어즈버 내 풀어낸 시름은 널로만 하노라*

<4장>

인간(人間)에 유정*한 벗은 명월밖에 또 있는가
㉡천 리를 멀다 아녀 간 데마다 따라오니
어즈버 반가운 옛 벗이 다만 너인가 하노라

<5장>

설월(雪月)에 매화를 보려 잔을 잡고 창을 여니
섞인 꽃 여윈 속에 잦은 것이 향기로다
어즈버 호접(胡蝶)*이 이 향기 알면 애 끊일까 하노라

<6장>

– 이신의, 「단가육장」 –

* 적객 : 귀양살이하는 사람. * 공량 : 들보.
* 널로만 하노라 : 너보다 많도다. * 유정 : 인정이나 동정심이 있음.
* 호접 : 나비.

43. 윗글에 대한 설명으로 가장 적절한 것은?

① '4장'은 동일한 시어를 반복하여 주제 의식을 강화하고 있다.
② '5장'은 설의적 표현을 사용하여 화자의 정서를 효과적으로 드러내고 있다.
③ '6장'은 점층적으로 시상을 전개하여 화자의 의지를 강조하고 있다.
④ '4장'과 '5장'은 현재와 과거를 대조하여 화자의 내적 갈등을 드러내고 있다.
⑤ '5장'과 '6장'은 색채의 대비를 활용하여 대상을 구체적으로 묘사하고 있다.

44. <보기>를 참고하여 윗글을 감상한 내용으로 적절하지 않은 것은? [3점]

< 보 기 >

이신의는 충절과 신의를 중시했던 사대부로, 인목대비 폐위에 반대하는 글을 올렸다는 이유로 귀양을 가게 된다. 「단가육장」은 그가 귀양살이를 하면서 느낀 생각과 감정을 풀어낸 작품으로, 화자는 자연물을 친화적인 시선으로 바라보며 자신의 감정을 투영하기도 한다. 또한 자연물에 자신이 지향하는 유교적 이념을 투사하기도 한다.

① '풀어낸 시름'은 '적객'으로 살아가는 화자의 처지와 관련이 있다고 볼 수 있군.
② '간 데마다 따라오'는 '명월'은 화자가 지향하는 '신의'가 투사된 자연물로 볼 수 있겠군.
③ '명월'을 '너'로 지칭하고 '매화를 보려 잔을 잡고 창을 여'는 행위에서 자연물에 친화적인 화자의 시선을 엿볼 수 있군.
④ '설월'에 핀 '매화'는 화자가 지향하는 '충절'의 이념과 관련지을 수 있겠군.
⑤ '이 향기'에는 귀양살이를 오기 전의 삶에 대한 화자의 동경이 투영되어 있군.

45. ㉠과 ㉡에 대해 이해한 내용으로 적절한 것은?

① ㉠과 ㉡은 화자의 '벗'에 대한 태도 변화를 이끌어 낸다고 볼 수 있다.
② ㉠과 ㉡은 화자가 처한 상황을 부각하는 시간과 거리로 볼 수 있다.
③ ㉠과 ㉡은 화자와 '인간'과의 심리적 거리감을 구체화한 것으로 볼 수 있다.
④ ㉠은 화자의 내적 갈등이 심화되는 시간, ㉡은 화자의 내적 갈등이 해소되는 공간으로 볼 수 있다.
⑤ ㉠은 미래에 대한 화자의 낙관적 전망을, ㉡은 비관적 전망을 드러낸다고 할 수 있다.

※ 확인 사항
○ **답안지의 해당란에 필요한 내용을 정확히 기입(표기)했는지 확인하시오.**

2022
H

OMR 카드 작성 연습 안내

[실제 전국연합학력평가 OMR 카드]

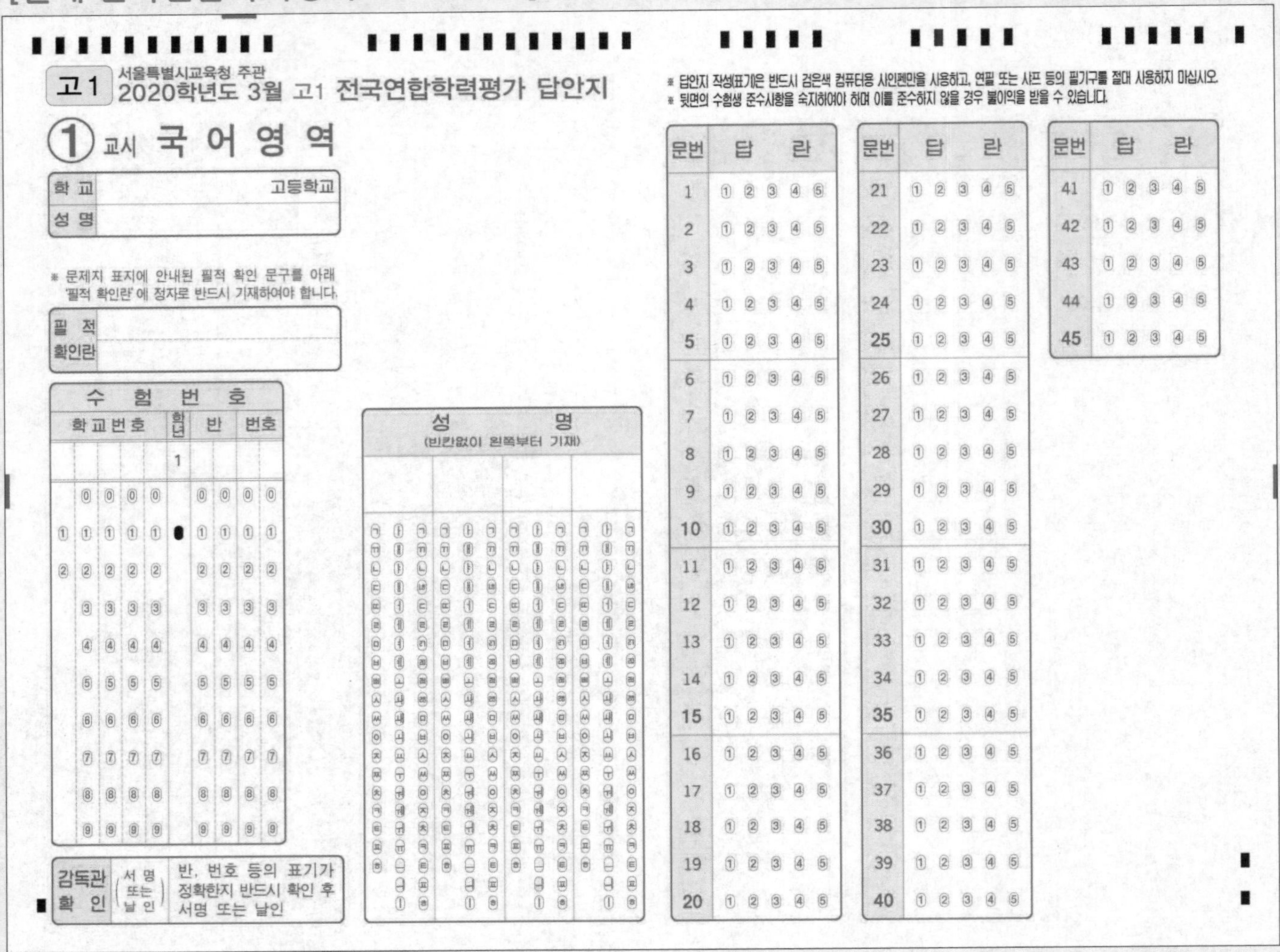

고1 서울특별시교육청 주관
2020학년도 3월 고1 전국연합학력평가 답안지

① 교시 국 어 영 역

학 교	고등학교
성 명	

※ 문제지 표지에 안내된 필적 확인 문구를 아래 '필적 확인란'에 정자로 반드시 기재하여야 합니다.

필 적 확인란	

수 험 번 호

학교번호				학년	반		번호	
				1				

성 명
(빈칸없이 왼쪽부터 기재)

감독관 확 인	서 명 (또는 날 인)	반, 번호 등의 표기가 정확한지 반드시 확인 후 서명 또는 날인

※ 답안지 작성(표기)은 반드시 검은색 컴퓨터용 사인펜만을 사용하고, 연필 또는 샤프 등의 필기구를 절대 사용하지 마십시오.
※ 뒷면의 수험생 준수사항을 숙지하여야 하며 이를 준수하지 않을 경우 불이익을 받을 수 있습니다.

문번	답 란	문번	답 란	문번	답 란
1	① ② ③ ④ ⑤	21	① ② ③ ④ ⑤	41	① ② ③ ④ ⑤
2	① ② ③ ④ ⑤	22	① ② ③ ④ ⑤	42	① ② ③ ④ ⑤
3	① ② ③ ④ ⑤	23	① ② ③ ④ ⑤	43	① ② ③ ④ ⑤
4	① ② ③ ④ ⑤	24	① ② ③ ④ ⑤	44	① ② ③ ④ ⑤
5	① ② ③ ④ ⑤	25	① ② ③ ④ ⑤	45	① ② ③ ④ ⑤
6	① ② ③ ④ ⑤	26	① ② ③ ④ ⑤		
7	① ② ③ ④ ⑤	27	① ② ③ ④ ⑤		
8	① ② ③ ④ ⑤	28	① ② ③ ④ ⑤		
9	① ② ③ ④ ⑤	29	① ② ③ ④ ⑤		
10	① ② ③ ④ ⑤	30	① ② ③ ④ ⑤		
11	① ② ③ ④ ⑤	31	① ② ③ ④ ⑤		
12	① ② ③ ④ ⑤	32	① ② ③ ④ ⑤		
13	① ② ③ ④ ⑤	33	① ② ③ ④ ⑤		
14	① ② ③ ④ ⑤	34	① ② ③ ④ ⑤		
15	① ② ③ ④ ⑤	35	① ② ③ ④ ⑤		
16	① ② ③ ④ ⑤	36	① ② ③ ④ ⑤		
17	① ② ③ ④ ⑤	37	① ② ③ ④ ⑤		
18	① ② ③ ④ ⑤	38	① ② ③ ④ ⑤		
19	① ② ③ ④ ⑤	39	① ② ③ ④ ⑤		
20	① ② ③ ④ ⑤	40	① ② ③ ④ ⑤		

★ 실제 전국연합학력평가 시험의 OMR 카드에는 위처럼 주관사(OO교육청), 필적 확인란, 감독관 확인 등이 포함되며, 경우에 따라서는 '홀수형/짝수형' 선택 등이 들어가기도 합니다.

★ 현장에서 학력평가 시험을 원활하게 치르기 위해서는 위와 같은 사항들을 문제 없이 기입하고 마킹해야 합니다. 하지만 OMR 카드에 들어가는 사항은 때에 따라 달라질 수 있기 때문에, 다음 페이지부터 제시된(실전 연습용) OMR 카드에서는 일반적인 시험에서 공통적으로 포함되는 사항들로 연습할 수 있도록 구성하였습니다.

★ 정해진 시간 내에 문제를 풀고, OMR 카드에 정답을 올바르게 표기하는 마킹 연습까지 진행하여 실제 시험에서 실수 없도록 대비하시기 바랍니다.

전국연합학력평가(실전 연습용)답안지

① 교시 국 어 영 역

※ 답안지 작성(표기)은 반드시 검은색 컴퓨터용 사인펜만을 사용하고, 연필 또는 샤프 등의 필기구를 절대 사용하지 마십시오.
※ 뒷면의 〈수험생 준수사항〉을 숙지하여야 하며, 이를 준수하지 않을 경우 불이익을 받을 수 있습니다.

학 교	
성 명	

성 명								
수		험		번			호	
				–				
	⓪	⓪	⓪		⓪	⓪	⓪	⓪
①	①	①	①		①	①	①	①
②	②	②	②		②	②	②	②
③	③	③	③		③	③	③	③
④	④	④	④	–	④	④	④	④
⑤	⑤	⑤	⑤		⑤	⑤	⑤	⑤
⑥	⑥	⑥	⑥		⑥	⑥	⑥	⑥
⑦	⑦	⑦	⑦		⑦	⑦	⑦	⑦
⑧	⑧	⑧	⑧		⑧	⑧	⑧	⑧
⑨	⑨	⑨	⑨		⑨	⑨	⑨	⑨

감독관 확 인 (수험생은 표기하지 말것.)	(서 명 또는 날 인)	본인 여부, 수험번호 및 문형의 표기가 정확한지 확인, 옆란에 서명 또는 날인

문번	답 란	문번	답 란	문번	답 란
1	① ② ③ ④ ⑤	21	① ② ③ ④ ⑤	41	① ② ③ ④ ⑤
2	① ② ③ ④ ⑤	22	① ② ③ ④ ⑤	42	① ② ③ ④ ⑤
3	① ② ③ ④ ⑤	23	① ② ③ ④ ⑤	43	① ② ③ ④ ⑤
4	① ② ③ ④ ⑤	24	① ② ③ ④ ⑤	44	① ② ③ ④ ⑤
5	① ② ③ ④ ⑤	25	① ② ③ ④ ⑤	45	① ② ③ ④ ⑤
6	① ② ③ ④ ⑤	26	① ② ③ ④ ⑤		
7	① ② ③ ④ ⑤	27	① ② ③ ④ ⑤		
8	① ② ③ ④ ⑤	28	① ② ③ ④ ⑤		
9	① ② ③ ④ ⑤	29	① ② ③ ④ ⑤		
10	① ② ③ ④ ⑤	30	① ② ③ ④ ⑤		
11	① ② ③ ④ ⑤	31	① ② ③ ④ ⑤		
12	① ② ③ ④ ⑤	32	① ② ③ ④ ⑤		
13	① ② ③ ④ ⑤	33	① ② ③ ④ ⑤		
14	① ② ③ ④ ⑤	34	① ② ③ ④ ⑤		
15	① ② ③ ④ ⑤	35	① ② ③ ④ ⑤		
16	① ② ③ ④ ⑤	36	① ② ③ ④ ⑤		
17	① ② ③ ④ ⑤	37	① ② ③ ④ ⑤		
18	① ② ③ ④ ⑤	38	① ② ③ ④ ⑤		
19	① ② ③ ④ ⑤	39	① ② ③ ④ ⑤		
20	① ② ③ ④ ⑤	40	① ② ③ ④ ⑤		

도서출판 홀수

전국연합학력평가(실전 연습용)답안지

① 교시 국 어 영 역

※ 답안지 작성(표기)은 반드시 검은색 컴퓨터용 사인펜만을 사용하고, 연필 또는 샤프 등의 필기구를 절대 사용하지 마십시오.
※ 뒷면의 〈수험생 준수사항〉을 숙지하여야 하며, 이를 준수하지 않을 경우 불이익을 받을 수 있습니다.

학 교	
성 명	

성 명								
수		험		번			호	
				–				
	⓪	⓪	⓪		⓪	⓪	⓪	⓪
①	①	①	①		①	①	①	①
②	②	②	②		②	②	②	②
③	③	③	③		③	③	③	③
④	④	④	④	–	④	④	④	④
⑤	⑤	⑤	⑤		⑤	⑤	⑤	⑤
⑥	⑥	⑥	⑥		⑥	⑥	⑥	⑥
⑦	⑦	⑦	⑦		⑦	⑦	⑦	⑦
⑧	⑧	⑧	⑧		⑧	⑧	⑧	⑧
⑨	⑨	⑨	⑨		⑨	⑨	⑨	⑨

감독관 확 인 (수험생은 표기하지 말것.)	(서 명 또는 날 인)	본인 여부, 수험번호 및 문형의 표기가 정확한지 확인, 옆란에 서명 또는 날인

문번	답 란	문번	답 란	문번	답 란
1	① ② ③ ④ ⑤	21	① ② ③ ④ ⑤	41	① ② ③ ④ ⑤
2	① ② ③ ④ ⑤	22	① ② ③ ④ ⑤	42	① ② ③ ④ ⑤
3	① ② ③ ④ ⑤	23	① ② ③ ④ ⑤	43	① ② ③ ④ ⑤
4	① ② ③ ④ ⑤	24	① ② ③ ④ ⑤	44	① ② ③ ④ ⑤
5	① ② ③ ④ ⑤	25	① ② ③ ④ ⑤	45	① ② ③ ④ ⑤
6	① ② ③ ④ ⑤	26	① ② ③ ④ ⑤		
7	① ② ③ ④ ⑤	27	① ② ③ ④ ⑤		
8	① ② ③ ④ ⑤	28	① ② ③ ④ ⑤		
9	① ② ③ ④ ⑤	29	① ② ③ ④ ⑤		
10	① ② ③ ④ ⑤	30	① ② ③ ④ ⑤		
11	① ② ③ ④ ⑤	31	① ② ③ ④ ⑤		
12	① ② ③ ④ ⑤	32	① ② ③ ④ ⑤		
13	① ② ③ ④ ⑤	33	① ② ③ ④ ⑤		
14	① ② ③ ④ ⑤	34	① ② ③ ④ ⑤		
15	① ② ③ ④ ⑤	35	① ② ③ ④ ⑤		
16	① ② ③ ④ ⑤	36	① ② ③ ④ ⑤		
17	① ② ③ ④ ⑤	37	① ② ③ ④ ⑤		
18	① ② ③ ④ ⑤	38	① ② ③ ④ ⑤		
19	① ② ③ ④ ⑤	39	① ② ③ ④ ⑤		
20	① ② ③ ④ ⑤	40	① ② ③ ④ ⑤		

도서출판 홀수

전국연합학력평가(실전 연습용)답안지

① 교시 국 어 영 역

학 교	
성 명	

성 명	
수 험 번 호	

				–				
	0	0	0		0	0	0	0
1	1	1	1		1	1	1	1
2	2	2	2		2	2	2	2
3	3	3	3		3	3	3	3
4	4	4	4	–	4	4	4	4
5	5	5	5		5	5	5	5
6	6	6	6		6	6	6	6
7	7	7	7		7	7	7	7
8	8	8	8		8	8	8	8
9	9	9	9		9	9	9	9

감독관 확 인 (수험생은 표기하지 말것.)	(서 명 또는 날 인)	본인 여부, 수험번호 및 문형의 표기가 정확한지 확인, 옆란에 서명 또는 날인

※ 답안지 작성(표기)은 반드시 검은색 컴퓨터용 사인펜만을 사용하고, 연필 또는 샤프 등의 필기구를 절대 사용하지 마십시오.
※ 뒷면의 〈수험생 준수사항〉을 숙지하여야 하며, 이를 준수하지 않을 경우 불이익을 받을 수 있습니다.

문번	답 란	문번	답 란	문번	답 란
1	① ② ③ ④ ⑤	21	① ② ③ ④ ⑤	41	① ② ③ ④ ⑤
2	① ② ③ ④ ⑤	22	① ② ③ ④ ⑤	42	① ② ③ ④ ⑤
3	① ② ③ ④ ⑤	23	① ② ③ ④ ⑤	43	① ② ③ ④ ⑤
4	① ② ③ ④ ⑤	24	① ② ③ ④ ⑤	44	① ② ③ ④ ⑤
5	① ② ③ ④ ⑤	25	① ② ③ ④ ⑤	45	① ② ③ ④ ⑤
6	① ② ③ ④ ⑤	26	① ② ③ ④ ⑤		
7	① ② ③ ④ ⑤	27	① ② ③ ④ ⑤		
8	① ② ③ ④ ⑤	28	① ② ③ ④ ⑤		
9	① ② ③ ④ ⑤	29	① ② ③ ④ ⑤		
10	① ② ③ ④ ⑤	30	① ② ③ ④ ⑤		
11	① ② ③ ④ ⑤	31	① ② ③ ④ ⑤		
12	① ② ③ ④ ⑤	32	① ② ③ ④ ⑤		
13	① ② ③ ④ ⑤	33	① ② ③ ④ ⑤		
14	① ② ③ ④ ⑤	34	① ② ③ ④ ⑤		
15	① ② ③ ④ ⑤	35	① ② ③ ④ ⑤		
16	① ② ③ ④ ⑤	36	① ② ③ ④ ⑤		
17	① ② ③ ④ ⑤	37	① ② ③ ④ ⑤		
18	① ② ③ ④ ⑤	38	① ② ③ ④ ⑤		
19	① ② ③ ④ ⑤	39	① ② ③ ④ ⑤		
20	① ② ③ ④ ⑤	40	① ② ③ ④ ⑤		

도서출판 홀수
Holsoo Publishers

전국연합학력평가(실전 연습용)답안지

① 교시 국 어 영 역

학 교	
성 명	

성 명	
수 험 번 호	

				–				
	0	0	0		0	0	0	0
1	1	1	1		1	1	1	1
2	2	2	2		2	2	2	2
3	3	3	3		3	3	3	3
4	4	4	4	–	4	4	4	4
5	5	5	5		5	5	5	5
6	6	6	6		6	6	6	6
7	7	7	7		7	7	7	7
8	8	8	8		8	8	8	8
9	9	9	9		9	9	9	9

감독관 확 인 (수험생은 표기하지 말것.)	(서 명 또는 날 인)	본인 여부, 수험번호 및 문형의 표기가 정확한지 확인, 옆란에 서명 또는 날인

※ 답안지 작성(표기)은 반드시 검은색 컴퓨터용 사인펜만을 사용하고, 연필 또는 샤프 등의 필기구를 절대 사용하지 마십시오.
※ 뒷면의 〈수험생 준수사항〉을 숙지하여야 하며, 이를 준수하지 않을 경우 불이익을 받을 수 있습니다.

문번	답 란	문번	답 란	문번	답 란
1	① ② ③ ④ ⑤	21	① ② ③ ④ ⑤	41	① ② ③ ④ ⑤
2	① ② ③ ④ ⑤	22	① ② ③ ④ ⑤	42	① ② ③ ④ ⑤
3	① ② ③ ④ ⑤	23	① ② ③ ④ ⑤	43	① ② ③ ④ ⑤
4	① ② ③ ④ ⑤	24	① ② ③ ④ ⑤	44	① ② ③ ④ ⑤
5	① ② ③ ④ ⑤	25	① ② ③ ④ ⑤	45	① ② ③ ④ ⑤
6	① ② ③ ④ ⑤	26	① ② ③ ④ ⑤		
7	① ② ③ ④ ⑤	27	① ② ③ ④ ⑤		
8	① ② ③ ④ ⑤	28	① ② ③ ④ ⑤		
9	① ② ③ ④ ⑤	29	① ② ③ ④ ⑤		
10	① ② ③ ④ ⑤	30	① ② ③ ④ ⑤		
11	① ② ③ ④ ⑤	31	① ② ③ ④ ⑤		
12	① ② ③ ④ ⑤	32	① ② ③ ④ ⑤		
13	① ② ③ ④ ⑤	33	① ② ③ ④ ⑤		
14	① ② ③ ④ ⑤	34	① ② ③ ④ ⑤		
15	① ② ③ ④ ⑤	35	① ② ③ ④ ⑤		
16	① ② ③ ④ ⑤	36	① ② ③ ④ ⑤		
17	① ② ③ ④ ⑤	37	① ② ③ ④ ⑤		
18	① ② ③ ④ ⑤	38	① ② ③ ④ ⑤		
19	① ② ③ ④ ⑤	39	① ② ③ ④ ⑤		
20	① ② ③ ④ ⑤	40	① ② ③ ④ ⑤		

도서출판 홀수
Holsoo Publishers

전국연합학력평가(실전 연습용)답안지

① 교시 국 어 영 역

학 교	
성 명	

성 명									
수		험			번		호		
				–					
	0	0	0		0	0	0	0	
1	1	1	1		1	1	1	1	
2	2	2	2		2	2	2	2	
3	3	3	3		3	3	3	3	
4	4	4	4	–	4	4	4	4	
5	5	5	5		5	5	5	5	
6	6	6	6		6	6	6	6	
7	7	7	7		7	7	7	7	
8	8	8	8		8	8	8	8	
9	9	9	9		9	9	9	9	

감독관 확 인 (수험생은 표기하지 말것.)	서 명 (또는) 날 인	본인 여부, 수험번호 및 문형의 표기가 정확한지 확인, 옆란에 서명 또는 날인

※ 답안지 작성(표기)은 반드시 검은색 컴퓨터용 사인펜만을 사용하고, 연필 또는 샤프 등의 필기구를 절대 사용하지 마십시오.
※ 뒷면의 〈수험생 준수사항〉을 숙지하여야 하며, 이를 준수하지 않을 경우 불이익을 받을 수 있습니다.

문번	답 란	문번	답 란	문번	답 란
1	① ② ③ ④ ⑤	21	① ② ③ ④ ⑤	41	① ② ③ ④ ⑤
2	① ② ③ ④ ⑤	22	① ② ③ ④ ⑤	42	① ② ③ ④ ⑤
3	① ② ③ ④ ⑤	23	① ② ③ ④ ⑤	43	① ② ③ ④ ⑤
4	① ② ③ ④ ⑤	24	① ② ③ ④ ⑤	44	① ② ③ ④ ⑤
5	① ② ③ ④ ⑤	25	① ② ③ ④ ⑤	45	① ② ③ ④ ⑤
6	① ② ③ ④ ⑤	26	① ② ③ ④ ⑤		
7	① ② ③ ④ ⑤	27	① ② ③ ④ ⑤		
8	① ② ③ ④ ⑤	28	① ② ③ ④ ⑤		
9	① ② ③ ④ ⑤	29	① ② ③ ④ ⑤		
10	① ② ③ ④ ⑤	30	① ② ③ ④ ⑤		
11	① ② ③ ④ ⑤	31	① ② ③ ④ ⑤		
12	① ② ③ ④ ⑤	32	① ② ③ ④ ⑤		
13	① ② ③ ④ ⑤	33	① ② ③ ④ ⑤		
14	① ② ③ ④ ⑤	34	① ② ③ ④ ⑤		
15	① ② ③ ④ ⑤	35	① ② ③ ④ ⑤		
16	① ② ③ ④ ⑤	36	① ② ③ ④ ⑤		
17	① ② ③ ④ ⑤	37	① ② ③ ④ ⑤		
18	① ② ③ ④ ⑤	38	① ② ③ ④ ⑤		
19	① ② ③ ④ ⑤	39	① ② ③ ④ ⑤		
20	① ② ③ ④ ⑤	40	① ② ③ ④ ⑤		

도서출판 홀수
Holsoo Publishers

전국연합학력평가(실전 연습용)답안지

① 교시 국 어 영 역

학 교 / 성 명

성 명 / 수 험 번 호

감독관 확 인 (수험생은 표기하지 말것.) 서 명 (또는) 날 인 — 본인 여부, 수험번호 및 문형의 표기가 정확한지 확인, 옆란에 서명 또는 날인

※ 답안지 작성(표기)은 반드시 검은색 컴퓨터용 사인펜만을 사용하고, 연필 또는 샤프 등의 필기구를 절대 사용하지 마십시오.
※ 뒷면의 〈수험생 준수사항〉을 숙지하여야 하며, 이를 준수하지 않을 경우 불이익을 받을 수 있습니다.

문번 답 란 (1–45, ① ② ③ ④ ⑤)

도서출판 홀수
Holsoo Publishers

전국연합학력평가(실전 연습용)답안지

① 교시 국 어 영 역

※ 답안지 작성(표기)은 반드시 검은색 컴퓨터용 사인펜만을 사용하고, 연필 또는 샤프 등의 필기구를 절대 사용하지 마십시오.
※ 뒷면의 <수험생 준수사항>을 숙지하여야 하며, 이를 준수하지 않을 경우 불이익을 받을 수 있습니다.

학 교	
성 명	

성 명								
수		험		번			호	
				–				
	0	0	0		0	0	0	0
1	1	1	1		1	1	1	1
2	2	2	2		2	2	2	2
3	3	3	3		3	3	3	3
4	4	4	4	–	4	4	4	4
5	5	5	5		5	5	5	5
6	6	6	6		6	6	6	6
7	7	7	7		7	7	7	7
8	8	8	8		8	8	8	8
9	9	9	9		9	9	9	9

감독관 확 인 (수험생은 표기하지 말것.)	(서 명 또는 날 인)	본인 여부, 수험번호 및 문형의 표기가 정확한지 확인, 옆란에 서명 또는 날인

문번	답 란	문번	답 란	문번	답 란
1	① ② ③ ④ ⑤	21	① ② ③ ④ ⑤	41	① ② ③ ④ ⑤
2	① ② ③ ④ ⑤	22	① ② ③ ④ ⑤	42	① ② ③ ④ ⑤
3	① ② ③ ④ ⑤	23	① ② ③ ④ ⑤	43	① ② ③ ④ ⑤
4	① ② ③ ④ ⑤	24	① ② ③ ④ ⑤	44	① ② ③ ④ ⑤
5	① ② ③ ④ ⑤	25	① ② ③ ④ ⑤	45	① ② ③ ④ ⑤
6	① ② ③ ④ ⑤	26	① ② ③ ④ ⑤		
7	① ② ③ ④ ⑤	27	① ② ③ ④ ⑤		
8	① ② ③ ④ ⑤	28	① ② ③ ④ ⑤		
9	① ② ③ ④ ⑤	29	① ② ③ ④ ⑤		
10	① ② ③ ④ ⑤	30	① ② ③ ④ ⑤		
11	① ② ③ ④ ⑤	31	① ② ③ ④ ⑤		
12	① ② ③ ④ ⑤	32	① ② ③ ④ ⑤		
13	① ② ③ ④ ⑤	33	① ② ③ ④ ⑤		
14	① ② ③ ④ ⑤	34	① ② ③ ④ ⑤		
15	① ② ③ ④ ⑤	35	① ② ③ ④ ⑤		
16	① ② ③ ④ ⑤	36	① ② ③ ④ ⑤		
17	① ② ③ ④ ⑤	37	① ② ③ ④ ⑤		
18	① ② ③ ④ ⑤	38	① ② ③ ④ ⑤		
19	① ② ③ ④ ⑤	39	① ② ③ ④ ⑤		
20	① ② ③ ④ ⑤	40	① ② ③ ④ ⑤		

도서출판 홀수

전국연합학력평가(실전 연습용)답안지

① 교시 국 어 영 역

※ 답안지 작성(표기)은 반드시 검은색 컴퓨터용 사인펜만을 사용하고, 연필 또는 샤프 등의 필기구를 절대 사용하지 마십시오.
※ 뒷면의 <수험생 준수사항>을 숙지하여야 하며, 이를 준수하지 않을 경우 불이익을 받을 수 있습니다.

학 교	
성 명	

성 명								
수		험		번			호	
				–				
	0	0	0		0	0	0	0
1	1	1	1		1	1	1	1
2	2	2	2		2	2	2	2
3	3	3	3		3	3	3	3
4	4	4	4	–	4	4	4	4
5	5	5	5		5	5	5	5
6	6	6	6		6	6	6	6
7	7	7	7		7	7	7	7
8	8	8	8		8	8	8	8
9	9	9	9		9	9	9	9

감독관 확 인 (수험생은 표기하지 말것.)	(서 명 또는 날 인)	본인 여부, 수험번호 및 문형의 표기가 정확한지 확인, 옆란에 서명 또는 날인

문번	답 란	문번	답 란	문번	답 란
1	① ② ③ ④ ⑤	21	① ② ③ ④ ⑤	41	① ② ③ ④ ⑤
2	① ② ③ ④ ⑤	22	① ② ③ ④ ⑤	42	① ② ③ ④ ⑤
3	① ② ③ ④ ⑤	23	① ② ③ ④ ⑤	43	① ② ③ ④ ⑤
4	① ② ③ ④ ⑤	24	① ② ③ ④ ⑤	44	① ② ③ ④ ⑤
5	① ② ③ ④ ⑤	25	① ② ③ ④ ⑤	45	① ② ③ ④ ⑤
6	① ② ③ ④ ⑤	26	① ② ③ ④ ⑤		
7	① ② ③ ④ ⑤	27	① ② ③ ④ ⑤		
8	① ② ③ ④ ⑤	28	① ② ③ ④ ⑤		
9	① ② ③ ④ ⑤	29	① ② ③ ④ ⑤		
10	① ② ③ ④ ⑤	30	① ② ③ ④ ⑤		
11	① ② ③ ④ ⑤	31	① ② ③ ④ ⑤		
12	① ② ③ ④ ⑤	32	① ② ③ ④ ⑤		
13	① ② ③ ④ ⑤	33	① ② ③ ④ ⑤		
14	① ② ③ ④ ⑤	34	① ② ③ ④ ⑤		
15	① ② ③ ④ ⑤	35	① ② ③ ④ ⑤		
16	① ② ③ ④ ⑤	36	① ② ③ ④ ⑤		
17	① ② ③ ④ ⑤	37	① ② ③ ④ ⑤		
18	① ② ③ ④ ⑤	38	① ② ③ ④ ⑤		
19	① ② ③ ④ ⑤	39	① ② ③ ④ ⑤		
20	① ② ③ ④ ⑤	40	① ② ③ ④ ⑤		

도서출판 홀수

전국연합학력평가(실전 연습용)답안지

① 교시 국 어 영 역

학 교	
성 명	

성 명								
수		험			번		호	
				–				
	⓪	⓪	⓪		⓪	⓪	⓪	⓪
①	①	①	①		①	①	①	①
②	②	②	②		②	②	②	②
③	③	③	③		③	③	③	③
④	④	④	④	–	④	④	④	④
⑤	⑤	⑤	⑤		⑤	⑤	⑤	⑤
⑥	⑥	⑥	⑥		⑥	⑥	⑥	⑥
⑦	⑦	⑦	⑦		⑦	⑦	⑦	⑦
⑧	⑧	⑧	⑧		⑧	⑧	⑧	⑧
⑨	⑨	⑨	⑨		⑨	⑨	⑨	⑨

감독관 확 인 (수험생은 표기하지 말것.)	서 명 또는 날 인	본인 여부, 수험번호 및 문형의 표기가 정확한지 확인, 옆란에 서명 또는 날인

※ 답안지 작성(표기)은 반드시 검은색 컴퓨터용 사인펜만을 사용하고, 연필 또는 샤프 등의 필기구를 절대 사용하지 마십시오.
※ 뒷면의 〈수험생 준수사항〉을 숙지하여야 하며, 이를 준수하지 않을 경우 불이익을 받을 수 있습니다.

문번	답 란	문번	답 란	문번	답 란
1	① ② ③ ④ ⑤	21	① ② ③ ④ ⑤	41	① ② ③ ④ ⑤
2	① ② ③ ④ ⑤	22	① ② ③ ④ ⑤	42	① ② ③ ④ ⑤
3	① ② ③ ④ ⑤	23	① ② ③ ④ ⑤	43	① ② ③ ④ ⑤
4	① ② ③ ④ ⑤	24	① ② ③ ④ ⑤	44	① ② ③ ④ ⑤
5	① ② ③ ④ ⑤	25	① ② ③ ④ ⑤	45	① ② ③ ④ ⑤
6	① ② ③ ④ ⑤	26	① ② ③ ④ ⑤		
7	① ② ③ ④ ⑤	27	① ② ③ ④ ⑤		
8	① ② ③ ④ ⑤	28	① ② ③ ④ ⑤		
9	① ② ③ ④ ⑤	29	① ② ③ ④ ⑤		
10	① ② ③ ④ ⑤	30	① ② ③ ④ ⑤		
11	① ② ③ ④ ⑤	31	① ② ③ ④ ⑤		
12	① ② ③ ④ ⑤	32	① ② ③ ④ ⑤		
13	① ② ③ ④ ⑤	33	① ② ③ ④ ⑤		
14	① ② ③ ④ ⑤	34	① ② ③ ④ ⑤		
15	① ② ③ ④ ⑤	35	① ② ③ ④ ⑤		
16	① ② ③ ④ ⑤	36	① ② ③ ④ ⑤		
17	① ② ③ ④ ⑤	37	① ② ③ ④ ⑤		
18	① ② ③ ④ ⑤	38	① ② ③ ④ ⑤		
19	① ② ③ ④ ⑤	39	① ② ③ ④ ⑤		
20	① ② ③ ④ ⑤	40	① ② ③ ④ ⑤		

도서출판 홀수

전국연합학력평가(실전 연습용)답안지

① 교시 국 어 영 역

학 교 / 성 명

성 명 / 수 험 번 호

감독관 확 인 (수험생은 표기하지 말것.) 서 명 또는 날 인 본인 여부, 수험번호 및 문형의 표기가 정확한지 확인, 옆란에 서명 또는 날인

※ 답안지 작성(표기)은 반드시 검은색 컴퓨터용 사인펜만을 사용하고, 연필 또는 샤프 등의 필기구를 절대 사용하지 마십시오.
※ 뒷면의 〈수험생 준수사항〉을 숙지하여야 하며, 이를 준수하지 않을 경우 불이익을 받을 수 있습니다.

문번	답 란	문번	답 란	문번	답 란
1	① ② ③ ④ ⑤	21	① ② ③ ④ ⑤	41	① ② ③ ④ ⑤
2	① ② ③ ④ ⑤	22	① ② ③ ④ ⑤	42	① ② ③ ④ ⑤
3	① ② ③ ④ ⑤	23	① ② ③ ④ ⑤	43	① ② ③ ④ ⑤
4	① ② ③ ④ ⑤	24	① ② ③ ④ ⑤	44	① ② ③ ④ ⑤
5	① ② ③ ④ ⑤	25	① ② ③ ④ ⑤	45	① ② ③ ④ ⑤
6	① ② ③ ④ ⑤	26	① ② ③ ④ ⑤		
7	① ② ③ ④ ⑤	27	① ② ③ ④ ⑤		
8	① ② ③ ④ ⑤	28	① ② ③ ④ ⑤		
9	① ② ③ ④ ⑤	29	① ② ③ ④ ⑤		
10	① ② ③ ④ ⑤	30	① ② ③ ④ ⑤		
11	① ② ③ ④ ⑤	31	① ② ③ ④ ⑤		
12	① ② ③ ④ ⑤	32	① ② ③ ④ ⑤		
13	① ② ③ ④ ⑤	33	① ② ③ ④ ⑤		
14	① ② ③ ④ ⑤	34	① ② ③ ④ ⑤		
15	① ② ③ ④ ⑤	35	① ② ③ ④ ⑤		
16	① ② ③ ④ ⑤	36	① ② ③ ④ ⑤		
17	① ② ③ ④ ⑤	37	① ② ③ ④ ⑤		
18	① ② ③ ④ ⑤	38	① ② ③ ④ ⑤		
19	① ② ③ ④ ⑤	39	① ② ③ ④ ⑤		
20	① ② ③ ④ ⑤	40	① ② ③ ④ ⑤		

도서출판 홀수

전국연합학력평가(실전 연습용)답안지

① 교시 국 어 영 역

학 교	
성 명	

성 명									
수 험 번 호									
				–					
	0	0	0		0	0	0	0
1	1	1	1		1	1	1	1
2	2	2	2		2	2	2	2
3	3	3	3		3	3	3	3
4	4	4	4		4	4	4	4
5	5	5	5	–	5	5	5	5
6	6	6	6		6	6	6	6
7	7	7	7		7	7	7	7
8	8	8	8		8	8	8	8
9	9	9	9		9	9	9	9

감독관 확 인 (수험생은 표기하지 말것.)	(서 명 또는 날 인)	본인 여부, 수험번호 및 문형의 표기가 정확한지 확인, 옆란에 서명 또는 날인

※ 답안지 작성(표기)은 반드시 검은색 컴퓨터용 사인펜만을 사용하고, 연필 또는 샤프 등의 필기구를 절대 사용하지 마십시오.
※ 뒷면의 <수험생 준수사항>을 숙지하여야 하며, 이를 준수하지 않을 경우 불이익을 받을 수 있습니다.

문번	답 란	문번	답 란	문번	답 란
1	① ② ③ ④ ⑤	21	① ② ③ ④ ⑤	41	① ② ③ ④ ⑤
2	① ② ③ ④ ⑤	22	① ② ③ ④ ⑤	42	① ② ③ ④ ⑤
3	① ② ③ ④ ⑤	23	① ② ③ ④ ⑤	43	① ② ③ ④ ⑤
4	① ② ③ ④ ⑤	24	① ② ③ ④ ⑤	44	① ② ③ ④ ⑤
5	① ② ③ ④ ⑤	**25**	① ② ③ ④ ⑤	**45**	① ② ③ ④ ⑤
6	① ② ③ ④ ⑤	26	① ② ③ ④ ⑤		
7	① ② ③ ④ ⑤	27	① ② ③ ④ ⑤		
8	① ② ③ ④ ⑤	28	① ② ③ ④ ⑤		
9	① ② ③ ④ ⑤	29	① ② ③ ④ ⑤		
10	① ② ③ ④ ⑤	**30**	① ② ③ ④ ⑤		
11	① ② ③ ④ ⑤	31	① ② ③ ④ ⑤		
12	① ② ③ ④ ⑤	32	① ② ③ ④ ⑤		
13	① ② ③ ④ ⑤	33	① ② ③ ④ ⑤		
14	① ② ③ ④ ⑤	34	① ② ③ ④ ⑤		
15	① ② ③ ④ ⑤	**35**	① ② ③ ④ ⑤		
16	① ② ③ ④ ⑤	36	① ② ③ ④ ⑤		
17	① ② ③ ④ ⑤	37	① ② ③ ④ ⑤		
18	① ② ③ ④ ⑤	38	① ② ③ ④ ⑤		
19	① ② ③ ④ ⑤	39	① ② ③ ④ ⑤		
20	① ② ③ ④ ⑤	**40**	① ② ③ ④ ⑤		

도서출판 홀수

전국연합학력평가(실전 연습용)답안지

① 교시 국 어 영 역

학 교	
성 명	

성 명									
수 험 번 호									
				–					
	0	0	0		0	0	0	0
1	1	1	1		1	1	1	1
2	2	2	2		2	2	2	2
3	3	3	3		3	3	3	3
4	4	4	4		4	4	4	4
5	5	5	5	–	5	5	5	5
6	6	6	6		6	6	6	6
7	7	7	7		7	7	7	7
8	8	8	8		8	8	8	8
9	9	9	9		9	9	9	9

감독관 확 인 (수험생은 표기하지 말것.)	(서 명 또는 날 인)	본인 여부, 수험번호 및 문형의 표기가 정확한지 확인, 옆란에 서명 또는 날인

※ 답안지 작성(표기)은 반드시 검은색 컴퓨터용 사인펜만을 사용하고, 연필 또는 샤프 등의 필기구를 절대 사용하지 마십시오.
※ 뒷면의 <수험생 준수사항>을 숙지하여야 하며, 이를 준수하지 않을 경우 불이익을 받을 수 있습니다.

문번	답 란	문번	답 란	문번	답 란
1	① ② ③ ④ ⑤	21	① ② ③ ④ ⑤	41	① ② ③ ④ ⑤
2	① ② ③ ④ ⑤	22	① ② ③ ④ ⑤	42	① ② ③ ④ ⑤
3	① ② ③ ④ ⑤	23	① ② ③ ④ ⑤	43	① ② ③ ④ ⑤
4	① ② ③ ④ ⑤	24	① ② ③ ④ ⑤	44	① ② ③ ④ ⑤
5	① ② ③ ④ ⑤	**25**	① ② ③ ④ ⑤	**45**	① ② ③ ④ ⑤
6	① ② ③ ④ ⑤	26	① ② ③ ④ ⑤		
7	① ② ③ ④ ⑤	27	① ② ③ ④ ⑤		
8	① ② ③ ④ ⑤	28	① ② ③ ④ ⑤		
9	① ② ③ ④ ⑤	29	① ② ③ ④ ⑤		
10	① ② ③ ④ ⑤	**30**	① ② ③ ④ ⑤		
11	① ② ③ ④ ⑤	31	① ② ③ ④ ⑤		
12	① ② ③ ④ ⑤	32	① ② ③ ④ ⑤		
13	① ② ③ ④ ⑤	33	① ② ③ ④ ⑤		
14	① ② ③ ④ ⑤	34	① ② ③ ④ ⑤		
15	① ② ③ ④ ⑤	**35**	① ② ③ ④ ⑤		
16	① ② ③ ④ ⑤	36	① ② ③ ④ ⑤		
17	① ② ③ ④ ⑤	37	① ② ③ ④ ⑤		
18	① ② ③ ④ ⑤	38	① ② ③ ④ ⑤		
19	① ② ③ ④ ⑤	39	① ② ③ ④ ⑤		
20	① ② ③ ④ ⑤	**40**	① ② ③ ④ ⑤		

도서출판 홀수

전국연합학력평가(실전 연습용)답안지

① 교시 국 어 영 역

학 교	
성 명	

성 명								
수		험		번			호	
				–				
	⓪	⓪	⓪		⓪	⓪	⓪	⓪
①	①	①	①		①	①	①	①
②	②	②	②		②	②	②	②
③	③	③	③		③	③	③	③
④	④	④	④	–	④	④	④	④
⑤	⑤	⑤	⑤		⑤	⑤	⑤	⑤
⑥	⑥	⑥	⑥		⑥	⑥	⑥	⑥
⑦	⑦	⑦	⑦		⑦	⑦	⑦	⑦
⑧	⑧	⑧	⑧		⑧	⑧	⑧	⑧
⑨	⑨	⑨	⑨		⑨	⑨	⑨	⑨

감독관 확 인 (수험생은 표기하지 말것.)	서 명 또는 날 인	본인 여부, 수험번호 및 문형의 표기가 정확한지 확인, 옆란에 서명 또는 날인

※ 답안지 작성(표기)은 반드시 검은색 컴퓨터용 사인펜만을 사용하고, 연필 또는 샤프 등의 필기구를 절대 사용하지 마십시오.
※ 뒷면의 〈수험생 준수사항〉을 숙지하여야 하며, 이를 준수하지 않을 경우 불이익을 받을 수 있습니다.

문번	답 란	문번	답 란	문번	답 란
1	① ② ③ ④ ⑤	21	① ② ③ ④ ⑤	41	① ② ③ ④ ⑤
2	① ② ③ ④ ⑤	22	① ② ③ ④ ⑤	42	① ② ③ ④ ⑤
3	① ② ③ ④ ⑤	23	① ② ③ ④ ⑤	43	① ② ③ ④ ⑤
4	① ② ③ ④ ⑤	24	① ② ③ ④ ⑤	44	① ② ③ ④ ⑤
5	① ② ③ ④ ⑤	**25**	① ② ③ ④ ⑤	**45**	① ② ③ ④ ⑤
6	① ② ③ ④ ⑤	26	① ② ③ ④ ⑤		
7	① ② ③ ④ ⑤	27	① ② ③ ④ ⑤		
8	① ② ③ ④ ⑤	28	① ② ③ ④ ⑤		
9	① ② ③ ④ ⑤	29	① ② ③ ④ ⑤		
10	① ② ③ ④ ⑤	**30**	① ② ③ ④ ⑤		
11	① ② ③ ④ ⑤	31	① ② ③ ④ ⑤		
12	① ② ③ ④ ⑤	32	① ② ③ ④ ⑤		
13	① ② ③ ④ ⑤	33	① ② ③ ④ ⑤		
14	① ② ③ ④ ⑤	34	① ② ③ ④ ⑤		
15	① ② ③ ④ ⑤	**35**	① ② ③ ④ ⑤		
16	① ② ③ ④ ⑤	36	① ② ③ ④ ⑤		
17	① ② ③ ④ ⑤	37	① ② ③ ④ ⑤		
18	① ② ③ ④ ⑤	38	① ② ③ ④ ⑤		
19	① ② ③ ④ ⑤	39	① ② ③ ④ ⑤		
20	① ② ③ ④ ⑤	**40**	① ② ③ ④ ⑤		

도서출판 홀수

전국연합학력평가(실전 연습용)답안지

① 교시 국 어 영 역

학 교	
성 명	

성 명								
수		험		번			호	
				–				
	⓪	⓪	⓪		⓪	⓪	⓪	⓪
①	①	①	①		①	①	①	①
②	②	②	②		②	②	②	②
③	③	③	③		③	③	③	③
④	④	④	④	–	④	④	④	④
⑤	⑤	⑤	⑤		⑤	⑤	⑤	⑤
⑥	⑥	⑥	⑥		⑥	⑥	⑥	⑥
⑦	⑦	⑦	⑦		⑦	⑦	⑦	⑦
⑧	⑧	⑧	⑧		⑧	⑧	⑧	⑧
⑨	⑨	⑨	⑨		⑨	⑨	⑨	⑨

감독관 확 인 (수험생은 표기하지 말것.)	서 명 또는 날 인	본인 여부, 수험번호 및 문형의 표기가 정확한지 확인, 옆란에 서명 또는 날인

※ 답안지 작성(표기)은 반드시 검은색 컴퓨터용 사인펜만을 사용하고, 연필 또는 샤프 등의 필기구를 절대 사용하지 마십시오.
※ 뒷면의 〈수험생 준수사항〉을 숙지하여야 하며, 이를 준수하지 않을 경우 불이익을 받을 수 있습니다.

문번	답 란	문번	답 란	문번	답 란
1	① ② ③ ④ ⑤	21	① ② ③ ④ ⑤	41	① ② ③ ④ ⑤
2	① ② ③ ④ ⑤	22	① ② ③ ④ ⑤	42	① ② ③ ④ ⑤
3	① ② ③ ④ ⑤	23	① ② ③ ④ ⑤	43	① ② ③ ④ ⑤
4	① ② ③ ④ ⑤	24	① ② ③ ④ ⑤	44	① ② ③ ④ ⑤
5	① ② ③ ④ ⑤	**25**	① ② ③ ④ ⑤	**45**	① ② ③ ④ ⑤
6	① ② ③ ④ ⑤	26	① ② ③ ④ ⑤		
7	① ② ③ ④ ⑤	27	① ② ③ ④ ⑤		
8	① ② ③ ④ ⑤	28	① ② ③ ④ ⑤		
9	① ② ③ ④ ⑤	29	① ② ③ ④ ⑤		
10	① ② ③ ④ ⑤	**30**	① ② ③ ④ ⑤		
11	① ② ③ ④ ⑤	31	① ② ③ ④ ⑤		
12	① ② ③ ④ ⑤	32	① ② ③ ④ ⑤		
13	① ② ③ ④ ⑤	33	① ② ③ ④ ⑤		
14	① ② ③ ④ ⑤	34	① ② ③ ④ ⑤		
15	① ② ③ ④ ⑤	**35**	① ② ③ ④ ⑤		
16	① ② ③ ④ ⑤	36	① ② ③ ④ ⑤		
17	① ② ③ ④ ⑤	37	① ② ③ ④ ⑤		
18	① ② ③ ④ ⑤	38	① ② ③ ④ ⑤		
19	① ② ③ ④ ⑤	39	① ② ③ ④ ⑤		
20	① ② ③ ④ ⑤	**40**	① ② ③ ④ ⑤		

도서출판 홀수

전국연합학력평가(실전 연습용)답안지

① 교시 국어영역

학 교	
성 명	

성 명								
수		험			번		호	
				–				
	0	0	0		0	0	0	0
1	1	1	1		1	1	1	1
2	2	2	2		2	2	2	2
3	3	3	3		3	3	3	3
4	4	4	4	–	4	4	4	4
5	5	5	5		5	5	5	5
6	6	6	6		6	6	6	6
7	7	7	7		7	7	7	7
8	8	8	8		8	8	8	8
9	9	9	9		9	9	9	9

감독관 확인 (수험생은 표기하지 말것.)	서 명 또는 날 인	본인 여부, 수험번호 및 문형의 표기가 정확한지 확인, 옆란에 서명 또는 날인

※ 답안지 작성(표기)은 반드시 검은색 컴퓨터용 사인펜만을 사용하고, 연필 또는 샤프 등의 필기구를 절대 사용하지 마십시오.

※ 뒷면의 〈수험생 준수사항〉을 숙지하여야 하며, 이를 준수하지 않을 경우 불이익을 받을 수 있습니다.

문번	답 란	문번	답 란	문번	답 란
1	① ② ③ ④ ⑤	21	① ② ③ ④ ⑤	41	① ② ③ ④ ⑤
2	① ② ③ ④ ⑤	22	① ② ③ ④ ⑤	42	① ② ③ ④ ⑤
3	① ② ③ ④ ⑤	23	① ② ③ ④ ⑤	43	① ② ③ ④ ⑤
4	① ② ③ ④ ⑤	24	① ② ③ ④ ⑤	44	① ② ③ ④ ⑤
5	① ② ③ ④ ⑤	25	① ② ③ ④ ⑤	45	① ② ③ ④ ⑤
6	① ② ③ ④ ⑤	26	① ② ③ ④ ⑤		
7	① ② ③ ④ ⑤	27	① ② ③ ④ ⑤		
8	① ② ③ ④ ⑤	28	① ② ③ ④ ⑤		
9	① ② ③ ④ ⑤	29	① ② ③ ④ ⑤		
10	① ② ③ ④ ⑤	30	① ② ③ ④ ⑤		
11	① ② ③ ④ ⑤	31	① ② ③ ④ ⑤		
12	① ② ③ ④ ⑤	32	① ② ③ ④ ⑤		
13	① ② ③ ④ ⑤	33	① ② ③ ④ ⑤		
14	① ② ③ ④ ⑤	34	① ② ③ ④ ⑤		
15	① ② ③ ④ ⑤	35	① ② ③ ④ ⑤		
16	① ② ③ ④ ⑤	36	① ② ③ ④ ⑤		
17	① ② ③ ④ ⑤	37	① ② ③ ④ ⑤		
18	① ② ③ ④ ⑤	38	① ② ③ ④ ⑤		
19	① ② ③ ④ ⑤	39	① ② ③ ④ ⑤		
20	① ② ③ ④ ⑤	40	① ② ③ ④ ⑤		

도서출판 홀수
Holsoo Publishers

전국연합학력평가(실전 연습용)답안지

① 교시 국어영역

학 교 / 성 명

성 명 / 수 험 번 호

감독관 확인 (수험생은 표기하지 말것.) 서 명 또는 날 인 본인 여부, 수험번호 및 문형의 표기가 정확한지 확인, 옆란에 서명 또는 날인

※ 답안지 작성(표기)은 반드시 검은색 컴퓨터용 사인펜만을 사용하고, 연필 또는 샤프 등의 필기구를 절대 사용하지 마십시오.

※ 뒷면의 〈수험생 준수사항〉을 숙지하여야 하며, 이를 준수하지 않을 경우 불이익을 받을 수 있습니다.

문번 답 란 1–45 ① ② ③ ④ ⑤

도서출판 홀수
Holsoo Publishers

전국연합학력평가(실전 연습용)답안지

① 교시 국 어 영 역

학 교	
성 명	

성 명								
수 험 번 호								
				–				
	⓪	⓪	⓪		⓪	⓪	⓪	⓪
①	①	①	①		①	①	①	①
②	②	②	②		②	②	②	②
③	③	③	③		③	③	③	③
④	④	④	④	–	④	④	④	④
⑤	⑤	⑤	⑤		⑤	⑤	⑤	⑤
⑥	⑥	⑥	⑥		⑥	⑥	⑥	⑥
⑦	⑦	⑦	⑦		⑦	⑦	⑦	⑦
⑧	⑧	⑧	⑧		⑧	⑧	⑧	⑧
⑨	⑨	⑨	⑨		⑨	⑨	⑨	⑨

감독관 확 인 (수험생은 표기하지 말것.)	서 명 또는 날 인	본인 여부, 수험번호 및 문형의 표기가 정확한지 확인, 옆란에 서명 또는 날인

※ 답안지 작성(표기)은 반드시 검은색 컴퓨터용 사인펜만을 사용하고, 연필 또는 샤프 등의 필기구를 절대 사용하지 마십시오.
※ 뒷면의 <수험생 준수사항>을 숙지하여야 하며, 이를 준수하지 않을 경우 불이익을 받을 수 있습니다.

문번	답 란	문번	답 란	문번	답 란
1	① ② ③ ④ ⑤	21	① ② ③ ④ ⑤	41	① ② ③ ④ ⑤
2	① ② ③ ④ ⑤	22	① ② ③ ④ ⑤	42	① ② ③ ④ ⑤
3	① ② ③ ④ ⑤	23	① ② ③ ④ ⑤	43	① ② ③ ④ ⑤
4	① ② ③ ④ ⑤	24	① ② ③ ④ ⑤	44	① ② ③ ④ ⑤
5	① ② ③ ④ ⑤	25	① ② ③ ④ ⑤	45	① ② ③ ④ ⑤
6	① ② ③ ④ ⑤	26	① ② ③ ④ ⑤		
7	① ② ③ ④ ⑤	27	① ② ③ ④ ⑤		
8	① ② ③ ④ ⑤	28	① ② ③ ④ ⑤		
9	① ② ③ ④ ⑤	29	① ② ③ ④ ⑤		
10	① ② ③ ④ ⑤	30	① ② ③ ④ ⑤		
11	① ② ③ ④ ⑤	31	① ② ③ ④ ⑤		
12	① ② ③ ④ ⑤	32	① ② ③ ④ ⑤		
13	① ② ③ ④ ⑤	33	① ② ③ ④ ⑤		
14	① ② ③ ④ ⑤	34	① ② ③ ④ ⑤		
15	① ② ③ ④ ⑤	35	① ② ③ ④ ⑤		
16	① ② ③ ④ ⑤	36	① ② ③ ④ ⑤		
17	① ② ③ ④ ⑤	37	① ② ③ ④ ⑤		
18	① ② ③ ④ ⑤	38	① ② ③ ④ ⑤		
19	① ② ③ ④ ⑤	39	① ② ③ ④ ⑤		
20	① ② ③ ④ ⑤	40	① ② ③ ④ ⑤		

도서출판 홀수

전국연합학력평가(실전 연습용)답안지

① 교시 국 어 영 역

학 교	
성 명	

성 명								
수 험 번 호								
				–				
	⓪	⓪	⓪		⓪	⓪	⓪	⓪
①	①	①	①		①	①	①	①
②	②	②	②		②	②	②	②
③	③	③	③		③	③	③	③
④	④	④	④	–	④	④	④	④
⑤	⑤	⑤	⑤		⑤	⑤	⑤	⑤
⑥	⑥	⑥	⑥		⑥	⑥	⑥	⑥
⑦	⑦	⑦	⑦		⑦	⑦	⑦	⑦
⑧	⑧	⑧	⑧		⑧	⑧	⑧	⑧
⑨	⑨	⑨	⑨		⑨	⑨	⑨	⑨

감독관 확 인 (수험생은 표기하지 말것.)	서 명 또는 날 인	본인 여부, 수험번호 및 문형의 표기가 정확한지 확인, 옆란에 서명 또는 날인

※ 답안지 작성(표기)은 반드시 검은색 컴퓨터용 사인펜만을 사용하고, 연필 또는 샤프 등의 필기구를 절대 사용하지 마십시오.
※ 뒷면의 <수험생 준수사항>을 숙지하여야 하며, 이를 준수하지 않을 경우 불이익을 받을 수 있습니다.

문번	답 란	문번	답 란	문번	답 란
1	① ② ③ ④ ⑤	21	① ② ③ ④ ⑤	41	① ② ③ ④ ⑤
2	① ② ③ ④ ⑤	22	① ② ③ ④ ⑤	42	① ② ③ ④ ⑤
3	① ② ③ ④ ⑤	23	① ② ③ ④ ⑤	43	① ② ③ ④ ⑤
4	① ② ③ ④ ⑤	24	① ② ③ ④ ⑤	44	① ② ③ ④ ⑤
5	① ② ③ ④ ⑤	25	① ② ③ ④ ⑤	45	① ② ③ ④ ⑤
6	① ② ③ ④ ⑤	26	① ② ③ ④ ⑤		
7	① ② ③ ④ ⑤	27	① ② ③ ④ ⑤		
8	① ② ③ ④ ⑤	28	① ② ③ ④ ⑤		
9	① ② ③ ④ ⑤	29	① ② ③ ④ ⑤		
10	① ② ③ ④ ⑤	30	① ② ③ ④ ⑤		
11	① ② ③ ④ ⑤	31	① ② ③ ④ ⑤		
12	① ② ③ ④ ⑤	32	① ② ③ ④ ⑤		
13	① ② ③ ④ ⑤	33	① ② ③ ④ ⑤		
14	① ② ③ ④ ⑤	34	① ② ③ ④ ⑤		
15	① ② ③ ④ ⑤	35	① ② ③ ④ ⑤		
16	① ② ③ ④ ⑤	36	① ② ③ ④ ⑤		
17	① ② ③ ④ ⑤	37	① ② ③ ④ ⑤		
18	① ② ③ ④ ⑤	38	① ② ③ ④ ⑤		
19	① ② ③ ④ ⑤	39	① ② ③ ④ ⑤		
20	① ② ③ ④ ⑤	40	① ② ③ ④ ⑤		

도서출판 홀수

전국연합학력평가(실전 연습용)답안지

① 교시 국 어 영 역

학 교	
성 명	

성 명								
수		험			번		호	
				–				
	⓪	⓪	⓪		⓪	⓪	⓪	⓪
①	①	①	①		①	①	①	①
②	②	②	②		②	②	②	②
③	③	③	③		③	③	③	③
④	④	④	④	–	④	④	④	④
⑤	⑤	⑤	⑤		⑤	⑤	⑤	⑤
⑥	⑥	⑥	⑥		⑥	⑥	⑥	⑥
⑦	⑦	⑦	⑦		⑦	⑦	⑦	⑦
⑧	⑧	⑧	⑧		⑧	⑧	⑧	⑧
⑨	⑨	⑨	⑨		⑨	⑨	⑨	⑨

감독관 확 인 (수험생은 표기하지 말것.)	서 명 또는 날 인	본인 여부, 수험번호 및 문형의 표기가 정확한지 확인, 옆란에 서명 또는 날인

※ 답안지 작성(표기)은 반드시 검은색 컴퓨터용 사인펜만을 사용하고, 연필 또는 샤프 등의 필기구를 절대 사용하지 마십시오.

※ 뒷면의 <수험생 준수사항>을 숙지하여야 하며, 이를 준수하지 않을 경우 불이익을 받을 수 있습니다.

문번	답 란	문번	답 란	문번	답 란
1	① ② ③ ④ ⑤	21	① ② ③ ④ ⑤	41	① ② ③ ④ ⑤
2	① ② ③ ④ ⑤	22	① ② ③ ④ ⑤	42	① ② ③ ④ ⑤
3	① ② ③ ④ ⑤	23	① ② ③ ④ ⑤	43	① ② ③ ④ ⑤
4	① ② ③ ④ ⑤	24	① ② ③ ④ ⑤	44	① ② ③ ④ ⑤
5	① ② ③ ④ ⑤	**25**	① ② ③ ④ ⑤	**45**	① ② ③ ④ ⑤
6	① ② ③ ④ ⑤	26	① ② ③ ④ ⑤		
7	① ② ③ ④ ⑤	27	① ② ③ ④ ⑤		
8	① ② ③ ④ ⑤	28	① ② ③ ④ ⑤		
9	① ② ③ ④ ⑤	29	① ② ③ ④ ⑤		
10	① ② ③ ④ ⑤	**30**	① ② ③ ④ ⑤		
11	① ② ③ ④ ⑤	31	① ② ③ ④ ⑤		
12	① ② ③ ④ ⑤	32	① ② ③ ④ ⑤		
13	① ② ③ ④ ⑤	33	① ② ③ ④ ⑤		
14	① ② ③ ④ ⑤	34	① ② ③ ④ ⑤		
15	① ② ③ ④ ⑤	**35**	① ② ③ ④ ⑤		
16	① ② ③ ④ ⑤	36	① ② ③ ④ ⑤		
17	① ② ③ ④ ⑤	37	① ② ③ ④ ⑤		
18	① ② ③ ④ ⑤	38	① ② ③ ④ ⑤		
19	① ② ③ ④ ⑤	39	① ② ③ ④ ⑤		
20	① ② ③ ④ ⑤	**40**	① ② ③ ④ ⑤		

도서출판 홀수

전국연합학력평가(실전 연습용)답안지

① 교시 국 어 영 역

학 교	
성 명	

성 명								
수		험			번		호	
				–				
	⓪	⓪	⓪		⓪	⓪	⓪	⓪
①	①	①	①		①	①	①	①
②	②	②	②		②	②	②	②
③	③	③	③		③	③	③	③
④	④	④	④	–	④	④	④	④
⑤	⑤	⑤	⑤		⑤	⑤	⑤	⑤
⑥	⑥	⑥	⑥		⑥	⑥	⑥	⑥
⑦	⑦	⑦	⑦		⑦	⑦	⑦	⑦
⑧	⑧	⑧	⑧		⑧	⑧	⑧	⑧
⑨	⑨	⑨	⑨		⑨	⑨	⑨	⑨

감독관 확 인 (수험생은 표기하지 말것.)	서 명 또는 날 인	본인 여부, 수험번호 및 문형의 표기가 정확한지 확인, 옆란에 서명 또는 날인

※ 답안지 작성(표기)은 반드시 검은색 컴퓨터용 사인펜만을 사용하고, 연필 또는 샤프 등의 필기구를 절대 사용하지 마십시오.

※ 뒷면의 <수험생 준수사항>을 숙지하여야 하며, 이를 준수하지 않을 경우 불이익을 받을 수 있습니다.

문번	답 란	문번	답 란	문번	답 란
1	① ② ③ ④ ⑤	21	① ② ③ ④ ⑤	41	① ② ③ ④ ⑤
2	① ② ③ ④ ⑤	22	① ② ③ ④ ⑤	42	① ② ③ ④ ⑤
3	① ② ③ ④ ⑤	23	① ② ③ ④ ⑤	43	① ② ③ ④ ⑤
4	① ② ③ ④ ⑤	24	① ② ③ ④ ⑤	44	① ② ③ ④ ⑤
5	① ② ③ ④ ⑤	**25**	① ② ③ ④ ⑤	**45**	① ② ③ ④ ⑤
6	① ② ③ ④ ⑤	26	① ② ③ ④ ⑤		
7	① ② ③ ④ ⑤	27	① ② ③ ④ ⑤		
8	① ② ③ ④ ⑤	28	① ② ③ ④ ⑤		
9	① ② ③ ④ ⑤	29	① ② ③ ④ ⑤		
10	① ② ③ ④ ⑤	**30**	① ② ③ ④ ⑤		
11	① ② ③ ④ ⑤	31	① ② ③ ④ ⑤		
12	① ② ③ ④ ⑤	32	① ② ③ ④ ⑤		
13	① ② ③ ④ ⑤	33	① ② ③ ④ ⑤		
14	① ② ③ ④ ⑤	34	① ② ③ ④ ⑤		
15	① ② ③ ④ ⑤	**35**	① ② ③ ④ ⑤		
16	① ② ③ ④ ⑤	36	① ② ③ ④ ⑤		
17	① ② ③ ④ ⑤	37	① ② ③ ④ ⑤		
18	① ② ③ ④ ⑤	38	① ② ③ ④ ⑤		
19	① ② ③ ④ ⑤	39	① ② ③ ④ ⑤		
20	① ② ③ ④ ⑤	**40**	① ② ③ ④ ⑤		

도서출판 홀수

고1 국어 학력평가 기출문제집

5개년

총 20회 (2017~2021 시행)

최다 회분 수록

11월 전국연합학력평가 반영

빠른 정답 찾기
+
등급컷

고1

2021 학년도

1 회 11월 학평

등급	1	2	3	4	5	6	7	8
원점수	88	79	69	60	47	35	26	18

1. ⑤	2. ③	3. ①	4. ④	5. ②	6. ②	7. ④	8. ③	9. ④	10. ③
11. ③	12. ①	13. ⑤	14. ②	15. ②	16. ①	17. ③	18. ④	19. ③	20. ④
21. ⑤	22. ②	23. ⑤	24. ③	25. ①	26. ②	27. ④	28. ③	29. ②	30. ⑤
31. ④	32. ④	33. ④	34. ④	35. ②	36. ③	37. ②	38. ④	39. ⑤	40. ③
41. ②	42. ②	43. ②	44. ④	45. ③					

2 회 9월 학평

등급	1	2	3	4	5	6	7	8
원점수	90	82	73	62	49	35	26	19

1. ②	2. ④	3. ④	4. ②	5. ③	6. ④	7. ②	8. ⑤	9. ④	10. ⑤
11. ①	12. ②	13. ①	14. ⑤	15. ④	16. ②	17. ②	18. ③	19. ④	20. ②
21. ②	22. ②	23. ③	24. ③	25. ①	26. ④	27. ⑤	28. ④	29. ②	30. ⑤
31. ⑤	32. ①	33. ①	34. ①	35. ①	36. ④	37. ①	38. ③	39. ④	40. ①
41. ③	42. ③	43. ③	44. ⑤	45. ⑤					

3 회 6월 학평

등급	1	2	3	4	5	6	7	8
원점수	92	85	75	64	52	39	28	20

1. ⑤	2. ④	3. ③	4. ②	5. ④	6. ③	7. ⑤	8. ⑤	9. ⑤	10. ④
11. ①	12. ②	13. ⑤	14. ②	15. ①	16. ①	17. ③	18. ④	19. ④	20. ②
21. ②	22. ④	23. ③	24. ⑤	25. ①	26. ②	27. ④	28. ①	29. ①	30. ③
31. ②	32. ③	33. ⑤	34. ②	35. ④	36. ⑤	37. ⑤	38. ④	39. ①	40. ②
41. ①	42. ③	43. ③	44. ③	45. ④					

4 회 3월 학평

등급	1	2	3	4	5	6	7	8
원점수	80	72	63	55	46	38	30	22

1. ⑤	2. ②	3. ④	4. ⑤	5. ③	6. ④	7. ⑤	8. ①	9. ⑤	10. ②
11. ④	12. ①	13. ④	14. ③	15. ②	16. ③	17. ⑤	18. ③	19. ②	20. ③
21. ①	22. ③	23. ⑤	24. ⑤	25. ④	26. ⑤	27. ①	28. ①	29. ⑤	30. ③
31. ②	32. ④	33. ①	34. ⑤	35. ③	36. ②	37. ④	38. ①	39. ④	40. ④
41. ②	42. ①	43. ③	44. ④	45. ②					

2020 학년도

5 회 11월 학평

등급	1	2	3	4	5	6	7	8
원점수	91	83	73	61	47	33	23	18

1. ③	2. ③	3. ②	4. ②	5. ①	6. ③	7. ⑤	8. ④	9. ⑤	10. ④
11. ④	12. ②	13. ③	14. ④	15. ①	16. ⑤	17. ⑤	18. ④	19. ②	20. ④
21. ④	22. ①	23. ⑤	24. ③	25. ①	26. ⑤	27. ③	28. ①	29. ⑤	30. ⑤
31. ③	32. ③	33. ⑤	34. ①	35. ②	36. ③	37. ②	38. ③	39. ④	40. ③
41. ①	42. ②	43. ①	44. ①	45. ⑤					

6 회 9월 학평

등급	1	2	3	4	5	6	7	8
원점수	93	86	75	64	50	37	26	20

1. ⑤	2. ②	3. ⑤	4. ②	5. ③	6. ⑤	7. ⑤	8. ④	9. ④	10. ④
11. ③	12. ⑤	13. ③	14. ④	15. ④	16. ②	17. ⑤	18. ⑤	19. ⑤	20. ①
21. ①	22. ⑤	23. ②	24. ①	25. ⑤	26. ③	27. ③	28. ④	29. ③	30. ③
31. ④	32. ③	33. ①	34. ④	35. ④	36. ①	37. ③	38. ②	39. ①	40. ④
41. ①	42. ③	43. ③	44. ②	45. ②					

7 회 6월 학평

등급	1	2	3	4	5	6	7	8
원점수	92	86	79	70	59	47	35	23

1. ④	2. ①	3. ⑤	4. ③	5. ②	6. ④	7. ①	8. ③	9. ③	10. ④
11. ④	12. ⑤	13. ②	14. ①	15. ①	16. ①	17. ③	18. ⑤	19. ①	20. ⑤
21. ②	22. ②	23. ③	24. ③	25. ③	26. ⑤	27. ③	28. ②	29. ④	30. ②
31. ⑤	32. ②	33. ②	34. ⑤	35. ②	36. ②	37. ④	38. ⑤	39. ⑤	40. ③
41. ②	42. ③	43. ⑤	44. ④	45. ①					

8 회 3월 학평

등급	1	2	3	4	5	6	7	8
원점수	83	75	64	54	46	36	29	24

1. ⑤	2. ③	3. ④	4. ①	5. ①	6. ③	7. ④	8. ④	9. ⑤	10. ②
11. ②	12. ④	13. ②	14. ①	15. ①	16. ③	17. ⑤	18. ④	19. ③	20. ⑤
21. ②	22. ①	23. ③	24. ④	25. ③	26. ④	27. ②	28. ②	29. ③	30. ⑤
31. ④	32. ②	33. ②	34. ⑤	35. ①	36. ③	37. ④	38. ⑤	39. ①	40. ②
41. ⑤	42. ③	43. ①	44. ④	45. ⑤					

2019 학년도

9회 11월 학평

등급	1	2	3	4	5	6	7	8
원점수	91	82	73	61	47	33	24	18

1. ③	2. ④	3. ②	4. ③	5. ④	6. ④	7. ④	8. ②	9. ⑤	10. ③
11. ⑤	12. ①	13. ③	14. ②	15. ③	16. ⑤	17. ⑤	18. ③	19. ①	20. ①
21. ④	22. ④	23. ②	24. ⑤	25. ④	26. ⑤	27. ②	28. ②	29. ⑤	30. ②
31. ④	32. ④	33. ⑤	34. ①	35. ③	36. ⑤	37. ①	38. ③	39. ③	40. ⑤
41. ①	42. ①	43. ④	44. ③	45. ③					

10회 9월 학평

등급	1	2	3	4	5	6	7	8
원점수	96	91	83	72	58	41	26	20

1. ⑤	2. ⑤	3. ①	4. ⑤	5. ④	6. ⑤	7. ①	8. ②	9. ④	10. ④
11. ③	12. ②	13. ①	14. ③	15. ②	16. ⑤	17. ①	18. ②	19. ④	20. ③
21. ③	22. ⑤	23. ①	24. ⑤	25. ③	26. ②	27. ②	28. ③	29. ②	30. ④
31. ④	32. ①	33. ②	34. ②	35. ③	36. ⑤	37. ④	38. ④	39. ①	40. ③
41. ②	42. ③	43. ④	44. ⑤	45. ⑤					

11회 6월 학평

등급	1	2	3	4	5	6	7	8
원점수	86	77	66	55	43	32	24	18

1. ①	2. ①	3. ④	4. ③	5. ⑤	6. ⑤	7. ②	8. ⑤	9. ①	10. ⑤
11. ③	12. ②	13. ⑤	14. ④	15. ③	16. ②	17. ④	18. ⑤	19. ①	20. ④
21. ④	22. ②	23. ②	24. ⑤	25. ③	26. ②	27. ③	28. ③	29. ①	30. ②
31. ④	32. ①	33. ⑤	34. ②	35. ③	36. ①	37. ②	38. ⑤	39. ④	40. ⑤
41. ④	42. ③	43. ②	44. ①	45. ⑤					

12회 3월 학평

등급	1	2	3	4	5	6	7	8
원점수	88	80	72	62	52	43	33	24

1. ②	2. ③	3. ④	4. ⑤	5. ⑤	6. ①	7. ④	8. ⑤	9. ②	10. ②
11. ⑤	12. ②	13. ④	14. ⑤	15. ①	16. ①	17. ④	18. ③	19. ②	20. ③
21. ⑤	22. ③	23. ⑤	24. ①	25. ①	26. ④	27. ①	28. ①	29. ③	30. ①
31. ②	32. ④	33. ②	34. ①	35. ③	36. ⑤	37. ④	38. ③	39. ⑤	40. ④
41. ④	42. ②	43. ②	44. ④	45. ③					

2018 학년도

13회 11월 학평

등급	1	2	3	4	5	6	7	8
원점수	86	78	68	56	43	31	24	18

1. ④	2. ④	3. ④	4. ③	5. ④	6. ②	7. ⑤	8. ④	9. ⑤	10. ②
11. ⑤	12. ④	13. ③	14. ②	15. ①	16. ⑤	17. ④	18. ③	19. ④	20. ①
21. ②	22. ③	23. ⑤	24. ③	25. ⑤	26. ②	27. ④	28. ①	29. ①	30. ②
31. ③	32. ④	33. ①	34. ③	35. ④	36. ①	37. ③	38. ③	39. ②	40. ③
41. ④	42. ⑤	43. ⑤	44. ⑤	45. ③					

14회 9월 학평

등급	1	2	3	4	5	6	7	8
원점수	97	92	84	73	58	42	28	20

1. ③	2. ①	3. ①	4. ④	5. ①	6. ④	7. ⑤	8. ①	9. ④	10. ②
11. ②	12. ③	13. ③	14. ⑤	15. ③	16. ①	17. ②	18. ③	19. ⑤	20. ②
21. ⑤	22. ②	23. ①	24. ④	25. ②	26. ⑤	27. ②	28. ②	29. ③	30. ④
31. ④	32. ①	33. ④	34. ③	35. ⑤	36. ⑤	37. ①	38. ④	39. ③	40. ④
41. ③	42. ⑤	43. ④	44. ②	45. ③					

15회 6월 학평

등급	1	2	3	4	5	6	7	8
원점수	86	79	71	61	49	37	27	19

1. ⑤	2. ④	3. ④	4. ④	5. ⑤	6. ⑤	7. ②	8. ①	9. ②	10. ②
11. ④	12. ①	13. ②	14. ①	15. ②	16. ①	17. ②	18. ④	19. ③	20. ④
21. ②	22. ③	23. ①	24. ②	25. ③	26. ④	27. ①	28. ①	29. ⑤	30. ④
31. ④	32. ⑤	33. ②	34. ⑤	35. ③	36. ③	37. ⑤	38. ③	39. ④	40. ②
41. ④	42. ⑤	43. ③	44. ④	45. ②					

16회 3월 학평

등급	1	2	3	4	5	6	7	8
원점수	92	85	75	63	51	40	31	21

1. ②	2. ④	3. ②	4. ④	5. ②	6. ③	7. ⑤	8. ③	9. ④	10. ⑤
11. ⑤	12. ①	13. ①	14. ⑤	15. ①	16. ②	17. ⑤	18. ②	19. ②	20. ⑤
21. ①	22. ③	23. ⑤	24. ④	25. ②	26. ⑤	27. ③	28. ④	29. ⑤	30. ①
31. ②	32. ③	33. ②	34. ③	35. ④	36. ①	37. ①	38. ④	39. ③	40. ③
41. ④	42. ⑤	43. ③	44. ④	45. ①					

2017 학년도

17회 11월 학평

등급	1	2	3	4	5	6	7	8
원점수	90	83	73	65	52	37	23	18

1. ①	2. ②	3. ⑤	4. ①	5. ⑤	6. ③	7. ⑤	8. ④	9. ③	10. ②
11. ③	12. ②	13. ④	14. ④	15. ①	16. ①	17. ④	18. ③	19. ④	20. ③
21. ⑤	22. ④	23. ②	24. ④	25. ①	26. ⑤	27. ④	28. ④	29. ②	30. ④
31. ①	32. ②	33. ⑤	34. ⑤	35. ⑤	36. ②	37. ③	38. ⑤	39. ③	40. ①
41. ①	42. ①	43. ⑤	44. ③	45. ②					

18회 9월 학평

등급	1	2	3	4	5	6	7	8
원점수	88	81	73	64	52	41	29	20

1. ②	2. ⑤	3. ④	4. ④	5. ②	6. ④	7. ④	8. ①	9. ①	10. ⑤
11. ⑤	12. ⑤	13. ③	14. ①	15. ②	16. ①	17. ④	18. ③	19. ④	20. ③
21. ③	22. ⑤	23. ①	24. ③	25. ①	26. ④	27. ②	28. ⑤	29. ④	30. ②
31. ⑤	32. ③	33. ②	34. ③	35. ④	36. ②	37. ⑤	38. ⑤	39. ②	40. ④
41. ②	42. ③	43. ①	44. ⑤	45. ⑤					

19회 6월 학평

등급	1	2	3	4	5	6	7	8
원점수	92	86	76	67	56	44	31	22

1. ②	2. ④	3. ①	4. ④	5. ⑤	6. ③	7. ③	8. ①	9. ⑤	10. ③
11. ①	12. ①	13. ②	14. ②	15. ④	16. ⑤	17. ①	18. ③	19. ⑤	20. ⑤
21. ②	22. ③	23. ④	24. ④	25. ③	26. ③	27. ②	28. ④	29. ⑤	30. ③
31. ①	32. ①	33. ④	34. ③	35. ④	36. ④	37. ⑤	38. ③	39. ②	40. ⑤
41. ①	42. ⑤	43. ②	44. ⑤	45. ②					

20회 3월 학평

등급	1	2	3	4	5	6	7	8
원점수	89	81	71	60	49	40	32	24

1. ③	2. ③	3. ⑤	4. ⑤	5. ③	6. ②	7. ③	8. ⑤	9. ②	10. ①
11. ④	12. ④	13. ①	14. ⑤	15. ①	16. ⑤	17. ①	18. ③	19. ②	20. ①
21. ③	22. ②	23. ③	24. ①	25. ④	26. ③	27. ③	28. ①	29. ⑤	30. ①
31. ⑤	32. ③	33. ②	34. ④	35. ⑤	36. ⑤	37. ④	38. ④	39. ④	40. ①
41. ②	42. ②	43. ②	44. ⑤	45. ②					

1 회

2021학년도 11월 학평

1. ⑤	2. ③	3. ①	4. ④	5. ②	6. ②	7. ④	8. ③	9. ④	10. ③
11. ③	12. ①	13. ⑤	14. ②	15. ②	16. ①	17. ③	18. ④	19. ③	20. ④
21. ⑤	22. ②	23. ⑤	24. ③	25. ①	26. ②	27. ④	28. ③	29. ②	30. ⑤
31. ④	32. ④	33. ④	34. ④	35. ②	36. ③	37. ②	38. ④	39. ⑤	40. ③
41. ②	42. ②	43. ②	44. ④	45. ③					

오답률 Best 5

[1~3] 화법

1 ⑤ 정답률 95%

정답풀이

'여러분은 자신의 혈액형을 알고 있지요? 그런데 개도 혈액형이 있다는 것을 알고 있나요? (학생들의 대답을 듣고)', '오늘 강연 어떠셨나요? (학생들의 반응을 확인하고)' 등에서 청중의 대답을 이끌어 내는 질문을 던지며 청중과 상호 작용하는 것을 확인할 수 있다.

오답풀이

① 강연자가 이전 강연의 내용을 언급한 부분은 찾을 수 없다.

② '학생 여러분들도 개의 수혈 문제에 관심을 가져 주시면 좋겠'다는 바람을 드러내며 강연을 마무리하고 있을 뿐, 강연 내용과 관련된 긍정적 전망을 제시하고 있지는 않다.

③ 강연 주제인 '개의 혈액형과 수혈'과 관련된 용어의 유래를 드러내거나 역사적 의의를 제시하고 있지는 않다.

④ 동영상, 그래프, 도표, 그림 등 다양한 자료를 제시하고 있으나, 그 출처를 구체적으로 밝히고 있지는 않다.

2 ③ 정답률 94%

정답풀이

강연자는 '개의 혈액형은 여러 종류가 있'다는 점을 설명하기 위해 도표를 제시하였으나, 이를 통해 개의 혈액형을 사람의 혈액형과 비교하고 있지는 않다.

오답풀이

① 강연자는 강연의 시작 부분에서 '개의 수혈 장면'이 담긴 동영상을 보여 주며 청중인 학생들의 관심을 유발하였다.

② 강연자는 '90%가 넘는 사람들이 개에게도 혈액형이 있다는 사실을 모르고 있'음을 보여 주는 설문 조사 결과 그래프를 제시하여 개의 혈액형에 대해 잘 모르는 사람이 많다는 점을 강조하였다.

④ 강연자는 'DEA 1 혈액형 간의 수혈 관계'를 나타내는 그림을 제시하여 청중인 학생들이 개의 수혈 관계를 명확히 이해할 수 있도록 하였다.

⑤ 강연자는 '개의 수혈에 관한 보다 많은 정보를 얻을 수 있'는 QR 코드를 제시하여 더 궁금한 점이 있는 학생들이 추가 정보를 얻을 수 있는 방안을 안내하였다.

3 ① 정답률 85%

정답풀이

강연에서 'DEA 1 혈액형 간의 수혈 관계'에 대해 설명하며 '처음 수혈을 받는 경우라면 다른 혈액형에게서도 수혈을 받을 수 있'지만, '첫 수혈의 경우라도 DEA 1− 혈액형을 가진 개는 DEA 1.1이나 1.2의 혈액형을 가진 개에게 혈액을 줄 수는 있지만 반대로 이들로부터 혈액을 받을 수는 없'다고 하였다. 따라서 첫 수혈이라면 ㉠(DEA 1−)은 ㉡(DEA 1.1)에게 수혈을 해 줄 수는 있지만, 수혈을 받을 수는 없다.

오답풀이

② 강연에서 'DEA 1 혈액형 간의 수혈 관계'에 대해 설명하며 '처음 수혈을 받는 경우라면 다른 혈액형에게서도 수혈을 받을 수 있'다고 하였다. 따라서 첫 수혈이라면 ㉡에서 ㉢(DEA 1.2)으로의 수혈은 가능함을 알 수 있다.

③ 강연에서 'DEA 1 혈액형 간의 수혈 관계'에 대해 설명하며 '개는 기본적으로 같은 혈액형끼리는 수혈할 수 있'다고 하였다. 따라서 ㉢이 이전에 수혈을 받은 적이 있더라도 같은 혈액형인 ㉣(DEA 1.2)에게 수혈을 받는 것이 가능함을 알 수 있다.

④ 강연에서 'DEA 1 혈액형 간의 수혈 관계'에 대해 설명하며 '처음 수혈을 받는 경우라면 다른 혈액형에게서도 수혈을 받을 수 있'는데, 이때 'DEA 1− 혈액형을 가진 개'도 'DEA 1.1이나 1.2의 혈액형을 가진 개'에게 혈액을 주는 것은 가능하다고 하였다. 따라서 첫 수혈인 경우 ㉠에서 ㉡으로의 수혈과 ㉠에서 ㉢으로의 수혈이 모두 가능함을 알 수 있다.

⑤ 강연에서 'DEA 1 혈액형 간의 수혈 관계'에 대해 설명하며 'DEA 1 혈액형을 가진 개는 모두 첫 수혈과 달리 두 번째 수혈부터는 부작용을 고려하여 혈액형을 반드시 확인해야 합니다.'라고 하였다. 따라서 ㉠, ㉡, ㉢ 모두 두 번째 수혈부터는 개의 혈액형을 확인해야 함을 알 수 있다.

[4~7] 화법과 작문

4 ④ 정답률 92%

정답풀이

(가)의 '반대 1'은 '별점 평가의 결과는 많은 사람의 평가가 누적된 것이므로 신뢰할 수 있'다고 했을 뿐, 별점 평가의 결과를 신뢰할 수 있는 이유가 별점 평가의 결과를 직관적으로 확인할 수 있기 때문이라고 하지는 않았다.

오답풀이

① (가)의 '찬성 1'은 '별점을 매길 때 만족도에 대한 개인의 주관이 강하게 개입되어 객관적이지 못'함을 근거로 제시하여 별점 평가제의 신뢰성이 떨어짐을 주장하고 있다.

② (가)의 '찬성 1'은 '별점 평가의 단계별 척도인 별 한 개에 부여하는 가치'가 사람마다 다름을 근거로 제시하여 별점 평가제의 신뢰성이 떨어짐을 주장하고 있다.

③ (가)의 '찬성 1'은 '전체 판매자들의 70% 정도가 악의적인 허위 별점 때문에 큰 폭의 판매량 감소를 경험했다'는 통계 자료를 사례로 제시하여 별점 평가제가 판매자에게 큰 피해를 줄 수 있음을 주장하고 있다.

⑤ (가)의 '반대 1'은 '소비자들이 자유롭게 의사 표현을 할 수 있는 통로'인 별점 평가제를 폐지하면 '표현의 자유가 침해'됨을 근거로 제시하여 별점 평가제 폐지가 소비자에게 큰 피해를 줄 수 있음을 주장하고 있다.

5 ② 정답률 90%

정답풀이

[A]에서 '반대 2'는 '악의적으로 매긴 허위 별점으로 인한 판매자들의 피해 사례를 흔히 들을 수 있다고 하셨는데요.'라며 앞서 '찬성 1'이 '소비자들이 악의적으로 매긴~판매가 급감한 사례를 흔히 들을 수 있습니다.'라고 한 것을 재진술한 후 '근거를 구체적으로 제시해' 달라는 질문에 응답할 것을 요청하고 있다. 그리고 [B]에서 '찬성 2'는 '별점 평가제가 소비자들이 의사 표현을 할 수 있는 통로로 자리 잡았다고 하셨는데요.'라며 앞서 '반대 1'이 '별점 평가제는~통로로 자리 잡았습니다.'라고 한 것을 재진술한 후 '의견을 말씀해' 달라는 질문에 응답할 것을 요청하고 있다.

오답풀이

① [A]에서 '반대 2'가 '근거를 구체적으로 제시해' 달라고 한 것은 추가 자료를 요구한 것으로 볼 수 있으나 상대 측 근거의 적절성에 의문을 제기하지 않았다. 한편 [B]에서 '찬성 2'는 '별점 평가 외에도 다양한 방식으로 자신의 의사를 자유롭게 표현할 수 있다'는 것에 대한 의견을 물어보고 있을 뿐, 추가 자료를 요청하거나 상대 측 근거의 적절성에 의문을 제기하지는 않았다.

③ [A]와 [B]에서 '반대 2'와 '찬성 2'는 상대 측 주장이 실현되었을 때를 가정하거나 예상되는 문제점을 언급하지 않았다.

④ [A]에서 '찬성 1'은 근거를 제시해 달라는 상대 측의 요구에 따라 '○○신문에 보도된 통계 자료'를 언급하였을 뿐, 상대 측의 문제 제기를 인정하거나 자신의 의견과 절충하지는 않았다. 한편 [B]에서 '반대 1'은 별점 평가 외의 방식으로 의사를 표현할 수 있다는 점에 대한 의견을 묻는 상대 측에게 '물론 다른 방식으로 평가를 할 수 있'다며 일부 인정하고 있다. 그러나 '별점을 통해 자신의 의사를 표현'하는 방식이 보장되어야 한다고 말하고 있으므로 상대와 자신의 의견을 절충했다고 볼 수는 없다.

⑤ [A]와 [B]에서 '찬성 1'과 '반대 1'은 상대 측이 사용한 용어의 모호성을 언급하거나 상대 측 질문이 논제에서 벗어난다고 지적하지 않았다.

6 ② 정답률 93%

정답풀이

(나)의 1문단에 따르면 '토론 전에 나는 별점 평가제에 특별한 문제는 없다고 생각'했으며 2문단에서는 '토론을 들으며 새롭게 알게 된 사실이 많'다고 했을 뿐, 토론 전에 떠올린 의문이나 그런 의문이 해소되었음을 밝히지는 않았다.

오답풀이

① (나)의 2문단에서 토론을 듣고 '별점 평가제가 소비자의 표현의 자유와 관련이 있다는 것'을 새롭게 알게 되었음을 제시했다.

③ (나)의 3문단에서 별점 평가제와 관련하여 친구와 '같은 음식을 먹었는데, 음식에 주고 싶은 별점이 서로 다르다는 것'을 알게 된 경험을 사례로 제시했다.

④ (나)의 3문단에서 별점 평가가 객관성이 부족하다는 문제를 보완할 수 있는 '별점 평가 시의 유의 사항을, 소비자를 위한 별점 평가 안내서로 제공하는 방안'을 제시했다.

⑤ (나)의 4문단에서 '소비자는 객관적인 태도로 별점 평가를 하도록 노력하고 판매자는 별점 평가를 통한 소비자의 표현을 존중'하여 별점 평가제를 보완해 나가야 한다는 내용으로 글을 마무리했다.

7 ④ 정답률 94%

정답풀이

별점 평가 시의 유의 사항을 '별점 평가 안내서로 제공하는 방안'은 문장의 주어이고, 이는 '어떤 문제에 대하여 서로 의견이 나와 토의되다.'라는 뜻의 서술어 '논의되다'와 호응하므로, ㉣(논의되다)을 '논의하다'로 고치는 것은 적절하지 않다.

오답풀이

① 토론을 듣기 전에는 별점 평가제에 특별한 문제가 없다고 생각했지만, 토론을 들은 후 생각이 바뀌었음을 표현하는 맥락에서는 '셈이나 사실 따위가 그르게 되거나 어긋나다.'라는 뜻의 '틀리다'가 아니라 '비교가 되는 두 대상이 서로 같지 아니하다.'라는 뜻의 '다르다'를 사용하는 것이 적절하다. 따라서 ㉠(틀려졌다)을 '달라졌다'로 고치는 것은 적절하다.

② ㉡(요즘은~참여하는 경우가 더 많다.)은 별점 평가제의 문제와 해결 방안을 제시하는 3문단의 내용과 관련이 없는 문장이다. 따라서 통일성을 위해 ㉡을 삭제하는 것은 적절하다.

③ ㉢(그러나)은 앞뒤 내용이 상반될 때 쓴다. 하지만 ㉢의 앞뒤 내용은 별점 평가제에 문제가 있기 때문에 '별점 평가의 문제점을 보완할 수 있는 방법을 찾아보'았다는 것이다. 이를 고려하면, ㉢을 앞 내용이 원인이고 뒤 내용이 결과임을 나타낼 때 쓰는 '그래서'로 고치는 것은 적절하다.

⑤ ㉤(유용하고 쓸모 있는)에서 '유용하다'는 '쓸모가 있다.'라는 뜻이므로, 의미가 중복되는 '쓸모 있는'을 삭제하여 '유용한'으로 고치는 것은 적절하다.

[8~10] 작문

8 ③ 정답률 93%

정답풀이

(나)에서 학생은 '저의 건의를 긍정적으로 검토해 주시기를 부탁'하고 있을 뿐, 건의가 수용되지 않을 경우를 대비한 차선책을 제시하지는 않았다. '도서관 이용률을 높이기 위해 학생들을 대상으로 한 캠페인을 진행하겠'다는 것은 건의의 수용 여부와 관계 없이 문제 해결을 위해 건의 주체가 시행할 방안에 해당한다.

오답풀이

① (나)에서 학생은 '교장 선생님, 안녕하십니까.'라고 하며 예상 독자인 '우리 학교 교장 선생님'을 고려하여 정중한 인사로 글을 시작하고 있다.

② (가)에서 작문 목적은 '우리 학교 도서관 이용률을 높이기 위한 해결 방안 건의하기'라고 하였으며, 이를 고려하여 (나)에서 해결 방안으로 '방과 후에도 도서관을 개방'하는 것, '분야별로 다양한 도서 구입', '전자책 서비스를 도입'하는 것을 건의하고 있다.

④ (가)에서 작문 목적은 '우리 학교 도서관 이용률을 높이기 위한 해결 방안 건의하기'라고 하였으며, 이를 고려하여 (나)에서 '학생 1인당 연간 대출 권수가 작년 6.8권에서 올해 4.7권으로 하락했으며, 전체 학생 중 30%는 지난 1년간 책을 한 권도 빌리지 않았다는' 통계 자료를 제시하여 문제 상황을 알기 쉽게 설명하고 있다.

⑤ (나)에서 예상 독자인 '우리 학교 교장 선생님'을 고려하여 '방과 후에도 도서관을 개방해' 달라고 건의하며, '저희 도서부원들도 순번을 정해서 도서관 관리를 돕겠'다고 하여 건의 주체가 기여할 수 있는 역할을 제시하고 있다.

9 ④ 정답률 86%

정답풀이

[자료 1-㉯]를 통해 우리 학교 도서관의 책들이 '권장 보유 비율'에 비해 '문학' 분야에 편중되어 있다는 점을 알 수 있다. 따라서 북 큐레이션 서비스를 통해 문학 도서 위주로 추천하는 방안으로는 우리 학교 도서관의 분야별 도서 비율 차이를 줄일 수 없을 것이다.

오답풀이

① [자료 1-㉮]는 '학교 도서관 이용 시 불편한 점'에 대한 학생 설문 조사 결과를 비율로 나타낸 통계 자료이므로, 이를 활용하여 학교 도서관을 잘 이용하지 않는 세 가지 원인을 구체적인 수치로 제시할 수 있다.

② [자료 1-㉯]는 '도서관의 주요 분야별 도서 비율'을 보여 주는 통계 자료이며, 이를 활용하여 우리 학교 도서관의 책들이 '권장 보유 비율'에 비해 '문학' 분야에 편중되어 있다는 점을 문제 상황의 원인으로 제시할 수 있다.

③ (나)에서 해결 방안으로 '대출 중인 책들도 학생들이 읽어 볼 수 있도록 학교 도서관과 연계된 전자책 서비스를 도입해' 달라는 것을 건의하였는데, [자료 2]를 활용하여 '구독형 전자책은 도서 한 권당 대출 인원에 제한이 없'다는 점을 추가로 언급할 수 있다.

⑤ [자료 2]을 통해 전자책은 '시간과 장소에 구애받지 않고 언제든지 대출해서 볼 수 있는' 장점이 있음을 알 수 있고, [자료 3]을 통해 북 큐레이션 서비스가 '학생들이 빠르고 편리하게 자신에게 맞는 책을 찾는 데' 도움이 된다는 점을 알 수 있다. 따라서 [자료 2]와 [자료 3]을 활용하여 전자책과 북 큐레이션 서비스의 도입이 학생들의 시간적 제약을 줄여 주어 도서관 이용 가능 시간이 부족하다는 문제를 해결할 수 있음을 제시할 수 있다.

10 ③ 정답률 85%

정답풀이

'지식의 세계를 여는 열쇠와 같은 책'에서 직유법을 활용하였으며, '도서관에 들러 보세요.'에서 학생들의 도서관 이용을 장려하는 내용을 포함하고 있다.

오답풀이

① 직유법을 활용하지 않았으며, 단순히 '좋은 책을 많이 읽'자고 하는 것은 도서관 이용을 장려하는 내용이라고 보기 어렵다.

② '우리 학교 도서관을 찾아 주세요.'에서 학생들의 도서관 이용을 장려하고 있으나, 직유법을 활용하지 않았다.

④ '알람 시계가 아침을 깨우듯 책은 우리의 일상을 깨워 줍니다.'에서 직유법을 활용하였으나, '책을 많이 구입'하자는 것은 학생들에게 도서관 이용을 장려하는 내용으로 볼 수 없다.

⑤ '운동장같이 넓은 도서관'에서 직유법을 활용하였으나, '넓은 도서관을 만들어' 달라는 것은 학생들에게 도서관 이용을 장려하는 내용으로 볼 수 없다.

[11~15] 문법(언어)

11 ③ 정답률 34%

정답풀이

'콧날'은 '코'와 '날'의 결합으로 이루어진 합성어로 앞말이 모음으로 끝나고 뒷말의 첫소리 'ㄴ' 앞에서 'ㄴ' 소리가 덧나 [콘날]로 발음되기 때문에 사이시옷이 표기된 것이다. 즉 '콧날'은 뒷말의 첫소리가 모음이 아니라 자음인 'ㄴ'이므로, 뒷말의 첫소리 모음 앞에서 'ㄴㄴ' 소리가 덧나는 경우가 아니다. 한편 '코마개'는 '코'와 '마개'의 결합으로 이루어진 합성어로 앞말이 모음으로 끝나지만, 뒷말의 첫소리 'ㅁ' 앞에서 'ㄴ' 소리가 덧나지 않기 때문에 사이시옷이 표기되지 않는다.

오답풀이

① '아랫마을'은 '아래'와 '마을'의 결합으로 이루어진 합성어로 뒷말의 첫소리 'ㅁ' 앞에서 'ㄴ' 소리가 덧나 [아랜마을]로 발음되기 때문에 사이시옷이 표기된 것이다. 한편 '아래옷'은 '아래'와 '옷'의 결합으로 이루어진 합성어로 앞말이 모음으로 끝나지만, 뒷말의 첫소리 모음 앞에서 'ㄴㄴ' 소리가 덧나지 않으므로 사이시옷을 표기하지 않는다.

② '고깃국'은 '고기'와 '국'의 결합으로 이루어진 합성어로 앞말이 모음으로 끝나고 뒷말의 첫소리가 된소리로 바뀌어 [고기꾹]으로 발음되므로 사이시옷이 표기된 것이다. 그러나 '해장국'은 '해장'과 '국'의 결합으로 이루어진 합성어이지만 앞말이 모음으로 끝나지 않기 때문에 사이시옷이 표기되지 않는다.

④ 2문단을 통해 '외래어가 포함된 합성어'는 사이시옷이 표기되지 않음을 알 수 있다. '오렌지빛'은 외래어 '오렌지'와 고유어 '빛'의 결합으로 이루어진 합성어이므로 사이시옷을 표기하지 않는다. 한편 '우윳빛'은 한자어 '우유'와 고유어 '빛'의 결합으로 이루어진 합성어이므로, 사이시옷을 표기할 수 있는 합성어의 단어 결합 형태와 관련된 조건을 충족하여 사이시옷이 표기된 것이다.

⑤ '모랫길'은 '모래'와 '길'의 결합으로 이루어진 합성어로 앞말이 모음으로 끝나고 뒷말의 첫소리가 된소리로 바뀌어 [모래낄]로 발음되므로 사이시옷이 표기된 것이다. 그러나 '모래땅'은 '모래'와 '땅'의 결합으로 이루어진 합성어로 앞말이 모음으로 끝나지만, 뒷말의 첫소리가 이미 된소리 'ㄸ'이기 때문에 사이시옷을 표기하지 않는다.

오답률 Best 2

이 문제는 정답인 ③번과 오답인 ②번의 선택 비율이 비슷했어. 지문에 사이시옷을 표기할 수 있는 조건들이 자세하게 설명되어 있지만, 선지에서 확인해야 할 예시가 많기 때문에 헷갈렸을 수 있어. 그리고 ②번을 선택한 학생들은 단순히 '고깃국'의 형태만을 보고 앞말이 모음으로 끝나지 않았다고 착각했을 수도 있을 것 같아. 문제 자체가 사이시옷 표기에 대한 것이기 때문에, '고기'와 '국'이 결합하면서 사이시옷이 쓰여 '고깃국'이 된 것이라는 것을 비교적 쉽게 파악할 수 있지만, 긴장감 속에서 문제를 풀다 보면 평소에 하지 않던 실수를 하기도 하거든. 또한 이 문제는 선지에서 '~와/과 달리'라는 표현을 활용하여 예시들 간의 비교를 요구하기 때문에 꼼꼼하게 보지 않았다면 실수할 확률이 높았을 거야. 이런 유형의 문제일수록 정신을 바짝 차리고 예시들을 하나하나 확인하면서 문제를 푸는 것 잊지 마!

12 ① 정답률 73%

정답풀이

2문단에서 '합성어인 경우 사이시옷을 표기할 수 있'지만, '접사가 결합하여 만들어진 단어인 파생어에는 사이시옷'을 표기할 수 없다고 했다. 〈보기〉에서 '해 + 살'의 '살'은 '(일부 명사 뒤에 붙어) 해, 볕, 불 또는 흐르는 물 따위의 내비치는 기운'을 의미하는 명사 '살[2]'에 해당하므로, '해 + 살'은 명사와 명사가 결합한 합성어임을 알 수 있다. 따라서 '해'와 '살'의 결합으로 이루어진 단어는 앞말이 모음으로 끝나고 뒷말의 첫소리가 된소리로 바뀌는 경우에 해당하므로 '햇살'(㉠)로 표기한다. 한편 '해 + 님'의 '-님'은 '(사람이 아닌 일부 명사 뒤에 붙어) '그 대상을 인격화하여 높임'의 뜻을 더하는 접미사'인 '-님[4]'에 해당하므로, '해 + 님'은 명사와 접사가 결합한 파생어임을 알 수 있다. 파생어는 사이시옷을 표기할 수 없으므로 '해'와 '님'이 결합한 단어는 '해님'(㉡)으로 표기한다. 즉, '해님'은 접사(㉢)가 결합한 파생어이기 때문에 사이시옷을 적지 않는 것이다.

13 ⑤ 정답률 83%

정답풀이

〈보기〉에서 음운 변동 중 교체가 일어날 때 ㉠은 '뒤 음절의 초성 자리에 놓인 음운이 바뀌는 경우'이고, ㉡은 '앞 음절의 종성 자리에 놓인 음운이 바뀌는 경우'를 나타낸다고 했다. '먹물'은 [멍물]로 발음되는데, 이는 앞 음절의 종성 'ㄱ'이 뒤에 오는 비음 'ㅁ'의 영향으로 비음 'ㅇ'으로 바뀐 것(비음 동화)이므로 ㉡에 해당한다. '중력'은 [중녁]으로 발음되는데, 이는 뒤 음절의 초성 'ㄹ'이 다른 자음 뒤에서 'ㄴ'으로 바뀐 것('ㄹ'의 비음화)이므로 ㉠에 해당한다. '집념'은 [짐념]으로 발음되는데, 이는 앞 음절의 종성 'ㅂ'이 뒤에 오는 비음 'ㄴ'의 영향으로 비음 'ㅁ'으로 바뀐 것(비음 동화)이므로 ㉡에 해당한다. '칼날'은 [칼랄]로 발음되는데, 이는 뒤 음절의 초성 'ㄴ'이 유음 'ㄹ' 뒤에서 'ㄹ'로 바뀐 것(유음화)이므로 ㉠에 해당한다. '톱밥'은 [톱빱]으로 발음되는데, 이는 뒤 음절의 초성 'ㅂ'이 'ㅂ' 뒤에서 된소리로 바뀐 것(된소리되기)이므로 ㉠에 해당한다. 즉 ㉠에 해당하는 것은 '중력', '칼날', '톱밥'이고, ㉡에 해당하는 것은 '먹물', '집념'이다.

14 ② 정답률 53%

정답풀이

ⓑ(할머니께서 아버지께 전화해 보라고 하셨어요.)에서 부사격 조사 '께'는 부사어가 지시하는 대상을 높이므로 객체 높임의 대상은 '아버지'이고, 담화 상황이 아들과 아버지의 통화이므로, 상대 높임의 대상도 '아버지'이다. 따라서 객체 높임과 상대 높임의 대상은 같다.

오답풀이

① ⓐ(아버지, 집에 언제 도착하시나요?)에서 '도착하시다'라는 서술의 주체는 '아버지'임을 알 수 있고, 상대 높임의 대상도 '아버지'이므로 주체 높임과 상대 높임의 대상은 같다.

③ ⓒ(아버지께 드릴 말씀도 있어서요.)에서 부사격 조사 '께'는 부사어가 지시하는 대상을 높이므로 객체 높임의 대상은 '아버지'이고, 담화 상황이 아들과 아버지의 통화이므로 상대 높임의 대상도 '아버지'이다. 따라서 객체 높임과 상대 높임의 대상은 같다.

④ ⓓ(아직 안 주무셔요.)에서 '주무시다'라는 서술의 주체는 앞의 '할머니 아직 안 주무시니?'라는 질문을 고려할 때 '할머니'임을 알 수 있다. 한편 담화 상황이 아들과 아버지의 통화이므로 상대 높임의 대상은 '아버지'이므로, 주체 높임의 대상은 '할머니'이고 상대 높임의 대상은 '아버지'로 다르다.

⑤ ⓔ(방금 어머니께서 할머니 모시고 나가셨어요.)에서 '나가시다'라는 서술의 주체는 '어머니'이고, '모시다'라는 특수 어휘를 통해 목적어가 지시하는 대상을 높이므로 객체 높임의 대상은 '할머니'임을 알 수 있다. 한편 담화 상황이 아들과 아버지의 통화이므로 상대 높임의 대상은 '아버지'이다. 따라서 주체 높임, 객체 높임, 상대 높임의 대상은 각각 '어머니', '할머니', '아버지'로 서로 다르다.

15 ② 정답률 29%

정답풀이

ㄱ의 '어미롤'은 현대어 풀이 '어미를'을 고려하면 '어미'에 목적격 조사 '롤'이 결합된 형태임을 알 수 있고, ㄷ의 'ᄯᆞᆯ롤'은 현대어 풀이 '딸을'을 고려하면 'ᄯᆞᆯ'에 목적격 조사 'ᄋᆞᆯ'이 결합되어 연철(이어쓰기)된 형태임을 알 수 있다. 따라서 ㄱ의 '어미롤'과 ㄷ의 'ᄯᆞᆯ롤'에 쓰인 목적격 조사의 형태는 각각 '롤'과 'ᄋᆞᆯ'로 서로 다르다.

오답풀이

① ㄱ의 '羅睺羅(라후라)ㅣ'는 현대어 풀이 '라후라가'를 고려하면 '羅睺羅(라후라)'에 주격 조사 'ㅣ'가 결합된 형태임을 알 수 있고, ㄷ의 '仙人(선인)이'는 현대어 풀이 '선인이'를 고려하면 '仙人(선인)'에 주격 조사 '이'가 결합한 형태임을 알 수 있다. 따라서 ㄱ의 '羅睺羅(라후라)ㅣ'와 ㄷ의 '仙人(선인)이'에 쓰인 주격 조사의 형태는 각각 'ㅣ'와 '이'로 서로 다르다.

③ ㄴ의 '瞿曇(구담)ᄋᆡ 옷'은 현대어 풀이 '구담의 옷'을 고려하면 '瞿曇(구담)ᄋᆡ'가 문장에서 뒤에 오는 체언 '옷'을 꾸미는 관형어로 기능하므로, 'ᄋᆡ'가 관형격 조사임을 알 수 있다. 또한 ㄷ의 '南堀(남굴)ㅅ 仙人(선인)'은 현대어 풀이 '남굴의 선인'을 고려하면 '南堀(남굴)ㅅ'가 뒤에 오는 '仙人(선인)'을 꾸미는 관형어로 기능하므로, 'ㅅ'은 관형격 조사임을 알 수 있다. 따라서 ㄴ의 '瞿曇(구담)ᄋᆡ'에 쓰인 'ᄋᆡ'와 ㄷ의 '南堀(남굴)ㅅ'에 쓰인 'ㅅ'은 모두 관형격 조사이다.

④ ㄴ의 '深山(심산)애'는 문장에서 부사어로 기능하므로 '애'는 부사격 조사임을 알 수 있고, ㄷ의 '時節(시절)에'도 문장에서 부사어로 기능하므로 '에'는 부사격 조사임을 알 수 있다. 따라서 ㄴ의 '深山(심산)애'에 쓰인 '애'와 ㄷ의 '時節(시절)에'에 쓰인 '에'는 모두 부사격 조사이다.

⑤ ㄴ의 '果實(과실)와'에서 '와'는 현대어 풀이를 고려했을 때 '果實(과실)'과 뒤에 오는 단어 '믈'을 이어주는 접속 조사이고, ㄹ의 '病(병)과'에서 '과'도 현대어 풀이를 고려했을 때 '病(병)'과 뒤에 오는 단어 '死(사)'를 이어주는 접속 조사이다. 따라서 ㄴ의 '果實(과실)와'와 ㄹ의 '病(병)과'에 쓰인 '와'와 '과'는 모두 단어와 단어를 이어주는 접속 조사이다.

오답률 Best 1

이 문제의 정답과 오답 선지들의 선택 비율이 비슷하게 나타났다는 점, 그리고 오답률 Best 1위를 차지했다는 점을 고려하면 중세 국어 문법을 충분히 공부하지 못한 학생들은 많이 어려웠을 거야. 이 문제를 풀기 위해서는 <보기>에 제시된 중세 국어의 예문만을 보고 조사의 형태와 의미를 파악할 수 있어야 했어. 특히 ②번에서 물어본 ㄱ의 '어미롤'과 ㄷ의 'ᄯᆞᆯ롤'에서 목적격 조사는 표면에 나타난 형태가 아니라 형태소 분석 후의 형태를 보고 판단을 해야 했고, 중세 국어에는 일반적으로 연철(이어쓰기)을 한다는 것도 알고 있어야 했어. 이처럼 중세 국어의 주격 조사, 목적격 조사, 관형격 조사, 부사격 조사, 접속 조사에 대한 기본적인 지식을 갖추고 있지 않았다면 문제를 푸는 데 어려움이 있었을 거야. 지문이나 <보기>에 이론적인 설명이 주어지지 않고 예문만 주어진 후 선지를 판단하도록 하는 문제가 출제되기도 하니까 기본적인 중세 국어 문법 개념과 이론은 미리 학습해 두도록 하자!

[16~19] 현대소설

16 ① 정답률 81%

정답풀이

윗글에서 주인 사내는 손과 대화를 나누던 중 여자가 '선학동에 아비의 유골을 묻'기 위해 왔다가 마을을 떠나버렸던 과거를 회상한다. 따라서 주인 사내의 회상을 통해 손과 대화를 나누는 현재가 과거와 연결되고 있다.

오답풀이

② 윗글에서 현실의 부정적 현상이나 모순 따위를 비웃는 풍자적 서술은 확인할 수 없으며, 인물의 행위에 대한 비판도 확인할 수 없다.

③ 윗글에서 말하고자 하는 바와 반대로 표현하는 반어적 표현은 확인할 수 없으며, 집단 간의 갈등도 확인할 수 없다.

④ 윗글에서 동시에 진행되는 사건들이 나란히 제시된 병치는 확인할 수 없다.

⑤ 윗글은 전지적 작가 시점에서 서술되고 있으므로, 장면마다 서술자를 달리하여 상황을 입체적으로 보여 준다고 할 수 없다.

17 ③ 정답률 80%

정답풀이

손이 선학동에 도착한 것은 여자가 갑자기 선학동을 떠나가고 난 이후이다. 따라서 여자가 선학동에 돌아온 손으로부터 아버지에 대한 이야기를 전해 들었다고 볼 수 없다.

오답풀이

① 손은 주인 사내에게 여자의 오라비가 '부녀를 버리고 떠난 것은 차마 그 원망스런 의붓아비를 죽여 없앨 수가 없어서였'기 때문이라고 이야기했다.

② 손이 주인 사내에게 '주인장 어렸을 적에 이 마을에 찾아들었다는 그 소리꾼 부녀의 이야기'라고 말한 것과 여자가 '선학동에 아비의 유골을 묻고' 갔다고 한 것을 통해 여자는 어릴 적에 온 적이 있는 선학동에 다시 찾아와 아비의 유골을 묻었다고 볼 수 있다.

④ 주인 사내는 '눈을 감고 가만히 여자의 소리를 듣고 있자니' '오랫동안 잊혀져 온 옛날의 그 비상학이 서서히 날개를 펴고 날아오르기 시작'함을 느꼈다. 따라서 주인 사내는 여자의 소리를 듣고 잊고 있던 비상학의 모습을 떠올렸다고 볼 수 있다.

⑤ 손이 '그렇담 주인장은 그 오누이가~남남 한가지 사이란 것도 알고 있었겠구만요.'라고 하자 '주인이 다시 고개를 무겁게 끄덕여 보였다.'라고 했으므로 주인 사내는 여자와 오라비가 피를 나누지 않은 오누이라는 사실을 알고 있었다고 볼 수 있다.

18 ④ 정답률 91%

정답풀이

ⓓ(그의 어조는~낮고 차분했다.)은 주인 사내의 이야기를 듣고 난 후에 손이 담담한 어투로 말하고 있음을 나타내므로, 당혹감을 느끼는 심리를 나타낸다고 볼 수 없다.

오답풀이

① ㉠(하지만 사내는~그녀의 소리가 여전히 귀전을 맴돌고 있었다.)은 과거에 여자가 소리를 하면 머릿속에서 비상학이 날아오르는 듯한 경험을 잊지 못하는 주인 사내의 심정을 보여 준다.

② ㉡(가슴 속에~주인은 이제 자기 할 일을 다해 버린 사람 같았다.)은 '선학동에 다시 학이 날게 된 사연'을 말하고자 한 주인 사내가 이와 관련된 이야기를 손에게 전달한 후 '자기 할 일을 다해 버린' 것 같은 후련한 심리를 보여 준다.

③ ㉢(침묵을 견디지 못한 건 이번에도 결국 손 쪽이 먼저였다.)에서 손은 '이야기를 끝내고 난' 주인 사내가 침묵하자 먼저 말을 꺼내고 있다. 따라서 ㉢은 주인 사내와 이야기를 이어가고자 하는 손의 심리를 보여 준다.

⑤ ㉤(주인도~고개를 두어 번 깊이 끄덕여 보였다.)에서 주인 사내는 '소리 장단을 잡아 주던 오라비' 이야기를 일부러 빼놓은 자신의 의도를 알아챈 손의 말에 수긍하는 심리를 드러내고 있다.

19 ③ 정답률 65%

정답풀이

〈보기〉에서 '앞을 보지 못한 채 살아가는 여자는 소리를 통해 각자 자신이 지닌 삶의 아픔에서 벗어나기 위해 노력한다.'라고 했다. 즉 여자가 삶의 아픔에서 벗어나기 위해 노력하는 모습은 예술적 경지에 다다른 소리를 통해 확인할 수 있다. 한편 윗글에서 여자는 소리를 통해 '선학동을 옛날의 포구 마을로 변하게 하였고', 어느 날 밤 갑자기 선학동을 떠났으므로 여자가 선학동을 떠나지 않은 채 오라비를 기다렸다고 볼 수 없다.

오답풀이

① 〈보기〉에서 윗글에는 '가족을 떠날 수밖에 없었던 아픔을 지닌 '손''이라는 인물이 등장한다고 했다. 이를 고려하면 손이 '선학동에 아비의 유골을 묻고 간 여자의 일을 제 일처럼 못내 안타까워하'는 모습에서 어쩔 수 없이 가족을 떠난 그의 아픔을 짐작할 수 있다.

② 〈보기〉에서 '앞을 보지 못한 채 살아가는 여자'의 소리는 '예술적 경지에 다다'랐다고 했다. 이를 고려하면 주인 사내가 '여자가 마침내 소리를 시작'하자 '옛날의 그 비상학이 서서히 날개를 펴고 날아오르기 시작'했다고 느끼는 것에서 여자의 소리가 예술적 경지에 이르렀음을 확인할 수 있다.

1회

④ 〈보기〉에서 '예술적 경지에 다다른 여자의 소리는 마을 사람들의 생각이나 행동에까지 영향을 미친다.'라고 했다. 여자는 이미 선학동을 떠났음에도, 주인 사내는 그녀가 '선학동의 학'이 되어 '언제까지나 이 고을 하늘을 떠돈'다고 말한다. 이를 통해 주인 사내가 여자의 소리에 대한 믿음을 가지게 되었음을 짐작할 수 있다.
⑤ 〈보기〉에서 '예술적 경지에 다다른 여자의 소리는 마을 사람들의 생각이나 행동에까지 영향을 미친다.'라고 했다. 여자는 이미 선학동을 떠났음에도, 주인 사내는 그녀가 '선학동의 학'이 되어 '언제까지나 이 고을 하늘을 떠돈'다고 말하는데, 마을 사람들은 그런 사내를 탓하지 않고 '그와 어떤 믿음을 같이하고 싶은 진중한 얼굴들이 되곤' 한다고 했다. 이를 통해 여자의 소리가 마을 사람들의 생각에 영향을 미쳤음을 알 수 있다.

[20~24] 사회

20 ④ 정답률 80%

정답풀이

손해보험 계약이 보험 사고에 따른 보상이 이루어진 뒤에도 계속 효력이 유지되는지는 윗글에서 확인할 수 없다.

오답풀이

① 6문단의 '보험금액이 보험가액을 현저하게 초과하는 경우를 초과보험이라 한다. 시가 100원 상당의 건물을 보험금액 200원으로 하여 가입한 화재보험이 그 예이다.'를 통해 알 수 있다.
② 4문단의 '실손보상원칙은 손해보험 계약의 도박화를 막고 보험 범죄를 방지하는 역할을 한다.'를 통해 알 수 있다.
③ 2문단의 '보험 사고가 발생할 때에 보험금을 받을 자를 피보험자, 보험금을 지급할 의무를 지는 자를 보험자라 한다.'를 통해 알 수 있다.
⑤ 3문단에 따르면 피보험이익으로 인정되기 위한 요건 중 하나가 '객관적으로 금전으로 산정할 수 있는 경제적 가치를 가져야 한다.'라는 것이므로, 객관적으로 금전으로 산정이 불가능한 '개인적, 정신적, 도덕적 이익은 피보험이익이 될 수 없'음을 알 수 있다.

21 ⑤ 정답률 35%

정답풀이

3문단에서 피보험이익은 '계약 체결 당시 그 가치가 객관적으로 확정되어 있거나 적어도 보험 사고가 발생할 때까지는 확정되어야 한다.'라고 하였으므로, 보험계약 체결 당시 그 가치가 확정되어 있지 않더라도 피보험이익으로 인정될 수 있다.

오답풀이

① 6문단에서 '손해보험에서 보험가액을 초과하는 부분에는 피보험이익이 존재하지 않'는다고 하였다.
② 2문단에서 '손해보험의 피보험자는 보험의 목적에 피보험이익을 가져야 한다.'라고 하였으므로, 보험의 목적에 피보험이익이 없으면 손해보험의 피보험자가 될 수 없다.
③ 7문단의 '한 명의 피보험자가 동일한 피보험이익과 동일한 보험 사고에 관하여 여러 보험자와 계약을 체결한 경우에 그 보험금액의 합계가 보험가액을 초과하는 경우를 중복보험이라 한다.'를 통해, 중복보험은 피보험이익이 동일해야 하며 피보험이익이 서로 다른 손해보험 계약은 중복보험으로 볼 수 없음을 알 수 있다.
④ 2문단에서 피보험이익은 피보험자가 '보험의 목적'에 가진 '경제상의 이익'이며 '보험의 목적이란 보험 사고의 대상'이라고 하였으므로, 피보험이익은 피보험자가 보험 사고의 대상에 갖는 경제상의 이익이라고 볼 수 있다.

오답률 Best 3

21번은 각 선지의 근거가 되는 문장이 지문에 분명히 제시되어 있어서 근거를 지문에서 찾을 수만 있었다면 답을 고를 수 있는 문제였어. 그럼에도 불구하고 정답률이 낮은 이유는 '보험자', '피보험자', '보험금액', '보험가액', '보험금' 등 얼핏 보기에 비슷해 보이는 개념들이 연달아 제시됨에 따라 지문 자체의 독해가 어려웠기 때문일 거야. 이런 유형의 지문은 무조건 빨리 읽으려고 하다가는 오독을 할 가능성이 높으니, 시간이 좀 더 걸리더라도 개념들의 의미를 정확히 확인하고 정보를 차분히 정리해 가면서 읽는 것이 좋아.

이때 같은 개념을 다른 표현으로 재진술한 것들을 분명하게 파악해야 선지 판단을 제대로 할 수 있어. 예를 들어 2문단에서 '피보험이익'은 피보험자가 '보험의 목적'에 가진 경제상의 이익인데 '보험의 목적이란 보험 사고의 대상'이라고 하였으므로, ④번에서 지문 내용 그대로 피보험이익이 피보험자가 보험의 목적에 갖는 경제상의 이익인지 묻지 않고, 피보험자가 보험 사고의 대상에 갖는 경제상의 이익이라고 물어도 적절하다고 답할 수 있어야 한다는 거지!

수능 국어 독서 지문의 난이도가 높은 것이 최근의 경향인 만큼, 고득점을 원한다면 지금부터 정보량이 많거나 추론을 요하는 고난도 독서 지문의 독해에 대해서도 차근히 대비해 나가도록 하자!

22  정답률 69%

정답풀이

[A]에서 '보험가액은 고정된 것이 아니며 경제상황 등에 따라 변동될 수 있'으며, '보험금액은 당사자 간 약정에 의하여 일정한 금액으로 정해지며, 보험 기간 중에는 이를 변경하지 않는 것이 원칙이다.'라고 하였다. 따라서 보험금액은 변경하지 않는 것이 원칙이며, 보험 기간 중 보험가액은 변동될 수 있다.

오답풀이

① [A]에서 '보험자가 지급하는 금액'인 보험금은 '항상 보험금액만큼 지급되는 것은 아니'라고 했고 '보험금액은 보험금의 최고 한도라는 의미'라고 하였으므로 보험금은 보험금액을 초과할 수 없다. 한편 [A]에 따르면 '보험가액은 피보험이익의 객관적인 금전적 평가액'인데, 6문단에서 '보험금액이 보험가액을 현저하게 초과하는 경우'에는 '보험금액을 보험가액과의 비율에 따라 조정해야 한다.'라고 하였다. 그리고 그 예로 '시가 100원(보험가액) 상당의 건물을 보험금액 200원으로 하여' 화재보험을 가입한 후 '건물이 100% 손실을 입었다면 100원(보험금)만을 지급'한다고 한 것을 통해 보험금은 보험가액을 초과할 수 없음을 알 수 있다.
③ 4문단에서 '손해보험을 통해 피보험자가 재산상 이익을 얻는 것은 허용되지 않는데, 이를 이득금지의 원칙이라고 한다.'라고 하였으며, [A]에서 보험가액은 '이득금지의 원칙과 관련해 피보험자에게 이득이 생겼는가 여부를 판단하는 기준이 된다.'라고 하였다. 따라서 보험가액은 보험금의 액수가 이득금지의 원칙에 위배되는지 (피보험자에게 재산상 이익이 생겼는지) 여부를 판단하는 기준이 된다.
④ [A]에서 '보험가액은 피보험이익의 객관적인 금전적 평가액'이고 '보험금액은 당사자 간 약정에 의하여 일정한 금액으로 정해지'는 것이라고 했다.
⑤ [A]에 따르면 보험금액은 '보험 사고 발생 시 보험자가 지급하기로 보험계약에서 실제 약정한 최고 한도액'일 뿐, '보험 사고가 발생하였다고 해서 항상 보험금액만큼 지급되는 것은 아니'라고 하였으므로, 보험자가 일정한 보험금액을 약정했더라도 보험 사고 발생 시 항상 보험금액만큼 지급하는 것은 아니다.

23  정답률 50%

정답풀이

5문단에 따르면 '보험가액은 피보험이익의 객관적인 금전적 평가액'이며, 보험금액은 '보험 사고 발생 시 보험자가 지급하기로 보험계약에서 실제 약정한 최고 한도액'이다. 그리고 6문단에서 '보험금액이 보험가액을 현저하게 초과'하는 초과보험 중에서도 '보험계약 체결 당시엔 초과보험이 아니었으나 보험가액이 감소한 경우처럼, 당사자가 의도하지 않은 채 초과보험 계약을 한' 단순한 초과보험의 경우에 '보험자는 보험금액의 감액'을 청구할 수 있다고 하였다. 하지만 갑이 ㉮(X에 대하여 보험사 A와 보험금액을 600만 원으로 하는 화재보험)에 가입하지 않았다고 가정하면 보험금액은 400만 원이고 보험가액은 건물 X의 '현재 평가액'인 800만 원으로, 보험금액이 보험가액을 초과하는 경우가 아니므로, ㉯(같은 건물에 대하여 보험사 B와 보험금액 400만 원의 화재보험)의 보험자가 보험가액의 변동을 근거로 보험금액의 감액을 청구할 수는 없다.

오답풀이

① 1문단을 통해 '계약에서 정한 보험 사고'는 '교통 사고, 화재, 도난 등'이 될 수 있음을 알 수 있다. 그리고 2문단에서 '보험금을 지급할 의무를 지는 자를 보험자'라고 하며, '보험의 목적이란 보험 사고의 대상'이라고 하였다. 이를 참고할 때 ㉮와 ㉯의 보험의 목적은 '건물 X', 보험 사고는 '화재'로 동일하며 보험자는 각각 '보험사 A', '보험사 B'로 서로 다른 손해보험이다.

② 5문단에 따르면 '보험가액은 피보험이익의 객관적인 금전적 평가액'으로 '경제상황 등에 따라 변동될 수 있'으며, 보험금액은 '보험 사고 발생 시 보험자가 지급하기로 보험계약에서 실제 약정한 최고 한도액'이다. 이를 참고할 때 ㉮와 ㉯의 보험금액의 합계는 1,000만 원(= 600만 원 + 400만 원)이며, 보험가액은 가입 당시인 '2년 전'에는 1,000만 원이지만 시세가 하락한 '현재'에는 800만 원이다. 따라서 가입 당시에는 ㉮와 ㉯의 보험금액의 합계와 보험가액이 1,000만 원으로 일치했지만, 현재는 보험금액의 합계는 1,000만 원이고 보험가액은 800만 원으로 서로 일치하지 않는다.

③ 6문단에서 '보험계약 체결 당시엔 초과보험이 아니었으나 보험가액이 감소한 경우처럼, 당사자가 의도하지 않은 채 초과보험 계약을 한 경우'인 단순한 초과보험과 달리 '보험계약자가 재산상 이익을 얻을 목적으로 초과보험을 체결한 경우는 사기에 의한 초과보험이라 하여 그 계약 전부를 무효로 한다.'라고 하였다. 이를 참고할 때 〈보기〉의 상황은 사기에 의한 초과보험이 아니라 당사자가 의도하지 않았으나 보험계약 후 건물 시세의 하락으로 인한 단순한 초과보험이므로 ㉮와 ㉯ 중 어느 것도 계약 전부가 무효로 되지 않는다.

④ 1문단과 2문단에서 '손해보험은 계약에서 정한 보험 사고가 발생했을 때' 보험금을 지급하며, '보험금을 받을 자를 피보험자, 보험금을 지급할 의무를 지는 자를 보험자'라고 함을 알 수 있다. 이를 참고할 때 계약에서 정한 보험 사고가 발생하기 전이라면, ㉮와 ㉯의 피보험자인 갑은 보험자인 A와 B로부터 보상을 받을 수 없다.

24 ③ 정답률 46%

정답풀이

ⓐ에는 A가 '보험계약에서 실제 약정'한 금액이 들어가야 하므로, 이는 '600만 원'이 된다. 한편 4문단에서 손해보험은 실손보상원칙에 따라 '실제 발생한 손해만을 보상하고 그 이상은 보상하지 않는다'고 하였으므로, '현재 평가액'이 800만 원인 '건물 X에 화재가 일어나 50%의 손실이 발생'한 경우 피보험자는 400만 원의 보상을 받을 수 있다. 이때 A와 B는 '보험금액의 비율에 따라' 연대 책임을 진다고 하였으므로, 보험금액이 600만 원인 A와 보험금액이 400만 원인 B는 400만 원에 대해 3:2의 비율로 책임을 지게 된다. 따라서 ⓑ에는 '240만 원', ⓒ에는 '160만 원'이 들어가야 한다.

오답률 Best 4

6문단과 7문단에서는 시가 100원 상당의 건물에 든 보험을 예로 들어 초과보험, 중복보험에 대해 무척 자세하게 설명했어. 이처럼 예까지 들어 구체적으로 설명한 경우, 문제에서도 지문에서 설명한 개념을 새로운 상황에 적용할 수 있는지를 세부적으로 묻기 마련이야. 23번, 24번 문제처럼 말이야. 그러니 지문을 읽을 때부터 정확한 이해를 요하는 부분임을 생각하며 꼼꼼하게 이해할 필요가 있어.

24번 문제의 경우 정답인 ③번을 고른 학생이 46%이고, 오답인 ④번을 고른 학생이 30%야. ⓐ는 A가 '보험계약에서 실제 약정'한 금액이라는 내용이 제시되어 있어서 여기에 들어갈 금액이 600만 원임은 대부분의 학생들이 어렵지 않게 파악한 거지. 하지만 ⓑ와 ⓒ를 합한 금액, 즉 갑이 두 보험사로부터 받게 되는 보험금의 합이 400만 원인지, 800만 원인지를 판단하는 데 어려움을 겪은 학생들이 많았던 거야. 4문단에서 손해보험은 '실제 발생한 손해만을 보상하고 그 이상은 보상하지 않는다'고 한 것을 고려할 때, 만약 현재 평가액이 800만 원인 건물 X에 화재가 일어나 100%의 손실이 발생했다면 갑이 보상받게 되는 금액의 총합은 800만 원이겠지만, '50%의 손실이 발생'하였으므로 갑이 보상받을 수 있는 금액은 800만 원의 50%인 400만 원에 해당해.

[25~27] 현대시

25 ① 정답률 76%

정답풀이

(가)는 '발돋움하는', '왜', '하는가' 등의 시어를 반복하고, (나)는 '틈, 사이'라는 시어를 반복하여 주제 의식을 드러내고 있다.

오답풀이

② (가)의 첫 연과 마지막 연에서 '~는(가) 왜~하는가.'의 구조를 반복하여 수미상관의 방식을 활용했다고 볼 수 있지만, (나)에서는 수미상관의 방식이 사용되지 않았다.

③ (가)와 (나) 모두 음성 상징어를 활용하지 않았다.

④ (가)는 '하는가.'로, (나)는 '모를 일이다'로 시상을 마무리하고 있으므로 명사형으로 시상을 마무리했다고 볼 수 없다.

⑤ (가)와 (나) 모두 후각적 이미지는 사용하지 않았다.

26 ② 정답률 59%

정답풀이

〈보기〉에서 (가)의 화자는 '상승과 추락을 반복하는 분수를 통해 자기 극복과 좌절에 대해 이야기한다.'라고 하였으며, 분수는 '현실의 한계를 극복하려는 초월 의지를 지닌 존재'라고 하였다. 이를 고려하면 '그리움으로 하여' '산산이 부서져서 흩어'지는 분수는 상승을 통해 초월 의지를 관철하여 자기 속성을 극복하는 것이 아니라, 자기 극복의 노력이 좌절된 분수의 추락하는 속성을 형상화한 것으로 볼 수 있다.

오답풀이

① 〈보기〉에서 (가)의 화자는 '상승과 추락을 반복하는 분수를 통해 자기 극복과 좌절에 대해 이야기한다.'라고 하였다. (가)에서 화자는 '발돋움하는' 분수의 모습에서 상승의 이미지를, '두 쪽으로 갈라져서 떨어'지는 분수의 모습에서 추락의 이미지를 형상화하여 분수의 속성을 드러내고 있다.

③ 〈보기〉에서 (가)의 화자는 '상승과 추락을 반복하는 분수를 통해 자기 극복과 좌절에 대해 이야기한다.'라고 하였으므로, 분수의 상승은 자기 극복을, 분수의 추락은 좌절을 의미한다고 볼 수 있다. 따라서 (가)의 분수가 '모든 것'을 바치고도 '찢어지는 아픔'만을 가지는 것은 자기 극복을 시도하지만 결국 좌절하는 속성을 보여 준다고 할 수 있다.

④ 〈보기〉에서 (가)의 화자는 '분수를 자신의 상황에 머무르지 않고 현실의 한계를 극복하려는 초월 의지를 지닌 존재로 인식'한다고 하였다. 이를 고려하면 (가)의 화자가 분수에게 '왜 너는 / 다른 것이 되어서는 안 되는가'라는 의문을 가진 것은 현실의 한계에서 벗어나고자 도전하지만 좌절하게 되는 분수의 상황에 대한 화자의 인식을 보여 준다고 할 수 있다.

⑤ 〈보기〉에서 (가)의 '상승과 추락을 반복하는 분수'는 '운명에서 벗어나기 위해 도전을 지속하는 모습을 순환성의 이미지를 통해' 나타난다고 하였다. 따라서 '떨어져서 부서진' 분수가 '선연한 무지개'로 '다시' 솟는다는 것에서 운명에서 벗어나기 위해 도전을 지속하는 순환성의 이미지가 나타난다고 볼 수 있다.

27 ④ 정답률 72%

정답풀이

[B]에서 '콘크리트 건물 벽'의 '틈, 사이'에서 '진동과 충격을 견디는 힘'이 나온다고 하였으나, [C]에서 인간관계의 '틈, 사이'가 '슬픔'과 '눈물'의 근원이 된다고 인식하고 있지는 않다. 오히려 '틈, 사이'에 '슬픔의 눈물'이 스며들어 상대방과 '하나 되어 깊어'질 수 있다는 인식에 이르고 있다.

오답풀이

① [A]에서 '찻잔'이 '제 살을 조금씩 벌'린 사이로 '뜨거운 불김'이 불고 '그 틈 사이에 바람이 드나'듦으로써 '비로소 찻잔은 그 숨결로 살아 있'다고 하였다. 따라서 '틈 사이'는 '찻잔'이 '뜨거운 불김'을 견디고 '숨결로 살아 있'는 생명력을 지닌 존재로 거듭날 수 있게 해 준다고 볼 수 있다.

② [B]에서 '콘크리트 건물 벽'의 '미세한 틈, 사이가 / 차가운 눈바람과 비를 막아준다'고 하였다. 따라서 '틈, 사이'는 '콘크리트 건물'을 외부의 시련으로부터 막아 주는 역할을 한다고 볼 수 있다.

③ [A]에서 '틈, 사이들이 실뿌리처럼 찻잔의 형상을 붙잡고 있'다고 하였으며, 이와 마찬가지로 [C]에서 '그대와 나'의 '틈, 사이를 허용'함으로써 '하나 되어 깊어진' 관계가 된다고 하였다.

⑤ [A], [B]에서 화자는 '찻잔'과 '콘크리트 건물 벽'의 '틈, 사이'에 주목하여 시선이 외부의 대상을 향해 있다. 이와 달리 [C]에서는 '그대와 나'의 '틈, 사이'에 주목하여 인간관계로 시선이 향함으로써, '벌어진 틈, 사이 때문에 가슴 태우던' 상황에 대한 인식을 전환하여 '틈, 사이를 허용'함으로써 상대방과 '하나 되어 깊어진다는' 깨달음에 이르고 있다.

[28~32] 기술

28 ③ 정답률 71%

정답풀이

4문단에서 '몸 밖으로 나온 감마선은 PET 스캐너를 통해 검출'된다고 한 것을 통해, PET 스캐너는 방출된 감마선을 검출하는 역할을 할 뿐, 감마선을 방출하는 역할을 하지는 않음을 알 수 있다.

오답풀이

① 1문단에서 'PET는 특정 물질과 비정상 세포의 반응을 이용'한다고 하였다.
② 4문단에서 '한 쌍의 감마선이 도달한 검출기의 두 지점을 잇는 직선'이 '동시검출응답선'이라고 하였다.
④ 1문단의 '양전자 단층 촬영(PET)은 세포의 대사량 등 인체에 대한 정보를 확인하기 위해 몸속에 특정 물질을 주입하여 그 물질의 분포를 영상화하는 기술'이라고 하였다.
⑤ 4문단의 'PET 스캐너는 수많은 검출기가 검사 대상을 원형으로 둘러싸고 있는 구조'라고 하였다.

29 ② 정답률 71%

정답풀이

1문단에서 '대사량이란 사람의 몸속 세포가 생명 유지를 위해 필요로 하는 에너지의 총량'이며 '정상 세포와 비정상 세포는 대사량에서 차이'가 난다고 하였는데, 2문단에 따르면 방사성추적자는 '대사량이 높아서 많은 에너지원을 필요로 하는 비정상 세포에 다량 흡수'된다. 즉 방사성추적자는 비정상 세포의 높은 대사량에 따라 흡수되는 것일 뿐이며, 세포의 대사량을 평소보다 높이는 역할을 하지는 않는다.

오답풀이

① 2문단과 3문단에서 방사성추적자는 '대사량이 높아서 많은 에너지원을 필요로 하는 비정상 세포에 다량 흡수'되며, '일정 시간 동안 세포 안에 머무'르면서 '세포 내에 축적'된다고 하였다.
③ 2문단에서 '방사성추적자는 에너지원으로 쓰이는 포도당과 유사'하지만 '포도당과 달리 세포의 에너지원으로 사용되지 않'는다고 하였다.
④ 2문단에서 방사성추적자는 '특정한 원소 또는 물질의 이동 양상을 알아내기 위해 쓰인다.'라고 하였다.
⑤ 2문단에 따르면 '방사성추적자는 방사성 동위원소를 결합한 포도당 성분의 특정 물질'인데, 3문단에서 이러한 '방사성추적자의 방사성 동위원소는 붕괴되면서 양전자를 방출'한다고 하였다.

30 ⑤ 정답률 80%

정답풀이

5문단에 따르면 '감마선이 PET 영상의 유효한 성분이 되기 위해서는 한 지점에서 방출된 한 쌍의 감마선이 PET 스캐너의 검출기로 동시에 도달해야' 하는데, 4문단에서 '몸의 어느 지점에서 감마선이 방출되었는지에 따라 검출기까지의 거리가 달라지기 때문'에 '한 쌍의 감마선이 각각의 검출기에 도달하는 시간에는 미세한 차이가 발생'한다고 했다. 따라서 ㉠(한 쌍의 감마선이 완전히 동시에 도달하는 경우는 현실적으로 불가능하므로)의 이유는 감마선이 방출된 지점에 따라 한 쌍을 이루는 두 감마선이 검출기까지 이동하는 거리가 달라지기 때문이라고 추론할 수 있다.

오답풀이

① 3문단에서 한 쌍의 감마선이 '180도 각도를 이루'며 몸 밖으로 나온다고 한 것은 맞지만, 이는 ㉠의 이유와 관계가 없다.
② 3문단에서 '방출된 양전자는 몸속의 전자와 결합하여 소멸하는데, 이때 두 입자의 질량이 에너지로 바뀐다.'라고 한 것은 맞지만, 이는 ㉠의 이유와 관계가 없다.
③ 5문단에서 '한 지점에서 방출된 한 쌍의 감마선이 PET 스캐너의 검출기로 동시에 도달'하는 경우가 '동시계수'라고 한 것은 맞지만, ㉠은 이러한 동시계수의 정의와 달리 한 쌍의 감마선이 PET 스캐너의 검출기로 동시에 도달할 수 없는 문제 상황을 제시하고 있다.
④ 5문단에 따르면 '감마선이 PET 영상의 유효한 성분이 되기 위해서는 한 지점에서 방출된 한 쌍의 감마선이 PET 스캐너의 검출기로 동시에 도달해야' 한다고 했으므로, 한 쌍의 감마선 중 하나의 감마선만이 PET 영상의 유효한 성분이 된다고 보기는 어렵다.

31 ④ 정답률 63%

정답풀이

6문단에 따르면 '산란계수'는 '감마선이 주변의 물질과 상호 작용을 일으켜 진행 방향이 바뀌면서 검출기에 도달하는 시간의 변화가 생겼으나 동시계수시간폭 내에 검출되는 경우'를 나타낸다. 따라서 A와 B 가운데 산란계수에 해당하는 것은 180도로 방출되어야 하는 감마선 한 쌍 중 한 감마선의 진행 방향이 바뀌게 된 B라고 볼 수 있다. 그러나 동시계수시간폭을 〈보기〉의 '12ns'에서 '8ns'로 줄인다고 하더라도 B에서 검출기에 도달한 두 감마선의 시간 차인 '7ns'는 여전히 동시계수시간폭의 범위 내에 있으므로, B의 산란계수는 여전히 검출될 것이다.

오답풀이

① 6문단에서 '한 지점에서 방출된 한 쌍의 감마선이 아무런 방해를 받지 않고 동시계수시간폭 내에 도달'하는 것이 '참계수'라고 했으므로, A에서 한 쌍의 감마선이 주변 물질과의 상호 작용 없이 동시계수시간폭(12ns) 내인 '5ns'의 시간 차를 두고 검출기에 도달했다면 참계수라고 볼 수 있을 것이다.
②, ③, ⑤ B는 한 감마선의 진행 방향이 바뀌었지만, 결과적으로는 감마선 한 쌍이 동시계수시간폭(12ns) 내인 '7ns'의 시간 차를 두고 검출기에 도달하고 있다. 이는 6문단에서 언급한 '감마선이 주변의 물질과 상호 작용을 일으켜 진행 방향이 바뀌면서 검출기에 도달하는 시간의 변화가 생겼으나 동시계수시간폭 내에 검출'되는 '산란계수'의 경우에 해당한다고 볼 수 있다. 한편 C에서는 서로 다른 지점에서 방출된 두 쌍의 감마선 각각에서 한 개의 감마선만이 동시계수시간폭(12ns) 내인 '10ns'의 시간차를 두고 검출기에 도달하고 있다. 이는 6문단에서 언급한 '한 지점에서 방출된 두 개의 감마선 중 한 개의 감마선만이 검출기로 도달할 때, 다른 지점에서 방출된 한 개의 감마선과 동시계수시간폭 내에 도달'하는 '랜덤계수'의 경우에 해당한다고 볼 수 있다. 6문단에서는 이러한 '산란계수'와 '랜덤계수'가 'PET 영상에 유효한 성분이 되지 않'으며 '실제 감마선이 방출된 지점이 동시검출응답선 위에 존재하지 않'는다고 하였다.

32 ④ 정답률 47%

정답풀이

ⓓ(간주하다)의 사전적 의미는 '상태, 모양, 성질 따위가 그와 같다고 보거나 그렇다고 여기다.'이다. '유사한 점에 기초하여 다른 사물을 미루어 추측하다.'는 '유추하다'의 사전적 의미이다.

오답률 Best 5

이 문제에서 정답 다음으로 선택 비율이 높았던 선지는 ⑤번이야. 아마도 컨디기기 등을 활용하는 과정에서 접할 수 있는 '설정'이라는 단어에 '새로 만들어 정해 둠.'이라는 의미가 있었음을 미처 생각하지 못했을 수 있어. 하지만 지문에서 ⓔ(설정하는)가 '동시계수시간폭'을 적절한 수치로 '정해 둘' 필요가 있다는 맥락에서 사용되었음을 고려하면 ⑤번은 적절하다고 판단할 수 있지. 하지만 이처럼 판단하기 애매한 선지의 경우에는, 다른 선지부터 살펴 보면서 완전하게 틀린 선지가 없는지 확인해 볼 필요가 있어. ④번에서 ⓓ(간주한다)가 '유사한 점에 기초하여 다른 사물을 미루어 추측'하는 것을 의미한다고 했는데, 지문에서 ⓓ는 한 쌍의 감마선이 '동시계수시간폭 안에 들어온 경우를 유효한 성분으로' '여긴다'는 의미로 사용되었으므로, ④번이 적절하지 않아 정답임을 알 수 있어.

이처럼 독서 영역에서 어휘의 의미를 파악하는 문제는 해당 어휘가 사용된 문맥적 의미를 파악하는 것에 중점을 두고 풀어야 한다는 점을 잊지 말자!

[33~36] **고전소설**

33 ④ 정답률 89%

정답풀이

정소저와 주소저의 대화를 통해 정소저가 '열 살 전에 모친을 이별'하고 '부친은 전장'에 가 '부친께서 입성하여 쉬 돌아오시기를 바라고 있'는 상황에 놓여 있음을 알 수 있다. 또한 (중략) 이후 정원수와 소년(정소저)의 대화를 통해서 정원수가 '대공을 이루지 못'하였으나 '장군(정소저)의 구조함' 덕분에 '본국에 돌아'갈 수 있게 된 상황과 한 소년 장군이 사실 '부친의 위급함을 듣고 잠깐 남자'가 된 정소저로, 부녀가 재회하게 된 상황을 알 수 있다. 따라서 윗글은 인물 간의 대화를 통해 인물이 처한 상황을 드러내고 있다고 할 수 있다.

오답풀이

① 윗글에서는 동음이의어나 비슷한 발음의 단어, 언어 도치 등을 이용하여 재미를 끌어내는 표현인 언어유희를 사용하지 않았으며, 이를 통해 시대의 현실을 비판하고 있지도 않다.

② 윗글에서는 배경을 마치 그림을 그리듯이 구체적으로 서술한 부분이 나타나지 않는다.

③ 윗글에서는 인물의 행동을 실제보다 크거나 작게 표현하는 과장을 통해 우습고 재미있는 분위기를 조성하고 있지 않다.

⑤ 윗글에서는 꿈속 상황이 제시되지 않으므로, 꿈과 현실이 교차된다고 볼 수 없다.

34 ④ 정답률 66%

정답풀이

[A]에는 정소저가 '열 살 전에 모친을 이별하고 다만 부친만 바라고 지'내다가 부친이 '전장'에 가 '실로 몸이 의지할 곳이 없'어 부친과의 재회를 '불전에 지성으로 발원'하고 있음이 나타나 있다. 한편 [B]에는 '장군의 구조함' 덕분에 정원수가 '본국으로 돌아가 부모와 자식을 상봉'하는 것이 가능해졌음이 나타나 있다. 따라서 [A]에는 특정 인물(부친)과의 재회를 바라는 이유가, [B]에는 특정 인물(부모와 자식)과의 재회가 가능해진 이유가 나타나 있다고 볼 수 있다.

오답풀이

① [A]에서 정소저는 '부친께서 입성하여 쉬 돌아오시기를 바라고 있'을 뿐, 그러한 낙관적인 미래에 대해 확신을 드러내고 있지는 않다. 또한 [B]에서 정원수는 '본국으로 돌아가 부모와 자식을 상봉'할 수 있게 해 준 소년 장군의 '은혜'에 감사한 마음을 드러내고 있으므로, 부정적인 미래에 대한 불안이 나타나 있다고 볼 수 없다.

② [A]와 [B] 모두 인물 간의 갈등이 나타난다고 보기는 어렵다. 따라서 [A]에 인물 간의 갈등을 해결한 주체가 나타난다거나 [B]에 인물 간의 갈등을 유발한 주체가 나타나 있다고 볼 수 없다.

③ [A]에서는 '열 살 전에 모친을 이별'하고 '부친은 전장'에 가 있는 정소저의 힘든 상황이 나타나 있으나, 정소저는 '부친께서 입성하여 쉬 돌아오시기를 바라고 있'으므로 자신이 처한 어려움에 대해 체념(희망을 버리고 아주 단념함)하고 있다고 볼 수 없다. 또한 [B]에는 정원수가 말하고 있는 상대인 소년 장군이 어떠한 어려움에 처해 있다는 내용이 제시되어 있지 않으므로 그에 대한 공감도 나타나 있지 않다.

⑤ [A]에는 '부친께서 입성하여 쉬 돌아오시기를 바라'는 정소저의 기대가 나타나 있을 뿐, 기대가 실현된 상황에 대한 심경이 나타나 있지는 않다. 또한 [B]에서는 '장군의 구조함' 덕분에 '본국으로 돌아가 부모와 자식을 상봉'할 수 있게 된 정원수가 소년 장군에게 감사를 표하고 있으므로, 기대가 어긋나 버린 상황에 대한 심경을 드러낸다고 볼 수 없다.

35 ② 정답률 61%

정답풀이

Ⓛ에서 '동전을 던지는 인물'인 주소저는 '양 씨를 퇴할 수 있거든 금전이 스스로 방 밖에 내려지게 하소서.'라고 하며 금전을 던졌는데 그 결과 금전이 '문 밖에 내려'졌으므로, '동전의 위치'가 방 밖인 것은 주소저가 꺼리는 일이 아닌 바라는 일인 양 씨를 퇴하는 것이 이루어진다는 뜻으로 해석될 수 있다.

오답풀이

① ㉠에서 '동전을 던지는 인물'인 주소저는 '정낭자와 배필이 되게 하시려거든 이 금전이 방중에 내려오소서.'라고 하며 금전을 던졌는데 그 결과 금전은 '방 가운데로 떨어졌'으므로, 주소저는 '동전의 위치'가 방중인 것을 보고 자신이 바라는 대로 정낭자와 배필이 될 것이라고 생각했을 것이다.

③ ㉢에서 '동전을 던지는 인물'인 정소저는 '부친께서 전장에 나가 성공하고 쉬이 돌아오시게 하거든 금전이 방중에 내려지소서.'라고 하며 금전을 던졌는데 그 결과 금전은 '방문 밖으로 내려'갔으므로, '동전의 위치'가 방 밖인 것은 정소저가 바라는 일인 부친이 전장에서 성공하고 쉽게 돌아오는 것이 이루어지지 않는다는 뜻으로 해석될 수 있다.

④ ㉣에서 '동전을 던지는 인물'인 정소저가 '알고 싶은 내용'은 자신이 '부친을 위로하려 전장에 나아가 선전'할 수 있는지에 관한 것이므로, 자신이 하고자 하는 행동에 대한 것으로 볼 수 있다.

⑤ ㉤에서 '동전을 던지는 인물'인 정소저는 '이후로는 다시 험한 일이 없고 심중에 먹은 마음대로 되게 하시려거든 금전이 방중에 떨어지소서.'라고 하며 금전을 던졌는데 그 결과 금전은 '방중에 떨어'졌으므로, '동전의 위치'는 정소저가 바라는 대로 방중으로 나타났다고 볼 수 있다.

36 ③ 정답률 59%

정답풀이

〈보기〉에서는 고전소설에서 '복장전환은 자신의 실체를 상대에게 숨기는 수단으로 쓰'인다고 하였지만, 윗글에서 정소저는 자신의 실체를 숨기고 있지 않다. 따라서 주소저가 '탁월한 풍채와 늠름한 기상'을 지닌 정소저를 보고 놀란 것은 맞지만 이를 통해 정소저가 자신의 실체를 숨기는 수단으로 복장전환을 사용했음을 확인할 수는 없다.

오답풀이

① 〈보기〉에 따르면 '고전소설에서 '복장전환'이라는 화소는 주체적인 삶을 살고자 하는 인물의 의지를 보여' 주며, 이를 통해 '인물들은 다양한 욕구를 실현하고자' 한다고 하였다. 이를 참고할 때 태자가 정소저의 '아름다움과 기상에 반하여 그녀를 아내로 삼겠다고 결심'한 후 '여복으로 갈아 입고' 관음사로 행하는 정소저를 뒤따라 '관음사로 찾아가'는 것에서는, 애정 욕구를 실현하기 위해 복장전환을 선택한 태자의 의지를 확인할 수 있다.

② 〈보기〉에 따르면 윗글에서는 '이성과 교우를 맺기 위한 복장전환이 사용'된다고 하였다. 이를 참고할 때 태자가 자신을 '주상공 댁 소저'로 속이고 정소저와 '서로 슬픈 정회를 위로'하며 '옥수를 잡고 만난 정회를 설하는 듯하되 정소저 조금도 싫어하는 거동이 없었다.'라고 한 것에서는, 복장전환이 이성과의 교우를 가능하게 해 주는 수단으로 쓰이고 있음을 확인할 수 있다.

④ 〈보기〉에 따르면 윗글에서는 '사회적 한계를 극복'하는 데 복장전환이 사용된다고 하였다. 이를 참고할 때 '비록 여자이오나 어릴 적부터 병서를 공부'했다고 한 정소저가 '부친의 위급함을 듣고 잠깐 남자 되어 적진을 진정시'켰다고 하는 것에서, 복장전환을 한 정소저가 여자로서 자신의 사회적 한계를 극복하고 능력을 발휘했음을 확인할 수 있다.

⑤ 〈보기〉에 따르면 윗글에서는 '위기 국면에서 고난에 적극적으로 대처'하는 데 복장전환이 사용된다고 하였다. 이를 참고할 때 정소저가 '부친의 위급함을 듣고' '소년' '장수'가 되어 '적진을 진정시키고' 부친을 구한 것에서, 정소저는 위기 국면에서 고난에 적극적으로 대처하기 위해 복장전환을 선택한 것임을 확인할 수 있다.

1 회

[37~41] **인문**

37 ② 정답률 73%

정답풀이

(가)는 '사랑의 본질에 대한 토마스 아퀴나스의 설명'을 언급하고 있는데, 1문단의 '선이란 자신에게 좋은 것으로 자신의 본성에 적합하거나 자신에게 기쁨을 주는 것을 뜻한다.'에서 용어의 개념을 정의하며 내용을 전개하고 있다. 한편 (나)는 '칸트'가 설명한 '감성적 차원의 사랑과 실천적 차원의 사랑'을 언급하고 있는데, 2문단의 '선의지란 선을 지향하는 의지로 그 자체만으로 조건 없이 선한 것이다.'에서 용어의 개념을 정의하며 내용을 전개하고 있다.

오답풀이

① (가)는 '사랑의 본질에 대한 토마스 아퀴나스의 설명'에 대해, (나)는 '칸트'가 설명한 '감성적 차원의 사랑과 실천적 차원의 사랑'에 대해 설명하고 있을 뿐, 문제점에 대한 해결 방안을 모색하고 있지는 않다.

③ (가)에서는 인간의 욕구를 '감각적 욕구와 지적 욕구로 구별'하여, (나)에서는 '감성적 차원의 사랑과 실천적 차원의 사랑'을 구별하여 설명하고 있으나, 두 가지 이론의 장단점을 비교하여 설명하고 있지는 않다.

④ (가)는 토마스 아퀴나스의 관점에 대해, (나)는 칸트의 관점에 대해 설명하고 있을 뿐, 두 가지 관점을 절충하며 하나의 결론을 도출하고 있지는 않다.

⑤ (가)는 토마스 아퀴나스의 관점에 대해, (나)는 칸트의 관점에 대해 설명하고 있을 뿐, 글에 제시된 학자의 견해가 지닌 논리적 오류를 지적하고 있지는 않다.

38 ④ 정답률 89%

정답풀이

(가)의 3문단에서 '여러 대상에 대한 감각적 욕구들이 동시에 일어난다면' '인간은 가장 먼저 추구할 감각적 욕구를 지성에 의해 판단하고 선택한다.'라고 하였다. 따라서 ㉠(욕구)과 관련하여 감각적 욕구들이 동시에 일어날 수 없다는 설명은 적절하지 않다.

오답풀이

①, ② (가)의 1문단에서 인간은 '선을 추구'하려는 ㉠을 지닌 존재라고 한 것을 통해 알 수 있다.

③ (가)의 2문단에서 인간의 ㉠은 '감각적 욕구와 지적 욕구로 구별'된다고 하였다.

⑤ (가)의 3문단에서 '감각적 욕구에 의한 추구 행위를 '정념'이라고 칭'한다고 하였다.

39 ⑤ 정답률 63%

정답풀이

(나)의 1문단에서 '감성적 차원의 사랑은 남녀 간의 사랑같이 인간의 경향성에 근거한 사랑이며, 실천적 차원의 사랑은 의무로서의 사랑'이라고 하였으며, 3문단에서 '칸트의 관점에서 감성적 차원의 사랑'은 '의무로 강제하거나 명령을 통해 일으킬 수 있는 것이 아니다.'라고 하였다. 이를 고려하면, 〈보기〉에서 갑이 '이성인 을의 미소를 보고 첫눈에 반'해 '용기를 내어 을에게 다가'간 것은 감성적 차원의 사랑일 뿐, 실천적 차원의 사랑으로 나아간 것이라고 보기는 어렵다.

오답풀이

① (가)의 2문단에서 '감각적 욕구에 의한 추구 행위는 대상에 의해 촉발되어 이에 수동적으로 반응하는 것이다.'라고 하였다. 이를 고려하면, 〈보기〉에서 갑이 '방안 가득한 카레 냄새를 맡고 카레가 먹고 싶어져 식탁'으로 간 것은 카레 냄새에 의해 촉발된 감각적 욕구에 의한 추구 행위로 볼 수 있다.

② (가)의 2문단에서 '지적 욕구는 지성에 의해 선으로 이해된 것을 추구'하므로 '사탕이 충치를 유발할 수도 있으므로 선이 아니라고 판단한다면 추구하지 않을 수도 있다.'라고 하였다. 이를 고려하면, 〈보기〉에서 갑이 '오늘 예정된 봉사활동에 늦지 않기 위해 카레를 먹지 않기로' 한 것은 지성이 카레를 먹는 것을 선이 아니라고 판단했기 때문으로 볼 수 있다.

③ (가)의 3문단에서 '여러 대상에 대한 감각적 욕구들이 동시에 일어난다면', 인간은 '다른 것보다 더 선이라고 이해된 것을 우선 추구'하므로 '가장 먼저 추구할 감각적 욕구를 지성에 의해 판단하고 선택한다.'라고 하였다. 이를 고려하면, 〈보기〉에서 갑이 '진열장에 시원한 생수와 맛있는 케이크가 있'는 것을 보고 '목도 마르고 배도 고팠지만 생수를 먼저 주문해 마신' 것은 동시에 일어난 감각적 욕구 중 갈증을 해결하는 것이 더 선이라고 이해했기 때문이라고 볼 수 있다.

④ (나)의 1문단에서 '감성적 차원의 사랑은 남녀 간의 사랑같이 인간의 경향성에 근거한 사랑'이며, 3문단에서 '감성적 차원의 사랑은 욕구나 자연적 경향성에 이끌리는 감정'이라고 하였다. 이를 고려하면, 〈보기〉에서 갑이 '이성인 을의 미소를 보고 첫눈에 반'한 것은 자연적 경향성에 이끌린 것이라고 볼 수 있다.

40 ③ 정답률 53%

정답풀이

(가)의 1문단에서 인간은 '선을 추구하려는 욕구를 지닌 존재'인데 이렇듯 욕구를 추구하는 행위의 원천이 바로 '사랑'이라고 하였다. 이때 '선이란 자신에게 좋은 것'으로 '자신에게 기쁨을 주는 것을 뜻한다.'라고 한 것을 고려하면, 아퀴나스는 사랑을 통해 선을 추구하는 욕구를 실현함으로써 기쁨을 얻을 수 있다고 보았을 것임을 알 수 있다. 한편 (나)의 2문단에서 '인간에게 도덕법칙을 의무로 부여하'는 것은 '이성'이라고 했으므로, 칸트가 사랑이 인간에게 도덕법칙을 의무로 부여한다고 보지는 않았을 것이다.

오답풀이

① (가)의 2문단에서 지성은 대상에 대해 '이해한 바에 따라 선악 판단'을 할 수 있으며 '지적 욕구는 지성에 의해 선으로 이해된 것을 추구'하여 '선이 아니라고 판단한다면 추구하지 않을 수도 있다.'라고 하였다. 따라서 아퀴나스는 인간이 선악을 판단할 수 있다고 보았을 것이다. 한편 (나)의 2문단에서 '칸트에 따르면 인간은 도덕법칙을 실현하려고 하는 선의지를 지닌 존재'라고 하였다. 따라서 칸트는 인간에게 그 자체로 선한 선의지가 내재되어 있다고 보았을 것이다.

② (가)의 3문단에서 '아퀴나스는 감각적 욕구에 의한 추구 행위를 '정념'이라고 칭하며, 사랑을 전제하지 않는 정념'은 없다고 보았다고 하였으므로, 아퀴나스는 모든 정념이 사랑을 전제한다고 보았을 것이다. 한편 (나)의 3문단에서 '칸트의 관점에서 감성적 차원의 사랑은' '의무로 강제하거나 명령을 통해 일으킬 수 있는 것이 아니'라고 하였으므로, 칸트는 감성적 차원의 사랑은 명령을 통해 일으킬 수 없다고 보았을 것이다.

④ (가)의 1문단에서 토마스 아퀴나스는 '인간이 선을 추구하려는 욕구를 지닌 존재인데, 욕구를 추구하는 인간 행위의 원천이 바로 사랑이라 말한다.'라고 하였다. 즉 아퀴나스는 사랑을 욕구와의 관계에 따라 설명하고 있는 것이다. 한편 (나)의 1문단에서 '칸트는 감성적 차원의 사랑과 실천적 차원의 사랑이 다르다고 설명한다.'라고 하였다. 즉 칸트는 사랑을 감성적 차원과 실천적 차원으로 구분하여 설명하고 있는 것이다.

⑤ (가)의 3문단에서 '아퀴나스가 말하는 인간의 사랑은 선에 대한 자신의 이해에 입각하기 때문에 자신에게 선인 것에 대한 사랑을 근본으로 한다.'라고 하였다. 즉 아퀴나스는 인간의 사랑이 자신에게 선인 것에 대한 사랑을 근본으로 한다고 보는 것이다. 한편 (나)의 2문단에서 '보편적으로 적용할 수 있는 도덕법칙'은 '명령의 형식으로 나타'난다고 한 것을 통해, 칸트가 보편적으로 적용할 수 있는 도덕법칙이 있다고 보았음을 알 수 있다.

41 ② 정답률 84%

정답풀이

ⓐ(따르면)의 '따르다'는 '어떤 경우, 사실이나 기준 따위에 의거하다.'라는 의미로, '그는 법에 따라 일을 처리했다.'의 '따르다'도 ⓐ와 같은 의미로 사용되었다. 또한 ⓑ(따르려는)의 '따르다'는 '관례, 유행이나 명령, 의견 따위를 그대로 실행하다.'라는 의미로, '의회의 결정을 따르겠다.'의 '따르다'도 ⓑ와 같은 의미로 사용되었다.

오답풀이

① '범인의 뒤를 따랐다.'의 '따르다'는 '다른 사람이나 동물의 뒤에서, 그가 가는 대로 같이 가다.'라는 의미로, ⓐ의 의미로 쓰인 것이 아니다. 또한 '춤으로는 그를 따를 자가 없다.'의 '따르다'는 '앞선 것을 좇아 같은 수준에 이르다.'라는 의미로, ⓑ의 의미로 쓰인 것이 아니다.

③ '개발에 따른 공해 문제'의 '따르다'는 '어떤 일이 다른 일과 더불어 일어나다.'라는 의미로, ⓐ의 의미로 쓰인 것이 아니다. 또한 '아버지를 유난히 따른다.'의 '따르다'는 '좋아하거나 존경하여 가까이 좇다.'라는 의미로, ⓑ의 의미로 쓰인 것이 아니다.

④ '그의 솜씨를 따를 수 없었다.'의 '따르다'는 '앞선 것을 좇아 같은 수준에 이르다.'라는 의미로, ⓐ의 의미로 쓰인 것이 아니다. 한편 '유행을 따라서 옷을 입었다.'의 '따르다'는 '관례, 유행이나 명령, 의견 따위를 그대로 실행하다.'라는 의미로, ⓑ의 의미로 쓰인 것이다.

⑤ '사용 목적에 따라서'의 '따르다'는 '어떤 경우, 사실이나 기준 따위에 의거하다.'라는 의미로, ⓐ의 의미로 쓰인 것이다. 하지만 '강을 따라 천천히 내려갔다.'의 '따르다'는 '일정한 선 따위를 그대로 밟아 움직이다.'라는 의미로, ⓑ의 의미로 쓰인 것이 아니다.

[42~45] 고전시가+현대수필

42 ② 정답률 69%

정답풀이

(가)는 '주중인이 황망하여 조수할 길 있을쏘냐 / 나는 새 아니니 어찌 살기 바라리오', '어복 속에 영장함은 이 아니 원통한가' 등에서 설의적 표현을 사용하여 화자가 바다에서 예상치 못한 조난을 당하여 느끼는 절망스러운 심정을 강조하고 있다. (나)는 '하지만 저 바다의 방탕한 동요만 하랴.', '남쪽 바닷가 생각지도 못하던 「서니룸」에서 씹는 수박 맛은 얼마나 더 청신하랴.' 등에서 설의적 표현을 사용하여 바다를 긍정적인 공간으로 인식하며 그곳으로 떠나고 싶어 하는 글쓴이의 심정을 강조하고 있다.

오답풀이

① (가)의 '밤은 점점 깊어가고', '오륙일 지낸 후에', '어느덧 시월이라 초사일 아침 날에' 등에서 시간의 흐름이 나타나지만, 계절의 변화를 중심으로 시상을 전개했다고 보기는 어렵다. 또한 (나)에서도 계절의 변화를 중심으로 내용을 전개하는 부분은 찾을 수 없다.

③ (가)와 (나) 모두 명령형 어미를 사용하여 긴장감을 고조하는 부분은 찾을 수 없다.

④ (가)의 '검은 고기'에서 색채어를 확인할 수 있으나, (가)와 (나) 모두 동일한 색채어를 나열하여 현장감을 표현한 부분은 찾을 수 없다.

⑤ (가)는 바다에서 예상치 못한 조난을 당한 화자의 체험과 정서를, (나)는 바다를 떠올리며 여행을 떠나고 싶어 하는 글쓴이의 내면을 독백적 어조를 통해 드러내고 있다.

43 ② 정답률 72%

정답풀이

(가)의 화자는 바다에서 예상치 못한 조난을 당하여 '어복 속에 영장'하게 될 처지를 원통해하며 표류하고 있다. 따라서 그러한 상황에서 벗어날 수 있는 공간인 ㉠(큰 섬)은 화자가 소망하는 대상으로 볼 수 있다. (나)의 글쓴이는 바다를 떠올리며 '될 수만 있으면 모든 괴로운 과거마저 잊어버리고 떠나고 싶'은 심정을 드러내고 있다. 따라서 ㉡(차표)은 바다로 여행을 떠나고 싶어 하는 글쓴이가 소망하는 대상으로 볼 수 있다.

오답풀이

①, ③, ④, ⑤ ㉠과 ㉡은 각각 (가)의 화자와 (나)의 글쓴이가 소망하는 것과 관련된 대상일 뿐, 그들이 경계하거나, 극복해야 하거나, 동화되려고 하거나 혹은 우월감을 갖게 하는 대상으로 볼 수는 없다.

44 ④ 정답률 77%

정답풀이

(나)의 글쓴이는 ⓓ(모든 걱정은,~잊어버리고 떠나고 싶다.)에서 걱정, 번뇌, 울분, 의무 등을 '잠시 미정고들과 함께 먼지낀 방안에 묶어' 둔 채 떠나고 싶다는 뜻을 드러내고 있다. 따라서 '미정고'처럼 자신이 아직 해결하지 못한 일을 여행지에서 마무리하고 싶은 마음을 드러냈다고 볼 수는 없다.

오답풀이

① (나)의 글쓴이는 ⓐ(그렇지만~바다를 가질 밖에 없다.)에서 '산'과 '바다'에 대한 평가를 바탕으로 '둘 가운데서 오직 하나만을 가리라고 하면' '바다'를 선택하겠다는 뜻을 드러내고 있다.

② (나)의 글쓴이는 ⓑ(만약에~대화를 하리라.)에서 여행을 하다 '이국의 소녀'를 만나는 상황을 가정하여 '조금도 두려워하지 않고 서투른 외국말로 대담하게 대화를 하'겠다며 자신이 취할 행동에 대해 떠올리고 있다.

③ (나)의 글쓴이는 ⓒ(그리고는 짧은 바지에~갈 것이다.)에서 '짧은 바지에 「노타이」', '「보스톤 · 백」' 등 여행을 떠날 때의 옷차림과 외양에 대해 언급하며 자신의 원하는 여행자의 모습에 대해 상상하고 있다.

⑤ (나)의 글쓴이는 ⓔ(내가 뽑을 행복의 최후의 제비다.)에서 '모든 괴로운 과거마저 잊어버리고 떠나'는 여행이 자신에게는 '행복'이라는 의미를 지님을 드러내고 있다.

45 ③ 정답률 60%

정답풀이

(가)의 화자는 바다에서 조난을 당한 뒤 '오륙일'을 표류하다가 동남쪽 방향에 '삼대도가 은은히 솟아' 나 있는 것을 보게 된다. 이에 화자는 그 섬(육지)에 닿기 위해 '선구를 보집'하는 것이므로, 이를 통해 화자가 바다를 벗어나고 싶은 공간으로 인식하고 있음이 드러난다. 그런데 (나)의 글쓴이는 '오늘은 진주의 촌락, 내일은 해초의 삼림으로 흘러다니는 그 사치한 어족들'이 '해저에 국경을 만들었다는 정열도 「프랑코」 정권을 승인했다는 방송도 들은 일이 없다.'라고 하였다. 따라서 이를 통해 글쓴이가 바다를 일상에서 벗어날 수 있는 공간으로 인식하고 있음이 드러난다고 할 수는 없다.

오답풀이

① 〈보기〉에서 (가)의 바다는 '예상치 못한 조난을 당한 화자가 생명의 위협을 느끼며 벗어나고 싶어 하는 공간'으로 나타난다고 하였다. (가)에서 '도연히 취한 후에 선판 치며 즐기'던 화자가 별안간 바다에서 '일진광풍'을 만나고, 이로 인해 '조수할 길' 없이 '일엽선이 끝없이 떠나가'게 되었다고 한 것을 통해 바다가 예상치 못한 조난을 겪는 공간으로 나타나고 있음을 알 수 있다.

② 〈보기〉에서 '(나)의 바다는 글쓴이가 상상하는 공간이자 자유롭고 생명력 넘치는 공간'으로 나타난다고 하였다. (나)에서 글쓴이가 '어족들의 여행을 머리 속에 그려' 보며 '오늘은 진주의 촌락, 내일은 해초의 삼림으로 흘러다'닐 것이라고 한 것을 통해 글쓴이에게 바다는 자유로운 공간으로 인식되고 있음을 알 수 있다.

④ 〈보기〉에서 (가)의 바다는 '예상치 못한 조난을 당한 화자가 생명의 위협을 느끼며 벗어나고 싶어 하는 공간'이지만, (나)의 바다는 '자유롭고 생명력 넘치는 공간'으로 나타난다고 하였다. (가)의 화자가 '어복 속에 영장'하게 된 자신의 처지를 '원통'해 하는 것에서 화자가 바다를 생명의 위협을 느끼는 공간으로 인식하고 있음이 드러난다. 또한 (나)의 글쓴이가 '어린 고기들의 청초와 활발을 끝없이 사랑하리라.'라고 한 것을 통해서는 글쓴이가 바다를 생명력이 넘치는 공간으로 인식하고 있음을 알 수 있다.

⑤ 〈보기〉에서 '(가)의 바다는 화자가 직접 체험하는 공간'이며, '(나)의 바다는 글쓴이가 상상하는 공간'이라고 하였다. (가)에서 조난을 당해 표류 중이던 화자는 '선판을 치는 소리'를 내며 배 안에 뛰어드는 '검은 고기'를 보고, 이를 '생으로 토막 잘라 팔인이 나눠 먹'음으로써 '경각에 끊을 목숨 힘입어 보전'했다고 하였다. 이를 통해 바다는 화자가 생존을 위한 체험을 하는 공간으로 나타남을 알 수 있다. 또한 (나)의 글쓴이가 '눈을 감고~어족들의 여행을 머리 속에 그려' 보는 모습을 통해서는 바다가 글쓴이의 상상이 담긴 공간으로 나타나고 있음을 알 수 있다.

2회

2021학년도 9월 학평

1. ②	2. ④	3. ④	4. ②	5. ③	6. ④	7. ②	8. ⑤	9. ④	10. ⑤
11. ①	12. ②	13. ①	14. ⑤	15. ④	16. ②	17. ②	18. ③	19. ④	20. ②
21. ②	22. ②	23. ③	24. ③	25. ①	26. ④	27. ⑤	28. ④	29. ②	30. ⑤
31. ⑤	32. ①	33. ①	34. ①	35. ①	36. ④	37. ①	38. ③	39. ④	40. ①
41. ③	42. ③	43. ③	44. ⑤	45. ⑤					

오답률 Best 5

[1~3] **화법**

1 ② 정답률 **94%**

정답풀이

발표자는 '여러분~들어 본 적이 있으세요?', '이런 영상을 보신 적이 있으시죠?' 등에서 청중에게 질문을 던지고 반응을 살피며 청중과 상호 작용하고 있다.

오답풀이

① 발표자가 전문가의 말을 인용하고 있지는 않다.
③ 발표자가 청중이 주의해야 할 점을 안내하고 있지는 않다.
④ 발표자는 질문을 던지며 발표를 시작하고 있을 뿐, 화제를 선정하게 된 이유를 밝히며 발표를 시작하고 있지는 않다.
⑤ 발표자는 내용에 대한 청중의 이해 여부를 점검하는 것이 아니라, '일상에서 실천할 수 있는 작은 노력으로 음식물 쓰레기 줄이기부터 시작'해 보자며 실천을 권유하며 발표를 마무리하고 있다.

2 ④ 정답률 **93%**

정답풀이

발표자는 ⓒ(통계 자료)을 활용하여 '현재 약 6억 9천만 명 정도의 사람이 굶주림에 시달리고 있다'는 사실을 설명하면서 세계 기아 문제의 실태와 심각성을 알리고 있다.

오답풀이

① 발표자는 ㉠(세 그림)을 통해 '오랜 시간 인류가 배고픔으로 인해 고통을 받았음'을 드러내고 있을 뿐, 배고픔의 문제가 해결되는 과정을 보여주고 있지는 않다.
② 발표자는 ㉠의 차이점을 부각하고 있지 않으며, 이를 통해 시대마다 코케뉴의 개념이 달라진 원인을 설명하고 있지도 않다.
③ 발표자는 현대 사회가 코케뉴가 실현된 것처럼 보인다는 근거로 ㉡(영상)을 활용하고 있을 뿐, 코케뉴의 실현을 목표로 한 구체적 실천 과제를 제시하고 있지는 않다.
⑤ ⓒ은 세계의 기아 수준을 나타내는 자료일 뿐이며, 현재와 2030년의 기아 상황을 보여주므로 이를 활용하여 최근 몇 년간 진행된 기아 문제 해결의 성과를 소개할 수는 없다.

3 ④ 정답률 **95%**

정답풀이

ㄷ
'학생 2'는 '식당에서 먹을 수 있는 양보다 더 많은 음식을 주문하고 다 먹지 못한' 자신의 행동을 돌아보며 성찰하고 있다.
ㅁ
'학생 1'은 발표를 듣고 생긴 기아 문제의 원인과 해결 방안에 대한 궁금증을 해소하기 위해 "세계 기아 리포트' 홈페이지나 관련 블로그'를 찾아보려 하고 있다.

오답풀이

ㄱ
학생 1, 학생 2 모두 발표 내용이 사실과 부합하는지 점검하고 있지는 않다.
ㄴ
학생 1, 학생 2 모두 발표에 언급되지 않는 내용을 추론하고 있지는 않다.
ㄹ
학생 1, 학생 2 모두 발표자의 주장에 대한 구체적 근거를 파악하고 있지는 않다.

[4~7] **화법과 작문**

4 ② 정답률 **91%**

정답풀이

'학생 2'는 연구원의 말을 듣고 ㉡(그럼 심은 지 15년에서~숲을 가꾸어야겠군요.)과 같이 말하여 솎아베기가 필요한 숲에 대해 추론하고 있다. 이를 연구원의 발화 의도를 확인한 후 이에 대한 추가 정보를 요청하는 것으로 볼 수는 없다.

오답풀이

① '학생 2'는 ㉠(그렇다면 숲을 이루는~결정된다는 말씀이신가요?)에서 자신이 이해한 내용이 맞는지 질문을 통해 확인하고 있다.
③ '학생 2'는 ⓒ(숲가꾸기 사업을 통해~생각이 드네요.)에서 숲가꾸기 사업을 진행한 지역의 산불 피해를 줄일 수 있다는 연구원의 발언을 재진술하며 '숲가꾸기 사업은 더 활발하게 진행되어야겠다'는 자신의 생각을 밝히고 있다.
④ '학생 1'은 ㉣(인터뷰 전에~숲가꾸기 지원 사업인가요?)에서 '산림청 홈페이지'라는 정보의 출처를 언급하며 자신이 알고 있는 내용이 맞는지 확인하고 있다.
⑤ '학생 2'는 ㉤(숲가꾸기 사업과~유지할 수 있겠네요.)에서 인터뷰로 알게 된 내용을 요약하며 '우리의 숲이 더욱 건강한 모습을 유지할 수 있'을 것이라는 긍정적 전망을 드러내고 있다.

5 ③ 정답률 **83%**

정답풀이

ⓐ
숲가꾸기 사업이 생소한 학생들을 위해 숲가꾸기 사업에 대해 소개해 달라고 말하며 인터뷰를 시작하겠다는 계획은 '학생 1'의 '먼저 숲가꾸기 사업이 무엇인지에 대해 말씀해 주시겠어요?'에 반영되어 있다.
ⓓ
숲가꾸기 사업을 적절한 시기에 하지 않을 때 발생할 수 있는 문제점을 설명해 달라고 말하겠다는 계획은 '학생 2'의 '솎아베기와 같은 숲가꾸기 사업을 제때에 하지 않으면 어떻게 되나요?'에 반영되어 있다.
ⓔ
숲가꾸기 사업과 관련해서 전하고 싶은 내용이 있다면 말씀해 달라고 부탁하며 인터뷰를 마무리하겠다는 계획은 '학생 2'의 '끝으로 숲가꾸기 사업에 대해 하시고 싶은 말씀이 있으신가요?'에 반영되어 있다.

오답풀이

ⓑ
(가)에서 숲가꾸기 사업의 효과를 알 수 있는 실제 사례가 있다면 소개해 달라고 부탁하는 내용은 찾을 수 없다.

ⓒ
(가)에서 숲가꾸기 사업을 하면서 겪는 어려움을 극복하는 방법이 있다면 알려 달라고 부탁하는 내용은 찾을 수 없다.

6 ④ 정답률 72%

정답풀이

(나)의 2문단에서 산림 선진국과 비교했을 때 자원으로 이용 가능한 산림의 양이 부족하다고 언급하면서 숲가꾸기 사업의 필요성이 더욱 높아지고 있음을 제시하고 있다. 하지만 산림 선진국의 숲가꾸기 사업의 진행 현황을 제시하거나, 산림 관리가 숲가꾸기 사업으로 전환된 배경을 소개하고 있지는 않다.

오답풀이

① (나)에서 '학생 1'은 인터뷰에서 알게 된 숲가꾸기 사업의 목적, 즉 나무를 건강하게 자랄 수 있게 하는 것과 숲의 가치를 높이는 것이 드러나도록 제목을 구성하였다.
② (나)의 4문단에서 산림청에서 진행하는 '숲가꾸기 지원 사업'과 '디지털 산림 경영 기반'을 조성하기 위한 노력을 언급하고 있다.
③ '학생 1'은 인터뷰에서 언급하지 않은 내용인 숲가꾸기 사업을 하지 않을 때의 부작용으로 '병충해, 태풍에 취약해진다'는 사실을 (나)의 1문단에 추가로 제시하며 숲가꾸기 사업을 실시해야 하는 이유를 강조하고 있다.
⑤ (나)의 3문단에서 '고급 목재를 생산할 수 있어 산림의 경제적 가치가 크게 증가'한다는 숲가꾸기 사업의 경제적 가치와, '나무들이 건강하게 자랄 수 있기 때문에 산림의 생태적 건강성도 향상된'다는 숲가꾸기 사업의 생태적 가치를 나누어 제시하며 숲가꾸기 사업의 가치를 강조하고 있다.

7 ② 정답률 55%

정답풀이

(나)는 자원으로 쓰일 수 있는 산림의 양과 산림의 공익적 가치 등을 언급하며 숲가꾸기 사업의 필요성과 그 효과를 설명하고 숲가꾸기 사업을 활성화하기 위한 산림청의 노력을 소개하고 있을 뿐, 시간 순서에 따른 내용 전개 방식을 활용하지는 않았으므로 상호 평가 내용으로 적절하지 않다.

오답풀이

① 3문단에서 '산림의 공익적 가치'를 언급한 연구 자료를 제시하여 숲가꾸기 사업의 효과를 드러내고 있으므로 적절하다.
③ 2문단의 '쓰여질 수 있는'에서 '-이-'와 '-어지다'가 이중으로 사용되고 있으므로 적절하다.
④ 3문단의 '사전에 미리 예방'에서 '사전'과 '미리'에 중복된 의미가 있음을 확인할 수 있으므로 적절하다.
⑤ 4문단에서는 숲가꾸기 사업을 활성화하기 위한 산림청의 노력을 소개하고 있다. 그런데 '숲가꾸기 사업은 주로 봄에 시행한다.'라는 문장은 글의 흐름에서 벗어나 통일성을 해치고 있으므로 적절하다.

[8~10] 작문

8 ⑤ 정답률 52%

정답풀이

'학생의 초고'에서 건의 내용의 실현 과정에서 발생할 수 있는 문제점을 예측한 내용은 찾을 수 없다.

오답풀이

① 2문단과 4문단에서는 건의 내용의 필요성을 강조하기 위해 '올해 우리 학교에서 진행하는 금융 교육' 시간, 청소년들의 금융 지식 점수 대비 금융 태도 점수의 비율을 구체적 수치로 제시하고 있다.
② 4문단에서는 건의 내용에 대한 신뢰성을 확보하기 위해 '금융 이해력' 조사 보고서에 대해 '한국은행과 금융감독원'이라는 출처를 밝히고 있다.
③ 1문단에서는 글을 쓰게 된 계기를 설명하기 위해 학교에서 실시한 금융 교육 특강에 참여한 개인적인 경험을 언급하고 있다.
④ 2문단~4문단의 첫 부분에서는 독자의 이해를 돕기 위해 글의 내용을 구조적으로 파악할 수 있도록 '먼저', '다음으로', '마지막으로' 등의 담화 표지를 사용하고 있다.

9 ④ 정답률 83%

정답풀이

(가)를 통해 우리 학교 학생들 대부분이 금융 교육에 참가하기를 희망한다는 점과 그 중 저축 및 신용 관리 교육을 가장 필요로 한다는 점을 알 수 있다. 또한 (나)를 통해 학교의 금융 교육 시간 증가로 인해 20대 연령층의 금융 이해력 점수가 늘어났지만, 금융 태도 측면은 이전과 달라진 점이 없다는 것을 알 수 있다. 즉 (가)와 (나)는 금융 교육을 활성화하기 위해 금융 교육의 기회를 확대하는 것보다 금융 교육 시간을 늘려야 한다는 주장과는 관련이 없으므로, 근거로 적절하지 않다.

오답풀이

① (가)에서 대부분의 학생들이 금융 교육 참가를 희망하고 있고, 그 중 저축 및 신용 관리 교육을 가장 필요로 한다는 사실을 알 수 있다. 따라서 이를 근거로 하여 금융 교육 프로그램을 진행하자고 주장할 수 있다.
② (나)의 '금융 지식 측면의 점수는 높아졌으나 금융 태도 측면의 점수는 이전과 크게 달라진 것이 없'다는 것을 근거로 하여 금융 교육의 목적 달성을 위해서는 금융 태도의 측면에도 초점을 맞춰야 한다는 점을 주장할 수 있다.
③ (다)에 제시된 '영국'과 '핀란드'의 금융 교육 사례를 활용하여 다른 나라의 금융 교육 프로그램 사례를 제시할 수 있다.
⑤ (나)에서 '금융 교육 주간을 꾸준히 운영'한 결과로 금융 이해력 평균 점수가 상승한 것을 확인할 수 있고, (다)에서 영국이 금융 교육 주간을 지정하고 있는 사례를 확인할 수 있다. 따라서 (나)와 (다)를 활용하여 금융 교육 주간을 운영하여 금융 이해력을 높일 필요성이 있다는 주장을 할 수 있다.

10 ⑤ 정답률 73%

정답풀이

'금융에 대한 이해력이 부족한 채로 현대 사회를 사는 것은 나침반 없이 항해하는 것만큼 위험합니다.'에서 비유적 표현을 통해 금융 교육의 중요성을 강조하고 있고, '금융 교육이 활성화된다면 금융 이해력의 신장과 안전하고 행복한 미래의 설계라는 두 마리 토끼를 다 잡을 수 있을 것'에서 건의 내용이 실현되었을 때의 기대 효과를 언급하고 있다.

오답풀이

① 건의 내용이 실현되었을 때의 기대 효과를 언급하였지만, 비유적 표현을 통해 금융 교육의 중요성을 강조하지 않았다.
② 비유적 표현을 통해 금융 교육의 중요성을 강조하고 있지만, 건의 내용이 실현되었을 때의 기대 효과를 언급하지 않았다.
③ '학생의 초고'에서는 금융에 대한 태도 측면도 강조해야 한다고 언급하고 있기 때문에 '금융 교육을 지식 측면에 초점을 맞'추자는 내용이 [A]에 들어가는 것은 적절하지 않다.
④ 비유적 표현을 통해 금융 교육의 중요성을 강조하고 있지 않으며, 건의 내용이 실현되었을 때의 기대 효과를 언급하고 있지도 않다.

[11~15] 문법(언어)

11 ① 정답률 82%

정답풀이

㉠(맨입)은 '맨'과 '입'이 결합하면서 'ㄴ'이 '첨가'되는 현상이 일어나고 있으며, ㉢(입학)은 'ㅂ'과 'ㅎ'의 두 음운이 합쳐져 하나의 음운 'ㅍ'으로 줄어드는 '축약'이 일어나고 있다.

오답풀이

② ㉠은 '교체'가 아니라 '첨가'에 해당한다. 한편 ㉣(칼날)은 'ㄴ' 이 'ㄹ'을 만나 'ㄹ'로 '교체'되는 현상이 일어나고 있다.
③ ㉡(쌓아)은 'ㅎ'이 모음으로 시작하는 어미를 만나 '탈락'하는 현상이 일어나고 있다. 하지만 ㉢은 '교체'가 아닌 '축약'에 해당한다.
④ ㉡은 '교체'가 아닌 '탈락'에 해당하며, ㉣은 '축약'이 아닌' 교체'에 해당한다.
⑤ ㉢은 '탈락'이 아닌 '축약'에 해당하며, ㉣은 '첨가'가 아닌' 교체'에 해당한다.

12 ② 정답률 67%

정답풀이

㉡(비가 내일 내릴 것이다.)에서는 부사어 '내일'과 동사의 어간 '내리-'에 관형사형 어미 '-ㄹ'과 의존 명사 '것'이 결합한 '내릴 것'을 통해 미래 시제임을 표현하고 있을 뿐, 선어말 어미를 활용한 시간 표현은 찾을 수 없다.

오답풀이

① ㉠(비가 지금 내린다.)에서는 부사어 '지금'과 동사 '내리다'에 선어말 어미 '-ㄴ-'이 결합한 '내린다'를 통해 사건시와 발화시가 일치하는 현재 시제가 드러난다.
③ ㉢(내가 찾아간 곳에 비가 많이 내렸다.)에서는 동사의 어간 '찾아가-'에 관형사형 어미 '-ㄴ'이 결합한 '찾아간'을 통해 과거 시제가 드러난다.
④ ㉠과 ㉡에는 시간 표현을 나타내는 부사어 '지금'과 '내일'이 각각 사용되고 있다.
⑤ ㉡에는 사건시가 발화시보다 나중인 미래 시제가 나타나며, ㉢에는 사건시가 발화시보다 앞서는 과거 시제가 나타난다.

13 ① 정답률 91%

정답풀이

'잠시 후 결과가 발표된다.'에서 선어말 어미 '-ㄴ-'은 미래를 나타내고 있어 ⓐ(미래를 나타내는 경우)에 해당한다. 그리고 '일찍 출발하느라 고생했겠다.'에서 선어말 어미 '-겠-'은 추측을 나타내고 있어 ⓑ(추측을 나타내는 경우)에 해당하므로 적절하다.

오답풀이

② '삼촌은 곧 여기를 떠난다.'의 선어말 어미 '-ㄴ-'은 미래를 나타내지만, '잠시만 비켜주시겠습니까?'의 선어말 어미 '-겠-'은 추측이 아니라 완곡한 표현을 나타내므로 적절하지 않다.
③ '사람은 누구나 꿈을 꾼다.'의 선어말 어미 '-ㄴ-'은 보편적인 진리를 나타내며, '제가 먼저 발표하겠습니다.'의 선어말 어미 '-겠-'은 의지를 나타내고 있으므로 적절하지 않다.
④ '지구는 태양 주위를 돈다.'의 선어말 어미 '-ㄴ-'은 보편적인 진리를 나타내며, '이제 늦지 않도록 하겠습니다.'의 선어말 어미 '-겠-'은 의지를 나타내고 있으므로 적절하지 않다.
⑤ '우리 고향은 이미 추수가 다 끝났겠다.'의 선어말 어미 '-겠-'은 추측을 나타내고 있지만 '그가 내 의도를 알아채고 웃는다.'의 선어말 어미 '-는-'은 현재를 나타내므로 적절하지 않다.

14 ⑤ 정답률 77%

정답풀이

'차다[1]'의 '【…에】, 【…으로】'를 통해 '차다[1]'은 반드시 부사어를 필요로 한다는 것을 알 수 있지만, '차다[2]'에는 주어 이외의 다른 성분이 반드시 필요하다는 표시가 없다.

오답풀이

① '차다[1]-Ⅱ-1'은 '감정이나 기운 따위가 가득하게 되다.'라는 의미이므로, '목소리가 확신에 차다.'를 용례로 추가할 수 있다.
② '차다[1]'과 '차다[2]' 글자 오른쪽 위에 매긴 번호 '1', '2'를 통해 이 둘은 각각 다른 표제어로 등재되는 동음이의어임을 알 수 있다.
③ '차다[1]'은 동사이기 때문에 동작이나 작용을 나타내며, '차다[2]'는 형용사이기 때문에 성질이나 상태를 나타낸다.
④ '차다[1]'과 '차다[2]' 각각에 두 가지 의미가 기재되어 있는 것을 통해, '차다[1]'과 '차다[2]'는 한 단어에 여러 의미가 있는 다의어임을 알 수 있다.

15 ④ 정답률 38%

정답풀이

㉢에서 '-이' 이외의 모음으로 시작된 접미사가 붙어서 만들어진 명사는 원형을 밝히어 적지 않는다고 하였다. ⓐ(지붕)는 명사 '집'과 접미사 '-웅'이 결합한 단어로, 명사 뒤에 '-이' 이외의 모음으로 시작된 접미사가 결합하였기 때문에 명사의 원형을 밝히어 적지 않은 것이다. 한편 ㉡에서 어간에 '-이'나 '-음' 이외의 모음으로 시작된 접미사가 붙어서 만들어진 말은 어간의 원형을 밝히지 않는다고 하였다. ⓑ(마감)는 '막다'의 어간인 '막-'과 접미사 '-암'이 결합한 단어로, 어간에 '-이'나 '-음' 이외의 모음으로 시작된 접미사가 결합하였기 때문에 어간의 원형을 밝히어 적지 않은 것이다.

오답률 Best 1

15번은 가장 낮은 정답률을 보인 문제였어. 정답 이외에 가장 높은 선택률을 보인 선지는 ③번으로 32%가 이 선지를 선택했지. '지붕'이나 '마감'의 어원을 추측하기가 힘들어서 헷갈린 학생들이 많았을 거야. 접미사 '-웅'이나 '-암'은 현대 국어에선 찾아보기 힘든 접미사들이라 '지붕'과 '마감'만을 보고 이 말이 어떻게 만들어졌는지를 추측하긴 쉽지 않지.
하지만 이런 문제는 항상 <보기>가 주어지니 너무 걱정하지마! <보기>에서 제19항은 어간에 '-이'나 '-음/-ㅁ'이 붙어서 명사로 된 것은 어간의 원형을 밝히어 적는다고 하였어. 하지만 '지붕'이나 '마감'의 끝 부분을 보면 '-이'나 '-음/-ㅁ'이 붙었다고 보긴 어렵겠지? 물론 '마감'은 끝에 '-ㅁ'이 있지만, 만약 '-ㅁ'이 접미사였다면 어간은 '마가-'가 되었을 건인데, '마가다'라는 단어가 있지는 않잖아. 따라서 '막-'이라는 어간을 생각해서 '막다'를 떠올리고, 여기 붙은 접미사는 '-암'일 것이라 추론하는 것이 더 타당하겠지. '지붕'에서 '집'을 떠올리기 어려웠어도 마찬가지로 해결할 수 있어. '지부'에 '-ㅇ'이 붙었다고 생각하는 것보단, 원래 우리가 알고 있는 '집'이라는 명사에 '-웅'이 결합했다고 생각하는 것이 더 타당하니까! <보기>를 꼼꼼히 보면서 선지의 타당성을 확인해 보다!

[16~19] 사회

16 ② 정답률 83%

정답풀이

2문단에서는 '의사무능력자'가 '법률행위 당시 자신에게 의사능력이 없었다는 점을 증명'하는 것이 쉽지 않다고 하며 제한능력자제도의 필요성을 밝히고 있고, 이후 3문단~7문단을 통해 제한능력자 측의 취소권 행사로 인해 불이익을 당할 수 있는 상대방을 보호할 수 있는 제도 등을 언급하며 제한능력자제도의 특징을 설명하고 있다.

오답풀이

① 윗글에서 제한능력자제도가 발전한 과정과 전망을 제시하고 있지는 않다.
③ 7문단에서 제한능력자제도의 의의를 언급하고 있지만, 윗글에서 제한능력자제도가 변화된 원인을 분석하고 있지는 않다.
④ 윗글에서 제한능력자제도를 바라보는 상반된 입장과 절충안을 제시하고 있지는 않다.
⑤ 윗글에서 제한능력자제도의 영향력을 분석한 뒤 변화 양상을 서술하고 있지는 않다.

17 ② 정답률 69%

정답풀이

1문단의 '의사무능력자의 법률행위는 무효'와 2문단의 '민법에서는~의사능력의 유무와 관계없이~일정하고 객관적인 기준에 따라 제한능력자를 규정하고 있다.'를 통해 의사능력의 유무와 관계 없이 제한능력자는 재산상의 법률행위를 보호받을 수 있다는 것을 확인할 수 있다.

오답풀이

① 2문단에서 '나이나 법원의 결정' 등의 '기준에 따라 제한능력자를 규정하고 있'으며, '만 19세 미만의 미성년자'는 '제한능력자에 해당'된다고 하였다. 따라서 미성년자는 법원의 결정을 받지 않아도 제한능력자로 규정된다.
③ 2문단에서 '만19세 미만의 미성년자', '피성년후견인과 피한정후견인 등이 제한능력자에 해당'되며, 3문단에서 '미성년자는 주민등록증과 가족관계등록부를 통해, 피성년후견인과 피한정후견인은 후견등기부를 통해 확인할 수 있다.'라고 하였다.
④ 2문단에 따르면 '제한능력자는 단독으로 재산상의 법률행위를 한 경우 10년 내에 취소권을 행사할 수 있'다.
⑤ 2문단에서 제한능력자는 '자신의 의사무능력을 증명할 필요가 없'으며, '10년 내에 취소권을 행사할 수 있'다고 하였다.

18 ③ 정답률 55%

정답풀이

5문단에서 ⓒ(상대방의 거절권)는 '제한능력자 측에게 행사할 수 있는 권리'라고 하였다. 즉 ⓒ는 계약 상대방이 제한능력자 측에게 직접 행사할 수 있는 것이다. 한편 4문단에서 ⓐ(상대방의 확답촉구권)는 '제한능력자에게는 할 수 없으며, 제한능력자의 법정대리인이나 제한능력자가 행위능력자가 된 경우에만 요구할 수 있다.'라고 하였다.

오답풀이

① 2문단에서 '제한능력자 측'은 '제한능력자 본인이나 그의 법정대리인'이라 하였다. 5문단에서 ⓑ(상대방의 철회권)는 '제한능력자의 계약 상대방'이 '제한능력자 측'에게 행사할 수 있는 권리라고 하였다.
② 5문단에서 ⓒ는 '제한능력자의 계약 상대방이 법률행위의 효력 발생을 원하지 않는 경우'에 행사할 수 있는 권리라고 하였다.
④ 5문단에 따르면 ⓑ와 ⓒ는 '제한능력자 측에서 해당 법률행위에 대해 취소권을 행사하지 않겠다는 의사를 표시하기 전까지만 권리가 인정'된다.
⑤ 3문단에 따르면 ⓐ~ⓒ는 '제한능력자를 보호함으로써 불이익을 당하게 되는 상대방을 위'한 제도이다.

19 ④ 정답률 62%

정답풀이

6문단에서 '미성년자나 피한정후견인이 속임수를 써서 법정대리인의 동의가 있는 것으로 믿게 한 경우에는 제한능력자의 취소권을 박탈'한다고 하였다. 따라서 〈보기〉의 A가 법정대리인의 동의서를 위조했다면 A의 취소권이 박탈되어 A는 계약을 취소할 수 없다.

오답풀이

① 2문단에서 '미성년자'는 '제한능력자'에 해당하고, '제한능력자는 단독으로 재산상의 법률행위를 한 경우 10년 내에 취소권을 행사할 수 있'다고 하였다. 따라서 악기 구입 당시 A는 17살로 '제한능력자'였고, A가 성년이 된 다음 날은 그 이후로 10년이 지나지 않았기 때문에 계약을 취소할 수 있다.
② 2문단에서 제한능력자는 취소권을 행사할 수 있으며, '제한능력자의 법률행위의 취소 여부는 제한능력자 측, 즉 제한능력자 본인이나 그의 법정대리인의 의사에 따라서만 결정된다.'라고 하였다. 따라서 법정대리인의 동의가 없어도 A가 계약을 취소하고 싶다면 계약을 취소할 수 있다.
③ 2문단에서 제한능력자 본인이나 그의 법정대리인은 '10년 내에 취소권을 행사할 수 있'다고 했기 때문에, A의 법정대리인이 A의 악기 구매 사실을 1년 뒤에 알았다 하더라도 계약을 취소할 수 있다.
⑤ 2문단에서 '제한능력자의 법률행위의 취소 여부'는 '제한능력자 본인이나 그의 법정대리인의 의사에 따라서만 결정된다.'라고 하였다. 따라서 판매자가 계약 취소를 인정하지 않아도 A의 법정대리인이 계약 취소를 원한다면 계약을 취소할 수 있다.

[20~23] **현대소설**

20 ② 정답률 87%

정답풀이

윗글의 '나'는 남편이 죽은 후 그가 남긴 '모자'와 '틈바구니'란 말을 떠올리는 자신의 생각을 독백적 진술을 통해 드러내고 있다.

오답풀이

① 윗글에서 특정 인물을 풍자하고 있지는 않다.
③ 윗글에서 동일한 공간에서 사건이 반복거나 갈등이 심화되고 있지는 않다.
④ 남편의 병원 진료 장면, 남편과 손자가 장난을 치는 장면, 남편이 죽은 후 '나'가 남편의 흔적을 생각하는 장면 등이 교차되긴 하지만 이를 통해 긴박한 분위기가 조성되지는 않는다.
⑤ '방사선 치료로 시꺼멓게 탄 이마'에서 남편의 외양이 사실적으로 묘사되었다고 할 수 있지만, 이를 통해 '남편'의 성격을 드러내고 있지는 않다.

21 ② 정답률 93%

정답풀이

'다시 해 본 CT 촬영에서 암은 소멸되지도 줄지도 않은 채'를 통해, 방사선 치료를 받아도 남편의 병세는 나아지지 않았음을 확인할 수 있다.

오답풀이

① '조카들은 그가 쓰던 걸 뭐든지~아쉬운 처지가 아닌데도'에서 확인할 수 있다.
③ '미국 가 있는 막내를~딴 자식들의 의견이기도 했다.'에서 확인할 수 있다.
④ '막내가 사 온 모자는~카우보이 모자를 연상시켰다.'에서 확인할 수 있다.
⑤ '그는~잘난 척할 줄도 몰랐기 때문에 담소를 즐겼지만 그럴듯한 말은 할 줄 몰랐다.'에서 확인할 수 있다.

22 ② 정답률 70%

정답풀이

'나'는 ㉠(틈바구니)이 '단순한 연민의 소리일 뿐인 것을 내가 괜히 심각하게 굴었는지도 모'른다고 생각하면서도 생각을 멈추지 않고 ㉠을 '말뜻 이상의 것, 한없이 추구해야 할 화두'라고 생각하고 있다. 이를 통해 ㉠이 '나'에게 쉽게 해결할 수 없는 고민을 유발하고 있음을 알 수 있다.

오답풀이

① ㉠으로 인해 이야기의 초점이 '남편'에서 '막내'로 전환되고 있지는 않다.
③ '나'는 남편이 남긴 말인 ㉠에 대해 고민하고 있지만, ㉠이 '나'의 미안함을 보여 주고 있는 것은 아니다.
④ ㉠이 '막내'에게 '남편'의 죽음을 이해하는 실마리를 제공하고 있지는 않다.
⑤ ㉠으로 인해 '나'의 가족이 공동체적 삶의 의미를 성찰하고 있지는 않다.

23 ③ 정답률 75%

정답풀이

윗글에서 '나'는 방사선 치료를 받는 남편이 혼자 어떤 기분일지 생각하면서 방사선 빛이 너무 밝아서 자아내는 '빛에 대한 공포감'은 죽음에 대한 상상력과 유사한 것이라고 인식하며 죽음에 대한 공포감을 느끼고 있다. 하지만 '나'는 '빛에 대한 공포감'을 상상하고 있을 뿐, 남편의 '빛에 대한 공포감'을 덜어주고자 하지는 않았다.

오답풀이

① 기쁜 마음으로 남편의 유품을 공평하게 나누면서도 남편의 '모자'는 자신이 간직하는 '나'가, 그 '모자'를 '물질 이상'으로 생각하는 모습에서 남편에 대한 '나'의 사랑을 확인할 수 있다.
② '고약한 성깔'에 치받쳐 한 말을 농담으로 받는 남편의 말에서 '죽어 가는 사람으로부터의 연민'을 느끼며 '울어버릴 것 같'은 '나'의 모습에서 남편의 말에 '나'에 대한 연민이 담겨 있다고 보는 '나'의 인식을 확인할 수 있다.
④ '모자를 쓴 채 안 빼앗기려고 이리저리 도망'을 다니며 '손자와의 마지막 장난'을 치는 남편의 모습에서 가족에 대한 사랑을 확인할 수 있다.
⑤ '그가 남긴 여덟 개의 모자를 꺼내'서 '머리카락 한 오라기라도 찾아보려고' 하는 '나'의 행동에서 남편을 그리워하는 '나'의 애틋한 마음을 확인할 수 있다.

[24~26] **예술**

24 ③ 정답률 85%

정답풀이

윗글에서 장구 장단을 정간보에 기보할 때 점의 부호와 구음, 길이를 나타내는 방법을 찾을 수 있지만, 점의 강약을 나타내는 방법은 찾을 수 없다.

오답풀이

① 1문단에서 '국악의 장단이란 일반적으로 일정한 주기로 소리의 길이와 강약이 규칙적으로 되풀이되는 것'이라 하였다.
② 1문단에서 장단은 '기본 단위인 '박'으로 구성된다.'라고 하였다.
④ 4문단에서 '변주는~장단에 변화를 주어 음악을 더욱 풍성하게 만드는 역할을 한다.'라고 하였다.
⑤ 6문단에서 '국악을 깊이 있게 감상하려면 장단을 이해하는 것이 중요하'다고 하였다.

25 ① 정답률 84%

정답풀이

4문단에서 '정간보에는 점의 길이도 나타낼 수 있'다고 하였으므로, 정간보를 보면 연주한 점의 길이를 알 수 있을 것이다.

오답풀이

② 5문단에 따르면 채편에서 '변죽은 작고 높은 소리가 나는 반면, 복판은 크고 낮은 소리가' 나므로, 크고 낮은 소리를 내기 위해서는 복판을 쳐야 한다.
③ 1문단에서 '여러 개의 소박이 모여서 하나의 보통박을 이'룬다고 한 것을 고려하면 여러 개의 보통박을 쳐서 하나의 소박을 연주한다고 볼 수 없다.
④ 5문단의 '실외음악이나 사물놀이처럼 큰 소리를 내야 할 때에는 북편을 손 대신 궁채로 치기도 한다.'를 통해 장단이 아니라 연주 상황에 따라 북편을 치는 도구가 결정된다는 것을 알 수 있다.
⑤ 기본 장구 장단을 나타낸 2문단의 〈그림 2〉에서 '덩'이 기본이 되는 장단으로 기재되어 있는데, 3문단에 따르면 '덩'은 '채편과 북편을 동시에 치는 것'이다.

26 ④ 정답률 74%

정답풀이

1문단을 참고하면 〈보기〉의 '창작 장단'은 3소박 4보통박으로 구성되어 있으며, 세 번째 보통박은 '쿵, 더러러러, 쿵'으로 구성된다. 즉 같은 종류의 점인 '쿵'이 두 번 나타나기 때문에 종류가 다른 세 점을 연주한다는 설명은 적절하지 않다.

오답풀이

① '창작 장단'에는 두 개의 '덕'이 나타나는데, 각각의 '덕' 뒤에는 '소리를 연장한다는' 의미의 빈칸이 하나 있기 때문에 두 소박으로 연주해야 한다.
② 마지막 보통박은 '덕'과 '기덕'으로 구성되는데 3문단에 따르면, 이 둘은 모두 채편만을 이용해서 친다.
③ 3문단에 따르면 '덩'을 '합장단'이라 하며, '기덕'을 '겹채'라 하기 때문에, 이 '창작 장단'은 합장단으로 시작하여 겹채로 마무리해야 한다.
⑤ 첫 번째 보통박의 세 번째 소박과 마지막 보통박의세 번째 소박은 모두 '기덕'으로 나타나므로, '기덕'을 쳐야 한다.

[27~29] 현대시

27 ⑤ 정답률 87%

정답풀이

(가)의 '우수절', '눈', '얼음', '미나리' 등에서 계절감이 드러나며, (나)의 '눈', '봄' 등에서 계절감이 드러난다. (가)와 (나)는 이런 계절감이 드러나는 시어를 통해 주제를 형상화하고 있다.

오답풀이

① (가)에서 명암의 대비를 통해 화자의 내면을 드러내고 있지는 않다.
② (나)에서 수미상관의 방식은 찾을 수 없다.
③ (나)는 시간의 흐름에 따라 시적 분위기를 조성하고 있지만, (가)에서 공간의 이동은 찾을 수 없다.
④ (나)는 '눈은 얼마나 많은 도전을 멈추지 않았으랴'라는 설의적 표현을 통해 화자의 정서를 드러내고 있지만, (가)에서 설의적 표현은 찾아볼 수 없다.

28 ④ 정답률 89%

정답풀이

화자는 [C]와 [D] 모두에서 봄을 맞이하는 기쁨을 드러내고 있을 뿐, [C]에서 보인 자신의 태도를 [D]에서 허무하게 여기고 있지는 않다.

오답풀이

① [A]에서 화자는 문을 열어 눈 덮인 먼 산을 본 놀라움을 '선뜻!'이라고 표현하고 있다.
② [B]에서 화자는 '눈이 덮인 멧부리와 / 서늘옵고 빛난 이마받이'를 한다고 표현하여 눈 덮인 산이 이마에 닿을 듯이 차갑게 느껴진다는 것을 부각하고 있다.
③ [C]에서 화자는 '얼음'이 녹아 금이 가고, '바람'이 새로 부는 모습을 제시하며 봄이 오면서 계절이 변화하는 자연의 모습을 드러내고 있다.
⑤ [E]에서 화자는 파릇한 새순이 돋아나는 미나리와 오물거리는 고기의 입을 통해 봄이 오는 모습을 생동감 있게 제시하고 있다.

29 ② 정답률 77%

정답풀이

〈보기〉를 참고하면 (가)에서 '꽃 피기 전 철 아닌 눈'이라 표현한 것은 '봄'이라는 계절과 이질적인 대상인 '눈'을 결합하여 새로운 의미를 형성하는 '낯설게 하기' 기법을 사용한 것이다. 하지만 여기에서 다시 돌아올 겨울에 대한 화자의 기대감은 찾을 수 없다.

오답풀이

① (가)의 '흰 옷고름 절로 향기로워라'에서는 시각적 이미지가 후각적 이미지로 전이되는데, 이를 통해 봄에 대한 화자의 느낌이 드러난다.
③ (나)의 '난분분 난분분'에서 시어의 반복을, '미끄러지고 미끄러지길'에서 시어의 변형을 확인할 수 있으며, 이를 통해 눈꽃을 피우기 위해 노력하는 눈의 모습을 나타내고 있다.
④ (나)의 '마침내 피워 낸 저 황홀 보아라'는 가지에 피어난 눈꽃을 '황홀'로 표현하여 언어의 비유적인 결합을 활용하고 있으며, 이를 통해 눈이 결실을 맺는 기쁨을 드러내고 있다.
⑤ (나)의 '아름다운 상처'는 모순이 되는 '아름다운'과 '상처'를 연결하는 역설의 방법을 사용하고 있으며, 이를 통해 시련을 겪은 후 피어나는 것이 얼마나 아름다운가를 강조하고 있다.

[30~33] 인문

30 ⑤ 정답률 75%

정답풀이

2문단에 따르면 후대 인류학자인 '모스'는 '선물을 받은 사람은 의무적으로 답례를 해야' 한다는 성격 때문에 '포틀래치'를 호혜적 교환 행위로 본다. 즉 후대 인류학자들 중에서는 '포틀래치'에서 선물을 받은 사람은 답례의 시행 여부를 선택할 수 없고 의무적으로 답례를 해야 한다고 보는 사람도 있는 것이다.

오답풀이

① 2문단에서 후대 인류학자인 '모스는 이러한 포틀래치가 집단 간의 유대 관계를 형성하는 역할을 한다고 보았다.'라고 하였다.
② 2문단의 '초기 인류학자들은 이러한 포틀래치라는 관습을~위신을 얻기 위해 재산을 탕진하는 비합리적인 생활양식으로 이해하였다.'에서 확인할 수 있다.
③ 2문단에 따르면 '일반적인 증여'란 '자신의 재산을 대가 없이 자발적으로 주는' 것이다.
④ 2문단의 '호혜적 교환이란 일반적인 경제적 교역, 즉 사물의 가격을 측정하여 같은 값으로 교환하는 행위와는 달리'를 통해 일반적인 경제적 교역과 포틀래치의 차이점을 알 수 있다.

31 ⑤ 정답률 80%

정답풀이

3문단에 따르면 '레비스트로스'는 '다른 집단과 동맹을 맺는~교환을 위해 '친족 간의 결혼 금지'가 만들어졌'고, '이를 통해 부족 간의 호혜적 교환이 가능해'졌다고 본다. 이를 통해 '레비스트로스'는 ㉠('친족 간의 결혼 금지')을 다른 집단과 동맹을 맺기 위한 호혜적 교환이 일어나게 하는 규칙으로 보았을 것임을 알 수 있다.

오답풀이

① 3문단에 따르면 '레비스트로스'는 '다른 집단과 동맹을 맺는 가장 좋은 방법은 그 집단과 결혼을 하는 것'이라고 보았기 때문에, ㉠이 부족 간의 동맹을 약화시킨다고 보지 않았을 것이다.
② 4문단에 따르면 '레비스트로스'는 '인류의 보편적인 현상'인 ㉠과 같은 결혼 제도도 '인간의 본성이 아닌 사회적 유대 관계를 형성하는 구조 속에서 만들어진 결과'로 보았으므로 적절하지 않다.
③ 3문단에 따르면 '레비스트로스'는 '선물을 주는 행위가 상대방에게 부채감을 주고, 이 부채감이 다시 선물을 주는 행위로 이어지게 만'든다고 보았다. 따라서 '레비스트로스'는 ㉠에 대해 사람을 받아들인 부족은 부채감을 덜지 못하고, 오히려 부채감이 생긴다고 볼 것이다.

④ 3문단에 따르면 '레비스트로스'는 ㉠을 바탕으로 '공동체에 필요한 다른 규칙들이 형성됨으로써 인간이 자연 상태에서 문명 상태로 접어들게 되었다'고 보았다. 따라서 '레비스트로스'는 ㉠으로 인해 인간이 자연 상태를 벗어나 문명 상태로 발전하였다고 볼 것이다.

32 ① 정답률 76%

정답풀이

〈보기〉의 '실존주의'에서는 '인간은 결단의 주체'로 보고 '자신의 결정에 책임을 질 필요가 있다'고 보고 있지만, 4문단에서 '구조주의' 관점에 따르면 '인간은 결단의 주체가 아니'라고 하였다. 따라서 '구조주의'와 '실존주의' 모두 인간을 결단의 주체로 본다고 할 수 없다.

오답풀이

② 〈보기〉에 따르면 '실존주의'에서는 인간은 '자신의 특성과 정체성을 스스로 결정할 자유로운 의식과 권리가 있'다고 본다. 이와 달리, 4문단에 따르면 '구조주의'에서는 '인간의 특성과 정체성은 인간 스스로 결정하는 것이 아닌 그가 속한 사회 구조에 의해 결정된다'고 본다.

③ 5문단에 따르면 '구조주의'에서는 '인간을 이해하려면 인간의 구체적인 행동보다는 그 인간이 속한 사회 구조를 살펴야' 한다고 본다. 이와 달리 〈보기〉에서는 '실존주의'가 '인간을 하나의 현상이자 개별적인 존재로 보고 인간의 구체적인 행동에 관심을 두었다.'라고 하였다.

④ 4문단에 따르면 '구조주의'에서는 '인간의 특성과 정체성은~사회 구조에 의해 결정'된다고 본다. 이와 달리, 〈보기〉에서 '전통철학'은 '인간이 선천적인 원리에 의해 미리 규정된 '특성'과 '본질'을 갖는다'고 본다고 하였다.

⑤ 〈보기〉에 따르면 '전통철학'에서는 '인간이 선천적인 원리에 의해 미리 규정된 '특성'과 '본질''을 가지며, '그 특성과 본질을 이 세계에서 충실하게 실현해야 한다'고 본다. 이와 달리, 4문단에서 '구조주의'는 '인간을 비롯한 대상의 의미나 본질은 하나의 개체로서가 아니라 전체 안에서 다른 것들과 맺은 관계 때문에 결정된다'고 본다고 하였다.

33 ① 정답률 91%

정답풀이

1문단에서 ⓐ(주는)의 '주다'는 '물건 따위를 남에게 건네어 가지거나 누리게 하다.'라는 의미로, '그는 아이에게 용돈을 주었다.'에서 '주다'의 의미와 동일하다. 한편 3문단에서 ⓑ(주고)의 '주다'는 '남에게 어떤 일이나 감정을 겪게 하거나 느끼게 하다.'라는 의미로 '지나친 기대는 학생에게 부담을 준다.'의 '주다'의 의미와 동일하다.

오답풀이

② '선생님께서 학생에게 책을 주셨다.'의 '주다'와 '그는 개에게 먹이를 주고 집을 나섰다.'의 '주다'는 모두 '물건 따위를 남에게 건네어 가지거나 누리게 하다.'의 의미이다.

③ '오늘부터 너에게 3일의 시간을 주겠다.'의 '주다'는 '시간 따위를 남에게 허락하여 가지거나 누리게 하다.'의 의미이며, '나는 너에게 중요한 임무를 주겠다.'의 '주다'는 '남에게 어떤 역할 따위를 가지게 하다.'의 의미이다.

④ '여행은 우리에게 기쁨을 주는 일이다.'의 '주다'는 '남에게 어떤 일이나 감정을 겪게 하거나 느끼게 하다.'의 의미이며, '손에 힘을 더 주고 손잡이를 돌려야 한다.'의 '주다'는 '속력이나 힘 따위를 내다.'의 의미이다.

⑤ '그 사람은 모두에게 정을 주는 사람이다.'의 '주다'는 '다른 사람에게 정이나 마음을 베풀거나 터놓다.'의 의미이며, '어머니는 우리에게 조건 없이 사랑을 주는 분이다.'의 '주다'는 '남에게 어떤 일이나 감정을 겪게 하거나 느끼게 하다.'의 의미이다.

[34~37] 고전시가+현대수필

34 ① 정답률 46%

정답풀이

[A]에서는 매화를 '너'로 지칭하며 사람처럼 표현하고 있으며, 매화를 '빙자옥질', '아치고절'로 비유하여 눈 속에 핀 매화의 맑고 깨끗한 속성과 우아하고 높은 절개를 드러내고 있다. 또한 [B]에서는 태산목의 꽃을 '백련꽃 송이'에 비유하여 탐스러운 모습과 향기가 가득한 속성을 드러내고 있다.

오답풀이

② [A]와 [B] 모두 시선의 이동을 통해 대상의 변화 과정을 제시하지는 않았다.

③ [A]의 '매화'와 [B]의 '백련꽃'에서 색채 이미지가 드러나긴 하지만, 이를 활용하여 애상적 분위기를 조성하고 있지는 않다.

④ [A]에서는 '눈 속에 네로구나', '아치고절은 너뿐인가 하노라' 등 자연물에 말을 건네는 어투를 활용하고 있지만, [B]에서 자연물에 말을 건네는 어투는 확인할 수 없다.

⑤ [A]와 [B] 모두 감정 이입은 나타나지 않는다.

오답률 Best 3

34번 문제는 문학의 기본적인 개념을 알아야 풀 수 있는 문제였어. [A]에 비유적 표현이 사용되었다는 것을 파악하지 못해 틀린 학생이 많았을 거야. 「매화사」라는 제목과, <제8수>의 '매화밖에 뉘 있으리'라는 구절을 통해 <제3수>에서 '네로구나'로 지칭하고 있는 대상이 '매화'인 것을 찾아냈어야 해. 비유에 대해 꼼꼼하게 공부했다면 여기에서 바로 '의인법이라는 비유적 표현이 사용되었구나!' 하고 알 수 있었겠지? 혹시 몰랐다고 해도 선지를 판단하는 데에는 큰 문제가 없었을거야. 그 후에 '빙자옥질이여 눈 속에 네로구나', '아치고절은 너뿐인가 하노라'에서 '매화'를 '빙자옥질, 아치고절'에 빗댄 은유법이 나타나거든. 여기까지 해냈다면 [B]에서 '백련꽃 송이처럼'의 직유법을 쉽게 찾을 수 있었을 거야.

정답 이외에 가장 많이 선택한 선지는 32%의 선택률을 보인 ⑤번 선지였어. 아마 '감정 이입'의 개념이 부족했던 것 같아. '감정 이입'이란 화자의 감정이 대상에 이입되는 것을 말해. 감정 이입이 일어나려면 대상이 감정을 느낄 수 없거나 상관없는 사람이어야 하고, 화자의 감정과 이입된 대상의 감정이 동일해야 해. 예를 들면, 감정을 느낄 수 없는 '꽃'에게 화자 자신의 감정인 '슬픔'을 이입해서, '꽃이 슬프다'와 같이 나타내면 '감정 이입'이 드러난다고 할 수 있어. 그런데 [A]와 [B]에선 감정 이입을 찾아볼 수 없으니 적절하지 않지. 이런 문학 개념들은 지나치지 말고 꼭 숙지해 두도록 하자!

35 ① 정답률 49%

정답풀이

(나)에서 화자는 '오색영롱한 철쭉도 싫은 바 아니지만, 그런 관목보다는 아교목'이, '아교목보다는 교목'이 더 좋다고 말하고 있다. 이에 따르면 '철쭉'은 '아교목'이나 '교목'보다 덜 좋아하지만, '철쭉'도 싫지 않다고 하였으므로 화자가 거부하는 대상으로 볼 수는 없다.

오답풀이

② (가)에서 화자는 눈 속에서도 피어나는 '매화'를 부각하기 위해 '동쪽 누각에 숨은 꽃이 철쭉인가'라고 하며 '철쭉'을 '매화'와 대조되는 대상으로 사용하고 있다. 또한 (나)에서 화자는 '그런 관목보다는 아교목이 좋고 아교목보다는 교목이 믿음직해서 더 좋다.'고 말하여 '철쭉'을 통해 자신이 추구하는 '교목'을 부각하고 있다.

③ (가)의 화자는 눈 속에서 '두세 송이' 피어나는 '매화'를 다른 꽃들과 비교하고 있다. 또한 (나)의 '두세 송이'는 '태산목'의 꽃으로, 화자는 '난'보다도 맑고 그윽한 향기를 가졌다며 '두세 송이'를 '난'과 비교하고 있다.

④ (가)에서 '두세 송이'는 화자가 '촟불 잡고 가까이 사랑할 때 암향부동하는 대상으로 화자가 긍정적으로 여기는 대상이다. 또한 (나)에서 화자는 '두세 송이'의 맑은 향기가 그윽하다고 하며 '두세 송이'를 긍정적인 대상으로 여기고 있다.

⑤ (나)의 '두세 송이'는 오월부터 개화하기 비롯하는 반면, (가)의 '두세 송이'는 추운 계절에 '눈 속'에서 피는 대상이다.

2
회

오답률 Best 4

이 문제는 작품을 제대로 이해하지 못했다면 풀기 어려웠을 거야. 우선 (나)에서 글쓴이는 '철쭉'을 '아교목'과 비교하고 있어. '철쭉'과 비교해서 '아교목'이 좋고, '아교목'과 비교해선 '교목'이 좋다는 자신의 생각을 말하고 있지. 하지만 이는 상대적으로 더 좋음을 말하고 있을 뿐이야. '철쭉도 싫은 바 아니'라는 건에서 화자가 철쭉을 거부하는 건은 아니라는 사실을 알 수 있어. 이런 부분을 놓치고 지나갔다면 틀릴 수 있었겠지.

정답 이외에는 ③번 선지를 23%로 가장 많이 선택했어. (가)의 해석이 잘 되지 않아서 그랬을 거라 생각돼. (가)에서 '두세 송이' 피었다고 말하는 대상이 '매화'라는 사실을, 작품에서 계속 '매화'를 예찬하고 있으며 <제8수>에서 '철쭉'과 '두견화'는 눈 속에서 피지 못하는 반면 '매화'는 눈 속에서도 필 수 있다는 내용을 해석했어야 했지. 팁을 주자면, 항상 작품을 보기 전에 '제목'을 먼저 보는 습관을 가지는 것이 좋아. '제목'은 그 작품의 핵심적인 내용이 함축적으로 들어가 있거든. (가)만 하더라도 제목인 「매화사」에 시적 대상이 직접적으로 드러나잖아. 여기서 힌트를 얻고 (가)를 분석했다면, 이 문제도 어렵지 않게 풀 수 있었을 거야.

36 ④ 정답률 70%

정답풀이

㉠(집 주변에 오류를~슬퍼할 따름이다.)에서 '나'는 '태산목처럼 격 높은 향기를 마음에 지니기란 쉬운 일이 아니기에, 내 스스로 향기 지닐 마음의 여유 없음을 슬퍼할 따름'이라고 하였다. 즉 ㉠에는 격 높은 향기를 지니지 못하는 자신의 삶에 대한 안타까움이 드러나고 있는 것이다. 한편 ㉡(그대로 다섯 그루가~위로하기 때문인지도 모른다.)에서 '나'는 '오류를 가꾸어 '한정소언 불모영리'의 도를 터득한 저 도연명의 풍모를 배우고자' 했지만, 자신은 '삼류 선생의 칭호도 오히려 과분한 것만 같'다고 말하며 겸손함을 드러내고 있다.

오답풀이

① ㉠에서 '나'는 '내 스스로 향기 지닐 마음의 여유 없음'이라 말하고 있다. 한편 ㉡에서는 '삼류선생'이라는 칭호조차 과분하다고 말하고 있을 뿐, 이에 대해 부끄러움을 느끼는 것은 아니다.
② ㉠에서 '나'는 아직 태산목처럼 격 높은 향기를 지니지 못한 상황에 슬퍼하고 있으므로 나의 꿈을 실현한 만족감이 드러난다고 보기 어렵다. 한편, ㉡에서는 '도연명의 풍모'를 배우고자 노력했지만 오류는 커녕 삼류도 과분하다고 하며 자신을 낮추고 있으므로, 자족감이 나타난다고 보기 어렵다.
③ ㉡에서 '한정소언 불모영리'의 도를 터득한 사람인 '도연명'과 달리 '나'는 '삼류선생의 칭호도 과분'하다고 말하고 있으므로 적절하지 않다.
⑤ ㉡에서 '나'는 '집 주변에 오류'를 가꾼 도연명의 풍모를 배우고자 하고 있으'므로, 도연명의 도를 져버리려는 '나'의 의도가 드러난다고 보기는 어렵다.

37 ① 정답률 59%

정답풀이

(나)에서는 이웃이 '가을 낙엽에 성화를 내'자 글쓴이가 버드나무의 처분을 이웃에게 맡기는 모습이 나타날 뿐, 글쓴이가 이웃에게 성화를 내는 모습은 찾을 수 없다.

오답풀이

② '호화찬란한 장미처럼 눈부신 여생이기보다는 담담하기를 바'란다고 말하는 것에서 확인할 수 있다.
③ '홍야항야로 일삼는 세속적인 생각에~허탈을 느낄 때가 한두 번이 아니다.'에서 확인할 수 있다.
④ '욕심껏 꽂아 놓은 나무가 좁은 뜨락에~그 향기를 맡아본 사람이면 알리라.'에서 글쓴이는 '-(으)리라'를 반복적으로 사용하여 나무에 대한 자신의 생각을 개성 있게 나타내고 있다.
⑤ '문 밖에 심은 버드나무' 다섯 그루가 이웃집과 동네 애들에 의해 세 그루만 남게 된 일화를 통해 글쓴이가 자신의 생활 주변에서 글감을 찾았음을 짐작할 수 있다.

[38~41] **기술**

38 ③ 정답률 78%

정답풀이

6문단에 따르면 연료로 쓰이는 '수소는 가솔린의 세 배나 되는 단위 질량당 에너지 밀도를 지니고 있어 에너지 효율이 높'다는 특징이 있다.

오답풀이

① 6문단에서 '수소는 고압으로 압축해야 하므로 폭발할 위험성이 커 보관과 이동에 어려움이 있다'고 하였다.
② 6문단에서 수소전기차에 사용되는 수소는 '외부로부터 공급되는 공기를 필터로 정화하여 사용한 후 배출하므로 공기를 정화하는 기능도 한다.'라고 하였다.
④ 6문단에서 수소전기차의 단점으로 '고가인 백금과 고분자전해질막을 사용해 연료전지를 제작해 가격이 비싸다는 점'을 들고 있다는 것을 통해 이를 대신할 저가의 원료를 개발한다면 연료전지의 가격을 낮출 수 있음을 추론할 수 있다.
⑤ 3문단에서 '차량 구동에 필요한 수준의 전기에너지를 발전시키기 위해'서는 '다수의 연료전지를 직렬로 연결'해야 한다고 하였다.

39 ④ 정답률 50%

정답풀이

5문단에서 ⓐ(-극)에 공급된 수소가 '촉매 속 백금에 의해 수소 양이온과 전자로 분리'되고, 전자가 ⓑ(외부 회로)를 통해 ⓓ(+극)로 이동하면서 '전기에너지가 발생'한다고 하였다. 한편 ⓓ에서는 공급된 산소가 ⓑ를 통해 이동해 온 전자와 '결합하여 산소 음이온'이 되는 것이지, 전자가 분리되지는 않으므로 적절하지 않다.

오답풀이

① 5문단에 따르면 ⓐ에 들어 있는 백금 촉매는 수소를 수소 양이온으로 이온화하며, ⓓ에 들어 있는 백금 촉매는 산소를 산소 음이온으로 이온화한다.
② 4문단에서 ⓒ(고분자전해질막)는 '양이온의 이동은 돕고, 음이온과 전자의 이동은 억제'한다고 한 것을 통해 전자는 ⓒ가 아닌 ⓑ를 통해 ⓓ로 이동한다는 것을 알 수 있다.
③ 5문단의 '-극에 공급된 수소는~전자는 외부 회로를 통해 +극으로 이동한다.'를 통해 수소는 ⓐ에 의해 전자를 잃고 수소 양이온으로 분리되어 ⓒ을 통과하여 ⓓ로 이동한다는 사실을 알 수 있다.
⑤ 5문단의 '+극에서는 공급된 산소가~물이 되어 외부로 배출된다.'를 통해 산소는 ⓓ에서 전자와 결합하여 산소 음이온이 된 후, 수소 양이온과 결합해 물이 된다는 사실을 알 수 있다.

오답률 Best 5

<보기>와 함께 4문단~5문단에 나타난 원리를 정확히 독해했어야 해결할 수 있었어. 5문단을 통해 ⓐ에서 수소가 수소 양이온과 전자로 분리되고, 분리된 전자가 ⓑ를 통해 ⓓ로 이동하며 전기에너지가 발생한다는 것을 알 수 있어. 하지만 ⓓ에서 전자가 분리되진 않아. ⓑ를 통해 이동해 온 전자가 산소를 만나 산소 음이온이 될 뿐이지. 이를 정확히 독해했다면 정답 선지를 찾아낼 수 있었을거야.

정답 이외에 가장 많이 선택한 선지는 16%의 선택률을 보인 ③번으로, 다른 선지들에 비해 선택률이 크게 높지 않았어. 수소전기차에서 전기에너지가 생성되는 과정을 잘 이해하지 못해서 정답률이 낮았던 건 같아. 하지만 ③번 선지만 해도 5문단에서 선지의 내용이 그대로 제시되고 있어. 물론 나머지 선지들도 지문의 내용이 거의 그대로 나타나 있지. 이렇게 어떤 원리의 과정이 지문에 제시된다면 그 과정을 구조화하여 정리하도록 하자. 과정이 지문에 제시되면 이렇게 그림이나 표 등과 함께 지문을 제대로 이해했는지를 묻는 고난도 문제가 출제되기도 하거든.

40 ① 정답률 44%

정답풀이

3문단에 따르면, ㉠(전기차와 수소전기차) 중에 '전기차'는 '고전압 배터리에 충전을 해 전기에너지를 모터로 공급하여 움직'이기 때문에 연료 탱크가 필요하지 않지만, '수소전기차'는 '연료 탱크에 저장된 수소를 연료전지를 통해 전기에너지로 변환하여 동력원으로 사용'하기 때문에 연료 탱크가 필요하다.

오답풀이

② 2문단에서 '㉡(하이브리드차)는 모터와 함께 ㉢(내연기관차)처럼~엔진을 사용하여 구동된다.'라고 하였으며, 3문단에서 ㉡은 '주행 상황에 따라 모터와 엔진을 적절히 이용'한다고 하였다. 이를 통해 ㉡은 '전기차'에 쓰이는 모터와 '내연기관차'에 쓰이는 엔진을 모두 가지고 있고, 차의 주행 상황에 따라 이를 이용한다는 것을 확인할 수 있다.

③ 2문단에서 '내연기관차는 마찰 제동장치를 사용하므로~배터리에 충전해 다시 사용할 수 있'다고 한 것을 통해 감속할 때의 운동에너지를 전기에너지로 변환하여 이를 다시 활용할 수 있는 ㉠, ㉡과 달리 ㉢은 이것이 불가능함을 알 수 있다.
④ 3문단에서 ㉡이 ㉢보다 배기가스가 저감된다고 하였고, 6문단에서는 '수소전기차'가 오염물질이나 온실가스의 배출이 적다고 하였다.
⑤ 2문단에 따르면 '열에너지를 운동에너지로 바꿔 주는 엔진을 사용하여 구동'되는 ㉢과 달리 ㉠은 '전기에너지를 운동에너지로 변환하여 주는 모터만으로 구동되고, 3문단에서 ㉡은 '출발할 때에는 전기에너지를 이용하여 모터를 구동'한다고 하였다.

오답률 Best ❷

이 문제에서 밑줄은 2문단에만 표시되어 있지만, 우리는 3문단의 내용도 활용하여 정답을 찾아야 해. ㉠은 전기차와 수소전기차를 말하는데, 이 둘은 조금 다른 특성을 가지고 있어. 전기차는 배터리에 충전을 해 전기에너지로 모터를 움직이기 때문에 연료가 필요 없어. 당연히 연료를 보관하는 연료 탱크도 필요하지 않지. 하지만 수소전기차는 수소를 전기에너지로 변환해 동력원으로 사용하기 때문에 수소를 저장할 연료 탱크가 필요하지. 이 차이를 파악했다면 ①번 선지를 정답으로 고를 수 있었을 거야.
정답 이외에 가장 많이 선택한 선지는 26%의 선택률을 보인 ⑤번 선지였어. ㉠은 전기에너지를 운동에너지로 변환하여 주는 모터로만 구동되니, 당연히 출발할 때에도 전기에너지를 운동에너지로 변환할 것임을 추론할 수 있어. 그리고 3문단에서 '하이브리드차'인 ㉡은 '출발할 때에는 전기에너지를 이용하여 모터를 구동'한다고 했지. 여기서 모터를 구동하는 것이 전기에너지를 운동에너지로 변환하는 것이라는 건 2문단의 내용을 통해 유추할 수 있어. 한편 2문단에서 '내연기관차'인 ㉢은 '열에너지를 운동에너지로 바꿔 주는 엔진을 사용하여 구동된다.'고 하였으니, 출발할 때에도 열에너지를 사용할 것을 알 수 있지.
39번에서 수소전기차에 대한 세부적인 정보를 물어봤다면, 40번에서는 2문단~3문단에서 알 수 있는 친환경차들의 특성에 대해 묻고 있어. 친환경차의 종류가 세 개나 제시되어 있고, 각각의 특성이 조금씩 다르며, 이와 구분되는 내연기관차의 특성까지도 제시되어 있기 때문에 어렵다고 느낄 수 있어. 이렇게 분류의 방법으로 제시된 정보들은 잠깐 시간을 내서라도 따로 표시하거나 적어 두며 정리해 두면 좋아.

41 ③ 정답률 87%

정답풀이
㉮(받고)의 '받다.'와 '그 아이는 막내로 태어나 집에서 귀염을 받고 자랐다.'의 '받다'는 모두 '다른 사람이나 대상이 가하는 행동, 심리적인 작용 따위를 당하거나 입다.'라는 의미로 쓰였다.

오답풀이
① '회사의 미래를 위해 신입 사원을 받아야 하겠군.'의 '받다'는 '사람을 맞아들이다.'의 의미이다.
② '네가 원하는 요구 조건은 무엇이든지 받아 주겠다.'의 '받다'는 '다른 사람의 어리광, 주정 따위에 무조건 응하다.'의 의미이다.
④ '그는 좌회전 신호를 받고 천천히 차의 속도를 높였다.'의 '받다'는 '요구, 신청, 질문, 공격, 도전, 신호 따위의 작용을 당하거나 거기에 응하다.'의 의미이다.
⑤ '예전에는 빗물을 큰 물통에 받아 빨래하는 데 쓰기도 했다.'의 '받다'는 '흐르거나 쏟아지거나 하는 것을 그릇 따위에 담기게 하다.'의 의미이다.

[42~45] **고전소설**

42 ③ 정답률 53%

정답풀이
'종황'은 '하늘이 우리 주공을 내셔서 이 보배를 주셨으니, 이것으로 하늘의 뜻을 알 것입니다.'라고 말하고 있다. 즉 '종황'은 보배의 주인이 자신이 아니라 주공인 '임성'일 것이라 생각하고 있는 것이다.

오답풀이
① '임성'은 닭의 깃털로 황금빛 지네를 물리친 '종황'에게 '선생은 과연 하늘이 내신 신이한 사람입니다.'라고 말하고 있다.
② '종황'은 '이전에 있었던 모든 요괴의 작변을~주공이 천명을 받았기 때문입니다.'라고 말하며 '임성' 덕분에 작변을 겪었음에도 한 사람도 상하지 않았다고 말하고 있다.
④ '서해 용왕'은 '그대의 관상을 보니~제왕이 될 모습은 아니오.'라고 말하며, '종황'이 제왕이 될 모습이 아니기에 보배의 임자가 아니라 말하고 있다.
⑤ '서해 용왕'은 '임성'의 무리를 잡아서 산골짜기에 배를 숨겼는데, '임성'을 보고는 '소인이 알아뵙지 못하고 하늘이 정한 일을 범하였'다고 말하며 사죄하고 있다.

43 ③ 정답률 70%

정답풀이
'종황'은 ㉠(닭의 깃털)에 대해 '큰 바다에는 온갖 괴이한 족속들과 요괴가 있을 것으로 생각하여 반수에게 준비시'켰다고 말한 것을 통해 알 수 있다.

오답풀이
① '해약'이 물에 사는 생물들이 '임성'의 무리를 훼방하지 못하도록 금지시켰다고만 했을 뿐, 요괴의 작변을 제어하기 위해 ㉠을 주었다고 하지는 않았다.
② ㉠은 요괴를 없애기 위해 '종황'이 '반수에게 준비시'킨 것이다.
④ 석벽 틈 사이에 어려 있던 붉은 안개와 독기를 없앤 것은 ㉠이 아니라 '부채'이다.
⑤ ㉠을 준비하도록 지시를 받은 사람은 '조정'이 아니라 '반수'이다.

44 ⑤ 정답률 76%

정답풀이
[A]에서 '종황'은 '하늘의 이치를 따르는 사람은 창성하고, 하늘의 이치를 거스르는 사람은 망한다.'는 옛사람의 말을 인용하여 보배를 달라고 요구하는 서해 용왕이 잘못되었음을 지적하고 있다.

오답풀이
① [A]에서 상대방과의 관계 개선에 대한 기대를 드러내는 부분은 찾을 수 없다.
② [A]에서 앞으로 일어날 상황에 대한 두려움을 드러내는 부분은 찾을 수 없다.
③ [A]에서 동정심에 기대어 상대방의 행동 변화를 촉구하는 부분은 찾을 수 없다.
④ [A]에서 상황을 과장하여 자신이 취한 행동에 대해 변명하는 부분은 찾을 수 없다.

45 ⑤ 정답률 53%

정답풀이
'서해 용왕'은 보배를 뺏으려 '임성' 일행이 '스스로 이곳에 이르게 한 것'이므로, 자신이 임성 일행을 섬에 이르게 한 것이라는 서해 용왕의 말이 '임성'이 내면적인 덕목을 갖춘 인물임을 보여 준다고 볼 수는 없다.

오답풀이
① 〈보기〉에서 '임성은 황제가 될 천명을 받은 인물'이라고 하였는데, 이는 '임성'이 보배를 얻은 것이 하늘의 뜻이라 말하는 '종황'의 말을 통해 확인할 수 있다.
② 〈보기〉에서 '임성'은 '신적 존재인 용왕으로부터 천명을 인정받는다.'라고 하였는데, 이는 '서해 용왕'이 '임성'이 하늘의 명을 받은 사람임을 깨닫고 임성에게 머리를 조아리며 사죄하는 장면을 통해 확인할 수 있다.
③ 〈보기〉에서 '임성은 일반적인 영웅 소설과 같이 조력자의 도움으로 시련을 극복한다.'라고 하였는데, 이는 '임성'이 '종황'의 도움을 받아 지네를 없애고 서해 용왕의 위협에서 벗어나는 장면을 통해 확인할 수 있다.
④ 〈보기〉에서 '임성은 일반적인 영웅 소설의 주인공과 달리 시련을 극복하는 과정에서 도술을 부리는 등의 신이한 능력을 보이기보다는 황제가 갖추어야 할 내면적인 덕목을 보여 준'다고 하였는데, '임성'이 스스로의 힘으로 배에서 벗어나지 못하는 장면을 통해 임성이 신이한 능력을 보이지 않는 인물임을 확인할 수 있다.

3회

2021학년도 6월 학평

1. ⑤	2. ④	3. ③	4. ②	5. ④	6. ③	7. ⑤	8. ⑤	9. ⑤	10. ④
11. ①	12. ②	13. ⑤	14. ②	15. ①	16. ①	17. ③	18. ④	19. ④	20. ②
21. ②	22. ④	23. ③	24. ⑤	25. ①	26. ②	27. ④	28. ①	29. ①	30. ③
31. ②	32. ③	33. ⑤	34. ②	35. ④	36. ⑤	37. ⑤	38. ④	39. ①	40. ②
41. ①	42. ③	43. ③	44. ③	45. ④					

오답률 Best 5

[1~3] 화법

1 ⑤ 정답률 **93%**

정답풀이

발표자는 '동서로 연결된 고속도로는 아래쪽에서 위쪽으로 갈수록 큰 번호가 부여'된다고 설명하며, 자료에서 '60번인 서울양양고속도로와 10번인 남해고속도로'를 예로 제시하고 있다. 그리고 '지방도의 번호 중 백의 자리와 천의 자리 숫자는 각 도의 고유 번호'를 나타낸다고 설명하며, 자료에서 '백의 자리가 3인 경우는 경기도를 의미'한다고 예를 들고 있다.

오답풀이

① 발표 자료로 '도로 표지판'을 보여주고 있지만, 이 발표 자료의 출처를 밝히지 않았다.
② 발표를 마무리하면서 '앞으로는 차를 타고 가다 도로 표지판을 보면 어떤 종류의 도로를 지나가고 있는지 알 수 있겠죠?'라며 청중에게 질문을 하고 있을 뿐, 발표 중간중간 질문을 던지고 있지는 않다.
③ 도로 표지판의 모양과 번호의 의미에 대해서 설명하고 있지만, 도로 표지판의 역사적 유래와 가치를 언급하고 있지는 않다.
④ 발표 내용과 관련된 발표자의 경험이 나타나는 부분은 찾을 수 없다.

2 ④ 정답률 **88%**

정답풀이

발표에 따르면 '타원 모양'인 (나)는 '일반국도' 표지판이며 발표자는 '고속도로와 마찬가지로 홀수는 남북으로 연결된 도로를, 짝수는 동서로 연결된 도로를 의미'한다고 설명하고 있다. 그런데 (나)는 '7번'이라는 홀수 번호를 가지고 있으므로 '동서'가 아닌 '남북'으로 연결되었다고 볼 수 있다.

오답풀이

① '방패 모양과 비슷하게 생'긴 (가)는 '고속도로 표지판'이며 '중앙에 적힌 번호'가 짝수인 '30'이므로 '동서로 연결된 고속도로'이다. 이때 '동서로 연결된 고속도로는 아래쪽에서 위쪽으로 갈수록 큰 번호가 부여'된다고 하였으므로, 30번인 (가)는 '10번인 남해 고속도로'와 '60번인 서울양양고속도로' 사이에 위치한다고 할 수 있다.
② '타원 모양'인 (나)는 '일반국도'를 가리키는데, 일반국도 중 '한 자리 번호가 적힌 경우는 두 자리 이상의 번호가 부여된 일반국도보다 중심적인 역할을 담당'한다고 했다. (나)는 '7'이라는 한 자리 번호가 적혀 있으므로, 두 자리 번호가 적힌 같은 종류의 도로보다 중심적인 역할을 한다고 볼 수 있다.
③ (다)는 '직사각형 모양의 표지판'이므로 '지방도'를 가리킨다. '지방도는 도내의 시 · 군청 소재지들을 연결하고 있는 도로'이며 '10××는 경상남도'의 고유 번호를 나타낸다고 하였다. 따라서 '1004'라는 숫자가 적힌 (다)는 경상남도 내의 시 · 군청 소재지들을 연결하고 있는 도로들 중 하나라고 볼 수 있다.
⑤ (다)는 '지방도'를 가리키는 표지판으로, 이는 '앞의 두 도로와 달리 도지사가 직접 관리'한다고 하였다. 여기서 '두 도로'는 '고속도로'와 '일반국도'를 가리키므로 (가)가 가리키는 고속도로, (나)가 가리키는 일반국도와 달리 지방도인 (다)는 도지사가 직접 관리한다고 할 수 있다.

3 ③ 정답률 **93%**

정답풀이

발표를 들은 학생은 〈보기〉에서 발표 내용과 관련한 자신의 경험을 떠올리고 있다. 그리고 발표자가 언급하지 않은 '삼각형과 육각형 모양의 표지판'에 대해 궁금해 하며 이를 해결하기 위해 '인터넷으로 검색해' 보고자 하는 적극적인 태도를 보이고 있다.

오답풀이

① 발표자의 발표 내용을 객관적인 사실과 발표자의 의견으로 구분하고 있지는 않다.
② 발표를 들은 학생은 자신이 '발표했던 경험'을 떠올리고 있지 않으며, 발표자의 발표 태도에 대해 언급한 부분도 찾을 수 없다.
④ 발표에서 언급되지 않은 정보인 '삼각형과 육각형 모양의 표지판'에 대해 궁금해하지만, 이를 발표자에게 질문해야겠다고 생각하고 있지는 않다.
⑤ 발표 내용과 관련하여 궁금한 점을 떠올리고 있을 뿐, 발표에서 제시한 정보에 의문을 품고 있지 않다.

[4~7] 화법과 작문

4 ② 정답률 **79%**

정답풀이

'진행자'는 '올해는 나눔 마당, 실속 마당, 체험 마당으로 구성하여 운영한다는 말씀이죠?'라고 하여 '△△시 시장'이 말한 장터 운영과 관련해 자신이 이해한 내용이 맞는지 확인하고 있다.

오답풀이

① '진행자'는 '△△시 시장'에게 인사 후 바로 질문을 던졌으며, '△△시 시장'에게 인터뷰할 내용의 순서를 안내하고 있지는 않다.
③ '진행자'는 친숙한 소재에 빗대어 인터뷰 내용을 요약하고 있지 않다.
④ '△△시 시장'이 답변하는 내용 중 전문가의 말을 인용한 부분은 찾을 수 없다.
⑤ '△△시 시장'은 행복 나눔 장터에 방문해 달라는 내용으로 인터뷰를 마무리하고 있을 뿐, 행복 나눔 장터로 기대되는 긍정적인 결과를 언급하며 인터뷰를 마무리한 것은 아니다.

5 ④ 정답률 84%

정답풀이

㉣(기증~있나요?)은 '기증 받은 중고품'을 묻는 진행자의 질문으로, 이에 대해 '△△시 시장'은 '2021년 △△시 시민들이 기증한 중고품 목록'인 '표'를 제시하여 '시민들로부터 기증 받은 중고품이 굉장히 많'음을 말하고 있다. 그리고 '행사장에 도착한 순서'에 따라 '한 세대 당 하나'의 물품을 선택할 수 있는 기회를 준다고 설명하고 있다. 하지만 ㉣에 대한 답변에서 기증자에게 돌아갈 다양한 혜택을 언급한 부분은 확인할 수 없다.

오답풀이

① ㉠(시청자 분들께~말씀해 주시겠어요?)은 '행복 나눔 장터를 운영하게 된 배경'을 묻는 질문으로, 이에 대해 '△△시 시장'은 '사진 1'을 보여주며 '주변에 버려진 전자제품과 가구가 오랫동안 방치되어 환경을 오염시키고 있'음을 말한다. 그리고 행복 나눔 장터 덕분에 '중고품의 재활용이 증가하여 쓰레기 배출량도 많이 줄었'음을 설명하고 있다.
② ㉡(장터의~있나요?)은 '장터의 모습'을 보여 달라고 요청한 것으로, 이에 대해 '△△시 시장'은 '지난 주말의 장터 모습을 촬영'한 '동영상'을 제시하고 있다.
③ ㉢(올해는~있나요?)은 행복 나눔 장터의 운영면에서 올해 '지난해와 달라진 점'을 묻는 질문으로, 이에 대해 '△△시 시장'은 '사진 2'를 제시하여 '실속 마당'에서 '농산물을 저렴하게 구입'할 수 있음을, '사진 3'을 제시하여 '체험 마당'에서 '폐식용유를 활용한 비누 만들기 체험'을 할 수 있음을 답변하고 있다.
⑤ ㉤(시민들이~하나요?)은 '시민들이 중고품을 기증'하는 방법에 대한 질문으로, 이에 대해 '△△시 시장'은 '사진 4'를 활용하여 '△△시 홈페이지 게시판'을 통해 기증을 할 수 있다며, 그 절차를 안내하고 있다.

6 ③ 정답률 93%

정답풀이

(나)에서 다른 지역의 학교에서 운영하고 있는 중고품 나눔 장터에 대한 내용은 확인할 수 없다.

오답풀이

① 1문단에서 '저는 1학년 김○○입니다.'라고 하여 글을 쓰는 사람이 누구인지를 먼저 밝히고 있다.
② 2문단에서 지난 주말 '행복 나눔 장터'에 다녀온 경험을 이야기하고 있으며, '우리 학교에도 중고품을 교환할 수 있는 나눔 장터가 있으면 좋겠다'고 느낀 점을 서술하고 있다.
④ 3문단에서 우리 학교 학생들의 상당수가 사용하지 않는 물건들을 '처리할 방법을 잘 몰라 그냥 버리거나 집에 방치하고 있다'고 언급하고 있다.
⑤ 4문단에서는 중고품 교환 장터가 생긴다면 '긍정적인 효과가 발생할 것'이니 '중고품 나눔 장터를 마련해 주셨으면 좋겠습니다.'라고 건의하며 글을 마무리하고 있다.

7 ⑤ 정답률 80%

정답풀이

'학생들은 나눔의 정신을 배울 것'이라는 부분에서 '우리 학교 학생들이 얻을 수 있는 교육적 효과'를 강조할 수 있다. 또한 '학교는 자원 절약을 실천하는 배움터라는 이미지를 얻을 것'이라는 부분에서 '학교가 얻을 수 있는 홍보 효과'를 강조할 수 있다.

오답풀이

① '지역 주민들도 분명 동참하게 될 것'이라는 부분은 '우리 학교 학생들이 얻을 수 있는 교육적 효과와 학교가 얻을 수 있는 홍보 효과'를 강조한다고 볼 수 없다.
② '자신의 물건을 함부로 버리지 않고 더 애정을 가지게 될 것'이라는 부분에서 '우리 학교 학생들이 얻을 수 있는 교육적 효과'를 강조할 수는 있으나, '학교가 얻을 수 있는 홍보 효과'를 강조하고 있지 않다.
③ '학생들도 자원 절약의 정신을 배우게 될 것'이라는 부분에서 '우리 학교 학생들이 얻을 수 있는 교육적 효과'를 강조할 수는 있으나, '학교가 얻을 수 있는 홍보 효과'를 강조하고 있지 않다.
④ '우리 지역의 중학생들도 이 소문을 듣게 될 것이므로 자연스럽게 학교 홍보가 될 것'이라는 부분에서 '학교가 얻을 수 있는 홍보 효과'를 강조할 수는 있으나, '우리 학교 학생들이 얻을 수 있는 교육적 효과'를 강조하고 있지 않다.

[8~10] 작문

8 ⑤ 정답률 74%

정답풀이

윗글은 '디지털 탄소발자국'을 소개하고 이를 줄이기 위한 실천 방안을 제시하고 있는 글로, 예상되는 반론을 언급하는 부분은 나타나 있지 않다.

오답풀이

① 1문단에서 '탄소발자국'을 '우리가 살아가면서 지구에 남기는 흔적'에 비유하고, 2문단에서 '지구를 병들게' 한다고 표현하는 등 비유적 표현을 활용하여 탄소 발자국이 지구에 부정적 영향을 끼치고 있음을 드러내어 독자의 경각심을 높이고 있다.
② 1문단에서 '기후변화', '지속가능', '탄소발자국'과 같은 시사 용어를 사용하여 독자의 관심을 유도하고 있다.
③ 3문단에서 '그렇다면 이러한 디지털 탄소발자국을 줄이기 위해 우리가 실천할 수 있는 일에는 무엇이 있을까?'라고 묻고 이에 대한 답으로 스마트폰 사용 시간 줄이기, 콘텐츠 다운로드, 스마트폰 교체 주기 늘리기를 제시하고 있다.
④ 3문단에서 '우리가 실천할 수 있는 일'로 스마트폰 사용 시간 줄이기, 콘텐츠 다운로드, 스마트폰 교체 주기 늘리기와 같은 다양한 실천 방안을 제시하여 독자의 참여를 이끌어내고 있다.

9 ⑤ 정답률 81%

정답풀이

'ㄱ-2'는 '디지털 탄소발자국의 비율'이 점점 늘어나 2040년에는 14%를 초과할 것이라는 추정을 담은 통계 자료이며, 'ㄴ'은 '○○구'의 '디지털 탄소발자국 줄이기 5대 지침' 시행과 관련된 신문 기사로, 이 두 자료는 탄소 발자국을 줄이기 위한 현행 제도의 문제점과 관련된 내용을 다루고 있지 않다.

오답풀이

① 'ㄱ-1'은 데이터 8.6MB 사용 시 CO_2 배출량이 자동차 1Km 주행 시 CO_2 배출량과 같음을 드러내고 있다. 따라서 이를 활용하여 스마트폰 데이터 사용이 자동차 주행과 맞먹는 탄소발자국을 남기고 있음을 강조할 수 있다.
② 'ㄱ-2'는 '디지털 탄소발자국의 비율'이 점점 늘어나 2040년에는 14%를 초과할 것이라는 추정을 담은 통계 자료이다. 따라서 탄소발자국에서 디지털 탄소발자국이 차지하는 비중이 앞으로 더 늘어날 것임을 알리는 데 활용할 수 있다.
③ 'ㄴ'은 '디지털 탄소발자국 줄이기 5대 지침' 시행과 관련된 신문 기사이다. 이를 활용하여 디지털 탄소발자국을 줄여 기후변화에 대응하는 실천 방안을 추가할 수 있다.
④ 'ㄷ'에는 '2020년 7월 한 달 동안 스마트폰 가입자가 사용한 데이터'가 '1인당 평균 12.5GB'로 '한 달 동안 1인당 137.5Kg의 이산화탄소를 배출'한 것이라는 전문가 인터뷰가 제시되어 있다. 이를 'ㄱ-1'과 연결하여, 스마트폰 데이터의 사용으로 발생하는 디지털 탄소발자국을 구체적인 수치로 나타내는 데 활용할 수 있다.

10 ④ 정답률 86%

정답풀이

㉣(스마트폰 한 대를~양과 같다고 한다.)의 앞 문장은 '스마트폰을 자주 바꾸지 않는 것이다.'이고, ㉣의 뒤 문장은 '스마트폰의 교체 주기가 잦을수록 이산화탄소 발생량이 점점 증가하므로 교체 주기를 늘리는 것이 탄소발자국을 줄이는 방법이 될 수 있다.'이다. 이러한 문맥을 고려했을 때, 스마트폰 생산에 따른 이산화탄소 배출량을 언급한 ㉣은 글의 통일성을 해친다고 볼 수 없다.

오답풀이

① ㉠(감소시키고 줄이려는)에서 '감소시키다'는 '이전보다 줄이다.'라는 뜻을 가지고 있으므로, '줄이려는'과 의미가 중복된다. 따라서 '감소시키고'를 삭제하는 것은 적절하다.
② ㉡(그러나) 앞에서는 디지털 기기와 서버의 '연결 과정'과 '데이터 센터의 적정 온도' 유지에 이산화탄소가 많이 발생함을 말하고 있고, ㉡ 뒤에서는 '디지털 기기를 사용하는 것만으로도 지구를 병들게 할 수 있다는 것'을 말하고 있다. 이 두 문장은 인과 관계를 가지고 있으므로, ㉡을 '그래서'로 수정하는 것이 적절하다.

③ '멀리하다'는 '어떤 사물을 삼가거나 기피하다.'라는 뜻으로, '어떤 사물을'에 해당하는 목적어를 필요로 하는 서술어이다. 따라서 ⓒ에는 서술어 '멀리하다'와 호응하는 목적어 '스마트폰을'을 첨가하는 것이 적절하다.
⑤ '(어떤 사람이 다른 사람과 눈을) 일치시켜 마주 바라보다.'라는 의미를 가진 단어는 '맞추다'이며, '마추다'는 '맞추다'의 비표준어로 맞춤법에 어긋난다. 따라서 '맞추다'의 활용형은 ⓜ(마추며)이 아닌 '맞추며'로 표기하는 것이 적절하다.

[11~15] 문법(언어)

11 ① 정답률 47%

정답풀이

'굳히다'는 'ㄷ'과 'ㅎ'이 만나 'ㅌ'으로 발음되는 거센소리되기가 나타나 [구티다]가 된다. 이는 두 개의 음운이 하나로 합쳐지는 ⓛ('축약')에 해당된다. 한편 [구티다]의 'ㅌ'은 'ㅣ'로 인해 'ㅊ'으로 구개음화가 되면서 최종적으로 [구치다]로 발음되는데, 이는 한 음운이 다른 음운으로 바뀌는 ㉠('교체')로 볼 수 있다.

오답풀이

② '미닫이'는 받침 'ㄷ'이 모음 'ㅣ'로 시작되는 형식 형태소와 만나 'ㅈ'으로 바뀌는 구개음화가 일어나 [미다지]로 발음된다. 이는 한 음운이 다른 음운으로 바뀌는 ㉠만 나타난 것이다.
③ '빨갛다'는 'ㅎ'이 'ㄷ'과 만나 'ㅌ'으로 발음되는 거센소리되기가 나타나 [빨가타]로 발음된다. 이는 두 개의 음운이 하나로 합쳐지는 ⓛ만 나타난 것이다.
④ '솜이불'은 '솜'과 '이불'이 합쳐진 합성어로 앞말인 '솜'이 'ㅁ'이라는 자음으로 끝나고, 뒷말인 '이불'이 모음 'ㅣ'로 시작하므로 'ㄴ'이 첨가되어 [솜니불]로 발음된다. 이는 없던 음운이 새로 생기는 '첨가'에 해당하므로, ㉠과 ⓛ 모두 나타나지 않는다.
⑤ '잡히다'는 'ㅂ'과 'ㅎ'이 만나 'ㅍ'으로 발음되는 거센소리되기가 나타나 [자피다]로 발음된다. 이는 두 개의 음운이 하나로 합쳐지는 ⓛ만 나타난 것이다.

오답률 Best 4

11번은 문법 개념만 알면 충분히 풀 수 있는 문제였어. 이 문제를 틀렸다면 문법 기본 개념을 다시 정리할 필요가 있어! 여기서 다루는 문법 개념은 음운의 변동에서 거센소리되기, 구개음화, 'ㄴ' 첨가였어. 먼저 거센소리되기는 예사소리 'ㄱ, ㄷ, ㅂ, ㅈ'이 'ㅎ'과 만나 거센소리 [ㅋ, ㅌ, ㅍ, ㅊ]으로 발음되는 현상을 말하고, 구개음화는 받침 'ㄷ, ㅌ(ㄾ)'인 형태소가 모음 'ㅣ'나 반모음 'ㅣ'로 시작되는 형식 형태소를 만나 'ㄷ, ㅌ'이 'ㅈ, ㅊ'으로 바뀌는 현상을 말해. 그리고 'ㄴ' 첨가는 합성어나 파생어에서 앞말이 자음으로 끝나고 뒷말이 모음 'ㅣ'나 반모음 'ㅣ'로 시작할 때 'ㄴ'이 새로 생기는 현상을 말해. 문법은 개념 자체를 모르면 풀 수 없는 문제가 많기 때문에, 문법을 공부할 때에는 예시와 함께 개념을 완벽히 이해하는 것이 중요하다는 점 꼭 기억해!

12 ② 정답률 64%

정답풀이

3문단에 따르면 ⓛ(자신이 돌아왔음)은 '절 전체가 명사처럼 쓰이는' 명사절로, 목적격 조사인 '을'과 연결되어 '알리며'의 목적어 역할을 하고 있다.

오답풀이

① ㉠(오랫동안 여행을 떠났던)은 뒤에 오는 명사 '친구'를 수식하고 있다. 3문단에 따르면 이처럼 '체언 앞에 위치하여 체언을 수식하는 역할'을 하는 절은 관형절에 해당한다.
③ 3문단에 따르면 ⓒ(곧장 나를 만나러 오겠다)은 친구가 한 말이며, '고'와 결합하여 나타나는 것으로 보아 인용절에 해당한다.
④ ⓓ(기분 좋게)은 '약속해서'를 수식하고 있다. 3문단에 따르면 이처럼 '서술어를 수식하는 역할'을 하는 절은 부사절에 해당한다.
⑤ ⓜ(마음이 설렜다)은 주어 '나'의 상태를 서술하는 역할을 하고 있는데, 3문단에 따르면 이처럼 '절 전체가 서술어의 기능을 하는 것'은 서술절에 해당한다.

13 ⑤ 정답률 86%

정답풀이

'갑자기 문이 열려서 사람들이 놀랐다.'는 문장은 '갑자기 문이 열리다.'와 '사람들이 놀랐다.'는 문장이 연결 어미 '-어서'로 연결된 것이다. 4문단에 따르면 '-아서/-어서'라는 연결 어미에 의해 이어진 문장은 '종속적으로 이어진문장'이라고 하였으며, 이때 앞 절이 뒤 절에 대해 '원인'의 종속적인 의미 관계로 해석된다.

오답풀이

① '무쇠도 갈면 바늘이 된다.'에서 '무쇠도 갈다.'와 '바늘이 된다.'는 문장이 연결 어미 '-면'으로 연결된 것이다. 4문단에 따르면 '-(으)면'이라는 연결 어미에 의해 이어진 문장은 '종속적으로 이어진문장'이라고 하였으며, 이때 앞 절이 뒤 절에 대해 '조건'의 종속적인 의미 관계로 해석된다.
② '하늘도 맑고, 바람도 잠잠하다.'는 '하늘도 맑다.'와 '바람도 잠잠하다.'라는 문장이 연결 어미 '-고'로 연결된 것이다. 4문단에 따르면 '-고'라는 연결 어미에 의해 이어진 문장은 '대등하게 이어진문장'이며, 이때 앞 절과 뒤 절이 '나열'의 대등한 의미 관계로 해석된다.
③ '나는 시험공부를 하러 학교에 간다.'는 '나는 시험공부를 하다.'와 '학교에 간다.'라는 문장이 연결 어미 '-러'로 연결된 것이다. 4문단에 따르면, '-러'라는 연결 어미에 의해 이어진 문장은 '종속적으로 이어진문장'이라고 하였으며, 이때 앞 절이 뒤 절에 대해 '목적'의 종속적인 의미 관계로 해석된다.
④ '함박눈이 내렸지만 날씨가 따뜻하다.'는 '함박눈이 내렸다.'와 '날씨가 따뜻하다.'라는 문장이 연결 어미 '-지만'으로 연결된 것이다. 4문단에 따르면 '-지만'이라는 연결 어미에 의해 이어진 문장은 '대등하게 이어진문장'이라고 하였으며, 이때 앞 절과 뒤 절이 '대조'의 대등한 의미 관계로 해석된다.

14 ② 정답률 36%

정답풀이

ⓛ의 '밝는다'는 '밝다'의 어간에 선어말 어미 '-는-'이 결합한 것이다. 〈보기〉에서 '-는-'은 '현재 시제 선어말 어미'로 '동사 어간'에 붙는다고 했으므로, '밝는다'는 '동사'에 해당한다.

오답풀이

① 〈보기〉에서 '동사'는 '동작이나 작용을 나타내는 단어'라고 하였는데, ㉠의 '던졌다'는 지훈이의 '동작'을 나타내는 단어이므로 동사로 판단할 수 있다.
③ ⓒ의 '아는'은 '알다'의 어간에 '-는'이 결합한 것이다. 〈보기〉에서 '-는'은 '현재 시제의 관형사형 어미'라고 했고, '-는'이 붙는 것은 '동사 어간'이라고 하였으므로 '아는'은 동사로 판단할 수 있다.
④ ⓓ의 '입어라'는 '입다'의 어간에 명령형 어미 '-어라'가 붙은 것이다. 〈보기〉에서 '명령형 어미 '-아라/-어라''가 붙는 것은 '동사 어간'이라고 하였으므로 '입어라'는 동사로 판단할 수 있다.
⑤ ⓜ은 '비문법적인 문장'으로 청유형 어미 '-자'가 붙을 수 없음을 의미한다. 〈보기〉에서 '청유형 어미 '-자''는 일반적으로 '형용사 어간에는 붙지 않는다'고 했기 때문에, '건강하다'는 형용사로 판단할 수 있다.

오답률 Best 1

이 문제는 정답인 ②번보다 오답인 ⑤번을 선택한 학생들이 많았어. ⑤번을 많이 고른 이유는 <보기>에 나온 ※의 내용을 제대로 보지 않아 ⓜ이 '비문법적인 문장'인 것을 파악하지 못했거나 평소 언어 생활에서 '건강하자'와 같은 표현을 사용한 경험이 있기 때문이라고 볼 수 있어. <보기>가 판단의 기준을 제공하고 있는 경우는 ※ 표시까지 놓치지 않도록 주의해야 해. 또한 문법은 자신의 언어 습관에 비추어 판단하게 되는 경우가 많은데, 자신의 언어 습관이 반드시 '문법적으로' 옳은 것이 아님을 인식하고 있어야 해. 정답인 ②번은 무심코 보면, '밝다'를 '대상의 상태'라고 생각할 수 있기 때문에 조심해야 해. '밝는다'가 '밝- + -는- + -다'로 분석되는 것을 파악하고, '-는-'이 <보기>에 제시된 동사와 형용사의 구분 조건에 해당하는 '현재 시제 선어말 어미'임을 확인했다면 '밝는다'가 동사에 해당한다는 것을 판단할 수 있어.

15 ① 정답률 84%

정답풀이

'창문을 열어 환기를 하자.'에서 '열어'는 '닫히거나 잠긴 것을 트거나 벗기다.'라는 ㉠(중심적 의미)으로 사용되었다. 반면 '회의를 열어 그를 회장으로 추천하자.'에서 '열어'는 '모임이나 회의 따위를 시작하다.'라는 ㉡(주변적 의미)으로 사용되었다.

오답풀이

② '마음을 굳게 먹고 열심히 연습했다.'에서 '먹고'는 '어떤 마음이나 감정을 품다.'라는 뜻으로 ㉡에 해당한다. '국이 매워서 많이 먹지 못하겠다.'에서 '먹지'는 '음식 따위를 입을 통해 배 속에 들여보내다.'라는 뜻으로 ㉠에 해당한다.

③ '미리 숙소를 잡고 여행지로 출발했다.'에서 '잡고'는 '자리, 방향, 날짜 따위를 정하다.'라는 뜻으로 ㉡에 해당한다. '오디션에 참가할 기회를 잡았다.'에서 '잡았다'는 '일, 기회 따위를 얻다.'라는 뜻으로 ㉡에 해당한다.

④ '그는 이번 인사발령으로 총무과로 갔다.'에서 '갔다'는 '직책이나 자리를 옮기다.'라는 뜻으로 ㉡에 해당한다. '그는 아침 일찍 일터로 갔다.'에서 '갔다'는 '한 곳에서 다른 곳으로 장소를 이동하다.'라는 뜻으로 ㉠에 해당한다.

⑤ '창밖을 내다보니 동이 트려면 아직도 멀었다.'에서 '멀었다'는 '시간적으로 사이가 길거나 오래다.'라는 뜻으로 ㉡에 해당한다. '학교에서 버스 정류장까지가 매우 멀었다.'에서 '멀었다'는 '거리가 많이 떨어져 있다.'라는 뜻으로 ㉠에 해당한다.

[16~20] **과학**

16 ① 정답률 64%

정답풀이

윗글은 식욕의 작용 원리에 대해 '식욕 중추'와 '전두 연합 영역'을 중심으로 하여 설명하고 있다.

오답풀이

② 1문단의 '식욕은 음식을 먹고 싶어 하는 욕망으로, 인간이 살아가는 데 필요한 영양분을 얻기 위해서 반드시 필요하다.'에서 '식욕의 개념과 특성'을 확인할 수 있지만, 이를 글 전체를 아우르는 표제로 삼기는 어렵다. 또한 2문단에서 '포도당'과 '지방산'이라는 '영양소의 종류와 역할'을 확인할 수는 있으나 이 역시 2문단에 한정된 내용이므로, 부제로 삼기는 어렵다.

③ '식욕이 생기는 이유'는 식욕의 작용 원리를 설명하는 윗글의 표제로 볼 수 있다. 하지만 2문단에서는 탄수화물과 지방의 식욕 조절 과정에서의 역할을 설명하고 있을 뿐, 이들의 관계를 드러내고 있지는 않으므로, '탄수화물과 지방의 영향 관계를 중심으로'는 부제로 적절하지 않다.

④ '전두 연합 영역의 특성'은 식욕의 작용 원리를 설명하는 '식욕 중추'의 내용을 포함하지 않으므로 표제로 보기 어렵다. 또한 '디저트의 섭취와 소화 과정'도 4문단에 부분적으로 언급된 내용이므로 부제로 삼기는 어렵다.

⑤ '전두 연합 영역의 여러 기능'은 식욕의 작용 원리를 설명하는 '식욕 중추'의 내용을 포함하지 않으므로 표제로 삼기 어렵다. 또한 2문단에서는 '포도당'과 '지방산'의 역할을 설명할 뿐, 이들이 서로 어떤 관계를 갖는지는 제시되지 않았으므로 이 역시 부제로 삼기는 어렵다.

17 ③ 정답률 77%

정답풀이

4문단에서 '전두 연합 영역의 신경 세포가 '맛있다'와 같은 신호를 섭식 중추로 보내면, 거기에서 '오렉신'이라는 물질이 나온다.'라고 했다. 따라서 '오렉신'은 전두 연합 영역이 아닌 섭식 중추에서 분비되는 것으로 보아야 한다.

오답풀이

① 1문단의 '식욕은 음식을 먹고 싶어 하는 욕망으로, 인간이 살아가는 데 필요한 영양분을 얻기 위해서 반드시 필요하다.'를 통해 식욕은 인간이 살아가는 데 반드시 필요한 욕망임을 알 수 있다.

② 1문단에서 '식욕은 기본적으로 뇌의 시상 하부에 있는 식욕 중추의 영향을 받는'다고 하였다. 또한 2문단의 '이 포도당과 인슐린이 혈액을 타고 시상 하부로 이동하여 포만 중추의 작용은 촉진하고 섭식 중추의 작용은 억제한다.', '지방산이 혈액을 타고 시상 하부로 이동하여 섭식 중추의 작용은 촉진하고 포만 중추의 작용은 억제한다.'를 통해서도 인간의 뇌에 있는 시상 하부가 인간의 식욕에 영향을 끼침을 알 수 있다.

④ 4문단의 '흔히 사람들이 '이젠 더 이상 못 먹겠다.'고 생각하는 이유는 실제로 배가 찼기 때문일 수도 있고, 배가 차지는 않았지만 특정한 맛에 질렸기 때문일 수도 있다.'를 통해 음식의 특정한 맛에 질렸을 때 더 이상 먹을 수 없다고 생각할 수 있음을 알 수 있다.

⑤ 3문단에서 '영양분의 섭취와 상관없이 취향이나 기분에 좌우되는 식욕'은 '대뇌의 앞부분에 있는 '전두 연합 영역'에서 조절되는데, 본래 이 영역은 정신적으로 지적인 활동을 담당하는 곳이지만 식욕에도 큰 영향을 미친다.'라고 했다. 이를 통해 전두 연합 영역이 정신적이고 지적인 활동뿐만 아니라 식욕에도 관여한다는 것을 확인할 수 있다.

18 ④ 정답률 41%

정답풀이

1문단에서 '식욕 중추'에는 '배가 고픈 느낌이 들게 하는 '섭식 중추'와 배가 부른 느낌이 들게 하는 '포만 중추'가 함께 있다.'라고 했다. 이때 '영양분의 섭취가 늘어나면, 포만 중추가 작용해서 식욕이 억제'된다고 하였으므로, '포만 중추'는 식욕을 억제하는 작용을 한다고 볼 수 있다. 따라서 ⓑ(실제로 배가 찼기 때문)는 '포만 중추'가 작용하여 식욕이 억제되는 상황인데, ⓐ(음식을 먹은 후 '이젠 더 이상 못 먹겠다.'라고 생각하면서도 디저트를 먹는 현상)가 나타나는 것은 포만 중추의 작용과 모순적이라고 말할 수 있다.

오답풀이

① 2문단에 따르면 ⓑ와 같이 실제로 배가 찬 상태라면 '섭식 중추의 작용은 억제'되는데, 이때 '포만 중추의 작용은 촉진'되어 식욕이 억제되므로 ⓐ를 타당하다고 볼 수 없다.

②, ③ 2문단에 따르면 ⓑ와 같이 실제로 배가 찬 상태라면 음식물의 섭취로 인해 '혈중 포도당의 농도가 높아지고' '인슐린'이 분비되면서 '포만 중추의 작용은 촉진하고 섭식 중추의 작용은 억제'된다. 따라서 섭식 중추의 작용이 활발하거나 포만 중추의 작용이 억제된다고 볼 수 없다.

⑤ ⓑ는 실제로 배가 찬 상태만을 가리키므로 섭식 중추와 포만 중추의 작용이 반복되어 나타난다고 할 수 없다. 또한 이러한 반복을 근거로 하여 ⓐ를 타당하다고 판단할 수도 없다.

오답률 Best 2

발문은 ⓑ와 '식욕 중추의 작용'을 고려하여 ⓐ를 이해하라고 요구하고 있어. 발문이 짧은데도 불구하고, ⓐ와 ⓑ, 그리고 '식욕 중추의 작용'이라는 개념이 연결되면서 문제에서 묻는 바를 명확히 파악하기 어려웠을 거야. 이렇게 복잡한 발문일수록 차근차근 접근해야 해. 우선 ⓑ는 말 그대로 '실제로 배가 찼다'는 의미야. 이 경우에는 '식욕 중추의 작용'은 '섭식 중추'가 억제되고, '포만 중추'가 작용하게 되겠지? 그런데 ⓐ는 ⓑ의 상황에서도 '디저트를 먹는 현상'을 말하니 이는 '모순'이라고 할 수 있어. 혹시 '모순'이라는 표현을 몰랐다면, 이번 기회에 꼭 정리해 두었으면 해! '모순'은 어떤 사실의 앞뒤, 또는 두 사실이 이치상 어긋나서 서로 맞지 않음을 이르는 말이야. 중국 초나라의 상인이 창과 방패를 함께 팔면서 이 창은 어떤 방패로도 막지 못하는 창이라 하고 이 방패는 어떤 창으로도 뚫지 못하는 방패라 하여, 앞뒤가 맞지 않은 말을 하였다는 데서 유래한 표현이다.

19 ④ 정답률 78%

정답풀이

[A]에서 '탄수화물은 식사를 통해 섭취된 후 소장에서 분해되면, 포도당으로 변'한다고 하였으므로 ㉠은 '포도당'이다. 그리고 '혈중 포도당의 농도'를 '줄이기 위해 췌장에서 '인슐린'이라는 호르몬이 분비된다.'를 통해 ㉡은 '인슐린'임을 알 수 있다. 마지막으로 '간에서 중성지방이 분해되고, 이 과정에서 생긴 지방산이 혈액을 타고 시상 하부로 이동'한다고 한 것을 통해 ㉢은 '지방산'임을 알 수 있다. 이때 ㉠(포도당)은 '식사를 통해 섭취된' '탄수화물에서 분해'된 것이므로, 공복 상태가 길어지면 그 양이 줄어든다고 할 수 있다. 하지만 ㉢(지방산)은 '공복 상태가 길어지면' '간에서 중성 지방이 분해'되는 과정에서 생기는 것이므로, 공복 상태가 길어지면 그 양은 늘어난다고 할 수 있다.

오답풀이

① [A]에서 '혈중 포도당(㉠)의 농도가 높아지고, 이를 줄이기 위해 췌장에서 '인슐린'(㉡)이라는 호르몬이 분비된다.'라고 하였다. 따라서 혈관 속에 ㉠의 양이 늘어나야 ㉡이 분비된다고 할 수 있다.

② [A]에서 '포도당(㉠)과 인슐린(㉡)이 혈액을 타고 시상 하부로 이동하여 포만 중추의 작용은 촉진하고 섭식 중추의 작용은 억제한다.'라고 하였다. 이때 1문단에 따르면 '섭식 중추'는 '배가 고픈 느낌'을 들게 하고, '포만 중추'는 '배가 부른 느낌'을 들게 하므로, 혈관 속에 ㉠과 ㉡의 양이 많아지면 배가 부른 느낌이 든다.

③ [A]의 '포도당(㉠)과 인슐린이 혈액을 타고 시상 하부로 이동하여 포만 중추의 작용은 촉진하고 섭식 중추의 작용은 억제한다.', '간에서 중성지방이 분해되고, 이 과정에서 생긴 지방산(㉢)이 혈액을 타고 시상 하부로 이동하여 섭식 중추의 작용은 촉진하고 포만 중추의 작용은 억제한다.'를 통해 ㉠과 ㉢이 시상 하부로 이동하여 식욕 중추에 작용하는 것을 알 수 있지만, 시상 하부의 명령을 식욕 중추에 전달한다고 할 수는 없다.

⑤ [A]에 따르면 식사를 하면서 높아진 '혈중 포도당의 농도'를 '줄이기 위해 췌장에서 '인슐린'(㉡)이라는 호르몬이 분비'되는 것이지, ㉡이 피부 아래의 조직에 중성지방으로 저장되는 것은 아니다. 또한 ㉢은 '간에서 중성지방이 분해'되는 과정에서 생기는 것으로 ㉡의 생성이나 저장에 관여하지 않는다.

20 ② 정답률 63%

정답풀이

3문단에서 '전두 연합 영역'은 '음식의 맛, 냄새 등 음식에 관한 다양한 감각 정보를 정리해 종합적으로 기억'한다고 하였다. 이에 따르면 A가 '예전에 여기서 이 과자 먹어 봤는데 정말 달고 맛있었어.'라고 하여 맛을 떠올린 것은 섭식 중추의 작용이 아니라, 전두 연합 영역의 작용으로 인한 것이다.

오답풀이

① A는 '너무 많이 먹어서 배가 터질 것' 같다고 말하면서도 '이 과자'를 더 먹고자 한다. 4문단에 따르면 '전두 연합 영역의 신경 세포가 '맛있다'와 같은 신호를 섭식 중추로 보내면, 거기에서 '오렉신'이라는 물질이 나'오고 이는 '위 운동에 관련되는 신경 세포에 작용해서, 위의 내용물을 밀어내고 다시 새로운 음식이 들어갈 공간을 마련'한다고 하였다. 따라서 A는 '오렉신'의 영향으로 위에서 후식이 들어갈 공간이 더 마련된 것으로 볼 수 있다.

③ 3문단에서 '영양분의 섭취와 상관없이 취향이나 기분에 좌우되는 식욕도 있다.'라고 하였다. 이에 따르면 B가 '배가 부르기는 한데, 그래도 내가 좋아하는 떡볶이를 좀 더 먹어야겠'다고 한 것은 영양분의 섭취와는 무관하게 취향에 따라 떡볶이가 먹고 싶다고 생각한 것으로 볼 수 있다.

④ 3문단에서 '맛이 없어도 건강을 위해 음식을 섭취하는 것과 같이, 먹는 행동을 이성적으로 조절하는 일도 이곳(전두 연합 영역)에서 담당'한다고 하였다. 이에 따르면 B가 '입맛에는 안 맞지만 건강을 위해 녹차나 마셔야겠어.'라고 한 것은 먹는 행동을 이성적으로 조절한 것으로, 전두 연합 영역이 작용된 것이라 볼 수 있다.

⑤ 1문단에서 '섭식 중추'는 '배가 고픈 느낌이 들게' 한다고 하였다. 이에 따르면 A와 B는 디저트를 둘러보기 전까지 '뷔페에서 음식을 먹'고 있었기 때문에 섭식 중추의 작용이 점점 억제되었을 것이라 볼 수 있다.

[21~25] **인문**

21 ② 정답률 82%

정답풀이

주희는 인간의 본성을 '본연지성'과 '기질지성'으로 설명하였는데, 이에 대해 정약용은 '기질이라는 선천적 요인'을 행위의 원인으로 본다면 '행위에 인간의 의지가 개입되지 않으므로 악한 행위를 한 사람에게 윤리적 책임을 물을 수 없다'고 비판하며 인간의 본성을 '기호'로 설명하였다. 따라서 윗글은 인간의 본성에 대한 주희의 관점을 비판하는 정약용의 관점을 소개한다고 볼 수 있다.

오답풀이

① 인간의 본성에 대한 주희와 정약용의 관점이 드러나고 있으나, 이러한 관점들이 사회에 미친 영향을 설명하고 있지는 않다.

③ 인간의 본성에 대한 주희의 관점을 정약용이 비판하고는 있으나, 인간의 본성에 대한 관점의 타당성을 다양한 입장에서 분석하고 있지는 않다.

④ 인간 본성에 대한 주희와 정약용의 관점을 서로 상반된 것으로 보더라도, 이를 절충한 새로운 관점은 제시되고 있지 않다.

⑤ 인간의 본성에 대해 대비되는 관점이 등장하게 된 시대적 배경을 설명하고 있지 않다.

22 ④ 정답률 88%

정답풀이

3문단에 따르면 정약용은 인간에게 '감각적 욕구에서 비롯된 기호'와 '도덕적 욕구에서 비롯된 기호'가 있다고 보았다. 그리고 '생존에 필요하고 삶의 원동력이 된다는 점'에서 감각적 욕구를 '일부 긍정'하였으므로, 정약용이 감각적 욕구를 제거해야 한다고 본 것은 아니다.

오답풀이

① 2문단에 따르면 주희는 인간의 본성을 '인간이 하늘로부터 부여받은 순수하고 선한 본성'인 '본연지성'과 '본연지성에 사람마다 다른 기질이 더해진 것으로 사람에 따라 다양하게 나타'나는 '기질지성'으로 설명하고 있다.

② 2문단에 따르면 주희는 '인간의 기질이 맑으면 선한 행위를 하고 탁하면 악한 행위를 할 수 있다'고 본다.

③ 4문단의 '정약용은 추서에 따라 선한 행위를 실천해야 한다고 보았다.'를 통해 알 수 있다.

⑤ 2문단에 따르면 주희는 '인간의 기질'에 따라 선하고 악한 행위를 할 수 있다고 본다. 이에 대해 정약용은 '선한 행위와 악한 행위의 원인을 기질이라는 선천적 요인으로 본다면 행위에 인간의 의지가 개입되지 않으므로 악한 행위를 한 사람에게 윤리적 책임을 물을 수 없다고 주희의 관점을 비판'했다.

23 ③ 정답률 85%

정답풀이

3문단에 따르면 ㉠('감각적 욕구에서 비롯된 기호')은 '생명이 있는 모든 존재가 지니는 육체의 경향성'이고, ㉡('도덕적 욕구에서 비롯된 기호')은 '인간만이 지니는 영혼의 경향성'이다. 따라서 ㉠은 ㉡과 달리 생명이 있는 모든 존재가 지닌다고 볼 수 있다.

오답풀이

① 3문단에서 '감각적 욕구에서 비롯된 기호(㉠)를 제어하지 못할 경우 악한 행위가 나타날 수 있'다고 했다. 이는 ㉠을 제어하여 악한 행위가 나타나지 않게 할 수 있다는 의미이다.

② 3문단에 따르면 '정약용은 감각적 욕구가 생존에 필요하고 삶의 원동력이 된다'고 보았으므로, 생존에 필요한 욕구에서 비롯된 것은 ㉡이 아니라 ㉠이다.

④ 3문단에 따르면 정약용은 인간의 본성을 '기호'라고 보았는데, 이는 '즐기고 좋아한다는 뜻'이라고 했다. 따라서 ㉠과 ㉡은 모두 '기호'라는 점에서 욕구를 즐기고 좋아하는 경향성이라고 볼 수 있다.

⑤ ㉠과 ㉡은 타인의 잘못을 덮어 주는 행위와 관련되어 있지 않다. 타인의 잘못을 덮어 주는 행위는 4문단에 제시된 '용서'의 개념과 관련된다.

24 ⑤ 정답률 63%

정답풀이

4문단에 따르면 정약용은 "서'를 용서와 추서로 구분'하는데, '용서는 타인의 악한 행위를 용인해 주는 문제가 발생할 수 있지만, 추서는 자신의 마음을 미루어 타인의 마음을 이해할 수 있'다고 하였다. 따라서 B가 추서로 A의 마음을 이해한 것이라고 볼 수는 있으나, 이로 인해 A의 거짓말을 용인하게 되었다고 볼 수는 없다.

오답풀이

① 2문단에 따르면 주희는 '인간의 본성'을 '인간이 하늘로부터 부여받은 순수하고 선한 본성'인 '본연지성'과 '본연지성에 사람마다 다른 기질이 더해진 것으로 사람에 따라 다양하게 나타'나는 '기질지성'으로 설명하고 있다. 주희는 본성이 아니라, '인간의 기질'에 따라 선행 행위와 악한 행위를 한다고 보았기 때문에, 거짓말을 한 것과 무관하게 A에게 '순수하고 선한 본성'인 '본연지성'이 있다고 볼 것이다.

② 2문단에 따르면 주희는 '인간의 기질이 맑으면 선한 행위를 하고 탁하면 악한 행위를 할 수 있다'고 보았으므로, A와 B의 다른 모습은 기질에 따른 차이라고 볼 것이다.

③ 3문단에 따르면 정약용은 '선한 행위를 하거나 악한 행위를 하는 것이 온전히 인간의 자유 의지에 달려 있'다고 하였으므로, A가 책임감 있게 청소하게 된 것은 A의 자유 의지에 따른 것이라고 볼 수 있다.

④ 3문단에 따르면 정약용은 '도덕적 욕구에서 비롯된 기호를 따를 경우 선한 행위가 나타난다'고 하였다. A는 자신의 거짓말을 알면서도 내색하지 않고 평소대로 열심히 청소하는 B의 모습에서 부끄러움을 느끼고 자신의 행동을 사과한다. 그리고 책임감을 가지고 청소하는 변화된 행동을 보였는데, 이러한 선한 행위는 '도덕적 욕구에서 비롯된 기호'를 따른 것으로 볼 수 있다.

25 ① 정답률 93%

정답풀이

'예로 들(ⓐ) 수 있다'와 '명확한 증거를 들었다'의 '들다'는 모두 '설명하거나 증명하기 위하여 사실을 가져다 대다.'를 의미한다.

오답풀이

② '감기가 들어 약을 먹었다.'에서 '들어'는 '몸에 병이나 증상이 생기다.'를 의미한다.

③ '마음에 드는 사람이 있다.'에서 '드는'은 '어떤 물건이나 사람이 좋게 받아들여지다.'를 의미한다.

④ '우리 집은 햇볕이 잘 든다.'에서 '든다'는 '빛, 볕, 물 따위가 안으로 들어오다.'를 의미한다.

⑤ '상자 안에 선물이 들어 있다.'에서 '들어'는 '안에 담기거나 그 일부를 이루다.'를 의미한다.

[26~28] 현대소설

26 ② 정답률 88%

정답풀이

[A]는 안 초시와 딸 사이의 대화와 서술을 통해 이들이 돈 문제로 갈등하고 있음을 드러내고 있다. [B]는 안 초시가 관변 모씨에게 속아 돈을 날린 상황을 요약적으로 서술하여 투자에 실패한 사건의 전모를 드러내고 있다.

오답풀이

① [A]는 안 초시와 딸의 대화 위주로 제시될 뿐, 외양 묘사가 나타난 부분은 없다. [B]는 투자에 실패하게 된 상황을 요약적으로 서술한 부분으로 배경 묘사가 나타난 부분은 없다.

③ [A]와 [B] 모두 작품 밖 서술자가 서술하고 있다. 또한 [A]에 사건에 대한 평가나 [B]에 앞으로 전개될 사건에 대한 예측이 드러나지 않는다.

④ [A]는 대화 상황이 시간의 흐름에 따라 진행되고 있다고 할 수 있다. [B]는 1년이 지난 시점에서 사건의 전모를 밝히고 있는 내용으로, 시간의 흐름에 따라 사건이 순차적으로 진행되고 있다고 보기 어렵다.

⑤ [A]에는 주제 의식을 드러내는 향토적 소재가 나타나 있지 않다.

27 ④ 정답률 81%

정답풀이

ⓔ(딸은 아버지의~처리하게 하였다.)에서 안 초시의 딸은 안 초시의 손에 돈이 들어가지 못하게 하기 위해 '그 청년'을 통해 일을 처리한다. 이는 딸이 안 초시를 믿지 못하기 때문이지, 안 초시의 수고로움을 덜어 주기 위해서가 아니다.

오답풀이

① ㉠(셔츠는커녕~50전 한 닢만 주었다.)에서는 생활에 필요한 '안경다리'를 고칠 돈이 없는 안 초시의 어려운 형편과 안 초시 딸의 인색한 모습이 드러난다.

② 딸이 준 돈으로 '돈을 좀 주무르던 시절에 장만'한 안경의 안경다리를 살 수는 없었고, 안경다리가 '짝짝이로 드러나는 것을 사기'도 싫은 안 초시는 ㉡(차라리 종이 노끈인 채~나가고 말았다.)처럼 행동한다. 이는 안 초시의 자존심이 드러나는 부분이라 할 수 있다.

③ ㉢(딸 편이~시시콜콜히 캐어물었다.)에서 안 초시의 딸은 '먼저' 이야기를 '다시 꺼내'고 '시시콜콜히 캐어'묻는 것으로 보아 안 초시가 전해준 이야기에 적극적인 관심을 보이고 있다고 할 수 있다.

⑤ 안 초시가 딸에게 투자를 권유했다가 모씨의 처치하기 곤란한 땅을 사게 된 것이므로, ⓜ(서너 끼씩 굶어도~들어갈 수도 없었다.)에서는 안 초시가 딸의 눈치를 보고 있다고 할 수 있다.

28 ① 정답률 68%

정답풀이

안 초시의 딸이 산 땅은 '축항 후보지로 측량까지 하기는 하였으나 무슨 결점으로인지 중지'된 땅으로, 건설 사업이 확정된 부지라고 할 수 없다.

오답풀이

② 안 초시는 딸에게 투자를 권유하면서 '1년 안에 청장을 하더라도 최소한도로 50배 이상의 순이익이 날 것이라 장담 장담'하는데, 이는 부동산 투기로 큰 이익을 얻고자 하는 '한탕주의'와 연결하여 이해할 수 있다.

③ 안 초시의 딸은 '사흘 안에 연구소 집을 어느 신탁 회사에 넣고 3천 원을 돌'려 땅을 사게 되는데, 이는 당시의 '부동산 투기 열풍'과 연결하여 이해할 수 있다.

④ '축항 후보지로 측량까지 하기는 하였으나 무슨 결점으로인지 중지되고 마는 바람에 너무 기민하게 거기다 땅을 샀던, 그 모씨가 그 땅 처치에 곤란하여 꾸민 연극이었다.'를 통해 모씨는 '자신의 피해를 사기로 만회하려는 사람'임을 알 수 있다.

⑤ '친자 간의 의리도 배추 밑 도리듯' 한다는 안 초시의 한탄은 '투자에 실패'하여 '가족들에게 외면 받는 사람들'의 모습을 보여 준다고 할 수 있다. 이를 통해 가족보다 재물이 우선인 '물질 만능주의'의 어두운 모습을 엿볼 수 있다.

[29~32] 고전소설

29 ① 정답률 57%

정답풀이

'흥부 내외는 톱을 마주 잡고 켰다.~청의동자 한 쌍이 나오는 것이었다.', '박 한 통을 또 따놓고 슬근슬근 톱질이다.~온갖 세간붙이가 나왔다.', '또 한 통을 따서~황금, 백금, 밀화, 호박, 산호, 진주, 주사, 사향 등이 가득 차 있었다.' 등과 같이 흥부 내외가 박을 타는 반복적 행위와 그 결과로 박에서 나온 것들을 나열하며 극적 효과를 높이고 있다.

오답풀이

② 윗글에서 서술자는 작품 외부에 있다.

③ 제비가 '은혜를 갚'고자 하고, 박에서 '청의동자 한 쌍', '온갖 세간붙이' 등이 나온다는 점에서 전기적인 요소가 활용되었다고 볼 수 있다. 그러나 이를 통해 흥부의 영웅성을 드러낸다고 보기는 어렵다.

④ '제비 왕'을 권위 있는 새로운 인물로 볼 수 있으나, 제비 왕이 인물 간의 갈등을 해소하고 있지는 않다.

⑤ 윗글에서는 꿈을 배경으로 하는 사건이 나타나 있지 않다. 따라서 꿈과 현실을 교차적으로 서술한다고 볼 수 없다.

3회

30 ③ 정답률 84%

정답풀이

흥부는 '작년에 왔던 제비가 입에 무엇을 물고 와서 저토록 넘놀고 있으니 어서 나와 구경'하라는 아내의 말에 '나와 보고 이상히 여기'다가 제비가 '입에 물었던 것을 떨어뜨린 후에야 그것이 '보은박'이라는 글자가 쓰인 박씨임을 알게 된다. 따라서 흥부가 자신이 치료해 준 제비가 박씨를 물고 온 사실을 알아채고 반겼다고 볼 수는 없다.

오답풀이

① (중략) 이전을 보면 흥부 아내와 흥부가 '서로 나가서 품을 팔'고 있는 모습을 확인할 수 있다. 이를 통해 흥부 부부가 먹고 살기 위해 온갖 노력을 한 것을 알 수 있다.
② '다시 한 통을 툭 타 놓으니 일등 목수들과 각종 곡식이 나왔다. 그 목수들은 우선 명당을 가려 터를 잡고 집을 지었다.'에서 박에서 나온 목수들이 흥부 부부를 위해 좋은 터에 집을 지어 준 것을 알 수 있다.
④ 제비 왕이 제비가 다리를 절게 된 연유를 묻자 제비는 '큰 구렁이의 화를 입어 다리가 부러져 죽을 것을 흥부의 구조를 받아 살아서 돌아왔'다며 '흥부의 가난을 면케 해주신다면 소신은 그 은공을 만분의 일이라도 갚을까 합니다.'라고 흥부에게 받은 은혜를 갚기를 원하는 모습을 보여 준다.
⑤ 흥부에 대한 소문을 듣고 '이놈이 도둑질을 했나?'라는 반응을 보이는 것으로 보아 놀부는 흥부가 어떻게 부자가 되었는지 정확히 알지 못했음을 알 수 있다. 놀부는 흥부의 집에서 흥부가 '앞뒷일을 자세히 말하'였을 때, 흥부가 어떻게 부자가 되었는지를 알게 되었다.

31 ② 정답률 90%

정답풀이

흥부 집에 간 놀부가 '하인을 시켜 보내주겠다는 것도 마다하고' 화초장을 '스스로 짊어지고' 간 것은 빨리 화초장을 자신의 집으로 가져가기 위한 것이다. 이는 놀부의 욕심 많은 성격을 보여 주는 것일 뿐, 가난을 극복하기 위한 백성들의 노력으로 볼 수는 없다.

오답풀이

① 흥부 내외가 '온갖 품을 다 팔았'지만 여전히 '살기는 막연'했던 것은 〈보기〉의 '아무리 노력해도 가난에서 벗어날 수 없었'던 조선 후기의 시대적 배경과 관련을 지어 이해할 수 있다.
③ 〈보기〉에서는 '성품이 착한 흥부 내외가 초월적인 존재의 도움으로 가난을 벗어'난다고 하였는데, 이는 윗글의 제비 왕이 제비에게 준 '박씨'를 통해 흥부가 가난에서 벗어날 수 있었다는 점과 연결하여 이해할 수 있다.
④ 〈보기〉에서 '「흥부전」은 최소한의 의식주라도 해결하고 싶었던 당시 백성들의 소망이 반영된 작품'이라고 하였다. 이에 따르면 윗글에서 흥부가 타는 박 속에서 '세간붙이'와 '각종 곡식'이 나온 것은 의식주 문제를 해결하고 싶었던 백성들의 소망과 연결하여 이해할 수 있다.
⑤ '사오일' 만에 열린 박에서 '순금 궤'가 나와 부자가 된다는 윗글의 내용은, 〈보기〉의 '흥부에게 주어지는 보상이 환상성을 띠고 있다는 점'과 연결하여 이해할 수 있다.

32 ③ 정답률 66%

정답풀이

놀부는 흥부의 소문을 듣고 '반재산을 빼어낼 것'이라고 하며 '벼락같이 건너가 닥치는 대로 살림살이를 쳐부'순다. 즉 남이 잘되는 것을 기뻐해 주지는 않고 오히려 질투하고 시기하므로, 사촌이 땅을 사면 배 아파하는 인물이라고 평가할 수 있다.

오답풀이

① '불난 집에 부채질한다'는 남의 재앙을 점점 더 커지도록 만들거나 성난 사람을 더욱 성나게 함을 비유적으로 이르는 말이다.
② '소 잃고 외양간 고친다'는 일이 이미 잘못된 뒤에는 손을 써도 소용이 없음을 비꼬는 말이다.
④ '간에 붙었다 쓸개에 붙었다 한다'는 자기에게 조금이라도 이익이 되면 지조 없이 이편에 붙었다 저편에 붙었다 함을 비유적으로 이르는 말이다.
⑤ '오르지 못할 나무는 쳐다도 보지 않는다'는 자기의 능력 밖의 불가능한 일에 대해서는 처음부터 욕심을 내지 않는다는 뜻이다.

[33~37] **사회**

33 ⑤ 정답률 66%

정답풀이

2문단에서 '수요의 가격탄력성에 영향을 주는 대표적인 요인'으로 '대체재의 존재 여부', '필요성의 정도', '소득에서 지출이 차지하는 비중'이 제시되었지만, 이들 간의 관계를 설명하고 있지는 않다.

오답풀이

① 1문단의 '수요의 가격탄력성은 가격이 변할 때 수요량이 변하는 정도를 나타내는 지표다.'를 통해 알 수 있다.
② 3문단의 '수요의 가격탄력성은 수요량의 변화율을 가격의 변화율로 나눈 값이다.'를 통해 알 수 있다.
③ 4문단에서 '상품 판매자의 판매 수입'은 '상품의 가격에 거래량을 곱한 수치로 산출'함을 알 수 있다.
④ 2문단의 '어떤 상품에 밀접한 대체재가 있으면, 소비자들은 그 상품 대신에 대체재를 사용할 수 있으므로 그 상품 수요의 가격탄력성은 탄력적이다.'를 통해 알 수 있다.

34 ② 정답률 68%

정답풀이

2문단에서 '필수재 수요의 가격탄력성은 대체로 비탄력적인 반면에, 사치재 수요의 가격탄력성은 대체로 탄력적이다.'라고 하였다. 이에 따르면 '쌀을 주식으로 하는 갑국'에서 쌀은 필수재이므로, '밀을 주식으로 하는 나라'에 비해 쌀 수요의 가격탄력성은 비탄력적(㉮)이다. 한편 '자동차보다 저렴한 오토바이가 주요 이동 수단인 을국'에서 자동차는 사치재(㉯)이므로, '자동차가 주요 이동 수단인 나라'에 비해 자동차 수요의 가격탄력성은 탄력적(㉰)이다.

35 ④ 정답률 83%

정답풀이

4문단의 '수요의 가격탄력성이 비탄력적인 경우 가격이 상승하면 총수입도 증가하지만, 수요의 가격탄력성이 탄력적인 경우 가격이 상승하면 총수입은 감소한다.'를 고려하면 ⓐ(수요의 가격탄력성을 파악하는 것은 판매자에게 매우 중요한 일이다.)의 이유는 수요의 가격탄력성이 판매자의 총수입 증가 여부에 영향을 미치기 때문이라 할 수 있다.

오답풀이

①, ②, ③ 1문단에 따르면 '수요의 가격탄력성은 가격이 변할 때 수요량이 변하는 정도를 나타내는 지표'로, 수요의 가격탄력성을 통해 소비자의 소득 규모, 판매 상품의 문제점, 판매 상품의 생산 단가를 파악할 수는 없다.
⑤ 4문단에 따르면 수요의 가격탄력성으로 수요량의 변화와 그에 따른 총수입의 증감을 설명할 수 있는데, 여기서 총수입은 '상품 판매자의 판매 수입이며 동시에 상품에 대한 소비자의 지출액'이다. 즉 '상품 판매자의 판매 수입'과 '상품에 대한 소비자의 지출액'은 같으므로, 수요의 가격탄력성으로 판매자의 판매 수입과 소비자의 지출액의 차이를 파악한다는 내용은 적절하지 않다.

36 ⑤ 정답률 58%

정답풀이

3문단에 따르면 수요의 가격탄력성은 '수요량의 변화율/가격의 변화율'로 계산할 수 있다. 김밥의 '수요량의 변화율(=수요량 변화분/기존 수요량)'은 1/5(=20/100)이고, '가격의 변화율(=가격 변화분/기존 가격)'은 1/4(=500/2000)이므로, 김밥 수요의 가격탄력성은 1/5을 1/4로 나눈 4/5이다. 한편 영화 관람권의 '수요량의 변화율'은 2/5(=1000/2500)이고, '가격의 변화율'은 1/5(=2000/10000)이므로, 영화 관람권 수요의 가격탄력성은 2/5를 1/5로 나눈 2이다. 이때 '수요의 가격탄력성이 1보다 크면 탄력적, 1보다 작으면 비탄력적'이라고 하였으므로, 김밥 수요의 가격탄력성(4/5)은 비탄력적이고 영화 관람권 수요의 가격탄력성(2)은 탄력적이다.

오답풀이

① 3문단의 공식에서 '가격의 변화율=가격 변화분/기존 가격'이며, '수요량의 변화율=수요량 변화분/기존 수요량'임을 알 수 있다. 이에 따르면 김밥 가격의 변화율은 1/4(=500/2000)이고, 수요량의 변화율은 1/5(=20/100)이므로 가격의 변화율이 수요량의 변화율보다 크다.
② 3문단의 공식에서 '가격의 변화율=가격 변화분/기존 가격'이며, '수요량의 변화율=수요량 변화분/기존 수요량'임을 알 수 있다. 이에 따르면 영화 관람권 가격의 변화율은 1/5(=2000/10000)이고, 수요량의 변화율은 2/5(=1000/2500)이므로 가격의 변화율이 수요량의 변화율보다 작다.
③ 3문단에 따르면 수요의 가격탄력성은 '수요량의 변화율/가격의 변화율'로 계산할 수 있다. 그런데 김밥 수요의 가격탄력성은 1/5을 1/4로 나눈 4/5로 1보다 작지만, 영화 관람권 수요의 가격탄력성은 2/5를 1/5로 나눈 2로 1보다 크다.
④ 3문단의 공식을 참고하면 가격의 변화율에 대한 수요량의 변화율은 곧 '수요의 가격탄력성'을 가리킨다. 그런데 김밥 수요의 가격탄력성은 4/5이고, 영화 관람권 수요의 가격탄력성은 2이므로 이는 서로 같지 않다.

37 ⑤ 정답률 **88%**

정답풀이

ⓓ(산출)의 사전적 의미는 '계산하여 냄.'이다. '어떤 일에 필요한 돈이나 물자 따위를 내놓음.'은 '출력'의 사전적 의미이다.

[38~42] 고전시가+고전수필

38 ④ 정답률 **42%**

정답풀이

(가)에서는 '호 간', (나)에서는 〈제3수〉에 '둘러내자', 〈제6수〉에 '돌아가자'라는 시어가 반복되면서 리듬감을 형성하고 있다.

오답풀이

① (가)에서는 공간의 이동이 나타나지 않는다.
② (나)에서는 '빨간, 파란' 등과 같이 색깔을 나타내는 말인 색채어가 쓰이지 않았으므로 색채어의 대비 또한 나타나지 않는다.
③ (다)에서는 의태어나 의성어 같은 음성 상징어를 찾아볼 수 없다.
⑤ (가)에서는 특정한 계절감을 드러내고 있지 않다. (다)에서는 복숭아나무 가지에 홍도 가지를 접붙여 자란 모습을 '꽃과 잎이 많이 피어서 붉고 푸른 비단이 찬란하게 서로 어우러진 듯하'다고 비유를 사용하여 구체적으로 묘사하고 있다. 또한 복숭아꽃이 피는 '봄'을 배경으로 하고 있으므로, 구체적인 묘사로 '봄'이라는 계절적 배경을 부각하고 있다고 볼 수 있다.

오답률 Best 3

이 문제는 표현상의 특징에 대한 이해를 묻고 있어. 이 문제에서 어려움을 겪은 학생들은 표현상의 특징을 설명하는 문학 개념에 대한 이해가 부족하거나, 정답 선지에서 묻고 있는 표현법을 작품에서 발견하지 못했을 가능성이 있어. 선지에서 쓰인 '공간의 이동에 따른 시상 전개', '색채어', '대비', '음성 상징어', '시어의 반복', '묘사' 등의 문학 개념을 노트에 옮겨 적고, 이 개념이 쓰인 작품의 구절을 옮겨 적어봐. 그렇게 자신만의 문학 개념 노트를 만들면, 그 개념에 대한 이해를 키우고, 적용력을 높일 수 있을 거야. 또한 이런 문제를 풀 때는 작품을 읽기 전 미리 선지를 보고 해당 개념이 있는지를 살피면서 작품을 감상하면 문제 풀이 시간을 줄일 수 있어.

39 ① 정답률 **52%**

정답풀이

〈제1수〉에서 화자는 '묵은 풀'을 차례에 따라 맬 것이라고 말하고 있다. '아침볕 비치고'라는 표현에서 시간적 배경은 아침이라고 볼 수 있지만, 농부가 농기구를 가지고 밭을 갈고 있는 모습은 나타나지 않는다.

오답풀이

② 〈제3수〉에서 화자는 '잡초 짙은 긴 사래 마주 잡아 둘러내자'라고 하므로, 영상시에서 농부들이 함께 잡초를 뽑고 있는 모습을 보여주는 것은 적절하다.
③ 〈제4수〉에서 화자는 '청풍에 옷깃 열고 긴 휘파람 흘리' 부는 모습으로 표현되고 있다.
④ 〈제5수〉에서는 농부들이 '보리밥'에 '콩잎 나물'을 반찬으로 함께 식사하고 있는 모습을 확인할 수 있다.
⑤ 〈제6수〉는 '해 지거든 돌아가자'라고 말하며, '냇가에 손발 씻고 호미 메고 돌아'가는 화자의 모습을 그리고 있다. 따라서 영상시에서 해 질 무렵에 농사일을 마치고 마을로 돌아오는 농부의 모습을 보여주는 것은 적절하다.

오답률 Best 5

문학 작품을 영상 매체화하는 문제 유형을 풀 때에는 작품 속에 글로 표현되는 내용과 선지에서 말하는 영상 매체 장면의 연결이 잘 되는지 확인해야 해. 그런데 <제1수>는 '매는 대로 매리라'는 표현 때문에 헷갈렸을 건 같아. <제1수>를 보면, 화자는 비 온 뒤 묵은 풀이 누구의 밭에 더 짙은지에 대해 말하고 있지. 이는 밭을 갈면서 하는 말이라기보다는 비 온 뒤 밭의 풍경을 보면서 하는 말로 보는 것이 더 적절해. 또한 <제1수>에서는 밭을 매는 '농기구'를 가리키는 표현도 나오지 않아. 정답 다음으로 선택 비율이 높았던 선지는 ②번이었어. <제3수>는 '둘러내자', '역고'와 같은 낯선 표현이 있으니 해당 표현을 풀이하는 각주를 유심히 살펴볼 필요가 있었어. 각주를 통해 잡초를 휘감아서 뽑자는 내용임을 알 수 있으므로 '농부들과 함께 잡초를 뽑고 있는 모습'으로 영상시를 제작하는 것은 적절하겠지?

40 ② 정답률 **62%**

정답풀이

〈보기〉에서 '(가)에서의 자연은 속세를 벗어난 화자가 동화되어 살고 싶어 하는 공간'이라고 하였다. (가)에서 화자는 '강산'을 '초려삼간'에 들일 수 없으니 '초려삼간'에 '둘러 두고 보'겠다고 말하고 있다. 즉 '강산'은 '속세를 벗어난 화자가 동화되어 살고 싶어 하는 공간'을 구성하는 대상으로, 화자가 '강산'에서 벗어나고 싶어 한다고 볼 수 없다.

오답풀이

① 〈보기〉에서 '(가)에서의 자연은 속세를 벗어난 화자가 동화되어 살고 싶어 하는 공간이자 안빈낙도의 공간으로 그려져 있다.'라고 하였다. 이에 따르면 화자가 '돌'과 '청풍'과 함께 살고자 하는 '초려삼간'은 안빈낙도하며 사는 공간으로 볼 수 있다.
③ 〈보기〉에서 '(나)에서의 자연은 소박하게 살아가는 삶의 현장이자 건강한 노동 속에서 흥취를 느끼는 공간으로 그려져 있다.'라고 하였다. 이에 따르면 '묵은 풀'이 있는 '밭'은 화자가 땀 흘리며 일해야 하는 '삶의 현장'으로 볼 수 있다.
④ 〈보기〉에서 '(나)에서의 자연은 소박하게 살아가는 삶의 현장이자 건강한 노동 속에서 흥취를 느끼는 공간으로 그려져 있다.'라고 하였다. 이에 따르면 '보리밥'과 '콩잎 나물'은 '건강한 노동'을 하고 맛보는 '소박'한 음식으로 볼 수 있다.
⑤ 〈보기〉에서 '(나)에서의 자연은 소박하게 살아가는 삶의 현장이자 건강한 노동 속에서 흥취를 느끼는 공간으로 그려져 있다.'라고 하였다. 이에 따르면 '우배초적'은 '건강한 노동'을 끝내고 '호미 메고 돌아'오는 길에서 느끼는 '흥취'를 표현하는 것으로 볼 수 있다.

41 ① 정답률 **79%**

정답풀이

'『주역』에 이르'는 말인 ㉠("땅에서 나무가~크게 한다.")에 이어지는 문장을 보면, '이것을 보고 어찌 스스로 힘쓰지 아니하겠는가.'라고 하여 스스로 힘을 써야 함을 말하고 있다. 또한 '그리고 또 느낀 바가 있다.'라고 하여 복숭아나무의 접목 경험을 통해 깨달은 점을 드러내고 있다. 따라서 ㉠은 자신이 깨달은 바를 뒷받침하기 위해 인용한 것으로 볼 수 있다.

오답풀이

② 자신이 깨달은 바를 '『주역』'이라는 권위 있는 대상을 통해 뒷받침하는 내용으로, 자신의 상황을 반어적으로 드러내고 있지는 않다.
③ 글쓴이는 복숭아나무의 접목 경험을 통해 깨달은 삶의 자세를 서술하고 있을 뿐, 자신의 지식이 보잘것없음을 서술하고 있지는 않다.
④ '『주역』'에서 '군자'의 모습을 언급하였으나, 이를 자신의 삶과 비교하고 있지는 않다.
⑤ ㉠은 지난날의 세태를 보여주기 위한 것이 아니며, 이를 자신이 살고 있는 세태와 비교하고 있지도 않다.

42 ③ 정답률 75%

정답풀이

글쓴이는 '이것(복숭아나무)이 심은 땅의 흙도 바꾸지 않고 그 뿌리의 종자도 바꾸지 않았으며 단지 접붙인 한 줄기의 기운으로' '그 자태가 돌연히 다른 모습으로 바뀌'었다고 하였다. 즉 '근본'이라고 볼 수 있는 '흙'이나 '뿌리의 종자'를 바꾼 것이 아니기 때문에 근본의 변화가 중요함을 강조하였다고 보기 어렵다.

오답풀이

① 글쓴이는 자신의 집 '뒷동산'에 있는 '복숭아나무'를 소재로 삼았는데, 이는 '빛깔이 시원치 않'은 꽃과 '부스럼이 돋'은 가지가 달린 나무로 표현되고 있다.
② 글쓴이는 '지난 봄에 이웃에 박 씨 성을 가진 이의 손을 빌어 홍도 가지를 접붙여 보았'는데, '홍도 가지를 접붙'인 복숭아나무의 '꽃이 아름답고 열매도 아주 튼실'하였다며 자신이 겪은 경험에 대해 서술하고 있다.
④ 글쓴이는 '악한 생각'을 내버리는 일은 '나무의 옛 가지를 잘라 내버리듯' 하고, '착한 마음'이 움터 나오게 하기를 '새 가지로 접붙이듯' 하여 마음을 닦고 진리에 이른다면 나무의 접붙임과 다른 것이 없다는 인식을 드러내면서 사물의 변화와 개혁이 '초목에 국한한 것'이 아님을 서술하고 있다.
⑤ 글쓴이는 '세상 사람들은 자기가 늙는 것만 자랑하여 팔다리를 게을리 움직이고 그 마음 씀도 별로 소용되는 바가 없다. 이로 미루어 보면 또한 어찌 마음을 분발하여 뜻을 불러일으키기를 권하지 아니하겠는가.'라고 하였다. 즉 글쓴이는 '자기가 늙는 것만 자랑하여 팔다리를 게을리 움직이'는 사람들에게 '마음을 분발하여 뜻을 불러일으키'도록 권하고 있다고 볼 수 있다.

[43~45] 현대시

43 ③ 정답률 65%

정답풀이

(나)의 '이 작은 주머니는 짓기 싫어서 짓지 못하는 것이 아니라 짓고 싶어서 다 짓지 않는 것입니다.'에서는 역설적 표현을 활용하여 대상인 '임'에 대한 화자의 기다림의 마음을 드러내고 있다. 반면 (가)에는 역설적 표현이 사용되지 않았다.

오답풀이

① (가)에서는 시의 처음과 끝에 같은 구절을 반복하여 배치하는 기법인 수미상관의 방식이 사용되지 않았다. 또한 (나)에서 설의적 표현은 찾을 수 없다.
② (가)에서는 '–었다.'라는 동일한 형태의 종결 표현이 사용되었다. 하지만 (나)에서도 '–ㅂ니다.'라는 동일한 형태의 종결 표현이 사용되고 있다.
④ (가)에서는 시각적, 촉각적 표현이 두드러질 뿐, 후각적 이미지는 나타나지 않고 있다. 또한 (나)에서도 후각적 이미지는 찾을 수 없다.
⑤ (가)에서는 어린 시절부터 현재까지의 시간의 흐름이 드러나고 있지만, 이러한 시간 변화로 인한 태도 변화가 나타난다고 볼 수 없다. 또한 (나)에서는 시간의 흐름이 나타나지 않는다.

44 ③ 정답률 80%

정답풀이

㉡(이 세상)은 화자가 보고 싶어 하는 '당신'이 없는 공간이므로, 화자의 소망이 실현되지 못하고 있는 공간으로 볼 수 있다.

오답풀이

① ㉠(방 안)은 '어린 목숨'이 '애처로이 잦아드는' 곳으로, 화자가 자아를 성찰하는 공간으로 볼 수 없다.
② ㉠은 화자와 '할머니'가 함께 있는 공간이며, '아버지'는 이곳으로 '어린' 화자를 위해 '약'을 가지고 온다. 따라서 ㉠을 화자와 대상과의 관계가 단절된 공간으로 보기는 어렵다.
④ ㉡은 화자가 '당신'을 기다리며 '수놓는' 공간으로, 일상의 삶에서 벗어난 초월적인 공간으로 볼 수 없다.
⑤ ㉠은 유년 시절의 추억이 있는 공간이지만, 화자가 추구하는 이상적 공간으로 보기는 어렵다. ㉡ 또한 '당신'이 부재한 공간이므로, 화자가 추구하는 이상적 공간이라고 볼 수 없다.

45 ④ 정답률 80%

정답풀이

〈보기〉에서는 (가)에 '따뜻한 가족애가 다양한 소재를 통해 형상화되어 있다.'라고 하였다. 이에 따르면 어린 자식을 위해 '눈을 헤치고' 산수유 열매를 따 온 아버지의 '서느런 옷자락'은 아버지의 희생과 사랑을 형상화한 소재이지, 이를 현대인의 메마른 삶을 형상화한 것으로 볼 수는 없다.

오답풀이

① (가)에서는 '외로이 늙으신 할머니'가 어린 화자를 돌보고 있는 모습이 드러나는데, 〈보기〉에 따르면 이는 '어린 시절 어머니의 부재 속에서도 가족의 보호를 받으며 자란 그(김종길 시인)의 성장 과정'과 관련하여 감상할 수 있다.
② 〈보기〉에 따르면 (가)에 형상화된 '따뜻한 가족애'는 '개인의 경험을 넘어 현대인의 메마른 삶을 극복할 수 있는 인간애로 확장'된다고 하였다. 이를 참고할 때 (가)에서 '눈 속'을 헤치고 '약'을 구해 온 아버지의 사랑은 따뜻한 가족애를 드러내는 것으로, '인간애'로 확장될 수 있다.
③ '반가운 그 옛날의 것'은 '눈'을 가리키며, 이는 아버지가 '눈을 헤치고' '산수유 열매'를 따 온 화자의 어린 시절을 떠올리게 한다.
⑤ 〈보기〉에서는 「성탄제」에도 삼대로 이어지는 따뜻한 가족애가 다양한 소재를 통해 형상화되어 있다.'라고 하였다. 이에 따르면 '내 혈액 속에 녹아 흐르는' 산수유는 아버지가 보여 준 '따뜻한 가족애'가 이어져 온 것을 의미한다고 볼 수 있다.

4회

2021학년도 3월 학평

1. ⑤	2. ②	3. ④	4. ⑤	5. ③	6. ④	7. ⑤	8. ①	9. ⑤	10. ②
11. ④	12. ①	13. ④	14. ③	15. ②	16. ③	17. ⑤	18. ③	19. ②	20. ③
21. ①	22. ③	23. ⑤	24. ⑤	25. ④	26. ⑤	27. ①	28. ①	29. ⑤	30. ③
31. ②	32. ④	33. ①	34. ⑤	35. ③	36. ②	37. ④	38. ①	39. ④	40. ④
41. ②	42. ①	43. ③	44. ④	45. ②					

오답률 Best 5

[1~3] 화법

1 ⑤ 정답률 86%

정답풀이

발표자는 자율 동아리 가입을 권유하기 위해 발표하고 있으며, 이러한 목적에 맞게, 앞에서 설명한 내용을 요약한다기보다는 동아리에 관심이 있는 학생들을 위해 가입 신청서를 내는 곳과 문의 가능 여부를 안내하면서 발표를 마무리하고 있다.

오답풀이

① '오토마타는 크랭크, 기어, 캠 같은 부품들로 이루어진 기계 장치를 통해 특정한 동작을 반복하도록 만들어진 조형물을 뜻합니다.'에서 오토마타의 뜻을 풀이하여 동아리에서 무엇을 만드는지에 대한 청중의 이해를 돕고 있다.
② 동아리에서 오토마타를 만들어 내는 과정, 진로 선택에 도움이 되며 코딩을 배울 수 있다는 장점, 앞으로의 계획과 같은 구체적 정보를 제공하며 청중을 설득하여 동아리 가입을 권유하고 있다.
③ (두 팔을 교차해 가위표를 만들며), (엄지를 치켜들며)와 같은 비언어적 표현을 사용하여 발표 내용을 효과적으로 전달하고 있다.
④ '여러분은 중학교 때 어떤 자율 동아리 활동을 하셨나요? 고등학교에 와서 무언가 새로운 것에 도전하고 싶지는 않으신가요?'와 같은 질문을 던지는 방식을 통해 청중의 관심을 유발하고 있다.

2 ② 정답률 79%

정답풀이

청중이 과거에 만들어봤을 법한 모형물인 ㉠(모형 딱따구리)을 활용하여 청중의 경험을 환기하고 있다. 또한 작년 오토마타 경진 대회에 나온 작품들이 제시되는 ㉡(동영상)을 활용하여 동아리가 목표로 하는 결과물의 수준이 어떠한지를 보여 주고 있다.

오답풀이

① ㉠을 활용하여 동아리에 대한 청중의 관심을 유도하고 있지만, ㉡은 동아리 활동의 주의 사항을 드러내기 위한 것이 아니다.
③ ㉠은 동아리 활동의 결과물이 아니라, 청중의 관심을 유도하고 오토마타가 무엇인지를 보여 주기 위한 것이다. 또한 ㉡은 동아리 활동의 목표를 보여 주고자 하는 것일 뿐, 오토마타 작품의 발전 단계를 설명하기 위한 것은 아니다.
④ ㉠이 동아리 활동을 위해 무엇을 준비해야 하는지를 알려 주는 역할을 하고 있지는 않다. 또한 ㉡은 코딩이 접목된 오토마타 작품을 통해 동아리가 목표하는 바를 보여 주는 것이며, 오토마타 작품의 특징을 보여 주기 위한 것은 아니다.
⑤ ㉠을 활용하여 오토마타에 대한 소개를 하면서 크랭크, 기어, 캠과 같은 부품에 대해 언급하지만, 이들이 작동하는 원리에 대해 설명하고 있지는 않다. 한편 ㉡에서는 코딩된 내용에 따라 움직임을 보여 주는 오토마타를 보여주지만, 이를 가지고 코딩의 중요성을 강조하고 있지는 않다.

3 ④ 정답률 89%

정답풀이

'학생 1'과 '학생 3'은 동아리 가입에 따른 장점을 생각하여, 자신의 일정을 고려하거나 관련 자료를 수집하고자 하는 모습을 보여 주고 있을 뿐, 발표자가 말한 내용에 근거가 있는지의 여부나 그 근거의 타당성을 따져 보고 있지는 않다.

오답풀이

① '학생 1'이 '3D 프린터나 메이커실'을 사용할 수 있다는 발표 내용을 가지고 자신의 일정을 확인하는 것에서 '3D 프린터나 메이커실 사용'이 동아리 가입을 결정하는 핵심 정보라고 판단하고 있음을 알 수 있다.
② '학생 2'는 오토마타 동아리에서 코딩을 제대로 배울 수 있는지에 대한 의문을 가지고 있으므로, '오토마타 동아리에 들어오면 코딩을 제대로 배울 수 있습니다.'라는 발표 내용의 실현 가능성에 대해 궁금해한다고 볼 수 있다.
③ '학생 3'은 동아리의 장점이 미술을 전공할 자신의 진로에 도움이 된다고 생각하고 있으므로, '여러분의 진로 선택에 분명 도움이 될 것'이라는 발표 내용을 긍정적으로 평가하고 있다고 볼 수 있다.
⑤ '학생 2'는 '우리 학교에 코딩을 제대로 배울 수 있는 다른 동아리는 없는지 찾아 봐야겠어.'라고 하여, '학생 3'은 '오토마타와 미술에 대한 자료를 더 찾아 본 후에 가입을 결정하는 것이 좋겠어.'라고 하여 발표에서 알게 된 내용과 관련하여 추가적인 정보 탐색을 계획하고 있다.

[4~7] 화법과 작문

4 ⑤ 정답률 79%

정답풀이

학예사의 설명을 듣고 학생은 '조선왕릉은 공간에 따라~공간의 위계를 조성했다고 이해하면 될까요?'와 같이 자신이 이해한 바를 되묻거나 '석물의 예술적 가치가 높다고~설명도 부탁드릴게요.'와 같이 추가적 설명을 요구한다. 그러나 학예사의 설명을 바탕으로 자신의 생각을 수정하고 있지는 않다.

오답풀이

① 학생은 인터뷰 서두에서 자신을 소개하며 '조선 왕릉과 관련하여 장묘 전통, 공간 구성, 석물 등'에 대한 설명을 듣고자 찾아왔음을 밝히고 있다.
② 학생은 자신이 알고 있는 '조선 왕릉은 진입 공간, 제향 공간, 능침 공간으로 구분'된다는 정보를 바탕으로 이가 세계 유산 등재 기준에 포함된 '공간 구성의 독창성'과 어떻게 관련되는지 학예사에게 묻고 있다.
③ 조선 왕릉이 가진 공간 구성의 독창성에 대한 학예사의 설명을 듣고, 학생은 '조선 왕릉은 공간에 따라 조망 범위를 다르게 하는 방식으로 공간의 위계를 조성했다고 이해하면 될까요?'라고 하여 자신의 이해가 적절한지 확인하고 있다.
④ 학생은 학예사가 설명한 '조선 왕릉의 자연 친화적 성격'에 대한 설명을 듣고 자신이 건원릉이나 광릉에 갔을 때 편안함을 느꼈던 경험을 밝힌다. 그리고 '이곳 선릉도 자연 친화적 공간이라는 인상을 받았습니다.'라고 하여 학예사의 설명에 대한 공감을 표하고 있다.

5 ③ 정답률 84%

정답풀이

[A]에서 학예사는 '능침 공간에는 예술적 가치가 높은 석물이 배치되었'다고 설명했는데, [B]에서 학생이 이에 대한 추가 질문을 하자 '석인상'을 예시로 들어 왕릉에 배치된 석물의 예술미에 대해 보충 설명하고 있다.

오답풀이

① [B]에서 학생은 학예사의 이전 답변 중 석물의 높은 예술적 가치에 대한 내용을 인용하여 추가적인 설명을 요청하고 있다. 이와 달리 [A]에서는 마지막 질문이라고 언급할 뿐, 학예사의 이전 답변을 인용하여 추가적인 설명을 요청하고 있지는 않다.
② [A], [B] 모두에서 학생은 학예사가 제시한 사례의 적절성에 의문을 제기하거나 새로운 사례를 요청하고 있지 않다.
④ 학예사는 학생의 이해를 돕기 위해 [B]에서 학생이 추가로 한 질문에 대해 답변을 하고 있으나, [A]에서 자신이 설명한 내용을 반복하고 있지는 않다.
⑤ [B]에서는 [A]의 설명에 대한 학생의 잘못된 이해가 나타나지 않으므로 학예사가 학생의 이해가 잘못되었음을 밝히고 이를 정정하고 있다고 볼 수 없다.

6 ④ 정답률 84%

정답풀이

ㄱ. 1문단에서 '조선 왕릉은 자연 친화적 장묘 전통, 인류 역사의 중요한 단계를 잘 보여 주는 왕릉 조성과 기록 문화, 조상 숭배의 전통이 이어지고 살아있는 유산이라는 점에서 가치를 인정'받았음을 설명하며 글을 시작하고 있다.
ㄷ. 2문단에서 '조선 왕릉은 공간의 위계를 만들어 능침 공간의 권위와 성스러움을 확보하는 공간 구성의 독창성을 드러낸다.'라고 하면서 공간의 위계가 '지면의 높이 차이를 만들고 정자각의 배치를 활용하여 제향 공간과 능침 공간의 조망 범위를 다르게' 하여 조성되고 있음을 설명하고 있다.
ㄹ. 4문단에서 조선 왕릉과 관련된 기록물로 『국장도감의궤』, 『산릉도감의궤』가 있음을 제시하고, 현재 유지되고 있는 제례 의식으로 '종묘에서 정례적으로 봉행되는 제례 의식'을 언급하고 있다.

오답풀이

ㄴ. 2문단의 '조선은 자연과의 조화 속에서 왕릉을 조성하는 자연 친화적 원칙을 지켜 왔다.'에서 조선 왕릉이 자연 친화적임을 확인할 수 있으나, 이를 가지고 우리나라의 자연 환경이 조선의 고유한 장묘 문화가 형성되는 데 영향을 끼쳤다고 보기는 어렵다.

7 ⑤ 정답률 91%

정답풀이

[C]에서는 능침 공간이 '왕의 공간인 상계, 신하의 공간인 중계와 하계로' 세 개의 영역으로 나뉘어 있음과 영역별로 다양한 석물이 배치되어 있음을 설명한다. 이후 상계에는 병풍석, 난간석, 혼유석, 양석상과 호랑이 석상이, 중계에는 장명등, 문신 형상의 석인상, 석마 등이, 하계에는 무신 형상의 석인상, 석마 등이 배치되었다는 설명을 덧붙이고 있다.

오답풀이

① 능침 공간에 배치된 석물과 그 석물의 특징이나 의미를 일부 서술하고 있지만, 이것이 가지는 예술미를 분석하고 있지 않다. 또한 왕릉들을 비교하여 설명하고 있지도 않다.
② '조선의 내세관과 함께, 문치주의를 표방했던 조선 왕조의 지향을 드러낸다.'에서 석물들이 가지는 의미를 밝히고 있으나, 특정 석물에 대한 평가를 소개하거나 평가 간의 차이를 서술하고 있지는 않다.
③ '불교적 장식 요소를 새겨 넣은' 등에서 일부 석상의 형태를 서술하고 있지만, 석물의 형태가 변화되는 모습이나 시기별 특징을 드러내고 있지는 않다.
④ 능침 공간에 배치된 석물에 대한 설명을 인용하거나, 이를 비판적 관점에서 검토하고 있지는 않다.

[8~10] 작문

8 ① 정답률 77%

정답풀이

㉠(채식 급식은 맛이 없다.)은 (나)의 2문단의 '다양한 방식으로 조리한 맛있는 채소류 음식을 제공할 예정이고'라는 내용과 연결시킬 수 있다. 그러나 (나)에서 학생들에게 좋은 평가를 받은 채식 식단의 사례를 제시하지는 않았다.

오답풀이

② ㉡(채식이 건강에 도움이 안 된다.)과 관련해 (나)의 2문단에서는 '학생들도 영양소가 골고루 포함된 채소류 음식을 즐기게 되면 몸도 건강해지고'라고 하여 채소류 섭취가 건강에 도움이 됨을 밝히고 있다.
③ ㉢(왜 도입하는지 모르겠다.)과 관련해 (나)의 2문단에서는 우리 학교 학생들의 급식 시간에서 육류 중심으로 골라 먹기, 잔반에서 채소류가 높은 비율을 차지함을 언급하며, '채식하는 날' 도입의 필요성을 제시하고 있다.
④ ㉣(어떻게 운영되는지 모르겠다.)과 관련해 (나)의 1문단에서는 '채식하는 날'이 도입되면 '매주 월요일에는 모든 학생들에게 육류, 계란 등을 제외한 채식 중심의 급식이 제공된다.'라고 하여 '채식하는 날'의 운영 주기와 식단에 포함되지 않는 식재료를 설명하고 있다.
⑤ ㉤(환경에 기여하는 점)과 관련해 (나)의 3문단에서는 '채식하는 날'이 도입되면 '육류 소비 과정에서 발생하는 온실가스의 배출을 줄여 지구의 기후 위기를 막으려는 노력에 동참할 수 있다.'라고 하여 온실 가스 발생량을 줄이는 데 기여한다는 점을 설명하고 있다.

9 ⑤ 정답률 71%

정답풀이

3문단에서는 '채식하는 날'의 도입으로 육류 소비 과정에서 발생하는 온실가스의 배출을 줄여 지구의 기후 위기를 막을 수 있다는 내용을 서술하고 있다. ㄴ은 '고기 없는 화요일'이라는 제도를 통해 온실가스 감축 효과를 얻었다는 인터뷰 내용이며, ㄷ은 축산 분야를 통해 배출되는 온실가스의 비중이 다른 분야보다 높음을 드러내는 통계 자료이다. 따라서 ㄴ과 ㄷ을 활용해 (나)에서 '채식하는 날'의 도입이 지구의 기후위기를 막을 수 있다는 주장을 뒷받침할 수는 있지만, ㄴ과 ㄷ이 제도적 변화보다 개인의 노력이 더욱 중요하다는 내용을 드러낸다고 볼 수는 없다.

오답풀이

① ㄱ은 육류 섭취량이 지나치게 많아지면 건강에 악영향을 끼친다는 내용을 다루고 있으므로 2문단의 '채식하는 날'의 도입으로 몸이 건강해진다는 내용과 연결할 수 있다. 또한, ㄱ의 출처는 전문 서적이므로, 출처를 밝혔을 때 신뢰성을 높일 수 있다.
② ㄴ에서 제시한, '고기 없는 화요일'이라는 제도를 운영하여 채식을 즐기는 식습관을 가지고 과체중 문제를 해결했다는 사례는 2문단의 '채식하는 날'의 도입으로 채소류를 즐기게 되면 몸도 건강해지고 식습관도 개선될 것이라는 영양 선생님의 말씀과 연결하여 활용할 수 있다.
③ ㄴ은 ○○시에서 운영한 '고기 없는 화요일'이라는 제도가 온실가스 감축 효과를 주고 있음을 구체적 수치로 활용해 설명하고 있으므로, 이를 활용하여 3문단에 제시된 공공 기관의 채식 중심의 급식 제도 운영 사례를 구체화할 수 있다.
④ ㄷ의 〈그림〉은 축산 분야가 다른 분야에 비해 가장 높은 온실가스 배출량을 가지고 있음을 보여 주는 것으로, 3문단의 '통계에 따르면 현재 전 세계 온실가스 배출원 중에서 축산 분야가 가장 높은 비율을 차지한다고 한다.'를 시각적으로 보여줄 수 있는 자료이다.

10 ② 정답률 82%

정답풀이

〈보기〉에서 선생님은 학교 급식이 학생의 건강에 필요한 영양소를 골고루 충족시키는 것을 목적으로 하고 있으며, '채식하는 날' 도입 목적도 이와 같음을 조언하고 있다. 이를 고려하면 ⓐ를 학생들로 하여금 채소류 음식을 접할 기회를 늘려 '영양소를 균형 있게 섭취'하게 하는 데 도입 목적이 있다는 내용으로 수정하는 것이 적절하다.

오답풀이

① 〈보기〉에서는 '채식하는 날'의 도입 목적이 '곡류, 육류, 채소류 등을 다양하게 제공하여 학생의 건강에 필요한 영양소를 골고루 충족시키는 것'이라고 하였지, 육류 음식보다 채소류 음식이 학생의 건강에 더 도움이 된다고 하지 않았으므로, 채소류 음식이 건강에 더 도움이 되니까 더 많이 먹어야 한다고 수정하는 것은 적절하지 않다.
③ '채식하는 날'의 도입 목적은 채소류 음식만으로 필요한 영양소를 모든 충족할 수 있음을 알리려는 것이 아니다.
④ '채식하는 날'의 도입 목적을 육류만 편식하는 학생들의 태도를 바꾸는 것과 연결할 수는 있으나, 이를 학교 급식의 잔반 중 채소류가 차지하는 비율을 줄이는 것과 연결하기는 어렵다.
⑤ 〈보기〉에서는 '채식하는 날'이 기후 위기 방지에 기여한다는 점에 대해 조언하고 있지 않다.

[11~15] 문법(언어)

11 ④ 정답률 85%

정답풀이

2문단에서 '이중 모음'인 'ㅘ'는 반모음 '[w]'와 단모음 'ㅏ'가 결합한 소리로, '반모음이 단모음 앞에서 결합한 소리'라고 하였다.

오답풀이

① 2문단에서 이중 모음은 '입술 모양이나 혀의 위치가 발음 도중에 변'한다고 하였다. 'ㅠ'는 이중 모음으로 반모음 '[j]'와 단모음 'ㅜ'가 결합한 소리이다.
② 1문단에서 단모음은 '발음할 때 입술 모양이나 혀의 위치가 변하지 않는 모음'이며, 'ㅐ'는 단모음으로 발음할 것을 규정하고 있다고 하였다.
③ 2문단에서 이중 모음인 'ㅖ'는 반모음 '[j]'와 단모음 'ㅔ'가 결합한 소리로 '반모음이 단모음 앞에서 결합한 소리'라고 하였다.
⑤ 2문단에 따르면 '반모음'인 '[w]'는 '홀로 쓰일 수 없는 소리'로, 단모음과 결합하여 이중 모음이 된다.

12 ① 정답률 53%

정답풀이

3문단에서 'ㅚ'와 'ㅟ'는 단모음으로 발음하는 것이 원칙이지만 현실 발음을 고려하여 이중 모음으로 발음하는 것을 허용하고 있으며, "'ㅚ'를 이중 모음으로 발음'할 경우에는 반모음 '[w]'와 'ㅔ' 소리를 연속하여 발음'한다고 하였다. 2문단에 따르면 반모음 '[w]'와 단모음 'ㅔ'가 결합한 소리는 'ㅞ'이므로, ㉠에 들어갈 내용은 [차웨]이다. 한편 3문단에서 "'ㅟ'를 이중 모음으로 발음할 경우에는 반모음 '[w]'와 'ㅣ' 소리를 연속하여 발음'한다고 하였다. 2문단에 정리된 이중 모음 중 단모음 'ㅣ'가 결합된 이중 모음 발음은 없으므로, ㉡에 들어갈 내용으로는 '포함되어 있지 않아'가 적절하다.

13 ④ 정답률 64%

정답풀이

㉣(날이 추워지면 방한 용품이 필요하다.)은 '날이 추워지다.'와 '방한 용품이 필요하다.'라는 문장이 연결 어미 '-면'으로 이어진 문장이다. 연결 어미 '-면'으로 앞 절과 뒤 절의 의미 관계가 원인과 결과가 되므로 ㉣은 대등하게 이어진 문장이 아니라 종속적으로 이어진 문장이다.

오답풀이

① ㉠(그는 우리와 함께 일하기를 거부했다.)에는 '우리와 함께 일하다.'라는 문장이 명사절로 안겨 있으며, 이가 목적격 조사 '를'과 결합하여 전체 문장에서 목적어의 역할을 하고 있다.
② ㉡(개는 사람보다 후각이 훨씬 예민하다.)에는 '후각이 훨씬 예민하다.'라는 서술절이 전체 문장의 주어인 '개'의 성질을 풀이하는 서술어의 역할을 하고 있다.
③ ㉢(나는 그가 우리를 도와 준 일을 잊지 않았다.)에는 '그가 우리를 도와주다.'라는 문장이 관형절로 안겨 있으며, 이가 '일'을 수식하며 관형어의 역할을 하고 있다.
⑤ ㉤(수만 명의 관객들이 공연장을 가득 메웠다.)은 '관객들이'라는 주어와 '메웠다'라는 서술어의 관계가 한 번만 나타나는 홑문장이다.

14 ③ 정답률 77%

정답풀이

㉡(드려)는 선생님께 편지를 준 것이므로 '드리다'[1]의 의미로 볼 수 있다. 한편 '할머니께 말씀을 드리다'의 '드리다'는 할머니께 말을 높여 말하는 것이므로 '드리다'[2]의 의미로 볼 수 있다. 따라서 모두 '드리다'[1]의 의미로 사용되었다는 설명은 적절하지 않다.

오답풀이

① 사랑방 밖에서 안으로 향해 가게 한 것이므로 ㉠(들이면서)은 '들이다'[1]의 의미로 사용된 것이다.
② '들이다'[1]의 문형 정보인 【…을 …에】를 통해, '들이다'[1]이 쓰이는 문장에서는 목적어가 필요함을 알 수 있다. 즉 ㉠이 포함된 문장은 목적어인 '우리를'이 필요한 문장 성분인 것이다.
④ ㉢(들여)은 편지를 쓰는 일에 정성을 쓴 것이므로, '들이다'[2]의 의미로 사용된 것이다. 따라서 이를 '들여'로 수정하는 것은 적절하다.
⑤ ㉠은 표제어 '들이다'[1]의 의미로, ㉡(드려)은 표제어 '드리다'[1]의 의미로 사용되었다. '들이다'와 '드리다'는 모두 [1], [2]의 의미가 있는 다의어로, ㉠과 ㉡은 표제어 아래 제시된 여러 의미 중 하나로 볼 수 있다.

15 ② 정답률 83%

정답풀이

'초성'은 이[齒]의 모양을 본뜬 기본자에 가획하여 만든 글자라고 하였다. 이[齒]의 모양을 본뜬 기본자는 'ㅅ'이며, 이에 가획한 글자로는 'ㅈ, ㅊ'이 있다. '중성'은 초출자 'ㅗ'에 기본자 'ㆍ'를 결합하여 만든 글자라고 하였는데, 이는 재출자 'ㅛ'이다. '종성'은 상형이나 가획의 원리를 적용하지 않고 별도로 만든 글자라고 하였는데, 이러한 글자로는 'ㆁ, ㄹ, ㅿ'이 있다. 이와 같은 조건을 모두 만족하는 글자는 '쵸ㆁ'이다.

오답풀이

① 'ㅂ'은 '입 모양'을 본뜬 기본자인 'ㅁ'의 가획자이므로 초성의 조건에 어긋난다. 'ㅓ'는 초출자 'ㅓ'에 기본자 'ㆍ'를 결합하여 만든 글자이므로 중성의 조건에 어긋난다.
③ 'ㅅ'은 '이[齒]의 모양'을 본뜬 기본자이므로 초성의 조건에 어긋난다. 'ㅓ'는 초출자 'ㅗ'에 기본자 'ㆍ'를 결합하여 만든 글자가 아니므로 중성의 조건에 어긋난다. 'ㅁ'은 '입 모양'을 본뜨는 '상형'의 원리로 만들어진 것이므로 종성의 조건에 어긋난다.
④ 'ㅏ'는 초출자이므로 중성의 조건에 어긋난다.
⑤ 'ㄷ'은 '혀가 윗잇몸에 닿는 모양'을 본뜬 기본자인 'ㄴ'의 가획자이므로 초성의 조건에 어긋난다. 'ㅎ'은 '목구멍 모양'을 본뜬 기본자인 'ㅇ'의 가획자이므로 종성의 조건에 어긋난다.

[16~20] 인문

16 ③ 정답률 81%

정답풀이

윗글은 조선 시대 유학자들인 정도전, 이이, 정약용의 주장에 나타난 백성에 대한 관점을 비교하여 서술하고 있다. 2문단에서는 정도전의 관점을 설명하였고, 3문단에서는 이이의 관점을 설명하면서 정도전과 비교하여 공통점과 차이점을 언급하고 있다. 4문단에서는 정약용의 관점을 설명하면서 정도전, 이이의 관점과의 차이점을 언급하고 있다.

오답풀이

① 2문단을 통해 정도전이 '왕을 정점으로 하여 관료 조직을 위계적으로 정비하는 것'이 중요하다고 보았음을 확인할 수 있지만, 관료 조직의 위계를 분석하고 있지는 않다.
② 4문단에서 부유한 백성인 '대민'이 '납세의 부담을 맡'는다고 하였지만, 이를 통해 조선 시대 조세 제도의 문제점을 언급하고 있지는 않다.
④ 윗글에서는 조선시대 유학자들의 '군주와 백성에 대한' 관점을 이야기하고 있고, 5문단에서 이러한 주장은 '군주를 비롯한 통치 계층이 백성을 존중하는 정책을 펼치는 바탕이 되었다.'라고 하였을 뿐, 조선 시대 군주들의 통치관을 비판적으로 서술하고 있지는 않다.
⑤ 4문단에서 '조선 후기 농업 기술과 상·공업의 발달'과 관련하여 백성을 보는 관점을 드러내고 있으나, 조선 시대 상업의 발달 과정을 통시적으로 정리하고 있지는 않다.

4 회

17 ⑤ 정답률 78%

정답풀이

3문단에서 '백성은 군주에 대한 신망을 지닐 수도 버릴 수도 있는 존재이므로, 군주는 백성을 두려워하는 외민의 태도를 지녀야' 한다고 했다. 이를 통해 '외민'은 백성이 군주에 대한 신망을 버릴 수도 있다고 보는 관점임을 알 수 있다.

오답풀이

① '외민'은 군주가 지녀야 하는 태도이지, 백성이 군주에 대해 지녀야 할 마음가짐이 아니다.
② '외민'은 군주가 지녀야 하는 태도이므로, 관료의 비행을 감독하기 위해 마련한 제도라고 볼 수 없다.
③ '외민'은 군주가 백성을 두려워하는 태도이다. 군주와 백성을 부모와 자식의 관계에 비유하는 것은 3문단에서 언급한 '애민'과 관련이 있다.
④ '외민'은 군주가 지녀야 하는 태도이므로 백성의 이상적 모습이라고 볼 수 없다.

18 ③ 정답률 47%

정답풀이

4문단에 따르면 '소민'은 가난한 백성, '대민'은 부유한 백성으로 볼 수 있다. 그런데 'ㄷ'은 백성을 경제력에 따라 나누고 납세 부담에 차이가 있어야 함을 설명하는 것이 아니라, 흉년이 들어 편포가 비쌀 경우 수령이 풍년으로 면포가 저렴한 곳에서 면포를 구입해 와 군포를 바치게 하는 것, 즉 관료가 합리적 결정으로 백성을 보살피고 안정시키는 방안과 관련된 것이므로 적절하지 않다.

오답풀이

① 'ㄱ'에서 천자가 벼슬을 내리고 녹봉을 나누어 준 것은 백성들을 위한 것이라고 한 것은 2문단에서 '군주나 관료가 지배자가 아니라 백성을 일하는 봉사자일 때 이들의 지위나 녹봉은 그 정당성이 확보된다'고 한 주장과 관련된다.
② 'ㄴ'에서 군주가 쓰는 물건과 진상 · 공물을 줄이면 백성들이 혜택을 받게 될 것이라고 한 것은 백성을 삶을 돌보는 군주의 모습을 지향하는 관점에서 비롯된 것이며, 이는 3문단의 '백성을 보살펴야 하는 대상으로 보는' 시각을 바탕으로 한다고 볼 수 있다.
④ 'ㄱ'은 관리가 백성에 근본을 두어야 한다고 말하고 있으며 'ㄷ'은 백성에게 혜택을 줄 수 있는 군포 납부 방법에 대해 말하고 있다. 2문단에서 '민본 사상의 관점'은 '백성을 보살핌의 대상으로 바라본' 것이라고 하였으므로, 'ㄱ'과 'ㄷ'은 민본 사상의 관점에서 바람직한 관료의 모습을 보여 준다고 판단할 수 있다.
⑤ 'ㄴ'은 진상 · 공물의 부담을 더는 등 백성들의 '실질적인 혜택'을 말하고 있으며, 'ㄷ'은 면포 구입에 필요한 돈을 균등하게 부담하게 하여 백성들에게 '큰 혜택'을 주는 것을 말하고 있다. 이러한 혜택들은 경제적인 성격을 가지므로, 5문단의 '민생 안정을 위한 조세 및 복지 제도'와 관련하여, 백성의 경제적 안정을 중시하는 관점에서 제안한 방안이라고 볼 수 있다.

19 ② 정답률 73%

정답풀이

[A]에서 '백성을 대상으로 한 교육 제도'가 '백성을 위한 정책이 구현된 사례'라고 하였다. 한편 [자료]는 조선 시대의 교육은 '신분에 따라 교육 기회가 제한'된 것이 '신분 질서 유지를 통해 통치 계층의 우위를 확보하는 데 기여'했다고 보는 입장이다. 따라서 [자료]와 [A]는 교육이 본질적으로 백성을 위한 것이었는지에 대해 관점의 차이를 보이고 있다고 볼 수 있다.

오답풀이

① [A]와 [자료] 모두 백성이 주체가 되어 교육 기회를 얻고자 노력했는지에 대해서는 설명하지 않았다.
③ [A]와 [자료] 모두 교육 방식이 현대적으로 계승되었는지에 대해 설명하고 있지 않다.
④ [A]는 신분 질서의 의미를 언급하지 않았다. 한편 [자료]에서는 '신분 질서 유지'가 '통치 계층의 우위를 확보하는 데 기여'했다고 했을 뿐, 신분 질서의 의미에 대해 구체적으로 설명하고 있지는 않다.
⑤ [A]에서 '백성의 민원을 수렴하는 소원 제도'를 언급하였지만, 이는 백성이 정치에 참여하는 것이 아니라 백성을 위한 정책이 구현된 사례에 해당한다. 한편 [자료]에서는 '백성은 정치에 참여하는 관료가 되기 어려웠'다고 했을 뿐, 백성이 어떻게 정치에 참여했는지 설명하고 있지 않다.

20 ③ 정답률 90%

정답풀이

ⓒ(순조롭게)는 '일 따위가 아무 탈이나 말썽 없이 예정대로 잘되어 가게'라는 의미이므로 '계속하거나 이어져 있던 것이 끊이지 아니하게'라는 의미인 '끊임없이'로 바꿔 쓰는 것은 적절하지 않다.

오답풀이

① ⓐ(순응해야)는 '환경이나 변화에 적응하여 익숙하여지거나 체계, 명령 따위에 적응하여 따라야'라는 의미이므로, 이를 '따라야'로 바꿔 쓰는 것은 적절하다.
② ⓑ(정비하는)는 '흐트러진 체계를 정리하여 제대로 갖추는'이라는 의미이므로, 이를 '흐트러진 조직이나 대열을 바로 다스리고 꾸리는'이라는 의미의 '가다듬는'으로 바꿔 쓰는 것은 적절하다.
④ ⓓ(부합하는)는 '물이나 현상이 서로 꼭 들어맞는'이라는 의미이므로, 이를 '편을 견주어 볼 때 서로 어울릴 만큼 비슷한'이라는 의미의 '걸맞은'으로 바꿔 쓰는 것은 적절하다.
⑤ ⓔ(기반한)는 '기초가 되는 바탕이나 토대를 둔'이라는 의미이므로, 이를 '바탕을 둔'으로 바꿔 쓰는 것은 적절하다.

[21~25] 사회

21 ① 정답률 52%

정답풀이

3문단의 '헌법은 제23조 제1항에서 "모든 국민의 재산권은 보장된다. 그 내용과 한계는 법률로 정한다."라고 규정하여 재산권은 법률에 의해 구체화된다고 밝히고 있다.'를 통해 알 수 있다.

오답풀이

② 2문단에서 '사용이란 행정 기관이 개인의 재산권을 일시적으로 사용하는 것, 제한이란 개인의 재산권 사용 또는 그로 인한 수익을 한정하는 것을 의미한다.'라고 하였으므로, '사용'이 개인의 재산권을 국가로 이전하는 것이라고 볼 수 없다.
③ 1문단에서 '공익을 위한 적법한 행정 작용으로 개인의 재산권에 특별한 희생이 발생한 경우, 개인은 자신이 입은 재산상 손실을 보상하도록 요구할 수 있는 권리인 '손실 보상 청구권'을 갖는다.'라고 하였다. 즉 재산권을 침해하는 '모든' 행정 작용이 아니라, '특별한 희생이 발생할 경우'에 자신이 입은 손실을 보상하도록 요구할 수 있는 권리를 가질 수 있는 것이다.
④ 2문단에 따르면 '공용 침해 규정과 보상 규정은 하나의 법률에서 규정되어야' 하므로, 공용 침해와 손실 보상은 내용상 분리될 수 없다는 원칙을 가지고 있다고 볼 수 있다. 하지만 3문단에 따르면 '재산권 침해가 사회적 제약의 범위 내에 있다면 이로 인한 손실은 보상의 대상이 되지 않'으며, '재산권 침해가 특별한 희생에 해당할 때만 보상이 가능'하다. 즉 재산권의 사회적 제약을 규정하는 법률 중 재산권 침해가 특별한 희생에 해당하지 않는다면, 공용 침해와 손실 보상은 내용상 분리될 수 없다는 원칙에 어긋나지 않는다.
⑤ 감염병 예방을 위해 행정 기관이 사설 연수원을 일정 기간 동안 동원하는 것은 일시적인 것으로, 2문단에 따르면 '공용 침해 중 수용이란 개인의 재산권을 국가로 이전하는 것'이므로 '수용'이라고 볼 수 없다. 이는 공용 침해 중 '행정 기관이 개인의 재산권을 일시적으로 사용'하는 '사용'에 해당한다.

22 ③ 정답률 30%

정답풀이

3문단에 따르면 '재산권 침해가 특별한 희생에 해당할 때만 보상이 가능'하다. 5문단에서 ㉡(분리 이론)은 '법률에 규정된 재산권 침해'가 '개인의 재산권을 과도하게 침해'한다면, 이러한 법률은 위헌이고 '위헌임이 밝혀진 법률에 근거한 행정 작용은 위법'하게 된다고 하였다. ㉡은 이러한 경우 '손실을 보상하는 것이 아니라, 위법한 행정 작용 자체를 제거해야 한다'고 보므로, 행정 작용으로 인한 재산상 손실을 보상하지 않을 수 있다고 본다는 설명은 적절하다. 한편, 4문단에서 ㉠(경계 이론)은 사회적 제약과 특별한 희생이 별개가 아니라 침해의 정도에 차이가 있을 뿐이라는 입장을 보이며, 이에 '사회적 제약을 벗어나는 재산권 침해는 보상 규정이 없어도 보상이 이루어져야 한다'고 본다. 즉 ㉠은 행정 작용으로 인해 재산상 손실이 일어난 경우, 제약을 넘어선 특별한 희생이 있을 때, 보상 규정이 없어도 보상을 인정해야 한다고 보는 것이므로 ㉠이 재산상 손실을 항상 보상해야 한다고 보고 있다는 진술은 적절하지 않다.

오답풀이

① 4문단에 따르면 ㉠은 '위법한 공용 침해 행위의 경우에도 헌법 제23조 제3항을 근거로 보상을 인정해야 한다는 입장'을 가지고 있으므로, 법률에 보상 규정이 없는 경우에도 헌법 제23조 제3항을 근거로 하여, 행정 작용으로 인한 재산상 손실을 보상할 수 있다고 볼 것이다.

② 5문단에 따르면 ㉡은 '재산권의 사회적 제약에 대한 헌법 제23조 제2항의 규정에 따라 특별한 희생에 대한 제3항의 규정은 입법자의 의사에 따라 완전히 분리된다고 주장'한다. 즉 ㉡은 헌법 제23조 제2항과 제3항의 규정이 서로 다른 내용을 규정하고 있다고 볼 것이다.

④ 4문단에 따르면 ㉠은 '재산권 침해는 그 정도가 사회적 제약의 범위를 넘어서면 특별한 희생으로 바뀐다'고 본다. 한편 5문단에 따르면 ㉡은 '재산권 침해가 사회적 제약 또는 특별한 희생 중 무엇에 해당하는지 결정하는 것은 법률을 제정하는 입법자의 권한이라'고 본다. 따라서 '손실 보상 청구권'을 가질 수 있는 '특별한 희생'을 판단함에 있어 ㉠은 재산권 침해의 정도를, ㉡은 입법자의 의사를 기준으로 볼 것이다.

⑤ 4문단에 따르면 ㉠은 '보상을 규정하지 않은 채 공용 침해를 규정하고 있는 법률은, 불가분 조항인 헌법 제23조 제3항에 위반되어 위헌'이라고 본다. 또한 5문단에 따르면 ㉡은 법률에 규정된 '재산권 침해가 헌법 제23조 제2항에서 규정한 재산권의 공익 적합성을 넘어서서 개인의 재산권을 과도하게 침해한다면, 이러한 법률은 헌법 제23조 제2항을 위반하여 위헌'이라고 본다.

오답률 Best 2

이 지문에서 오답률 BEST 1, 2, 3, 4가 다 나왔어. 낯선 표현으로 지문 자체가 어렵다고 느낀 학생들이 많았던 것 같아. 하지만 낯선 제재를 다루는 지문이더라도 우리가 겁먹을 필요는 없어. 내가 보는 시험은 '국어' 영역이니, 지문의 전체적인 흐름을 파악하며 서 구조적으로 읽어 나간다면 답을 찾을 수 있거든.

4문단은 '재산권의 사회적 제약과 특별한 희생의 구별에 대해 ㉠경계 이론과 ㉡분리 이론은 서로 다른 입장을 취한다.'라는 문장으로 시작되지. 글을 읽는 과정에서 이 문장을 읽으면, 앞으로 설명하려는 것이 경계 이론과 분리 이론에 대한 것임을 기억하며 읽어야 해. 서로 다른 입장이라고 했으니 당연히 차이점에 주목해야겠지만, 둘의 공통점도 놓치면 안 돼! '서로 다른 입장을 취한다.'는 것의 기준은 '재산권의 사회적 제약과 특별한 희생의 구별'이라고 했으니, 이를 고려하여 글을 읽어 봐야 해.

⑤번은 정답률보다 더 높은 선택 비율을 가지는데, 이는 '모두'라는 표현 때문인 듯해. 여기서 '모두'는 예외를 인정하지 않는다는 의미가 아니라, ㉠과 ㉡의 공통점을 의미하는 거야. '재산상 손실을 항상 보상해야 한다'는 것은, 예외를 인정하지 않는 것과는 결이 달라. 4문단과 5문단의 내용을 꼼꼼히 읽어 보면 근거가 갖추어져 있으니, 이를 통해 정답을 판단하면 돼. 조급해하지 말고 차분하게 근거를 찾아보자.

23 ⑤ 정답률 31%

정답풀이

5문단에 따르면 분리 이론은 법률을 제정하는 입법자가 재산권 침해를 규정한 법률에 보상 규정을 넣지 않은 것, 즉 법률에 보상 규정이 없는 것은 '이러한 재산권 침해를 특별한 희생이 아니라 사회적 제약으로 규정'했기 때문으로 본다. 즉 이를 결정하는 것이 입법자의 권한이라고 보는 것이다. 또한 해당 법률이 '공익 적합성을 넘어서서 개인의 재산권을 과도하게 침해'한다면 헌법을 위반한 것이고, '위헌임이 밝혀진 법률에 근거한 행정 작용은 위법'으로 본다. 이 경우 분리 이론은 '재산권을 존속시키는 것이 재산권을 침해하면서 그 소실을 보상하는 것보다 우선한다고 보기 때문'에 ㉢(소실을 보상하는 것이 아니라, 위법한 행정 작용 자체를 제거해야 한다)의 입장을 취하는데, 이는 입법자가 별도로 규정하지 않는 한, 재산권은 그대로 보존되어야 하는 권리라는 것을 전제로 하고 있다고 볼 수 있다.

오답풀이

① 5문단에 따르면 분리 이론은 '재산권 침해가 사회적 제약 또는 특별한 희생 중 무엇에 해당하는지 결정하는 것은 법률을 제정하는 입법자의 권한'이라고 보고 있을 뿐, 재산권이라는 권리 자체가 입법자의 의사에 따라 보상 없이 제한해야 하는 권리라고 보는 것은 아니다.

② 2문단에 따르면 '헌법 제23조 제3항'은 '불가분 조항'으로 공용 침해 규정과 보상 규정은 하나의 법률에서 규정되어야 하므로 적절하지 않다.

③ 5문단에 따르면 분리 이론은 '재산권 침해가 사회적 제약 또는 특별한 희생 중 무엇에 해당하는지 결정하는 것은 법률을 제정하는 입법자의 권한'이라고 보지만, 법률에 규정된 재산권 침해가 과도하면 '헌법 제23조 제2항을 위반하여 위헌'이 된다고 보므로 제한 없이 재산권이 규정된다는 이해는 적절하지 않다.

④ 5문단에 따르면 분리 이론은 '손실 보상 청구권'을 갖게 하는 '특별한 희생'과 사회적 제약을 완전히 분리된 것으로 보며, 이렇게 '특별한 희생'이 발생하면, 2문단에서 언급한 헌법 제23조 제3항의 규정에 따라 정당한 보상을 지급해야 한다고 본다.

오답률 Best 3

전제를 묻는 문항은 추론을 요구하기 때문에, 까다로운 경우가 많아서 오답률이 높아. '전제'는 '결론의 기초가 되는 판단'을 말해. 따라서 이 문제를 풀기 위해서는 '손실을 보상하는 것이 아니라, 위법한 행정 작용 자체를 제거해야 한다.'라는 결론을 내리기 위해서 필요한 근거가 되는 명제가 무엇인지를 생각해 봐야 해.

㉢의 바로 뒤 문장을 보면 '재산권을 존속시키는 것이~때문이다.'라고 나와 있는데, '때문이다'는 앞의 내용이 어떤 것의 원인임을 가리키는 표현이지. 즉 재산권을 존속시키는 것을 우선하므로 재산권을 침해한 이후의 보상보다는 재산권을 과도하게 침해할 수 있는 위법한 행정 작용 자체를 제거한다는 견해를 보여 준다는 의미의 문장인 거야.

오답인 선지들은 지문에서 쓰인 표현들로 우리를 헷갈리게 만드는데, 이 경우 지문에서 근거를 찾아 적절한 내용인지 아닌지를 정확하게 판단하여 답이 될 수 있는 범위를 좁혀 가면 오답 선지를 지워 나갈 수 있을 거야.

24 ⑤ 정답률 22%

정답풀이

4문단에 따르면 분리 이론은 보상 규정이 없는 경우 입법자가 이러한 재산권 침해를 특별한 희생이 아닌 사회적 제약으로 규정한 것이라고 보는 한편 해당 법률에 의한 재산권 침해가 과도하다면, 헌법 제23조 제2항을 위반한 것으로 본다. 〈보기〉의 A 법률은 개발 제한 구역 지정으로 인한 손실을 보상하는 규정을 포함하지 않고 있다. 따라서 분리 이론의 입장을 취하는 헌법 재판소는 A 법률은 원칙적으로 합헌이지만, 토지 소유자의 재산권을 과도하게 침해할 수 있는 예외적인 경우가 있다고 보아, A 법률은 헌법에 위반된다고 판단했다. 이때 헌법 재판소의 판단은 A 법률이 원칙적으로는 합헌이며 과도한 침해가 예외적으로 발생한 경우를 고려하지 않았으므로 헌법에 위반된다고 판단했을 뿐이므로, 이것이 '손실 보상 청구권'을 요구할 수 있는 '특별한 희생'이라고 본 것이라고 추론하기는 어렵다.

4회

오답풀이

① 3문단에 따르면 헌법 제23조 제2항은 '재산권의 행사는 공공복리에 적합하도록 하여야 한다.'인데, 이는 개인의 재산권 행사가 공익에 적합하여야 한다는 재산권의 '사회적 제약'을 규정한 것이다. 이를 고려하면 〈보기〉에서 개발 제한 구역을 지정하는 행위는 개발 제한 구역으로 지정된 토지 사용을 제한하는 '사회적 제약'에 해당한다. 따라서 헌법 재판소는 해당 법률이 헌법 제23조 제2항에 위반되는지를 판단하였을 것이다.

② 2문단에 따르면 헌법 제23조 제3항은 '공공필요에 의한 재산권의 수용 · 사용 또는 제한 및 그에 대한 보상은 법률로써 하되, 정당한 보상을 지급하여야 한다.'인데, 이는 '공용 침해와 이에 대한 보상이 법률에 규정되어야 함을 명시'하는 것으로 '특별한 희생'에 대한 규정이라고 볼 수 있다. 그런데 〈보기〉에서 A 법률은 개발 제한 구역 지정으로 인한 손실을 보상하는 규정을 포함하고 있지 않으므로, 헌법 재판소는 개발 제한 구역을 지정하는 행위가 헌법 제23조 제3항과는 관련이 없다고 판단하였을 것이다.

③ 〈보기〉에 따르면 헌법 재판소는 '토지 재산권의 공공성을 고려하면 A 법률은 원칙적으로 합헌이라고 판단'하였다. 따라서 헌법 재판소는 개발 제한 구역을 지정하는 행위가 헌법에 위반되었는지 여부를 토지의 공공성을 근거로 판단하였다고 볼 수 있다.

④ 〈보기〉에 따르면 헌법 재판소는 개발 제한 구역으로 지정되어 '개인에게 가혹한 부담이 발생하는 예외적인 경우에는 사회적 제약을 벗어나서 토지 소유자의 재산권을 과도하게 침해한다고 판단'하였다. 따라서 헌법재판소는 재산권 침해는 개인에게 가혹한 부담이 발생하지 않는 범위 내에서만 가능하다고 판단하였다고 볼 수 있다.

오답률 Best 1

정답률 22%로 많은 학생들이 어려워한 고난도 문항이라고 볼 수 있어. ②번은 정답 선지보다 높은 35%의 선택률을 보인 매력적인 오답으로, '개발 제한 구역을 지정하는 행위'와 '헌법 제23조 제3항'과의 관련성을 묻고 있어. '헌법 제23조 제3항'은 '정당한 보상 지급'과 관련되어 있어. '정당한 보상 지급'은 '특별한 희생'이 있을 때를 말하지. 그런데 개발 제한 구역을 지정하는 행위를 할 수 있는 A 법률은 개발 제한 구역 지정으로 인한 손실을 보상하는 규정을 포함하고 있지 않아.

헌법 재판소는 분리 이론의 입장을 취하는데, 5문단에서 분리 이론은 '재산권 침해를 규정한 법률에 보상 규정이 없는 경우 입법자가 이러한 재산권 침해를 특별한 희생이 아닌 사회적 제약으로 규정한 것으로 본다.'고 하였어. 이에 따라 <보기>에서 헌법 재판소는 판결 과정에서 토지 재산권의 공공성을 고려하면 A 법률은 원칙적으로 합헌이라고 판단했어. 즉, A 법률에서의 재산권 침해를 '사회적 제약'으로 보고 있다는 거야. 따라서 헌법 재판소는 개발 제한 구역을 지정하는 행위와 '헌법 제23조 제3항'은 관련이 없다고 판단하였다고 볼 수 있지.

②번이 적절하지 않다고 본 학생들은 헌법재판소가 '토지 소유자의 재산을 과도하게 침해'하므로, A 법률이 헌법에 위반된다고 판단한 부분까지 끌고 와서 '특별한 희생'을 연결시켰을 거야. 그런데, 분리 이론에서는 재산권 침해로 인한 손실 보상보다는 위법한 행정 자체를 제거하여 재산권을 존속시키는 것을 우선하고 있으므로 'A 법률이 헌법에 위반된다'는 언급만으로 헌법 제23조 제3항과 연결시켜서는 안 돼.

25 ④ 정답률 33%

정답풀이

ⓓ(양자는 별개가 아니라)에서 '양자'는 앞 문장인 '재산권의 사회적 제약과 특별한 희생의 구별에 대해 경계 이론과 분리 이론은 서로 다른 입장을 취한다.'를 고려하면 '재산권의 사회적 제약'과 '특별한 희생'을 가리키는 것임을 알 수 있다. 따라서 '양자'를 '경계 이론'과 '분리 이론'으로 보는 것은 적절하지 않다. 이는 '재산권의 사회적 제약과 특별한 희생은 전혀 다른 것이 아니라'로 바꿔 써야 한다.

오답풀이

① ⓐ(공적 부담의 평등을 위해)에서 '공적 부담의 평등'은 2문단에서 언급한 것처럼 '행정 작용으로 누군가에 특별한 희생이 발생'하여 생긴 '부담을 공공이 분담'하는 것을 말한다. 따라서 ⓐ를 '행정 작용으로 인한 부담을 개인이 모두 떠안게 되는 불평등을 조정하기 위해'로 바꿔 쓰는 것은 적절하다.

② ⓑ(공용 침해 규정과)에서 '공용 침해 규정'은 2문단에서 언급한 것처럼 '공공필요에 의한 재산권의 수용 · 사용 또는 제한'이므로 적절하다.

③ ⓒ(사회적 제약의 범위 내에)에서 '사회적 제약의 범위'는 3문단의 헌법 제23조 제2항에서 '재산권의 행사는 공공복리에 적합하도록 하여야 한다.'라고 하여, '개인의 재산권 행사가 공익에 적합하여야 한다는 재산권의 '사회적 제약'을 규정하고 있'다는 설명에서 확인할 수 있다. 이를 고려하면, ⓒ를 '헌법 제23조 제2항에 규정된 재산권의 한계 안에'로 바꿔 쓰는 것은 적절하다.

⑤ ⓔ(입법자의 의사에 따라 완전히 분리된다고)에서 '분리'가 되는 대상은 '재산권의 사회적 제약에 대한 헌법 제23조 제2항'과 '특별한 희생에 대한 헌법 제 23조 제3항'의 규정이다. '경계 이론'이 재산권의 침해의 정도에 따라 '재산권의 사회적 제약'과 '특별한 희생'을 구분한 것과 달리, '분리 이론'은 '입법자의 의사'에 따라 분리된다고 보므로, ⓔ를 '재산권 침해 정도에 따라 구분되는 것이 아니라 입법자의 서로 다른 의사가 반영된 것이라고'로 바꿔 쓸 수 있다.

오답률 Best 4

문맥의 의미를 파악하여 적절하지 않게 바꿔 쓴 선지를 골라야 하는 문항이야. 문제 유형이 평범함에도 불구하고 33%의 낮은 정답률을 보여 주고 있는데, ④번에서 ⓓ의 '양자'가 지칭하는 바를 잘못 찾았거나 실수했을 가능성이 높아.

정답을 고르기 위해서는 ⓓ(양자는 별개가 아니라) 앞부분의 '경계 이론에 따르면', 뒷부분의 '단지 침해의 정도에 있어서만 차이가 있다'를 통해 '양자'가 가리키는 것이 앞 문장의 '사회적 제약과 특별한 희생'임을 파악해야 했어. ⓓ가 속한 문장을 이해하면서 앞, 뒤 문장을 통해 맥락을 살펴야 했지.

오답률이 높은 선지는 28%의 학생들이 고른 ⑤번인데, 이는 '경계 이론'과의 '차이'까지 내용에 넣어 바꿔 쓰고 있다는 점에서 헷갈렸던 건 같아. 하지만 ⑤번을 통해 알 수 있듯이 밑줄 친 범위 내의 표현뿐 아니라 조금 더 넓은 문맥을 파악해야 정답을 제대로 고를 수 있어. 이 문제를 통해 그 점을 확실히 짚고 넘어가자!

[26~30] 과학

26 ⑤ 정답률 53%

정답풀이

2문단에서 '핵자들이 결합하여 원자핵이 되면서 질량이 줄어든 것을 질량 결손'이라고 하고, 이렇게 '줄어든 질량은 에너지로 전환'되는데, 이것이 '원자핵의 결합 에너지'와 크기가 같다고 하였다. 여기서 '원자핵의 결합 에너지'는 '원자핵을 개별 핵자들로 분리할 때 가해야 하는 에너지'이므로 적절하다.

오답풀이

① 1문단에서 '질량수'는 '원자핵을 구성하는 양성자와 중성자의 개수를 모두 더한 것'이라고 하였다.

② 8문단에서 '양(+)의 전하를 띤 원자핵은 음(−)의 전하를 띤 전자와 전기적 인력에 의해 단단하게 결합되어 있'다고 하였으므로 척력이 작용한다는 내용은 적절하지 않다.

③ 2문단에 따르면 '핵자당 결합 에너지'는 '원자핵의 결합 에너지를 질량수로 나눈 것'이므로 적절하지 않다.

④ 2문단에서 '질량 – 에너지 등가 원리'에 따르면 '질량과 에너지는 상호 간의 전환이 가능'한데, 이때 '에너지는 질량에 광속의 제곱을 곱한 값과 같'다고 하였으므로 적절하지 않다.

27 ① 정답률 63%

정답풀이

4문단에서 ㉠(우라늄 – 235(^{235}U) 원자핵을 사용하는 핵분열 발전)의 경우 '우라늄 원자핵에 중성자를 흡수시'켜 질량 결손으로 인해 전환되는 에너지를 발전에 이용한다고 하였으므로, '중성자'가 아닌 '전자'를 흡수시킨다는 설명은 적절하지 않다.

오답풀이

② 5문단에서 ㉠이 속하는 '핵분열 발전에서는 중성자의 속도를 느리게 해야' 하므로, '물이나 흑연을 감속재로 사용하여 중성자의 속도를 느리게 만든다.'라고 하였다.

③ 4문단에 따르면 ㉠에서는 중성자가 우라늄 원자핵에 흡수되면서 분열이 일어나고, 이 과정에서 방출된 중성자가 '다른 우라늄 원자액에 흡수되어 연쇄 반응'이 일어나는데, 5문단에서 연쇄 반응이 너무 급격하면 '과도한 에너지가 발생하여 폭발이 일어날 수' 있어서 제어봉을 사용하며, '제어봉은 중성자를 흡수하는 장치로, 핵분열에 관여하는 중성자 수를 조절하여 급격한 연쇄 반응을 방지'한다고 하였다.

④ 1문단에서 핵분열은 '질량수가 큰 하나의 원자핵이 질량수가 작은 두 개의 원자핵으로 쪼개지는 것'이라고 설명하였다. 따라서 ㉠에서 우라늄 – 235 원자핵이 분열되면 우라늄 – 235 원자핵보다 질량수가 작은 원자핵들로 나뉠 것이다.

⑤ 4문단에서 ㉠의 과정에서 방출된 중성자가 '다른 우라늄 원자핵에 흡수되어 연쇄 반응을 일으킨'다고 하였으며, 5문단에서는 '중성자가 너무 빠르게 움직이면 원자핵에 흡수될 확률이 낮기 때문'에, '중성자의 속도를 느리게 해야 한'다고 하였다. 이를 고려하면 ㉠은 우라늄 – 235 원자핵이 분열되면서 방출되는 중성자의 속도를 느리게 해서 연쇄 반응을 일으킬 것임을 알 수 있다.

28 ① 정답률 38%

정답풀이

3문단에서 '모든 원자핵은 안정된 상태가 되려는 성질이 있으므로, 핵자당 결합 에너지가 작은 원자핵들은 핵분열이나 핵융합을 거쳐 핵자당 결합 에너지가 큰 상태가 된다.'라고 하였다. 〈보기〉에서는 철 원자핵이 '모든 원자핵 중에서 핵자당 결합 에너지가 가장 크고 가장 안정된 상태'이며 '철 원자핵보다 질량수가 작은 원자핵은 핵융합을, 질량수가 큰 원자핵은 핵분열을 통해 핵자당 결합 에너지가 높은 원자핵이 된'다고 하였다. 따라서 철 원자핵보다 질량수가 작은 원자핵인 헬륨 – 4 원자핵은 핵융합을 통해 핵자당 결합 에너지가 높은 원자핵이 되면서 더 안정된 상태가 될 것이다.

오답풀이

② 〈보기〉에 따르면 중수소 원자핵과 삼중 수소 원자핵의 양성자의 수는 각각 1개로 동일하다. 3문단에서 '핵자당 결합 에너지'가 클수록 원자핵이 '더 안정된 상태'라고 하였는데, 삼중 수소 원자핵이 중수소 원자핵보다 핵자당 결합 에너지가 더 높으므로, 더 안정된 상태라고 할 수 있다.

③ 2문단에서 '원자핵의 결합 에너지를 질량수로 나눈 것을 핵자당 결합 에너지'라고 한다고 하였다. 즉 '핵자당 결합 에너지 = 원자핵의 결합 에너지 / 질량수'이며, 이를 '핵자당 결합 에너지 × 질량수 = 원자핵의 결합 에너지'로 변환할 수 있다. 이에 따르면 철 원자핵의 결합 에너지는 핵자당 결합 에너지에 26이 아니라 56을 곱한 값으로 보는 것이 적절하다.

④ 〈보기〉에서 '철 원자핵은 모든 원자핵 중에서 핵자당 결합 에너지가 가장 크고 가장 안정된 상태'라고 하였다. 따라서 우라늄 – 235 원자핵이 핵분열하여 생성된 원자핵의 핵자당 결합 에너지는 철 원자핵의 핵자당 결합 에너지인 9MeV보다 작은 값을 가질 것이다.

⑤ 3문단에서 '원자핵을 구성하는 핵자들은 핵자당 결합 에너지가 클수록 더 강력하게 결합되어 있고 이는 원자핵이 더 안정된 상태라는 것을 의미한다.'라고 하였다. 이를 고려하면 철 원자핵보다 핵자당 결합 에너지가 작은 우라늄 – 235 원자핵이 철 원자핵보다 더 강력하게 결합되어 있다고 보기 어렵다.

29 ⑤ 정답률 53%

정답풀이

7문단에 따르면 지구는 태양과 물리적 조건이 달라서 태양의 핵융합을 똑같이 재현할 수 없으므로, ⓑ(D – T 핵융합)는 ⓐ(수소(^{1}H) 원자핵을 원료로 하는 태양의 핵융합)와 다른 원료인 중수소 원자핵과 삼중 수소 원자핵을 사용하여 핵융합을 하게 된다.

오답풀이

① 6문단에 따르면 ⓐ는 수소 원자핵 2개의 융합, 중수소 원자핵과 수소 원자핵의 융합, 2개의 헬륨 – 3 원자핵의 융합이라는 과정을 거쳐 헬륨 – 4 원자핵이 생성되는 과정에서 줄어든 질량이 에너지로 전환되는 것이다. ⓐ를 통해 핵융합 이전에는 없던 헬륨 – 4 원자핵이 생긴 것이므로, 헬륨 – 4 원자핵의 개수는 늘어났다고 볼 수 있다.

② 7문단에서 ⓑ는 '중수소 원자핵과 삼중 수소 원자핵을 핵융합 발전의 원료로 사용'한다고 하였다.

③ 6문단에 따르면 ⓐ에서는 2개의 헬륨 – 3 원자핵이 융합하여 헬륨 – 4 원자핵이 만들어진다. 한편 7문단에 따르면 ⓑ에서는 중수소 원자핵과 삼중 수소 원자핵이 융합하여 헬륨 – 4 원자핵이 생성된다.

④ ⓐ와 ⓑ는 핵융합인데, 3문단에서 '핵융합'은 '반응 전후로 질량 결손이 일어나고, 줄어든 질량은 에너지로 전환'된다고 하였다.

30 ③ 정답률 61%

정답풀이

8문단에서 '원자핵은 양의 전하를 띠고 있어서 서로 가까이 다가갈수록 척력이 강하게 작용'하므로, '척력을 이겨내고 원자핵이 융합하게 하기 위해서는 플라스마의 온도를 높여 원자핵이 고속으로 움직일 수 있도록 해야 한'다고 하였다. 이를 고려하면, ㉡(플라스마를 1억℃ 이상으로 가열)은 원자핵이 척력을 이겨내고 서로 융합할 수 있도록 하기 위한 것이라고 볼 수 있다.

오답풀이

① 8문단에 따르면 원자핵과 전자가 분리된 상태인 '플라스마가 벽에 닿지 않'게 하기 위해서는 '자기장을 활용'하므로 적절하지 않다.

② 8문단에 따르면 플라스마의 '고온 상태를 일정 시간 이상 유지하는 것'은 ㉡ 이후에 필요한 것이다.

④ 8문단에 따르면 ㉡은 전자가 아니라 '원자핵이 고속으로 움직일 수 있'도록 하는 것이다.

⑤ 8문단에서 '원자핵은 양의 전하를 띠고 있'어서 '척력'이 작용하며, 이를 이겨내서 '원자력이 융합할' 수 있게 하는 것이 ㉡이라고 하였다. 전기적 인력을 발생시키는 것은 ㉡과 관련이 없다.

[31~33] 현대시

31 ② 정답률 63%

정답풀이

(가)에서는 '스며든다', '빛을 하다', '얼어붙고', '떨어트리고', '서 있다' 등과 같은 현재 시제를 활용하여 겨울 호수의 풍경을 바라보는 시적 상황에 주목하게 한다. 한편 (나)에서는 '본다', '행복해진다', '들어 있다', '함께 있다', '아름답다', '선명하다' 등의 현재 시제를 활용하여 '논고랑에 고인 물'을 보며 자신과 자신을 둘러싼 대상을 인식하고 있는 시적 상황에 주목하게 한다.

오답풀이

① (가)와 (나)에는 음성 상징어가 사용되지 않았다. 참고로 (나)의 '꾸부정'과 '우왕좌왕'은 사람이나 사물의 모양이나 움직임을 흉내 낸 음성 상징어로 보기 어렵다.

③ (가)와 (나)는 특정한 청자를 호명하거나, 청자와 말을 주고받고 있지 않으므로, 청자와 대화하는 방식을 활용하였다고 보기 어렵다.

④ (가)의 화자는 시선을 이동하고 있지만, 이것이 원경에서 근경으로의 이동하고 있다고 단정짓기는 어렵다. 한편 (나)에서 화자는 '나뭇가지', '햇살', '새 그림자', '나의 얼굴' 등을 보고 있지만, '논고랑에 고인 물'에 비친 대상을 보고 있으므로 원경에서 근경으로의 시선 이동이 있다고 볼 수 없다.

⑤ (가)는 '노을'이라는 시어가, (나)는 '있다'라는 시어가 반복되고 있지만, 이러한 단어의 반복을 통해 리듬감을 형성하고 있다고 보기는 어렵다.

32 ④ 정답률 73%

정답풀이

'2'의 '희미한 날개를 펴고 있었다'는 '노을'의 모습을, '3'의 '논둑 위에 서 있다'는 '송아지'의 모습을 표현한 것으로, 이들 사이에 어떠한 연결이 있다고 보기는 어렵다. 또한 '송아지'의 '서글픈 얼굴'은 〈보기〉에서 말하는 '애상적 정서'를 환기하는 것으로 이해할 수 있지만, 이가 '극복될 수 있는 가능성을 암시'한다고 보기는 어렵다.

오답풀이

① 〈보기〉에서 (가)의 '각 장면에서는 다양한 이미지를 통해' 겨울 호수가 형상화된다고 하였다. 이를 고려하면 '1'에서 '한포기 화려한 꽃밭'으로 표현된 '호수'에 '양철로 만든 달'이 뜨고, '부숴지는 얼음 소리'가 '날카로운 호적'처럼 '옷소매에 스며'들고 있는 것에서 '양철'과 '얼음'은 날카롭고 차가운 감각과 연결될 수 있으며, 이가 겨울 호수의 이미지를 형상화한다고 볼 수 있다.
② 〈보기〉에서는 (가)에서 풍경을 형상화하는 과정에서 '애상적 정서가 환기'된다고 하였다. 이를 고려하면 '1'에서 '달이 하나 수면 위에 떨어지'는 모습은 겨울 호수 부근의 풍경을 하강 이미지로 형상화한 것으로, 겨울 호숫가를 '홀로' 거니는 화자의 상황과 맞물리면서 쓸쓸한 정서를 드러낸다고 볼 수 있다.
③ 〈보기〉에서는 (가)에서 풍경을 형상화하는 과정에서 '애상적 정서가 환기'된다고 하였다. 이를 고려하면 '2'에서 '강물'은 '낡은 고향의 허리띠'로, '노을'은 '나 어린 향수'로 비유하여 겨울 호수와 그 부근의 풍경을 형상화한 부분이 고향에 대한 그리움의 정서를 환기시킨다고 볼 수 있다.
⑤ 〈보기〉에서는 (가)에서 풍경을 형상화하는 과정에서 '애상적 정서가 환기'된다고 하였다. 이를 고려하면 '조각난 빙설', '얼어붙'은 '강물', '앙상한 잡목림'과 같은 시구는 겨울 호수와 그 부근의 풍경을 형상화한 것으로 스산한 분위기를 드러내며 애상적 정서를 심화하고 있다고 볼 수 있다.

33 ① 정답률 60%

정답풀이

화자는 '갈아놓은 논고랑에 고인 물'을 바라보면서 비치는 대상 '모두가 아름답다'고 생각한다. 그리고 그 안에서 자기 자신은 '거꾸로 서 있'고 '아프지 않다'고 말하고 있다. '산'도 '거꾸로 서 있는' 내 모습 곁에 '거꾸로 누워 있'는 존재다. 이때 화자는 '늘 떨며 우왕좌왕하던' 과거 자신의 모습은 '저 세상에 건너가 서 있기나 한 듯'하다고 하며 '거꾸로 서 있'는 자신이나 '거꾸로 누워 있'는 '산'과는 거리를 두고 있다. 따라서 '늘 떨며 우왕좌왕하던' 과거 자신의 모습과 '곁에 거꾸로 누워 있'는 '산'의 모습을 동일시하고 있다고 보기 어렵다.

오답풀이

② 화자는 물에 비친 대상들을 보며, '누가 높지도 낮지도 않'은 모습 '모두가 아름답다'고 표현하고 있으므로, 화자가 물에 비친 세상을 긍정적으로 보고 있다고 할 수 있다.
③ 화자는 '거꾸로 서 있는 모습'이 '아프지 않다'고 하였다. 이런 화자의 모습은 물에 비친 자신의 모습을 부정적으로 받아들이지는 않은 것으로 볼 수 있다.
④ '나'는 다른 존재인 '나뭇가지', '햇살', '새 그림자'를 보며 '늘 홀로이던 내가' '그들'과 '함께 있다'는 인식을 하면서 그들과 공존하고 있음을 발견하고 있다.
⑤ 화자는 '늘 떨며 우왕좌왕하던' 것과 달리 물에 비친 자신의 모습을 '무심하고 아주 선명하다'고 하였다. 즉 화자는 물을 보는 행위를 함으로써 자신의 모습을 이전과 다르게 인식하고 있는 것이다.

[34~37] 현대소설

34 ⑤ 정답률 84%

정답풀이

윗글에서는 이야기 내부의 서술자인 '나'가 다른 등장인물인 엄마, 선생님, 백인 남자, 언니, 외삼촌, 주인 남자 등의 행위를 묘사하면서 자신의 생각이나 심리 상태를 드러내고 있다.

오답풀이

① 윗글은 '나'의 관점으로만 서술이 되고 있으며, '동일한 사건'이 아닌 '피아노'를 둘러싼 다양한 사건들을 서술하고 있으므로 적절하지 않다.
② 윗글의 처음부터 끝까지 서술자는 '나'이다. 윗글의 마지막 부분에서 주인 남자와의 갈등이 나타나기는 하지만, 이 역시 '나'의 시선으로 서술하고 있으므로 갈등을 다각적으로 조명하고 있다고 보기는 어렵다.
③ 윗글은 이야기 내부의 서술자인 '나'가 자신의 관점에서 사건을 서술하고 있다.
④ 윗글의 서술자는 '나'로, '나' 또는 '나'와 관계를 맺고 있는 인물들을 중심으로 한 사건을 서술하고 있으며, 이때의 서술은 서술자인 '나'의 주관적인 시선이 반영되어 있으므로 적절하지 않다.

35 ③ 정답률 73%

정답풀이

㉢은 '우리 가족은 생계와 주거를 한 건물 안에서 해결하고 있었다.'를 부연하는 것으로, '다시 강조하거나 확인하는 뜻을 나타내는 말'인 '말이다'를 통해 한 건물 안에서 생계와 주거가 어떻게 이루어지고 있는지를 서술하는 부분이지, 자신의 경험에 대한 이해의 폭이 확장되었음을 강조하고 있는 것은 아니다.

오답풀이

① ㉠은 '가능했던 일인지도 모른다.'라는 추측과 짐작을 드러내는 표현을 사용하여, 성년이 된 현재의 시각에서 지나간 유년 시절에서의 일의 의미를 진술하고 있다.
② ㉡은 피아노의 외양에 대한 묘사를 나열하고 있는 부분으로, 인물인 '나'가 피아노를 보고 느낀 '학원에 있는 어떤 것보다 좋아 보였다.'의 근거를 제시하고 있다.
④ ㉣은 피아노를 '러시아 귀족'에 빗대어 어울리지 않는 반지하 방에 놓이게 된 피아노를 바라보는 '나'의 마음을 드러내고 있다.
⑤ ㉤은 '언니와, 나와, 피아노와, 외삼촌과, 다시 피아노와'에서 쉼표를 빈번하게 사용하여 반지하 방에 피아노가 들어오는 예기치 못한 상황에 대한 주인 남자의 불편한 심리를 부각하고 있다.

36 ② 정답률 65%

정답풀이

ⓐ(만두 가게)에서 '손뼉을 치'는 사람은 '백인 남자'로, 박수를 받은 '나'는 부끄러웠지만 수줍은 감사 인사를 건네고 있다. 이때 '손뼉을 치'는 '백인 남자'가 부끄러워하는 것은 아니므로 적절하지 않다. 한편 '우리를 흘깃거'리는 시선은 ⓑ(반지하)와 어울리지 않는 '피아노'를 옮기는 '우리'를 바라보는 시선이므로, '나'는 이러한 시선에서 부끄러움을 느낀다고 할 수 있다.

오답풀이

① '피아노'는 '파란 트럭'에 실려 ⓐ로 왔으며 '나'는 이날 '엄마가 무척 기뻐했던 기억이 난다.'라고 하였다. 이후 '피아노'는 '외삼촌의 트럭'에 실려, 서울에 살고 있는 언니의 방인 ⓑ로 옮겨진다. '언니의 표정은 뜨악했다.'는 표현을 통해 언니는 '피아노'를 보고 당황했음을 알 수 있다.
③ '우리 가족은 생계와 주거를 한 건물 안에서 해결하고 있었다.'의 건물은 ⓐ를 가리킨다. 한편 대학 진학을 앞둔 '나'는 서울에 사는 언니의 방인 ⓑ로 이사를 온다. 피아노를 '좁고 가파른 계단'을 통해 ⓑ로 옮겼다고 한 것을 통해, ⓑ는 '나'와 언니가 좁고 가파른 계단을 오르내리며 살아야 하는 공간임을 알 수 있다.
④ '나'는 ⓐ에서 '피아노'를 연주했는데, 이를 '쉽고 아름답지만 촌스러워서 누구라도 가게 앞을 지나다 얼굴을 붉히게 만들었을' 연주라고 말하고 있다. 한편 피아노는 ⓑ로 옮겨지는 과정에서 외삼촌이 놓치게 되어 '쿵- 하는 소리'를 내며 계단을 미끄러져 나간다. 이 소리는 '사실적이고, 커다랗고, 노골적인 소리'로 '나'의 '얼굴을 붉어'지게 만든다.
⑤ ⓐ에 '피아노'를 실은 트럭이 도착한 날, '세탁기도 냉장고도 아닌 피아노라니.'에서 '우리 삶의 질이 한 뼘쯤 세련돼진 것 같'다고 느낀 '나'의 기쁨을 확인할 수 있다. 한편 ⓑ와 어울리지 않는 '피아노'를 옮길 때의 '세탁기도, 냉장고도 아닌 피아노라니.'는 '나'의 '세 뼘쯤 민망해지는 기분'을 드러내고 있다.

37 ④ 정답률 54%

정답풀이

'피아노가 잠시 세기말 도시의 하늘 위로 비상'하는 모습은 피아노를 옮기기 위해 든 것을 표현한 것으로, 이후 '나'와 언니는 주인 남자와 피아노를 치지 않겠다는 약속을 한다. 이는 〈보기〉에서 '나'가 직면한 새로운 환경이 '나'의 욕구를 제한한다고 한 것과 관련이 있다. 즉 '나'는 이사 후에 '나'의 욕구를 제한하게 되는 것이므로 적절하지 않다.

오답풀이

① '놀이공원에 가고, 엑스포에 가는 것'과 같은 '평범한 유년의 프로그램'은 배움이 짧은 엄마가 '어느 시기에는 어떠어떠한 것을 해야 한다는 풍문'을 듣고 어떤 '보통'의 기준들을 따라가려고 한 것에 해당한다. 이는 자녀인 '나'에게 마련해 주고 싶었던 환경의 일부라고 볼 수 있다.
② '베토벤같이 풀린 파마머리를 한 채 귀머거리처럼 만두를 빚'는 모습은 힘들게 돈을 버는 엄마의 모습을 표현한 것이다. 엄마는 이렇게 번 돈으로 엄마가 꿈꾸었던 도도한 생활의 상징인 '피아노'를 사준다.
③ 엄마가 애써 마련해준 환경에서 피아노는 '한 뼘쯤 세련돼진' 느낌을 주었지만, 반지하방이라는 '새로운 환경'에 직면하면서 피아노는 '세 뼘쯤 민망해지는 기분'을 느끼게 하는 대상이 된다.
⑤ '나'는 피아노의 '문양'이 '양각'된 것으로 알고 있었는데, 새로운 환경에 직면하는 과정에서 피아노의 '문양'은 '본드로 붙여져 있던 것'임이 밝혀진다. 이때 충격 때문에 몸에서 떨어져 나가 '고장 난 스프링처럼 흔들리'는 문양은 엄마가 애써 마련해준 환경이 그리 견고하지 못한 것이었음을 드러낸다고 할 수 있다.

[38~41] 고전시가+현대수필

38 ① 정답률 34%

정답풀이

(가)의 화자는 '고인을 못 봐도' 고인이 '가던 길'이 앞에 있으니 이 길을 따르겠다고 하였으며, (나)의 글쓴이는 '지나간 성인의 가르침은 하나같이 간단하고 명료'하여 '누구나 다 알아들을 수 있는 내용'이었다고 하며 '명료한 진리'를 현대의 학자들이 어렵게 만들어 놓은 것에 대해 부정적인 입장을 취하고 있다. 따라서 (가)와 (나) 모두 옛사람의 행적을 긍정적으로 바라보고 있다고 할 수 있다.

오답풀이

② (가)에서 화자는 '당시에 가던 길'을 '버려' 두었다가 '돌아'온 것이므로, '새로운 도전에 대한 기대감을 형상화'하고 있다고 보기 어렵다. (나)에서도 '새로운 도전'이 나타난다고 볼 수 있는 근거는 확인할 수 없다.
③ (가)의 화자가 자연물인 '청산'과 '유수'에 감탄하고 있다고 볼 수는 있지만, (나)에서 '사물의 아름다움'을 예찬하고 있지는 않다.
④ (가)의 화자는 '만고상청하리라'에서 자연과 같이 '아주 오랜 세월 동안' 변하지 않는 모습을 가지고자 하지만, 자연과 하나 되는 삶의 과정을 순차적으로 제시하고 있지는 않다. 한편 (나)는 신념을 가지고 당당하게 살아가야 함을 밝히고 있는데, 이 과정에서 자연과 하나 되는 삶의 과정을 순차적으로 제시하고 있지는 않다.
⑤ (가)에서 지식인의 부정적 태도나 이에 대한 화자의 냉소적인 인식은 나타나지 않는다. 한편 (나)의 글쓴이는 행동이 없는 지식인의 무기력하고 나약한 모습을 냉소적으로 바라보고 있다.

오답률 Best 5

이황의 「도산십이곡」을 공부해 두지 않았다면 내용이 어렵게 느껴졌을 거야. 그럴 때라도 당황하지는 마! 각주의 설명을 참고해서 내용을 이해해 볼 수도 있거든. 각주에서 '고인'이 '옛 성인, 성현'이라고 설명한 것을 놓치지 않았다면 답을 쉽게 판단할 수 있었을 거야. <제9수>는 '옛 성현이 가던 길이 앞에 있으니 이 길을 가겠다'는 의미로 해석할 수 있으니 판단할 수 있는 거지. 그에 따라 화자가 옛사람의 행적을 긍정적으로 바라보고 있다고 말할 수 있지.

학생들이 정답과 유사한 비율로 고른 오답은 ⑤번이야. ⑤번 역시 「인형과 인간」보다는 「도산십이곡」을 이해하지 못해 고른 것일 듯해.

고전시가는 낯선 표현이나 고어, 한자라는 큰 벽 때문에 어렵다고 느끼는 학생들이 많아. 하지만 고전시가는 작품군이 어느 정도 정해져 있고, 소재나 주제 의식이 다양하지 않기 때문에 공부하다 보면 어느새 의미를 이해할 수 있을 거야. 고전시가의 내용을 이해하면 문제도 더 쉽게 느낄 수 있어.

고전시가는 주요 작품을 가지고 현대어 풀이와 자연스럽게 연결할 수 있도록 반복해서 보는 게 좋아. 그리고 주제 의식이 담겨있는 부분, 문제 풀이에서 선지의 근거가 되는 부분들을 위주로 함의된 내용이나 표현법을 살펴본다면 고전시가와 친해질 수 있을 거야.

39 ④ 정답률 58%

정답풀이

[A]에서는 '못 보고', '못 뵈네', '못 봐도', '아니 가고'와 같은 부정 표현을 사용하고 있지만, 이는 '고인'이 '가던 길'을 가겠다는 화자의 모습을 드러내는 것이므로, 화자가 어떠한 것을 반성하고 있는 태도를 드러낸다고 보기는 어렵다. 한편 [B]는 '딴 데 마음 말으리'라는 부분에서 부정 표현을 확인할 수 있는데, 이는 '딴 데 마음' 먹었던 자신의 과거에 대한 반성이 담겨 있다고 볼 수 있다.

오답풀이

① [A]는 '고인도 날 못 보고'와 '나도 고인 못 뵈네'라는 유사한 문장 구조를 활용하여, 대구로 운율감을 형성하고 있다.
② [B]는 '당시', '이제야'와 같은 시간과 관련된 표현을 활용하여, 버려둔 길을 돌아와 '딴 데 마음 말'고 돌아온 '길'을 가겠다는 화자의 다짐을 강조하고 있다.
③ [A]는 '어찌할까'라는 의문형 어구를 활용하여 '앞'에 놓인 '길'을 가겠다는 화자의 다짐을 드러내고 있다. [B]는 '이제야 돌아왔는고'라는 의문형 어구를 활용하여 '가던 길'을 '몇 해'나 '버려' 둔 자신에 대한 화자의 부정적 태도를 드러내고 있다.
⑤ [A]의 초장의 끝에 나오는 '고인 못 뵈네'는 중장 처음에 나오는 '고인을 못 봐도'로, [A]의 중장 끝에서 나오는 '가던 길 앞에 있네'는 종장 처음에 나오는 '가던 길 앞에 있거든'으로 반복된다. [B]의 중장의 끝에 나오는 '이제야 돌아왔는고'는 종장 처음에 나오는 '이제야 돌아왔으니'로 반복된다. 이처럼 [A]와 [B]는 앞 구절의 일부를 다음 구절에서 반복하여 제시하는 연쇄법을 통해 내용을 유기적으로 연결하고 있다.

4회

40 ④ 정답률 59%

정답풀이

(나)의 '말의 갈래를 쪼개고 나누'는 태도와 '자신의 문제는 묻어' 두는 태도는 모두 생동하는 언행을 '지식의 울안에 갇히'게 하는 '학자'의 태도와 관련되므로, 이 두 태도는 대비되는 것이 아니라 유사한 것으로 판단하는 것이 적절하다.

오답풀이

① (가)의 〈제9수〉에서 '고인'과 '나'는 서로 보지 못하지만 '나'는 '가던 길'을 매개로 하여 '고인'의 뒤를 따르고자 한다. 〈보기〉에서 (가)를 통해 '학문의 길을 걷는 사람이 지녀야 하는 올바른 삶의 태도를 발견'하게 된다고 한 것을 고려하면, 여기서의 '가던 길'은 학문 수양이라고 볼 수 있다.
② (가)의 〈제10수〉에서 화자는 '당시에 가던 길'을 버려두었다가 돌아왔으며, 이제는 그 '길'에서 '딴 데' 마음을 두지 않을 것을 다짐하고 있다. 〈보기〉를 고려하면 '당시에 가던 길'은 '학문의 길'로, '딴 데'는 학문의 길이 아닌 다른 것으로 해석할 수 있으며 둘의 의미가 서로 대비된다고 볼 수 있다.
③ (가)의 〈제11수〉에서 '청산'은 '만고에 푸르르며', '유수'는 '주야에 그치지 않는' 모습으로 그려지고 있다. 〈보기〉를 고려하면, '청산'과 '유수'는 영원히 계속되는 성질을 가진 대상으로 '우리도 (학문을) 그치지' 않겠다는 다짐과 연결할 수 있다.
⑤ (나)에서는 수동적으로 '끌려가는 짐승'이 아니라 신념을 가지고 당당하게 능동적으로 '살아 움직이는 인간'이 되어야 한다고 말하고 있다. 따라서 '살아 움직이는 인간'과 '끌려가는 짐승'은 대비된다고 말할 수 있다. 또한 〈보기〉를 고려하면 (나)에서는 이러한 대비를 통해 '학문의 길을 걷는 사람이 지녀야 하는 올바른 삶의 태도'를 강조한다고 볼 수 있다.

41 ② 정답률 53%

정답풀이

(나)의 4문단에서 '무학'은 '많이 배웠으면서도 배운 자취가 없는 것을 가리'킨다고 하였다. 이 의미를 바탕으로 〈보기〉의 ㉠(학문의 길을 걷는 사람이 지녀야 하는 올바른 삶의 태도)을 설명한다면, '무학'이 '배움이 부족하여' 생기는 것이라고 보기 어렵다.

오답풀이

① (나)의 4문단에 따르면 글쓴이는 '무학'은 '학문이나 지식을 코에 걸지 않고 지식 과잉에서 오는 관념성을 경계한 뜻에서 나온 말일 것'이라고 생각하고 있으므로 적절하다.

③ (나)의 4문단에서 '많이 배웠으면서도 배운 자취가 없는 것'이 '무학'이라고 하였다.

④ (나)의 4문단에서 '여러 가지 지식에서 추출된 진리에 대한 신념이 일상화되지 않고서는 지식 본래의 기능을 다할 수 없다.'라고 한 것을 고려하면, '무학'은 여러 가지 지식에서 추출된 진리에 대한 신념이 일상화된 태도라고 볼 수 있다.

⑤ (나)의 4문단에서는 '지식이나 정보에 얽매이지 않은 자유롭고 발랄한 삶이 소중하다는 말이다.'라며 '무학'을 설명하고 있다.

[42~45] 고전소설

42 ① 정답률 35%

정답풀이

'이때 홀연히 한 떼의 검은 구름이 남쪽으로부터 오더니~번갯불이 번쩍번쩍하더니 조용하고 컴컴해져 지척을 분간할 수 없었다.'에서 갑작스러운 날씨 변화를 확인할 수 있으며, 토끼는 크게 놀라 '이는 필시 용왕의 조화야.'라고 생각한다. 즉 토끼는 갑작스런 날씨 변화가 옥황이 아니라 용왕 때문이라고 생각하므로 적절하지 않다.

오답풀이

② 토끼가 잡혀가는 도중에 기운을 잃었다가 천상의 백옥경에서 다시 깨어나 '영문을 몰라 섬돌 아래에 기는 와중'에 문지기가 '동해 용왕 광연이 명을 받아 문 밖에 왔습니다.'라고 고하는 소리를 듣게 된다. 이때서야 토끼가 '용왕이 상제에게 고하여 나를 죽이려'고 한다는 생각을 하는 것으로 보아, 토끼는 백옥경에서 용왕을 만나기 전까지 자신이 잡혀 온 이유를 알지 못했음을 확인할 수 있다.

③ 만수산에 들어온 토끼는 '두세 치 밖에 안 되는 혀로 만승의 임금을 유혹'한 자신의 말솜씨에 대해, '소장의 구변이나 양평의 지혜라도 이보다 낫지 못'하다고 생각하며 자부심을 보이고 있다.

④ 토끼는 '용궁을 두루 구경하고 만수산으로 돌아왔'는데, 만수산에서의 토끼는 '신세가 태평하고 만사에 무심'하게 지낸다. 이를 통해 토끼가 용궁에서 만수산으로 돌아온 것에 대해 만족감을 느끼고 있음을 확인할 수 있다.

⑤ 만수산에서 지내던 토끼는 '용왕의 말이 귀에 들리는 듯하고 용궁의 경치가 눈앞에 삼삼하여'에서 용궁에 갔던 기억을 떠올리고 있다.

43 ③ 정답률 56%

정답풀이

[A]에서 용왕은 자신의 내력과 병, 토끼의 속임에 빠졌다가 다시 기회를 얻게 된 기쁨을 토로하며, 상대의 인자함과 동정을 구하고 있다. 그러나 자신이 건넨 제안의 문제점을 말하거나, 스스로 이를 인정하고 있는 모습은 보이지 않는다. 또한 [B]에서 토끼는 자신이 살아왔던 삶을 이야기하며, 용왕에게 원망을 사 잡혀온 자신의 심리, 자신에게 지금의 상황이 좋지 못하다는 인식 등을 드러낸다. 마지막에 '엎드려 비옵건대 살펴주소서.'는 토끼의 제안이라고 볼 수 있으나, 토끼가 이에 대해 확신하고 있다고 보기는 어렵다.

오답풀이

① [A]에서 용왕은 자신이 사해의 우두머리가 되어 아래로는 수많은 백성을 훈육하고 위로는 임금님의 은혜에 보답하여 왔다는 내력을 요약하며 진술을 시작하고 있다. 또한 [B]에서 토끼는 만수산에 태어나 세상에 나아가 출세하지 않고 옛 성인들의 모습을 본받고 따랐던 자신의 내력을 요약하며 진술을 시작하고 있다.

② [A]의 '몸의 위태로움이 바늘 방석에 앉은 듯하고'와, [B]의 '절인 생선이 줄이 꾀인 듯하고', '뜨거운 불바람이 부는 듯 합니다.'에서 비유적 표현을 사용하여 자신이 고난에 처했음을 부각하고 있음을 확인할 수 있다.

④ [A]에서 용왕은 '오늘 이렇게 다시 와 뵈오니 굶은 자가 밥을 얻은 듯하고 온갖 병이 다 나아 고목에 꽃이 핀 듯합니다.'라고 하며 자신이 원하는 결과, 즉 토끼를 얻어 자신의 병을 고칠 것에 대해 기대하는 모습을 보이고 있다. 한편 [B]에서 토끼는 '다시 위태로운 땅을 밟아 스스로 화를 받을 것을 알겠습니다.'라고 하며 자신에게 불리한 결과가 나올 것임을 예상하고 있다.

⑤ [A]의 '엎드려 임금님께 비오니 가엾고 불쌍히 여겨 주소서.', [B]의 '엎드려 비옵건대 살펴주소서.'에서 자신의 요구를 제시하며 진술을 마무리하고 있음을 확인할 수 있다.

44 ④ 정답률 63%

정답풀이

'낳으면 늙고 늙으면 죽는 것은 인간의 일상적 일'이라는 말은 토끼를 세상에 놓아주라는 판결을 내리기 위해 판결의 근거나 전제를 설명하는 부분에 해당할 뿐, 옥황이 판결을 망설이고 있는 부분으로 볼 수는 없다.

오답풀이

① 〈보기〉에서 윗글에는 '재판을 통해 갈등을 해결하는 송사 설화의 모티프가 나타난다.'라고 하였다. 이에 따르면 '상제의 명이니 용왕과 토끼를 판결하라.'는 용왕과 토끼의 갈등을 해결하기 위해 재판을 한다는 의미로, 송사 설화의 모티프가 쓰였음을 확인할 수 있다.

② 〈보기〉에서는 '용왕과 토끼는 옥황상제가 주관하는 재판 상황에 놓이게 되고, 이 상황에서는 지위의 우열'이 큰 영향을 미치지 않는다고 하였다. 용왕이 토끼보다 지위가 높지만 토끼와 함께 '전하에 꿇어 앉'아 진술하고 '처분을 기다리'는 것에서 용왕과 토끼가 재판 당사자로서 대등한 처지에 놓이게 되었음을 확인할 수 있다.

③ 일광노는 처분을 의논하는 과정에서 '강자를 누르고 약자를 도와 공정한 처결을 하소서.'라고 말한다. 여기서 강자는 지위가 높은 '용왕'을, 약자는 지위가 낮은 '토끼'를 가리키므로 일광노가 토끼의 진술을 지지하고 있다고 볼 수 있다.

⑤ 〈보기〉에서는 옥황상제의 판결이 지위의 높고 낮음보다 '생명의 가치를 존중하는 작가의 의식을 드러내고 있다.'라고 하였다. 이러한 작가의 의식을 '토끼인들 어찌 죽음을 싫어하는 마음이 없겠는가?'라는 용왕의 말에서 찾아볼 수 있다.

45 ② 정답률 63%

정답풀이

[C]에서는 용왕이 판결에 승복하지 않고 적혼공을 시켜 토끼를 죽이려는 모습이 나타난다. 그러나 '뇌공이 토끼를 압령'하여 순식간에 북쪽을 향하여 가버리는 바람에 실패하게 된다. 용왕은 이를 '하늘이 망해놓은 화'로 표현하는데, 이렇게 하늘에 명에 따라 살아남은 토끼의 모습을 통해 재판의 결과가 지켜지면서 작품의 주제 의식이 강조되고 있다.

오답풀이

① [C]에서 '적혼공'은 '대왕의 입에서 나와 소신의 귀에 들어온 말을 어찌 아는 이가 있겠습니까?'라고 말한다. 이는 용왕의 명령을 따르겠다는 의미일 뿐, 앞서 일어난 사건에 대해 어떠한 평가를 하고 있는 것은 아니다.

③ [C]에서 용왕이 토끼를 놓치고 '크게 탄식'하는 것은 토끼를 놓친 것에 대한 용왕의 심리를 보여줄 뿐 옥황과의 새로운 갈등을 예고하는 것은 아니다.

④ 옥황은 뇌공을 시켜 토끼를 만수산에 압송하게 한다. 이 과정에서 '우레 소리가 나고 광풍이 갑자기 일어'나고 있으므로, 공간적 배경의 사실성이 강조되었다고 보기 어렵다.

⑤ 적혼공은 용왕의 지시를 따르려고 했지만, 뇌공에 의해 지시 수행을 실패하게 됐으므로, 용왕의 지시를 따르고 있지 않다고 볼 수는 없다.

5회

2020학년도 11월 학평

1. ③	2. ③	3. ②	4. ②	5. ①	6. ③	7. ⑤	8. ④	9. ⑤	10. ④
11. ④	12. ②	13. ③	14. ④	15. ①	16. ⑤	17. ⑤	18. ④	19. ②	20. ④
21. ④	22. ①	23. ⑤	24. ③	25. ①	26. ⑤	27. ③	28. ①	29. ⑤	30. ⑤
31. ③	32. ③	33. ⑤	34. ①	35. ②	36. ③	37. ②	38. ③	39. ④	40. ③
41. ①	42. ②	43. ①	44. ①	45. ⑤					

오답률 Best 5

[1~3] 화법

1 ③ 정답률 80%

정답풀이

강연자는 '먼저', '다음으로', '마지막으로'와 같은 담화 표지를 사용하고 있다. 그리고 이런 담화 표지를 활용하여 청중이 다음에 이어질 내용을 예측하며 듣게 함으로써 강연 내용에 대한 청중의 이해를 돕고 있다.

오답풀이

① 강연자가 자료의 출처를 언급한 부분은 찾을 수 없다.
② 강연자가 개인적인 일화를 소개한 부분은 찾을 수 없다.
④ '영화 포스터'를 친숙한 소재에 빗대어 표현한 부분은 찾을 수 없다.
⑤ '영화 포스터 디자인'을 강연의 주제로 선정한 이유를 제시한 부분은 찾을 수 없고, 최근의 경향을 분석한 부분도 찾을 수 없다.

2 ③ 정답률 78%

정답풀이

㉡(자료)에서는 코미디 장르와 액션 장르의 포스터를 제시하여, 장르별로 포스터에 사용된 인물 사진의 특징에 따라 장르의 특성이나 인물의 상황이 어떻게 드러나는지 제시하고 있을 뿐, 그에 따라 인물의 정서가 다르게 나타나는지에 대해서는 언급하지 않았다.

오답풀이

① ㉠(자료)에서 액션 장르와 드라마 장르의 포스터를 제시하여, 장르별로 포스터에 사용된 서체의 특징을 설명하고 있다. 액션 장르 포스터에서는 굵은 직선으로 된 '고딕체'를 사용하여 강인함을 부각하고, 드라마 장르 포스터에서는 부드러운 곡선의 '손 글씨체'를 사용하여 감성적인 특징을 나타내고 있음을 제시하고 있다.
② 강연자는 ㉠을 활용하여 액션 장르 포스터에 사용된 글자의 기울기 수치가 '15도 정도'임을 밝히면서, 글자를 기울여 쓰면 액션 장르의 '역동성'을 표현할 수 있음을 언급하고 있다.
④ 강연자는 ㉡을 활용하여 코미디 장르 포스터에서 '몸을 크게 그려 과장되게 표현'하고 있음을 언급하고, 이를 웃음을 자아내는 코미디 장르의 특징과 관련짓고 있다.
⑤ 강연자는 ㉢(자료)을 활용하여 공포 장르 포스터에서는 섬뜩한 분위기를 나타내기 위해 '검은색과 선명한 빨간색'을 사용했고, 드라마 장르 포스터에서는 잔잔한 분위기를 연출하기 위해 '명도와 채도가 낮은 색'을 사용했다는 점을 언급하고 있다.

3 ② 정답률 90%

정답풀이

강연자는 공포 장르의 포스터에서 '적막하고 정적인 느낌을 주기 위해 글자는 기울여 쓰지 않는 경우가 많'다고 했다. ⓐ(영화 정보)에 따르면 영화의 장르는 공포이므로 적막하고 정적인 느낌을 주기 위해 글자를 기울여 쓰는 것은 적절하지 않다.

오답풀이

① 강연자는 공포 장르의 포스터에서 '제목의 글자 끝에 날카로운 장식을 더하면 긴장감을 극대화할 수 있'다고 했다.
③ 강연자는 공포 장르의 포스터에서 '글자의 서체는 불안감을 느낄 수 있도록 획의 끝이 뾰족한 명조체를 사용'한다고 했다.
④ 강연자는 공포 장르의 포스터에서 이미지에 '영화 내용과 관련된 사진을 주로 사용'한다고 했으며, '핵심 소재를 클로즈업해 시선 집중을 유도할 수 있'다고 했다. ⓐ에 따르면 영화 내용에서 '까마귀와 눈이 마주친 마을 사람들은 불행한 일을 겪게' 되므로 핵심 소재인 까마귀 눈이 클로즈업된 사진으로 교체하는 것은 적절하다.
⑤ 강연자는 공포 장르의 포스터에서 '검은색과 선명한 빨간색이 대비를 이뤄 영화의 섬뜩한 분위기를 표현'한다고 했다.

[4~7] 화법과 작문

4 ② 정답률 88%

정답풀이

'학생 3'은 [A]에서 '타인의 생명을 존중하지 않는 용왕의 이기적인 태도가 문제라는 거지?'라고 말하며 '학생 2'의 의견에 대한 자신의 이해가 맞는지 확인하고 있다. 또한 [B]에서는 자라를 긍정적으로 평가한 '학생 1'의 의견에 대해 자라의 거짓말은 '다른 이를 위기로 몰아넣는 나쁜 거짓말'이며, '맹목적인 충성심도 비판받아야 한다'며 반박하고 있다.

오답풀이

① '학생 3'은 [A]에서는 '타인의 생명을~문제라는 거지?'라며 '학생 2'의 의견을 요약하여 재진술하고 있으나, [B]에서는 '학생 1'의 의견에 대해 보강하는 것이 아니라 반박하고 있다.
③ '학생 3'은 [A]에서 '학생 2'에게 추가적인 정보를 요청하지 않았으며, [B]에서 '학생 1'의 의견을 뒷받침할 추가적인 사례를 언급하지도 않았다.
④ '학생 3'은 [A]에서 고개를 끄덕이는 비언어적 표현을 통해 '학생 2'의 의견에 공감하고 있다. 그러나 [B]에서 '핑계 없는 무덤이 어딨'냐는 관용적인 표현을 사용한 것은 '학생 1'의 의견에 반박하기 위함이지 동의하기 위함이 아니다.
⑤ '학생 3'은 [A]에서는 '타인의 생명을~나도 그렇게 생각했어.'라며 '학생 2'의 의견에 동조한 뒤 '반면에 토끼는 긍정적인 인물이라고 생각해.'라고 하며 화제를 전환하고 있다. 그러나 [B]에서는 '학생 1'의 의견을 수용하지 않고 반박하고 있다.

5 ① 정답률 95%

정답풀이

〈보기〉에서 '공손한 표현'은 '상대방에게 부담이 되는 표현은 최소화하고, 상대방에 대한 칭찬은 극대화하는 것'이라고 했다. 이를 고려하면 '네가 공책을 다 보고 나서 시간이 괜찮다면'은 상대방의 부담을 최소화한 표현이고, '너는 정말 필기를 꼼꼼하게 잘하는 것 같아'는 상대방에 대한 칭찬을 극대화한 표현이므로 ㉠(나도 글을 쓰려면 정리 내용이 필요한데, 좀 빌려줘.)을 대신할 수 있다.

오답풀이

② '네가 불편하지 않다면 필기를 볼 수 있을까?'는 상대방의 부담을 최소화한 표현이지만, 상대방에 대한 칭찬을 극대화한 표현은 찾아볼 수 없다.
③ '네가 지난~빌려주는 것이 당연해.'는 상대방에게 부담을 주는 표현이다.
④ 상대의 부담을 최소화하는 표현을 찾을 수 없으며, 상대방에 대한 칭찬을 극대화하는 표현도 찾을 수 없다.
⑤ '너는 평소에도 글쓰기를 참 잘하더라.'는 상대방에 대한 칭찬을 극대화한 표현이라 할 수 있지만, '너의 공책이 없으면 난 평가를 망칠 거야.'는 상대방에게 부담을 주는 표현이다.

6 ③ 정답률 79%

정답풀이

(가)에서 '학생 2'는 '용왕의 명령을 따르고자 하는 충성스러운 자라는 긍정적'으로 평가하고 있음을 알 수 있다. 그런데 (나)의 3문단에서 '학생 1'은 '자라와 마찬가지로, 반 대표로서 이기는 목적만을 중시했는데' 돌이켜 성찰해보니 자신의 행동이 잘못되었음을 깨달았다고 했으므로 성찰이 없는 '자라'의 삶을 부정적으로 평가하고 성찰하는 삶을 긍정적으로 생각한다고 볼 수 있다. 또한 3문단에서 '성찰하는 삶의 태도보다 신의를 지키는 삶의 태도가 더 중요하다는 내용'은 찾아볼 수 없다.

오답풀이

① 〈보기〉에서 '학생 1'은 1문단에서 '토끼의 부정적인 면을 언급하며~긍정적인 인물은 자라임을 부각'하려고 계획했다. 그런데 (가)에서 '학생 3'이 '반면에 토끼는~기지를 발휘하잖아.'라고 말한 것을 참고하여 (나)의 1문단에서 '토끼가 보여 준 지혜~바람직한 삶을 위해 중요한 요소들이다.'와 같이 토끼도 자라처럼 바람직한 삶의 요소를 가지고 있다는 내용으로 수정하였다.
② 〈보기〉에서 '학생 1'은 2문단에서 '토끼는~헛된 욕심과 경솔함이 갖는 문제에 대해 깨닫지 못했음을 지적'하려고 계획했다. 그런데 (가)에서 '학생 2'와 '학생 3'이 자라와 용왕에 대해 부정적인 평가를 한 것을 참고하여 (나)의 2문단을 '용왕', '토끼', '자라' 모두 성찰이 부족하다는 내용으로 수정하였다.
④ 〈보기〉에서 '학생 1'은 3문단을 '신의를 지키지 못해 친구와 다투었던 경험을 언급하면서 나의 행동을 반성'하는 내용으로 작성하려고 계획했다. 그런데 (가)에서 '학생 3'이 '자라는 용왕을 위해~나쁜 거짓말일 뿐이야.'라고 말한 것을 참고하여 (나)의 3문단을 친구와 다투었던 경험이 아니라 '이기고 싶은 마음에 반칙을 하고도 말하지 않'아 다른 반에 피해를 주었던 경험을 제시하는 내용으로 수정하였다.
⑤ 〈보기〉에서 '학생 1'은 4문단에서 '자라와 같은 삶을 살겠다는 다짐을 표현'하려고 계획했다. 그런데 (가)에서 '학생 2'가 '특히 인물들의 부정적인 측면에 주목해 보니~새롭게 알게 되었어.'라고 말한 것을 참고하여 (나)의 4문단을 '옳고 그름에 대해 스스로 성찰하는 태도'를 지니겠다는 다짐으로 수정하였다.

7 ⑤ 정답률 92%

정답풀이

'되돌아보다'는 목적어를 필요로 하는 동사로, 부사어를 필요로 하지는 않는다. 따라서 '되돌아보다' 앞의 ⓔ(나의 삶을)에서 목적어 '삶을'을 부사어 '삶에'로 고치는 것은 적절하지 않다.

오답풀이

① ⓐ(결렬되어)가 포함된 문장은 성찰이 빠져 있다는 의미를 표현하고 있다. 하지만 '결렬'은 '갈래갈래 찢어짐.', '교섭이나 회의 따위에서 의견이 합쳐지지 않아 각각 갈라서게 됨.'이라는 의미이다. 따라서 '마땅히 있어야 할 것이 빠져서 없거나 모자람.'을 의미하는 '결여'로 고치는 것이 적절하다.
② ⓑ(그러나)는 앞뒤의 내용이 상반될 때 사용한다. 그런데 ⓑ의 앞뒤 문장은 내용이 병렬적으로 연결되고 있으므로 '그리고'로 고치는 것이 적절하다.
③ 3문단은 성찰하는 태도의 중요성을 다루고 있다. 그런데 ⓒ(그리고 내가 제일 좋아하는 종목은 축구이다.)는 글의 통일성을 해치고 있으므로 삭제하는 것이 적절하다.
④ ⓓ(있었기 때문에)는 원인이나 까닭을 나타내고 있다. 그런데 ⓓ가 포함된 문장은 '만약'의 상황을 가정하고 있으므로, 이와 호응하도록 '있었다면'으로 고치는 것이 적절하다.

[8~10] **작문**

8 ④ 정답률 86%

정답풀이

ⓒ(챌린지에 대해 부정적인 견해를 가진 경우도 있다.)과 관련된 내용이 4문단에 제시되어 있다. 그러나 챌린지의 상업적 이용을 부정적으로 생각할 학생들에게 자신이 건의한 챌린지는 '상업적으로 이용될 가능성은 없'다는 것을 알려주고 있을 뿐, 상업적 목적의 챌린지가 지닌 의의를 제시하지는 않았다.

오답풀이

① ㉠(우리 학교 학생회~잘 모르는 학생들이 있다.)을 고려하여 (나)의 1문단에서 '트래시 태그 챌린지는~캠페인과 같은 활동입니다.'와 같이 트래시 태그 챌린지의 개념을 설명하고 있다.
② ㉡(트래시 태그~필요한 이유를 궁금해 하는 경우가 있다.)을 고려하여 (나)의 2문단에서 '우리 지역은 관광객이 급증하면서~쓰레기 더미들을 쉽게 볼 수 있습니다.'와 같이 우리 지역의 쓰레기 문제의 심각성을 제시하고 있다.
③ ㉡을 고려하여 (나)의 3문단에서 '학생들이 트래시 태그 챌린지에 참여하게 된다면~환경미화원 분들에게도 큰 도움이 될 것입니다.'와 같이 트래시 태그 챌린지를 통해 기대할 수 있는 효과를 제시하고 있다.
⑤ ㉢을 고려하여 (나)의 4문단에서 '물론 일부 기업들이~상업적으로 이용될 가능성은 없습니다.'와 같이 챌린지에 대한 부정적 견해와 자신이 건의하는 트래시 태그 챌린지에 대한 입장을 밝히고 있다.

9 ⑤ 정답률 91%

정답풀이

ⓔ에는 동네 지리를 잘 알고 있는 학생들이 쓰레기를 치우게 된다면 도움이 될 것이라는 내용이 제시되어 있다. 한편 〈보기〉의 ㉯에는 좁은 골목길 쓰레기 처리의 어려움이 제시되어 있고, ㉰에는 챌린지를 통해 사회적 관심이 증가하면 문제 해결에 도움이 된다는 내용이 포함되어 있다. 그런데 이를 활용하여 챌린지를 통한 사회적 관심의 증가로 좁은 골목길 쓰레기 처리의 어려움이 크다는 내용을 도출할 수 없으므로, **⑤번은 적절하지 않다.**

오답풀이

① ⓐ에는 관광객의 급증으로 쓰레기 문제가 심각하다는 내용이 제시되어 있다. 그리고 〈보기〉의 ㉮-1은 관광객의 수와 쓰레기 배출량이 정비례하여 점점 증가하고 있음을 보여주고 있기 때문에 이를 활용하여 증가 수치를 추가해 문제 상황을 정확하게 드러낼 수 있다.
② ⓑ에는 '관광객뿐만 아니라 지역 주민들까지도 쓰레기를 함부로 버'린다는 내용이 제시되어 있다. 그리고 〈보기〉의 ㉮-1에서 쓰레기 배출량의 증가를 확인할 수 있고, ㉮-2에서 무단 투기 쓰레기의 비율이 증가함을 확인할 수 있다. 따라서 ㉮-1과 ㉮-2를 활용하여 쓰레기양 증가와 함께 무단 투기된 쓰레기도 증가하고 있다는 내용을 추가할 수 있다.
③ ⓒ에는 '인력 부족으로 쓰레기 처리가 잘 이루어지지 않'는다는 내용이 제시되어 있다. 그리고 〈보기〉의 ㉯에서 쓰레기 처리가 어려운 이유로 '인력 부족'이 가장 높은 비율을 차지했다는 것을 알 수 있다. 따라서 이 내용을 추가하여 상황 분석의 설득력을 높일 수 있다.
④ ⓓ에는 트래시 태그 챌린지가 '지역 주민 및 관광객들에게 쓰레기를 함부로 버리지 말하야 한다는 의식을 고양할 수 있'다는 내용이 제시되어 있다. 그리고 〈보기〉의 ㉰에서 'SNS를 통한 챌린지의 확대는 사람들의 문제의식을 고양'할 수 있다는 사실을 확인할 수 있다. 따라서 이 내용을 추가하면 건의 내용의 타당성을 강화할 수 있다.

10 ④ 정답률 72%

정답풀이

'챌린지는 우리말로 도전입니다.'에서 '챌린지'라는 용어가 사용되었으며, '마중물과 같은'에서 직유법을 확인할 수 있다. 마지막으로 '제 건의를 받아들여 주세요.'에서 건의한 내용의 수용을 촉구하고 있기 때문에 모든 〈조건〉을 만족시킨 ④번이 가장 적절하다.

오답풀이

① '챌린지'라는 용어가 사용되었고, '희망의 등불과 같은'에서 직유법을 활용하였으나, 이를 활용하여 건의한 내용의 수용을 촉구하는 내용은 포함되지 않았다.
② '챌린지'라는 용어는 사용했으나, 직유법을 활용한 부분을 찾을 수 없다.
③ '챌린지'라는 용어는 사용했으나, 직유법을 활용한 부분을 찾을 수 없다.
⑤ '낙숫물이 바위를 뚫듯'에서 직유법을 활용하였으나, '챌린지'라는 용어를 사용한 부분을 찾을 수 없다.

[11~15] 문법(언어)

11 ④ 정답률 73%

정답풀이

'옛이야기'는 교체에 해당하는 음절의 끝소리 규칙과 첨가에 해당하는 'ㄴ' 첨가가 일어나 '옏니야기'가 된 후, 교체에 해당하는 비음화가 일어나 최종적으로 '[옌:니야기]'가 된다. 따라서 교체와 첨가가 일어나 음운의 개수는 늘어난다.

오답풀이

① '풀잎'은 교체에 해당하는 음절의 끝소리 규칙과 첨가에 해당하는 'ㄴ' 첨가가 일어나 '풀닙'이 된 후, 교체에 해당하는 유음화가 일어나 최종적으로 '[풀립]'이 된다. 따라서 교체와 첨가가 일어나 음운의 개수가 늘어난 것은 맞지만, 축약은 일어나지 않았다.
② '흙화덕'은 탈락에 해당하는 자음군 단순화가 일어나 '흑화덕'이 된 후, 축약에 해당하는 거센소리되기가 일어나 최종적으로 '[흐콰덕]'이 된다. 따라서 탈락과 축약이 일어나 음운의 개수가 줄어든 것은 맞지만, 교체는 일어나지 않았다.
③ '맞춤옷[맏추몯]'은 교체에 해당하는 음절의 끝소리 규칙만 일어나므로 음운의 개수에 변화가 없고 축약과 탈락은 일어나지 않았다.
⑤ '달맞이꽃[달마지꼳]'은 교체에 해당하는 음절의 끝소리 규칙만 일어나므로 음운의 개수에 변화가 없고 축약은 일어나지 않았다.

12 ② 정답률 63%

정답풀이

'떠'는 어간 '뜨-'의 모음 'ㅡ'가 '-아/-어'로 시작하는 어미와 만나 'ㅡ' 탈락이 일어났으며, ㉠(표기에 반영된 경우)에 해당한다. 한편 '가서'는 어간 '가-'의 모음 'ㅏ'가 '-아/-어'로 시작하는 어미와 만나 동일 모음 탈락이 일어났으며, '가아서'처럼 표기하지 않고, '가서'로 표기했으므로 이 역시 ㉠에 해당한다.

오답풀이

① '서라'는 어간 '서-'의 모음 'ㅓ'가 '-아/-어'로 시작하는 어미를 만나 동일 모음 탈락이 일어났으며, ㉠에 해당한다. '끊어라'는 어간 '끊-'의 'ㅎ'이 모음으로 시작하는 어미 앞에서 탈락하는 'ㅎ' 탈락이 일어났으며, ㉡(표기에 반영되지 않은 경우)에 해당한다.
③ '꺼'는 어간 '끄-'의 모음 'ㅡ'가 '-아/-어'로 시작하는 어미와 만나 'ㅡ' 탈락이 일어났으며, ㉠에 해당한다. '신고'는 어간 '신-'의 끝소리 'ㄴ' 뒤에서 어미의 첫소리 'ㄱ'이 된소리로 교체되는 된소리되기가 일어났으며 ㉡에 해당한다.
④ '마는'은 어간 '말-'의 'ㄹ'이 'ㄴ'으로 시작하는 어미 앞에서 탈락하는 'ㄹ' 탈락이 일어났으며, ㉠에 해당한다. '쌓은'은 어간 '쌓-'의 'ㅎ'이 모음으로 시작하는 어미 앞에서 탈락하는 'ㅎ' 탈락이 일어났으며 ㉡에 해당한다.
⑤ '너는'은 어간 '널-'의 'ㄹ'이 'ㄴ'으로 시작하는 어미 앞에서 탈락하는 'ㄹ' 탈락이 일어났으며, ㉠에 해당한다. '담고'는 어간 '담-'의 'ㅁ' 뒤에서 어미의 첫소리 'ㄱ'이 된소리로 교체되는 된소리되기가 일어났으며 ㉡에 해당한다.

13 ③ 정답률 73%

정답풀이

'안기다'는 피동사와 사동사의 형태가 같다. 피동사 '안기다'는 '두 팔을 벌린 가슴 쪽으로 끌어당겨지거나 그렇게 되어 품 안에 있게 되다.'의 의미이며, 사동사 '안기다'는 '두 팔로 감싸게 하거나 그렇게 하여 품 안에 있게 하다.'의 의미이다. 그런데 ③번에서 '안겼다'의 주체는 '친구'인데 '친구'가 '안다'라는 동작을 당한 것이 아니므로, 이때 '안겼다'는 피동사가 아니라 짐을 안도록 시켰다는 의미의 사동사로 사용되었다.

오답풀이

① '풀렸다'는 주어인 '시험 문제'가 '풀다'라는 동작을 당한 의미로 사용되었으므로 피동사에 해당한다.
② '읽혔다'는 주어인 '글'이 '읽다'라는 동작을 당한 의미로 사용되었으므로 피동사에 해당한다.
④ '깎였다'는 주어인 '잔디'가 '깎다'라는 동작을 당한 의미로 사용되었으므로 피동사에 해당한다.
⑤ '이용되었다'는 주어인 '우리 학교 운동장'이 '이용하다'라는 동작을 당한 의미로 사용되었으므로 피동사에 해당한다.

14 ④ 정답률 49%

정답풀이

'가시니'는 주체 높임 선어말 어미 '-시-'를 활용하여 높임을 실현한 것이지 특수 어휘가 사용된 것이 아니다.

오답풀이

① 'ᄢᅳ긔'는 현대어 풀이의 '꺼지게'에 대응되는데, 현대 국어와 달리 초성에 어두 자음군 'ㅴ'이 사용되었음을 알 수 있다.
② 'ᄭᆞ니ᄆᆞᆯ'은 'ᄭᆞ님'에 목적격 조사 'ᄋᆞᆯ'이 결합한 것이며, '자최ᄅᆞᆯ'은 '자최'에 목적격 조사 'ᄅᆞᆯ'이 결합한 것이다. 따라서 앞말의 받침의 유무에 따라 목적격 조사의 형태가 다르게 쓰였음을 확인할 수 있다.
③ '브리ᅀᆞᄫᅡ'는 현대 국어에서 볼 수 없는 'ㅿ'과 'ㅸ'이 표기에 사용되었다.
⑤ '거름'은 현대어 풀이의 '걸음'에 대응되며, '조차'는 현대어 풀이의 '좇아'에 대응된다. 이를 통해 중세 국어에서는 현대 국어와 달리 이어 적기를 했음을 알 수 있다.

오답률 Best ❹

이 문제는 '가시니'에 사용된 높임법이 무언인지 알아야 풀 수 있는 문제였어. '가시니'의 중세 국어 표기와 현대어 풀이의 표기에 차이가 없지? 즉 이 문제는 현대 국어의 주체 높임법을 잘 알고 있었다면 어렵지 않게 해결할 수 있었어. '가시니'의 기본형은 '가다'인데, 어간 '가-'에 주체 높임 선어말 어미 '-시-'가 결합되면서 높임의 의미가 생긴 거야. '특수 어휘'는 그 단어 자체에 높임의 의미가 포함된 특별한 경우를 말해. 예를 들어 '주무시다'는 단어 자체에 높임의 의미가 포함되어 있기 때문에 특수 어휘에 해당되지. 하지만 '가시다'는 '-시-'라는 '선어말 어미'가 결합한 경우일 뿐 특수 어휘가 아니야.

많은 학생들이 단어의 표기가 낯설다는 이유로 중세 국어 문제를 어렵게 느끼곤 해. 이 문제의 경우 ②번을 선택한 비율이 22%로 정답인 ④번 다음으로 높았어. 'ᄯᆞ니ᄆᆞᆯ', '자최ᄅᆞᆯ'과 같이 익숙하지 않은 표기가 나타나 받침이 있는지 없는지 판단하는 것을 어려워했던 것 같아. 그런데 이런 어려움은 중세 국어를 현대어 풀이와 비교하는 것으로 쉽게 해결할 수 있어. 'ᄯᆞ니ᄆᆞᆯ'이 '따님을'이라는 것을 확인한 후에 중세 국어에서는 '이어적기'가 일반적이었다는 것을 떠올렸다면, 'ᄯᆞ님'에 'ᄋᆞᆯ'이라는 목적격 조사가 결합했다는 것을 파악할 수 있었을 거야. 그럼 받침이 있는 'ᄯᆞ님'에는 목적격 조사 'ᄋᆞᆯ'이, 받침이 없는 '자최'에는 목적격 조사 'ᄅᆞᆯ'이 결합함을 알아챌 수 있었겠지?

15 ① 정답률 36%

정답풀이

㉠(안개꽃 밖에)에서 '밖에'는 '그것 말고는', '그것 이외에는'의 뜻을 나타내는 조사이다. 따라서 '조사는 그 앞말에 붙여' 써야 한다는 [한글 맞춤법] 제41항에 따라 '안개꽃밖에'와 같이 붙여 써야 한다.

5회

오답풀이

② ㉡(너만큼)에서 '만큼'은 앞말과 비슷한 정도나 한도임을 나타내는 조사이다. 따라서 [한글 맞춤법] 제41항에 따라 붙여 써야 한다.
③ ㉢(천 원짜리)에서 '원'은 우리나라의 화폐 단위를 나타내는 명사이다. 따라서 [한글 맞춤법] 제43항에 따라 띄어 쓰는 것이 적절하다. 하지만 '짜리'는 접사로 앞말과 띄어 쓸 수 없으며 제43항의 적용을 받지도 않는다.
④ ㉣(어찌할 줄)에서 '줄'은 어떤 방법, 셈속 따위를 나타내는 말로 의존 명사이다. 따라서 [한글 맞춤법] 제42항에 따라 띄어 써야 한다.
⑤ ㉤(7 연구실)은 숫자 '7'과 명사 '연구실'로 구성되어 있다. '연구실'은 3음절의 단어로, 단음절로 된 단어가 연이어 나타나는 경우가 아니므로 [한글 맞춤법] 제46항을 적용할 수 없다.

오답률 Best 2

'밖에'는 얼핏 보면 '겉이 되는 쪽'의 의미를 가진 명사 '밖'에 조사 '에'가 결합한 것처럼 보여. 하지만 '밖에'라는 조사도 있다는 사실을 기억하자. '꽃집에 꽃이 안개꽃밖에 남아 있지 않았다.'라는 문장에서 '밖에'는 '그것 말고는'의 의미로 쓰여 '안개꽃 말고는'이라는 의미를 나타낸 보조사야. 보조사도 '조사'에 포함되기 때문에 [한글 맞춤법] 제41항을 적용해야 하겠지?

정답인 ①번 다음으로 ②번과 ③번을 선택한 비율이 각각 22%, 20%로 높았어. '만큼'은 의존 명사와 조사로 쓰일 때의 형태가 같아. 만약 '만큼'이 의존 명사로 쓰였다면 무조건 앞에 관형어가 왔을 것이고 이때는 띄어 써야 해. 하지만 ㉡에서는 앞에 '너'라는 명사가 왔으니 여기서 '만큼'은 조사라는 것을 알 수 있어. 그리고 ③번은 <보기 1>을 잘 해석해야 했어. [한글 맞춤법] 제43항은 단위를 나타내는 명사를 띄어 쓰지만, 경우에 따라 붙여 쓸 수 있다는 내용이야. 그런데 <보기 2>와 ③번을 비교해 보면 의존 명사인 '원'을 숫자와 붙여 쓰는 것으로 정정한 게 아니라, 접사 '짜리'를 띄어 쓰고 있는 것을 확인할 수 있어. 따라서 애초에 [한글 맞춤법] 제43항을 적용할 수 없는 것이었지.

[16~19] 고전소설+시나리오

16 ⑤ 정답률 68%

정답풀이

(가)에서 '안위'는 '달아나면 살 수 있을 거라 생각하느냐'라는 '이순신'의 외침에 '적진에 달려들어 싸우'다가 '적선이 안위의 배를 둘러싸고 공격하'여 위기에 처했다. 따라서 '안위'가 적을 피해 달아나다가 적선에 둘러싸여 위기에 처했다고 볼 수 없다.

오답풀이

① (가)에서 '행장'이 '이순신을 결딴낼 계책을 행하'라고 하자 '요시라'는 '김응서'를 찾아갔다.
② (가)에서 '권율'은 '순신'에게 '마땅히 요시라의 약속을 믿고 기회를 잃지 않도록 하'라고 하며 '청정을 치'도록 지시했다.
③ (가)에서 '순신'은 '겨우 십여 척의 전선'만 남아 있는 것을 보고 '김억추'에게 '전선을 수습하라'고 명했다.
④ (가)에서 '순신'은 조정에서 '차라리 육지에 올라 싸우라고 명하'자, '만약 바다를 버리면 적이 서해 바다를 거쳐 한강으로 들어갈 것'이라고 했다.

17 ⑤ 정답률 80%

정답풀이

'이순신'은 S#51에서 이 싸움은 불가하다고 말하는 장수들에게 군사들을 모으라 명한다. 이후 S#52에서 우수영의 본채에 기름을 붓고 불을 지르게 하면서 '나는 바다에서 죽고자 우수영을 불태운다!'라며 자신의 결심을 드러내고 있음을 확인할 수 있다.

오답풀이

① S#51에서 '이순신'이 숙연한 얼굴로 장계를 쓴 것은 맞지만, 이것이 S#52에서 장수들의 기대감을 키우는 원인이 되지는 않았다.
② S#51에서 '안위'가 '이순신'에게 무릎을 꿇으며 싸우지 말자고 제안하지만, S#52에서 '이순신'은 망설임 없이 우수영을 불태우고 싸우고자 하는 의욕을 보인다.
③ S#51에서 '안위'가 '군사 한 명이 귀한 때'라고 말한 것은 맞지만, 이로 인해 S#52에서 군사들이 절망을 극복하지는 않는다.
④ S#51에서 '이순신'이 군사들을 모으라 명했지만, 이로 인해 S#52에서 군사들이 두려움으로 구선에 불을 지르지는 않았다.

18 ④ 정답률 91%

정답풀이

[A]에서 '요시라'는 '오래지 않아 청정이 다시 바다에 나'올 것이라며 '내가 연락하거든 그 즉시 수군을 거느리고 나아와 공격하면 청정을 죽일 수 있을 것이'라고 앞으로 벌어질 상황을 언급하며 정보를 제공하고 있다. [B]에서 '이순신'은 '지금 신에게는 아직 열두 척의 배가 남아 있사옵니다.'라고 말하며 현재의 상황을 언급하고 있고, '죽을힘을 다하여 싸우'겠다는 의지를 표현하고 있다.

오답풀이

① [A]에서 역사적 사실을 제시하며 상대를 조롱한 부분을 찾을 수 없으며, [B]에서 이순신은 '신에게는'에서 자신의 신분을 언급하고 있으나 이를 통해 상대를 질책하고 있지는 않다.
② [A]에서 현실의 상황을 고려하며 자신의 주장을 유보한 부분을 찾을 수 없고, [B]에서도 주어진 상황을 분석하며 상대의 희생을 강요하는 부분을 찾을 수 없다.
③ [A]에서 과거의 경험을 회상하며 자신의 행위를 비판한 부분을 찾을 수 없고, [B]에서 미래의 상황을 가정하며 자신의 행위를 정당화하는 부분도 찾을 수 없다.
⑤ [A]에서 '요시라'는 평행장이 청정을 죽이려 하는 상황을 언급하고 '내가 연락하거든 그 즉시 수군을 거느리고 나아와 공격하면 청정을 죽일 수 있을 것'이라며 해결 방법을 제시하고 있다고 볼 수 있으나, [B]에서는 문제가 해결된 현실을 언급하며 자신의 감정을 토로하는 부분을 찾을 수 없다.

19 ② 정답률 61%

정답풀이

(나)에서 '우수영 본채에 기름을 붓기 시작'하자 '놀라며 웅성거리는 군사들'의 정서가 지시문을 통해 제시되고 있다. 그러나 (가)에서 '마땅히 죽기를 각오하고 나라의 은혜를 갚으리라.'라고 말한 사람은 '장수들'이 아니라 '순신'으로, 이 말을 들은 '장수들 중에 감동하지 않는 이가 없었'다고 했다.

오답풀이

① (가)에서 서술자는 '순신이 군관 십여 명과~보성에 가서 보니'와 같이 진주에서 보성에 이르기까지의 과정을 요약하고 있으며, (나)의 '장군! 소장 목숨을 걸고~이 싸움은 불가합니다!', '아무리 적들을~군사 한 명이 귀한 때입니다!'라는 '안위'의 대사에서 '이순신'을 설득하는 과정을 확인할 수 있다.
③ (가)에서 서술자는 '순신이 다급하게 명령하길' 등에서 '이순신'의 태도를 직접 설명하고 있고, (나)의 '(의외로 담담하게)'에서 지시문을 통해 이순신의 태도를 전달한 것을 확인할 수 있다.
④ (가)에서 서술자는 '적선 수백 척이 함께 나와 순신을 둘러싸고~창검이 사방을 둘러싸는지라.'라고 위기 상황을 묘사하고 있으며, (나)의 '바람에 흔들리는~긴장된 분위기다.'에서 지시문을 통해 긴장된 상황이 제시되고 있음을 확인할 수 있다.
⑤ (가)에서 서술자는 '전선을 휘몰아 적을 공격하니라.~물러나게 되었다.'에서 장수들의 행동을 직접 설명하고 있으며, (나)의 '글씨를 쓰던~글씨를 이어가는 이순신.'에서 지시문을 통해 장계를 쓰는 이순신의 행동이 제시되고 있음을 확인할 수 있다.

[20~24] 사회

20 ④ 정답률 89%

정답풀이

1문단에서 '그런데 오늘날의 국제 사회 환경에서는 ~추격 사이클 이론이 있다.'라고 화제를 제시하고 있고, 2문단에서 이러한 산업의 주도권 이동과 관련한 세 가지 기회의 창에 대해 논하고 있다. 3문단에서도 산업의 주도권 이동과 관련해 세 가지 추격 사이클에 대해 설명하고 있으며, 4문단에서 이와 관련하여 윗글은 기업의 추격 사이클은 '기업의 전략적 선택에 따른 결과'라며 결론을 내리고 있다. 따라서 윗글은 기업들 사이에서 산업의 주도권 이동이 어떻게 이루어지는지 궁금한 사람에게 추천하는 것이 적절하다.

오답풀이

① 윗글에서는 추격 사이클 이론에 대한 비판의 쟁점을 다루지 않았다.
② 윗글에서 기업의 전략적 선택이 정부 정책에 미치는 영향과 관련된 내용은 찾을 수 없다.
③ 윗글에서 산업의 주도권 이동이 초래한 국제 경제의 위기가 무엇인지는 알 수 없다.
⑤ 윗글에서는 산업의 주도권을 가진 기업이 각종 경제 규제를 어떻게 극복하는지에 대해 다루지 않았다.

21 ④ 정답률 83%

정답풀이

3문단에서 '국영 기업 혹은 정부의 지원을 받는 민간 기업이~선발 기업에 비해 일정한 비용 우위를 누린다.'라는 내용을 확인할 수 있다. 따라서 국영 기업이 후발 기업으로 나타날 때 정부의 보조금으로 비용 우위를 누리기 쉽다고 진술하는 것이 적절하다.

오답풀이

① 2문단에서 '정부가 산업 진입 허가 또는 보조금 등을 통해 선발 기업을 자국 시장에서 불리한 위치에 놓이게 한다'고 했다.
② 2문단에서 '기존에 없었던 새로운 기술이 등장하는 경우에 선발 기업과 후발 기업은 비교적 동등한 출발점에 서게 된다.'라고 했다.
③ 2문단에서 '시장의 갑작스러운 변화' 중에서 '불황기에는 기술 이전과 지식 획득이 쉬워지고 비용도 저렴해'지는 경우가 있다고 했다.
⑤ 2문단에서 경기 순환 등에 따른 '불황기에 일부 선발 기업은 적자로 인해 자원을 방출하기도' 한다고 했고, '이때 후발 기업은 이런 자원을 적은 비용으로 이용할 수 있다.'라고 했다.

22 ① 정답률 77%

정답풀이

4문단의 '결국 기업의 추격 사이클은 기회의 창들에 대한 기업의 전략적 선택에 따른 결과라고 할 수 있다.'를 통해 '외부적 요인'은 '기회의 창'에 해당하고, 이 '기회의 창'에 대한 '기업의 전략적 선택'은 '주체적 요인'에 해당한다는 것을 알 수 있다. 그러므로 ㉠에서 '외부적 요인'을 '기업에 주어지는 기회'로, '주체적 요인'을 주어진 기회에 대한 '기업의 전략적 선택'으로 바꾸어 쓸 수 있다.

오답풀이

② '특정 산업 분야의 선발 기업'과 '이와 다른 분야의 선발 기업'은 '외부적 요인'이나 '주체적 요인'과는 관련이 없다.
③ 2문단에서 세 가지 기회의 창에는 '새로운 기술의 등장', '시장의 갑작스러운 변화', '정부의 규제 혹은 직접적인 지원'이 있다고 했다. '선발 기업의 기술력'은 '기회의 창'에 해당하지 않으며 '후발 기업의 마케팅 능력'은 '기회의 창'에 대한 '기업의 전략적 선택'에 해당한다고 볼 수 없다.
④ '새로운 기술'의 등장은 '기회의 창' 중 하나에 속하지만 '외부적 요인'에 비해 좁은 범위를 가리킨다. '선발 기업이 취해야 하는 수동적 태도'는 '기업의 전략적 선택'에 해당하지 않는다.
⑤ '산업의 주도권'은 '기회의 창'에 해당하지 않으며 '정부가 기업에 부여하는 의무적 역할'은 '기회의 창'에 대한 '기업의 전략적 선택'에 해당한다고 볼 수 없다.

23 ⑤ 정답률 75%

정답풀이

A사가 새로운 도전자로서 부상하는 움직임을 보였다면, A사의 시장 점유율이 증가하고 있었어야 한다. 하지만 [B사 중심의 추격 사이클]을 보면 ㉰와 ㉱ 사이에서 B사와 C사의 시장 점유율은 증가하고 있는 반면, A사의 시장 점유율은 감소하고 있음을 확인할 수 있다. 이것은 선발 기업이었던 A사가 카메라 기능과 관련한 신기술을 채택하지 않았고, 후발 기업인 B사와 C사는 후발 기업으로서 카메라 기능이나 그래픽 기능과 관련된 신기술을 채택했기 때문이므로, A사가 새로운 도전자로서 부상하는 움직임을 보였다고 볼 수 없다.

오답풀이

① [B사 중심의 추격 사이클]의 ㉮를 보면 B사가 A사보다 시장 점유율이 낮으며, 이때 A사는 선발 기업, B사는 후발 기업에 해당한다. 2문단에서 후발 기업에 대한 정부의 직접적인 지원으로 선발 기업과 후발 기업 사이에 '비대칭적인 환경'이 조성되면 선발 기업이 불리한 위치에 놓이게 된다고 했다. [상황]에서 B사는 '정부의 보조금으로 성장했'다고 했으므로, ㉮에서 B사는 비대칭적인 환경에서 비용 우위를 누렸다고 볼 수 있다.
② [B사 중심의 추격 사이클]의 ㉯를 보면 B사는 시장 점유율이 ㉮에서보다 더 높다. 3문단에서 추격 사이클의 제2단계인 점진적 추격 단계에서 '후발 기업들은 점차 투자를 위한 이윤을 확보해 시장 점유율을 높여 간다.'라고 했으며, [상황]을 참고하면 B사는 '이윤의 상당 부분을 주주들의 협조로 투자를 위해 확보'한 결과 시장 점유율이 ㉯에서 높아진 것이라고 볼 수 있다.
③ [B사 중심의 추격 사이클]을 보면 ㉯부터 A사 시장 점유율이 감소하고 있으며, ㉱부터 B사 시장 점유율이 감소하고 있다. 2문단~3문단을 통해 선발 기업이 '새로운 기술의 도입을 주저할 때 후발 기업이 새로운 기술을 도입'하면 후발 기업이 산업 주도권에 변화를 일으켜 선발 기업이 밀림을 알 수 있다. 이를 통해 [상황]에서 A사는 '카메라 기능의 향상을 원하는 청년층의 요구에 민첩하게 대응'하지 않았고, B사는 '그래픽 기능 향상을 원하는 청소년층'이라는 새로운 소비자층의 등장에 민첩하게 대응하지 않았기 때문에 시장 점유율이 감소했다고 볼 수 있다.
④ [B사 중심의 추격 사이클]을 보면 ㉯와 ㉰ 사이에서 B사가 A사의 시장 점유율을 뛰어넘는 것을, ㉱ 이후에는 C사가 B사의 시장 점유율을 뛰어넘는 것을 확인할 수 있다. 윗글과 [상황]을 고려했을 때, 전자에는 B사가 A사와 달리 카메라 기능과 관련된 신기술을 채택한 것이 영향을 주었고, 후자에는 B사가 C사와 달리 게임의 그래픽 기능 향상과 관련한 신기술을 채택하지 않은 것이 영향을 주었음을 알 수 있다.

24 ③ 정답률 85%

정답풀이

3문단에서 '슈퍼 사이클'은 '선발 기업을 추월한 후발 기업이 기술, 시장, 또는 규제의 변화 등에 민첩하게 대응하는 경우'에 나타난다고 했다. 이를 통해 B사가 ⓐ(부가 가치가 높은 휴대전화)를 생산했고 ⓑ(휴대전화 게임의 그래픽 기능 향상을 원하는 청소년층의 등장)에 민첩하게 대응했다면 슈퍼 사이클을 경험할 가능성이 높다고 추측할 수 있다.

오답풀이

① 3문단에서 '정상 사이클'은 진입 단계, 점진적 추격 단계, 추월 단계, 추락 단계의 네 단계를 모두 경험하는 경우이고, '점진적 추격 단계에 도달한 후발 기업이 저부가 가치 제품 시장에서 고부가 가치 제품 시장으로 이동하지 못'할 경우를 '중도 실패 사이클'이라고 했다. 만약 B사가 ⓐ를 생산하지 못했다면 중도 실패 사이클을 경험하여 정상 사이클을 경험하지 못할 가능성이 높았을 것이다.
② 3문단에서 '슈퍼 사이클'은 '선발 기업을 추월한 후발 기업이 기술, 시장, 또는 규제의 변화 등에 민첩하게 대응하는 경우 산업의 주도권을 오랫동안 유지'할 때 나타난다고 했다. 만약 B사가 ⓐ를 생산하지 못했다면 중도 실패 사이클을 경험하여 슈퍼 사이클을 경험하지 못할 가능성이 높았을 것이다.
④ B사가 ⓐ를 생산했고, 만약 ⓑ에 민첩하게 대응했다면 슈퍼 사이클을 경험할 가능성이 높았을 것이다.
⑤ 만약 B사가 ⓐ를 생산하지 못했고, ⓑ에 민첩하게 대응하지 못했다면 중도 실패 사이클을 경험하여 정상 사이클을 경험하지 못할 가능성이 높았을 것이다.

[25~28] 현대시

25 ① 정답률 71%

정답풀이

(나)에서는 방언이 사용되지 않은 반면, (가)에서는 '아배', '엄매', '재밤', '막내고무'와 같은 방언이 사용되었음을 확인할 수 있고, 이를 통해 향토적 정감이 환기되고 있다.

오답풀이

② (나)의 20행은 '어머니'라는 명사로 종결되고 있으나, (가)는 명사형으로 시행을 종결하지 않았다.
③ (가)의 '도적놈들같이'와 (나)의 '물처럼 맑아진'에서 직유법을 확인할 수 있다.
④ (가)의 '새까만 대가리 새까만 눈알', '새빨간 천두'에서 색채어를 활용하여 대상의 특징을 드러내고 있는 반면, (나)에서는 색채어를 활용한 부분을 찾을 수 없다.
⑤ (가), (나)에서 음성 상징어를 사용한 부분은 찾을 수 없다.

26 ⑤ 정답률 55%

정답풀이

5연의 밤은 '할미귀신의 눈귀신도 냅일눈을 받노라 못' 다니는 밤이다. 즉, 할미귀신이 냅일눈을 받아야 하기 때문에 다니지 않는 밤이라 화자는 이를 '든든히' 여기고 있는 것일 뿐, 할미귀신 자체를 '든든히' 여기는 것은 아니다. 한편 이 밤에 '엄매와 나'는 '앙궁 우에 떡돌 우에 곱새담 우에' 냅일눈을 받고 있으므로 행위의 나열을 통해 전통적 풍속을 따르는 시간을 형상화했다고 볼 수 있다.

오답풀이

① 1연에서 밤은 화자가 '외따른 집에 엄매와' 단둘이 지내는 '무서운 밤'으로 묘사된다. 또한 이 밤에 '소를 잡어먹는 노나리꾼들이 도적놈들같이 쿵쿵거'린다는 청각적 이미지를 활용하여 무서웠던 기억을 구체적으로 형상화하고 있다.
② 2연에서 화자는 재밤에 '유리창으로 조마구 군병의 새까만 대가리 새까만 눈알이 들여다보는' 것 같다며 두려움을 시각적으로 형상화하여 표현하고 있다.
③ 3연의 밤은 화자의 '막내고무'와 '엄매'가 바느질을 하던 밤이다. 이 밤에 '쇠든밤', '은행여름'을 먹고, '이불' 위에서 '광대넘이'를 하고, '엄매'에게 '이야기'를 듣는 행위를 나열함으로써 가족 공동체와 보낸 정겨운 기억을 형상화하고 있다.
④ 4연에서는 '곰국'의 '구수한 내음새'라는 후각적 이미지와 '설탕 든 콩가루소를 먹'으며 '맛있다고 생각'하는 미각적 이미지가 나타나며, 이를 통해 먹을거리가 풍요로운 시간이 형상화되고 있다.

오답률 Best 5

이 문제는 <보기>를 바탕으로 (가)를 감상할 것을 요구하고 있어. 그런데 (가) 작품에서 방언들이 많이 사용되었기 때문에 여러 단어의 뜻풀이가 있음에도 불구하고 내용 파악이 잘 되지 않았을 거야. 다행히 <보기>에서 작품을 이해하는 데에 도움이 되는 정보들을 제시하고 있어. 그러니 우리는 <보기>를 참고하여 선지가 타당한지만 따져주면 돼.

<보기>에서는 (가) 작품에 '밤'에 대한 화자의 기억이 병렬적으로 드러나 있다고 하면서 '밤'이 어떤 시간이었고 그것이 어떤 방식으로 형상화되었는지를 말해 주고 있어. 그리고 <보기>에서 언급한 정보들을 활용하여 선지에서 '밤은 ~던 시간으로, ~을/를 통해 형상화되고 있군.'의 형식으로 작품을 해석하고 있지. 그런데 ⑤번은 사실 관계(내용 일치) 측면에서 작품과 일치하지 않아. 5연에서는 '할미귀신'이 '냅일눈'을 받느라 못 다녀 '든든히' 여겼다고 나타나 있는데, ⑤번에서는 '할미귀신' 자체를 '든든히' 여긴다고 표현하고 있거든. 그러니 그 뒤의 내용은 따져 볼 필요도 없이 적절하지 않은 답으로 고를 수 있는 거지. 작품과 <보기> 의 내용이 어렵거나 선지의 내용이 길고 복잡하더라도 가장 먼저 확인해 볼 것은 내용 일치 여부라는 것을 잊지 말자!

27 ③ 정답률 56%

정답풀이

〈보기〉에서 '서정 갈래의 현재 시제는 물리적 시간으로서의 현재가 아닌 가상적 현재를 의미'한다고 했다. 이를 바탕으로 (나)의 ⓒ(있다)을 이해한다면, '밑둥만 남은 채 눈을 맞는 나무들'이 있는 시간은 물리적 시간으로서의 현재가 아닌 가상적 현재로 보는 것이 적절하다.

오답풀이

① 〈보기〉에서 현재 시제를 사용하면 시적 상황이 '마치 지금 여기에서 벌어지고 있는 듯한 생생함을 느끼게 된다.'라고 했다. 따라서 (가)의 ㉠(다닌다)은 '노나리꾼들이' 다니는 상황이 마치 지금 여기에서 벌어지는 것 같은 느낌을 유발한다고 할 수 있다.
② 〈보기〉에서 현재 시제를 사용하면 독자가 화자의 '감정과 행위에 집중하게' 된다고 했다. 따라서 (가)의 ㉡(받는다)은 '치성'을 드리듯 '정한 마음'으로 '냅일눈 약눈'을 받는 화자의 행위와 주관적 감정에 집중하게 한다고 할 수 있다.
④ 〈보기〉에서 서정 갈래의 현재 시제는 가상적 현재를 의미하며, 현재 시제를 사용하면 화자의 인식에 집중하게 된다고 했다. 따라서 (나)의 ㉣(보고 있다)은 '나이테'가 자신을 보고 있다는 화자의 주관적 인식이 가상적 현재로 표현된 것이라고 할 수 있다.
⑤ 〈보기〉에서 현재 시제를 사용하면 그 상황을 생생하게 느끼게 된다고 했다. 따라서 (나)의 ㉤(자라고 있다)은 '어린것들'이 밑둥만 남은 나무가 뿌리박힌 곳에서 '자라고' 있는 상황을 생생하게 느끼도록 하는 시적 효과를 얻고 있다고 할 수 있다.

28 ① 정답률 82%

정답풀이

화자는 '겨울산'에서 '나이테'를 보며, 나무가 '잘릴 때 쏟은 톱밥가루'를 '해산한 여인'이 출산할 때 흘린 '땀'이라 생각하고 있다. 그리고 '꺾으면 문드러질 만큼 어린것들이' 그 옆에서 '자라고 있'기 때문에 '도끼로 찍히고 / 베이고 눈 속에 묻히더라도' '어머니'가 '고요히 남아서 기다리고 계'신다고 생각하고 있다. 따라서 '나이테'는 자식을 향한 어머니의 모성을 떠올리게 한다고 할 수 있다.

오답풀이

② '나이테'는 '도끼로 찍히고 / 베이고 눈 속에 묻히더라도' 기다리는 '어머니'의 삶을 떠올리게 하는 대상이지, 어머니의 편안한 삶을 떠올리는 계기라고 보기는 어렵다.
③ '나이테'로 인해 '어머니'의 희생적 사랑을 떠올릴 수 있는 것이지, '나이테'가 어머니의 희생적 사랑을 단절시키고 있지는 않다.
④ '나이테'는 자식을 위해 헌신하는 '어머니'의 강인함을 의미하는 것이지, 어머니를 위해 헌신하는 자식의 강인함을 의미한다고 볼 수는 없다.
⑤ '나이테'는 어머니의 모성애를 떠올리게 하는 대상일 뿐, 무상감을 드러내는 대상이 아니다.

[29~33] 과학

29 ⑤ 정답률 91%

정답풀이

1문단에서 열전도는 '한 물질 내에서 발생하기도 하며 서로 다른 물질들이 접촉하는 경우에도 발생한다.'라고 했다.

오답풀이

① 1문단에서 '전도란 물질을 이루는 입자들의 상호 작용을 통해 보다 활동적인 입자로부터 이웃의 덜 활동적인 입자로 열이 전달되는 현상'이라고 했다.
② 1문단에서 음식의 '조리 과정에서는 전도에 의한 열전달이 많이 일어난다.'라고 했다.
③ 2문단에서 '물질이 전도에 의해 열을 전달할 수 있는 능력의 척도, 즉 열전도도가 물질마다 다르'다고 했다.
④ 2문단에서 '열전달 과정에서 단위 시간 동안 열이 전달되는 비율'이 '열전달률'이라고 했고, 이는 '음식의 조리에서 고려할 중요한 요소'라고 했다.

30 ⑤ 정답률 72%

정답풀이

2문단에서 ㉠(푸리에의 열전도 법칙)에 따르면 '다른 조건이 같더라도 열전도도가 높은 경우 열전달률도 높게 나타난다.'라고 했다. 따라서 열전달률을 낮추기 위해서는 열전도도가 낮은 재료를 사용해야 함을 알 수 있다. 그런데 '부원 5'는 열전도도가 더 높은 재질의 현관문을 사용해야 한다고 했으므로 ㉠을 활용한 의견으로 적절하지 않다.

오답풀이

① 2문단에서 ㉠에 따르면 '다른 조건이 같더라도 열전도도가 높은 경우 열전달률도 높게 나타난다.'라고 했다. 따라서 열전도도가 낮은 재료로 지붕을 만들면 지붕을 통한 열전달률을 낮춰 열손실을 줄일 수 있다.
② 2문단에서 '열이 전달되는 면적이 커질수록 열전달률은 높아'진다고 했다. 따라서 창문의 열전도도가 높으면 실외의 열이 실내로 전달되기 쉬우므로 창문의 면적을 줄여 열전달률을 낮출 수 있다.
③ 2문단에서 '전도가 일어나는 두 지점 사이의 거리가 멀어질수록 열전달률은 낮아진다.'라고 했으므로, 외벽을 두껍게 하여 전도가 일어나는 두 지점 사이의 거리를 멀어지게 하면 건물 외벽을 통한 열전달률을 낮출 수 있다.
④ 2문단에서 '전도에 의한 열전달률'은 '면적에 비례'한다고 했으므로, 난방용 온수 배관과 방바닥이 닿는 접촉 면적을 넓히면 열전달률을 높일 수 있다.

31 ③ 정답률 85%

정답풀이

4문단에서 '수분이 수증기의 형태로 튀김 재료에서 빠져나감에 따라 재료 안쪽의 수분들은 빈자리를 채우기 위해 표면 쪽으로 이동한다.'라고 했다. 따라서 ㉰(재료 표면에 기포 생성)에서는 열이 전달됨에 따라 튀김 재료 안쪽의 수분이 표면 쪽으로 이동할 것이다.

오답풀이

① 1문단에서 '조리 과정에서는 전도에 의한 열전달'이 많이 일어난다고 했고, 이러한 전도는 '서로 다른 물질들이 접촉하는 경우에도 발생'한다고 했다. 따라서 ㉮(식용유 온도 상승)는 냄비와 식용유라는 서로 다른 물질 사이에서 열전달이 일어나는 현상이다.
② 3문단에서 '이 기포들은~순간적으로 많은 열이 전달되어 생겨난 것'이라고 했다. 따라서 ㉯(튀김 재료 넣기)의 결과로 ㉰가 진행된 것은 튀김 재료에 순간적으로 많은 열이 전달되었기 때문이다.
④ 4문단에서 '그 결과 지속적으로 재료의 수분은 기포로 변하고 이로 인해 재료는 수분량이 줄어'든다고 했다. 따라서 ㉰에서 ㉱(식용유 표면으로 기포 이동)로의 과정이 반복되면 재료의 수분량이 점차 줄어들 것이다.
⑤ 3문단에서 '이 기포들은 식용유 표면으로 올라가 공기 중으로 빠져나가고 이때 지글지글 소리가 난다.'라고 했다. 따라서 ㉱에서는 수증기가 공기 중으로 빠져나가면서 지글지글 소리가 날 것이다.

32 ③ 정답률 82%

정답풀이

4문단에서 '튀김 재료 표면의 기포들은 재료와 식용유 사이에서 일종의 공기층과 같은 역할'을 한다고 했으므로 ㄱ에는 '튀김 재료와 식용유 사이'가 들어가야 한다. 그리고 기포는 '식용유가 재료로 흡수되는 것을 막'는다고 했으므로 ㄴ에는 '방해'가 들어가야 하며, '재료 표면에 생성된 기포들을 거쳐 열전달이 일어'나면서 '재료 표면이 빨리 타 버리지 않'게 된다고 했으므로 ㄷ에는 '전도되지 못하게'가 들어가야 한다.

33 ⑤ 정답률 68%

정답풀이

ⓐ(따르면)와 '규칙에 따라'의 '따르다'는 '어떤 경우, 사실이나 기준 따위에 의거하다.'의 의미로 사용되었으므로, ⓐ는 ⑤번의 '따라'와 문맥적 의미가 가장 유사하다.

오답풀이

① '일정한 선 따위를 그대로 밟아 움직이다.'라는 의미로 사용되었다.
② '다른 사람이나 동물의 뒤에서, 그가 가는 대로 같이 가다.'라는 의미로 사용되었다.
③ '남이 하는 대로 같이 하다.'라는 의미로 사용되었다.
④ '어떤 일이 다른 일과 더불어 일어나다.'라는 의미로 사용되었다.

[34~38] **인문**

34 ① 정답률 81%

정답풀이

윗글은 기존 사상가들이 지닌 개념주의적 태도를 비판한 들뢰즈의 견해를 '소금'과 '연주'의 예를 통해 설명했고, 철학의 시선을 '개념에서 현실 세계의 대상 자체로 돌리게 했다는' 의의를 밝혔다.

오답풀이

② 윗글은 기존 사상가들의 개념주의적 태도를 비판하는 들뢰즈의 견해를 중심으로 전개되고 있을 뿐, 두 이론의 공통점과 차이점을 분석하거나 이를 절충한 새로운 이론을 소개하지는 않는다.
③ 윗글은 들뢰즈의 차이의 철학의 변천 과정을 설명하지 않았고, 발전 방향에 대한 예측을 제시하지도 않았다.
④ 윗글은 특정 견해의 특징을 드러낼 수 있는 역사적 사건을 언급하지 않았고, 그 견해의 장단점을 비교하지도 않았다.
⑤ 윗글은 들뢰즈의 견해를 뒷받침하는 다른 견해를 제시하지 않았으며, 두 견해의 유사점을 부각하지도 않았다.

35 ② 정답률 60%

정답풀이

2문단에서 ㉠(소금)을 예로 들며 '다른 대상들과의 상대적인 비교를 통해 소금의 개념적 차이가 형성'된다고 했다. 그리고 4문단을 통해 ㉢(연주)은 '다른 것과 비교될 수 없는 개별 대상'에 해당함을 알 수 있다. 따라서 개념에 해당하는 ㉠과 달리 ㉢은 개념으로 드러낼 수 없는 개별 대상에 해당함을 알 수 있다.

오답풀이

① 2문단에서 ㉠을 예로 들며 '다른 대상들과의 상대적인 비교를 통해 소금의 개념적 차이가 형성'된다고 했고, ㉡(소금 입자)을 예로 들며 '그 입자마다의 염도와 빛깔 등이 다를 수밖에 없'는 특성이 '차이 자체'를 형성한다고 했다. 따라서 ㉠과 달리 ㉡은 개별 대상에 해당한다.
③, ⑤ ㉡과 ㉢은 모두 개별 대상에 해당한다.
④ ㉠은 개념, ㉢은 개별 대상에 해당한다.

36 ③ 정답률 70%

정답풀이

3문단에서 들뢰즈는 '개념적 차이는 다른 대상과의 비교를 통해 파악된 결과로 다른 대상에 의존하는 방식이어서, 그 과정에서 개별 대상의 고유한 특성이 무시'될 수 있고 이로 인해 '개념의 폭력'이 발생할 수 있다고 했다. 따라서 '개념의 폭력'은 개별 대상이 지닌 고유한 특성을 중요시할 때가 아니라 무시할 때 일어난다.

오답풀이

① 3문단에서 '개념이 개별 대상들을 규정함으로써 개별 대상을 개념에 포섭시키는 상황'에서 '개념의 폭력'이 발생할 수 있다고 했다.
② 3문단에서 '개념에 맞추어 세상을 파악함으로써 세상을 오로지 개념의 틀에 가두는 상황'에서 '개념의 폭력'이 발생할 수 있다고 했다.
④ 1문단에서 개념이란 '보편적인 관념을 말한다.'라고 했고, 3문단에서 '개념에 맞추어 세상을 파악함으로써 세상을 오로지 개념의 틀에 가두는 상황'에서 '개념의 폭력'이 발생할 수 있다고 했다.
⑤ 3문단에서 '미리 정해 둔 개념에 부합하는 개별 대상은 좋은 것으로, 그렇지 못한 개별 대상은 나쁜 것으로 규정되는 개념의 폭력이 발생할 수 있'다고 했다. 따라서 개별 대상이 개념에 부합하는지 여부에 따라 그 가치가 결정되는 것은 '개념의 폭력'으로 볼 수 있다.

37 ② 정답률 21%

정답풀이

2문단에서 '개념적 차이'란 '어떤 대상과 다른 대상의 상대적 다름을 의미'한다고 했고 '차이 자체란 개념으로 드러낼 수 없는 대상 자체의 절대적 다름을 의미한다.'라고 했다. 〈보기〉의 한나는 함흥냉면과 평양냉면의 면과 육수를 비교하는 내용의 책자를 읽고 두 냉면의 차이를 알게 되었으므로, 한나는 두 냉면 사이의 개념적 차이를 알게 된 것이라 할 수 있다. 그런데 〈보기〉의 첫 번째 댓글에서 '한나는 냉면이 지닌 절대적 다름을 알게 된 것이군.'이라고 했으므로, 이 댓글을 작성한 학생은 ⓐ(한나는 두 냉면의 차이를 분명하게 알게 된 것이다.)를 '차이 자체'를 알게 된 것으로 잘못 인식하고 있음을 알 수 있다. 따라서 ㉮에는 '차이 자체'가, ㉯에는 '부합하지 않는다'가 들어가는 것이 적절하다.

오답률 Best 1

37번 문제는 무려 정답률이 21%로 이번 시험에서 가장 낮은 정답률을 보였던 문제야. 이 문제의 경우 '개념적 차이'와 '차이 자체'의 개념을 정확히 이해하고 <보기>에 적용했어야 해결할 수 있었어. 윗글을 보면 '들뢰즈'는 '개념'만을 통해 세상을 바라보면 개별 대상의 다양성을 해칠 수 있다고 생각하고 있어. 따라서 '개념적 차이'와 구별되는 '차이 자체'라는 개념을 제시한 거야. 여기서 '개념적 차이'는 비교를 통해 밝힐 수 있는 상대적인 차이를 말해. <보기>에 적용해 보면, '함흥냉면'과 '평양냉면'을 비교했을 때 면과 육수를 통해 서로 차이가 발생한다는 것을 확인할 수 있으니 '함흥냉면'과 '평양냉명'의 차이는 '개념적 차이'로 보아야 하는 거야. 그러니 첫 번째 댓글은 이것을 제대로 파악하지 못해 '들뢰즈의 견해'에 부합하지 않음을 알 수 있지.

34%의 학생이 ①번을, 26%의 학생이 ④번을 골라 정답인 ②번보다 선택 비율이 높았어. ④번을 선택한 학생들은 '개념적 차이'와 '차이 자체'를 구분하지 못했을 가능성이 있고, ①번을 선택한 학생들은 '개념적 차이'와 '차이 자체'는 구분했지만 문장 자체를 오독했을 가능성이 있어. 이렇게 빈칸 완성 문제가 출제되었을 경우, 빈칸을 채우고 완성된 문장을 꼭 확인해서 문장을 잘못 읽어 오답을 고르는 실수를 줄이자.

38 ③ 정답률 64%

정답풀이

4문단에서 '들뢰즈가 말하는 반복이란 되풀이하여 지각된 강도의 차이를 통해 개별 대상의 차이 자체를 발견해 나가는 과정'이라고 했다. 〈보기〉에서 앤디 워홀이 '같음을 생산하는 과정을 되풀이함으로써 오히려 어떠한 결과물도 같을 수 없음을 보여 준' 것에 대해 들뢰즈는 반복을 통해 각각 강도가 다른 결과물을 제작했다고 반응할 것이다.

오답풀이

① 3문단에서 '들뢰즈는 개념적 차이로는 대상만의 고유한 가치나 절대적 다름이 파악될 수 없다고' 보았다. 따라서 들뢰즈는 '개념들을 활용'해 세상을 개념적으로 파악하는 헤겔의 변증법으로는 아인슈타인이라는 개별 대상을 온전히 규정할 수 없다고 반응할 것이다.
② 3문단에서 들뢰즈는 '개념이 개별 대상들을 규정'하는 상황을 우려했다. 따라서 〈보기〉의 헤겔이 제시한 세상을 개념적으로 파악하는 방법론에 대해, 들뢰즈는 미리 만들어진 개념이 현실 세계의 개별 대상들을 규정한 것이라고 반응할 것이다.
④ 4문단에서 들뢰즈는 '반복이란 되풀이하여 지각된 강도의 차이를 통해 개별 대상의 차이 자체를 발견해 나가는 과정'이라고 했고, 이때 강도란 '다른 것과 비교될 수 없는 개별 대상에 대한 감각적 경험을 의미한다.'라고 했다. 따라서 들뢰즈는 앤디 워홀이 제작한 작품들이 다른 것과 비교될 수 없는 개별 대상에 대한 감각적 경험을 가능하게 한다고 반응할 것이다.
⑤ 3문단에서 들뢰즈는 '다른 대상에 의존하는 방식'인 '개념적 차이'에서는 '개별 대상의 고유한 특성이 무시'된다고 했다. 그리고 4문단에서 '반복이란 되풀이하여 지각된 강도의 차이를 통해 개별 대상의 차이 자체를 발견해 나가는 과정'이라고 했고, '이때 강도란~다른 것과 비교될 수 없는 개별 대상에 대한 감각적 경험을 의미한다.'라고 했다. 따라서 들뢰즈는 앤디 워홀의 실크스크린 작품들을 보고 다른 대상에 의존하는 방식으로는 파악할 수 없는 개별 대상의 특성이 색상과 윤곽선에 대한 지각을 통해 드러났다고 반응할 것이다.

[39~42] 고전시가

39 ④ 정답률 72%

정답풀이

(가)의 '풀목 쥐시거든 두 손으로 바티리라'와 '나갈 데 겨시거든 막대 들고 조ᄎᆞ리라'에서 유사한 통사 구조를 활용하여 운율을 형성하고 있다. 또한 (나)의 '문전옥답 큰 농장이 물난리에 내가 되고'와 '안팎 기와 수백간이 불이 붓터 밧치 되고' 등에서도 유사한 통사 구조를 활용하여 운율을 형성하고 있다.

오답풀이

① (가)의 'ᄒᆞ쟈ᄉᆞ라', '보쟈ᄉᆞ라'에서 청유형 어미를 사용하고 있으나 이를 통해 대상을 예찬하고 있지는 않다. 또한 (나)에서 청유형 어미를 활용하여 대상을 예찬하고 있는 부분은 찾을 수 없다.
② (가)와 (나) 모두 선경후정 방식을 활용한 부분은 찾을 수 없다.
③ (나)에서는 '복선화음'이라는 한자성어를 활용하여 주제 의식을 강조한다고 볼 수 있지만, (가)에서는 고사성어를 활용한 부분을 찾을 수 없다.
⑤ (가)와 (나)에서 계절의 순환을 확인할 수 없으므로, 이를 통해 시적 의미를 부각한다고 볼 수 없다.

40 ③ 정답률 63%

정답풀이

㉢(염치 읍시 또 왔느냐 두 말 말고 바삐 가라)은 화자가 설매에게 하소연하는 말이 아니라, 화자가 이웃집에 쌀을 꾸러 설매를 보냈으나 설매가 쌀은 빌리지 못한 채 집으로 '도라와서' 전한 말이다.

오답풀이

① ㉠(친정에 편지하여 서러운 ᄉᆞ설 불가ᄒᆞ다)을 통해 화자가 이전에 한두 번도 아니고 '번번이 염치 읍시' '달란 말'을 하였기에, 자신의 서러운 처지를 친정에 알리기 어려워하고 있음을 알 수 있다.
② ㉡(빈궁이 내 팔ᄌᆞ니 뉘 탓슬 ᄒᆞ잔 말가)을 통해 화자는 '빈궁'이 '내 팔ᄌᆞ'라고 하며 가난의 원인을 자신의 운명으로 돌리고 있음을 확인할 수 있다.
④ ㉣(밤낮으로 힘써 벌면 난들 아니 부ᄌᆞ될가)을 통해 화자는 '김장ᄌᆞ'와 '이부ᄌᆞ'처럼 자신도 부자가 될 수 있다고 말하고 있다.
⑤ ㉤(길쌈도 ᄒᆞ려니와 전답 으더 역농ᄒᆞ니)을 통해 화자가 기반을 마련하여 재산을 늘리기 위해 열심히 길쌈과 농사 짓기를 하며 일하는 모습을 확인할 수 있다.

41 ① 정답률 69%

정답풀이

(가)의 〈제9수〉에서는 어른을 공경하는 태도를 표현하고 있다. 이때 ⓐ(조ᄎᆞ리라)는 화자가 어른이 '나갈 데 겨시거든 막대 들고' 따르겠다는 의미이다. 따라서 ⓐ는 타인을 위한 화자의 행위이다. 한편 (나)에서 ⓑ(빌고)는 괴똥어미가 요기를 하기 위해 '압집에 가 밥을' 구걸한다는 의미로, 괴똥어미가 가족 없이 '단독일신'인 것을 고려하면 ⓑ은 자신을 위해 한 행위임을 알 수 있다.

오답풀이

② ⓐ는 어른을 공경하는 태도를 나타낼 뿐 절망감이 드러나지는 않으며, ⓑ는 몰락한 괴똥어미의 어려운 처지를 보여 주고 있을 뿐 기대감이 드러난다고 보기 어렵다.
③ ⓐ에서 상대방을 위하는 화자의 마음이 단절을 초래한다고 볼 수 없으며, ⓑ에서 화합을 유도하고 있지도 않다.
④ ⓐ에서 자연에 순응하는 모습이 드러나지 않으며, ⓑ는 자연으로 도피하는 주체의 행위가 아니다.
⑤ ⓐ는 문제를 해결하기 위한 행위가 아니며, ⓑ는 해결된 문제의 원인을 찾기 위한 행위가 아니다.

42 ② 정답률 40%

정답풀이

〈보기〉에서 가르침의 전달 효과를 높이기 위해 '화자와 대비되는 대상을 활용'하는 방법이 있다고 했다. (나)에서 '이질 앓던 시아버지 초상ᄒᆞᆫ덜 상관ᄒᆞ랴'와 '제ᄉᆞ음식 ᄎᆞ릴 적에 정성 읍시 ᄒᆞ엿스니'는 '괴똥어미'의 '불효악행'을 드러낸 것이므로, '귀신'이 아니라 '괴똥어미'가 화자와 대비되는 대상임을 알 수 있다. 따라서 (나)가 '귀신'과 화자를 대비하여 상부상조를 강조한다고 볼 수 없다.

오답풀이

① (가)의 화자는 '사ᄅᆞᆷ이 되여 나셔 올티곳 못ᄒᆞ면'과 'ᄆᆞ쇼를 갓 곳갈 싀워 밥 머기나 다ᄅᆞ랴'를 통해 옳지 못한 사람은 '갓 곳갈'을 쓰고 '밥'을 먹는 'ᄆᆞ쇼'나 다름없다고 비유하면서 옳은 일의 실천을 강조하고 있다.

③ (가)의 'ᄆᆞ올 사ᄅᆞᆷ들하 올ᄒᆞᆫ 일 ᄒᆞ쟈ᄉᆞ라'에서 'ᄆᆞ올 사ᄅᆞᆷ들'을 구체적인 청자로 설정했음을 알 수 있으며, (나)의 '딸아딸아 요내딸아 시집ᄉᆞ리 조심ᄒᆞ라'에서 '딸'을 구체적인 청자로 제시했음을 알 수 있다.

④ (가)의 '풀목 쥐시거든 두 손으로 바티리라'에서 어른에 대한 공경이 드러나며, (나)의 '깨진 그릇 좋단 말은 시가를 존중ᄒᆞ미라'에서 부녀자의 덕목이 드러나고 있다.

⑤ (가)의 '내 논 다 매여든 네 논 졈 매여 주마'에서 농사일을 돕는 상부상조를 실천하려는 화자의 의지가 드러나며, (나)의 '수족이 건강ᄒᆞ니 내 힘써 벌게 되면'과 '치산범절 힘쓰리라'에서 재산을 늘리는 일에 스스로 힘써 실천하려는 화자의 행위가 제시되고 있다.

오답률 Best ❸

42번 문제는 <보기>를 바탕으로 작품을 감상할 것을 요구하고 있어. 이런 문제는 철저하게 <보기>의 관점에서 작품을 분석해야 해. 정답인 ②번을 살펴보면, 화자와 대비되는 대상을 활용해 설득력을 높인다는 <보기>의 설명은 (나)에 적용되기는 하지만 화자와 대비되는 대상은 '귀신'이 아니라 '괴똥어미'라는 점에서 적절하지 않았어.

그리고 학생들이 정답 이외에 가장 많이 선택한 선지는 ④번이었어. (가)의 <제9수>에서 '풀목'을 쥐는 주체가 생략되어 있기 때문에 <제9수>가 어떤 덕목의 가르침을 주려는 건지 제대로 해석하지 못한 것으로 보여. <제9수>가 무슨 내용인지 파악하기 어려웠다면, <보기>와 선지를 참고해서 해석하는 방법도 있어. <보기>와 선지에서 '어른 공경'을 언급했으므로 <제9수>에서 '풀목 쥐시거든'과 '나갈 데 겨시거든' 과 같이 높임법이 포함된 표현의 대상이 되는 주체를 '어른'이라고 짐작할 수 있지.

[43~45] 현대소설

43 ① 정답률 78%

정답풀이

[A]의 '우중충한 안개가 그녀의 마음속에도 끼어 있었다.'에서 '언제나 철이 들어 제 앞가림'을 할지 모를 손자 걱정에 암담함을 느끼는 '버들댁'의 정서가 구체적 자연물인 '안개'를 통해 드러나고 있다.

오답풀이

② [A]에서 한숨을 쉬는 '버들댁'의 반복적 행위가 드러나지만, 이것이 '버들댁'의 성격 변화를 암시하고 있지는 않다.

③ [A]에서 요약적 진술을 통해 구체적인 시대 배경을 보여 주는 부분은 찾을 수 없다.

④ [A]에서 과거 회상은 드러나지 않으며, '버들댁'의 내적 갈등은 해소되지 않고 있다.

⑤ [A]에서 현실과 환상의 교차를 통해 사건을 입체적으로 제시한 부분은 찾을 수 없다.

44 ① 정답률 73%

정답풀이

㉠(버들댁은 자기도 모르는 사이에 "호다!" 하고 말했다.) 뒤에 '기대한 만큼 좋은 결과가 나타나지 않을지도 모른다고 생각은 되지만'이라고 한 것을 통해, '버들댁'은 기대한 만큼 좋은 일이 있으리라 확신하지 않고 있음을 알 수 있다.

오답풀이

② ㉡(손자의 멍든 곳을 어루만지고 쓰다듬었다.)에서 '버들댁'은 '내 새끼 살이 얼마나 아팠을까.'라고 생각하며 가슴 아파하고 있다.

③ '버들댁'이 '독거노인에게 주는 생계비'를 '한 푼도 쓰지 않고 모두' 주었는데도 '용복'은 ㉢("삼십만 원 그것이 돈이란가?")처럼 말하며 대수롭지 않게 여기고 있다.

④ '수문댁'은 '광주 양반'의 '딸이 위암에 걸'린 사실을 알고 있기 때문에 '광주 양반'의 마음이 힘들 것이라고 생각하여 ㉣(광주 양반도 시방 맘이 천근만근이라요.)처럼 말하고 있다.

⑤ '상근'이 '돈 한 푼 못 벌고~그렇게 끈질기게 살고 있소?'라고 말하고 간 이후에 '광주 양반'은 ㉤(지가 어쩐다고~끈질기게 살고 있느냐고 그래?)처럼 말하며 자신의 처지에 '지놈이 아랑곳할 것이 무엇'이냐면서 노여워하고 있다.

45 ⑤ 정답률 69%

정답풀이

'수술비가 없어서 수술을 못'하는 것은 '광주 양반'이 아니라 '광주 양반'의 딸이다. 또한 '광주 양반'이 '모아 놓은 돈'을 딸에게 '다 보내' 준 것을 통해서는 '광주 양반'의 '조건 없는 희생과 내리사랑'이 드러날 뿐, 노인의 경제적 궁핍에 대한 젊은이의 무관심이 드러난다고 볼 수는 없다.

오답풀이

① '버들댁'이 자신은 '아깝다고 밤에 잘 때 한 차례만 때'는 기름을 '용복'이 '계속 때려고 들'어도 '말리지 않'는 것은 '용복'에 대한 '버들댁'의 내리사랑을 보여 준다고 할 수 있다.

② '버들댁'이 '불편한 몸을 이끌고 살아가'지만 '용복'을 통해 '삶의 허기를 충족'하는 것은 쇠약한 몸을 가진 '버들댁'이 손자를 삶의 희망으로 여긴다는 것을 의미한다.

③ 버들댁이 '독거노인에게 주는 생계비'를 '한 푼도 쓰지 않고 모두' 손자에게 주는 것은 소외된 노인인 '버들댁'의 손자를 향한 조건 없는 희생을 의미한다고 할 수 있다.

④ '상근'이 '광주 양반'에게 '벌어 놓은 재산'도 없이 '동네 사람들'에게 '곡식이나 반찬 얻어먹고' 산다고 말하는 부분에서 노인 계층의 빈곤 문제를 짐작할 수 있다.

6회 2020학년도 9월 학평

1. ⑤	2. ②	3. ⑤	4. ②	5. ③	6. ⑤	7. ⑤	8. ④	9. ④	10. ④
11. ③	12. ⑤	13. ③	14. ④	15. ④	16. ②	17. ⑤	18. ⑤	19. ⑤	20. ①
21. ①	22. ⑤	23. ②	24. ①	25. ⑤	26. ③	27. ③	28. ④	29. ③	30. ③
31. ④	32. ③	33. ①	34. ④	35. ④	36. ①	37. ③	38. ②	39. ①	40. ④
41. ①	42. ③	43. ③	44. ②	45. ②					

오답률 Best 5

[1~3] 화법

1 ⑤ 정답률 91%

정답풀이

강연자는 강연 마지막 부분에서 『승정원일기』가 '우리의 기록 유산일 뿐만 아니라 현재 우리의 삶과도 연관 있는 사료'라는 점에서 가치를 지님을 강조하며 마무리하고 있다.

오답풀이

① 강연자는 '승정원에서 취급한 문서와 사건을 일자별로 기록한 책'에서 『승정원일기』의 개념을 정의하고 있지만, 비유의 방법을 사용하고 있지는 않다.
② 강연자는 『승정원일기』의 내용을 인용하여 청중의 흥미를 유발하고 있을 뿐, 자신의 경험을 사례로 들지 않았다.
③ 강연자가 청중의 질문에 답한 부분은 찾을 수 없다.
④ 강연자는 '현대의 기상 자료와 『승정원일기』의 기록을 비교하여 나타낸 그래프'를 통해 강연의 신뢰성을 높이고 있을 뿐, 전문가의 말을 인용한 부분은 찾을 수 없다.

2 ② 정답률 70%

정답풀이

강연자는 『승정원일기』가 288년 동안의 날씨를 아주 상세하게 기록하고 있음을 밝히면서 '일기의 앞부분 사진들'인 ㉠(지금 보시는 화면)을 제시하고 있다. ㉠을 통해 '맑은 날', '흐린 날', '눈과 비, 안개' 등의 날씨를 알 수 있을 뿐 아니라 '날씨의 변화까지 세밀하게 구분되어 있'음을 보여 주고 있으므로 적절하다.

오답풀이

① ㉠을 제시한 것은 『승정원일기』의 날씨 기록이 상세함을 보여 주기 위함이지 『승정원일기』의 전체적인 구성을 살펴보기 위함은 아니다.
③ 『승정원일기』의 강우 기록이 구체적이라는 것을 보여 주기 위해 ㉡(이 화면)을 제시한 것은 맞지만, ㉡은 현대의 강우 기록 자료가 아니라 『승정원일기』의 강우 기록 자료이다.
④ 강우량의 등급표는 ㉡에서 '미우'부터 '폭우'까지로 제시되고 있으며, ㉢(다음 화면)은 현대 기상 자료와 『승정원일기』의 날씨 기록을 비교한 그래프이다.
⑤ ㉢은 '현대의 기상 자료와 『승정원일기』의 기록을 비교하여 나타낸 그래프'이다. 이를 통해 과거의 비가 오는 시간대와 장마 주기, 연간 강수량이 오늘날과 비슷함을 말하고 있을 뿐, 『승정원일기』의 기상 기록이 현대 기후 변화에 미치는 영향을 설명하고 있지는 않다.

3 ⑤ 정답률 79%

정답풀이

'학생 2'는 강연에서 과거의 기록이 앞으로의 이상 기후를 예측하는 데 도움이 될 수 있다고 한 점을 언급하면서, '조선 시대의 기후를 알 수 있는 자료가 『승정원일기』뿐'인지 의문을 제기하고 있다. '학생 3'은 강연 내용의 일부인 '왕명 출납'에 대해 언급하고 있지만, 이에 대한 일화가 소개되었으면 좋았을 것이라는 아쉬움을 토로하고 있을 뿐 의문을 제기하고 있지는 않다.

오답풀이

① '학생 1'은 『승정원일기』의 보관 장소와 AI의 번역 작업 투입에 대한 궁금증을 해결하기 위해 '자료를 좀 더 검색해' 본다고 했다.
② '학생 2'는 강연을 통해 『승정원일기』의 날씨 기록이 '앞으로의 이상 기후를 예측하는 데 도움이 된다는 것을 알게 되어 좋았'다며 긍정적으로 평가하고 있다.
③ '학생 3'은 『승정원일기』의 '왕명 출납과 관련된 일화'가 소개되지 않았음을 아쉬워하고 있다.
④ '학생 1'은 '『승정원일기』 번역 작업에 AI가 투입된다는 기사'를 본 배경 지식을 활용하고 있으며, '학생 3'은 '『승정원일기』가 유네스코 세계기록유산으로 지정되었다'는 배경 지식을 활용하고 있다.

[4~7] 화법과 작문

4 ② 정답률 93%

정답풀이

'학생 3'은 작년 축제 때 캠페인 부스를 운영했던 경험을 떠올리며 올해는 부스를 다른 방식으로 운영할 것을 제안하고 있다. 또한 과학 시간에 했던 공기 정화 비교 실험을 떠올리며 '이끼 필터를 넣은 공기청정기'를 마을 주민들과 함께 만들 수 있는 체험 부스를 운영할 것을 제안하고 있다.

오답풀이

① '학생 1'은 토의를 진행하고 있지만, 토의의 전체 순서를 제시하지는 않았다.
③ '학생 2'는 '학생 3'의 의견에 '좋은 의견'이라며 동의하고 있을 뿐 문제점을 언급하지 않았다.
④ '학생 4'가 '학생 1'의 의견에 대해 자신이 정확히 이해했는지 확인한 부분은 찾을 수 없다.
⑤ '학생 4'는 '학생 3'의 의견에 '좋은 생각'이라며 동의하고 있을 뿐 반박하지 않았다.

5 ③ 정답률 78%

정답풀이

(가)에서는 마을 축제에서 이끼 필터를 활용한 공기청정기를 만들어 보는 체험 부스 운영과 홍보 방법에 대해 토의하고 있을 뿐, 공기청정기의 제작 과정을 언급하고 있지는 않다.

오답풀이

① '학생 2'가 '건강한 우리 마을 만들기'라는 마을 축제의 주제를 언급하였다.
② '학생 3'이 '과학 시간에 했던 공기 정화 비교 실험'을 언급하며 '이끼 필터가 화학적 필터보다 미세 먼지 감소율이 더 높'다고 했다.
④ '학생 3'이 작년과는 다른 방식으로 부스를 운영해 보자며 '이끼 필터를 넣은 공기청정기를 주민들과 함께 만들'자고 제안하여 이끼 공기청정기 제작 체험 활동을 운영할 계획을 세우게 되었다.
⑤ 캠페인 부스를 운영하자는 '학생 2'의 의견에 대해 '학생 3'이 작년과는 다른 방식으로 운영할 것을 제안하였고, 다른 학생들도 이에 동의하여 올해는 캠페인 부스를 운영하지 않게 되었다.

6 ⑤ 정답률 79%

정답풀이

㉠에 들어갈 문구에는 '지식 나눔'이라는 동아리 활동 취지가 드러나야 하며, '부스에서 하는 체험 내용'이 포함되어야 하고, '대구의 방법'이 사용되어야 한다. '학교에서 마을로, 마을에서 학교로.'에서 대구의 방법이 활용되었고, '지식을 나눌수록 마을은 건강해집니다.'에서 지식 나눔의 취지가 드러나 있으며, '이끼 공기청정기를 만들고 건강도 챙겨 가세요.'에서 체험 내용이 포함되어 있으므로, ⑤번은 ㉠에 들어갈 내용으로 가장 적절하다.

오답풀이

① '학교에서 배운 지식으로 마을에서 마음을 나눠요.'에서 지식 나눔의 취지는 드러나 있지만, 대구의 방법과 부스 체험 내용이 포함되지 않았다.
② '이끼 공기청정기 제작 체험 부스로 오면 깨끗한 공기를 만날 수 있습니다.'를 체험 내용으로 볼 수 있지만, 지식 나눔의 취지가 포함되지 않았고 대구의 방법이 사용되지 않았다.
③ '지식과 건강을 나누어 드립니다.'에서 지식 나눔의 취지가 드러나 있고, '이끼를 필터로 활용한 공기청정기를 함께 만들어 봐요.'에서 체험 내용이 드러나 있지만, 대구의 방법은 사용되지 않았다.
④ '지식은 나누면 기쁨이 되고, 기쁨은 나누면 두 배가 됩니다.'에서 지식 나눔의 취지가 드러나 있고, 대구의 방법이 사용되었지만, 체험 내용은 포함되지 않았다.

7 ⑤ 정답률 92%

정답풀이

(나)의 본문에서 이끼 공기청정기의 작동 원리를 설명한 부분은 찾을 수 없다.

오답풀이

① '학교에서 배운 지식, 우리 마을과 함께 나눠요.'라는 동아리 활동 목적이 [표제]에 드러나 있다.
② 마을 주민들과 이끼 공기청정기를 제작하는 체험 부스를 운영한다는 동아리의 활동 내용이 [부제]에 드러나 있다.
③ ○○동아리가 마을 축제에서 이끼 공기청정기 제작 체험 부스를 운영하여 지식 나눔을 실천한다는 내용이 [전문]에 요약되어 있다.
④ '체험 부스를 준비한 ○○동아리 회장'과 '마을 주민 김△△ 씨'의 인터뷰가 [본문]에 제시되어 있다.

[8~10] 작문

8 ④ 정답률 94%

정답풀이

학생의 초고에서 크라우드 펀딩을 활용할 때의 어려움이 제시된 부분은 찾을 수 없다.

오답풀이

① 1문단에서 지난달 학생회에서 기획한 소방서에 도시락을 전달하는 프로젝트가 '자금 부족으로 중단되었'고 최근에 '자금 조달 방식으로 크라우드 펀딩을 활용하는 경우가 많다는 것'을 알게 되었다며 크라우드 펀딩의 활용을 건의하게 된 상황을 밝히고 있다.
② 2문단에서 '크라우드 펀딩은 온라인 플랫폼을 통해 프로젝트를 제시하고 익명의 사람들로부터 후원금을 받아서 자금을 마련하는 것'이라고 개념을 설명했다.
③ 2문단에서 '우선 프로젝트의~그 결과를 게시판에 공개하는 방식으로 진행합니다.'라며 크라우드 펀딩을 활용하여 자금을 조성하는 과정을 제시하고 있다.
⑤ 3문단에서 '학교 일과 이외의 시간에도 후원이 가능하며', '다른 사람을 의식하지 않고 후원할 수 있'고, '학생들에게 학생회가 진행하는 프로젝트에 관심을 불러일으킬 수 있'으며, '온전히 학생들의 힘으로 우리 지역 사회에 기여'할 수 있다는 크라우드 펀딩 활용의 장점을 제시하고 있다.

9 ④ 정답률 83%

정답풀이

크라우드 펀딩에서 개선해야 할 부분을 다룬 자료는 (나)-2, (다)이다. (가)는 '크라우드 펀딩을 활용하는 프로젝트 수'와 '크라우드 펀딩에 참여'하는 사람들이 늘고 있다는 내용을 담은 신문 기사이고, (나)-1은 크라우드 펀딩 참여에 만족한 이유를 조사한 설문 자료이므로 이를 활용해 크라우드 펀딩 제도가 개선되어야 한다는 내용을 추가할 수 없다.

오답풀이

① [학생의 초고]의 1문단에서 최근 프로젝트 진행에 크라우드 펀딩을 많이 활용한다는 내용을 언급했는데, (가)를 통해 이 내용을 뒷받침할 수 있다.
② (나)-1을 통해 '크라우드 펀딩 참여에 만족한 이유' 중 '사회에 도움이 되는 일을 할 수 있어서'의 응답 비율이 가장 높았음을 알 수 있다. 이를 활용하여 [학생의 초고]에서 크라우드 펀딩에 참여한 학생들도 보람을 느낄 수 있을 것이라는 3문단의 내용을 뒷받침할 수 있다.
③ (다)에서 전문가가 '온라인을 통해 쉽게 접근할 수 있'고, '부담 없이 소액이라도 후원할 수 있'으며, '프로젝트의 홍보 효과도 높일 수 있'다는 크라우드 펀딩의 장점을 언급하고 있기 때문에, 이를 [학생의 초고]의 3문단에서 제시한 크라우드 펀딩의 장점에 대한 근거로 삼을 수 있다.
⑤ (나)-2에서 크라우드 펀딩에서 개선되어야 할 점 중에서 '자금 집행의 투명성 확보'의 비율이 가장 높으며, (다)에서 전문가도 자금 사용 내역을 공개하는 '프로젝트 의무 공개 제도'의 도입을 주장하고 있음을 알 수 있다. 이를 활용하여 [학생의 초고]에 자금의 사용 내역을 게시판에 공개할 필요가 있다는 내용을 덧붙일 수 있다.

10 ④ 정답률 93%

정답풀이

'그런데'는 화제를 앞의 내용과 관련시키면서 다른 방향으로 이끌어 나갈 때 쓰는 접속 부사이다. 하지만 ㉣(그러나) 전후로 크라우드 펀딩을 활용할 경우의 장점들이 나열되어 있기 때문에 ㉣을 '그런데'로 고치는 것은 부적절하다. '그런데'보다는 '그리고'나 '또한' 등으로 고치는 것이 적절하다.

오답풀이

① 앞말이 어떤 움직임이나 작용이 미치는 대상의 부사어임을 나타내는 격 조사는 '에'이다. 따라서 ㉠(소방서에게)의 부사격 조사 '에게'를 '에'로 고치는 것이 적절하다.
② ㉡(사용될)에서 '사용하다'의 주체는 '학생회'이다. 따라서 능동 표현인 '사용할'로 바꾸는 것이 적절하다.
③ 3문단에서 '희망하는'은 목적어를 필요로 하는 동사이다. 동사 '희망하는'에 호응하는 목적어가 없으므로 ㉢에는 목적어 '참여하기를'을 추가하는 것이 적절하다.
⑤ 4문단에서는 프로젝트에 크라우드 펀딩을 활용할 경우 얻을 수 있는 효과를 언급하며 크라우드 펀딩을 적극 활용해야 한다는 것을 건의하고 있다. 그런데 ㉤(이 밖에도 우리가 실천할 수 있는 크라우드 펀딩의 종류는 다양합니다.)은 4문단 내용의 통일성을 해치고 있어 삭제하는 것이 적절하다.

[11~15] 문법(언어)

11 ③ 정답률 57%

정답풀이

윗글에서 제시하고 있는 음운 변동으로는 비음화, 거센소리되기, 모음 탈락, 음절의 끝소리 규칙이 있다. 이 중 '음운 변동의 결과로 음운의 개수가 달라'지면서 '두 음운 중 어느 하나가 탈락'하는 경우가 아닌 현상은 거센소리되기뿐이다. 따라서 ⓐ에는 거센소리되기의 예시가 들어가야 한다. '맏형[마텽]'은 'ㄷ'과 'ㅎ'이 합쳐져 거센소리인 'ㅌ'으로 발음되는 거센소리되기의 예시이므로 ⓐ에 들어갈 수 있다. 또한 '음운 변동의 결과로 음운의 개수가 달라'지지 않으면서, '한 음운이 다른 음운의 영향을 받아 비슷하거나 같은 소리로 바뀌'는 현상은 비음화뿐이다. 그러므로 ⓑ에는 비음화의 예시가 들어가야 한다. '식물[싱물]'은 'ㄱ'이 비음인 'ㅁ'을 만나 비음 'ㅇ'으로 바뀌어 발음되는 비음화의 예시이므로 ⓑ에 들어갈 수 있다.

오답풀이

① '창밖[창박]'은 받침 'ㄲ'이 음절의 끝에서 'ㄱ'으로 바뀌는 음절의 끝소리 규칙이 일어난 것이고, 음운 변동의 결과 음운의 개수가 달라지지 않았으므로 ⓐ에 들어갈 수 없다. 한편 '능력[능녁]'은 'ㄹ'이 비음 'ㅇ' 뒤에서 비음 'ㄴ'으로 바뀌는 비음화의 예시이므로 ⓑ에 들어갈 수 있다.

6 회

② '놓다[노타]'는 'ㅎ'과 'ㄷ'이 합쳐져 'ㅌ'으로 발음되는 거센소리되기의 예시이므로 ⓐ에 들어갈 수 있다. 그러나 '다섯[다섣]'은 받침의 'ㅅ'이 음절의 끝에서 'ㄷ'으로 바뀌는 음절의 끝소리 규칙의 예시이므로 ⓑ에 들어갈 수 없다.
④ '쓰- + -어 → [써]'는 'ㅡ' 탈락의 예시이고, 음운 변동의 결과로 음운의 개수가 달라졌으므로 ⓐ에 들어갈 수 없다. 한편 '법학[버팍]'은 'ㅂ'이 'ㅎ'과 합쳐져 'ㅍ'으로 발음되는 거센소리되기의 예시이므로 ⓑ에 들어갈 수 없다.
⑤ '타- + -아라 → [타라]'는 모음 탈락의 예시이고, 음운 변동의 결과로 음운의 개수가 달라졌으므로 ⓐ에 들어갈 수 없다. 한편 '집념[짐념]'은 'ㅂ'이 비음 'ㄴ'의 영향으로 비음 'ㅁ'으로 바뀌는 비음화의 예시이므로 ⓑ에 들어갈 수 있다.

오답률 Best ❸

이 문제는 먼저 <보기>를 정확하게 분석하는 것이 중요해. 지문에 제시된 음운 변동 현상들 중에 음운의 개수가 달라지는 현상은 거센소리되기와 모음 탈락이야. 이 중 탈락 현상이 아닌 거센소리되기가 ⓐ에 해당한다는 것을 찾을 수 있어야 해.
또한 지문에서 음운의 개수가 달라지지 않는 현상으로는 비음화와 음절의 끝소리 규칙이 제시되었는데, 이 중 한 음운이 다른 음운의 영향을 받아 비슷하거나 같은 소리로 바뀌는 현상인 비음화가 ⓑ에 해당한다는 것도 찾을 수 있어야 해.
여기까지 <보기>를 분석했다면 남은 것은 ①번~⑤번의 사례를 분석하여 ⓐ, ⓑ에 들어갈 적절한 단어인지 판단하는 거야. 만약 음운 변동 현상에 대한 배경 지식이 없었더라도 지문을 꼼꼼히 읽고 문제에 적용했다면 해결할 수 있었을 거야. 따라서 이렇게 지문이 제시된 유형의 문제를 풀 때는 모르는 개념이 나오더라도 절대 포기하지 말고 집중해서 읽고 문제를 해결해 보자!

12 ⑤ 정답률 78%

정답풀이

㉠(여러 차례 일어나기도 한다)에 해당하는 예에는 음운 변동이 여러 차례 일어나는 사례가 들어가야 한다. '섞는[성는]'은 받침 'ㄲ'이 'ㄱ'으로 바뀌는 음절의 끝소리 규칙이 일어난 후, 'ㄱ'이 비음인 'ㄴ'의 영향으로 비음 'ㅇ'으로 바뀌는 비음화가 일어났으므로, ㉠에 해당한다.

오답풀이

① '굽히지[구피지]'는 거센소리되기만 일어나기 때문에 ㉠에 해당하지 않는다.
② '작년[장년]'은 비음화만 일어나기 때문에 ㉠에 해당하지 않는다.
③ '않고[안코]'는 거센소리되기만 일어나기 때문에 ㉠에 해당하지 않는다.
④ '장미꽃[장미꼳]'은 음절의 끝소리 규칙만 일어나기 때문에 ㉠에 해당하지 않는다.

13 ③ 정답률 78%

정답풀이

〈보기〉의 ㉠에 따르면, '희다'의 어간 '희-'는 끝음절 모음이 'ㅏ, ㅗ'가 아니라 'ㅢ'이기 때문에 어미 '-아'가 아니라 어미 '-어'가 결합해야 한다. 따라서 ㉠에 따라 '희여'가 아닌 '희어'로 적어야 한다.

오답풀이

① 〈보기〉의 ㉠에 따르면 '보다'의 어간 '보-'는 끝음절 모음이 'ㅗ'이기 때문에 어미 '-아'가 결합해 '보아'로 적어야 한다.
② 〈보기〉의 ㉠에 따르면 '먹다'의 어간 '먹-'은 끝음절 모음이 'ㅓ'이기 때문에 어미 '-어'가 결합해 '먹어'로 적어야 한다.
④ 〈보기〉의 ㉡에 따르면 '하다'의 활용에서 어미 '-아'는 '-여'로 바뀌어 '하여'로 적어야 한다.
⑤ 〈보기〉의 ㉢에 따르면 '이르다'의 어간 끝음절 '르' 뒤에 오는 어미 '-어'는 '-러'로 바뀌어 '이르러'로 적어야 한다.

14 ④ 정답률 90%

정답풀이

'작년만 해도 이곳에는 나무가 적었었다.'는 작년까지는 이곳에 나무가 적었지만 지금은 그렇지 않다는 것을 의미한다. 선어말 어미 '-었었-'은 현재까지 지속되는 과거의 상황이 아닌, 현재와 비교하여 다르거나 단절된 과거의 상황을 나타낸다.

오답풀이

① ㄱ은 '어제'라는 시간 부사어를 사용하여 과거를 나타내고 있다.
② ㄴ은 선어말 어미 '-더-'를 사용하여 지난 겨울에 추웠다는 과거의 경험을 회상하고 있다.
③ ㄷ에서 '본'은 '보다'의 어간 '보-'에 관형사형 어미 '-ㄴ'이 결합한 것으로 과거의 일을 나타내고 있다.
⑤ 일반적으로 선어말 어미 '-았-'은 과거를 나타내지만, ㅁ에서는 미래의 사건이나 일을 이미 정하여진 사실인 양 말하기 위해 사용되고 있다.

15 ④ 정답률 86%

정답풀이

'길이가 얼마나 되는지를 재어 보아라.'에서 '재다'는 '자, 저울 따위의 계기를 이용하여 길이, 너비, 높이, 깊이, 무게, 온도, 속도 따위의 정도를 알아보다.'의 의미인 '재다[1]-[1]'의 용례에 해당한다.

오답풀이

① 다의어는 두 가지 이상의 뜻을 지닌 단어를 말한다. '재다[1]'과 '재다[2]'는 모두 [1], [2]로 표시되는 두 개의 의미를 가진 다의어이다.
② 동음이의 관계는 소리는 같지만 뜻은 다른 관계를 말한다. '재다[1]'과 '재다[2]'는 소리는 같지만 뜻은 서로 다른 동음이의 관계라고 볼 수 있다.
③ '재다[1]' 아래 【…을】, 【-ㄴ지를】과 같은 표시는 '재다[1]'이 해당 괄호 안의 문장 성분을 필요로 한다는 뜻이다. 따라서 '재다[1]'이 목적어를 필요로 한다는 사실을 알 수 있다.
⑤ '재다[2]-[1]'는 '동작이 재빠르다.'라는 뜻이다. '발걸음이 재다.'에서 '재다'는 '재빠르다'의 의미로 사용되고 있기 때문에 이 문장은 '재다[2]-[1]'의 용례에 속한다.

[16~20] 사회

16 ② 정답률 78%

정답풀이

6문단에서 '은행의 입장에서 예금은 언제든 요구가 있으면 지급해야 하는 부채의 성격을 갖는다.'라고 했기 때문에 '예금'이 부채의 성격을 갖는 것은 맞지만, 대차대조표의 오른편을 보면 '예금'은 '기타 부채'와는 별도의 항목으로 기재되어 있는 것을 확인할 수 있다. 또한 6문단에서 '은행이 다른 금융 기관이나 중앙은행으로부터 자금을 빌려 온 내역은 기타 부채로 나타'냈다고 했다.

오답풀이

① 2문단에 '은행은 금융중개 기능을 통해 금융 시장의 거래비용을 낮'춘다고 했다.
③ 4문단에서 '은행의 예금창조'는 '예금의 일부만 보유하고 그 나머지를 대출하면서 예금통화라는 화폐를 창출'하면서 발생한다고 했다.
④ 5문단에서 '자금의 조달 원천을 나타내는 자본 및 부채의 내역은 대차대조표의 오른편에 기록되며, 자금의 운영 상태를 나타내는 자산의 내역은 왼편에 기록된다.'라고 했다.
⑤ 2문단에서 '은행은 자금 수요자의 수익성과 안정성을 정확하게 평가할 수 있'는 정보를 가지고 있어 '조성된 자금이 한층 더 건전하고 수익성 높은 곳으로 투자되도록 유도'한다고 했다.

17 ⑤ 정답률 74%

정답풀이

㉠(금세공업자가 했던 일은 결국 오늘날의 은행이 하는 일과 크게 다르지 않다)을 바탕으로 금세공업자와 오늘날의 은행이 하는 일이 비교해 보면, 금세공업자가 금을 맡기는 사람에게 사례하는 것은 오늘날의 은행이 대출이 아니라 예금에 대해 이자를 지급하는 것과 대응된다.

오답풀이

① 다른 사람의 금을 맡아주는 금세공업자의 일은 고객의 돈을 보관해 주는 은행의 일과 유사하다.
② 맡아 둔 금의 일정 부분을 남겨 두는 금세공업자의 일은 예금 중 일부를 지급준비금으로 보유해 두는 은행의 일과 유사하다.
③ 맡아 둔 금의 일부를 원하는 사람에게 빌려주는 금세공업자의 일은 예금의 일부를 필요한 사람에게 대출해 주는 은행의 일과 유사하다.

④ 금을 많이 맡아 두려고 하는 금세공업자의 일은 예금을 많이 유치하려고 하는 은행의 일과 유사하다.

18 ⑤ 정답률 59%

정답풀이

㉡(교환의 매개수단으로 쓰이는 화폐의 양이 늘어 경제의 유동성은 증가하지만, 경제가 종전에 비해 더 부유해지는 것은 아니다)은 은행의 예금창조 기능으로 화폐를 창출하는 과정과 관련된다. 4문단에서 누군가가 은행에서 대출을 받으면 '재화와 서비스를 구입할 수 있는 능력'은 커지지만, '갚아야 할 빚도 그만큼 늘어난 상황'이 된다는 것을 알 수 있다. 따라서 '예금창조'로 인해 화폐의 양이 늘어 경제의 유동성은 증가하지만, 그에 상응하는 부채도 늘어나기 때문에 경제가 종전에 비해 더 부유해진다고 볼 수는 없다.

오답풀이

① 대출을 받은 사람들에게 화폐라는 자산이 생긴다면, 그로 인해 경제의 통화량은 늘어날 것이다.
② 화폐 창출로 인해 화폐의 통화량이 증가하지만, 경제가 더 부유해지는 것이 아닌 이유는 예금통화라는 화폐 창출로 인해 그에 상응하는 부채도 늘어나기 때문이지 예금이 늘어나는 만큼 예금통화가 줄어들기 때문이 아니다.
③ 3문단에서 '만약 금을 대출 받은 사람이 그것을 다른 금세공업자에게 맡기고 보관증을 받는다면 통화량은 한층 더 늘어난다.'라고 했다. 따라서 대출을 받은 사람들이 그 돈을 다른 은행에 예금으로 맡기면 통화량은 늘어난다.
④ 4문단에서 '새롭게 만들어진 예금은 누군가가 빌려서 생긴 빚이기 때문에 사람들이 갚아야 할 빚도 그만큼 늘어난'다고 했다. 즉 부채가 늘어나는 주체는 대출을 받은 사람이지 은행에 돈을 맡긴 사람들이 아니다.

오답률 Best 4

이 문제는 정답인 ⑤번 다음으로 ④번을 선택한 비율이 높았어. 두 선지 모두 부채가 늘어난다는 점을 ㉡의 이유로 들고 있기 때문에 헷갈릴 수 있었을 거야. 먼저 ㉡에서 말하고자 하는 바가 무엇인지 정확하게 파악해야 해. 즉, 은행이 예금의 일부만 보유하고 나머지를 대출해 주면서 화폐의 양이 증가하게 되는데 왜 경제가 더 부유해지는 것은 아닌가에 대한 이유를 추론해야 하는 거지. 4문단의 내용을 통해 그 이유를 추론할 수 있는데, '은행은 예금의 일부만 보유하고 그 나머지를 대출하면서 예금통화라는 화폐를 창출하'지만 늘어난 화폐의 양은 결국 대출로 인한 것이기 때문에 대출을 받은 사람들은 은행에 갚아야 할 빚도 늘어난 거야. 따라서 이것이 ㉡의 이유가 되는 거지. ④번은 늘어난 부채를 부담해야 하는 사람이 '대출을 받은 사람들'이 아니라 '은행에 돈을 맡긴 사람들'이라고 하여 함정 선지를 만든 거야. 이러한 함정에 빠지지 않도록 항상 선지를 꼼꼼하게 읽고, 근거 역시 꼼꼼히 확인하는 습관을 들이도록 하자!

19 ⑤ 정답률 67%

정답풀이

[A]에 따르면 '경상 운영비'는 은행이 인력, 지점 조직, IT 인프라를 유지하기 위해 지출하는 비용을 말한다. 은행이 예금 금리를 올리게 되면 고객에게 지불해야 하는 이자가 늘어나기 때문에 예대 금리 차에 의한 은행의 수익이 줄어들게 될 뿐, 이것이 '경상 운영비'와 관련이 있는 것은 아니다. 따라서 예금 금리를 올린다고 해서 경상 운영비가 줄지 않으며, 예금 금리가 오르면 예대 금리 차에 의한 수익이 줄어들 것이다.

오답풀이

① [A]에서 은행의 영업 이익은 예대 금리 차로 발생한 수익에서 경상 운영비를 차감한 것이라고 했으므로, 〈보기〉에서 ○○은행의 영업 이익은 22억 원에서 12억 원을 뺀 10억이다.
② 〈보기〉에서 ○○은행의 자산 1,000억 원 중 900억 원이 예금으로 조달한 것이라 밝히고 있으며, 이 자산은 모두 대출로 구성되어 있다고 말하고 있다. 따라서 ○○은행은 예금으로 조달한 자산을 대출로 운영하여 22억 원의 수익을 발생시킨 것이다.
③ [A]에서 대출 이자가 예금 이자보다 높은 이유는 대출 손실이 일어날 수 있어 위험 할증금을 부과했기 때문이라고 했다. 따라서 〈보기〉에서 ○○은행의 대출 금리가 예금 금리보다 평균 2% 높은 것은 차입자가 원금과 이자를 갚지 못할 경우에 대한 위험 할증금이 반영되었기 때문이다.
④ 〈보기〉에서 ○○은행의 영업 이익은 수익 22억 원에서 경상 운영비 12억 원을 뺀 10억이다. 그런데 대출 손실이 12억 원 발생한다면, 대출 손실이 영업 이익을 넘어서게 되어 은행 자본금이 잠식될 것이다.

20 ① 정답률 66%

정답풀이

ⓐ(조성)는 '무엇을 만들어서 이룸.'을 의미하는데, '어떤 기준이나 실정에 맞게 정돈함.'은 '조정'의 사전적 의미이므로 적절하지 않다.

[21~25] **현대시+고전수필**

21 ① 정답률 73%

정답풀이

(가)는 '순이가 떠난다는 아침', '너는 잃어버린 역사처럼 훌훌이 가는 것이냐' 등에서 '순이'의 부재를 느낄 수 있으며, 화자는 이로 인해 슬프고 아쉬운 정서를 드러내고 있다. (나)는 '이제 더 이상 고향에서 급한 전갈이 오지 않았습니다', '어머니는 어제라는 집에' 등에서 '어머니'의 부재를 알 수 있고, 이를 통해 화자가 과거, 현재, 미래가 만나는 일상적 삶에 대한 깨달음을 얻었음을 드러내고 있다.

오답풀이

② (다)의 글쓴이는 귀양 온 삶을 '떠 있'는 삶으로 인식하며 자신의 삶에 대해 긍정적으로 인식하고 있다. 하지만 (가)의 화자는 '순이'가 떠나가는 상황에서 안타까워하고 있기 때문에 현재 자신의 모습을 긍정적으로 인식하고 있다고 보기 어렵다.
③ (나)의 화자는 '어머니'의 죽음이라는 부정적인 현실에 처해 있다고 볼 수는 있지만, 이를 통해 삶에 대한 깨달음을 얻고 있을 뿐, 이러한 현실이 개선되리라고 믿고 있지는 않다. 또한 (다)의 화자는 현실을 부정적으로 여기지 않는다.
④ (가)의 화자는 '순이'가 떠나는 상황에서 슬퍼하고 있을 뿐, 과거에 대해 만족감을 느끼고 있지 않다. 또한 (나)의 화자는 과거와 현재, 미래가 연결되는 삶에 대해 말하고 있을 뿐, 미래에 대해 기대감을 드러낸 것은 아니다.
⑤ (나)에는 '어머니'의 죽음에 대한 화자의 생각과 정서가 드러날 뿐, 외적 갈등이 해소되는 모습이 드러나지는 않는다. (다)에는 '떠 있는 삶'에 대한 글쓴이의 생각이 드러날 뿐, 내적 갈등을 해소하는 과정이 드러나지는 않는다.

22 ⑤ 정답률 81%

정답풀이

(가)에서 화자는 '함박눈'을 '슬픈 것'이라 인식하고 있는데, 이는 '순이'가 떠나는 상황에서 느끼는 화자의 슬픔을 드러낸 것이다. 또한 이 '눈' 때문에 화자는 '순이'를 따라갈 수도 없다고 말하고 있다. 한편 '눈'이 녹으면 '남은 발자욱 자리마다 꽃이 피'겠지만, 그 '꽃 사이로 발자욱을 찾아 나서'더라도 '일 년 열두 달 하냥 내 마음에는 눈이 나'릴 것이라 말하는 화자의 모습을 통해 화자는 '눈'이 녹고 봄이 온다 하여도 '순이'를 만나기 어려워 마음에 '눈'이 내릴 것이라고 표현하였음을 알 수 있다. 따라서 화자가 '꽃이 피면 순이를 만나게 된다고 확신'한다고 볼 수 없다.

오답풀이

① 화자는 '순이'가 떠나는 상황에서 자신의 마음이 슬펐기 때문에 '함박눈'이 슬픈 것처럼 덮인다고 표현한 것이다.
② '벽과 천정이 하얗다.'라고 말한 뒤에 '방안에까지 눈이 나리는 것일까'라고 표현한 것으로 보아, 화자는 아무도 없는 방안에 눈이 내리고 있는 것 같다고 생각했음을 알 수 있다.
③ 화자는 '눈'이 녹아도 마음에 '눈'이 내린다고 생각한 것으로 보아 '순이'가 가는 곳을 몰라 만날 수 없기 때문에, '순이'가 마음속에만 남았다고 표현한 것이라 해석할 수 있다.
④ 화자는 '순이'가 떠나간 흔적인 '발자욱' 위로 '눈'이 덮였기 때문에 '발자욱'을 따라갈 수 없다고 표현한 것이라 해석할 수 있다.

6회

23 ② 정답률 85%

정답풀이

[B]에서 화자는 '어머니'의 죽음을 미루고 싶은 심정을 '어제', '오늘', '내일'이란 표현을 통해서 드러내고 있을 뿐, 만남에 대한 긍정적인 인식을 보이고 있지는 않다. 또한 [C]에서 화자는 '어제라는 집'에서 '어머니'를 만날 수 있다고 말하고 있을 뿐, 만남에 대한 부정적인 인식을 보이는 것은 아니다.

오답풀이

① [A]에서는 화자가 어머니에게 '내일은 언제 오나요'라고 묻고 있었던 반면, [B]에서는 화자가 어머니의 물음에 '그럼요 하룻밤만 지나면 내일인걸요'라고 답하고 있다.
③ [A]에서는 '어머니'에게 '내일'에 관해 묻던 화자의 경험이, [B]에서는 '어머니'의 임종과 관련된 화자의 경험이 제시되고 있으며, [C]에서는 삶에 대한 화자의 깨달음이 드러나 있다.
④ [A]와 [B]는 화자와 어머니가 묻고 답하는 대화 형식을 취하고 있으며, [C]는 화자 혼자 이야기하는 독백의 형식을 취하고 있다.
⑤ [A]에서는 화자의 어린 시절 모습이, [B]에서는 '어머니'의 임종의 모습이, [C]에서는 임종 이후의 모습이 나타나므로 시간의 흐름에 따라 시상이 전개된다고 볼 수 있다.

24 ① 정답률 66%

정답풀이

(가)의 '편지'는 화자가 '순이'에게 일러 둘 말을 적은 것이지만, 화자는 '순이'를 만나 '편지'를 전해주지 못했기 때문에 '편지'가 대상을 만나러 가는 계기로 작용하지는 않았다. 반면 (나)의 화자는 고향에서 온 '전갈'을 받고 '어머니'를 만나러 갔기 때문에 '전갈'이 대상을 만나러 가는 계기로 작용했다고 볼 수 있다.

오답풀이

② '편지'와 '전갈' 모두 시대 상황에 대한 화자의 인식을 드러내지는 않는다.
③ '편지'는 화자가 대상에게 전해 주고 싶은 말을 적은 소재이지만, '전갈'은 '어머니'가 위독하다는 소식을 화자에게 전해 주는 소재이다.
④ '편지'와 '전갈' 모두 과거의 상황에 대한 화자의 반성을 담고 있지 않다.
⑤ '편지'와 '전갈'에 의해 대상에 대한 화자의 태도가 부정적으로 변하지 않는다.

25 ⑤ 정답률 69%

정답풀이

〈보기〉에서 '우리의 삶이란 덧없는 것'이라고 했고, (다)는 '그 덧없음을 슬퍼하지 말고 순순히 받아들이며 삶을 즐길 것을 제안'한다고 했다. 이를 참고하면, (다)에서 '나'가 꽃모종을 심고 약초 씨앗을 뿌리는 것은 가변적인 상황에서도 덧없음을 슬퍼하지 않고 자신의 삶을 즐기는 모습으로 볼 수 있다.

오답풀이

① (다)에서 '나산 처사'가 자신의 집을 떠 있는 집이라 한 것은 떠 있는 것이 아름답다는 근원적인 긍정에 도달했기 때문이 아니라 자신의 삶이 떠 있는 것이라는 점을 인식하고 있었기 때문이다.
② (다)에서 '나산 처사'는 자신의 삶이 덧없다는 것을 인정했기 때문에 나산의 남쪽에 '대충 깎은 나무로 기둥을 세우고 낡은 밧줄로 얽어 놓'은 채 '겨우 그때그때 수리만' 하는 것이다.
③ (다)의 글쓴이는 '떠 있음을 슬프게 생각하는 것은 잘못이 아닐까요?'라 말한 뒤, '어부는 떠다니며 고기를 잡고, 장사꾼은 떠다니며 이익을 얻습니다.'라고 말하고 있다. 즉, 글쓴이는 '어부'와 '장사꾼'을 예로 들어 떠다니는 삶이 슬픈 것이 아님을 말하고 있다.
④ (다)의 글쓴이는 천하에 떠 있는 것이 많다는 것을 말하기 위해 '고기는 부레로 떠 있고, 새는 날개로 떠 있고, 물방울은 공기로 떠 있'다고 했다. 또한 〈보기〉에서 '존재의 무상성을 통찰함으로써 오히려 근원적인 긍정에 도달'한다고 했으므로, 글쓴이가 존재의 무상성을 안타까워 한다고 볼 수 없다.

[26~28] **현대소설**

26 ③ 정답률 75%

정답풀이

윗글의 (중략) 이후 '나'는 '권순찬'이 인천으로 돌아갈 것이라 생각하며 '남자의 인천 거처가 그때까지도 무사히 남아 있기를 바'란다.

오답풀이

① 윗글에서 '권순찬'은 '아파트 단지 안으로 들어오는 일도 없었으며, 아파트로 들어가는 사람을 붙잡고 말을 거는 일도 없었다.'라고 했다.
② 윗글에서 '권순찬'이 '저는 원래 그 할머니한테 돈을 받을 생각이 없었습니다.'라고 말한 것으로 보아 그가 502호 할머니에게 자신의 일을 해결해 달라고 호소하지 않았음을 알 수 있다.
④ 윗글에서 '나'가 '저러다가 금세 말겠지.'라고 예상한 것으로 보아 '나'는 처음에 '권순찬'이 아파트 단지 앞에서 오랫동안 머물지 않을 것이라 예상했음을 알 수 있다.
⑤ 윗글에서 '나'는 '이내 다시 그날 작성해야 할 서류들과 학과 취업률 따위들을 떠올'리고 '내가 참견할 만한 일도, 참견할 수도 없는 일'이라고 여기며 '권순찬'의 일에 대해 생각하는 것을 멈췄음을 확인할 수 있다.

27 ③ 정답률 76%

정답풀이

아파트 주민들은 '권순찬'의 딱한 사정을 듣고 '편지봉투에 정성껏 오만원권 지폐로 칠백만 원을 마련'하여 '권순찬'에게 전달하려 했지만 '권순찬'은 그 돈을 거절했다. 이후에 일어난 ㉠(아파트엔 그가 칠백만 원에 대한 이자를 받으려 한다는 소문이 돌기 시작했다)은 자신들의 성의를 무시한 '권순찬'에 대한 아파트 주민들의 생각이 바뀌었음을 보여 준다.

오답풀이

① '권순찬'이 아파트 주민들의 성의를 거절한 후 ㉠이 일어났으므로, 이를 통해 '권순찬'과 입주민들과의 관계가 회복되기 어려울 것임을 짐작할 수 있다.
② '권순찬'은 이미 입주민들의 관심을 끌었지만 그것을 신경 쓰지 않았다. 따라서 '권순찬'이 입주민들의 관심을 끌고 싶어 했다고 볼 수 없다.
④ ㉠은 '권순찬'에 대한 입주민들의 인식이 변화했음을 나타내는 것이지 '김석만'의 등장과는 관련이 없다.
⑤ 입주민들은 자신들의 실수를 인정하지 않고 '권순찬'이 성의를 무시한 사실에만 주목했기 때문에 ㉠이 발생한 것이라 할 수 있다.

28 ④ 정답률 84%

정답풀이

'참좋은 마트' 사장은 '권순찬'의 사연을 딱하게 여기고 '권순찬'에게 도움을 주기 위해 적극적으로 나선 인물이다. '참좋은 마트' 사장은 입주민들과 힘을 모아 '권순찬'이 받지 못한 돈의 액수만큼 돈을 건네주려 했지만 '권순찬'이 입주민들의 성의를 거절하며, '저는 원래 그 할머니한테 돈을 받을 생각이 없었습니다.'라고 말한 것으로 보아 '권순찬'이 한 행동의 진짜 원인은 돈을 돌려 받는 것에 있지 않음을 알 수 있다. 따라서 '참좋은 마트' 사장은 '권순찬'이 지닌 문제의 진짜 원인을 파악했다고 볼 수 없다.

오답풀이

① '권순찬'은 받지 못한 돈을 대신 건네주는 입주민들의 호의를 거절하며 '저는 김석만씨를 만나러 온 거예요. 그 사람을 직접 만나서 일을 해결하려고요……'라고 말하고 있다. 이를 통해 '권순찬'은 '김석만'이 문제의 원인이라 생각했음을 알 수 있다.
② 입주민들은 자신들의 입장에서 '권순찬'의 문제를 이해했기 때문에 돈을 모아 '권순찬'에게 주려고 한 것이다.
③ 입주민들은 자신들의 성의를 거절하는 '권순찬'에게 화를 냈다. 입주민들은 문제의 진짜 원인을 알지 못했기 때문에 애꿎은 사람에게 화를 낸 것이라 할 수 있다.
⑤ '권순찬'이 '저는 원래 그 할머니한테 돈을 받을 생각이 없었습니다.'라고 말한 것으로 보아 '권순찬'이 원하는 해결책은 입주민들의 돈을 받는 것이 아님을 알 수 있다.

[29~31] 고전시가

29 ③ 정답률 49%

정답풀이

영탄적 어조란 감정을 강하게 표현하는 어투를 말한다. (가)의 화자는 '굽이굽이 새롭구나', '진훤을 막는도다'에서 감탄형 어미를 사용한 영탄적 어조를 통해 '버들', '꽃', '파랑성'에 대한 만족감을 부각하고 있다. 또한 (나)의 화자는 '아아 내 일이야'에서 '아아'라는 감탄사를, '별천지가 여기로다'에서 감탄형 어미를 사용한 영탄적 어조를 통해 자연 친화적인 태도를 부각하고 있다.

오답풀이

① (가)의 '물가의 외로운 솔 혼자 어이 씩씩혼고'를 의인법으로 볼 여지가 있으나 이를 통해 세태를 비판하고 있지는 않다. 또한 (나)에서 '뻐꾹새'가 '농부'를 재촉한다는 표현에서 의인화된 대상을 확인할 수 있지만, 이를 통해 세태를 비판한다고 볼 수는 없다.
② (가)의 '만사를 생각하랴', '뉘라서 그려낸고', '어부 생애 아니러냐' 등에서 설의적 표현이 사용되어 시적 의미를 강조하고 있다. 하지만 (나)에는 설의적 표현이 사용되지 않았다.
④ (나)에서는 '두 귀밑을 돌시내에 다시 씻고', '심신이 시원하고'에서 촉각적 심상을 찾을 수 있지만, (가)에는 촉각적 심상이 사용되지 않았다.
⑤ (가)와 (나) 모두 역설적 표현이 사용되지 않았다.

오답률 Best 1

이 문제가 이번 시험에서 오답률 1위를 차지했어. 영탄적 어조를 판단할 때에는 감탄사(아, 아아, 오오, 아니 등), 감탄형 어미(-도다, -구나 등)가 사용되었는지 먼저 체크하는 것이 좋아. (가)에서는 '-구나'와 '-도다'라는 감탄형 어미가 사용되었고, (나)에서는 감탄사 '아아'와 감탄형 어미 '-로다'가 사용되었으니 영탄적 어조가 사용되었다고 판단할 수 있지. 그리고 영탄법 자체가 감정을 강하게 표현하는 방식이기 때문에 영탄적 어조가 사용되었다면 당연히 화자의 정서가 부각된다고 볼 수 있어. 그러므로 이에 대한 근거는 따로 찾지 않고 넘어가도 돼. 그 밖에 명령, 청유, 의문 등의 형식을 통해 정서를 강하게 드러내는 것도 영탄적 어조로 볼 수 있어. 이 문제는 정답인 ③번 다음으로 ②번을 선택한 학생들이 많았어. 아마도 '설의적 표현'의 개념을 정확히 알지 못했을 가능성이 있어 보여. '설의법'은 '쉽게 판단할 수 있는 사실을 의문의 형식으로 표현하여 상대편이 스스로 판단하게 하는 수사법'을 말해. 따라서 일단은 '의문의 형식'이 나타나는지 찾아야 해. 그런데 (나)에는 '의문의 형식'이 사용되지 않고 있으니 바로 '설의적 표현'이 쓰이지 않았음을 알 수 있지.
이와 같이 '의인법', '설의법', '영탄법', '심상', '역설법' 등 문학의 기본 개념을 숙지해 두고, 각각의 예시를 함께 익혀 두는 것이 좋아. 앞으로 문제에서 이런 문학 개념어가 등장하면 따로 노트를 만들어서 정리해 두도록 하자.

30 ③ 정답률 74%

정답풀이

(가)에서 '어옹'은 화자가 지향하는 삶의 모습을 보여 주는 대상일 뿐, 화자의 처지에 공감하는 인물이라고 보기는 어렵다. 한편 (나)의 화자는 '공명이 때가 늦'었고, '산업에 뫼가 없어'서 세상의 일에 허망함을 느껴 자연으로 들어가고 있다. 그런데 '농부'는 봄을 맞이하여 '들일'을 해야 하므로 자연으로 들어가려는 화자에게 공감하고 있다고 보기는 어렵다.

오답풀이

① (가)의 '버들'은 '꽃'과 함께 '봄'이라는 계절감을 드러낸다. (나)의 '뻐꾹새'는 '계절을 먼저 알아' '농부'에게 '들일'을 재촉하므로 계절감을 드러낸다고 볼 수 있다.
② (가)의 화자는 '깊은 흥을 못 금하겠다'고 말하며, (나)의 화자는 '백화주 두세 잔에 산수에 정이 들'었다고 말하며 자연에서 느끼는 정서를 표현하고 있다.
④ (가)의 화자는 '사시 흥이 훈 가지나 추강이 으뜸이라'라고 말하며, (나)의 화자는 '월사의 밝은 달은 맑은 의미 일반이라'라고 말하며 모두 대상을 긍정적으로 인식하고 있다.
⑤ (가)의 화자는 '낚싯대 둘러메'고 자연에서 풍류를 즐기고 있으며, (나)의 화자는 '백화주'를 마시며 풍류를 즐기고 있다.

31 ④ 정답률 67%

정답풀이

㉣(물가의 외로운 솔)은 혼자서도 씩씩한 자연물로 화자가 긍정적으로 여기는 대상이다. 따라서 ㉣을 자연에 귀의하지 못한 사람으로 볼 수 없으며, 화자가 안타까워하는 대상으로도 볼 수 없다.

오답풀이

① ㉠(삼공을 부러워하랴)은 높은 벼슬을 지닌 사람도 부럽지 않다는 뜻으로, 속세의 사람들이 추구하는 가치에서 벗어난 화자의 모습을 드러낸다.
② ㉡(연강 첩장은 뉘라서 그려낸고)은 강과 산이 그림을 그린 것처럼 아름답다는 표현으로 화자가 자연의 아름다움에 감탄하며 즐기고 있음을 드러낸다.
③ ㉢(물외)은 어부가 생활하는 속세 밖의 공간으로, 화자가 지향하는 '인간 세상과 대립되는' 자연이라 할 수 있다.
⑤ ㉤(파랑성을 싫어 마라 진훤을 막는도다)은 물결 소리가 속세의 시끄러움을 막아준다는 의미로 인간 세상을 멀리하고자 하는 화자의 태도를 드러낸다.

[32~36] 기술

32 ③ 정답률 76%

정답풀이

2문단에서 '캐싱이 효율적으로 이루어지려면 CPU가 캐시 기억장치에 저장된 데이터를 반복적으로 사용하는 것이 중요'하다고 했다.

오답풀이

① 3문단에서 '캐시 기억장치는 일반적으로 하나의 라인에 하나의 블록이 들어갈 수 있'다고 했는데, 이때 '블록'은 하나의 '워드'가 아니라 '연속된 워드 여러 개의 묶음'이라고 했다.
② 1문단에서 '캐시 기억장치'는 '주기억장치보다 용량은 작지만 처리 속도가 매우 빠르다.'라고 했다.
④ 2문단에서 '시간적 지역성은 CPU가 한 번 사용한 특정 데이터가 가까운 미래에 다시 사용될 가능성이 높은 것'이라고 했다.
⑤ 1문단에서 '캐싱'은 '캐시 기억장치에 주기억장치의 데이터 중 자주 사용되는 데이터의 일부를 복사해 두고 CPU가 이 데이터를 사용하도록 하는 과정'이라고 했다.

33 ① 정답률 69%

정답풀이

주기억장치의 데이터 용량이 64개의 '워드'이고, '블록'은 '워드'의 묶음이기 때문에 하나의 '블록'이 4개의 '워드'로 이루어져 있다면, 주기억장치는 총 16개의 '블록'으로 구성될 것이다. 따라서 ㉮에는 '블록'이 들어가야 한다. 한편 [A]에서 '워드'의 개수가 2^n일 때, 각 '워드'는 n비트의 주소로 지정된다고 하였으므로, 〈보기〉의 '워드' 64개는 2^6이 되어 각 '워드'는 6비트의 주소로 지정될 것이다. 따라서 ㉯에는 '6비트'가 들어가야 한다. 그리고 [A]에서 '캐시 기억장치에는 총 M/K개의 라인이 만들어진다.'라고 하였으므로, 〈보기〉에서 캐시 기억장치의 워드의 개수인 M이 16일 때 라인에 채워지는 워드의 개수인 K는 4이기 때문에 M/K는 16/4의 값인 4가 되어 ㉰에는 '4개'가 들어간다.

34 ④ 정답률 56%

정답풀이

[B]에서 '캐시 미스가 일어나면 요청 주소에 해당하는 블록을 주기억장치에서 복사하여 캐시 기억장치의 지정된 라인에 저장한다.'라는 내용을 확인할 수 있다. 〈보기〉에서는 'CPU가 요청한 주소의 태그(00)와 캐시 기억장치 라인의 태그(10)가 일치하지 않'아 '캐시 미스'가 일어났기 때문에 CPU가 요청한 라인 '10'에 저장되어 있던 데이터 블록 'g, o, a, l'이 삭제되고, 그 자리에 CPU가 요청한 데이터가 포함된 블록인 'b, l, u, e'가 저장될 것이다.

6 회

오답풀이

① [B]에서 '우선 요청 주소의 라인 필드를 이용하여~그 라인의 태그와 요청 주소의 태그를 비교한다.'라는 내용을 확인할 수 있다.
② [B]에서 '캐시 미스'란 'CPU가 요청한 데이터가 캐시 기억장치에 저장되어 있지 않'은 경우를 말한다고 하였다. CPU가 요청한 라인 주소 '10'과 태그 주소 '00'을 〈캐시 기억장치〉에서 찾아보면 라인 주소가 '10'일 때 태그 주소가 '10'이므로 CPU에서 요청한 데이터가 〈캐시 기억장치〉에 저장되어 있지 않아 캐시 미스가 일어났다고 볼 수 있다.
③ [B]에서 '캐시 미스가 일어나면 요청 주소에 해당하는 블록을 주기억장치에서 복사하여 캐시 기억장치의 지정된 라인에 저장한다.'라는 내용을 확인할 수 있다. 〈보기〉에서는 '캐시 미스'가 일어났기 때문에 〈주기억장치〉에서 요청 주소(라인 10, 태그 00)에 해당하는 블록인 'b, l, u, e'가 복사되어 〈캐시 기억장치〉에 저장될 것이다.
⑤ CPU가 요청한 태그, 라인, 워드를 〈주기억장치〉에서 확인하면 그 데이터가 'e'라는 것을 확인할 수 있는데, [B]에서 '캐시 미스'가 발생하더라도 이 데이터는 일련의 과정을 거친 뒤 CPU에 전달된다고 하였다.

오답률 Best ❷

이 문제는 지문의 내용을 <보기>의 상황에 적용시키는 문제였어. '직접 매핑' 과정을 지문을 통해 이해하는 것에 그치는 것이 아니라, 그 내용을 <보기>에 적용할 수 있어야 했지. CPU가 요청한 데이터가 '캐시 기억장치'에 없을 때 '캐시 미스'가 일어나는데, 이때 요청한 데이터는 라인 '10'에 저장되어 있어. 그렇다면 <주기억장치>의 해당 블록이 캐시 기억장치의 라인 '10'으로 그대로 옮겨가야 하니, 본래 '캐시 기억장치'의 라인 '10'에 저장되어 있던 블록은 사라져야 하겠지.

정답인 ④번 외에 다른 선지를 선택한 비율도 고르게 나타났는데, 이는 지문의 [B] 부분을 제대로 이해하지 못했거나, 그 내용을 <보기>에 적용하지 못한 학생들이 많았다는 것을 의미해.

그런데 [B]에서 설명하고 있는 '직접 매핑'의 과정은 <보기>에 제시된 내용을 참고 예시로 삼아 이해하려고 했다면 훨씬 수월했을 거야. 하지만 복잡해 보이는 도식을 보고 지레 겁을 먹어 포기했다면 문제를 풀어낼 수 없었겠지. 국어의 독서 지문에서는 시험지에 제시된 내용만을 가지고 해결할 수 있도록 출제하기 때문에 절대 포기하지 말자!

35 ④ 정답률 70%

정답풀이

6문단에서 '직접 매핑(㉠)은 주기억장치의 데이터를 블록 단위로 캐시 기억장치의 지정된 라인에 저장하는 방식'이라 하였고, 〈보기〉에서 '완전 연관 매핑(㉡)은 캐시 기억장치에 블록을 저장할 때 라인을 지정하지 않고 임의로 저장하는 방식'이라 하였다. 따라서 ㉠은 라인을 지정하여 데이터를 블록 단위로 저장하고, ㉡은 라인을 지정하지 않고 임의로 블록을 저장한다는 점에서 차이가 있다.

오답풀이

① ㉠과 ㉡ 모두 '주기억장치'의 주소에 '태그 필드'가 있다.
② ㉡은 '히트 여부 확인이 모든 라인에 걸쳐 이루어져야 하'기 때문에 캐시 히트 여부를 확인하는 시간이 느리다.
③ 블록 교체 알고리즘이 필요한 것은 ㉡이다.
⑤ 회로의 구조가 복잡한 것은 ㉡만 해당한다.

36 ① 정답률 92%

정답풀이

ⓐ(떨어질)와 ①번의 '떨어지다'는 '값, 기온, 수준, 형세 따위가 낮아지거나 내려가다.'라는 의미로 사용되었다.

오답풀이

② '달렸거나 붙었던 것이 갈라지거나 떼어지다.'라는 의미로 사용되었다.
③ '병이나 습관 따위가 없어지다.'라는 의미로 사용되었다.
④ '해, 달이 서쪽으로 지다.'라는 의미로 사용되었다.
⑤ '위에서 아래로 내려지다.'라는 의미로 사용되었다.

[37~41] 인문

37 ③ 정답률 69%

정답풀이

윗글은 정치와 관련하여 철학자 한나 아렌트의 이론을 설명하고 있다. 한나 아렌트는 인간의 활동을 '노동', '작업', '행위' 세 가지로 구분하고, 그중 '행위'가 바로 정치라고 말한다. 그리고 고대 그리스의 폴리스와 같은 공적 영역에서 정치적 행위가 이루어진다고 보았다. 그러면서 근대 이후 공적 영역이 사라지고, 행위가 일어날 수 있는 가능성이 박탈되었다는 점을 지적하며 근대 이후 사회의 문제를 설명하였다.

오답풀이

① 윗글은 한나 아렌트의 정치 이론에 대해 설명했을 뿐, 변화 과정을 제시하지는 않았다.
② 윗글은 한나 아렌트의 정치 이론에서 인간의 활동을 세 가지로 구분했음을 설명했으나, 그 이론이 지닌 한계를 평가하는 부분은 찾을 수 없다.
④ 윗글은 한나 아렌트의 가설을 소개하지 않았고, 다양한 역사적 사례를 통해 가설의 타당성을 검토한 부분도 찾을 수 없다.
⑤ 윗글에서 한나 아렌트가 분석하는 정치 체제의 발달 단계를 고찰하지 않고 있으며, 근대 이후 사회에서 필요한 정치 체제를 제시하고 있지 않다.

38  정답률 71%

정답풀이

2문단에서 '정치의 본질'인 '자유의 실현'은 '어떠한 강제나 강요도 없이 시민 모두가 평등한 위치에서 각자의 서로 다른 의견을 표현하고 공유하는 것을 의미한다.'라고 했으므로 정치는 개인의 행위를 강제하는 것이라 볼 수 없다.

오답풀이

① 1문단~2문단에서 '행위는 다른 존재들과 상호소통하며 자신의 존재를 드러내는 것'이며, 공적 영역에서의 행위가 바로 정치인데, 이러한 '정치의 본질을 자유의 실현'이라 밝히고 있기 때문에 '자유'는 '행위'를 통해 실현된다고 할 수 있다.
③ 2문단에서 공적인 문제에 대해 '어떠한 강제나 강요도 없이 시민 모두가 평등한 위치에서 각자의 서로 다른 의견을 표현하고 공유하는 것'을 '정치'로 보았다는 내용을 확인할 수 있다.
④ 1문단에서 '행위는 다른 존재들과 상호소통하며 자신의 존재를 드러내는 것'이라는 내용을 확인할 수 있다.
⑤ 2문단에서 필연성의 구속을 받는 '노동', '작업'과는 달리, '행위'는 필연성의 구속에서 벗어난 공적 영역에서 이루어진다는 내용을 확인할 수 있다.

39 ① 정답률 62%

정답풀이

1문단에 따르면 한나 아렌트는 '노동은 자기 보존의 수단일 뿐이고 생존을 위해 필요한 생산과 소비의 끊임없는 순환 과정 속에 종속된 것'이라 보았다. 반면 〈보기〉에서는 '노동'을 통해 인간이 자아와 자유를 실현할 수 있다고 보았다. 따라서 〈보기〉의 견해를 가진 사람은 한나 아렌트가 '노동'을 단순히 자기 보존의 수단으로 보는 것에 대해 비판할 것이다.

오답풀이

② 한나 아렌트는 '행위'를 정치적 활동으로 보았다.
③ 한나 아렌트는 '작업'을 삶의 편의를 위해 물건을 만드는 활동으로 보았다.
④ 한나 아렌트는 '행위'를 다른 사람들과 관계를 맺는 활동으로 보았다.
⑤ 〈보기〉의 견해가 '노동'을 '동물과 구별되는 인간의 고유한 삶의 방식'으로 보는 것과 달리, 한나 아렌트는 '노동'을 '동물적 활동'으로 보았기 때문에 '노동으로는 인간과 동물의 삶의 방식을 구분 지을 수 없'다고 비판하는 것은 적절하지 않다.

오답률 Best 5

이 문제는 <보기>의 견해를 가진 사람이 '한나 아렌트'를 비판하는 내용을 고르도록 요구하고 있어. 그렇다면 <보기>의 견해가 '한나 아렌트'의 견해와 어떤 차이점이 있는가를 파악해야 하겠지? <보기>는 '노동'이 자아를 실현하게 하고, 물질적 생활을 충족시키며, 자유를 실현할 수 있게 한다며 '노동'을 긍정적으로 보고 있어. 윗글에서 '한나 아렌트'가 '노동'을 단순한 동물적 활동으로 보았던 것과는 큰 차이가 있지. 이 문제는 오답률은 높았지만 사실 1문단에서 '한나 아렌트'가 '노동', '작업', '행위'를 어떻게 보았는가만 제대로 확인했어도 내용 일치 수준에서 문제를 해결할 수 있었어. 아마도 이 문제를 틀린 학생들은 지문의 내용이 길고 어려웠고, 문제가 후반부에 배치되어 있었기 때문에 시간 부족으로 지문에서 근거를 찾지 못한 채 급하게 답을 고르느라 개념을 헷갈렸을 가능성이 커. <보기>와 선지에서 '노동'의 개념을 중심으로 묻고 있기 때문에 지문에서도 '노동'의 개념만 다시 한번 확인하고 풀었다면 문제를 쉽게 해결할 수 있었으므로 이런 문제를 틀리지 않기 위해선 시간 조절에도 신경 써야겠지?

40 ④ 정답률 64%

정답풀이

한나 아렌트는 '행위'의 중요성을 강조하고, '정치'의 기능을 긍정하는 철학자로 '공적 영역'에서의 행위, 즉 정치적 활동을 통해 인간이 자유를 실현할 수 있다고 보았다. 그런데 근대 이후 '사회'가 출현하고 시장이 발달하면서 본래 사적 영역의 활동이었던 경제 활동이 '공적 영역'으로 옮겨 갔고, 이로 인해 '공적 영역'이 사라지게 되었다고 비판한다. '정치'를 실현할 수 있는 '공적 영역'이 사라지게 된 것에 대해 비판하는 한나 아렌트의 입장에서 시장 경제가 발달한 '사회'는 '정치'를 실현할 수 없는 곳이다. 따라서 한나 아렌트는 시장 경제가 발달한 사회일수록 정치를 실현할 수 있는 영역이 확장된다고 보지는 않을 것이다.

오답풀이

① '사회'가 출현하며 '공적 영역'이 사라졌으니 '행위'를 하기 어려울 것임을 알 수 있다.
② 4문단에서 근대 이후의 '사회'에서는 '사람들은 다른 사람들과 함께 공동의 문제를 위해 행위하지 않'는다고 했으므로, 공동의 문제에 관심을 가지지 않을 것임을 알 수 있다.
③ 3문단에서 사적 영역에서의 경제 활동이 공적 영역으로 옮겨졌다는 내용을 확인할 수 있으므로 사람들이 경제 활동을 '사회'에서 할 것임을 알 수 있다.
⑤ 4문단에서 '사회'가 나타나며 오직 사적 이익만을 추구하는 활동 양식인 '행동'이 나타났고, 이로 인해 경제적 가치가 사회를 지배하여 다양한 관점을 갖지 못하게 되었음을 확인할 수 있다.

41 ① 정답률 66%

정답풀이

〈보기〉에서 '공자'는 '공적 영역과 사적 영역은 구분할 수 없'다고 주장하는 것을 알 수 있다. 이와 반대로 2문단에서 '아렌트는 이러한 공적인 것과 사적인 것이 이루어지는 영역이 공간적으로 분리된다고 보았다.'는 내용을 확인할 수 있다.

오답풀이

② 2문단에 따르면 한나 아렌트는 '정치'가 사적 영역이 아닌 공적 영역에서 이루어진다고 본다.
③ 〈보기〉의 '공자'만 '가정에서의 관계 맺음은 정치 체제의 근본 토대가 된다'고 인식하고 있다.
④ 〈보기〉의 '플라톤'은 '공적인 것을 위해 사적인 것을 지양해야 한'다고 보고 있지만, 한나 아렌트는 공적 영역과 사적 영역을 구분할 뿐 사적 영역을 부정하지 않았다.
⑤ 한나 아렌트는 공적 영역과 사적 영역을 구분할 뿐 사적인 것을 공유해야만 공적인 영역에서 정치가 가능하다고 보지는 않았다.

[42~45] **고전소설**

42 ③ 정답률 77%

정답풀이

'최현'과 '유 소사'의 대화로 '최현'이 모친과 함께 부친을 찾아가다 변을 당한 정황이 드러나며, '최현'과 '완삼'의 대화를 통해 이전에 '최현'이 '완삼'을 도와주었던 정황이 드러나고 있다.

오답풀이

① 윗글에서 언어유희를 찾을 수 없다.
② 윗글에서 세밀한 외양 묘사를 찾을 수 없다.
④ 윗글에서 풍자적 기법을 찾을 수 없다.
⑤ 윗글에서 서술자의 개입은 찾을 수 없다.

43 ③ 정답률 80%

정답풀이

'공신술'은 '최현'이 '천사검'과 '옥갑경'을 거절하자, 이 두 보배를 가졌을 경우 '영화를 누리며 대국을 편안하게 하고 이름이 사해에 진동할 것'이며 '멀지 아니하여 상장군의 절월과 대원수의 인신을 찾을 것'이라고 말하며 '최현'을 설득하고 있다.

오답풀이

① '공신술'은 '이 늙은 것이 삼 년을 수고하고 그대를 찾다가, 오늘 여기에 와서 전하는 것이니 부디 잘 간수하라.'라고 말할 뿐 자신의 권위를 내세우며 상대방의 책임을 추궁하지 않았다.
② '공신술'은 과거와 현재를 비교하며 상대방의 달라진 태도를 비판하지 않았다.
④ '공신술'은 자신의 본심을 숨긴 채 질문을 던지며 상대방의 궁금증을 유발하지 않았다.
⑤ '공신술'은 상대방의 말과 행동이 불일치함을 지적하며 자신의 결백을 입증하지 않았다.

44 ② 정답률 68%

정답풀이

㉠(공신술)은 '하늘이 그대를 내실 때 대명을 위하며 내셨'으며, '천사옥갑'도 '그대를 위하여 내신 것'이라고 하며 '최현'을 돕고 있지만, 이와 달리 ㉡(완삼)은 칠년 전 진주강에서 '최현'이 베푼 선행에 대한 보답으로 '최현'을 돕고 있다.

오답풀이

① ㉠은 '천사검'과 '옥갑경'이라는 보물을 주어 최현을 돕고 ㉡은 구걸하던 '최현'에게 과거의 은혜를 갚으나, 이를 뛰어난 지략을 활용해 돕는 것이라고 볼 수는 없다.
③ ㉠은 '최현'이 처한 개인적 위기를 해결할 수 있도록 '최현'을 도운 것이 아니라 보물을 받을 사람을 찾다가 적합한 인물을 발견하여 도움을 준 것이다.
④ ㉠과 ㉡ 모두 '최현'과 약속을 한 적이 없다.
⑤ ㉡은 과거에 '최현'에게 도움을 받았기에 그를 극진히 대접한 것이지 '최현'이 초월적 능력을 가질 수 있도록 돕지는 않았다.

45 ② 정답률 73%

정답풀이

'최현'은 자신에게 '천사옥갑'이 과분하다고 생각하여 자신이 지닐 수 없다고 말한 것일 뿐, 이것이 '최현'의 승리가 예정되어 있음을 보여준다고 할 수는 없다. '최현'의 승리가 예정되어 있음은 '멀지 아니하여~인신을 찰 것이니'라는 '공신술'의 발화에서 드러난다.

오답풀이

① '공신술'이 '하늘이 그대를 내실 때 대명을 위하여 내셨도다.'라고 말한 것에서 '최현'이 비범한 인물임이 드러난다.
③ '최현'이 수적을 만나 어머니와 헤어지게 된 일은 영웅이 어린 시절 겪는 고난에 해당한다.
④ '최현'을 양자로 들인 '유 소사' 부부가 죽어 '최현'이 떠돌게 되는 것은 '최현'의 또다른 고난이라 할 수 있다.
⑤ '유 소사'가 '최현'을 만나기 전 꿈을 꾼 것으로 보아 이 둘의 만남은 운명적이라 할 수 있다.

7회

2020학년도 6월 학평

1. ④	2. ①	3. ⑤	4. ③	5. ②	6. ④	7. ①	8. ③	9. ③	10. ④
11. ④	12. ⑤	13. ②	14. ①	15. ①	16. ①	17. ③	18. ⑤	19. ①	20. ⑤
21. ②	22. ②	23. ③	24. ③	25. ③	26. ⑤	27. ③	28. ②	29. ④	30. ②
31. ⑤	32. ②	33. ②	34. ⑤	35. ②	36. ②	37. ④	38. ⑤	39. ⑤	40. ③
41. ②	42. ③	43. ⑤	44. ④	45. ①					

오답률 Best 5

[1~3] 화법

1 ④ 정답률 **82%**

정답풀이

발표자는 자신의 발표 내용을 요약하는 말하기 전략을 사용하지 않았다.

오답풀이

① 발표자는 '어느 쪽이 더 인상 깊고 읽기 쉬우신가요?', '여러분도 즐겨 찾는 웹 페이지가 있나요'라고 질문을 하여 청중의 관심을 끌고 있다.
② 발표자는 '어느 쪽이 더 인상 깊고 읽기 쉬우신가요?'라는 질문에 대한 청중의 대답을 듣고 '고개를 끄덕이며'라는 비언어적 표현과 '네.'라고 대답하는 언어적 표현을 통해 청중의 반응을 확인하고 있다.
③ 발표자는 '좋은 웹 페이지를 디자인하기 위해서는 다음 세 가지를 고려해야 합니다.'라고 말한 후 '첫째', '둘째', '마지막으로'라는 담화 표지를 사용하며 설명하고 있다. 이때 담화 표지는 '좋은 웹 페이지를 디자인하기 위한 고려 사항'이라는 발표 내용에 관한 청중의 이해를 효과적으로 도울 수 있다.
⑤ 발표자는 '(자료를 보여주며) 여러분, 익숙한 화면이 보이시죠?'에서 청중에게 익숙한 우리 학교의 웹 페이지를 제시하여 발표 내용과 관련된 배경지식을 환기하고 있다.

2 ① 정답률 **86%**

정답풀이

㉠(예시 자료)은 좋은 웹 페이지를 디자인하기 위한 고려 사항 중 '시각적 리듬감'과 관련된 것으로 '문서의 제목은 본문 글자 크기의 1.8배~2.2배 정도 커야 하며 굵고 진하게 나타내는 것이 좋'다고 한 점, '소제목'은 '굵기에 변화를 주거나, 본문 글자 크기의 1.2배~1.5배 크기 정도로 설정하는 것이 적당'하다고 한 점이 반영되어 있어야 한다. ①번은 문서의 제목이 본문 글자 크기보다 크면서 굵고 진하며, 소제목은 본문 글자 크기보다 크고 제목보다 작으며 굵기에 변화가 나타나 있다.

오답풀이

② 문서 제목이 굵고 진하게 나타나지 않아 적절하지 않다.
③ 문서 제목의 글자 크기가 본문 글자 크기와 비슷하고 소제목의 글자 크기가 본문 글자 크기보다 작다.
④ 문서 제목의 글자 크기와 본문의 글자 크기가 동일하며, 문서 제목의 글자가 굵고 진하게 표시되어 있지 않다.
⑤ 문서 제목의 글자 크기와 본문의 글자 크기가 비슷하다.

3 ⑤ 정답률 **89%**

정답풀이

발표를 들은 학생은 발표에서 웹 페이지에 '글, 그림, 음악, 동영상도 넣을 수 있'다고 언급하였으나 '글자를 제외한 다른 요소들'의 구체적인 디자인 방법은 드러나지 않았다고 평가한다. 따라서 그림, 음악, 동영상 등을 웹 페이지에 효과적으로 배치할 수 있는 디자인의 방법을 묻는 질문을 할 수 있다.

오답풀이

① 발표의 앞부분에서 웹 페이지를 잘 디자인해야 하는 이유는 '사용자가 콘텐츠에 흥미를 잃지 않고 내용을 쉽게 이해'하게 하기 위함이라고 이미 언급하였다. 또한 이 질문은 글자를 제외한 다른 요소(그림, 음악, 동영상)의 구체적인 디자인 방법과 연관되지 않는다.
② 이 질문에 대한 답은 이미 발표에 드러나 있다. '내용을 강조하고 싶을 때' 돋움체를 사용할 수 있으며, 제목 같은 중요한 정보가 눈에 잘 띄게 표현하기 위해 글자 크기를 크게 하고 '굵고 진하게 나타내는 것'으로 내용을 강조할 수도 있다. 또한 이 질문은 글자를 제외한 다른 요소(그림, 음악, 동영상)의 구체적인 디자인 방법과 연관되지 않는다.
③ 발표에서 '바탕체로 된 글을 읽을 때에는 사용자의 시선이 글자를 따라 자연스럽게 이동하기 때문에 피로감이 적어 본문에 많이 사용됩니다.'라고 한 것을 통해 알 수 있다. 또한 이 질문은 글자를 제외한 다른 요소(그림, 음악, 동영상)의 구체적인 디자인 방법과 연관되지 않는다.
④ 웹 페이지에 올릴 글자를 제외한 다른 요소(그림, 음악, 동영상)의 구체적인 디자인 방법이라는 내용과 웹 페이지에 넣을 그림, 음악, 동영상을 쉽게 구할 수 있는 방법에 대한 내용은 서로 관련이 없다.

[4~7] 화법과 작문

4 ③ 정답률 **94%**

정답풀이

회의 과정에서 학생회장이 회의 참여자의 발언 태도를 지적하는 부분은 드러나지 않는다.

오답풀이

① 학생회장의 첫 번째 발화인 '지난 회의에서 안전한 학교생활을 위해 교통안전 캠페인을 실시하는 것과 캠페인에 필요한 자원봉사자를 모집하는 것을 다루었습니다.'를 통해 이전 회의 내용을 확인할 수 있다.
② 학생회장의 두 번째 발화인 '자원봉사 활동 일시 및 장소 항목에서 시간을 7시 30분부터 8시 30분까지로 수정하고 기타 사항에도 하루에 봉사 활동으로 인정되는 시간을 구체적으로 밝히도록 하겠습니다.'를 통해 앞선 임원 1~3의 발언 내용을 요약하고 정리하는 부분을 확인할 수 있다.
④ 학생회장의 첫 번째 발화인 '오늘은 캠페인 자원봉사자 모집 공고문을 수정하는 방안에 대해 이야기해 보도록 하겠습니다.'에서 회의에서 논의해야 할 사항을 안내하고 있다.
⑤ 임원 3이 '학생들의 안전을 위한 캠페인 활동이 필요하지 않을까요?'라며 추가 의견을 제시하자 학생회장은 '횡단보도 보행과 관련하여 캠페인 활동이 필요하다고 했는데, 구체적으로 어떤 활동이 좋을까요?'라고 말하며 보충 질문을 하고 있다.

5 ② 정답률 93%

정답풀이

[B]에서 임원 3은 우리 학교 학생들이 횡단보도에서 '무단횡단을 하는 경우'가 많음을 언급하며 이와 관련한 '캠페인 활동'의 필요성을 제시하고 있을 뿐, 자신의 이해 정도를 확인하며 상대의 말을 재진술하고 있지는 않다.

오답풀이

① [A]에서 임원 3은 임원 2가 '자원봉사 활동 일시'에 대해 '시작 시각과 종료 시각을 정확하게 제시'하자고 제안한 것에 대해 '그렇습니다.'라고 동의하며, '자원봉사 활동 시간을 7시 30분부터 8시 30분까지라고 공고문에 안내하면 좋겠습니다.'라는 자신의 의견을 덧붙이고 있다.
③ [C]에서 임원 1은 '학교 앞 횡단보도에서 신호를 무시하고 건너던 학생이 차량과 부딪힐 뻔했다는 이야기'라는 구체적인 사례를 제시하며, '안전을 위한 캠페인 활동이 필요'하다는 임원 3의 의견에 동의하고 있다.
④ [D]에서 임원 1은 '우리 학교 다문화 축제 자원봉사자 모집' 때에 '업무 담당 학생이 지원서를 분실'한 경험을 들어 봉사활동 지원서를 직접 제출하면 '지원 학생은 번거롭고 업무 담당 학생은 서류를 관리하기가 어렵'다는 문제점을 지적하며 '학생회장의 이메일'로 지원서를 받는 새로운 방안을 제시하고 있다.
⑤ [E]에서 임원 2는 임원 1이 제안한 이메일을 통한 지원서 제출 의견에 대해 '지원서를 제출할 때 편리'하고 '분실하더라도 다시 인쇄할 수 있어 관리하기 편'하다는 장점을 언급하며 긍정적인 반응을 보이고 있다.

6 ④ 정답률 91%

정답풀이

임원 2의 '봉사활동 지원서 서식은 어디서 받을 수 있나요?'라는 질문에 대해 학생회장은 '봉사활동 지원서 서식은 학교 홈페이지에 탑재할 계획'이라고 답하였으므로, 봉사활동 지원서 서식을 학생회장에게 직접 수령한다는 내용은 적절하지 않다.

오답풀이

① 학생회장의 두 번째 발화에서 '자원봉사 활동 일시 및 장소 항목에서 시간을 7시 30분부터 8시 30분까지로 수정'한다고 언급하고 있으므로 ㉮의 내용은 적절하다.
② 임원 1은 세 번째 발화에서 '등교 시간에 개방되는 정문과 후문에서 캠페인을 진행'하니 '공고문에도 두 군데를 모두 표기'하자는 의견을 제시하였고 이에 학생회장이 동의했으므로 ㉯의 내용은 적절하다.
③ 학생회장은 다섯 번째 발화에서 '자원봉사 활동 내용에 횡단보도 신호 준수 홍보를 추가'한다고 하였으므로 ㉰는 적절하다.
⑤ 학생회장의 마지막 발화에서 자원봉사자 선발 방법은 거수 표결을 통해 '면접으로 선발하자는 의견이 채택'된 것을 알 수 있으므로 ㉱는 적절하다.

7 ① 정답률 86%

정답풀이

〈보기〉의 대화에 따르면 내용 면에서는 '교통안전 수칙 지키기의 중요성'을 담고, 형식 면에서는 '음성상징어'를 활용한 피켓 문구를 골라야 한다. ①번은 무단횡단을 하면 '병원신세'를 질 수 있다는 내용을 통해 교통안전 수칙 지키기의 중요성을 알리고 '덤벙덤벙', '성큼성큼'이라는 음성상징어를 활용하였으므로 ⓐ에 들어갈 내용으로 적절하다.

오답풀이

② '자전거 안전모 착용'은 교통안전 수칙 지키기라는 내용과 연관되지만, 음성상징어를 활용하지 않은 문구이다.
③ '도란도란', '알콩달콩'이라는 음성상징어를 활용하였으나, '폭력 없는 행복 학교'는 교통안전 수칙 지키기라는 내용과 관련이 없다.
④ '안전한 등굣길'은 교통안전과 관련된 문구로 볼 수 있으나, 음성상징어를 활용하지 않은 문구이다.
⑤ '교통신호'를 지켜야 '안전'하다는 내용이 드러나지만, 음성상징어를 활용하지 않은 문구이다.

[8~10] 작문

8 ③ 정답률 92%

정답풀이

다운 소재 제조 과정에서 깃털 채취를 위해 거위를 학대한다는 내용은 1문단에 나타나 있으나, 환경오염이 발생한다는 내용은 (나)의 초고에 나타나지 않는다.

오답풀이

① 1문단에서 '다운 패딩 한 벌을 만들 때 필요한 거위의 수는 15~25마리', '거위들이 생후 10주부터 6주 간격으로 5~15번 정도 털을 뜯긴다.'라고 했으므로 패딩 한 벌을 만들기 위해 착취당하는 거위의 수와 착취 횟수가 구체적인 수치로 제시되고 있다.
② 각주를 통해 '다운 패딩', '비거니즘', 'RDS 마크', '업사이클링'이라는 용어의 의미를 풀이하고 있다.
④ 2문단에서 '기존의 동물성 소재들을 합성 소재나 식물성 소재로 대체하는' '비건 패션'을 소개한 것에 반영되어 있다.
⑤ 3문단에서 '다운 패딩 제품의 업사이클링'을 언급한 것에 반영되어 있다.

9 ③ 정답률 86%

정답풀이

행위의 주체인 '거위들'이 능동적으로 털을 뜯는 행위를 하는 것이 아니므로, ⓒ(뜯긴다)을 능동 표현인 '뜯는다'로 고치는 것은 적절하지 않다.

오답풀이

① 글의 부제인 ㉠(식생활 개선으로 생명 존중의 실천을)은 본문 내용인 윤리적인 의류 선택과 비건 패션과 어울리지 않으므로 고쳐 쓰는 것이 적절하다. '사람과 동물이 공존하는 세상을 위해 착한 패딩을 구입'하자고 했으므로 부제를 '인간과 동물이 공존하는 세상 만들기'로 고치는 것은 적절하다.
② ㉡(상품의 질감과 비용을 절감하기 위해)은 '과'로 연결된 앞뒤 어구가 대등하게 연결되어 있지 않고, '상품의 질감'에 호응하는 서술어가 없다. 따라서 '상품의 질감'에 호응하는 서술어 '좋게 하고'를 추가하여 '상품의 질감을 좋게 하고 비용을 절감하기 위해'로 고치는 것이 적절하다.
④ ㉣(이 중 합성소재로 만든 패딩은~평가를 받고 있다.)의 앞에 '비건 패션'에 대한 개념이 설명되어 있으며, ㉣의 뒤에 '비건 패션'에 대한 내용을 덧붙여 설명하고 있으므로 이들을 바로 연결시키는 것이 적절하다. 이후 합성 소재의 장점에 대해 설명하는 ㉣을 배치하는 것이 보다 자연스럽다.
⑤ ㉤(아마도)은 개연성이 높을 때 쓰는 접속 표현이다. ㉤의 앞에는 다운 패딩을 만드는 과정에서 비윤리적인 동물 착취가 나타나므로 다운 패딩을 사지 말자는 내용이 제시되어 있다. 그리고 ㉤의 뒤에는 '다운 패딩을 사야 한다면'이라는 내용이 나타나므로, 앞 내용을 받아들이지 않음을 나타낼 때 쓰이는 접속 표현인 '그래도'로 고치는 것이 보다 자연스럽다.

10 ④ 정답률 91%

정답풀이

〈보기〉의 ㄷ에서는 '합성 소재와 다운 소재의 대비'가 나타나 있으며, 다운 소재와 비교했을 때 나타나는 합성 소재의 장점만을 제시한다. 따라서 이를 활용해 '합성 소재로 만든 패딩의 단점을 소개'하는 것은 적절하지 않다.

오답풀이

① ㄱ의 '신문 기사 제목'을 통해 청소년들이 좋아하는 다운 패딩이 동물을 학대하여 만들어짐을 드러낼 수 있으므로, 서론에서 문제 제기할 때 ㄱ을 활용할 수 있다.
② 초고의 1문단에 거위 학대의 실상이 제시되어 있다. 이 내용을 본론의 첫 문단으로 옮겨 ㄴ-1과 같은 시각 자료를 함께 제시한다면 거위 학대의 실상을 효과적으로 드러낼 수 있다.
③ ㄴ-2에 제시된 동물 보호 인증 마크와 인증 기준을 안내하여 RDS 마크를 획득한 의류를 구입하자고 권유할 수 있다.
⑤ ㄹ의 '인터뷰 자료'에서는 동물들의 '희생을 막'고, '자원 절약과 환경 보호에 도움이' 될 수 있다는 업사이클링의 장점이 나타난다. 이를 통해 업사이클링 패딩의 구입이 거위 학대 문제를 개선하고 환경을 보호하는 방안임을 제시할 수 있다.

[11~15] 문법(언어)

11 ④ 정답률 82%

정답풀이

시간 부사인 '어제'와 '봤다(보- + -았- + -다)'에 사용된 선어말 어미 '-았-'을 활용하여 발화시보다 사건시가 앞선 과거 시제를 표현하고 있다.

오답풀이

① '잔다(자- + -ㄴ- + -다)'에서 사용된 '-ㄴ-'은 현재 시제 선어말 어미이다. 현재 시제는 발화시와 사건시가 일치하는 경우이므로, 발화시보다 사건시가 나중인 미래 시제로 볼 수 없다.
② '잔다'에는 현재 시제 선어말 어미 '-ㄴ-'이 사용되었을 뿐 관형사형 어미는 나타나지 않는다.
③ 시간 부사인 '어제'와 선어말 어미 '-았-'을 활용하여 발화시보다 사건시가 앞선 과거 시제를 표현하므로, 발화시와 사건시가 일치하는 시간 표현인 현재 시제가 사용된 것이 아니다.
⑤ '내리겠습니다'에서 '-겠-'은 미래 시제 선어말 어미이며 '곧'은 미래 시제를 나타내는 시간 부사이다. 따라서 발화시보다 사건시가 앞선 시간 표현인 과거 시제가 아니라 발화시보다 사건시가 나중인 미래 시제가 사용되었다고 볼 수 있다.

12 ⑤ 정답률 77%

정답풀이

'-았-/-었-'은 '주로 과거 시제를 표현'하지만, '미래의 상황을 표현하는 경우'에도 쓰일 수 있다. '어머니께 혼나는 일'은 발화시와 비교해 볼 때 아직 이루어지지 않은 미래에 벌어질 사건으로, 이때 '-았-'은 미래의 상황을 표현하는 경우에 쓰인 것으로 볼 수 있다.

오답풀이

①, ②, ④ '-았-/-었-'을 통해 과거 시제를 표현하고 있다.
③ '-았-/-었-'이 '과거에 이루어진 어떤 상태가 현재까지 지속되는 경우'로 쓰였다.

13 ② 정답률 72%

정답풀이

'경찰'의 품사는 명사로 '실질적 의미'가 있어 실질 형태소이다. 따라서 ㉠에는 '예'가 들어간다. '을'의 품사는 조사이며 홀로 쓰이지 못하는 의존 형태소이므로 ㉡에는 '아니요'가 들어간다. '잡-'은 용언의 어간이며 '붙들어 손에 넣다'라는 '실질적 의미'를 가진 실질 형태소이므로 ㉢에는 '예'가 들어간다.

14 ① 정답률 83%

정답풀이

〈보기〉의 〈표준 발음법〉 제23항과 제24항은 모두 된소리되기에 대한 규정이다. 제23항에 따라 '옷고름'은 '옷[옫]'의 받침 'ㄷ(ㅅ)' 뒤에 연결되는 'ㄱ'을 된소리로 발음하여 [옫꼬름]이 되므로 '옷고름[옫꼬름]'은 ㉠의 사례이다. 한편 제24항에 따라 '젊고'의 어간 '젊-'의 받침 'ㅁ(ㄻ)' 뒤에 결합되는 어미 '-고'의 첫소리 'ㄱ'은 된소리로 발음하여 [점:꼬]가 되므로 '젊고[점:꼬]'는 ㉡의 사례이다.

오답풀이

② '문고리'는 '문 + 고리'로, 표기상으로는 사이시옷이 없지만 관형격 기능을 지니는 사이시옷이 있어야 할 합성어에 해당하여 뒤 단어의 첫소리 'ㄱ'이 된소리로 발음되어 [문꼬리]가 된 것이다. 이는 〈표준 발음법〉 제28항에 따른 것으로 〈보기〉로 설명할 수 없다. 한편 '감고'는 어간 '감-'의 받침 'ㅁ' 뒤에 결합되는 어미의 첫소리 'ㄱ'이 된소리로 발음되므로 '감고[감꼬]'는 제24항의 적용을 받는 ㉡의 사례에 해당한다.
③ '갈등'은 한자어에서 'ㄹ' 받침 뒤에 연결되는 'ㄷ'이 된소리로 발음되어 [갈뜽]이 된 것이다. 이는 〈표준 발음법〉 제26항에 따른 것으로 〈보기〉로 설명할 수 없다. 한편 '앉다'는 어간 '앉-'의 받침 'ㄴ(ㄵ)' 뒤에 결합되는 어미의 첫소리 'ㄷ'이 된소리로 발음되므로 '앉다[안따]'는 제24항의 적용을 받는 ㉡의 사례에 해당한다.
④ '덮개'는 받침 'ㅂ(ㅍ)' 뒤에 연결되는 'ㄱ'이 된소리로 발음되어 [덥깨]가 된 것으로, 제23항의 적용을 받는 ㉠의 사례에 해당한다. 한편 '언짢게[언짠케]'에서는 'ㅎ'과 'ㄱ'이 만나 [ㅋ]으로 발음되는 축약이 나타날 뿐, 된소리되기는 나타나지 않는다.
⑤ '술잔'은 '술 + 잔'으로, 표기상으로는 사이시옷이 없지만 관형격 기능을 지니는 사이시옷이 있어야 할 합성어에 해당하여 뒤 단어의 첫소리 'ㅈ'이 된소리로 발음되어 [술짠]이 된 것이다. 이는 〈표준 발음법〉 제28항에 따른 것으로 〈보기〉로 설명할 수 없다. '더듬지'는 어간 '더듬-'의 받침 'ㅁ' 뒤에 결합되는 어미의 첫소리 'ㅈ'이 된소리로 발음되므로 '더듬지[더듬찌]'는 제24항의 적용을 받는 ㉡의 사례에 해당한다.

15 ① 정답률 91%

정답풀이

문장의 주체를 높임의 대상인 '선생님'으로 바꾼다면 주격 조사 '가'를 높임의 주격 조사 '께서'로 고쳐 말하는 것이 적절하다.

오답풀이

② 부사격 조사 '에게'를 높임의 부사격 조사 '께'로 고쳐 말하려면 ㉠이 아닌 ㉡이 높임의 대상인 '선생님'으로 바뀌어야 한다.
③ '주시는'의 '-시-'는 주체 높임의 선어말 어미이다. 따라서 '주는'을 '주시는'으로 고쳐 말하는 경우는 ㉡이 아니라 ㉠이 높임의 대상으로 바뀔 때이다.
④ '보셨어'는 '보- + -시- + -었- + -어'로 형태소 분석이 가능하며 이때 '-시-'는 주체 높임의 선어말 어미이므로 ㉡이 높임의 대상으로 바뀌는 것과 관계가 없다. '보았어'를 '보셨어'로 고친다면 '보셨어'의 주체인 화자 '나'를 높이는 것이 된다.
⑤ '보았어'를 '보았습니다'로 고친다면 종결 어미가 '-습니다'로 바뀐 것이다. 이는 듣는 이인 '철수'를 높이는 상대 높임법이 쓰인 것이다.

[16~20] 과학

16 ① 정답률 71%

정답풀이

4문단의 '동위원소 중 방사성 붕괴를 일으키는 동위원소를 방사성 동위원소라 한다.'에서 방사성 동위원소의 개념이 나타나며, '탄소-14'를 예로 들어 설명하고 있다.

오답풀이

② 3문단의 '물질의 기본 단위인 원자 중심에는 양성자와 중성자로 이루어진 원자핵이 있다.'에서 원자핵의 구성 물질인 양성자, 중성자에 대해 언급하였으나 이에 대한 세부적 묘사는 드러나지 않는다.
③ 4문단에서 '불안정한 원자핵이 스스로 방사선을 방출하고 이를 통해 에너지를 잃'는 방사성 붕괴를 통해 '안정된 상태의 다른 종류의 원자핵으로 변한다.'라고 설명한 것에서 방사성 동위원소의 붕괴 과정을 확인할 수 있으나, 유추는 활용되지 않았다.
④ 1문단과 2문단에 드러난 지층 연대 측정 방법의 발전 과정은 시간의 흐름에 따른 설명으로, 발전 과정의 유형별 분류는 나타나지 않는다.
⑤ 1문단에서 '지질학적 시간 척도는 상대적인 척도'라는 특징이 나타나고 있으나 이에 대해 전문가의 의견을 인용하지는 않았다.

17 ③ 정답률 87%

정답풀이

5문단에서 '방사성 동위원소의 반감기는 온도나 압력에 영향을 받지 않는다.'라고 하였다.

오답풀이

① 4문단에서 방사성 동위원소는 '불안정한 원자핵이 스스로 방사선을 방출하고 이를 통해 에너지를 잃고 안정된 상태로 가는 과정'인 '방사성 붕괴 또는 핵붕괴'를 일으킨다고 설명했다. 이에 따라 방사성 동위원소의 핵은 불안정하여 붕괴된다는 사실을 알 수 있다.
② 4문단에서 '방사성 동위원소인 '탄소-14'는 방사성 붕괴로 인해 중성자 1개가 붕괴되어 양성자로 바뀌고, 양성자 7개와 중성자 7개로 이루어진 원자핵을 가진 안정된 원소인 '질소-14'가 된다.'라고 했으므로 질소-14의 원자핵은 양성자와 중성자의 개수가 각각 7개로 같음을 알 수 있다.

④ 1문단에 따르면 '지질학적 시간 척도'는 한 지층이 '실질적으로 얼마나 오래되었느냐는 말해 줄 수 없'다고 했으므로 19세기 초 지질학자들은 지층이 형성된 연도를 정확히 알 수 없었을 것이다.
⑤ 4문단에서 '자연계의 모든 물질은 불안정한 상태에서 안정한 상태로 가려는 성질이 있다.'라고 하였다.

18 ⑤ 정답률 63%

정답풀이

5문단에서 '방사성 동위원소는 일정한 시간이 지나면 모원소의 개수가 원래 개수에서 절반으로 줄어드는 특성이 있'으며 '줄어든 모원소의 개수만큼 자원소의 개수가 늘어난다.'라고 했으므로, 시간이 지나도 자원소와 모원소의 개수를 더한 값은 일정함을 알 수 있다.

오답풀이

① 5문단에서 '줄어든 모원소의 개수만큼 자원소의 개수가 늘어난다.'라고 했으므로 시간이 지날수록 원소의 함량이 높아지는 B는 자원소와 관련된 그래프임을 알 수 있다.
②, ④ 5문단에 따르면 '모원소의 개수가 원래 개수의 절반으로 줄어드는 데에 걸리는 시간을 반감기'라고 하는데, '모원소와 자원소의 개수의 비율이 첫 반감기에는 1:1', '두 번째 반감기에는 1:3'이 된다. 〈보기〉의 그래프에서 암석 S의 원소 A와 B의 비율이 같아지는 때는 2억 년이므로 반감기는 2억년이다. 이때 암석 S의 '모원소(A)와 자원소(B)의 비율'이 '1:3'이라고 하였으므로 암석 S는 반감기를 두 번 거친 것으로 4억년 전에 생성되었음을 알 수 있다.
③ 5문단의 '첫 반감기 때 모원소의 개수는 처음의 반으로 줄고~세 번째 반감기에는 또 남은 모원소의 개수가 반으로 줄어 처음의 1/8과 같은 식으로 줄어든다.'를 통해 반감기마다 모원소인 A의 양은 1/2로 줄어드는 것을 알 수 있다. 따라서 4번의 반감기를 거친다면 처음 A의 양은 1/16(= 1/2× 1/2× 1/2× 1/2)로 줄어든다.

19 ① 정답률 70%

정답풀이

㉠(일으키는)과 '세찬 바람이 거친 파도를 일으켰다.'에서 '일으키다'는 '물리적이거나 자연적인 현상을 만들어 내다.'라는 의미로 쓰였다.

오답풀이

② '생리적이거나 심리적인 현상을 생겨나게 하다.'의 의미로 쓰였다.
③ '무엇을 시작하거나 흥성하게 만들다.'의 의미로 쓰였다.
④, ⑤ '일어나게 하다.'의 의미로 쓰였다.

20 ⑤ 정답률 68%

정답풀이

〈보기〉에서 '죽은 생물 내 탄소-12와 탄소-14의 비율'을 '대기 중의 그 비율과 비교하면 탄소-14가 어느 정도 감소했는지 알 수 있고, 그 결과와 탄소-14의 반감기를 이용'해 그 생물이 죽은 연대를 계산할 수 있다고 했다. 한편 '생성된 질소-14는 기체이므로 죽은 생물 내부에서 외부로 빠져 나간다.'라고 했으므로 죽은 생물 안에 남아 있는 질소-14의 양만으로는 생물이 죽은 연대를 정확히 추정할 수 없다.

오답풀이

① 〈보기〉에서 '탄소-14는 6만 년이 지나면 측정하기 힘들 정도의 양만 남는다.'라고 했으므로 탄소-14를 이용한 연대측정법의 연대 측정 범위는 제한적이라고 판단할 수 있다.
②, ③ 〈보기〉에서 '생물이 죽으면 더 이상 대기 중의 탄소를 흡수하지도 배출하지도 않는다. 그래서 죽은 생물 내 탄소-12와 탄소-14의 비율에 변화가 생긴다. 방사성 동위원소인 탄소-14가 질소-14로 변하기 때문인데, 이때 생성된 질소-14는 기체이므로 죽은 생물 내부에서 외부로 빠져 나간다.'라고 했으므로 방사성 붕괴로 인해 탄소-14의 개수가 줄어들기 때문에 탄소-12와 탄소-14의 비율에 변화가 일어남을 알 수 있다.
④ 〈보기〉에서 '대기 중에 존재하는 탄소-12와 탄소-14의 구성 비율은 대체로 일정'하며 살아있는 '식물 내', '동물'도 그와 '같은 비율이 유지'된다고 하였다. 따라서 탄소-14를 이용한 연대측정법으로는 살아있는 생물의 나이를 측정할 수 없다.

[21~25] **사회**

21 ② 정답률 86%

정답풀이

윗글은 모조품을 판매하는 업체와 이를 제조하는 업체가 수익을 보고, 정품을 생산해 판매하는 스포츠 브랜드 업체는 수익을 내지 못한 현상의 원인을 공급 사슬망의 '채찍 효과' 개념을 통해 설명하고 있다.

오답풀이

① 윗글에 사회 현상과 관련된 이론인 공급 사슬망의 '채찍 효과'는 제시되어 있으나 '채찍 효과'의 문제점은 드러나지 않는다.
③ 윗글에 사회 현상과 관련된 '채찍 효과'의 발생 원인으로 '수요의 왜곡', '공급 사슬망에서 최종 소비자로부터 멀어질수록 대량 주문 방식을 요하기 때문', '발주 실행 시간에 의한 시차' 등이 드러나지만, 역사적 변천 과정에 따른 설명은 드러나지 않는다.
④ 윗글에 사회 현상의 원인에 대한 대립적 의견들이나 대립적 의견들의 공통점과 차이점은 나타나지 않는다.
⑤ 윗글에 사회 현상의 원인을 파악하기 위한 가설을 설정하지 않았으며, 가설을 검증하기 위한 실험 또한 나타나지 않는다.

22 ② 정답률 53%

정답풀이

3문단에서 '채찍 효과'를 설명하면서 '아기 기저귀라는 상품'을 예로 들고 있는데, 이에 대해 '상품 특성상 소비자 수요는 일정'한데도 '소매점 및 도매점 주문 수요는 들쑥날쑥'함을 보여 준다고 했다. 따라서 소비자의 수요가 일정한 상품에서도 채찍 효과가 나타난다고 말할 수 있다.

오답풀이

① 3문단에서 '주문 변동폭은 '최종 소비자-소매점-도매점-제조업체-원자재 공급업체'로 이어지는 공급 사슬망에서 최종 소비자로부터 멀어질수록 더 증가'한다고 했으므로 주문 변동폭은 원자재 공급업체에 가까워질수록 커진다.
③ 3문단에서 '(주문) 변동폭이 크면 계획이나 운영을 원활하게 수행하기 어'려워 '유통업체나 제조업체 모두 반길 만한 사항이 아'님을 알 수 있다.
④ 5문단에서 '주문 단위가 커질수록 재고량이 증가하게 되고, 재고량 증가는 변화에 민첩하게 대응하지 못하게 되는 원인'이라고 했다.
⑤ 6문단에서 '물건을 주문했다고 바로 물건이 도착하지 않는' 것은 '주문을 처리하고 물류가 이동하는 시간이 있기 때문'임을 알 수 있다.

23 ③ 정답률 43%

정답풀이

4문단에서 '공급 사슬망에서 최종 소비자로부터 멀어질수록 점점 더 심하게 (수요가) 왜곡되는 현상이 발생하는 것이다. 이러한 왜곡 현상은 공급자가 시장에서 제한적일 때 더 크게 발생한다.'라고 했으므로 ㉠(스포츠 브랜드 업체는 수익을 내지 못했다)은 공급자가 시장에서 제한적이었기 때문임을 추론할 수 있다.

오답풀이

① 5문단에서 '재고량 증가는 변화에 민첩하게 대응하지 못하게 하는 원인'이라고 했으므로 채찍 효과로 인한 재고량 증가가 수익을 내지 못하게 한 것으로 볼 수 있다. 따라서 적정 재고량을 유지했다고 할 수 없다.
② 2문단에서 ㉠은 '요즘 경영에서 유행처럼 번지는 공급 사슬망 관리의 핵심을 설명해 줄 수 있는 사례'라고 했으므로 공급 사슬망에서 벗어났다고 볼 수 없다.
④ 7문단에서 '재고를 쌓아둘 공간을 마련하거나 재고를 손상 없이 관리하는 데 큰 비용이' 든다며 재고 관리 비용을 언급하고 있지만, 수익보다 재고 관리 비용이 적은 상황은 수익을 낸 상황이므로 ㉠의 원인에 대한 추론으로 적절하지 않다.

7회

⑤ 6문단에서 '발주 실행 시간이 길어지면 주문량이 많아지고, 이는 재고량 증가로 이어질 수 있다.'라고 했으므로 스포츠 브랜드 업체는 발주 실행 시간이 길어 재고량이 증가해 수익을 내지 못한 것으로 판단할 수 있다.

오답률 Best 2

발문에서 알 수 있는 글의 내용을 추론하는 문제야. ㉠의 사회 현상에 대해 4문단에서는 '공급 사슬망에서 최종 소비자로부터 멀어질수록 점점 더 심하게 (수요가) 왜곡되는 현상이 발생하는 것이다. 이러한 왜곡 현상은 공급자가 시장에서 제한적일 때 더 크게 발생한다.'라고 했으니, 시장에서 공급자가 제한적인 상황에서 수요의 왜곡이 더 크게 발생하여 재고량이 증가하고, 스포트 브랜드 업체가 수익을 내지 못한 것이라고 볼 수 있어. 정답 다음으로 많은 학생들이 선택한 오답은 ②번이었는데, 2문단에서 ㉠은 '공급 사슬망 관리의 핵심을 설명해 줄 수 있는 사례'라고 말하고 있어. 특 윗글은 공급 사슬망이라는 개념 안에서 ㉠을 구체적으로 설명하는 방향으로 글이 전개된다고 이해할 수 있으므로 ②번은 적절하지 않아!

24 ③ 정답률 70%

정답풀이

4문단에서 '공급 사슬망에서 최종 소비자로부터 멀어질수록 점점 더 심하게 왜곡되는 현상이 발생하는 것이다.'라고 했으므로 채찍 효과로 인해 공급자가 최종 소비자로부터 멀어질수록 주문량이 더 많고, 공급자가 최종 소비자로부터 가까울수록 주문량이 적다고 볼 수 있다.

오답풀이

① 〈보기〉에서는 재고가 공급 사슬망의 '한쪽에서 발생된 불확실성의 충격이 다른 곳으로 전이되는 것을 완화시켜주는 기능이 있다.'라고 하여 긍정적 측면을 제시했다. 한편 윗글의 5문단에서는 '재고량 증가는 변화에 민첩하게 대응하지 못하게 하는 원인이 된다.'라고 하여 부정적 측면을 제시했다.
② 4문단에 따르면 공급자가 제한된 상황에서 업체는 '물건을 공급받기 위해' '경쟁적으로 더 많은 주문을 해 공급을 보장받으려' 하기 때문에 '수요의 왜곡'이 발생하는데, 이는 재고량이 증가되는 결과로 이어지므로 공급 사슬망의 주체들에게 부담을 준다. 또한 〈보기〉에서 불확실성의 전이는 '야간 조업 등 계획에 없던 공장 가동'을 하는 등 공급 사슬망의 주체들에게 부담을 줌을 알 수 있다.
④ 4문단에서 '소비자의 수요가 갑자기 늘면 소매점은 앞으로 수요 증가를 기대하는 심리로 기존 주문량보다 더 많은 양을 도매점에 주문하게 된다. 그리고 도매점도 같은 이유로 소매점 주문량보다 더 많은 양을 제조업체에 주문'하는 '수요의 왜곡'이 나타난다고 하였다. 또한 〈보기〉에서는 '최종 소비자의 갑작스러운 수요 증가로 인한 불확실성이 '소매점–도매점–제작업체'로 전달된다.'라고 하여 소비자의 수요 증가에 따른 불확실성의 전이가 나타남을 알 수 있다.
⑤ 4문단에서 '소비자의 수요가 갑자기 늘면 소매점은 앞으로 수요 증가를 기대하는 심리로 기존 주문량보다 더 많은 양을 도매점에 주문하게' 되고, 업체는 물건을 공급받기 위해 '경쟁적으로 더 많은 주문을 해 공급을 보장받으려'는 '수요의 왜곡'이 발생한다고 했다. 한편 〈보기〉에서 '충분한 재고가 있다면 소매점은 도매점에 계획에 없던 추가 주문을 할 필요도 없다.'라고 하였으므로, 수요의 왜곡을 겪는 도매점은 다음 주문부터 기존 주문량보다 더 많은 주문량을 고려해 재고를 확보해 둘 가능성이 크다.

25 ③ 정답률 66%

정답풀이

〈보기〉에서 '협력 공급 기획 예측 프로그램'은 '제조사와 이동 통신 사업자 간 협력을 통해 물량 수요 예측을 조정해 나가는 프로세스'라고 하였다. A전자와 B통신이 CPFR 프로그램을 이용해 '판매, 재고, 생산계획의 정보를 실시간으로 공유'하면 수요 변화에 탄력적으로 대응하여 '재고를 최소화'할 수 있으므로 과잉주문은 줄어든다.

오답풀이

① 〈보기〉에서 'CPFR 프로그램을 이용하여' '적기에 필요한 물량을 공급하고 재고를 최소화'한다고 하였으므로, 수요에 맞게 주문량을 조절하지 항상 대량 주문하지는 않을 것이다.
② 〈보기〉에서 'CPFR 프로그램을 이용하여' '재고를 최소화'한다고 하였으므로, 재고량이 늘어나지는 않을 것이다.
④ B통신이 A전자 휴대폰 공장 근처로 이전을 하는지에 대해 〈보기〉에서 언급되지 않았다.
⑤ A전자와 B통신은 'CPFR 프로그램을 이용하여 판매, 재고, 생산계획의 정보를 실시간으로 공유하며 적기에 필요한 물량을 공급하고 재고를 최소화'해 '국내 이동통신 시장'의 돌발적인 수요 변화에 대처하고자 할 뿐 돌발적인 수요 변화 자체를 줄일 수는 없다.

[26~28] **고전소설**

26 ⑤ 정답률 55%

정답풀이

(중략) 이후의 '가슴을 졸이며 근심을 하고 이리저리 뒤척이며 잠 못 이룬들 무슨 소용이 있겠는가?'에서 서술자의 주관적 논평이 제시된다. 이를 통해 영영을 간절히 그리워하는 김생의 심리가 드러난다.

오답풀이

① 윗글에서 전기적 요소는 드러나지 않으며, 전기적 요소를 활용해 긴박한 분위기를 조성하지도 않는다.
② 윗글의 '끊어진 거문고 줄은 다시 맬 수가 없고 깨어진 거울은 다시 합칠 수가 없으니'에서 끊어진 인연을 '끊어진 거문고 줄', '깨어진 거울'에 비유하여 표현하고 있으나 이를 활용하여 인물 간의 갈등이 심화되지는 않는다.
③ 윗글에서는 인물의 외양 묘사를 통해 영웅적 면모를 보여주지 않는다.
④ 윗글은 시간의 순서대로 사건이 전개되는 순행적 구성이 드러나므로 역순행적 구성을 통해 사건을 입체적으로 구성하지 않는다.

27 ③ 정답률 89%

정답풀이

[A]는 김생의 친구인 이정자가 문병을 와서 김생에게 한 말이다. 이정자는 '회산군 부인은 내겐 고모가 되는 분'이라며 '내 자네를 위하여 애써 보겠네.'라고 말하며 김생을 진심으로 위로하고 있다. [B]에서 이정자는 회산군 부인에게 '영영을 김생에게 주시는 것이 어떻겠습니까?'라고 말하며 부탁을 하고 있다.

오답풀이

① [A]에서 이정자는 김생을 도와주겠다는 뜻을 드러내고 있다. 그러나 [B]에서 이정자는 회산군 부인에게 거래를 제안하지는 않는다.
② [A]에서 이정자는 김생을 칭찬하지 않으며, [B]에서 이정자는 회산군 부인에게 서운함을 토로하지 않는다.
④ [A]에서 이정자가 김생의 감정에 대해 공감하고 있지는 않으며, [B]에서 이정자는 회산군 부인에게 김생을 칭찬할 뿐 자신의 능력을 자랑하지 않는다.
⑤ [A]에서 이정자는 김생에게 충고가 아니라 위로를 하고 있다. [B]에서 이정자는 '그 사람은 바로 저의 친구로 김 모라 하는 이옵니다.~누워서 신음하고 있은 지 벌써 두어 달이 되었다 하더이다.'라며 회산군 부인에게 자신의 친구인 김생을 소개하고 있다.

28 ② 정답률 81%

정답풀이

〈보기〉에서 궁녀라는 '영영의 신분은 김생과의 사랑을 가로막는 장애물'이라고 했다. 회산군이 '부인의 투기가 두려워 뜻대로 못'한 것은 영영을 자신의 첩으로 삼는 일이므로, 회산군 부인의 투기가 김생과 영영의 사랑을 가로막는 장애물은 아니다.

오답풀이

① 〈보기〉에서 '주인공 영영을 통해 조선 시대 궁녀들의 폐쇄적인 생활상을 엿볼 수 있'다고 하였는데, 윗글에서 '궁중에서 나고 자라 문 밖을 나서지 못합니다.'를 통해 이를 확인할 수 있다.
③ 〈보기〉에서 '김생은 영영을 만나기 위해 노력하며, 이 과정에서 김생이 영영을 만나도록 도와주는 인물들이 등장'한다고 하였다. 윗글의 노파는 김생과 영영을 만나게 하기 위해 단오에 '영아를 보내 주십사고 청'할 계획을 세우고 있으므로 노파는 조력자라고 볼 수 있다.
④ 〈보기〉에서 '김생은 영영을 만나기 위해 노력'한다고 하였는데, 윗글에서 김생이 노파와 '영영을 불러낼 계획을 세'우는 것에서 노력하는 모습이 드러난다.
⑤ 〈보기〉에서 '영영과 김생은 사랑의 장애물을 극복하고 사랑을 성취하여 행복한 결말을 맞이하게 된다.'라고 하였는데, 윗글에서 김생은 '영영과 더불어 평생을 해로하였다.'라고 한 것에서 이를 확인할 수 있다.

[29~32] **현대시**

29 ④ 정답률 88%

정답풀이

(가)는 '해'가 '하늘의 푸른 넓이를 다해 웃는다'와 '흙'은 '큰 향기로운 눈동자를 굴리며', '싱글거린다'에서, 자연물인 해와 흙에 인격을 부여해 화자와 자연의 교감을 드러내고 있다. (나)는 '보리도 허리통이 부끄럽게 드러났다', '산봉우리야 오늘밤 너 어디로 가 버리련?'을 통해 자연물인 보리와 산에 인격을 부여하고 있으며, 산봉우리에게 말을 건네는 화자의 모습에서 자연과 교감하는 모습이 드러난다.

오답풀이

① (가)와 (나)에서 삶의 교훈이 드러나지는 않는다.
② (가)와 (나)에서 이상과 현실의 대비가 드러나지 않으며, 이상에 대한 화자의 염원도 나타나지 않는다.
③ (가)와 (나)에서 과거와 현재의 교차가 나타나지는 않으며, 현실의 삶에 대한 반성의 태도도 드러나지 않는다.
⑤ (가)와 (나)에서 자연의 모습은 드러나지만, 자연에 합일되지 못하는 인간의 고독감이 드러나지는 않는다.

30 ② 정답률 81%

정답풀이

반어는 말하고자 하는 바와 반대로 나타내어 의미를 효과적으로 전달하는 표현 방법으로, (가)에서는 반어적 표현을 확인할 수 없다.

오답풀이

① 1연의 '모든 초록, 모든 꽃들의', '웃는다, 비유의 아버지답게'와 2연 등에서 쉼표를 사용하여 호흡의 흐름을 조절하고 있다.
③ 4연에서 '향기'라는 시어를 반복함으로써 생명력이 넘치는 자연의 모습을 강조하고 있다.
④ '초록의 샘', '푸른 하늘' 등에서 시각적 이미지가, '싱글거리는 흙의 향기' 등에서 후각적 이미지가 나타나며 이를 통해 자연물에 대한 인상을 구체적으로 표현하고 있다.
⑤ '해여, 푸른 하늘이여', '나뭇가지들의 초록 기쁨이여', '오 이 향기', '나무들의 향기!' 등에서 영탄적 표현을 사용하여 자연을 예찬하는 정서를 나타내고 있다.

31 ⑤ 정답률 74%

정답풀이

(가)의 화자는 ⓐ(해)의 '출렁거리는 빛'을 꽃들의 '왕관'이자 '초록의 샘' 등으로 인식한다. (나)에서 ⓑ(산봉우리)는 '얇은 단장하고 아양 가득 차 있는' 존재로, 화자가 ⓑ에게 '오늘밤 너 어디로 가 버리련?'이라고 말하는 것에서는 밤이 되면 아름다운 산의 모습이 보이지 않을 것이라는 아쉬움이 나타난다. 따라서 ⓐ와 ⓑ는 화자가 관심을 갖고 주관적으로 인식하는 대상이다.

오답풀이

① (가)에서 ⓐ를 통해 화자가 지난 삶을 떠올리는 모습은 나타나지 않는다.
② (가)에서 ⓐ와 화자가 동일시되는 모습은 드러나지 않는다.
③ (나)에서 ⓑ가 화자에게 새로운 행동을 촉구하는 모습은 드러나지 않는다.
④ (나)에서 화자는 ⓑ에게 '오늘밤 너 어디로 가 버리련?'이라고 말을 건네고 있지만 이는 밤의 시간에 ⓑ를 관찰한 것은 아니다.

32 ② 정답률 78%

정답풀이

(가)의 3연에서 '흙은 그리고 깊은 데서 / 큰 향기로운 눈동자를 굴리며(㉡)'라고 했으므로 ㉡의 주체는 화자가 아니라 '흙'이라 볼 수 있다.

오답풀이

① (가)의 1연에서 '해는 출렁거리는 빛으로 / 내려오며', '모든 초록, 모든 꽃들의 / 왕관이 되어(㉠)'라고 했으므로, ㉠에서는 햇빛이 초록 나무와 꽃에 비쳐 빛나는 모습을 '왕관'으로 표현하였다고 볼 수 있다.
③ (가)의 4연에서 자연의 향기가 코로 전해지는 모습을 '내 코에 댄 깔대기와도 같은 / 하늘의, 향기 / 나무들의 향기!(㉢)'와 같은 직유법을 통해 비유적으로 나타내고 있다.
④ (나)의 ㉣(들길은 마을에 들자 붉어지고 / 마을 골목은 들로 내려서자 푸르러졌다)에서 시골길을 붉은 빛으로, 들판을 푸른 빛으로 표현하여 풍경을 시각적으로 표현하고 있다.
⑤ (나)의 ㉤(이랑 이랑 햇빛이 갈라지고)에서 보리밭의 이랑과 이랑 사이마다 햇빛이 비추는 모습을 표현하고 있다.

[33~36] **현대소설**

33 ② 정답률 84%

정답풀이

윗글은 작품 속의 주인공인 '나'가 자신의 이야기를 서술하는 1인칭 주인공 시점의 소설이다. '나는 가슴이 터질 듯 기뻐', '나는 무척 혼돈스러웠다.' 등에서 나타나듯, '나'가 자신의 심리를 직접 서술하고 있다.

오답풀이

① 윗글에서 가출 후 돌아온 '나'에게 엄마가 말을 건네는 대화 장면이 드러나 있지만, 전반적으로 서술자의 서술 중심으로 이야기가 전개되고 있다.
③ 윗글에서는 내화와 외화가 구분되어 드러나지 않는다. 내화와 외화가 구분되는 소설은 액자소설이다.
④ 윗글은 1인칭 주인공 시점의 소설이므로, 주변 인물을 서술자로 내세우는 1인칭 관찰자 시점으로 주인공의 심리를 전달한다고 볼 수 없다.
⑤ 윗글은 작품 속의 주인공인 '나'가 자신의 이야기를 서술하는 1인칭 시점이므로, 서술자가 작품 밖에 위치하지 않는다.

34 ⑤ 정답률 84%

정답풀이

'나'는 짠지 항아리를 깨뜨린 것을 들켜 혼날 것임을 예상하며 집으로 돌아왔으나 어른들이 평소와 다름없이 행동하며 아무런 관심을 가지지 않자 혼란을 느끼고 있다. 즉 '나'가 예상한 모습과 다르게 행동하는 어른들의 모습에서 '혼돈'과 '불안'함을 느끼고 '세계는 나와는 상관없이 돌아간다는 깨달음'을 얻었기 때문에 ㉠과 같이 행동한다고 볼 수 있다.

오답풀이

① 예상과 다른 상황에서 '나'가 혼돈을 느껴 우는 것일 뿐, 어른들이 '나'의 잘못을 용서해 준 것에 대한 고마움을 느낀다고 볼 수는 없다.
② 겨울이라는 계절적 배경과 해질녘이라는 시간적 배경이 나타나지만, 이로 인해 '나'가 쓸쓸함을 느끼고 운 것은 아니다.
③ '나'는 깨진 단지로 인해 혼날 것이 두려워 가출을 해야 했던 스스로의 처지를 슬프게 여기지 않는다.

④ 가출 후 '나'에 대해 무관심으로 일관하는 어른들의 모습이 드러나나, '나'가 이러한 무관심에 분노한다고 볼 수는 없다.

35 ② 정답률 76%

정답풀이

윗글의 '나'는 주문을 외운 후 '입가에 기쁨의 미소'를 머금는데, 이는 깨뜨린 단지를 눈사람 속에 감추면 위기 상황을 모면할 수 있다는 '어떤 기발한 생각이 별똥별처럼 머릿속을 스치고 지나갔기 때문'이라고 볼 수 있다.

오답풀이

① '나'는 깨진 단지를 확인하고 '눈을 비비고 또 비비면서 상황을 침착하게 받아들이지 못하는 모습을 보이고 있다.
③ 현정이 아빠와 대화하기 전에 '나'는 '장갑도 끼지 않은 손으로 서둘러 주위의 눈을 긁어모'아 깨진 항아리를 숨길 눈사람을 만들고 있으므로 의기양양한 태도를 가지고 있다고 볼 수 없다.
④ '나'는 '눈사람을 천연덕스럽게 세워두었던 변소 통 쪽'에 '아무것도 없'는 것을 보고 편안함이 아닌 '혼돈'과 '불안'을 느끼고 있다.
⑤ 엄마가 '내 볼따구니를 야무지게 잡아 비틀며 어이가 없다는 듯 픽 웃음을 지었다. 그 얼얼함이 내 균형 감각을 바로 잡아 주었다.'라고 했으므로 '나'는 볼을 비틀며 자신을 꾸짖는 엄마를 통해 위축감이 아니라 안도감을 느꼈다고 볼 수 있다.

36 ② 정답률 50%

정답풀이

'나'는 '눈사람' 속에 깨진 항아리를 은폐하는 방법을 생각하고 기뻐하며 서둘러 실행했다. 이 모습에서 '나'의 내면적 갈등은 드러나지 않았다.

오답풀이

① 〈보기〉에서 성장 소설은 '유년기에서 소년기를 거쳐 성인의 세계로 입문하는 한 인물이 겪는' '정신적 성장'을 담고 있다고 하였다. 윗글에서는 미숙한 상태의 인물인 어린 '나'가 '깨진 단지' 사건을 통해 성장하는 모습이 드러난다.
③ 〈보기〉에서 성장 소설은 '성인의 입장에서 자신의 어린 시절의 체험을 재평가'한 내용을 다룬다고 하였다. '나'가 '방학 숙제로 낼 일기'를 쓴다고 말한 것을 통해 윗글은 어린 시절의 경험을 그린 소설임을 알 수 있다.
④ 〈보기〉에서 성장 소설은 '자신을 둘러싸고 있는 세계에 대한 각성과 성찰의 과정을 담고 있다.'라고 하였다. 이에 따르면 '나를 둘러싼 세계'는 미숙한 '나'가 각성과 성찰을 하는 공간으로 볼 수 있다.
⑤ 〈보기〉에서 성장 소설은 '성인의 입장에서 자신의 어린 시절의 체험을 재평가하고, 반성적으로 사유한 결과물'을 담고 있다고 하였다. 윗글은 '깨진 단지' 사건을 '그렇게 컸다.'라는 과거의 사건으로 표현하여 성인이 어린 시절을 떠올리고 있음을 알 수 있다.

오답률 Best 3

②번 선지에서 말하는 내면적인 갈등, 즉 내적 갈등은 한 인물의 마음속 대립되는 두 생각으로 인해 그 인물이 고뇌하거나 괴로워하고 있음을 의미해. 이에 따르면 '눈사람' 속에 깨진 항아리를 은폐하는 모습에서는 인물의 내면적 갈등은 드러나지 않는다고 볼 수 있어. 깨진 항아리를 은폐하는 과정에 내면적인 갈등이 드러난다고 보기 위해서는 '나'가 깨진 항아리를 은폐하는 상황에서 눈사람을 계속 만들지, 아니면 이를 그만 두고 사실을 말해야 할지 사이에서 고민하는 모습이 구체적으로 드러났어야 해. 그런데 '나'는 은폐 방법을 생각해낸 후 이를 서둘러 실행하고 있으므로 내적 갈등한다고 볼 수 없는 거지. 소설 갈래에서 내적 갈등은 자주 등장하는 개념이므로, 정확하게 정리해 두자!

[37~41] **인문**

37 ④ 정답률 70%

정답풀이

4문단을 통해 '부분에 관한 명제들 중에서 그 양의 정도가 다른 것을 나타낼 수 있는 방법은 없'으며 이것은 '고전 논리의 한계점이 된다.'는 것을 알 수 있다.

오답풀이

① 5문단에서 '미국 흑인들 외에는 아무도 흑인 영가의 참뜻을 느낄 수 없다.'라는 문장은 '모든 미국 흑인들은 흑인 영가의 참뜻을 느낄 수 있는 사람이다.'라는 명제와 '미국 흑인이 아닌 모든 사람은 흑인 영가의 참뜻을 느낄 수 없는 사람이다.'라는 명제로 고쳐야 한다고 했고, 후자는 '미국 흑인이 아닌 어느 사람도 흑인 영가의 참뜻을 느낄 수 있는 사람이 아니다.'로 고쳐 쓸 수 있다고 했다. 따라서 해당 명제는 다른 명제로 고칠 수 있다.
② 3문단에서 '칼을 쓰는 자는 칼로 망한다.'라는 명제를 '칼을 쓰는 모든 사람은 칼로 망하는 사람이다.'로 고친 경우는 '그것을 하나의 교훈적인 말로 받아들'여 '하나의 보편적인 법칙 같은 것을 뜻하는 것으로 이해하기 때문에 전체 긍정으로 읽'는 경우라 하였다.
③ 2문단에서 전체 부정 명제의 표준 형식은 '어느 ~도 ~가 아니다.'라고 하였다. 또한 '모든 ~는 ~가 아니다.'라는 형식은 '전체 부정 명제의 표준 형식이 될 수 없다.'라고 했으므로 '모든 철학자는 이상주의자가 아니다.'라는 말에 전체 부정 명제의 표준 형식을 적용하면 '어느 철학자도 이상주의자가 아니다.'가 될 수 있다.
⑤ 6문단에서 '일상 언어의 문장은 그것이 어떤 사실을 긍정하는 것일지라도' '논리적 의미가 분명치 못한 것이 많다.'라고 했으므로 어떤 사실을 긍정하는 경우에서도 논리적 의미가 분명하지 않을 수 있다.

38 ⑤ 정답률 84%

정답풀이

3문단에서 '칼을 쓰는 자는 칼로 망한다.'라는 말을 '칼을 쓰는 모든 사람은 칼로 망하는 사람이다.'라고 한다면 전체 긍정으로 보아 '하나의 교훈적인 말'로 이해하는 경우이고, '칼을 쓰는 어떤 사람은 칼로 망하는 사람이다.'라고 한다면 부분 긍정으로 보아 '칼을 쓰는 사람들 중 일부분의 사람만 칼로 망하게 된다는 사실을 긍정하는' 경우로 볼 수 있다고 하였다. 이를 6문단에서 '그것이 이용되는 경우에 따라서, 또 내용에 따라서 그 의미가 다르게 이해되어야 할 때가 많다.'라고 한 것과 연결지어 볼 때, ㉠의 이유는 일상 언어의 문장들이 읽는 사람이나 그것이 쓰이는 상황에 따라 의미가 달라질 수 있기 때문이라고 판단할 수 있다.

오답풀이

① 6문단에서 일상 언어의 문장을 '표준 형식의 명제로 고치고자 할 때는 먼저 적절한 해석을 한 후 그것이 이해되는 뜻에 따라서 그것에 맞는 형식으로 고쳐 주면 된다.'라고 하였으므로 일상 언어의 문장은 논리학의 표준 명제로 고칠 수 있다. 또한 일상 언어를 표준 명제로 고칠 수 있는지 여부는 ㉠과 원인과 결과의 관계로 연관된다고 볼 수 없다.
② 1문단에서 '삼단 논법에 이용되는 명제는 어떤 것이든 이 네 가지 기본 명제 중 어느 하나의 형식을 가져야 하며, 이 명제들은 그 뜻이 애매하다거나 모호하지 않아야 하므로 표준 형식으로 고쳐 주어야 한다.'라고 했으므로 논리학에서는 명제의 형식에 대해 문제를 삼을 것임을 알 수 있다. 또한 논리학이 명제 형식을 문제 삼는지 여부는 ㉠과 원인과 결과의 관계로 연관된다고 볼 수 없다.
③ 윗글에서는 다양한 일상 언어의 문장들을 표준 형식의 명제로 고치는 상황이 드러난다. 따라서 일상 언어의 문장과 논리학의 문장이 본질적으로 다르다고 볼 수 없다. 또한 ㉠과의 연관성도 드러나지 않는다.
④ 1문단에서 '삼단 논법에 이용되는 명제는 어떤 것이든 이 네 가지 기본 명제 중 어느 하나의 형식을 가져야 하며, 이 명제들은 그 뜻이 애매하다거나 모호하지 않아야 하므로 표준 형식으로 고쳐 주어야 한다.'라고 했으므로 논리학에서는 일상 언어의 문장을 네 가지 기본 명제의 형식으로 고친 후 해석한다고 보는 것은 적절하다. 그러나 논리학에서 일상 언어 문장을 네 가지 기본 명제의 형식으로 고친 후 해석하는 것은 ㉠과 원인과 결과의 관계로 연관된다고 볼 수 없다.

39 ⑤ 정답률 52%

정답풀이

2문단에서 전체 긍정, 전체 부정, 부분 긍정, 부분 부정의 표준 형식이 제시되었으나, '문제의식이 투철한 사람만 참석했다.'라는 문장은 이 네 가지의 기본 명제의 표준 형식 중 하나로 볼 수 없다. 따라서 하나의 표준 형식으로서 그 뜻이 명확하고 분명하다고 말할 수 없다.

오답풀이

① '참석한 모든 사람은 문제의식이 투철한 사람이었다.'는 전체 긍정의 표준 형식(모든 ~는 ~이다.)이 쓰인 명제로 참석한 사람들은 모두 문제의식이 투철한 사람이었다는 사실을 긍정하는 뜻을 내포한다.

② '문제의식이 투철한 사람만 참석했다.'라는 문장은 참석한 사람들은 모두 문제의식이 투철한 사람이었다는 사실만을 긍정할 뿐, 참석한 사람들만이 문제의식이 투철한지에 대한 긍정이 나타나지 않으므로 '문제의식이 투철한 사람은 누구나 다 참석했다.'는 것을 뜻하지는 않는다.

③ '문제의식이 투철한 사람만 참석했다.'라는 문장은 참석한 사람들은 모두 문제의식이 투철한 사람이었다는 사실만을 긍정할 뿐, '문제의식이 투철한 사람의 일부분이 참석했다.'라는 것을 긍정하지 않는다.

④ '문제의식이 투철한 사람만 참석했다.'라는 문장은 참석한 사람들은 모두 문제의식이 투철한 사람이었다는 사실만을 긍정할 뿐, 참석한 사람들만이 문제의식이 투철한 사람들인지 어떤지에 대한 긍정은 내포하지 않는다.

오답률 Best 5

⑤번 선지에서는 '문제의식이 투철한 사람만 참석했다.'가 표준 형식인지를 물어 보고 있어. 2문단에서 전체 긍정, 전체 부정, 부분 긍정, 부분 부정에 대한 각각의 표준 형식을 구체적으로 언급하고 있으므로 선지를 지문과 연결하여 이해하는 것이 필요했지. 그런데 '문제의식이 투철한 사람만 참석했다.'는 각각의 표준 형식에 부합하지 않는다는 점에서 하나의 표준 형식으로 볼 수 없고 이는 그 뜻이 애매하다거나 모호할 수 있는 문장으로 판단할 수 있었어. 이 문장을 표준 형식으로 고친다면 '모든 참석자는 문제의식이 투철한 사람이다.'의 전체 긍정의 명제로 표현할 수 있으니 이해에 참고해 봐.

40 ③ 정답률 51%

정답풀이

㉢(경마에 미친 사람은 경마만 좋아한다.)를 '경마에 미친 모든 사람은 경마를 좋아한다.'로 고친다면 경마에 미친 사람이 경마를 좋아하는 것 외에 다른 것을 좋아한다는 뜻도 내포하는 것으로 이해될 수 있다. 따라서 전체 긍정을 뜻하는 표준 형식의 명제로 고친 것으로 적절하지 않으며 '경마에 미친 사람이 좋아하는 모든 것은 경마이다.'로 고쳐야 적절하다.

오답풀이

① ㉮(원숭이도 나무에서 떨어진다.)의 '원숭이'는 모든 원숭이들을 표현한 것이 아니므로 부분 긍정의 명제인 '어떤 원숭이는 나무에서 떨어지는 원숭이이다.'로 고칠 수 있다.

② ㉯(소수의 사람들만이 특혜를 받았다.)의 '소수의 사람들'은 모든 사람들이 아닌 부분의 의미를 드러내는 '어떤 사람'으로 보아 부분 긍정 명제인 '어떤 사람은 특혜를 받은 사람이다.'로 고칠 수 있다.

④ ㉱(비가 오는 날이면 언제나 그는 택시를 탄다.)의 '비가 오는 날'은 '언제나'라는 말을 통해 비가 오는 모든 날이라는 전체로 보아 전체 긍정 명제인 '비가 오는 모든 날은 그가 택시를 타는 날이다.'로 고칠 수 있다.

⑤ ㉲(이번 여름은 피서지마다 초만원을 이루었다.)의 '마다'는 모두의 의미를 드러내므로 전체 긍정의 명제인 '이번 여름의 모든 피서지는 초만원을 이루는 곳이다.'로 고칠 수 있다.

오답률 Best 4

㉢(경마에 미친 사람은 경마만 좋아한다.)는 경마에 미친 사람은 다른 것이 아닌 오직 경마만을 좋아한다는 의미를 내포한다고 볼 수 있어. 따라서 ㉢의 의미를 그대로 내포하면서 윗글의 2문단에서 구체적으로 제시한 명제의 표준 형식에 따라 문장을 고쳐 보는 것이 필요했지. 그런데 '경마에 미친 모든 사람은 경마를 좋아한다.'라는 명제는 경마에 미친 모든 사람은 경마를 좋아하는 것뿐 아니라 다른 것을 좋아한다는 뜻을 내포할 수도 있어 적절하지 않았어. 또한 전체 긍정 명제의 표준 형식에도 맞지 않았지. 형식에 맞추려면 '경마에 미친 사람이 좋아하는 모든 것은 경마이다.'로 고쳤어야 해.

41 ② 정답률 83%

정답풀이

ⓑ(일반화)의 사전적 의미는 '개별적인 것이나 특수한 것이 일반적인 것으로 됨. 또는 그렇게 만듦.'이다. '구체적인 것으로 됨'은 '구체화'의 사전적 의미이다.

[42~45] 고전시가+고전수필

42 ③ 정답률 67%

정답풀이

(가)에서는 목표를 세우고 노력하는 것의 중요성을 말하고, (나)에서는 변덕스러운 날씨와 같은 세상사의 변덕스러움을 비판하며 자연스럽게 순리를 따라 살아가는 자세를 말하고 있다. 그리고 (다)에서는 집을 고친 경험으로부터 잘못을 알고 그것을 고쳐 나가는 자세에 대해 말하고 있다는 점에서 (가)~(다)는 공통적으로 바른 삶을 살아가는 자세에 대해 말한다고 볼 수 있다.

오답풀이

① (가)는 목표를 세우고 노력하는 실천이 중요함에도 노력하지 않는 '사람'들에게 충고하고 있다. (나)는 '세상 사람'에게 변화에 상관없이 한결같은 산처럼 순리를 따라 살아가는 삶을 알려 준다고 볼 수 있지만 자신의 가치관을 성찰하며 개선하는 모습은 드러나지 않는다.

② (가)~(다)에서 현재 처한 상황을 극복하고자 노력하는 모습은 드러나지 않는다.

④ (가)~(다)에서 이념과 현실 사이의 갈등 속에서 방황하는 모습은 드러나지 않는다.

⑤ (가)~(다)는 추구하는 이상 세계의 모습을 구체적으로 언급하지는 않는다.

43 ⑤ 정답률 41%

정답풀이

[D]의 '세상 사람들에게 말하노니'에서 세상 사람들을 청자로 설정한 것을 확인할 수 있으나, [A]~[D]에서 청자와 화자가 서로 묻고 답하는 문답법은 나타나지 않는다.

오답풀이

① [A]에서 화자는 '언뜻 개었다가 다시 비가 오고 비 오다가 다시 개이'는 날씨인 자연 현상도 변덕스러운데 '하물며 세상 인정이라.'라고 표현하며 세상의 인정은 더욱 변덕스럽다고 말한다. 따라서 화자는 세상 인정에 대해 부정적으로 인식하고 있음을 알 수 있다.

② [B]의 '나를 기리다가~나를 헐뜯고'와 '공명을 피하더니~공명을 구함이라'에서 대구법을 통해 변덕스러운 세상 인정에 대한 구체적인 사례를 들고 있다.

③ [C]에서 오고 가는 '구름'은 가변적인 대상, 다투지 않는 '산'은 불변적인 대상으로 나타나며 이들이 대조되어 '산'과 같은 태도를 가져야 한다는 화자의 의도가 분명하게 드러난다.

④ [D]에서는 7구와 8구의 순서를 바꾼 도치법이 활용되어 의연하게 순리대로 살아가는 삶의 태도를 강조하고 있다.

오답률 Best ❶

⑤번 선지의 '묻고 답하여'는 '문답법'으로 이해할 수 있어. 문답법은 화자와 청자가 서로 말을 주고받는 맥락이 드러나야 해. 그런데 윗글은 [D]에서 청자가 '세상 사람들'로 나타나지만, 화자와 청자 간에 나눈 구체적인 질문과 답변의 내용은 나타나지 않아. 한편 정답인 ⑤번 선지 다음으로 ①번을 많이 선택했어. [A]의 '언뜻 개었다가 다시 비가 오고 비 오다가 다시 개이니'라는 구절의 의미를 문맥에 맞게 이해하지 못한 학생들이 많았던 거지. [A]의 세상 인정의 모습은 [B]에서 구체화되는데, '나를 기리다가 문득 돌이켜 나를 헐뜯고 / 공명을 피하더니 도리어 스스로 공명을 구함이라.'라는 구절을 볼 때 '하늘의 도'와 '세상 인정'의 유사성으로 변덕스러움을 유추할 수 있을 거야. 이에 반해 [C]에서 '산은 다투지 않음이라.'라고 해서 '산'을 긍정하는 모습이 나타나지. 즉 전체 맥락을 고려할 때 [A]에서는 자연 현상의 변덕스러움에 빗대어 세상 인정이 더욱 변덕스럽다는 화자의 부정적 인식이 드러났다고 볼 수 있는 거지.

44 ④ 정답률 73%

정답풀이

〈보기〉에서 설은 '두 단계의 구조'로 나뉘며 전반부는 '글쓴이의 개인적인 경험'을, 후반부는 '그로부터 얻은 결과'를 독자에게 전하는 부분이라고 하였다. 이를 (다)에 적용해 볼 때 ㉠(전반부)은 퇴락한 행랑채를 수리했던 경험을 다뤘고, ㉡(후반부)은 ㉠에서의 경험을 '사람의 몸', '나라의 정치'에 적용하여 유추한 것이다.

오답풀이

① ㉠에서는 문제에 대한 다양한 해결책이 나타나지 않는다.
② ㉠과 ㉡에 서로 상반된 견해가 나타나지는 않는다.
③ ㉠에서 행랑채가 퇴락하여 수리하는 과정에서 많은 비용이 발생한 것을 사건의 결과로 볼 수는 있으나, ㉡은 ㉠의 원인으로 볼 수 없다.
⑤ (다)의 글쓴이는 ㉠에서 얻은 깨달음을 자신의 생활에 적용하고 있다.

45 ① 정답률 75%

정답풀이

㉮(이번에 수리하려고~엄청나게 들었고)는 비가 샌 지 오래되기 전에 지붕을 수리하였다면 수리비가 적게 들었을 것이나, 비가 샌 지 오래된 후에 수리를 하여 '수리비가 엄청나게' 든 상황이다. 이는 커지기 전에 처리하였으면 쉽게 해결되었을 일을 방치하여 두었다가 나중에 큰 힘을 들이게 된 것이므로 '호미로 막을 걸 가래로 막았군.'이라고 반응할 수 있다.

오답풀이

② '낫 놓고 기역자도 모른다'는 사람이 글자를 모르거나 아주 무식함을 이르는 말이다.
③ '까마귀 날자 배 떨어진다'는 아무 관계없이 한 일이 공교롭게도 때가 같아, 어떤 관계가 있는 것처럼 의심을 받게 됨을 비유적으로 이르는 말이다.
④ '개구리 올챙이 적 생각 못한다'는 형편이나 사정이 전에 비하여 나아진 사람이 지난날의 미천하거나 어렵던 때의 일을 생각지 아니하고 처음부터 잘난 듯이 뽐냄을 비유적으로 이르는 말이다.
⑤ '우물에 가서 숭늉을 찾는다'는 일의 순서도 모르고 성급하게 덤비는 것을 비유적으로 이르는 말이다.

8회

2020학년도 3월 학평

1. ⑤	2. ③	3. ④	4. ①	5. ①	6. ③	7. ④	8. ④	9. ⑤	10. ②
11. ②	12. ④	13. ②	14. ①	15. ①	16. ③	17. ⑤	18. ④	19. ③	20. ⑤
21. ②	22. ①	23. ③	24. ④	25. ③	26. ④	27. ②	28. ②	29. ③	30. ⑤
31. ④	32. ②	33. ②	34. ⑤	35. ①	36. ③	37. ④	38. ⑤	39. ①	40. ②
41. ⑤	42. ③	43. ①	44. ④	45. ⑤					

오답률 Best 5

[1~3] 화법

1 ⑤ 정답률 71%

정답풀이

발표의 마지막 부분에서는 '다음 명절에는 여러분도 가족들과 함께 신명 나는 윷놀이 한 판 즐겨 보시기 바랍니다.'라고 하여 윷놀이를 해 볼 것을 권유할 뿐, 발표의 주요 내용을 요약, 정리하지는 않는다.

오답풀이

① 발표의 시작 부분에서 '저는 지난 설날에 온 가족과 둘러앉아 윷놀이를 하게 되었는데 무척 재미있었습니다. 그래서 여러분들도 그 재미를 느껴 보셨으면 하는 마음에~윷놀이를 소개해 드리고자 합니다.'라며 윷놀이를 재미있게 한 경험이 있어 이를 소개하고자 한다는 화제 선정의 이유를 밝히고 있다.
② 발표자는 '화면을 가리키며', '손가락을 하나씩 펼치며'와 같은 비언어적 표현을 활용해 윷놀이와 그 규칙에 대해 효과적으로 전달하고 있다.
③ '여러분, 명절 하면 어떤 전통 놀이가 떠오르시나요?', '윷놀이는 과연 언제 시작되었을까요?' 등의 질문을 하고 이에 대한 청중의 반응을 살피거나 대답을 듣는 발표자의 모습에서 청중과의 상호 작용이 나타난다.
④ 발표자는 윷놀이의 역사에 대해 설명하면서 '윷놀이를 언급한 우리나라 최초의 기록'은 '15세기에 간행된 『목은집』'이라는 구체적인 출처를 언급하여 신뢰성을 확보하고 있다.

2 ③ 정답률 87%

정답풀이

발표에서 '던진 윷가락이 바닥에 떨어지면서 둥근 부분'인 '등'이나, '평평한 부분'인 '배'를 보인다고 하였으므로, ⓒ은 '윷가락의 등 : (곡면) 부분, 배 : (평면) 부분'으로 작성해야 적절하다.

오답풀이

① 발표에서 『목은집』에는 '고려 시대에 이미 윷놀이가 성행했음이 나타나 있'다고 하였다.
② 발표에서 윷놀이 말판에 대해 설명하면서 '원을 그리고 있는 바깥의 점들은 하늘과 별자리의 운행을, 원 안쪽에 있는 열십자 모양의 점들은 땅을 나타낸 것이라고 합니다.'라고 하였다.
④ 발표에서 '윷이나 모를 '사리'라고 하는데, 이 경우 한 번 더 윷을 던질 기회를 얻습니다.'라고 하였다.
⑤ 발표에서 '대략 도가 나올 확률은 15%, 개와 걸은 각각 35%, 윷은 13%, 모는 2% 정도입니다.'라고 했으므로 윷 패가 나올 확률은 개 = 걸(35%) 〉 도(15%) 〉 윷(13%) 〉 모(2%)이다.

3 ④ 정답률 92%

정답풀이

발표에서 언급한 '윷 패가 나오는 확률'과 관련하여 〈보기〉의 학생은 스마트폰 윷놀이 게임을 해 본 자신의 경험을 떠올리며 스마트폰 윷놀이 게임에서도 실제 윷놀이의 확률이 적용되었을지를 궁금해 하고 있다.

오답풀이

① 〈보기〉에서 발표에서 언급되지 않았던 내용들에 대해 아쉬워하는 모습은 드러나지 않는다.
② 〈보기〉에서 발표의 내용을 사실과 의견으로 구분하는 모습은 드러나지 않는다.
③ 〈보기〉에서 발표 내용이 발표 목적에 부합하는지를 평가하는 모습은 드러나지 않는다.
⑤ 〈보기〉에서 발표 내용을 토대로 자신의 배경지식을 수정하는 모습은 드러나지 않는다.

[4~7] 화법과 작문

4 ① 정답률 88%

정답풀이

ㄱ.
학생은 '결국 제품의 소리가 제품의 이미지를 형성하기 때문에 사운드 디자인이 중요한 것이군요. 제 말이 맞나요?'에서 대화 상대방인 선배가 한 말을 요약하면서, 자신의 이해가 맞는지를 물어보며 점검하고 있다.
ㄴ.
학생은 '이 소리는 가짜 엔진 소리인데, 실제 자동차의 엔진 소리를 녹음하여 만든 겁니다.'라는 선배의 말에 대해 '가짜 엔진 소리요? 그건 왜 필요한지 말씀해 주세요.'라며 의문을 표하고 구체적인 설명을 요청하고 있다.

오답풀이

ㄷ.
학생이 상대방의 말이 사전에 조사한 내용과 일치하는지 확인하고 있지는 않다.
ㄹ.
학생이 상대방의 답변 내용 중에서 모르는 용어의 개념을 묻고 있지는 않다.

5 ① 정답률 81%

정답풀이

[A]에서는 '방금 전에 소리를 들었을 때 뭐가 제일 먼저 떠올랐나요? 그 소리가 나는 제품이 자연스럽게 떠오르지 않았나요?'등의 발화를 통해 청자가 소리를 들은 경험을 떠올리게 하며 제조사가 사운드 디자인을 중요하게 인식하는 이유를 설명하고 있다. [B]에서는 '자동차의 안전을 위한 각종 경보음', '휴대폰 벨 소리', '가짜 엔진 소리'라는 구체적인 사례를 들려주며 사운드 디자이너들이 소리를 만드는 방법을 설명하고 있다.

오답풀이

② [A]에서 청자에게 질문을 하고 있지만 청자의 반응을 구체적으로 확인하지는 않는다. 또한 [B]에서 전문가의 말을 인용하고 있지는 않다.

8 회

③ [A]에서 청자에게 질문을 통해 청자의 참여를 이끌어낸다고 볼 수 있으나, [B]에서 일상적 상황을 가정하고 있지는 않다.
④ [B]에서 다양한 소리를 들려주는 것을 추가적인 정보를 제시하며 설명하는 것으로 볼 수는 있으나, [A]에서 청자의 주의를 당부하고 있지는 않다.
⑤ [A]에서 청자에게 질문을 통해 청자의 관심을 유도한다고 볼 수 있으나, [B]에서 기기의 작동 원리를 제시하고 있지는 않다.

6 ③ 정답률 72%

정답풀이

〈보기〉에서 '빈칸에 들어갈 내용은 (나)의 집필에 반영된 의견으로, '인터뷰에는 없지'만 언급해 주면 '친구들이 진로를 탐색하는 데 도움이 될 수 있'는 것이어야 한다. 이를 고려하면, 빈칸에 들어갈 내용으로 적절한 것은 (나)의 4문단에서 제시한 '사운드 디자이너와 관련된 전공 학과'이다.

오답풀이

①, ②, ⑤ '사운드 디자이너의 작업 과정' '사운드 디자이너로서 갖는 보람,' '사운드 디자이너라는 직업이 생긴 배경'은 인터뷰인 (가)와 초고인 (나)에 없는 내용이다.
④ (가)에서 언급한 '전자 제품', '영화나 게임'에 사운드 디자이너가 필요하다는 내용은 (가)에는 있으나 (나)에는 없는 내용이므로 (나)에 대한 조언의 빈칸에 들어가기 어렵다.

7 ④ 정답률 84%

정답풀이

제품에 어울리도록 디자인된 사운드를 '매력적인 옷'으로, 사운드 디자이너를 '소리의 마법사'로 빗대어 비유적으로 표현하고 있으며, '제품에 매력적인 옷을 입히는'에서 사운드 디자이너의 역할이 드러난다.

오답풀이

① 비유법이 활용되지 않았으며, 사운드 디자이너가 하는 역할 또한 드러나지 않았다.
② '연결 고리'에서 비유법을 활용하였으나, 사운드 디자이너가 하는 역할은 드러나지 않는다.
③ '소리의 샘'에서 비유법을 활용하였으나, 사운드 디자이너가 하는 역할은 드러나지 않는다.
⑤ '세상에 없는 소리를 찾아서'를 사운드 디자이너가 하는 역할이라고 볼 여지가 있으나, 비유법이 활용되지 않았다.

[8~10] 작문

8 ④ 정답률 80%

정답풀이

초고의 3문단에서 군산의 채만식 문학관에 방문하여 '작품과 관련된 자료들을 둘러'본 것과 '『탁류』의 내용을 원고지에 필사'했다고 하였지만 채만식 문학관에서 들은 내용이 제시되지는 않았다.

오답풀이

① 1문단의 '국어 시간에 배운 채만식 소설 『탁류』의 배경이 된 군산 답사를 통해 그의 삶과 문학에 한 발자국 다가서고 싶었기 때문이었다.'에서 군산을 답사지로 택한 이유가 드러난다.
② 2문단에서 '익산행 기차'를 타고 '익산역에 내려 버스로 갈아'타서 '군산에 도착'하기까지의 여정이 제시되고 있다.
③ 2문단의 '바둑판 모양으로 정리된 길과 일본식 가옥의 모습은~꽃망울을 터트리고 있었다.'에서 군산 거리의 모습을 구체적으로 묘사하고 있다.
⑤ 5문단의 '금강이 바다와 만나 혼탁해진 물빛을 바라보며~삶의 질곡이 피부로 느꼈다.'에서 군산항에서 금강을 바라보며 느낀 감상을 제시하고 있다.

9 ⑤ 정답률 60%

정답풀이

(가)의 시각 자료는 일제 강점기의 쌀 수탈량을 보여 주는데, 이를 통해 군산이 40.2%로 수탈량이 가장 많았음을 확인할 수 있다. (나)의 인터뷰 자료는 『탁류』의 배경이 된 일제 강점기 군산에 투기, 사기, 고리대금업 등이 횡행하여 혼란스러웠음을 보여 주고 있다. 따라서 군산이 소설의 배경으로 그려질 수 있었던 개연성을 언급하는 자료로 (가)와 (나)를 활용할 수 있다.

오답풀이

① (가)와 (나)는 군산 답사 일정을 정하게 된 계기와 관련이 없다.
② 일본식 주거 문화와 (가)와 (나)의 관련성은 확인할 수 없다.
③ (가)와 (나)에서 일본의 쌀 수탈량이 점점 증가하는 양상은 확인할 수 없다.
④ (가)와 (나)에서 미두장의 전국적 분포와 그로 인한 폐해는 확인할 수 없다.

10 ② 정답률 80%

정답풀이

㉡(그런데)이라는 접속 부사는 앞의 내용과 다른 방향으로 화제를 이끌어 나갈 때 쓰인다. 하지만 ㉡의 앞뒤 내용은 순차적으로 진행되므로 앞의 내용이 뒤의 내용의 원인, 근거, 조건인 경우에 쓰이는 '그래서'가 아니라 '그리고'로 고쳐 쓰는 것이 적절하다.

오답풀이

① '마음이 가라앉지 아니하고 들떠서 두근거리다.'라는 의미를 지닌 단어의 기본형은 '설레이다'가 아니라 '설레다'이므로, ㉠(설레이는)은 '설레는'으로 고쳐야 한다.
③ ㉢(역사에)의 '에'는 부사격 조사이므로 뒤에 있는 명사인 '수탈'을 수식할 수 있도록 관형격 조사 '의'가 붙은 '역사의'로 고쳐야 한다.
④ '재현'은 '다시 나타남. 또는 다시 나타냄'의 뜻으로 '다시'라는 의미를 가지고 있으므로, ㉣(다시 재현한)에서 중복되는 의미인 '다시'를 삭제해야 한다.
⑤ ㉤(느꼈다)가 쓰인 문장의 주어는 '질곡이'이다. '질곡이 피부로 느꼈다.'는 주어와 서술어의 호응이 적절하지 않으므로 '질곡이 피부로 느껴졌다'로 고쳐야 한다.

[11~15] 문법(언어)

11 ② 정답률 80%

정답풀이

'색연필'이 '[색년필→생년필]'로 바뀌는 과정을 살펴 보면, [색년필]이 될 때는 ㄴ 첨가(첨가)가, [생년필]이 될 때는 비음화(교체)가 일어난다. 즉 '첨가와 교체(㉠)'가 각각 한 번씩 일어난 것으로, 0인 별표(★)를 기준으로 첨가로 인해 위쪽으로 한 칸, 교체로 인해 오른쪽으로 한 칸 이동하여 ㉯(㉡)에 위치한다.

12 ④ 정답률 71%

정답풀이

'내리지 않았다'는 ㉠('-지 아니하다'와 '-지 못하다' 등을 사용해서 길게 표현)에 해당하는 '-지 않았다(아니하다)'가 사용되었으며, '비가 내리지 않았다'는 능력이나 의지 부정이 아니라 자연 현상이므로 ㉡(단순히 사실이나 상태를 부정하는 의미로도 해석)이 적용되었다고 볼 수 있다.

오답풀이

① '두 평이 채 못 된다'는 부정 부사 '못'이 쓰인 짧은 부정 표현이므로 ㉠이 적용되었다고 볼 수 없다. 다만 묵은 방이 두 평이 되지 않는다는 사실에 대한 부정이므로 ㉡은 적용되었다.
② '간식을 안 먹었다'는 부정 부사 '안'이 쓰인 짧은 부정 표현이므로 ㉠이 적용되었다고 볼 수 없다. 또한 '나'라는 주체의 의지를 부정한 것이므로 ㉡이 적용되었다고 볼 수 없다.
③ '잘하지 못했다'는 '-지 못하다'를 사용하였으므로 ㉠이 적용되었으나, 능력을 부정한 것이므로 ㉡이 적용되었다고 볼 수 없다.
⑤ '나가지 않았다'는 '-지 않았다'를 사용하였으므로 ㉠이 적용되었으나, 의지를 부정한 것이므로 ㉡이 적용되었다고 볼 수 없다.

13 ② 정답률 86%

정답풀이

〈보기〉의 ㉠에는 앞에서 '단어가 활용될 때'라는 조건이 나타나며, 뒤에서 '어간'이라 언급하고 있기 때문에 ㉠에는 어간의 특징이 들어가야 한다. 2문단에서 어간은 '형태가 변하지 않는 부분'이라고 했으므로 ㉠에는 '형태가 변하지 않는다'가 들어가야 적절하다. 한편 ㉡에는 '어근'의 특징이 들어가야 하는데 3문단에서 '어근은 단어를 구성할 때, 실질적 의미를 나타내는 부분'이라고 하였으므로 ㉡에는 '실질적 의미를 나타낸다'가 들어가야 적절하다.

오답풀이

① 2문단에 따르면 용언이 활용될 때 '형태가 변하는 부분'은 어미이다.

③ 3문단에 따르면 단어를 구성할 때 '의미를 덧붙여 주는' 부분은 접사이다.

④ 3문단에 따르면 의미를 덧붙여 주는 특징을 지닌 것은 단어가 활용될 때가 아니라 단어를 구성할 때의 접사이며, 2문단에 따르면 형태가 변한다는 특징을 지닌 것은 단어를 구성할 때가 아니라 단어가 활용될 때의 어미이다.

⑤ 3문단에 따르면 실질적 의미를 나타내는 특징을 지닌 것은 단어가 활용될 때가 아니라 단어를 구성할 때의 어근이며, 2문단에 따르면 형태가 변하지 않는다는 특징을 지닌 것은 단어를 구성할 때가 아니라 단어가 활용될 때의 어간이다.

14 ① 정답률 58%

정답풀이

[자료]의 예시 중 a(어간과 어근이 일치하는 단어)에 들어갈 수 있는 단어는 '자라다'이다. '자라다'는 '자라다, 자라고, 자라니'처럼 활용되는데, '자라-'는 어간이자, 실질적인 의미를 나타내는 어근이다. [자료]의 예시 중 b(어간과 어근이 일치하지 않는 단어, 어근에 접사가 결합한 단어)에 들어갈 수 있는 단어는 '먹히다', '치솟다', '휘감다'이다. '먹히다'는 '먹히고, 먹히니' 등으로 활용되어 '먹히-'가 어간이며, 실질적인 의미를 나타내는 어근 '먹-'에 접사 '-히-'가 결합한 것으로 어간과 어근이 일치하지 않는 단어이다. '치솟다'는 '치솟고, 치솟아' 등으로 활용되어 '치솟-'이 어간이며, 실질적인 의미를 나타내는 어근 '솟-'에 접사 '치-'가 결합한 것으로 어간과 어근이 일치하지 않는 단어이다. '휘감다'는 '휘감고, 휘감아' 등으로 활용되어 '휘감-'이 어간이며, 실질적인 의미를 나타내는 어근 '감-'에 접사 '휘-'가 결합한 것으로 어간과 어근이 일치하지 않는 단어이다.
[자료]의 예시 중 c(어간과 어근이 일치하지 않는 단어, 둘 이상의 어근이 결합한 단어)에 들어갈 수 있는 단어는 '검붉다'이다. '검붉다'는 '검붉어, 검붉고' 등으로 활용되어 '검붉-'이 어간이며, 실질적인 의미를 나타내는 어근 '검-'과 '붉-'이 결합한 것으로 어간과 어근이 일치하지 않는 단어이다. 따라서 '휘감다'는 a가 아니라 b에 들어갈 단어라고 보아야 적절하다.

15 ① 정답률 72%

정답풀이

'산책을'은 '산책(체언) + 을(목적격 조사)'로 분석할 수 있으므로, ㄱ(체언 + 특정한 의미를 더해 주는 보조사)의 예가 아닌 '체언 + 목적격 조사 '을/를''의 예이다.

오답풀이

② '이사도'는 '이사(체언) + 도(보조사)'로 분석할 수 있다. 이때 '도'는 이미 어떤 것이 포함되고 그 위에 더함의 뜻을 나타내는 보조사이다.

③ '꽃구경'은 '꽃구경(체언)'이 '체언 단독'의 형태로 쓰인 것이다.

④ '배낭여행'은 '배낭여행(체언)'이 '체언 단독'의 형태로 쓰인 것이다.

⑤ '한길만을'은 '한길(체언) + 만(보조사) +을(목적격 조사)'로 분석할 수 있다. 이때 '만'은 다른 것으로부터 제한하여 어느 것을 한정함을 나타내는 보조사이다.

[16~21] **과학**

16 ③ 정답률 75%

정답풀이

8문단에서 '베르니케-게쉬윈드 모형은 이전의 모형과 달리 듣기와 말하기뿐만 아니라 읽기와 쓰기에 대해서도 종합적인 설명을 제시하고 있다는 점에서 오늘날 뇌의 언어 처리 과정을 설명하는 표준형으로 평가받는다.'라고 했는데, 5문단에 따르면 '베르니케-게쉬윈드 모형'은 베르니케가 아니라 게쉬윈드가 제시한 모형이다.

오답풀이

① 1문단에서 '실어증이란 후천적인 뇌 손상으로 인해 언어의 표현과 이해에 장애가 발생하는 것'이라고 하였다.

② 2문단에서 '실어증 환자들의 뇌 손상 부위와 증상을 연구하는 과정에서 인간의 언어 처리 과정'과 '관련된 이론이 발전해 왔'다고 하였다.

④ 3문단과 5문단에 따르면 최초의 결합주의 이론인 '베르니케 모형'에서는 언어 중추를 베르니케 영역과 브로카 영역으로, 이후의 '리시트하임 모형'에서는 베르니케 영역, 브로카 영역, 개념 중심부의 세 영역으로, '베르니케-게쉬윈드 모형'에서는 베르니케 영역, 브로카 영역, 운동 영역, 각회라는 네 개의 언어 중추를 설정하고 있으므로 언어 처리 과정에 대한 이론이 발전됨에 따라 설정되는 언어 중추의 개수가 많아진다고 할 수 있다.

⑤ 3문단에 따르면 '의미를 형성하거나 해석하는 언어 중추'는 '개념 중심부'인데 4문단에서 리시트하임은 '개념 중심부를 새롭게 추가하였으나 그것의 정확한 위치를 규명하지는 못하였다.'라고 하였다.

17 ⑤ 정답률 60%

정답풀이

3문단에 따르면 ㉠('리시트하임 모형')에서 '베르니케 영역은 일종의 머릿속 사전으로, 단어가 소리의 형태로 저장되어 있는 언어 중추'이며, 5문단에 따르면 ㉡('베르니케-게쉬윈드 모형')에서의 '베르니케 영역'도 '청각 형태로 단어가 저장되어 있'다.

오답풀이

① 4문단에서 '실제로 말하기 위해서는 발음 기관을 움직여 소리를 만드는 과정이 필요한데 그의 모형(리시트하임 모형)에는 그러한 과정이 드러나 있지 않다.'라고 했으므로 ㉠은 실제 발음 기관을 움직여 소리를 만드는 과정에 대한 설명이 불가능하다.

② 5문단에서 ㉡을 제시한 게쉬윈드는 '청각 자극을 수용하는 기본 청각 영역과 시각 자극을 수용하는 기본 시각 영역, 그리고 베르니케 영역, 브로카 영역, 운동 영역, 각회라는 네 개의 언어 중추를 중심으로 언어 처리 과정을 설명하고 있다.'라고 하였다. 즉 언어 중추에 해당하는 영역은 베르니케 영역, 브로카 영역, 운동 영역, 각회이며, ㉡이 기본 시각 영역, 기본 청각 영역을 새로운 언어 중추로 추가한 것은 아니다.

③ 4문단에 따르면 ㉠은 '듣기와 말하기 과정'에 대한 설명만 가능하며, 8문단에 따르면 ㉡은 '듣기와 말하기뿐만 아니라 읽기와 쓰기에 대해서도 종합적인 설명을 제시'한다.

④ 4문단에서 ㉠은 '귀로 들어온 청각 자극'을 '베르니케 영역으로 송부'한다고 했으며, 7문단에서 ㉡의 '듣기 과정은 '기본 청각 영역→베르니케 영역'의 순서로 이루어진다.'라고 했다. 따라서 ㉠, ㉡ 모두 귀로 들어온 청각 자극이 베르니케 영역으로 송부된다고 볼 수 있다.

18 ④ 정답률 56%

정답풀이

3문단에서 '베르니케 영역에서 개념 중심부로, 개념 중심부에서 브로카 영역으로는 일방향으로 정보가 이동하지만, 브로카 영역과 베르니케 영역 간에는 쌍방향으로 정보가 이동한다는 특징이 있다.'라고 하였으며, 4문단에서 '말하기 과정은 '개념 중심부→브로카 영역→베르니케 영역→브로카 영역'과 같이 브로카 영역을 두 번 거치는 복잡한 순서(㉮)'로 이루어진다고 하였다. 즉 베르니케 영역에서 개념 중심부로는 일방향으로 정보가 이동할 뿐, 개념 중심부에서 베르니케 영역으로는 정보가 이동할 수 없어 ㉮와 같은 과정이 나타나는 것이다.

오답풀이

① 4문단에의 '듣기 과정은 '베르니케 영역→개념 중심부'의 순서로 이루어진다.'를 통해 베르니케 영역에서 개념 중심부로 직접 정보를 송부하는 것은 '듣기 과정'이지, ㉮가 나타나는 '말하기 과정'이 아님을 알 수 있다.

8
회

② 3문단에서 '개념 중심부에서 브로카 영역으로는 일방향으로 정보가 이동'한다고 했으므로, 브로카 영역과 개념 중심부 사이의 정보가 쌍방향으로 송부된다는 내용은 적절하지 않다.
③ 3문단에서 '개념 중심부에서 브로카 영역으로는 일방향으로 정보가 이동'한다고 했으므로, 개념 중심부에서 브로카 영역으로 정보를 직접 송부하지 못한다는 내용은 적절하지 않다.
⑤ 3문단에 따르면 '브로카 영역과 베르니케 영역 간에는 쌍방향으로 정보가 이동'하지만 이는 ㉮의 이유로 볼 수 없다. 만약 개념 중심부에서 베르니케 영역으로 정보가 직접 송부될 수 있다면, 브로카 영역을 거칠 필요는 없기 때문이다.

19 ③ 정답률 59%

정답풀이

7문단에서 '각회(나)에서 처리된 정보는 베르니케 영역(다)으로 송부되어 읽기의 경우에는 의미를 해석하고, 쓰기의 경우에는 바로 다음 단계인 브로카 영역(라)으로 정보를 송부한다.'라고 했으므로 '쓰기 과정'에서 (다)가 의미를 해석한다고 볼 수는 없다.

오답풀이

① 5문단에서 베르니케 영역(가)은 '말하기와 쓰기에서는 의미를 형성한 뒤 해당 단어를 찾는 역할을 한다고' 했다.
② 6문단에서 각회(나)는 '쓰기에서는 청각 형태의 정보를 시각 형태로 전환하여 베르니케 영역으로 송부하는 역할을 한다고' 했다.
④ 6문단에서 브로카 영역(라)은 '쓰기에 필요한 운동 프로그램을 만들어 운동 영역으로 송부하는 역할'을 한다고 했다.
⑤ 6문단에서 '운동 영역(마)은 브로카 영역에서 받은 운동 프로그램에 근거하여 말하기나 쓰기에 필요한 신경적 지시를 내리는 기능을 담당한다고' 했다.

20 ⑤ 정답률 65%

정답풀이

〈보기〉의 실어증 환자는 단어를 조합하여 문장을 잘 만들지 못하고 있다. 3문단에 따르면 리시트하임(A)은 '브로카 영역은 단어를 조합하여 문장이나 발화를 생성하는 언어 중추'라고 하였으며, 6문단에 따르면 게쉬윈드(B)는 '브로카 영역에는 단어를 조합하여 문장이나 발화를 생성하는 역할'이 있다고 했으므로 A와 B는 〈보기〉의 실어증 환자에 대해 모두 브로카 영역이 손상되었다고 진단할 것이다.

오답풀이

① 3문단에 따르면 A는 '베르니케 영역은 일종의 머릿속 사전으로, 단어가 소리의 형태로 저장되어 있는 언어 중추'라고 하였으므로 〈보기〉의 실어증 환자가 베르니케 영역이 손상되었다고 진단하지는 않을 것이다.
② A와 B 모두 〈보기〉의 실어증 환자가 브로카 영역이 손상되었다고 진단할 것이다.
③ 5문단에 따르면 B는 '베르니케 영역은 듣기와 읽기에서는 수용된 자극에 해당하는 단어를 찾아 의미를 해석하고, 말하기와 쓰기에서는 의미를 형성한 뒤 해당 단어를 찾는 역할을 한다고' 했으므로, 〈보기〉의 실어증 환자가 베르니케 영역이 손상되었다고 진단하지는 않을 것이다.
④ 3문단에 따르면 A는 '개념 중심부는 의미를 형성하거나 해석하는 언어 중추'라고 했으므로 〈보기〉의 실어증 환자가 개념 중심부가 손상되었다고 진단하지는 않을 것이다.

21 ② 정답률 87%

정답풀이

ⓑ(대두되면서)는 '어떤 세력이나 현상이 새롭게 나타나게 되다.'라는 뜻이므로 '관심이나 시선 따위를 하나의 대상에서 다른 대상으로 돌리게 되다'라는 뜻의 '옮겨지면서'로 바꿔 쓰는 것은 적절하지 않다.

오답풀이

① ⓐ(명명하고)는 '사람, 사물, 사건 따위의 대상에 이름을 지어 붙이다.'라는 뜻이므로, '이름 붙이고'로 바꿔 쓸 수 있다.
③ ⓒ(수용하는)는 '어떠한 것을 받아들이다.'라는 뜻이므로, '받아들이는'으로 바꿔 쓸 수 있다.
④ ⓓ(담당한다고)는 '어떤 일을 맡다.'라는 뜻이므로, '맡는다고'로 바꿔 쓸 수 있다.
⑤ ⓔ(의거하면)는 '어떤 사실이나 원리 따위에 근거하다.'라는 뜻이므로, '어떤 경우, 사실이나 기준 따위에 의거하다.'라는 뜻인 '따르면'과 바꿔 쓸 수 있다.

[22~26] 고전시가+현대수필

22 ① 정답률 67%

정답풀이

(가)의 〈제2수〉에서 '검기', 〈제3수〉에서 '푸르는 듯 누르나니', 〈제5수〉에서 '푸르니'와 같은 색채어를 통해, (나)에서는 '흑갈색 잔뿌리', '검은 흙', '샛노란 꽃', '진한 황금색' 등과 같은 색채어를 통해 '나'가 바라보는 대상들을 감각적으로 묘사하고 있다.

오답풀이

② (가)에서는 〈제4수〉의 '눈서리를 모르느냐', 〈제6수〉의 '너만한 이 또 있느냐' 등에 설의적 표현이 나타나지만, 이를 통해 화자의 예찬적 정서가 드러날 뿐, 그리움을 강조하지는 않는다. 한편 (나)에서는 설의적 표현이 드러나지 않는다.
③ (나)에서는 '축 처진'의 '축', '활짝 핀다.'의 '활짝' 등에서 음성 상징어를 사용해 나의 집 마당 풍경을 생동감 있게 그렸다고 볼 수 있으나, (가)에서는 음성 상징어가 나타나지 않는다.
④ (가)에서는 〈제4수〉의 '솔아 너는 어찌 눈서리를 모르느냐.'에서 화자가 솔에게 말을 건네며 애정과 유대감을 드러내고 있음을 확인할 수 있다. 그러나 (나)에서는 자연물에게 말을 건네는 방식이 드러나지 않는다.
⑤ (가)와 (나) 모두 반어적 표현을 사용하지는 않았다.

23 ③ 정답률 80%

정답풀이

〈보기〉에서 '사물의 속성을 인식하는 것은 사물의 모습에서 추상적인 의미를 발견해 내는 것'인데, '관찰된 겉모습은 사물의 속성을 인식하는 데 도움이 되기도 하지만, 경우에 따라서는 방해'가 된다고 하였다. (가)의 화자는 〈제6수〉에서 '높이 떠서 만물을 다 비추'는 달을 관찰하며 밤중에 광명을 비추는 존재로서 달을 인식하고 있다. 또한 '보고도 말 아니 하'는 과묵함을 달의 속성으로 인식하는데, 이때 '달'이 높이 떠 있는 것이 과묵함이라는 속성과 상충하지는 않으므로 화자가 인식하는 데 방해가 된다고 생각한다는 설명은 적절하지 않다.

오답풀이

① (가)의 〈제4수〉에서 '솔'은 '더우면 꽃 피고 추우면 잎 지'는 대상들과 달리 '눈서리'라는 시련에도 굴하지 않는 굳건함을 가지고 있으므로, 화자는 이를 솔의 속성으로 인식했다고 볼 수 있다.
② (가)의 〈제5수〉에서 '곧기는 뉘 시키며', '사시에 푸르니'에서는 곧고 사계절 푸른 모습을 잃지 않는 대나무의 모습이 나타나므로, 화자가 본모습을 지켜 나가는 꿋꿋함을 '대나무'의 속성으로 인식했다고 볼 수 있다.
④ (나)의 '나'는 나누어 받은 복수초를 '하찮은 잡초'로 여기고 복수초를 기억하지 못하다가 3월에서야 '두터운 눈을 녹이고 더욱 샛노랗게 더욱 싱싱하게 해를 보'는 복수초의 모습을 알게 된다. 즉 '나'는 복수초의 겉모습으로 인해 '눈 속에서 핀다'는 강인한 속성을 한동안 인식하지 못했던 것이다.
⑤ (나)의 '나'는 '눈의 무게를 이기지 못해 꺾인 듯이 축 처진 소나무 가지를 바라보면서' '복수초'의 '속절없음을 생각'하지만, 눈을 '제일 먼저 녹'인 것이 복수초라는 것을 발견하고 역경을 이겨 내는 생명력을 '복수초'의 속성으로 인식하고 있다.

24 ④ 정답률 67%

정답풀이

B의 중심 소재는 '물(수)'과 '바위(석)'이며 C의 중심 소재는 '솔(송)'과 '죽', D의 중심 소재는 '달'인데, 이는 모두 A에서 언급된 '내 벗'으로 화자의 시선이 향하는 대상이다. D에서도 화자의 시선은 '달'에 있으므로 화자의 시선이 내면으로 이동했다고 볼 수 없다.

오답풀이

① A에서는 다섯 벗을 '수석', '송죽', '달'로 묶어 제시하고 있다. 이때 '수석'은 무생물로, '송죽'은 생물로, '달'은 천상의 자연물로 볼 수 있다.
② B의 〈제2수〉에서는 변하는 '구름', '바람'과 변하지 않는 '물'의 대조를 통해, 〈제3수〉에서는 변하는 '꽃', '풀'과 변하지 않는 '솔'의 대조를 통해 '물'과 '솔'이라는 중심 소재를 예찬하고 있다.
③ B의 〈제2수〉와 〈제3수〉에서는 초장과 중장이 서로 대구를 이룬다. 또한 C의 〈제4수〉에서는 초장에서, 〈제5수〉에서는 초장, 중장에서 대구가 나타난다. 따라서 대구의 방법을 활용한 시적 운율감이 B에서 C로 이어진다고 볼 수 있다.
⑤ A에서는 '수', '석', '송', '죽', '달'이라는 중심 소재를 언급하였는데, 이것이 각각 B, C, D의 〈제2수〉~〈제6수〉에서 순차적으로 배치되고 있다.

25 ③ 정답률 51%

정답풀이

(가)의 화자는 〈제3수〉의 ㉠(꽃은 무슨 일로 피면서 쉬이 지고)에서는 쉽게 변하는 속성을 가진 '꽃'과 변치 않는 '바위'를 대조시키고 있다. 따라서 변치 않는 '바위'를 예찬하는 한편, 피었다가 쉽게 지는 '꽃'에 대해서는 부정적으로 인식하며 거리감을 드러낸다고 볼 수 있다. 한편 (나)의 글쓴이는 ㉡(고 작은 풀꽃의~해를 보고 있었다.)에서 '두터운 눈을 녹이고 더욱 샛노랗게 더욱 싱싱하게 해를 보'는 복수초의 생명력을 긍정하며, 복수초를 '고 작은 풀꽃'이라 일컬으면서 친근감을 드러낸다.

오답풀이

① (가)의 화자는 쉽게 지는 '꽃'을 부정적으로 인식하므로 ㉠에 화자의 동질감이 드러난다고 볼 수 없다. 또한 (나)의 글쓴이는 눈을 녹인 '복수초'의 생명력을 기특하게 생각하므로 ㉡에 글쓴이의 이질감이 나타난다고 볼 수 없다.
② (가)의 ㉠에는 '꽃'에 대한 화자의 안도감이 드러나지 않고, (나)의 ㉡에도 '꽃'에 대한 글쓴이의 불안감이 나타나지 않는다.
④ (가)의 ㉠에 변치 않는 '바위'와 달리 쉽게 지는 '꽃'에 대해 화자의 안타까움이 담겨 있다고 볼 여지가 있으나, (나)의 ㉡에는 '꽃'에 대한 글쓴이의 애상감이 드러나지 않는다.
⑤ (나)의 글쓴이는 눈을 녹인 '복수초'의 생명력을 기특하게 생각하므로, ㉡에 글쓴이의 만족감이 드러난다고 볼 수 있다. 그러나 (가)의 ㉠에는 '꽃'에 대한 화자의 자괴감이 나타나 있지 않다.

26 ④ 정답률 83%

정답풀이

(나)의 글쓴이는 마당의 꽃들이 피는 순서에 따라 번호를 매기고 있다. 번호를 매긴 꽃들은 크기가 작거나 흔한 것들까지 포함되는데, 이에 대해 글쓴이는 '그것들(꽃들)을 기다리고 마중하'다보니 ⓐ(출석부)가 머릿속에 생겼다고 했으므로, ⓐ에는 자연의 질서에 따라 차례대로 피고 지는 꽃들에 대한 글쓴이의 애정과 기대감이 담겨 있다고 볼 수 있다.

오답풀이

① 더 많은 종류의 꽃들을 마당에 심고 싶어 하는 글쓴이의 소망은 (나)에 드러나지 않는다.
② 글쓴이는 작은 꽃들인 복수초, 제비꽃 등에 번호를 매기며 애정을 드러내고 있으며, 소박한 꽃보다 화려한 꽃의 가치를 우선시하는 모습이나 이러한 모습을 돌아보는 태도는 (나)에 드러나지 않는다.
③ 봄이 빨리 오기를 기다리는 글쓴이의 조급함은 (나)에 드러나지 않는다.
⑤ (나)의 글쓴이는 '손님'에게 복수초를 구경시키고 있다. 이를 통해 마당에 핀 꽃들을 주변 사람들과 함께 즐기기를 바라는 마음이 드러나지만, 이는 ⓐ의 의미와 관련이 없다.

[27~30] **현대소설**

27 ② 정답률 72%

정답풀이

'나'는 도라꾸 아저씨에게 '그란데 도라꾸 아저씨는 아까 왜 멧돼지를 안 죽였어여? 아저씨도 쏠 수 있었잖아여?'라고 질문하고, 이에 대해 도라꾸 아저씨는 과거에 자신이 멧돼지를 사냥한 경험을 회상하며 '나'의 질문에 대해 답을 해 주므로 인물의 회상을 통해 과거와 현재를 매개하는 경험을 전달한다고 할 수 있다.

오답풀이

① 윗글은 도라꾸 아저씨의 발화를 통해 과거가 회상될 뿐, 장면이 빈번하게 전환된다고 볼 수는 없다.
③ 윗글에서 우리는 '숲길'을 걷다가 '리기다소나무 숲을 빠져나'오고 있으므로 공간의 이동이 드러난다고 볼 수 있으나, 윗글에서 인물 간의 갈등이 드러나지는 않으므로 이에 따라 인물 간의 갈등이 해소된다고 볼 수는 없다.
④ 윗글의 '새끼만 노리고 다섯 마리쯤 죽인 뒤에 도라꾸 아저씨는~다시 능선을 따라 돌아오기 시작했다.'에서 요약적 서술이 드러나며, 요약적 서술 앞뒤로 도라꾸 아저씨의 대화가 나타나므로 서술과 대화가 교차한다고 볼 수 있으나, 이를 통해 사건이 반전되는 양상이 나타나지는 않는다.
⑤ 윗글에서 인물의 내면 심리를 묘사한 부분이 드러나지 않으므로, 이를 통해 현실에 대한 부정적 인식을 보여 준다고 할 수 없다.

28 ② 정답률 42%

정답풀이

윗글에서 도라꾸 아저씨가 엽견 호식이가 어미 멧돼지가 도망가지 못 하게 새끼 멧돼지를 이용하였다고 하자, 삼촌은 '저게 원체 영물이라 캉께.'라고 말한다. 즉 삼촌은 사냥견 호식이가 어미 멧돼지를 잡기 위해 새끼 멧돼지를 이용했다는 점에서 영물이라고 한 것일 뿐, 호식이가 자신을 닮았다는 점에서 영물이라고 부른 것은 아니다.

오답풀이

① '감정 정리를 하는지 삼촌의 만담도 더 이상 이어지지 않았으므로'를 통해 앞서 삼촌이 만담을 했음을 알 수 있다. 그리고 '조금 전까지 사랑이 어쩌네 수면제가 어쩌네 징징거리던'에서 삼촌이 한 만담의 내용이 사랑과 관련된 내용임을 짐작할 수 있으므로, 삼촌은 '나'에게 사랑에 관한 자신의 이야기를 들려주었음을 알 수 있다.
③ '불질 잘한다고 알려지만 여기저기서 해수구제해 달라고 부르는 일이 많다 캉께. 가서 잡아 주만 영웅 되고 참 재미나지.'라는 도라꾸 아저씨의 말을 통해 도라꾸 아저씨는 사람들에게 능력을 인정받던 사냥꾼임을 알 수 있다.
④ [이전 줄거리]에서 '도라꾸 아저씨는 부상당한 삼촌을 업고 숲길을 걷는다.'라고 하였으며, 이어지는 '우리는 리기다소나무 숲을 빠져나왔다.', '삼촌을 등에 업은 도라꾸 아저씨는 지친 기색도 없이 눈 쌓인 산길을 터벅터벅 걸어 내려갔다.' 등의 서술을 통해 도라꾸 아저씨는 부상당한 삼촌을 등에 업고 리기다소나무 숲을 빠져나온 것을 알 수 있다.
⑤ 도라꾸 아저씨는 과거에 새끼를 잃고 난 어미 멧돼지의 눈을 본 뒤 더 이상 사냥을 하지 않는다. 또한 도라꾸 아저씨는 자기가 삼촌을 좋아하는 이유에 대해 '멧돼지 눈 보고 옛날 애인 생각나서 총 못 쏜다 카는 사람'이기 때문이라고 하므로 도라꾸 아저씨는 삼촌의 심정을 이해한다고 볼 수 있다.

오답률 Best ❸

윗글의 '삼촌이 주인을 닮아 어디가 부러졌는지 오른쪽 뒷발을 들고 껑충껑충 뛰어가는 놈을 가리켜 영물 운운했다.'라는 서술의 주체는 '나'야. 즉 '나'가 다쳤는지 오른쪽 뒷발을 들며 걷는 엽견 호식이와 부상당해 도라꾸 아저씨에게 업힌 삼촌을 보며 이들이 닮았다고 한 것일 뿐, 삼촌이 엽견 호식이가 자신을 닮았다는 점에서 영물이라 부른 것은 아니야. 도라꾸 아저씨가 '호식이가 새끼 관절 물고 늘어진 모양이라. 그라만 어미가 도망 몬 가거든. 엽견 중에는 그런 짓 하는 놈들 참 많아여.'라고 말한 것에 대해 삼촌이 '저게 원체 영물이라 캉께.'라고 대답해. 즉 삼촌은 새끼 멧돼지를 이용해서 어미 멧돼지를 사냥한 모습에서 호식이를 '영물'이라 부른 것이지.

8 회

29 ③ 정답률 75%

정답풀이

도라꾸 아저씨는 멧돼지를 죽이지 않은 이유를 묻는 '나'에게 엽견 호식이가 새끼 멧돼지를 이용하여 어미 멧돼지를 도망가지 못하게 했다고 말한다. 이는 새끼 멧돼지의 생명을 이용해 어미 멧돼지를 사냥할 수는 없다는 의미를 내포하지만, '나'는 이러한 도라꾸 아저씨의 말을 이해하지 못하여 ㉠(영 딴소리)이라고 생각했다. 그리고 도라꾸 아저씨는 과거 멧돼지 사냥에서 쏴 죽인 것이 무엇인지 묻는 '나'에게 자기 자신을 쏴 죽인 것이라 말하는데 이는 생명을 수단으로 여기며 생명의 소중함을 저버린 과거 자신의 모습을 가리켜 대답한 것으로 볼 수 있다. 그러나 '나'는 이 또한 ㉡(또 딴소리)이라고 생각하므로 ㉠, ㉡을 통해 '나'가 그 말을 이해하지 못하고 있음이 드러난다.

오답풀이

① ㉡에는 자신의 질문에 엉뚱한 대답을 한다고 생각하는 '나'의 마음이 드러나므로 불신감을 나타낸다고 볼 수 있지만, ㉠에 '나'의 놀라움이 드러나지는 않는다.
② 윗글에서 도라꾸 아저씨가 '나'의 질문을 막는 모습은 드러나지 않는다.
④ ㉠에서 '나'는 도라꾸 아저씨의 의중을 이해하지 못하는데, ㉡의 '또'는 아저씨가 딴소리를 계속하고 있다는 뜻이므로, '나'의 냉소적 태도가 약화된다고 보기는 어렵다.
⑤ ㉠에 '의심하고 두려워하는 마음'이 담겨 있다고 보기는 어렵다. 또한 ㉡은 ㉠에 담긴 의구심을 해소하는 실마리를 얻을 수 있으리라는 바람이 이루어진 상황이 아니다.

30 ⑤ 정답률 49%

정답풀이

〈보기〉에서는 도라꾸 아저씨가 새끼 멧돼지들의 죽음으로 인해 삶의 의지를 상실한 어미 멧돼지와 시선을 마주침으로써 한 생명을 다른 생명을 빼앗기 위한 수단으로 바라보는 관점에서 벗어나 '인간과 마찬가지로 자연 또한' 생명으로서 '동등한 가치를 지닌 존재'임을 깨닫게 된다고 하였다. 하지만 새끼 멧돼지의 생명을 수단으로 하여 어미 멧돼지의 생명을 빼앗는 사냥법을 '암수', 즉 속임수라고 한 것은 삼촌이 아니라 도라꾸 아저씨이므로 도라꾸 아저씨가 삼촌의 말에 동의한 것이라고 볼 수 없다.

오답풀이

① 〈보기〉에서 도라꾸 아저씨는 사냥 중 '자연을 도구로서의 가치만 지닌 타자로 대했'던 인식에 변화가 시작된다고 하였다. 과거에 도라꾸 아저씨는 새끼 멧돼지를 계속 죽여 어미 멧돼지를 잡으려고 했으나, 죽은 새끼 멧돼지들을 쫓아서 온 어미 멧돼지의 텅 빈 눈을 보고 한참을 쏘지 못했다고 말하였으므로, 어미 멧돼지와 시선을 마주한 것이 아저씨의 인식 변화의 계기가 되었다고 할 수 있다.
② 〈보기〉에서 도라꾸 아저씨는 '자연을 도구로서의 가치만 지닌 타자로 대했었다.'라고 하였다. 도라꾸 아저씨가 '불질 잘한다고 알려지만 여기저기서 해수구제 해 달라고 부르는 일이 많다캉께. 가서 잡아 주만 영웅 되고 참 재미나지.'라고 말한 것을 통해 그가 한때 공명심에 눈이 멀어 '해수구제'로 영웅 대접 받는 것을 재미나게 여겼다는 점을 알 수 있으며, 멧돼지를 사냥꾼으로서 자신의 명예를 높이기 위한 도구로 판단했었음을 알 수 있다.
③ 〈보기〉에서 도라꾸 아저씨는 사냥 중 '하나의 생명을 빼앗기 위해 또 다른 생명을 수단으로 삼은 행동이 잘못이었다는 것을 깨닫게 된'다고 하였다. 도라꾸 아저씨가 '산 것들 저래 살아가게 하는 일'이 '용기 있는 일'임을 그때 깨달았다고 한 것을 고려하면, 자신이 '한 번 죽었다'고 말한 것은 거침없이 새끼 멧돼지를 죽여서 어미 멧돼지를 잡으려고 한 자신의 사냥 행위가 잘못된 행동이었음을 깨달았다는 뜻임을 알 수 있다.
④ 〈보기〉에서 도라꾸 아저씨는 사냥 중 자신의 '행동이 잘못이었다는 것을 깨닫'고 '인간과 마찬가지로 자연 역시 동등한 가치를 지닌 존재라는 생태주의적 인식을 하게 된'다고 하였다. 도라꾸 아저씨가 과거 어미 멧돼지의 텅 빈 눈을 마주친 경험을 통해 자신의 행위를 반성하고, 더 이상 사냥을 하지 않는 모습은 자연 속에서 살아가는 모든 생명은 소중하다는 생태주의적 인식을 하게 된 것과 연관된다고 볼 수 있다.

오답률 Best ④

⑤번은 삼촌이 죽은 새끼를 이용해 어미 멧돼지를 잡는 사냥법을 암수라 한 것이며, 도라꾸 아저씨가 삼촌의 말에 동의한 것이라고 하였어. 그런데 '저게 원래 영물이라 캉께.'라고 삼촌이 말한 것에 대해 도라꾸 아저씨는 '하지만 그건 암수'이며 '그런 암수를 쓰면 안 되는' 것이라 말하고 있어. 즉 암수라고 말한 인물은 도라꾸 아저씨이므로 적절하지 않은 거지. 선지의 길이가 길 때에는 선지를 의미에 따라 끊어 읽으며 우선 사실 관계부터 판단해 보자.

[31~34] **예술**

31 ④ 정답률 80%

정답풀이

윗글에서 미래주의 회화가 발전해 온 과정은 나타나지 않는다.

오답풀이

① 1문단에서 미래주의는 '화가 발라, 조각가 보치오니, 건축가 상텔리아, 음악가 루솔로 등이 참여'했다고 하였다.
② 1문단에서 '당시 산업화에 뒤처진 이탈리아는 산업화에 대한 열망과 민족적 자존감을 고양시킬 수 있는 새로운 예술을 필요로 하였다. 이에 산업화의 특성인 속도와 운동에 주목하고 이를 예술적으로 표현하려는 미래주의가 등장하게 되었다.'라고 하였다.
③ 2문단에서 '미래주의 화가들은, 시간의 흐름에 따른 대상의 움직임을 하나의 화면에 표현하는 분할주의 기법을 사용'한다고 하였다.
⑤ 4문단에서 '미래주의 회화는 움직이는 대상의 속도와 운동이라는 미적 가치에 주목하여 새로운 미의식을 제시했다'고 하였다.

32 ② 정답률 50%

정답풀이

4문단에서 미래주의 회화는 '기존의 전통적인 서양 회화가 대상의 고정적인 모습에 주목'한 것과 달리 '움직이는 대상의 속도와 운동이라는 미적 가치에 주목'하였으며, '모빌과 같이 나무나 금속으로 만들어 입체적 조형물의 운동을 보여 주는 키네틱 아트가 등장'하는 데 ㉠(영감)을 제공했다고 하였다. 따라서 ㉠의 구체적인 내용은, 기존의 방식과 달리 미적 가치를 3차원에서 실제로 움직이는 대상을 통해 구현하려는 생각인 것으로 판단할 수 있다.

오답풀이

① 키네틱 아트가 움직이는 대상이 주는 아름다움을 최초로 작품화한 것인지는 윗글을 통해 확인할 수 없다.
③ 키네틱 아트가 사진의 촬영 기법을 회화에 접목시켰다는 내용은 윗글에서 확인할 수 없다.
④ 1문단에서 미래주의는 '산업화에 대한 열망'에서 등장하였다고 했으므로, 산업화를 긍정적으로 인식하였다고 볼 수 있다. 따라서 미래주의가 키네틱 아트의 등장에 제공한 영감의 내용이 산업사회의 역동적인 모습에서 벗어나려는 것이 될 수는 없다.
⑤ 키네틱 아트가 예술적 대상의 범위를 구체적인 대상에서 추상적인 대상으로 확대하여 작품을 창작하려 했는지는 윗글을 통해 확인할 수 없다.

오답률 Best ⑤

'영감'은 '창조적인 일의 계기가 되는 기발한 착상이나 자극'이라는 의미야. 4문단에서 미래주의 회화는 '키네틱 아트가 등장하는 데 영감(㉠)을 제공'하였다고 했으므로, 미래주의 회화가 키네틱 아트를 창조하는 데 계기가 된 것임을 알 수 있지! '키네틱 아트'는 '입체적 조형물의 운동을 보여' 준다는 점에서 미래주의의 특징인 움직이는 대상의 속도와 운동을 보여 주는 것과 유사하지만, '모빌과 같이 나무나 금속으로 만들어'지는 입체적 조형물이라는 독창적인 특징도 지녀. 따라서 '기존의 방식과 달리 미적 가치를 3차원에서 실제로 움직이는 대상을 통해 구현하려는 생각'이 ㉠의 구체적 내용으로 적절하지.

33 ② 정답률 71%

정답풀이

3문단에 따르면 〈보기〉에서 선을 교차시켜 쇠사슬의 잔상을 구체적으로 재현한 것은 '대상의 움직임의 궤적을 여러 개의 선으로 구현'한 역선을 활용한 것이다. 하지만 이는 사실적인 형태를 강조하는 것이 아니라 움직임을 효과적으로 표현하여 '사물에 대한 화가의 느낌을 드러내'기 위한 것이다.

오답풀이

① 4문단에 따르면 '미래주의 회화는 움직이는 대상의 속도와 운동이라는 미적 가치에 주목'했으므로, 〈보기〉에서 움직이는 강아지의 모습을 속도감 있게 그린 것은 미래주의 회화의 경향이라 할 수 있다.

③ 3문단에서 '상호 침투는 대상과 대상이 겹쳐서 보이게 하는 방법'이며 '역선을 사용하여 대상의 모습을 나타내면 대상이 다른 대상이나 배경과 구분이 모호해지는 상호 침투가 발생해 대상이 사실적인 형태보다는 왜곡된 형태로 표현된다.'라고 하였다. 따라서 〈보기〉에서 강아지의 발과 바닥의 경계가 모호하게 보이는 것은 상호 침투 효과와 연관된다고 할 수 있다.

④ 3문단에서 '이미지의 겹침은 화면에 하나의 대상을 여러 개의 이미지로 중첩시켜서 표현하는 방법'이며 '움직이는 대상의 잔상을 바탕으로 시간의 흐름에 따른 대상의 움직임을 겹쳐서 나타내었다.'라고 하였다. 따라서 〈보기〉에서 강아지의 발을 여러 이미지로 중첩한 것은 이미지 겹침의 기법으로 시간의 흐름에 따른 대상의 움직임을 나타낸 것이라 볼 수 있다.

⑤ 3문단에 따르면 〈보기〉에서 사람의 다리를 두 개가 아닌 여러 개로 그린 것은 분할주의 기법 중 이미지의 겹침으로, 2문단에서 미래주의 화가들은 '분할주의 기법을 통해 대상의 역동성을 지향'했다고 하였다.

34 ⑤ 정답률 79%

정답풀이

ⓔ(주목)의 사전적 의미는 '관심을 가지고 주의 깊게 살핌.'이다. '자신의 의견이나 주의를 굳게 내세움.'은 '주장'의 사전적 의미이다.

[35~37] **고전소설**

35 ① 정답률 62%

정답풀이

윗글의 '이때 아이도 왕이 내린 명령을 들었다. 또 나 승상의 딸아이가 아름답고 재예가 뛰어나며 게다가 절개가 있다는 소문을 들은 터인지라, 떨어진 옷으로 갈아입고 거울을 수선하는 장사로 사칭하고는 서울로 들어갔다.'를 통해 아이는 승상 댁의 노복이 된 이후가 아니라 거울을 수선하는 장사로 사칭하기 전부터 돌함의 존재를 알고 있었음을 알 수 있다.

오답풀이

② '파경노는 생김새가 기이하고 말 다름도 또한 기이하니 필시 비범한 사람일 것입니다. 천한 일을 맡게 하지 마옵소서.'에서 승상 부인은 파경노의 외모와 행동이 기이함을 근거로 그가 범상한 인물이 아님을 알아보고 있다.

③ 승상 부인이 파경노에게 천한 일을 맡기지 말자고 하자 '승상도 옳게 여기고 그 말을 따랐'다.

④ [중략 부분의 줄거리]에서 승상의 딸과 파경노는 혼인하며, 이후 '파경노가 자기 이름을 지어 치원이라 하'였다.

⑤ '치원이 승상의 딸을 시켜 승상께 바치게 하니 승상이 믿지 않다가 딸의 꿈 이야기를 듣고서야 믿고 대궐로 들어가 왕께 바치었다.'에서 승상의 딸은 치원이 지은 시에 대해 회의적인 태도를 보이는 승상에게 자신의 꿈 이야기를 들려준 것을 알 수 있다.

36 ③ 정답률 56%

정답풀이

아이는 돌함 속 물건을 알아내어 시를 짓는 사람이 있으면 관직을 높여 땅을 나누어 줄 것이라는 임금의 명령을 들었으며, 나 승상의 딸이 아름답고 재예가 뛰어나며 절개가 있다는 소문을 듣고 거울 장수로 사칭하여 서울로 들어간다. 이후 나 승상 댁으로 간 아이는 나 승상 딸의 거울을 고의로 깨뜨려 나 승상 댁의 노복으로 들어가게 된다. 아이의 이러한 행동은 이후 나 승상의 딸과 혼인을 하여 신분 상승을 하고, 시를 지어 자신의 능력을 입증하는 결과로 이어진다. 따라서 거울은 아이가 승상의 사위가 되려는 내적 욕망을 실현하는 데 동원된 소재라고 판단할 수 있다.

오답풀이

① 아이는 거울을 통해서가 아니라 '자신을 사위로 삼는다면 시를 짓겠다'고 말하고 승상 댁 사위가 된 이후 돌함 속의 물건에 대한 시를 지으면서 승상에게 자신의 능력을 증명한다.

② 승상 댁에 노복으로 들어간 아이는 말 먹이는 일과 꽃밭 가꾸는 일을 하였으나 이를 고난으로 보기는 어려우며, '거울'이 고난을 암시하지도 않는다.

④ [중략 부분의 줄거리]에서 파경노가 노비라는 이유로 승상이 혼인을 반대한 것에서 혼인을 둘러싸고 아이와 승상 사이에 긴장감이 드러났다고 볼 수 있다. 그러나 '거울'이 긴장감 조성을 예고하지는 않는다.

⑤ 아이는 거울 장수로 사칭하여 나 승상의 딸을 엿보는 과정에서 '재예가 뛰어나며 절개가 있다는 소문'이 사실인지를 확인하고 있다고 볼 수 있으나, 아이가 거울을 통해 나 승상 딸의 재예와 절개를 시험한 것은 아니다.

37 ④ 정답률 75%

정답풀이

㉣(치원 역시~꿈틀거리는 듯하더라.)은 치원이 시를 지으니 용과 뱀이 놀라 꿈틀거릴 정도로 대단했음을 표현했다. 〈보기〉에 따르면 이는 최치원의 '비범함이 극적으로 부각'되는 부분으로 볼 수 있으며, 이 시를 통해 왕이 내린 명령이 수행되었고, 주인공과 국가가 처한 '문제 상황'이 해결된 것으로 판단할 수 있다. 따라서 ㉣에서 '시 짓기'가 신분적 한계로 인한 울분을 직접적으로 토로하는 수단이라고 볼 수는 없다.

오답풀이

① ㉠('너희 나라가~없애 버리겠다.')은 열어 볼 수 없는 함의 속에 들어 있는 물건을 알아내 '시 짓기'를 해 바치라는 중국 황제의 불합리한 요구로 볼 수 있으며, 이로 인해 신라는 문제 상황에 빠지게 된다.

② ㉡("너희 유생 중에~조정이 들끓더라.')에서는 중국 황제가 요구한 '시 짓기' 과제를 아무도 해결하지 못하는 혼란스러운 조정의 모습 즉, 국가적 문제를 해결할 인재가 없는 신라의 상황을 보여 준다.

③ ㉢(아침에 파경노가~채찍으로 훈련시키더라.)에서는 초월적 존재인, 신선의 시중을 든다는 청의 동자를 통해 최치원의 비범함을 부각하고 있다.

⑤ ㉤(신이 지은 것이~황제께 바치었다.)에서 승상은 사위인 치원의 시를 신라의 왕에게 바치고 있으며, 신라의 왕은 그 시를 중국 황제에게 바친다. 이는 치원의 '시 짓기' 능력이 승상과 왕에게 인정받고, 동시에 국가의 위기를 해결할 방법이 됨을 보여 준다고 볼 수 있다.

[38~42] **사회**

38 ⑤ 정답률 74%

정답풀이

윗글은 '관세'가 '국내 경기 및 국제 교역'에 미치는 영향을 설명하기 위해 '수요와 공급의 원리'와 이에 따른 '생산자 잉여', '소비자 잉여'의 변화를 설명하고 있다. 그리고 이를 바탕으로 'K국의 밀가루 가격'의 예를 통해 관세 정책이 국내 경기와 국제 무역 시장에 미치는 영향을 설명하고 있으므로 원리를 설명한 후 구체적 사례를 들어 이해를 돕고 있다고 할 수 있다.

오답풀이

① 윗글은 관세 부과가 국내 경기 및 국제 교역에 미치는 영향을 설명할 뿐, 관세 정책과 관련하여 상반된 두 입장을 제시하거나 이를 절충하지는 않는다.

② 7문단의 '과도한 관세는 국제 교역을 감소시켜 국제 무역 시장을 침체시킬 뿐만 아니라, 국제 무역분쟁을 야기할 소지도 있다.'에서 문제 상황을 언급했다고 볼 수 있으나, 이에 대한 해결책은 제시되지 않았다.

③ 윗글은 관세가 미치는 영향을 설명하기 위해 '수요와 공급의 원리'를 제시하고 있으나, 수요와 공급의 원리의 이론의 한계를 다루지는 않는다.

8회

④ 윗글에서 관세 정책에 대한 학설이 나타난 배경이나 학문적 성과에 대한 내용은 확인할 수 없다.

39 ① 정답률 75%

정답풀이

2문단에서 '수요 곡선은 재화의 가격에 따른 수요량의 변화를 나타내는데, 그래프에서 가격은 재화 1단위 추가 소비를 위한 소비자의 지불 용의 가격을 나타내'며 또한 '재화의 균형 가격은 수요 곡선과 공급 곡선이 만나는 P_0에서 형성된다.'라고 했다. 즉 소비자의 지불 용의 가격은 수요 곡선과 공급 곡선이 만나는 균형 가격일 수도 있기 때문에, 소비자의 지불 용의 가격이 균형 가격보다 항상 높다고는 볼 수 없다.

오답풀이

② 2문단에서 '수요와 공급의 원리에 따르면 재화의 균형 가격은 수요 곡선과 공급 곡선이 만나는 P_0에서 형성된다.'라고 했다. 〈그림〉에 따르면 두 곡선이 만나는 P_0 지점에서의 재화의 수요량과 공급량은 Q_0로 동일하므로, 균형 가격에서는 재화의 수요량과 공급량이 동일하다고 할 수 있다.
③ 6문단의 '높은 관세로 국내 밀가루 가격이 상승하면 밀가루를 원료로 하는 제품들의 가격이 줄줄이 상승하게' 된다는 것을 통해, 원료의 가격이 상승하면 이를 원료로 하는 제품들의 가격이 함께 상승함을 알 수 있다. 따라서 원료의 가격은 이에 기반한 제품의 가격에 영향을 미친다고 할 수 있다.
④ 7문단에서 '관세는 국제 교역을 감소시켜 국제 무역 시장을 침체시킬 뿐만 아니라, 국제 무역 분쟁을 야기할 소지'가 있다고 하였다.
⑤ 7문단에서 '대다수의 경제학자들은 과도한 관세에 대한 우려를 드러'낸다고 하였다.

40 ② 정답률 65%

정답풀이

5문단의 '증가한 생산자 잉여가 감소한 소비자 잉여보다 작기 때문에 소비자 잉여와 생산자 잉여의 총합인 사회적 잉여는 수입 밀가루에 관세를 부과하기 전에 비해 작아지게 된다.'에서 부과된 관세로 인해 사회적 잉여가 작아지는 경우를 언급하고 있다. 이를 참고할 때 ㉠(관세는 사회적 잉여를 감소시키고)의 이유는 증가한 생산자 잉여가 감소한 소비자 잉여보다 작기 때문임을 알 수 있다.

오답풀이

① 소비자 잉여 감소분이 생산자 잉여 증가분과 같은 것은 ㉠의 이유로 볼 수 없다.
③ 소비자 잉여 증가분이 생산자 잉여 증가분보다 크다는 것은 ㉠의 이유로 볼 수 없다.
④ 소비자 잉여 감소분이 생산자 잉여 감소분보다 작다는 것은 ㉠의 이유로 볼 수 없다.
⑤ 소비자 잉여 증가분이 생산자 잉여 감소분보다 작다는 것은 ㉠의 이유로 볼 수 없다.

41 ⑤ 정답률 23%

정답풀이

4문단의 '국내 수요량에서 국내 공급량을 뺀 나머지 부분만큼 밀가루를 수입하게 된다.'를 통해 '국내 수요량 - 국내 공급량 = 수입량'임을 알 수 있다. 따라서 〈보기〉에서 관세 부과 전 수입되는 바나나의 수량은 P국의 국내 수요량인 250톤에서 P국의 국내 공급량인 50톤을 뺀 200톤이다. 그리고 관세를 부과한 후 수입되는 바나나의 수량은 P국의 국내 수요량 200톤에서 P국의 국내 공급량 100톤을 뺀 100톤이 된다. 즉 관세를 부과한 결과 수입되는 바나나의 수량은 100톤이며, 관세 부과 전의 바나나 수량인 200톤에 비해 100톤이 줄어드는 효과가 발생한 것이다.

오답풀이

① 2문단에서 '재화의 균형 가격은 수요 곡선과 공급 곡선이 만나는 P_0에서 형성된다.'라고 했으므로, 〈보기〉에서 바나나를 수입하기 전 P국의 바나나 국내 균형 가격은 수요 곡선과 공급 곡선이 만나는 지점인 톤당 1,000만 원으로 볼 수 있다.
② 4문단에서 '국내 수요량에서 국내 공급량을 뺀 나머지 부분만큼 밀가루를 수입하게 된다.'를 통해 〈보기〉에서 관세를 부과하기 이전 수입되는 바나나의 수량은 P국 수요량 250톤에서 P국의 국내 공급량 50톤을 뺀 200톤임을 알 수 있다.
③ 〈보기〉에서 관세를 부과하기 전 P국의 바나나 국내 가격은 톤당 500만 원이고, '수입되는 재화에 부과되는 조세'인 관세를 부과한 후 P국의 바나나 국내 가격은 톤당 700만 원이므로, P국에서 부과한 관세는 톤당 200만 원이다.
④ 〈보기〉에서 관세를 부과하기 전 P국의 바나나 국내 공급량은 50톤이며 관세를 부과한 후 P국의 바나나 국내 공급량은 100톤이다. 바나나 국내 공급량은 50톤에서 100톤으로 증가한 것은 관세를 부과한 결과 P국 생산자는 바나나의 공급량을 50톤에서 100톤으로 늘리게 된 것으로 볼 수 있다.

오답률 Best 1

이 문제는 정답인 ⑤번의 선택 비율보다 ③번의 선택 비율이 더 높았던 고난도 문제였어. ⑤번은 '수입되는 바나나의 수량'을 물어보고 있어. 이 문제의 답을 찾기 위해서는 우선 4문단에서 '국내 수요량에서 국내 공급량을 뺀 나머지 부분만큼 밀가루를 수입하게 된다.'와 연관지어, '국내 수요량 - 국내 공급량 = 수입량'임을 파악하고, 이후 관세 부과 전후의 바나나의 수량(수입량)을 그래프에서 확인할 수 있었어야 해. 한편 ③번에서는 '가격을 비교해 보니'라고 했으므로 y축인 가격(만 원)을 기준으로 관세를 부과하기 이전과 이후의 지점을 확인해야 했지. '관세 부과 전 국내 가격'과 '관세 부과 후 국내 가격'이 나타나 있으므로, 부과 후 가격에 부과 전 가격을 뺀 값은 '관세'의 값임을 추론할 수 있고, 그래프의 700만 원에서 500만 원을 뺀 값인 200만 원이 관세라고 할 수 있지.

42  정답률 61%

정답풀이

1문단에서 A(관세)는 '국내 산업을 보호하기 위한 목적'으로 부과된다고 하였다. 또한 〈보기〉에서 B(수입 할당제)는 '수입되는 재화의 양을 제한함으로써 그 재화의 국내 가격을 자연적으로 상승시켜 국내 생산자를 보호하는 기능을 한다.'라고 했으므로 수입 할당제 또한 국내 생산자를 비롯한 국내 산업을 보호한다고 볼 수 있다. 따라서 A와 B 모두 정책 시행 시의 혜택을 국내 생산자가 얻을 수 있다.

오답풀이

① 5문단에서 'K국이 수입 밀가루에 100원/kg의 관세를 부과할 경우, 수입 밀가루의 국내 판매 가격은 (300원/kg에서) 400원/kg으로 올라가게 된다.'라고 했으므로, A는 수입품에 부과되어 가격을 상승시키는 원인으로 작용한다고 볼 수 있다.
② 〈보기〉에서 B는 '일정 기간 특정 재화를 수입할 수 있는 양을 제한하여 제한된 할당량까지는 자유 무역 상태에서 수입하고 그 할당량이 채워지면 수입을 전면적으로 금지', 즉 수량을 기준으로 '특정 재화를 수입할 수 있는 양을 제한'하는 정책이라고 하였다.
④ 〈보기〉에서 B는 '자유 무역 상태에서 수입'하는 '비관세 정책'이라고 하였다. 따라서 B는 A와 달리 수입품에 대한 정부의 조세 수입이 없다고 판단할 수 있다.
⑤ 1문단에서 A는 '국내 산업을 보호하기 위한 목적으로 관세를 부과한다.'라고 하였고, 〈보기〉에 따르면 B도 '국내 생산자를 보호하는 기능'을 한다. 7문단에서 '국내 산업을 보호할 목적으로 부과된 관세'가 '국제 교역을 감소시켜 국제 무역 시장을 침체시킬' 수 있다고 하였으므로, 국내 산업을 보호하는 A와 B 모두 국제 무역 규모의 감소를 유발할 수 있다고 추론할 수 있다.

[43~45] 현대시

43  정답률 40%

정답풀이

(가)의 '손 안 닿는 한이더가', '손 시리게 떨던가', '말없이 글썽이고 반짝이던 것인가'에서 '-ㄴ가'라는 어미가 반복되어 리듬감을 형성하고 있다. 또한 (나)의 '김삿갓은 죽고', '이 잡던 시절도 가고' 등에서 '-고'라는 어미가 반복되어 리듬감이 형성되고 있다.

오답풀이

② (가)와 (나) 모두 역설법이 나타나지 않는다.
③ (가)와 (나) 모두 자신을 비웃는 듯한 자조적인 어조가 나타나지 않는다.
④ (가)와 (나) 모두 공감각적 이미지가 나타나지 않는다.
⑤ (가)와 (나) 모두 수미상관의 기법이 나타나지 않는다.

오답률 Best 2

①번 다음으로 많은 학생들이 선택한 답은 ③번으로, 30%나 되었어! ③번의 '자조적인 어조'에서 '자조'란 자기를 비웃는 거야. 따라서 스스로를 비판적 대상으로 이해하여 자신을 비웃는 태도가 어조에 나타난다면 '자조적인 어조'가 사용되었다고 볼 수 있어. 하지만 (가)와 (나)에서는 어린 시절 가난하게 살며 고생하신 어머니에 대한 안타까움의 정서가 드러날 뿐, 어린 시절이나 현대의 자신을 비웃는 어조가 나타나지는 않아.

44 ④ 정답률 64%

정답풀이

(가)의 '신새벽'은 어머니께서 진주 장터 생어물전에서 생선을 팔기 위해 일찍부터 장으로 나서는 시간이므로, 화자가 어머니의 고단한 상황에 대해 안타까움을 느끼는 시간적 배경으로 볼 수 있다. 한편 (나)의 '한밤중'은 화자가 장에 가신 어머니를 마중가기 위해 신작로를 따라 가다 해가 저물어 불안감을 느끼는 시간적 배경이다. 따라서 (가)의 '신새벽'과 (나)의 '한밤중'은 어머니의 부재로 인해 어린 화자가 느끼는 불안감이 해소되는 시간적 배경으로 볼 수 없다.

오답풀이

① (가)의 '고기'는 어머니께서 생계를 위해 진주 장터 생어물전에서 파는 소재이고, (나)의 '대바구니'는 어머니께서 생계를 위해 담양장에 파는 소재이므로 '고기'와 '대바구니'는 유사한 소재로 볼 수 있다.
② (가)의 화자는 아침부터 밤 늦게까지 장사를 하지만 가난하고 힘든 삶에서 벗어나지 못하는 어머니를 안타깝게 생각하고 있으며, 이러한 감정은 '울 엄매야 울 엄매'에서 잘 드러나고 있다. 또한 (나)의 '허리 굽은 어머니'는 현재까지 계속해서 고단한 삶을 살고 있는 어머니의 모습으로 볼 수 있으므로 어머니에 대한 화자의 연민의 정이 담겨 있다고 볼 수 있다.
③ (가)의 '골방'은 '우리 오누이'가 어머니를 계속해서 기다리고 있는 공간이고, (나)의 '신작로'는 화자가 동생을 데리고 어머니를 마중갔던 공간이다. 따라서 '골방'보다 '신작로'에서 더 능동적인 행위가 나타난다고 볼 수 있다.
⑤ (가)의 '말없이 글썽이고 반짝이던 것인가.'에서 화자는 진주 장터에서 생선을 팔며 고단한 삶을 살았던 어머니의 과거 삶을 떠올리고 있다. 한편 (나)의 '아, 요즘도 장날이면'에서 화자는 '아홉 살'이던 과거로부터 회상을 하고 있는 현재까지 계속 담양장에서 대바구니를 팔고 있던 어머니의 삶을 떠올리고 있다.

45 ⑤ 정답률 80%

정답풀이

ⓜ(멀거니)는 '정신없이 물끄러미 보고 있는 모양.'이라는 의미로, 이는 대바구니를 살 손님이 오지 않을까 쭈그려앉아 손님들을 기다리는 어머니의 모습을 효과적으로 표현한 시어이다. 따라서 이를 장이 끝나 가서 장사를 마쳐야 하는 아쉬움을 강조하는 것으로 볼 수는 없다.

오답풀이

① ㉠(꼬박꼬박)의 사전적 의미는 '조금도 어김없이 고대로 계속하는 모양.'이다. 어머니께서 장터에서 '꼬박꼬박' 걸어오셨다는 것은, 늘 걸어서 장에 다니시며 대바구니를 파는 어머니의 일상을 강조한 것으로 볼 수 있다.
② ㉡(하염없이)의 사전적 의미는 '어떤 행동이나 심리 상태가 자신의 의지와는 상관없이 계속되는 상태로.'이다. '하염없이' 길을 걷는 상황은 어머니를 만나기 위해 계속 길을 걷는 것을 나타내므로 어머니를 마중갔던 길이 길고 멀었다는 것을 부각한다고 볼 수 있다.
③ ㉢(덜렁)의 사전적 의미는 '갑자기 놀라거나 겁이 나서 가슴이 뜨끔하게 울리는 모양.'이다. 해가 '덜렁' 졌다는 것은 갑작스럽게 해가 진 상황을 부각한 것으로, 동생과 함께 어머니를 마중나간 화자가 겁을 먹은 심리를 강조한다고 볼 수 있다.
④ ㉣(한참)의 사전적 의미는 '시간이 상당히 지나는 동안.'이다. '한참' 망설였다는 것은 해가 진 상황에서 장터를 향해 계속 걸어 갈 것인지 아니면 집으로 돌아갈 것인지를 망설이는 상황에서 화자가 느끼는 내적 갈등을 '한참'을 통해 부각하였다고 볼 수 있다.

8 회

9회

2019학년도 11월 학평

1. ③	2. ④	3. ②	4. ③	5. ④	6. ④	7. ④	8. ②	9. ⑤	10. ③
11. ⑤	12. ①	13. ③	14. ②	15. ③	16. ⑤	17. ⑤	18. ③	19. ①	20. ①
21. ④	22. ④	23. ②	24. ⑤	25. ④	26. ⑤	27. ②	28. ②	29. ⑤	30. ②
31. ④	32. ④	33. ⑤	34. ①	35. ③	36. ⑤	37. ①	38. ③	39. ③	40. ⑤
41. ①	42. ①	43. ④	44. ③	45. ③					

오답률 Best 5

[1~3] **화법**

1 ③ 정답률 **61%**

정답풀이

강연에서 강연자는 '여러분, 이 문화재가 무엇인지 아시나요?', '둘 다 성문인데 왜 숭례문은 국보이고, 흥인지문은 보물일까요?'라는 질문으로 청중과 상호작용하며 배경 지식을 확인하고 있을 뿐, 질문을 통해 청중의 동의를 유도하고 있다고 볼 수는 없다.

오답풀이

① '서책의 경우 동일 제목으로 판본이 유사하다면 관리의 효율성을 위해 가지번호를 붙이기도 합니다.'라고 하며 이에 대한 예시로 '『조선왕조실록』'의 사례를 활용하여 청중의 이해를 돕고 있다.
② '화면에 사진을 보여주며'에서 알 수 있듯 숭례문과 흥인지문의 사진을 활용하여 강의 내용의 전달 효과를 높이고 있다.
④ '문화재의 가치를 높이기 위해서는~더 많은 관심을 가져주시기를 바랍니다.'에서 문화재에 대한 관심이 필요하다는 당부의 말을 하고, 이를 통해 청중의 태도 변화를 요구하고 있다.
⑤ '저는 문화재위원회에서 국보나 보물과 같은 문화재 지정 여부를 심의하는 역할을 맡고 있습니다.'라고 하여 문화재에 대한 전문성을 드러내며 강의 내용의 신뢰성을 확보하고 있다.

2 ④ 정답률 **93%**

정답풀이

〈보기〉의 '학생 1'은 강연을 들으며 외국 박물관에서 소장하고 있는 우리 문화재도 국보 지정이 가능한지에 대해 궁금해하며, 문화재청 홈페이지를 참고하여 궁금증을 해결하려고 한다. 또한 '학생 3'은 강연을 들으며 국보로 지정된 문화재를 관리하는 사람이 누구인지에 대해 궁금해하며, 강연 이후 질문을 통해 궁금증을 해결하려고 한다. 따라서 '학생 1'과 '학생 3'은 강연을 들으며 생긴 의문점을 해결하기 위한 방법을 생각하며 들었다고 판단할 수 있다.

오답풀이

① '학생 1'은 자신의 배경지식을 활용하여 강연을 들으면서 생긴 의문점을 떠올리는 것일 뿐, 강연에서 알게 된 새로운 내용을 요약하며 듣지는 않았다.
② '학생 2'는 강연을 들으면서 자신의 태도를 반성하고 있으나 강연에서 언급되지 않았던 내용을 추론하며 듣지는 않았다.
③ '학생 3'은 강연 내용과 연관하여 궁금한 점을 떠올릴 뿐, 강연 내용에 사실과 다른 부분이 있는지를 판단하며 듣지는 않았다.
⑤ '학생 2'와 '학생 3' 모두 강연을 듣기 전 자신이 갖고 있던 배경지식을 수정하며 듣는 모습은 찾을 수 없다.

3 ② 정답률 **84%**

정답풀이

강연에서 '여러 권이 묶인 책과 같은 경우에는 수량과 상관없이 한 개의 지정번호가 붙'는다고 했으므로 『동의보감』의 25권 25책은 수량과 상관없이 한 개의 지정번호가 붙는다고 볼 수 있다. 따라서 『동의보감』이 수량과 상관없이 25권 25책 모두 각각 다른 국보 지정번호를 부여받았을 것이라는 반응은 적절하지 않다.

오답풀이

① 강연에서 '보물로 지정된 문화재가 국보로 승격되면, 해당 문화재는 보물에서 해제되며 그 보물의 지정번호는 결번으로 남'는다고 했으므로 『동의보감』이 국보로 승격된 이후에 보물 제1085-1호라는 보물의 지정번호는 결번이 되었음을 알 수 있다.
③ 강연에서 '문화재의 지정번호가 해당 문화재의 가치에 따른 서열을 나타내는 것처럼 인식될 수 있으므로 지정번호는 부여하되, 일반 시민들에게는 공개하지 말자는 의견도 있'다고 했다.
④ 강연에서 '국보나 보물과 같은 문화재의 지정번호는 효율적인 관리를 위해 지정 순서에 따라 부여하는 행정상의 관리번호로, 지정번호가 문화재의 서열이나 중요성을 나타내는 것은 아'니라고 했으므로 국보 지정번호를 가지고 『동의보감』과 『조선왕조실록』의 가치를 비교할 수 없다.
⑤ 강연에서 '서책의 경우 동일 제목으로 판본이 유사하다면 관리의 효율성을 위해 가지번호를 붙'인다고 했으므로 『동의보감』의 국보 지정번호인 제319-1호에 가지번호가 붙은 것을 통해 동일 제목의 유사한 판본이 있음을 추론할 수 있다.

[4~7] **화법과 작문**

4 ③ 정답률 **89%**

정답풀이

(가)에 건의가 수용되지 않았던 경험이 드러나지는 않는다.

오답풀이

① 3문단에서 두뇌 스포츠 경기를 스포츠 축제 경기 종목에 포함시켜 달라는 건의를 받아들이면 '스포츠 활동 경험을 보다 '다양하게' 제공'할 수 있다는 것, "모두 함께" 즐기는 스포츠 축제'가 될 수 있다는 것, '스포츠 축제가 더욱 '의미 있게' 될 것'이라는 긍정적 효과들을 제시하고 있다.
② 1문단의 '안녕하세요. 저희는 바둑 동아리 학생들입니다.'에서 인사말과 건의 주체가 드러나고 있다. 이를 통해 '스포츠 축제 준비 위원회'라는 예상 독자에 대해 예의를 갖춘다고 볼 수 있다.
④ 1문단에서 '이렇게 글을 쓰게 된 것은 이번 스포츠 축제 경기 종목에 두뇌 스포츠 경기도 포함시켜 달라는 건의를 드리기 위해서입니다.'라고 했으므로 글의 처음 부분에 건의 내용을 직접 제시하여 건의하는 바를 명확하게 드러냈다고 볼 수 있다.
⑤ 4문단에서 '두뇌 스포츠 경기를 열 장소가 없을 것이라는 우려가 있을 수도 있습니다. 하지만 이러한 우려는 체육관에서 경기를 열면 해소될 것입니다.'라고 하여 건의를 받아들일 때 예상되는 문제 상황과 이에 대한 해결책이 언급되고 있다.

5 ④ 정답률 84%

정답풀이

'두뇌 스포츠가 상대를 존중하는 스포츠맨십을 길러 준다는 내용에 대한 근거를 제시해 주면 좋겠어.'라는 '학생 2'의 발화에 대해 '학생 3'이 '셋째 문단에 그런 내용을 언급한 두뇌 스포츠 선수의 말을 인용하면 어떨까?'라고 하였다. 하지만 바둑 기사 △△△의 인터뷰는 바둑의 매력에 대한 것으로 두뇌 스포츠와 스포츠맨십의 관련 내용이 드러나지 않으므로 고쳐 쓰기 계획으로 적절하지 않다.

오답풀이

① '학생 2'의 첫 번째 발화에서 '예상 독자에게 두뇌 스포츠라는 말이 생소할 수도 있으니까 두뇌 스포츠의 개념을 둘째 문단에 넣어 주자.'라고 했으므로 '두뇌 스포츠는 두뇌를 활용하여 상대와 수 싸움을 하는 게임입니다.'를 추가하는 것은 적절하다.

② '학생 3'은 첫 번째 발화에서 '국내외 여러 스포츠 대회에서 바둑 경기가 정식 종목으로 채택되어 있다고만 했는데 더 구체적인 내용을 적어 주자.'라고 하였고 이에 대해 '학생 2'는 '2016년 전국체육대회' 관련 정보를, '학생 1'은 '국제 스포츠 경기 대회'를 언급하고 있으므로 정식 종목으로 바둑 경기가 채택된 실제 사례를 언급하여 수정하는 것은 적절하다.

③ '학생 3'이 세 번째 발화에서 '셋째 문단에서 두뇌 스포츠를 통해 체력을 강화할 수 있다고 했는데, 이 내용은 좀 이상한 것 같아.'라고 한 것에 대해 '학생 2'는 '두뇌 스포츠는 보통 신체 활동이 많지 않은데, 체력을 기를 수 있다는 내용은 타당성이 떨어지는 것 같아.'라고 부연하였고 '학생 1'이 이를 수정하겠다고 하였다. 따라서 셋째 문단의 마지막 문장에서 '체력 강화'라는 내용을 삭제하는 것은 적절하다.

⑤ '학생 3'은 다섯 번째 발화에서 '두뇌 스포츠 경기를 체육관'에서 여는 것이 축제 일정상 가능할지 의문을 가졌고 '학생 2'가 '안 그래도 아침에 여쭤 봤는데 그날 오후에는 체육관 사용이 가능하다고 하셨어.'라고 하였고, '학생 1'이 '체육관 사용이 가능한 시간을 반영해서 글을 수정할게.'라고 하였으므로 시간을 명시하여 수정하는 것은 적절하다.

6 ④ 정답률 89%

정답풀이

[C]에서 '학생 3'은 '넷째 문단에 두뇌 스포츠 경기를 체육관에서 열면 된다고 했는데 축제 일정상 정말 가능할까?'라는 의문을 제기하고 있으며, 이에 대해 '학생 1'은 '스포츠 축제 담당 선생님께 여쭤 보는 게 어떨까?'라며 의문을 해소하기 위한 방안을 제안하고 있다.

오답풀이

① [A]에서 '학생 3'은 '국내외 여러 스포츠 대회에서 바둑 경기가 정식 종목으로 채택되어 있다고만 했는데 더 구체적인 내용을 적어 주자.'라는 의견을 제시하였으며, 이에 대해 '학생 2'는 '우리가 수집한 자료 중에 2016년 전국체육대회부터 바둑이 정식 종목으로 채택됐다는 기사가 있었잖아. 그걸 넣으면 좋겠어.'라고 그 의견에 동조하고 있다.

② [B]에서 '학생 1'은 '두뇌 스포츠에서도 체력은 중요해. 바둑 기사들은 큰 대국을 치르면 체중이 몇 킬로씩 빠지기도 한대.'라고 두뇌 스포츠에서 체력이 중요하다는 의견을 제시하였는데, 이에 대해 '학생 2'는 '두뇌 스포츠는 보통 신체 활동이 많지 않은데, 체력을 기를 수 있다는 내용은 타당성이 떨어지는 것 같아.'라고 그 의견을 반박하고 있다.

③ [B]에서 '학생 3'은 '셋째 문단에서 두뇌 스포츠를 통해 체력을 강화할 수 있다고 했는데, 이 내용은 좀 이상한 것 같아.'라고 하였으나, '학생 1'은 '두뇌 스포츠에서도 체력은 중요해. 바둑 기사들은 큰 대국을 치르면 체중이 몇 킬로씩 빠지기도 한대.'라고 하였으므로 '학생 1'이 '학생 3'의 의견을 수용한다고 보기는 어렵다. 또한 '학생 1'은 '듣고 보니 그럴 수 있겠다.'라며 '학생 2'의 의견을 수용하고 있다.

⑤ [C]에서 '학생 3'의 '넷째 문단에 두뇌 스포츠 경기를 체육관에서 열면 된다고 했는데 축제 일정상 정말 가능할까?'라는 발화에 대해 '학생 1'은 '스포츠 축제 담당 선생님께 여쭤 보는 게 어떨까?'라고 하였고, '학생 2'는 '안 그래도 아침에 여쭤 봤는데 그날 오후에는 체육관 사용이 가능하다고 하셨어.'라고 대답하는 맥락에서 '학생 2'와 '학생 3'이 대립된 주장을 제시하지는 않았으며, '학생 1'이 절충안을 제시하지도 않았다.

7 ④ 정답률 50%

정답풀이

ⓐ(마무리 부분에 대한 의견)은 '건의를 수용해 줄 것을 촉구하는 내용이 직접적으로 드러나도록' 하자는 것과, '비유적 표현'을 활용하자는 것이다. '공신'은 '나라를 위하여 특별한 공을 세운 신하'라는 의미이므로 두뇌 스포츠를 '일등 공신'에 빗댄 것에 비유적 표현이 나타나고, '두뇌 스포츠를 스포츠 축제 경기 종목에 꼭 포함시켜 주십시오'에서 '건의를 수용해 줄 것을 촉구하는 내용이 직접적으로 드러나'므로 (가)의 마무리 부분으로 적절하다.

오답풀이

① '두뇌 스포츠를 스포츠 축제 경기 종목으로 채택하여 주십시오.'에 건의를 수용해 줄 것을 촉구하는 내용이 직접적으로 드러나 있으나, 비유적 표현이 활용되지는 않았다.

② '신선놀음', '바둑이 선물하는 시원한 한 줄기 여유'에 비유적 표현이 드러나 있다. 하지만 건의를 수용해 줄 것을 촉구하는 내용이 직접적으로 드러나지 않았다.

③ '열정이 불꽃이 되어'에서 비유적 표현이 활용되고 있으나, 건의를 수용해 줄 것을 촉구하는 내용이 직접적으로 드러나지 않았다.

⑤ '두뇌 스포츠를 스포츠 축제 경기 종목에 포함시켜 주시기를'에 건의를 수용해 줄 것을 촉구하는 내용이 직접적으로 드러나 있지만, 비유적 표현이 사용되지 않았다.

오답률 Best ❸

학생들이 정답 다음으로 선택한 많이 선지가 ②번이야. '신선놀음', '바둑이 선물하는 시원한 한 줄기 여유'에서 비유법이 드러나는 것을 확인할 수 있어. 그런데 '스포츠 축제 때 우리 모두 바둑이 선물하는 시원한 한 줄기 여유도 느낄 수 있을 것입니다.'에서는 스포츠 축제 때 바둑 경기를 채택하면 얻을 수 있는 긍정적인 효과를 언급했을 뿐, '건의를 수용해 줄 것을 촉구하는 내용이 직접적으로 드러나' 있지는 않아. 이 문제처럼 조건을 만족하는 내용을 모두 포함한 선지를 찾아야 할 때는 모든 선지를 순서대로 꼼꼼하게 살펴보며 조건을 만족하는지 확인할 수도 있고, 판단하기 쉬운 조건을 먼저 골라서 적절하지 않은 선지를 지워 나가는 방법으로 시간을 절약할 수도 있어.

[8~10] 작문

8 ② 정답률 87%

정답풀이

(가)는 '온라인상 거짓 정보가 청소년에게 미치는 영향 심각'이라는 문제 상황을 제시하고 있다. (나)는 우리 학교 홈페이지 자유 게시판인 '대나무숲'에도 거짓 정보가 게시 · 유통되는 문제 상황이 있으며 이 문제의 해결 방안으로 캠페인과 미디어 교육 등의 방법을 제시하고 있다.

오답풀이

① (가)에서 '온라인상 거짓 정보가 청소년에게 미치는 부정적 영향'이 심각하다는 고민을 토로했다고 볼 수는 있으나, (나)를 통해 조언하는 모습은 드러나지 않는다.

③ (가)에 상반된 입장이 나타나지는 않으며, (나)에서 이 중 하나를 선택하여 분석하는 모습도 드러나지 않는다.

④ (가)에서는 문제 상황을 제시할 뿐 어떠한 주장을 구체적으로 드러내지는 않았으며, 이에 대해 (나)에서 반박을 하지도 않았다.

⑤ (가)에 제시된 '온라인상 거짓 정보가 청소년에게 미치는 영향 심각'이라는 정보에 대해 (나)에서 정보의 출처를 파악하여 신뢰성을 검토하지는 않는다.

9회

9 ⑤ 정답률 77%

정답풀이

㉯(연구 자료)와 ㉰(이웃 학교 학생과의 인터뷰)에서는 정보를 비판적으로 이해하는 능력이 부족하여 게시판 관리가 소홀하다는 내용이 나타나지는 않으므로, 이를 문제의 원인으로 추가하는 것은 적절하지 않다.

오답풀이

① ㉮(우리 학교 설문 조사)–2에서는 거짓 정보로 인한 피해 유형을 '정신적 피해', '금전적 피해', '신체적 피해'로 구분하고 있다. 이를 참고할 때 '정신적 피해'만을 언급한 (나)의 2문단에 정신적 피해뿐만 아니라 금전적, 신체적 피해도 발생하고 있다는 내용을 문제점으로 추가할 수 있다.

② ㉯에서 '미디어 리터러시 교육이란 미디어가 제공하는 정보를 비판적으로 이해하고 올바른 정보를 생산하는 능력을 길러 주는 것'이라고 한 부분을 (나)의 '미디어 교육'과 연관지어 볼 수 있다. (나)의 4문단에 미디어 교육을 통해 '정보를 접했을 때 진위 여부를 확인하는 습관을 기를 수 있도록' 하는 것만 제시되어 있으므로 ㉯에서 미디어 교육을 통해 '올바른 정보를 생산하는 능력'을 기를 수 있다는 것을 추가로 제시할 수 있다.

③ ㉰에서는 학생회장 후보에 대한 거짓 정보로 학생들 사이에 다툼이 일어난 사례가 나타나므로 (나)의 2문단에서 거짓 정보가 '학교 구성원 간의 갈등을 부추겨 통합을 방해'한다는 내용을 뒷받침할 수 있다.

④ (나)의 4문단에서 거짓 정보로 인한 피해를 줄이기 위해 '학교에서 미디어 교육을 통해 학생들이 정보를 접했을 때 진위 여부를 확인하는 습관을 기를 수 있도록 해야' 한다고 나와 있다. 이를 구체화하기 위해 ㉮–1의 '72%'의 학생들이 거짓 정보로 인해 피해를 받았다는 내용과 ㉯의 미디어 리터러시 교육 중 진위 여부를 확인하는 습관을 기를 수 있는 '교차 검증하기'를 구체적 방안으로 제시할 수 있다.

10 ③ 정답률 89%

정답풀이

㉰의 ⓐ(게시판 관리자가~댓글을 보지 못했고)는 〈보기〉의 제2조 1항의 내용인 '거짓 정보로 확인된 게시물은 관리자가 해당 게시물에 댓글을 작성하여 게시물의 내용이 사실이 아님을 알린다.'가 이미 적용되었으나, 댓글로 알린 내용을 대다수의 학생이 확인하지 못했음을 보여준다. 따라서 게시물이 거짓 정보임을 모든 이용자가 쉽게 알 수 있게 하기 위해 제2조 1항을 '거짓 정보로 확인된 게시물은 해당 내용이 사실이 아님을 공지사항에 게시하여 모든 이용자에게 알린다.'로 고치는 것이 적절하다.

오답풀이

① ㉰의 ⓐ는 제1조 1항에 '상대방을 존중하는 경어를 사용한다.'를 추가하는 것과 연관성이 없다.

② ㉰의 ⓐ는 제1조 2항에 '비교육적인 내용의 게시물'을 '상업성 게시물, 저작권 침해의 소지가 있는 게시물'로 구체화하는 것과 연관성이 없다.

④ ㉰의 ⓐ는 제2조 2항의 내용 중 '학생 자치회와 협의하여'를 삭제하는 것과 연관성이 없다.

⑤ ㉰의 ⓐ는 제2조 3항을 '타인의 아이디를 도용하여 게시물을 등록한 경우 그 이용자의 활동을 한 달 동안 정지한다.'로 수정하는 것과 연관성이 없다.

[11~15] 문법(언어)

11 ⑤ 정답률 69%

정답풀이

㉤(가르다)은 〈보기〉의 제18항 '다음과 같은 용언들은 어미가 바뀔 경우, 그 어간이나 어미가 원칙에 벗어나면 벗어나는 대로 적는다.'에 의하여 '갈라'로 표기하고 있다. 이는 [A]에 제시된 '일반적인 활용 규칙에서 어긋나는 경우'로, 표준어를 발음 나는 대로 적는 '표음주의'를 채택했음을 알 수 있다.

오답풀이

① [A]에서 표의주의 방식은 '각 형태소의 본 모양을 밝혀 적는' 것이라고 했다. ㉠(먹고)과 기본형인 '먹다'는 [먹꼬], [먹따]와 같이 발음 나는 대로 표기하지 않고 각 형태소의 본 모양을 밝혀 적는 '표의주의'를 채택하고 있음을 알 수 있다.

② [A]에서 표의주의 방식은 '각 형태소의 본 모양을 밝혀 적는' 것이라고 했다. ㉡(좋아)은 어간인 '좋–'과 어미 '–아'의 본 모양을 밝혀 적으므로 '표의주의'를 채택했음을 알 수 있다.

③ [A]에서 '합성어나 파생어를 구성함에 있어서 구성 요소가 본뜻에서 멀어진 경우 등에는 표음주의가 채택된다.'라고 하였다. ㉢(사라지다)은 '살다'와 '지다'라는 두 개의 용언이 어울린 합성어로, 앞말인 '살다'가 본뜻에서 멀어져 발음 나는 대로 적는 '표음주의'를 채택했음을 알 수 있다.

④ ㉣(쉽다)의 활용형인 '쉽고'는 어간 '쉽–'과 어미 '–고'의 형태가 그대로 나타나므로 '표의주의'를 채택했음을 알 수 있고, '쉬우니'는 발음 나는 대로 적는 '표음주의'를 채택했음을 알 수 있다.

12 ① 정답률 61%

정답풀이

ⓐ(노피)는 '높– + –이'로 형태소 분석이 가능하다. 2문단에 따르면 이어적기는 앞말이 자음으로 끝나고 뒷말이 모음으로 시작할 때 '앞 형태소의 끝소리를 뒤 형태소의 첫소리로 옮겨 적는 방식'이므로, ⓐ는 '높–'이라는 앞 형태소의 끝소리인 'ㅍ'이 뒤 형태소의 첫소리로 옮겨진 이어적기가 나타난 것임을 알 수 있다. 하지만 2문단의 "ㅋ, ㅌ, ㅍ'을 'ㄱ, ㄷ, ㅂ'과 'ㅎ'으로 나누어 표기하는 방식인 재음소화 표기'를 참고하면 ⓕ(놉히)의 경우 '높–'의 'ㅍ'을 'ㅂ'과 'ㅎ'으로 나누어 표기한 것임을 알 수 있으므로, ⓕ에 거듭적기가 나타났다고 볼 수 없다.

오답풀이

② ⓑ(므레)는 '믈 + 에'로 형태소 분석이 가능하다. 이는 앞 형태소의 끝소리인 'ㄹ'을 뒤 형태소의 첫소리로 옮겨 적은 것이므로 이어적기가 적용된 것을 알 수 있다.

③ ⓒ(사룸이니)는 '사룸 + 이니'로 형태소 분석이 가능하다. 이는 체언 '사룸'과 조사 '이니'의 각 형태소의 본 모양을 밝혀서 적은 것이므로 끊어적기가 적용된 것을 알 수 있다.

④ ⓓ(도적글)는 '도적 + 을'로 형태소 분석이 가능하며, 이는 앞 형태소의 끝소리인 'ㄱ'을 뒤 형태소의 첫소리에도 다시 적은 것으로 거듭적기 방식이 적용된 것임을 알 수 있다.

⑤ ⓔ(붉은)는 어간 '붉–'과 어미 '–은'의 형태를 밝혀 적는 끊어적기이며, ⓖ(드러)는 어간 '들–'과 어미 '–어'가 결합할 때, '들–'의 끝소리 'ㄹ'을 '–어'의 첫소리로 옮겨 적은 이어적기이므로 이들의 표기 방식이 서로 다름을 알 수 있다.

13 ③ 정답률 77%

정답풀이

〈보기 2〉의 '어머니께서는 할머니를 모시고 공원에 가셨다.'에서는 '서술의 주체에 해당하는 문장의 주어'인 어머니를 높이는 '주체 높임법'이 조사 '께서'와 서술어 '가셨다'에 포함된 선어말 어미 '–시–'를 통해 드러나고 있다. 한편 '서술의 객체에 해당하는 목적어나 부사어가 지시하는 대상'인 할머니를 높이는 방법인 '객체 높임법'이 드러난 부분은 특수 어휘 '모시고'이다.

14 ② 정답률 70%

정답풀이

'경민이가 아기의 볼을 만졌다.'에서 '만졌다'의 기본형인 '만지다'는 어간 '만지–'에 피동 접미사 '–이–, –히–, –리–, –기–'가 결합하지 못하고 '–어지다'가 결합하여 '만져지다'와 같이 나타난다. 따라서 이는 ㉠(일부 능동사의 어근에는 피동 접미사가 결합하지 못하여 짧은 피동을 만들 수 없는 경우)에 해당한다.

오답풀이

① '물고기가 낚싯줄을 끊었다.'에서 '끊었다'의 기본형 '끊다'에 대응하는 피동사 '끊기다'를 사용해 짧은 피동문 '낚싯줄이 끊겼다.'를 만들 수 있다.

③ '민수가 동생의 이름을 불렀다.'에서 '불렀다'의 기본형 '부르다'에 대응하는 피동사 '불리다'를 사용해 짧은 피동문 '동생의 이름이 불렸다.'를 만들 수 있다.

④ '다람쥐가 도토리를 땅에 묻었다.'에서 '묻었다'의 기본형 '묻다'에 대응하는 피동사 '묻히다'를 사용해 짧은 피동문 '도토리가 땅에 묻히다.'를 만들 수 있다.

⑤ '요리사가 음식을 접시에 담았다.'에서 '담았다'의 기본형 '담다'에 대응하는 피동사 '담기다'를 사용해 짧은 피동문 '음식이 접시에 담기다.'를 만들 수 있다.

15 ③ 정답률 63%

정답풀이

구개음화는 받침이 'ㄷ, ㅌ(ㄾ)'인 형태소가 모음 'ㅣ'나 반모음 'ǐ'로 시작되는 형식 형태소와 만나 'ㄷ, ㅌ'이 'ㅈ, ㅊ'으로 바뀌는 현상이다. '밭'의 경우 '밭이[바치]'를 통해 받침 'ㅌ'이 모음 'ㅣ'로 시작하는 조사와 만나 'ㅊ'으로 바뀌는 구개음화가 일어남을 보여준다. 하지만 '낮'의 경우 '낮이[나치]'와 같이 연음이 일어날 뿐 구개음화의 조건에 해당하지 않으므로 활용정보에서 구개음화가 일어남을 보여준다고 할 수 없다.

오답풀이

① '낮[낟]'의 발음정보를 통해 받침에 'ㄱ, ㄴ, ㄷ, ㄹ, ㅁ, ㅂ, ㅇ' 이외의 자음이 오면 이 일곱 자음 중 하나로 바뀌는 현상인 음절의 끝소리 현상이 일어난다고 판단할 수 있다.
② '흙[흑]'의 발음정보를 통해 음절의 끝에 두 개의 자음(겹받침)이 올 때, 이 중 한 자음이 탈락하는 현상인 자음군 단순화가 나타남을 확인할 수 있다.
④ '밭을[바틀]', '흙이[흘기]'의 활용정보를 통해 앞 음절의 끝 자음이 모음으로 시작되는 뒤 음절의 초성으로 이어져 연음될 때의 발음 양상을 알 수 있다.
⑤ '낮만[난만]', '밭만[반만]', '흙만[흥만]'의 활용정보를 통해 파열음 'ㄱ, ㄷ, ㅂ'이 비음 'ㄴ, ㅁ' 앞에서 비음 'ㅇ, ㄴ, ㅁ'으로 바뀌는 현상인 비음화가 일어남을 확인할 수 있다.

[16~20] **기술**

16 ⑤ 정답률 73%

정답풀이

5문단에서 '상변화 물질을 활용한 열 수송 방식을 사용'하면 '기존의 열 수송 방식'에 비해 '온수 공급관을 통해 보내는 물의 온도를 현저히 낮출 수 있'다고 하였다.

오답풀이

① 2문단에서 '상변화란, 물질의 상태를 고체, 액체, 기체로 분류할 때, 주변의 온도나 압력 변화에 의해 어떤 물질이 이전과 다른 상태로 변하는 것을 의미'한다고 하였다.
② 1문단과 3문단을 통해 '열병합 발전소에서는 발전에 사용된 수증기'의 '열을 회수하여 인근 지역의 난방에 활용'하도록 공급함을 알 수 있다.
③ 5문단에서 상변화 물질의 '캡슐의 양이 일정 수준 이상으로 늘어나면 물이 원활하게 이동할 수 없으므로 캡슐의 양을 증가시키는 데에는 한계가 있다.'라고 한 것을 통해 알 수 있다.
④ 5문단의 '상변화 물질을 활용한 열 수송 방식을 사용하면 현열만 사용하던 기존의 열 수송 방식과 달리 현열과 잠열을 모두 사용할 수 있으므로 온수 공급관을 통해 보내는 물의 온도를 현저히 낮출 수 있어 열 수송의 효율성이 개선된다.'를 통해 알 수 있다.

17 ⑤ 정답률 74%

정답풀이

2문단에서 ㉠(잠열)은 '상변화에 사용된 열'로 '물질의 온도 변화로 나타나지 않는 숨어 있는 열'이라고 하여, '온도 변화로 나타나는 열'인 '현열'과 구분하고 있다. 2문단의 '비커 속 얼음이 모두 물로 변할 때까지는 온도가 올라가지 않고 계속 0℃를 유지하는데, 이는 비커에 가해진 열이 물질의 온도 변화가 아닌 상변화에 사용되었기 때문이다.'를 참고했을 때 상변화 동안 물질의 현열이 증가하지 않으며, 상변화 이후 현열을 통해 온도 변화가 나타난다고 볼 수 있다. 따라서 ㉠은 상변화에 사용되고 있으나, 상변화하고 있는 물질의 현열을 증가시킨다고 볼 수 없다.

오답풀이

① 2문단에서 ㉠은 '물질마다 그 크기가 다'름을 알 수 있다.
②, ③ 2문단에서 ㉠은 '물질의 온도 변화로 나타나지 않는 숨어 있는 열'이라고 하였다.
④ 2문단에서 '일반적으로 물질이 고체에서 액체가 되거나 액체에서 기체가 될 때, 또는 고체에서 바로 기체가 될 때에는 잠열을 흡수하고 그 반대의 경우에는 잠열을 방출한다.'라고 했으므로 ㉠은 물질의 상변화가 일어날 때 흡수되거나 방출된다고 볼 수 있다.

18 ③ 정답률 64%

정답풀이

3문단에서 '액체가 된 상변화 물질'이 '온수 공급관(Ⓑ)을 통해 인근 지역 공동주택 기계실의 열교환기(Ⓒ)로 이동'한다고 하였으며, 4문단에서 '캡슐 속 상변화 물질은 액체에서 고체로 상변화하면서 잠열을 방출'한 후 '온수 회수관(Ⓔ)을 통해 다시 발전소로 회수'된다고 하였다. 즉 Ⓑ의 상변화 물질은 액체이며, Ⓔ의 상변화 물질은 고체로 이들의 상태가 서로 다르다.

오답풀이

① 3문단에서 '물의 온도가 상변화 물질의 녹는점 이상이 되면 상변화 물질은 액체로 상변화하게' 되며 '액체가 된 상변화 물질이 섞인 물'이 Ⓐ에서 나와 Ⓑ를 통해 Ⓒ로 이동한다고 하였으므로, Ⓐ에서 캡슐 속 상변화 물질의 온도는 상변화 물질의 녹는점 이상으로 올라간다.
② 3문단에서 액체가 된 상변화 물질이 섞인 물은 '온수 공급관(Ⓑ)을 통해 인근 지역 공동주택 기계실의 열교환기(Ⓒ)로 이동'하는 과정에서 '상변화 물질이 고체로 상변화되지 않'도록 '물의 온도는 상변화 물질의 녹는점 이상으로 유지되어야 한다.'라고 했으므로 Ⓑ에서의 캡슐 속 상변화 물질은 액체 상태로 유지될 것임을 알 수 있다.
④ 4문단에서 '온수 공급관(Ⓑ)을 통해 이동해 온 물의 현열과 캡슐 속 상변화 물질의 현열, 그리고 상변화 물질의 잠열이 공동주택의 찬물을 데우는 데 모두 사용'되며 데워진 물은 '각 세대의 난방기(Ⓓ)로 공급'된다고 하였다.
⑤ 4문단에서 '상변화 물질 캡슐이 든 물은 온수 회수관(Ⓔ)을 통해 다시 발전소로 회수되어 재사용된다.'라고 한 것을 통해 알 수 있다.

19 ① 정답률 63%

정답풀이

〈보기 1〉에서 '녹는점이 15℃인 상변화 물질'을 벽에 넣어 온도 차가 크더라도 벽의 온도를 일정하게 만들 수 있는 기술을 연구한다고 했다. 3문단에서 '온도가 상변화 물질의 녹는점 이상이 되면 상변화 물질은 액체로 상변화'한다고 했으므로 〈보기 2〉에서 벽의 온도가 15℃보다 높아지면 상변화 물질은 녹는점을 넘어 '액체'(㉮)로 상변화한다고 볼 수 있다. 또한 2문단에서 '물질이 고체에서 액체가 되'는 경우에 '잠열을 흡수'한다고 하였으므로 〈보기 2〉에서 상변화 물질은 잠열을 '흡수'(㉯)할 것이다. 또한 2문단에서 '상변화에 사용된 열이 잠열인데, 이는 물질의 온도 변화로 나타나지 않는 숨어 있는 열'이라고 하였으므로 〈보기 2〉에서 상변화 중에 상변화 물질의 온도는 '유지될'(㉰) 것임을 알 수 있다.

20 ① 정답률 89%

정답풀이

ⓐ(보낸다)는 '사람이나 물건 따위를 다른 곳으로 가게 하다.'의 의미로 사용되었다. '그는 선물을 동생 집으로 보냈다.'의 '보내다' 또한 물건인 '선물'을 동생 집으로 가게 하였다는 의미이므로 ⓐ와 문맥적 의미가 유사하다.

오답풀이

② '시간이나 세월을 지나가게 하다.'의 의미로 쓰였다.
③ '결혼을 시키다.'의 의미로 쓰였다.
④ '상대편에게 자신의 마음가짐을 느끼어 알도록 표현하다.'의 의미로 쓰였다.
⑤ '놓아주어 떠나게 하다.'의 의미로 쓰였다.

[21~24] **현대소설**

21 ④ 정답률 63%

정답풀이

특정 인물의 시각으로 서술하는 것은 3인칭 전지적 작가가 특정 인물의 시각에서 그 인물의 경험과 인식을 반영하여 서술하는 방식이다. 윗글은 3인칭 전지적 작가 시점에서 작품 속 특정 인물인 '맹순사'의 경험과 인식을 중심으로 서술하고 있다. '양복장을 보자니 얼굴이 간지러웠다.', '맹순사의 생각엔 ~아무나 예사로 하는 일이요, 하여도 죄 될 것이 없'다고 등에서 맹순사의 내면이 드러나고 있다.

9회

오답풀이

① 윗글에서 서술자를 교체한 부분을 확인할 수 없다.
② 윗글에서 장면이 빈번하게 전환되지는 않으며, 이를 통해 긴박한 분위기를 형성하지도 않는다.
③ 윗글에서 인물의 외양을 묘사한 부분을 확인할 수 없다.
⑤ 윗글에서 서로 다른 장소에서 동시에 일어난 사건을 제시하지 않았다.

22 ④ 정답률 82%

정답풀이

㉣('전에 많이들 행악을 했대서?')은 맹순사가 사람들이 순사를 '친근스러하고 안심한 얼굴'로 대하지 않는 이유를 생각하면서 과거에 자신을 비롯한 순사들이 저지른 행악을 떠올리고 있는 부분이므로, 과거의 행악을 생각하며 자신이 저지른 행동을 부인한다고 볼 수 없다.

오답풀이

① ㉠("며칠 가나.")은 맹순사가 서분이가 알고 있는 가네모도상이 '들이 긁어 먹구두, 되려 승찰 해서 부장이 된' 상황이 며칠 가지 못할 것, 즉 지속되지 않을 것이라고 말한 것이다.
② ㉡("얼마죠?")은 맹순사가 '돈이라야 삼 원밖에 없'는 지갑을 꺼내는 체하면서 '공정가격 삼십이 원'짜리 양복 가격을 물어보는 상황이므로 양복값을 지불할 의사가 없으면서도 가격을 물어 보는 것으로 볼 수 있다.
③ ㉢("수히 갚을 테니 백 원만…….")은 맹순사가 '자청해 주는' 뇌물을 받는 것 외에도 아쉬울 때면 '그럴싸한 사람'을 찾아가서 돈을 요구하는 것으로 볼 수 있다.
⑤ ㉤("아니, 네가 웬일이냐?")은 맹순사가 파출소에 들어서며 예상하지 못한 인물인 '노마'를 만나 놀란 것으로 볼 수 있다.

23 ② 정답률 76%

정답풀이

맹순사가 자신은 '청백'하다고 말하면서도 뇌물로 받은 양복장을 보며 '얼굴이 간지'럽다고 느끼는 것은 뇌물을 많이 받은 다른 사람에 대한 질투가 아니라 자신의 행동에 대한 부끄러움 때문이라고 볼 수 있다.

오답풀이

① 서분이가 '기노시다상넨, 이살 해오는데, 재봉틀이 인장표루다 손틀 발틀 두 개'라고 한 것에서는 부유하게 사는 기노시다상네에 대한 서분이의 부러움이 드러난다.
③ '만나거나 지나치는 행인들의 동정이, 전처럼 조심하는 것 같은, 무서워하는 것 같은 기색이 없고, 그저 본숭만숭이었다. 더러는 다뿍 적의와 경멸의 눈초리로 흘겨보기까지 하였다.'에서 예전과는 다른 눈초리로 순사를 적대시하는 행인들의 마음이 드러난다.
④ '전에 많이들 행악을 했'던 것에 대해 맹순사는 스스로 '한때 잘들 해먹었으니 인제는 그 대갚음도 받아야겠지.'라고 생각하며 한숨을 쉬는 것에는 예전과 달라진 자신의 처지에 대한 착잡한 마음이 드러난다.
⑤ 노마와 인사를 하고 '저런 것이 다 순사니, 수모도 받아 싸지.'라고 노마를 무시하는 맹순사의 모습을 통해 노마가 순사가 된 것을 못마땅해하는 맹순사의 마음이 드러난다.

24 ⑤ 정답률 81%

정답풀이

맹순사가 과거에 '우미관패에 들어 가지고, 밤거리로 행패를 하고 다녔고, 사람을 치다 붙잡혀' 갔던 노마를 '몇 차례 놓이게 하여' 준 것을 도덕적 관념을 회복하는 모습으로 볼 수는 없다.

오답풀이

① 〈보기〉에서 윗글에는 '부정적 인물이 스스로를 긍정적으로 인식'하는 모습이 제시된다고 했다. '양복장', '대마직 국민복' 등을 뇌물로 받은 맹순사가 다른 동간들과 달리 자신은 청백하다고 수차례 말하는 모습에서 이를 확인할 수 있다.
② 〈보기〉에서 윗글에는 '혼란스러웠던 해방 전후의 사회 현실'이 나타난다고 하였는데, '가네모도상' 등이 불한당질을 했음에도 죽거나 팔다리가 부러지지 않고 서울루 와서 활개 펴고 잘 산다고 여기는 서분이의 말에서 '해방 이후 친일 잔재를 청산하지 못'하고 혼란스러웠던 당대의 모습이 드러난다고 판단할 수 있다.
③ 〈보기〉에서 윗글에는 '부정적 인물이 스스로를 긍정적으로 인식하는 모습을 제시'하여 '인물의 허위와 위선을 고발'한다고 했다. 자신이 청백하다고 자신하던 맹순사가 '술대접'을 받는 것은 죄가 아니며 '팔자를 고'치고 '허리띠를 푼다는 둥'의 수준에 올라야 문제가 된다고 생각하는 것에서 맹순사의 허위와 위선을 확인할 수 있다.
④ 〈보기〉에서 윗글은 '해방 이후 친일 잔재를 청산하지 못해서 나타나게 된 비극적 역사의 반복을, 당대 인물들의 모습을 통해 보여'준다고 하였는데, 해방 전 비리를 일삼던 맹순사가 해방 후 다시 순사가 된 모습을 통해 '친일 잔재를 청산하지 못'해 비극적인 역사가 반복되는 것을 확인할 수 있다.

[25~29] 인문

25 ④ 정답률 80%

정답풀이

2문단에서 '비트겐슈타인은 하나의 명제는 하나의 사실과 대응하여 참 또는 거짓으로 판단할 수 있'음을 밝히고, 3문단과 4문단에서 이와 관련된 이론인 '진리함수이론'을 '지구는 태양 주위를 돌고, 달은 지구 주위를 돈다.'라는 구체적인 예시를 사용하여 설명하고 있다.

오답풀이

① 윗글은 명제와 사실이 갖는 한계를 지적하고 있지 않으며, 이를 극복할 수 있는 방법 또한 소개하지 않는다.
② 윗글은 명제와 사실의 공통점을 사례를 중심으로 보여 주지 않는다.
③ 윗글은 명제에 대한 통념을 비판하지 않으며, 비트겐슈타인의 견해를 설명할 뿐 다양한 철학자의 견해를 비교하여 새로운 주장을 내세우고 있지도 않다.
⑤ 윗글은 명제에 대한 비트겐슈타인의 관점을 시대순으로 정리하고 있지 않으며, 이에 대한 비판적 견해 또한 제시하고 있지 않다.

26 ⑤ 정답률 72%

정답풀이

5문단에 따르면 '무의미한 명제는 그 명제에 대응하는 사실이 없어서 참과 거짓을 가려낼 수 없는 명제'이고, '의미를 결여한 명제는 그 명제에 대응하는 사실은 없지만, 언제나 참이거나 언제나 거짓인 명제'이므로 무의미한 명제와 의미를 결여한 명제는 둘 다 대응하는 '사실'이 없다. 따라서 원자사실에 대응하는 '요소명제(ⓐ)'는 무의미한 명제를 의미를 결여한 명제와 구분하는 기준이라고 볼 수 없다.

오답풀이

① 3문단에서 '요소명제는 더 이상 분석할 수 없는 최소의 언어 단위'라고 하였다.
② 3문단을 통해 '두 개 혹은 그 이상의 요소명제들로 구성된 명제'가 복합명제임을 알 수 있다.
③ 3문단의 '요소명제가 원자사실과 일치하면 '참(T)'이라는 진리값을, 일치하지 않으면 '거짓(F)'이라는 진리값을 갖는다'를 통해 원자사실과의 일치 여부에 따라 요소명제의 진리값이 정해지는 것을 알 수 있다.
④ 3문단에서 '요소명제의 진리가능성은 언제나 참과 거짓, 2개가 된다.'라고 했으므로, 요소명제의 진리값이 나올 수 있는 경우의 수는 언제나 2개이다.

27 ② 정답률 48%

정답풀이

3문단에서 '요소명제가 원자사실과 일치하면 '참(T)'이라는 진리값을, 일치하지 않으면 '거짓(F)'이라는 진리값을 갖는다'고 하였으며, 복합명제를 '두 개 혹은 그 이상의 요소명제들로 구성된 명제'라고 한 것에서 복합명제의 진리값은 p와 q라는 요소명제가 원자사실과 일치하는지에 따라 T와 F인 경우로 판단할 수 있음을 알 수 있다. 따라서 진리값이 F일 때를 p와 q에 대응하는 원자사실이 없는 경우라고 볼 수는 없다.

오답풀이

① 4문단에서 '진리연산의 결과는 복합명제가 참이 되거나 거짓이 되는 조건을 말해주는 진리조건'이라고 하였으므로, 〈보기〉의 [진리표 1]에서의 진리조건은 TTTF이다.

③ 5문단에서 '복합명제를 진리표로 만들었을 때, 진리조건에 T와 F가 함께 표기되는 명제, 즉 사실과 비교함으로써 참 또는 거짓을 판단할 수 있는 명제를 '의미 있는 명제''라고 했다. 〈보기〉의 [진리표 1]에서의 진리조건은 T와 F가 함께 표기되어 있으므로 [진리표 1]의 복합명제가 '의미 있는 명제'임을 알 수 있다.
④ 〈보기〉의 [진리표 1]에서 p∨q의 진리값은 p와 q의 진리가능성이 TT, FT, TF일 때 참임을 알 수 있다.
⑤ 3문단에서 '요소명제의 수를 n이라고 보면, 복합명제의 진리가능성은 2^n개가 된다.'라고 했으므로, 요소명제가 p와 q에서 하나 더 추가되어 3개이면 복합명제의 진리가능성은 2^3인 8개가 된다.

오답률 Best 2

5문단에서 '비트겐슈타인은 이렇게 복합명제를 진리표로 만들었을 때, 진리조건에 T와 F가 함께 표기되는 명제, 즉 사실과 비교함으로써 참 또는 거짓을 판단할 수 있는 명제를 '의미 있는 명제'라고 불렀다.'라고 했으며, 이와 구분되는 무의미한 명제는 '그 명제에 대응하는 사실이 없어서 참과 거짓을 가려낼 수 없는 명제'라고 했어. 따라서 ②번에서 말하는 '(명제) p와 q에 대응하는 원자사실이 없는 경우'는 명제에 대응하는 사실이 없어 참과 거짓을 가려낼 수 없는 '무의미한 명제'로 볼 수 있지만, <보기>의 [진리표 1]은 복합명제를 진리표로 정리한 '의미 있는 명제'이기 때문에 적절하지 않아.

28 ② 정답률 58%

정답풀이

5문단에서 '의미를 결여한 명제는 그 명제에 대응하는 사실은 없지만, 언제나 참이거나 언제나 거짓인 명제이다. 만약 의미를 결여한 명제를 진리표로 만든다면 그 진리조건은 언제나 모두 참이거나 모두 거짓으로 표기되겠지만, 이는 진리연산의 결과와 상관없는 표기이다.'라고 했다. 이를 바탕으로 볼 때 [진리표 1]의 진리연산의 결과인 진리조건은 TTTF로 참인 것과 거짓인 것이 골고루 나타나지만, [진리표 2]의 진리연산의 결과인 진리조건은 TTTT로 언제나 모두 참이므로 의미를 결여한 명제라고 볼 수 있다.

오답풀이

① 진리함수가 서로 같다면 p와 q의 진리가능성과 진리함수의 진리조건 모두가 동일해야 한다. 그러나 4문단과 〈보기〉를 참고했을 때 [진리표 1]의 진리함수는 'p∨q'이고, [진리표 2]의 진리함수는 p→(q→p)로 서로 다르며 [진리표 1]에서 p와 q의 진리가능성이 FF일 때 p∨q의 진리조건은 F로 나타나나, [진리표 2]에서 p와 q의 진리가능성이 FF일 때 p→(q→p)의 진리조건은 T이므로 서로 다르다.
③ 5문단에 따르면 [진리표 2]의 복합명제는 '언제나 참'이므로, '의미를 결여한 명제'이고 이는 '말할 수 없는 것'의 영역에 포함된다.
④ 4문단에서 '진리연산은 요소명제들로부터 진리함수가 만들어져 나오는 방법'이라고 했는데, [진리표 1]의 진리함수는 'p∨q', [진리표 2]의 진리함수는 'p→(q→p)'이므로 적용된 진리연산은 서로 다르다.
⑤ 4문단의 〈표〉에서 요소명제가 p와 q로 2개인 것을 참고하면, [진리표 1]과 [진리표 2]의 요소명제의 수 또한 각각 2개임을 알 수 있다.

29 ⑤ 정답률 69%

정답풀이

〈보기〉의 플라톤의 견해에서 ⓐ("이데아란 영원하고 불변하는 사물의 본질적인 원형이다.")는 '육안이 아니라 마음의 눈으로 통찰되는 사물의 순수하고 완전한 형태'이다. 육안을 통해 사실을 판달할 수 없고, '정신을 통해서만' 인식할 수 있는 이데아는 5문단에서 설명한 '사실과 비교함으로써 참 또는 거짓을 판단'할 수 없는 '무의미한 명제'에 해당한다. 따라서 ⓐ는 대응하는 사실이 없어 참 또는 거짓을 판단할 수 없기에 무의미한 명제라고 할 수 있다.

오답풀이

① 윗글과 〈보기〉에서 ⓐ와 '철학의 관심사로 삼아야 할 내용을 담은 명제'의 연관성은 확인할 수 없다.
② ⓐ는 무의미한 명제이므로 '의미 있는 명제'라고 할 수 없다.
③ 윗글을 통해 〈보기〉의 ⓐ가 '말할 수 있는 것'과 '말할 수 없는 것'의 경계를 표현한 명제인지는 알 수 없다.
④ ⓐ는 정신을 통해서만 인식할 수 있고, 실제 경험할 수는 없는 것이다.

[30~32] **현대시**

30 ② 정답률 84%

정답풀이

(가)의 '푸른 수레', '흰 안개', '푸른 봄', (나)의 '흰 자작나무', '흰 두견화' 등에서 색채어가 활용되고 있으며, 이를 통해 색채어가 수식하고 있는 대상을 감각적으로 제시하고 있다.

오답풀이

① 시적 긴장감은 시에서 독자로 하여금 집중하게 하는 것이며 이는 다양한 표현 방법 등을 통해 나타날 수 있다. 이를 고려하면 (가)의 '도시 봄을 부르는 자는 누구냐?'에서 '-냐'라는 의문형 어미를 통해 시적 긴장감을 유발한다고 볼 수 있다. 하지만 (나)에서는 의문형 어미가 나타나지 않는다.
③ (가)와 (나)에서 의성어가 활용되지 않는다.
④ (가)와 (나)에서 수미상관이 드러나지 않는다.
⑤ (가)의 '도시 봄을 부르는 자는 누구냐?'에서 말을 건네는 방식이 드러나지만 이를 통해 대상과의 친밀감을 드러내지는 않는다. 한편 (나)에서는 말을 건네는 방식이 나타나지 않는다.

31 ④ 정답률 71%

정답풀이

(가)의 5연에서 '그들'은 '옥같이 흰 백매가 핀다기로서니 이미 계절이 떠나간 이 빈 지구에 봄이 온다는 이야기를 믿을 수야 있겠느냐고' 했으므로 '그들'은 민족의 운명이 회복될 것이라는 믿음을 갖지 못한다고 볼 수 있다.

오답풀이

① 〈보기〉를 참고할 때 (가)에서 2연의 '봄', '봄'에 대한 '즐거운 이야기'는 각각 해방과 해방에 대한 이야기를 의미한다고 볼 수 있다. 또한 '봄'에 대해 말하고 있는 '사람들'은 해방을 소망하는 민족 공동체 구성원이라고 볼 수 있다.
② 〈보기〉를 참고할 때 (가)의 4연에서 '어떤 친구'가 '말하기를 봄은 어느 아득한 성좌로 멀리 떠나버렸다'고 한 것에서는 소망하는 '봄'이 멀리 떠나버린 현실에 체념하는 모습이 드러난다고 볼 수 있다.
③ 〈보기〉를 참고할 때 (가)의 5연에서 '봄은 어느 성좌에서 다시 오지 않나'는 해방에 대한 소망을 이야기한 것으로 볼 수 있다. 하지만 이를 '부질없이 소곤대'었다는 것은 실천적 노력 없이 소망을이야기만 하는 모습을 드러낸 것으로 볼 수 있다.
⑤ 〈보기〉를 참고할 때 (가)에서 5연의 '계절이 떠나간 이 빈 지구'는 '봄'이 없는 공간이자, 이상적 공간의 회복을 이루지 못한 절망적 현실을 보여 주는 공간이라고 볼 수 있다.

32 ④ 정답률 64%

정답풀이

[D]의 '운명을 사랑하는 사람이 되는 일은 어려운 일이었다'에서는 운명을 받아들이기 어렵다는 화자의 인식이 드러나고 있을 뿐, 억압적 현실에 저항하는 화자의 행동이 드러나지는 않는다.

오답풀이

① [A]에서 화자가 '백두산에 도착하자 눈이 내리기 시작'하고 '서서히 함박눈'으로 '퍼붓'는 것으로 보아 눈 때문에 산행이 어려워지고 있음이 드러난다.
② [B]에서 '우리들은 말없이 천지를 향해 길을 떠났다'라고 했으므로 묵묵히 목표를 향해 나아가는 화자의 모습이 드러난다고 볼 수 있다.
③ [C]에서 '우리들은' '백두산이 되어갔다'라고 했으므로 화자가 대상인 백두산과 동화되어 가는 모습이 드러난다.
⑤ [E]에서 '함께 살아가야 할 날들을 생각했다'라고 했으므로 공동체적 삶에 대한 화자의 바람이 드러난다고 볼 수 있다.

9회

[33~37] 사회

33 ⑤ 정답률 57%

정답풀이

윗글에서 기업 규모와 생산비용의 관계는 드러나지 않는다.

오답풀이

① 3문단을 통해 거래비용에는 '시장에서 재화를 거래할 때 발생하는 거래비용'인 '시장거래비용'과 '조직 내에서도 거래가 일어'나는 경우의 거래비용인 '조직내거래비용'이 있음을 알 수 있다.
② 3문단에서 '시장거래비용과 조직내거래비용을 합친 것'이 '총거래비용'임을 알 수 있다.
③ 3문단을 통해 기업은 "시장거래비용'을 줄이기 위해, 재화를 자체적으로 생산하는 것에 대해 고려'하고 '이런 상황에서 기업이 새로운 내부 조직을 만들거나 다른 기업을 합병하여 내부 조직으로 흡수하는 등의 방법을 통해 거래를 내부화' 한다는 것을 알 수 있다.
④ 1문단에서 '현대 사회의 기업들은 새로운 내부 조직을 만들거나 다른 기업과 합병하는 등의 방식을 통해 기업의 규모를 변화시'킨다고 하였으며, 4문단에 따르면 이를 통해 기업은 '총거래비용'을 '최소'화 하고자 한다.

34 ① 정답률 81%

정답풀이

2문단에서 '거래비용이란 재화를 생산하는 데 드는 생산비용을 제외한, 경제 주체들이 재화를 거래하는 과정에서 발생하는 모든 비용'이라고 했다. '도자기 장인이 직접 흙을 채취'한 상황은 재화를 생산하는 데 드는 생산비용과 연관된 것으로 '도자기 장인'이 경제 주체들과 거래하는 과정에서의 비용은 드러나지 않기 때문에 거래비용이 발생하는 상황으로 볼 수 없다.

오답풀이

② 2문단에 따르면 '경제 주체가 거래 의사와 능력을 가진 상대방을 탐색하는 과정'에서 발생하는 비용은 거래비용이므로, 집을 구매하려는 사람이 집을 판매하는 사람을 탐색할 때는 거래비용이 발생하는 상황으로 볼 수 있다.
③ 2문단에 따르면 '가격이나 교환 조건을 상대방과 협상하여 계약을 하는 과정'에서 발생하는 비용은 거래비용이므로, 가구를 생산하는 사람이 원목 판매자와 재료 값을 흥정할 때는 거래비용이 발생하는 상황으로 볼 수 있다.
④ 2문단에 따르면 '가격이나 교환 조건을 상대방과 협상하여 계약을 하는 과정'에서 발생하는 비용은 거래비용이므로, 소비자가 인터넷을 설치하기 위해 통신사와 약정서를 작성할 때는 거래비용이 발생하는 상황으로 볼 수 있다.
⑤ 2문단에 따르면 '계약 후 계약 이행 여부를 확인하고 강제하는 과정'에서 발행하는 비용은 거래비용이므로, 제과 업체가 계약대로 밀가루가 제대로 공급되고 있는지 확인할 때는 거래비용이 발생하는 상황으로 볼 수 있다.

35 ③ 정답률 74%

정답풀이

4문단에서 '기업이 부품을 자체 생산하여 내부 거래를 증가시키면 시장거래비용은 감소하지만, 조직내거래비용은 증가하게 된다. 이때 기업은 총거래비용이 최소가 되는 지점까지 내부 조직의 규모를 확대하여 부품을 자체 생산할 수 있고, 이 지점이 바로 기업의 최적규모라고 할 수 있다.'라고 했으므로 ⓓ에서 ⓔ로 총거래비용이 줄어 총거래비용이 최소가 된 것은 내부 조직의 규모를 확대한 기업의 최적규모로 볼 수 있다. 따라서 총거래비용이 줄어든 이유가 내부 조직 규모를 축소하겠다는 결정을 하였기 때문이라고 볼 수는 없다.

오답풀이

① 4문단에서 '기업이 부품을 자체 생산하여 내부 거래를 증가'시키면 '조직내거래비용은 증가'한다고 했으므로, ⓐ에서 ⓑ로 조직내거래비용이 증가한 것은 시장에서 조달했던 부품의 일부를 자체 생산하겠다고 결정했기 때문이라고 볼 수 있다.
② 4문단에서 '기업이 부품을 자체 생산하여 내부 거래를 증가시키면 시장거래비용은 감소'한다고 했으므로, ⓒ에서 ⓕ로 시장거래비용이 감소한 것은 기업이 내부 거래를 증가시켰기 때문이라고 볼 수 있다.
④ 4문단에 따르면 '총거래비용이 최소가 되는 지점'이 '기업의 최적규모'이므로 총거래비용이 최소인 ⓔ는 기업의 최적규모라고 볼 수 있다.
⑤ ⓕ는 시장거래비용이 0이고 조직내거래만 이루어지는 상황으로 볼 수 있다. 4문단의 '기업이 다른 기업과의 시장거래를 통해 모든 부품을 조달한다면 조직내거래비용은 발생하지 않고, 시장거래비용만 발생하게 될 것이다.'를 고려하면, 시장거래 없이 조직내거래만 이루어질 경우 시장거래비용은 발생하지 않을 것이다.

36 ⑤ 정답률 74%

정답풀이

5문단에서 '인간은 거래 상황 속에서 정보를 수집하고 처리할 때 완벽하게 합리적인 선택을 할 수 있는 존재는 아니'라고 했으므로, D 기업과의 거래에서 E 기업이 완벽하게 합리적인 선택을 하였다고 볼 수는 없다.

오답풀이

① 〈보기〉의 A 기업은 특정 기업을 선정하지 않고 다양한 기업을 통해 볼트를 조달하고 있음을 알 수 있다. 6문단에서 '자산특수성이란 다양한 거래 주체를 통해 일반적으로 구할 수 있는 자산이 아닌, 특정 거래 주체와의 거래에서만 높은 가치를 갖는 자산의 속성'이라고 했으므로 A 기업이 조달하는 볼트는 자산특수성이 높지 않을 것이다.
② 〈보기〉의 B 기업은 '특정 거래 주체'인 C 기업을 통해서만 핵심 부품을 조달하므로 6문단에 따르면 자산특수성이 높다고 볼 수 있다. 자산특수성이 높으면 '경제 주체들은 기회주의적으로 행동할 가능성이 커질 수 있기 때문에 이를 보완하고자 다양한 안전장치를 마련'한다고 하였으므로, '장기간의 계약 기간을 계약 조건으로 명시' 한 것은 안정적인 생산과 조달을 위한 안전장치임을 알 수 있다.
③ 6문단에 따르면 B 기업과 C 기업이 거래하는 핵심 부품은 자산특수성이 높아 경제 주체들이 '기회주의적으로 행동할 가능성이 커질 수 있'다는 점을 염려해 안전장치를 마련했다고 볼 수 있다.
④ 6문단에서 '일반적으로 정보가 불확실한 거래 상황일수록 거래 주체들은 상대의 정보를 알아내기 위한 노력을 할 것이고, 이로 인해 거래비용은 높아지게 된다.'라고 했으므로 E 기업이 D 기업에 원재료의 품질 정보를 세부적으로 제공하지 않는 상황에서는 거래비용이 높아질 가능성이 있다.

37 ① 정답률 79%

정답풀이

㉠(이행)의 사전적 의미는 '실제로 행함.'이다. '둘 이상의 일을 한꺼번에 행함.'은 '병행'의 사전적 의미다.

[38~41] 고전시가+고전수필

38 ③ 정답률 60%

정답풀이

(가)는 '개가 짖어 못 오는가', '물이 깊어 못 오던가', '산이 높아 못 오던가' 등에서 추측을 나타내는 표현을 통해 임과의 재회가 늦어지는 이유에 대한 화자의 생각을 드러내고 있다. 또한 (나)는 '화려하고 사치스러운 사람이 봄을 볼 때는 이러하리라', '슬프고 비탄에 찬 사람이 봄을 볼 때는 이러하리라' 등의 추측을 나타내는 표현을 통해 사람들이 각자 처한 상황에 따라 봄을 받아들이는 태도가 달라질 수 있다는 글쓴이의 생각을 드러내고 있다.

오답풀이

① (가)와 (나) 모두 환상적 공간의 묘사나 긴장된 분위기가 드러나지 않는다.
② (가)는 '아해야'라고 부르는 말을 반복하여 화자의 그리움을 드러낸다고 볼 수 있다. 하지만 (나)에서는 부르는 말의 반복이 나타나지 않는다.
④ (가)와 (나)에서 언어유희는 드러나지 않는다.
⑤ (가)에서는 '말 듣소'라는 명령형 어조를 반복하여 대상에 대한 생각을 드러낸다고 볼 수 있으나 (나)에서는 명령형 어조가 드러나지 않는다.

39 ③ 정답률 38%

정답풀이

〈보기〉에 따르면 (가)의 '화자는 임과의 재회가 늦어지는 이유를 외부적 요인에서 찾으려' 한다. (가)의 '물이 깊어 못 오던가', '산이 높아 못 오던가'는 화자가 '물'이 깊고 '산'이 높다는 '외부적 요인'에서 '임과의 재회가 늦어지는 이유'를 찾으려 함을 보여 줄 뿐, 화자가 임과 이별하게 된 이유를 찾고 있는지는 알 수 없다.

오답풀이

① 〈보기〉에서 (가)는 임과 이별한 상황을 형상화했다고 하였으므로 '일조 낭군 이별 후에 소식조차 돈절하야'에서는 하루아침에 임과 이별하여 소식이 갑자기 끊어진 상황을 알 수 있다.
② 〈보기〉에서 (가)는 임과 이별한 상황에서 느끼는 답답함을 형상화했다고 하였으므로, '자네 일정 못 오더냐 무삼 일로 아니 오더냐'에서는 임이 오지 않는 이유를 알지 못하는 상황에서 화자가 느끼는 답답한 심정이 나타났다고 볼 수 있다.
④ 〈보기〉에서 (가)의 화자는 '불가능한 상황을 가정함으로써 임이 돌아오지 않는 것에 대한 원망을 드러'냈다고 했다. 따라서 '병풍에 그린 황계 수탉이~울거든 오랴는가'에서는 '병풍에 그린 황계'가 우는 불가능한 상황을 가정하고, 그런 상황이 되어야만 임이 올 것인지를 물으며 돌아오지 않는 임에 대한 원망을 드러낸다고 볼 수 있다.
⑤ 〈보기〉에서 (가)에는 '임과 재회하기를 간절하게 바라는 화자의 마음이 담겨 있다.'라고 했으므로 '너란 죽어 황하수 되고 날란 죽어 도대선 되야~떠서 노자'에서는 화자가 죽어서라도 다시 임과 재회하고 싶어 함을 알 수 있다.

오답률 Best 1

<보기>에서는 (가)의 화자가 임과의 '재회'가 늦어지는 이유를 외부적 요인에서 찾으려 한다고 하였을 뿐, 화자가 임과 '이별'한 이유를 외부적 요인에서 찾고 있다고 하지는 않았어. <보기>에 근거해 감상하는 문제에서는 <보기>부터 정확하게 읽어야 한다는 것을 명심하자!

40 ⑤ 정답률 67%

정답풀이

(나)의 C에서 '닥쳐오는 상황을 마주하고 변화하는 조짐을 순순히 따르며 나를 둘러싼 세상과 더불어 움직여 가리니, 한 가지 법칙만으로 헤아릴 수는 없는 것이다.'라고 한 것에서는 상황의 변화를 따르며 살겠다는 깨달음을 드러내고 있다. 그러나 이러한 깨달음이 자신을 둘러싼 세상을 변화시키고자 하는 의지로 확장되고 있지는 않다.

오답풀이

① A에서 '나'가 '봄을 즐기느라 온화한 표정'인 사람들의 모습을 보면서도 '민망하고 답답하기'만 한 마음을 갖는 것은, B의 '나'의 생각이 시작되는 계기가 된다고 볼 수 있다.
② B에서 '천자'가 '너른 중국 땅의 아름다운 경치를 바라보니 기쁘고 흡족하여 옥잔에 술을 가득 부어 마신다.'라고 하였으므로, '나'는 봄을 대하는 부귀한 사람의 태도를 생각한다고 볼 수 있다.
③ B에서 '왕족과 귀족의 자제들은 호탕한 벗들'과 봄을 즐기고 있지만 '나그네'는 집을 떠나 마음이 '조급하고 한스러워진다.'라고 하였으므로 서로 입장이 대비됨을 알 수 있다.
④ B에 제시된 '천자', '왕족과 귀족의 자제들', '부인', '나그네'가 봄을 받아들이는 태도에 대한 '나'의 생각들은, '보이는 경치와 처한 상황'에 따라 봄을 다르게 받아들일 수 있다는 C의 깨달음으로 이어진다고 볼 수 있다.

41 ① 정답률 73%

정답풀이

(가)의 화자는 ㉠(달)에게 '임 계신 데 명휘를 빌리려문 나도 보게'라고 하며 밝은 빛을 비춰 달라는 소망을 드러내고 있으므로 ㉠은 화자의 소망을 드러내는 소재이다. 한편 (나)에서 둘씩 나는 ㉡(제비)은 '남편과 이별'한 '어여쁜 부인'의 슬픈 처지를 부각한다고 볼 수 있다.

오답풀이

② 쌍쌍이 나는 ㉡은 '남편'과 이별한 '부인'과 대비되는 소재로 볼 수 있지만, ㉠은 화자의 처지와 동일시되는 소재가 아니다.
③ ㉠은 화자의 행동을 유도하지 않으며, ㉡도 인물의 외적 갈등을 해소하는 소재가 아니다.
④ ㉠은 화자와 대상을 연결하지 않으며, ㉡도 인물과 대상을 단절시키지 않는다.
⑤ ㉠은 화자의 부정적 인식을 내포하지 않으며, ㉡도 긍정적 인식을 투영하지 않는다.

[42~45] 고전소설

42 ① 정답률 79%

정답풀이

'첩은 죄인의 어미옵더니, 사람이 불민하여 시댁에서 쫓겨났사오나, 가장은 천 리 밖에 있사왔고, 첩을 불쌍히 생각하기는커녕 인편에 대어 죽여라, 내쫓아라 하오니, 첩이 어디 가서 살며 어찌 시댁이 용납하리니까?' 등의 대화에서 송부인이 시댁에서 쫓겨난 후 고난을 겪고 있는 상황을 보여 준다고 할 수 있다.

오답풀이

② 윗글에서 전기적 요소를 통해 비현실적 장면을 부각하는 부분은 드러나지 않는다.
③ 윗글에서 과장된 상황을 통해 인물의 해학성을 강조하는 부분은 드러나지 않는다.
④ 윗글에서 배경에 대한 묘사를 통해 낭만적 분위기를 형성하는 부분은 드러나지 않는다.
⑤ 윗글에서 꿈과 현실의 교차를 통해 사건을 입체적으로 구성하는 부분은 드러나지 않는다.

43 ④ 정답률 67%

정답풀이

㉣(이 어찌된 일이시니까?)은 왕시랑에 대한 송부인의 '서운'한 마음이 드러나 있을 뿐, 왕시랑이 명사관으로서 공과 사를 구분하기를 바라는 마음이 드러나 있지는 않다.

오답풀이

① ㉠(이리이리하여~이리를 지나가리라.)은 무녀가 녹재에게 하는 말로, '조만간에 하인이 이리를 지나가리라'에 왕진사 댁 하인이 주막을 지나갈 것이라는 무녀의 예측이 드러난다.
② ㉡(네 내 집에~음담패설을 주고 받느냐?)에 송부인이 '무녀를 통하여 흉측한 태도로 음담패설을 주고받'은 죄를 지었다고 생각하는 왕진사의 질책이 드러나 있다.
③ ㉢(심기 불평하니 죄인을 물리라.)은 '다시 묻고자 하나 하인들 앞에 말하기가 편치 않기에 따로 분부'한 것이므로 주변 상황을 의식하여 송부인에게 질문하기를 미루는 왕시랑의 모습이 드러나 있다.
⑤ ㉤(설마 그 놈을 잡지 못하리니까?)에는 '그 놈'을 잡아 사건의 진상을 밝히려는 왕시랑의 태도가 드러나 있다.

44 ③ 정답률 55%

정답풀이

'편지도 답장도 내 한 바 아니라, 난들 어찌 알았으리오?'에서 왕시랑은 송부인을 만나기 전까지는 송부인이 모함을 받고 시댁에서 쫓겨나 홀로 아들을 낳아 기른 사실을 모르고 있었음을 알 수 있다. 따라서 왕시랑이 송부인의 누명을 풀어 주기 위해 입신양명을 이룬 것은 아니며 입신양명하여 명사관으로 파견된 후 송부인을 만나 오해를 풀고 누명을 벗겨주기로 약속한 것임을 알 수 있다.

오답풀이

① 송부인은 왕시랑에게 '첩에게 죄가 설령 있거든 여기서 죽여 주시고, 만일 무죄한 듯하거든 소상히 명사하와 애매한 누명을 씻어 주옵소서.'라고 자신의 목숨을 걸고 무죄를 주장하고 있으며, '여기 증거할 것이 있'다며 '품에서 편지봉투를 내어 앉은 앞에 던지'는 것 등을 통해 오해를 풀려고 하는 적극적인 모습이 드러난다.
② 왕진사가 '네 복중에 있다는 자식에 대해서도 네 남편은 모른다 하니 그것은 어찌된 일이냐?'라고 송부인을 수죄(범죄 행위를 들추어냄)하는 모습에서 여성의 정절을 중시하는 남성 중심 사회의 모습이 드러난다고 볼 수 있다.
④ 녹재가 왕진사 댁 하인을 취하게 만들어 편지를 위조하는 것을 통해, '가족 외부의 인물'인 녹재가 주인공인 송부인을 모함하려는 모습을 확인할 수 있다.

9회

⑤ 송부인이 왕시랑에게 '시댁에서 쫓겨났사오나, 가장은 천 리 밖에 있사왔고, 첩을 불쌍히 생각하기는커녕 인편에 대어 죽여라, 내쫓아라 하오니, 첩이 어디 가서 살며 어찌 시댁이 용납하리니까?'라고 말하는 모습에서 과거에 송부인이 겪은 시련과 고난이 드러난다고 할 수 있다.

오답률 Best 4

<보기>에서는 윗글의 주인공이 시련과 고난을 겪게 된 후 '입신양명을 이룬 남편과의 만남'이 이루어진다고 했어. 윗글에서 입신양명하여 '명사관으로 파견'된 남편인 왕시랑이 '분명히 괴상한 용무를 꾸민 놈이 있는 모양이라. 설마 그 놈을 잡지 못하리니까?'라고 말하며 모함을 주도한 자를 잡아 송부인의 누명을 벗겨주겠다고 약속하는 것에서 구체적인 내용을 확인할 수 있지. 그런데 이에 앞서 왕시랑이 송부인에게 '이것이 어찌된 일이오?'라고 물어보는 것으로 보아, 명사관으로 파견된 이후에야 모함을 받았음을 알게 되었음을 알 수 있어. 따라서 왕시랑이 입신양명을 이룬 목적이 누명을 벗겨주기 위한 것이라 보기는 어려워. 문제 풀이에 앞서 지문에 제시된 내용들의 선후 관계를 정확히 파악하는 것은 기본적인 토대가 된다는 점 잊지 말자.

45 ③ 정답률 56%

정답풀이

주막에서 황성으로 가는 ⓑ의 서간은 녹재가 왕진사가 왕시랑에게 보낸 '편지를 없애고 다시 글씨를 본떠 써넣'은 것이다. 그리고 주막에서 왕진사 댁으로 가는 ⓓ의 서간은 왕시랑이 왕진사에게 보낸 '답장 편지'로 이 또한 녹재가 '떼어 없애고 다시 시랑의 필적으로 답장을 위조'한 것이다. 따라서 ⓑ의 서간과 ⓓ의 서간은 모두 녹재가 위조한 것으로 볼 수 있다.

오답풀이

① 왕진사가 왕시랑에게 보낸 ⓐ의 서간은, 녹재에 의해 '집안은 무사하고 공직에 힘쓰라.'라는 내용으로 조작되어 ⓑ의 서간이 된다.

② ⓑ의 서간은 집안에 문제가 생겼다는 내용이 아니라 '집안은 무사하고 공직에 힘쓰라.'라는 내용을 담고 있으므로 왕시랑은 집안에 문제가 있음을 알지 못한다.

④ ⓒ의 서간은 녹재에 의해 '또 떼어 없애'졌다. 한편 '시랑의 필적으로' 위조된 ⓓ의 서간을 왕진사가 받아보고 송부인에게 '왕시랑의 답장을 던지는지라'라고 했으므로 ⓓ의 서간은 송부인에게 전달됨을 알 수 있다.

⑤ ⓔ의 서간은 '송부인이 품에서' 꺼내 왕시랑에게 던진 것으로, '왕시랑이 상혼실백하여 그것을 아니 보지 못할 터이라. 차차로 펴 보니 한 장은 자신의 답장이라 하나 사연은 전혀 알지 못하는 것이라 막측기단하'였다는 것에서 왕시랑이 처음 보는 내용의 서간임을 알 수 있다.

오답률 Best 5

윗글에서는 녹재가 자신의 주막에서 서간을 가지고 오는 하인에게 술을 먹이고, 이 틈을 타 편지를 위조하는 상황이 두 번 드러나고 있어! 따라서 주막에서 출발하여 다른 곳(왕진사 댁, 황성)으로 가는 서간이 녹재가 위조한 편지이며, 이는 ⓑ와 ⓓ에 해당돼. 정답인 ③번을 제외하고 ④번을 고른 학생들이 많았어. ④번을 고른 학생들은 (위조된 내용의) ⓓ의 서간이 송부인에게 전달되지 않았다고 생각했는데 윗글에서 왕진사가 송부인에게 '왕시랑의 답장을 던지는지라.'라고 했고, 이를 송부인이 간직하고 있다가 훗날 왕시랑에게 보여주므로 ⓓ의 서간은 송부인에게 전달되었다고 볼 수 있어. 고전소설에서는 이처럼 세세한 내용 일치를 꼼꼼히 확인해야 한다는 점 기억하자.

10회

2019학년도 9월 학평

1. ⑤	2. ⑤	3. ①	4. ⑤	5. ④	6. ⑤	7. ①	8. ②	9. ④	10. ④
11. ③	12. ②	13. ①	14. ③	15. ②	16. ⑤	17. ①	18. ②	19. ④	20. ③
21. ③	22. ⑤	23. ①	24. ⑤	25. ③	26. ②	27. ②	28. ③	29. ②	30. ④
31. ④	32. ①	33. ②	34. ②	35. ③	36. ⑤	37. ④	38. ④	39. ①	40. ③
41. ②	42. ③	43. ④	44. ⑤	45. ⑤					

오답률 Best 5

[1~3] 화법

1 ⑤ 정답률 88%

정답풀이

강연자가 청중에게 강연 순서를 알려 주어 청중이 내용을 예측할 수 있도록 하고 있지는 않다.

오답풀이

① 강연자는 '우리가 알고 있는 평균의 의미를 다시 생각해 보기 위해' '평균에서 벗어난 삶'을 강연 주제로 선정했다고 밝히고 있다.
② 강연자는 청중에게 '우리나라 고등학생의 평균 키는 몇이지?', '이번 국어 시험 평균이 얼마야?' 등의 질문을 해 본 경험을 환기하며 강연의 화제를 제시하고 있다.
③ 강연자는 '평균적 삶을 따르기보다는 타인과 구별 짓는 색다른 경험을 해 보는 건 어떨까요?'라고 청중의 태도 변화를 제안하며 강연을 마무리하고 있다.
④ 강연자는 '평균을 기준'으로 '누구에게도 맞을 수 없는 조종석'을 만들었던 미국 공군의 사례를 활용하여 주장하는 내용을 뒷받침하고 있다.

2 ⑤ 정답률 91%

정답풀이

'평균을 뛰어넘어야 한다는 압박감에 조바심을 내던 나의 모습'은 자신의 경험에 해당하고, 그러한 모습을 '돌아보게 됐'다는 것은 자신을 성찰하는 것으로 볼 수 있으므로 적절하다.

오답풀이

① '평균을 기준으로 만든 조종석이 누구에게도 맞을 수 없었다'는 것은 강연에서 언급한 내용이다.
② '어떤 방식으로 조종사의 신체 지수 10개 항목의 평균을 냈'는지에 대해 궁금해한 것은 강연자가 활용한 자료의 오류를 판단한 것으로 볼 수 없다.
③ 사람들이 '지적 능력의 평균보다 신체 지수의 평균에 주목하는 경우가 더 많'다는 사실을 강연에서 확인할 수 없으므로, 이를 강연을 통해 새롭게 알게 된 점이라고 보기는 어렵다.
④ 강연자가 강연에서 '상품의 규격을 표준화할 때 평균이 유용한 값'이라고 주장하지는 않았으므로 적절하지 않다.

3 ① 정답률 95%

정답풀이

<보기>에서 'A 씨'는 '가장 많이 팔린다는 베스트 메뉴를 선택'하고, '베스트셀러' 순위 안에서 책을 선택한다고 하였다. 이는 평균적으로 가장 인기가 있는 음식이나 책을 고르는 태도이므로, '학생'은 강연 주제를 고려해 'A 씨'에게 '평균에서 벗어난 삶'을 살아 보라는 조언을 할 수 있다. 따라서 타인의 기준을 따르기보다는 자신의 특별한 기준을 찾아 선택해 보라는 내용의 조언이 가장 적절하다.

오답풀이

② 각 분야 전문가들의 견해를 참고하라는 조언은 '평균에서 벗어난 삶'이라는 강연 주제와 맞지 않는다.
③ 'A 씨'가 여러 개 중에 선택하는 데에 어려움을 느끼는 것은 아니므로, 항목을 단순화하여 선택하라는 것은 적절한 조언이 아니다.
④ 'A 씨'가 의사 결정에 너무 많은 시간을 할애하는 것은 아니므로, 의사 결정 시간을 줄여 보라는 것은 적절한 조언이 아니다.
⑤ 'A 씨'가 단기간에 많이 팔린 제품에만 관심을 가진 것은 아니므로, 오랫동안 잘 팔리는 것들에 관심을 가져 보라는 것은 적절한 조언이 아니다.

[4~7] 화법과 작문

4 ⑤ 정답률 80%

정답풀이

[C]에서 '학생 회장'이 '학생 기자'에게 질문한 내용을 찾을 수 없다. 따라서 '학생 기자'가 '학생 회장'이 질문한 내용에 대한 자신의 이해가 정확한지를 확인한다고 볼 수 없다.

오답풀이

① [A]에서 '학생 기자'는 '폐현수막으로 에코백을 만들어 친구들에게 나눠 주는 행사에 참여'했던 자신의 경험을 언급하면서 화제인 '업사이클링' 행사와 관련된 활동에서 느낀 점을 '버려진 현수막이 또 다른 형태로 쓰일 수 있다는 것에 흥미가 생겼습니다.'라고 말하고 있다.
② [B]에서 '학생 기자'는 '학생 회장'의 '업사이클링은~새로운 가치를 발견하는 일이라고 할 수 있습니다.'라는 말에 '네. 정말 좋은 일이군요.'라고 긍정적으로 반응하며 듣고 있다.
③ [B]에서 '학생 회장'은 '학생 기자'의 '선배님은 업사이클링 활동이 어떤 의의가 있다고 생각하세요?'라는 질문에, '무엇보다도 쓸모없어진~있다고 생각해요.'라고 답하며 '업사이클링'이 지닌 의의를 설명하고 있다.
④ [C]에서 '학생 회장'은 '멸종 위기 물고기의 사진들'이라는 시각 자료를 보여 주며, '학생회에서는 학생들이~말하고 싶었습니다.'라는 '업사이클링' 행사의 의도를 설명하고 있다.

5 ④ 정답률 69%

정답풀이

(가)에서 '학생 회장'은 '멸종 위기의 물고기 모양을 디자인한 필통을 만들어 볼까' 한다고만 말하였고, 그 외에 업사이클링 상품에 활용된 디자인들에 대해서는 언급하지 않았다. 따라서 '학생 기자'는 추가적으로 '업사이클링 상품에 활용된 다양한 디자인에는 어떤 것들이 있나요?'라는 질문을 할 수 있다.

오답풀이

① '학생 회장'은 업사이클링이 "업그레이드'와 '리사이클링'이 합쳐진 말로, 버려지거나 다 쓴 물건에 디자인이나 활용도를 더해 새로운 제품으로 재탄생시키는 것'을 뜻한다고 설명하고 있으므로, 이에 대해 추가 질문을 하는 것은 적절하지 않다.
② '학생 회장'은 '학생회에서는 학생들이 업사이클링 활동을 경험해 봄으로써~말하고 싶었습니다.'라며 업사이클링 관련 행사를 기획한 의도를 설명하고 있으므로, 이에 대해 추가 질문을 하는 것은 적절하지 않다.

③ '학생 기자'는 '다양한 디자인을 접목한 상품을 만들어 경제적 효과까지 창출할 수 있다고 생각' 한다는 '학생 회장'의 말에, 그래서 '사회적 기업들이 업사이클링 제품에 관심을 가지는 것'이라고 하고 있으므로, 이에 대해 추가 질문을 하는 것은 적절하지 않다.
⑤ '학생 회장'은 업사이클링과 관련하여 이번 축제에서는 '버려진 방수천을 활용해 필통을 만들어 보려'는 행사를 계획했다고 말하고 있으므로, 이에 대해 추가 질문을 하는 것은 적절하지 않다.

6 ⑤ 정답률 81%

정답풀이

(나)에서 비유적 표현을 활용하여 업사이클링 활동을 활성화시키기 위한 노력을 강조하는 내용은 찾을 수 없다.

오답풀이

① 3문단에서 인터뷰에서 언급되지 않은 '폐타이어를 활용해 미끄러지지 않는 신발을 만든 것'이라는, 추가로 수집한 업사이클링 제품에 대해 언급하고 있다.
② 1문단에서 '지구의 환경 문제에~관심을 가지게 되었다.'라며 사람들이 업사이클링에 주목하게 된 배경을 제시하고 있다.
③ 3문단에서 '무엇보다도 버려진~자세가 필요하다.'라며 일상생활에서 업사이클링을 실천하기 위해 필요한 자세에 대해 언급하고 있다.
④ 2문단에서 '폐현수막으로 에코백 만들기', '방수천을 활용한 필통 만들기'라는 구체적인 예를 들어 업사이클링 활동을 설명하고 있다.

7 ① 정답률 89%

정답풀이

㉠(그런데) 앞에서는 사람들이 지구의 환경 문제를 우려하게 되면서 환경 보호 활동에 관심이 높아지고 '물건을 재활용하는 것을 넘어 좀 더 가치 있는 활동'을 하고자 함에 대해 설명하였다. 그리고 ㉠ 뒤에서는 사람들이 '쓸모없어진 폐기물에 생명을 불어넣는 '업사이클링'에 주목'하게 되었다고 했으므로, ㉠ 앞의 내용은 ㉠ 뒤의 내용이 발생하게 된 원인이라 볼 수 있다. 따라서 ㉠은 '그러나'가 아니라 앞뒤 내용을 인과 관계로 연결하는 접속어인 '그래서'로 고쳐 쓰는 것이 적절하다.

오답풀이

② ㉡(개시)은 '시장을 처음 열어 물건의 매매를 시작함.'이라는 뜻인데, 문맥을 따져 보면 사회적 기업들이 물건을 처음으로 판매하는 상황을 말하고자 하는 것이 아니라는 것을 알 수 있다. 따라서 ㉡은 '상품이 시중에 나옴. 또는 상품을 시중에 내보냄.'이라는 의미의 '출시'로 고쳐야 한다.

③ ㉢(관련되어진)에는 피동 표현 '-되다'와 '-어지다'가 중복해서 쓰였으므로, 명사 '관련'에 결합해 피동을 나타내는 '-되다'만 붙은 '관련된'으로 고쳐야 한다.
④ '실천하기(실천하다)'가 필요로 하는 목적어가 빠져 있으므로, ㉣에 '업사이클링을'을 추가해야 한다.
⑤ ㉤(또한 상품의~늘려야 한다.)은 '생활 속 업사이클링 실천 방안'에 대해 말하는 3문단의 흐름에 어긋나는 내용이므로 삭제해야 한다.

[8~10] 작문

8 ② 정답률 86%

정답풀이

1문단의 '여러분은 학교에서 얼마나 많은 시간을 보내고 있는지 생각해 본 적이 있습니까?', 4문단의 '높은 천장이 학생들의 창의력을 향상시키는 데 도움이 된다는 사실을 아십니까?'등의 질문을 통해 독자의 관심을 끌고 있다.

오답풀이

① 새로운 이론들을 제시하고, 이를 비교하며 주제를 부각하고 있지는 않다.
③ 용어의 개념을 정의하거나, 이를 통해 현상에 대해 설명하고 있지는 않다.
④ 자료의 출처를 언급하지 않았으므로, 이를 통해 내용의 신뢰성을 높인다고 볼 수 없다.
⑤ 관용 표현을 사용하거나, 이를 통해 상황의 심각성을 드러내고 있지는 않다.

9 ④ 정답률 85%

정답풀이

(가)-1은 '고등학교 학생 1인당 학교 실내 건물 면적'이 꾸준히 증가하였음을 보여 주는 통계 자료이고, (나)는 '천장의 높이와 창의력 사이에 상관관계가 있다는 연구 결과'를 보도한 신문 기사이다. 따라서 (가)-1을 통해 학교 실내 건물 면적이 증가해왔다는 것을, (나)를 통해 창의력을 높이기 위해서는 천장 높이를 높여야 한다는 것을 알 수 있지만, 두 자료를 통해 학교 실내 건물의 활용도를 높이는 것보다 천장 높이를 개선하는 것이 더 시급함을 밝힐 수는 없다.

오답풀이

① (가)-1은 '고등학교 학생 1인당 학교 실내 건물 면적'이 꾸준히 증가하였음을 보여 주므로 2문단의 '학생들이 사용하는 실내 건물 면적은 점점 늘어났습니다.'라는 내용을 보충하는 자료로 활용할 수 있다.
② (가)-2는 학생들이 쉬는 시간에 주로 '교실 등 실내'에 있는 이유를 제시하는 설문 조사 분석 자료이다. 따라서 이는 3문단에서 학교 건물의 고층화로 인해 '학생들이 쉬는 시간을 활용하는 데 제약이 생'긴다는 내용을 뒷받침하는 자료로 활용할 수 있다.

③ (나)는 천장의 높이와 창의력 사이에 상관관계가 있다는 연구 결과를 보도하였으므로, 4문단의 '높은 천장이 학생들의 창의력을 향상시키는 데 도움이 된다는 사실'이라는 내용의 근거 자료로 활용할 수 있다.
⑤ (가)-2에 따르면 많은 학생들은 쉬는 시간에 주로 '교실 등 실내'에 있는 이유로 '교실에서 운동장까지 내려가기 너무 멀'다는 것을 꼽았다. 그리고 (다)는 학교에서 학생들이 쉽게 실외로 나갈 수 있도록 공간을 개선해야 한다는 전문가 인터뷰이다. 따라서 5문단에서 '저는 학급의 교실을~즐길 수도 있을 것입니다.'라며 교실에서 실외로 이동하는 시간을 줄이기 위한 공간 개선의 필요성을 제시할 때 자료로 (가)-2와 (다)를 활용할 수 있다.

10 ④ 정답률 89%

정답풀이

〈보기〉의 추가 문단을 보면, '학교 건물의 공간을 개선해야 한다.'라는 학생의 주장을 강화하는 사례로 프랑스 학교 건축물을 제시하고 있다. 또한 우리가 '학교 건물의 변화를 위해 노력한다면, 학생들의 학교생활에 긍정적인 변화가 일어나고 학생들의 창의적 사고력을 기르는 데에도 도움을 줄 수 있을 것'이라며 개선 방안의 기대 효과를 드러내고 있다. 따라서 학생의 초고를 본 선생님은 학생에게 '주장을 강화하는 사례와 개선 방안의 기대 효과를 포함할 것.'이라는 조언을 해 주었다고 볼 수 있다.

오답풀이

① 〈보기〉의 추가 문단에서 '공간과 생활의 관계를 생각해 학교 건물의 변화를 위해 노력한다'는 부분에서 개선 방안의 요약이 제시되었다고 볼 여지는 있다. 하지만 학생의 주장을 구체화하는 계획을 요약하고 있지는 않다.
② 〈보기〉의 추가 문단에서 주장의 실현 가능성과 개선 방안의 문제점을 추가하고 있지는 않다.
③ 〈보기〉의 추가 문단에서 주장의 원인이 되는 배경과 개선 방안의 한계를 밝히고 있지는 않다.
⑤ 〈보기〉의 추가 문단에서 주장에 대한 예상 반응과 개선 방안의 긍정적 결과를 제시하고 있지는 않다.

[11~15] 문법(언어)

11 ③ 정답률 61%

정답풀이

3문단에서 '체언'은 '실질적인 의미를 표시하는 실질 형태소'이고, '조사'는 '실질 형태소에 결합하여 보조적 의미를 덧붙이거나 문법적 관계를 표시하는 형식 형태소'라고 하였다. 그리고 4문단에서 '체언에 조사가 붙'을 때에는 형태소의 형태를 밝히어 '어법에 맞도록' 적는다고 하였다. 이를 고려할 때, ⓒ(수만은)는 체언인 의존 명사 '수'에 보조사 '만'과 '은'이 결합한 것, 즉 실질 형태소 '수'와 형식 형태소 '만', '은'이 결합한 것이므로 어법에 맞도록 '형태를 밝히어' 적어야 한다.

오답풀이

① 4문단에서 '용언의 어간에 어미가 붙어 소리가 바뀔 때'에는 형태소의 '형태를 밝히어 적는다.'라고 하였다. 이에 따르면 ⓐ(먹을)는 동사의 어간 '먹-'에 어미 '-을'이 결합하여 [머글]로 발음됨에 따라 소리가 변하므로, 그 형태를 밝히어 '먹을'로 적은 것이다.

② 4문단에서 '체언에 조사가 붙'을 때에는 형태소의 '형태를 밝히어 적는다.'라고 하였다. 이에 따르면 ⓑ(것은)는 의존 명사 '것'에 보조사 '은'이 붙었으므로 그 형태를 밝히어 적은 것이다.

④ 5문단에서 '두 개의 용언이 어울려 한 개의 용언이 될 때'에 '앞말의 본뜻이 유지되고 있는 것은 그 원형을 밝히어 적는다.'라고 하였다. 이에 따르면 ⓓ(돌아오다가)는 '돌다'와 '오다'라는 두 개의 용언이 어울려 한 개의 용언이 된 것인데, 이때 앞말인 '돌다'의 본뜻이 유지되고 있으므로 형태를 밝혀 적은 것이다.

⑤ 5문단에서 '두 개의 용언이 어울려 한 개의 용언이 될 때'에 '앞말이 그 본뜻에서 멀어진 것은 원형을 밝히어 적지 않는다.'라고 하였다. 이에 따르면 ⓔ(쓰러질)는 '쓸다'와 '지다'라는 두 개의 용언이 어울려 한 개의 용언이 된 것인데, 이때 앞말인 '쓸다'가 본뜻에서 멀어졌으므로 형태를 밝혀 적지 않은 것이다.

12 ② 정답률 57%

정답풀이

'모두들 그의 정신력을 높이 칭찬했다.'에서 '높이'는 뒤에 오는 용언 '칭찬했다'를 꾸미는 부사어 역할을 하고 있다. 즉 이때의 '높이'는 용언 '높다'의 어간 '높-'에 접미사 '-이'가 붙어서 형성된 '부사'이므로, ㉠(용언의 어간에 '-이'나 '-음/-ㅁ'이 붙어서 명사로 된 것)이 아니라 ㉡(용언의 어간에 '-이'나 '-히'가 붙어서 부사로 된 것)에 해당하는 예이다.

오답풀이

① '나는 고양이에게 먹이를 주었다.'의 '먹이'는 용언 '먹다'의 어간 '먹-'에 접미사 '-이'가 붙어서 형성된 명사이므로, ㉠에 해당하는 예로 적절하다.

③ '나는 그 사실을 익히 들어 알고 있다.'의 '익히'는 용언 '익다'의 어간 '익-'에 접미사 '-히'가 붙어서 형성된 부사이므로, ㉡에 해당하는 예로 적절하다.

④ '그는 상처에서 흐르는 고름을 닦았다.'의 '고름'은 용언 '골다('곪다'의 옛말)'의 어간 '골-'에 접미사 '-음'이 붙어서 형성된 명사이다. 이는 '곪는 현상'이 아니라 '곪아서 생기는 물질'이라는 의미로 어간의 뜻과 멀어졌으므로, ㉢(어간에 '-이'나 '-음'이 붙어서 명사로 바뀐 것이라도 그 어간의 뜻과 멀어진 것)에 해당한다.

⑤ '그들은 새로 만든 도로의 너비를 측정했다.'의 '너비'는 용언 '넙다('넓다'의 옛말)'의 어간 '넙-'에 접미사 '-이'가 붙어서 형성된 명사이다. 이는 '거리나 면적 등이 크다'라는 것이 아니라 '거리' 자체를 의미하는 말로 어간의 뜻과 멀어졌으므로 ㉢에 해당한다.

오답률 Best 5

이 문제처럼 지문이 함께 제시된 문법 문제는 지문 내용을 정확히 읽고 선지에 적용하는 게 좋아. ㉠에 해당하는 예는 '명사'여야 하니, 문장 내에서 '부사'로 쓰인 '높이'가 적절하지 않다고 바로 판단할 수 있거든. 품사를 판단할 때에는 단순히 밑줄로 표시된 부분만 보지 말고, 밑줄 친 부분이 문장 내에서 어떤 역할을 하고 있는지를 함께 보아야 해.

이 문제에서 학생들이 ㉠~㉢의 의미를 해석하기 어려워했다기보다는, 선지에 제시된 단어를 '용언의 어간'과 '접미사'로 분리하기 힘들어한 건 같아. '먹이'나 '높이'는 각각 '먹다'와 '높다'라는 용언을 추론하기 수월했지만, '익히', '고름', '너비'에서 '익다', '골다(곪다)', '넙다(넓다)'라는 용언을 떠올리기 어려웠을 수 있어. '익히'는 문장 내에서 '부사'로 쓰이고 있으니, 이를 토대로 용언 어간 '익-'에 '-히'가 결합했다고 분석하면 돼. 그리고 '고름'이나 '너비'는 어간의 원형을 추론하기 어려우니, 이를 통해 ㉢에 해당하는 예라는 걸 알 수 있지. 지문의 내용과 공부한 문법 지식을 종합해 선지를 하나씩 판단하다 보면 답이 보일 거야.

13 ① 정답률 77%

정답풀이

'늦게[늗께]'는 〈보기〉의 ㉠에서 받침 'ㄷ(ㅈ)' 뒤에 연결되는 'ㄱ'을 된소리로 발음하는 예에 해당하고, '얹다[언따]'는 〈보기〉의 ㉡에서 어간 받침 'ㄴ(ㄵ)' 뒤에 결합되는 어미의 첫소리 'ㄷ'을 된소리로 발음하는 예에 해당한다.

오답풀이

② '옆집[엽찝]'은 〈보기〉의 ㉠에서 받침 'ㅂ(ㅍ)' 뒤에 연결되는 'ㅈ'을 된소리로 발음하는 예에 해당하고, '있고[읻꼬]'는 〈보기〉의 ㉠에서 받침 'ㄷ(ㅆ)' 뒤에 연결되는 'ㄱ'을 된소리로 발음하는 예에 해당한다.

③ '국수[국쑤]'는 〈보기〉의 ㉠에서 받침 'ㄱ' 뒤에 연결되는 'ㅅ'을 된소리로 발음하는 예에 해당하고, '늙다[늑따]'는 〈보기〉의 ㉠에서 받침 'ㄱ(ㄺ)' 뒤에 연결되는 'ㄷ'을 된소리로 발음하는 예에 해당한다.

④ '묶어[무꺼]'는 받침 'ㄲ' 뒤에 모음으로 시작되는 형식 형태소 '-어'가 연결되어, 앞말의 자음을 뒤 음절 첫소리로 그대로 옮겨 발음하는 '연음' 현상이 나타난 것으로 〈보기〉의 ㉠이나 ㉡의 예가 아니다. 한편 '껴안다[껴안따]'는 〈보기〉의 ㉡에서 어간 받침 'ㄴ' 뒤에 결합되는 어미의 첫소리 'ㄷ'을 된소리로 발음하는 예에 해당한다.

⑤ '앉다[안따]'는 〈보기〉의 ㉡에서 어간 받침 'ㄴ(ㄵ)' 뒤에 결합되는 어미의 첫소리 'ㄷ'을 된소리로 발음하는 예에 해당하고, '머금다[머금따]'는 〈보기〉의 ㉡에서 어간 받침 'ㅁ' 뒤에 결합되는 어미의 첫소리 'ㄷ'을 된소리로 발음하는 예에 해당한다.

14 ③ 정답률 81%

정답풀이

〈보기〉에서 '간접 인용문은 화자의 관점에서 표현하기 때문에 직접 인용문과 비교할 때' '높임 표현'에서 '변화가 나타나기도 한다.'라고 하였다. ㉡의 직접 인용문에서는 '계세요(계시다)'라는 주체 높임 특수 어휘를 사용한 주체 높임 표현이 실현되었다. 즉 '나'가 '아들'의 '어머니'라면, '계세요'에 대응하는 생략된 주체인 '어머니'를 높이기 위해 주체 높임 표현을 사용한 것이다. 그런데 간접 인용문에서는 화자('나')의 관점으로 표현하기 때문에, '계세요(계시다)'가 '있으라고(있다)'로 바뀌어 주체나 객체를 높이고 있지 않으므로, 객체 높임 표현으로 바뀌었다는 설명은 적절하지 않다.

오답풀이

① 〈보기〉에서 직접 인용은 '조사 '라고'를 붙여 표현'하고, 간접 인용은 '앞말의 종결 어미에 조사 '고'를 붙여 표현'한다고 하였다. ㉠의 직접 인용문에는 조사 '라고'를 붙였고, 간접 인용문에는 앞말의 종결 어미 '-다' 뒤에 조사 '고'를 붙여 표현하였다.

② 〈보기〉에서 '간접 인용문은 화자의 관점에서 표현하기 때문에 직접 인용문과 비교할 때' '시간 표현'에서 '변화가 나타나기도 한다.'라고 하였다. ㉠의 직접 인용문에서 '내일 떠나고 싶다.'는 '어제' '진우'가 한 말이므로 '내일'이라는 시간 표현을 사용했다. 그런데 간접 인용문에서는 화자의 관점에서 표현하므로, '어제' '진우'가 말한 '내일'은 '오늘'을 의미한다는 점을 고려하여 시간 표현을 '오늘'로 바꾸었다.

④ 〈보기〉에서 '간접 인용문은 화자의 관점에서 표현하기 때문에 직접 인용문과 비교할 때' '인칭'에서 '변화가 나타나기도 한다.'라고 하였다. ㉢의 직접 인용문에서 '나는 이곳이 마음에 들어.'는 '아영'이가 한 말을 그대로 옮긴 것이므로 1인칭이 쓰였다고 볼 수 있다. 그런데 간접 인용문에서는 화자의 관점에서 제삼자인 '아영'이를 지칭하고자 '나'를 '자기'로 바꾸었다.

⑤ 〈보기〉에서 '간접 인용문은 화자의 관점에서 표현하기 때문에 직접 인용문과 비교할 때' '지시 표현'에서 '변화가 나타나기도 한다.'라고 하였다. ㉢의 직접 인용문에서 '나는 이곳이 마음에 들어.'는 '아영'이가 한 말을 그대로 옮긴 것이므로, '이곳'은 '아영'의 입장에서 '바다'를 지칭한 것이다. 그런데 간접 인용문에서는 화자의 관점에서 '아영'이 말한 '바다'를 지칭하고자 '그곳'으로 바꾸어 표현했다.

15 ② 정답률 74%

정답풀이

'기분이 개다'의 '개다'는 '(비유적으로) 언짢거나 우울한 마음이 개운하고 홀가분해지다.'라는 의미이므로, '개다¹' 「1」이 아니라 '개다¹' 「2」의 용례로 추가할 수 있다.

오답풀이

① '개다¹', '개다²', '개다³'은 사전에 각각 별개의 단어로 등재되었다는 점에서 소리는 같지만, 의미가 다른 동음이의어에 해당한다.
③ '가루약을 찬물에 개어 먹다.'의 '개다'는 가루에 물을 쳐서 풀어지도록 이겼다는 의미이므로, '개다²'의 용례로 추가할 수 있다.
④ '개다³'은 '옷이나 이부자리 따위를 겹치거나 접어서 단정하게 포개다.'라는 의미이므로, '접히거나 개킨 것을 젖히어 벌리다.'라는 의미의 '펴다'와 반의 관계라고 볼 수 있다.
⑤ '개다¹'과 달리 '개다³'에 제시된 '【…을】'을 통해 '개다³'은 목적어를 필수적으로 필요로 한다는 점을 알 수 있다.

[16~20] **인문+예술**

16 ⑤ 정답률 84%

정답풀이

1문단에서 플라톤의 '철학적 견해'가 '서양 철학의 주류가 되었다.'라고 했는데, 2문단에서 이러한 '서양 철학의 주류적 입장은 근대에 이르러 니체에 의해 강한 비판을 받았'다고 했으므로, 니체의 철학은 서양 철학의 주류적 입장을 부정했다고 볼 수 있다. 그리고 4문단에서 니체의 입장은 '독일의 표현주의' 회화에 영향을 미쳐, '니체의 철학적 관점에서 예술을 이해한 표현주의 화가들'은 예술의 목적을 '인간의 감정과 충동을 표현하는 것으로 생각'했다고 하였으므로, 윗글은 서양 철학의 주류적 입장을 부정하는 니체의 철학이 예술에 미친 영향을 설명한다고 볼 수 있다.

오답풀이

① 2문단~3문단에서 니체의 철학적 개념을 설명하고 있지만, 이를 예술 양식의 발전 단계에 따라 정리하여 제시하지 않았다.
② 윗글에서 예술에 대한 니체의 견해가 시대에 따라 달리 평가받는다는 설명은 찾을 수 없다.
③ 윗글에서는 예술에 대한 니체의 시각과 서양 철학의 주류적 입장의 장단점을 비교하고 있지 않다.
④ 윗글에서 예술에 대한 여러 철학자들의 견해가 제시되지는 않았으므로, 이것들이 니체에 의해 통합되는 과정이 나타났다고 볼 수도 없다.

17 ① 정답률 73%

정답풀이

1문단에 따르면 헤라클레이토스는 '존재하는 모든 것이 변화의 과정 중에 있으며 끊임없이 생성과 소멸을 반복하는 것'이라고 생각한다. 그리고 2문단에 따르면 니체는 '헤라클레이토스의 견해를 받아들'여 '영원히 변하지 않는 존재'는 없다고 주장했으므로, 둘은 모두 ㉠(존재)이 변화한다고 생각했을 것이다.

오답풀이

② 1문단에 따르면 파르메니데스는 ㉠을 '영원하며 절대적이고 불변성을 가지는 것'으로 보았으므로, ㉠을 완전하다고 여겼을 것이다. 한편 플라톤은 ㉠을 '끊임없이 변하는 존재와 영원히 변하지 않는 존재로 나누었'으므로, ㉠을 완전한 존재와 불완전한 존재로 나누어 해석했을 것이다.
③ 1문단에 따르면 플라톤은 '영원히 변하지 않는' ㉠이 있다고 여겼다. 한편 헤라클레이토스는 '존재하는 모든 것이 변화의 과정 중에 있으며 끊임없이 생성과 소멸을 반복'한다고 생각하였으므로, 영원히 변하지 않는 ㉠이 있다고 생각하지 않았을 것이다.
④ 1문단에서 파르메니데스는 ㉠의 '생성과 변화, 소멸을 부정했다.'라고 하였고, 이에 반해 헤라클레이토스는 ㉠의 '생성과 변화를 긍정했다.'라고 하였다.
⑤ 1문단에 따르면 플라톤은 '현실 세계에 존재하는 모든 것의 근원을 이데아로 상정'했으므로, ㉠의 근원을 '이데아'로 보았다고 할 수 있다. 이때 '이데아는 오직 이성에 의해서만 인식할 수 있다는 이성 중심의 사유를 전개'하였으므로, 플라톤은 ㉠의 근원을 감각이 아니라 '이성'을 통해 인식할 수 있다고 보았을 것이다.

18 ② 정답률 85%

정답풀이

4문단에서 표현주의 화가들은 '존재와 진리의 참모습을 모방하는 것을 예술의 목적으로 받아들이는 재현의 미학'인 '사실주의 미학을 따르지 않았'고, 예술의 목적을 '대상의 재현'에 두지 않았다고 했다. 즉 존재와 진리의 참모습을 모방하는 것이 중요하다고 여긴 이들은 표현주의 화가들이 아니라 사실주의 화가들이다.

오답풀이

① 4문단에서 표현주의 화가들은 '감정을 존재의 본질을 드러내는 것으로 보았다.'라고 하였다.
③ 4문단에서 표현주의 화가들은 '인간의 감정은 시시각각 변화하며 생성과 소멸을 반복하는 것'이라고 생각했고, 이러한 '감정을 중시'했다고 하였다.
④ 5문단에서 표현주의 화가들은 '예술가로서의 감정적, 주관적인 표현을 예술이 추구해야 하는 가치로 보았다.'라고 했다.
⑤ 4문단에서 표현주의 화가들은 '작품에서 드러나는 공간이 현실 공간의 재현이 아니라 화가 자신의 감정을 표현하기 위한 상징과 의미를 생산하는 공간이라는 의식을 드러냈다.'라고 했다.

19 ④ 정답률 78%

정답풀이

3문단에서 니체는 '본능에 내재한 감성을 바탕으로 하는 예술적 충동을 중시'하였다고 했으며, 4문단에서 이러한 니체의 철학적 견해의 영향을 받은 표현주의 화가들은 예술의 목적을 '인간의 감정과 충동을 표현하는 것으로 생각'하며, '색채도 실제보다 더 강하게 과장해서 그리거나 대비되는 원색을 대담하게 사용하는 등의 방법'을 사용했다고 하였다. 〈보기〉의 작품은 '표현주의 화가인 키르히너'가 그린 것이라 했으므로, 해바라기, 꽃병, 배경 등을 화려한 원색으로 그린 것은 감성을 바탕으로 한 예술적 충동을 중요하게 여겼던 니체의 영향을 받은 것으로 볼 수 있다.

오답풀이

① 3문단에서 니체는 '예술을 통해 생명력을 회복하고 허무를 극복할 수 있음을 강조'했다고 하였으므로 적절하지 않다.
② 2문단에 따르면 니체는 '우리가 살고 있는 현실 세계가 유일한 세계'라고 보았으므로, 현실 너머의 이상 세계를 생명의 근원이라고 여겼다고 볼 수 없다.
③ 2문단에서 니체는 '신 중심의 초월적 세계, 합리적 이성 체계 모두를 부정했다.'라고 하였으므로, 초월적 세계를 재현한 것이 현실 세계라고 보지 않았을 것이다.
⑤ 3문단에서 니체가 강조하는 '힘에의 의지'는 '주변인이나 사물을 자기 마음대로 지배하고 억압하려는 의지가 아니'라고 하였으므로, 니체가 인간은 자기 주변의 사물을 지배해야 한다는 의지를 강조했다고 볼 수 없다.

20 ③ 정답률 88%

정답풀이

ⓒ(회복)의 사전적 의미는 '원래의 상태로 돌이키거나 원래의 상태를 되찾음.'이다. '온전하게 보호하여 유지함.'이라는 사전적 의미를 나타내는 단어는 '보전'이다.

[21~23] **사회**

21 ③ 정답률 90%

정답풀이

1문단에서 소비자가 '회원 가입 및 신청'을 하여 구독경제를 이용할 수 있다고 하였고, 4문단에서 생산자는 구독경제를 통해 '상품을 사용하는 고객들의 정보를 수집'할 수 있다고 하였다. 즉 소비자는 구독경제를 이용하기 위해 회원 가입 시 개인 정보를 생산자에게 제공하게 되므로, 개인 정보를 제공해야 하는 부담이 생길 것이다.

오답풀이

① 4문단에서 생산자는 구독경제를 통해 고객들에게 '개별화된 서비스를 제공'할 수 있다고 하였다.

② 4문단에서 소비자는 구독경제를 이용하면 '상품 구매 행위에 들이는 시간과 구매 과정에 따르는 불편함 등의 문제를 해결할 수 있다.'라고 하였다.
④ 4문단에서 생산자는 구독경제를 통해 '고객과의 관계를 지속적으로 유지'하면 '매월 안정적으로 매출을 올릴 수 있다'고 하였다.
⑤ 3문단에서 '소비자들이 한정된 비용으로 최대한의 만족을 얻기 위해 노력한 결과가 구독경제의 확산으로 이어졌다'고 하였다.

22 ⑤ 정답률 87%

정답풀이

3문단에서 '최근의 소비자들'은 '상품을 소유함으로써 얻는 만족감보다는 상품을 사용함으로써 얻는 만족감을 더 중요시'하여 ㉠('구독경제')이 빠르게 확산된다고 하였다. 한편 〈보기〉에서 ㉡('공유경제')은 '한번 생산된 상품이나 서비스를 여럿이 공유해 사용하는 협력 소비를 통해 비용을 줄이고 소비자의 만족도를 높이는 경제 모델'이라고 하였다. 즉 ㉠과 ㉡은 상품을 소유하거나 상품 구매에 큰 비용을 지불하며 생기는 소비자의 부담은 줄이면서 상품을 사용함으로써 얻는 효용에 관심을 가진다고 볼 수 있다.

오답풀이

① 〈보기〉에 따르면 ㉡은 '한번 생산된 상품이나 서비스를 여럿이 공유해 사용'하는 경제 모델이다.
② 〈보기〉에 따르면 ㉡은 '자원의 불필요한 소비를 줄일 수 있어 친환경적이라는 평가를 받고 있'다.
③ 1문단에서 ㉠은 소비자가 '정기적으로 원하는 상품을 배송 받거나, 필요한 서비스를 언제든지 이용할 수 있는 경제 모델'이라고 하였고, 4문단에서 ㉠을 이용하면 '값비싼 상품을 사용하는 데 큰 비용을 들이지 않아도' 된다고 하였다.
④ 2문단에서 ㉠은 '신문이나 잡지 등 정기 간행물'을 넘어서 '칫솔, 식품 등의 생필품', '영상이나 음원, 각종 서비스', '자동차' 등으로 그 범위가 넓어졌다고 했다. 즉 ㉠은 '생필품', '자동차' 등과 같은 유형자원과 '영상', '음원', '각종 서비스' 등과 같은 무형자원에 다양하게 활용되고 있다고 볼 수 있을 뿐, 유형자원보다 무형자원을 더 많이 활용한다고 하지는 않았다. 그리고 〈보기〉에서 ㉡의 영역도 '주택, 의류 등의 유형자원에서 시간, 재능 등의 무형자원으로 확장되고 있다.'라고 하였을 뿐, 유형자원보다 무형자원을 더 많이 활용한다고 하지는 않았다.

23 ① 정답률 81%

정답풀이

2문단에 따르면 매월 일정 금액을 지불하고 정수기를 사용하는 서비스는 '구매에 목돈이 들어 경제적 부담이 될 수 있는' 상품을 '월 사용료를 지불하고 이용하는 것'에 해당하므로 ⓐ(정기 배송 모델)가 아니라, ⓒ(장기 렌털 모델)의 사례로 볼 수 있다.

오답풀이

② 2문단에서 ⓐ는 '월 사용료를 지불하면 칫솔, 식품 등의 생필품을 지정 주소로 정기 배송해 주는 것을 말한다.'라고 했다. 따라서 월정액을 지불하고 주 1회 집으로 식재료를 보내주는 서비스는 ⓐ의 사례에 해당한다.
③ 2문단에서 ⓑ(무제한 이용 모델)은 '정액 요금을 내고 영상이나 음원, 각종 서비스 등을 무제한 또는 정해진 횟수만큼 이용할 수 있는 모델'이라고 하였다. 따라서 월 구독료를 내고 도서를 무제한으로 읽을 수 있는 앱은 ⓑ의 사례에 해당한다.
④ 2문단에서 ⓑ는 '정액 요금을 내고 영상이나 음원, 각종 서비스 등을 무제한 또는 정해진 횟수만큼 이용할 수 있는 모델'이라고 하였다. 따라서 정액 요금을 결제하고 강좌를 정해진 기간 동안 무제한으로 수강할 수 있는 웹사이트는 ⓑ의 사례에 해당한다.
⑤ 2문단에서 ⓒ는 '구매에 목돈이 들어 경제적 부담이 될 수 있는 자동차 등의 상품을 월 사용료를 지불하고 이용하는 것'이라고 하였다. 따라서 구매에 목돈이 드는 '의료 기기'를 월 사용료를 지불하고 정해진 기간 동안 사용하는 것은 ⓒ에 해당하는 사례이다.

[24~26] **기술**

24 ⑤ 정답률 86%

정답풀이

1문단에서 하이라이트 레인지는 ㉠(직접 가열 방식)이고, 인덕션 레인지는 ㉡(유도 가열 방식)이라고 하였다. 그리고 5문단에서 인덕션 레인지는 '이러한 가열 방식(㉡) 때문에 음식 조리에 필요한 열을 낼 수 있도록 소재의 저항이 크면서 강자성체인 용기를 사용해야 한다는 제약이 있다.'라고 하였으므로, ㉡은 '강자성체인 용기'를 사용해야 한다는 점에서 ㉠보다 사용할 수 있는 용기 소재에 제약이 많다고 볼 수 있다.

오답풀이

① 3문단에서 인덕션 레인지는 '회로 속에 소용돌이 형태의 유도 전류인 맴돌이 전류가 발생'함에 따라 '줄열 효과'가 나타나 용기에 열이 발생하게 된다고 하였다. 즉 유도 전류를 이용하여 용기를 가열하는 방식은 ㉠이 아니라 ㉡에 해당한다.
② 1문단에서 '하이라이트 레인지는 상판 자체를 가열해서 열을 발생시키는 직접 가열 방식(㉠)'이라고 하였으므로, 상판을 가열하여 그 열로 음식을 조리하는 방식은 ㉡이 아니라 ㉠에 해당한다.
③ 2문단에서 하이라이트 레인지는 '상판의 잔열로 인한 화상의 우려가 있다.'라고 하였으므로, ㉠은 ㉡에 비해 상대적으로 화상의 위험이 크다고 볼 수 있다.
④ 5문단에서 인덕션 레인지는 '직접 가열 방식보다 에너지 효율이 높아 순식간에 용기가 가열되기 때문에 상대적으로 빠르게 음식을 조리할 수 있다.'라고 하였으므로, ㉡은 ㉠과 달리 빠른 시간 안에 용기를 가열할 수 있을 것이다.

25 ③ 정답률 76%

정답풀이

3문단의 내용을 참고할 때, 〈보기〉의 전기레인지는 ⓓ(맴돌이 전류)에 의해 ⓒ(냄비)에 열이 발생하게 되는 '인덕션 레인지'에 해당한다. 3문단에서 인덕션 레인지의 전원이 켜지면 ⓑ(교류 자기장)가 발생하게 되고, 그 위에 도체인 ⓒ를 놓으면 ⓑ에 의해 ⓒ의 바닥에는 수많은 폐회로가 생겨난다고 하였다. 즉 ⓑ는 ⓒ의 바닥에 폐회로를 생성하는 역할을 한다는 것을 알 수 있을 뿐, ⓒ 소재의 저항이 커지면 ⓑ의 세기도 커진다는 상관관계는 확인할 수 없다.

오답풀이

① 3문단에 따르면 인덕션 레인지의 전원이 켜지면 ⓐ(코일)에 '고주파 교류 전류가 흐르'게 되고, 그에 따라 ⓑ가 발생하게 된다.
② 3문단에 따르면 인덕션 레인지의 전원이 켜지면 ⓑ가 발생하게 되고, 그 위에 도체인 ⓒ를 놓으면 ⓑ의 영향을 받은 ⓒ의 바닥에는 수많은 폐회로가 생겨난다. 그리고 그 회로 속에는 소용돌이 형태의 유도 전류인 ⓓ(맴돌이전류)가 발생하므로, ⓑ의 영향을 받으면 ⓒ의 바닥에 ⓓ가 발생한다고 볼 수 있다.
④ 3문단에 따르면 ⓓ의 세기는 나선형 ⓐ에 흐르는 전류의 세기에 비례한다.
⑤ 3문단에 따르면 ⓓ가 흐를 때에는 ⓓ가 ⓒ 소재의 저항에 부딪혀 줄열 효과가 나타나게 되고, 이에 의해 ⓒ에 열이 발생하게 된다.

26 ② 정답률 46%

정답풀이

4문단에서 자기 이력 현상에 의해 발생하는 '열에너지'는 '자기 이력 곡선의 내부 면적과 비례한다.'라고 하였다. 즉 〈보기〉에서 'A 소재의 용기 외부에 가해지는 자기장의 세기가 커질수록 발생하는 열에너지의 크기가 계속 증가'하려면, 자기 이력 곡선 내부 면적 역시 함께 커져야 한다. 그런데, 4문단에서 '자성체의 자화 세기는 물체에 가해 준 자기장의 세기에 비례하여 커지다가 일정값 이상으로는 더 이상 커지지 않'는 것을 '자기 포화 상태'라고 한다고 했다. 이를 고려하면 A 소재의 용기 외부에 가해지는 자기장의 세기가 커지다가 A 소재가 '자기 포화 상태'에 이르면 자화의 세기도 그 이상 커지지 않을 것이므로, 발생하는 열에너지의 크기도 더 이상 커지지 않는다는 점에서 '열에너지의 크기가 계속 증가'한다고 볼 수 없다.

오답풀이

① 5문단에서 인덕션 레인지는 '강자성체인 용기를 사용해야 한다는 제약이 있다.'라고 하였는데, 4문단에서 '강자성체'는 '외부 자기장이 사라져도 어느 정도 자화된 상태를 유지'한다고 하였다. 〈보기〉의 A와 B는 모두 외부 자기장이 사라져도 자석의 성질을 지니는 '강자성체'이므로 인덕션 레인지 용기의 소재로 적합하다고 볼 수 있다.

10 회

③ 인덕션 레인지의 전원을 차단하면 자기장의 세기는 0이 될 것인데, 〈보기〉의 자기 이력 곡선을 보면 자기장의 세기가 0일 때 자화의 세기는 B보다 A가 크다는 사실을 알 수 있다. 4문단에서 '자성체에 남아 있는 자화의 세기를 잔류 자기라고 한다.'라고 하였으므로, 전원을 차단했을 때 A 소재의 용기가 B 소재의 용기보다 잔류 자기의 세기가 더 클 것이다.

④ 4문단에서 '처음에 가해 준 외부 자기장의 역방향으로 일정 세기의 자기장을 가해 주면 자화의 세기가 0'이 된다고 하였으므로, 용기의 잔류 자기를 제거하기 위해서는 역방향으로 일정 세기의 자기장을 가해 주어야 한다. 〈보기〉의 자기 이력 곡선에서는 B 소재의 용기보다 A 소재의 용기가 잔류 자기의 세기가 더 크므로, 용기의 잔류 자기를 제거하기 위해서는 B 소재의 용기보다 A 소재의 용기에 더 큰 세기의 자기장을 가해 주어야 할 것이다.

⑤ 4문단에서 자기 이력 현상에 의해 발생하는 '열에너지'는 '자기 이력 곡선의 내부 면적과 비례한다.'라고 하였다. 〈보기〉에서 B의 자기 이력 곡선 내부 면적이 A의 면적보다 작기 때문에, B 소재의 용기는 A 소재의 용기보다 자기장의 변화에 따라 발생하는 열에너지가 적을 것이다.

오답률 Best ❷

지문에 제시된 '자기 이력 곡선'에 대한 정보를 바탕으로 <보기>에 주어진 그래프 자료를 이해해야 하는 문제였어. 아무래도 글로 설명된 내용을 그래프에 적용해 해석하는 과정에 어려움을 느낀 학생들이 많았던 건 같아. 또, 한 문장으로 명확히 '자기장의 세기'와 발생하는 '열에너지' 간의 상관관계를 제시한 건은 아니라서, 주어진 정보를 종합해 ②번의 설명이 틀렸다는 걸 판단하기 힘들었던 거지. 4문단에서 발생하는 '열에너지'는 '자기 이력 곡선의 내부 면적과 비례'한다고 했으니, 자기 이력 곡선의 내부 면적 값을 도출하는 데 필요한 값 역시 '열에너지' 값과 상관관계를 갖는다고 볼 수 있어. 결국 '열에너지'가 '계속 증가'하려면 자기 이력 곡선의 내부 면적도 '계속 증가'할 수 있어야 하는데, 자성체가 자기 포화 상태에 이르면 '자기장의 세기'와 '자화의 세기'도 더 이상 커지지 않으니 내부 면적도 증가하지 않고, '열에너지'도 증가할 수 없게 되는 거지.

정답인 ②번 다음으로 많이 고른 선지는 ④번이었는데, 자기장을 가해서 '잔류 자기'를 제거한다는 정보를 지문에서 파악하지 못한 건으로 보여. '잔류 자기'는 '자성체에 남아 있는 자화의 세기'를 의미하고, '일정 세기의 자기장을 가해 주면 자화의 세기가 0'이 된다고 한 건을 통해 자기장을 가해서 잔류 자기를 제거한다고 볼 수 있는 거지. 고난도 문제에 대비하여 서로 떨어져 있는 정보를 연결하여 선지를 판단하는 훈련도 해 두자!

[27~30] 과학

27 ② 정답률 83%

정답풀이

1문단에서는 '자연치유력'과 '오토파지'의 개념을 제시하고, 2문단에서는 '오토파지'의 기능을, 3문단에서는 '오토파지'의 과정을 제시하고 있다. 즉 '오토파지'의 원리를 중심으로 인체의 '자연치유력'에 대해 설명하고 있으므로 표제는 '인체의 자연치유력'으로, 부제는 '오토파지의 원리를 중심으로'로 정할 수 있다.

오답풀이

① 윗글에서 '리소좀의 구조와 기능'을 중심으로 '세포의 재생 능력'에 대해 설명하고 있지는 않다.

③ 4문단에 따르면 '면역력'이 '자연치유력'에 포함되기는 하지만, 윗글에서 이를 중심으로 '질병을 예방하는 방법'에 대해 말하고 있지는 않다.

④ 4문단에 따르면 '아포토시스'는 '자연치유력' 중 하나로 '노화된 세포가 스스로 사멸하는 과정으로 우리 몸을 건강한 상태로 유지하게' 하는 것이지, '노화를 막기 위한 방법'과는 관련이 없으며 이는 윗글의 핵심 내용과도 거리가 멀다.

⑤ 윗글은 '오토파지를 활성화시키는 방법을 중심으로' '우리 몸의 자기 면역 방어'를 설명하고 있지는 않다.

28 ③ 정답률 72%

정답풀이

3문단에서 '오토파고솜(ㄴ)과 리소좀(ㄷ)이 합쳐지면 '오토파고리소좀(ㄹ)'이 되는데 리소좀 안에 있는 가수분해효소가 오토파고솜 안에 있던 쓰레기들을 잘게 부수기 시작한다.'라고 하였으므로 ㄴ이 ㄷ과 결합하면 ㄷ 안의 가수분해 효소가 ㄱ(불필요한 단백질과 망가진 세포 소기관)을 잘게 분해할 것이라고 볼 수 있다.

오답풀이

① 1문단에서 "오토파지'는 '세포 안에 쌓인 불필요한 단백질과 망가진 세포 소기관(ㄱ)을 분해해 세포의 에너지원으로 사용하는 현상'이라고 하였으므로, 세포 안에 ㄱ이 쌓이면 오토파지가 일어날 것임을 알 수 있다.

② 3문단에서 '세포 안에 불필요한 단백질과 망가진 세포 소기관(ㄱ)이 쌓이면 세포는 세포막을 이루는 구성 성분을 이용해 이를 이중막으로 둘러싸 작은 주머니를 만'드는데, 이 주머니를 '오토파고솜(ㄴ)'이라고 부른다고 했다.

④ 3문단에서 '오토파고솜(ㄴ)과 리소좀(ㄷ)이 합쳐지면 '오토파고리소좀(ㄹ)'이 되'며 오토파고솜 안 쓰레기들의 '분해가 끝나면 막이 터지면서 막 안에 들어 있던 잘린 조각들이 쏟아져 나온다.'라고 하였다.

⑤ 3문단에서 ㄹ의 '막이 터지면서' 쏟아져 나온 '조각들은 에너지원으로 쓰이거나 다른 세포 소기관을 만드는 재료로 재활용된다.'라고 하였다.

29 ② 정답률 84%

정답풀이

1문단~2문단에서 ㉠('오토파지')은 '세포 안에 쌓인 불필요한 단백질과 망가진 세포 소기관을 분해해 세포의 에너지원으로 사용'하여 우리 몸의 '항상성을 유지'하는 현상이라고 하였다. 한편 4문단에서 ㉡('아포토시스')은 '개체를 보호하기 위해' 손상된 세포가 '스스로 사멸하는 과정으로 우리 몸을 건강한 상태로 유지하게 한다.'라고 하였다. 따라서 ㉡은 ㉠과 달리 손상된 세포가 스스로 사멸함으로써 우리 몸의 항상성을 유지한다고 볼 수 있다.

오답풀이

① 4문단에서 ㉡은 '개체를 보호하기 위해' 일어난다고 하였다.

③ 2문단에서 ㉠은 '인체가 오랫동안 영양소를 섭취하지 못하거나 해로운 균에 감염되는 등 스트레스를 받으면 활성화된다.'라고 하였다.

④ 2문단에서 우리 몸은 ㉠을 통해 '생존에 필요한 아미노산과 에너지를 얻는다.'라고 하였지만, ㉡이 생존에 필요한 아미노산과 에너지를 다량으로 얻기 위해 작동한다는 설명은 윗글에서 찾을 수 없다.

⑤ 3문단에서 ㉠은 '망가진 세포 소기관'을 분해하고, 분해된 조각들이 '다른 세포 소기관을 만드는 재료로 재활용'된다고 하였지만, ㉡은 손상된 세포의 사멸을 말하므로 다른 세포 소기관을 만드는 데 활용되는 것과 관련이 없다.

30 ④ 정답률 92%

정답풀이

ⓐ(부른다)의 '부르다'는 '무엇이라고 가리켜 말하거나 이름을 붙이다.'라는 뜻으로 쓰였다. 이는 '아노미라고 부른다'의 '부르다'와 문맥상 의미가 가장 가깝다고 볼 수 있다.

오답풀이

① '쾌재를 불렀다.'의 '부르다'는 '구호나 만세 따위를 소리 내어 외치다.'라는 의미이다.

② '푸른 바다가 우리를 부른다.'의 '부르다'는 '어떤 방향으로 따라오거나 동참하도록 유도하다.'라는 의미이다.

③ '값을 비싸게 불렀다.'의 '부르다'는 '값이나 액수 따위를 얼마라고 말하다.'라는 의미이다.

⑤ '친구를 큰 소리로 불렀다.'의 '부르다'는 '말이나 행동 따위로 다른 사람의 주의를 끌거나 오라고 하다.'라는 의미이다.

[31~33] **고전시가**

31 ④ 정답률 44%

정답풀이

(가)는 '어느 겨를에 마음속 일을 말이나 하겠소'라는 설의적 표현을 통해 자신의 고충을 말할 수조차 없는 백성들의 안타까운 처지를 부각하고 있다. (나)에서도 '세상에 득 찾는 무리 어찌 알기 바라리'라는 설의적 표현을 통해 세속적 가치를 탐하지 않고 자연에서의 유유자적한 삶을 살고자 하는 화자의 태도를 부각하고 있다.

오답풀이

① (가)에서는 색채 대비가 나타나지 않는다. 한편 (나)의 '백구'와 '붉은 잎'에서 색채 이미지가 나타나지만, 색채 대비를 통해 시적 분위기를 환기하고 있지는 않다.
② 선경후정의 방식은 (가)와 (나) 모두에서 나타나지 않는다.
③ (가)의 '서울 관리는 귀가 없고 백성은 입이 없다네', (나)의 '내 이미 백구 잊고 백구도 나를 잊네' 등에서 대구적 표현을 통해 시적 운율감을 형성하고 있다.
⑤ (나)는 '백구도 나를 잊네'에서 '백구'라는 자연물에 인격을 부여하여 화자의 정서를 드러내고 있다. 하지만 (가)에는 자연물에 인격을 부여한 표현이 나타나지 않는다.

오답률 Best ❶

운문 갈래에서 표현상의 특징에 대해 질문하고 있는 문제였어. 따라서 선지에 제시된 '색채 대비', '선경후정의 방식', '대구적 표현', '설의적 표현', '자연물에 인격을 부여(=의인법)'와 같은 문학 개념어의 의미를 정확히 알고 있었어야 했어. '설의'란 쉽게 판단할 수 있는 사실을 의문의 형식으로 표현하여 상대편이 스스로 판단하게 하는 것을 말해. 즉 문장의 형식만 '의문문'이고, 실제로 궁금해서 질문하는 게 아니야. (가)에서는 백성들이 '마음속 일을 말도 못 할 수 없다.'라는 화자의 뜻을 강조하기 위해, (나)에서는 '세상에 득 찾는 무리를 알고 싶지 않다.'라는 화자의 뜻을 강조하기 위해 의문의 형식을 활용하고 있으니, '설의적 표현'이 활용되었다고 볼 수 있는 거지.

44%가 ④번을 정답으로 골랐지만, 21%가 ②번을, 27%가 ③번을 골랐어. '선경후정'이란, 전반부에서는 화자가 바라보고 있는 자연 경관이나 사물에 대해 서술하고, 후반부에서는 화자 자신의 정서를 서술하는 구성을 뜻해. 그런데 (가)와 (나)는 모두 작품 전반에 풍경에 대해 서술하고, 후반에 화자의 감정을 제시하는 구조로 이루어져 있지 않기 때문에 '선경후정의 방식'으로 시상을 전개한다고 볼 수 없는 거지.

또 '대구'란 비슷한 어조나 어세를 가진 구절이나 문장 두 개를 짝지어 배치하는 것을 말해. 즉 '대구적 표현'이 사용되었다고 보려면, 두 구절이나 문장이 전체적인 형식과 내용이 서로 대응을 이루며 나란히 배치되어 있어야 하는 거지. 이때 대구적 표현이 쓰였다면 당연히 비슷한 내용과 형식이 반복되어 나타나니까 시적 운율감이 형성된다고 이해할 수 있어.

32 ① 정답률 84%

정답풀이

㉠(너희들)은 흉년이라 먹을 것이 없는 '백성들'을 지칭하고 있는데, ㉠이 화자인 ㉡(나)에게 자신들의 삶을 돌보지 않는다며 원망하고 있지는 않다.

오답풀이

② ㉡은 '너희들을 구제할 마음이 있어도 / 너희들을 구제할 힘이 없구나'라면서, ㉠을 구제하지 못하는 것에 안타까움을 느끼고 있다.
③ ㉡은 ㉢(저들)에게 '원컨대, 잠시라도 소인배의 마음을 돌려서 / 군자의 생각을 가져 보게나'라고 말하고 있다.
④ ㉡은 '㉢(저들)은 '너희들(㉠)을 구제할 힘이 있'다고 하였다.
⑤ ㉡은 ㉢이 '너희들(㉠)을 구제할 마음이 없'다고 하였으므로, ㉢은 ㉠이 겪고 있는 문제를 해결하지 않고 있다고 볼 수 있다.

33 ② 정답률 66%

정답풀이

〈보기〉에서 (나)를 통해 작가는 '세속적 가치를 멀리하고 자연 속에서 자연과 하나 되어 풍류를 즐기는 삶을 추구하고 있음을 보여주고 있다.'라고 하였다. 이를 참고할 때, (나)의 '빈 강에 쓸쓸할 때 / 가랑비 낚시터에 낚싯대 제 맛이라'는 자연 속에서 풍류를 즐기는 태도를 보인다고 볼 수 있다. 또한 화자가 '세상에 득 찾는 무리를 어찌 알기를 바라'겠느냐며 세속적 가치를 멀리하고자 한 것을 고려하면, '빈 강'에서 쓸쓸해 하는 모습이 유배되었다 풀려나도 '득 찾는 무리'로부터 벗어나기 어려운 화자의 현실을 드러낸다고 볼 수 없다.

오답풀이

① 〈보기〉에서 (나)를 통해 작가는 '자연 속에서 자연과 하나 되어 풍류를 즐기는 삶을 추구하고 있음을 보여'준다고 하였다. 이를 참고할 때, (나)의 '내 이미 백구 잊고 백구도 나를 잊네'는 화자가 자연('백구')과 하나가 된 삶을 살고 있음을 보여준다고 할 수 있다.
③ 〈보기〉에서 (나)를 통해 작가는 '세속적 가치를 멀리하'는 삶을 추구함을 보여준다고 하였다. 이를 참고할 때, (나)의 화자가 '공명은 해진 신이니 벗어나서 즐겨보세'라고 표현한 것에서 화자가 세속적 가치('공명')를 멀리하고자 하는 태도가 드러난다고 볼 수 있다.
④ 〈보기〉에서 (나)는 '작가가 옥계산에 은거하며 쓴 작품'으로, '자연 속에서 자연과 하나 되어 풍류를 즐기는 삶을 추구하고 있음을 보여주고 있다.'라고 하였다. 이를 참고할 때, (나)의 화자가 '옥계산'에서 '물', '달'이라는 자연물과 함께 지내는 모습은 화자의 자연 친화적 삶의 태도를 드러낸다고 볼 수 있다.
⑤ 〈보기〉에서 (나)를 통해 작가는 '옳고 그름을 분간하지 못하는 사람들을 비판하면서 분별 있는 삶의 자세에 대한 의지도 드러내고 있다.'라고 하였다. 이를 참고할 때, (나)의 화자가 '세상 사람'이 '청탁' 있는 줄을 모르는 것에 대해 안타까워하는 것에서 맑고 탁함을 분간할 수 있어야 한다고 생각하는 화자의 인식을 확인할 수 있다.

[34~38] **현대시+현대수필**

34 ② 정답률 51%

정답풀이

(가)에서 화자는 '삭주구성'을 그리워하며 가고 싶어 하지만, 직접 갈 수는 없는 상황에 처해 있다. 반면에 '새들'은 '집이 그리워 / 남북으로 오며 가며' 한다고 했으므로, 화자와는 달리 집에 자유롭게 오갈 수 있다는 점에서 대비적 상황을 제시하여 주제 의식을 강조하고 있다고 볼 수 있다. 한편 (다)에서는 '불신의 산물로 세워지는 담장'과 '함께 살아가는 똑같은 인간이라는 믿음으로 세운 이 길 담장'이라는 대비적 상황을 제시하여 주제 의식을 강조하고 있다.

오답풀이

① (가)에서는 '사흘', '삼천 리' 등의 명사로 시행을 마무리하여 여운을 주고 있지만, (나)에서 명사로 시행을 마무리하고 있지는 않다.
③ (나)와 (다)에서 반어적 표현이 쓰인 구절은 찾을 수 없다.
④ (다)에서는 '힐끗', '후드득', '부지직'과 같은 음성 상징어를 사용하여 생동감을 부여하고 있지만, (가)와 (나)에서는 음성 상징어가 나타나지 않는다.
⑤ (다)의 '물소리도 길 따라 휘어지며 흘러내린다.'에서 공감각적 이미지(청각의 시각화)를 확인할 수 있으나, 이를 통해 계절감을 드러내고 있지는 않다. 또한 (가)와 (나)에서는 공감각적 이미지가 나타나지 않는다.

오답률 Best ❸

여러 지문의 공통적인 표현상 특징을 찾아야 하는 문제였어. 따라서 선지의 근거가 되는 구절을 각각의 작품에서 명확히 찾아 제시할 수 있어야 했어. '대비'란 두 가지의 차이를 밝히기 위해 서로 맞대어 비교함, 또는 서로 다른 성질의 것을 나란히 놓았을 때, 그 차이가 현저하게 드러나는 현상을 말해. 즉 '대비적 상황'이라는 것은 서로 극명히 차이 나는 두 가지의 상황이 제시되어야 하는 거야. (가)에서는 고향인 '삭주구성'에 가고 싶지만 가지 못하는 화자와 '집'에 자유롭게 오고 가는 '새들'의 상황이 서로 반대된다는 점에서 대비적 상황이 나타난다고 볼 수 있어. (다)에서는 '불신의 산물'로 만들어지는 이 '담장'과, 서로에 대한 '믿음'으로 만들어진 '이 길 담장'이 서로 대비된다고 볼 수 있지.

그 다음으로 ③번이나 ⑤번을 고른 학생들이 많았는데, '반어'란 말하고자 하는 바와 반대로 표현하는 거야. 그런데 (나)나 (다)에서 반어를 통해서 대상의 의미를 부각한 구절은 없었어. 또 '공감각적 이미지'는 어떤 하나의 감각이 다른 영역의 감각을 일으키는 현상으로 '감각의 전이'가 나타나야 해. 그런데 이는 (다)에서만 확인할 수 있으므로 적절하지 않지.

10회

35 ③ 정답률 82%

정답풀이

[C]에서 실제로 '삭주구성은 산 너머 / 먼 육천 리'에 위치해 있지만, '가끔가끔 꿈에는 사오천 리'의 거리라고 하였다. 따라서 '꿈'속 상황에서 삭주구성이 더 멀어졌다고 볼 수는 없다.

오답풀이

① [A]에서 삭주구성은 '물로 사흘 배 사흘'을 가야 도착할 수 있는 곳이라고 하며 삭주구성이 먼 곳에 있음을 보여 준다.
② [B]에서 화자는 삭주구성까지 가는 과정에 '저녁에는 높은 산 / 밤에 높은 산'이 있어 '제비도 / '가다가 비에 걸려 오'는 처지라고 하였다. 이때 '높은 산'을 반복하여 삭주구성이 가기 어려운 곳임을 나타내고 있다.
④ [D]에서 화자는 삭주구성이 '님을 둔 곳이길래 곳이 그리워'라고 하면서 삭주구성을 그리워하는 이유를 제시하고 있다.
⑤ [E]에서 화자는 '들 끝에 날아가는 나는 구름은 / 밤쯤은 어디 바로 가 있을 텐고'라고 하면서 자신과 달리 자유롭게 날아갈 수 있는 '구름'을 통해 삭주구성에 가고 싶은 마음을 부각하고 있다.

36 ⑤ 정답률 79%

정답풀이

〈보기〉에서 (나)의 화자는 '노동을 하며 고단하게 살아온 사람들'에 대한 '연민의 정서를 드러내고 있다.'라고 하였다. 이를 고려할 때, (나)에서 화자가 '당신(힘겨운 삶을 살아가는 사람)'을 '목청을 다해' 부르는 행위는 화자 자신의 상처 받은 삶을 위로받고 싶었기 때문이 아니라, '당신'에 대한 연민의 정서를 드러내기 위한 것이라고 볼 수 있다.

오답풀이

① 〈보기〉에서 (나)의 화자는 '노동을 하며 고단하게 살아온 사람들의 모습을 그리고 있다.'라고 하였다. 이를 고려할 때, '아낙네들'이 '얼어붙은 땅을 파'야 하는 것은 아낙네들이 일하는 것을 더 고단하게 한다고 볼 수 있다.
② 〈보기〉에서 (나)의 화자는 '노동을 하며 고단하게 살아온 사람들의 모습을 그리고 있다.'라고 하였다. 이를 고려할 때, '물이 마르지 않은 뻘밭'에서 일하는 '당신'은 고된 노동을 하고 있는 사람으로 볼 수 있다.
③ 〈보기〉에서 (나)의 화자는 '그들에 대한 연민의 정서를 드러내고 있다.'라고 하였다. 이를 고려할 때, 화자가 '당신의 상처'를 '연뿌리보다 질기고 뻣'세다고 한 것은 그들의 삶에 대한 연민을 드러낸 것으로 볼 수 있다.
④ 〈보기〉에서 (나)의 화자는 '그들의 고달픈 처지와 삶의 상처를 떠올'린다고 하였다. 이를 고려할 때, '당신'이 '얼어붙은 연뿌리를 캐'면서도 나아지지 않는 '도로뿐인 한 생애'를 보낸다고 표현한 것은 사람들의 고달픈 처지를 드러낸 것으로 볼 수 있다.

37 ④ 정답률 84%

정답풀이

㉠(논두렁)은 '아낙네들'이 농사를 지으며 살아가는 삶의 터전으로서의 공간이다. 또한 ㉡(골목길)은 '노동을 마치고 술 취해 귀가하던 가장'이 발걸음을 바로 잡고, '만삭의 아낙네들'이 가족이 살고 있는 집을 향해 걷고, '철없는 아이들'이 즐겁게 뛰어 노는 공간이므로 사람들의 '삶 때가 묻'어 있는 일상적인 생활 공간으로 볼 수 있다.

오답풀이

① ㉠과 ㉡ 모두 지나온 삶에 대한 그리움의 공간으로 제시되었다고 보기는 어렵다.
② ㉠과 ㉡ 모두 실현하고 싶은 소망을 드러내는 공간으로 보기는 어렵다.
③ ㉠은 '아낙네들'이 힘든 노동을 하는 공간이므로 부정적 인식이 드러나는 공간으로 볼 수 있다. 하지만 ㉡을 현실에 대한 부정적 인식이 드러나는 공간으로 보기는 어렵다.
⑤ ㉠과 ㉡ 모두 자연의 섭리에 대한 깨달음을 나타내는 공간으로 보기는 어렵다.

38 ④ 정답률 82%

정답풀이

(중략) 이후에서 글쓴이는 건축가 이일훈 선생의 강의를 듣고 '완벽한 골목길'을 만났었던 과거의 경험을 떠올리고 있다. 이를 통해 글쓴이는 '골목길이 건강해 보이기 시작했다.'라고 하였을 뿐, 골목길에 대한 자신의 편견을 발견하고 후회하고 있지는 않으므로 적절하지 않다.

오답풀이

① '담장 위 장미가~그림자가 벽에 부딪친다.'에서 골목길의 다양한 풍경과 그 안의 모습을 보여 주고 있다.
② 이일훈 선생은 강의에서 '시골 방앗간'이 '완벽한 건축물'이라고 말하였고, 글쓴이는 그 말에 '가슴이 찡했다.'라며 공감하고 있다.
③ 글쓴이는 이일훈 선생의 '완벽한 건축물'인 '시골 방앗간'을 만났었다는 말을 듣고, '나도 어느 골목길에서였던가 그 비슷한 느낌을 받아 보았'다며 자신이 만났던 '완벽한 골목길'을 떠올린다.
⑤ 글쓴이는 골목길을 '우리들의 삶 때가 묻어 반질반질 윤기가 도는 길'이라고 말하며 골목길에 대한 애정을 드러내고 있다.

[39~41] 현대소설

39 ① 정답률 88%

정답풀이

윗글에서 아버지는 '아이고, 이놈의 세상, 먹고살기가 왜 이리 힘드냐, 당최 헐 수 있는 일이 없구나.'라며 일거리가 없는 세상을 탓하고 있을 뿐, 새로운 일거리를 찾지 못한 것을 가족의 탓으로 돌리고 있지는 않다.

오답풀이

② 윗글에서 엄마는 '노조도 안 할 거'라고 하는데, 그 이유는 '그러다 짤리'는 것을 두려워하기 때문이라 볼 수 있다.
③ 윗글에서 누나는 '노동자끼리 단결'하여 '짤릴 거 무서워하는 사람들이 함부로 짤리지 않는 세상을 만들어야 한다'고 말하였다.
④ 윗글에서 아줌마는 '나'가 '말도 안 하고 무단결근한 날'이 있었다는 이유로 '이틀 치 일당'을 제해야 한다고 말하였다.
⑤ [앞부분의 줄거리]에서 '나'는 '용우의 도움'을 받아 주인 아줌마에게 '밀린 임금을 받아 내려고 한다.'라고 하였다. 따라서 용우가 아줌마에게 '대드는 게 아니고, 돈 달라고 하는 건데요.'라고 말하는 것은 '나'의 밀린 아르바이트 임금을 받아 내기 위해 아줌마와 맞선 행동으로 볼 수 있다.

40 ③ 정답률 86%

정답풀이

㉢(그런데 이제 와서 무단결근이라니.)에서는 '나'가 분명히 결근하겠다는 전화를 했는데, 아줌마가 이를 받지 않아 놓고 '무단결근'을 한 것이라 주장하는 데에 대한 '나'의 억울한 심리가 드러난다.

오답풀이

① ㉠(삶의 현장이~뭐란 말인가.)에서는 '나'와 달리 아줌마에게 당당히 밀린 임금을 달라고 말하는 용우를 대단하게 여기는 심리가 드러날 뿐, 용우를 안타깝게 여기고 있지는 않다.
② ㉡(그날은~어쩔 수가 없었다.)에서 '나'는 어쩔 수 없는 이유로 결근한 것이라 말하고 있을 뿐, 아줌마와의 약속을 지키지 못한 행동을 뉘우치고 있지는 않다.
④ ㉣(두 사람의 대결은~간절해지기 시작했다.)에서 '나'는 용우와 아줌마의 팽팽한 대립에 지쳤다고 했을 뿐, 아줌마와의 담판에서 진 용우에게 실망하는 태도를 드러내고 있지는 않다.
⑤ ㉤(아줌마가 원래부터 저렇게 아름다지 않은 사람이었을까?)에서 '나'는 아줌마가 처음부터 아름답지 않은 사람이었는지에 대해 가진 의문을 드러낼 뿐, 아줌마가 원래부터 나쁜 사람이었다고 확신하고 있지는 않다.

41 ② 정답률 80%

정답풀이

윗글에서 '나'는 '아줌마가 원망하는 대상이 나라는 사실이 죽고 싶도록 괴로'웠는데, '아줌마가 애끓는 소리로 우는 것이 꼭 엄마 같아서 더 그랬다.'라고 하였다. 즉 '나'는 아줌마의 모습을 보고 엄마를 떠올렸기 때문에 괴로워한 것이지, 돈이 우선인 세상에 적응하지 못하는 자신이 부끄러웠기 때문에 괴로워한 것은 아니다.

오답풀이

① 〈보기〉에서 "'나'는 '봉숭아'를 보며 위기 속에서도 생명력을 유지하는 것이 얼마나 아름다운지를 느낀다.'라고 하였다. 이는 윗글에서 '나'가 '넘어진 봉숭아'가 '천연덕스럽게 꽃을 피우고 있'는 모습을 보고 '봉숭아꽃이 참 아름답다는 생각'을 한 것에서 확인할 수 있다.
③ 〈보기〉에서 '나'는 '봉숭아'를 보며 '위기 속에서도 생명력을 유지하는 것이 얼마나 아름다운지를 느끼'며, '물질보다 더 중요한 가치가 있다는 것을 깨닫'는다고 하였다. 따라서 윗글에서 '나'가 '눈물'로 보이는 돈을 바라보며 '돈 때문에 울지 않'고 '발로 차버렸는데도 죽지' 않는 봉숭아를 떠올리는 것에서 물질보다 더 중요한 가치가 있다는 것을 깨닫게 되었다고 볼 수 있다.
④ 〈보기〉에서 '나'는 '물질보다 더 중요한 가치가 있다는 것을 깨닫고 정신적 황폐함을 이겨낼 수 있다는 희망을 가지며 한층 성장하게 된다.'라고 하였다. 이를 고려할 때, 윗글에서 '나'는 자신이 '밖에서 공부를 한 덕분'에 '아름다운 것들은 힘이 센지도 모른다.'라는 것을 알게 되며 한층 성장했다고 볼 수 있다.
⑤ 〈보기〉에서 '나'는 '봉숭아'를 보며 '정신적 황폐함을 이겨낼 수 있다는 희망을 가지'게 되었다고 했다. 이를 고려할 때, 윗글에서 '나'가 '힘센 봉숭아'를 닮아 '넘어져도 기를 쓰고 살아나리라.'라고 하는 부분은 정신적 황폐함을 이겨 내고 희망을 갖고 살아갈 것이라는 '나'의 다짐을 보여 준다고 할 수 있다.

[42~45] **고전소설**

42 ③ 정답률 56%

정답풀이

윗글에서 서술자는 작품 밖에서 전지적 시점으로 서술하고 있는데, '더구나 이렇게 머리를~최 씨의 심정이 오죽하였겠는가?'에서 작품 내에 직접 개입하여 최 씨에 대한 주관적 견해를 드러내고 있다.

오답풀이

① 윗글에서 동음이의어, 혹은 비슷한 발음의 단어 등을 이용하여 원래 용법과 다르게 사용하여 재미를 이끌어 내는 언어유희는 확인할 수 없다.
② 윗글에서 현실의 부정적 현상이나 모순 따위를 다른 사물이나 상황에 빗대어 간접적으로 비판함으로써 그 병폐를 깨닫도록 하는 풍자적 서술은 드러나지 않는다.
④ 윗글에서 구체적 시대 상황을 제시해 인물의 처지를 나타내고 있지는 않다.
⑤ 윗글에서 사건의 반전을 통해 인물 간의 갈등을 구체화하고 있지는 않다.

오답률 Best 4

윗글의 서술상 특징에 관해 묻는 문제였으니, 선지에 제시된 '언어유희', '풍자적 서술', '서술자의 개입', '사건의 반전', '인물 간의 갈등' 등과 같은 문학 개념어의 의미를 고려해 내용을 해석할 수 있었어야 해. '서술자의 개입'은 원래 작품 내에 개입할 수 없는 3인칭 서술자가, 작품에 직접 개입하여 주관적 감정이나 생각 등을 나타내는 경우를 말해. 윗글에서는 전지적 서술자가 등장인물인 '최 씨'의 심정이 오죽했겠느냐는 자신의 주관적 판단을 제시하고 있으니, '서술자의 개입'이 나타났다고 볼 수 있어.

④번을 고른 학생들이 20% 정도였는데, '구체적 시대 상황'이 나타났다고 보려면 인물이 위치한 시대적 배경이 구체적으로 드러나야 해. 즉 일제 강점기, 한국 전쟁 시기 등과 같이 어떤 시대 상황을 배경으로 하는지가 드러나야 하는데, 윗글에서는 그와 같은 구체적 시대 상황을 통해서 인물의 처지를 나타내고 있지 않으니, 적절하다고 보기 어려운 거지!

43 ④ 정답률 72%

정답풀이

ⓑ(유연과 최 씨가 고난을 겪음)에서 최 씨는 '꿈속 일에 의심이 생겨 한번 나갈 결심을 하'고 외출하여 예상치 못하게 유연과 재회하게 되었다. 즉 최 씨는 꿈으로 인해 단순히 외출할 결심을 한 것일 뿐이므로, ⓒ(유연과 최 씨가 재회함.)를 준비했다고 볼 수는 없다. 또한 최 씨가 계선의 신뢰를 얻어서 ⓒ를 준비하게 되었다고 볼 수도 없다.

오답풀이

① [앞부분의 줄거리]에서 '유연과 최월혜의 혼례 날 도적 장군이 최 씨를 납치'하였다고 했다.
② 윗글에서 유연은 납치된 최 씨를 찾기 위해 집을 나선 뒤 '팔도강산 방방곡곡과 사해팔방으로 두루 돌아다니며 산속이든 바닷가든 아니 간 곳이 없었다.'라고 하였다.
③ ⓑ에서 유연은 꿈속에 나타난 초월적 존재인 '부처님'에게 '삼 년이 지나야' 최 씨를 만날 수 있다는 말을 듣고 ⓒ를 예상하게 된다.
⑤ ⓒ에서 최 씨는 '남들이 유생의 정체를 안다면 어찌 될 것인가?'라며 유연의 정체가 탄로날까 봐 걱정하고 있다.

44 ⑤ 정답률 81%

정답풀이

[A]에서 유연은 부처님에게 '이렇게 노상유객이 되어~인연을 잇기 위해서입니다.'라며 행동의 이유를 밝히고 있다. 그리고 '엎드려 바라건대~살펴주시기 바라옵니다.'라면서 부처님의 은덕으로 최 씨와 다시 만나고자 한다는 원하는 바를 드러내고 있다. 한편 [B]에서 유연은 '천지신명께서는 어찌 이다지 무심하시어 끝내 조금의 도움도 주지 않으십니까?'라면서 자신에게 도움을 주지 않는 '하늘(천지신명)'을 원망하고 있다.

오답풀이

① [B]에서 유연은 자신에게 도움을 주지 않는 '하늘'을 원망하고 있지만, [A]에서 유연이 예상되는 부정적 결과를 경고하고 있지는 않다.
② [A]에서 유연이 문제의 원인을 찾아 해결 방법을 제시하고 있지는 않다. 또한 [B]에서 유연이 어떠한 상황을 가정하며 자신의 요구를 드러내고 있지는 않다.
③ [A]에서 유연은 '최 씨를 만난다면'이라는 조건을 내세우며 이것이 이루어지면 '금은보화를 아끼지 않고 절을 중수하여 부처님에게 공양'하겠다는 자신의 입장을 밝히고 있다. 그러나 [B]에서 유연이 자신의 잘못을 인정하면서 상대에게 용서를 구하는 태도를 보이고 있지는 않다.
④ [A]에서 유연이 상대의 잘못으로 인해 겪은 어려움을 호소하지는 않는다. 또한 [B]에서 유연은 자신이 고생하고 있는데 도움을 주지 않는 하늘에게 원망을 하고 있을 뿐, 상대에게 자신의 어려움을 해결해 줄 것을 요청하고 있지는 않다.

45 ⑤ 정답률 65%

정답풀이

[자료 조사]를 보면, '서해무릉'이라는 장소에서 등장인물들이 '내적으로 성숙해지기도 한다.'라고 하였다. 하지만 윗글에서 유연은 최 씨와 '서해무릉'에서 재회하게 되었을 뿐, 유연이 최 씨의 도움으로 용맹과 지략을 갖추게 되는 장면은 드러나지 않으므로 적절하지 않다.

오답풀이

① [자료 조사]를 보면, '서해무릉'에서 등장인물들은 '시련을 겪기도 한다.'라고 하였다. 윗글에서 최 씨는 '서해무릉에 온 지 수삼 년이 지났'지만 유연을 만나지 못하고 있었으므로 최 씨에게 '서해무릉'은 시련의 공간이라고 할 수 있다.
② [자료 조사]를 보면, '서해무릉'에서 등장인물들은 '개인적 욕망을 꿈꾸기도' 한다고 하였다. 윗글에서 도적 장군은 납치한 최 씨를 '서해무릉'으로 데려와 '혼례를 치르고자' 하였으므로, 도적 장군에게 '서해무릉'은 욕망을 드러내는 공간이라고 할 수 있다.
③ [자료 조사]를 보면, '서해무릉'에서 등장인물들은 '소망을 실현하기도' 한다고 하였다. 윗글에서 유연은 '서해무릉'에 오기 전까지 납치된 최 씨를 찾기 위해 방방곡곡을 헤매고 다녔다. 따라서 유연의 소망은 최 씨와 재회하는 것이며, 이 소망이 '서해무릉'에서 실현되었다고 볼 수 있다.
④ [자료 조사]를 보면, '서해무릉'에서 등장인물들은 '애정을 지켜 나가'기도 한다고 하였다. 윗글에서 최 씨는 혼인하자는 도적 장군으로부터 '꼿꼿한 마음으로 정절을 지'켰으므로, 최 씨에게 '서해무릉'은 애정을 지키는 공간이라고 할 수 있다.

11회 2019학년도 6월 학평

1. ①	2. ①	3. ④	4. ③	5. ⑤	6. ⑤	7. ②	8. ⑤	9. ①	10. ⑤
11. ③	12. ②	13. ⑤	14. ④	15. ③	16. ②	17. ④	18. ⑤	19. ①	20. ④
21. ④	22. ②	23. ②	24. ⑤	25. ③	26. ②	27. ③	28. ③	29. ①	30. ②
31. ④	32. ①	33. ⑤	34. ②	35. ③	36. ①	37. ②	38. ⑤	39. ④	40. ⑤
41. ④	42. ③	43. ②	44. ①	45. ⑤					

오답률 Best 5

[1~3] 화법

1 ① 정답률 88%

정답풀이

강의자는 강연에서 '무대의 개념과 종류'와 관련해 내용의 출처를 밝히고 있지 않으므로, 이를 통해 신뢰성을 높이고 있다고 볼 수 없다.

오답풀이

② 강의자는 청중에게 '여러분들은 연극이나 콘서트 같은 공연을 좋아하시나요?', '그런데 '프로시니엄'은 무슨 뜻일까요?'와 같은 질문을 하고, 그 반응을 확인하고 있다.

③ 강의자는 중심 화제인 '무대'의 개념을 '공연자가 공연을 하는~설치된 공간을 말하는데'와 같이 정의하여 청중의 이해를 돕고 있다.

④ 강의자는 중심 화제인 '무대'를 형태에 따라 '원형 무대', '프로시니엄 무대(액자 무대)', '돌출 무대'로 나누고, 각각의 무대에 대한 예로 '아레나', '연극과 뮤지컬', '패션쇼'를 들어 설명하고 있다.

⑤ 강의자는 청중에게 '무대 사진'을 보여 주며 강의 내용을 효과적으로 전달하고 있다.

2 ① 정답률 73%

정답풀이

<보기>에서 '한국 탈판'은 "객석과 무대를 갈라놓는 뚫린 벽'이 없고, 노는 자(공연자)와 보는 자(관객)가 한 호흡을 이루는 한국적 무대 형태'라고 하였다. 이는 무대가 객석에 개방되어 있어 공연자와 관객이 직접적으로 소통 가능한 형태여야 하므로 무대의 '둘레를 객석이 둘러싸고 있는 형태로 사방에서 관객과 공연자가 접촉할' 수 있는 '원형 무대'가 적합하다. 따라서 중앙에 무대가 있고, 그 둘레를 객석이 둘러싸고 있는 '원형 무대' 형태가 가장 적절하다.

오답풀이

②, ③, ⑤ '무대의 에이프런 부분이 반도 모양으로 객석을 향하여 돌출되어 있고, 객석이 삼면 또는 반원형으로 무대를 둘러싸고 있는' '돌출 무대'에 해당한다.

④ '프로시니엄 아치가 객석과 무대를 분리하고 있' 어, '객석에서는 프로시니엄 아치를 통해서 무대의 정면으로만 공연을 볼 수 있'는 '프로시니엄 무대(액자 무대)'에 해당한다.

3 ④ 정답률 88%

정답풀이

학생은 강의에서 설명한 '프로시니엄 무대'와 '돌출 무대'의 특징에 대해 자신이 이해한 것을 '학생회가 주최하는 축제 무대'라는 구체적 상황에 적용하고 있다.

오답풀이

① 학생은 설문 자료를 바탕으로 중심 화제인 '무대'의 가치를 판단하고 있지는 않다.

② 학생은 강의를 통해 학교 축제에 설치했던 무대가 '프로시니엄 무대'이며, 공연자와 학생들의 직접적인 소통을 위해서는 '돌출 무대'가 더욱 적합하다는 사실을 깨달았다. 하지만 이러한 사실에 의문을 제시하고 있지는 않다.

③ 학생이 강의 내용을 구조화하여 파악하거나, 전체 내용을 일목요연하게 정리하고 있지는 않다.

⑤ 학생이 강의 내용 중에서 사실과 다른 부분을 파악하여 이에 대해 비판적으로 평가하고 있지는 않다.

[4~7] 화법과 작문

4  ③ 정답률 69%

정답풀이

(가)에서 진행자는 연구원에게 '해양 오염 개선을 위한 국제 협약의 성과'에는 무엇이 있는지를 소개해 달라며 요청하지 않았다.

오답풀이

① (가)에서 진행자는 '폐사한 거북이의 코에서 플라스틱 빨대가 발견된 소식'이라는 화제와 관련된 최근의 사례를 언급한 후, 대담의 중심 화제인 '플라스틱 쓰레기로 인한 해양 오염'을 소개하고 있다.

② (가)에서 진행자는 '바다에 있는 플라스틱 쓰레기양이 어느 정도인지 궁금합니다.'라고 질문하고, 그 양에 해당하는 '800만 톤'이 어느 정도의 수치인지를 물어, 바다에 있는 플라스틱 쓰레기 양의 규모를 확인하고 있다.

④ (가)에서 진행자는 '우리 청취자들이 해양 오염 개선을 위해 일상에서 실천할 수 있는 방법에는 어떤 것이 있을까요?'라면서 청취자들이 문제 해결에 참여할 수 있는 방법에 대해 질문하고 있다.

⑤ (가)에서 진행자는 마지막 발화에서 '이제 플라스틱 빨대 하나라도 덜 쓰려는 노력을 해봐야겠습니다.'라며 일상생활에서 실천할 수 있는 예를 들어 담화를 마무리하고 있다.

5 ⑤ 정답률 78%

정답풀이

[B]에서 '진행자'는 '연구원'에게 '그러니까 어패류 체내에 플라스틱이 쌓이고 있다는 말씀이신가요?'라고 물으며 자신이 이해한 것이 맞는지를 확인하고 있다.

오답풀이

① [A]에서 '연구원'은 '해마다 10만 9400톤가량의 쓰레기가 육지에서 바다로 유입되는데 이 가운데 70% 이상이 플라스틱입니다.'라며 구체적 수치를 활용해 플라스틱 쓰레기의 배출 규모를 설명하고 있다. 하지만 이러한 수치를 활용해 자신의 주장이나 생각에 대한 '진행자'의 동의를 구하고 있지는 않다.

② [A]에서 '진행자'는 앞서 '연구원'이 언급한 정보를 간추려 '육지에 버려져 있던 쓰레기 가운데 바다로 쓸려 들어간 플라스틱의 양이 꽤 많았네요.'라며 재진술하고 있을 뿐, 앞으로 이어질 내용을 예측하고 있지는 않다.

③ [A]에서 '연구원'은 연구 결과를 토대로 바다로 유입되는 플라스틱 쓰레기의 규모가 어느 정도인지, 플라스틱 쓰레기가 바다로 유입되는 이유가 무엇인지에 대해 설명하고 있을 뿐, 이러한 문제점에 대한 해결책을 모색하고 있지는 않다.

④ [B]에서 '연구원'은 인근 해역의 어패류를 채집해 분석한 연구 결과를 바탕으로 우리나라의 현황을 보고하고 있을 뿐, 외국의 통계 자료와 비교하고 있지는 않다.

6 ⑤ 정답률 66%

정답풀이

(나)의 3문단에서 '다른 소재가 부착되어~제거한 뒤 세척해서 버릴 필요가 있다.'라고 한 것을 '플라스틱 재활용률을 높일 수 있도록 독자의 참여를 유도'한 것으로 볼 수 있지만, (나)에서 '다른 소재의 재활용률보다 플라스틱의 재활용률이 낮음을 지적'하고 있지는 않다.

오답풀이

① (가)에서 '연구원'은 '현재 전 세계 바다에~새로 유입되고 있습니다.'라고 하였다. 이 정보를 활용하여 (나)의 1문단에서는 '전 세계 바다에 떠 있는 플라스틱 쓰레기양이 무려 1억 6천만 톤 이상이라는 말을 들었다.'라고 했고, 2문단에서는 '매년 세계에서 바다로 배출하는 플라스틱 쓰레기양은 대략 800만 톤'이라고 하여 플라스틱 쓰레기로 인한 해양 오염 실태를 독자에게 알리고 있다.

② (나)의 1문단에서 '일주일간 나의 생활을 돌아보았더니,~생수병만 해도 적지 않았다.'라며 플라스틱 소비에 대한 개인적 경험을 활용하고 있으며, 이를 통해 독자가 플라스틱 쓰레기에 대한 문제의식을 공유하도록 하고 있다.

③ (가)에서 '연구원'은 '도로변 미세 플라스틱'과 '하수처리시설 방류수에 포함된 미세 플라스틱'에 대해서만 말하였다. 그런데 (나)의 2문단에서는 '치약, 세정제의 원료로 쓰인 미세 플라스틱'과 '합성 섬유로 만들어진 옷을 세탁할 때마다 떨어져 나오는 미세 플라스틱'과 같이 대담에서 '연구원'이 언급하지 않은 정보를 조사하여 글에 추가하였다. 생활 속에서 발생한 미세 플라스틱 또한 방류수를 통해 바다로 흘러 들어간다는 설명을 덧붙여, 생활 하수를 통해 배출되는 미세 플라스틱에 대해 독자가 구체적으로 인지하도록 하고 있다.

④ (가)에서 '연구원'은 '플라스틱 쓰레기양을 줄'여야 한다고 당부하면서, '플라스틱 제품을 하나라도~배출해 주시기를 부탁드립니다.'라고 하였다. 이에 대해 (나)의 3문단에서는 '우선 다회용 식기를~버릴 필요가 있다.'라는 구체적인 예를 들어 독자가 실천해야 할 방법을 명료하게 제시하고 있다.

7 ② 정답률 86%

정답풀이

'선생님'은 글 마지막에 '상황의 심각성을 한 번 더 언급'하고, '앞서 제안했던 실천이 갖는 의의'를 나타낼 것을 조언하였다. 추가된 내용인 '우리나라 남해 연안의~있는 것으로 확인되었다.'에서는 미세 플라스틱 오염도가 높은 우리나라 상황의 심각성이 드러난다. 또한, '플라스틱 사용을 줄이고 재활용률을 높이려는 노력'은 '앞서 제안했던 실천'에 해당하며, 이에 대한 의의로 '해양 환경을 위협하는 플라스틱 쓰레기가 줄어들 것이다.'를 제시하고 있으므로 적절하다.

오답풀이

① '플라스틱은 생산되는 데~소재로 알려져 있다.'에서 플라스틱 오염 문제가 심각한 상황임이 드러난다. 하지만, '앞서 제안했던 실천이 갖는 의의'에 대해서는 언급하지 않았고, 플라스틱 쓰레기를 재활용한 신소재 연구 성과에 대한 전망만 드러나 있다.

③ '태평양의 동서쪽에는~차지하는 것은 플라스틱이다.'에서 플라스틱 오염 문제가 심각한 상황임이 드러난다. 하지만 '앞서 제안했던 실천이 갖는 의의'에 대해서는 언급하지 않았고, 플라스틱 쓰레기로 인한 해양 오염이 심각해질 것이라는 전망만 드러나 있다.

④ '유엔환경계획은 미세 플라스틱이~있다고 경고해왔다.'에서 미세 플라스틱으로 인한 질병 문제가 심각한 상황임이 드러난다. 하지만 '앞서 제안했던 실천이 갖는 의의'에 대해서는 언급하지 않았고, 미세 플라스틱을 다른 유기 물질로 대체하려는 기업의 노력에 대해서만 제시하고 있다.

⑤ '미국, 멕시코, 중국 등~건강을 위협하고 있다.'에서 미세 플라스틱이 건강을 위협하는 문제가 심각한 상황이 드러나지만, '앞서 제안했던 실천이 갖는 의의'는 언급하지 않았다.

[8~10] 작문

8 ⑤ 정답률 71%

정답풀이

(가)에 따르면 (나)를 쓰기 전에 '글의 주제'를 '항생제 오남용의 실태를 알고 항생제를 올바르게 사용하기 위해 노력하자.'로 정했다. 이 주제와의 관련성을 고려하여 (나)의 4문단에서는 '무조건적인 항생제 사용은 자제하되~올바른 방법으로 항생제를 사용해야 할 것이다.'라며 항생제 오남용 방지를 위한 개인적 차원에서의 실천 방안을 제안하고 있다. 하지만 사회적 차원에서의 실천 방안을 제안하는 내용은 (나)에 반영되지 않았다.

오답풀이

① (나)의 1문단에서는 예상 독자인 '신문 구독자들'이 항생제 오남용 문제 상황을 알 수 있도록 '세계적으로 매년 70만 명 이상이 항생제 내성균으로 사망하고 있'다는 통계 자료를 제시하고 있다. 또한 3문단에서는 '우리나라에서 항생제를 매일 복용하는 사람은 1,000명 중 31.7명'이라는 통계 자료를 활용하고 있다.

② (나)의 1문단에서 중심 화제를 쉽게 이해할 수 있도록 '항생제는 우리 몸에 들어온 세균을 죽이거나 세균의 생장을 억제하는 물질'이라며 항생제의 개념을 제시하고 있다. 또한, '적절하게 사용하면~꼭 필요한 약이다.'라면서 항생제의 효과를 설명하고 있다.

③ (나)의 3문단에서 '우리나라에서 항생제를 매일 복용하는 사람은 1,000명 중 31.7명'으로, 'OECD 회원국 중 조사 대상 12개 나라 평균 23.7명보다 현저히 높다.'라고 하며 항생제 오남용의 문제 상황을 드러내기 위해 12개의 다른 나라와 비교해 그 실태를 제시하고 있다.

④ (나)의 2문단에서 항생제 오남용으로 인해 항생제에 '내성'이 생기면 '질병 치료에 심각한 문제가 발생한다.'라고 하면서, 항생제 오남용으로 초래될 부정적 상황을 언급하고 있다.

9 ① 정답률 80%

정답풀이

'표제'는 '신문의 제목'을 말하고, '부제'는 '제목에 덧붙어 그것을 보충하는 제목'을 의미한다. 따라서, 표제와 부제는 본문 내용 전체를 핵심적으로 보여 줄 수 있도록 구성해야 한다. (나)의 1문단, 2문단에는 항생제의 긍정적인 면과 부정적인 면이, 3문단에는 항생제 오남용 실태가, 4문단에는 항생제 오남용 방지를 위한 실천 방안이 제시되어 있다. 이를 고려할 때, 표제인 '양날의 검, 항생제'에는 항생제의 긍정적인 면과 부정적인 면이 포함되어 있고, 부제인 '적정 사용으로 내성 예방'에서는 항생제 오남용 방지를 위한 실천 방안이 드러나므로 적절하다.

오답풀이

② 표제인 '세균 생장 억제하는 항생제'에는 항생제의 긍정적인 면이, 부제인 '바이러스성 질환엔 무용'에는 항생제의 부정적인 면이 제시되어 있다. 하지만 항생제 오남용 방지를 위한 실천 방안과 관련된 내용이 제시되어 있지 않다는 점에서 전체 내용을 아우른다고 보기 어렵다.

③ 표제인 '예방적 차원의 항생제 처방'은 항생제를 오남용하지 말아야 한다는 핵심 내용을 반영하지 못한다. 또한 부제인 '내성률 감소로 평균 수명 연장'은 초고에서 확인할 수 없는 내용이다.

④ 표제인 '항생제에 대한 오해와 진실'은 항생제를 오남용하지 말아야 한다는 핵심 내용을 반영하지 못한다. 또한 (나)의 2문단에 따르면 유전자 변이가 발생하여 면역 체계를 파괴하는 것은 '내성균'이므로, 부제인 '유전자 변이 항생제, 면역 체계 파괴'는 초고 내용과 일치하지 않는다.

⑤ 표제인 '세균성 감염병 치료제, 항생제'에는 항생제의 긍정적인 면이, 부제인 '슈퍼박테리아 출현으로 더 큰 질병 유발'에는 항생제의 부정적인 면이 제시되어 있다. 하지만 항생제 오남용 방지를 위한 실천 방안과 관련된 내용이 제시되어 있지 않다는 점에서 전체 내용을 아우른다고 보기 어렵다.

11 회

10 ⑤ 정답률 74%

정답풀이

ㄱ-2는 의사들의 '항생제 처방 실태'에 관한 설문 자료이고, ㄷ은 우리나라 국민의 항생제 내성률 감소를 위한 대책에 대한 '전문가 인터뷰'이다. ㄷ에서는 '항생제의 오남용은 항생제 내성 발생의 가장 중요한 위험 요인'이라고 하였고, 항생제 내성률 감소를 위한 대책 방안으로 정부의 지원에 대해서는 언급하지 않았다. 따라서 ㄷ을 활용하여 '항생제 오남용으로 인한 문제를 개선하기 위해서는 정부의 적극적인 지원이 필요'함을 추가할 수는 있다. 하지만 ㄱ-2는 의사들 개인의 항생제 처방에 대한 인식을 나타내는 지표에 불과하므로, 이를 활용하는 것은 적절하지 않다.

오답풀이

① ㄱ-1은 항생제 사용에 대한 성인 남녀의 인식에 관한 설문 자료이고, ㄱ-2는 의사들의 '항생제 처방 실태'에 관한 설문 자료이다. 이때 ㄱ-1의 답변은 항생제 사용에 대한 성인 남녀의 잘못된 인식을 나타내며, ㄱ-2의 답변은 의사들이 항생제를 과하게 처방하는 경우가 있음을 나타낸다. 따라서 이를 활용하여 '항생제를 처방하는 의사와 처방받는 환자 모두 인식 개선이 필요하다'는 내용을 추가할 수 있다.

② ㄱ-2에 따르면, 의사들은 항생제가 적절한 처방약인지 알지 못할 때나 항생제가 꼭 필요하지 않은 경우에도 항생제를 처방하고 있다. 따라서 이를 활용해 '의사들의 적절한 항생제 처방이 필요하다'는 내용을 추가할 수 있다.

③ ㄴ은 항생제 사용 및 내성에 대한 교육과 항생제에 대한 인식 개선 간의 관계에 대한 '보고서'이다. 학생들에게 항생제 사용 및 내성에 관한 교육을 하자 항생제에 대한 잘못된 인식이 개선되었음을 언급하고 있으므로, ㄴ을 활용해 '항생제 오남용 방지를 위한 교육이 필요하다'는 내용을 추가할 수 있다.

④ ㄷ에서 '우리나라 국민의 항생제에 대한 내성률은 67.7%'로 다른 나라에 비해 매우 높으며, 내성률을 감소시키기 위해서는 '항생제 오남용 방지'가 필요하다고 하였다. 따라서 ㄷ을 활용하여 '항생제 사용량과 내성률의 상관관계를 바탕으로 항생제를 오남용하지 말아야 함을 강조'할 수 있다.

[11~15] 문법(언어)

11 ③ 정답률 58%

정답풀이

윗글에서 '서술어에 따라 완전한 문장을 이루기 위해 필요로 하는 문장 성분의 개수가 다른데, 이를 '서술어의 자릿수'라 한다.'라고 했다. 〈보기〉에서 '그들은 고지식해서 농담을 진담으로 듣는다.'의 서술어인 ⓒ(듣는다)는 '【…을…으로】'를 참고할 때 주어 '그들은' 외에 목적어 '농담을'과 부사어 '진담으로'를 필수적으로 필요로 한다. 즉 ⓒ는 주어, 목적어, 필수적 부사어를 반드시 필요로 하는 세 자리 서술어이다.

오답풀이

① '나는 숲에서 새소리를 듣는다.'의 서술어인 ⓐ(듣는다)는 '【…을】'을 참고할 때 주어 '나는'과 목적어 '새소리를'을 필수적으로 필요로 하는 두 자리 서술어이다.

② '그 아이는 누나에게 칭찬을 자주 듣는다.'의 서술어인 'ⓑ(듣는다)'는 【…에게…을】을 참고할 때 주어 '아이는'과 목적어 '칭찬을' 외에 부사어 '누나에게'를 필수적으로 요구하는 세 자리 서술어이다. 참고로 필수적 부사어인 '누나에게'를 생략하면 불완전한 문장이 된다.

④ ⓐ는 주어와 목적어를 필요로 하는 두 자리 서술어이다. 한편 '차가운 빗방울이 지붕에 듣는다.'의 서술어인 'ⓓ(듣는다)'는 '【…에】'를 참고할 때 주어 '빗방울이'와 부사어 '지붕에'를 필수적으로 필요로 하는 두 자리 서술어이다. 즉 ⓐ는 주어와 목적어를, ⓓ는 주어와 부사어를 요구한다는 점에서 필요로 하는 문장 성분이 서로 다르다.

⑤ ⓑ는 '듣다01'의 예문에 쓰인 서술어이고, ⓓ는 '듣다02'의 예문에 쓰인 서술어이다. 즉 ⓑ와 ⓓ는 소리는 같으나 뜻은 서로 다른 동음이의어이므로, '의미에 차이가 있'는 것은 맞지만, ⓑ는 주어, 목적어, 부사어를 필요로 하는 세 자리 서술어이고, ⓓ는 주어와 부사어를 필요로 하는 두 자리 서술어로 서술어 자릿수가 서로 다르다.

12 ② 정답률 66%

정답풀이

윗글에서 ㉠(필수적 부사어)은 문장에서 '필수적 성분'으로 '생략되었을 경우 불완전한 문장이 된다.'라고 하였다. 이를 고려하였을 때, '승윤이는 통나무로 식탁을 만들었다.'라는 문장에 쓰인 부사어 '통나무로'는 서술어 '만들었다'의 재료를 의미하는데, 이 성분을 생략해도 완전한 문장이 성립한다는 점에서 ㉠에 해당하지 않는다.

오답풀이

① '그 아이는 매우 영리하게 생겼다.'에서 부사어 '영리하게'를 생략하면 그 아이가 '어떻게' 생겼는지 설명할 수 없다는 점에서 '영리하게'는 ㉠에 해당한다.

③ '이 지역의 기후는 벼농사에 적합하다.'에서 부사어 '벼농사에'를 생략하면 기후가 적합한 대상이 무엇인지를 알 수 없다는 점에서 '벼농사에'는 ㉠에 해당한다.

④ '나는 이 일을 친구와 함께 의논하겠다.'에서 부사어 '친구와'를 생략하면 내가 일을 함께 의논하는 대상을 확인할 수 없다는 점에서 '친구와'는 ㉠에 해당한다.

⑤ '작년에 부모님께서 나에게 큰 선물을 주셨다.'에서 부사어 '나에게'를 생략하면 부모님께서 선물을 준 대상이 누구인지를 알 수 없다는 점에서 '나에게'는 ㉠에 해당한다.

13 ⑤ 정답률 61%

정답풀이

'옷 한 벌'은 먼저 음절의 끝소리 규칙에 의해 '옷'의 받침 'ㅅ'이 'ㄷ'으로 교체된 후, 교체된 'ㄷ'이 'ㅎ'과 만나 'ㅌ'으로 축약되는 거센소리되기가 일어나 최종적으로 [오탄벌]로 발음된다. 따라서 이 음운 변동 과정에서 'ㅅ'이 탈락한 후 'ㄷ'이 첨가되는 현상은 일어나지 않는다.

오답풀이

① '밥물'은 '밥'의 받침 'ㅂ'이 뒤에 오는 비음 'ㅁ'의 영향을 받아 비음 'ㅁ'으로 교체되는 비음화 현상이 일어나 최종적으로 [밤물]로 발음된다.

② '광한루'는 둘째 음절 '한'의 받침 'ㄴ'이 뒤에 오는 유음 'ㄹ'의 영향을 받아 유음 'ㄹ'로 교체되는 유음화 현상이 일어나 최종적으로 [광:할루]로 발음된다.

③ '좋아'는 'ㅎ'으로 끝나는 어간이 모음으로 시작되는 어미 '-아'와 만나 어간 받침 'ㅎ'이 탈락하는 'ㅎ' 탈락 현상이 일어나 최종적으로 [조:아]로 발음된다.

④ '색연필'은 먼저 'ㄴ' 첨가 현상이 일어나 '색년필'이 된 후, '색'의 받침 'ㄱ'이 비음 'ㄴ'의 영향을 받아 비음 'ㅇ'으로 교체되는 비음화 현상이 일어나 최종적으로 [생년필]로 발음된다.

14 ④ 정답률 59%

정답풀이

'선생님'은 '뿐'이 '체언을 수식하는 관형어 '웃을' 뒤에 붙어서 '따름'이라는 뜻을 나타'낼 때는 '의존 명사'로 쓰인 것이기 때문에, 앞말과 띄어 써야 한다고 하였다. 이때, '웃을'은 용언 '웃다'의 어간 '웃-'에 관형사형 어미 '-을'이 결합한 용언의 관형사형으로 문장 내에서 관형어 역할을 한다고 볼 수 있다. 이를 참고할 때, '손님들은 먹을 만큼 충분히 먹었다.'라는 문장에 쓰인 '만큼'은 용언 '먹다'의 관형사형인 '먹을' 뒤에 붙어서 '앞의 내용에 상당한 수량이나 정도임을 나타내는 말.'이라는 뜻을 나타낸다는 점에서 의존 명사임을 알 수 있다. 따라서 앞말에 해당하는 관형어 '먹을'과 띄어 써야 한다.

오답풀이

① '아는대로'에서 '대로'는 용언 '알다'의 관형사형인 '아는' 뒤에 붙어 '어떤 모양이나 상태와 같이.'라는 뜻을 나타낸다는 점에서 의존 명사임을 알 수 있다. 따라서 앞말에 해당하는 관형어 '아는'과 띄어 써야 한다.

② '약해질대로'에서 '대로'는 용언 '약해지다'의 관형사형인 '약해질' 뒤에 붙어 '어떤 상태가 매우 심하다는 뜻을 나타내는 말.'이라는 뜻을 나타낸다는 점에서 의존 명사임을 알 수 있다. 따라서 앞말에 해당하는 관형어 '약해질'과 띄어 써야 한다.

③ '선생님'은 '뿐'이 "너'라는 체언 뒤에 붙어서 한정의 뜻을 나타'낼 때는 '조사'로 쓰인 것이기 때문에, 앞말과 붙여 써야 한다고 했다. 이를 참고할 때, '생각 대로'에서 '대로'는 '생각'이라는 체언 뒤에 붙어 '앞에 오는 말에 근거하거나 달라짐이 없음.'이라는 뜻을 나타낸다는 점에서 조사임을 알 수 있다. 따라서 앞말에 해당하는 체언 '생각'과 붙여 써야 한다.

⑤ '말 만큼'에서 '만큼'은 '말'이라는 체언 뒤에 붙어 '앞말과 비슷한 정도나 한도임.'이라는 뜻을 나타낸다는 점에서 조사임을 알 수 있다. 따라서 앞말에 해당하는 체언 '말'과 붙여 써야 한다.

15 ③ 정답률 69%

정답풀이

'탐구 학습지'에서 '객체 높임'은 '서술의 객체, 즉 문장의 목적어나 부사어를 높'이는데, 이때 '특수 어휘'를 사용한다고 하였다. 그런데 ⓒ에서 '말씀'을 하는 대상은 객체인 '할머니'가 아니므로, 특수 어휘 '말씀'을 사용하여 서술의 객체인 '할머니'를 높이고 있다고 볼 수 없다. '말씀'을 하는 이는 서술의 주체인 '부모님'이고, '부모님'을 높이기 위해 '말' 대신 '말씀'을 사용한 것이므로, '말씀'은 '주체 높임 특수 어휘'에 해당 한다.

오답풀이

① '탐구 학습지'에서 '상대 높임'은 '대화의 상대, 즉 듣는 이를 높이거나 낮'추는데, 이때 '종결어미'를 사용한다고 했다. ㉠에서는 종결어미 '-어라'를 사용하여 대화 상대인 '채윤'을 낮추는 해라체가 나타난다.

② ㉠에서는 서술의 객체인 '할아버지'를 높이기 위해 부사격 조사 '에게' 대신 '께'를 사용하고 있다.

④ ⓒ에서는 대화 상대인 '선생님'을 높이기 위해 종결어미 '-습니다'를 사용한 하십시오체가 나타난다.

⑤ '탐구 학습지'에서 '주체 높임'은 '서술의 주체, 즉 문장의 주어를 높'이는데, 이때 '주격 조사'나 '선어말 어미'를 사용하여 높임을 나타낸다고 하였다. ⓒ에서는 서술의 주체인 '부모님'을 높이기 위해 주격 조사 '이' 대신 '께서'를 사용하고, 주체 높임 선어말 어미 '-시-'를 함께 사용하고 있다.

[16~21] 과학

16 ② 정답률 84%

정답풀이

1문단~2문단에 따르면 '뿌리압'이란 '식물이 물을 뿌리에서 흡수하여 잎까지 보내는데' 작용하는 힘 중 하나이며 '뿌리에서 물이 흡수될 때 밀고 들어오는 압력으로, 물을 위로 밀어 올리는 힘'이다. 그런데 '식물이 줄기 끝에 달려 있는 잎에 물을 공급하려면 중력의 반대방향으로 물을 끌어 올려야'하므로 식물의 뿌리압은 중력과 반대 방향으로 작용한다고 볼 수 있다.

오답풀이

① 5문단에서 '기공의 크기는 식물의 종류에 따라 다'르다고 하였다.

③ 1문단에서 '식물은 잎에서 광합성을 통해 생장에 필요한 양분을 만들어 내는데, 물은 바로 그 원료가 된다.'라고 하였다.

④ 5문단에서 '물 분자들은 서로 잡아당기는 힘으로써 연결'되는데, 이는 '사슬처럼 연결'된다고 하였다.

⑤ 3문단에서 '물 분자와 모세관 벽이 결합하려는 힘이 물 분자끼리 결합하려는 힘보다 더 크기 때문에' '모세관 현상'이 일어난다고 했다. 이때, '식물은 물관의 지름이 매우 작기 때문에 모세관 현상으로 물을 밀어 올리는 힘이 생긴다.'라고 했으므로, 물관 내에서는 '물 분자와 모세관 벽이 결합하려는 힘'으로 물이 위로 이동하는 것이라 볼 수 있다.

17 ④ 정답률 71%

정답풀이

〈보기〉에서 '삼투 현상'이란 '용액의 농도가 낮은 곳에서 높은 곳으로 선택적 투과성 막을 통해 물이 이동하는 현상'이라고 하였다. [A]에서 '뿌리털 안'은 농도가 높은 반면 '흙 속에 포함되어 있는 물'은 농도가 낮다고 한 것을 고려하면, 삼투 현상에 의해 '흙 속에 포함되어 있는 물'이 '뿌리털 안'으로 이동할 것이다. 또한 이는 '농도의 균형을 맞추기 위한' 것이므로, 결국 '뿌리털 안의 용액'의 농도는 낮아질 것이다. 마찬가지로 〈보기〉에서 '배추에 있는 물'이 '소금물' 쪽으로 이동한다고 한 것에서 원래 '소금물'의 농도가 더 높았음을 알 수 있다. 따라서 삼투 현상에 의해 '배추의 물'이 '소금물' 쪽으로 이동하면, 소금물의 농도는 높아지는 것이 아니라 낮아질 것이다.

오답풀이

① 〈보기〉에서 물은 '선택적 투과성 막'을 통해 이동한다고 했고, [A]에서 물 분자는 뿌리털의 '세포막'을 거쳐 뿌리 내부로 들어온다고 했다. 따라서 [A]의 '뿌리털을 둘러싼 세포막'은 〈보기〉의 '선택적 투과성 막' 역할을 한다고 볼 수 있다.

② 〈보기〉에 따르면, 삼투 현상에서 '물이 이동하는 힘'인 삼투압은 '용액의 농도에 따라 비례한'다. 따라서 소금물에 소금을 추가하면 소금물의 농도가 더 높아질 것이므로, 그에 비례하여 삼투압 역시 커질 것이다.

③ 〈보기〉에서 삼투 현상의 예로 '배추를 소금물에 담그'는 경우를 제시하였는데, 이때 '소금 입자는 이동하지 못하고 배추에 있는 물이 소금물 쪽으로 이동'한다고 하였다. 즉 소금 입자는 선택적 투과성 막을 통과할 수 없지만, [A]에서 흙 속의 물 분자는 선택적 투과성 막을 통과하여 소금물 쪽으로 이동하게 되는 것이다.

⑤ 〈보기〉에서 '삼투 현상'이란 '용액의 농도가 낮은 곳에서 높은 곳으로 선택적 투과성 막을 통해 물이 이동하는 현상'이라고 하였다. 이에 따라, [A]에서는 '뿌리털 안'의 농도가 '흙 속'보다 높으므로, '뿌리'가 '흙 속'의 물을 흡수하게 된다. 또한 〈보기〉에서는 '배추'의 농도보다 '소금물'의 농도가 높으므로, '배추'에서 '소금물' 쪽으로 물이 빠져나오게 된다.

18 ⑤ 정답률 70%

정답풀이

5문단에서 ⓒ(증산 작용)은 '뿌리에서 흡수된 물이 줄기를 거쳐 잎까지 올라가는 원동력이며, '식물이 물을 끌어올리는 요인중 가장 큰 힘'이라고 하였다. 따라서 3문단에서 언급된 것처럼 ㉠(모세관 현상)에 의해 식물이 '물을 밀어 올리는 힘'이 생기는 것도 맞지만 ⓒ에 의해 물을 끌어 올리는 힘이 더 '크다'고 볼 수 있다.

오답풀이

① 3문단에서 ㉠은 '관이 가늘어질수록 물이 올라가는 높이가 높아진다.'라고 하였으므로, '관의 지름'에 따라 물이 올라가는 높이가 달라진다고 볼 수 있다.

② 4문단에서 ⓒ이 일어나면, 공기 중으로 내보내진 물이 '주위의 열을 흡수'하여 훨씬 시원해진다고 하였다.

③ 3문단에서 ㉠은 '가는 관과 같은 통로를 따라 액체가 올라가거나 내려가는 것'이라고 했으므로, ㉠에 의해서는 '물'의 상태가 그대로 액체로 유지 될 것이다. 그런데 4문단에서 ⓒ은 '식물체 내의 수분이 잎의 기공을 통하여 수증기 상태로 증발하는 현상'이라고 했으므로, ⓒ에 의해서는 '물'의 상태가 '수증기'로 바뀔 것이다.

④ 3문단에서 ㉠으로 '물을 밀어 올리는 힘이 생긴다.'라고 하였고, 5문단에서 ⓒ에 의한 힘은 물을 위에서 '잡아당기는 힘'이라고 하였다.

19 ① 정답률 49%

정답풀이

㉮(나무의 잎은 물을 수증기 상태로 공기 중으로 내보내는데, 이때 물이 주위의 열을 흡수)와 같은 현상이란 '액체가 기화하면서 주변의 열을 흡수'하는 경우를 의미한다. '피부에 알코올 솜을 문지'르면, 솜에 액체 상태로 존재했던 '알코올'이 기화하며 날아가면서 '피부의 열을 흡수'하며 온도를 떨어뜨리는 현상이 나타나므로, ㉮와 같은 현상이 일어나는 예로 적절하다고 볼 수 있다.

오답풀이

② 주머니 난로의 액체가 하얗게 굳어 고체가 되면서 열을 방출하는 현상은 ㉮와 같은 현상으로 볼 수 없다.

③ 음식물을 공기 중에 오래 두면 산소와 반응하여 음식물이 썩는 과정에서 열이 발생하는 현상은 ㉮와 같은 현상으로 볼 수 없다.

11 회

④ 얼음집 안에 물을 뿌릴 때 물이 얼면서 고체가 되어 열을 방출하는 현상은 ㉮와 같은 현상으로 볼 수 없다.
⑤ 폭죽에 들어있는 화약이 터져 산화되면서 열을 방출하는 현상은 ㉮와 같은 현상으로 볼 수 없다.

오답률 Best ❺

이 문제는 '㉮와 같은 현상'이 어떤 경우를 지칭하는지를 파악해야 하고, 선지에 제시된 각각의 사례에 어떤 현상이 일어나는지를 해석할 수 있어야 해. ㉮의 핵심은 '물을 수증기 상태로 공기 중으로 내보내'는 과정에서 '물이 주위의 열을 흡수'한다는 거야. 주변의 열을 '흡수'한다는 키워드만 제대로 파악했더라도 비교적 수월하게 답을 고를 수 있었어. 오답인 ④번의 선택 비율도 꽤 높게 나타났는데, '얼음집 안'에 물을 뿌려서 온도가 더 내려갔다고 생각한 것 같아. 하지만 얼음집 안에서 물을 뿌리면, 그 물이 빠르게 얼어 고체가 되는 과정에서 열을 '방출'하게 되기 때문에 따뜻해지겠지?

20 ④ 정답률 36%

정답풀이

〈보기〉에서 (가)는 식물 줄기만 남겨 비닐을 씌웠으므로, '모세관 현상'만 일어난다. (나)는 줄기와 잎을 남기고 비닐을 씌웠으므로 '모세관 현상'과 '증산 작용'이 일어날 수 있다. 마지막으로 (다)는 뿌리, 줄기, 잎을 그대로 두고 비닐을 씌우지 않았으므로 '삼투 현상', '모세관 현상', '증산 작용'이 모두 일어난다. 5문단에서 증산 작용이 일어나면 '물 분자들은 서로 잡아당기는 힘으로써 연결'되는데, 이는 '물 기둥을 형성하는 것과 같'으며 '사슬처럼 연결'된다고 하였다. 따라서 증산 작용이 일어나는 (나)와 (다)는 모두 '물 분자들이 연결된 물 기둥이 형성'된다고 볼 수 있다. 또한 3문단에서 모세관 현상에 의해 물관 내부에 '물을 밀어 올리는 힘'이 생긴다고 했으므로, 이를 통해서도 '물 분자들이 연결된 물 기둥이 형성'됨을 알 수 있다.

오답풀이

① 4문단에 따르면 '증산 작용은 식물체 내의 수분이 잎의 기공을 통하여 수증기 상태로 증발'하는 것이다. 〈보기〉에서 (가)의 식물에는 '잎'이 없으므로 '증산 작용'이 일어나지 않고, (나)의 식물에는 '잎'이 있으므로 '증산 작용'이 일어나 (가)보다 비닐 안쪽 면에 물방울이 더 맺힐 것이다.
② 4문단에서 '증산 작용'에 의해 식물 외부로 방출되는 물의 양이 엄청나다고 하였다. 〈보기〉에서 (나)와 (다)의 식물은 '잎'이 있으므로 '증산 작용'이 일어나지만, (가)의 식물은 '잎'이 없으므로 '증산 작용'이 일어나지 않는다. 따라서 (가)의 용기에 담긴 물이 (나), (다)의 용기에 담긴 물보다 더 적게 줄어들 것이다.
③ 〈보기〉의 (나)에서는 '모세관 현상'과 '증산 작용'이라는 두 가지 힘이, (다)에서는 '삼투 현상', '모세관 현상', '증산 작용'이라는 세 가지 힘이 작용하여 물이 이동한다.
⑤ 4문단에서 식물의 '잎'에 있는 '기공을 통해 공기가 들락날락'할 수 있다고 하였다. 따라서 〈보기〉에서 '잎'이 없는 (가)의 식물에서는 공기가 식물 내부로 출입하는 현상이 일어나지 않지만, '잎'이 있는 (나)와 (다)의 식물에서는 공기가 식물 내부로 출입하는 현상이 일어날 수 있다.

오답률 Best ❷

정답인 ④번을 고른 비율보다 오답인 ③번을 고른 비율이 더 높았어. 5문단에서 '물 기둥'을 '증산 작용'과 연결하여 설명하고 있어서, '물 분자들이 연결된 물 기둥의 형성'은 '증산 작용'과만 관계된 현상이라고 착각할 수 있어. 그래서 '증산 작용'이 나타날 수 있는 (나)와 (다)에서는 '물 분자들이 연결된 물 기둥이 형성될 것'이라 생각한 학생들이 많았던 듯해.
그런데 5문단에서 '물 기둥을 형성'하는 것은 '물 분자들이 서로 잡아당기는 힘으로써 연결'되어 나타난다고 했으니까, 물 분자끼리 서로 연결되어 줄기를 거쳐 위로 향하고 있으면 모두 '물 기둥'이라 볼 수 있어. 또한 3문단에서 '모세관 현상'에 의해 식물체 안에서 물이 지나가는 통로인 '물관' 내부에 물을 밀어 올리는 힘이 생긴다고 했으니까, 이를 통해 물관 내부에 '물 기둥'이 형성될 것임을 알 수 있어. 결국 '모세관 현상'이 나타나는 (가), (나), (다) 모두 '물 분자들이 연결된 물 기둥이 형성'될 수 있는 거지.
③번의 경우에는 (다)에 '삼투 현상'이 일어날 수 있다는 사실을 파악하기 어려웠던 것 같아. 2문단에서 말하는 '흙 속의 물'이 식물 '뿌리털 안'으로 이동하는 현상은 17번 문제의 <보기>에서 말하는 '삼투 현상'에 해당돼. 그런데 2문단에 직접적으로 '삼투 현상'이라고 명시된 것이 아니라서, (다)에 작용한 힘이 '모세관 현상'과 '증산 작용' 두 가지뿐이라고 오해하게 된 거지. 사실은 (다)에 세 가지 힘이 작용하고 있고, 또 (나)에도 '모세관 현상'과 '증산 작용'이라는 두 가지 힘이 작용하고 있다는 사실을 알았다면 크게 헷갈리지 않았을 거야.

21 ④ 정답률 40%

정답풀이

ⓓ(다른데)의 '다르다'는 '비교가 되는 두 대상이 서로 같지 아니하다.'라는 의미이므로, '서로 다르다.'라는 의미의 '상이한데'와 바꾸어 쓸 수 있다.

오답풀이

① ⓐ(떼어 내고)의 '떼다'는 '붙어 있거나 잇닿은 것을 떨어지게 하다.'를 의미한다. 그런데 '삭제하고'는 '깎아 없애거나 지워 버리다.'를 의미하므로, ⓐ와 바꿔 쓸 수 없다.
② ⓑ(들어온다)의 '들어오다'는 '일정한 지역이나 공간의 범위와 관련하여 그 밖에서 안으로 이동하다.'를 의미한다. 그런데 '투입된다'는 '사람이나 물자, 자본 따위가 필요한 곳에 넣어지다.'를 의미하므로, ⓑ와 바꿔 쓸 수 없다.
③ ⓒ(꽂아 보면)의 '꽂다'는 '쓰러지거나 빠지지 아니하게 박아 세우거나 끼우다.'를 의미한다. 그런데 '부착하면'은 '떨어지지 아니하게 붙다.'를 의미하므로, ⓒ와 바꿔 쓸 수 없다.
⑤ ⓔ(이루는)의 '이루다'는 '몇 가지 부분이나 요소들을 모아 일정한 성질이나 모양을 가진 존재가 되게 하다.'를 뜻하고, '조성하는'은 '무엇을 만들어서 이루다.'라는 의미이다. ⓔ는 존재를 형성하는 요소에 초점을 두고 있는 것에 비해 '조성하다'는 만들어 낸 결과에 주목하므로 '조성하는'을 ⓔ와 바꿔쓸 수 없다.

오답률 Best ❸

'문맥'을 고려하지 않고 어휘 의미만 고려해 추론하였다면 충분히 헷갈릴 수 있는 문제였어. 이런 유형의 어휘 문제를 풀 때는 기호로 표시된 어휘만 읽는 것이 아니라, 그 앞뒤 맥락을 함께 고려하는 것이 중요해. 정답인 ⓓ가 포함된 문장을 보면, '기공의 크기는 식물의 종류에 따라 다른데'라고 했으니까, 이는 A 식물의 기공 크기와 B 식물의 기공 크기가 서로 같지 않다는 것을 의미한다고 볼 수 있어. 따라서 '서로 다르다'는 뜻을 가진 '상이한데'와 바꾸어 쓸 수 있는 거지.
학생들은 오답인 ②번과 ⑤번도 높은 비율로 골랐어. 틀린 비율이 상대적으로 높았던 거지. ②번의 '들어온다'는 '공간 범위'를 기준으로 '밖에서 안으로 이동'한다는 의미가 핵심이야. 그런데, '투입된다'는 '사람, 물자, 자본' 따위가 필요한 곳에 '넣어진다'는 뜻인데, 여기에 공간 범위와 관련된 뜻은 없기 때문에 둘을 바꿔 쓰기 어려워. 또, ⑤번의 '이루는'은 몇 가지의 '요소들'이 모여서 어떠한 '존재'가 형성된다는 게 중요한데, '조성하는'은 만들어 낸 대상의 요소들을 고려하고 있지 않으므로 둘을 바꿔 쓸 수 없는 거야.

[22~26] **사회**

22 ② 정답률 76%

정답풀이

ㄱ.
1문단에서 '소비자가 쉽게 (제조물의 결함으로 인한) 피해 구제를 받을 수 있도록 하기 위해 제조물 책임법을 제정하여 시행하고 있다.'라고 하며 제조물 책임법이 제정된 배경을 설명하고 있다.
ㄷ.
2문단에서 '이 법(제조물 책임법)이 적용되는 제조물과 제조업자의 범위를 살펴보면,~'이라고 하면서 그 범위를 설명하고 있다.

오답풀이

ㄴ.
윗글에서 제조물의 결함을 해결할 수 있는 방안에 대해서 언급하고 있지는 않다.
ㄹ.
윗글을 통해 제조물 책임법상 피해자가 손해 배상을 청구할 수 있는 기한이 언제까지인지는 알 수 없다.

23 ② 정답률 51%

정답풀이

6문단에서 '결함이 있는 제조물 자체는 민법에 따라 유통업자나 판매업자에게 구제받아야 한다.'라고 하였다. 〈보기〉의 (가)에서 소비자 A는 '결함이 있는 제조물'인 '전기 주전자'를 C마트에서 구입하였으므로, 판매업자에 해당하는 C마트로부터 전기 주전자에 대해 환불을 받을 수 있다.

오답풀이

① 4문단에서 제조물 책임법에 따르면, '소비자가 제조물을 통상적인 방법으로 사용하다가 사고가 발생했다는 사실만 입증'하면 '피해자가 제조업자에게 손해 배상을 청구'할 수 있다고 하였다. 따라서 〈보기〉의 (가)에서 소비자 A가 제조업자인 B사에 '전기 주전자'라는 제조물 책임을 물으려면 '전기 주전자를 통상적으로 사용했음을 입증'해야 한다.

③ 3문단에서 '제조상의 결함'은 '제조업자가 제조 또는~안전하지 못하게 된 경우'라고 하였다. 〈보기〉의 (가)에서는 B사의 '전기 주전자' 개폐 버튼의 결함으로 사고가 발생하였으므로, B사는 제조상의 결함을 지닌 제품을 생산했다고 볼 수 있다.

④ 2문단에서 '제조물 책임법'은 '제조업자에게 고의나 과실이~손해를 입은 사람'에 대하여 '제조업자가 손해 배상 책임을 지도록 하는 법률'이라고 하였다. 〈보기〉의 (나)에서는 E사의 승용차 탈취제에 LP가스를 포함하고 있어 화재가 발생할 위험이 있다는 문구가 없어 D의 승용차에 화재가 발생하였다. 이는 3문단에서 언급된 '표시상의 결함'에 해당하므로, D는 제조물 결함으로 발생한 피해에 대해 E사에 손해 배상을 청구할 수 있다.

⑤ 3문단에서 '표시상의 결함'은 '제조업자가 합리적인~표시하지 않은 경우'를 말한다고 했다. 〈보기〉의 (나)에서 E사의 승용차 탈취제에는 'LP가스를 포함하고 있어 화재가 발생할 위험이 있다는 문구가 없'어 해당 제조물에 의하여 발생할 수 있는 피해나 위험을 피할 수 없었으므로, '표시상의 결함'에 해당한다고 볼 수 있다.

24 ⑤ 정답률 62%

정답풀이

2문단에서 ㉮(제조물 책임법)는 '제조업자에게 고의나 과실이~손해를 입은 사람'에 대하여 '제조업자가 손해 배상 책임을 지도록 하는 법률'이라고 하였다. 한편 〈보기〉에서 ㉯(리콜제도)는 '소비자의 생명 · 신체 및~결함이 발견된 경우'에 '결함 제품으로 인한 위해 확산을 방지하고자 하는 소비자 보호 제도'라고 하였다. 즉 ㉮는 '제조물의 결함으로 인해 생명 · 신체 · 재산상의 손해를 입은 사람'이 제조업자에게 손해 배상을 청구할 수 있도록 하는 제도라는 점에서, '제조물의 결함으로 인한 소비자의 손해 발생'을 필수 조건으로 한다. 하지만 ㉯는 소비자의 생명 · 신체 및 재산상에 위해를 끼칠 '우려'가 있는 제품 결함만이 발견되어도 적용될 수 있는 제도라는 점에서, '제조물의 결함으로 인한 소비자의 손해 발생'이 필수 조건이 되어야 하는 것은 아니다.

오답풀이

① ㉮는 제조물의 결함으로 '손해를 입은' 사람이 구제받을 수 있는 제도이므로, '사후 피해 구제에 중점을 두고 있'다고 볼 수 있다. 한편, ㉯는 '결함 제품으로 인한 위해 확산을 방지'하고자 하는 소비자 보호 제도이다.

② ㉮는 제조물의 결함으로 인해 '생명 · 신체 · 재산상의 손해'를 입은 소비자 피해 사실에 대해 책임을 지는 제도이다. 한편, ㉯는 제품 결함이 발견된 경우, '제품의 결함 내용을~위해 확산을 방지'하므로 결함 제품에 대해 책임을 지는 제도이다.

③ 〈보기〉에서 ㉯는 '제품 결함이 발견된 경우'에 '제품의 결함 내용을 소비자에게 알'린다고 하였다. 하지만 ㉮는 '제조물의 결함'으로 인해 '손해를 입은 사람에 대하여 제조업자가 손해 배생책임을 지는' 제도일 뿐, 소비자에게 알리는 것은 아니다.

④ 1문단~2문단에 따르면 제조물 결함으로 피해를 입은 소비자가 구제를 받기 위해서는 제조물 책임법에 따라 제조업자에게 스스로 손해 배상을 청구해야 한다. 그런데 〈보기〉에서 ㉯는 제품 결함이 발견된 경우, '제조업자 스스로 또는 정부의 강제 명령에 의해 제품의 결함 내용을 소비자에게 알'린다고 했으므로, 소비자의 요청이 있어야만 이행되는 것은 아니다.

25 ③ 정답률 55%

정답풀이

2문단에서 ⓐ(제조물)는 '공산품, 가공 식품 등의 제조 또는 가공된 물품'을 의미하며, ⓑ(제조업자)는 '부품 또는 완성품의 제조업자'라고 하였다. '복숭아 통조림'은 복숭아를 가공한 물품이므로 ⓐ에 포함되고, 완성품인 '복숭아 통조림'의 제조업자는 ⓑ의 범위에 포함된다. 그런데 '복숭아' 자체는 '미가공 농수축산물'이라 제조물의 범위에서 제외된다고 하였으므로, '복숭아를 생산한 자'는 ⓑ에 해당된다고 볼 수 없다.

오답풀이

① 2문단에 따르면 '화장품, 건전지'는 '공산품, 가공 식품 등의 제조 또는 가공된 물품'에 속하므로 ⓐ라고 볼 수 있지만, '고등어'는 '미가공 농수축산물'에 해당하므로 ⓐ에 포함되지 않는다.

② 2문단에서 '중고품'도 ⓐ에 포함된다고 했으므로, '중고 자동차'는 ⓐ라고 볼 수 있다. 그리고 '중고 자동차'를 수입하는 자는 '제조물 수입을 업으로 하는 자'이므로 ⓑ에 해당된다.

④ 2문단에서 '부품'도 ⓐ에 포함된다고 했으므로, '부품의 제조업자'에 해당하는 자동차 부품을 만든 자는 ⓑ에 해당하며, 손해 배상의 책임이 있다.

⑤ 5문단에서 '제조물의 결함으로 손해가 발생한 경우'에 ⓑ가 '해당 제조물을 공급한 때의 과학 · 기술 수준으로는 결함의 존재를 발견할 수 없었다'면 손해 배상 책임을 면할 수 있다고 하였다.

26 ② 정답률 52%

정답풀이

㉠(알면서도)은 제조물에 결함이 있다는 사실을 인지했다는 뜻이므로, 이때의 '알다'는 '어떤 사실이나 존재, 상태에 대해 의식이나 감각으로 깨닫거나 느끼다.'라는 뜻이다. 이는 날씨가 추운 상태를 감각을 통해 깨달았음을 의미하는 '추운 것을 알았다.'의 '알았다'와 문맥상 의미가 가장 가깝다고 볼 수 있다.

오답풀이

① '당신이 알아서 처리해야 한다.'의 '알아서'는 '사람이 어떤 일을 어떻게 할지 스스로 정하거나 판단하다.'라는 의미이다.

③ '운전을 할 줄 알았다'의 '알았다'는 '어떤 일을 할 능력이나 소양이 있다.'라는 뜻을 나타낸다.

④ '그 사람은 공부만 알지'의 '알지'는 '어떤 사람이나 사물에 대하여 소중히 생각하다.'라는 의미이다.

⑤ '농담으로 알고'의 '알고'는 '어떤 사물이나 사람에 대하여 그것을 어떠한 성격을 가진 것으로 여기다.'라는 의미이다.

[27~29] 현대소설

27 ③ 정답률 70%

정답풀이

윗글에서 '문성현'은 막냇동생 '승현'의 돌날에, '아무도 자신처럼 번정대며 울지 않는다는 것'을 깨닫고, '자신은 다른 이와 너무나 달랐다.'라는 사실을 인식하고 있다.

오답풀이

① '승현'의 돌날에 사람들은 '승현'이 '큰 장군이 될라.'라며 덕담을 해 주었다.

② '성현'은 '우현'이 '어른들을 피해 성현이 있는 건넌방'에 활을 가지고 와서 놀다가 무심코 놓고 간 것이라 인식하고 있다.

11 회

④ '문성현'은 혼자 앉는 법을 익히고 난 후에, '다른 사람들처럼 서고 걷고 달릴' 계획을 세웠다.
⑤ '문성현'은 '거울에 비친 자신'의 모습이 흉해서 '깜짝 놀'라며 슬픔을 느꼈다.

28 ③ 정답률 72%

정답풀이

윗글에서 '문성현'은 혼자 '활'을 보며, 장애를 극복해 활을 쏠 수 있게 된 자신의 모습을 상상한다. 이때, '문성현'과 그의 동생 '우현'이 '활'로 인해 서로 친밀함을 느끼게 되는 사건이 제시된 것은 아니므로, '활'을 '문성현과 그의 동생 우현이 정서적 유대감을 갖게 하'는 소재라고 볼 수는 없다. 한편 '텔레비전'도 '문성현'이 세상의 여러 흥미진진한 것들을 알게 되는 매개체일 뿐 동생과의 '정서적 유대감'을 갖게 하는 소재라고 볼 수 없다.

오답풀이

① 윗글에서 '문성현'은 '활'을 보고 장애를 극복한 자신이 '말을 타고 들판을~쏘는 것마다 명중, 명중'할 미래를 상상하고 있다. 따라서 '활'은 '문성현'이 미래 자신의 모습에 대해 기대와 희망을 품게 하는 소재라고 볼 수 있다.
② 윗글에서 '문성현'은 '텔레비전'을 통해 '다른 이들의 삶'을 볼 수 있다고 했으므로, '텔레비전'은 '문성현'과 외부 세계를 이어주는 매개체 역할을 한다고 볼 수 있다.
④ 윗글에서 '텔레비전을 통해 보는 다른 이들의 삶이 한편으로는 가슴 떨리는 열망이었으나 또 한편으로는 부서뜨리고 싶은 안타까움이기도 했다.'라고 했다. 따라서 '텔레비전'은 어린 시절 희망의 상징이었던 '활'과 달리 '문성현'에게 상반된 두 가지의 감정을 유발한다고 볼 수 있다.
⑤ 윗글에서 '문성현'은 '활'을 보고 장애를 극복한 자신의 모습을 상상하고, '텔레비전'을 통해 가슴 떨리는 열망을 느끼게 되었다. 따라서 '활'과 '텔레비전'은 모두 '문성현'이 자신의 장애를 극복하고자 노력하는 동기를 부여한다고 볼 수 있다.

29 ① 정답률 56%

정답풀이

〈보기〉에서 윗글은 '전지적 작가 시점'이지만 '주인공의 입장에 초점을 맞춘 서술'과 '객관적인 사실 전달'이 나타난다고 하였다. ㉠(울음을 몸 밖으로~눈물이 고였다.)에서 '그(문성현)'가 너무 슬퍼서 '몸 안에 눈물이 고'인 상태라고 한 것은 주인공이 처한 상황을 고려해 서술자가 주관적으로 서술한 내용이므로 '주인공의 상황을 객관적으로 전달'하고 있다고 볼 수 없다.

오답풀이

② 윗글의 소제목은 '희망'이다. 〈보기〉에서 주인공 '문성현'은 '뇌성 마비를 앓'고 있다고 하였으므로, ㉡(머지않아 그는~멋지게 추어댈 참이었다.)과 같은 바람은 소제목 '희망'의 의미를 구체적으로 보여 준다고 할 수 있다.
③ 윗글에서 '문성현'은 혼자 앉기 위해 여러 번 연습하는 과정에서 ㉢(아쉬운 대로~떨어져 나갔다)과 같은 결과가 발생한다. 따라서 ㉢은 '문성현'이 자신의 신체적 한계를 이기기 위해 끊임없이 노력한 흔적을 보여 준다고 볼 수 있다.
④ '문성현'의 '어머니'는 '문성현'이 혼자 앉는 연습을 하느라 도배지가 떨어져 나가자, ㉣("그래 성현아. 그깟 흙벽 뻥 뚫어 버려라.")이라 말하며 격려한다. 이를 통해 장애를 극복하려고 애쓰는 아들을 따뜻하게 감싸주는 어머니의 모성애를 확인할 수 있다.
⑤ ㉤(하나도 힘이 들지 않았다.~그는 절대로 힘들 수가 없었다.)에서는 아무리 큰 고난이 오더라도 이를 힘들다고 느끼지 않는 '그(문성현)'의 생각을 드러내므로, 〈보기〉에서 언급한 것처럼 서술자가 '주인공의 입장에 초점을 맞추'어 서술한 것으로 볼 수 있다.

[30~33] **현대시**

30 ② 정답률 68%

정답풀이

(가)에서는 '가을밤같이 차게 울었다'와 '섶벌같이 나아간 지아비'에서, (나)에서는 '느릅나무 껍질처럼 점점 거칠어진다'에서 직유를 통해 시적 상황을 효과적으로 나타내고 있다.

오답풀이

① (가)에서는 '산꿩도 설게 울은'에서 시적 대상인 '여인'이 가진 한과 서러움을 '꿩'이라는 자연물에 이입하여 드러냈지만 (나)에서는 자연물에 감정을 이입해 화자의 심리를 드러내는 표현이 쓰이지 않았다.
③ (나)에서는 '-ㄴ-/-는-'과 같은 현재 시제를 사용하여 시적 상황을 현장감 있게 제시하고 있지만, (가)에서는 '-았-/-었-' 등과 같은 과거 시제를 사용하고 있다.
④ (가)의 '여인의 머리오리가 눈물방울과 같이 떨어진 날이 있었다'와 (나)의 '울컥 눈물을 쏟아낸다'에서 아래로 향하는 하강 이미지가 드러난다고 볼 수 있다. 하지만 (가)와 (나) 모두 상승 이미지는 나타나지 않으므로, 상승과 하강의 이미지를 대비하여 시적 의미를 강화한다고 볼 수 없다.
⑤ (나)에서는 '울컥'이라는 음성 상징어를 확인할 수 있지만, (가)에서는 의태어나 의성어와 같은 음성 상징어가 쓰이지 않았다.

31 ④ 정답률 70%

정답풀이

(나)에서 ⓑ(나)는 '그녀의 옆에 나란히 한 마리 가재미'로 누웠다. '가재미(ⓑ)가 가재미(그녀)에게 눈길을 건네자 그녀가 울컥 눈물을 쏟아'냈고 ⓑ가 '그녀의 물속에 나란히 눕'자 '산소호흡기로 들이마신 물을 마른 내 몸 위에 그녀가 가만히 적셔'준다. 즉 ⓑ는 시적 대상인 '그녀'와의 상호작용을 통해 정서를 서로 주고받는다는 점에서 교감하는 모습을 드러낸다고 볼 수 있다.

오답풀이

① (가)에서 ⓐ(나)는 시적 대상인 '여승'의 삶에 초점을 맞추어 시상을 전개할 뿐, 자신과 시적 대상의 삶을 비교하는 것은 아니다.
② (가)에서 ⓐ는 시적 대상인 '여승'을 관찰하여 시상을 전개할 뿐, '여승'으로 인해 삶을 바라보는 관점에 변화를 겪고 있지 않다.
③ (나)에서 ⓑ는 시적 대상인 '그녀'가 투병하는 모습에 안타까움을 느낄 뿐, '그녀'를 통해 자신이 추구하는 삶의 모습을 드러내고 있지는 않다.
⑤ (가)의 ⓐ가 시적 대상인 '여승'과, (나)의 ⓑ가 시적 대상인 '그녀'와 하나가 되려는 의지를 드러내고 있지는 않다.

32 ① 정답률 61%

정답풀이

〈보기〉에서 (가)는 '일제의 식민지 수탈로 농촌 공동체가 몰락'한 현실을 그리고 있다고 하였다. 따라서 '여인'이 '금점판'에서 '옥수수'를 파는 행위를 통해 '농촌 공동체의 몰락'이 드러난다고 볼 수는 있다. 하지만 '나'가 그 '옥수수'를 산 행위는 '나'와 '여인'의 첫 만남을 나타낸 것일 뿐, 농촌 공동체의 몰락을 회복하기 위한 것은 아니므로 적절하지 않다.

오답풀이

② 〈보기〉에서 (가)는 '일제의 식민지 수탈로~가족 공동체가 파괴'된 현실을 그리고 있다고 하였다. 이를 고려할 때, '섶벌같이 나아간 지아비'는 '생계화' 위해 떠난 것으로, '십 년이' 지나도록 '돌아오지' 못함에 따라 가족 공동체가 파괴되었다고 볼 수 있다.
③ 〈보기〉에서 (가)는 '여인'은 '지아비를 찾아 금점판을 떠돌다가 어린 딸마저 잃'었다고 했다. 따라서 '어린 딸'이 '도라지꽃이 좋아 돌무덤'으로 갔다는 것은 '여인'의 딸이 죽었음을 의미한다고 볼 수 있다.
④ 〈보기〉에서 (가)의 '여인'은 비극적 삶 속에서 결국 '여승'이 되었다고 했다. 따라서 '여인의 머리오리가 눈물방울과 같이 떨어진 날'은 '여인'이 힘겨운 삶으로 인해 머리를 깎고 '여승'이 된 날을 의미한다고 볼 수 있다.

⑤ 〈보기〉에서 (가)의 '시상은 시간적 흐름에 따르지 않고 시간적 순서를 재구성하여 전개되고 있는 것이 특징'이라고 하였다. 이를 고려하면 (가)는 1연에서는 '여인'이 '여승'이 된 현재의 모습을, 2연~4연에서는 '여인'이 '여승'이 되기까지의 과거 모습을 보여 주는 역순행적 구성을 통해 여인의 비극적인 삶을 재구성하고 있다고 볼 수 있다.

33 ⑤ 정답률 66%

정답풀이

ⓜ은 '그녀'의 현재 상태를 인식한 '나'의 판단에 해당하므로, '죽음을 받아들일 수밖에 없'다고 생각하는 그녀의 체념적 태도가 나타났다고 볼 수 없다.

오답풀이

① ㉠에서는 '그녀'를 '바닥에 바짝 엎드린 가재미'에 비유하고 있다. 따라서 '그녀'의 모습에서 '납작한 가재미'를 떠올렸다고 볼 수 있다.
② ㉡의 '나'는 투병 중인 '그녀'와 비슷한 자세를 취한다는 점에서, '그녀'에 대한 '나'의 연민과 위로가 구체적 행위로 드러난다고 볼 수 있다.
③ ㉢의 '가늘은 국수를 삶던 저녁', '흙담조차 없었던 그녀 누대의 가계'를 통해 가난하고 힘들게 살았던 '그녀'의 과거 삶을 확인할 수 있다.
④ ㉣에서는 '그녀의 숨소리'를 '느릅나무 껍질'에 빗대어, 점점 거칠어지는 숨소리를 통해 죽음이 임박해지고 있는 '그녀'의 현재 상황을 드러내고 있다.

[34~37] 인문

34 ② 정답률 72%

정답풀이

1문단에서 '인성론'은 중국 전국 시대에 '혼란한 정국을 수습하고 백성들을 고통에서 벗어나게 하기 위한 대안을 마련'하는 과정에서 대두되었다고 하며 그 등장 배경을 소개하고 있다. 그리고 3문단~6문단에 걸쳐 인성론을 고자의 성무선악설, 맹자의 성선설, 순자의 성악설로 분류하여 사상가들의 다양한 견해를 소개하고 있다.

오답풀이

① 3문단~6문단에 걸쳐 인성에 대한 세 견해(고자의 성무선악설, 맹자의 성선설, 순자의 성악설)를 설명하고 있을 뿐, 각각의 장단점을 비교하고 있지는 않다.
③ 윗글에서 인성론이 가진 역사적 의의와 한계를 제시하고, 그것을 분석하는 내용은 찾을 수 없다.
④ 1문단의 '중국 역사에서~인성론이 대두되었다.'를 통해 인성론이 등장한 시대적 상황을 알 수 있지만, 이를 구체적 자료를 통해 제시한 것은 아니다.
⑤ 윗글에서 인성에 대한 두 견해를 절충한 새로운 이론을 소개하는 내용은 찾을 수 없다.

35 ③ 정답률 71%

정답풀이

[A]에서 '맹자의 성선설이 국가 공권력에 저항하기 위해 호족들 및 지주들이 선한 본성을 갖춘 자신들을 간섭하지 말라는 이념적 논거로 사용되었'다면, '순자나 법가의 성악설은 군주가 국가 공권력을 정당화할 때 그 논거로서 사용되었다.'라고 했다. 즉 성선설은 국가 공권력에 저항하기 위한 논거로, 성악설은 국가 공권력을 정당화하기 위한 논거로 사용되었다는 점에서 '인성론'은 각자의 '정치적 입장'을 정당화하는 이념적인 수단으로 사용되었다고 볼 수 있다.

오답풀이

① [A]에 '인성론'이 사회의 발전을 위한 갈등 유지의 당위성을 인정하였다는 언급은 없다.
② [A]에서 '인성론'에서 권력자의 윤리 의식과 통치력 간의 상관관계를 다루지는 않았다.
④ [A]에서 '인성론'에서 초자연적 존재와 대비되는 인간 본성의 우위를 추구하였다는 내용은 확인할 수 없다.
⑤ [A]에 따르면 인성론 중 '성악설에서는 외부의 간섭이 없을 경우 개체는 '정치적 무질서'를 초래'한다고 보았다. 이때 외부의 간섭은 본성을 거스르는 인위적 노력으로 볼 수 있으므로, 인위적 노력을 배격했다는 설명은 적절하지 않다.

36 ① 정답률 58%

정답풀이

5문단~6문단에 따르면 '순자'는 '인간의 본성이 악하다'고 전제하며 '인간에게 외적인 공권력과 사회 규범이 없는 경우를 가정'한다면 사회는 '걷잡을 수 없는 무질서 상태로 전락하게 될 것'이라고 하였다. 한편, 〈보기〉에서 '홉스'는 '인간의 본성이 이기적'이므로 "자연 상태"에서는 '만인의 만인에 대한 투쟁' 상태로 비참하게 살아갈 수밖에 없다.'라고 하였다. 즉 '순자'와 '홉스' 모두 인간은 이기적 본성을 가지고 있으며, 이를 통제하지 않으면 사회의 혼란과 무질서를 초래하리라 생각하는 것이다.

오답풀이

② '순자'와 '홉스' 모두 인간은 이기적 본성을 가지고 있으며, 이를 통제하지 않으면 사회의 혼란과 무질서를 초래할 것이기에 국가 권력에 의해 이를 통제해야 한다고 생각하므로, '인간은 공동의 평화를 위해 국가 권력에 대해 비판적 태도를 지녀야 한다.'라는 진술에 동의하지 않을 것이다.
③ 윗글과 〈보기〉에서 '순자'나 '홉스'가 '통치자가 권력을 유지하기 위해 한정된 재화의 균등한 분배에 힘써야 한'다고 보았다는 언급은 찾을 수 없다.
④ '순자'와 '홉스'는 공권력의 통제가 없는 '자연 상태'에서는 인간의 이기적 본성에 의해 사회의 혼란과 무질서가 초래될 것이라고 보므로, '순자'와 '홉스'가 '대립적 상황의 해결을 위하여 인간의 본성이 발현되는 자연 상태로 돌아가야 한'다는 진술에 동의할 것이라 볼 수 없다.
⑤ 〈보기〉에서 '홉스'는 '사람들은 리바이어던 같은 ~국가는 바로 이러한 계약에 따라 만들어졌다.'라고 했으므로 '홉스'는 '사회의 질서를 유지하기 위한 제도와 규범은 구성원들의 계약에 의해 마련되어야 한다.'라는 진술에 동의할 것이다. 하지만, '순자는 '국가 질서와 사회 규범을 정당화'할 뿐, 윗글에서 이러한 제도와 규범이 구성원들의 계약에 의해 마련되어야 한다고 보았다고 하지는 않았다.

37 ② 정답률 61%

정답풀이

3문단에서 ㉠(고자)은 인간의 본성을 '소용돌이치는 물'로 비유하면서, '소용돌이처럼 역동적인 삶의 의지를~저항하는 입장을 취하도록 하였다.'라고 했다. 〈보기〉를 보면, '미리엘 주교'는 '장발장'이 은촛대를 훔치다가 경관에게 붙잡혔음에도 그것을 선물로 준 것이라 거짓말하였다. 이는 '장발장'의 잘못된 행동을 사랑으로 감싸준 것이지, '장발장'의 본성을 규격화하려는 행위로 볼 수는 없다.

오답풀이

① 3문단에 따르면 ㉠은 '인간이 가지고 있는 식욕과 같은 자연적인 욕구가 본성'이라고 본다. 따라서 〈보기〉에서 '장발장'이 배가 고파 빵을 먹고 싶은 것은 '인간의 자연스러운 욕구'에서 비롯된 것으로 이해할 수 있다.
③ 4문단에 따르면 ㉡(맹자)은 인간이라면 누구나 '고통에 빠진 타인을 측은히 여기는 동정심, 즉 측은지심'을 갖고 있다고 본다. 따라서 〈보기〉에서 '미리엘 주교'가 '장발장'에게 편히 쉴 곳을 마련해 준 것은 측은지심에서 비롯된 것으로 이해할 수 있다.
④ 5문단에서 ㉡의 성선설은 '모든 인간은 선한 본성을 지니고 있고, 이 선한 본성의 실현은 주체 자신의 노력에 의해서만 가능하다'는 것이라 하였다. 따라서 〈보기〉에서 '장발장'이 선행을 베풀며 살아가는 모습은 스스로 노력하여 본래 가지고 있는 선한 본성을 실현한 것으로 볼 수 있다.
⑤ 5문단에 따르면 ㉢(순자)은 '인간의 본선이 악하다'고 전제하였으므로 '그것을 교정하고 순치할 수 있는 외적인 강제력, 다시 말해 국가 권력이나 전통적인 제도'들이 필요하다고 본다. 따라서 〈보기〉에서 빵을 훔친 '장발장'이 체포되어 수감된 것은, '장발장'이 가진 악한 본성을 바로잡기 위한 사회 규범에 의거한 것으로 볼 수 있다.

[38~40] 고전소설

38 ⑤ 정답률 47%

정답풀이

윗글에서 서술자는 '양유 그 소리 들으며~마음만 상할 따름일러라.' 또는 '병사 크게 놀라며 또한 크게 기뻐하여'에서 등장인물인 '양유'와 '병사'의 심리를 직접적으로 서술하여 독자의 이해를 돕고 있다.

오답풀이

① 윗글에서 사건은 시간의 흐름에 따라 순차적으로 서술되고 있으므로, 과거와 현재가 교차된다고 볼 수 없다.
② '양유'와 '매화'가 학당에서 대화하며 시를 주고받는 장면과 외당으로 가서 '상객'을 만나는 장면은 공간적 배경에 변화가 있으므로 장면의 전환이 나타났다고 볼 수는 있다. 하지만 이를 통해 긴박한 분위기가 조성되지는 않았다.
③ '학당', '외당'과 같이 인물들이 위치한 공간적 배경이 드러나기는 하지만 이를 통해 주제를 암시적으로 드러내고 있지는 않다.
④ 윗글에서 인물과 인물 간에 발생한 첨예한 갈등은 드러나지 않는다.

오답률 Best 4

보설 갈래에서 '서술상의 특징'에 대해 묻고 있다면, 선지의 근거를 지문에서 정확히 찾아서 판단해야 해. 서술자의 '직접 제시'는 서술자가 인물의 성격, 특성, 심리 등을 직접적으로 요약해서 설명하는 것을 말해. 서술자가 '직접' 설명해야 한다는 특징 때문에 반드시 1인칭 시점이어야 한다고 오해하는 경우가 있는데, 시점과 상관없이 서술자의 직접적인 서술에 의해 설명되는지만 따져 보면 돼. 윗글에서는 3인칭 서술자가 등장인물인 '양유'의 마음이 상했다, '병사'가 크게 놀라며 기뻐했다며 직접적으로 이야기하고 있기 때문에 '직접 제시'가 나타났다고 볼 수 있어.

정답인 ⑤번 이외에 학생들이 많이 선택한 선지는 ④번인데, '양유'가 '매화'를 여자로 의심하는 상황을 둘 사이의 '첨예한 갈등'이 드러난 경우로 생각한 학생들이 많았어. 인물 사이의 외적 갈등은 등장인물 사이에 일어나는 대립과 충돌로 인해 나타나는데, 주로 개인의 가치관이나 성격, 태도, 감정, 환경 등의 차이에 따라 발생하게 돼. 따라서 '첨예한 갈등'이 나타났다고 보려면 직접적인 갈등 원인을 토대로 인물의 행동이나 대화 상황을 통해 서로의 의견이 상충하는(충돌하는) 상황이 드러나야 해. 그런데 윗글에서 '양유'는 '매화'가 여자인지에 대해 의심했지만, 남자라는 '매화'의 말에 곧바로 수긍하고 있어. 또, '매화'가 곧 '양유'에게 자신이 여자임을 밝히기 때문에, 윗글에서 둘 사이의 첨예한 갈등이 드러났다고 보기 어려워.

39 ④ 정답률 29%

정답풀이

윗글에서 '병사'는 부인 '최 씨'에게 '전일 상객이 이러이러하니~혼사함이 어떠하리이까.'라고 말한다. 즉 '병사'는 '양유의 적극적인 결혼 의지'를 인지해서가 아니라 전날 '상객'이 전한 말과 '매화'의 비범한 용모를 바탕으로 '양유'와 '매화'의 혼인에 대해 '최 씨'의 동의를 구하고 있는 것이다.

오답풀이

① '양유'는 '매화'에게 '오늘 사람들이 여자가 남복을 입었다하니 그 일로 그런한가 싶으니 여자가 분명한가?'라고 말하며 '매화'의 정체를 여자로 의심하고 있다.
② '매화'가 여자임을 고백하자, '양유'는 '그러하면 백년해로 어떠하뇨.'라며 청혼한다. 이에 '매화'는 '피차 부모의 명이 부모의 명을 받아 백년해로한다면 낸들 아니 좋으리까.'라며 부모의 허락을 전제로 '양유'의 청혼을 긍정적으로 받아들이고 있다.
③ '상객'은 '양유'와 '매화'를 보고, '양유와 매화로 부부 아니 되면 임진 3월 초삼일에 필연 ('양유'가) 호식'한다, 즉 '양유'와 '매화'가 혼인하지 않으면 '양유'가 호랑이에게 잡아 먹히는 불행히 닥칠 것이라 예고하고 있다.
⑤ '최 씨'는 '매화는 유리걸식하는 아이라, 근본도 아지 못하고 어찌 인물만 탐하리까.'라며 '매화'의 근본을 핑계 삼아 '양유'와 '매화'의 혼인을 반대하였다.

오답률 Best 1

정답인 ④번을 선택한 비율이 29%였고, 오답인 ②번을 선택한 비율이 33%로 더 많았어. '매화'가 여자라는 사실을 알게 된 후에 '양유'가 청혼하는 장면이 나와서 ④번의 '양유의 적극적인 결혼 의지'라는 표현만 보고 이를 적절하다고 판단했을 가능성이 있어 보여. ④번에서는 '병사'가 '양유의 적극적인 결혼 의지'를 바탕으로 '둘('양유'와 '매화')의 혼인에 대해 최 씨의 동의를 구하고 있다.'라고 했어. 이 내용이 적절하려면 '양유'가 '매화'와 결혼하고자 하는 의지를 가지고 있음을 '병사'가 알고 있어야 했어. 하지만 윗글에서 '양유'가 아버지인 '병사'에게 '매화'와 결혼하겠다는 의지를 드러낸 것은 아니므로 이 선지는 적절하다고 볼 수 없는 거지.

한편, '매화'가 '양유'의 청혼을 받고 '어찌 부부 되기 바라리요.', '어찌 불효진을 하리요.'라고 말하는 것만 보고 부모의 명이 없는 '양유'의 청혼을 거절한 것이라 착각한 학생들이 있었어. 하지만 '매화'는 부모의 명 없이 둘이서만 혼사를 정할 수는 없는 일이니, '부모의 명을 받아 백년해로'하고 싶다고 말한 거야. 따라서 '부모의 허락을 전제'로 '양유'의 청혼을 긍정적으로 받아들였다고 볼 수 있어.

40 ⑤ 정답률 59%

정답풀이

〈보기〉에서 '고전 소설 속에 삽입된 시'는 '인물의 심리를 함축적으로 드러'낼 수 있다고 하였다. 따라서 ⓐ(양유 글)는 '즐겁지 아니'할 모습을 보이는 '매화'를 안타까워하는 '양유'의 심리가 드러난다고 볼 수 있다. 한편 〈보기〉에서 '고전 소설 속에 삽입된 시'는 '인물을 비유적으로 표현'하기도 한다고 하였다. 따라서 ⓑ(매화의 글)는 '매화'가 '양유'를 '나비'에, 자신을 '꽃'에 비유하여 자신의 정체가 여자임을 밝히는 내용이라고 할 수 있다. 즉 ⓐ와 ⓑ 모두 '양유와 매화의 앞날이 순탄하지 않을 것이라는 사건 전개의 방향을 암시'하는 내용을 담고 있는 것은 아니다.

오답풀이

① 〈보기〉에서 '고전 소설 속에 삽입된 시'는 '인물의 심리를 함축적으로 드러낼' 수 있다고 하였다. ⓐ에서 '양유'는 봄 풍경을 보고 '봄빛'을 얻었다고 표현하였으므로, 아름다운 봄 풍경을 보며 느끼는 즐거운 심리가 함축적으로 드러난다고 볼 수 있다.
② 〈보기〉에서 '고전 소설 속에 삽입된 시'는 '인물들 간의 의사소통의 매개체 역할을 수행'할 수 있다고 하였다. '양유'와 '매화'는 서로 ⓐ와 ⓑ를 주고받으며 자신의 의사를 서로에게 전달하고 있으므로, 이 과정을 인물 간의 의사소통 행위로 볼 수 있다.
③ 〈보기〉에서 '고전 소설 속에 삽입된 시'는 '인물을 비유적으로 표현'하기도 한다고 하였다. 이를 고려할 때 ⓑ에서 '매화'가 '양유'를 '나비'에, 자신을 '꽃'에 비유하였다고 볼 수 있다.
④ 〈보기〉에서 '고전 소설 속에 삽입된 시'는 '사건을 전개시키'는 역할을 한다고 하였다. '양유'는 ⓑ를 본 후 '매화'가 여자라는 사실을 알게 되어 '매화'에게 청혼하고 있으므로, ⓑ가 사건을 전개하는 역할을 했고 볼 수 있다.

[41~45] **고전시가+고전수필**

41 ④ 정답률 54%

정답풀이

(가)의 화자는 밤에 남은 일을 해야 하는데, '난데없는 이내 잠이 소리 없이 달려드'는 상황에 탄식하며 힘들어하고 있다. 그리고 (나)의 화자는 '무인동방의 외로운 처지에 탄식하고 있다. 또한, (다)의 글쓴이는 '수많은 큰 물고기들(관리들)'이 '작은 물고기(백성)'를 학대하며 수탈하는 현실에 탄식하며 안타까움을 느끼고 있으므로, (가)~(다) 모두 '부정적인 현재 상황'에 대해 '탄식'하는 태도를 드러낸다고 볼 수 있다.

오답풀이

① (나)에서는 '임'이 부재하여 '무인공방'하는 화자의 외로운 처지와 임에 대한 그리움이 나타나지만, (가)와 (다)에서는 대상의 부재로 인한 그리움을 확인할 수 없다.
② (가)의 화자에게 잠이 쏟아지는 것이나 (나)의 화자가 홀로 외로움을 겪는 것을 '현실의 어려움'으로 볼 여지는 있다. 하지만 이러한 상황에 적극적으로 대응하여 이겨 내려는 태도를 보이지는 않으므로 극복 의지가 나타났다고 볼 수 없다.
③ (가)~(다)에서 화자가 원하고 바라는 이상 현재 이루어지지 않아 괴로워하거나 절망하는 태도가 드러나지는 않는다.
⑤ (가)의 '바늘'이나 (나)의 '사창'을 일상생활과 관련된 사물로 볼 수는 있다. 하지만 이러한 사물의 속성을 통해 삶의 교훈을 이끌어 내고 있지는 않다.

42 ③ 정답률 57%

정답풀이

(가)에서는 '황혼', '밤'이라는, (나)에서는 '지는 날새는 밤'이라는 시간적 배경을 제시하여 시적 상황을 구체화하고 있다.

오답풀이

① (가)에서는 '잠아'라는 동일한 시어의 반복을 통해, (나)에서는 '귓도리'라는 동일한 시어의 반복을 통해 운율을 형성하고 있다.
② (가)의 '원망 소래'에서 청각적 심상이 드러난다고 볼 수는 있으나, 이를 통해 특정한 계절감을 나타내는 것은 아니다. 한편 (나)에서는 '귓도리 소리'라는 청각적 심상을 통해 '가을'이라는 계절감을 드러내고 있다.
④ (가)의 '원치 않는 이내 눈에 이렇듯이 자심하뇨'에 설의적 표현이 나타났다고 볼 수 있지만, (나)에는 설의적 표현이 나타나지 않는다.
⑤ (가)와 (나)에서 색채의 대비를 통해 표현 효과를 높이고 있지는 않다.

43 ② 정답률 55%

정답풀이

(나)에서 화자는 '귓도리'가 '제 혼자 우러 녜어'서 '사창 여윈 잠을 살뜰히도 깨운'다고 하였다. 따라서 화자의 ⓑ(여윈 잠)가 외부적 요인인 '귓도리 소리'에 의해 방해 받는다고 볼 수 있다.

오답풀이

① (가)에서 화자의 목적은 '낮에 못 한 남은 일'을 밤에 다 끝내는 것이므로, ⓐ(잠)는 이를 방해하는 장애물이라고 볼 수 있다.
③ (나)의 화자가 '임'이 없는 외로운 현실로부터 벗어나기 위해 ⓑ의 행위를 하는 것은 아니다.
④ (가)의 화자는 일을 해야 하는데 ⓐ 때문에 이를 방해받고 있는 것이므로, ⓐ가 화자의 고통을 해소시킨다고 볼 수 없다.
⑤ (가)에서 화자는 잠들지 않고 일을 해야 한다는 점에서 ⓐ를 거부한다고 볼 수 있다. 하지만 (나)에서 화자는 ⓑ에 들려고 했지만 '귓도리' 때문에 강제로 깨어나게 된 것이므로, ⓑ를 화자가 거부한 대상이라 볼 수 없다.

44 ① 정답률 50%

정답풀이

㉠에서 화자는 '잠'에게 왜 자신에게 와서 '무상불청 원망 소래'를 '온 때마다 듣는' 것이냐고 한다. 이는 잠들지 못해 한탄하는 사람도 있는데, 그런 사람에게 가지 않고 굳이 왜 일을 해야 하는 자기에게 와서 원망의 말을 듣느냐는 뜻이므로, '화자'가 '잠'에게 불만을 드러내는 표현으로 볼 수 있지만, 화자의 상반된 처지에 있는 사람이 '잠'에게 불만을 드러내는 것은 아니다.

오답풀이

② (가)의 화자는 잠이 오는 상황임에도 낮에 못 한 남은 일이 있어 이를 밤에도 계속해야 하는 처지이므로, ㉡에서 화자의 고달픈 삶이 나타난다고 볼 수 있다.
③ (나)의 화자는 '잠'을 사람처럼 '이 눈 저 눈 왕래'하며 '요수를 피울' 수 있는 존재로 의인화하여 익살스럽게 표현하고 있으므로, ㉢은 화자의 현재 상황을 해학적으로 나타냈다고 볼 수 있다.
④ (나)의 화자는 외로운 자신의 처지를 슬프게 느껴, 들려오는 '귓도리 소리'를 절절이 슬픈 소리라 표현한다. 따라서 ㉣은 화자가 가진 내면적 슬픔을 간접적으로 드러냈다고 볼 수 있다.
⑤ (나)의 화자는 ㉤에서 '내 뜻 알 이는 너(귓도리)뿐인가 하노라'라고 하면서, '무인공방'하는 자신의 외로운 처지를 알아주는 유일한 대상이 '귓도리'라 말하고 있다.

45 ⑤ 정답률 66%

정답풀이

〈보기〉에서 (다)는 '여러 신하(관리들)'를 '큰 물고기'에 빗대어, 백성들을 수탈하는 '큰 물고기'를 비판하고 있다고 했다. 이를 고려할 때, (다)의 글쓴이가 '아아, 사람들은 물고기에게만~심하지 않다고 하랴?'라고 말한 것은 물고기 세계가 아닌 현실 세계에서도 '큰 물고기(관리들)'에 의해 백성들이 수탈당하는 상황이 발생하는 것을 안타까워하는 것이지, 관리들에게 수탈당하면서도 적극적으로 저항하지 않는 백성의 태도를 비판하는 것으로 볼 수 없다.

오답풀이

① 〈보기〉에서 (다)는 '군주'를 '용'에, '백성'을 '작은 물고기'에 빗대어 표현했다고 했다. 따라서 (다)에서 '용'은 '사람이 물고기를 다 잡아 버릴까 염려하여서는 큰 물결을 겹쳐 일어나게 하여 덮어 준다.'라고 한 것은 백성을 어질게 살피고자 하는 군주의 모습으로 볼 수 있다.
② 〈보기〉에서 (다)는 '작은 물고기'는 백성, '백성들을 수탈하는 '큰 물고기'는 '관리'들이라고 하였다. 따라서 (다)에서 '작은 물고기를 잡아먹는 것을 거친 땅의 농사일로 삼'는 '교룡과 악어'의 모습은 백성(작은 물고기)을 수탈하는 관리들의 모습으로 볼 수 있다.
③ 〈보기〉에서 (다)의 글쓴이는 '나라의 근본은 '작은 물고기'인 백성'이라고 생각한다고 했다. 따라서 (다)에서 '작은 물고기(백성)가 없다면 용(군주)이 누구와 더불어 군주가 될' 수 있겠느냐고 말한 것은 나라의 근본이 백성에게 있다는 글쓴이의 인식을 보여 준다고 할 수 있다.
④ 〈보기〉에서 (다)의 글쓴이는 '백성들을 수탈하는 '큰 물고기', 즉 관리들을 잘 다스리는 것이 군주로서 해야 할 가장 중요한 일임을 강조'했다고 했다. 따라서 (다)에서 '먼저 그들(작은 물고기들)을 해치는 족속들(큰 물고기)을 물리치는 것'이 '용의 도리'라고 한 것은 군주가 해야 할 가장 중요한 일이 관리(큰 물고기)를 잘 다스리는 일임을 말해준다고 볼 수 있다.

12회

2019학년도 3월 학평

1. ②	2. ③	3. ④	4. ⑤	5. ⑤	6. ①	7. ④	8. ⑤	9. ②	10. ②
11. ⑤	12. ②	13. ④	14. ⑤	15. ①	16. ①	17. ④	18. ③	19. ②	20. ③
21. ⑤	22. ③	23. ⑤	24. ①	25. ①	26. ④	27. ①	28. ①	29. ③	30. ①
31. ②	32. ④	33. ②	34. ①	35. ③	36. ⑤	37. ④	38. ③	39. ⑤	40. ④
41. ④	42. ②	43. ②	44. ④	45. ③					

오답률 Best 5

[1~3] 화법

1 ② 정답률 81%

정답풀이

발표자는 발표 과정에서 특정 자료를 사용하지 않았으므로, 자료의 출처를 밝혀 발표의 신뢰성을 높였다고 볼 수 없다.

오답풀이

① 발표자는 '여권에 기재되는 정보' 중에서 '여권 종류'를 설명할 때 'PS', 'PM'의 예를 들고 있으며, '로마자 성명'의 표기 방식을 설명할 때 '기호'라는 이름을 예로 들어 청중의 이해를 돕고 있다.
③ 발표자는 '스마트폰으로 얼굴을 찍는 자세를 취하'는 등의 비언어적 표현을 활용하여 청중의 흥미를 유발하고 있다.
④ 발표자는 '여권용 사진은~왜 그럴까요?'라며 청중의 대답을 유도하는 질문을 던지고, 청중의 대답을 들은 후에는 '고개를 끄덕이며' 청중과 상호 작용하고 있다.
⑤ 발표자는 도입부에서 '저는 먼저 여권은 무엇인지~발표하려고 합니다.'라고 하며, 청중이 앞으로 이어질 내용을 예측하며 듣도록 발표 내용을 안내하고 있다.

2 ③ 정답률 86%

정답풀이

㉢은 '여권 번호'로, 발표에서 '여권 번호는 여권 종류를 나타내는 알파벳과 숫자 여덟 개의 조합으로 되어 있는데, 이 숫자는 위조나 변조를 막기 위해 무작위로 부여'된다고 하였다. 한편 '여행할 나라로부터 받는 입국 허가증'은 '비자'라고 하였으므로, 여권 번호를 통해 여권을 소지한 사람이 다른 나라로부터 입국 허가를 받았는지는 알 수 없다.

오답풀이

① ㉠은 여권 '사진'으로, 발표자가 '여권용 사진은 정면을 바라보고 얼굴 전체가 잘 드러'나야, '여권을 제시한 사람이 본인인지 확인할 수 있'다고 했으므로 적절하다.
② ㉡은 '여권 종류'를 나타내며, 발표자가 'PM'은 '여러 번 사용할 수 있는 여권'을 나타낸다고 했으므로 적절하다.
④ ㉣은 '로마자 성명'이며, 발표자가 '로마자 성명은 한글 성명의 발음과 일치하게 로마자로 표기'해야 한다고 했으므로 적절하다.
⑤ ㉤은 '주민등록번호'이며, 발표자가 이는 '2020년부터 발급될 여권에는 개인 정보 보호를 위해 기재되지 않을 예정'이라고 했으므로 적절하다.

3 ④ 정답률 89%

정답풀이

유효 기간 만료 전의 여권을 '국내에서도 신분증으로 활용'할 수 있다는 발표 내용을 들은 〈보기〉의 학생은 '한국어능력시험을 볼 때, 기간 만료 전의 여권도 신분증으로 제시할 수 있다는 안내문을 보'았던 자신의 경험을 떠올리고, '대학수학능력시험을 보러 갈 때' 여권을 신분증으로 활용할 수 있겠다며 유사한 상황에 적용하고 있다.

[4~7] 화법과 작문

4 ⑤ 정답률 87%

정답풀이

㉤(요즘~하는 건 어때?)에서 '학생 1'은 블로그를 통해 동아리 지원을 받는 방법을 제안하면서 질문을 통해 '학생 2'의 생각을 묻고 있다. 따라서 ㉤을 '학생 2'에게 구체적인 설명을 요청하는 추가 질문이라고 보는 것은 적절하지 않다.

오답풀이

① ㉠(예를 들어~행성인 거야.)에서 '학생 1'은 '어떤 것이 별이고 어떤 것이 아닌지' 설명하기 위해 '태양'과 '지구'라는 구체적인 예를 들어 '학생 2'의 이해를 돕고 있다.
② ㉡(응, 지구가~읽은 적이 있어.)에서 '학생 2'는 '계절에 따라 잘 보이는 별자리가 다르다는 것을 책에서 읽은 적이 있'다며 배경지식을 바탕으로 답하고 있다.
③ ㉢(글쎄.~맞아?)에서 '학생 2'는 '학생 1'이 '선원들은 북반구에서 보지 못한 별들을 발견하고 새로운 별자리 이름을 지었대.'라고 한 것을 근거로, '선원들이 지었으니까 아무래도 항해와 관련된 것이나 바다에서 볼 수 있는 것들로 별자리 이름을 지었을 것 같은데.'라고 추측하고 이 추측이 맞는지 확인하기 위해 '맞아?'라고 질문하고 있다.
④ ㉣(자율 동아리를~좋을 거 같은데.)에서 '학생 1'은 천체 연구 자율 동아리를 만들면 '네가 관심을 가지고 있는 천체 물리학도 공부할 수 있'다고 하며 '학생 2'의 관심사를 언급하여 자신의 제안에 대해 상대방의 동의를 이끌어 내고 있다.

5 ⑤ 정답률 80%

정답풀이

'학생 2'가 '전문 서적을 선택해서 함께 읽고 공부하는 것'을 제안하자, [A]에서 '학생 1'은 '전문 서적을 가지고 공부하면 동아리 부원들에게는 너무 어렵지 않을까?'라며 문제점을 지적한 후 '이해하기 쉽고 재미있게 설명한 교양서적이나 과학 잡지'를 대안으로 언급했다. 또한 '학생 1'이 '정기적으로 천문대로 가서 별자리를 관측하는 프로그램'을 제안하자, '학생 2'는 천문대와의 거리를 근거로 들어 쉽지 않을 것이라며 문제점을 지적한 후 '학교 운동장에서 별자리를 관측'하는 대안을 언급했다.

오답풀이

① [A]에서 '학생 1'과 '학생 2'는 모두 상대방이 제안한 방안에 대한 자신의 이해가 정확한지 확인하고 있지 않다.
② [A]에서 '학생 1'과 '학생 2'는 모두 물음의 형식으로 상대방이 제안한 방안의 문제점과 관련한 대안을 언급하고 있을 뿐, 자신이 제안한 방안의 타당성을 강조하지는 않았다.
③ [A]에서 '학생 1'은 상대방이 제안한 방안의 단점과 자신이 제안한 방안의 장점을, '학생 2'는 상대방이 제안한 방안의 단점을 설명하고 있다.
④ [A]에서 '학생 1'과 '학생 2'는 모두 상대방의 제안을 들은 후 자신의 제안을 새롭게 제시할 뿐, 상대방의 말을 들은 후에 자신이 제안한 방안을 수정하지 않았다.

6 ① 정답률 75%

정답풀이

'별을 사랑하는 마음으로 열심히 활동하겠습니다.'에서는 활동 각오가 드러난다. 그러나 동아리 '별바라기'가 '지루하게 반복되는 일상에 활력소가 되어 줄' 것에서는 동아리 활동에 대한 기대를 드러냈을 뿐, 별자리나 우주에 대한 자신의 생각을 비유의 방식으로 표현한 부분은 확인할 수 없다.

오답풀이

② '우주'를 '깊이를 알 수 없는 신비한 우물'에 비유했고, '우주를 더 많이 공부하고 싶'어 자율 동아리에 지원했다는 동기를 드러냈다.

③ '별자리'를 '보석'에 비유해 별자리를 아름답게 여기는 자신의 생각을 표현했고, 별자리의 '아름다움을 사진으로 남기'겠다는 활동 각오가 드러나 있다.

④ '별자리'를 '불꽃놀이'에 비유해 별자리를 화려하게 여기는 자신의 생각을 표현했고, '별자리를 관측하며 천문학자가 되고자 하는 꿈에 다가서겠'다는 동아리 지원 동기를 드러냈다.

⑤ '우주'를 '세상에서 가장 아름다운 미술관'에 비유했고, '우주의 아름다움을 '별바라기'와 함께 찾아가고 싶'다는 동아리 지원 동기를 드러냈다.

7 ④ 정답률 86%

정답풀이

(나)의 3문단에서 '별자리와 우주에 대해 자유롭게 공부하며 다양한 활동을 할 수 있는 '별바라기'는 학창 시절의 소중한 추억이 될 것입니다.'라고 하였다. 이는 자율 동아리 활동을 통해 관심사를 자유롭게 공부하는 과정에서 학창 시절의 소중한 추억을 만들 수 있다는 내용이므로, 진로를 탐색할 수 있다는 내용과는 거리가 멀다.

오답풀이

① (나)의 1문단에서 '밤하늘의 아름다움을 느끼며, 별자리와 우주에 대해 공부하기 위해' 자율 동아리인 '별바라기'를 만들었다고 하였으므로, 자율 동아리를 만든 목적을 밝혔다고 볼 수 있다.

② (나)의 2문단에서 '천문학과 우주에 관심이 있는 친구뿐만 아니라 별을 좋아하는 친구라면 누구나 함께할 수 있'다고 하였으므로, 누구나 지원할 수 있다는 내용을 밝혔다고 볼 수 있다.

③ (나)의 2문단에서 자율 동아리가 구성되면 '천체와 우주 관련 추천 도서를 읽'고, 학교 운동장에서 '망원경으로 별자리를 관측'하고, '찍은 별자리 사진을 모아 학교 축제 때 천체 사진전도 열 계획'이라고 하였다. 이는 자율 동아리에서 어떤 활동을 할 것인지를 설명한 것이다.

⑤ (나)의 3문단에서 동아리에 지원하고 싶다면 '블로그를 방문해 지원'해 달라고 하면서, '스마트폰을 이용해 오른쪽에 있는 QR 코드를 찍거나 인터넷 주소창에 http://blog.star□□□.com을 직접 입력하면 블로그에 연결됩니다.'라고 하였다. 이는 자율 동아리에 지원하는 방법을 소개한 것이다.

[8~10] 작문

8 ⑤ 정답률 84%

정답풀이

(나)에서 청소년에게 부정적 영향을 끼치는 1인 방송에 대한 규제의 필요성에 대해 언급한 부분을 찾을 수 없다.

오답풀이

① (나)의 1문단에서 '1인 방송'은 '개인이 제작하여 다수의 사람들에게 영상 콘텐츠를 제시하는 방송'이라며 그 개념을 설명하였다. 또한 '최근 들어 1인 방송이 활성화되고 있'다며 1인 방송의 현황에 대해 제시하였다.

② (나)의 2문단에서 '1인 방송이 청소년들이 관심을 가질 만한 다양한 콘텐츠를 생산하고 있기 때문'에 확산되었다며 1인 방송의 확산 이유를 설명하였다.

③ (나)의 3문단에서 청소년들은 1인 방송을 통해 '진로나 취미 생활 등에 대한 유익한 정보를 얻을 수 있'고, '여가를 즐김으로써 스트레스를 해소할 수 있'으며, '방송에 참여하는 색다른 묘미와 즐거움을 느낄 수 있'다며 1인 방송이 청소년에게 주는 긍정적 효과를 설명하였다.

④ (나)의 4문단에서 청소년들이 1인 방송에 지속적으로 노출될 경우 '언어 생활이나 가치관에 부정적인 영향을 끼칠 수 있다'는 부정적 영향을 설명하였다.

9 ② 정답률 75%

정답풀이

〈보기〉의 '조사 자료' 그래프인 〈1인 방송 콘텐츠 조회 수에 따른 제작자의 수익〉에서는 1인 방송 콘텐츠의 조회 수가 늘게 되면 수익 또한 늘어나는 정비례 관계를 확인할 수 있다. 그리고 '1인 방송 제작자 인터뷰'에는 자극적인 콘텐츠로 1인 방송을 할 때 조회 수가 크게 는다는 내용이 제시되어 있다. 따라서 이 두 자료를 모두 활용한다면, 1인 방송에서 자극적인 콘텐츠가 늘어나는 이유가 조회 수가 제작자의 이익으로 이어지기 때문이라는 내용을 추가할 수 있다.

오답풀이

① '1인 방송 제작자 인터뷰'에서 '자극적인 콘텐츠로 방송을 했더니 그렇지 않았을 때보다 조회 수가 크게 늘어났'다는 내용은 활용되었다고 볼 수 있으나, '조사 자료'는 활용되었다고 보기 어렵다.

③ '조사 자료'나 '1인 방송 제작자 인터뷰'에서 1인 방송에 대한 규제를 강화하자고 하거나 자극적인 콘텐츠를 즐기는 청소년들이 크게 증가한다는 내용은 확인할 수 없다.

④ '1인 방송 제작자 인터뷰'에서 '조회 수를 늘리기 위해 더 자극적인 콘텐츠를 제작'하게 된다고 말한 내용은 활용되었다고 볼 수 있으나, 그 목적이 콘텐츠의 다양성을 추구하기 위함은 아니다. 또한 '조사 자료' 또한 활용되었다고 보기 어렵다.

⑤ '1인 방송 제작자 인터뷰'에서 '자극적인 콘텐츠로 방송을 했더니 그렇지 않았을 때보다 조회 수가 크게 늘어났'다는 내용은 활용되었다고 볼 수 있으나, '조사 자료'는 활용되었다고 보기 어렵다.

10 ② 정답률 72%

정답풀이

㉡(이로 인해~급부상하고 있다.)은 1인 방송이 청소년 사이에서 장래 희망으로 관심의 대상이 됨을 설명하고 있다. 그런데 (나)의 4문단은 1인 방송이 청소년에게 미치는 부정적 영향을 제시하고 있으므로, 여기에 '1인 방송 진행자가 청소년의 장래 희망으로 급부상하고 있다.'는 내용이 덧붙는 것은 문단의 통일성을 해치게 되어 적절하지 않다. 참고로 ㉡은 1인 방송이 청소년 사이에서 확산된 이유를 설명하는 2문단의 내용과도 어울리지 않으므로, 삭제하는 것이 적절하다.

오답풀이

① ㉠(제시)에는 개인이 제작한 '영상 콘텐츠'를 다수에게 선보인다는 맥락에서 '어떠한 의사를 말이나 글로 나타내어 보임.'을 뜻하는 '제시'보다 '무엇을 내주거나 갖다 바침.'을 뜻하는 '제공'이 들어가는 것이 적절하다.

③ 서술어 ㉢(된 점이다)과 주어인 '배경으로는'의 호응이 적절하지 않으므로, ㉢을 '되었다는 점을 들 수 있다'로 수정하는 것이 적절하다.

④ ㉣(그래서)의 앞뒤 내용은 모두 1인 방송이 청소년에게 주는 긍정적 효과에 해당하므로, ㉣을 '거기에다 더'를 뜻하는 '또한'으로 수정하는 것이 적절하다.

⑤ ㉤(노출되어질)은 피동 표현 '-되다'와 '-어지다'가 중복해서 쓰인 이중 피동 표현이므로, ㉤을 '노출될'과 같이 올바른 피동 표현으로 수정하는 것이 적절하다.

[11~15] 문법(언어)

11 ⑤ 정답률 75%

정답풀이

(1)에서 '-쟁이'는 '그것이 나타내는 속성을 많이 가진 사람'이라는 뜻을 나타내는 접사이므로, '욕심'이라는 어근에 결합하여 '욕심이 많은 사람'을 의미하는 '욕심쟁이'라는 예를 (1)에 추가할 수 있다. (2)에서 '-쟁이'는 '그것과 관련된 일을 직업으로 하는 사람'을 낮잡아 이를 때 사용하고, (3)에서 '-장이'는 '그것과 관련된 기술을 가진 사람'을 나타낼 때 사용한다. '대장일을 하는 기술직 노동자'는 (2)가 아니라 (3)의 경우이므로 '대장장이'로 쓰는 것이 적절하다. 또한 '결혼이 이루어지도록 중간에서 소개하는 사람'인 '중매인'을 낮잡아 이를 때에는 (3)이 아니라 (2)의 경우이므로 '중매쟁이'로 쓰는 것이 적절하다. 따라서 (1), (2), (3)의 예로는 각각 '욕심쟁이', '중매쟁이', '대장장이'를 추가할 수 있다.

오답풀이

① (1)에서 '-쟁이'는 '고집'과 '거짓말'에 결합하여 각각 '고집이 센 사람'과 '거짓말을 잘하는 사람'이라는 뜻을 나타낸다. 이는 '-쟁이'를 통해 '고집'과 '거짓말'이라는 어근의 속성을 많이 가진 사람을 표현한 것이다.
② (2)의 '노래쟁이', '그림쟁이'와 (3)의 '땜장이', '옹기장이'는 모두 직업과 관련된 말이다. 이 중 '어떤 분야에 전문적 기술을 가진 사람'인 '기술자'를 의미하는 (3)의 경우에는 '-장이'를 사용했으므로 적절하다.
③ (1)~(3)에서 접사 '-쟁이'와 '-장이'는 모두 명사 어근인 '고집, 거짓말, 노래, 그림, 땜, 옹기'와 결합하여 '고집쟁이, 거짓말쟁이, 노래쟁이, 그림쟁이, 땜장이, 옹기장이'라는 새로운 단어를 만들었으므로 적절하다.
④ (1)~(3)에서 접사 '-쟁이'와 '-장이'는 모두 명사 어근인 '고집, 거짓말, 노래, 그림, 땜, 옹기'와 결합해 각각 명사인 '고집쟁이, 거짓말쟁이, 노래쟁이, 그림쟁이, 땜장이, 옹기장이'라는 새로운 단어를 만든다. 이때 접사 '-쟁이'와 '-장이'가 결합한 파생어의 품사도 어근의 품사와 동일한 명사이므로 '-쟁이'와 '-장이'는 모두 어근의 품사를 변화시키지 않는 접미사이다.

12 ② 정답률 64%

정답풀이

〈자료〉 5문단에서 '관형사는 체언 앞에서 체언의 뜻을 꾸며 주는 품사'라고 한 것을 참고했을 때, '관형사'는 '품사'를 기준으로 분류한 것이므로 [A]에는 '품사가 무엇인가'가 들어가는 것이 적절하다. 한편 〈자료〉 1문단에서 '관형어는 문장을 구성하는 성분 중 하나'라고 한 것을 참고했을 때, '관형어'는 '문장 성분'을 기준으로 분류한 것이므로 [B]에는 '문장 성분이 무엇인가'가 들어가는 것이 적절하다.

오답풀이

① '관형사'는 '품사'를 기준으로 분류한 것이 맞지만, '관형어'는 '의미'를 기준으로 분류한 것이 아니다.
③ '문장 성분'을 기준으로 분류한 것은 '관형사'가 아니라 '관형어'이며, '관형어'는 '문장의 종류'를 기준으로 분류한 것이 아니다.
④ '관형사'는 '문장의 종류'를 기준으로 분류한 것이 아니며, '관형어'도 '의미'를 기준으로 분류한 것이 아니다.
⑤ '관형어'는 '문장 성분'을 기준으로 분류한 것이 맞지만, '관형사'는 '문장의 종류'를 기준으로 분류한 것이 아니다.

13 ④ 정답률 85%

정답풀이

〈자료〉 3문단에서 관형격 조사 '의'가 '생략되면 의미가 달라지는 경우도 있다.'라고 했다. c(남자의)에서 관형격 조사 '의'가 생략되면 '남자 친구가 여기 있다.'가 되는데, 이때 원래 문장인 '남자의 친구가 여기 있다.'와 의미가 달라진다. '남자 친구가 여기 있다.'는 성별이 남자인 친구가 여기 있다는 의미를 나타낼 수 있는 반면, '남자의 친구가 여기 있다.'는 성별이 남자인 사람의 친구가 여기 있다는 의미를 나타낸다.

오답풀이

① 〈자료〉 1문단에서 관형어는 '명사나 대명사와 같은 체언 앞에서 그 뜻을 꾸며 주는 기능을 한다.'라고 했다. a~d는 모두 뒤에 오는 체언 '친구'를 꾸며 주는 관형어 역할을 한다.
② a(고향)는 체언이 관형격 조사 '의' 없이 '명사만으로 관형어'가 되어 뒤에 오는 명사 '친구'를 꾸며 주는 역할을 한다.
③ b(예쁜)는 용언 '예쁘다'의 어간 '예쁘-'에 관형사형 어미 '-ㄴ'이 결합하여 관형어가 된 것이다.
⑤ d(옛)는 '관형사가 관형어가 된 경우'이므로 '조사와 결합할 수 없으며, 용언과 달리 활용이 불가능'하다.

14 ⑤ 정답률 76%

정답풀이

'잡념'은 앞말의 끝소리 'ㅂ'이 뒷말의 첫소리인 비음 'ㄴ'의 영향으로 'ㅁ'으로 바뀌는 비음화를 겪어 [잠념]으로 발음된다. 이를 [활동 1]처럼 표시할 때 '001000'으로 표시할 수 있고, [활동 2]를 참고했을 때 앞의 음운이 뒤의 음운의 영향을 받아 비슷하게 소리 나는 '역행 동화'를 겪었다고 볼 수 있다.

오답풀이

① '국민'은 앞말의 끝소리 'ㄱ'이 뒷말의 첫소리인 비음 'ㅁ'의 영향으로 'ㅇ'으로 바뀌는 비음화를 겪어 [궁민]으로 발음된다. 이를 [활동 1]처럼 표시할 때 '001000'으로 표시할 수 있고, [활동 2]를 참고했을 때 앞의 음운이 뒤의 음운의 영향을 받아 비슷하게 소리 나는 '역행 동화'를 겪었다고 볼 수 있다.
② '글눈'은 뒷말의 첫소리 'ㄴ'이 앞말의 끝소리인 유음 'ㄹ'의 영향으로 'ㄹ'로 바뀌는 유음화를 겪어 [글룬]으로 발음된다. 이를 [활동 1]처럼 표시할 때 '000100'으로 표시할 수 있고, [활동 2]를 참고했을 때 뒤의 음운이 앞의 음운의 영향을 받아 비슷하게 소리 나는 '순행 동화'를 겪었다고 볼 수 있다.
③ '명랑'은 뒷말의 첫소리 'ㄹ'이 앞말의 끝소리 'ㅇ' 뒤에서 'ㄴ'으로 바뀌는 'ㄹ'의 비음화를 겪어 [명낭]으로 발음된다. 이를 [활동 1]처럼 표시할 때 '000100'으로 표시할 수 있고, [활동 2]를 참고했을 때 뒤의 음운이 앞의 음운의 영향을 받아 비슷하게 소리 나는 '순행 동화'를 겪었다고 볼 수 있다.
④ '신랑'은 앞말의 끝소리 'ㄴ'이 뒷말의 첫소리인 유음 'ㄹ'의 영향으로 'ㄹ'로 바뀌는 유음화를 겪어 [실랑]으로 발음된다. 이를 [활동 1]처럼 표시할 때 '001000'으로 표시할 수 있고, [활동 2]를 참고했을 때 앞의 음운이 뒤의 음운의 영향을 받아 비슷하게 소리 나는 '역행 동화'를 겪었다고 볼 수 있다.

15 ① 정답률 61%

정답풀이

〈보기〉의 ㄱ에는 객체인 '할아버지'를 높이는 부사격 조사 '께'와 객체 높임의 특수 어휘 '드리다'가 사용되었다. 그리고 ㄴ에는 주체인 '할아버지'를 높이는 주격 조사 '께서'와 주체 높임 특수 어휘 '계시다'가 쓰였다. 또한 ㄷ에는 주체인 '어머니'를 높이는 주격 조사 '께서'와 주체 높임 선어말 어미 '-시-'가 쓰였고, 객체인 '할아버지'를 높이는 객체 높임 특수 어휘 '모시다'가 사용되었다. 따라서 [A]에는 주체 높임 표현이 사용되지 않은 ㄱ이, [B]에는 주체 높임 표현은 사용되었으나 객체 높임 표현이 사용되지 않은 ㄴ이, [C]에는 주체 높임 표현과 객체 높임 표현이 모두 사용된 ㄷ이 들어가는 것이 적절하다.

[16~20] 고전시가+현대시

16 ① 정답률 42%

정답풀이

(가)의 '어즈버', '시름도 하도 할샤' 등에서 감탄사와 감탄형 어미 등을 활용해 임에 대한 간절한 그리움과 시름을 효과적으로 드러내고 있다. 또한 (나)의 '아아', '네가 왔구나' 등에서 감탄사와 감탄형 어미를 통해 '너'에 대한 그리움을 강조하고 있다.

오답풀이

② (나)는 명사 '소리'로 시상을 마무리하여 시적 여운을 자아내고 있으나 (가)는 명사로 시상을 마무리하지 않았다.
③ (가)는 '뉘 있으랴', '무슨 일이고', '풀었던가'에서 의문형 진술을 활용해 산촌에서 홀로 지내며 노래로 시름을 해소하려는 심리를 부각하고 있으나, (나)는 의문형 진술을 활용하지 않았다.
④ (나)의 화자가 '너'라는 청자에게 말을 건네는 방식을 사용하여 '너'에 대한 그리움을 드러내므로 말을 건네는 방식으로 친밀감을 강화했다고 볼 수 있다. 그러나 (가)의 '시비를 열지 마라'에 사용된 말을 건네는 방식은 화자의 명령을 드러낼 뿐, 친밀감을 강화한다고 보기 어렵다.
⑤ (가)의 화자는 자연물인 '일편명월'을 '벗'이라고 지칭하며 인격을 부여하고 있으나, (나)는 자연물에 인격을 부여하지 않았다.

오답률 Best 4

이 문제는 정답인 ①번을 고른 비율이 42%였는데, ④번과 ⑤번을 고른 비율도 각각 25%, 23%로 높게 나타났어. ①번의 '영탄적 표현'은 생각이나 느낌을 억누르지 않고 강하게 드러내는 표현 방식을 말하는데, 주로 감탄사와 감탄형 어미를 사용해서 감정을 강하게 드러내. 한편 ④번에서 '친밀감'이란 사이가 매우 친하고 가까운 느낌을 의미하는데, (가)에서는 말을 건네는 방식을 통해 어떠한 대상과 친밀감을 강화하고 있지 않기 때문에 적절하지 않아. 그리고 ⑤번은 '자연물에 인격을 부여'한다는 것이 곧 '의인법'임을 파악했어야 하는데, 이를 알아채지 못한 학생들도 있었을 거야. 이처럼 표현법의 명칭을 직접 명시하지 않고 풀어서 설명하는 선지도 눈여겨보자.

17 ④ 정답률 71%

정답풀이

(가)의 화자는 '낙엽' 소리에, (나)의 화자는 '나뭇가지 스치는' 소리에 그리움의 대상인 '임'과 '너'가 돌아왔다고 착각하여 밖을 확인한다. 이러한 판단 오류의 원인은 화자가 부재하는 대상을 그리워하며 보고 싶어 하기 때문이다. '가을'이나 '봄', 또는 '밤'이라는 시간적 배경 때문에 판단의 오류가 나타난 것이라고 볼 수는 없다.

오답풀이

① (가)의 2에서는 '낙엽'을 통해 '가을'이라는 계절적 이미지가, (나)에서는 '봄비'를 통해 '봄'이라는 계절적 이미지가 나타나 시의 분위기 형성에 기여한다.
② (가)의 2에서 화자는 낙엽이 밟히는 '워석버석' 같은 소리를 통해 '임'이 왔다고 판단하고, (나)에서 화자는 '발자국 소리'와 '나뭇가지 스치는 소매깃 소리'를 통해 '너'가 왔다고 판단한다. 즉 (가)의 2와 (나) 모두 상황 판단의 근거로 청각적 이미지라는 감각적 현상을 제시한 것이다.
③ (가)의 2에서 화자는 '임'에 대한 그리움을 '일어'나 보는 행동으로 표출하고, (나)에서 화자는 '너'에 대한 그리움을 '뛰쳐' 나가는 행동으로 표출한다.
⑤ (가)의 2에는 '임'이라는 부재하는 대상이, (나)에는 '너'라는 부재하는 대상이 존재하며, (가)의 2와 (나)는 부재하는 대상이 돌아온 것으로 착각하고 밖을 확인했다가 실망하는 화자의 반응을 중심으로 시상이 전개되고 있다.

18 ③ 정답률 78%

정답풀이

㉠(시비를 열지 마라)은 산촌에 눈이 와 단절된 상황에서 화자가 자신을 찾을 사람이 없으므로 ㉠과 같이 명령한 것이다. 따라서 ㉠에는 외부 세계와의 단절감이 담겨 있다고 볼 수 있다. ㉡(문을 열고)은 문밖에 '너'가 왔을 것이라는 생각에서 나온 화자의 행동을 보여 준다. 따라서 ㉡에는 화자의 기대감이 담겨 있다고 볼 수 있다.

오답풀이

① ㉠에는 사립문을 열지 말라는 화자의 명령이 나타나 있을 뿐, 화자의 소망이 투영되었다고 보기는 어렵다. 또한 ㉡에는 문밖에 '너'가 있기를 바라는 화자의 소망이 투영되었다고 볼 수 있다.
② ㉠, ㉡에서 화자의 억울한 심정은 드러나지 않는다.
④ ㉠은 산촌을 외부 세계와 단절시키기 위한 명령일 뿐, 화자가 쌀쌀한 태도로 비웃는 냉소적 태도는 드러나지 않는다. ㉡은 '너'를 향한 화자의 그리움을 보여 주는 행동이므로, 고요한 마음으로 사물이나 현상을 관찰하거나 비추어 보는 관조적 태도가 반영되어 있다고 볼 수 없다.
⑤ ㉠은 화자의 결핍 상태가 드러나지 않으며, ㉡은 부재하는 대상을 그리워하는 행동을 보여 준다는 점에서 결핍 상태가 반영되어 있다고 볼 수는 있으나, 결핍 상태가 충족된 내면 심리가 드러난다고 볼 수 없다.

19 ② 정답률 52%

정답풀이

〈보기〉에서 (가)는 '관직을 박탈당하고 김포로 내쫓겼던 시기에 쓴 시조'의 일부로 '자연 지향, 세태 비판' 등의 주제 의식을 드러냈다고 했다. 화자는 자신을 찾는 이 없는 산촌에서 '일편명월'을 '벗'으로 여기고 있으므로 이를 화자가 지향하는 자연으로 볼 수 있지만, '일편명월'이 세태를 비판하고 억울한 처지를 호소하는 작가를 상징한다고 볼 수는 없다.

오답풀이

① 〈보기〉에서 (가)는 '관직을 박탈당하고 김포로 내쫓겼던 시기에 쓴 시조'의 일부로 '자연 지향' 등의 주제 의식을 드러냈다고 했다. 이를 고려하면 '산촌'은 화자가 속세를 떠나와 머무는 자연이므로 세상과 대비되는 공간으로서 자연의 의미를 지닌다고 볼 수 있다.
③ 〈보기〉에서 (가)는 '선조의 총애를 받던' 작가가 '선조 사후' 내쫓겼던 시기에 쓴 작품으로 '연군' 등의 주제 의식을 드러냈다고 했다. 이를 고려하면 (가)의 '임'을 군왕으로 이해할 때, 임에 대한 그리움으로 '유한한 간장이 다 긏을까' 염려하는 것은 임금을 향한 신하의 간절한 그리움이 함축된 것이라 볼 수 있다.
④ 〈보기〉에서 (가)는 신흠이 "계축옥사'에 연루되어 관직을 박탈당하고 김포로 내쫓겼던 시기에 쓴 시조'로 '서문 격인 「방옹시여서」'에서 작가가 '세상사에 지쳤'음을 확인할 수 있다. 이를 고려하면 (가)의 화자가 '시름'에 힘겨워하는 것은 정치적 혼란 속에서 쫓겨난 복잡한 심경을 나타낸다고 볼 수 있다.
⑤ (가)의 화자는 '노래'를 불러 시름을 풀 수 있다면, 자신도 시름을 풀고자 노래를 불러 보겠다고 하였다. 〈보기〉에서 (가)를 통해 '우리말 시가에 대한 작가의 인식도 엿볼 수 있다.'라고 한 것을 고려하면, 작가가 '노래'로 '시름'을 풀려 한 것에서는 '노래'를 세상사에 지치고 뒤엉킨 마음을 풀어 내는 수단으로 인식했음을 알 수 있다.

20 ③ 정답률 66%

정답풀이

ⓑ(너의 목소리)는 '산 넘고 물 건너' '서역 땅'에서 들려오는 것인데, 이때 '서역'은 저승을 의미한다. 화자는 ⓑ를 듣고 '너'가 온 것이라 생각해 '황망히 문을 열고 뛰쳐나가'고 있으므로 ⓑ가 화자에게 반가움을 환기한다고 볼 수는 있다. 그러나 (나)에서 화자가 과거를 추억하는 모습은 확인할 수 없다.

오답풀이

① (나)의 화자는 '너'를 그리워하는 마음이 큰 나머지 '너'에 대한 꿈을 꾸게 되었고 이 때문에 '가랑비 소리'를 '너'의 '발자국 소리(ⓐ)'로 여기고 '너'가 왔다고 착각한다. 따라서 '꿈'은 빗소리를 ⓐ로 착각하는 계기로 볼 수 있다.
② 화자가 가진 '너'에 대한 그리움이 고조될수록 빗소리가 '발자국 소리(ⓐ)'에서 '너의 목소리(ⓑ)'로 보다 구체화됨을 알 수 있다.
④ '하염없이 내리는 가랑비'에서는 아래로 향하는 하강의 이미지가 드러난다. (나)의 화자는 문밖에 '너'가 있을 것을 기대하고 문을 열지만 문밖에는 '가랑비 소리(ⓒ)'뿐이므로, ⓒ는 '너'와의 만남이 무산된 화자의 좌절감과 조응한다고 볼 수 있다.
⑤ 화자는 ⓑ인 줄 알고 문을 열었지만, ⓑ가 아니라 ⓒ임을 알게 된다. '후두둑'은 ⓒ를 구체화한 표현이라는 점에서, ⓑ가 ⓒ임을 알고 난 후에 기대감이 좌절되고 허탈감이 커진 상황을 청각적 이미지를 통해 부각한다고 볼 수 있다.

[21~24] **예술**

21 ⑤ 정답률 56%

정답풀이

윗글에서 엑스레이 아트가 발전한 양상에 대한 언급은 확인할 수 없다.

오답풀이

① 1문단의 '엑스레이 아트는 엑스레이 사진을 활용하여 만든 예술 작품을 의미한다.'에서 엑스레이 아트의 개념을 확인할 수 있다.

② 2문단에서 '엑스레이 아트의 거장인 닉 베세이'의 「튤립」, 「셀피」라는 작품을 예로 들었다.
③ 3문단~4문단에서 '엑스레이 아트의 창작 의도를 구현'하는 엑스레이 아트의 창작 방법을 확인할 수 있다.
④ 1문단의 '최근 예술 분야에서는 과학 기술을 이용하여 새로운 장르를 개척하려는 시도가 이루어지고 있다. 이러한 배경을 바탕으로 등장한 예술의 하나가 바로 '엑스레이 아트'이다.'에서 엑스레이 아트의 등장 배경을 확인할 수 있다.

22 ③ 정답률 65%

정답풀이

〈보기〉에 제시된 작품 「버스」는 '버스의 측면이 보이도록 촬영하여 버스에 타고 있는 사람들의 여러 가지 자세와 인체 골격의 다양한 모습을 드러'낸다고 하였다. 즉 버스의 측면이 보이도록 촬영한 것은 '사람들의 여러 가지 자세와 인체 골격의 다양한 모습을 드러내'기 위함이지, 촬영 각도에 따라 엑스레이가 투과되지 않는 효과를 이용하기 위한 것은 아니다. 또한 3문단에 따르면 엑스레이의 투과율은 촬영 각도가 아니라 '오브제의 재질과 두께'에 따라 달라진다.

오답풀이

① 5문단에서 '엑스레이는 대상의 골격이나 구조를 노출하는 기술'이라고 하였다. 〈보기〉에서 작품 「버스」는 '실제 버스와 사람을 오브제로 삼'았다고 했으므로, 이때 엑스레이를 이용한 것은 일상적 시선으로는 볼 수 없는 인체 골격의 모습을 보여 주려는 의도에서 비롯되었다고 볼 수 있다.
② 3문단에서 '작품 창작 의도를 구현하는 데 오브제의 모든 구성 요소가 필요하지 않다면 오브제의 일부 구성 요소만 선택'할 수 있다고 하였다. 〈보기〉의 작품 「버스」에서 작가가 '작품의 창작 의도를 구현하는 데 필요한 바퀴나 차체 등의 일부 구성 요소들만 선택'한 것에는 필요하지 않은 부분을 배제하려는 작가의 의도가 반영되었다고 볼 수 있다.
④ 4문단에서 '창작 의도를 드러내기 위해 여러 장의 사진을 합성'하거나 '그래픽 작업을 통해 사진들의 명도를 보정'하여 이를 '하나의 사진으로 합성'한다고 하였다. 〈보기〉의 작품 「버스」는 '실제 버스와 사람을 오브제로 삼아, 이를 여러 날에 걸쳐 각각 촬영한 뒤 합성'했는데, 작품이 한 번에 촬영된 사진처럼 보이는 것은 컴퓨터 그래픽 작업을 통해 각 사진의 명도를 보정했기 때문이라 볼 수 있다.
⑤ 3문단에서 '엑스레이의 특성상, 가로 35cm, 세로 43cm인 엑스레이 필름의 크기보다 오브제가 클 경우 오브제를 여러 부분으로 나누어 촬영'한다고 했고, 4문단에서 '항공기 동체와 같이 크기가 큰 대상을 오브제로 삼아 여러 날에 걸쳐 촬영할 경우'에 '그래픽 작업을 통해 사진들의 명도를 보정'하여 '하나의 사진으로 합성'한다고 하였다. 〈보기〉의 작품 「버스」는 엑스레이 필름보다 큰 '실제 버스와 사람을 오브제로 삼'았기 때문에, 여러 날에 걸쳐 촬영한 여러 장의 사진을 합성한 것이라 볼 수 있다.

23 ⑤ 정답률 85%

정답풀이

5문단에서 '엑스레이는 대상의 골격이나 구조를 노출하는 기술'이며 이를 활용한 ㉠(엑스레이 아트)은 '감상자들에게 기존의 예술 작품과는 다른 미적 감수성을 불러일으킨다는 점에서 현대 예술의 외연을 넓히는 데 기여하였다는 평가를 받'는다고 하였다. 즉 ㉠은 엑스레이라는 기술을 통해 겉으로 드러나지 않는 오브제의 내부를 촬영하고, 이를 의도적으로 보여 주어 현대 예술의 영역을 확장했다는 점에서 그 의의가 있다.

오답풀이

① ㉠이 오브제를 찍은 사진에 의도적인 변형을 가하거나, 이를 통해 오브제의 실체를 감춘다는 내용은 윗글에서 확인할 수 없다.
② ㉠은 실재하는 대상에 대한 여러 장의 엑스레이 사진을 합성하거나 명도를 조절하는 그래픽 작업을 하는 것으로, 실존하지 않는 대상을 그래픽 작업으로 만들어 사회의 병폐를 풍자하는 것은 아니다.
③ ㉠은 엑스레이 사진을 활용하여 만든 예술로, 외양이 아닌 '오브제 내부에 주목'하는 것이므로 인체나 사물의 외양을 있는 그대로 드러내지는 않는다.
④ ㉠은 엑스레이 사진을 활용하여 만든 예술이므로, 오브제의 엑스레이 촬영이 가능해야 하기 때문에 눈에 보이지 않을 만큼 작은 오브제를 가시화할 수는 없다.

24 ① 정답률 62%

정답풀이

ⓐ(개척)는 '새로운 영역, 운명, 진로 따위를 처음으로 열어 나감.'을 의미한다. '새로운 물건을 만들거나 새로운 생각을 내어놓음.'은 '개발'의 사전적 의미이다.

[25~27] 현대소설

25 ① 정답률 81%

정답풀이

ㄱ. 윗글의 한몰 영감과 한몰댁은 '거짓말을 했단 말이여?', '미륵 바위 곁에 서 계셨던 것맨키로' 등에서 방언을 사용하고 있으며, 이를 통해 두 인물의 대화가 실감나게 전달되고 있다.
ㄷ. 윗글의 '이듬해 봄부터 댐에 물이 차기 시작했다. 산중턱까지 물이 찬 댐은 물빛이 유난히 푸르렀다.~한가롭게 멈춰 있기도 했다.'에서 댐의 풍경을 묘사하였고, '거기 오두막집이 한 채 있다.~비석도 하나 서 있다.'에서 오두막집의 풍경을 묘사하여 장면을 선명하게 제시하고 있다.

오답풀이

ㄴ.
윗글에서 반복되는 사건을 확인할 수 없고, 등장인물 간에 갈등이 심화되는 부분도 찾을 수 없다.
ㄹ.
윗글은 작품 밖에 위치한 서술자가 전지적 시점에서 내용을 서술하고 있다.

26 ④ 정답률 82%

정답풀이

㉠(그때 일)은 한몰 영감이 '왜정 때 북해도 탄광에 징용으로 끌려갔을 때' 겪은 일을 의미한다. 탄광에서 낙반 사고가 일어났을 때 한몰 영감은 '갱 속에 들어가지 않았'었는데, 이는 '십장만 알고 있'는 일이었다고 했다. 한몰 영감은 십장 역시 '갱 속에 들어갔으므로 자기가 없으면 갱에서 죽은 걸로 치부할 게 틀림없'다고 생각했으므로, ㉠에 대하여 '탄광 사람들은 내가 갱도에서 죽었다고 생각했었을 거야.'라고 회상할 수 있다.

오답풀이

① '예사 때도 지나새나'에서 알 수 있듯이 한몰 영감은 평소에도 탄광을 탈주할 궁리를 하고 있었으므로, '낙반 사고 이전에는 탈출을 감행할 생각을 하지 않았지.'라고 회상하지는 않을 것이다.
② 한몰 영감은 탄광에서 낙반 사고가 일어난 후 '순간, 도망치자는 생각'을 하고 '도둑놈은 시끄러울 때가 좋더라고 도망치기에는 이보다 좋은 기회가 없을 것 같'다고 생각했다. 따라서 '탈출을 결심하고도 동료에 대한 의리 때문에 괴로워했어.'라고 회상하지는 않을 것이다.
③ 한몰 영감은 낙반 사고 이후에 '그들(갱에 갇힌 이들)을 구출할 수 없다는 걸 잘 알고 있었'고 '도망치기에는 이보다 좋은 기회가 없을 것 같'다고 생각하며 '탈주'하므로, '갱도가 붕괴되었을 때 나도 동료들을 구하려 노력했었지.'라고 회상하지는 않을 것이다.
⑤ 탄광에서 낙반 사고가 일어났을 때 한몰 영감은 '갱 속에 들어가지 않았'었는데, 이는 '십장만 알고 있'는 일이었다고 했으므로 '내가 갱도에 들어가지 않은 것을 십장이 몰라 다행이었어.'라고 회상하지는 않을 것이다.

27 ① 정답률 16%

정답풀이

〈보기〉에서 윗글의 두 축은 '역사'와 '신앙'으로, '초월적 세계에 대한 믿음을 통해 현실의 문제들을 해결해 가고자 하는 사람들의 모습을 드러'낸다고 하였다. 한몰댁은 꿈에 나타난 '미륵보살'이 남편을 지켜 주고 있는 모습을 보고 남편이 살아 있다고 확신했는데, 이는 초월적 세계에 해당하는 '미륵보살'에 대한 믿음으로 현실의 문제를 해결하고자 하는 모습을 표현한 것으로 볼 수 있다. 따라서 한몰댁의 확신은 꿈에서 본 초월적 세계에 대한 믿음에서 비롯된 것일 뿐, '꿈'이 소망을 이루어주어 초월적 세계를 구현한다는 믿음에서 비롯되었다고 볼 수는 없다.

오답풀이

② 〈보기〉에서 '미륵바위'는 '개개인이 초월적 세계를 향해 직접적으로 기원할 수 있는 대상'이라고 하였다. 윗글에서 한몰댁은 남편이 죽었다는 소식을 전하는 '사망 통지서'와 '유골'을 받고도 '그 때까지 그래왔듯이 새벽마다 미륵바위'를 찾아 치성을 드린다. 이는 초월적 세계에 해당하는 '미륵보살'에게 치성을 드려 남편이 살아 돌아오게 하고자 한 것으로 볼 수 있다.

③ 〈보기〉에서 '도깨비'는 현실과 초월적 세계의 '매개자로서 마을 사람들의 일상과 함께'하고, 이를 통해 윗글은 '현실의 삶이 초월적 세계와의 교류를 통해 지탱'됨을 보여 준다고 하였다. 윗글에서 한몰 영감은 '도깨비'에게 자기 말을 아들에게 전해달라고 말하며 아들의 안전을 부탁한다. 이는 초월적 존재인 도깨비를 통해 현실과 초월적 세계가 교류하는 모습을 보여주는 것으로 볼 수 있다.

④ 〈보기〉에서 윗글은 '산업화를 겪은 농촌을 배경'으로 한다고 하였다. 윗글에서 '감내골'은 '댐' 건설로 수몰되었고, 이로 인해 마을 사람들이 마을을 떠나게 되었다는 점에서 산업화 시대의 농촌 사람들이 겪어야 했던 아픔을 보여 준다고 볼 수 있다.

⑤ 〈보기〉에서 윗글은 '초월적 세계에 대한 믿음을 통해 현실의 문제들을 해결해 가고자 하는 사람들의 모습을 드러낸다.'라고 하였다. 윗글에서 한몰 영감 내외는 한몰댁의 '어젯밤 꿈'에 나타난 '미륵보살'이 아들을 지켜주고 있을 것이라 믿는다. 그래서 '안내판'을 세워 아들이 돌아와 집을 찾을 수 있도록 했으므로, 초월적 세계에 대한 믿음이 그들의 삶을 지탱하고 있음을 보여 준다고 볼 수 있다.

오답률 Best ①

<보기>를 바탕으로 윗글을 감상해야 하는 문제였는데, 정답인 ①번을 선택한 비율은 16%에 불과했고, 오답인 ⑤번을 선택한 비율이 45%나 됐어.

<보기>에서 「당제」는 '초월적 세계에 대한 믿음을 통해 현실의 문제들을 해결해 가고자 하는 사람들의 모습을 드러낸다.'라고 했어. 따라서 '한몰댁'은 '초월적 세계(미륵보살)'에 대한 믿음을 통해 '현실의 문제(남편이 죽었다는 소식이 옴)'가 해결될 것이라고 확신했다고 볼 수 있지. 그런데 ①번에서 '한몰댁'이 꿈으로 인해 초월적 세계가 구현되리라고 믿는다는 내용은 <보기>나 윗글에서 확인할 수 없으므로 적절하지 않아.

한편 ⑤번을 고른 학생들은 '한몰 영감' 부부가 '안내판'을 세운 것이 '초월적 세계에 대한 믿음'을 보여 주는 것은 아니라고 판단했을 거야. 윗글의 초반부에서 '한몰댁'은 '어젯밤 꿈'에서 아들이 '미륵바위 곁에 서' 있던 것을 보았기 때문에 아들이 아직 죽지 않았다고 믿어. 그래서 '댐 건설로 마을이 수몰'된 후에 아들이 찾아올 수 있도록, '오두막집' 옆 '안내판'에 '한몰 영감' 부부가 사는 집에 대한 설명을 적어 놓은 거야. 정리하면 한몰 영감 내외는 아들이 살아 있다고 믿기 때문에 '안내판'을 세운 것이고, 그 바탕에는 '한몰댁'의 꿈에 나타난 '미륵보살(초월적 세계)'이 아들을 지켜주어 아들이 살아 있을 것이라는 믿음이 있었다고 볼 수 있어. 따라서 '안내판'을 통해 초월적 세계에 대한 믿음이 두 내외의 삶을 지탱하고 있음이 드러난다고 판단할 수 있지.

[28~33] 인문+사회

28 ① 정답률 51%

정답풀이

2문단에서 '전통 경제학'의 '기대 효용 이론'에 따르면 '인간은 대안이 여러 개일 때 각 대안의 효용을 계산하여 자신에게 최대 이득을 주는 대안'을 선택한다고 했다. 이와 달리 7문단에 따르면 카너먼은 '전망 이론'의 '틀 효과'를 통해 이득보다 손실에 민감하게 반응하는 인간의 심리로 인해 '선택 상황이 자신에게 이득을 주는지, 손실을 주는지에 따라' 선택 행동이 영향을 받는다고 하였다. 이를 고려하면 자신의 현재 상황을 기준으로 했을 때 나타나는 선택 행동의 다양한 양상을 분석하는 이론은 전통 경제학의 기대 효용 이론이 아니라, 카너먼의 이론이라고 보는 것이 적절하다.

오답풀이

② 2문단에서 '전통 경제학의 대표적 이론인 기대 효용 이론에 따르면, 인간은 대안이 여러 개일 때 각 대안의 효용을 계산하여 자신에게 최대 이득을 주는 대안을 선택한다.'라고 하였다.

③ 1문단에서 '카너먼은 인간이 논리적 사고 과정을 통해 합리적으로 문제를 해결하기보다는 직감에 의해 문제를 해결하는 경향이 강하다고 주장하였다.'라고 하였다.

④ 1문단에서 카너먼은 '전통 경제학의 전제에 반기를 들고, 심리학적 연구 성과를 경제학에 접목시킨 새로운 이론을 제안했다.'라고 하였다.

⑤ 1문단에서 카너먼은 '실제 인간의 행동에 나타나는 다양한 양상을 연구하여 인간은 합리적 선택을 한다는 전통 경제학의 전제에 반기를 들'었다고 했다.

오답률 Best ⑤

①번에서 물어본 인간의 행동에 나타나는 '다양한 양상'을 연구한다는 것이나, '현재 상황을 준거'로 한다는 점, '선택 행동'이라는 표현은 모두 윗글에 나온 카너먼의 이론과 관련된 설명이기 때문에 기대 효용 이론과는 관련 없는 내용이야.

내용 일치를 묻는 문제에서는 선지의 내용이 그럴듯해 보이더라도 설명하고 있는 내용과 그 대상이 일치하는지를 꼼꼼하게 확인해야 해.

29 ③ 정답률 77%

정답풀이

매체를 통해 '교통사고로 인한 사망률'을 '당뇨로 인한 사망률'보다 자주 보기 때문에 '교통사고로 인한 사망률'이 더 높다고 판단하는 것은, 전자의 사례를 자주 접하여서 발생 빈도수가 높다고 판단한 것에 해당하므로 ㉠(해당 사례를 자주 접하거나 쉽게 떠올릴 수 있으면, 발생 빈도수가 높다고 판단)의 사례로 적절하다.

오답풀이

① '신이 없음을 증명한 사람이 없기 때문'에 신이 존재한다고 판단하는 것은 ㉠에 해당하는 사례가 아니다.

② '1부터 10까지의 합'이 '11부터 15까지의 합'보다 많은 숫자를 더하기 때문에 전자의 합이 더 크다고 판단하는 것은 ㉠에 해당하는 사례가 아니다.

④ '지방이 10% 함유된 우유'보다 '지방이 90% 제거된 우유'가 지방이 적게 함유된 식품으로 느껴져 선택하고 싶다고 판단하는 것은 ㉠에 해당하는 사례가 아니다.

⑤ '한 명이 빵 한 개를 만드는 것'보다 '열 명이 빵 열 개를 만드는 것'이 힘이 더 많이 드는 일로 느껴져 시간이 더 오래 걸린다고 판단하는 것은 ㉠에 해당하는 사례가 아니다.

30 ① 정답률 57%

정답풀이

〈그림〉에서 '이득 영역'을 보면, x축에 해당하는 '성과' 값이 증가하면 그에 따라 y축에 해당하는 '가치' 값도 함께 증가하는 비례 관계임을 알 수 있으므로, A에 들어갈 내용은 '증가'이다. 이때 '성과' 값이 증가함에 따라 '가치' 값이 증가하는 폭은 점차 작아져서 그래프의 기울기가 완만해지므로, B에 들어갈 내용은 '작아진다'이다.

오답풀이

② 이득 영역에서는 x축에 해당하는 '성과' 값이 증가함에 따라 y축에 해당하는 '가치' 값이 증가하는 폭이 점차 작아지고 있으므로, 가치의 크기가 증가하는 폭이 커진다고 볼 수 없다.
③ 이득 영역에서는 x축에 해당하는 '성과' 값이 증가함에 따라 y축에 해당하는 '가치' 값이 증가하는 폭이 점차 작아지고 있으므로, 가치의 크기가 증가하는 폭이 같아진다고 볼 수 없다.
④, ⑤ 이득 영역에서는 x축에 해당하는 '성과' 값이 증가하면 그에 따라 y축에 해당하는 '가치' 값도 함께 증가함을 알 수 있으므로, A에 들어갈 내용이 '감소'라고 볼 수 없다.

31 ② 정답률 74%

정답풀이

7문단에서 위험 회피 성향은 '확실성을 추구'한다고 했고, 위험 추구 성향은 '불확실성을 추구'한다고 했다. [상황 1]에서 Ⓐ안을 선택하는 사람들은 돈을 받지 못할 수도 있는 불확실성을 추구하므로 위험 회피 성향이 아니라 위험 추구 성향이다. 한편 [상황 2]에서 Ⓒ안을 선택하는 사람들은 더 높은 금액을 잃을 수도 있는 불확실성을 추구한다는 점에서 위험 추구 성향이다.

오답풀이

① 4문단에서 카너먼은 전망 이론을 제시하면서, 인간은 '이득보다 손실에 대해 민감하게 반응'한다고 하였고, 5문단에서 '같은 크기의 이득과 손실이 있을 때 이득감보다 손실감이 더 크다'라고 하였다. [상황 1]의 Ⓑ안은 50만 원을 얻는 것이고, [상황 2]의 Ⓓ안은 50만 원을 잃는 것이므로, 사람들은 손실감을 느끼는 Ⓓ안에 대해 더 민감하게 반응할 것이다. 따라서 Ⓑ안의 50만 원과 Ⓓ안의 50만 원에 대해 사람들이 부여하는 가치는 다르다고 볼 수 있다.
③ Ⓐ, Ⓒ안은 0.5의 확률로 100만 원을 받거나 잃게 되므로 불확실한 대안이고, Ⓑ, Ⓓ안은 1의 확률로 50만 원을 받거나 잃게 되므로 확실한 대안이다.
④ 8문단에서 [상황 1]은 '이득을 주는 상황'으로, '많은 사람들이 이득이 불확실한 Ⓐ안보다 이득이 확실한 Ⓑ안을 선택한다.'라고 하였다.
⑤ 8문단에서 [상황 2]는 '손실을 주는 상황'으로, '많은 사람들이 손실이 확실한 Ⓓ안보다 손실이 불확실한 Ⓒ안을 선택한다.'라고 하였다.

32 ④ 정답률 78%

정답풀이

4문단에서 ⓐ(전망 이론)는 '이득보다 손실에 대해 민감하게 반응하는 인간의 심리가 선택 행동에 미치는 영향을 설명하는 이론'이라고 하였다. 이를 고려했을 때, 〈보기〉에서 소비자가 구매한 제품이 마음에 들지 않더라도 환불받는 경우가 적은 것은 제품을 반품할 때 느끼는 손실감이 구매한 금액을 환불받을 때 느끼는 이득감보다 크게 느껴지기 때문이라 볼 수 있다.

오답풀이

① 제품을 사용하는 기간만큼 제품을 통해 얻는 이득감이 줄어드는 것은 마음에 들지 않는 제품을 반품하지 않는 상황과 관련이 없으며 ⓐ와도 관련이 없다.
② ⓐ는 '이득보다 손실에 대해 민감하게 반응하는 인간의 심리'가 행동에 영향을 준다고 보므로 제품에 대한 불만족이 심리적 현상이기 때문에 제품 자체의 문제가 아니라는 것은 ⓐ와는 관련이 없다.
③ 제품을 반품했을 때의 이득감이 제품을 그대로 사용했을 때의 이득감보다 더 크다면 제품을 반품할 것이므로 〈보기〉의 밑줄 친 부분의 이유를 설명하지 못한다.
⑤ 제품을 구매하는 과정에 투입된 시간과 노력을 계산했을 때 제품을 반품하는 것이 합리적 선택이라는 것은, 마음에 들지 않는 제품을 반품하지 않는 상황의 이유가 될 수 없다.

33 ② 정답률 65%

정답풀이

7문단에서 사람들은 여러 대안 중 하나를 선택할 때, 선택 상황이 자신에게 이득을 주면 '긍정적 틀'로, 선택 상황이 자신에게 손실을 주면 '부정적 틀'로 인식한다고 했다. 그리고 '긍정적 틀에서는 확실한 이득을 주는 대안을 선택하고, 부정적 틀에서는 불확실한 손실을 주는 대안을 선택한다.'라고 하였다. 〈보기〉의 [상황]에서 주민 400명이 죽는 ㉮와 3분의 1의 확률로 아무도 죽지 않거나, 3분의 2의 확률로 주민 600명이 죽는 ㉯를 ⓑ(틀 효과)를 고려하여 해석하면 사람들은 이 상황을 손실을 주는 '부정적 틀'로 인식할 것이므로, 불확실한 손실을 주는 대안인 프로그램 ㉯를 선택할 것이다.

오답풀이

① 프로그램 ㉮는 확실한 손실을 주는 대안이므로, 상황을 '부정적 틀'로 인식한 사람들이 이 대안을 선택하지는 않을 것이다.
③ 〈보기〉의 [상황]은 사람들에게 손실을 주므로, 사람들은 이를 '부정적 틀'로 인식할 것이다. 또한 '프로그램 ㉮'는 확실한 손실을 주는 대안이므로, 상황을 '부정적 틀'로 인식한 사람들이 이 대안을 선택하지는 않을 것이다.
④ 〈보기〉의 [상황]은 사람들에게 손실을 주므로, 사람들은 이를 '부정적 틀'로 인식할 것이다.
⑤ 〈보기〉의 [상황]은 사람들에게 손실을 주므로, 사람들은 이를 '부정적 틀'로 인식할 것이다. 또한 사람들은 불확실한 손실을 주는 대안인 프로그램 ㉯를 선택할 것이므로 프로그램 ㉮와 ㉯를 선택하는 사람들이 비슷할 것이라고 볼 수 없다.

[34~38] **기술**

34 ① 정답률 85%

정답풀이

윗글은 GPS가 GPS 위성과 GPS 수신기 사이의 거리를 구할 때 적용되는 '상대성 이론'과, GPS 수신기가 자신의 위치를 파악할 때 적용되는 '삼변 측량법'을 구체적으로 설명하고 있다.

오답풀이

② 윗글에서 GPS의 발전 과정을 제시하지 않았고, 시간의 순서에 따라 내용을 전개하고 있지도 않다.
③ 윗글에서 GPS를 다른 대상과 비교하고 있지 않으며, GPS의 장단점을 언급하지도 않았다.
④ 윗글에서 GPS의 다양한 종류를 제시하지 않았고, 이를 일정 기준에 따라 분류하고 있지도 않다.
⑤ 1문단에서 GPS를 통해 '목적지까지의 경로를 탐색하거나 스마트폰을 이용해 자신이 현재 있는 위치를 확인할 수 있다.'라고 하였으므로, GSP의 유용성을 설명했다고는 볼 수 있다. 하지만 이를 통해 GPS의 전망을 제시하고 있는 것은 아니다.

35 ③ 정답률 36%

정답풀이

2문단과 4문단에 따르면 GPS 위성은 '자신의 위치 정보 및 시각 정보를 담은 신호를 지구로 송신'하며, 이 신호를 받은 GPS 수신기는 '위성에서 신호를 보낸 시각과 자신이 신호를 받은 시각의 차이'를 근거로 '위성과 수신기 사이의 거리'를 구한다. 그리고 수신기는 계산된 거리로 '자신의 위치를 파악'한다. 따라서 GPS 수신기는 GPS 위성에 신호를 보내는 것이 아니라, GPS 위성이 보낸 신호를 받아 위성과 수신기 사이의 거리를 구하고 이를 사용하여 자신의 위치를 파악한다.

오답풀이

① 2문단과 3문단을 통해 'GPS 위성은 일정한 속력으로 정해진 궤도를 돌'고, '약 20,000km 이상의 상공에 있'음을 알 수 있다.
② 1문단에서 '내비게이션을 통해 목적지까지의 경로를 탐색하거나 스마트폰을 이용해 자신이 있는 현재 위치를 확인할 수 있는' 것은 'GPS로 인해 가능한 것'임을 알 수 있다.
④ 2문단에서 'r(위성과 수신기 사이의 거리) = t(위성에서 수신기까지 신호가 이동하는 데 걸린 시간) × c(빛의 속력)'라고 했으므로, 위성과 수신기 사이의 거리(r)를 빛의 속력(c)으로 나누면 위성의 신호가 수신기에 도달하는 데 걸린 시간(t)이 된다.

⑤ 4문단에서 '삼변 측량법은 세 기준점 A, B, C의 위치와, 각 기준점에서 대상 P까지의 거리를 이용하여 P의 위치를 측정하는 방법이다.'라고 했으므로 적절하다.

오답률 Best 2

오답인 ①번을 선택한 비율이 32%로 정답을 선택한 비율과 비슷하게 높았어. 2문단의 'GPS 위성은 일정한 속력으로 정해진 궤도를 돌면서'와 3문단의 '위성은 약 20,000㎞ 이상의 상공에 있기 때문'이라고 설명한 'GPS 위성'의 특징 둘 모두를 찾는 것이 어려웠을 거야.

한편 ③번이 적절하다고 본 학생들은 지문에서 설명한 신호를 보내는 장치와 신호를 받는 장치를 혼동했을 가능성이 높아 보여. 'GPS 수신기'는 'GPS 위성'의 신호를 받아서 자기 위치를 계산하므로 GPS 수신기는 GPS '위성에' 보낸 신호가 아니라 GPS '위성에서' 보낸 신호를 바탕으로 자신의 위치 정보를 계산한다고 해야 적절하겠지? 시간에 쫓겨 급하게 읽다보면 이런 선지 구성의 함정에 빠지기 쉬우니 항상 차분함을 잃지 않고 읽는 훈련을 해 두자!

36 ⑤ 정답률 65%

정답풀이

3문단에서 상대성 이론에 따르면 '대상이 빠르게 움직일수록 시간은 느리게 흐르고, 대상에 미치는 중력이 약해질수록 시간은 빠르게 흐'르며, GPS 위성은 '지구의 자전 속력보다 빠르게' 돌기 때문에 지표면에 비해 시간이 '느리게' 흘러 '위성의 시간은 하루에 약 7.2㎲씩 느려지'지만, GPS 위성은 상공에 있기 때문에 '중력이 지표면보다 약하게 작용해 지표면에 비해 시간이 하루에 약 45.8㎲씩 빨라'진다고 하였다. 따라서 GPS 위성은 이동 속력으로 인한 시간의 변화보다 중력으로 인한 시간의 변화가 더 크기 때문에 'GPS 위성에 있는 원자시계의 시간은 지표면의 시간에 비해 매일 약 38.6㎲씩 빨라진다.(㉠)'라고 볼 수 있다.

오답풀이

① 3문단에서 GPS 위성은 '약 20,000㎞ 이상의 상공에 있기 때문에 중력이 지표면보다 약하게 작용'한다고 하였다.
② 3문단에서 GPS 위성은 '지구의 자전 속력보다 빠르게 지구 주변을 돌고 있'다고 했다.
③ 3문단에서 GPS 위성에 있는 원자시계의 시간에 영향을 주는 요소는 '속력'과 '중력'만 언급되었을 뿐, '방향'이 영향을 주는지는 확인할 수 없다.
④ 2문단에서 GPS 수신기는 '위성에서 신호를 보낸 시각과 자신이 신호를 받은 시각의 차이를 근거로, 위성 신호가 수신기까지 이동하는 데 걸린 시간을 계산하여 위성과 수신기 사이의 거리를 구한다.'라고 하였다. 즉 GPS 수신기와 GPS 위성 사이의 거리 때문에 GPS 수신기가 GPS 위성의 신호를 받는 과정에서 시각의 차이가 생기지만, 이는 ㉠의 이유와 관련이 없다.

37 ④ 정답률 56%

정답풀이

2문단에서 GPS 위성이 보낸 '신호가 이동하는 데 걸린 시간(t)에 빛의 속력(c)을 곱하면 위성과 수신기 사이의 거리(r)를 구할 수 있'다고 하며 이를 식으로 표시하면 'r = t × c'라고 하였다. 〈보기〉에서 'r_1 < r_2'라고 하였고 이때 빛의 속력(c)은 동일하다. 따라서 P_1과 Px 사이의 거리인 r_1은 P_2와 Px 사이의 거리인 r_2보다 짧으므로, P_1이 송신한 신호가 Px에 도달할 때까지 걸린 시간은 P_2가 송신한 신호가 Px에 도달할 때까지 걸린 시간보다 짧을 것이다.

오답풀이

① 2문단에서 GPS 위성은 '자신의 위치 정보 및 시각 정보를 담은 신호를 지구로 송신한다.'라고 하였다. 따라서 〈보기〉에서 GPS 위성인 P_1, P_2, P_3가 보내는 신호에는 위성의 위치 정보와 시각 정보가 담겨 있을 것이다.
② 2문단에서 GPS 수신기는 '위성에서 신호를 보낸 시각과 자신이 신호를 받은 시각의 차이를 근거로, 위성 신호가 수신기까지 이동하는 데 걸린 시간을 계산하여 위성과 수신기 사이의 거리를 구한다.'라고 하였다. 〈보기〉의 P_1~P_3의 위치 정보가 달라져도 r_1~r_3의 값이 변하지 않는다면, GPS 위성과 수신기 사이의 거리가 일정한 것이므로 각각의 위성이 보낸 신호가 Px에 도달하는 데 걸리는 시간은 달라지지 않는다.
③ P_1에서 보낸 신호가 Px에 도달하는 데 걸린 시간이 실제보다 짧게 계산되었다는 것은, 'r = t × c'에서 t 값이 실제보다 작게 계산된 것이므로 공식에 따라 r_1의 값 역시 실제보다 작게 계산된다.
⑤ 6문단에서 '세 개의 GPS 위성을 중심으로 하는 세 개의 구가 겹치는 지점은 일반적으로 두 군데가 되'는데, 'GPS 수신기는 이 두 교점 중 지구 표면 가까이에 있는 지점을 자신의 현재 위치로 파악하게 된다.'라고 하였다. 따라서 r_1~r_3을 반지름으로 하는 두 개의 구의 교점 중 지표면에 가까운 교점이 Px의 현재 위치가 된다고 볼 수 있다.

38 ③ 정답률 87%

정답풀이

ⓒ(탑재된)의 '탑재'는 '배, 비행기, 차 따위에 물건을 실음.'을 뜻하므로 '탈것이나 짐승의 등 따위에 몸을 얹게 하다.'를 뜻하는 '태우다'와 바꾸어 쓸 수 없다. ⓒ는 '물체나 사람을 옮기기 위하여 탈것, 수레, 비행기, 짐승의 등 따위에 올리다.'를 뜻하는 '싣다'의 활용형 '실린'으로 바꾸어 쓰는 것이 적절하다.

오답풀이

① ⓐ(탐색하거나)는 '드러나지 않은 사물이나 현상 따위를 찾아내거나 밝히기 위하여 살피어 찾다.'를 뜻하므로 '현재 주변에 없는 것을 얻거나 사람을 만나려고 여기저기를 뒤지거나 살피다.'를 뜻하는 '찾다'의 활용형 '찾거나'와 바꾸어 쓸 수 있다.
② ⓑ(표시하면)는 '표를 하여 외부에 드러내 보이다.'를 뜻하므로 '어떤 일의 결과나 징후를 겉으로 드러내다.'를 뜻하는 '나타내다'의 활용형 '나타내면'과 바꾸어 쓸 수 있다.
④ ⓓ(연결하면)는 '사물과 사물을 서로 잇거나 현상과 현상이 관계를 맺게 하다.'를 뜻하므로 '두 끝을 맞대어 붙이다.'를 뜻하는 '잇다'의 활용형 '이으면'과 바꾸어 쓸 수 있다.
⑤ ⓔ(동일한)는 '어떤 것과 비교하여 똑같다.'를 뜻하므로 '다른 것과 비교하여 그것과 다르지 않다.'를 뜻하는 '같다'의 활용형 '같은'과 바꾸어 쓸 수 있다.

[39~41] 시나리오

39 ⑤ 정답률 78%

정답풀이

S#56에서 정사가 장금에게 '가는 날까지 내 음식은 고집불통인 네 스승과 너에게 맡기겠노라!'라고 말한 것에서 장금에 대한 신뢰가 드러나고 있다.

오답풀이

① 윗글에서 한 상궁이 정사의 뜻을 알고 장금에게 음식을 준비하도록 하는 장면은 확인할 수 없다.
② S#49에서 정사가 먹을 음식은 금영과 함께 준비한 것이 아니라 장금이 혼자 준비한 것이다.
③ S#55에서 오겸호는 정사에게 그동안 장금의 '불경한 짓거리로 본의 아니게 무례를 저질렀'다고 말하며, '오늘은 저 불경한 것의 처결이 있는 날이니 원하시는 대로 벌을 내리고 마음껏 드십시오!'라고 하였다. 따라서 오겸호가 정사에게 장금이 만든 음식을 먹으라는 조언을 했다고 볼 수 없다.
④ S#55에서 오겸호가 '오늘부터는 만한전석을 올릴 것입니다!'라고 말하자 정사가 '만한전석을?'이라고 놀라며 되물었으므로 정사가 오겸호에게 만한전석을 준비하라고 지시했다고 볼 수 없다.

40 ④ 정답률 69%

정답풀이

S#56에서 정사는 '지병인 소갈을 얻었음에도' '맛있고 기름진 음식만을 탐해 왔'다고 말했으므로 정사는 자신의 건강을 해치는 '만한전석'을 선호해왔음을 알 수 있다. 하지만 장금은 '먹는 사람에게 해가 되는' 음식을 올리지 않는 것이 '음식을 하는 자의 도리'라고 말할 뿐 정사가 음식을 먹는 자의 도리를 지키지 않았다고 말하지는 않았다.

오답풀이

① 〈보기〉에서 음식은 '맛에 대한 욕망을 충족하는 수단'이라고 했고, S#56에서 정사는 '지병인 소갈을 얻었음에도' '맛있고 기름진 음식만을 탐해 왔'다고 말했으므로 맛에 대한 욕망을 제어하지 못했다고 볼 수 있다.

② 〈보기〉에서 '음식은 먹는 사람의 건강을 지키는 수단'이라고 했고, 윗글은 '음식에 대한 소신을 지키는 장금의 모습'을 보여 준다고 했다. S#49에서 장금이 정사가 음식을 먹고 '미간이 찡그려'지는 것을 보았으면서도 '생선'과 '산나물'을 이용한 음식을 올린 것은 정사의 건강을 위함이었다고 볼 수 있다.
③ 〈보기〉에서 '건강을 지키는 수단이면서 맛에 대한 욕망을 충족하는 수단'으로서의 음식이 조화를 이룰 수 있다고 했다. S#56에서 정사는 장금이 만든 음식이 '처음에는 풀 냄새만 나더니 먹으면 먹을수록, 그 재료 고유의 맛이 느껴지면서 참으로 맛있었다.'라고 했다. 따라서 정사는 재료 고유의 맛을 느끼며 건강을 지키는 것과 맛에 대한 욕망이 조화를 이룰 수 있음을 깨달았다고 볼 수 있다.
⑤ 〈보기〉에서 윗글은 '음식에 대한 소신을 지키는 장금의 모습'을 보여 준다고 했다. S#56에서 장금은 '먹는 사람에게 해가 되는' 음식을 올리지 않는 것이 '음식을 하는 자의 도리'이기에 건강한 음식을 고집하고 있다. 이를 통해 음식을 하는 자의 도리를 지키고자 하는 장금의 소신을 확인할 수 있다.

41 ④ 정답률 53%

정답풀이

S#49에는 장금이 사신(정사)을 위한 음식을 준비하여 올리면 이를 시식하는 사신의 모습과 반응이 나타나지만, 장금의 기대는 확인할 수 없다.

오답풀이

① S#49에서 장금은 사신에게 올릴 음식을 정성스럽게 준비하고 있으므로, 장금의 솜씨를 강조하기 위해 음식을 만드는 손을 클로즈업하는 것은 적절하다.
② S#49의 '다음날'을 통해, 이틀에 걸친 사건을 짧은 장면으로 이어 붙였음을 알 수 있다. 이틀 동안의 사건을 속도감 있게 전달하기 위해 편집 기술을 활용할 수 있다.
③ S#49에서 장금이 사신에게 음식을 올린 후에, '오겸호, 불안'이 반복되므로 오겸호 역할을 맡은 배우의 표정 연기를 통해 긴장감이 고조되도록 연출할 수 있다.
⑤ S#56에서 정사가 장금에게 '나는 조선의 사람도 아니'라고 말한 것을 통해, S#49의 배경이 '조선 시대'임을 알 수 있다. 따라서 시대적 배경을 사실적으로 보여 주기 위해 당시의 의복과 소품을 고증하여 준비할 수 있다.

[42~45] 고전소설

42 ② 정답률 37%

정답풀이

윗글의 서술자는 '유복은 활달한 영웅이요, 처녀 역시 여자 중의 군자였다.'에서 인물에 대해 직접 평가하고, '고어에 흥이 다하면 슬픔이 오고 괴로움이 다하면 즐거움이 온다고 하였는데 하늘이 어찌 어진 사람을 곤궁 속에 던져두시겠는가.'에서 사건에 대한 자신의 생각을 직접 드러내고 있다.

오답풀이

① '처녀가 하루는 유복에게 말했다.' 등의 지점에서 장면이 전환되었다고 볼 수 있으나, 장면의 전환을 통해 사건의 환상성을 보여 주지는 않는다.
③ 윗글은 전지적 시점의 서술자에 의해 일관되게 서술되고 있다. 장면마다 서술자를 달리 설정하여 사건의 전모를 드러내고 있지 않다.
④ 윗글에서는 특정 시대적 배경을 요약적 설명을 통해 드러내고 있지 않다.
⑤ 윗글에서 등장인물의 외양을 과장되게 묘사한 부분을 확인할 수 없으므로, 이를 통해 부정적 인물을 비웃는 태도를 드러냈다고 볼 수 없다.

오답률 Best 3

문학에서 항상 출제되는 서술상의 특징에 대해 묻는 문제야. 선지에 제시된 '장면을 전환', '환상적 면모', '장면마다 서술자를 달리 설정', '시대적 배경', '요약적 설명', '사건의 인과 관계', '과장', '묘사', '풍자' 등과 같은 문학 개념은 기출 문제를 공부할 때마다 그 의미와 예시를 정리해 두어야 해.

윗글은 작품 밖의 전지적 작가 시점에서 서술되고 있는데 이때 서술자는 등장인물에 대한 주관적 판단이나 평가를 제시하기도 하지. 이를 '서술자의 개입'이라고 하고 ②번은 이에 대해 묻고 있는 거야.

①번과 ④번을 선택한 학생들도 꽤 많았는데, '장면의 전환', '환상적 면모'가 작품에 드러난다고 잘못 판단한 거지. '장면의 전환'은 서술의 초점이 한 인물에서 다른 인물로 옮겨가거나, 시공간적 배경이 바뀌거나, 사건의 흐름이 전환되어 새로운 사건이 일어날 때 나타나. 예를 들어 유소현과 김평이 유복을 모욕적으로 쫓아낸 사건이 끝난 후 경패가 두 사람이 '과거 보는 장소'에서 '낭군'을 만났는지 궁금해하여 소식을 들으러 간 것은 서술의 초점이 경패로 바뀌는 것이므로 장면의 전환이 나타난다고 볼 수 있지만, 윗글에서 현실에 없을 법한 신비로운 것을 의미하는 '환상적' 면모는 확인할 수 없어.

43 ② 정답률 58%

정답풀이

[A]에서 경패는 옛글을 인용하여 신유복이 글공부를 해야 한다는 자신의 결정을 따르도록 유도하고 있다. 그러나 이때 상대방의 동정심에 호소했다고 볼 수는 없다.

오답풀이

① [A]에서 경패는 '옛글에 '장부 세상에 나서 입신하여 세상에 이름을 드날려 문호를 빛나게 하며, 조상 향불을 빛나게 하라' 하였으니'에서 옛글을 인용하여 신유복의 각성을 촉구하고 있다.
③ 설의는 쉽게 판단할 수 있는 사실을 의문의 형식으로 표현하여 상대방이 스스로 판단하게 하는 표현법이다. [A]에서 경패는 '문필을 배우지 않으면 공명을 어떻게 바라겠습니까?'라고 말함으로써 '문필을 배우지 않으면 공명을 바랄 수 없다.'라는 뜻을 나타내므로 설의적 물음을 구사하여 자신의 의중을 상대에게 드러내었다고 볼 수 있다.
④ [B]에서 유복은 '내 어려서 글자나~책 한 권도 없으니 어쩌겠소.'라고 말하며 자신의 현재 처지를 들어 답답한 심경을 토로하고 있다.
⑤ [B]에서 유복은 '장차 외로운 당신은 누구를 의지한단 말이요?'라고 말하며 경패가 처하게 될 상황을 우려하여 행동에 나서기를 주저하고 있다.

44 ④ 정답률 63%

정답풀이

유복은 과거 시험장에서 자리를 얻지 못하다가 유소현, 김평에게 찾아가 도움을 청하려 하나 되려 모욕을 받고 내쫓기게 된다. 그리고 경패는 두 사람이 유복을 박대했다는 소식을 듣고 ㉠(낭군이 타인과 달라 찾아갔으면~모욕을 주다니!)처럼 말하며 분노한다. '동냥은 못 줘도 쪽박은 깨지 마라'는 남을 도와주지는 못할망정 방해는 하지 말라는 뜻이므로, 유복에게 도움을 주지는 못할망정 박대하여 곤란하게 한 것에 분노하는 마음을 표현하기에 적절하다.

오답풀이

① '선무당이 사람 잡는다'는 능력이 없어서 제구실을 못하면서 함부로 하다가 큰일을 저지르게 됨을 비유적으로 이르는 말이다.
② '믿는 도끼에 발등 찍힌다'는 잘되리라고 믿고 있던 일이 어긋나거나, 믿고 있던 사람이 배반하여 오히려 해를 입음을 비유적으로 이르는 말이다. 유복이 유소현과 김평을 반가워한 것은 맞으나 철석같이 믿었다고 볼 수는 없으므로 ㉠과 관련된 속담으로 볼 수 없다.
③ '달면 삼키고 쓰면 뱉는다'는 옳고 그름이나 신의를 돌보지 않고 자기의 이익만 꾀함을 비유적으로 이르는 말이다.
⑤ '닭 잡아먹고 오리발 내민다'는 옳지 못한 일을 저질러 놓고 엉뚱한 수작으로 속여 넘기려 하는 일을 비유적으로 이르는 말이다.

45 ③ 정답률 54%

정답풀이

〈보기〉에서 윗글에는 '쫓겨난 여성이 남편을 출세시키는 이야기'인 '쫓겨난 여인 발복 설화'가 수용되어 있다고 했다. 윗글에서 유복과 경패는 호장 부부를 비롯한 친지에 의해 쫓겨나 고난을 겪을 때 '동리로 재목과 이엉을 구걸'하였고 다행히 동네 사람들이 '불쌍히 여겨 서로 다투어가며 주었'으며, '유복의 가련한 정상과 경패의 지극한 정성을 불쌍히 여겨 음식을 아끼지 않고 주'었다고 했다. 따라서 ⓒ(주인공들이 친지에 의해 쫓겨나 고난을 겪음.)에서 주인공들이 인근 동리 사람들에게 외면을 당하였다고 볼 수는 없다.

오답풀이

① 윗글에서 원강 대사는 유복을 보고 '십삼 년 전에 규성이 무주 땅에 떨어졌기 때문에 영웅이 난 줄 알았'다고 말하므로 ⓐ(적강을 한 남성 주인공이 태어남.)처럼 유복이 적강한 인물임을 알 수 있다.

② 신유복은 어려서 부모를 잃고 유리걸식하였지만, 그의 인물됨을 알아본 상주 목사에 의해 경패와 혼인하게 된다. 이때 경패는 '여자 중의 군자'라고 했고, 집에서 쫓겨난 둘은 '정이 깊이 들었'다고 했으므로 ⓑ(비천한 처지의~인연을 맺음.)처럼 두 사람이 부부가 되어 서로 사랑하며 살아간다고 볼 수 있다.

④ 윗글에서 경패는 유복을 원강 대사에게 보내면서 '팔 년을 공부하여 이십이 되거든 내려오'라고 말한다. 이는 ⓓ(여성 주인공의 뜻에 따라 남성 주인공이 수학함.)처럼 경패의 뜻에 따라 유복이 원강 대사에게 글을 배우게 되었음을 나타낸다.

⑤ 윗글에서 전하는 유복이 과거 시험에 낸 글을 보고 '만장 중에 제일이라.'라고 말하며, '신유복을 대궐에 입시시키라'고 명한다. 즉 ⓔ(남성 주인공이 시험을 통과해 입신출세함.)처럼 유복이 과거 시험에서 뛰어난 실력을 발휘했고, 전하의 명령으로 대궐에 입시하게 됨을 보여 준다.

12회

13회

2018학년도 11월 학평

1. ④	2. ④	3. ④	4. ③	5. ④	6. ②	7. ⑤	8. ④	9. ⑤	10. ②
11. ⑤	12. ④	13. ③	14. ②	15. ①	16. ⑤	17. ④	18. ③	19. ④	20. ①
21. ②	22. ③	23. ⑤	24. ③	25. ⑤	26. ②	27. ④	28. ①	29. ①	30. ②
31. ③	32. ④	33. ①	34. ③	35. ④	36. ①	37. ③	38. ③	39. ②	40. ③
41. ④	42. ⑤	43. ⑤	44. ⑤	45. ③					

오답률 Best 5

[1~3] **화법**

1 ④ 정답률 **89%**

정답풀이

강연자는 '공간의 특성에 따라 그에 알맞은 식물을 놓아둔다면 공기를 더욱 쾌적하게 만들 수 있'다고 말하며 공간의 특성에 맞게 공기를 쾌적하게 만드는 식물들의 구체적 예로 '호접란', '관음죽', '스킨답서스', '인도고무나무', '제라늄' 등을 제시하여 강연 내용을 효과적으로 전달하고 있다.

2 ④ 정답률 **87%**

정답풀이

강연자는 '하루의 피로를 풀고 숙면을 취하는 공간인 침실에는 낮이 아닌 밤에 이산화탄소를 흡수하고 산소를 배출하는 호접란(㉣)을 두는 것이 좋습니다.'라고 하였으므로, ㉣이 밤보다 낮에 이산화탄소를 흡수한다는 설명은 적절하지 않다.

오답풀이

① 강연자는 '거실에는 크기가 커서 많은 양의 오염 물질을 잘 제거하는 인도고무나무(㉠)를 놓는 것이 좋습니다.'라고 하였으므로, ㉠은 거실에 배치되는 것이 적절하다.
② 강연자는 '빛은 잘 들지만 외부로부터 오염 물질이 잘 유입되는 공간인 발코니에는 특히 햇빛을 많이 필요로 하고 다양한 오염 물질을 잘 제거하는 제라늄(㉡)이 적합합니다.'라고 하였으므로, ㉡은 발코니에 배치되는 것이 적절하다.
③ 강연자는 '주방의 경우에는 스킨답서스(㉢)를 두는 것이 좋은데, 이는 음식을 조리하는 과정에서 발생하는 일산화탄소를 스킨답서스가 잘 흡수하기 때문입니다.'라고 하였으므로 ㉢은 주방에 배치되는 것이 적절하다.
⑤ 강연자는 '욕실에는 각종 냄새와 암모니아 가스를 잘 제거하는 관음죽(㉤)을 놓는 것이 좋습니다.'라고 하였으므로, ㉤은 욕실에 배치되는 것이 적절하다.

3 ④ 정답률 **57%**

정답풀이

강연자는 '실내로 유입되는 빛의 양이 많아지게 되면 광합성 속도가 빨라져서 식물의 잎은 더 많은 오염 물질을 없애' 준다는 사실을 이미 언급하였다. 따라서 실내로 유입되는 빛의 양이 오염 물질 제거에 미치는 영향에 대해 추가 설명을 요청하는 것은 적절하지 않다.

오답풀이

① 강연자는 '공기 중 일부 오염 물질은 화분의 토양에 흡수된'다고 하였으나, 그러한 오염 물질에 구체적으로 어떤 것들이 있는지는 언급하지 않았으므로 이에 대해 추가 설명을 요청할 수 있다.
② 강연자는 '공기 중 일부 오염 물질'이 '미생물에 의해 분해되어 제거'된다고 하였으나, 미생물이 오염 물질을 분해하여 제거하는 과정의 순서는 언급하지 않았으므로 이에 대해 추가 설명을 요청할 수 있다.
③ 강연자는 '식물에서 나오는 수분'으로 인해 '실내 공기를 쾌적하게 만들어' 준다고 하였으나, 수분이 식물에서 나오는 원리는 언급하지 않았으므로 이에 대해 추가 설명을 요청할 수 있다.
⑤ 강연자는 '식물이 공기를 쾌적하게 만드는 원리와 실내 공간의 특성에 맞게 식물을 배치하는 방법'에 대해 설명했을 뿐, 공기를 쾌적하게 만들기 위해 공간의 면적에 따라 필요한 식물의 개수는 언급하지 않았으므로 이에 대해 추가 설명을 요청할 수 있다.

[4~7] **화법과 작문**

4 ③ 정답률 **91%**

정답풀이

(가)의 5문단에서 지원자는 청소년참여위원이 갖춰야 할 '창의적 능력'과 '소통 능력'이라는 자질을 자신이 갖추고 있음을 언급하며, '청소년들의 목소리에 귀 기울이고, 그들의 의견이 반영된 정책 및 사업을 제안할 수 있도록 노력하겠'다는 포부를 밝히고 있다.

오답풀이

① (가)의 2문단에서 '70% 이상의 학생들이 이 프로그램이 매우 좋았다고 응답했'다는 설문 조사 결과를 구체적 수치를 활용하여 제시했지만, 이는 지원 분야의 현황이 아니라, 지원자가 학급자치회장으로서 운영했던 학급 프로그램에 대한 학생들의 반응을 제시한 것이다.
② (가)에서 권위 있는 사람의 말을 인용하여 지원 분야에 대한 전문성을 드러낸 부분은 확인할 수 없다.
④ (가)에서 스스로 묻고 답하는 방식을 통해 지원 분야에 대한 자기 점검 능력을 부각한 부분은 확인할 수 없다.
⑤ (가)에서 지원자는 자신의 독서 경험을 언급한 것이 아니라 '학급자치회장으로서 '마음을 전해요'라는 학급 프로그램을 운영한 경험' 등을 언급하였다.

5 ④ 정답률 **79%**

정답풀이

(가)의 4문단에서 '현재 △△시에 있는 학교들에서 주로 진행되고 있는 진로 탐색 활동은 외부 기관과의 연계성이 부족하고 강의 위주로 구성되어 있어 진로 탐색이 충분히 이루어지지 못하고 있습니다.'라고 하여 △△시 학교들에서 진행되는 진로 탐색 활동의 장점이 아닌 문제점을 제시하고 있으므로 ⓓ는 (가)에 반영되었다고 볼 수 없다.

오답풀이

① (가)의 1문단에서 '저는 저희 학교에서 열린 '△△시 청소년참여위원들과의 소통의 장'에 참여하면서 청소년참여위원회를 처음 알게 되었습니다.'라고 하여 청소년참여위원회를 알게 된 계기를 언급하고, '청소년 정책 및 사업에서 주체적인 역할을 하는 청소년참여위원들의 모습이 인상 깊었습니다.'라며 ㉠(지원 동기)을 밝히고 있다.

② (가)의 2문단에서 '고등학교 1학년 때 학급자치회장으로서 '마음을 전해요'라는 학급 프로그램을 운영한 경험'을 제시하였으며, '청소년참여위원회 활동에서 저의 창의적 능력은 반드시 필요하다고 생각합니다.'에서 ㉡(관련 분야에 대한 역량)을 부각하고 있다.
③ (가)의 3문단에서 '처음에는 학생자치회 회의 중에 제 의견만 강조하다 보니 안건에 대한 합의점을 찾기 힘들었'지만 '상대방의 의견을 경청하는 태도를 가지려고 노력한 결과 합의점을 원활하게 찾을 수 있었'다고 하여 학생자치회 활동에서 겪었던 어려움과 해결 과정을 제시하고 있다. 또한 '이 과정에서 함양할 수 있었던 소통 능력은~청소년참여위원회 활동에서 핵심적인 자질이 될 것'이라며 ㉡을 부각하고 있다.
⑤ (가)의 4문단에서 '△△시의 특색 있는 문화와 청소년을 이어 주는 '한마음 축제'를 제안'하고, 이를 통해 '학업에 지친 청소년들의 삶에 활력을 불어넣어 주며 청소년들의 주체성을 함양할 수 있'을 것이라는 긍정적인 효과를 언급하여 ㉢(지원하는 곳에서 자기소개서 내용으로 요구하는 사항)인 '청소년을 위한 정책 제안'을 포함하고 있다.

6 ② 정답률 82%

정답풀이

[B]에서 지원자는 (가)에서 제시하지는 않았지만, 지원 분야와 관련이 있는 △△시의 청소년 정책 제안에 참여한 경험으로서 안전한 등하교를 위해 '학교 앞 도로'에 '육교를 설치해 달라는 제안을 △△시 홈페이지에 올려 본 경험'을 언급하고 있다.

오답풀이

① [A]에서 지원자는 '학교 행사에서 만난 청소년참여위원들이 청소년 정책 및 사업에서 주체적인 역할을 한다는 점에 깊은 감명을 받았'다고 하며 지원 분야에 관심을 갖게 된 계기를 드러냈다. 그러나 다른 시와 △△시의 청소년참여위원회 활동을 비교하지는 않았다.
③ [C]에서 지원자는 학급 프로그램을 운영하면서 느낀 어려움과 그것을 해결한 방법을 제시했다. 그러나 (가)와 [C]에서 학급자치회장이 선생님과 학생들 사이에서 갖춰야 할 중립적 역할에 대한 깨달음에 대해 언급하지는 않았다.
④ [D]에서 지원자는 '한마음 축제'를 통해 청소년들에게 '주체성을 키워' 줄 수 있다고 하여 자신이 제안한 정책의 목적을 설명했다. 그러나 이는 (가)에서도 언급되었고, [D]에서 주체성 함양의 효과를 언급하지는 않았다.
⑤ [E]에서 지원자는 '△△시의 특색'을 살린 축제 거리 조성이라는 구체적인 운영 방안에 대해 설명했다. 그러나 청소년을 중심으로 이루어지는 공동체 활동의 필요성을 언급하지는 않았다.

7 ⑤ 정답률 91%

정답풀이

(나)에서 면접관이 지원자의 답변 내용 오류를 지적하며 추가 설명을 요청하는 부분은 확인할 수 없다.

오답풀이

① 면접관은 '그런데 자기소개서를 보니 '마음을 전해요' 프로그램을 운영하는 데 어려움이 있었다고 했는데, 자세히 설명해 줄 수 있을까요?'라며 지원자의 경험과 관련된 어려움에 대해 질문하고 있다.
② 지원자가 '그리고 죄송하지만 축제의 구체적인 운영 방안에 대해서도 질문하신 것이 맞습니까?'라고 질문하자, 면접관은 '네, 맞습니다. 긴장하지 말고 편안히 답변하면 됩니다.'라고 답하며 지원자의 긴장을 풀어주고 있다.
③ 지원자가 '학급자치회와 학생자치회 임원 역할을 한 경험을 바탕으로 △△시의 청소년 관련 정책 및 사업에 적극적으로 참여하고 싶어 지원하였'다고 지원 동기를 밝히자 면접관은 '△△시 청소년 관련 정책 및 사업에 적극적으로 참여하고 싶어 지원했다는 이야기군요.'라고 말하며 지원자의 발언을 재진술하고 있다.
④ 면접관은 '공동체를 대상으로 프로그램을 운영하는 경우 그 프로그램에서 소외된 사람들과도 공감할 줄 아는 것이 중요하다는 사실을 깨달았겠군요.'라고 하며 학급 프로그램 운영을 통해 지원자가 깨달은 점을 추측하고 있다.

[8~10] 작문

8 ④ 정답률 84%

정답풀이

(가)에서 예상 독자는 '우리 학교 학생들'이라고 하였고, (나)의 1문단에서는 이를 고려하여 '학생들 사이에서도 동아리 부스 운영 방식에 대한 논의가 한창'임을 제시하고 있다.

오답풀이

① (가)에 제시된 주제를 고려하여, (나)의 1문단에서 현행 동아리 부스 운영이 '학년 말 동아리 발표회 날' 오전에만 체험 및 전시를 하는 것으로 진행되어 많은 학생들이 '현행 부스 운영 방식에 만족하지 않는' 문제가 있다고 했다. 즉 (나)는 현행 동아리 운영 방식의 장점이 아니라, 동아리 부스 운영 방식의 문제점을 지적하고 있다.
② (가)에 제시된 글의 목적에 따라 예상 독자인 우리학교 학생들을 설득하기 위해 (나)에서 현행 동아리 부스 운영 방식에 개선이 필요함을 주장하고 있으나, 동아리의 종류와 동아리 운영의 우수 사례를 제시하지는 않았다.
③ (나)에서 각 동아리에서 부스 운영자를 선발하는 방식을 제시한 부분은 찾을 수 없다.
⑤ (나)에서 (가)에 제시된 자료인 '우리 학급 학생들을 대상으로 인터뷰' 결과를 제시했으나, 이 내용이 학생 전체의 의견이 아닐 수도 있다는 한계를 제시하지는 않았다.

9 ⑤ 정답률 73%

정답풀이

〈자료〉의 ㉯-2는 '동아리 부스 방문 학생'이 불만족한 가장 큰 이유가 공간 부족이 아니라, '시간 부족'임을 보여 준다. 또한 ㉱에서 학교 공간을 재구성하여 적극적으로 활용해야 한다는 내용은 확인할 수 없다. 따라서 학교 공간을 재구성하는 것은 학생들의 불만을 해결하는 방안으로 적절하지 않다.

오답풀이

① ㉮는 '현행 체험 및 전시 동아리 부스 운영 방식에 대한 만족 여부'를 보여 주는 설문 자료로, '매우 불만족'과 '불만족'이라고 답한 학생들이 대다수임을 보여 주므로 이를 활용하여 (나)의 2문단의 '실제로 대부분의 학생들은 현행 부스 운영 방식에 대해 만족하지 않'음을 부각할 수 있다.
② ㉯-1은 '동아리 부스 운영 학생'이 현행 부스 운영 방식에 만족하지 않는 가장 큰 이유가 '체험 및 전시 운영 시간 부족'임을 보여 주므로 이를 통해 (나)의 2문단의 '체험 및 관람 시간이 부족~가장 큰 문제임'을 부각할 수 있다.
③ (나)의 3문단의 '동아리 부스가 상설로 운영되면 그것이 학생들의 교과 학습 능력을 저하시킬 수 있다는 의견도 있었다.'에서 동아리 부스의 상설 운영에 대해 일부 학생들이 제기한 문제를 확인할 수 있다. 이와 관련하여 ㉰의 '학생들이 부스를 직접 만들거나 체험하는 과정이 지속적으로 이루어진다면, 이 과정에서 길러진 자발성과 탐구력을 통해 교과 학습 능력이 크게 향상될 수 있다.'를 활용해 일부 학생들이 제기한 문제에 대한 반박의 근거를 추가할 수 있다.
④ ㉯-1은 '동아리 부스 운영 학생'이 현행 부스 운영 방식에 만족하지 않는 가장 큰 이유가 '체험 및 전시 운영 시간 부족'이며, ㉰는 '학교 현장에서는 부스 운영 시간의 부족으로 어려움을 겪고 있'는 경우 '부스를 상설 운영'하는 것이 개선책이 될 수 있음을 보여 주므로, ㉯-1과 ㉰를 활용하여 문제를 해결하는 대안을 부각할 수 있다.

10 ② 정답률 67%

정답풀이

(나)의 4문단과 〈보기〉의 [고쳐 쓴 글]을 비교하면, [고쳐 쓴 글]에서는 '학교에서 동아리 활동은 학생들의 다양한 흥미와 관심을 반영하여 이루어지는 활동이라는 점에서 가치가 있다.'라는 초고에 없던 동아리 활동의 가치가 추가되었다. 또한 (나)의 4문단에서 동아리 부스 상설 운영의 유의점을 언급한 '동아리 부스를 상설로 운영하는 경우 부스 운영 시에 쓰레기가 많이 배출될 수 있으니 학교 환경 정화에 유의해야 한다.'는 [고쳐 쓴 글]에서는 삭제되었다.

오답풀이

① [고쳐 쓴 글]에서 동아리 활동의 가치는 추가되었으나, 동아리 부스 운영의 효과는 삭제되지 않았다.

③ [고쳐 쓴 글]에는 동아리 부스 운영의 지원 방안이 추가되지 않았고, 동아리 활동의 유의점이 아니라 동아리 부스 상설 운영의 유의점이 삭제되었다.
④ [고쳐 쓴 글]에서 동아리 부스 상설 운영의 의의는 추가된 것이 아니라 (가)의 4문단의 내용이 유지된 것이며, [고쳐 쓴 글]에서 동아리 부스 운영의 가치는 삭제되지 않았다.
⑤ [고쳐 쓴 글]에서 동아리 부스 상설 운영의 유의점은 삭제되었으나, 동아리 부스 상설 운영의 의의는 유지되었다.

[11~15] 문법(언어)

11 ⑤ 정답률 27%

정답풀이

'땀받이[땀바지]'에서는 앞말의 끝소리 'ㄷ'이 연음되어 뒷말의 'ㅣ'와 만나 앞의 음운인 'ㄷ'이 'ㅈ'으로 바뀌는 교체 현상인 구개음화가 일어난다. 따라서 '땀받이[땀바지]'는 ⓒ(앞말의 끝소리가 연음되어 뒷말의 가운뎃소리와 만나는 상황)이면서 ⓐ(앞의 음운만 변한 경우)에 해당한다.

오답풀이

① '마천루[마철루]'에서는 앞말의 끝소리 'ㄴ'과 뒷말의 첫소리 'ㄹ'이 만나 앞의 음운인 'ㄴ'이 'ㄹ'로 바뀌는 교체 현상인 유음화가 일어난다. 따라서 '마천루[마철루]'는 ㉠(앞말의 끝소리와 뒷말의 첫소리가 만나는 상황)이면서 ⓐ에 해당한다.
② '목덜미[목떨미]'에서는 앞말의 끝소리 'ㄱ'과 뒷말의 첫소리 'ㄷ'이 만나 뒤의 음운인 'ㄷ'이 'ㄸ'으로 바뀌는 교체 현상인 된소리되기가 일어난다. 따라서 '목덜미[목떨미]'는 ㉠이면서 ⓑ(뒤의 음운만 변한 경우)에 해당한다.
③ '박람회[방남회]'에서는 앞말의 끝소리 'ㄱ'과 뒷말의 첫소리 'ㄹ'이 만나 앞의 음운인 'ㄱ'이 'ㅇ'으로 바뀌고 이로 인해 뒤의 음운인 'ㄹ'이 'ㄴ'으로 바뀌는 교체 현상인 비음화가 일어난다. 따라서 '박람회[방남회]'는 ㉠이면서 ⓒ(두 음운이 모두 변한 경우)에 해당한다.
④ '쇠붙이[쇠부치]'에서는 앞말의 끝소리 'ㅌ'이 연음되어 뒷말의 가운뎃소리 'ㅣ'와 만나 앞의 음운인 'ㅌ'이 'ㅊ'으로 바뀌는 교체 현상인 구개음화가 일어난다. 따라서 '쇠붙이[쇠부치]'는 ㉡이면서 ⓐ에 해당한다.

오답률 Best ❶

이 문제는 가장 오답률이 높았던 문제야. ④번을 선택한 비율이 무려 57%로 정답 선지의 선택 비율보다 더 높았어. ④번은 아주 매력적인 오답이었던 거지. '쇠붙이[쇠부치]'와 '땀받이[땀바지]'는 '구개음화'라는 동일한 음운 변동 현상의 예에 해당하는데, 이 문제의 오답률이 높게 나타난 이유는 아마도 구개음화 현상에 대한 이해가 부족했기 때문일 거야. 구개음화는 형태소들 간의 결합 과정에서 받침의 'ㄷ, ㅌ'이 모음 'ㅣ'나 반모음 'j'로 시작하는 형식 형태소와 만나 'ㅈ, ㅊ'으로 발음되는 음운 변동 현상이야. '쇠붙이[쇠부치]'와 '땀받이[땀바지]'는 받침(앞말의 끝소리)이 모음(뒷말의 가운뎃소리)과 만나니까 <보기>의 ㉡에 해당하고, 앞의 음운인 받침 'ㄷ, ㅌ'이 'ㅈ, ㅊ'으로 바뀌니까 ⓐ에 해당해.

12 ④ 정답률 64%

정답풀이

〈보기 2〉의 ㉣(노피)을 '높이'로 정정해야 하는 것은 맞지만, 이는 '-하다'나 '-거리다'가 붙는 어근에 '-이'가 붙은 것이 아니므로, 제23항이 적용된다는 설명은 적절하지 않다. '높이'는 어간 '높-'에 접미사 '-이'가 결합하여 명사가 된 것이므로, ㉣은 제19항을 적용하여 '높이'로 정정해야 한다.

오답풀이

① 〈보기 2〉의 ㉠(도라가다)는 '돌다'와 '가다'가 어울려 한 개의 용언이 될 적에 앞말인 '돌다'의 본뜻이 유지된 합성 동사이므로 제15항 [붙임 1]을 적용해 '돌아가다'로 정정하는 것이 적절하다.
② 〈보기 2〉의 ㉡(드러났다)는 두 개의 용언이 어울려 한 개의 용언이 될 적에 그 본뜻에서 멀어진 합성 동사이므로 제15항 [붙임 1]을 적용해 '드러났다'로 표기한 것이 적절하다.
③ 〈보기 2〉의 ㉢(얼음)은 어간 '얼-'에 접미사 '-음'이 결합하여 명사가 된 것이므로 제19항을 적용해 '얼음'으로 표기한 것이 적절하다.
⑤ 〈보기 2〉의 ㉤(홀쭈기)는 '홀쭉하다'의 어근 '홀쭉-'에 접미사 '-이'가 결합해 만들어진 명사이므로 제23항을 적용해 '홀쭉이'로 정정하는 것이 적절하다.

13 ③ 정답률 54%

정답풀이

2문단에서 주체 높임은 '일반적으로 서술어에 선어말 어미 '-(으)시-'가 붙어서 실현되며, '주무시다, 잡수시다'와 같은 특수한 어휘나 조사 '께서'로 실현되기도 한다.'라고 하였다. 〈보기〉의 ㄷ에서 화자인 '형'은 조사 '께서'와 특수한 어휘 '계시다'를 사용하여 주체인 '할아버지'를 높이고 있다. 즉 '계시다'는 높임을 나타내는 특수한 어휘이지 '계다'에 선어말 어미 '-시-'가 붙어서 실현된 것이 아니다. 따라서 '형'이 선어말 어미를 사용하여 주체인 '할아버지'를 높이고 있다는 것은 적절하지 않다.

오답풀이

① 2문단에서 '상대 높임은 청자를 높이거나 낮추는 방식'이며 '보통 공적인 상황에서 예의를 갖추며 상대를 높일 때에는 격식체의 하십시오체를 사용'한다고 하였다. 〈보기〉의 ㄱ에서 화자인 '회장'은 학급 회의라는 공적인 상황에서 '하십시오체'에 해당하는 종결 어미 '-습니다'를 사용하여 상대인 '학급 친구들'을 높이고 있다.
② 2문단에서 객체 높임은 '보통 '드리다, 모시다'와 같은 특수한 어휘나 조사 '께'로 실현된다.'라고 하였다. 〈보기〉의 ㄴ에서 화자인 '언니'는 객체 높임의 특수 어휘 '뵙다'를 사용하여 객체인 '할머니'를 높이고 있다.
④ 2문단에서 주체 높임에는 '높이려는 대상의 신체 일부분, 소유물, 생각 등과 관련된 서술어에 '-(으)시-'를 사용해 높임의 대상을 간접적으로 높이는 방식이 있다.'라고 하였다. 〈보기〉의 ㄹ에서 화자인 '학생'은 선어말 어미 '-시-'를 사용하여 '선생님의 옷'을 높임으로써 높임의 대상인 '선생님'을 간접적으로 높이고 있다.
⑤ 2문단에서 객체 높임은 '보통 '드리다, 모시다'와 같은 특수한 어휘나 조사 '께'로 실현된다.'라고 하였다. 〈보기〉의 ㅁ에서 화자인 '아들'은 조사 '께'를 사용하여 객체인 '아버지'를 높이고 있다.

14 ② 정답률 68%

정답풀이

[A]에서 '피동 표현은 능동의 동사에 피동 접미사 '-이-', '-히-', '-리-', '-기-'가 붙거나, 동사의 어간에 '-어/아지다', '-게 되다' 등이 붙어서 실현된다.'라고 하였다. ㉡(버려지는)은 '버리다'의 어간 '버리-'에 피동 표현 '-어지다'가 결합한 것으로, 어간에 피동 접미사 '-리-'는 쓰이지 않았으며 이중 피동 표현도 아니다.

오답풀이

① [A]에서 '피동 표현은 능동의 동사에 피동 접미사 '-이-', '-히-', '-리-', '-기-' 가 붙'어서 실현된다고 하였다. ㉠(담긴)은 능동의 동사 '담다'의 어간 '담-'에 피동 접미사 '-기-'가 결합하여 실현된 피동 표현이다.
③ [A]에서 '피동 표현은 주어가 다른 주체에 의해 동작이나 행위를 당하는 것을 표현하는 것'인데 '일부 명사 뒤에 '-되다'가 결합하여 실현되기도 한다.'라고 하였다. ㉢(구조되는)은 명사인 '구조' 뒤에 '-되다'가 결합하여 주어인 '강아지들'이 '구조' 행위를 당하는 것을 표현하고 있다.
④ [A]에서 '능동 표현을 피동 표현으로 바꾸거나 피동 표현을 능동 표현으로 바꾸면 문장 성분에 변화가 일어난다.'라고 하였다. ㉣(쓰인다고)을 '쓴다고'와 같이 능동 표현으로 바꿀 경우 '쓰인다고'의 주어인 '성금이'(성금이 쓰인다고)는 목적어 '성금을'(성금을 쓴다고)로 바뀌게 된다.
⑤ [A]에서 '피동 표현이 실현되면 동작이나 행위를 당하는 대상이 주어로 나타나므로 동작이나 행위를 당한 대상이 강조되는 효과가 있다.'라고 하였다. 피동 표현인 ㉤(열린다는데)은 행사를 여는 주체보다 동작이나 행위를 당하는 대상인 '유기견 보호 행사'를 강조하는 효과가 있다.

15 ① 정답률 58%

정답풀이

㉠(듕귁에)에 해당하는 현대어 풀이가 '중국과'이므로, 이때 '에'는 다른 것과 비교하거나 기준으로 삼는 대상임을 나타내는 부사격 조사로 쓰였음을 알 수 있다. 따라서 ㉠의 '에'가 앞말이 장소임을 표시하는 조사로 쓰였다고 볼 수 없다.

오답풀이

② ㉡(아니홀씨)에 해당하는 현대어 풀이는 '아니하므로'이므로, '-ㄹ씨'는 앞말이 뒤에 오는 내용과 원인과 결과 관계로 연결됨을 표시하는 연결 어미로 볼 수 있다.

③ ㉢(어린)에 해당하는 현대어 풀이는 '어리석은'이므로, '-ㄴ'은 앞말이 뒤에 오는 말을 수식함을 표시하는 관형사형 전성 어미로 볼 수 있다.

④ ㉣(배)에 해당하는 현대어 풀이는 '바가'이므로, 'ㅣ'는 앞말이 문장의 주어임을 표시하는 주격 조사로 볼 수 있다.

⑤ ㉤(뜨들)에 해당하는 현대어 풀이는 '뜻을'이므로, '을'은 앞말이 문장의 목적어임을 표시하는 목적격 조사로 볼 수 있다.

[16~20] **사회**

16 ⑤ 정답률 50%

정답풀이

4문단에서 "FCB Grid 모델'은 판매 전략을 세우기 위해 소비자 관여도에 따라 제품을 분류하는 대표적인 모델이다.'라고 하였다. 따라서 FCB Grid 모델이 제품 판매 전략을 바탕으로 한다는 설명은 적절하지 않다.

오답풀이

① 1문단에서 현대 사회에서는 '소비자 개인의 가치관, 구매하려는 제품의 특징, 그리고 구매와 관련된 상황에 따라 제품에 기울이는 소비자의 관심이 달라진다.'라고 하였다.

② 3문단에서 '소비자 관여도는 제품에 대해 소비자가 자신과의 관련성을 인지하는 척도'라고 하였다.

③ 3문단에서 '소비자에게 제품을 판매하는 사람들의 입장에서는 소비자 관여도가 중요한 기준이 될 수밖에 없다.'라고 하였다.

④ 6문단에서 '사회나 시장 상황이 늘 변하고 문화권마다 차이가 존재하기 때문'에 'FCB Grid 모델은 제품을 분류하는 절대적인 기준은 아니'라고 하였다.

17 ④ 정답률 84%

정답풀이

4문단에서 '고관여는 구매한 제품이 소비자들 자신에게 유발할 수 있는 위험이 큰 경우, 제품의 가격이 높은 경우, 제품의 특성이 복잡한 경우, 선택 가능한 제품이 많은 경우'에, '저관여는 고관여와 각각 반대인 경우'에 나타난다고 하였다. 또한 '이성적 관여는~편리함, 성능 실용성 등을 먼저 고려~감성적 관여는~충족감, 즐거움, 자부심 등을 먼저 고려하는 것'이라고 하였다. 이를 고려하면 먼저 ㉠(의약품)에 대해 소비자는 '부작용' 등 자신에게 유발될 수 있는 위험과 의약품의 효능이라는 성능을 꼼꼼하게 살펴보고 구매하므로 ㉠은 고관여, 이성적 관여에 해당하는 A로 분류할 수 있다. 그리고 ㉡(볼펜)에 대해 소비자는 싼 가격에 줄 수 있는 즐거움을 고려하여 즉흥적으로 구매하므로 ㉡은 저관여, 감성적 관여에 해당하는 D로 분류할 수 있다. 또한 ㉢(휴대폰)에 대해 소비자는 선택 가능한 제품을 면밀히 비교 분석해 사용하기 편리한 것을 구매하므로 ㉢은 고관여, 이성적 관여에 해당하는 A로 분류할 수 있다. 다음으로 ㉣(통조림)에 대해 소비자는 제품이 유발하는 위험이 크지 않으므로 안심하고 별다른 고민 없이 실용성이 있다고 판단하여 구매하므로 ㉣은 저관여, 이성적 관여에 해당하는 C로 분류할 수 있다. 그리고 ㉤(반지)에 대해 소비자는 고가이기에 여러 매장을 둘러보며 제품을 통해 충분한 만족감을 얻을 수 있는지 고려하여 구매하므로 ㉤은 고관여, 감성적 관여에 해당하는 B로 분류할 수 있다. 끝으로 ㉥(치약)에 대해 소비자는 실용적인 기능을 고려하여 아무 제품이나 쉽게 구매하므로 끝으로 ㉥은 저관여, 이성적 관여에 해당하는 C로 분류할 수 있다. 따라서 A에 해당하는 제품은 ㉠과 ㉢, B에 해당하는 제품은 ㉤, C에 해당하는 제품은 ㉣과 ㉥, D에 해당하는 제품은 ㉡이다.

18 ③ 정답률 79%

정답풀이

〈보기〉에 따르면 '건전지'는 저관여이자 이성적 관여인 C에 해당하는 제품이다. 5문단에서 '저관여이며 이성적 관여에 해당하는 제품'을 판매하기 위해서는 '소비자에게 할인권이나 견본 등을 제공하여 소비자가 제품의 기능을 먼저 직접 경험하게 한 후 제품을 습관적으로 구매하도록 하는 전략'이 효과적이라고 하였다. 따라서 소량의 건전지를 견본으로 나누어주는 것은 적절하지만, 이를 통해 공익적 가치를 추구하는 기업의 이미지를 홍보한다는 것은 적절한 판매 전략으로 볼 수 없다.

오답풀이

① 〈보기〉에 따르면 '카메라'는 고관여이며 이성적 관여인 A에 해당한다. 이 경우 5문단에서 '소비자에게 제품의 편리함, 성능, 실용성에 대한 구체적인 정보를 제공하는 전략이 필요하다.'라고 하였다. 따라서 홍보 책자에 제품에 대한 정보를 자세하게 담아 실용성을 강조하는 판매 전략은 적절하다.

② 〈보기〉에 따르면 '화장품'은 고관여이며 감성적 관여인 B에 해당한다. 이 경우 5문단에서 '소비자에게 제품에 대한 좋은 느낌을 줄 수 있는 광고 문구, 이미지 등의 다양한 정보를 제공하는 것이 좋다.'라고 하였다. 따라서 호감을 가질 만한 문구로 제품에 대해 좋은 느낌을 갖게 하는 판매 전략은 적절하다.

④ 〈보기〉에 따르면 '세탁 세제'는 저관여이며 이성적 관여인 C에 해당한다. 이 경우 5문단에서 '소비자에게 할인권이나 견본 등을 제공하여 소비자가 제품의 기능을 먼저 직접 경험하게 한 후 제품을 습관적으로 구매하도록 하는 전략이 필요하다.'라고 하였다. 따라서 할인권을 통해 기능을 직접 경험하게 하는 판매 전략은 적절하다.

⑤ 〈보기〉에 따르면 '청량음료'는 저관여이며 감성적 관여인 D에 해당한다. 이 경우 5문단에서 '광고에 인기 모델을 등장시켜 소비자가 이 모델과의 동일시를 통해 신중한 고민 없이 해당 제품을 구매하여 사용하게 한다.'라고 하였다. 따라서 인기 모델과의 동일시를 통해 제품을 구매하도록 유도하는 판매 전략은 적절하다.

19 ④ 정답률 59%

정답풀이

[A]에서 '개인적 요인은 개인에게 국한되는 성향이나 자아 정체성 등을 의미하는데, 이는 쉽게 변하지 않는 특징을 가진다.'라고 하였다. 이에 따르면 〈보기〉에서 을이 갑을 위로하기 위해 '평소에 관심이 없었던 시집'에 대해 알아보는 것은 개인적 요인에 의해서가 아니라, '제품의 구매와 관련된 특정 상황' 즉 상황적 요인에 의해 서적에 대한 관여도가 높아진 것으로 볼 수 있다.

오답풀이

① [A]에서 '제품에 의한 요인은 특정 제품이 지닌 특징'이며 '대다수의 소비자들이 가지고 있는 욕구를 충족시킬 수 있'어 '제품에 높은 관여도를 가지'게 만든다고 하였다. 이에 따르면 〈보기〉에서 '운동이 절실하게 필요해져서 운동 기구를 알아 보게' 된 갑이 '자전거가 대다수의 사람들이 만족하는 운동 기구이어서 자전거를 구입'한 것은 '대다수의 사람들이 만족'한다는 자전거의 특징에 의해 자전거에 대한 관여도가 높아진 것이라고 할 수 있다.

② [A]에서 '상황적 요인은 제품의 구매와 관련된 특정 상황'을 의미한다고 하였다. 이에 따르면 〈보기〉에서 '운동 부족으로 체력이 약해진 갑'이 '운동 기구를 알아보게' 된 것은 상황적 요인에 의해 운동 기구에 대한 관여도가 일시적으로 높아진 것이라고 할 수 있다.

③ [A]에서 '상황적 요인은 제품의 구매와 관련된 특정 상황'을 의미한다고 하였다. 이에 따르면 〈보기〉에서 을이 '갑을 위로하기 위해 평소에 관심이 없었던 시집에 대해 열심히 알아'본 것은 상황적 요인에 의해 시집에 대한 관여도가 높아진 것이라고 할 수 있다.

⑤ [A]에서 '개인적 요인은 개인에게 국한되는 성향이나 자아 정체성 등을 의미하는데, 이는 쉽게 변하지 않는 특징을 가진다.'라고 하였다. 이에 따르면 운동보다 독서를 중시하는 갑과 독서보다 운동을 중시하는 을이 각각 '서적', '운동 기구'에 '더 큰 의미를 부여'한 것은 개인적 요인에 의해 서로 다른 제품에 대해 각각 높은 관여도를 가지고 있기 때문이라고 할 수 있다.

20 ① 정답률 **52%**

정답풀이

ⓐ(지각)는 '감각 기관을 통하여 대상을 인식함.'이라는 의미이다. '그러하다고 생각하여 옳다고 인정함.'은 '긍정'의 사전적 의미이다.

[21~25] 과학

21 ② 정답률 **79%**

정답풀이

3문단에서 '겉보기 운동은 관측자의 위치를 중심으로 천체가 움직이는 방향을 살펴본 것이다.'라고 하였으므로, 겉보기 운동이 천체를 중심으로 관측자의 위치 변화를 살펴본 것이라는 진술은 적절하지 않다.

오답풀이

① 2문단에서 '지구의 자전이나 공전으로 인해 지구에서 관측할 때 천체가 움직이는 것처럼 보이거나 실제 움직임과는 다르게 보이는 현상'이 나타난다고 하였다.
③ 2문단에서 '지구상의 관측자가 하늘의 천체를 볼 때, 관측 시기에 따라 천체의 위치가 다르게 보이기도 한다.'라고 하였다.
④ 3문단에서 겉보기 운동으로 인해 '천체는 지구의 자전 때문에 지구 자전 방향의 반대 방향으로 움직이는 것처럼 보이게 된다.'라고 하였다.
⑤ 3문단에서 '관측자가 북반구 중위도에서 북쪽을 바라보고 있으면 관측자의 왼쪽이 서쪽이 된다.'라고 하였다.

22 ③ 정답률 **37%**

정답풀이

그래프의 ㉡은 서방 이각이 최댓값을 가지는 '서방 최대 이각'이다. 4문단에서 [그림]의 'V_2, V_3'은 금성이 태양보다 '서쪽에 있는 경우'라고 하였다. 따라서 금성의 위치가 ㉡일 때, 금성은 태양보다 서쪽(ⓐ)에 있다. 또한 5문단에서 금성이 '동방 이각에 위치하고' 관측자가 ㉯에 있을 때 '금성은 관측자의 지평선 위에 있게 되고 태양은 지평선 아래에 있게 되므로 태양이 진 후 초저녁 서쪽 하늘에서 금성을 관측할 수 있다.'고 하였다. 즉 금성이 동방 이각에 위치할 때 초저녁 서쪽 하늘에서 볼 수 있는 것은 금성이 새벽에는 관측자의 지평선 아래에, 저녁에는 지평선 위에 있기 때문이다. 〈보기〉는 금성이 서방 이각의 위치에 있을 때를 묻고 있으므로, 5문단에서 설명한 경우와 반대로 새벽에 동쪽(ⓑ) 하늘에서 금성을 볼 수 있으며, 이는 금성이 새벽에는 관측자의 지평선 위(ⓒ)에, 초저녁에는 지평선 아래(ⓓ)에 있기 때문임을 알 수 있다.

오답률 Best 2

이 문제는 정답인 ③번과 오답인 ④번의 선택 비율이 거의 비슷했어. 두 선지를 비교해 보면, 학생들은 금성이 서방 최대 이각일 때 금성이 태양보다 서쪽에 있고, 북반구 중위도에 있는 관측자가 보기에는 동쪽 하늘에서 관찰할 수 있다는 것까지는 잘 파악했지만, 관측자의 위치를 기준으로 금성이 새벽과 초저녁에 각각 어디에 위치하는지는 제대로 파악하지 못해서 헷갈린 듯해. 5문단에서는 금성이 동방 이각에 위치하는 경우에 대해서만 설명했는데, 이를 <보기>의 상황과 유사하다고 보고 그대로 적용해서는 안 돼. 윗글은 동방 이각에서 나타나는 천체의 상대적 위치 관계를 제시했고 <보기>에서는 서방 이각일 때를 묻고 있으므로 위치가 반대로 나타날 것이라는 점을 고려해야 하지.

23 ⑤ 정답률 **47%**

정답풀이

5문단에서 '이각이 클수록 태양과 금성의 각거리는 커지므로 금성을 더 오래 볼 수 있다. 따라서 금성은 최대 이각에 위치할수록 오래 관측되고, 합에 위치할수록 짧게 관측된다.'라고 하였다. 금성의 이각은 ㉣(동방 최대 이각)에서 ㉤(내합)으로 변할수록 작아지므로 관측 시간은 짧아질 것이다. 또한 6문단에서 금성이 '지구로 가까워질수록 보이는 크기는 커지지만 태양빛을 받는 면의 일부분만 볼 수 있으므로 초승달 또는 그믐달에 가까운 형태로 관측된다.'라고 하였다. 따라서 금성의 이각은 ㉣에서 ㉤으로 변할수록 점점 초승달에 가까운 형태로 관측될 것이다.

오답풀이

① 금성의 위치가 ㉠(내합)에서 ㉡(서방 최대 이각)으로 변할수록 이각이 커지므로 각거리는 커지며, 관측되는 시간 역시 길어질 것이다.
② 금성의 위치가 ㉡에서 ㉢(외합)으로 변할수록 이각이 작아지므로 관측되는 시간은 짧아지고, 점점 보름달에 가까운 형태로 관측될 것이다.
③ 금성의 위치가 ㉢에서 ㉣로 변할수록 이각이 커지므로 관측되는 시간은 길어지며, 점점 반달에 가까운 형태로 관측될 것이다.
④ 금성의 위치가 ㉣에서 ㉤으로 변할수록 이각이 작아지므로 각거리는 작아지며, 반달에서 점점 초승달에 가까운 형태로 관측될 것이다.

24 ③ 정답률 **38%**

정답풀이

6문단에서 '금성은 지구에서 멀어질수록 보이는 크기가 줄어들'고 '지구로 가까워질수록 보이는 크기는 커'진다고 하였다. 따라서 금성은 '지구-금성-태양의 순서로 위치'하는 내합 부근에서 가장 크게 관측될 것이다. 4문단에서 '관측자가 태양을 바라본 방향과 행성을 바라본 방향 사이의 각을 '이각'이라고' 했으므로 '태양-지구-화성의 순으로 위치'하는 '충'일 때 화성의 이각이 180°라고 볼 수 있다. 〈보기〉에서 '화성은 이각이 180°일 때 가장 밝게 보'인다고 했으므로 충일 때 가장 밝게 관측될 것이다.

오답풀이

① 6문단에서 금성은 '지구로 가까워질수록 보이는 크기는 커'진다고 하였으므로, 최대 이각일 때보다 내합일 때 가장 크게 관측될 것이다. 또한 〈보기〉에서 '화성은 이각이 180°일 때 가장 밝게 보'인다고 하였으므로, '화성-태양-지구의 순으로 위치'해 이각이 0°인 합에서 가장 밝게 관측된다고 볼 수 없다.
② 7문단에서 '금성은 동방 최대 이각을 지나 내합으로 갈수록 점점 밝아지다가 밝기가 줄어든다.'라고 하였으므로, 금성이 최대 이각에서 가장 밝게 관측된다고 볼 수 없다. 한편 〈보기〉에서 화성은 지구에서 '멀수록 더 작게 관측된다.'라고 하였으므로, 지구에서 화성이 제일 멀어지는 합에서 가장 작게 관측된다.
④ 7문단에서 '금성은 동방 최대 이각을 지나 내합으로 갈수록 점점 밝아지다가 밝기가 줄어든다.'라고 하였으므로, 내합 부근에서 가장 밝게 관측된다고 볼 수 없다. 또한 〈보기〉에서 화성은 지구에서 '멀수록 더 작게 관측된다.'라고 하였으므로, 충에서 가장 작게 관측된다고 볼 수 없다.
⑤ 7문단에서 '금성은 동방 최대 이각을 지나 내합으로 갈수록 점점 밝아지다가 밝기가 줄어'들고 '내합을 지나 서방 최대 이각으로 갈수록 더 밝아지다가 서방 최대 이각에 가까워질수록 밝기가 줄어들게 된다.'라고 하였으므로, 외합 부근에서 가장 밝게 관측된다고 볼 수 없다. 또한 〈보기〉에서 화성은 '지구에서 가까울수록 더 크게 관측'된다고 하였으므로, 구에서 가장 크게 관측된다고 볼 수 없다.

오답률 Best ③

이 문제는 금성의 크기와 밝기를 결정하는 요인들을 윗글을 통해 파악하고, <보기>를 통해 화성의 크기와 밝기를 결정하는 요인들을 파악했어야 했어. 오답 중에서 ②번을 선택한 비율이 가장 높았는데, 아마도 정보량이 많기 때문에 꼼꼼하게 근거를 확인하지 못했을 거야. 이렇게 길고 까다로운 지문일수록 효율적으로 독해하는 것이 아주 중요한데, 기본적으로는 지문의 구조를 파악할 수 있어야 해. 많은 양의 정보를 글의 구조에 따라 정리하는 거지. 전체적인 구조와 흐름을 파악하는 데에 초점을 맞추되, 핵심 정보와 그렇지 않은 부분을 구분하면서 독해 속도를 조절하는 것이 좋아. 따라서 독서 지문을 공부할 때에는 구조도 그리기 연습을 충분히 해 봐. 또한 문장과 문장 간의 연결 관계를 고려하여 빠르게 읽고 넘어갈 부분과 세부 내용을 자세하고 정확히 파악해야 할 부분을 구분하며 독해하는 연습을 하자!

25 ⑤ 정답률 90%

정답풀이

ⓐ(붙인)와 '그는 자기 소설에 어떤 제목을 붙일까 고민 중이다.'의 '붙이다'는 모두 '이름이 생기게 하다.'라는 의미로 쓰였다.

오답풀이

① '다리에 힘을 붙였다.'의 '붙이다'는 '어떤 것을 더하게 하거나 생기게 하다.'라는 의미로 쓰였다.
② '말을 붙여 왔다.'의 '붙이다'는 '말을 걸거나 치근대며 가까이 다가서다.'라는 의미로 쓰였다.
③ '정을 붙이고 나니'의 '붙이다'는 '어떤 감정이나 감각을 생기게 하다.'라는 의미로 쓰였다.
④ '희망을 붙이고 사는 것'의 '붙이다'는 '기대나 희망을 걸다.'라는 의미로 쓰였다.

[26~28] 현대소설

26 ② 정답률 80%

정답풀이

[A]에서는 '전 금융조합장, 전 보통학교 학무위원, 전 군참사, 적십자사 정사원, 지주회 부회장' 같은 직함을 열거하여 '감투를 쓰'는 것을 좋아하는 김 주사의 성격을 드러내고 있다. 한편 [B]에서는 춘이 조모의 죽음을 보고도 '조금도 개의치 않고 하인을 명하여 송장을 문밖으로 끌어내게 하'는 김 주사의 행위를 제시하여 그의 비정한 성격을 드러내고 있다.

오답풀이

① [A]에서 김 주사의 외양을 묘사하는 부분은 나타나지 않는다. 또한 [B]에서는 김 주사의 구체적인 행위만이 제시되고 있을 뿐, 배경 묘사는 찾아볼 수 없다.
③ [B]에서는 김 주사가 춘이 조모의 '송장을 문밖으로 끌어내게 하'고, '춘이 집으로 전갈을 시키'고, '경찰서로 보고'하는 등의 상황을 제시함으로써 춘이 조모의 죽음이라는 사건을 둘러싼 분위기를 드러낸다고 볼 여지가 있다. 하지만 [A]에서는 감투 쓰기를 좋아하는 김 주사의 성격이 드러나고 있을 뿐, 인물의 대립은 나타나지 않는다.
④ [A]와 [B] 모두 공간의 이동은 나타나지 않는다.
⑤ [A]와 [B] 모두 인물의 내적 독백은 나타나지 않는다.

27 ④ 정답률 63%

정답풀이

<보기>에서 윗글에는 '현실적 이해관계 때문에 불합리한 현실을 외면하는 사람들'의 모습이 나타난다고 하였다. 이를 고려하면 춘이 조모가 김 주사를 찾아가 '올 일 년만 더' 땅을 소작하게 해 달라고 빌다가 죽게 된 일과 관련해 마을 사람들은 '김 주사의 포학한 행위를 욕'하지만, '당장에 쫓아가서 그놈을 박살내자고 팔을 걷고 나서는' 원득이의 모습을 보면서도 '눈치만 보'고 특히 '김 주사 집 땅을 부치는 사람들은 아무 말도 못 하고 벌써부터 꽁무니'를 사리는 것은 춘이 조모의 죽음과 관련하여 김 주사를 비난하는 일에 가담했다가는 자신 역시 소작할 땅을 잃게 될지도 모른다는 현실적 이해관계를 고려했기 때문이므로, 이들이 현실적 이해관계를 외면했다고 볼 수 없다.

오답풀이

① <보기>에서 윗글에 등장하는 '불의를 참지 못하는 인물'은 '올바른 삶의 가치를 실천하기 위해 노력한다'고 하였다. 자식을 때리며 함부로 대하는 용쇠를 호되게 꾸짖으며, '용쇠를 혼내 주듯' 또 다른 '무지한 남자와 부모의 횡포를 규탄'하는 정도룡의 모습에서 불의를 참지 못하는 인물로서 올바른 삶의 가치를 중시하는 태도를 확인할 수 있다.
② <보기>에서 윗글은 '일제 강점기 농촌을 배경'으로 하고 있으며, '핍박받던 궁핍한 소작농들의 삶을 사실적으로 드러'낸다고 하였다. '동리 사람들'이 '보릿고개'를 겪으며 '채 익지도 않은 풋보리를 베어다가 뽀얀 물을 짜내서 죽물을 끓여 먹는' 모습에서 일제 강점기 농촌의 궁핍한 생활상을 엿볼 수 있다.
③ <보기>에서 윗글은 '지주의 부당한 행위와 이로 인해 핍박받던 궁핍한 소작농들의 삶을 사실적으로 드러'낸다고 하였다. '지금 와서 논을 떼면 어찌합니까? 그러면 제 집 식구는 모다 굶어 죽겠습니다!'라고 하며 간절히 비는 춘이 조모에게 '내 땅은 내 말대로 언제든지 뗄 수 있지 않느냐'라며 불호령을 하는 김 주사의 모습에서 소작농을 핍박하는 지주의 태도를 확인할 수 있다.
⑤ <보기>에서 윗글에 등장하는 '불의를 참지 못하는 인물'은 '올바른 삶의 가치를 실천하기 위해 노력한다'고 하였다. 춘이 조모의 죽음과 관련하여 '꽁무니를 사리려' 드는 사람들에게 '동리에 큰일이 났는데 제 집 일만 보러 드는 늬놈들도 김 주사 같은 놈'이라고 호통을 치며 춘이 조모의 장례를 '일일이 지휘'하는 정도룡의 모습에서 불의를 참지 못하는 인물의 실천적 노력을 확인할 수 있다.

28 ① 정답률 85%

정답풀이

㉠(속으로는 분하였지마는 그대로 참고 들었다.)에서 용쇠는 정도룡의 말을 들은 후, 자기를 모욕하는 줄 알고 속으로는 분하지만 참고 들었을 뿐이므로, 자신이 저지른 일에 대해 용쇠가 뉘우친다고 볼 수는 없다.

오답풀이

② ㉡(그래 이 동리 사람들은~모두 복종하게 되었다.)에서 서술자는 동리 사람들이 정도룡을 믿고 따르며 의지한다고 하였으므로, 이를 통해 정도룡에 대한 동리 사람들의 신뢰감을 엿볼 수 있다.
③ ㉢(춘이 조모는 한나절을 애걸복걸하며~도무지 막무가내이었다.)에서 논을 떼이면 먹고 살기 어렵다고 애걸복걸 사정하는 춘이 조모의 모습을 통해 앞으로 먹고 살아갈 일에 대한 막막함을 확인할 수 있다.
④ ㉣(그들은 지금~섧게 통곡할 뿐이었다.)에서 춘이 모자는 춘이 조모의 죽음을 확인하고 서럽게 통곡하고 있으므로, 가족을 잃은 춘이 모자의 애통함이 드러난다고 볼 수 있다.
⑤ ㉤(용쇠가 머리를~별안간 정도룡은 벽력같이 소리를 질렀다.)에서 김 주사의 만행에 함께 분노하지 않고 '제 집 일만 보러' 가는 사람들에게 호통을 치는 정도룡의 모습을 통해 자신의 일에만 관심을 갖는 이들에 대한 분노를 확인할 수 있다.

[29~32] 고전시가

29 ① 정답률 67%

정답풀이

(가)는 '옥장 깁픈 곳에 쟈는 님 싱각는고'에서 의문형 표현을 활용하여 임에 대한 그리움을 강조하고 있다. 또한 (나)는 '이 마음의 응어리 어느 때나 고칠까', '슬픈 노래 잠 못 드는 밤 어찌 이리 긴고'에서 의문형 표현을 활용하여 그리움과 외로움, 슬픔의 정서를 강조하고 있다. 그리고 (다)는 '셟다 셟다 흔들 우리 ᄀᆞ티 셜울런가', '이 원수 이 블은 몃 삼월을 디내연고' 등에서 의문형 표현을 활용하여 서러움을 강조하고 있다. 즉 (가)~(다)는 모두 의문형 표현을 활용하여 화자의 정서를 강조하고 있는 것이다.

13 회

오답풀이

② (나)의 '푸른 버들', (다)의 '검던 머리 희도록'에서 색채어를 확인할 수 있고, (가)에서의 '옥장'에 색채어가 나타난다고 볼 여지가 있지만, (다)에서는 색채어를 통해 화자의 상황을 효과적으로 드러내고 있을 뿐, 대상을 감각적으로 형상화하는 것은 아니므로 적절하지 않다.
③ (가)~(다) 모두 언어유희를 활용하지 않았으므로, 이를 통해 화자의 태도를 해학적으로 표현하고 있다고 볼 수 없다.
④ (가)~(다)에서 화자는 대상을 그리워할 뿐, 대상을 풍자하거나 비판하지는 않았다.
⑤ (나)의 '푸른 버들'에서 여름의 계절감이 드러난다고 볼 여지가 있으나, (가)와 (다)에서는 계절감을 드러내는 시어가 활용되지 않았다.

30 ② 정답률 82%

정답풀이

㉡(천리예 외로운 숨만 오락가락 ㅎ노라)에서 화자는 임을 향한 그리움과 홀로 지내는 외로움을 드러내고 있다. 이때 '천리'는 부재한 임과의 거리감을 표현한 것이고, '외로운 숨'은 임을 향한 그리움을 나타내므로 '숨'을 통해 먼 곳에서 여유롭게 살고자 하는 염원을 표현했다고 볼 수는 없다.

오답풀이

① ㉠(남은 다 자는 밤에 ᄂᆡ 어이 홀로 ᄭᆡ야)에서 화자는 '남은 다 자는' 상황에서 '홀로 ᄭᆡ야' 있다고 하며 '남'과 다른 자신의 외로운 처지를 표현하고 있다.
③ ㉢(돗자리라면~응어리 어느 때나 고칠까)에서 '돗자리'와 '돌'은 각각 '말아 두고', '굴러 낼 수 있'지만 '이 마음의 응어리'는 쉽게 고칠 수 없다고 했으므로 '돗자리'와 '돌'은 화자의 맺힌 마음과 대비되는 소재라고 볼 수 있다.
④ ㉣(홀로 앉아~흐느끼는 듯)에서 화자는 '공후'를 연주하는 소리가 '하소연하는 듯 흐느끼는 듯'하다고 하였으므로 이를 통해 자신의 답답함과 슬픔을 표현했다고 볼 수 있다.
⑤ ㉤(슬픈 노래 잠 못 드는 밤 어찌 이리 긴고)에서 화자는 '잠 못 드는' '밤'을 길다고 표현하여 자신의 슬픔과 애절한 감정을 강조하고 있다.

31 ③ 정답률 77%

정답풀이

〈보기〉에서 '충신연주지사'는 '이별이 오래 지속된 상황에서 생긴' '왕에 대한 신하의 사랑과 그리움'과 '자신의 마음을 몰라주는 왕에 대한 원망'을 드러낸다고 했다. 그런데 (다)의 화자는 이별의 서러움으로 인해 '수심'이 불이 되어 '가숨'에 피어난 것을 '놈의 탓도 아니'라고 했으므로, 이 구절에 자신의 마음을 몰라주는 왕에 대한 원망이 드러난다고 볼 수는 없다.

오답풀이

① 〈보기〉에서 충신연주지사는 '신하가 왕으로부터 멀리 떨어져 이별이 오래 지속된 상황'을 드러낸다고 하였다. 따라서 (나)에서 '그리운 사람'이 '멀리 하늘 모퉁이'에 있다고 한 것은 신하가 왕으로부터 멀리 떨어진 상황을 나타낸 것으로 볼 수 있다.
② 〈보기〉에서 충신연주지사는 '왕에 대한 신하의 사랑과 그리움'을 표현한다고 하였다. 따라서 (나)의 화자가 '기나긴 그리움'으로 가슴 아파하는 것은 왕에 대한 신하의 그리움을 나타낸 것으로 볼 수 있다.
④ 〈보기〉에서 충신연주지사는 '신하가 왕으로부터 멀리 떨어져 이별이 오래 지속된 상황에서 생긴 감정을 표현'한다고 하였다. 따라서 (다)의 화자가 '검던 머리 희도록' 오랫동안 임을 '못 보는' 것은 신하와 왕의 이별이 오랫동안 지속되었음을 나타낸다고 볼 수 있다.
⑤ 〈보기〉에서 충신연주지사는 '왕에 대한 신하의 사랑과 그리움'을 표현한다고 하였다. 따라서 (나)의 화자가 '밝은 달'이 되어 '임의 창문 휘장'을 비추고 싶어하는 것과 (다)의 화자가 임을 '다시 볼가 ᄇᆞ라'는 것은 모두 왕에 대한 신하의 사랑을 나타냈다고 볼 수 있다.

32 ④ 정답률 85%

정답풀이

(나)의 화자는 '나는 새가 되어서'라도 '임 향한 창 앞에 서'서 임을 보고 싶은 마음을 드러내고 있다. 따라서 '새'는 임을 향한 화자의 간절한 바람과 그리움을 드러낸다고 할 수 있다. 그리고 (다)의 화자는 이별의 시름으로 인한 가슴속의 수심이 '불'이 되었고, 그 불은 '풍우'에도 탄다고 말하여 바람과 비에도 쉽게 꺼지지 않을 만큼 강함을 나타내고 있다. 따라서 '불'은 화자의 걱정과 애타는 마음을 부각한다고 볼 수 있다.

[33~37] 인문

33 ① 정답률 83%

정답풀이

윗글은 중심 화제인 '정서'에 대한 대비되는 두 이론인 '감정 이론'과 '인지주의적 이론'의 특징과 장단점을 설명하고 있다.

오답풀이

② 감정 이론과 인지주의적 이론은 '정서'의 본질에 대한 상반된 이론으로 볼 수 있으나, 윗글에서 두 이론을 절충한 새로운 이론에 대한 비판은 확인할 수 없다.
③ 감정 이론과 인지주의적 이론은 '정서'의 본질에 대한 두 이론으로 볼 수 있으나, 윗글에서 두 이론의 가설과 통계를 바탕으로 가설의 타당성을 검증한 부분은 확인할 수 없다.
④ 윗글에서 감정 이론과 인지주의적 이론의 대표적인 학자는 확인할 수 없다.
⑤ 2문단에서 감정 이론과 인지주의적 이론은 '정서의 본질에 대한 전통적인 논의'라고 했으므로, 두 이론을 새롭게 등장한 이론이라고 볼 수 없다. 또한 윗글에서 두 이론의 등장 배경을 소개하고 기존 이론의 등장 배경과 대비하고 있지도 않다.

34 ③ 정답률 61%

정답풀이

5문단에서 '인지주의적 이론은 정서의 인지적 요소를 정서와 동일시하거나 적어도 정서의 필수적인 요소로 인정하는 이론'으로, '감정 자체는 정서와 동일시될 수 없고 판단이나 믿음과 같은 인지적 요소들의 복합체에 의해 초래되는 결과'로 본다고 하였다. 따라서 인지주의적 이론에서는 〈보기〉의 수아가 어머니의 웃는 얼굴을 봄으로써 가지게 된 정서는 감정에서 비롯된 결과가 아니라 인지적 요소들의 복합체로부터 비롯된 결과라고 볼 것이다.

오답풀이

① 3문단에서 감정 이론은 '특정 정서를 그 정서가 내포하는 특정 감정'과 동일시하는 이론이라고 하였다. 따라서 감정 이론에서는 〈보기〉의 수아가 어머니를 만남으로써 느낀 행복의 정서는 수아가 느낀 감정인 행복감과 동일시된다고 볼 것이다.
② 2문단에 따르면 인지주의적 이론은 '명제로 표현될 수 있는 판단이나 믿음' 같은 '인지적 요소'를 중심으로 정서를 정의하였고, 3문단에서 감정 이론은 정서를 '감정적 요소와 동일시하면서' '인지적 요소는 배제한다.'라고 하였다. 따라서 감정 이론에서는 〈보기〉의 수아의 행복이라는 정서를 이해할 때 '수아가 비를 맞지 않게 하려고 어머니가 우산을 들고 나왔다.'라는 명제로 표현될 수 있는 판단이나 믿음이라는 인지적 요소는 배제할 것이다.
④ 5문단에서 인지주의적 이론은 상황에 대한 판단과 믿음 같은 인지적 요소를 '정서와 동일시'하거나 '필수적인 요소로 인정'한다고 하였다. 따라서 인지주의적 이론에서는 〈보기〉의 수아의 정서를 설명하기 위해 어머니가 우산을 들고 다가오는 상황에 대해서도 고려해야 한다고 볼 것이다.
⑤ 5문단에서 인지주의적 이론은 상황에 대한 판단과 믿음 같은 인지적 요소를 '정서와 동일시'하거나 '필수적인 요소로 인정'한다고 하였다. 따라서 인지주의적 이론에서는 〈보기〉의 어머니의 표정과 행동에 대한 수아의 판단은 수아가 가지게 된 정서 상태의 필수적인 요소에 해당한다고 볼 것이다.

35 ④ 정답률 61%

정답풀이

4문단에 따르면 감정 이론은 감정 외적인 상황을 고려하지 않고 '내적인 감정과 동일시되는 정서'에 초점을 맞춘다. 한편 〈보기〉에 따르면 행동주의 이론은 '인간의 정서'는 '내적인 감정이 아니라 자극에서 초래된 외적인 반응'이며, '외적인 반응으로서의 특정한 행동과 현상으로 기술'될 수 있다고 본다. 따라서 감정 이론이 정서를 내적인 감정과 동일시한 것과 달리, 행동주의 이론은 정서가 자극과 반응으로 기술될 수 있다는 특징에 주목하여 정서를 설명했다고 볼 수 있다.

오답풀이

① 3문단에서 '감정 이론에 따르면, 정서를 이해하는 것은 인지적인 요소가 아니라 감정적인 요소를 통해서 가능하다.'라고 하였으므로, 감정 이론이 인지적인 요소를 정서의 필수적인 요소로 본다는 설명은 적절하지 않다.

② 3문단에서 '감정 이론은 특정 정서를 그 정서가 내포하는 특정 감정'과 동일시하는 이론이라고 하였고, 5문단에서 '인지주의적 이론은 정서의 인지적 요소를 정서와 동일시하거나 적어도 정서의 필수적인 요소로 인정하는 이론'이라고 하였다. 따라서 정서를 사람의 마음에 일어나는 감정과 동일시하는 것은 인지주의적 이론이 아니라 감정 이론이라고 보는 것이 적절하다.

③ 3문단에 따르면 감정 이론은 정서를 이해하는 것이 '상황에 대해서 어떻게 판단하고 믿느냐가 아니라 어떻게 느끼느냐를 이해하는 것을 통해서만 가능하'다고 보므로, 정서를 설명할 때 상황에 대한 판단이 행동을 하게 만든다는 사실에 초점을 두지 않을 것이다.

⑤ 〈보기〉에 따르면 행동주의 이론은 인간의 정서도 '공통적으로 자극과 반응의 원리를 통해 설명'될 수 있다고 본다. 따라서 행동주의 이론이 공통적인 원리가 아닌 특수한 대상에 적용되는 원리를 바탕으로 감정적 요소를 설명하려 한다고 볼 수 없다.

36 ① 정답률 50%

정답풀이

3문단에서 '감정 이론은 판단과 믿음을 배제하기 때문에 정서의 지향적인 성격을 부정한다.'라고 하였다. 따라서 ㉠(감정 이론)이 정서의 지향적인 성격을 전제한다고 볼 수 없다. 한편 〈보기〉의 Ⓐ(제임스의 이론)가 정서의 지향적인 성격을 전제하는지는 알 수 없다.

오답풀이

② 3문단에서 '감정 이론은 특정 정서를 그 정서가 내포하는 특정 감정 즉 자신도 모르게 생기는 느낌과 동일시'한다고 하였으며, 〈보기〉에서 Ⓐ는 '이러한 느낌을 중심으로, 느낌들의 복합체, 즉 신체적 감각의 복합체를 공포라는 정서와 동일시한다.'라고 하였다. 따라서 ㉠과 Ⓐ는 느낌을 중심으로 정서를 이해한다고 볼 수 있다.

③ 3문단에 따르면 감정 이론은 '감정은 정서와 동일시되므로 의지에 의해 통제되기 힘든 감정의 속성은 그대로 정서의 속성이 된다'라고 보았고, 〈보기〉에서 Ⓐ는 어떤 정서 상태로 인한 '물리적 변화는 의지에 의해 통제되기 힘든 특정 느낌을 동반한다'고 본다고 하였다. 따라서 ㉠과 Ⓐ는 의지에 의해 통제되기 힘든 정서의 속성을 인정한다고 볼 수 있다.

④ 3문단에 따르면 감정 이론은 '감정은 정서와 동일시되므로 의지에 의해 통제되기 힘든 감정의 속성은 그대로 정서의 속성이 된'다고 보았다.

⑤ 〈보기〉에서 Ⓐ는 '신체적 감각의 복합체를 공포라는 정서와 동일시한다.'라고 하였다.

37 ③ 정답률 60%

정답풀이

4문단의 '감정 이론은 감정 외적인 인지적 요소를 배제하고 감정적 요소만을 강조'한다는 것과 6문단에서 '인지주의적 이론은 인지적 요소만을 지나치게 강조'한다고 한 것을 통해 두 이론은 정서를 이해하는 데 있어 각각 특정 요소인 감정적 요소와 인지적 요소만을 강조하여 정서의 본질을 종합적으로 설명하지 못한다는 한계가 있다고 볼 수 있다.

[38~41] 현대시+현대수필

38 ③ 정답률 42%

정답풀이

(다)는 개인으로 살아가는 공간인 '무인도'와 타인과 함께 살아가는 공간인 '나지막한 동네'를 대비하여 더불어 살아가는 삶의 가치를 부각하고 있다. 그러나 (나)는 공간을 대비하여 지향하는 가치를 부각하고 있지 않다.

오답풀이

① (가)의 '고향이여!', (나)의 '영원한 갈증!'에서 영탄적 어조를 활용하여 화자의 정서를 부각하고 있다.

② (가)의 '고향이여! 병든 학이었다', (다)의 '기성품처럼', '무인도의 로빈슨 크루소처럼'에서 비유적 표현을 활용하여 대상의 의미를 강조하고 있다.

④ (가)의 '띄엄띄엄 서 있는 포도 위에 잎새 없는 가로수'에서 도로 위 가로수의 시각적 이미지를 '띄엄띄엄'이라는 음성 상징어를 통해 구체화하고 있다. 이와 달리 (나)에는 음성 상징어가 드러나지 않는다.

⑤ (다)의 시작과 끝 부분에서 '비슷한 말투, 비슷한 욕심, 비슷한 얼굴을'이라는 동일한 구절을 배치하여 더불어 사는 삶의 가치에 대한 긍정이라는 주제를 강조하고 있다. 이와 달리 (나)는 처음과 끝에 동일한 구절을 배치하지 않았다.

오답률 Best 5

현대시 두 편과 수필 한 편의 표현상 특징을 비교하는 문제였어. 오답 선지 중에서는 유독 ④번을 택한 학생들이 많았는데, 음성 상징어에 대한 이해가 부족했던 것으로 보여. 음성 상징어는 소리를 흉내 낸 말인 의성어와 움직임을 흉내 낸 말인 의태어를 아울러 이르는 말로, '찰랑찰랑', '아장아장' 등과 같이 일정 어구를 두 번 반복한 형태로 나타날 때가 많아. 그래서 (나)의 '한알한알'도 음성 상징어일 거라 생각한 학생들이 많았을 거야. 하지만 '한알한알'은 단지 하나의 알갱이가 여럿 모여 있음을 표현할 것일 뿐, 어떤 소리나 움직임을 흉내 낸 말인 음성 상징어가 아니야. 따라서 (나)에서는 음성 상징어가 나타나지 않은 거지. 이처럼 문학 개념어는 그 뜻을 명확히 알고 있는 것이 중요해. 기출 문제를 반복하여 분석하는 과정에서 자주 만나게 되는 문학 개념어는 반드시 확실하게 정리해 두도록 하자.

39 ② 정답률 81%

정답풀이

〈보기〉에서 (가)를 통해 '근대 자본주의에 대한 작가의 회의적 태도를 엿볼 수 있다.'라고 하였다. 또한 (가)의 '아리따운 너의 기억'은 고향을 그리워하는 화자의 기억이므로, 여기에서 근대 자본주의를 지향하는 작가의 태도가 나타난다고 볼 수는 없다.

오답풀이

① 〈보기〉에서 (가)에는 '기계화가 가속되는 현실 속 화자와 나날이 퇴락해 가는 고향, 이 모두가 병든 것으로 형상화되'었다고 하였다. 따라서 (가)의 '병든 나', '병든 학'은 화자와 고향을 병든 모습으로 형상화한 것으로 볼 수 있다.

③ 〈보기〉에서 (가)에는 '기계화가 가속되는 현실 속 화자와 나날이 퇴락해 가는 고향'이 나타난다고 하였다. 따라서 (가)의 '날마다 야위어가는' '너'는 '고향'을 '야위어가'는 모습은 고향의 퇴락을 의미한다고 볼 수 있다.

④ 〈보기〉에서 (가)에는 '기계화가 가속되는 현실'이 나타난다고 하였다. 따라서 (가)의 '어디를 가도 사람보다 일 잘하는 기계'가 늘어나는 상황은 기계화가 가속되는 현실을 의미한다고 볼 수 있다.

⑤ 〈보기〉에서 (가)에는 '도시 노동자로서 화자가 느끼는 무력감과 절망감이 드러'난다고 하였다. (가)의 '나는 힘없는 분노와 절망을 묻어버린다'에서 현실에 대한 화자의 무력감을 짐작할 수 있다.

40 ③ 정답률 65%

정답풀이

〈보기〉에서 '독선적인 태도를 지닌 개인은 스스로를 소외시켜 자신의 삶을 황폐하게 만'든다고 하였다. 이를 고려할 때, (다)에서 '거대한 조식'에서 생겨나는 '물신성은 사람들의 만남을 멀리 떼어놓'아 "함께' 살아간다는 뜻을 깨닫기 어렵게' 한다고 했으므로, '물신성'이 개인이 직면하는 소외의 원인이라고 볼 수는 있다. 한편 (나)의 '모래'는 '서로가 / 모른 체 등을 돌리고 있'으며 '신이 모래밭이 하루 종일 봄비를 뿌'려도 '서로 손잡'지 못한다. 〈보기〉에 따르면 모래, 즉 개인이 소외에 직면하게 되는 원인은 '등을 돌리'는 독선적 태도 때문이며, '봄비를 뿌'려주는 '신'은 '모래'의 소외를 해결해 보고자 노력하는 존재라고 볼 수 있다. 따라서 (나)의 '신'이 개인이 직면하게 되는 소외의 원인이라고 보는 것은 적절하지 않다.

오답풀이

① 〈보기〉에서 문학은 '집단 속에 놓인 개인의 모습'을 드러낸다고 하였다. 이에 따르면 (나)의 '한알한알이 무수하게 모여' 있는 '모래'와 (다)의 '맨살 부대끼며 오래 살'아가는 '여러 사람'은 집단 속 개인의 모습을 보여 준다고 볼 수 있다.

② 〈보기〉에서 '독선적인 태도를 지닌 개인은 스스로를 소외시'킨다고 하였다. 이를 참고하면 (나)의 '모른 체 등을 돌리'는 행위와 (다)의 '담장을 높이'는 행위는 독선적 태도, 즉 주변과 연대하지 않으려는 태도에 속한다고 볼 수 있다.

④ 〈보기〉에서 '독선적인 태도를 지닌 개인은 스스로를 소외시켜 자신의 삶을 황폐하게 만들'며, '연대하는 개인은 서로에게 기대면서 집단 속에서 완성'된다고 하였다. 즉 이를 참고하면 (나)의 '꽃씨'가 '싹트는 법이 없'는 '모래밭'은 황폐한 개인들의 삶을 보여 주고, (다)의 '오랜 중지의 집성'인 '천재'는 집단 속에서 완성되어 가는 개인의 삶을 보여 준다고 할 수 있다.

⑤ 〈보기〉에서 '독선적인 태도를 지닌 개인'은 '공동체적 삶으로 나아가지 못'하며, '연대하는 개인은 서로에게 기대면서 집단 속에서 완성되며 공동체적 삶을 이룩하게 된다.'라고 하였다. 이를 참고하면 (나)의 '모래'들이 '서로 손잡'지 못하며 '영원한 갈증'으로 표현된 것은 공동체적 삶으로 나아가지 못한 삶의 모습을 의미하고, (다)의 '합창하는 숲 속'은 '나무'들이 조화를 이룬 모습으로 공동체적 삶의 모습을 의미한다고 볼 수 있다.

41 ④ 정답률 84%

정답풀이

(가)의 화자는 '시끄러이 떠들며' '흩어져버리'는 군중 속에서 고독을 느끼고 있으며, ㉠(가로수)도 화자와 같이 '공허'함을 느끼고 있다. 따라서 ㉠은 '고독'의 이미지가 드러난다고 볼 수 있다. 또한 (다)의 ㉡(무인도)은 '다른 사람과 아무런 내왕이 없는' 공간이며 '순수한 개인'이 존재할 수 있는 곳이므로 ㉡은 '고립'의 이미지가 드러난다고 볼 수 있다.

[42~45] 고전소설

42 ⑤ 정답률 39%

정답풀이

서술자가 '독부 되어 그 정상이 차마 보지 못할러라.', '보는 사람이 아니 괴이히 여길 이 없더라.' 등에서 작중에 직접 개입하여 인물에 대한 자신의 생각을 드러내고 있다.

오답풀이

① '초운이 매일 장경을 어여삐 여겨 관가 제반도 얻어 주며, 머리에 이도 잡아 주며 배고파하면 제 밥을 갖다가 주며,~장경 곧 울면 저도 우니'에서 초운의 행동을 묘사한다고 볼 수 있지만 이러한 행동 묘사나 그 밖의 대화를 통해 인물을 희화화하고 있는 부분은 나타나지 않는다.

② '각설이라.', '그 고을에 초운이라 하는 기생이 있으되', '이러구러 초운이 나이 십칠 세라.', (중략) 전후에 장면이 전환된 부분 등을 고려하면 잦은 장면 전환이 나타났다고 볼 수 있으나, 이를 통해 긴박한 분위기를 조성하고 있지는 않다.

③ 윗글에 꿈과 현실의 교차는 나타나지 않는다. 초운이 장경을 다시 만나자 '꿈인 듯 생신 듯 반가움을 이기지 못하'였다고 한 것은 간절히 바라던 일이 뜻밖에 이루어져 꿈처럼 느껴진다는 의미이지, 그것이 꿈속의 일이라는 의미는 아니다.

④ 윗글에서 비현실적 공간은 나타나지 않는다.

오답률 Best 4

오답 선지 중에서는 ①번을 선택한 비율이 가장 높았는데, 아마도 '희화화'라는 개념에 대한 이해가 부족했던 건이 아닌가 싶어. '희화화'란 대상을 우스꽝스럽게 표현하는 것으로 이를 통해 풍자나 해학을 이끌어낼 수도 있지. 그런데 윗글에는 대상을 희화화하는 부분이 나타나지 않아. 장경이 거지꼴이 되어 온도 해지고 몸에서 더러운 냄새가 났다는 서술은 장경의 빈천한 처지가 극에 달했음을 보여줄 뿐, 장경을 우스꽝스럽게 표현한 것은 아니야. 주로 인물의 단점이나 결점이 희화화의 소재가 되는데, 이때 중요한 건 서술자가 인물의 단점이나 결점을 통해 독자에게 웃음을 주려는 의도가 있는지 파악하는 거야. 인물의 결점에 대한 서술이라도 웃음을 자아내지 않았다면 희화화로 볼 수 없거든!

43 ⑤ 정답률 51%

정답풀이

〈보기〉의 춘향은 어사또가 이 도령인지 모르고 '바삐 죽여 소녀의 원을 이루게' 해달라고 말하고 이 도령이 '눈을 들어 자세히 보라.'라고 한 뒤에야 상대방의 정체를 알아차리게 된다. 따라서 춘향이 어사에게 자신을 죽여서 소원을 이루게 해달라고 말할 때에는 상대방의 정체를 알아차리지 못했을 것이다. 한편 [A]에서 초운은 '칠 년 방자 구실하던 장경을 모르느냐.'라는 말을 듣고 원수가 장경임을 알게 되어 '반가움을 이기지 못하여 원수의 소매를 잡고 기절'한 것이므로, 초운이 기절한 것은 상대방의 정체를 알아차린 이후이다.

오답풀이

① '어버이를 난중에 잃고 어찌할 줄 모르고 두루 다니며 빌어먹'다 '방자 구실'을 하던 장경은 [A]에서 '원수'가 되어 초운을 다시 만난다. 또한 〈보기〉에서 '전임 사또 자제 도련님'이던 이 도령은 '어사또'로 춘향을 다시 만나게 된다. 즉 장경과 이 도령 모두 높은 지위로 상대방과 다시 만나고 있는 것이다.

② [A]에서 초운이 '이별 삼 년에 자연 병'이 되어 '누년이 지나되 백약이 무효'하다고 한 것과 〈보기〉에서 '춘향이 쓴 칼'을 통해 초운과 춘향 모두 이별 이후 고통을 겪고 있음을 알 수 있다.

③ [A]에서 초운은 '이 골에 장수재라 하는 사람과 언약이 중하'다고 이야기하고 있으며, 〈보기〉에서 춘향은 이 도령과 '백년언약을 맺었'으며 '맹세한 후에 어찌 일구이언하'겠냐고 말한다. 즉 초운과 춘향 모두 과거의 언약을 중시하고 있는 것이다.

④ [A]에서 장경은 초운을 만났지만 자신의 정체를 바로 밝히지 않고 '네 이름이 남방에 유명'하여 불렀다고 이야기하며, 장경과 언약했다는 초운의 말에 '장수재라 함은 금시초문'으로 초운이 그동안 '다른 사람을 인연'한 것이라고 말한다. 〈보기〉의 이 도령 또한 춘향을 만났지만 이 도령과 백년언약을 맺었다는 춘향의 말에 '어찌 이 도령을 믿고 수절'하냐고 하면서 '바삐 수청 들라.'라고 하였다. 즉 장경과 이 도령 모두 상대방의 마음을 시험하고 있는 것이다.

44 ⑤ 정답률 55%

정답풀이

〈보기〉에서 윗글에 '평민 이하의 신분을 가진 인물이 조력자로 등장하여' 주인공에게 도움을 준다고 했다. 초운은 장경을 돕는 조력자인데, 초운의 부모는 초운에게 '명사를 좇고자 하느냐'라며 이름이 널리 알려진 사람을 좇으려 하냐고 물었다. 이에 초운이 그런 사람이 아닌 '장경'을 향한 절개를 지키겠다고 답하자 초운의 부모는 '천금을 못 얻'게 되어서 '장경을 원망'하고 있으므로, 초운의 부모가 초운의 의사를 긍정적으로 받아들이고 있다고 볼 수 없다.

오답풀이

① 〈보기〉에서 '주인공은 전쟁으로 인해 부모와 이별'했다고 하였다. 장경이 '어버이를 난중에 잃'었다는 것에서 전쟁으로 인해 부모와 이별하였음을 알 수 있다.

② 〈보기〉에서 윗글에는 '평민 이하의 신분을 가진 인물들이 조력자로 등장하여 주인공에게 현실적인 도움을' 준다고 하였다. '관비' 차영이 '두루 다니며 빌어먹'던 장경을 집에 들여 '불 사환'을 시키는 것을 통해 차영이 장경에게 현실적인 도움을 주는 평민 이하 신분의 조력자임을 알 수 있다.

③ 〈보기〉에서 윗글의 주인공은 '하층민으로 살아가면서 고난을 겪는다.'라고 하였다. 장경이 '방자 구실'을 하며 '의상이 남루한 중에 머리에 이는 무수하고 몸에는 더러운 내가 나'는 것에서 하층민으로 살아가며 고난을 겪고 있음을 알 수 있다.

④ 〈보기〉에서 윗글의 '주인공은 인물의 능력을 알아보는 조력자들을 통해 일상생활에서의 고통을 덜거나 정서적 공감을 얻는다.'라고 하였다. 초운이 '장경 곧 울면 저도 우'는 모습을 통해 초운이 장경에게 정서적으로 공감하는 조력자임을 알 수 있다.

45 ③ 정답률 72%

정답풀이

'오매불망'은 '자나 깨나 잊지 못함.'을 이르는 말이다. 따라서 ⓐ(매일 장경만 잊지 못하니)에 나타난 초운의 심정을 나타내는 말로 가장 적절하다.

오답풀이

① '결초보은'은 '죽은 뒤에라도 은혜를 잊지 않고 갚음을 이르는 말.'이다.
② '사면초가'는 '아무에게도 도움을 받지 못하는, 외롭고 곤란한 지경에 빠진 형편을 이르는 말.'이다.
④ '이심전심'은 '마음과 마음으로 서로 뜻이 통함.'을 이르는 말이다.
⑤ '풍수지탄'은 효도를 다하지 못한 채 어버이를 여읜 자식의 슬픔을 이르는 말.'이다.

14회

2018학년도 9월 학평

1. ③	2. ①	3. ①	4. ④	5. ①	6. ④	7. ⑤	8. ①	9. ④	10. ②
11. ②	12. ③	13. ③	14. ⑤	15. ③	16. ①	17. ②	18. ③	19. ⑤	20. ②
21. ⑤	22. ②	23. ①	24. ④	25. ②	26. ⑤	27. ②	28. ②	29. ③	30. ④
31. ④	32. ①	33. ④	34. ③	35. ⑤	36. ⑤	37. ①	38. ④	39. ③	40. ④
41. ③	42. ⑤	43. ④	44. ②	45. ③					

오답률 Best 5

[1~3] **화법**

1 ③ 정답률 **90%**

정답풀이

강연자는 강연에서 통계 자료를 활용하지 않았으므로 통계 자료를 활용하여 강연 내용의 신뢰성을 높였다고 볼 수 없다.

오답풀이

① 강연자는 '이 이야기의 교훈은 무엇일까요?', '토끼는 거북이에게 왜 뭍에서 경주를 하자고 했을까요?'라고 질문하고 청중의 대답을 들은 후에 '맞아요', '그래요'라고 대답하며 상호작용하고 있다.
② 강연의 마지막 부분에서 '정의를 실현하는 과정과 절차'라는 강연의 중심 내용을 정리하고 있다.
④ 강연자는 강연의 주제와 관련된 '정의'라는 개념을 사전적, 철학적으로 설명하여 청중의 이해를 돕고 있다.
⑤ 강연자는 '우선', '다음으로'와 같이 순서를 나타내는 말을 사용하여 청중이 강연 내용을 구조적으로 파악할 수 있도록 돕고 있다.

2 ① 정답률 **67%**

정답풀이

〈보기〉에서 '절차적 정의는 결과에 도달하기까지의 과정이 공정했다면 결과의 불평등 또한 정당화된다고 본다.'라고 했다. 강연자는 토끼와 거북이가 경주를 한 뭍은 토끼에게만 유리한 장소였다고 했으므로 ㉠(토끼와 거북이의 경주)의 과정 자체가 공정했다고 볼 수 없다.

오답풀이

② 경주 장소를 바다로 바꾸면 거북이에게만 유리하므로 과정이 공정하다고 할 수 없다.
③, ⑤ 〈보기〉에서 '(공정한) 절차를 제대로 따른다면 어떤 결과가 나오더라도 그 결과는 공정하다고 말할 수 있다.'라고 했다. 그런데 강연자는 ㉠의 과정이 공정하지 않다고 보았으므로 공정한 절차로 경기가 진행되었다고 볼 수 없다.
④ 강연에서 토끼가 경주 중간에 잠을 자고, 거북이가 이를 기회로 승리한 것은 공정한 과정이 아니라고 했으므로, 토끼가 중간에 잠을 잔 것을 결과의 불평등을 정당화하기 위한 것이라고 볼 수 없다.

3 ① 정답률 **88%**

정답풀이

강연자는 거북이가 토끼의 실수를 기회로 삼아 경주에서 승리할 수 있었다고 하였다. 〈보기〉에서 '학생 1'이 '승리하기 위해 상대의 실수를 이용한 것이 왜 나쁜 것인지' 모르겠다고 말한 것은 강연에서 언급된 내용에 의문을 제기할 것일 뿐, 강연에서 언급되지 않은 내용을 추론한 것이라고 볼 수는 없다.

오답풀이

② '학생 2'는 강연자가 '「토끼와 거북이」를 통해 정의로운 삶'에 대해 강연한 주제 접근 방식이 신선하다며 긍정적으로 평가하고 있다.
③ '학생 3'은 '수업 시간에 배운 정의에 대한 철학자들의 이론'이라는 배경지식을 떠올리며 강연 내용을 이해하고 있다.
④ '학생 4'는 학급회의 때 자기 입장만 고집했던 경험과 '정의로운 삶'과 관련된 강연 내용을 연결 지어 이해하고 있다.
⑤ '학생 5'는 '강연을 통해서 '정의'를 실현하는 과정도 중요하다'는 사실을 새롭게 알게 되었다고 언급하고 있다.

[4~7] **화법과 작문**

4 ④ 정답률 **92%**

정답풀이

학생이 수집한 자료의 장단점을 언급하며 자신의 견해를 드러내고 있지는 않다.

오답풀이

① 학생은 감독에 대한 정보를 얻기 위해서 감독에 대한 '다큐멘터리'를 보고 영화를 소개한 '기사'를 찾아 읽었음을 밝히고 있다.
② 학생은 사회자 모집 면접에 지원한 동기를 자신의 장래 희망인 '문화부 기자'와 연결 지어 말하고 있다.
③ 학생은 청중인 학생들이 '행사에 더 집중'하도록 하기 위해 행사 전에 '메모판을 만들어 학생들의 질문'을 받아 그 내용을 인터뷰에 반영할 것이라는 계획을 밝히고 있다.
⑤ 학생은 강연의 제목만 보고 지루할까 봐 신청을 주저했던 경험을 바탕으로 행사 이름을 '문학이 좋다, 영화가 좋다'로 바꿔 말한 이유를 설명하고 있다.

5 ① 정답률 **86%**

정답풀이

교사는 '학생들에게 흥미를 불러일으키기 위해 행사 이름을 새롭게 지었다는 것이군요.', '인터뷰 내용 준비와 행사 홍보를 한꺼번에 할 계획이란 말씀이군요.'에서 학생의 답변을 요약하고 있으며, '좋은 생각입니다.', '행사를 위해 고민한 점이 돋보이네요.'에서 학생의 답변을 긍정적으로 평가하고 있다.

오답풀이

② 교사는 학생에게 질문을 하고 답변을 요약하고 있을 뿐, 논리적인 오류를 지적하지는 않았다.
③ 학생은 교사에게 면접 진행 순서를 물어보지 않았으므로 이에 대해 교사가 안내하고 있다고 볼 수 없다.
④ 교사는 학생의 답변에 대해 자신의 이해가 맞는지 질문하지는 않았다.
⑤ 교사는 학생의 답변을 듣고 모호한 내용에 대한 설명을 요구하지는 않았다.

6 ④ 정답률 **86%**

정답풀이

(나)의 2문단에 영화의 원작이 1930년대의 소설임은 제시되어 있지만, 이 소설에 대한 감독의 평가를 소개하고 있지는 않다.

오답풀이

① (나)의 2문단에서 '감독님은 문학을 매개로 과거와 현재가 소통할 수 있다는 것을 보여 주고자' 영화를 제작하게 되었다는 동기를 밝히고 있다.
② (나)의 3문단에서 행사를 통해 '문학 작품이 시대를 아우르며 다양한 사람들의 삶을 이해하게 해 주는 통로가 된다는 사실을 깨달았'다고 하였다.
③ (나)의 1문단에서 '문학으로 소통하는 영화감독과의 만남' 행사와 관련하여 '문학으로 소통하는 삶이란 무엇일까?'라는 질문으로 시작하고 있다.
⑤ (나)의 2문단에서 원작을 이해하기 위해서 원작 소설을 원고지에 옮겨 적는 감독님의 작업 방식에 대해 소개하고 있다.

7 ⑤ 정답률 **82%**

정답풀이

문학을 '타임머신'에 비유하였고, '앞으로도 문학 속 다양한 인물들을 만나야겠다'며 행사 이후 '나의 다짐'을 언급하고 있다.

오답풀이

① 문학을 '과거의 사람이 나에게 건네는 인사'에 비유하였으나 행사 이후 '나의 다짐'을 언급하지 않았다.
② '영화를 이해하기 위해 다양한 소설을 읽을 것이다.'를 행사 이후 '나의 다짐'으로 볼 수 있으나, 비유적 표현을 활용하지는 않았다.
③ 문학을 '일곱 빛깔 무지개'에 비유하였으나 행사 이후 '나의 다짐'을 언급하지는 않았다.
④ 영화를 통해서 알게 된 사실에 대해서만 언급할 뿐, 비유적 표현과 행사 이후 '나의 다짐'이 드러나지 않았다.

[8~10] 작문

8 ① 정답률 **86%**

정답풀이

'학생의 초고'의 3문단에서 '미국 ○○대학'의 '고전을 읽고 토론하는' 교육 과정 사례를 제시하여 자신에게 필요한 지식인지 파악하고 조합하여 새로운 지식을 창조하는 능력인 '공부할 줄 아는 능력'을 키우는 공부 방법의 방향을 안내하고 있다.

오답풀이

② '학생의 초고'에서 '공부'의 개념을 정의하고 있지 않으며 공부와 대학 진학의 연관성도 밝히고 있지 않다.
③ '학생의 초고'에서 예상되는 반론을 제시하지 않았고, 미래 세대의 공부 방식을 비판하지도 않았다.
④ '학생의 초고'에서 공부에 대한 일반적인 생각을 밝히지 않았으므로, 통념을 반박했다고 볼 수 없다. 또한 나이에 따른 공부 시기의 한계를 언급하지도 않았다.
⑤ '학생의 초고'의 2문단에서 '많이 아는 것보다는 세상의 변화를 읽어 내는 능력, 필요할 때 원하는 지식을 찾아내 융합하여 활용할 수 있는 능력'이 중요하다고 했으므로 시대에 따른 공부 목표의 차이점을 드러냈다고 볼 여지는 있다. 그러나 설문 조사 결과를 활용하지는 않았다.

9 ④ 정답률 **87%**

정답풀이

(가)는 '지식 두 배 증가 곡선'을 통해 인류의 지식 총량이 늘어나는 속도를 설명한 신문 기사이며, (나)–2는 '평생 학습 참여 분야'의 분포를 보여주는 통계 자료이다. 따라서 (가)와 (나)–2를 통해 지식의 증가 속도가 매우 빠르며, 평생 학습 참여 분야에 어떤 것이 있는지를 확인할 수 있지만, 지식의 증가 속도를 따라가지 못해 학력이 뒤처지는 상황을 확인할 수는 없다.

오답풀이

① (가)의 '지식 두 배 증가 곡선'을 통해 인류의 지식 총량이 두 배씩 증가하는 주기가 100년에서 25년, 13개월, 3일로 단축됨을 확인할 수 있으므로, 이를 활용하여 지식이 빠르게 늘어나는 미래 상황을 보여 줄 수 있다.
② (나)–1에서 '우리나라 성인의 평생 학습 참여율'은 해마다 '증가'하고 있으므로, 이를 활용하여 우리나라의 성인의 평생 학습 참여율이 해마다 증가하고 있음을 보여 줄 수 있다.
③ (다)는 이미 알고 있던 지식들을 통해 '개념들을 정리'하고 '관련짓고 융합하여' 새로운 지식을 만들었다고 말한 인터뷰 내용이므로, 이를 통해 기존 지식을 조합해 새 지식을 만드는 공부의 사례를 보여 줄 수 있다.
⑤ (가)는 지식의 총량이 두 배씩 증가하는 속도가 빨라짐을 보여 주는 신문 기사이며 (다)는 기존의 지식을 융합하여 유용한 새 지식을 만들어내는 것에 대한 인터뷰 내용이다. 따라서 (가)와 (다)를 활용하여 폭발적으로 증가하는 지식 속에서 필요한 지식을 찾아 활용하는 공부의 중요성을 보여 줄 수 있다.

10 ② 정답률 **82%**

정답풀이

㉡(그리고)은 단어, 구, 절, 문장 따위를 병렬적으로 연결할 때 쓰는 접속어이다. 그런데 ㉡은 '평생 학습에 참여'하는 사람이 증가한다는 앞 문장과 '평생 공부만 한다고 해서 지식이 빠르게 늘어나는 시대를 대비'하기 어렵다는 뒤 문장의 내용을 연결해 주어야 하므로, 원인이나 근거, 조건을 나타내는 '그래서'가 아니라 앞의 내용과 뒤의 내용이 상반될 때 쓰는 '그러나'로 고쳐 쓰는 것이 적절하다.

오답풀이

① ㉠(기간 동안)의 '기간'은 '어느 때부터 다른 어느 때까지의 동안'을 의미한다. ㉠에 '동안'이라는 의미가 중복되므로 '기간'을 삭제하는 것은 적절하다.
③ 글의 중심 내용은 많이 아는 것보다 필요할 때 원하는 지식을 찾아내 활용하는 능력이 중요하다는 것이므로 글의 통일성을 해치는 ㉢(모방은 창조보다 중요하다.)을 삭제하는 것은 적절하다.
④ ㉣(자신에)에는 부사격 조사 '에'가 쓰였으나, 맥락상 뒤에 오는 명사 '생각'을 수식하기 때문에 ㉣을 관형격 조사 '의'를 쓴 '자신의'로 고쳐 쓰는 것이 적절하다.
⑤ 맥락상 ㉤(판결)에는 필요한 지식인지 판단하여 구별함을 뜻하는 어휘가 사용되어야 하므로, '시비나 선악을 판단하여 결정함.'을 뜻하는 '판결'이 아니라 '사물을 인식하여 논리나 기준 등에 따라 판정을 내림.'을 뜻하는 '판단'이 들어가는 것이 적절하다.

[11~15] 문법(언어)

11 ② 정답률 **77%**

정답풀이

3문단에 따르면 ㉠(간접 높임)은 '높임의 대상인 주체의 신체 일부, 소유물, 가족 등을 높임으로써 주체를 간접적으로 높이는 것'이다. '교수님께서는 책이 많으시다.'에서는 높임의 대상인 '교수님'의 소유물인 '책'을 높일 때 선어말 어미 '–시–'를 사용해 주체를 간접적으로 높이는 간접 높임이 사용되었다.

오답풀이

① '아버지께서 요리를 하셨다.'에서는 주격 조사 '께서'와 주체 높임의 선어말 어미 '–시–'를 사용하여 주체인 '아버지'를 직접 높이고 있으므로, ㉠의 예로 적절하지 않다.
③ '어머니께서 음악회에 가셨다.'에서는 주격 조사 '께서'와 주체 높임의 선어말 어미 '–시–'를 사용하여 주체인 '어머니'를 직접 높이고 있으므로, ㉠의 예로 적절하지 않다.
④ '선생님께서 우리의 이름을 부르신다.'에서는 주격 조사 '께서'와 주체 높임의 선어말 어미 '–시–'를 사용하여 주체인 '선생님'을 직접 높이고 있으므로, ㉠의 예로 적절하지 않다.
⑤ '할아버지께서는 마을 이장이 되셨다.'에서는 주격 조사 '께서'와 주체 높임의 선어말 어미 '–시–'를 사용하여 주체인 '할아버지'를 직접 높이고 있으므로, ㉠의 예로 적절하지 않다.

12 ③ 정답률 **68%**

정답풀이

3문단에서 서술의 주체를 높이는 주체 높임을 실현하기 위해 선어말 어미 '–(으)시–'나 주격 조사 '께서', '계시다' 등의 특수 어휘를 사용한다고 했다. 그런데 ㉢(네가 선생님을 직접 뵙고)는 서술의 주체가 아니라 객체인 '선생님'을 높이기 위해 특수 어휘 '뵙다'를 사용하고 있으므로 적절하지 않다.

14
회

오답풀이

① 3문단에서 서술의 주체를 높이는 주체 높임을 실현하기 위해 선어말 어미 '-(으)시-'나 주격 조사 '께서'를 사용한다고 했다. ⓐ(선생님께서 발표 자료 가져오라고 하셨어.)는 주체인 '선생님'을 높이기 위해 조사 '께서'와 선어말 어미 '-시-'를 사용하고 있다.
② 6문단에서 객체 높임은 특수 어휘와 부사격 조사 '께'를 사용하여 실현된다고 했다. ⓑ(선생님께 자료 드리기 어려운데)는 서술의 객체인 부사어 '선생님'을 높이기 위해 조사 '께'와 특수 어휘 '드리다'를 사용하고 있다.
④ 4문단에서 듣는 이를 높이거나 낮추는 상대 높임은 '격식체와 비격식체' 같은 '종결 표현을 통해 실현'된다고 했다. ⓓ(열심히 준비했어요.)는 듣는 사람인 '선생님'을 높이기 위해 '준비했어요'와 같이 비격식체 중 '해요체'를 사용하고 있다.
⑤ 5문단에서 공식적인 상황에서는 주로 격식체를 사용한다고 했다. ⓔ(이상으로 발표를 마치겠습니다.)에서 '-습니다'는 상대 높임을 실현하는 종결 어미로, 발표라는 공식적인 상황을 고려하여 격식체 중 '하십시오체'를 사용하고 있다.

13 ③ 정답률 70%

정답풀이

ⓒ(없단다)은 음절 끝에 두 개의 자음이 올 때, 이 중 한 자음이 탈락하는 자음군 단순화가 적용되어 [업단다]가 된 후, 받침 'ㅂ' 뒤에 연결되는 예사소리 'ㄷ'이 된소리로 발음되는 된소리되기가 적용되어 [업딴다]로 발음된다. 따라서 ⓒ이 표준 발음법 제23항의 규정을 따르는 것은 맞지만, 겹받침이 모음으로 시작된 조사나 어미, 접미사와 결합되는 경우에 해당되지 않으므로 제14항의 규정을 따른 것이라 볼 수 없다.

오답풀이

① ㉠(많던)은 표준 발음법 제12항에 따라 예사소리 'ㄷ'이 'ㅎ'과 만나 거센소리 'ㅌ'으로 축약되는 거센소리되기가 일어나 [만턴]으로 발음된다.
② ㉡(젊어)은 표준 발음법 제14항에 따라 겹받침 'ㄻ'이 모음으로 시작된 어미와 결합하여 겹받침 중 뒤엣것을 뒤 음절의 초성으로 이어 발음하는 연음이 일어나 [절머]로 발음된다.
④ ㉣(꽃)은 표준 발음법 제9항에 따라 음절의 끝소리 규칙이 일어나 받침 'ㅊ'이 'ㄷ'으로 바뀌어 [꼳]으로 발음된다.
⑤ ㉤(웃던)은 표준 발음법 제9항에 따라 음절의 끝소리 규칙이 일어나 받침 'ㅅ'이 'ㄷ'으로 바뀌어 [욷던]이 된다. 그리고 제23항에 따라 받침 'ㄷ' 뒤에 연결되는 예사소리 'ㄷ'이 된소리로 발음되는 된소리되기가 적용되어 [욷떤]으로 발음된다.

14 ⑤ 정답률 85%

정답풀이

'무엇이든지 주저하지 말고 시작해 봐.'에서 '무엇이든지'의 '-든지'는 맥락상 〈보기〉의 한글 맞춤법 제56항 '2. 물건이나 일의 내용을 가리지 아니하는 뜻을 나타내는' 의미로 사용되었다.

오답풀이

① '영화나 보러 가던가.'의 '가던가'는 맥락상 '1. 지난 일을 나타내는' 의미가 아니라, '2. 물건이나 일의 내용을 가리지 아니하는 뜻을 나타내는' 의미를 나타낸다. 따라서 어느 것이 선택되어도 상관없다는 의미를 나타낼 때에는 '영화나 보러 가든가.'로 표현하는 것이 적절하다.
② '그 사람 말 잘하든데!'의 '잘하든데'는 맥락상 '2. 물건이나 일의 내용을 가리지 아니하는 뜻을 나타내는' 의미가 아니라, '1. 지난 일을 나타내는' 의미를 나타낸다. 따라서 과거의 상태를 나타낼 때에는 '그 사람 말 잘하던데!'로 표현하는 것이 적절하다.
③ '얼마나 깜짝 놀랐든지 몰라.'의 '놀랐든지'는 맥락상 '2. 물건이나 일의 내용을 가리지 아니하는 뜻을 나타내는' 의미가 아니라, '1. 지난 일을 나타내는' 의미를 나타낸다. 따라서 과거의 상태를 나타낼 때에는 '얼마나 깜짝 놀랐던지 몰라.'로 표현하는 것이 적절하다.
④ '어찌하던지 간에 나는 신경 안 써.'의 '어찌하던지'는 맥락상 '1. 지난 일을 나타내는' 의미가 아니라, '2. 물건이나 일의 내용을 가리지 아니하는 뜻을 나타내는' 의미를 나타낸다. 따라서 어느 것이 선택되어도 상관없다는 의미를 나타낼 때에는 '어찌하든지 간에 나는 신경 안 써.'로 표현하는 것이 적절하다.

15 ③ 정답률 83%

정답풀이

'빼다'는 '속에 들어 있거나 끼여 있거나, 박혀 있는 것을 밖으로 나오게 하다.'를 뜻하는 말이므로 무르다²의 [I]-㉠의 뜻인 '사거나 바꾼 물건을 원래 임자에게 도로 주고 돈이나 물건을 되찾다.'와 비슷하지 않다. 따라서 무르다²의 [I]-㉠의 유의어로 '빼다'는 가능하지 않다.

오답풀이

① 무르다²와 무르다³은 소리는 [무르다]로 같으나 뜻이 서로 다른 동음이의 관계에 있다.
② 무르다²는 하나의 단어가 둘 이상의 뜻을 가지고 있으므로 다의어에 해당된다.
④ 무르다²는 주어만 필요로 하는 무르다³과 달리 경우에 따라서 【…을】로 실현되는 목적어 또는 【…으로】로 실현되는 부사어 같은 문장 성분을 필요로 한다.
⑤ '그는 마음이 물러서 모진 소리를 못한다.'에서 '물러서'의 의미는 무르다³의 '마음이 여리거나 힘이 약하다.'이므로, 이를 ㉡의 용례로 추가할 수 있다.

[16~19] **기술**

16 ① 정답률 77%

정답풀이

윗글은 '열차를 신속하게 운행하면서도 열차끼리의 충돌 사고를 방지'하기 위한 열차 운행의 과제를 달성하기 위해 열차나 선로에 설치되어 있는 '다양한 안전장치들'을 설명하고 있다. 2문단~6문단에서 '자동폐색장치', '자동열차정지장치', '자동열차제어장치' 같은 안전 장치의 종류와 작동 원리를 설명한 후 7문단에서 열차 운행의 과제를 위해 현재까지도 지속적으로 연구가 이루어지고 있음을 언급하였다. 따라서 윗글의 표제는 '열차 운행의 과제', 부제는 '안전장치의 종류와 작동 원리를 중심으로'가 적절하다.

오답풀이

② 윗글에서 열차 안전사고의 현재 상황이나 폐색구간에서 발생한 안전사고의 사례는 확인할 수 없다.
③ 1문단에서 '폐색구간을 안전하게 관리하면서도 열차 운행의 속도를 높이는 데 도움을 주기 위해' 안전장치가 필요함은 확인할 수 있으나, '폐색구간' 이외의 운행 구간 종류는 확인할 수 없다. 즉 윗글이 안전장치의 필요성과 운행 속도를 중심으로 열차 운행 구간의 종류를 나누었다고 볼 수 없으므로 윗글의 표제와 부제로 적절하지 않다.
④ 4문단에 따르면 '속도검출기'는 지상장치에서 차상장치로 전송된 열차 제한 속도를 넘지 않도록 열차의 속도를 감시 · 제어하는 '자동열차제어장치'의 구성 요소일 뿐, 열차 사이의 운행 간격을 조절하는 것은 아니다. 또한 속도 검출기는 이외의 안전 장치에서 언급하고 있지 않으므로, 이를 중심으로 한다는 부제의 내용은 적절하지 않다.
⑤ 윗글에서 열차 속도 검출 방식이 과거에서 현재에 이르는 동안 어떻게 변화했는지를 설명하지는 않았다.

17 ② 정답률 80%

정답풀이

2문단에 따르면 '자동폐색장치'는 적색과 녹색의 신호를 표시하여 뒤따라오는 열차의 기관사가 '운행 속도를 제어하고 앞 열차와의 안전거리를 유지'하게끔 하는 장치이다. 정지 신호를 오인하여 충돌 사고가 발생하는 경우를 방지하는 장치는 3문단에서 설명한 '자동열차정지장치'이다.

오답풀이

① 1문단에서 '폐색구간'은 '하나의 구간에 한 대의 열차만 운행하도록 하는' 구간이라고 하였다.
③ 2문단에서 '자동폐색장치'는 '궤도회로를 이용하여 열차의 위치에 따라 신호를 자동으로 제어하는 장치'라고 하였다.
④ 3문단에서 '자동열차정지장치'는 '선로 위의 지상장치와 열차 안의 차상장치로 구성'된다고 하였다.

⑤ 3문단에서 '자동열차정지장치'는 '벨이 5초 이상 계속 울리고 있는데도 열차 속도가 줄어들지 않'는 위기 상황 시에 '제동장치에 비상 제동을 명령하여 자동으로 열차를 멈'추게 한다고 했다.

18 ③ 정답률 69%

정답풀이

5문단~6문단에 따르면 ⓒ(속도검출기)는 'B열차의 현재 속도'를 측정할 수 있는 장치이며, 'B열차가 주행해야 할 적절한 속도를 연산'하는 것은 '속도신호생성장치'이다.

오답풀이

① 5문단에서 ⓐ(열차검지장치)는 지상의 송수신장치에서 보낸 신호를 바탕으로 선로에 있는 열차의 위치를 파악한다고 했다.
② 5문단에서 속도신호생성장치는 열차의 위치를 바탕으로, 'B열차가 주행해야 할 적절한 속도를 연산'하여 '제한 속도를 결정'하고, 이 속도는 B열차의 '궤도회로에 전송'되고 '일정 시간 간격'으로 지상의 ⓑ(송수신장치)를 통해 열차로 전달된다고 했다.
④ 6문단에서 ⓓ(계기판)에는 '수신된 제한 속도와 속도검출기를 통해 얻은 현재 속도가 동시에 표시'된다고 했다.
⑤ 6문단에서 ⓔ(제동장치)는 '열차의 현재 속도가 제한 속도를 초과'해서 '처리장치가 자동으로 신호를 보내'면 작동하여 '열차의 속도를 줄이'는 기능을 한다고 했다.

19 ⑤ 정답률 80%

정답풀이

3문단에서 '자동열차정지장치'는 기관사가 '정지 신호를 잘못 인식하거나 확인하지 못'한 위기 상황에서 발생할 수 있는 충돌 사고를 예방하기 위해 열차를 강제로 정지시키는 기능을 한다고 했다. 자동열차정지장치는 열차가 '선로 위의 지상장치'를 통과할 때 '지상장치에서 차상장치로 신호기 점등 신호'를 보내고, 차상장치에 "정지'를 의미하는 적색등이 켜지면 벨이 울려' 기관사가 이를 확인하고 '제동장치를 작동하여 열차를 감속하거나 정지시키는 등 열차 전반의 운행을 제어'하게 된다. 따라서 자동열차정지장치에서 ㉠(평상시 기관사의 운전 부담을 줄여 주는데는 한계가 있다.)의 이유는 기관사가 평상시에 열차의 운행 속도를 직접 조절해야 하기 때문이라고 볼 수 있다.

오답풀이

① 3문단에 따르면 차상장치에 정지 신호가 수신될 때 벨이 울리는 것을 확인한 기관사는 제동장치를 작동할 수 있으므로, 벨이 울리는 것을 ㉠의 이유라고 보기는 어렵다.
② 3문단에 따르면 열차 안의 '차상장치에 '정지' 신호를 의미하는 적색등이 켜지면 벨이 울려' 기관사는 이를 확인할 수 있다. 즉 신호 정보가 열차 안에 표시되는 것은 맞으나, 운전석 안에도 표시된다고 보기 어렵다. 또한 기관사가 확인할 수 있는 벨을 신호 정보라고 보더라도 신호 정보가 표시되는 것이 ㉠의 이유라고 보기 어렵다.
③ 3문단에 따르면 기관사는 신호기 정보를 수신할 뿐, 직접 조작하지는 않는다.
④ 3문단에 따르면 비상시에 열차의 충돌을 자동으로 방지하는 것은 자동열차정지장치의 기능이므로, 이를 ㉠의 이유라고 볼 수 없다.

[20~22] 인문

20 ② 정답률 75%

정답풀이

1문단에서 스피노자는 '정신과 신체를 서로 다른 것이 아니라 하나로 보았'다고 하며 정신과 신체의 관계를 언급했으나, 정신과 신체의 유래를 밝히지는 않았다.

오답풀이

① 1문단의 '실존하는 모든 사물은 자신의 존재를 유지하기 위해 노력하는데, 이것이 바로 그 사물의 본질인 코나투스라는 것이다.'에서 코나투스의 의미를 확인할 수 있다.
③ 2문단의 '감정을 신체의 변화에 대한 표현으로 보았던 스피노자'에서 감정과 신체의 관계를 확인할 수 있다.
④ 2문단의 '신체적 활동 능력이 감소하는 것과 슬픔의 감정을 느끼는 것은 코나투스가 감소하고 있음을 보여주는 것'에서 감정과 코나투스의 관계를 확인할 수 있다.
⑤ 1문단의 '정신과 신체에 관계되는 코나투스를 충동이라 부르고', '인간은 자신의 충동을 의식할 수 있다는 점에서 동물과 차이가 있다'에서 코나투스와 관련한 인간과 동물의 차이를 확인할 수 있다.

21 ⑤ 정답률 83%

정답풀이

4문단에 따르면 '스피노자는 코나투스인 욕망을 긍정하고 욕망에 따라 행동하라'고 한다. 반면 〈보기〉에 따르면 쇼펜하우어는 '욕망은 완전히 충족될 수 없'고 삶은 '욕망의 결핍이 주는 고통의 시간이므로 욕망을 부정하면서 욕망을 절제해야 한다는 금욕주의를 주장하였다. 따라서 쇼펜하우어는 스피노자와는 달리 인간이 욕망에서 벗어나야 한다고 볼 것이다.

오답풀이

① 4문단에 따르면 스피노자는 '코나투스인 욕망을 긍정'하는 입장이고, 〈보기〉에 따르면 쇼펜하우어는 '욕망을 부정'하는 입장이므로 스피노자가 욕망을 부정적으로 판단했다고 볼 수 없다.
② 4문단에 따르면 스피노자는 '욕망에 따라 행동하라'고 했으나, 〈보기〉에 따르면 쇼펜하우어는 욕망을 부정하면서 욕망을 절제해야 한다는 금욕주의를 주장했으므로 쇼펜하우어는 인간이 욕망에 따라 행동해야 한다고 보지 않을 것이다.
③ 〈보기〉에 따르면 쇼펜하우어는 삶을 욕망의 결핍이 주는 고통의 시간으로 보지만, 4문단을 통해 스피노자는 욕망을 긍정하는 입장을 취하고 있음을 알 수 있다.
④ 1문단에서 스피노자는 삶의 본질을 코나투스로 보았고, 이 코나투스인 욕망을 긍정한다고 하였다. 또한 〈보기〉에서 쇼펜하우어가 욕망을 인간과 세계의 본질로 생각했다고 한 것을 통해 스피노자와 쇼펜하우어 둘 다 욕망을 인간의 본질로 보고 있음을 알 수 있다.

22 ② 정답률 73%

정답풀이

3문단에서 스피노자는 '사물이 다른 사물과 어떤 관계를 맺느냐에 따라 선이 되기도 하고 악이 되기도 한다'고 하였다. 따라서 스피노자가 선악이라는 성질을 사물 그 자체가 가지고 있다고 보지는 않을 것이다.

오답풀이

① 3문단에 따르면 스피노자는 '정서의 차원에서 설명하면 선은 자신에게 기쁨을 주는 모든 것'이라고 본다.
③ 3문단에 따르면 스피노자는 '사물이 다른 사물과 어떤 관계를 맺느냐에 따라 선이 되기도 하고 악이 되기도 한다'고 본다. 즉 선악이라는 것은 다른 사물, 타자와의 관계에 따라 달라질 수 있다고 본 것이다.
④ 3문단에 따르면 스피노자는 '악은 자신의 신체적 활동 능력을 감소시키는 것'이라고 본다.
⑤ 4문단에 따르면 스피노자는 '코나투스는 타자와의 관계에 영향을 받으므로 인간에게는 타자와 함께 자신의 기쁨을 증가시킬 수 있는 공동체가 필요하다'고 본다.

[23~26] 현대소설

23 ① 정답률 76%

정답풀이

윗글에서 '노새'는 도시가 산업화되어 삼륜차, 자동차가 돌아다니는 시대적 상황에 뒤처진 모습을 보여준다는 점에서 시대 변화에 적응하지 못하는 '아버지'의 모습을 상징적으로 드러내고 있으며, 이를 통해 주제를 형상화하고 있다.

오답풀이

② 윗글에서 현실의 부정적 현상이나 모순 따위를 다른 사물이나 상황에 빗대어 간접적으로 비판하는 풍자적 기법으로 인물을 우스꽝스럽게 표현한 부분은 찾을 수 없다.
③ 윗글은 1인칭 관찰자 시점으로 서술되어 있을 뿐 다른 시점으로 전환되고 있지는 않다.

14 회

④ 윗글에서 노새를 잃어버린 사건의 반전은 나타나지 않는다. 또한 노새로 인한 '피해' 때문에 순경이 찾아와 '아버지를 잡아넣어야겠다'고 말하고 간 뒤 그것을 알게 된 아버지가 집을 나갔으므로, 갈등이 해소될 것을 암시하는 내용이 있다고도 볼 수 없다.
⑤ '나'가 아이들에게 '까마귀 새끼'라고 놀림 받은 과거를 떠올린 것에서 인물의 회상을 확인할 수 있으나 윗글에서 회상을 통해 외부 이야기에서 내부 이야기로 이동하고 있지는 않다.

24 ④ 정답률 87%

정답풀이

'사건'은 아버지의 연탄 배달 일을 돕던 '노새'가 달아난 것을 가리킨다. 달아난 노새로 인해 당장 배달 일을 하지 못하게 된 아버지가 '그놈이 도망쳤으니까. 이제 내가 노새가 되'어야 한다고 말하는 것으로 보아 '사건'은 아버지로 하여금 당장 벌이를 나갈 수 없는 어려움에 처하게 하는 계기라고 볼 수 있다.

오답풀이

① 노새가 달아난 '사건' 이후 '나'는 '최소한도 자동차는 굴려야지 지금이 어느 땐데 노새를 부'리느냐는 '칠수 어머니'의 충고를 떠올리지만, 이를 받아들였는지는 윗글을 통해 확인할 수 없다.
② '나'는 노새가 달아나는 '사건' 이전에 동네 아이들에게 까마귀 새끼라고 놀림 받았으므로 '사건'이 놀림거리의 계기가 되었다는 설명은 적절하지 않다.
③ 원래 마부였던 아버지는 '서울에 올라오기 전 시골에서도 줄곧 말마차를 끌었'고, 서울에 올라와서 '어떻게 마음먹었는지 노새로 바꾸'었으므로 '나'의 가족이 시골을 떠나 도시에 정착했음을 알 수 있지만, 노새가 달아난 '사건'은 그 이후의 일이다. 따라서 '사건'이 도시에 정착하는 계기라고 볼 수는 없다.
⑤ '나'는 아버지가 노새를 끄는 이유에 대해 추측하고 있지만, 윗글에서 동네 사람들이 이에 대해 알게 되는 내용은 확인할 수 없다.

25 ② 정답률 85%

정답풀이

㉡(아버지를 보고도 아무도 말을 하지 않았다.)은 늦은 밤까지 노새를 찾기 위해 돌아다니다 집에 온 아버지를 걱정하는 가족들의 모습을 보여 줄 뿐, 아버지의 무능력함에 실망하는 모습을 보여 주는 것은 아니다.

오답풀이

① ㉠(내가 집에 돌아온 것은 밤 열 시도 넘어서였으나 아버지는 그때까지 돌아오지 않고 있었다.)은 노새를 찾으러 나간 아버지가 밤이 늦도록 돌아오지 않았음을 의미한다. 이는 생계가 달린 '노새'를 찾으려 하는 아버지의 절박함을 보여 준다고 할 수 있다.
③ 생계의 수단인 노새를 잃어버리게 된 아버지가 ㉢("이제부터 내가 노새다. 이제부터 내가 노새가 되어야지 별수 있니? 그놈이 도망쳤으니까. 이제 내가 노새가 되는 거지.")처럼 말한 것은 가족의 생계를 책임지려는 가장의 모습을 보여준다고 볼 수 있다.
④ ㉣("이걸 어쩌우. 글쎄 경찰서에서 당신을 오래요. 그놈의 노새가 사람을 다치고 가게 물건들을 박살을 냈대요. 이걸 어쩌지.")에서 달아난 노새가 일으킨 문제를 걱정하는 어머니의 모습을 확인할 수 있다.
⑤ ㉤(나는 그 순간 또 한 마리의 노새가 집을 나가는 것 같은 착각을 일으켰다.)에서 '나'가 집을 나가는 아버지의 모습을 보고 노새가 집을 나가는 것으로 착각한 것은 삶에 지친 아버지의 모습을 노새와 같다고 생각했기 때문으로 볼 수 있다.

26 ⑤ 정답률 89%

정답풀이

윗글의 [A]는 서술자인 '나'가 과거에 동네 아이들에게 놀림 받았던 일을 서술한 것이다. 〈보기〉는 [A]에서 '나'의 관점에서 서술된 내용을 인물 간의 대화로 보여 주어 상황을 현장감 있게 제시하고 있다.

오답풀이

① 〈보기〉에 연탄재를 뒤집어써서 까매진 인물의 외양이 묘사되었다고는 볼 수 있으나 이는 [A]에도 제시된 것이며, 이를 통해서 인물의 성격이 드러나는 것은 아니다.
② 〈보기〉에서 나타나는 인물 간의 대화는 짧은 문장 위주이므로, 호흡이 긴 문장을 사용하여 인물의 심리를 드러내고 있다고 볼 수 없다.
③ 〈보기〉에서 인물의 성격 변화 과정은 확인할 수 없다.
④ 〈보기〉에서 동네 아이들이 '나'를 놀리는 모습을 인물 간의 대립 구도로 볼 수 있으나, 새로운 인물이 등장하지는 않는다.

[27~29] **고전소설**

27 ② 정답률 75%

정답풀이

월게는 화룡과 전생의 인연을 맺기 위해 '공자를 만류하여 발을 무겁게 하고 온 몸이 부어서 움직이지 못하게' 했다는 사실을 말하며 용서를 구하고 있을 뿐, 약속을 어긴 것에 대해 용서를 구하고 있지는 않다.

오답풀이

① 최상서는 황제를 설득하여 화룡을 해치기 위해 '관상을 잘 보는 진성인이란 사람을 부르고 진성인을 이용하여' 화룡이 국가에 반역할 관상이라고 말하게 하였다.
③ 화룡은 월게의 외모가 '세상사람 같지' 않음을 보고 신선이 내려온 것인지 의심하였다.
④ 황제는 최상서에게 화룡은 하늘이 주신 인물이라고 말하며 화룡에 대한 애정을 드러냈다.
⑤ 화룡은 자신과 월게가 인연임을 알지 못하겠다고 말하며 부모의 성함, 나이를 묻는다. 즉 화룡과 자신이 '전생의 인연'임을 알고 있던 월게와 달리, 화룡은 월게를 만나기 전에 두 사람의 인연을 알지 못했던 것이다.

28 ② 정답률 81%

정답풀이

[A]에서 월게는 화룡에게 오늘 밤 혼인의 맹세를 이루고 머물고 가기를 요구하고 있다. 그리고 이러한 청을 따르면 장차 화룡이 장원급제하고 부귀영화를 누리게 될 것이라고 말하며 앞으로 일어날 일을 알려 주고 있다.

오답풀이

① [A]에서 월게는 부모의 지위를 언급하고는 있으나, 권위를 내세워 자신의 입장을 변호하고 있지는 않다.
③ [B]에서 최상서는 '천자께서 화룡을~국가에 반역하리라.'라며 진성인이 한 말을 인용하고 있으나, 이를 통해 상대방인 황제를 치켜세우는 것이 아니라 화룡을 모함하고 있다.
④ [B]에서 최상서는 황제에게 여러 가지 방안을 제안하는 것이 아니라 관상을 근거로 화룡을 모함하여 자신의 소망을 이루려 하고 있다.
⑤ [A]와 [B]에서 월게와 최상서가 자신의 경험을 언급하며 상대방을 위로하고 있지는 않다.

29 ③ 정답률 80%

정답풀이

월게는 ⓒ(화룡과 월게가 만남.)에서 자신이 사람이 아니라 무덤의 임자임을 화룡에게 밝히고, 화룡과 자신이 전생에 인연이었음을 말하고 있을 뿐, 오랜 기다림으로 인해 화룡을 원망하고 있지는 않다.

오답풀이

① ⓐ(월게의 죽음)의 원인은 월게가 원하지 않는 상대인 최상서의 아들과 정혼하게 된 것이다.
② ⓑ(화룡이 병을 얻음.)의 이유는 월게가 화룡과 인연을 맺고 싶어서였으며, 월게는 화룡에게 이 사실을 밝히며 용서를 구하였다.
④ [중략 부분의 줄거리]에서 화룡은 장원급제 후 월게와 함께 지내다가, 더 이상 함께 할 수 없게 되자 선계의 꽃과 약수로 월게를 환생(ⓓ)시켰다.
⑤ ⓔ(화룡이 시험을 당함.)의 이유는 황제는 최상서의 모함과 상소때문이다. 화룡은 이로 인해 해랑도로 유배를 가는 시련에 처하게 된다.

[30~32] **과학**

30 ④ 정답률 85%

정답풀이

4문단에서 '아미노산이 분해되는 과정에서 유독 물질인 암모니아가 생성되'고, 간은 이 암모니아를 '요소로 변화시켜 콩팥으로 보내어 몸 밖으로 배출하게 한다.'라고 하였다. 즉 간으로 이동된 요소는 간동맥이 아니라 콩팥을 통해서 몸 밖으로 배출되는 것이다.

오답풀이

① 5문단에서 '쿠퍼세포는 몸 안으로 들어온 바이러스를 면역 체계에 노출시켜 몸이 면역 작용을 할 수 있도록 유도한다.'라고 하였다.
② 1문단에서 '간은 그 영양소들을 몸에서 요구하는 다른 영양소로 만들거나, 우리 몸을 위해 저장하기도 한다.'라고 하였다.
③ 3문단에서 간의 혈액 순환과 관련이 있는 두 혈관인 간동맥과 간문맥은 '간소엽 내부에서 점차 가늘어져 '시누소이드'라는 미세혈관으로 합쳐'지고, '시누소이드를 거친 혈액은 중심 정맥으로 유입된 후, 다시 간정맥으로 합쳐져 심장으로 들어'간다고 했다. 따라서 간에서 나온 혈액은 간정맥을 통해 심장으로 흐른다고 할 수 있다.
⑤ 3문단에서 '인체의 거의 모든 장기의 혈액 순환은 혈액이 동맥으로 들어와 모세혈관을 거치면서~정맥을 통해' 나가는데, 간의 혈액 순환은 예외적으로 혈액이 간동맥과 간문맥이라는 2개의 혈관을 통해서 들어와 미세혈관을 지나 중심 정맥으로 흘러나간다.'라고 하였다.

31 ④ 정답률 64%

정답풀이

3문단에서 '간세포(ⓓ)의 대사 활동의 결과물'인 노폐물은 '시누소이드(ⓔ)를 흐르는 혈액'으로 흡수되어 '중심 정맥으로 유입된 후, 다시 간정맥으로 합쳐져 심장으로 들어'간다고 하였다. 즉 ⓔ는 노폐물이 지나가는 길일 뿐, ⓔ에 의해 노폐물이 만들어지는 것은 아니다. 노폐물은 ⓓ의 대사 활동의 결과물이다.

오답풀이

① 3문단에서 "간문맥(ⓐ)'을 통해서 들어오는 혈액은 위나 장에서 흡수된 영양소를 간으로 이동시킨다.'라고 하였다. 즉 장에서 흡수된 영양소는 ⓐ를 통해서 간으로 들어오는 것이다.
② 4문단에서 간은 '담즙을 생산하여 담관(ⓒ)을 통해 쓸개로 보내기도 한다.'라고 하였다.
③ 3문단에서 '시누소이드(ⓔ)를 흐르는 혈액은 대사 활동에 필요한 산소와 영양소를 간세포(ⓓ)에 공급'한다고 하였으므로, ⓓ는 ⓔ에서 산소와 영양소를 공급받아 대사 활동을 한다고 볼 수 있다.
⑤ 3문단에서 ⓐ와 ⓑ는 '간소엽 내부에서 점차 가늘어져 '시누소이드(ⓔ)'라는 미세혈관으로 합쳐' 진다고 하였다.

오답률 Best ❺

이 문제의 <보기>에 제시된 복잡한 그림 때문에 당황했을 수 있어. 하지만 문제에 등장하는 그림은 윗글의 내용을 이해하는 데 도움이 되니 독해를 할 때 잘 활용해야 해. 발문에서 '윗글을 바탕으로 ⓐ~ⓔ를 이해한 내용으로 적절하지 않은 것'을 고르라고 했으니 윗글에서 선지의 내용과 관련이 있는 부분을 찾아 윗글과 비교하며 정오를 판단하면 되겠지? 그런데 이때 자칫하면 <보기>의 요소를 윗글에서 찾느라 시간을 많이 뺏길 수 있어. 그러니 처음 글을 읽을 때 핵심 정보들을 표시해 두고, 그 위치를 파악해 두길 바라. 시간을 단축할 수 있거든.

32 ① 정답률 82%

정답풀이

㉠(들어가는)과 '그는 방으로 들어가 버렸다'의 '들어가다' 모두 '밖에서 안으로 향하여 가다.'라는 의미로 쓰였다.

오답풀이

② '통신비로 들어간 돈'의 '들어가다'는 '어떤 일에 돈, 노력, 물자 따위가 쓰이다.'라는 의미로 쓰였다.
③ '눈이 쑥 들어가다.'의 '들어가다.'는 '물체의 표면이 우묵하게 되다.'라는 의미로 쓰였다.
④ '선거전으로 들어간다.'의 '들어가다'는 '새로운 상태나 시기가 시작되다.'라는 의미로 쓰였다.
⑤ '초등학교에 들어갔다.'의 '들어가다.'는 '어떤 단체의 구성원이 되다.'라는 의미로 쓰였다.

[33~37] **사회**

33 ④ 정답률 58%

정답풀이

윗글은 '범죄의 발생률을 낮추려'는 노력으로 탄생한 '범죄학'의 논의 양상을 18세기 중반, 19세기 중반, 1970년대 이후 등 시간의 흐름에 따라 설명하고 있다. 따라서 범죄의 발생률을 낮추기 위한 방법을 통시적 관점에서 설명했다고 볼 수 있다.

오답풀이

① 윗글에서 예상되는 반론을 제시하고 이를 반박하는 내용은 확인할 수 없다.
② 6문단에서 '법과 정책, 그리고 셉테드가 동시에 강화된다면 좀 더 안전한 사회를 만들 수 있을 것'이라는 필자의 관점을 확인할 수 있다. 그러나 필자의 관점을 다른 관점과 비교하고 있지는 않다.
③ 윗글의 핵심 개념은 '범죄학'인데, 윗글에서 '범죄학'의 가치나 효용을 비유적으로 제시한 내용은 확인할 수 없다.
⑤ 윗글은 시간의 흐름에 따라 변화된 범죄학의 논의 양상을 보여줄 뿐, 두 이론의 장점을 절충하여 새로운 이론으로 통합하지는 않았다.

오답률 Best ❷

이 문제는 글의 논지 전개 방식을 묻고 있는데, 오답인 ⑤번을 선택한 비율이 22%나 되었어. 아마도 ⑤번을 선택한 학생들은 '고전주의 범죄학'과 '실증주의 범죄학'을 '두 이론'으로, 그 이후에 제시된 '환경 범죄학'을 '새로운 이론'으로 오해한 듯해. 그런데 '환경 범죄학'은 앞의 '두 이론의 장점을 절충'한 것이 아니야. '절충'은 '서로 다른 사물이나 의견, 관점 따위를 알맞게 조절하여 서로 잘 어울리게 함.'을 의미해. 따라서 ⑤번이 정답이 되려면 '고전주의 범죄학'의 장점과 '실증주의 범죄학'의 장점을 절충해서 만든 새로운 이론이 '환경 범죄학'이어야 하는데, 4문단에서 '환경 범죄학'은 기존 이론의 시도에 대한 비판이 일어나면서 주목받은 이론이라고 했기 때문에 두 이론의 장점을 절충했다고 볼 수 없어.

34 ③ 정답률 78%

정답풀이

2문단에 따르면 ㉠('고전주의 범죄학')은 '범죄에 비례해 형벌을 부과'하면 '처벌받을 것이라는 두려움이 범죄를 억제할 것'이라고 본다. 한편 3문단에 따르면 ㉡('실증주의 범죄학')은 '범죄자만의 특성과 행위 원인을 연구'해 범죄자들의 '유형에 따라 형벌을 달리할 것을 주장'한다. 즉 ㉠은 범죄의 처벌에, ㉡은 범죄의 원인에 관심을 두는 것이다.

오답풀이

① 2문단에서 ㉠은 '법적 규정 없이 시행됐던 지배 세력의 불합리한 형벌 제도를 비판하'며 등장했다고 하였다. 따라서 ㉠은 법적 근거 없이 부과된 형벌은 정당하지 않다고 볼 것이다.
② 3문단에 따르면 ㉡은 '범죄자만의 특성과 행위 원인을 연구하여 범죄자들의 유형을 구분하고 그 유형에 따라 형벌을 달리할 것을 주장했'다.
④ 2문단에 따르면 ㉠은 '범죄를 저지를 경우 누구나 법에 의해 확실히 처벌받을 것이라는 두려움이 범죄를 억제할 것이라고 확신'했다. 따라서 ㉠은 범죄에 따른 형벌을 예외 없이 적용하는 것이 범죄율을 낮출 수 있다고 볼 것이다.
⑤ 2문단에 따르면 ㉠이 '범죄를 포함한 인간의 모든 행위'가 '자유 의지에 입각한 합리적 판단'으로 이루어진다고 보았는데, 이와 달리 3문단에서 ㉡은 '범죄의 원인을 개인의 자유 의지로는 통제할 수 없는 생물학적, 심리학적, 사회학적 요소'에서 찾았다고 하였다.

35 ⑤ 정답률 75%

정답풀이

〈보기〉에 따르면 합리적 선택이론은 '범죄가 발각될 환경적 요건이 강화될 경우 범죄 실행을 포기하게 된다'고 본다. 또한 4문단에 따르면 '셉테드라 불리는 범죄 예방 설계'는 '건축 설계나 도시 계획' 등의 환경 개선을 통해 범죄 발생 가능성을 줄일 수 있다고 주장한다. 즉 셉테드와 합리적 선택이론은 모두 환경적 요인의 개선이 범죄 예방의 수단이라고 주장하고 있는 것이다.

오답풀이

①, ② 2문단에 따르면 고전주의 범죄학은 '범죄를 포함한 인간의 모든 행위는 자유 의지에 입각한 합리적 판단에 따라 이루어'진다고 본다. 따라서 고전주의 범죄학의 대표자인 베카리아는 '합리적 인간성을 기본 가정'으로 하는 합리적 선택이론을 비판하지 않을 것이며, 도덕성이 아니라 합리적 판단에 따른 인간의 의사 결정 과정을 중시할 것이다.

③ 3문단에 따르면 롬브로소는 '범죄자만의 특성과 행위 원인을 연구'하여 '출생부터 범죄자의 기질을 타고'난 경우와 '우발적으로 범죄를 저지른' 경우를 구분하였다. 따라서 롬브로소의 범죄자 유형 구분은 합리적 판단, 즉 '범죄로 인한 이익과 범죄의 실패 위험을 비교한 후 범행의 실행 여부를 결정'한다고 보는 합리적 선택이론으로 정당화할 수 없다.

④ 〈보기〉에 따르면 합리적 선택이론은 '잠재적 범죄자들은 개인과 주변 상황 등을 모두 종합해 범죄로 인한 이익과 범죄의 실패 위험을 비교한 후 범행의 실행 여부를 결정한다'고 보았으므로, 합리적 판단이 불가능한 인간이 범죄를 유발한다고 보지는 않을 것이다.

36 ⑤ 정답률 72%

정답풀이

[A]에서 '영역성의 원리'는 '안과 밖이라는 공간 영역을 조성하여 외부인의 침범 기준을 명확히 확립하는 것'이라고 하였다. 하지만 〈보기〉에서 CCTV를 설치한 것은 안과 밖을 구분하는 것이 아닌, 학생들의 안전을 위한 것이기에 영역성의 원리에 해당된다고 볼 수 없다.

오답풀이

① [A]에서 '접근 통제의 원리'는 '보행로, 조경, 문 등을 통해 사람들의 통행을 일정한 경로로 유도하여 허가받지 않은 사람들의 출입을 통제하거나 차단하는 것'이라고 하였다. 이를 고려하면 〈보기〉에서 후문을 폐쇄하여 사람들의 통행을 정문으로 유도한 것은 접근 통제의 원리에 해당한다.

② [A]에서 '자연적 감시의 원리'는 '공간과 시설물에 대한 가시권을 확보하고 잠재적 범죄자의 은폐 장소를 최소화'시킴으로써 '내부인이나 외부인의 행동을 주변 사람들이 자연스럽게 관찰할 수 있게 만드는 것'이라고 하였다. 이를 고려하면 〈보기〉에서 학교 담장을 허문 것은 자연적 감시의 원리를 통해 가시권을 확보한 것에 해당한다.

③ [A]에서 '유지 및 관리의 원리'는 '공공장소와 시설물이 처음 설계된 대로 지속적으로 유지 및 관리되어야 한다'는 것이라고 하였다. 이를 고려하면 〈보기〉에서 봉사 동아리를 조직해서 개선된 학교 환경을 유지하는 것은 유지 및 관리의 원리에 해당한다.

④ [A]에서 '활동의 활성화 원리'는 '공공장소 및 시설에 대한 내부인의 활발한 사용을 유도하여 그 근방의 범죄를 감소'시키는 것이라고 하였다. 이를 고려하면 〈보기〉에서 다양한 운동 시설을 설치하고 이용을 활성화하는 것은 활동의 활성화 원리에 해당한다.

37 ① 정답률 83%

정답풀이

ⓐ(규정해야)는 '내용이나 성격, 의미 따위를 밝혀 정하다.'라는 의미이므로, '잘못되거나 틀린 것을 바로잡다.'라는 의미의 '고치다'와 바꿔 쓸 수 없다.

오답풀이

② ⓑ(구분하고)는 '일정한 기준에 따라 전체를 몇 개로 갈라 나누다.'라는 의미이므로 '여러 가지가 섞인 것을 구분하여 분류하다.'라는 의미의 '나누다'와 바꿔 쓸 수 있다.

③ ⓒ(향상시키는)는 '실력, 수준, 기술 따위가 나아지게 하다.'라는 의미이므로 '품질, 수준, 능력, 가치 따위를 더 높은 수준으로 만들다.'라는 의미의 '높이다'와 바꿔 쓸 수 있다.

④ ⓓ(유도하여)는 '사람이나 물건을 목적한 장소나 방향으로 이끌다.'라는 의미이므로 '사람, 단체, 사물, 현상 따위를 인도하여 어떤 방향으로 나가게 하다.'라는 의미의 '이끌다'와 바꿔 쓸 수 있다.

⑤ ⓔ(확립하는)는 '체계나 견해, 조직 따위를 굳게 서게 하다.'라는 의미이므로 '계획, 방안 따위를 정하거나 짜다.'라는 의미의 '세우다'와 바꿔 쓸 수 있다.

[38~42] 고전시가+고전수필

38 ④ 정답률 72%

정답풀이

(나)는 거미의 말을 통해 허영, 자만 등 부정적인 품성을 지닌 인간이 도리를 지키지 않고 살아가는 세상의 부정적인 모습을 우의적으로 비판하고 있다.

오답풀이

① (가)에는 자연 속에서 자연을 긍정하는 화자의 자연 친화적인 태도가 드러날 뿐, 유한한 삶에 대한 회의적인 태도가 드러나지는 않는다.

② (가)의 화자는 자연 속에서 한가하게 사는 삶에 만족할 뿐, 초월적 세계를 동경하는 태도가 드러나지는 않는다.

③ (나)는 거미의 말을 통해서 인간 세상의 부정적인 모습을 드러낼 뿐, 자신의 한계나 이를 극복하려는 의지적 태도를 드러내지는 않았다.

⑤ (가)와 (나)에서 이상과 현실의 괴리로 인해 고뇌하는 태도는 확인할 수 없다.

39 ③ 정답률 75%

정답풀이

(가)의 화자는 모래 위에서 한가하게 자는 ㉠(백구)을 보며 자연을 즐기는 흥취는 자신이 더 뛰어나다고 말하고 있으므로, ㉠은 자연에서 느끼는 화자의 만족감을 부각하는 소재라고 볼 수 있다. 한편 (나)의 ㉡(거미)은 거미줄을 걷어 버리는 '이자'에게 거미줄에 잡히는 곤충들은 모두 부정적인 속성을 지니고 있다고 말하며, 군자의 도리를 지키며 바르게 살 것을 충고하므로, ㉡은 이자에게 깨달음을 주는 소재라고 볼 수 있다.

오답풀이

① (가)의 화자는 자연 친화적인 삶에 만족하고 있으므로 심리적 갈등을 겪고 있다고 볼 수 없다. 또한 (나)의 '이자'는 거미에게 꾸짖음을 듣고 있을 뿐 심리적 갈등을 겪고 있다고 볼 수 없다. 따라서 ㉠, ㉡이 심리적 갈등을 해소시켜 준다고 볼 수 없다.

② (가)의 화자는 자연 속에서 유유자적할 뿐 인생의 무상함을 느끼고 있지 않다. 또한 (나)의 '이자'는 거미의 말을 통해서 깨달음을 얻고 있을 뿐, 인생의 무상함을 느끼고 있지 않다. 따라서 ㉠, ㉡이 인생의 무상함을 느끼게 하지는 않는다.

④ ㉠은 모래 위에서 한가롭게 자는 모습을 통해 화자가 유유자적하며 느끼는 만족감을 부각하는 소재일 뿐, 화자에게 외로움을 느끼게 하지는 않는다.

⑤ (가)의 화자는 ㉠을 통해서 과거를 떠올리고 있지 않으며, (나)의 '이자'는 ㉡을 통해서 미래를 예측하고 있지 않다.

40 ④ 정답률 53%

정답풀이

(가)에서는 〈제2수〉의 '어와 성은이야', '망극할사'라는 영탄적 어조를 통해 임금의 은혜에 대한 감사함을, 〈제6수〉의 '한가할샤'라는 영탄적 어조를 통해 자연에서 느끼는 한가한 흥취를 드러내고 있다.

오답풀이

① (가)에서 과거와 미래를 대비하고 있지는 않다.

② (가)에서 앞말의 끝 부분을 뒷말의 첫 부분이 이어 받아서 운율감을 형성하는 연쇄법은 확인할 수 없다.

③ (가)에서 말하고자 하는 바와 반대로 표현하여 그 의미를 강화하는 반어적 표현은 확인할 수 없다.
⑤ (가)에서 가까이 있는 시적 대상에서 멀리 있는 시적 대상으로 시선을 이동하면서 시상을 전개하는 부분은 확인할 수 없다.

오답률 Best ❶

이 문제는 '대비', '연쇄법', '반어적 표현', '영탄적 어조' '근경에서 원경으로 시선의 이동' 등의 개념을 이해하고 있었다면 어렵지 않았을 거야. 그런데 오답률이 높은 걸 보니 많은 학생들이 중요한 문학 개념을 잘 모르고 있는 것 같아. 문학에서 문학 개념에 대한 문제는 반드시 출제되니 문학 노트를 만들어 문학 개념을 예시와 함께 정리해 두자! 참고로 '영탄'은 감탄사, 감탄문, 의문문, 명령문 등의 표현을 통해서 '화자의 감정을 강조하여 드러내는 것'을 의미해. '어와 성은이야'에 쓰인 감탄사 '어와', '할가할샤'에 쓰인 감탄문 등이 화자의 감정을 강조하며 드러내는 영탄적 표현에 해당하지.

41 ③ 정답률 59%

정답풀이

〈보기〉에서 (가)는 '세속의 삶을 부러워하지 않고, 강호의 삶에 만족하는 태도가 잘 표현되어 있'다고 했다. 〈제5수〉의 화자는 '달 밝고 바람 잔잔하니 물결이 비단' 같은 평화로운 자연 풍경을 즐기는 흥취를 드러내고 있는데, '세상 알가 하노라'는 '백구야 하 즐겨마라'를 고려할 때, 자연에서 누리는 흥을 세속 사람들에게 알리고자 하는 모습이 아니라 화자 자신만 알고 만족하며 즐겼으면 하는 마음을 드러낸 표현이라 볼 수 있다.

오답풀이

① 〈보기〉에서 (가)는 '벼슬에서 물러난 처지에서 성은의 감격을 드러'냈다고 했다. 이를 고려하면 〈제2수〉의 '망극할사 성은이다'에서 화자는 '강호'에서 '두 아들 정성을 다해 봉양함'을 받으며 사는 삶을 임금님의 은혜로 여기며 감사함을 드러낸다고 볼 수 있다.
② 〈보기〉에서 (가)는 '강호에서 자연을 즐기며 소박하게 살아가는 어부의 생활을 노래하였다.'라고 했다. 〈제4수〉의 '아희야 배 내어 띄워라 그물 놓아 보리라'에서 '저문 날 오신 손님'을 대접하기 위해 낚시를 하는 화자의 소박한 삶의 모습을 확인할 수 있다.
④ 〈보기〉에서 (가)는 '나위소가 관직에서 물러난 뒤 고향'에 돌아와 지은 것이라고 했다. 이를 고려하면 〈제5수〉의 '식록을 긋친 후로 어조을 생애하니'는 '식록(먹고 살기 위한 벼슬)'을 그만 두고 '어조(낚시질)'를 하며 사는 화자의 삶을 드러내고 있다고 볼 수 있다.
⑤ 〈보기〉에서 (가)는 '강호의 삶에 만족하는 태도'를 표현했다고 했다. 이를 고려하면 〈제9수〉의 '이 내 분인가 하노라'는 '식록을 긋친 후' 자연에서 한가하게 낚시질을 하며 사는 것을 자신의 분수로 여기며 만족하는 화자의 모습을 드러내고 있다고 볼 수 있다.

오답률 Best ❸

<보기>의 내용을 참고하여 적절한 감상인지를 판단하는 문제야. 선지에 제시된 감상이 <보기>를 근거로 했을 때 적절하고 타당한 감상인지를 따져 보는 거지. 오답 중에서 ①번을 선택한 비율은 16%로 높은 편이었어. '성은'이 '임금의 큰 은혜'를 의미하는 단어라는 걸 파악하지 못했다면 정오 판단을 하기 어려웠을 수 있어. 이처럼 고전시가 작품은 일상에서 쓰지 않는 낯선 어휘가 쓰인 경우가 많으니까 다양한 고전 작품을 접하면서 자주 등장하는 어휘를 익혀 놓자.

42 ⑤ 정답률 78%

정답풀이

(나)에서 '이자'는 거미의 말을 듣고 자신의 생각이 잘못되었음을 깨닫고 방으로 달아나 자물쇠를 채우고 몸을 구부린다. 따라서 [C](이자가 달아남.)는 의문을 해결할 방법을 모색하는 것이 아니라 깨달음을 얻고 부끄러움을 느껴 달아난 모습을 보여주는 것이라고 할 수 있다.

오답풀이

① (나)에서 '이자'는 거미가 '덫을 설치하여 산 것을 죽이니~다른 벌레들에게 덕을 베풀려고' 거미줄을 걷어 낸다. 따라서 [A](이자가 거미줄을 걷음.)는 다른 벌레들을 살리기 위한 행동이라 볼 수 있다.
② (나)의 [B](거미가 이자에게 말함.)에서 거미는 온갖 벌레들이 거미줄에 걸리는 이유는 '재앙을 스스로 만들어 흉액을 피할 줄 모르'기 때문이라고 설명하고 있다.
③ (나)의 [B]에서 거미는 거미줄에 걸리는 벌레들의 모습을 나열한 후, '그대의 이름을 팔지 말며~망령되이 굴지 말며 원망하거나 시기하지 말며 땅을 잘 가려서 밟고 때에 맞추어 오고 가야 한다.'라고 말하며 벌레들의 모습을 인간의 삶의 모습으로 확장하고 있다.
④ (나)의 [B]에서 거미는 온갖 벌레의 부정적인 모습을 근거로 해서 '이자'가 거미줄에 걸린 벌레를 살리기 위해 거미줄을 걷어 내는 것이 잘못되었음을 지적하고 있다.

[43~45] 현대시

43 ④ 정답률 60%

정답풀이

(가)는 '너무 멀리서만 보고 있는 것은 아닐까', '너무 가까이서만 보고 있는 것은 아닐까'라는 유사한 시구를 반복하여 삶에 대한 올바른 관점의 중요성을 강조하고 있다. 또한 (나)는 '그런 사람들이', '슬기롭게 사는 사람들이'라는 유사한 시구를 반복하여 삶이 힘들어도 슬기롭게 사는 인간적인 모습을 강조하고 있다.

오답풀이

① (나)의 '누군가 나에게 물었다. 시가 뭐냐고'에서는 문장 성분의 정상적인 배열 순서를 바꾸어 그 의미를 강조하는 도치를 확인할 수 있으나, (가)에는 도치가 쓰이지 않았다.
② (가)는 '산들', '바다' 등의 자연물을 이용하여 세상살이를 다 알 것 같다는 화자의 자만심을 표현했다고 볼 수 있다. 그러나 (나)는 자연물을 이용하여 화자의 정서를 드러내고 있지 않다.
③ (가)와 (나)에서 특정한 계절적 배경을 드러내고 있지는 않다.
⑤ 설의는 쉽게 판단할 수 있는 사실을 의문의 형식으로 표현하여 상대방이 스스로 판단하게 하는 것으로 의미를 강조하기 위한 표현법인데, (가)와 (나)에는 설의적 표현이 쓰이지 않았다. (가)의 '너무 멀리서만 보고 있는 것은 아닐까', '너무 가까이서만 보고 있는 것은 아닐까'는 의문문의 형식으로 삶을 바라보는 관점을 묻는 것일 뿐, 설의적 표현은 아니다.

오답률 Best ❹

표현상의 특징에 대해 묻는 이번 문제는 정답인 ④번을 제외하면 오답인 ⑤번을 선택한 학생들의 비율이 높았어. 설의적 표현은 쉽게 판단할 수 있는 사실을 의문의 형식으로 표현하여 상대방이 스스로 판단하게 하여 의미를 강조하는 표현법이야. 모르는 것에 대해 친구가 물어볼 때, '내가 그것을 알겠냐?'라고 말하는 걸 설의라고 할 수 있다. 따라서 설의는 당연히 의문의 형식으로 이루어져 있겠지? 의문문은 의문형 종결 어미로 실현되기 때문에 먼저 '-느냐, -ㄴ가, -니, -ㄹ까'와 같은 의문형 어미가 쓰였는지 확인한 후 맥락을 살펴 의미를 따져보면 돼.

하지만 ⑤번에서는 설의적 표현이 쓰이지 않았어. '너무 멀리서만 보고 있는 것은 아닐까', '너무 가까이서만 보고 있는 것은 아닐까'는 '나'에서 '우리'로 확장하여 의문을 던지고 있으므로, 이를 설의적 표현이라고 보기는 어렵지.

기출을 통해 문학 개념들을 확인해 보고, 어떤 때에 그 개념이 사용되었다고 볼 수 있는지를 잘 정리해 두길 바라. 문학 개념이 점점 쌓이면서 문제로 빠르고 정확하게 풀 수 있을 거야!

44 ② 정답률 70%

정답풀이

(가)의 화자는 '설악산 대청봉' 위에서 산들, 마을들, 바다를 내려다보며 '세상살이 속속들이 다 알 것도 같다'고 말하고 있다. 이때 높은 산봉우리에서 바다를 내려다보며 알 것도 같다 하는 것은 '멀리'서 대상을 바라보는 것이므로, 세상살이 속속들이 알기 위해서는 가까이에서 보아야 함을 깨달았다고 볼 수 없다.

오답풀이

① (가)의 화자는 '설악산 대청봉'이라는 산봉우리 위에서 '산들'과 '마을들'을 내려다 본 것이니 이는 '멀리'에서 본 세상의 모습이라 할 수 있다.

③ (가)의 '함경도 아주머니들'과 '마늘 장수'는 화자가 속초, 원통에 내려와 직접 마주한 사람들이므로 '가까이'에서 세상을 본 경험이라고 볼 수 있다.
④ 〈보기〉에서 (가)는 '공간의 이동에 따른 관점의 변화를 그리며, 삶을 바라보는 태도에 대한 성찰을 드러내고 있다'고 하였다. (가)의 화자는 '설악산 대청봉'에서 '세상살이 속속들이 다 알 것 같다'고 생각했으나 '속초'와 '원통'이라는 공간에서 겪은 일들로 인해 '세상은 아무래도 산 위에서 보는 것과 같지만은 않다'고 생각하게 되었다. 따라서 공간의 이동에 따라 '속초'와 '원통'에서 겪은 일들로 화자의 관점이 변화했다고 볼 수 있다.
⑤ 〈보기〉에서 (가)는 '큰 지혜는 멀리서도 볼 줄 알고, 가까이서도 볼 줄 아는 것'이라는 생각을 드러냈다고 했다. 이를 고려하면 (가)에서 '멀리'와 '가까이'에서 본 세상을 비교한 화자가 두 관점이 모두 필요하다고 느꼈기 때문에 '너무 멀리서만 보고 있는 것은 아닐까', '너무 가까이서만 보고 있는 것은 아닐까'라고 말했다고 볼 수 있다.

45 ③ 정답률 81%

정답풀이

(나)에서 화자는 '무교동과 종로와 명동과 남산과 / 서울역 앞', '남대문 시장'을 돌아다니던 중 '슬기롭게 사는 사람들이' 시인이라는 답을 스스로 얻게 된다. 즉 화자가 여러 곳을 돌아다닌 것은 맞지만, 그 사람들에게 시란 무엇인지에 대한 답을 물어본 것은 아니므로 ㉢(여러 곳을 다니며 사람들에게 그 답을 물어보던 중.)은 적절하지 않다.

오답풀이

① (나)는 '누군가 나에게 물었다. 시가 뭐냐고'라고 시작하고 있으므로, ㉠(시란 무엇인가에 대한 질문이 이 시를 쓴 게기가 된 것 같아.)은 적절한 감상이다.
② (나)에서 '시가 뭐냐'는 질문에 화자는 '나는 시인이 못됨으로 잘 모른다고 대답하였다'고 했으므로 ㉡(자신은 '시인이 못됨으로' 모른다고 대답하였어.)은 적절한 감상이다.
④ (나)의 '남대문 시장 안에서 / 빈대떡을 먹을 때 생각나고 있었다.'에서 시가 무언이지에 대한 답을 얻게 되었다고 했으므로 ㉣(남대문 시장에서 질문에 대한 답을 얻게 되었어.)은 적절한 감상이다.
⑤ (나)의 화자는 '엄청난 고생 되어도 / 순하고 명랑하고 맘 좋고 인정이 / 있으므로 슬기롭게 사는 사람들이' 시인이라고 보았으므로, ㉤(삶이 고되어도 맘 좋고 인정 넘치는 사람들이 다름 아닌 시인이라고 생각하게 된 것 같아.)은 적절한 감상이다.

15회

2018학년도 6월 학평

1. ⑤	2. ④	3. ④	4. ④	5. ⑤	6. ⑤	7. ②	8. ①	9. ②	10. ②
11. ④	12. ①	13. ②	14. ①	15. ②	16. ①	17. ②	18. ④	19. ③	20. ④
21. ②	22. ③	23. ①	24. ②	25. ③	26. ④	27. ①	28. ①	29. ⑤	30. ④
31. ④	32. ⑤	33. ②	34. ⑤	35. ③	36. ③	37. ⑤	38. ③	39. ④	40. ②
41. ④	42. ⑤	43. ③	44. ④	45. ②					

오답률 Best 5

[1~3] **화법**

1 ⑤ 정답률 **85%**

정답풀이

발표에서 학생이 '까치밥'에 대한 학생 자신의 개인적 경험을 제시한 부분은 확인할 수 없다.

오답풀이

① '공동체 정신이 사라지고 있는 요즘, 조상들의 아름다운 '까치밥' 문화의 의미를 다시 살려야 할 것입니다.'에서 확인할 수 있다.
② '예로부터 우리 조상은 감을 수확할 때, 까치와 같은 날짐승이 겨우내 먹을 수 있도록 감을 다 따지 않고 나뭇가지에 몇 개 남겨 놓았습니다.~ 이것을 '까치밥'이라고 합니다.'를 통해 확인할 수 있다.
③ '감이 대표적인 '까치밥'이 된 이유는 감나무가 높이 자라 감을 따기 힘들기 때문이기도 하지만, 감의 수확 시기가 새들이 먹이를 구하기 힘들어지는 시기와 맞물리기 때문입니다.'를 통해 확인할 수 있다.
④ '까치밥'을 길조 여긴 우리 조상들의 인식과 관련하여 '수확 때가 되면 까치들에게 고마움의 뜻으로 열매를 남겨두어 겨울에도 까치들이 굶주리지 않게 했는데 이것이 굳어져 '까치밥' 풍습이 된 것'이라며 '까치밥'의 유래를 설명하고 있다.

2 ④ 정답률 **79%**

정답풀이

㉡(두 번째 사진)은 '『대지』의 작가인 펄 벅이 경주를 방문했을 때의 사진'으로, '외국인의 눈에도 우리나라의 '까치밥' 문화는 아름답게 보였'음을 제시하기 위해 활용되었다.

오답풀이

①, ② ㉠(사진)은 '감나무 꼭대기에 감이 하나 달려 있는 장면'으로, '까치밥'의 개념을 설명하기 위해 제시한 것일 뿐, 까치의 식성을 보여 주거나 '까치밥'에 대한 인식 변화를 설명하기 위해 제시한 것은 아니다.
③ ㉡은 '『대지』의 작가인 펄 벅이 경주를 방문했을 때의 사진'으로, '외국인의 눈에도 우리나라의 '까치밥' 문화는 아름답게 보였'음을 제시하기 위해 활용되었을 뿐, '까치밥'의 유래를 설명하기 위해 제시한 것이 아니다. 참고로 '까치밥'의 유래는 ㉡이 제시되기 이전에 설명하였다.
⑤ ㉢(「콩 세 알」)은 '생계 수단인 농사를 지으면서도 새와 땅속의 벌레까지 생각하는' 농부의 마음이 '까치밥' 문화의 공동체 정신과 일맥상통함을 보여 주기 위해 제시하기 위해 활용되었을 뿐, 까치에 대한 농부의 인식을 보여 주기 위해 제시한 것은 아니다.

3 ④ 정답률 **83%**

정답풀이

학생은 발표를 들으며 '까치밥' 문화가 사라진 원인이 '공동체 정신이 사라지'게 된 것이라기보다 '도시에 모여 살면서 주거 환경이 바뀐 것에 있으며, 이 부분이 발표에서 다뤄지지 않은 것 같다고 생각한다. 따라서 학생은 발표자에게 '까치밥' 문화가 사라진 원인을 '공동체 정신의 차원' 외에 '우리가 사는 주거 환경과도 관련지어' 생각해 볼 수 있지 않느냐고 질문할 수 있다.

오답풀이

① 학생이 떠올린 생각은 '까치밥' 문화가 사라진 원인과 관련되므로, '까치밥' 문화가 사라진 시기에 대해 질문하는 것은 적절하지 않다.
② 발표 내용 중 '까치밥' 문화를 도시화와 관련지어 다룬 부분은 찾아볼 수 없다.
③ 학생이 떠올린 생각은 '까치밥' 문화가 사라진 원인과 관련되며, 발표에서는 '까치밥' 문화를 주거 환경과 관련지어 문제를 제기하지 않았으므로, 주거 환경과 관련된 해결 과제에 대해 질문하는 것은 적절하지 않다.
⑤ 발표 내용 중 '까치밥' 문화가 사라진 원인을 주거 환경과 관련하여 다룬 부분은 찾아볼 수 없으며, 발표를 들은 학생은 오히려 이러한 내용을 발표에서 다루지 않았음을 떠올리고 있다.

[4~7] **화법과 작문**

4 ④ 정답률 **88%**

정답풀이

㉣(그러면 우승이가 선생님께 말씀드려 볼래?)에서 '민재'는 '상담 선생님께 부탁드려서 여러 가지 심리검사를 공부해 보'자는 '우승'에게 그에 대해 '선생님께 말씀드려' 달라고 요청하여 선생님과 직접 교섭할 역할을 제안하고 있을 뿐, 토의 참여자의 발언 순서를 조정하고 있지는 않다.

오답풀이

① ㉠(2학기 또래상담 행사를 어떻게 운영할 것인지에 대해 토의하려고 해.)에서 '민재'는 '2학기 또래상담 행사를 어떻게 운영할 것인지'라는 토의 주제를 제시하며 토의 참여자들이 논의해야 할 사안을 안내하고 있다.
② ㉡(그러면 다들 주간 행사로~어떤 프로그램으로 구성하면 좋을지 말해 보자.)에서 '민재'는 토의 중 또래상담 행사를 '주간 행사로 확대'하기로 합의한 내용을 언급하며 '주간 행사를 어떤 프로그램으로 구성'할지에 대한 다음 논의로 이어 가고 있다.
③ ㉢(게임도 종류가 다양한데 구체적으로 어떤 게임을 말하는 건지 예를 들어줄래?)에서 '민재'는 '첫 번째 프로그램으로 게임을 하'자는 '진희'의 의견에 대해 '구체적으로 어떤 게임을 말하는 건지 예를 들어' 달라고 요청하며 토의 참여자의 발언에 대한 보충 설명을 요구하고 있다.
⑤ ㉤(자, 그럼 2학기 또래상담 주간 행사 프로그램을~진행해 보자.)에서 '민재'는 토의에서 논의된 또래상담 주간 행사의 구성을 요약하여 정리하고 있다.

5 ⑤ 정답률 81%

정답풀이

[E]에서 '우승'은 '심리 검사'를 통해 상담자의 심리 상태를 파악하자는 의견에 대해 '수연'이 '검사 결과를 해석'하기에는 우리의 전문성이 부족하다고 지적하자, '혼자 할 수 있는 자가진단 검사'도 있고 '상담 선생님께 부탁드려서 여러 가지 심리 검사를 공부'하면 '수연'이 지적한 문제점을 보완할 수 있을 것이라고 하며 설득하고 있다. 따라서 '우승'이 '수연'의 의견을 전적으로 수용하여 자신이 제시한 방안을 수정하였다고 볼 수는 없다.

오답풀이

① [A]에서 '우승'은 '행사 당일에 한 번만 상담'했던 '1학기'의 행사에는 '우리가 배운 대화 방법을 잘 활용해 보지 못했고, 친구의 고민도 제대로 파악하기 어려웠'다는 문제점이 있었음을 바탕으로 '2학기 행사를 주간 행사로 확대하면 좋'겠다며 자신의 주장을 제시하고 있다.

② [B]에서 '수연'은 '1학기 때 처음 보는 후배와 상담'했던 자신의 경험을 바탕으로 2학기 때의 행사는 '주간 행사'로 바뀌었으면 한다는 '우승'의 의견에 동조하고 있다.

③ [C]에서 '수연'은 '상담심리 책'을 함께 공부하면서 공유하게 된 "래포' 형성'에 대한 배경지식을 활용하여 '첫 번째 프로그램으로 게임'을 하여 '어색한 분위기'를 깨자는 '진희'의 의견을 지지하고 있다.

④ [D]에서 '진희'는 '심리 검사'를 통해 '그 친구의 심리 상태에 대한 객관적인 정보'를 얻고 '상담을 체계적으로 진행할' 수 있을 것이라는 '우승'의 의견에 대해 '심리 검사'는 상담자가 '자신의 심리 상태나 기본적인 성향을 인식'하는 장점도 있음을 추가적으로 제시하고 있다.

6 ⑤ 정답률 69%

정답풀이

(나) 4문단의 '"누군가 내 이야기를 듣고 나에게 공감해 주면, 나는 새로운 눈으로 세상을 다시 보게 되어 앞으로 나아갈 수 있게 된다."라고 심리학자 칼 로저스가 말했습니다.'에서 전문가의 말을 인용하고 있으며, '또래상담을 통해 친구에게 고민을 이야기하고 공감 받는 것만으로 우리의 마음은 한결 편안해질 수 있습니다.'에서 또래상담의 개인적 효과를 제시하고 있다고 볼 수 있다. 그러나 (나)의 4문단에서 또래상담의 사회적 효과를 제시한 부분은 찾아볼 수 없으며, (가)에서 이에 대해 논의한 부분도 확인할 수 없다.

오답풀이

① (나) 1문단의 '저희는 또래상담에 관심이 많은 학생들이 모여, 또래 상담자 교육과정을 수료하고, 친구들과 상담하며 교내에 소통의 문화를 만들기 위해 노력하는 자율동아리입니다.'에서 또래상담 동아리 '수호천사'를 소개하고, 구성원이 또래 상담자 교육과정을 수료하였음을 언급하여 신뢰감을 주고 있다.

② (나) 2문단의 '진심을 터놓을 수 있는 상대를 만나기는 쉬운 일이 아닙니다.'에서 진심으로 소통할 상대를 만나기의 어려움을 언급하여 '가족, 친구 관계, 진로 등에 대한 여러 가지 고민들이 많'은 예상 독자와의 공감대를 형성하고 있다. 또한 (가)에서 '진희'가 언급한 '또래 간의 소통과 공감이라는 행사의 취지'와 연결지어 '혼자만의 고민을 안고 있는 여러분들과 소통하고 공감하기 위해 '2학기 또래상담 주간 행사'를 준비했'음을 제시하고 있다.

③ (가)에서 '게임, 심리 검사, 검사 결과를 바탕으로 상담하기'로 정리되었던 또래상담 주간의 세 가지 프로그램을 (나)의 3문단에서 '먼저 다가가 친구 되기', '내 마음 들여다보기', '고민 나누고 함께 해결하기'로 각 프로그램의 특성을 보여 주는 새로운 명칭을 붙여 소개하고 있다.

④ (가)에서 '진희'는 '우정의 종이비행기' 외에도 '함께 어울릴 수 있는 유익한 게임들을 더 찾아보'겠다고 이야기했고, '우승'은 '우리가 해석할 수 있는 검사들'도 있을 것이니 함께 공부해 보자고 제안하였다. 이들이 추후 조사했을 여러 게임과 심리검사 종류는 (나)의 3문단에 '감정 빙고 게임, 고민 풍선 터뜨리기, 우정의 종이비행기 날리기'와 '문장완성검사, 청소년용 이고그램(Egogram) 성격검사'로 제시되어 있다.

7 ② 정답률 83%

정답풀이

'내 이야기에 공감해 줄 수호천사를 만나다'라는 제목에는 (나)의 '마지막 문단'에 있는 '핵심 단어'를 가져오자는 '수연'의 의견에 따라 '이야기'와 '공감'이라는 핵심 단어가 사용되었고, '동아리 이름도 같이 활용'하자는 '민재'의 의견에 따라 '수호천사'라는 동아리명이 들어갔다. 또한 '세 가지 프로그램으로 체계화된 또래상담 주간 행사'라는 부제에서는 '1학기 행사보다 개선된 점'을 덧붙였으면 한다는 '수연'의 의견에 따라 (가)의 논의를 바탕으로 행사를 '주간 행사로 확대'하고 세 가지 프로그램으로 체계화했다는 개선점을 언급하고 있다.

오답풀이

① 제목에 '수호천사'라는 동아리명을 언급하였고, 부제에 행사를 '주간' 단위로 확대하여 '다양한 프로그램'을 진행한다는 개선점이 개시되어 있다. 그러나 제목에서 (나)의 마지막 문단의 핵심 단어가 들어간 부분은 찾을 수 없다.

③ 제목에 (나) 마지막 문단에 활용된 '마음'이라는 단어가 사용되었다. 그러나 제목에는 '수호천사'라는 동아리명이 제시되지 않았으며, 부제에서 (가)에서 논의된 개선점을 덧붙이고 있지도 않다.

④ 제목에 (나) 마지막 문단에 활용된 '공감'이라는 단어가 사용되었다. 그러나 제목에는 '수호천사'라는 동아리명이 제시되지 않았으며, 부제에서 (가)에서 논의된 개선점을 덧붙이고 있지도 않다.

⑤ 제목에 '수호천사'라는 동아리명을 언급하였다. 그러나 제목에 (나)의 마지막 문단의 핵심 단어가 들어간 부분은 찾을 수 없으며, 부제에서 (가)에서 논의된 개선점을 덧붙이고 있지도 않다.

[8~10] 작문

8 ① 정답률 79%

정답풀이

(가)에서 글의 목적은 '온실가스 문제 해결을 위한 설득적 글쓰기'라고 하였고, (나)의 1문단에서 온실가스가 '지구 온난화의 주범'이어서 '사회적으로 크게 문제가 되고 있어 이를 해결해야 할 필요성이 커지고 있'다며 온실가스가 왜 문제인지를 언급하고 있다. 그러나 (나)에서 '온실가스에 대한 정의'를 설명한 부분은 찾아볼 수 없다.

오답풀이

② (가)에서 작문 과제는 '사회 문제'에 대한 '해결 방안을 제시하는 글'을 쓰는 것이라고 하였고, (나)에서는 '온실가스' 문제를 감축하기 위한 사회적 차원에서의 실천 방안을 소개한 2문단과 3문단에 이어 4문단에서 '사회적 노력과 함께 개인적인 노력도 필요'하다고 하며 '휴지 대신 손수건'을 쓰거나 '개인 컵을 이용'하는 등의 개인적 차원의 해결 방안을 추가로 제시하고 있다.

③ (가)에서 예상 독자는 '우리 학교 학생들'이라고 하였고, (나)의 1문단에서 예상 독자를 고려하여 문제 상황을 쉽게 알 수 있게 하는 '북극곰'의 사진을 활용하며 글을 시작하고 있다.

④ (가)에서 예상 독자는 '우리 학교 학생들'이라고 하였고, (나)의 2문단~3문단에서 해당 제도에 대해 잘 모를 학생들의 배경지식을 고려하여 '탄소 배출권 제도'의 개념과 이를 시행함으로써 얻을 수 있는 효과를 설명하고 있다.

⑤ (가)에서 글의 주제는 '탄소 배출권 제도의 개념과 효과를 알고 온실가스를 감축하기 위한 노력에 동참하도록 하'는 것이라고 하였고, 이에 따라 (나)의 3문단에는 온실가스를 감축하기 위한 사회적 노력의 일환으로 제시된 '탄소 배출권 제도'의 긍정적 효과를 제시하였지만, 주제와의 관련성을 고려하여 '탄소 배출권 제도의 부정적인 영향'(ⓔ)은 제시되지 않았다.

9 ② 정답률 58%

정답풀이

〈보기〉의 ㉡(우리나라 1인당 온실가스 배출량)은 그래프를 통해 우리나라 1인당 온실 가스 배출량이 지속적으로 증가하고 있음을 구체적인 수치와 함께 제시하고 있다. 이는 (나) 4문단의 '우리나라 1인당 온실가스 배출량이 점점 증가하고 있'다는 내용을 뒷받침할 수 있는 자료로, 맥락상 온실가스에 대한 개인의 인식 전환을 위해 사회적 차원의 지원이 아니라 '개인적인 노력'이 필요하다는 내용을 뒷받침하기 위해 활용할 수 있는 자료이다.

오답풀이

① 〈보기〉의 ㉠(우리나라 온실가스 총 배출량)은 그래프를 통해 우리나라 온실가스 총 배출량이 지속적으로 증가하고 있음을 구체적인 수치와 함께 제시하고 있으므로, 이를 활용하여 (나)의 2문단의 '우리나라에서도 온실가스 배출량이 점점 늘어 심각한 사회 문제가 되고 있'다는 내용을 뒷받침할 수 있다.

③ 〈보기〉의 ⓒ(전문가 인터뷰)에는 '현재 수준으로 온실가스를 배출'할 경우 지구의 평균 기온이 지속적으로 상승하여 '인류 생존에 큰 피해'가 생긴다는 내용이 제시되었으므로, 이를 활용하여 (나)의 1문단에 제시된 '지구 온난화의 주범인 온실가스'의 위험성을 강조할 수 있다.

④ 〈보기〉의 ㉠에는 우리나라 온실가스 총 배출량이 지속적으로 증가하고 있음을, ⓒ에는 '온실가스 배출을 줄이기 위한 제도적 장치를 더욱 강화해야' 함을 언급하고 있으므로, 이를 활용하여 '탄소 배출권 제도'의 효과를 설명하는 (나)의 3문단에 지속적으로 늘어나는 온실가스 배출 문제를 해결하기 위해 탄소 제도권 제도를 확대하는 방식으로 제도적인 장치 강화를 해야 한다는 내용을 추가할 수 있다.

⑤ 〈보기〉의 ㉡에는 우리나라 1인당 온실 가스 배출량이 지속적으로 증가하고 있음이, ⓒ에는 온실가스 문제가 지구의 평균 기온을 상승시킨다는 내용이 제시되고 있으므로, 이를 활용하여 (나)의 4문단의 '우리나라 1인당 온실가스 배출량이 점점 증가하고 있기 때문'에 온실가스 감축을 위한 '개인적인 노력도 필요'하다는 내용에 개개인의 노력이 지구 온난화 문제 해결에 기여한다는 내용을 보충할 수 있다.

10 ② 정답률 76%

정답풀이

'왜냐하면 온실가스를 줄이기 위한 노력은 환경을 살리는 길이기 때문입니다.'에서 온실가스 감축의 의의를, '일상에서 일회용품 사용을 줄이는 일이 쉽지 않겠지만'에서 온실가스 감축 실천의 어려움을 제시하면서 '청소년들도 더 나은 환경을 만들어 가는 일에 동참'하자며 청소년들이 온실가스 감축에 동참하도록 설득하고 있다.

오답풀이

① '왜냐하면 온실가스를 줄이기 위한 실천은 곧 자신과 세계를 지키고 나아가 환경을 지키는 것이기 때문입니다.'에서 온실가스의 감축의 의의를 제시하며, '청소년들이 온실가스를 줄이는 일을 생활 속에서 실천하여 더 나은 세계를 만들어 가는 주체가 되도록' 하자며 설득하고 있지만, 온실가스 감축 실천의 어려움은 제시하지 않았다.

③ '청소년도 온실가스 문제를 해결해야 할 의무'가 있음을 언급했을 뿐, 온실가스 감축이 지닌 의의나 온실가스 감축 실천의 어려움을 언급하지 않았으며, '기업이 온실가스 감축을 제대로 실천하는지 적극적으로 살피는 데 동참'하도록 설득하는 것은 청소년들의 주체적인 온실가스 감축을 권유한 것이라고 보기 어렵다.

④ '귀찮고 번거롭겠지만'에서 온실가스 감축 실천의 어려움을 제시하며, '청소년들도 물건을 살 때마다 온실가스 감축을 생각하는 자세를 가지'자고 설득하고 있지만, 온실가스 감축의 의의는 제시하지 않았다.

⑤ '개개인이 손수건과 종이컵을 사용하여 온실가스 감축에 모두 동참하'자며 설득하고 있지만, 온실가스 감축의 의의와 온실가스 감축 실천의 어려움은 제시하지 않았다.

[11~15] 문법(언어)

11 ④ 정답률 73%

정답풀이

〈보기〉에서 '잡일'의 음운 변동 과정은 '잡일 → [잡닐] → [잠닐]'로 원래 없던 'ㄴ'이 덧붙는 첨가('ㄴ' 첨가)와 'ㄴ' 앞에서 'ㅂ'이 'ㅁ'으로 바뀌는 교체(비음동화)가 나타났다. 한편 '색연필'의 음운 변동 과정은 '색연필 → [색년필] → [생년필]'로 원래 없던 'ㄴ'이 덧붙는 첨가('ㄴ' 첨가)와, 'ㄴ' 앞에서 'ㄱ'이 'ㅇ'으로 바뀌는 교체(비음동화)가 나타났다. 따라서 '잡일'과 '색연필'은 동일한 음운 변동 과정이 일어난다.

오답풀이

① '법학'의 음운 변동 과정은 '법학 → [버팍]'으로 'ㅂ'과 'ㅎ'이 'ㅍ'으로 합쳐지는 축약(거센소리되기)이 나타났다.

② '담요'의 음운 변동 과정은 '담요 → [담뇨]'로 원래 없던 'ㄴ'이 덧붙는 첨가('ㄴ' 첨가)만 나타났다.

③ '국론'의 음운 변동 과정은 '국론 → [국논] → [궁논]'으로 먼저 'ㄹ'이 비음 'ㄴ'으로 바뀌는 교체('ㄹ'의 비음화)와 'ㄴ' 앞에서 'ㄱ'이 'ㅇ'으로 바뀌는 교체(비음동화)가 나타났다.

⑤ '한여름'의 음운 변동 과정은 '한여름 → [한녀름]'으로 원래 없던 'ㄴ'이 덧붙는 첨가('ㄴ' 첨가)만 나타났다.

12 ① 정답률 40%

정답풀이

〈보기〉에 따르면 자립 형태소는 '다른 말에 기대어 쓰이지 않고 홀로 사용될 수 있'다. 이를 고려하면, ㉠(하늘이 매우 높고 푸르다)에서 다른 말에 기대어 쓰이지 않고 홀로 사용될 수 있는 자립 형태소는 '하늘'과 '매우'로 모두 2개이다.

오답풀이

② 〈보기〉에 따르면 형식 형태소는 '문법적인 기능을 수행'한다. 이를 고려하면 ㉠에서 형식 형태소는 '이', '–고', '–다'로 모두 3개이다. 이때 주격 조사 '이'는 앞말이 주어임을 알려 주는 기능을, 연결 어미'–고'는 앞말과 뒷말을 이어주는 기능을, 종결 어미 '–다'는 문장을 종결하는 문법적 기능을 수행하고 있다.

③ 〈보기〉에 따르면 의존 형태소는 '다른 말에 기대어 사용'된다. 이를 고려하면 ㉠에서 홀로 쓰일 수 없는 의존 형태소는 '이', '높–', '–고', '푸르–', '–다'로 모두 5개이다.

④ 〈보기〉에 따르면 실질 형태소는 '구체적인 대상이나 동작, 상태를 표시하는 실질적인 의미'를 지니고, 의존 형태소는 '다른 말에 기대어 사용'된다. 이를 고려하면, ㉠에서 실질 형태소이면서 의존 형태소에 해당하는 것은 용언의 어간 '높–', '푸르–'로 모두 2개이다.

⑤ 〈보기〉에 따르면 실질 형태소는 '구체적인 대상이나 동작, 상태를 표시하는 실질적인 의미'를 지니고, 자립 형태소는 '다른 말에 기대어 쓰이지 않고 홀로 사용될 수 있'다. 이를 고려하면 ㉠에서 실질 형태소이면서 자립 형태소는 '하늘, 매우'로 모두 2개이다.

오답률 Best 3

형태소는 기준에 따라 '실질 형태소 / 형식 형태소' 중 하나와, '자립 형태소 / 의존 형태소' 중 하나로 분류할 수 있어. ㉠을 형태소 단위로 쪼개어 보면 '하늘(명사) + 이(조사) + 매우(부사) + 높-(형용사 어간) + -고(연결 어미) + 푸르-(형용사 어간) + -다(종결 어미)'가 돼. 이때 '하늘'과 같은 명사와 '매우'와 같은 부사는 혼자서도 쓰일 수 있으니 자립 형태소이고, 조사, 어간, 어미는 의존 형태소야. 그리고 우리가 실질적 의미를 찾을 수 있는 '하늘, 매우, 높-, 푸르-'는 실질 형태소, 문법적인 기능만 수행하는 '이, -고, -다'는 형식 형태소가 되지. <보기>에서 '실질 형태소', '형식 형태소', '자립 형태소', '의존 형태소'가 무엇인지 설명하고 있기는 하지만, 형태소 분석을 충분히 해 보지 않았다면 <보기>의 설명만으로 ㉠의 형태소를 유형별로 분석하기 어려웠을 거야. 따라서 문법(언어) 영역을 공부할 때에는 개념 학습과 함께 예시도 분석할 수도 있어야 한다는 점을 잊지 말자.

13 ② 정답률 55%

정답풀이

'묻어'는 '묻다'의 어간 '묻–'에 어미 '–어'가 붙으면서 '묻어'의 형태로 활용된 것으로, '어간이나 어미의 기본 형태가 바뀌지 않'은 규칙 활용에 해당한다.

오답풀이

① '퍼'는 '푸다'의 어간 '푸–'에 어미 '–어'가 붙으면서 'ㅜ'가 탈락한 ㉠(불규칙 활용)에 해당한다.

③ '들으면서'는 '듣다'의 어간 '듣–'에 어미 '–으면서'가 붙으면서 어간 받침 'ㄷ'이 'ㄹ'로 바뀐 ㉠에 해당한다.

④ '도와'는 '돕다'의 어간 '돕–'에 어미 '–아'가 붙으면서 어간 받침 'ㅂ'이 'ㅗ'로 바뀐 ㉠에 해당한다.

⑤ '올라'는 '오르다'의 어간 '오르–'에 어미 '–아'가 붙으면서 어간의 '르'가 'ㄹㄹ'로 바뀐 ㉠에 해당한다.

14 ① 정답률 70%

정답풀이

㉠의 경우 수정 전 문장은 '되다'라는 서술어가 반드시 필요로 하는 필수 성분인 보어가 누락된 것이며, 서술어가 필요로 하는 주어인 '그녀는'은 누락되지 않았다. 따라서 ㉠에서 문장을 수정할 때 고려한 사항은 서술어가 요구하는 문장성분인 '보어'를 추가한 것으로 보아야 한다.

오답풀이

② ⓛ의 경우 수정 전 문장은 '그'가 낚시를 좋아하는 정도가 '나'가 낚시를 좋아하는 정도보다 더하다는 것과, 그가 '나'와 '낚시' 중 '낚시'를 더 좋아한다는 중의성을 지닌다. 따라서 전자의 의미가 확실하도록 문장을 수정하여 중의성을 해소한 것은 적절하다.
③ ⓒ의 경우 수정 전 문장은 '우리 집의 특징은'과 '넓다.'라는 서술어가 서로 호응하지 않는다. 따라서 주어와 서술어가 호응이 될 수 있도록 서술어를 '넓다는 것이다.'로 수정한 것은 적절하다.
④ ⓔ의 경우 수정 전 문장은 '개선시켜야'가 사용되었는데, 의미상 환경을 '개선해야' 하는 주체가 '우리'이므로, '개선시켜야'라는 불필요한 사동 표현을 '개선해야'로 고치는 것은 적절하다.
⑤ ⓜ의 경우 수정 전 문장에서는 '조용히'와 '조용하고 엄숙함'의 의미를 지닌 '정숙'의 의미가 중복되고 있으므로, '조용히'를 삭제한 것은 적절하다.

15 ② 정답률 66%

정답풀이

〈보기〉에 따르면 '객체 높임은 문장의 목적어나 부사어가 지시하는 대상'을 '특수 어휘'나 부사격 조사 '께'를 통해 실현한다. '형은 어머니께 그 책을 드렸다.'에서는 '드리다'라는 높임의 특수 어휘와 부사격 조사 '께'를 통해 부사어가 지시하는 대상인 '어머니'에 대한 높임의 태도가 드러나므로 객체 높임의 예로 적절하다.

오답풀이

① '선생님께서는 댁에 계십니다.'에서는 '댁'과 '계시다'와 같은 높임의 어휘와 '께서'라는 주체 높임의 조사를 통해 '선생님'을 높이는 주체 높임이 사용되었다.
③ '할아버지께서는 눈이 밝으십니다.'에서는 '께서'라는 주체 높임의 조사를 통해 '할아버지'를 높이고, 주체 높임의 선어말어미 '-시-'를 통해 '할아버지'의 신체 일부를 간접적으로 높인 주체 높임(간접 높임)이 사용되었다.
④ '할머니, 아버지가 지금 막 도착했어요.'에서는 '해요체'의 종결 어미를 사용하여 '할머니'를 높이는 상대 높임이 사용되었다.
⑤ '윤우야, 선생님께서 빨리 교무실로 오라고 하셔.'에서는 주체 높임의 조사 '께서'와 주체 높임의 선어말어미 '-시-'를 통해 '선생님'을 높인 주체 높임이 사용되었다.

[16~19] **인문**

16 ① 정답률 75%

정답풀이

1문단에서 '하늘'이라는 특정 대상에 대해 고대 중국인들이 가지고 있던 관점을 제시한 뒤, 2문단에서 그 당시까지 진행되던 하늘의 논의와 엄격히 구분되는 순자의 새로운 관점을 제시한 후 순자의 관점에 대한 내용을 구체적으로 설명하고 있다.

오답풀이

② 1문단에서 '하늘'에 대한 기존의 인식이 '새로운 시대의 요구'에 부합하지 않는다는 문제가 제기되었다고 볼 여지가 있으나, 직접적으로 특정 대상이나 주제에 대한 문제를 제기하고 있지 않으므로, 문제의 원인을 다양한 측면에서 분석하고 있다고 볼 수는 없다.
③ 4문단에서 순자의 관점은 '하늘에 무슨 의지가 있다고 주장하고 그것을 알아내겠다고 덤비는 종교적 사유의 접근을 비판'한다고 했을 뿐, 윗글에서 여러 비판들을 검토하고 있지 않다.
④ 1문단에 제시된 고대 중국인들의 관점과 2문단부터 제시되는 순자의 '하늘'에 대한 관점이 서로 상반된다고 볼 수 있으나, 이러한 입장의 장점과 단점을 종합하고 있지는 않다.
⑤ 윗글에서 특정한 가설을 증명하기 위해 구체적인 사례를 들어 증명하고 있지는 않다.

17 ② 정답률 86%

정답풀이

[A]에서 '하늘'에 대한 고대 중국인들의 인식은 '모든 새로운 왕조의 탄생과 정치적 변천까지도 그것(하늘)에 의해 결정된다는 믿음의 근거로 작용'했다고 한 것을 통해, 고대 중국인들은 하늘이 인간 왕조의 탄생이나 정치적 변천을 주관하는 존재로 인식하였음을 알 수 있다.

오답풀이

① [A]에서 고대 중국인들이 하늘을 '인간에게 자신의 의지를 심어 두려움을 갖고 복종하게 하는 의미'로 인식했다고 하였다.
③ [A]의 '고대 중국인들은 인간이 행하지 못하는 불가능한 일은 그들이 신성하다고 생각한 하늘에 의해서 해결 가능하다고 보았다.'를 통해 알 수 있다.
④ [A]에서 고대 중국인들은 하늘을 '인간의 개별적 또는 공통적 운명을 지배하는 신비하고 절대적인 존재'라고 믿었다고 하였다.
⑤ [A]에서 고대 중국인들이 '하늘은 인간에게 행운과 불운을 가져다 줄 수 있는 힘'이라고 믿었다고 하였다.

18 ④ 정답률 81%

정답풀이

3문단~4문단에 따르면 '불구지천'은 '하늘은 그 자체의 운행 법칙을 따로 갖고 있어 인간의 길과 다르'다고 보는 생각(ㄴ)을 바탕으로 '하늘에 무슨 의지가 있다고 주장하고 그것을 알아내겠다고 덤비는 종교적 사유의 접근을 비판하려는 것'(ㄹ)으로, 인간은 '자연현상에 대해 특별한 의미를 부여하지 말고' 재앙이 닥치면 '적극적인 행위로 그것을 이겨내야 한다'(ㄱ)고 보는 순자의 관점을 나타낸다.

오답풀이

ㄷ. 2문단에 따르면 '불구지천'을 주장한 순자는 '치세든 난세든 그 원인은 사람에게 있는 것이지 하늘과는 무관'하며, '사람이 받게 되는 재앙과 복의 원인도 모두 자신에게 있을 뿐 불변의 질서를 갖고 있는 하늘에 있지 않'다고 본다. 따라서 치세와 난세의 원인을 하늘에서 찾고자 한다거나 하늘이 권선징악의 주재자라고 본다는 설명은 적절하지 않다.

19 ③ 정답률 82%

정답풀이

2문단에 따르면 순자는 '하늘을 단지 자연현상으로 보'며 '사람이 받게 되는 재앙과 복의 원인도 모두 자신에게 있을 뿐 불변의 질서를 갖고 있는 하늘에 있지 않'다고 보았다. 즉 순자는 인간과 하늘의 작용이 서로 무관하며, 하늘이 의지를 가지거나 인간에게 어떤 영향을 미치지는 않는다고 본 것이다. 이와 달리 〈보기〉에 따르면 맹자는 '하늘이 인륜의 근원'이고, '도덕적으로 의미를 가'지며, 사람은 '하늘의 덕성을 받아 그것을 자신의 덕성으로 삼'음으로써 '하늘의 덕성'과 통하게 된다고 보았으므로 하늘이 인간의 도덕 근거로서 의미를 지닌다고 생각했다고 볼 수 있다.

오답풀이

① 3문단에 따르면 순자는 '하늘은 그 자체의 운행 법칙을 따로 갖고 있어 인간의 길과 다르'다고 보았으므로 하늘이 인간의 본질적 근원이라고 생각했다고 보기 어렵다. 〈보기〉에 따르면 맹자는 '하늘이 인륜의 근원'이며 '사람이 하늘의 덕성을 받아 그것을 자신의 덕성'으로 삼는다고 보았으므로, 오히려 맹자가 하늘을 인간에 내재하는 근원으로 생각했다고 볼 수 있다.
② 2문단~3문단에 따르면 순자는 '해와 달과 별이 움직이고 비가 내리고 바람이 부는 것'은 '인간의 길과 다르'게 '그 자체의 운행 법칙을 따로 갖고 있'는 하늘의 '자연현상'일 뿐이며, 하늘에 어떤 의지가 존재한다고 보지 않았다.
④ 〈보기〉에 따르면 맹자는 사람이 '하늘의 덕성을 받아 자신의 덕성으로 삼고, 이를 노력하고 수양하여 실현해 나가면 사람의 덕성과 하늘의 덕성은 서로 통하게 된'다고 보며, 하늘의 덕성을 받아들이고 실천하기 위한 노력과 수양을 강조했지만, 자연의 힘을 이용할 줄 아는 인간의 주체적, 능동적 노력을 강조하지는 않았다.

⑤ 〈보기〉에 따르면 맹자가 '사람이 하늘의 덕성을 받아 그것을 자신의 덕성으로 삼고, 이를 노력하고 수양하여 실현해 나'갈 것을 강조하였다. 그러나 4문단에 따르면 순자는 '하늘에 무슨 의지가 있다고 주장하고 그것을 알아내겠다고 덤비는 종교적 사유의 접근을 비판하려' 하였으므로, 인간이 하늘의 덕성을 헤아려 그것을 본받아야 한다고 보지는 않았을 것이다.

[20~23] 현대시

20 ④ 정답률 68%

정답풀이

(나)에서는 특정한 종결 어미 '-지'를 반복적으로 사용하여 운율을 형성하고 있다.

오답풀이

① (가)에서 설의적 표현을 사용하고 있지는 않다.
② (가)에서 반어적 표현을 사용하고 있지는 않다.
③ (나)에서 구체적인 청자를 설정하고 있지는 않다.
⑤ (가)와 (나)에서 화자의 이동 경로에 따라 정서를 구체화하고 있지는 않다.

21 ② 정답률 70%

정답풀이

'열한 식구 때꺼리를 감자 없이 무슨 수로 밥을 해 대냐고, 귀밝은 할아버지는 땅밑에서 감자알 크는 소리 들린다고 흐뭇해하셨지만'에서 할아버지가 열한 명이나 되는 대가족의 식사를 위해 감자가 필요하다는 점을 인식하고 있으며, 그에 따라 땅 밑에서 자라나는 감자알에 대한 흐뭇한 감정을 품었다는 것을 알 수 있다. 그러나 할아버지가 '감자 드시는 것이 오히려 좋다'고 하며 화자를 나무랐는지는 알 수 없다.

오답풀이

① '엄마 내 친구들은 내가 감자가 좋아서 감자밥 도시락만 먹는 줄 알아.'를 통해 (가)의 화자가 친구들이 있는 학교로 감자밥 도시락을 싸서 다녔으며, '엄마 난 땅속에서 자라는 것들이 무서운데' 등에서 화자가 감자를 그리 좋아하지 않았다는 것을 알 수 있다.
③ '하나둘 숟가락 내려놓을 때까지 엄마 밥주발엔 숟가락 꽂히지 않는다.'에서 넉넉지 못한 형편에 식구들이 모두 식사를 마칠 때까지 밥을 먹지 않고 기다리던 어머니의 모습을 확인할 수 있다.
④ '엄마 난 땅속에서 자라는 것들이 무서운데, 뿌리 끝에 댕글댕글한 어지럼증을 매달고'에서 감자에 대해 두려움과 어지러움을 느끼는 화자의 거부감을 확인할 수 있다.
⑤ '어릴 적 질리도록 먹은 건 싫어하게 된다더니, 감자 삶은 냄새 / 이것은, / 치명적인 그리움'에서 어릴 적 질리도록 먹은 감자에 대해 치명적인 그리움을 느끼는 화자의 모습을 확인할 수 있다.

22 ③ 정답률 66%

정답풀이

[B]에서 화자가 살면서 몇 번은 서게 될 공간으로 인식하는 '땅끝'은 '파도가 끊임없이 땅을 먹어 들어오는 막바지에서' '뒷걸음질치'게 되는 공간으로, 이상적인 공간이라기보다는 화자가 살아가면서 겪을 수 있는 위태롭고 절망적인 상황을 나타낸다고 볼 수 있다.

오답풀이

① [A]에서 화자가 '고운 노을'을 보기 위해 힘차게 발을 굴렀지만 그러한 노을은 '끝내 어둠에게 잡아먹혔'으므로, 이때 '어둠'은 화자가 느낀 절망감과 암담한 심정을 드러낸 것임을 알 수 있다.
② [A]에서 화자가 '고운 노을'을 보기 위해 '그네를 타고 힘차게 발을 굴렀'으므로, 이때 화자는 '그네'를 굴림으로써 이상적 대상인 '노을'을 향해 다가가려 했다고 볼 수 있다.
④ [C]에서 화자는 '파도가 아가리를 쳐들고 달려드'는 '땅끝'을 '뒷걸음질만이 허락된' 공간으로 보고 있으므로, 이때 화자의 설 자리를 위협하며 달려드는 '파도'는 화자에게 있어 삶의 위태로움을 의미한다고 볼 수 있다.
⑤ [C]에서 화자는 '여기', 즉 '땅끝'을 위태롭고 절망적인 상황을 상징하는 공간으로 보면서도, 그 '늘 젖어 있'는 '위태로움 속에 아름다움이 스며 있'기에 다시 그 공간에 이르게 된다는 역설적인 깨달음을 얻고 있다.

23 ① 정답률 82%

정답풀이

〈보기〉에 따르면 ㉮(비자발적 기억을 우연히 떠오르게 하는 요인)는 '어떤 사건이나 사물 혹은 사람과 우연히 마주쳤을 때 발생하는 기억'을 떠오르게 하는 '시각적 경험', '후각, 촉각적 경험'을 의미한다. ㉠(냄새)은 화자가 '어느 집 담장' 너머에서 우연히 접하게 되는 후각적 경험으로, 이를 통해 화자는 '어릴 적 질리도록' 감자를 먹던 기억을 떠올리고 있으므로, ㉮에 해당한다고 볼 수 있다.

오답풀이

② ㉡(감자알)은 화자가 떠올린 비자발적 기억 속의 대상이므로, ㉮와는 관계가 없다.
③ ㉢(꽃)은 '감자'와 대비되는 대상으로, '땅 밑으로만 궁그'는 '감자'와 달리 지상으로 올라온 대상으로 볼 수 있다. 즉 이는 '감자'에 대한 화자의 인상을 제시하기 위한 대조적 대상일 뿐, ㉮와는 관계가 없다.
④ ㉣(그넷줄)은 화자가 '고운 노을'을 보기 위한 노력의 수단일 뿐, ㉮와는 관계가 없다.
⑤ ㉤(나비)은 어릴 때의 화자가 '아름다움에 취해 땅끝을 찾아'가던 행위를 '나비를 좇'는 행위에 비유적으로 표현하기 위해 활용한 대상으로, ㉮와는 관계가 없다.

[24~26] 현대소설

24 ② 정답률 57%

정답풀이

윗글은 '덕순'이라는 특정 인물의 심리에 초점을 맞추어 덕순 내외가 대학병원에서 겪는 사건을 서술하고 있다.

오답풀이

① 윗글은 일관되게 전지적 작가 시점으로 서술되고 있으므로, 시점이 변화한다고 볼 수 없다.
③ 윗글은 전지적 작가 시점으로 인물의 심리까지 제시하고 있으므로, 관찰자의 객관적인 시선으로 등장인물들의 행동을 관찰하고 있다고 볼 수 없다.
④ 윗글에서 이야기 속의 이야기가 제시되는 액자식 구조는 확인할 수 없다.
⑤ 윗글은 시간의 흐름에 따라 진행되고 있을 뿐, 과거와 현재가 교차하고 있지는 않다.

25 ③ 정답률 78%

정답풀이

㉢(한 그릇을 다 먹고 나서~이번에 왜떡이 먹고 싶다 하였다.)에는 아내에게 먹고 싶은 것을 물어보면서 슬픔을 위로하려는 덕순과, 자신의 목숨이 얼마 남지 않았음을 알고 소박하게 먹고 싶은 것을 이야기하는 아내의 모습이 나타난다. 이후 이런 아내의 요구에 대해 덕순은 '이것이 마지막이라는 생각'을 하며 따라 주려고 하며, 아내도 '눈물도 씻을 줄 모르고' 덕순이 사 준 것을 먹으며 유언을 남긴다. 즉 ㉢은 죽음을 마주한 이들의 비극적 상황을 심화시키는 대목일 뿐이므로, ㉢에 상황이 나아질 것이라는 기대감이 드러난다고 볼 수는 없다.

오답풀이

① ㉠(덕순이는 얼마 전에 희망이 가득히~터덜터덜 내려오고 있었다.)은 '이상한 병'에 걸린 아내를 병원으로 데리고 가면 '월급도 주고 병고 고쳐 준다'고 믿어 '희망이 가득히 차' 있다가, 아내의 생명이 위험하며 월급을 받을 수 없어 팔자도 고칠 수 없게 된 상황을 알게 되어 '힘 풀린 걸음'으로 내려오는 덕순의 달라진 인식을 길을 오르내리는 행위를 통해 보여 준다.
② ㉡(이럴 줄 알았더면 동넷집 닭이라도 훔쳐다 먹였을 걸 싶어)은 살 날이 얼마 남지 않은 아내에게 '닭'을 사 줄 수도 없는 덕순의 어려운 가정 형편과, 아내에게 닭을 '훔쳐'서라도 먹이지 못한 것에 대한 덕순의 안타까움을 보여 준다.
④ ㉣("저 사촌 형님께 쌀 두 되 꿔다 먹은 거 부대 잊지 말구 갚우.")은 돈이 없어 죽음을 맞이하게 된 비정한 현실 속에서도 '사촌 형님'에게 진 빚은 갚으라 하며 다른 사람을 챙기는 아내의 따뜻한 인간미를 보여 준다.
⑤ ㉤(때는 중복, 허리의 쇠뿔도 녹이려는 뜨거운 땡볕이었다.)은 가혹한 현실 속에서 힘겹게 살아가는 덕순 내외의 괴로움을 '땡볕'이라는 소재를 통해 상징적으로 보여 준다.

15 회

26 ④ 정답률 65%

정답풀이

〈보기〉에서 윗글의 작가는 '순박하고 어리숙'한 중심 인물을 '연민의 시선'으로 바라보는 경향이 있고, 윗글은 '돈이 없어 병을 치료하지 못하고 비극적 죽음을 앞두게' 되는 덕순 내외를 통해 '근대 자본주의 사회의 비인간성과 모순을 비판'한다고 했다. 즉 작가가 연민의 시선으로 바라보는 덕순 자체가 자본주의 사회의 비인간성을 상징한다고 보기 어려우므로, 월급을 받을 수 없다는 말에 '팔자를 고치려던 그 계획이 완전히 어그러졌음'을 깨달은 덕순의 모습이 자본주의 사회의 비인간성을 보여준다고 할 수 없다. 윗글에 드러나는 자본주의 사회의 비인간성은 덕순 내외의 딱한 사정을 보고도 '죽는 것보담야 수술을 하는 게 좀 낫겠'다며 '비소를 금치 못'한 '간호부와 의사'의 모습에서 확인할 수 있다.

오답풀이

① 〈보기〉에서 윗글은 '돈이 없어 병을 치료하지 못하고 비극적 죽음을 앞두게' 되는 덕순 내외를 통해 '근대 자본주의 사회의 비인간성과 모순을 비판'한다고 했다. 아내의 목숨이 얼마 남지 않았음을 알고도 돈이 없어 병원 대신 '우중충한 그 냉골'로 돌아가 죽을 날을 기다리게 된 덕순 내외의 현실을 통해 근대 자본주의 사회의 부조리함에 대한 비판적 인식을 드러낸다고 볼 수 있다.

② 〈보기〉에서 윗글의 작가는 중심인물들을 '대부분 순박하고 어리숙'한 인물로 설정한다고 하였다. 덕순이 '이상한 병에 걸린 사람이 병원에 가면 월급도 주고 병도 고쳐 준다는' 동네 어른의 말만 믿고 팔자를 고치겠다며 무작정 병원을 찾아가는 것에서 덕순의 어리숙한 성격이 드러난다.

③ 〈보기〉에서 윗글의 '덕순 내외는 동네 어른의 말만 믿고 희망에 차 대학병원을 찾았으나 돈이 없어 병을 치료하지 못하고 비극적 죽음을 앞두게 된'다고 했다. '소리를 죽여 훌쩍훌쩍 울고 있는 아내'의 모습은 죽음을 앞두게 된 자신의 비극적 상황에 대해 좌절하는 개인의 모습을 형상화한 것으로 볼 수 있다.

⑤ 〈보기〉에서 윗글의 작가는 중심인물들을 '대부분 순박하고 어리숙'한 인물로 설정하며, 윗글은 이들의 비극적 상황을 통해 '근대 자본주의 사회의 비인간성과 모순을 비판'한다고 했다. 윗글에서 순박한 인간미를 지닌 인물들로 나타나는 덕순 내외와, 상대의 딱한 사정 앞에 냉정하게 대응하는 대학병원의 '간호부와 의사'의 대비를 통해 근대 자본주의 사회의 비인간성과 모순에 대한 작가의 문제의식이 부각되고 있다.

[27~32] 과학

27 ① 정답률 76%

정답풀이

윗글의 글쓴이는 1문단에 제시된 '왜 해빙의 수명은 냉수 속 얼음보다 긴 걸까?'라는 질문에 대해 '냉수 속 얼음에 작용하는 열에너지의 전달에 관한 두 가지 원리'와 '제곱-세제곱 법칙' 등을 고려하여 그 원인을 추론하고 있다. 따라서 윗글을 읽을 때 질문에 대한 글쓴이의 추론 과정을 분석하며 읽는 독서 전략을 사용하는 것은 적절하다.

오답풀이

② 2문단의 '온도가 다른 물체들이 서로 접촉하면 '열적 평형'', 6문단의 '길이가 L배 커지면 면적은 L^2, 부피는 L^3만큼 비례하여 커진다는 '제곱-세제곱 법칙'' 등에서 질문과 관련된 개념을 제시하고 있지만, 윗글에서 이러한 개념의 변천 과정을 제시하고 있지는 않다.

③ 윗글에서 질문에 대해 다양한 의견들을 제시하고 있지는 않다.

④ 윗글에서 질문과 관련된 사람들의 일반적인 생각이나 통념을 제시하고 있지는 않다.

⑤ 윗글에서 질문에 대한 글쓴이의 입장과 반대되는 의견을 제시하고 있지는 않으며, 윗글의 주된 목적은 질문에 대한 글쓴이의 근거 있는 추론 내용을 파악하는 데 있으므로 이와 반대되는 의견을 찾으며 읽는 것은 적절하지 않다.

28 ① 정답률 76%

정답풀이

6문단에서 '제곱-세제곱 법칙'에 의해 북극 해빙의 '길이가 L배 커지면 면적은 L^2, 부피는 L^3만큼 비례하여 커진다'고 하였으므로, 북극 해빙의 면적이 커지면 부피도 커진다. 따라서 북극 해빙의 면적은 부피에 반비례하는 것이 아니라 비례할 것이다.

오답풀이

② 2문단의 '열에너지는 온도가 높은 곳에서 낮은 곳으로 전달'을 통해 알 수 있다.

③ 5문단에서 '해빙은 바다 위에 떠 있기에 물에 잠긴 정육면체 얼음과 달리 바닥 부분만 바닷물과 접촉하고 있'으며, 이는 '정육면체의 여섯 면 중 한 면만 닿는 것'과 같기 때문에 녹아내리기까지의 '수명이 훨씬 긴 것'이라고 했다.

④ 2문단의 '열에너지는 두 물체 사이의 접촉 면을 통해서만 전달되며, 접촉 면이 클수록 전달되는 열에너지의 양은 커진다.'와 '얼음이 냉수와 더 많이 맞닿을수록 전달되는 열에너지도 커진다.'를 통해 얼음이 물에 접촉하는 면적과 전달되는 열에너지의 양이 비례함을 알 수 있다.

⑤ 2문단의 '열적 평형은 접촉한 물체들의 열이 똑같아져 서로 어떠한 영향도 주거나 받지 않는 상태이다.'를 통해 알 수 있다.

29 ⑤ 정답률 68%

정답풀이

4문단에서 '한 변의 길이가 1cm인 정육면체 8개를 붙여 한 변의 길이가 2cm인 정육면체 하나로 만들어 냉수 속에 넣는다면' '물과 접촉하는 면적이 절반으로 줄었기 때문에 같은 시간 동안 물에서 얼음으로 전달되는 열에너지의 양도 반으로 줄어'들어 '얼음이 다 녹는 데 필요한 시간은 2배만큼 늘어'난다고 하였다. 또한 6문단에서 '얼음의 부피가 클수록 녹아야 할 얼음의 양은 많'고, '물에 닿는 면적이 넓을수록 얼음이 녹는 양은 많'다고 하였다. 즉 얼음이 녹는 시간을 최대한 지연시키기 위해서는 얼음의 부피를 최대화하고 외부로 노출되는 면적을 최소화해야 한다. 〈보기〉의 경우 석빙고에 있는 정육면체 얼음들의 양 자체를 바꿀 수는 없으므로, 각 얼음들의 외부 노출 면적을 최소화하는 방향으로 배치해야 한다. 이때 얼음을 하나의 큰 정육면체 덩어리로 만들면 외부로 노출되는 각 얼음의 면적이 최소화될 것이므로, 이러한 방식으로 얼음들을 보관하는 것이 가장 효율적일 것이다.

오답풀이

① 2문단의 '3℃인 냉장고 속에 얼음이 든 냉수를 오랜 시간 동안 두면, 냉수와 얼음의 온도는 모두 3℃가 되어 얼음이 모두 녹아 버릴 것'과, '열에너지는 두 물체 사이의 접촉 면을 통해서만 전달되며, 접촉 면이 클수록 전달되는 열에너지의 양은 커진다.'를 참고할 때, 얼음들을 원형으로 만들면 그보다 온도가 높은 공기와의 접촉면이 오히려 커지면서 더 빠르게 녹을 가능성이 있으므로 이러한 보관 방식은 얼음들을 녹지 않기 위한 효율적 방법이라고 볼 수 없다.

②, ③ 4문단에서 '한 변의 길이가 1cm인 정육면체 8개를 붙여 한 변의 길이가 2cm인 정육면체 하나로 만들어 냉수 속에 넣는다면' '물과 접촉하는 면적이 절반으로 줄었기 때문에 같은 시간 동안 물에서 얼음으로 전달되는 열에너지의 양도 반으로 줄어'들어 '얼음이 다 녹는 데 필요한 시간은 2배만큼 늘어'난다고 하였으므로 얼음들은 일정한 간격을 두고 보관할 것이 아니라 외부로 노출되는 면적이 최소화되도록 한 덩어리로 붙여 보관하면 얼음이 덜 녹을 것이다. 이때 〈보기〉의 정육면체 얼음들을 보관할 때 한 줄로 높이 세워 보관할 경우 각 얼음들이 공기와 접촉하지 않는 정도는 최대 2면까지밖에 되지 않지만, 정육면체 한 덩어리로 만들어 보관하면 최대 6면까지 공기와 접촉하지 않는 얼음 조각도 있으므로 얼음들을 한 줄로 높이 세워 보관하는 것이 제시된 방법들 중 '가장 적절한' 방안이라고 보기는 어렵다.

④ 윗글에서 얼음들의 표면에 차가운 물을 뿌리는 것이 얼음의 보존에 도움이 될 수 있는지에 대해 언급하고 있지는 않다. 또한 물의 온도는 얼음에 비해 높을 것이므로, 2문단을 참고해 볼 때, 얼음 위에 뿌려진 물로부터 열에너지가 전달되면서 오히려 얼음이 더 빠르게 녹을 가능성이 있다.

30 ④ 정답률 49%

정답풀이

4문단에 따르면 ㉠처럼 '한 변의 길이가 2cm인 정육면체 하나'를 3문단의 예시와 같이 3℃로 유지되는 냉수 속에 넣으면 '이 얼음이 다 녹는 데 필요한 시간'은 '약 4시간가량'이다. 그런데 '물과 접촉하는 면적이 절반으로 줄'면 '같은 시간 동안 물에서 얼음으로 전달되는 열에너지의 양도 반으로 줄어들'어 '얼음이 다 녹는 데 필요한 시간은 2배만큼 늘어'나게 된다. 즉 물과 접촉하는 면적과 얼음이 녹는 데 필요한 시간은 반비례한다. 〈보기〉에서 기존에 물과 접촉하던 ㉠의 총 면적은 $24cm^2$였고, ㉡처럼 한 면만 물에 띄운 ㉠이 물과 접촉하는 면적은 $4cm^2$로 1/6배가 되므로, ㉡처럼 한 면만 물에 띄운 ㉠이 8시간이 아니라 완전히 녹는 시간은 기존의 '약 4시간가량'에 비해 6배 정도 증가한 '약 24시간가량'이 될 것이다.

오답풀이

①, ② 6문단의 '제곱-세제곱 법칙'에 따르면 '길이가 L배 커지면 면적은 L^2, 부피는 L^3만큼 비례하여 커'지는데, 〈보기〉에서 ㉡의 길이는 6cm로 ㉠의 길이인 2cm 보다 3배 크다. 그에 따라 ㉡의 면적은 ㉠의 면적에 비해 $3^2 = 9$배만큼 커지고, ㉡의 부피는 ㉠의 부피에 비해 $3^3 = 27$배만큼 커진다.

③ 4문단에 따르면 '한 변의 길이가 2cm인 정육면체 하나'를 3문단의 예시와 같이 3℃로 유지되는 냉수 속에 넣으면 '이 얼음이 다 녹는 데 필요한 시간'은 '약 4시간가량'이므로, ㉠을 6시간 후에 관찰하면 완전히 녹아 있을 것이다.

⑤ 3문단~4문단에 따르면 ㉡을 한 변이 3cm인 정육면체 얼음 8개로 쪼갰을 때 얼음이 완전히 녹는 데 걸리는 시간은 한 변이 3cm인 정육면체 하나가 완전히 녹는 데 걸리는 시간과 동일하며, '각 변의 길이를 2cm로 만든 정육면체 얼음'이 물에 완전히 잠겼을 때 다 녹는 데 필요한 시간은 '한 변의 길이가 1cm인 정육면체 얼음'이 다 녹는 데 필요한 시간인 약 2시간의 2배이다. 따라서 각 변의 길이가 3cm인 정육면체 얼음은 한 변의 길이가 1cm인 정육면체 얼음이 다 녹는 데 필요한 시간의 3배인 약 6시간이 지나야 완전히 녹게 될 것이다.

오답률 Best 5

지문의 정보를 <보기>의 구체적인 사례에 적용할 수 있어야 풀 수 있는 문제야. 이때 ㉠과 ㉡의 부피나 면적과 관련된 수치를 '계산'해야 한다는 생각에 부담이 될 수도 있었을 건 같아. 하지만 일반적으로 국어 영역에서 복잡한 수학적 계산까지는 요구하지 않고 대개는 지문의 범위 안에서 해결할 수 있도록 구성되니 너무 부담스럽게 느낄 필요는 없어. 참고로 이 문제의 경우 ㉠과 같이 '한 변이 2cm인 정육면체'의 얼음은 '3°C로 유지되는 냉수'에 잠겼을 때 '약 4시간가량'만에 완전히 녹게 될 건이라는 내용이 4문단에 제시되어 있기 때문에 ③번의 적절성을 판단할 수 있어. 선지에서 ㉠이 6시간이 지나야 녹는다고 한 건이 아니라, '6시간 후에 관찰'하면 녹은 상태였을 건이라고 언급했다는 점을 정확히 읽어냈다면 말이지! 나머지는 3문단과 4문단의 내용을 중심으로 얼음이 '물에 닿는 면적'과 얼음이 '녹는 시간'의 반비례 관계를 파악하여 ④번, ⑤번 선지의 적절성을 판단하고, 6문단에 제시된 '제곱-세제곱 법칙'을 참고하여 ①번, ②번 선지의 적절성을 판단할 수 있어.

31 ④ 정답률 48%

정답풀이

2문단에서 '열적 평형을 이루기 전까지 두 물체 간 전달되는 열에너지의 양'은 둘 사이의 '접촉 면의 면적과 비례'한다고 하였고, 6문단에서 얼음이 녹는 경우와 관련하여 '얼음의 부피가 클수록 녹아야 할 얼음의 양은 많'고, '물에 닿는 면적이 넓을수록 얼음이 녹는 양은 많'다고 했다. 〈보기〉에 따르면 '동물이 생산하는 열에너지는 동물의 무게와 부피에 비례'하는데, 코끼리는 '무게와 부피가 육상 동물 중 가장 크'다고 했으므로 코끼리는 여타 동물들 중 가장 많은 열에너지를 생산하며, 이 때문에 '때때로 커다란 귀를 흔들어 부채질을 해야만 체온을 일정하게 유지할 수 있'다. 즉 코끼리는 커다란 부피로 인해 축적하고 있는 열에너지의 양에 비해, 고유한 피부 면적이 적어 열에너지를 필요한 만큼 외부로 내보낼 수 없어 때때로 귀를 흔드는 부가적인 행위를 통해 공기와 접촉하는 면적을 늘려야만 하는 동물이므로, 다른 육상 동물에 비해 열에너지 방출에 필요한 피부 면적이 충분하지 않을 것이다.

오답풀이

① 2문단에 따르면 '열에너지는 온도가 높은 곳에서 낮은 곳으로 전달'되므로, 코끼리의 외부 기온이 체온보다 높아지면 더 많은 열에너지가 코끼리의 몸으로 전달될 것이다. 〈보기〉에 따르면 코끼리는 때때로 귀를 흔들어 '혈액의 온도를 낮'추면서 '체온을 일정하게 유지'하는데, 몸 안으로 더 많은 열에너지가 들어오면 혈액의 온도를 낮추기 위해 귀를 흔드는 빈도가 높아져야 하므로 체온을 유지하기가 오히려 더 어려워질 것이다.

② 〈보기〉에서 '일반적으로 동물이 생산하는 열에너지는 동물의 무게와 부피에 비례'한다고 했는데, '코끼리는 무게와 부피가 육상 동물 중 가장 크'므로 다른 육상 동물에 비해 몸에서 만들어내는 열에너지의 양이 클 것이다.

③ 2문단에 따르면 '열에너지는 온도가 높은 곳에서 낮은 곳으로 전달'되며, '접촉 면이 클수록 전달되는 열에너지의 양은 커'진다. 그리고 〈보기〉에서 코끼리는 '커다란 귀를 흔들어 부채질을 해야만' '혈액의 온도를 낮'추면서 '체온을 일정하게 유지할 수 있'다고 했다. 즉 코끼리가 상대적으로 더운 지역에 살면서 몸 내부로 더 많이 흘러들어온 열에너지를 외부로 더 많이 방출하기 위해서는 부채질을 하여 공기와 접촉하는 귀의 면적이 더 커져야 할 것이므로, 더운 지역에 사는 코끼리는 다른 지역에 사는 코끼리보다 귀의 면적이 더 클 것이다.

⑤ 〈보기〉에서 '일반적으로 동물이 생산하는 열에너지는 동물의 무게와 부피에 비례'한다고 했으므로, 평균보다 몸무게가 많이 나가는 코끼리는 평균적인 코끼리보다 몸 내부에 축적되는 열에너지의 양이 많아, 체온을 일정하기 위해 더 많이 귀를 펄럭거려야 할 것이다.

오답률 Best 4

이 문제에서 정답 다음으로 선택 비율이 높았던 선지는 ①번이야. 아마도 <보기>에서는 코끼리가 내부에서 생산하는 '열에너지'가 가장 많다는 점과, 이를 바깥으로 '내보내기 위한' 행위만 다루고 있기 때문에 외부에서 코끼리의 내부로 열에너지가 들어갈 수 있다는 건을 고려하지 못했기 때문인 건 같아. 하지만 2문단을 통해 기본적으로 열에너지는 '온도가 높은 곳에서 낮은 곳'으로 전달된다는 건을 알 수 있어. 이때 온도의 높낮이는 상대적인 거야. 우리가 얼음도 '차갑다'고 느끼고 3°C 정도의 물도 '차갑다'고 느끼지만, 온도를 따진다면 '얼음'에 비해 '물'이 더 온도가 높기 때문에 '물'의 열에너지가 '얼음'으로 이동하는 건과 같이, 외부 기온이 코끼리의 체온보다 높아진다면 열에너지는 코끼리의 내부로 들어가게 될 거야. 안 그래도 육상 동물 중 가장 큰 무게와 부피로 인해 자체적으로 내보내야 하는 열이 많은 코끼리는 자연히 체온을 유지하기가 더 어려워지게 되겠지. 지문의 내용과 <보기>의 내용을 연결 지어 생각했다면 어렵지 않게 해결할 수 있는 선지였어.

32 ⑤ 정답률 84%

정답풀이

ⓐ(넘기지)의 '넘기다'와 '일주일을 넘기지 않았다.'의 '넘기다'는 모두 '일정한 시간, 시기, 범위 따위를 벗어나 지나게 하다.'의 의미이다.

오답풀이

① '밥을 넘기지 못했다.'의 '넘기다'는 '음식물, 침 따위를 목구멍으로 넘어가게 하다.'의 의미이다.

② '나무를 제대로 베어 넘기지'의 '넘기다'는 '서 있는 것을 넘어지게 하다.'의 의미이다.

③ '네트너머로 배구공을 넘기지'의 '넘기다'는 '높은 부분의 위를 지나가게 하다.'의 의미이다.

④ '출판사에 넘기지 않았다.'의 '넘기다'는 '물건, 권리, 책임, 일 따위를 맡기다.'의 의미이다.

[33~36] 고전소설

33 ② 정답률 51%

정답풀이

'세대 명문거족으로 소년 급제하여~가세는 부유하나'에서 명문 출신으로서 소년 시절에 과거에 급제하였다가 모함으로 벼슬을 빼앗기고 고향에 내려와 힘쓰게 된 홍무의 내력을 요약적 서술을 통해 제시하고 있다.

오답풀이

① '얼굴이 도화 같고', '얼굴이 화려하고 또한 영민한지라.'에서 계월의 외양을 묘사하고 있지만, 이러한 묘사를 통해 인물을 희화화하고 있지는 않다.
③ 윗글에서 대립된 공간을 통해 인물 간의 갈등을 제시하고 있지는 않다.
④ 자식이 없어 고민하던 양씨가 꿈속에서 초월적인 존재인 '선녀'와 대화하게 되지만 이때 '선녀'와의 대화는 양씨의 고뇌를 해결해 주는 단서가 되므로, 이를 통해 양씨의 고뇌가 드러난다고 볼 수는 없다.
⑤ 윗글에서 여러 개의 이야기를 다양한 관점에서 재구성하고 있지는 않다.

34 ⑤ 정답률 55%

정답풀이

'보국'은 '오늘은 중군장(보국)이 나와 싸워라.'라는 '원수(계월)'의 '분부'에 따라 '명령을 듣고 말에 올라' '적장 운평'에게 덤빈 후 위험에 처하고 있다. 따라서 '보국'이 '원수'의 명령을 따르지 않았기에 위험에 처했다고 볼 수는 없다.

오답풀이

① '홍무'는 '슬하에 일점혈육이 없어 매일 슬퍼'하며 '나이 사십에 아들이든 딸이든 자식이 없'는 현실에 대해 '부인 양씨와 더불어 탄식'하고 있다.
② '양씨 부인'은 자식이 없어 한탄하는 '홍무'에게 '다른 가문의 어진 숙녀를 취하여 후손을 보'라고, 즉 '홍무'에게 첩을 들이라고 하고 있다.
③ '곽도사'는 '계월의 상'을 보고 '다섯 살이 되는 해에 부모를 이별'하게 될 것, 즉 '계월'이 어려움에 처할 것을 알려 주고 있다.
④ '홍무'는 '계월'이 '다섯 살이 되는 해에 부모를 이별'하게 될 것이라는 '곽도사'의 말을 듣고 '염려'하며 '계월을 남복으로 입'혀 위험을 피하려 하고 있다.

35 ③ 정답률 65%

정답풀이

〈보기〉에서 윗글의 주인공은 '어려서부터 비범하나 일찍 부모와 이별하거나 죽을 고비와 같은 위기에 처하'게 된다고 하였다. 그러나 계월이 태어났을 때 시랑이 안타까워한 것은 '남자 아님을 한탄'했기 때문이며, 그럼에도 불구하고 계월을 '장중보옥같이 사랑'하므로 계월이 이로 인해 위기로 처한다고 볼 수는 없다. 윗글에서 계월의 위기는 '다섯 살이 되는 해에 부모를 이별'할 것이라고 한 곽도사의 말대로 [중략 줄거리]에서 '장사랑의 난이 일어나'면서 '부모와 헤어'지게 된 것을 통해 간접적으로 확인할 수 있다.

오답풀이

① 〈보기〉에서 윗글의 '주인공은 고귀한 혈통을 지니고 태어'난다고 하였다. 계월이 '세대 명문 거족으로 소년 급제하여 벼슬이 이부시랑에 있'었던 홍무의 딸로 태어난 것에서 계월의 고귀한 혈통을 확인할 알 수 있다.
② 〈보기〉에서 윗글의 주인공은 '잉태나 출생의 과정이 일반인들과 다르'다고 하였다. 선녀가 꿈에서 양씨에게 말하는 내용을 통해 '상죄께 득죄하고 인간에 내'쳐진 '선녀'가 '세존'의 인도를 받아 양씨의 딸로 점지되면서 양씨가 계월을 잉태하게 되었음을 알 수 있으며, 이러한 잉태의 과정은 일반인들과 다르다고 볼 수 있다.
④ 〈보기〉에서 윗글의 주인공은 '양육자 혹은 조력자에 의해 위기에서 벗어난'다고 하였다. [중략 줄거리]에서 '장사랑의 난이 일어나'면서 '부모와 헤어'지게 되어 위기에 처한 계월은 '여공의 구원으로 살아나'게 되는데, 이때 계월을 위기에서 구해 주는 여공은 주인공의 조력자에 해당한다고 볼 수 있다.
⑤ 〈보기〉에서 윗글에는 '남성보다 비범한 능력을 가진 여성 주인공'이 등장한다고 하였다. 윗글에서 '한순간에 적병이 함성을 지르고 보국을 천여 겹 에워싸'면서 보국이 위험에 처했을 때 계월이 '적진을 헤치고' 달려가 '보국을 구하여' '적장 오십여 명과 군사 천여 명을 한 칼로 베고 본진으로 돌아'오는 장면을 통해 여성 영웅의 비범한 능력을 확인할 수 있다.

36 ③ 정답률 84%

정답풀이

[A]에서 보국은 적장 운평에게 승리한 후, 적장 운경이 달려들 때 '승기 등등하여 장검을 높이 들고' 싸운다. 즉 보국은 운평에게 승리한 후 기세가 올라 적극적으로 운경과 결투하게 되므로, ⓒ(너도 같이 저승길로 보내 주마.)에서 보국의 당황한 심리를 드러내기 위해 떨리는 목소리로 연기하도록 각색하는 것은 적절하지 않다.

오답풀이

① [A]에서 영경루 전쟁터는 보국을 '천여 겹 에워'쌀 만큼 많은 적병이 존재할 정도로 대규모의 전쟁이 벌어지는 현장이므로, ⓐ((E.LS) 영경루 전쟁터)를 멀리서 전쟁터를 조망하면서 촬영하여 대규모 전쟁의 모습을 보여 주는 것은 적절하다.
② [A]에서 '중군장'인 보국은 '삼척장검을 들고' 적장들을 물리치는 위풍당당한 모습으로 나타나므로, ⓑ((삼척장검을 들고 적진을 향해 외치며))에서 장군의 위엄을 드러내기 위해 삼척장검과 이에 어울리는 갑옷을 소품으로 준비하는 것은 적절하다.
④ [A]에서 보국은 '한순간에 적병이 함성을 지르'면서 주변을 '천여 겹 에워싸'는 위급한 상황에 처하게 된다. 따라서 ⓓ((E) 적병들이 사방에서 나타나 보국을 포위한다.)에서 인물이 위급한 상황에 처했음을 부각하기 위해 긴박한 분위기의 효과음을 사용하는 것은 적절하다.
⑤ [A]에서 보국은 적병이 사방으로 달려들자 '황겁하여 피하고자 하'며, 결국 적병이 자신을 에워싸자 '사세 위급'함을 알고 '탄식'한다. 이때 ⓔ((C.U) (탄식하며) 아뿔싸, 내가 너무 방심했구나.)에서 위기에 처한 보국의 한탄스러운 마음을 강조하기 위해 탄식하는 표정을 확대하여 촬영하는 것은 적절하다.

[37~41] 사회

37 ⑤ 정답률 78%

정답풀이

1문단에서 법의 '강제성은 공공의 이익을 실현하기 위해 사회 구성원들이 동의할 때만 발휘될 수 있'다고 했다. 즉 법의 강제성이 발휘되기 위해서는 사회 구성원의 동의뿐 아니라 공공의 이익을 실현하겠다는 목적도 있어야 한다.

오답풀이

① 1문단에서 법은 '문제가 발생하는 것을 예방하거나 문제를 원만히 해결하기 위해' '사회 구성원들의 합의에 따라 만들어'진 '강제성을 가진 규칙'이라고 하였다.
② 1문단에서 법은 '권력자나 국가 기관이 멋대로 권력을 휘두'르는 것을 제한하여 '국민의 자유와 권리를 보호'한다고 하였다.
③ 1문단에서 '개인이 처리해도 되는 일까지 법이 간섭한다면 사람들은 숨이 막혀 평온하게 살기 힘들 것'이라고 하였다.
④ 1문단에서 법은 '다른 사람이 행동을 평가할 수 있고 그 변화도 확인할 수 있어야 하기 때문'에 '행동의 결과를 중시'한다고 하였다.

38 ③ 정답률 50%

정답풀이

2문단에서 ㉠(민법)에는 '다른 사람에게 끼친 손해는 그 행위가 위법이고 동시에 고의나 과실에 의한 경우에만 책임을 진다는 원칙'이 있다고 하였다. 즉 위법한 행위가 발생했을 때 의도적으로 잘못을 한 경우뿐 아니라 부주의나 태만 같은 '과실'에 의해 등으로 의도치 않게 손해를 끼친 경우에도 책임을 물을 수 있다.

오답풀이

① 2문단에서 ㉠의 원칙들은 '경제적 강자가 경제적 약자를 지배하는 수단으로 악용'되면서 '제한'이 생겨 '개인의 사유 재산에 대한 지배는 여전히 보장되지만 공공복리에 적합하도록 행사해야 한다는 것과 같은 수정된 원칙들'을 적용하게 되었다고 하였다.
② 2문단에서 ㉠은 '국가 기관이 아닌, 사람들 간의 권리관계를 다루는 법률'이라고 하였다.
④ 2문단에서 ㉠의 원칙들은 '20세기에 들면서 제한이 생'겨 '개인의 사유 재산에 대한 지배는 여전히 보장되지만 공공복리에 적합하도록 행사해야 한다는 것과 같은 수정된 원칙들'을 적용하게 되었다고 하였다.
⑤ 2문단에서 '근대 사회에서 형성'된 ㉠의 원칙 중에는 '국가를 비롯한 단체나 개인은 다른 사람의 사유 재산 행사에 간섭하지 못한다는 것'이 있다고 하였다.

39 ④ 정답률 62%

정답풀이

3문단에 따르면 ㉡(죄형법정주의)는 '범죄와 형벌을 규정하는 법률'인 '형법'의 기본 원칙으로, '범죄의 행위와 그 범죄에 대한 처벌을 미리 법률로 정해 두어야 한다는 것'을 의미한다. 이는 곧 법률로 정해 둔 '범죄의 행위'와 '범죄에 대한 처벌(형벌)'에 따라 특정 행위가 범죄에 해당하는지의 여부와, 범죄에 대한 형벌이 적절한지의 여부를 결정한다는 뜻으로 해석할 수 있으므로, 법률이 없으면 범죄도 없고 형벌도 없다는 말은 ㉡과 관련이 있다고 볼 수 있다.

오답풀이

① 사람의 성격과 법의 관계는 ㉡과 관련이 없다.
② 법의 핵심이 논리보다 경험에 있다고 보는 관점은 ㉡과 관련이 없다.
③ 형법으로 인해 발생할 수 있는 손해는 ㉡과 관련이 없다.
⑤ 법학에 철학이 필요하다고 보는 관점은 ㉡과 관련이 없다.

40 ② 정답률 22%

정답풀이

[A]에서 '고소(Ⓐ)는 피해자가 하는 반면 고발은 제3자가 한다. 일반적으로 범죄는 수사 기관이 인지하는 것만으로도 수사를 시작할 수 있다.'라고 했으므로, Ⓐ가 없어도 명예훼손죄, 폭행죄에 대한 수사를 진행할 수 있다.

오답풀이

① [A]에서 '고소(Ⓐ)는 피해자가 하는' 것이라고 했다.
③ [A]에 따르면 범행 실행 중인 범인을 Ⓑ(체포)하였을 경우에는 '48시간 이내에 구속 영장을 신청해야 하고, 법원은 신청서가 접수된 시간으로부터 48시간 이내에 구속 영장의 발부 여부를 결정'해야 한다. 따라서 범행 실행 중인 범인을 구속 영장 없이 Ⓑ하였을 시 구속 영장을 발부받기까지는 최대 96시간이 소요될 수 있다.
④ [A]에 따르면 '검사는 피의자의 나이, 환경, 동기 등을 참작하여 기소(Ⓒ)를 하지 않을 수 있'으므로, 범죄 혐의가 인정된다고 해서 반드시 Ⓒ를 해야 하는 것은 아니다.
⑤ [A]에 따르면 재판에서 '사건을 심리'하는 주체는 '법원'이며, Ⓒ의 여부를 결정하는 주체는 '검사'로 다르다.

오답률 Best 1

[A]에서는 형법을 위반한 범죄가 발생한 이후 수사-체포-기소-재판을 거쳐 형을 선고하고 집행 절차에 들어갈 때까지의 과정을 다루고 있어. 이때 각 단계와 관련된 내용을 나열하면서 다소 많은 정보를 압축적으로 제시하고 있기 때문에 각 단계의 절차를 정리하면서 정확하게 이해해야 해.

이 문제는 정답보다 오답인 ③번의 선택 비율이 높았어. 이는 '체포' 관련 설명에서 '구속 영장'의 신청과 발부 여부 결정 기한을 구분하여 파악하지 못했기 때문인 건 같아. ③번에서는 '범죄를 실행 중인 범인'을 체포한 상황에서 '구속 영장'이 얼마 만에 발부되어야 하는지를 물어보았어. [A]에서 '범죄를 실행 중인 경우'에는 범죄자를 '구속 영장 없이 체포 가능한데, 이 경우 48시간 이내에 구속 영장을 신청'해야 한다고 했어. 여기에서 눈여겨봐야 하는 건은 구속 영장을 법원으로부터 발부받는 건이 48시간 이내에 이루어지는 건이 아니라, 구속 영장을 발부해 달라고 '신청'하는 건이 48시간 이내에 이루어진다는 거야. 그리고 법원은 이때 제출된 '신청서가 접수된 시간으로부터 48시간 이내에 구속 영장의 발부 여부를 결정해야 한다.'라고 했어. 결국 법원이 구속 영장을 발부해야겠다고 결정해야만 구속 영장의 발부가 이루어지게 되므로, 실질적으로 구속 영장을 발부받기까지의 최대 기한은 '신청 기한 48시간 + 법원의 발부 여부 결정 기한 48시간 = 96시간' 이내가 되는 거야.

41 ④ 정답률 53%

정답풀이

3문단에서 형법은 '민법과 달리 어떤 사항을 직접 규정한 법규가 없을 때, 그와 비슷한 사항을 규정한 법규를 유추하여 적용할 수도 없다.'라고 했으므로, 형법 257조 ①을 유추하여 적용할 수는 없다.

오답풀이

①, ② 5문단에 따르면 '법에서는 인간 이외의 것들은 생명의 유무와 상관없이 모두 물건'이며, '물건에는 법적 권리가 없'고 그에 따라 '의무와 책임도 없'다고 본다. 민법 제759조 ①에서 동물이 아닌 동물의 점유자에게 손해를 배상할 책임을 부여하는 것은 이 때문이다. 같은 맥락에서 〈보기 2〉의 B는 아무리 겉모습이 인간과 같더라도 로봇, 즉 동물과 같이 인간이 아닌 대상이기에 법적으로 물건이라고 볼 수 있으며, 그에 따라 B 자체는 법적 책임을 지지 않는다. 이때 민법 제759조의 내용을 유추하여 적용하면 B를 사실상 지배하는 점유자인 C가 손해 배상 책임을 지게 된다고 볼 수 있다.
③ 5문단에 따르면 '법에서는 인간 이외의 것들'인 '물건에는 법적 권리가 없'고 그에 따라 '의무와 책임도 없'다고 본다. 그러나 〈보기 2〉의 A는 몸의 대부분이 기계로 대체되었더라도 이전과 동일한 생활을 하고 있으므로, 여전히 법적인 의무와 책임을 지닌 인간으로 볼 수 있다. 따라서 사람을 때려 다치게 한 A는 형법 제257조 ①에 따라 '사람의 신체를 상해한 자'로서 형법에 따른 책임을 져야 한다.
⑤ 3문단에서 형법은 '범죄 발생 당시에는 없었던 법이 나중에 생겨도 그것을 소급해서 적용할 수 없다.'라고 했다. 따라서 향후 사람을 다치게 한 행위에 대해 B에게도 책임을 묻는 조항이 추가되더라도, 해당 조항은 물건으로서의 B에게 법적 책임을 묻지 않는 '이번 사건'에 적용될 수 없다.

[42~45] 고전시가+현대수필

42 ⑤ 정답률 59%

정답풀이

(가)에서는 화자가 '친절하다 여긴 집'에 소를 빌리러 갔다가 이미 다른 집에 빌려주기로 하였다고 하는 소 주인의 말에 힘없이 돌아와 다시 강호의 꿈을 꾸기 시작한 일화를 통해, 삶의 어려움 속에서도 의연하게 강호가도의 삶을 살아가려는 삶의 태도를 드러내고 있다. 또한 (나)에서는 남편을 찾아 '춘천'에 갔다가 손을 꼭 잡고 '서울'로 돌아온 여인의 구체적인 일화를 통해, 가난한 삶 속에서도 사랑을 잊지 않고 살아가는 태도를 보여 주고 있다.

오답풀이

① (가)와 (나)에서 특정한 인물을 통해 자신의 삶을 반성하고 있지는 않다.
② (가)의 화자와 (나)에서 이야기의 초점이 되는 여인이 느끼는 감정은 직접적으로 표출되고 있으므로, (가)와 (나)에서 감정을 절제하고 있다고 보기 어렵다.
③ (나)의 경우 '춘천'으로 떠나 남편을 찾고 다시 '서울'로 돌아오는 여인의 여정에서 드러나는 공간의 이동에 '남편'에 대한 그리움이 담겨 있다고 볼 여지가 있다. 그러나 (가)의 경우 '소 한 번 주마' 했던 집의 '굳게 닫은 문 밖'으로 갔다가 '누추한 집'으로 돌아오는 과정에서 공간의 이동이 나타날 뿐, 이를 통해 대상에 대한 그리움을 드러내고 있지는 않다.
④ (가)의 경우 '아아' 등에서 영탄적 표현이 드러나고 있다고 볼 수 있으나, (나)에서 영탄적 표현을 활용한 부분은 찾아볼 수 없다.

43 ③ 정답률 32%

정답풀이

[A]의 '구슬 같은 기름'에서 비유적인 표현을 활용하고 있지만, 이를 통해 인물의 특징을 드러내고 있지는 않다.

오답풀이

① [A]에서는 '굳게 닫은 문 밖에 / 우두커니 혼자 서서 / 큰 기침 에헴이를 / 오래토록 하온 후에' 등과 같은 4음보의 반복을 통해 리듬감을 형성하고 있다.
② [B]에서는 '행복은 반드시 부와 일치하진 않는다.'라는 경구를 통해 행복은 부와 관련되기보다는 사랑에서 찾을 수 있다는 주제 의식을 드러내며 글을 효과적으로 마무리하고 있다.
④ 구체적 시대상을 드러내는 시어가 제시되지 않은 [A]와 달리, [B]에서는 '전보', '8 · 15', '6 · 25' 등의 어휘를 통해 광복과 한국전쟁이라는 구체적인 시대상을 반영하고 있다.
⑤ [A]에서는 화자가 '친절하다 여긴 집' 주인과 화자의 대화를 통해 소를 받을 수 없게 된 화자의 상황이 전달되며, [B]에서는 여인과 글쓴이의 대화를 통해 춘천에서 서울까지 오는 길에 손을 놓지 않았던 남편의 기억을 간직하며 꿋꿋이 살아온 여인의 상황이 전달되고 있다.

오답률 Best ❷

이 문제에서 정답보다 선택 비율이 높은 오답은 ⑤번이야. [A]에서 인물 간의 대화가 특정 표지 없이 나타난다는 점, [B]에서 '여인'이 일방적으로 글쓴이에게 이야기를 들려주는 상황이 대화에 해당하는지 분명히 알 수 없다는 점 때문에 ⑤번을 선택했을 수 있어. 하지만 [A]의 경우, 맥락을 잘 살펴보면 '소 한 번 주마'라고 한 상대의 집에 찾아가서 소를 받아오려는 화자와 소를 줄 수 없게 되었다고 하는 소주인의 소통이 일어나고 있음을 어렵지 않게 파악할 수 있어. 대화 부분을 나누어 표시해 본다면 "어와 그 뉘신고(소주인)" "염치 없는 내옵노라(화자)" "초경도 거의인데 그 어찌 와 계신고(소주인)" "소 없는 가난한 집에 걱정 많아 왔노라(화자)" "공짜로나 값을 쳐서나~말하기가 어려왜라(소주인)" "사실이 그러하면 설마 어이할고(화자)"하는 식으로 대화가 이어져 가면서 화자가 소를 빌려올 수 없게 된 상황이 드러나고 있거든.

또한 [B]를 포함한 (나)는 글쓴이가 여인에게서 들은 일화를 인용한 내용으로 구성되어 있어. 글쓴이가 여인의 이야기에 대해 응수하는 말이 따로 제시되지 않으므로 '대화'가 이루어지고 있는 게 맞는지 판단하기 다소 애매하게 느껴질 수 있어. 하지만 여인이 글쓴이인 '나'를 하나의 인격체로 보며 말을 걸고 있다는 점을 고려하면 [B]는 넓은 의미에서의 '대화'가 나타나고 있다고 판단할 수 있지. 이렇듯 적절성 여부를 판단하기 다소 애매하게 느껴지는 선지가 제시된 경우에는, 다른 선지에서 '확실하게 틀린 내용'이 있는지 확인하여 정답을 판단하는 것이 바람직해. 이 문제의 경우에는 ③번에서 확실하게 틀린 내용을 제시하고 있기 때문에, 더 고민하지 않고 정답 선지를 고를 수 있지.

44 ④ 정답률 54%

정답풀이

㉣(아까운 저 쟁기는 볏보님도 좋을시고)에서는 농사를 짓지 못하게 된 상황에서, 아무리 날이 잘 관리되었다고 해도 쓸모가 없어진 '쟁기'를 보고 아까워하는 화자의 모습이 드러난다. 즉 이때 화자의 눈에 비친 대상인 ㉣의 '쟁기'는 농사를 짓지 못하게 된 상황에 대한 화자의 서러움을 심화하고 있으므로, 이러한 상황에서 비롯된 시름을 잊고자 하는 ©의 심리가 투영되어 있다고 보기는 어렵다.

오답풀이

① ㉠(생애 이러하다 대장부의 뜻을 옮기겠는가)에는 '설 데운 숭늉에 고픈 배를 속일' 정도로 가난한 '생애' 속에서도 '대장부의 뜻'을 옮기지는 않을 것이라고 하며, ⓐ의 심리에서 드러나는 가치인 '안빈일념'을 지켜가려는 화자의 삶의 의지가 드러난다.
② ㉡(달 없는 황혼에 허위허위 달려가서)에는 '소 한 번 주마' 하고 말하던 '친절하다 여긴 집'을 향해 '허위허위 달려'가는 화자의 절박한 움직임을 통해 ⓐ의 상황에서 농사에 필요한 소가 없는 상황을 해결하고자 하는 화자의 다급한 심정이 나타난다.
③ ㉢(아침이 끝나도록 슬퍼하며 먼 들을 바라보니)에서는 소를 빌리지 못해 농사를 짓기 어려워진 현실에서 느끼는 ⓑ의 심리를 '아침이 끝나도록 슬퍼'하는 화자의 처량한 모습을 통해 드러내고 있다.
⑤ ㉤(교양 있는 선비들아 낚싯대 하나 빌려다오)에서는 ©의 상황을 실천하기 위해 '선비들'로부터 '낚싯대'를 빌려 자연 속에서 한가롭게 지내며 '풍월강산'에서 '명월청풍 벗이 되어' 자연친화적인 삶을 살아가려는 화자의 의도가 드러나고 있다.

45 ② 정답률 62%

정답풀이

(가)의 '풍월강산'은 현실의 어려움으로 인해 자연 속에 묻혀 살겠다는 꿈을 잊고 살던 화자가 다시 '강호'에서 '안빈일념'의 꿈을 꾸며 자연 친화적인 삶을 살아가겠다는 소망을 다짐하는 공간이고, (나)의 '경춘선'은 여인이 남편과 '한 번도 그 손을 놓지 않'고 세 시간이나 걸리는 여정을 함께했던 추억이 깃든 공간이다.

오답풀이

① (나)의 '경춘선'은 여인과 남편의 사랑의 기억이 담긴 공간이므로 낭만적인 성격을 가지고 있다고 볼 여지가 있으나, (가)의 '풍월강산'은 화자의 소망이 투영된 자연적인 공간일 뿐 환상적인 세계를 의미하지 않는다.
③ (가)의 '풍월강산'에 화자의 과거에 대한 동경이 반영되어 있지 않으며, (나)의 '경춘선'에 여인이 느끼는 현재의 자긍심이 반영되어 있지도 않다.
④ (가)의 '풍월강산'에는 화자의 소망이 반영되어 있을 뿐, 현재의 어려움을 비판하는 공간으로 보기 어려우며, (나)의 '경춘선'은 미래의 희망을 기원하는 공간이라기보다 과거의 아름다운 추억이 간직된 공간이다.
⑤ (가)의 '풍월강산'은 자연적인 삶을 살 수 있는 공간이라고는 볼 수 있으나 전통적인 삶의 모습을 드러내는 공간이라고 보기는 어려우며, (나)의 '경춘선'에서 현대적인 삶의 모습이 드러난다고 보기는 어렵다.

16 회

2018학년도 3월 학평

1. ②	2. ④	3. ②	4. ④	5. ②	6. ③	7. ⑤	8. ③	9. ④	10. ⑤
11. ⑤	12. ①	13. ①	14. ⑤	15. ①	16. ②	17. ⑤	18. ②	19. ②	20. ⑤
21. ①	22. ③	23. ⑤	24. ④	25. ②	26. ⑤	27. ③	28. ④	29. ⑤	30. ①
31. ②	32. ③	33. ②	34. ③	35. ④	36. ①	37. ①	38. ④	39. ③	40. ③
41. ④	42. ⑤	43. ③	44. ④	45. ①					

오답률 Best 5

[1~3] 화법

1 ② 정답률 54%

정답풀이

강연자는 청중에게 '어떤 시각 통신 수단을 사용했을까요?' 등의 질문을 하고 대답을 듣거나 청중의 표정을 통해 반응을 살피지만, 청중의 질문에 대답을 하고 있지는 않다.

오답풀이

① '200여 킬로미터', '500여 개', '5,000 킬로미터' 등의 화제와 관련된 구체적인 수치를 제시하여 청중의 이해를 돕고 있다.
③ 강연의 앞부분에서 '바로 오늘 말씀 드릴 세마포르입니다. 세마포르가 무엇인지 궁금하시죠?'라고 화제를 제시하며 청중의 호기심을 유발하고 있다.
④ '고개를 끄덕이며', '화면을 가리키며' 등의 비언어적 표현을 활용하여 의사 전달의 효과를 높이고 있다.
⑤ '봉화'가 가지고 있는 제약과 비교하면서 강연의 화제인 '세마포르'의 특성을 설명하고 있다.

오답률 Best 2

강연자의 말하기 방식을 파악하는 문제였어. 정답인 ②번에서 '청중의 질문에 대답하면서'라고 되어 있으니, 질문은 청중이 하고 대답을 강연자가 했어야 해. 그런데 강연에서는 강연자가 질문을 하고 청중은 대답을 하고 있지. 즉 질문하는 쪽과 대답하는 쪽이 반대로 된 거야. 오답 선지 중에는 이렇게 주체와 객체를 바꾸어서 함정을 파는 경우가 있으니까 꼼꼼하게 사실 관계를 파악하는 것이 중요해.

2 ④ 정답률 90%

정답풀이

강연에서는 '봉화'와 '세마포르'에 대해서 설명하고 있을 뿐, '모스 부호'와 관련된 설명을 하지는 않았다.

오답풀이

① '봉화는 수 킬로미터 간격으로~제약이 있었습니다.'라고 했으므로 적절한 시각 자료라고 할 수 있다.
② '세마포르에 쓰인 탑의 구조'를 설명했으므로 적절한 시각 자료라고 할 수 있다.
③ '화면에 보이는 것은 각각 로마자 A와 숫자 7을 의미하는 형태입니다.'라고 했으므로 적절한 시각 자료라고 할 수 있다.
⑤ '500여 개에 이르는 송수신 탑', '5,000 킬로미터에 달하는 곳까지 메시지를 전달', '프랑스는 세마포르를 활용해 긴박한 상황을 단시간에 멀리까지 전파'라는 내용을 고려할 때 적절한 시각 자료라고 할 수 있다.

3 ② 정답률 90%

정답풀이

강연에서는 '가시거리가 제대로 확보되지 않은 상황에서는 전송 효율이 떨어진다는 문제가 있었습니다.'라며 세마포르의 한계를 설명하고 있다. 그리고 〈보기〉의 학생은 이 내용을 산 정상에서 '안개' 때문에 앞이 잘 보이지 않았던 경험과 관련지어 이해하고 있다.

오답풀이

① 〈보기〉에서는 강연의 내용 중 사실과 다른 부분이 있다고 판단하지는 않았으므로 비판적으로 평가했다고 할 수 없다.
③ 〈보기〉에서는 강연의 내용을 자신의 경험과 관련지어 이해하고 있을 뿐, 전체 내용을 구조적으로 파악하거나 간략하게 정리하고 있지 않다.
④ 〈보기〉에서 학생이 강연을 듣기 전에 어떠한 의문을 가지고 있었는지는 알 수 없다.
⑤ 〈보기〉에서는 강연의 내용이 목적에 부합하는지를 객관적으로 분석하고 있지 않다.

[4~7] 화법과 작문

4 ④ 정답률 72%

정답풀이

'최 대표'는 '우리나라에서는 동물 보호소에 있는 동물이 입양되는 비율이 채 30%가 되지 않습니다.'라며 구체적인 통계 자료를 제시하고 있다. 그러나 이를 통해 버려졌던 동물을 입양하는 것에 대한 거부감을 언급하고 있을 뿐, 반려동물 인수제 실시에 대한 사람들의 거부감을 언급하고 있지는 않다.

오답풀이

① '진행자'는 '입양률이 낮은 상황에서 반려동물 인수제 시행은 시기상조라고 생각하시는군요.' 등의 발언을 통해서 대담자의 발언을 정리하고 있다. 그리고 '그렇다면 반려 동물 불법 유기 문제를 어떻게 해결해야 한다고 생각하십니까?' 등의 발언을 통해서 추가 설명을 요청하고 있다.
② '김 과장'은 '반려동물 인수제는 반려동물을 키울 수 없게 된 사람이 반려동물을 정부에 위탁하는 제도입니다.'라며 반려동물 인수제를 소개하고 있다. 그리고 '이런 문제를 해결하기 위해 반려동물 인수제를 도입할 필요가 있습니다.'라며 제도 도입의 필요성도 언급하고 있다.
③ '김 과장'은 '미국과 영국 등에서도 이 같은 정부의 노력으로 동물 입양이 활발하게 이루어지고 있습니다.'라며 외국의 사례와 효과를 설명하고 있다.
⑤ '최 대표'는 '오히려 합법적으로 동물 보호소에 유기되는 동물들이 늘어날 수 있'다며 반려동물 인수제의 부작용을 언급하고 있다. 그리고 '반려동물을 하나의 생명체로 존중하고 양육에 책임을 지는 사회적 분위기 형성'이라는 근본적인 해결 방안을 제시하고 있다.

5 ② 정답률 79%

정답풀이

'김 과장'은 '보호소에 위탁된 동물을 입양하는 사람에게 정부가 양육 비용 등을 지원하여 입양을 활성화한다면, 반려동물 인수제가 효과를 거둘 수 있을 것'이라고 주장하고 있다. 또한 '최 대표'도 '반려동물 입양이 활성화되면 반려동물 인수제를 통해 불법 유기 동물 문제가 개선될 수 있을 것'이라며 이에 동의하고 있다.

오답풀이

① '김 과장'은 정부 위탁을 통해 반려동물의 '불법 유기'를 해결하는 반려동물 인수제의 도입을 주장하고 있다. 따라서 반려동물 인수제가 시행되더라도 반려동물의 불법 유기를 줄일 수 없다는 주장에 동의한다고 볼 수 없다.

③ '최 대표'는 '반려동물 인수제가 도입'되더라도 '입양률이 크게 달라지지 않'을 것이라고 말했다. 따라서 반려동물 인수제가 도입되면 불법 유기된 동물의 입양률이 크게 증가할 것이라는 의견에 동의한다고 볼 수 없다.

④ 반려동물 인수제가 정착되려면 반려동물의 양육 포기를 위한 절차가 강화되어야 한다는 의견은 (가)의 대담에서 확인할 수 없다.

⑤ '최 대표'는 '단순히 정부의 양육 비용 지원만으로는 입양률이 크게 달라지지 않'을 것이라고 말했다. 따라서 양육 비용의 지원으로 입양률이 크게 늘어날 것이라는 의견에 동의한다고 볼 수 없다.

6 ③ 정답률 83%

정답풀이

반려동물 입양의 자격 조건은 (가)와 (나) 모두에서 제시되지 않았다.

오답풀이

① (가)에서 '진행자'는 반려동물 인수제의 도입 취지를, '김 과장'은 반려동물 인수제의 개념에 대해서 언급했다. 이는 (나)의 1문단의 '반려동물을 키우는 가구가~사회적 문제가 늘어나고 있다.'와 2문단의 '양육이 어려워진 반려동물을 보호소에 위탁하면 정부에서 입양처를 연결해 주는 반려동물 인수제'에 반영되었다.

② (가)에서 '김 과장'과 '최 대표'는 반려동물 인수제 실시에 대한 입장 차이를 보이고 있다. 이는 (나)의 2문단에서 '반려동물 인수제의 도입이 필요하다'는 내용과 3문단에서 반려동물 인수제 도입보다 '반려동물을 가족처럼 여기는 사회적 분위기 조성이 선행되어야 한다'는 내용으로 반영되었다.

④ (가)에서 언급하지 않은 반려동물 양육 포기 사유에 대한 내용은 (나)의 2문단에서 설문 조사 자료의 형태로 반영되었다.

⑤ (가)에서 '김 과장'은 '불법 유기된 반려동물이 늘어나면서' '유기 동물 보호에 소요되는 사회적 비용이 점차 증가'하고 있다고 언급했다. 이는 (나)에서 '유기 동물 보호 센터 운영 비용'이 증가하는 것을 보여 주는 시각 자료로 반영되었다.

7 ⑤ 정답률 73%

정답풀이

㉤(안락사하고)과 호응하는 주어는 '동물 보호소의 많은 동물들'이다. 동물들은 사람들에게 안락사를 당하는 것이므로 주어와 서술어의 호응을 고려할 때 '안락사 당하고'나 '안락사되고'로 고치는 것이 적절하다.

오답풀이

① (나)는 반려동물 인수제에 대한 서로 다른 입장을 소개하고 있다. 즉 서로 다른 입장이 대립하는 것이 주요 흐름이므로 '아무 어려움 없이 순탄하다'는 뜻의 ㉠(탄탄대로)보다는 '뜨거운 논란'으로 고치는 것이 적절하다.

② ㉡(갑작스럽게 급증하고)에서 '갑작스럽다'는 '미처 생각할 겨를이 없이 급하게 일어난 데가 있다.'는 뜻이며, '급증하다'는 '갑작스럽게 늘어나다.'는 의미이다. 즉 '갑작스럽다'라는 의미가 중복되므로 ㉡을 '급증하고'로 바꾸는 것은 적절하다.

③ (나)의 2문단은 반려동물을 포기하는 이유에 대한 내용과 반려 동물 인수제의 도입 필요성에 대한 내용을 다루고 있다. 따라서 ㉢(현재 국내~추정된다.)의 반려동물 시장의 규모를 언급하는 내용은 문단의 통일성을 해치므로 삭제하는 것이 적절하다.

④ '법적, 양심적 면죄부를 주어'의 서술어 '주다'는 행위의 대상을 나타내는 부사어를 필요로 한다. 따라서 '반려동물의 주인들에게'와 같은 부사어를 추가하는 것이 적절하다.

[8~10] 작문

8 ③ 정답률 92%

정답풀이

(나)의 초고에서 ⓒ(스몸비 문제로 인한 세대 갈등)에 대한 내용은 확인할 수 없다.

오답풀이

① 1문단의 '스마트폰을 사용하면서 길을 건너던 중 오는 차를 보지 못해 교통사고를 크게 당한 적이 있습니다.'에 ⓐ(스몸비 관련 사고의 심각성)가 반영되어 있다.

② 2문단에서 '스몸비는 '스마트폰'과 '좀비'를 합성하여 만든 단어'이며, '보행 속도가 느리고, 외부 자극에 대한 인지 능력이 떨어지는 행동 특성을 보인다'고 ⓑ(스몸비의 개념과 행동 특성)를 언급하고 있다.

④ 3문단의 '스몸비와 관련된 안전사고 예방을 위한'에 ⓓ(스몸비 예방 캠페인의 목적)가 반영되어 있다.

⑤ 3문단의 '스몸비에 대한 보고서를 작성하여 각 학급에 배부'와 "스마트폰 게임하며 공 피하기' 등의 체험 활동'에 ⓔ(스몸비 예방 캠페인의 실행 방법)가 반영되어 있다.

9 ④ 정답률 75%

정답풀이

'안전도 방전!'이라는 표현을 통해서 스몸비에 대한 경각심이 환기되고 있으며, '닳아 가는 배터리처럼'에서 직유법도 사용하고 있다.

오답풀이

① '좀비, 좀 비켜!'는 '스몸비'라는 표현을 쓰지 않았기에 스몸비에 대한 경각심을 환기한다고 보기 어렵다. 그리고 직유법도 사용되지 않았다.

② 안전이 멈춘다는 표현을 통해서 경각심이 환기되고 있지만, 직유법이 사용되지는 않았다.

③ '거북이처럼'에서 직유법이 사용되었지만, 스몸비에 대한 경각심을 환기하는 표현은 사용되지 않았다.

⑤ '병원'이라는 표현을 통해서 스몸비와 관련된 안전사고를 연결시켜 경각심을 환기했다. 그러나 직유법이 사용되지는 않았다.

10 ⑤ 정답률 87%

정답풀이

Ⅱ는 '보행 중 스마트폰을 사용'하면 평소에 비해 '사물을 인지하는 능력이 떨어지게' 된다는 내용의 전문가 인터뷰이고, Ⅲ은 '스몸비로 인한 문제를 해결'하기 위한 다른 나라들의 방법을 보여 주는 신문 기사이다. 하지만 Ⅱ와 Ⅲ에서 스몸비 문제 해결을 위해 기업의 협조가 필수적이라는 내용은 확인할 수 없다.

오답풀이

① (나)의 1문단은 '스마트폰 사용이 늘어나면서' 교통사고'가 증가하고 있다고 언급하고 있으므로, 스몸비 관련 교통사고가 연도별로 증가하는 것을 보여주는 Ⅰ-(ㄱ)과 자료와 연결하여 증가 추세를 구체적으로 보여 주는 것은 적절하다.

② (나)의 2문단에서 '대다수의 스몸비가 보행 중 스마트폰 사용이 위험하다는 것을 알면서도 스마트폰 사용을 자제하지 못하고 있다'는 점을 언급하고 있다. 따라서 보행 중에 스마트폰을 사용하는 사람들에 대한 '계도가 시급'하다는 Ⅱ의 전문가 인터뷰를 자료로 활용하는 것은 적절하다.

③ (나)의 3문단에서 '스몸비와 관련된 안전사고 예방을 위한 여러 방안이 모색되기를 희망합니다.' 라고 언급했으므로, Ⅲ의 신문 기사에서 확인되는 여러 나라의 '스몸비로 인한 문제를 해결하기 위'한 방안을 자료로 활용하는 것은 적절하다.

④ Ⅰ-(ㄴ)은 보행 중 스마트폰 사용 시 인지 거리가 줄어든다는 것을 보여 주는 시각 자료이며, Ⅱ는 보행 중 스마트폰 사용 시 '사물을 인지하는 능력이 떨어'진다는 내용의 전문가 인터뷰다. 따라서 Ⅰ-(ㄴ)과 Ⅱ를 (나)의 2문단과 연결지어 보행 중 스마트폰을 사용하면 '인지 능력'이 저하됨을 보여 주는 자료로 활용하는 것은 적절하다.

[11~15] 문법(언어)

11 ⑤ 정답률 64%

정답풀이

3문단에서 '구개음화는 끝소리 'ㄷ, ㅌ'이 모음 'ㅣ'로 시작되는 조사나 접미사 앞에서 구개음 'ㅈ, ㅊ'으로 발음되는 현상'이라고 한 것을 통해 구개음화는 자음의 소리만 바뀌는 현상임을 알 수 있다.

오답풀이

① 1문단에서 '음운의 동화는 인접한 두 음운 중 어느 한쪽 또는 양쪽이 서로 비슷하거나 같은 소리로 바뀌는 현상이다.'라고 설명하였다.

② 1문단에 따르면 '음운의 동화는 인접한 두 음운 중 어느 한쪽 또는 양쪽이 서로 비슷하거나 같은 소리로 바뀌는 현상'이며, 5문단에서 '이처럼 성격이 비슷하거나 같은 소리가 연속되면 발음할 때 힘이 덜 들게 되므로 발음의 경제성이 높아진다'고 설명하였다.

③ 2문단에 따르면 비음화는 '비음이 아닌 'ㅂ, ㄷ, ㄱ'이 비음 'ㅁ, ㄴ' 앞에서 'ㅁ, ㄴ, ㅇ'으로 바뀌어 소리 나는 현상'이며, 유음화는 '비음 'ㄴ'이 유음 'ㄹ'의 앞이나 뒤에서 유음 'ㄹ'로 발음되는 현상'이다. 따라서 비음화와 유음화는 모두 인접한 자음 사이에서 일어남을 알 수 있다.

④ 3문단에서 구개음화는 '모음 'ㅣ'로 시작되는 조사나 접미사 앞'에서 발생한다고 하였으므로, 자음으로 시작되는 조사나 접미사 앞에서는 일어나지 않는다는 것을 알 수 있다.

12 ① 정답률 80%

정답풀이

'밥물'이 [밤물]로 발음되는 것은 '밥'의 끝소리인 파열음 'ㅂ'이 '물'의 첫소리인 비음 'ㅁ' 앞에서 비음 'ㅁ'으로 바뀌는 비음화에 해당된다. ㉠(아래의 자음 체계표)을 참고하면, 비음화는 조음 방식만 '파열음'에서 '비음'으로 바뀐 것임을 알 수 있다.

오답풀이

② '밥물'이 [밤물]로 발음되는 것은 비음화의 예이다.

③, ④ '신라'가 [실라]로 발음되는 것은 비음 'ㄴ'이 유음 'ㄹ'의 앞에서 유음 'ㄹ'로 발음되는 유음화에 해당한다. 이는 ㉠을 참고할 때, 조음 방식만 '비음'에서 '유음'으로 바뀐 것이다.

⑤ '굳이'가 [구지]로 발음되는 것은 끝소리 'ㄷ'이 모음 'ㅣ' 앞에서 구개음 'ㅈ'으로 발음되는 구개음화에 해당한다. 이는 ㉠을 참고할 때, 조음 위치는 '잇몸 소리'에서 '센입천장 소리'로 바뀌고 조음 방식은 '파열음'에서 '파찰음'으로 바뀐 것이다.

13 ① 정답률 90%

정답풀이

'나는 그 책도 샀다'의 문장 성분은 '나는(주어)', '그(관형어)', '책도(목적어)', '샀다(서술어)'로 분석된다. 〈보기〉의 구문 도해에 따르면 '주성분'인 주어, 목적어, 서술어에 해당되는 '나는', '책도', '샀다'가 세로줄 '왼편'에, '부속 성분'인 관형어 '그'는 세로줄 '오른편'에 배치되어야 한다. 그리고 주어인 '나는' 밑에는 '가로로 쌍줄'을 그어서 구분하고 보조사 '는', '도'는 '앞말과의 사이에 짧은 세로줄'을 그어서 표시해야 한다.

14 ⑤ 정답률 70%

정답풀이

〈보기〉의 '없다'는 '없어, 없으니, 없는'의 형태로, '있다'는 '있어, 있으니, 있는'의 형태로 활용하는데, 이때 어간인 '없-'과 '있-'은 그 형태가 변하지 않았다. 따라서 '없다'와 '있다'는 모두 어간의 형태가 불규칙적으로 변하는 단어에 해당하지 않는다.

오답풀이

① 발음을 표기할 때 ':'는 긴소리로 발음된다는 것을 나타내는 장음 부호를 의미한다. 따라서 [업:따]는 어간이 긴소리로 발음된다는 것을 나타낸다.

② '다의어'는 두 가지 이상의 뜻을 가진 단어를 의미한다. '있다'는 하나의 표제어 아래에 (1)의 '사람이나 동물이 어느 곳에서 떠나거나 벗어나지 아니하고 머물다.'라는 뜻과 (2)의 '사람, 동물, 물체 따위가 실제로 존재하는 상태이다.'라는 뜻이 제시되어 있으므로 다의어라고 할 수 있다.

③ '있다 (1)'은 '【…에】'를 통해서 주어 외에 필수적으로 갖추어야 하는 성분인 부사어에 대한 정보를 나타내고 있다.

④ '없다'는 '사람, 동물, 물체 따위가 실제로 존재하지 않는 상태이다.'라는 의미를 가지는 형용사이고, '있다 (2)'는 '사람, 동물, 물체, 따위가 실제로 존재하는 상태이다.'라는 의미를 가지는 형용사이므로 품사는 서로 같고 의미상으로는 반의 관계에 있다.

15 ① 정답률 61%

정답풀이

㉠(듕 · 귁 · 에)의 현대어 풀이는 '중국과'로, 중세 국어 조사 '에'는 현대 국어의 비교 부사격 조사 '과'와 같은 의미이다. 즉 조사 '에'는 앞말이 사건의 원인이 됨을 나타내는 것이 아니라 비교의 의미를 나타낸다.

오답풀이

② ㉡(어 · 린)은 현대 국어의 '어리석은'에 해당하는 것으로, '나이가 적다'는 의미로 쓰이는 현대 국어의 '어린'과 의미가 다르다.

③ ㉢(· ᄠᅳ · 들)의 초성에는 서로 다른 자음인 'ㅂ'과 'ㄷ'이 나란히 적혀 있다.

④ ㉣(뼌ᅙᅡᆫ · 킈)에는 현대 국어에서 사용되지 않는 자음인 'ㆆ'이 쓰였다.

⑤ ㉤(ᄯᆞᄅᆞ · 미니 · 라)은 현대 국어의 '따름이다'에 해당하는 것으로, 이를 통해 앞말의 종성에 쓰인 'ㅁ'을 다음 자인 '이'의 초성에 옮겨서 '미'로 표기한 것임을 알 수 있다.

오답률 Best 4

중세 국어의 특징을 현대 국어와 비교해서 이해할 수 있는지를 물어보는 문제야. 정답인 ①번을 61%의 학생들이 선택했는데, 오답인 ⑤번도 21%나 되는 학생들이 선택했어. 이렇게 중세 국어와 현대 국어를 비교하는 문제에는 현대 국어와 중세 국어를 대응시켜서 파악해 보는 것이 중요해. 현대 국어와 비교하며 살피다 보면, 중세 국어의 문법 요소나 어휘의 뜻을 조금 더 쉽게 파악할 수 있거든. ①번이 바로 그렇게 접근할 수 있는 경우야. 중세 국어를 현대 국어로 풀이해 놓았으니 서로 의미는 동일하겠지? 그런데 중세 국어의 조사 '에'가 현대 국어의 조사 '과'로 풀이되었으니 현대 국어의 조사 '과'의 의미로 중세 국어의 조사 '에'의 의미를 이해할 수 있는 거지!

그리고 중세 국어의 경우 문법 지식을 꼼꼼하게 숙지해 두는 게 좋아. ㉤에서 현대 국어 '따름이다'와 중세 국어 'ᄯᆞᄅᆞ · 미니 · 라'가 대응되는데, '따름'의 종성 'ㅁ'이 'ᄯᆞᄅᆞ'에서는 확인되지 않고, '이다'에는 없는 'ㅁ'이 '미니 · 라'에서 확인되니까 한 음절의 종성을 다음 자의 초성에 옮겨서 표기한 것임을 알 수 있어. 해당 선지는 받침 있는 체언이나 용언의 어간에, 모음으로 시작하는 조사나 어미가 연결될 경우 앞 형태소의 종성을 다음 형태소의 초성에 내려쓰는, 중세 국어의 표기 방식인 '연철(이어적기)'에 대해서 숙지하고 있다면 쉽게 판단할 수 있는 부분이지. 그러니 어렵다고 느껴져도 한번은 해야 할 것이니 알아 두자는 생각으로 중세 국어를 꼼꼼히 공부해 두길 바라. 나중에 분명 도움이 될 테니까!

[16~19] 인문

16 ② 정답률 73%

정답풀이

4문단에서 '전통적인 진리관에서는 진술의 내용이 사실과 일치할 때 진리라고 본다.'라고 하였다. 따라서 전통적 진리관은 진술의 내용이 사실과 일치하면 진리라고 판단할 것이다. '경험을 통해 얻은 과학적 지식이라 하더라도 그것이 진리인지의 여부는 확인할 수 없다는 것이 흄의 입장'이라고 한 것을 고려할 때 진리 여부를 판단하는 것이 불가능하다고 보는 것은 흄의 입장임을 알 수 있다.

오답풀이

① 1문단의 '이성을 중심으로 진리를 탐구했던 데카르트의 합리론'을 통해 데카르트는 진리를 찾을 때 이성을 중시하는 관점을 취했음을 알 수 있다.

③ 2문단에서 '흄은 지식의 근원을 경험으로 보고 이를 인상과 관념으로 구분하여 설명하였다.'라고 하였는데, 이때 '인상은 오감을 통해 얻을 수 있는 감각이나 감정'임을 고려하면 흄은 지식의 탐구 과정에서 감각을 통해 얻은 경험을 중시하였다고 볼 수 있다.

④ 1문단에서 흄은 '데카르트의 합리론을 비판하고 경험을 중심으로 한 새로운 철학 이론을 구축하려 하였다.'라고 하였다.
⑤ 2문단에 따르면 흄은 '인상이 없는 관념은 과학적 지식이 될 수 없다'고 보았다.

17 ⑤ 정답률 73%

정답풀이

[A]에서 흄은 '경험을 통해 얻은 과학적 지식이라 하더라도 그것이 진리인지의 여부는 확인할 수 없다'며 '진리를 알 수 있는가의 문제에 대해서도 회의적인 태도를 취'하고 있다. 이를 통해 ㉠(흄은 서양 근대 철학사에서 극단적인 회의주의자로 평가받는다.)의 이유는 경험을 통해서도 진리를 확인할 수 없다고 보았기 때문임을 알 수 있다.

오답풀이

① 인상이 없는 지식은 진리가 아니라고 보는 견해는 ㉠과 관련이 없다.
② 1문단에 따르면 흄은 '이성을 중심으로 진리를 탐구했던 데카르트의 합리론을 비판'하였다. 그러나 이는 ㉠과 관련이 없다.
③ 실재 세계의 모습이 끊임없이 변하는 것은 ㉠과 관련이 없다.
④ [A]에 따르면 흄은 '우리는 감각 기관을 통해서만 세상을 인식할 수 있기 때문에' '경험을 통해 얻은 과학적 지식이라 하더라도 그것이 진리인지의 여부는 확인할 수 없다'고 보므로, 주관적 판단으로 진리를 찾을 수 있다고 보지는 않았을 것이다.

18 ② 정답률 75%

정답풀이

2문단에서 '복합 인상은 단순 인상들이 결합된 인상'이며 '"짜다'와 '희다' 등의 두 단순 인상들이 결합된 소금의 인상'이 이에 해당된다고 하였다. 이를 참고하면 〈보기〉에서 사과를 보고 '빨개'라고 느끼는 것은 하나의 단순 인상이지 복합 인상은 아니다.

오답풀이

① 2문단에서 '관념은 인상을 머릿속에 떠올리는 것'이라고 하였다. 이에 따르면 〈보기〉에서 사과를 보면서 달콤한 맛을 떠올리는 것은 관념에 해당된다.
③ 4문단에서 '흄에 따르면 우리는 감각 기관을 통해서만 세상을 인식할 수 있기 때문에 실제 소금이 짠지는 알 수 없다.'라고 하였다. 이에 따르면 〈보기〉에서 사과를 보며 떠올린 '이 사과는 빨개.'라는 생각은 이 사과가 나의 눈에 빨갛게 보인다는 의미일 뿐이며, 사과의 실제 색깔이 빨간지는 알 수 없다.
④ 3문단에 따르면 흄은 '인접한 두 사건'을 관찰할 수는 있지만 이 '두 사건의 인과적 연결 관계를 관찰할 수 없다'고 본다. 이에 따르면 〈보기〉에서 '매일 사과를 먹었다'라는 사건과 '피부가 고와졌다'라는 사건을 관찰할 수는 있지만, 이 두 사건 사이의 인과적 연결 관계를 관찰할 수는 없다.
⑤ 3문단에 따르면 흄은 '인과 관계란 시공간적으로 인접한 두 사건이 반복해서 발생할 때 갖는 관찰자의 습관적인 기대에 불과하다'고 본다. 이에 따르면 〈보기〉의 '매일 사과를 먹으니 피부가 고와졌어.'라는 생각은 반복되는 경험을 통해 형성된 습관적 기대에 불과하다.

19 ② 정답률 66%

정답풀이

2문단에 따르면 흄은 '단순 인상은 단일 감각을 통해 얻은 인상'이며 '단순 인상을 통해 형성되는 관념을 단순 관념'이라고 한다. 그리고 '단순 인상이 없다면 단순 관념은 존재하지 않는다'고 본다. 〈보기〉의 '어떤 사람'은 태어나서 한 번도 빈칸에 들어갈 색을 본 적이 없으므로, 흄의 주장에 따르면 시각이라는 단일 감각으로 얻은 단순 인상이 없는 사람이 된다. 그러나 '어떤 사람'은 주변 색과 비교해서 빈칸에 들어갈 색을 알아맞혔으므로, 이를 통해 단순 인상이 없어도 단순 관념이 존재함을 주장할 수 있다.

오답풀이

① 〈보기〉의 사례는 세계가 우리의 감각 기관과 독립하여 존재하지 않는다는 것을 보여 주지는 않는다.
③ 〈보기〉에 따르면 '어떤 사람'은 '빈칸에 들어갈 색을 태어나서 한 번도 본 적이 없'으므로 관찰과 경험을 통해서 지식을 얻은 것이라 할 수 없다.
④ 2문단에 따르면 흄은 '단순 인상을 통해 형성되는 관념을 단순 관념, 복합 인상을 통해 형성되는 관념을 복합 관념'이라고 보아 두 관념을 구분하는 기준을 제시하였다. 그러나 〈보기〉의 사례는 단순 인상, 단순 관념과 관련된 내용으로 두 관념을 구분하는 기준과 관련이 없다.
⑤ 〈보기〉의 사례는 외부 세계가 어떤 모습인지를 객관적으로 확인할 수 있다는 것을 보여 주지는 않는다.

[20~24] 고전시가+현대시

20 ⑤ 정답률 70%

정답풀이

(가)에서 '한국 서정 시가의 전통'은 내용적 측면에서는 '이상향 추구'를 담아내기도 한다고 하였다. 다만 (나)에는 깊은 산 속에서 나무를 하는 나무꾼의 힘든 삶이 '나무하러 가자'라는 표현으로 드러나고, (다)에는 갈 곳을 잃고 오라는 곳이 없는 화자의 비애가 '산으로 올라갈까'라는 표현으로 드러나고 있을 뿐, 둘 다 이상향을 추구하는 것과는 거리가 멀다.

오답풀이

① (가)에서 '한국 서정 시가의 전통'은 '형식적 측면에서는 3음보, 또는 4음보의 율격을 바탕'으로 한다고 하였다. (나)의 '세상 인간 같지 않아 이놈 팔자 무슨 일고'는 '세상 인간 / 같지 않아 / 이놈 팔자 / 무슨 일고'의 4음보가 나타나므로 전통적인 율격을 보여 준다고 할 수 있다.
② (가)에서 (나)는 '나무꾼들이 나무를 하면서 부르던 민요'라고 하였다. 또한 (나)에서 '지게 목발 못 면'한다는 표현을 통해 (나)의 화자는 나무를 해서 지게에 지고 날라야 하는 나무꾼임을 알 수 있다.
③ (가)에서 '한국 서정 시가의 전통'은 '내용적 측면에서 한의 정서'를 담아내기도 한다고 하였다. (나)의 '세상사 사라진들~자탄한들 무엇하리'를 통해 화자는 아내도 재산도 없는 가난한 처지에 놓였음을 알 수 있으며, '사자 하니 고생이라'에는 이러한 고달픈 삶에 대한 한의 정서가 드러난다고 할 수 있다.
④ (가)에서 '한국 서정 시가의 전통'은 '형식적 측면에서는 3음보, 또는 4음보의 율격을 바탕'으로 한다고 하였다. (다)의 '어제도 하로밤 / 나그네 집에'는 '어제도 / 하로밤 / 나그네 집에'의 3음보의 율격을 두 개의 행으로 나누어 배치하고 있다고 볼 수 있다.

21 ① 정답률 72%

정답풀이

(나)의 '저 기럭아'와 (다)의 '여보소'를 통해서 화자가 청자에게 말을 건네는 듯한 어투를 사용하고 있음을 확인할 수 있다.

오답풀이

② (나)와 (다) 모두 선명한 색채를 맞대어 비교하고 있지는 않다.
③ '수미상응'은 시의 첫 연과 마지막 연의 형태가 유사하거나 동일한 것을 의미하는데, (나)와 (다) 모두 첫 연과 마지막 연의 형태가 유사하거나 동일하지는 않다.
④ (나)와 (다) 모두 공감각적 이미지나 계절의 흐름을 확인할 수 없다.
⑤ '반어적 표현'은 말하고자 하는 바와 반대로 표현하여 그 뜻을 강화하는 것인데, (나)와 (다) 모두 이러한 반어적 표현이 쓰이지 않았다.

22 ③ 정답률 63%

정답풀이

㉠(저 기럭)은 화자가 '너도 또한 임을 잃고 임 찾아서 가는 길가'라고 묻는 대상이라는 점에서 화자와 같은 처지에 놓인 대상이라고 할 수 있다. 반면에 ㉡(저 기러기)은 '열 십자 복판'에 서서 갈 길이 없어 방황하는 화자와 달리 공중에 길이 있는 것처럼 잘 가는 대상으로 화자의 처지와 대조를 이루고 있다.

오답풀이

① ㉠은 임을 잃고 외로워하는 화자의 심정이 투영된 대상이지, 어떠한 삶의 깨달음을 주는 대상은 아니다.
② (나)의 화자는 ㉠을 보고 '너도 또한 임을 잃고 임 찾아서 가는 길가'라고 묻고 있으므로 ㉠을 화자가 부러워하는 대상이라 할 수 없다.
④ ㉡은 갈 곳이 없는 화자의 막막한 심정을 더욱 부각시키는 대상일 뿐, (다)에는 '임'이라는 대상이나 그에 대한 그리움의 정서가 드러나지는 않는다.
⑤ ㉠과 ㉡은 화자의 심정을 위로하는 대상은 아니다.

23 ⑤ 정답률 80%

정답풀이

[B]에서는 '버선짝', '토시짝', '털먹신'과 같은 짝이 있는 물건을 열거하며 이들과는 달리 짝이 없는 화자의 애상감을 표현하고 있지만, [A]와 [C]에는 짝이 있는 물건이 제시되지 않았다.

오답풀이

① [A]에는 '지게 목발 못 면하고' 힘들게 나무를 해서 살아야 하는 화자의 처지와 '팔자 좋아 / 고대광실 높은 집에 사모에 풍경 달고 / 만석록을 누리'는 사람의 처지가 대비된다. 이는 빈부와 귀천의 불평등한 상황을 보여 주며, 화자는 이러한 현실에서 느끼는 괴로움을 토로하고 있다.
② [B]에서는 '항상 지게는 못 면하고'와 '남의 집도 못 면하고', '토시짝도 짝이 있고'와 '털먹신도 짝이 있는데' 등에서 유사한 문장 구조를 반복하여 가난하고 짝이 없어 외로운 화자의 처지를 강조하고 있다.
③ [C]에서 화자는 힘든 노동을 하며 살아야 하는 자신의 처지를 '언제나 면하고 오늘도 이 짐을 안 지고 가면 / 어떤 놈이 밥 한 술' 주겠냐는 체념적인 어조를 통해 힘든 처지를 면할 기약이 없는 것에 대해 한탄하고 있다.
④ [A]와 [C]에서는 '이히후후'라는 나무를 할 때 내뱉는 한숨 소리를 통해 나무를 하는 고된 노동을 하는 화자의 심정을 드러낸다.

24 ④ 정답률 68%

정답풀이

〈보기〉에서 (다)는 '길의 속성을 바탕으로 일제 강점기에 삶의 터전인 고향을 상실한 우리 민족의 비애를 길과 연결된 다양한 공간을 통해 형상화하고 있다.'라고 하였다. 이를 고려하면 화자는 '열 십자 복판'에 서서 갈 길이 없음을 확인하고 있으므로, 이는 되돌아가고 싶은 원점으로서 화자의 갈등을 야기하는 공간이 아니라 갈 곳 몰라 방황하는 화자의 심리를 드러내는 공간으로 볼 수 있다.

오답풀이

① 〈보기〉를 고려하면 '나그네 집'은 화자가 '어제도' 머물렀던 공간으로 화자가 목적 없이 계속 떠도는 나그네 처지임을 보여 주는 공간으로 볼 수 있다.
② 〈보기〉를 고려하면 '들'은 갈 곳을 모르는 화자가 자신을 오라는 곳이 없다며 언급하는 공간으로, 어디로도 갈 수 없는 화자의 처지를 드러내는 공간이라고 볼 수 있다.
③ '정주 곽산'은 화자의 집이 있는 고향으로 '차 가고 배 가는 곳'이지만, 화자는 '오라는 곳이 없'다고 하므로 이러한 고향의 속성은 화자의 슬픔을 심화한다고 볼 수 있다.
⑤ '갈린 길'은 갈 곳을 모르는 화자가 서 있는 공간으로, 〈보기〉의 '일제 강점기'라는 시대적 상황을 고려한다면 이는 삶의 방향을 잃어버린 우리 민족의 모습을 상징적으로 보여 준다고 할 수 있다.

[25~27] 현대소설

25 ② 정답률 74%

정답풀이

윗글의 서술자인 '나'는 아버지의 삶과 관련된 사건에 대해서 서술하고 있으므로, 중심인물인 아버지에 대한 자신의 생각을 드러내고 있다고 할 수 있다.

오답풀이

① 윗글에는 '나' 이외의 다른 서술자가 등장하지 않으며, '나'의 시선으로만 사건을 조명하기에 사건을 다각도로 제시한다고 볼 수 없다.
③ 외부 이야기와 내부 이야기로 구분되는 것은 액자식 구성으로, 윗글은 액자식으로 구성되지 않았으므로 적절하지 않다.
④ 윗글은 1인칭 서술자 시점에서 서술되었다. 1인칭 시점의 서술자 '나'는 작품 속 등장인물이므로 작품 밖의 서술자가 서술한다고 볼 수 없다.
⑤ 윗글은 시간의 흐름에 따라 사건이 전개되고 있으므로 동시에 일어나는 두 개의 사건을 병렬적으로 배치한 것으로 볼 수 없다.

26 ⑤ 정답률 72%

정답풀이

아버지의 식사를 묻는 어머니의 질문에 '읍내서 묵고 왔다 캅디더.'라고 대답했다는 점에서 ㉤(엄마~갈 수 있을 낀데.)은 아버지의 끼니를 염려하는 마음에 한 말이라고 보기는 어렵다.

오답풀이

① ㉠(당신이사~떡이 생기요?)은 '일정한 직업을 가져 본 적'이 없는 아버지가 단지 '새'를 좋아한다는 이유로 저수지 근처로 이사하자고 조르는 것에 대한 어머니의 대답이다. 여기에는 생계를 걱정하는 어머니의 푸념이 담겨 있다고 할 수 있다.
② ㉡(겨울도 아인데~팔라 캅니꺼?)에는 연을 날리는 '겨울'도 아닌데 연을 많이 만드는 아버지를 이해하지 못하는 '나'의 의문이 드러난다.
③ '돈 벌라고 밤낮으로 일만 하는 사람을 보모 사람 사는 목적이 저런가 싶을 때가 있지러.'를 고려하면 ㉢(그런 꿈~개미가 아이잖나.)에는 생계를 위한 경제적 활동에 얽매이고 싶지 않은 아버지의 삶의 태도가 드러난다고 할 수 있다.
④ ㉣(참~저녁밥은 우쨌노?)에는 양식이 떨어졌을 텐데 저녁밥을 굶지는 않았을지 걱정하는 어머니의 마음이 드러난다.

27 ③ 정답률 63%

정답풀이

〈보기〉에서 아버지는 '역마살을 타고나 여기저기 떠돌아다니는' 인물임을 밝히고 있다. 그러나 '돈 벌라고 밤낮으로 일만 하는 사람을 보모 사람 사는 목적이 저런가 싶을 때가 있지러.'라는 아버지의 말에서 아버지는 삶의 목적이 돈이 아니라고 생각하는 인물임을 알 수 있다. 따라서 '내 같은 사람이 쓸모읎이 보일란지 몰라도'는 다른 사람들의 시선에 대해 언급한 것이지, 역마살로 인해 무능할 수밖에 없었던 자신의 삶에 대한 아버지의 후회가 나타나는 것으로 볼 수 없다.

오답풀이

① 〈보기〉를 참고할 때 '역마살을 타고나 떠돌아다니는 아버지' 대신 '어물 장사'를 하는 어머니의 모습에서 가족의 '생계를 책임진' 어머니의 삶을 엿볼 수 있다.
② 〈보기〉를 참고할 때 아버지가 '바람이 부는 대로 하늘을 날아다니'는 '연맨크로 그냥 멀리로 떠나댕기'고 싶다고 말한 것은 자유롭게 떠돌며 살기를 원하는 것이라 할 수 있다.
④ 〈보기〉에서 연은 '연줄로 '얼레'에 매여 있어 지상으로 돌아올 수밖에 없다.'라고 하였다. 이를 고려하면 어머니가 아버지를 보고 '더러 처자슥은 보고 싶은지 집구석이라고 찾아'든다고 말하는 것에서 어머니가 가족이 얼레의 역할을 하는 것이라 생각하고 있음을 알 수 있다.
⑤ 〈보기〉에서 어머니는 '아버지에 대한 원망과 애정을 안고 살아'간다고 하였다. 이를 고려하면 '나'가 '순환의 법칙을 좇아' 미움이 연민으로 녹아 어머니의 여윈 마음을 다시 채워주리라고 한 것에서 어머니가 아버지에 대한 원망과 애정을 안고 사는 것에 대한 '나'의 인식을 엿볼 수 있다.

[28~30] 예술

28 ④ 정답률 81%

정답풀이

2문단에 따르면 '인상주의 화가들은 색이 빛에 의해 시시각각 변화하기 때문에 대상의 고유한 색은 존재하지 않는다고 생각'하므로 인상주의 화가인 모네가 대상의 고유한 색을 표현하고자 하지는 않았을 것이다.

오답풀이

① 1문단에서 '회화는 대상을 사실적으로 재현하는 역할을 사진에게 넘겨주게 되었고, 그에 따라 화가들은 회화의 의미에 대해서 고민하게 되었다.'라고 하였다.
② 1문단의 '전통적인 회화에서 중시되었던 사실주의적 회화 기법'을 통해서 전통 회화는 대상을 사실적으로 묘사하는 것을 중시했다는 것을 알 수 있다.

③ 3문단에서 모네의 작품은 '대상의 윤곽이 뚜렷하지 않아 색채 효과가 형태 묘사를 압도하는 듯한 느낌을 준다.'라고 하였다.
⑤ 6문단에서 세잔은 '사물은 본질적으로 구, 원통, 원뿔의 단순한 형태로 이루어졌다는 결론에 도달하였다.'라고 하였다.

29 ⑤ 정답률 74%

정답풀이

3문단에서 모네가 '이전 회화에서 추구했던 사실적 표현에서 완전히 벗어나지는 못했다는 평가를 받았다.'라고 한 것을 고려하면, 모네의 작품인 (가)가 사실적인 재현에서 완전히 벗어났다는 평가를 받을 수 있었다는 대답은 적절하지 않다.

오답풀이

① 3문단에서 모네가 '빛에 의한 대상의 순간적 인상을 포착하여 대상을 빠른 속도로 그려 내었다.'라고 한 것을 고려하면, 모네의 작품인 (가)에서 포도의 형태를 뚜렷하지 않게 그린 것은 빛에 의한 순간적인 인상을 표현한 것이라 볼 수 있다.
② 5문단에서 세잔이 '질서 있는 화면 구성을 위해 대상의 선택과 배치가 자유로운 정물화를 선호하였다.'라고 한 것을 고려하면, 세잔의 작품인 (나)는 질서 있게 화면을 구성하기 위해 의도적으로 대상을 선택하고 배치한 것이라 할 수 있다.
③ 3문단에서 모네의 그림은 '대상의 윤곽이 뚜렷하지 않'다고 했으며, 6문단에서 세잔은 대상의 '윤곽선을 강조하여 대상의 존재감을 부각'하였다고 하였다. 이를 고려하면 모네의 작품인 (가)와 달리 세잔의 작품인 (나)의 뚜렷한 윤곽선은 대상의 존재감을 부각시키기 위해 사용한 것이라 할 수 있다.
④ 3문단에서 모네의 그림은 '빛에 의한 대상의 순간적 인상을 포착하여~거친 붓 자국과 물감을 덩어리로 찍어 바른 듯한 흔적이 남아 있는 경우가 많았다.'라고 하였다. 이를 고려하면 모네의 작품인 (가)의 식탁보의 거친 붓 자국은 대상에서 느껴지는 인상을 빠른 속도로 그려 낸 결과라 할 수 있다.

30 ① 정답률 77%

정답풀이

5문단에 따르면 세잔은 '두 개의 눈으로 보는 세계가 진실이라고 믿었고' '이중 시점을 적용하여 대상을 다른 각도에서 바라보려 하였'다. 그리고 〈보기〉의 입체파 화가들은 '사물의 본질을 표현'하고자 '여러 각도에서 바라보는 관점으로 사물을 해체하였다가 화폭 위에 재구성하는 방식을 취하였'으므로 대상을 다른 각도에서 바라보려고 한 세잔의 관점이 입체파 화가들에게 직접적인 영향을 미친 것이라 평가할 수 있다.

오답풀이

② 6문단에 따르면 세잔은 '형태를 단순화하여 대상의 본질을 표현'하였으므로, 대상을 복잡한 형태로 추상화하여 전체적인 느낌을 부각하는 방법은 세잔의 화풍과 관련이 없다.
③ 6문단에 따르면 세잔은 '사물의 본질을 표현하기 위해서는 '보이는 것'을 그리는 것이 아니라 '아는 것'을 그려야 한다고 주장'했다. 따라서 세잔이 사물을 최대한 정확하게 묘사하려 했다고 볼 수 없다.
④ 5문단에 따르면 세잔은 '대상의 선택과 배치가 자유로운 정물화를 선호'하였으므로, 세잔이 시시각각 달라지는 자연을 관찰하고 분석하여 그림을 그려 내는 화풍을 정립했다고 볼 수 없다.
⑤ 사물을 해체하여 재구성하는 기법을 세잔이 창안했다는 내용은 윗글에서 확인할 수 없다.

[31~33] **사회**

31 ② 정답률 80%

정답풀이

윗글은 1문단에서 조세를 부과할 때 고려해야 하는 조건인 '효율성과 공평성'을 제시하였고, 공평성을 다시 '편익 원칙'과 '능력 원칙'으로 구분하고 있다. 그 후 능력 원칙을 다시 '수직적 공평'과 '수평적 공평'으로 구분하여 설명하므로, 대상을 기준에 따라 구분한 뒤 그 특성을 설명하고 있다고 볼 수 있다.

오답풀이

① 윗글에서 상반된 두 입장을 제시하거나 이를 절충하고 있지는 않다.
③ 윗글에서는 '조세', '경제적 순손실', '편익 원칙' 등의 개념을 설명하고 있으나 이를 다른 유사한 대상에 빗대고 있지 않다.
④ 윗글은 일반적으로 널리 통하는 개념인 통념을 반박하거나 대상이 가지고 있는 속성을 새롭게 조명하고 있지 않다.
⑤ 윗글에서 시간의 흐름에 따라 대상이 발달하는 과정을 서술하고 있지는 않다.

32 ③ 정답률 83%

정답풀이

3문단과 4문단에 따르면 '소득을 재분배하는 효과'는 '능력 원칙'을 통해서 얻을 수 있으며, 능력 원칙은 ⓒ(조세의 공평성)에 해당되는 원칙이므로 ㉠(조세의 효율성)이 ⓒ과 달리 소득 재분배를 목적으로 한다는 설명은 적절하지 않다.

오답풀이

① 2문단에서 '경제적 순손실이 생기면 경기가 둔화될 수 있'는데 '조세를 부과하게 되면 경제적 순손실이 불가피하게 발생하게 되므로, 이를 최소화하도록 조세를 부과해야 조세의 효율성(㉠)을 높일 수 있다.'라고 하였다. 따라서 ㉠은 조세가 경기에 미치는 영향과 관련되어 있다.
② 3문단에서 '조세의 공평성(ⓒ)이 확보되면 조세 부과의 형평성이 높아져서 조세 저항을 줄일 수 있다.'라고 하였다. 즉 ⓒ은 납세자의 '조세 저항을 완화'하는 데 도움이 되는 것이다.
④ 2문단에 따르면 ㉠은 '경제적 순손실'을 최소화하여 '경기가 둔화'되는 것을 막기 위한 것이며, 3문단에 따르면 ⓒ은 '조세 부과의 형평성을 실현'하기 위한 것이다.
⑤ 1문단에서 '조세를 부과할 때는 조세의 효율성(㉠)과 공평성(ⓒ)을 고려해야 한다.'라고 하였다.

33 ② 정답률 67%

정답풀이

ㄴ.
5문단에서 '소득이 동일하더라도 부양가족의 수가 다르면 실질적인 조세 부담 능력에 차이가 생'기는 문제를 해결하여 '공평성을 높이기 위해 정부에서는 공제 제도를 통해 조세 부담 능력이 적은 사람의 세금을 감면해 주기도 한다.'라고 하였다. 이를 고려하면 A와 B의 소득은 같지만, 부양가족이 있는 B가 100만 원의 공제를 받은 것은 가족을 부양하는 비용이 들어가는 B의 실질적인 조세 부담 능력이 A보다 적기 때문이라고 할 수 있다.
ㄹ.
4문단에서 수직적 공평을 실현하기 위해 '소득 수준이 올라감에 따라 점점 높은 세율을 적용하는 누진세를 시행하기도 한다.'라고 하였다. 이를 고려하면 C의 세율이 B의 세율보다 5% 높은 이유는 C의 소득이 B의 소득보다 높기 때문에 누진세를 C에게 적용한 결과이다.

오답풀이

ㄱ.
3문단에 따르면 조세의 공평성은 '조세 부과의 형평성을 실현하는 것'이다. 5문단을 참고할 때 가족을 부양하는 비용 때문에 '실질적인 조세 부담 능력'이 떨어지는 B에게 세금 공제 혜택을 부여한 것은 '수평적 공평'에 해당하므로, 이는 조세의 형평성이 약화되는 것이 아니라 확보되는 것으로 볼 수 있다.
ㄷ.
C가 B보다 많은 세금을 납부하는 것은 소득이 더 많기 때문이다. 이는 3문단에서 언급한 '공공재를 소비함으로써 얻는 편익이 클수록 더 많은 세금을 부담'하는 편익 원칙이 아니라 4문단에서 언급한 '개인의 소득이나 재산 등을 고려한 세금 부담 능력에 따라 세금을 내야' 한다는 능력 원칙을 적용한 것이다.

[34~36] **시나리오**

34 ③ 정답률 81%

정답풀이

S#94에서 경숙은 '큰 목소리'로 자신의 감정을 숨기지 않고 표출하며 정욱의 제안을 거절하고 있다. 따라서 감정을 억누르려는 차분한 목소리로 연기하라는 주문은 적절하다고 볼 수 없다.

오답풀이

① S#93에서 경숙은 '초원이는 엄마가 자길 또 내버릴까 봐, 그렇게 열심히, 힘들단 소리도 못 하고 지금껏 산 거 아닐까'라며 자기 때문에 초원이가 힘들어하는 것은 아닐지 자책하고 있으므로 적절하다.
② S#94에서 정욱은 '진지하게 계속 말하'며 경숙을 설득하고 있으므로 적절하다.
④ S#101에서 마라톤의 시작을 알리는 '출발 총성', 사람들의 '함성 소리'를 통해 마라톤 대회 현장의 생생함을 표현하고 있으므로 적절하다.
⑤ S#101에서 초원과 경숙이 대화할 때 '달려 나가는 수많은 사람들 틈'에서 초원과 경숙의 모습이 '보였다 안 보였다 하는' 것은 마라토너들이 그들의 주변을 빠르게 지나쳐 가는 것을 의미하므로 적절하다.

35 ④ 정답률 67%

정답풀이

㉡(병원에서~텔레비전을 켠다.)에서는 달력의 '10월 10일'을 보며 마라톤 대회에 '미련'이 있는 경숙을 보여 주고, ㉢에서 '러닝화를 박스에서 꺼내 보는' 초원의 모습도 마라톤 대회에 참가하고 싶어 하는 모습을 보여 준다. 따라서 두 사람의 모습이 대비된다고 보기 어려우며, 두 사람의 갈등이 중원을 통해서 해소되는 것도 아니다.

오답풀이

① S#90과 S#93을 통해 알 수 있듯이, 경숙이 아파서 입원한 것과 관련하여 초원의 일상에 나타난 변화는 ㉠(학교로 가는~아무도 없다.)에서 '엄마가 늘 손 흔들어 주던 자리에 아무도 없'는 것으로 드러난다.
② S#94에서 경숙은 정욱에게 '이제 마라톤 안 해요!'라고 말했지만, ㉡에서 마라톤 대회 날짜인 '10월 10일'에 눈이 가는 것을 통해 아직 마라톤에 미련을 가지고 있음을 확인할 수 있다.
③ ㉢에서 초원은 '정욱이 사준 얼룩말 러닝화를 박스에서 꺼내 보'며 마라톤을 하고 싶어 하는 모습을 보여 준다. 이를 통해 S#101에서 마라톤 경기에 참가하여 달리는 초원의 모습을 이해할 수 있다.
⑤ ㉠~㉢은 시간이 흘러가는 동안 경숙과 초원이 겪은 일상을 압축적으로 제시하여 사건을 속도감 있게 전개하고 있다.

36 ① 정답률 75%

정답풀이

S#93에서 '도저히, 키울 자신이 없'어서 손을 놓았다는 경숙의 말을 통해서 ⓐ(스르륵 풀리는 초원의 손)는 경숙이 초원을 자신이 책임져야 할 부담스러운 존재로 여겼음을 보여 준다. 한편 ⓑ(스르르 손이 풀리고)는 '너 혼자선 안 돼.'라고 말하던 경숙이 초원의 의지를 확인하고 손을 놓아 주는 장면이므로, 경숙이 초원을 주체적인 존재로 인정하고 믿게 되었음을 보여 준다. 따라서 경숙은 초원을 책임져야 하는 부담스러운 존재에서 의지를 지닌 주체적인 존재로 인정하게 되었다고 볼 수 있다.

오답풀이

② 윗글에서 초원이 남을 위해 애쓰는 모습은 찾을 수 없다.
③ 윗글에서 초원이 다가가기 어려운 고독한 존재에서 먼저 마음을 열고 다가오는 살가운 존재로 표현되지는 않았다.
④ [중략 부분 줄거리]에서 초원은 정욱 없이도 혼자서 스스로 달리는 의지를 보여 준다. 따라서 ⓑ에서 경숙의 손을 놓는 것을 자기 고집만 내세우기 때문이라 보기는 어렵다.
⑤ ⓐ에서 경숙은 초원을 부담스럽게 여겨 손을 놓는 모습을 보이므로, 함께하며 위안을 얻는 존재로 여겼다고 보기 어렵다.

[37~41] **기술**

37 ① 정답률 76%

정답풀이

3문단에서 '위에서 아래 방향으로만 작용하는 수직 하중과 달리 수평 하중은 사방에서 작용하는 힘'이라고 하였으므로 적절하지 않다.

오답풀이

② 1문단에 따르면 수직 하중은 '건물 자체의 무게로 인해 땅 표면에 수직 방향으로 작용하는 힘'인데, 건물이 높아질수록 건물의 무게는 증가할 것이므로 때문에 건물에 가해지는 수직 하중도 증가할 것이다.
③ 2문단에 따르면 '보기둥 구조에서는 설치된 보의 두께만큼 건물의 한 층당 높이가 높아'지므로, 보의 두께가 한 층당 높이에 영향을 준다고 할 수 있다.
④ 3문단에서 '건물이 많은 도심에서는 넓은 공간에서 좁은 공간으로 바람이 불어오면서 풍속이 빨라지는 현상이 발생'한다고 하였다.
⑤ 3문단에서 '수평 하중은 사방에서 작용하는 힘'으로, '바람은 건물에 작용하는 수평 하중의 90% 이상을 차지'하며 '바람에 의해 공명 현상이 발생하면 건물이 매우 크게 흔들리게' 된다고 한 것을 통해 공명 현상이 건물에 가해지는 수평 하중을 증가시키는 요인이 됨을 알 수 있다.

38 ④ 정답률 68%

정답풀이

5문단에서 ㉢(아웃리거-벨트 트러스 구조) 중 트러스는 '외부에서 작용하는 힘'을 '전체적으로 분산'하여 '코어에 무리한 힘이 가해지는 것을 예방'한다고 하였다. 아웃리거는 '건물 외벽에 설치된 벨트 트러스를 내부의 코어와 견고하게 연결한 것'으로, 아웃리거와 코어의 결합력을 높이는 것은 트러스와 관련이 없다.

오답풀이

① 2문단에서 ㉠(보기둥 구조)은 '기둥과 기둥 사이를 가로지르는 수평 구조물인 보를 설치하고 그 위에 바닥판을 놓은 구조'라고 하였다.
② 2문단에서 ㉠에서는 '바닥판에 작용하는 하중이 기둥에 집중되지 않고 보에 의해 분산되기 때문에 수직 하중을 잘 견딜 수 있다.'라고 하였다.
③ 4문단에서 ㉡(코어 구조)의 경우 '초고층 건물은 그 높이가 높아질수록 수평 하중이 커지고 그에 따라 코어의 크기도 커져야 한다.'라고 하였다.
⑤ 5문단에서 '코어 구조(㉡)만으로는 수평 하중을 완벽하게 견뎌 낼 수 없'기에 ㉢으로 보완한다고 하였다. 따라서 ㉡과 ㉢을 함께 사용하면 건물에 작용하는 수평 하중을 견디는 힘이 커질 것이다.

39 ③ 정답률 81%

정답풀이

4문단에 따르면 ㉮(코어에 승강기나 화장실, 계단, 수도, 파이프 같은 시설을 설치)의 이유는 코어 구조의 경우 '가운데 빈 공간이 있어 공간 활용의 효율성이 떨어지기 때문'이며, 5문단에 따르면 ㉯(아웃리거를 기계 설비층에 설치하거나 층과 층 사이, 즉 위층 바닥과 아래층 천장 사이에 설치)의 이유는 아웃리거가 '건물 내부를 가로지를 수밖에 없어서 효율적인 공간 구성에 방해'가 되기 때문이다. 이를 고려하면 ㉮와 ㉯ 모두 건물의 공간을 효율적으로 활용하기 위한 것이라 할 수 있다.

오답풀이

① 윗글에서 ㉮와 ㉯가 건물의 외부 미관과 관련되었다고 하지는 않았다.
② 승강기, 화장실, 계단, 수도, 파이프 같은 시설은 코어 가운데의 빈 공간이 아니더라도 반드시 설치해야 하는 시설이므로 ㉮가 건설 비용을 줄이기 위한 것과 관련이 있다고 할 수 없다. 또한 ㉯가 설치 위치에 따른 비용 절감과 관련이 있다는 내용도 윗글에서 확인할 수 없다.
④ ㉯의 이유가 건물에 작용하는 외부의 힘을 더 줄이는 것이라는 내용은 찾을 수 없다.
⑤ 필요에 따라 건물의 공간 용도를 변경하는 것은 ㉮와 ㉯ 모두와 관련이 없다.

16회

40 ③ 정답률 71%

정답풀이

[A]에서 Ⓐ(U자형 관) 전체의 '가로 폭이 넓어질수록 수평 방향의 흔들림을 줄여 주는 효과가 크다.'라고 하였다. 따라서 Ⓐ 전체의 가로 폭이 넓어질수록 Ⓒ(건물)가 수평 하중을 견디는 효과가 작아질 것이라고 볼 수 없다.

오답풀이

① [A]에서 '바람이 불어 건물이 한쪽으로 기울어져도 물은 관성의 법칙에 따라 원래의 자리에 있으려' 한다고 하였다. 따라서 Ⓐ가 한쪽으로 기울어도, Ⓑ(물)는 원래의 자리에 있으려 할 것이다.
② [A]에서 건물이 한쪽으로 기울어지면 '건물이 기울어진 반대 쪽에 있는 관의 물 높이가 높아진다.'라고 하였다. 따라서 Ⓐ가 왼쪽으로 기울면, 오른쪽 관에 있는 Ⓑ의 높이는 왼쪽보다 높아질 것이다.
④ [A]에서 물이 무거울수록 '수평 방향의 흔들림을 줄여 주는 효과가 크'지만 그에 따라 '수직 하중이 증가'한다고 하였다. 따라서 Ⓐ안에 있는 Ⓑ의 양이 많을수록 무게가 무거워져서 Ⓒ에 작용하는 수직 하중이 증가할 것이다.
⑤ [A]에서 관의 물 높이가 높아진 쪽의 관 '아래로 작용하는 중력이 커지고, 이로 인해 건물을 기울어지게 하는 힘을 약화시켜 흔들림이 줄어'든다고 하였다. 따라서 Ⓐ에 채워진 Ⓑ의 무게가 무거울수록 아래로 작용하는 중력도 커져 Ⓒ의 수평 방향의 흔들림을 줄여 주는 효과가 클 것이다.

41 ④ 정답률 71%

정답풀이

ⓓ(지탱)는 '오래 버티거나 배겨 냄.'을 의미한다. '어떤 상태나 현상을 그대로 보존함.'은 '유지'의 사전적 의미이다.

[42~45] 고전소설

42 ⑤ 정답률 52%

정답풀이

애랑을 만나는 상황에서 배비장은 자신은 개가 아니라 '배 걸덕쇠'라고 답한다. 이는 배비장을 '도적'이나 '개'로 생각한 애랑에게 자신을 낮춰서 재미있게 표현한 것일 뿐이므로, 격식을 차리고 말했다고 볼 수 없으며 이를 신분 질서가 무너지는 모습을 보여 주는 것이라 하기도 어렵다.

오답풀이

① 〈보기〉에서 윗글은 '리듬감이 있는 율문체를 통해 당대 서민들의 삶과 정서를 드러내고 있다.'라고 하였다. 4글자가 규칙적으로 반복되는 '가만가만 / 자취 없이 / 들어가서 / 이리 기웃 / 저리 기웃'에서 이를 확인할 수 있다.
② 〈보기〉에서 윗글은 '판소리계 소설로, 판소리 창자의 말투가 고스란히 드러나 있'다고 하였다. '저 여인 거동 보소'에서 청중에게 말을 거는 판소리 창자의 목소리를 확인할 수 있다.
③ 〈보기〉에서 윗글은 '남성 훼절형 모티프를 바탕으로 하는 서사 구조'를 통해 '지배 계층의 허세에 대한 풍자와 조롱을 드러'낸다고 하였다. '제주 인물 복색으로 차리'라는 방자의 말을 듣고 '구록피 두루마기에 노펑거지'의 초라한 차림을 하는 배비장의 모습에서 서민 계층에 의해 조롱당하는 지배 계층의 모습을 확인할 수 있다.
④ 〈보기〉에서 윗글은 '지배 계층의 허세에 대한 풍자'를 드러낸다고 하였다. 애랑을 만나기 위해서 '담 구멍'을 들어갔다가 '부른 배가 딱 걸려서 들도 나도' 못 하는 곤란한 상황에 처했는데도 한문을 쓰는 배비장의 모습에서 지배 계층의 허세와 이에 대한 풍자를 확인할 수 있다.

오답률 Best ❶

<보기>를 바탕으로 윗글을 감상했을 때 적절하지 않은 선지를 고르는 문제였어. 정답인 ⑤번을 고른 학생은 52%였고 나머지 학생들은 오답 선지를 골고루 선택했어. <보기>에서는 판소리계 소설의 표현상의 특징, 서사 구조, 시대상 반영과 같은 단서를 제공하고 있어. 우선은 <보기>의 이러한 단서를 바탕으로 각 선지의 진술이 타당한지의 여부를 판단해 보고, 윗글의 내용을 타당하게 감상한 것이라 할 수 있는지 판단해 보면 돼. 이때는 글의 전후 맥락을 함께 파악하는 것도 중요해. 배비장은 방종에 애랑의 집에 찾아가 애랑을 훔쳐보다 걸리고, 무엇이냐고 묻는 애랑에게 자신을 '배 걸덕쇠'라고 소개하지. 이때 '비장'이라는 자신의 벼슬을 두고 '마당쇠', '돌쇠' 같은 '걸덕쇠'라는 이름으로 스스로를 부르고 있으니 격식을 갖춘 것이라 하기 어렵겠지?

43 ③ 정답률 56%

정답풀이

ⓓ(방자의 부추김)에서 방자는 배비장에게 '개가죽 두루마기에 노펑거지를 쓰'도록 권하고, 배비장은 체면을 생각해서 주저하는 모습을 보인다. 이런 모습에 방자는 '초라하거든 그만두시오.'라고 튕기며 배비장을 부추길 뿐, 긍정적인 결과를 제시하며 설득하고 있지는 않다.

오답풀이

① ㉮(방자의 제안)에서 방자는 서민들이 입는 옷차림인 '개가죽 두루마기'와 '노펑거지'를 권하며 배비장의 권위를 깎아내리고 있다.
② ㉯(배비장의 주저)에서 배비장은 옷차림이 '초라'하지 않느냐며 주저하는 모습을 보인다.
④ ㉱(배비장의 수용)에서 배비장은 애랑을 만날 생각에 '개가죽이 아니라, 도야지 가죽이라도 내 입으마.'라고 방자의 요청을 할 수 없이 수락하고 있다.
⑤ ㉮~㉱에서는 방자가 먼저 배비장에게 요구 사항을 제시하고, 배비장이 이를 하는 수 없이 수용하는 재담의 구조가 반복된다고 할 수 있다.

오답률 Best ❸

소설의 재담 구조와 관련된 문제야. 44%의 학생이 정답인 ③번이 아닌 오답 선지를 골고루 선택했어. '재담 구조'라는 말과 <보기>의 도식이 낯설어서 어렵게 생각한 모양이야. '재담'은 익살과 재치를 부리며 재미있게 이야기하는 것을 의미하니까 [A]의 글의 구조가 <보기>의 형태로 구성되어 있다는 의미가 되겠지? 따라서 선지의 내용을 [A]에서 찾으며 적절성을 판단하면 되는 거야. ③번은 '방자의 부추김'에 해당되는 ㉰에서 방자가 긍정적인 결과를 제시하며 설득하고 있는지를 묻고 있으니까 [A]에서 방자가 배비장을 부추기며 설득하는 부분을 찾고, 긍정적인 결과를 제시하는지 확인해서 적절성을 판단할 수 있지. 뭔가 복잡해 보이지만, 이렇게 선지의 내용을 [A]에 하나하나 대응하며 접근한다면 내용 일치 수준에서 어렵지 않게 문제를 해결할 수 있을 거야.

44 ④ 정답률 62%

정답풀이

㉣(어허, 아마도 내 등에는 꼰질곤자판을 놓았나 보다.)은 '담 구멍'을 지나간 배비장이 '아프단 말도 하지 못 하고' 자기 처지를 합리화하며 하는 말이므로, 방자에게 노골적으로 불만을 드러내는 부분이라 할 수 없다.

오답풀이

① ㉠(여자에게 한번 이렇게 군대의 예절로 뵈렸다.)은 애랑에게 '군대의 예절'을 보여 주려고 '연습'하는 부분으로, 배비장이 애랑에게 환심을 사려는 것이라 할 수 있다.
② ㉡(이놈, 내 깜짝 놀라 바로 땀이 난다.)은 애랑의 환심을 사려고 연습하다가 '방자놈이 뜻밖에 문을 펄쩍 열'자 놀라고 당황해서 한 말이다.
③ ㉢(정 못 갈 터이면, 내 업고라도 가마.)은 애랑을 만나기 위해서 방자를 '업고라도 가'겠다는 배비장의 말로, 애랑을 빨리 만나고 싶어 하는 배비장의 마음이 드러난다고 할 수 있다.
⑤ ㉤(호랑이를 그리다가~왔나 보다.)은 애랑이 밤중에 찾아온 배비장을 보고 한 말인데, 애랑은 배비장과 삼경에 만날 것을 알고 있었기에 배비장의 정체를 알고서도 짐짓 모른 체하고 있다고 할 수 있다.

오답률 Best ❺

등장인물의 심리와 태도에 대해서 묻는 문제야. 해당 발화를 하는 인물의 심리를 파악하려면 어조와 전후 맥락을 살펴봐야 해. 배비장은 담 구멍을 통과하려고 하는데 몸이 끼어서 마음대로 되지를 않아. 결국 머리부터 구멍에 집어넣고, 방자가 상투를 붙잡아 당기고 나서야 간신히 통과할 수 있었어. 배비장은 아프다는 말도 못하고 내 등에 고누판이 있는 모양이라고 말해. 방자에게 불만을 노골적으로 드러낸다고 하려면 배비장이 방자를 탓하거나 불만을 털어놓았어야 하는데, 자기 등 탓을 하고 있으므로 방자에게 불만을 노골적으로 드러냈다고 하기는 어려워.

45 ① 정답률 73%

정답풀이

ⓐ에서 배비장은 담 구멍을 지나가다가 오도 가도 못 하는 처지에 놓였으므로 '이러지도 저러지도 못하는 어려운 처지.'라는 의미의 '진퇴양난'의 상황에 처했다고 할 수 있다.

오답풀이

② '중과부적'은 '적은 수효로 많은 수효를 대적하지 못함.'이라는 의미이다.
③ '역지사지'는 '처지를 바꾸어서 생각하여 봄'이라는 의미이다.
④ '난형난제'는 '누구를 형이라 하고 누구를 아우라 하기 어렵다'는 뜻으로, '두 사물이 비슷하여 낫고 못함을 정하기 어려움을 이르는 말.'이다.
⑤ '고장난명'은 '외손뼉만으로는 소리가 울리지 아니한다는 뜻으로, 혼자의 힘만으로 어떤 일을 이루기 어려움을 이르는 말.'이다.

16 회

17회

2017학년도 11월 학평

1. ①	2. ②	3. ⑤	4. ①	5. ⑤	6. ③	7. ⑤	8. ④	9. ③	10. ②
11. ③	12. ②	13. ④	14. ④	15. ①	16. ①	17. ④	18. ③	19. ④	20. ③
21. ⑤	22. ④	23. ②	24. ④	25. ①	26. ⑤	27. ④	28. ④	29. ②	30. ④
31. ①	32. ②	33. ⑤	34. ⑤	35. ⑤	36. ②	37. ③	38. ⑤	39. ③	40. ①
41. ①	42. ①	43. ⑤	44. ③	45. ②					

오답률 Best 5

[1~3] 화법

1 ① 정답률 **95%**

정답풀이

발표자는 '시간 수축 효과'가 '심리학 용어로 나이가 들수록 시간이 빨리 흐르는 듯한 느낌을 받는 현상'이라는 개념을 제시한 후, 이와 관련된 대표적인 견해인 '생리 시계 효과'와 '회상 효과'를 소개하고 있다.

오답풀이

② 시간 수축 효과의 문제점과 극복 방안을 언급하지는 않았다.
③ 시간 수축 효과의 의의를 제시하지 않았고, 이를 다른 심리 현상들과 비교하지도 않았다.
④ 시간 수축 효과와 관련된 두 가설을 제시하고 있으나, 이들이 상반되지는 않는다.
⑤ 시간 수축 효과라는 심리적 용어의 개념과 관련된 견해들을 설명하고 있을 뿐, 해당 개념의 긍정적인 측면을 강조하거나 바람직한 생활 태도에 대해 조언하며 발표를 시작하고 있지는 않다.

2 ② 정답률 **71%**

정답풀이

발표의 마지막에 '어른들께서 시간이~이제 이해가 되시죠?'라는 질문을 통해 청중들의 이해를 확인하고 있을 뿐, 내용을 요약하고 있지는 않다.

오답풀이

① 발표자는 '목소리에 힘을 주'는 등의 반언어적 표현을 활용하여 청중의 주의를 집중시키고 있다.
③ 발표자는 피터 맹건의 실험 결과 생리학적 시계의 차이를 '3분 3초', '3분 6초', '3분 40초' 등의 구체적 수치로 제시하여 발표 내용의 신뢰성을 높이고 있다.
④ 발표자는 '시간이 실제로 점점 빨라지는 건 아닌데, 왜 이런 느낌이 드는 걸까요?' 등의 질문을 던지며 화제에 대한 청중의 관심을 불러일으키고 있다.
⑤ 발표자는 '생리 시계 효과'와 '회상 효과'를 소개할 때, 각각 '첫 번째', '두 번째'라는 담화 표지를 활용하여 내용을 전개하고 있다.

3 ⑤ 정답률 **74%**

정답풀이

발표자는 ㉠(그림)에 대해 설명하면서 '어린 학생들은 정적인 이미지를, 노인들은 동적인 이미지를 그렸'다고 하였다. 이를 통해 (가)는 어린 학생이, (나)는 노인들이 그렸음을 알 수 있다. 피터 맹건의 실험에서는 노년층이 청년층이나 중년층에 비해 더 늦게 버튼을 눌렀으므로, (나)를 그린 사람이 (가)를 그린 사람에 비해 더 일찍 버튼을 누를 것이라는 반응은 적절하지 않다.

오답풀이

① 발표자가 ㉠과 관련하여 제시한 실험 결과에 따르면, 어린 학생들은 시간을 정적인 이미지로 떠올린다. 따라서 (가)를 그린 사람은 '시간' 하면 떠오르는 이미지로 동적인 '달리는 기차'보다 정적인 '서 있는 나무'를 선택할 것이다.
② '회상 효과'에 따르면 '새로운 경험이 많았던 청년기와는 달리 노년기에는 새로운 경험이 적'다.
③ '회상 효과'에 따르면 '새로운 경험이 적기 때문에' 노년층은 '노년기를 기억할 게 별로 없는 시기로' 느낀다.
④ 발표자의 설명을 통해 (가)는 어린 학생이, (나)는 노인이 그렸음을 알 수 있다. '생리 시계 효과'와 관련된 실험에서 노년층일수록 생리학적 시계가 느려져 버튼을 늦게 누르므로, (가)를 누른 사람과 (나)를 누른 사람이 이 실험에 참여할 경우, (나)를 그린 사람의 생리학적 시계가 상대적으로 느리게 갈 것이다.

[4~7] 화법과 작문

4 ① 정답률 **93%**

정답풀이

㉠에서 '학생 1'은 '언총을 소개하면서 글을 써 보'는 것이 어떠하냐고 새로운 제안을 함으로써 '학생 2'의 고민 해소를 돕고 있으므로, 상대방의 문제점을 지적하고 있다는 설명은 적절하지 않다.

오답풀이

② ㉡에서 '학생 2'는 '학생 1'이 제시한 '언총'에 대한 자세한 설명을 요청하고 있다.
③ ㉢에서 '학생 1'은 '그건 아니야.'라고 하여 상대방이 잘못 이해한 내용을 바로잡은 후, '나그네'가 제시한 해결책을 소개하고 있다.
④ ㉣에서 '학생 2'는 마을 사람들이 자신의 언어생활을 되돌아보면서 언총을 만들었는지를 질문하면서 '학생 1'의 이야기를 적극적으로 듣는 태도를 보이고 있다.
⑤ ㉤에서 '학생 1'은 '학생 2'의 말에 대해 '그렇지.'라고 긍정하면서 상대방의 말을 공감하며 듣는 태도를 드러내고 있다.

5 ⑤ 정답률 **85%**

정답풀이

(가)에서 '학생 1'이 '마을 사람들은 상스럽고 원망이 담긴~말 무덤을 만들었어.'라고 한 부분이 (나)의 4문단에 '한대 마을 사람들처럼 우리 모두 마음 속에 말 무덤을 하나씩 만들어 상대방을 비난하는 말은 묻어 버리고~하는 바람이다.'라고 반영되어 있음을 확인할 수 있다.

오답풀이

① (나)에서 인문학 기행을 다녀왔던 경험을 언급하고 있지는 않다.
② 문제를 해결하기 위해 우리 주변의 지형을 변화시키는 것은 (나)의 내용과 관련이 없다.
③ (나)에는 한대 마을 사람들이 상스럽고 원망이 담긴 말을 하지 않기 위해 말 무덤을 만들었음이 제시되어 있을 뿐, 덕담과 칭찬을 나누었던 구체적인 사례는 제시되지 않았다.
④ (가)와 (나)에서 언총을 발견할 수 있는 다른 마을에 대한 언급을 확인할 수 없다.

6 ③ 정답률 **80%**

정답풀이

(나)에서는 '양날의 검과 같은 말', "'혀 밑에 죽을 말이 있다.'라는 속담'과 같은 비유적 표현을 사용하여 배려하는 말하기의 중요성에 대한 내용을 전달하고 있다.

오답풀이

① (나)에서 참고한 문헌을 소개하고 있지는 않다.
② (나)에서 설문 조사 자료를 제시하지는 않았다.
④ (나)는 한대 마을의 언총을 소재로 배려하는 말하기에 대해 이야기하고 있을 뿐, 공간의 이동이 나타나지는 않으므로 공간적 순서로 내용을 조직했다고 볼 수는 없다.
⑤ (나)에서 전문가의 말을 인용하고 있지는 않다.

7 ⑤ 정답률 93%

정답풀이

4문단에서 ⓔ(그러므로)의 앞뒤 문장들은 문맥상 인과관계로 연결되고 있다. 따라서 앞뒤 내용이 상반될 때 쓰이는 '그러나'로 고쳐 쓸 필요가 없으며 그대로 두는 것이 적절하다.

오답풀이

① 앞뒤 문맥을 고려하면 '위로가 되기도 한다'와 문장 구조가 유사해야 하므로 ⓐ(되어)를 '되기도 하고'로 고쳐 쓰는 것은 적절하다.
② ⓑ(빌미)는 '재앙이나 탈 따위가 생기는 원인.'이라는 의미이므로, '일이나 사건을 풀어 나갈 수 있는 첫머리.'라는 의미의 '실마리'로 고쳐 쓰는 것은 적절하다.
③ ⓒ(모양의 형상)에서 '모양'과 '형상'은 생김새나 모습이라는 의미가 중복되므로, '모양의'를 삭제하는 것은 적절하다.
④ ⓓ(한대 마을은 자연 경관이 수려해서 한번쯤 가 볼만 하다.)는 한대 마을의 언총에 담긴 배려하는 말하기와 자기반성의 중요성과 내용상 무관하므로 통일성을 고려해 삭제하는 것은 적절하다.

[8~10] 작문

8 ④ 정답률 91%

정답풀이

'학생의 초고'에 LOUD 캠페인의 경제적인 효과는 제시되어 있지 않다.

오답풀이

① 1문단에서 '몸이 불편한 학생들을 위한 승강기를 무분별하게 이용하거나, 분리배출을 제대로 하지 않는 일 등' 학교에서 발생하는 공공의 문제들을 언급하고 있다.
② 2문단에서 LOUD 캠페인에 대해 '작은 아이디어로 공공의 문제에 대해 긍정적인 변화를 이끌어 내는 문제 해결 활동'이라고 간략하게 정의하고 있다.
③ 2문단에서 LOUD 캠페인은 '대중을 규제나 지도의 대상으로 보는 것이 아니라 소통과 공감의 대상으로 보아야 한다는 철학'에 바탕을 둔다고 설명하고 있다.
⑤ 3문단에서 'LOUD 캠페인의 구체적인 방법' 중 '대표적인 두 가지 방법'으로 '문제가 발생하는 현장을 캠페인 장소로 선정'하거나 '단순한 문자나 이미지를 활용'하는 방법들을 제시하고 있다.

9 ③ 정답률 91%

정답풀이

LOUD 캠페인을 통해 '학교에서 발생하는 다양한 공공 문제를 해결할 수 있'다는 기대 효과를 언급하고 있으며, '즐겁고 행복한 학교, 함께 만들어 가면 어떨까요?'에서 질문의 형식을 활용하여 글을 마무리하고 있으므로 [가]에 들어갈 내용으로 적절하다.

오답풀이

①, ② 질문의 형식을 활용하여 글을 마무리하고 있으나, LOUD 캠페인을 도입했을 때의 기대 효과가 제시되어 있지 않다.
④, ⑤ '학교 내 공공 문제를 해결 할 수 있다며 LOUD 캠페인을 도입했을 때의 기대 효과를 제시하고 있으나, 질문의 형식을 활용하여 글을 마무리하고 있지 않다.

10 ② 정답률 89%

정답풀이

[A]에서 LOUD 캠페인은 '대규모 행사와 같은 거창한 방식이 아니라 홍보물 부착과 같이 손쉽게 실천할 수 있는 방식으로 이루'어진다고 하였으므로, LOUD 캠페인이 거창한 방식으로 문제 상황을 각인시킨다는 진술은 적절하지 않다.

오답풀이

① 3문단에서 LOUD 캠페인의 구체적인 방법으로 '문제가 발생하는 현장을 캠페인 장소로 선정하는 것'을 제시하였다. 〈보기〉에서 홍보물은 쓰레기가 무단으로 버려지는 '수거장 벽에 부착'되었다고 했으므로 이를 활용해 문제 발생 현장을 캠페인 장소로 선정함을 예로 들 수 있다.
③ 3문단에서 LOUD 캠페인의 구체적인 방법으로 '단순한 문자나 이미지를 활용'해 '불필요한 정보를 제외하여 문제의 본질'을 분명하게 인식시킴을 제시하였다. 〈보기〉에서 홍보물이 다양한 이미지와 간단한 문구를 사용한 것은 이를 보여주는 예로 활용할 수 있다.
④ 2문단에서 '대중을 규제나 지도의 대상으로 보는 것이 아니라 소통과 공감의 대상으로 보'는 것이 LOUD 캠페인의 철학임을 설명하고 있다. 이를 참고하면 〈보기〉에서 '행정 기관의 지속적인 단속에도 문제는 해결되지 않'은 것을 통해 대중을 규제 대상으로만 보아서는 안 된다는 LOUD 캠페인의 철학을 부각할 수 있다.
⑤ 2문단에서 LOUD 캠페인이 '자발적 실천을 유도할 수 있으며, 더 나아가 시민 의식의 성장'에도 기여한다고 하였다. 〈보기〉에서 'LOUD 캠페인 방식의 홍보물이 수거장 벽에 부착된 이후 주민들의 자발적인 노력으로 쓰레기 무단 투기가 크게 줄어'들었다고 했으므로 이를 예로 활용해 LOUD 캠페인을 통한 시민 의식의 성장을 부각할 수 있다.

[11~15] 문법(언어)

11 ③ 정답률 48%

정답풀이

〈보기〉의 '우리도 두 팔을 넓게 벌려 원 하나를 이루었다.'에서 관형사인 '두'는 문장 안에서 '팔'을 수식하는 기능을 하는 단어이지만, 수사인 '하나'는 수식의 기능을 하지 않는다.

오답풀이

① '도'와 '만'은 조사로, 형태가 변하지 않는 단어에 해당한다.
② '이루었다'와 '그린'은 동사로, 어간 또는 어미에 의해 형태가 변하는 단어에 해당한다.
④ '나무'와 '꽃'은 사물의 이름을 나타내는 품사인 명사에 해당한다.
⑤ '넓게'와 '희미하다'는 사물의 성질이나 상태를 나타내는 품사인 형용사에 해당한다.

오답률 Best ❺

이 문제는 단어의 분류 기준을 이해하고 있는지를 물어보는 문제였어. 정답은 ③번인데, '두'와 '하나'가 순서나 수량을 나타낸다는 점에서 동일한 품사라고 착각한 학생들은 오답을 골랐지. '두'는 수를 나타내는 관형사이고 '하나'는 수사라는 사실을 알았다면 크게 고민하지 않고 정답을 고를 수 있었을 거야. 관형사는 수식의 기능을 가지고 있지만, 수사는 수식의 기능을 가지고 있지 않거든. 이 기회에 각 품사가 하는 기능을 정리해 두면 나중에 이런 문제를 마주할 때 쉽게 풀 수 있을 거야!

12 ② 정답률 90%

정답풀이

표준 발음법 제23항에 따르면 받침 'ㄷ' 뒤에 연결되는 'ㄷ'은 된소리로 발음해야 하므로 '뻗대도'는 [뻗대도]가 아니라 [뻗때도]로 발음해야 한다.

오답풀이

① 표준 발음법 제23항에 따르면 받침 'ㄱ' 뒤에 연결되는 'ㅂ'은 된소리로 발음해야 하므로 '국밥'은 [국빱]으로 발음해야 한다.
③ '껴안다'의 어간은 '껴안-'이다. 표준 발음법 제24항에 따라 어간 받침 'ㄴ' 뒤에 결합되는 어미의 첫소리가 'ㄷ'인 경우 된소리로 발음해야 하므로 '껴안다'는 [껴안따]로 발음해야 한다.
④ '삼고'의 어간은 '삼-'이다. 표준 발음법 제24항에 따라 어간 받침 'ㅁ' 뒤에 결합되는 어미의 첫소리가 'ㄱ'인 경우 된소리로 발음해야 하므로 '삼고'는 [삼꼬]로 발음해야 한다.
⑤ '갈등'은 한자어이며, 받침 'ㄹ' 뒤에 'ㄷ'이 연결되므로 표준 발음법 제26항에 따라 'ㄷ'을 된소리로 발음해야 하므로 [갈뜽]으로 발음해야 한다. 한편 '결과'와 같이 받침 'ㄹ' 뒤에 'ㄱ'이 오는 경우는 이에 해당하지 않아 [결과]로 발음된다.

13 ④ 정답률 87%

정답풀이

2문단을 고려하면 '우리가'는 주어, '관문을'은 목적어, '통과했어'는 서술어로 주성분에 해당한다. '드디어'는 용언을 수식하는 부사어, '힘든'은 체언을 수식하는 관형어로 부속 성분에 해당된다. '야호'는 독립어로 독립 성분에 해당한다.

14 ④ 정답률 68%

정답풀이

'어제'는 서술어 '주셨다'가 필요로 하는 부사어가 아니므로 고쳐 쓴 문장으로 적절하지 않다. '할아버지께서 입학 선물을 주셨다'에서 서술어 '주셨다'가 필요로 하는 문장 성분은 '체언 + 부사격 조사 '에게''와 같은 형태의 부사어이다.

오답풀이

① '그는 친구에게 보냈다.'가 올바른 문장이 되기 위해서는, 서술어 '보냈다'가 반드시 필요로 하는 목적어를 갖추어야 하므로 적절하다.
② 부사어 '결코'는 '아니다', '없다', '못하다' 따위의 부정어인 서술어와 함께 쓰여야 하기 때문에, 서술어 '성공해야 한다'와는 어울리지 않으므로 적절하다.
③ '그의 뛰어난 점은 필기를 잘한다.'에서 주어 '그의 뛰어난 점은'은 서술어 '잘한다'와 어울리지 않으므로 적절하다.
⑤ '사람들은 즐겁게 춤과 노래를 부르고 있다.'에서 목적어 '춤과 노래를'과 서술어 '부르고 있다'는 어울리지 않으므로, 이를 '사람들은 즐겁게 춤을 추고 노래를 부르고 있다.'로 고쳐 쓴 것은 적절하다.

15 ① 정답률 91%

정답풀이

〈보기〉의 [현대어 해석]에서 발음할 때 ⓒ('ㅣ')는 소리가 얕지만 ⓐ('ㆍ')는 소리가 깊다고 하였으므로 적절하지 않다.

오답풀이

② 〈보기〉의 [현대어 해석]에서 글자 모양이 ⓑ('ㅡ')는 평평하고 ⓐ는 둥글다고 하였다.
③ 〈보기〉의 [현대어 해석]에서 ⓐ는 발음할 때 '혀를 오그라지게 해서 조음하고' ⓒ는 '오그라들지 않게 조음'한다고 하였다.
④ 〈보기〉의 [현대어 해석]에서 '가운뎃소리는 모두 열한 자'라고 하였으므로 가운뎃소리인 ⓐ~ⓒ는 이 열한 자에 포함된다고 볼 수 있다.
⑤ 〈보기〉의 [현대어 해석]에서 ⓐ는 하늘을 본뜬 모양이고, ⓑ는 땅을 본뜬 모양이며, ⓒ는 사람을 본뜬 모양이라고 하였다.

[16~21] **인문**

16 ① 정답률 92%

정답풀이

윗글은 공감을 설명하는 두 이론인 '이론-이론'과 '모의 이론'의 차이점을 설명한 후, 이를 통합한 '두 체계 이론'을 소개하고 있다.

오답풀이

② 윗글에서는 공감을 설명하는 이론들을 소개하고 있을 뿐, 이론들의 전망에 대해 예측하고 있지는 않다.
③ 윗글에서는 '두 체계 이론'이 탄생하는 과정을 언급하고 있으나, 기존의 두 이론의 탄생 과정을 설명하지 않았으므로 이론의 탄생 과정을 대비했다고 볼 수 없다.
④ 특정한 이론이 가진 문제점을 구체적 사례를 통해 제시하고 있지는 않다.
⑤ 공감을 설명하는 두 이론에 대해 설명하며 상호 배타적인 논쟁에 대해 언급하고 있을 뿐 타당성 측면에서 두 이론 사이의 우열을 가리고 있지는 않다.

17 ④ 정답률 67%

정답풀이

2문단에서 '이론-이론에 따르면, 사람은 4세부터~자기중심적으로 사고하지 않'는 것을 통해 '비로소 타인의 마음을 이해할 수 있게 된다'고 하였다. 이를 고려하면, 〈보기〉에서 샐리의 마음에 공감한 아동들은 자기중심적으로 사고하지 않고 샐리의 입장에서 생각하여 앤이 구슬을 상자로 옮겼다는 것을 샐리가 알지 못한다고 생각할 것이다. 즉 샐리의 마음에 공감한 아동들은 샐리가 자신이 구슬을 넣었던 바구니에서 구슬을 찾을 것이라고 생각할 것이므로 적절하지 않다.

오답풀이

① 샐리가 상자에서 구슬을 찾을 것이라고 답한 아동들은 자신이 구슬의 위치를 알고 있기 때문에, 샐리도 구슬의 위치를 안다고 생각한 것이다. 이는 샐리의 입장을 고려하지 않고, 자기중심적인 사고를 통해 샐리의 행위를 예측한 것으로 볼 수 있다.
② 2문단에 따르면 이론-이론은 경험을 통해 사건과 마음, 표현 이 세 가지 사이에 '인과적 법칙이 있다는 개념적 이론'을 갖게 된다고 본다. 이를 고려하면 타인의 마음을 인과적으로 추론할 수 있다는 것은 마음에 대한 개념적 이론을 가진 것이라고 볼 수 있다. 따라서 〈보기〉에서 타인의 마음을 인과적으로 추론할 수 있는 아동들은 샐리가 구슬의 실제 위치를 모른다고 생각할 것이다.
③ 샐리가 바구니에서 구슬을 찾을 것이라고 생각하는 아동들은 자신과 샐리가 생각이 다를 수 있음, 즉 샐리는 구슬이 상자에 있다는 것을 모를 수 있다는 사실을 이해하고 있다고 볼 수 있다.
⑤ 4문단에서 설명한 두 체계 이론에 따르면 마음의 작동 방식에 대한 개념적 이론을 가진 아동들은 타인의 마음을 인과적으로 추론할 수 있으므로, 샐리가 앤의 행동을 알 수 없기 때문에 자신이 구슬을 넣었던 바구니에서 구슬을 찾을 것이라고 생각할 것이다.

18 ③ 정답률 77%

정답풀이

4문단에 따르면 두 체계 이론은 타인의 행위에 질문을 던질 때는 거울 체계가, 신념이나 동기에 질문을 던질 때는 심리화 체계가 작동하며, "무엇'을 하고 있는지를 이해하는 과정이 '왜' 그렇게 하는지를 이해하기 위한 과정에 선행'한다고 본다. 이때 전자가 '거울 체계'이고 후자가 '심리화 체계'이므로, '거울 체계'가 '심리화 체계'에 선행하여 작동한다고 할 수 있다. 이를 고려하면 〈보기〉에서 ㉠(○○씨)이 일요일마다 '복지시설을 방문하는 동료를 보'는 것은 '무엇'을 하는가를 이해하는 단계이고, '그의 신념이 무엇일까'에 대해 깊이 고민하는 것은 '왜'에 대한 질문을 던지는 단계이다. 따라서 '거울 체계'가 먼저 작동하고 이후에 '심리화 체계'가 작동했다고 분석할 수 있다.

오답풀이

①, ② 거울 체계와 심리화 체계가 모두 작동하였으므로 적절하지 않다.
④, ⑤ 거울 체계가 작동한 후 심리화 체계가 작동하였으므로 적절하지 않다.

19 ④ 정답률 89%

정답풀이

[A]에서 리버먼은 '정서적 일치'와 '실천적 동기'까지 나아가야, 즉 '타인의 감정 상태와 동일한 느낌을 가지게 되고, 이후 타인을 도와야겠다는 마음이 형성되었을 때 비로소 공감이 완성'된다고 본다고 하였다. 이를 고려하면 타인의 슬픔을 알고 함께 느끼는 것은 '정서적 일치'에 이른 것이며, 타인을 도와주려 하는 것은 '실천적 동기'에 이른 것이므로 진정한 공감이라고 할 수 있다. 윗글에서 실제로 실천해야만 진정한 공감이라고 언급하고 있지는 않으므로, 상황이 여의치 않아 돕지 못했다는 것을 이유로 진정한 공감이 아니라고 할 수는 없다.

오답풀이

① 별다른 감정을 느끼지 않았다는 것은 '정서적 일치'를 만족하지 못했음을 의미하므로 진정한 공감이라고 할 수 없다.
② 타인의 아픔을 알고 함께 느꼈다는 점에서 '정서적 일치'를 만족하고 있지만, 타인을 도우려 하지 않고 그 감정을 회피했다는 것은 '실천적 동기'를 만족하지 못한 것이므로 진정한 공감이라고 할 수 없다.

③ 타인의 정서 상태와 전혀 다른 느낌을 가졌다는 것은 '정서적 일치'를 만족하지 못했음을 의미하므로 진정한 공감이라고 할 수 없다.
⑤ 타인의 고통을 이해하고 동일하게 느꼈다는 점에서 '정서적 일치'를 만족하고 있지만, 자신의 상황에 더 관심이 많아 타인을 돕지 않으려 한 것은 '실천적 동기'를 만족하지 못한 것이므로 진정한 공감이라고 할 수 없다.

20 ③ 정답률 **64%**

정답풀이

4문단에 따르면 리버먼은 '모의실험으로 타인의 마음을 이해하는 '거울 체계''는 타인의 행위를 관찰할 때 '무의식적이면서 자동적으로 작동'한다고 본다. 이는 〈보기〉의 갈레세가 '관찰자가 관찰 대상의 마음에 대해 자동적으로 모의실험을 할 수 있다'고 한 것과 같은 맥락으로 볼 수 있으므로, 리버먼은 이러한 갈레세의 견해에 동의할 것이다.

오답풀이

① 4문단에 따르면 리버먼이 제시한 '심리화 체계'는 의식적인 노력을 기울여야 작동하므로, 의식적인 노력을 필요로 하지 않는다는 갈레세의 '운동 공명 이론'과 동일하다고 볼 수 없다.
② 4문단에 따르면 리버먼은 모의실험을 통해 타인을 이해하는 '거울 체계'는 '무의식적이면서 자동적으로 작동'한다고 보므로, '의식적인 노력 없이도' 타인의 마음을 이해하는 체계가 있다는 갈레세의 견해를 부정하지 않을 것이다.
④ 〈보기〉에 따르면 갈레세의 이론에서 관찰자와 관찰 대상의 두뇌에서 똑같은 영역이 활성화된 것은 자동적인 것이다. 따라서 리버먼은 이를 '심리화 체계'가 아닌 '거울 체계'의 작동과 동일한 과정으로 볼 것이다.
⑤ 4문단에 따르면 리버먼은 타인의 마음에 대한 이해가 낮은 수준인 '거울 체계'가 작동한 후 높은 수준인 '심리화 체계가 작동'된다고 본다. 따라서 타인의 마음에 대한 이해가 낮은 수준에서 높은 수준으로 이루어진다고 보는 것은 갈레세가 아니라 리버먼이다.

21 ⑤ 정답률 **54%**

정답풀이

2문단에 따르면 모의실험을 통해 타인의 마음을 이해하는 모의 이론은 '타인의 마음보다 자신의 마음에 접근하기가 더 쉽다는 것을 전제'로 한다.

오답풀이

① 3문단에 따르면 '이론-이론 측에서는 모의실험이 타인의 마음을 정확하게 재현할 수 없다고 지적'하므로 적절하지 않다.
② 2문단에 따르면 모의 이론은 '동일한 상황에서는 모의실험을 한 자신의 마음과 타인의 마음이 서로 유사하다는 것'을 전제로 하므로 적절하지 않다.
③ 2문단에 따르면 모의실험은 '타인의 상황에 자신을 투사시킨 후 그 상황에서 자신의 마음 상태를 상상'하는 것이므로, 타인의 마음 상태를 나에게 투사한다는 설명은 적절하지 않다.
④ 2문단에서 '이론-이론에 따르면, 사람은 4세부터 마음의 작동 방식에 대한 개념적 이론'을 갖게 된다고 하였으므로, 이론-이론에서는 2세 아동들은 개념적 이론을 아직 갖지 않았다고 볼 것이다.

[22~24] **현대소설**

22 ④ 정답률 **85%**

정답풀이

[A]에서 '종호'와 '준학'의 대화 중에 '준학'이 고개를 들고 눈을 빛내는 행위에서 '종호'의 꿈 이야기에 대한 '준학'의 기대감이 간접적으로 드러난다.

오답풀이

① [A]는 '종호'나 '준학'과 같은 기존 인물들의 발화로만 이루어져 있다.
② [A]의 대화는 상상적 상황이 아닌 실제 대화 상황을 토대로 진행되고 있다.
③ [A]에서 공간적 배경이 제시되지는 않았다.
⑤ [A]에서 '준학'은 '종호'에게 질문을 건네고 있을 뿐, 반감을 드러내고 있지는 않다.

23 ② 정답률 **92%**

정답풀이

'제가 꾸는 꿈은 언제나 어두운 곳에서~그냥 서로 소리만 지르다가 울어 버리곤 해요…….'에서 '준학'이 말하는 '제 꿈'의 내용을 확인할 수 있다. 이는 준학이 '그때 제가 집에 있지 않은 게~놀러 나왔던 게 잘못이에요.'라고 자책하는 것과 연결되므로, '제 꿈'은 준학의 내재된 자책감을 드러낸다고 볼 수 있다.

오답풀이

① '제 꿈'에서 '준학'의 종교적 신념은 드러나지 않는다.
③ '제 꿈'에서 '준학'의 비윤리적 태도는 찾을 수 없다.
④ '제 꿈'에서 '준학'의 가식적인 면모는 찾을 수 없다.
⑤ '준학'은 '제 꿈'을 설명하며 자책감을 드러내고 있을 뿐, 현실 극복 의지를 드러내고 있지는 않다.

24 ④ 정답률 **91%**

정답풀이

'종호'는 '아침 산보'때 '어느 한 애만을 편애하는 듯한 인상을 주지 않기 위'해 마음을 쓴다. '아침 산보'에서 '장태운'을 배제한 것은 아이들을 구별해 참여시킨 것은 맞다. 그러나 그 이유는 '자칫 다른 애들 편에서 볼 때 지나치게 특수한 취급을 받는 애라는 느낌을 줄는지도 모르기 때문'이므로, 이를 통해 인간성을 상실한 공동체의 단면을 확인할 수 있다고 보는 것은 적절하지 않다.

오답풀이

① 〈보기〉에서 전쟁이라는 소용돌이 속에서 가족의 죽음으로 가족 공동체의 해체를 겪은 인물들은 '정신적 상처'를 겪게 된다고 하였다. '준학이'가 '밤중에 울곤' 하는 것에서 부모님의 죽음으로 인한 정신적 상처를 확인할 수 있다.
② 〈보기〉에서 전쟁이라는 소용돌이 속에서 인물들은 공동체의 해체를 겪는다고 하였다. '여기 와 있는 애들 전부가 다 부모 없'다는 '종호'의 말을 통해 전쟁 속에서 가족 공동체가 해체된 현상을 확인할 수 있다.
③ 〈보기〉에서 '전후 소설은 전쟁의 폭력성이 불러온 비극적 경험을 주로 형상화'한다고 하였다. '종호'의 '어머니'가 '유탄에 맞'고 죽었다는 것에서 전쟁의 폭력성을 확인할 수 있다.
⑤ 〈보기〉에서 전후 소설의 '인물들은 정신적 상처와 아픔을 겪게 되지만, 이를 수용하고 극복하여 새롭게 성장하는 모습으로 그려진다.'라고 하였다. 윗글에서 '한결 생기가 돋혀 있는 소년'의 얼굴은 '준학'의 얼굴이다. '준학'이 며칠째 꿈을 꾸지 않고 운동도 열심히 하고 있다는 점에서, '한결 생기가 돋혀 있는 소년'의 얼굴은 아픔을 극복하고 새롭게 성장하는 모습을 보여준다고 할 수 있다.

[25~28] **과학**

25 ① 정답률 **94%**

정답풀이

2문단에서 '혈액을 폐로 보내는 것보다 몸 전체로 보낼 때 더 강한 힘이 필요하므로 좌심실 벽이 우심실 벽보다 더 두껍다.'라고 하였으므로, 우심실 벽이 좌심실 벽보다 더 두껍다는 설명은 적절하지 않다.

오답풀이

② 2문단에서 '판막은 혈액을 한 방향으로만 흐르게 하는 역할을 한다'고 하였다.
③ 5문단에서 ''제3심장음'은 그 소리가 약해서 소아나 청소년들에게서만 들'린다고 하였다.
④ 1문단에서 심장은 '우리 몸에 혈액을 안정적으로 순환시키는 기관'이라고 하였다.
⑤ 5문단에서 '판막이나 혈관 등에 이상이 생길 경우 정상적인 심장음 이외의 소리가 발생'한다고 하였다.

26 ⑤ 정답률 61%

정답풀이

2문단에 따르면 ㉠(심장의 구조와 혈액의 순환 과정)과 관련하여 '혈액은 몸 전체의 세포와 조직에 산소를 공급하고 이들로부터 이산화탄소를 받은 후 우심방, 우심실을 거쳐 폐동맥을 통해 폐로 이동'된다. 이후 '폐에서 산소를 공급받은 혈액은 좌심방으로 되돌아와 좌심실을 거쳐 대동맥을 통해 몸 전체로 나가게 된'다. 이를 통해 우심실에서 폐동맥으로, 좌심실에서 대동맥으로 혈액이 이동함을 알 수 있다. 또한 2문단에서 '우심실과 폐동맥 사이, 좌심실과 대동맥 사이에는 동맥판막이 있'으며 동맥판막은 '심실에서 동맥으로만 열린다.'라고 한 것과 3문단에서 '심실 수축기'는 '심실의 압력이 동맥의 압력보다 높아지게 되어 동맥판막이 열리고 혈액이 심실에서 몸 전체나 폐로 빠져나가는 시기'라고 한 것을 고려하면, 우심실과 좌심실 모두에서 심장 밖으로 혈액을 내보내기 시작할 때 동맥판막이 열림을 알 수 있다.

오답풀이

① 3문단에서 '심실 수축기'는 '심실의 압력이 동맥의 압력보다 높아지게 되어 동맥판막이 열리고 혈액이 심실에서 몸 전체나 폐로 빠져나가는 시기'라고 하였다.
② 2문단에 따르면 혈액은 우심방으로 들어와 우심실, 폐, 좌심방, 좌심실을 거쳐 몸 전체로 나가는데, 이때 혈액은 우심방과 우심실 사이, 우심실과 폐동맥 사이, 좌심방과 좌심실 사이, 좌심실과 대동맥 사이에 있는 총 4개의 판막을 거쳐야 한다.
③ 3문단에 따르면 '혈액이 심실에서 몸 전체나 폐로 빠져나가는' 심실 수축기에는 '심실의 압력이 심방의 압력보다 높기 때문에 방실판막은 여전히 닫혀 있'다.
④ 2문단에서 '판막은 혈액을 한 방향으로만 흐르게 하'며, '방실판막은 심방에서 심실로만 열리는데, 심방의 압력이 심실의 압력보다 높을 경우에만 열린다.'라고 하였다.

27 ④ 정답률 69%

정답풀이

4문단에 따르면, ㉡(심장의 박동) 과정에서 [D](등용적 심실 이완기) '이후 심실이 이완되면서 계속 감소해 온 심실의 압력이 심방의 압력보다도 낮아지면 방실판막이 열려 심실로 혈액이 조금씩 들어오'는 [E](심실 채우기)가 된다. 따라서 [D]에서 [E]로 되면서, 심실은 이완되어 혈액이 조금씩 들어오므로 심실 속의 혈액량은 줄어드는 것이 아니라 증가할 것이다.

오답풀이

① 3문단에 따르면 [B](등용적 심실 수축기)에 '혈액의 이동이 순간적으로 중지'되고 '심실의 크기는 일정하게 유지'된다.
② 3문단에서 [C](심실 수축기)에 '혈액은 심실 밖으로 빠져나갔으므로 심실의 크기는 이전 시기보다 작아진다.'라고 했다.
③ 4문단에 따르면 [D]에는 '제1심장음'보다 '짧고 예리한 소리'인 '제2심장음'이 발생한다.
⑤ 3문단에서 '심장의 박동은~단계를 반복적으로 거친다.'라고 했으므로 [E]에서 [A](심실 확장기)로 되면서, [A]에 '심방을 수축시킨 전기 신호가 방실판막과 심방 벽을 진동시켜 '제4신호음'이 발생한다.'라고 볼 수 있다.

28 ④ 정답률 63%

정답풀이

3문단과 4문단에 따르면, [B](등용적 심실 수축기)와 [D](등용적 심실 이완기)는 4개의 판막이 모두 닫혀 있는 시기로 혈액의 이동이 순간적으로 중지된 상태이다. 3문단에 따르면 '심실의 압력이 증가하여 심방의 압력보다 높아지므로 방실판막이 닫'히지만, '심실의 압력은 동맥의 압력보다 여전히 낮기 때문에 동맥판막은 닫혀 있'는 것이 [B]이다. 이를 통해 [B]에서는 '동맥 〉 심실 〉 심방' 순으로 압력이 높음을 확인할 수 있다. 한편 4문단에 따르면 '심실이 이완되면 심실의 압력이 동맥의 압력보다 낮아져 동맥판막이 닫'히지만 '심실의 압력은 심방의 압력보다 여전히 높으므로 방실판막은 열리지 않는' 것이 [D]이다. 이를 통해 [D]에도 [B]와 마찬가지로 '동맥 〉 심실 〉 심방' 순으로 압력이 높음을 확인할 수 있다.

[29~32] 현대시

29 ② 정답률 45%

정답풀이

(가)에서는 '살래살래', (다)에서는 '사뿐사뿐' 등의 음성 상징어를 통해 매화나무의 꽃봉이 흔들리는 장면과 눈이 소나무의 가지에 가볍게 쌓이는 장면을 구체적으로 표현하고 있다.

오답풀이

① (나)의 '뜯어보라 두 눈으로 확인해보라'에서 명령형 어미를 확인할 수 있으나, (가)에서는 명령형 어미를 확인할 수 없다.
③ (다)에서는 소나무에 쌓이는 하얀 눈에서 색채 이미지를 확인할 수 있으나, (나)와 (다)에서 둘 이상의 색채가 뚜렷한 대비를 이루는 색채 대비는 확인할 수 없다.
④ (가)의 '엊저녁 그 모색 속 한천 아래 까무러치듯 / 외로이도 얼어붙던 먼 산산들!', '가녀린 가지는~타일르듯 흔들거린다.'와 (다)의 '산은 한겨울이 지나면 앓고 난 얼굴처럼 수척하다.'에서 비유적 표현을 통해 대상의 모습을 형상화하고 있다.
⑤ (나)의 '아아, 얼마나 느리게 그 틈은 벌어져온 것인가'에서 영탄적 표현을 통해 화자의 감정을 나타내고 있으나, (다)에서는 영탄적 표현을 확인할 수 없다.

오답률 Best ❷

이 문제는 작품에 나온된 표현 방법과 그 효과를 제대로 이해하고 있는지를 물어보는 문제였어. 정답은 ②번인데, 아마 이 문제를 틀린 대부분의 학생들은 '음성 상징어'의 의미를 정확하게 알지 못해서 틀렸을 거야. 사람이나 사물의 소리를 흉내낸 말인 의성어와 사람이나 사물의 모양이나 움직임을 흉내낸 말인 의태어를 음성 상징어라고 해. 그럼 (가)의 '살래살래'나 (다)의 '사뿐사뿐'과 같은 의태어들을 음성 상징어라고 할 수 있겠지? '눈이 내리다'보다 '눈이 사뿐사뿐 내리다'라고 표현했을 때 장면을 더 구체적으로 그릴 수 있지. 이처럼 음성 상징어는 시적 의미나 이미지를 구체화하는 역할을 해. 따라서 (가)와 (다)가 음성 상징어를 통해 장면을 구체화하고 있다는 설명은 적절한 거지. 앞으로 공부할 때 나오는 문학적 용어와 그에 따른 효과들은 확실하게 정리해 두다. 이런 문제는 꼭 틀리게되니까 말야.

30 ④ 정답률 82%

정답풀이

〈보기〉에서 (가)의 화자는 매화나무와의 교감을 통해 '자기 내면의 고통을 위로' 받는다고 했다. (가)에서 '어린 꽃봉들을 머금은 가녀린 가지'는 매운 바람에 흔들리고 있으므로, 바람이 매화나무를 위로한다고 볼 수는 없다.

오답풀이

① 〈보기〉에서 (가)의 화자가 한겨울 추위를 느끼고 있다고 한 것을 고려하면 '한천 아래 까무러치듯'이 '얼어붙던 먼 산산들'에는 화자가 느끼는 추위가 반영되어 있다고 볼 수 있다.
② 〈보기〉에서 (가)의 화자는 '자신이 느끼는 한겨울 추위 속 온기를 매화나무와 공유하고 있다고 여긴다.'라고 했다. 산이 얼어붙는 겨울에도 '아련하고도 따뜻이 마음 뜸 돌던 느낌'을 느끼는 것은 한겨울 추위 속 온기에 해당하며, 이를 '가지들도 느껴 왔는지 모른다.'라고 한 것은 화자가 느낀 온기를 매화나무와 공유하고 있음을 표현한 것으로 볼 수 있다.
③ 〈보기〉에서 (가)의 화자는 '자신이 느끼는 정서 역시 매화나무로부터 환기된 것이라 생각한다.'라고 했다. (가)의 화자가 자신이 느끼는 '수럿한 심정'이 '저 가지들을' 보고 '느껴 배운 것인지도 모른다.'고 하는 것으로 보아 '수럿한 심정'은 매화나무로부터 환기된 것이라고 짐작할 수 있다.
⑤ 〈보기〉에서는 화자가 매화나무와의 교감을 통해 '자기 내면의 고독을 위로' 받는다고 하였다. 이를 고려할 때, '가녀린 가지'가 '외로움에 스스로 다쳐서는 안 된다'고 '타일르듯 흔들거린다'는 화자가 매화나무와 교감하는 것으로 볼 수 있다.

31 ① 정답률 67%

정답풀이

(나)에서 화자는 '서로 힘차게 껴안고 굳은' ㉠(철근과 시멘트)과 같이 튼튼한 것 속에도 틈은 태어나며, 튼튼한 것들은 무너지고 결국 없어진다고 말한다. 따라서 ㉠이 작은 틈조차 허용하지 않는 강인한 삶을 이룩하고 있다고 볼 수 없다.

오답풀이

② (나)에서 화자는 틈이 ㉡(타일과 벽지)에 덮여 있다고 말하고 있다. 〈보기〉에서 '작은 존재들은 무언가에 가려져 있'다고 한 것을 고려하면, ㉡은 작은 존재들을 가려서 드러나지 않게 하는 존재라고 할 수 있다.

③ (나)에서 ㉢(가냘픈 허공)은 '어떤 철벽이라도 비집고 들어가 사는 이 틈'이다. 〈보기〉에서 작은 존재들에서 끈질긴 생명력을 느낄 수 있다고 한 것을 고려하면, ㉢은 끈질긴 생명력을 지닌 존재라고 할 수 있다.

④ (다)에서 학생은 '노승'이 자신에게 ㉣(더운 물)을 떠다 준 것에 감동하였다. '노승'의 이러한 행위는 〈보기〉에서 언급한 거창하지 않지만 감동을 느끼게 하는 강한 힘을 발휘하는 행위로 볼 수 있다.

⑤ (다)에서 '모진 비바람에도 끄떡 않던 아름드리 나무들이' '눈이 내려 덮이면 꺾'인다고 한 것을 통해 ㉤(눈)은 〈보기〉에서 언급한 것과 같이 가볍고 연약한 존재이지만, 아름드리나무를 꺾는 것과 같이 강한 힘을 발휘하는 존재라고 볼 수 있다.

32 ② 정답률 63%

정답풀이

'뜰'은 매운 바람이 부는 겨울이라도 매화나무에 꽃봉이 생기는 자연의 섭리가 드러나는 공간이다. '바닷가'는 물결이 조약돌을 다듬는 자연의 현상이 드러나는 공간이다.

오답풀이

① '뜰'에서 현재의 기대는 드러나지 않는다. 또한 '바닷가'는 깨달음을 환기하는 공간으로 현실의 불안과는 관련이 없다.

③ '뜰'은 화자가 매화라는 자연물을 바라보는 공간이므로 '뜰'에서 문명의 가치가 드러난다고 할 수 없다. 또한 '바닷가'는 깨달음을 환기하는 공간일 뿐, 소유의 한계가 드러나는 공간이 아니다.

④ '뜰'은 화자가 매화나무와 교감하는 공간이지만 화자가 '뜰'에서 환희의 정서를 드러낸다고 볼 수는 없다. 또한 '바닷가'는 깨달음을 환기하는 공간으로 체념의 정서와는 관련이 없다.

⑤ '뜰'은 화자가 매화나무와 교감하는 공간이므로 자연의 결핍이 드러난다고 볼 수 없다. 한편 '바닷가'는 자연의 현상을 통해 깨달음을 환기하는 공간이지만 자연의 충만을 보여준다고 할 수는 없다.

[33~37] **사회**

33 ⑤ 정답률 85%

정답풀이

윗글에서 정보재 시장에서의 디지털 기술의 변화 과정을 언급하지는 않았다.

오답풀이

① 1문단의 '디지털화되어 있는 상품과 아날로그 형태로 존재하나 디지털화될 수 있는 상품, 이 모두를 '정보재'라 일컫는다.'에서 정보재의 정의를 소개하고 있다.

② 1문단에서 '각종 컴퓨터 소프트웨어뿐만 아니라 영화, 방송 등의 콘텐츠 및 이들을 디지털화한 것' 등을 정보재의 종류로 언급하고 있다.

③ 4문단에서 정보재가 공급 측면에서 '원본의 개발에 드는 초기 고정비용은 크지만 디지털로 생산 · 유통되기 때문에 원본의 복제를 통한 재생산에 투입되는 추가적인 한계비용은 매우 작다는 특성이 있'다고 하였다.

④ 4문단에서 정보재 시장에서 '가격 인하 경쟁이 일어나 정보재 가격이 낮아지면, 원본을 개발 · 재생산하는 기업은 초기 고정비용을 회수할 수 없어 이윤을 남길 수 없게 될' 것이므로 '지적재산권, 상표권, 특허권 등'의 법적 제도가 필요함을 언급하고 있다.

34 ⑤ 정답률 70%

정답풀이

2문단에서 전환비용이란 '새로운 정보재를 이용'할 때 그것에 익숙해지기 위해 소요되는 비용이라고 하였다. 이에 따르면 〈보기〉에서 ○○ 기업이 새롭게 '정'과 계약할 때 전환비용은 '정'의 제품을 새롭게 익히는 것과 관련된 것이지, '병'의 제품에 의해 발생한 것이라고 볼 수는 없다. 만약 ○○ 기업이 '정'과 계약했다면, ○○ 기업이 새로운 정보재인 '정'의 제품을 이용하면서 발생하는 전환비용이 감수할 수 있을 정도로 낮다고 본 것이다.

오답풀이

① 〈보기〉에서 ○○ 기업이 새롭게 '정'과 계약한다면 '새로운 정보재를 이용'하는데 소요되는 비용인 전환비용이 발생할 것이다. 따라서 ○○ 기업이 '병'의 제품을 계속 사용하기로 결심했다면 전환비용에 부담을 느꼈기 때문이라고 볼 수 있다.

② 2문단에서 '잠김효과란 어떤 정보재를 사용하기 시작한 소비자가 그것에 익숙해지면 다른 정보재보다 이미 사용하던 것을 계속 사용하려는 경향을 말한다.'라고 하였다. 이에 따르면 〈보기〉의 ○○ 기업은 기존에 '병'의 제품을 사용하고 있었기 때문에, '병' 제품을 계속 사용하려는 경향을 가질 것이다. 따라서 '병'이 ○○ 기업에 일정 기간 동안 이용 요금의 할인을 제안한 것은 잠김효과를 강화하기 위한 것이라고 볼 수 있다.

③ 〈보기〉에서 ○○ 기업은 현재 사용하는 '병'의 제품을 계속 사용하려는 잠김효과를 가지고 있을 것이다. 이때 '정'이 ○○ 기업에 '병'보다 저렴한 요금을 제시한 것은 이러한 잠김효과를 약화시켜 ○○ 기업이 '정'과 계약하도록 하기 위한 것이라고 볼 수 있다.

④ 2문단에서 '의무 사용 기간을 지키지 않았을 때 지불해야 하는 위약금과 같은 것까지도 전환비용에 포함'된다고 하였다. 따라서 〈보기〉에서 ○○ 기업이 '병'과의 계약 도중 계약을 파기하고 '정'과 계약할 때 발생하는 위약금은 전환비용이라고 볼 수 있다.

35 ⑤ 정답률 79%

정답풀이

3문단에서 ㉠(잠김효과)을 발생시키기 위해 '새로운 정보재를 판매하려는 기업은, 소비자가 그 정보재 사용에 익숙해지도록 일정 기간 소비자에게 상품을 무료로 사용하게 하거나 상품의 일부 기능만을 제공하는 판매 전략을 사용한다.'라고 하였다. 따라서 정보재를 무료로 제공하지만 사용 기간을 제한하여 그 이후에는 기능을 멈추게 하는 것은 소비자가 그 정보재 사용에 익숙해지게 함으로써 ㉠을 발생시키는 전략이라고 할 수 있다.

오답풀이

① 정보재의 생산 절차를 개선하는 것은 소비자가 특정 정보재 사용에 익숙해지도록 해 이미 사용하던 것을 계속 사용하려는 경향을 발생시키는 것과 관련이 없다.

② 정보재의 보안 유지 기술 향상에 힘쓰는 것은 소비자가 특정 정보재 사용에 익숙해지도록 해 이미 사용하던 것을 계속 사용하려는 경향을 발생시키는 것과 관련이 없다.

③ 정보재의 원가 절감을 위해 생산 공정을 점검하는 것은 소비자가 특정 정보재 사용에 익숙해지도록 해 이미 사용하던 것을 계속 사용하려는 경향을 발생시키는 것과 관련이 없다.

④ 정보재 유통에 드는 비용을 줄이는 것은 소비자가 특정 정보재 사용에 익숙해지도록 해 이미 사용하던 것을 계속 사용하려는 경향을 발생시키는 것과 관련이 없다.

36 ② 정답률 49%

정답풀이

[A]에서 '소비자는 가격이 자신의 최대 지불 의사 금액 이하일 때 반드시 구입'함을 가정한다고 하였다. 이를 고려하면 〈보기〉에서 생산자가 a버전만을 출시할 때 60원으로 가격을 책정하면, 소비자 ㉮와 ㉯ 모두 자신의 최대 지불 의사 금액 이하이므로 구입할 것이다. 이때 생산자의 수입은 120원으로 a버전의 초기 고정비용인 130원보다 적다.

17
회

오답풀이

① 생산자가 a버전만을 출시할 때 80원으로 가격을 책정하면, 소비자 ㉮의 최대 지불 의사와 일치하지만 ㉯의 최대 지불 의사를 초과하기 때문에 소비자 ㉮만 구입할 것이다. 이때 생산자의 수입은 80원으로 a버전의 초기 고정비용인 130원보다 적다.
③ 생산자가 b버전만을 출시할 때 50원으로 가격을 책정하면, 소비자 ㉮의 최대 지불 의사와 일치하지만 ㉯의 최대 지불 의사를 초과하기 때문에 소비자 ㉮만 구입할 것이다. 이때 생산자의 수입은 50원이다.
④ 생산자가 b버전만을 출시할 때 30원으로 가격을 책정하면, 소비자 ㉮와 ㉯ 모두 자신의 최대 지불 의사 금액 이하이므로 구입할 것이다. 이때 생산자의 수입은 60원으로 b버전의 초기 고정 비용인 70원보다 적다.
⑤ 생산자가 b버전만을 출시할 때 소비자 ㉮에게는 50원, ㉯에게는 30원을 책정하면, 소비자 ㉮와 ㉯ 모두 자신의 최대 지불 의사와 일치하므로 구입할 것이다. 이때 생산자의 수입은 80원으로 b버전의 고정비용인 70원보다 많다.

37 ③ 정답률 90%

정답풀이

ⓐ(드는)의 '들다'는 문맥상 '어떤 일에 돈, 시간, 노력, 물자 따위가 쓰이다.'라는 의미로, '돈이 많이 든다.'의 '들다'도 이와 같은 의미로 사용되었으므로 적절하다.

오답풀이

① '동아리에 들었다.'의 '들다'는 '어떤 조직체에 가입하여 구성원이 되다.'의 의미로 쓰였다.
② '해가 잘 드는'의 '들다'는 '빛, 볕, 물 따위가 안으로 들어오다.'의 의미로 쓰였다.
④ '올해 들어'의 '들다'는 '어떠한 시기가 되다.'의 의미로 쓰였다.
⑤ '습관이 들면'의 '들다'는 '버릇이나 습관이 몸에 배다.'의 의미로 쓰였다.

[38~41] 고전시가

38  정답률 76%

정답풀이

(가)의 3문단에서 '사대부들은 '처'의 삶을 살면서도 혼란스러운 세상에 대한 근심을 표현하며 우국충정을 드러내는 것으로 자신의 본분을 지키려 하였다.'라고 하였다.

오답풀이

① (가)의 2문단에서 '조선 시대 사대부들의 삶은 관직의 유무에 따라 '출'과 '처'로 구분'된다고 하였다. 또한 3문단에서 '유교적 가치관이 바로 서지 못해 나라가 혼란스러운 상황일 때, 사대부들은 '출'을 의롭지 못하다고 여겨 '처'를 선택하기도' 했다고 하였으므로, 사대부들이 경제적 상황에 따라 '출' 혹은 '처'의 삶을 선택한다는 설명은 적절하지 않다.
② (가)의 4문단에서 "달'은 '영달'과 '부귀'를 의미' 하고 "달'은 '출'과 비슷한 맥락을 지닌다'고 하였으므로, '영달'을 자연 속에서 은둔하는 삶으로 볼 수 없다.
③ (가)의 4문단에 따르면 "궁'은 '빈궁'과 '빈천"을 의미하고 '궁'은 '처'와 '비슷한 맥락을 지닌다'고 했으므로, '빈궁'을 관직에 나아가는 삶으로 보는 것은 적절하지 않다.
④ (가)의 4문단에 따르면 '궁'은 '빈궁'과 '빈천'을 의미하고 '궁'은 '처'와 '비슷한 맥락'을 지닌다. 따라서 '궁'이 관직에 올라 자신의 뜻을 펼칠 수 있는 삶을 의미한다고 볼 수 없다.

39 ③ 정답률 75%

정답풀이

(가)의 3문단에서는 '유교적 가치관이 바로 서지 못해 나라가 혼란스러운 상황'일 때 사대부들이 '처'를 선택하기도 했다고 하였고, 4문단에 따르면 '빈천'이 '처'와 비슷한 맥락을 지니고 있다. 이를 고려할 때, [B]에서 화자가 '빈천을 사양 마라'라고 한 것은 '처'의 삶을 거부하지 말자는 태도를 드러낸 것으로 볼 수 있다.

오답풀이

① [A]의 '치군택민(목숨을 바쳐 임금을 섬기고 백성에게 은덕이 미치게 함)'과 (가)의 2문단에서 설명한 사대부가 관직에 나아가 '유교적 가르침을 실천하며 백성들을 '인'과 '의'로써 다스리는' '출'은 같은 맥락으로 이해할 수 있다. 따라서 [A]의 '치군택민'은 관직에 나아가 유교적 가르침을 실천하는 것을 의미한다고 볼 수 있다.
② (가)의 4문단에 따르면 '빈천'은 '처'와 비슷한 맥락으로 이해할 수 있다. 이를 고려할 때, [A]의 '빈천거를 하오리라'에 '처'의 삶을 살겠다는 화자의 의지가 반영되어 있다고 볼 수 있다.
④ (가)의 3문단에 따르면 사대부들은 '유교적 가치관이 바로 서지 못해 나라가 혼란스러운 상황일 때' '출'을 의롭지 못하다고 여겼고, 4문단에 따르면 '부귀'는 '출'과 비슷한 맥락으로 이해할 수 있다. [B]에서 화자는 '부귀는 위기라'라고 하며, '출'을 지향하는 것이 위기라고 본다. 또한 '신명을 못ᄂᆞ이라'라고 하면서 유교적 가치관이 흔들리는 상황에서 '출'을 선택했을 때 목숨을 부지하기 어려워지는 결과가 초래될 수 있음을 제시하고 있다.
⑤ [A]에서 화자는 '부귀는 위기라 빈천거를 하오리라'라고 했고, [B]에서 화자는 '부귀는 위기라 탐하다가 신명을 못ᄂᆞ이라'라고 했다. (가)의 4문단에서 '부귀'는 '출'과 비슷한 맥락이라고 했고 6문단에서 '권호문과 임제는 당파 싸움이 극심했던 시기'의 '혼탁한 정치 현실에서 벼슬길에 나가는 것이 위기'라는 인식을 드러냈다고 했다. 이를 고려하면, 화자가 '부귀는 위기라'고 하는 것에는 당파 싸움이 극심한 때에 '출'을 '위기'라고 여기는 화자의 인식이 담겨 있다고 볼 수 있다.

40 ① 정답률 46%

정답풀이

(나)의 〈제14수〉에서 '이편'과 '저편'이 서로 그르다고 주장하는 '싸움뿐'인 상황에 '님'은 '고립 무조(홀로 있어 도움이 없음)'에 처해 있다. 즉 '고립 무조'는 임이 처한 상황일 뿐, 화자가 유교적 가르침을 바탕으로 '궁'의 삶을 선택한 것이라고 볼 수 없다.

오답풀이

② (가)의 2문단~3문단에 따르면 '유교적 가치관이 바로 서서 순리대로 정치가 실현되'지 못하는 등 나라가 혼란스러운 상황일 때 사대부들은 "출'을 의롭지 못하다고 여겨 '처'를 선택'한다고 했다. (나)의 〈제25수〉에서 '공도 시비(공평하고 바른 도리를 따짐)'를 하지 않아 '환난'이 길어진다고 한 것에는 정치가 순리대로 실현되지 않는 당대 현실에 대한 화자의 생각이 투영되어 있다고 볼 수 있다.
③ (가)의 2문단에서 '유교 사회에서 '출'은, 유교적 가르침을 부단히 수양한 사대부가 관직에 나아가 사대부로서 품었던 정치적 포부를 펼치는 이상적인 삶의 형태로 이해'된다고 했다. 〈제26수〉에서 '집만 돌아보고 나라 일 아니 하'는 사람들의 모습은, 나라의 위기를 돌보아야 한다는 유교적 가치를 실천하지 않는 사대부들에 대한 비판적인 시각을 드러낸 것으로 볼 수 있다.
④ (가)의 4문단에 따르면 '공명'이나 '부귀'는 '달'과 비슷한 맥락으로 이해할 수 있다. 이를 고려하면 (나)의 〈제28수〉의 '공명을 원찮커든 부귀인들 바랄소냐'에서 화자는 '공명'과 '부귀'를 지향하지 않으므로 '달'을 지향하지 않는다고 볼 수 있다.
⑤ (가)의 3문단에서 '사대부들은 '처'의 삶을 살면서도 혼란스러운 세상에 대한 근심을 표현하며 우국충정을 드러내는 것으로 자신의 본분을 지키려 하였다.'라고 하였다. 이를 고려하면, (나)의 〈제28수〉에서 화자가 '초가 한 간'에서 '우국상시'를 느끼는 것은 '궁'의 상황에서도 혼란스러운 세상에 대한 근심을 드러낸 것이라고 볼 수 있다.

오답률 Best 3

이 문제의 정답은 ①번이야. 대부분의 학생들이 '고립 무도'의 주체가 누구인지 헷갈려서 이 문제를 틀렸을 거야. 결론부터 말하자면 '고립 무도'의 주체는 화자가 아니라 '님'이야. 현대의 말로 쓰였다면 무리 없이 누가 주체인지 확인할 수 있었겠지만, 고전시가 작품이다 보니 옛말로 쓰여 있어 의미를 정확하게 판단하는 것이 힘들었을 수 있지. 옛말에 익숙해지기 위해서는 고전시가 작품을 많이 읽어 보는 수밖에 없어. 주요 작품부터 시작해서 고전시가 작품을 차근차근 공부해 보자!

41 ① 정답률 29%

정답풀이

[B]에서는 '부귀', '탐', '빈천', '절로' 등의 시어들의 반복을 통해, (나)에서는 '외다', '시비', '나라', '집' 등의 시어들의 반복을 통해 의미를 강조하고 있다.

오답풀이

② [B]에서는 명령형 어미를 활용하고 있을 뿐, 대화체를 사용하지 않았다. (나)에서도 대화체를 확인할 수 없다.
③ [B]와 (나)에서 점층적 표현은 찾을 수 없다.
④ (나)의 '하다가 명당이 기울면 어느 집이 굳으리오'와 '공명을 원찮커든 부귀인들 바랄소냐'에서 설의적 표현을 찾을 수 있으나, [B]에서는 설의적 표현을 찾을 수 없다.
⑤ [B]와 (나)에서 상승 이미지는 찾을 수 없다.

오답률 Best 1

정답은 ①번인데, 이 문제를 틀렸다면 반복되는 시어를 찾지 못해서 틀렸을 수도 있고 ②번 선지에 등장하는 대화체라는 용어 때문에 헷갈려서 틀렸을 수도 있어. 대화체를 어떻게 보아야 할지에 대해서는 의견이 분분해. 한 인물이 다른 인물과 말을 주고받는 대화를 할 때는 당연히 대화체를 활용하고 있다고 할 수 있지. 그런데 한 인물이 다른 인물에게 말을 건네기만 하고 주고받지는 않을 때, 이때에도 대화체를 활용하고 있다고 할 수 있을까? 이를 대화체에 포함시켜야 한다는 견해도 있지만, 대화체에 포함시켜선 안 된다는 견해도 있어서 수능에서는 '대화체'라는 용어를 가급적 사용하지 않고 있다는 점을 참고로 알아두자.

[B]와 (나)에 대화체가 활용되었다고 판단한 학생들은 [B]에서 명령형 어미를 활용하고 있다는 점과 (나)에서 의문형 어미를 활용하고 있다는 점을 근거로 들었지. [B]의 경우 화자의 명령을 듣는 임의의 청자가 설정되어 있다고 본 거야. 그러나 (나)에 사용된 의문형 어미는 설의적 표현으로 청자가 따로 없으므로 대화체가 사용되었다고 볼 수 없어. 두 문제에서는 '공통점'으로 적절한 것을 물어 보았으니, (나)에서 대화체를 사용하지 않았다는 것을 근거로 하여 선지를 지울 수 있어!

[42~45] **고전소설**

42 ① 정답률 68%

정답풀이

윗글은 '소녀 부모께 불효를 끼침이~어찌 인력으로 하올 바이리까.'에서 '추소저'의 말을 통해 두 사람이 전생에 인연이 있음과 죽음 및 환생하게 된 과정 등을 요약적으로 제시하고 있다.

오답풀이

② 구체적인 시대가 언급되고 있지는 않다.
③ 시를 삽입하고 있지는 않다.
④ 언어유희를 활용하고 있지는 않다.
⑤ 작품 밖 전지적 서술자가 일관되게 이야기를 전개하고 있으므로, 장면에 따라 서술자를 교체하고 있다고 볼 수 없다.

43 ⑤ 정답률 62%

정답풀이

[A]에서 '추소저'는 '소녀 하온 말씀은 정절에 마땅하온 바'라고 하며 자신의 주장이 정절에 어긋나지 않음을 내세우고 있고, '부모는 다시금 생각하소서.'라고 하며 상대방이 생각을 바꾸기를 바라고 있다. 한편 [B]에서 '추상서'는 '당초에 여아의 말을 좇아 심가를 거절하고 양산백을 찾아 결혼하였던들'이라고 하며 현재와는 다른 상황을 가정하고 있고, 이에 '어찌 후회함을 면하리요.'라고 하며 자신의 행동을 뉘우치고 있다.

오답풀이

① [A]에서 '추소저'는 자신이 '규중 처자'의 도리에 충실하였음을 밝히고 있고, [B]에서 '추상서'는 자신의 일을 돌이켜보며 자책감을 표출하고 있으므로 자긍심을 표출했다는 것은 적절하지 않다.
② [A]에서 '추소저'는 미래에 일어날 일을 예측하고 있지 않으며, [B]에서 '추상서'는 과거의 일을 이야기하고 있을 뿐 상대방에 대한 서운함을 토로하고 있지는 않다.
③ [A]에서 '추소저'는 상대방의 부도덕한 행위를 언급하고 있지 않고, [B]에서 '추상서'는 상대방 견해의 논리적 모순점을 지적하거나, 상대방을 비판하고 있지 않다.
④ [A]에서 '추소저'는 규중 처자라는 신분과 맹약을 맺은 처지를 언급하며 자신의 생각이 옳음을 드러내고 있다. 한편 [B]에서 '추상서'는 자신의 결정이 불가피함을 드러내고 있지는 않다.

44 ③ 정답률 47%

정답풀이

ⓑ에서 '추상서'는 양생을 한 번 보는 것을 허락해 달라는 추소저의 말에 '일이 이렇게 되었으니 잠깐 보게 하리라.'라고 생각하며 '추소저'와 '양산백'의 대면을 허락한다. 따라서 '양산백'이 '추소저'를 보지 못한 채 죽었다는 설명은 적절하지 않다.

오답풀이

① ⓒ에서 ⓓ로 재생되는 과정에서 '황건역사'가 '양산백'에게 '그대 인생살이에 시력이 상하여~상제 아시고 그대 양인을 적강하시니라.'라고 말한 것을 통해 ⓐ에서 ⓑ로 '양산백'과 '추소저'가 적강한 것은 상제에 의해 이루어진 것임을 알 수 있다.
② ⓑ에서 '추소저'는 '양산백'과의 인연을 맺고자 함에도 불구하고 '추상서'의 반대로 '심의량'과의 혼례가 추진되어 시련을 겪는다. 이는 '부명을 좇은즉~죽어 혼백이라도 양생을 의지하리라'라는 추소저의 생각에서 구체적으로 드러난다.
④ ⓒ에서 '황건역사'는 '양산백'에게 '전일 그대 삼신산 신선과 더불어~영보도군의 탄일이라.'라고 하며 '양산백'이 ⓐ에서 신선과 함께 생활했던 일을 말해주고 있다.
⑤ ⓓ에서 '추소저'는 '소녀 부모께 불효를 끼침이~어찌 인력으로 하올 바이리까.'라고 하며, 자신과 '양산백'이 재생하게 된 이유를 설명하고 자신들의 재생이 필연적임을 강조하고 있다.

오답률 Best 4

정답은 ③번인데, 이 문제를 틀렸다면 아마 낯선 말투로 서술된 윈글의 내용을 이해하기 어려웠기 때문일 거야. 시험지 뒷부분이라 시간도 부족했을 테고 [중략 부분의 줄거리]를 기준으로 사건이 빠르게 전개되는 것에서 헷갈렸을 수도 있어. 고전소설 문제에서는 세세한 내용을 물어보는 경우도 있으므로 선지의 내용과 윈글의 내용을 비교하며 꼼꼼히 읽을 필요가 있어. 고전시가와 마찬가지로 고전소설도 많은 작품을 접하다 보면 말투나 이야기 전개 측면에서 읽기 수월해질 테니 너무 걱정하지 마.

45 ② 정답률 79%

정답풀이

㉠에서 '추소저'는 아버지의 뜻을 따라 '양생'과의 맹세를 저버리면 절개를 잃게 되고, 아버지의 뜻을 따르지 않으면 불효녀가 되기 때문에 이러지도 저러지도 못하는 상황에 처해있다. 따라서 '이러지도 저러지도 못하는 어려운 처지'를 뜻하는 '진퇴양난'이 괄호에 들어갈 말로 가장 적절하다.

오답풀이

① '조삼모사'는 '간사한 꾀로 남을 속여 희롱함을 이르는 말.'이므로 적절하지 않다.
③ '금의환향'은 '비단옷을 입고 고향에 돌아온다는 뜻으로, 출세를 하여 고향에 돌아가거나 돌아옴을 비유적으로 이르는 말.'이므로 적절하지 않다.
④ '일거양득'은 '한 가지 일을 하여 두 가지 이익을 얻음.'이라는 의미이므로 적절하지 않다.
⑤ '주객전도'는 '주인과 손의 위치가 서로 뒤바뀐다는 뜻으로, 사물의 경중 · 선후 · 완급 따위가 서로 뒤바뀜을 이르는 말.'이므로 적절하지 않다.

18회

2017학년도 9월 학평

1. ②	2. ⑤	3. ④	4. ④	5. ②	6. ④	7. ④	8. ①	9. ①	10. ⑤
11. ⑤	12. ⑤	13. ③	14. ①	15. ②	16. ①	17. ④	18. ③	19. ④	20. ③
21. ③	22. ⑤	23. ①	24. ③	25. ①	26. ④	27. ②	28. ⑤	29. ④	30. ②
31. ⑤	32. ③	33. ②	34. ③	35. ④	36. ②	37. ⑤	38. ⑤	39. ②	40. ④
41. ②	42. ③	43. ①	44. ⑤	45. ⑤					

오답률 Best 5

[1~2] **화법**

1 ② 정답률 **81%**

정답풀이

발표자는 '공간의 아름다움을 추구한 도서관'의 구체적인 사례로 '네덜란드 로테르담에 있는 북 마운틴 도서관', '이집트의 알렉산드리아 도서관', '독일의 슈투트가르트 시립 도서관'을 제시하며 발표 내용을 효과적으로 전달하고 있다.

오답풀이

① 발표자는 '앞으로 우리나라에도 아름다운 공간미를 살린 특색 있는 도서관이 더 많이 생겼으면 하는 기대'를 언급하며 발표를 마무리할 뿐, 비유적 표현을 통해 주제를 강조하고 있지는 않다.

③ 발표자는 어려운 용어의 의미를 풀어서 제시하고 있지는 않다.

④ 발표자는 '뒤에 있는 분들도 잘 보이시나요?', '어떠신가요? 여러분들도~즐거운 시간을 보내고 싶지 않으신가요?' 등에서 청중에게 질문을 던지고 있으나, 이는 발표 내용에 대한 청중의 이해 여부를 확인하는 것과는 관련이 없다.

⑤ 발표자는 활용한 자료의 출처를 제시하고 있지 않다.

2 ⑤ 정답률 **92%**

정답풀이

발표에서 성을 차별하여 공동체의 결속을 방해하는 표현을 사용하지는 않았다. '네덜란드 로테르담에 있는 북 마운틴 도서관'을 소개하며 '방문객들은 마치 자연 속에서 일광욕을 즐기듯 남녀 누구나 책과 즐거운 시간을 보낼 수 있다고 합니다.'에서 '남녀'를 언급하기는 하였으나, 이는 성별에 상관없이 책을 즐길 수 있다는 의미로 사용한 것이다.

오답풀이

① '(화면을 보여주며) 뒤에 있는 분들도 잘 보이시나요?'에서 상대방의 상황을 배려하는 표현을 사용하고 있다.

② 위 발표에서 비속어를 사용하여 청중을 비하하고 있지는 않다.

③ '(화면의 특정 부분을 손가락으로 가리키며)', '(미소를 지으며)' 등에서 주어진 상황에 어울리는 비언어적 표현을 사용하고 있다.

④ 위 발표에서 말하기 상황에 맞지 않는 불필요한 표현을 사용하고 있지는 않다.

[3~5] **화법**

3 ④ 정답률 **61%**

정답풀이

'눈이 좋지 않은 친구들을 배려할 수 있는 방법'과 관련하여 학생 1은 ㉣(우선 눈이~제비뽑기를 하게 하자.)에서 '한 달에 한 번씩 제비뽑기를 다시 해서 자리를 바꾸는' 해결 방안을 우회적이 아니라 직접적으로 제시하고 있다.

오답풀이

① '다음 주에 우리 반 자리를 새로 정'할 때 '어떤 방식으로 하면 좋을지'라는 화제와 관련하여 학생 2는 ㉠(작년에 해봤던~어떨까?)에서 '작년에 해 봤던 방법'이라는 자신의 경험을 활용하여 의견을 드러내려 하고 있다.

② '다음 주에 우리 반 자리를 새로 정하'는 방법으로 학생 2는 '제비뽑기'를 제안하면서 ㉡(제비뽑기 알지?)에서 학생 1의 배경지식을 확인하고 있다.

③ 학생 2는 ㉢(맞아! 그런 문제가 있을 수 있겠구나.)에서 '제비뽑기는 결과에 따라서 눈이 좋지 않은 학생까지도 맨 뒷자리에 앉아야 하는 문제가 생길 거 같'다는 학생 1의 의견에 공감하며 이를 수용하고 있다.

⑤ 학생 2는 ㉤(그리고 한 달에~바꾸는 게 어때?)에서 '한 달에 한 번씩 제비뽑기를 다시 해서 자리를 바꾸'자는 의견을 추가로 제시할 때 상대방이 가질 수 있는 부담을 줄이기 위해 '-게 어때?'와 같은 의문형의 표현을 사용하고 있다.

4 ④ 정답률 **82%**

정답풀이

'우선 눈이 좋지 않은 친구들을 위한 구역을 정하고,~다른 친구들은 나머지 구역에서 제비뽑기하고.'라는 학생 1의 의견에 학생 2가 '그거 좋은 생각이다.'라고 동의하고, '그리고 한 달에 한 번씩~자리를 바꾸는 게 어때?'라며 추가로 의견을 제시한 대화 과정을 통해 두 학생은 의견 일치에 도달하고 있다.

오답풀이

① 위 대화에서 두 학생이 상대방의 감정에 직접 호소하며 자신의 의견을 관철시키고 있지는 않다.

② 학생 2가 '일찍 오는 사람부터 원하는 자리에 앉기'라는 방법을 제안한 것에 대해 학생 1이 '집이 먼 친구들한테는 너무 불리하'다며 반대 의견을 제시한 것은 맞지만, 이에 학생 2는 '제비뽑기'라는 새로운 방법을 제안하였을 뿐, 반대 의견에 대한 절충안을 통해 양보를 유도하고 있지는 않다.

③ 학생 1의 '음, 그거 참 좋다.', 학생 2의 '그거 좋은 생각이다.'를 상대방의 의견에 대한 칭찬으로 볼 수 있으나, 이러한 칭찬을 통해 둘이 의견 일치에 도달하지는 않았다.

⑤ 위 대화에서 두 학생이 객관적인 근거 자료를 제시하며 자신의 제안을 설득하고 있지는 않다.

5 ② 정답률 **91%**

정답풀이

〈보기〉에서 '상대방을 배려하고 존중하면서 공손하고 예절 바르게 말'하는 방법으로 '문제를 자신의 탓으로 돌려서 상대방이 관용을 베풀 수 있게 하는 대화의 원리'를 제시하고 있다. 이에 따라 '방금 말한 거 내가 잘 이해하지 못해서 그러는데,'에서 문제를 자신의 탓으로 돌리고 있으며, '천천히 다시 한 번 말해 줄래?'에서 상대방이 관용을 베풀 수 있게 하는 대화의 원리를 확인할 수 있으므로 적절하다.

오답풀이

① , ④, ⑤ 문제를 자신의 탓으로 돌리고 있지 않으며, 상대방이 관용을 베풀 수 있게 하는 부분도 찾을 수 없다.

③ '미안하지만 다시 한 번 자세히 말해 주면 안 되겠니?'에서 상대방이 관용을 베풀 수 있게 하는 대화의 원리가 나타나지만, 문제를 자신의 탓으로 돌리는 부분은 찾을 수 없다.

[6~10] 작문

6 ④ 정답률 83%

정답풀이

(나)에서는 '친하게 지냈던 선생님이 보고 싶어'져 '선생님 댁을 찾아갔'던 일에 대해 서술하고 있을 뿐, 중심 내용을 앞에 두고 뒷받침하는 내용을 뒤에 두는 식의 글쓰기 방식을 사용하지는 않았다.

오답풀이

① '촛불에 비친 내 그림자가 어지럽게 벽에서 춤추고 있었다.' 등을 통해 (나)는 문학적 표현을 사용하여 문예적 성격을 드러낸 글임을 알 수 있다.

② '갑자기 정전이 되'는 바람에 '촛불'을 켜고 선생님과 대화를 나누었던 경험을 이야기하며 '선생님께서 손수 끓여주셨던 차의 온기처럼 따뜻했던 그 미소를 잊을 수 없'다고 한 것에서, (나)는 촛불을 글제로 하여 사제 간의 사랑을 드러낸 글임을 알 수 있다.

③ (나)는 '친하게 지냈던 선생님이 보고 싶어'져 '선생님 댁을 찾아갔'던 일을 서술하며 당시 심리와 상황을 묘사한 산문이므로 적절하다.

⑤ (나)는 '인터넷이나 책 등을 이용할 수 없'다는 유의사항을 고려하여 '친하게 지냈던 선생님이 보고 싶어'져 '선생님 댁을 찾아갔'던 경험을 바탕으로 글감을 마련한 글이므로 적절하다.

7 ④ 정답률 48%

정답풀이

(나)는 '보름달이 어스름'한 시간과 글쓴이가 찾아갔던 선생님 댁의 서재를 시공간적 배경으로 설정하였으며, 그곳에서 글쓴이가 회상하는 선생님과의 추억 역시 '눈 오는 밤에 찾아'뵈었던 선생님 댁을 배경으로 하고 있다. 따라서 대조적인 시간과 공간을 배경으로 설정했다고 볼 수 없다.

오답풀이

①, ⑤ (나)는 순차적 구성을 활용하여 '보름달이 어스름'한 때에 선생님 댁을 찾아갔던 글쓴이의 개인적인 경험을 소재로 한 글의 내용에 독자가 자연스럽게 빠져 들게 하고 있다.

② (나)는 사제 간의 사랑이라는 주제와 관련된 단어를 글에 직접적으로 사용하지 않고, 시공간적 배경과 사건을 통해 간접적으로 주제를 드러내고 있다.

③ (나)는 '눈 내린 뒤라 옅은 구름이 끼어 있어서 보름달이 어스름하였다.' 등에서 시각적 표현을, '갑자기 불기운이 화끈 올라와 손이 뜨거워지는 바람에' 등에서 촉각적 표현을 사용하고 있다.

오답률 Best 5

학생들이 정답인 ④번 외에 가장 많이 고른 선지는 ②번이야. 선지에서 말한 '주제어'의 의미를 혼동한 학생들이 많았던 건 같아. (가)에서 '글제'는 '안개, 내일, 촛불'이라고 안내하였는데, (나)의 초고는 그중 '촛불'을 소재로 하여 내용을 전개한 글이었어. 이때 '글제'를 '주제어'로 잘못 이해했다면, ②번을 적절하지 않은 내용이라고 판단했을 수 있어. 그런데 (나)에서 글제에 해당하는 '촛불'이라는 단어가 직접적으로 쓰이고 있는 것은 맞지만, 이때 '촛불' 자체가 글의 주제를 나타내는 주제어에 해당하는 것은 아니야. 앞서 6번 문제를 풀면서도 확인했듯이, (나)의 주제는 '사제 간의 사랑'이라고 할 수 있으니까 말이야. 만약 '글제'와 '주제어'의 의미를 혼동했더라도 이러한 점을 고려했다면 올바른 정오 판단이 가능했을 거야. 이처럼 어떤 문제를 풀면서 확인한 내용이 다른 문제의 정오 판단 과정에서 도움이 되는 경우가 종종 있어. 그러니 문제를 풀 때는 이런 다양한 상황을 모두 염두에 두면서 유연한 태도로 접근하는 것도 중요하다는 점 참고해 두자.

8 ① 정답률 75%

정답풀이

선생님과 글쓴이의 대화 내용을 삽입한 〈보기〉와 달리, [A]에서는 상대적으로 호흡이 긴 문장을 사용하고 있으므로 적절하지 않다.

오답풀이

② 과거 시제로 서술된 [A]와 달리 〈보기〉는 '하신다.', '말한다.'와 같이 현재 시제를 사용하여 해당 장면이 현재의 상황인 것처럼 느끼게 하고 있다.

③ 선생님과 글쓴이의 대화를 간접 인용한 [A]와 달리 〈보기〉는 '저건 뭐죠?', '뭔 일인지 곁을 한번 봐라. 뭐가 보이냐?' 등에서 친근한 말투를 사용한 대화 내용을 직접 인용하여 두 사람이 가까운 사이임을 보여 주고 있다.

④ [A]와 달리 〈보기〉는 단조로운 글의 흐름을 선생님과 글쓴이가 나눈 대화 장면으로 전환하여 생기를 부여하고 있다.

⑤ [A]와 달리 〈보기〉는 '역시 선생님은 제 등불이세요.'에서 새로운 문장을 추가하여 선생님 말씀의 의미를 깨달은 기쁨을 드러내고 있다.

9 ① 정답률 35%

정답풀이

'어디선가 들려오는 종소리같이 선생님에 대한 내 기억은'에서 '종소리'라는 사물의 속성을 이용하였으며, '파도처럼 밀려오더니 물거품처럼 사라지고 있었다.'에서 대구적 표현을 활용하였다.

오답풀이

② '보름달'이라는 사물의 속성을 이용하였으나, 대구적 표현을 활용한 부분은 찾을 수 없다.

③, ④ 선생님에 대한 기억을 사물의 속성을 이용하여 드러낸 부분이나 대구적 표현을 활용한 부분은 찾을 수 없다.

⑤ '토끼처럼 빠르게 뛰다가 나중엔 고양이처럼 조심히 걸었다.'에서 대구적 표현을 활용하였으나, 선생님에 대한 기억을 사물의 속성을 이용하여 드러낸 부분은 찾을 수 없다.

오답률 Best 2

9번은 <보기>에 제시된 조건을 모두 충족하는 문장으로 가장 적절한 것을 고르는 문제였어. <보기>에서는 내용 면에서는 '선생님에 대한 기억'과 관련 있어야 하고, 형식 면에서는 '사물의 속성'을 이용한 '대구적 표현'이 나타나야 한다고 했지. 정답인 ①번 외에 학생들이 가장 많이 택한 선지는 ②번이었는데, 해당 문장에 대구적 표현이 나타났다고 잘못 판단한 학생들이 많았기 때문인 듯해. ②번은 '선생님을 보고파하는 내 마음'에 대해 말하고 있으므로 내용상의 조건을 충족하고, '사방을 환하게 비'추는 '보름달'의 속성을 언급하고 있으므로 형식상의 조건 중 하나도 충족하고 있잖아? 그렇기 때문에 '대구'의 정확한 개념을 알지 못했다면 적절성을 판단하는 데 어려웠을 수 있지. '대구'는 비슷한 어조나 구조를 가진 구절이나 문장 두 개를 짝지어 배치하는 표현 기법을 말해. 이때 ②번의 경우, 언뜻 보기에는 '구름을 벗어난 보름달은'과 '선생님을 보고파하는 내 마음을'이 대구적 표현에 해당하는 것처럼 보이기도 해. 하지만 문장 전체의 구조를 유심히 살펴보면, '구름을 벗어난 보름달은'은 전체 문장의 주어에 해당하고, '선생님을 보고파하는 내 마음을'은 목적어에 해당함을 알 수 있어. 일반적으로 대구는 서로 대등한 성격의 구절 혹은 문장 간에 성립하는 표현 기법이라고 보기 때문에, 한 문장 안에서 이처럼 주어부와 목적어에 해당하는 구절을 놓고서 대구적 표현이 쓰였다고 말하지는 않아. 대구와 같이 수능 국어에 자주 등장하는 개념어는 반드시 대표적인 사례를 중심으로 하여 그 개념을 정확히 숙지해 놓는 것이 좋아!

10 ⑤ 정답률 86%

정답풀이

'컴컴한 방에 두 사람이 있게 되었'지만 이에 개의치 않고 '너무도 태연하게 웃으며 이야기하였'다는 맥락을 고려할 때, ⓜ(그래서)은 '따라서'가 아니라, '그러나'와 같이 앞뒤의 내용이 상반될 때 쓰는 접속어로 고치는 것이 적절하다.

오답풀이

① '-든'은 '-든지'의 준말로, '나열된 동작이나 상태, 대상들 중에서 어느 것이든 선택될 수 있음을 나타내는 연결 어미.'이다. 이는 선생님께서 '중학교 때 고전문학반을 담당하셨'다는 과거의 사실을 서술하기 위한 쓰임과는 관련이 없으므로, ㉠(담당하셨든)은 '담당하셨던'으로 바꾸는 것이 적절하다.

18 회

② ㉡의 앞뒤 문장을 보면, 사모님의 안내에 따라 서재로 들어선 글쓴이가 그곳에서 책을 보고 계신 선생님을 본 상황이 나타나므로, 이러한 글의 흐름을 고려하여 ㉡에는 '서재에 들어서니'를 넣는 것이 적절하다.
③ ㉢(촛불에 비친~벽에서 춤추고 있었다.)은 갑자기 정전이 되어 촛불을 켜게 되었고, 촛불을 켜고 마주 앉으니 마음이 편안해지는 것 같은 느낌을 받게 되었다는 해당 문단의 전체 내용과 연관성이 떨어지므로 글의 통일성을 고려하여 삭제하는 것이 적절하다.
④ ㉣(물었다)은 물어보는 행위를 한 글쓴이와 대상인 선생님 간의 높임 관계를 고려하여 '여쭈었다'로 바꾸는 것이 적절하다.

[11~15] 문법(언어)

11 ⑤ 정답률 88%

정답풀이

1문단에서 '소리대로 적는다는 것은 '구름'과 같이 표준어를 발음 형태대로 적는 것을 의미한다.'라고 하였다. '하늘'의 발음은 [하늘]로, 이는 발음 형태대로 적은 경우이므로 ㉮(소리대로 적되)에 해당하는 예로 적절하다.

오답풀이

① '빛'의 발음은 [빋]으로, 이는 '형태소의 원형을 밝혀 적은' 경우이므로 ㉮에 해당하는 예로 적절하지 않다.
② '옷'의 발음은 [옫]으로, 이는 '형태소의 원형을 밝혀 적은' 경우이므로 ㉮에 해당하는 예로 적절하지 않다.
③ '잎'의 발음은 [입]으로, 이는 '형태소의 원형을 밝혀 적은' 경우이므로 ㉮에 해당하는 예로 적절하지 않다.
④ '바깥'의 발음은 [바깓]으로, 이는 '형태소의 원형을 밝혀 적은' 경우이므로 ㉮에 해당하는 예로 적절하지 않다.

12 ⑤ 정답률 67%

정답풀이

3문단에서 ''이'가 합성어에서 '니'로 소리가 날 경우에는 어근의 의미 유지와 관계없이 '니'로 적는다.'라고 하였다. 이를 참고하면 '사랑'과 '이'가 결합한 합성어 ㉤(사랑니)은 어근이 본래 의미에서 멀어졌기 때문이 아니라, '이'가 합성어에서 '니'로 소리 난다는 점을 고려한 표기인 것으로 볼 수 있다.

오답풀이

① 2문단에서 '합성어와 같이 어근끼리 연결된 경우에는 각 어근의 본래의 뜻이 유지되면 소리대로 적지 않고 끊어적기를 한다.'라고 하였다. 이를 참고하면, '알려지지 않은 사실이 널리 밝혀지다.'라는 의미로 쓰인 ㉠(드러나다)은 '들다'와 '나다'라는 각 어근의 본래 의미에서 멀어져 소리대로 적은 것임을 알 수 있다.
② 2문단에서 '합성어와 같이 어근끼리 연결된 경우에는 각 어근의 본래의 뜻이 유지되면 소리대로 적지 않고 끊어적기를 한다.'라고 하였다. 이를 참고하면, '원래의 있던 곳으로 다시 가거나 다시 그 상태가 되다.'라는 의미로 쓰인 ㉡(돌아가다)은 각 어근의 본래 의미가 유지되어 끊어 적은 것임을 알 수 있다.
③ 4문단에서 '어근에 접미사가 붙을 때에 어근의 본래의 뜻이 유지되면 원형을 밝혀 끊어적기를 한다.'라고 하였다. 이를 참고하면, '웃다'의 어근 '웃-'에 접미사 '-음'이 결합한 ㉢(웃음)은 어근 '웃-'의 본래 의미가 유지되어 끊어 적은 것임을 알 수 있다.
④ 4문단에서 '어근에 접미사가 붙을 때에 어근의 본래의 뜻이 유지되면 원형을 밝혀 끊어적기를 한다.'라고 하였다. 이를 참고하면, '놀다'의 어근 '놀-'에 접미사 '-음'이 결합한 ㉣(노름)은 어근 '놀-'의 본래 의미에서 멀어져 소리대로 적은 것임을 알 수 있다.

13 ③ 정답률 88%

정답풀이

〈보기〉에 제시된 한글 모음 놀이의 승리 조건 중 '입천장의 중간점을 기준으로 혀의 가장 높은 부분을 앞쪽에 둔 상태로 발음하는 모음'은 전설 모음을, '입술을 평평하게 해서 발음하는 모음'은 평순 모음을, '입을 조금 벌리고 혀가 입천장에 닿을 만큼 높은 상태로 발음하는 모음'은 고모음을 의미한다. 따라서 모든 조건을 만족하는 모음은 'ㅣ'이다.

14 ① 정답률 83%

정답풀이

탐구 자료에서 '비음이자 울림소리인 'ㅁ'이 2세 때 습득'되고, '그 후 3세 때에는 파열음이자 안울림소리인 'ㅃ'을 습득하게 된다.'라고 한 것을 참고할 때, 'ㅃ'이 'ㅁ'보다 강하게 파열되며 나는 소리임을 알 수 있다.

오답풀이

② 탐구 자료에서 'ㅁ'은 '울림소리'인데 반해 'ㅃ'은 '안울림소리'라고 하였다.
③ 탐구 자료에서 'ㅁ'은 '코로 공기를 내보내는 비음'인데 반해 'ㅃ'은 '파열음'이라고 하였다.
④ 탐구 자료에서 '연령에 따른 자음의 발달 단계를 살펴보면 우선 두 입술 사이에서 나는 소리가 가장 먼저 발달'하는데, 여기에는 '2세 때 습득'하는 'ㅁ'과 '3세 때' 습득하게 되는 'ㅃ'이 포함된다고 하였다.
⑤ 탐구 자료에서 'ㅁ'과 'ㅃ'을 포함하는 '자음은 발음을 할 때 공기의 흐름이 방해를 받'는 소리라고 하였다.

15 ② 정답률 92%

정답풀이

'지영'은 '생일 선물'을 뜻하는 '생선'과 '문화상품권'을 뜻하는 '문상'이 '애들끼리는 다 통하는 말'이라고 하였다. 즉 제시된 대화 상황에서는 특정 세대의 문화가 반영된 어휘가 나타남을 확인할 수 있다.

오답풀이

①, ③, ④, ⑤ 대화 상황에 나타난 '생선', '문상'이 성별, 지역에 따라 달리 사용되는 어휘라고 볼 만한 근거는 찾을 수 없다. 또한 해당 단어가 불쾌감을 유발하는 어휘를 대신하거나 전문적인 일을 효과적으로 수행하는 기능을 한다고 보기도 어렵다.

[16~19] 현대시

16 ① 정답률 83%

정답풀이

(가)에서는 '영변에 약산 / 진달래꽃 / 아름 따다 가실 길에 뿌리우리다'에서 '진달래꽃'이라는 자연물을 이용하여 임과의 이별로 인한 화자의 정서를 드러내고 있으며, (나)에서는 '하늘', '바람', '별' 등의 자연물을 이용하여 과거에 대한 성찰과 미래에 대한 다짐을 드러내고 있다.

오답풀이

② (가)와 (나)에서 대조적 이미지를 통해 시상을 전개하는 부분은 찾을 수 없다.
③ (가)와 (나)에서 역설적 상황 설정을 통해 부정적 현실을 비판하는 부분은 찾을 수 없다.
④ (가)와 (나)에서 비유적 표현을 통해 대상에 대한 거부감을 드러낸 부분은 찾을 수 없다.
⑤ (가)와 (나)에서 음성상징어를 통해 대상이 지닌 슬픔을 표현한 부분은 찾을 수 없다.

17 ④ 정답률 83%

정답풀이

(가)의 화자는 임이 '나 보기가 역겨워 / 가실 때'에 자신이 취할 행동에 대해 이야기하고 있을 뿐, 과거의 경험이나 미래에 대한 다짐을 이야기하고 있지는 않다. 이와 달리 (나)의 화자는 '잎새에 이는 바람에도 / 나는 괴로워했다.'에서 과거의 경험을 드러내고, '별을 노래하는 마음으로~그리고 나한테 주어진 길을 / 걸어가야겠다.'에서 미래에 대한 다짐을 드러내고 있다.

오답풀이

① (가)에서 화자의 과거 행위가 드러난 부분은 찾을 수 없다.
② (나)에서 화자는 '잎새에 이는 바람에도' 괴로워했던 과거에 대해 언급하고 있으므로, 과거에 자신이 처했던 상황을 망각하고 있다고 볼 수는 없다.

③ (가)의 화자는 임과 이별할 때 '말없이 고이 보내드리'며 '죽어도 아니 눈물 흘리'겠다고 하였을 뿐, 미래의 상황을 긍정적으로 인식하는 부분은 찾을 수 없다.
⑤ (가)와 (나) 모두 시간의 흐름 속에서 화자의 감정이 전환되는 부분은 찾을 수 없다.

18 ③ 정답률 64%

정답풀이

(가)와 〈보기〉를 비교하면 2연에서 '그', '한–'이 삭제된 것을 확인할 수 있는데, 이는 '영변에 / 약산 / 진달래꽃', '아름 따다 / 가실 길에 / 뿌리우리다'와 같이 3음보의 운율을 형성하기 위해서인 것으로 볼 수 있다.

오답풀이

① (가)와 〈보기〉를 비교하면 1연에서 '말업시'가 본래 2행에서 3행으로 행갈이가 된 것을 확인할 수 있는데, 이는 4연과 동일한 구조를 취함으로써 형태적 안정감을 부여하기 위해서인 것으로 볼 수 있다.
② (가)와 〈보기〉를 비교하면 2연에서 '영변엔 약산'이 '영변에 약산'으로 수정된 것을 확인할 수 있는데, 이는 발음을 용이하게 만들어 낭독을 부드럽게 하려 한 것으로 볼 수 있다.
④ (가)와 〈보기〉를 비교하면 3연에서 '발거름마다'가 '걸음걸음'으로 수정된 것을 확인할 수 있는데, 이는 '발거름마다'의 일부 단어인 '걸음'을 반복하여 리듬감을 살리기 위해서인 것으로 볼 수 있다.
⑤ (가)와 〈보기〉를 비교하면 4연에서 '죽어도 아니.'의 반점을 제거한 것을 확인할 수 있는데, 이는 다른 연과 마찬가지로 3음보의 운율을 통일성 있게 형성하기 위해서인 것으로 볼 수 있다.

19 ④ 정답률 84%

정답풀이

(나)에서 화자는 '별을 노래하는 마음으로 / 모든 죽어가는 것을 사랑'할 것이며 '나한테 주어진 길을 / 걸어가'겠다는 의지를 드러내고 있다. 따라서 '별을 노래하는 마음'은 윤리적 삶과 현실적 삶 사이의 갈등이 아니라, 〈보기〉에서 언급한 '이상 추구의 의지'를 드러낸 것으로 보는 것이 적절하다.

오답풀이

① 〈보기〉에서 '윤동주는 이상을 지향하는 자아와 이를 실천하지 못하는 현실적 자아의 충돌'을 작품 속에 담아냈다고 하였다. 이를 참고할 때, (나)의 화자가 '죽는 날까지 하늘을 우러러 / 한 점 부끄럼이 없기를' 바라는 것은 이상을 지향하는 자아의 숙명을 강조한 것으로 볼 수 있다.
② 〈보기〉에서 윤동주는 '절대적 가치를 추구하는 윤리적인 삶을 꿈꾸'었다고 하였다. 이를 참고할 때, (나)의 '하늘을 우러러'는 절대적 가치를 지향하는 자아의 모습을 표현한 것으로 볼 수 있다.
③ 〈보기〉에서 '윤동주는 이상을 지향하는 자아와 이를 실천하지 못하는 현실적 자아의 충돌로 인해 나타나는 고뇌를 담은 작품을 다수 창작'했다고 하였다. 이를 참고할 때, (나)의 '잎새에 이는 바람에도 / 나는 괴로워했다.'는 현실에서 이상을 실현하지 못하는 고뇌를 나타낸 것으로 볼 수 있다.
⑤ 〈보기〉에서 윤동주는 '성찰과 이상 추구의 의지를 지속적으로 시에 반영'했다고 하였다. 이를 참고할 때, (나)의 '나한테 주어진 길을 / 걸어가야겠다.'는 이상 실현을 위한 의지를 드러낸 것으로 볼 수 있다.

[20~22] 기술

20 ③ 정답률 77%

정답풀이

윗글은 1문단에서 '종이의 개발로 부피가 줄어들면서 종이로 된 책이 주된 기록 매체가 되'어 '책의 보존성과 가독성, 휴대성 등을 더욱 높이기 위한 제책 기술의 발달이 요구되었다.'라고 하며 제책 기술의 등장 배경을 설명하였다. 이후 2문단~4문단에서는 양장의 '실매기 방식', '철사를 사용해 매는 제책 기술', '화학 접착제'를 활용한 '무선철' 등 책 묶기 방식의 발전 과정을 중심으로 하여 각 유형에 대해 설명하고 있다.

오답풀이

① 제책 기술의 한계를 언급하고 있지는 않다.
② 4문단에서 '20세기 중반에는 화학 접착제가 개발되며 무선철이라는 제책 기술이 등장했다.'라고 하였으나, 화학 접착제의 개발을 중심으로 글을 전개하고 있지는 않다.
④ 제책 기술의 발전 과정에 대해 언급했지만, 기술 개발의 문제점을 중심으로 글을 전개하고 있지는 않다.
⑤ 책의 내구성 향상 단계를 중심으로 글을 전개하고 있지는 않다.

21 ③ 정답률 78%

정답풀이

2문단에서 '양장은 내지 묶기와 표지 제작을 따로 한 후에 합치는 방법'이며, 이때 '면지(㉣)를 표지(㉢)와 내지 사이에 접착제로 붙여 이어'준다고 하였으므로, 실매기를 통해 ㉢과 ㉣을 결합시킨다는 설명은 적절하지 않다.

오답풀이

① 2문단에서 '책등(㉠)과 결합되는 내지(㉤) 부분에 접착제를 발라 책등에 붙인다.'라고 하였다.
② 2문단에서 '표지 부착 후에는 가열한 쇠막대로 앞뒤 표지의 책등 쪽 가까운 부분을 눌러 홈(㉡)을 만들어 책의 펼침성이 좋도록 한다.'라고 하였다.
④ 2문단에서 '내지(㉤)보다 두껍고 질긴 종이인 면지(㉣)를 표지와 내지 사이에 접착제로 붙여 이어줌으로써 책의 내구성을 높인다.'라고 하였다.
⑤ 2문단에서 '내지(㉤)는 실매기 방식을 활용해 실로 단단히 묶'고, 이후 '면지(㉣)를 표지(㉢)와 내지 사이에 접착제로 붙여 이어'준다고 하였다.

22 ⑤ 정답률 74%

정답풀이

4문단에서 제책 기술 중 하나인 '무선철' 방식은 '생산 단가가 낮'으며, '습기경화형 우레탄 핫멜트가 개발되면서 개발 초보다 내구성이 더욱 강화'되었다고 하였다. 따라서 '학생들이 오래도록 문집을 보관하고 싶어 하는 점을 고려'하되 '문집 제작 비용을 절감하는 방향으로 제안서를 보내'달라고 한 〈보기〉의 요구 사항과 관련하여, 제책 회사는 책의 단가를 낮추고 내구성을 높이기 위해 성능이 좋은 화학 접착제를 사용하여 묶는 무선철 방식을 제안할 수 있다.

오답풀이

①, ③ 〈보기〉에서 '작년에 제작된 문집은 간편하게 말아서 휴대가 가능했지만 표지의 한가운데가 떨어지는 문제가 있었'다고 한 것을 고려하면, 해당 문집은 중철 방식을 사용했음을 알 수 있다. 3문단에 따르면, 중철 방식을 사용할 때 표지가 쉽게 떨어지는 문제는 '철침을 4개로 박'는 등의 방식으로 보완할 수 있다. 하지만 중철은 '오랜 보관이 필요 없거나 분량이 적은 인쇄물에 사용'한다고 했으므로, '올해는 분량이 100쪽 이상 증가한 점과 학생들이 오래도록 문집을 보관하고 싶어 하는 점을 고려해' 달라고 한 요구 사항에 적합한 방식으로 볼 수 없다.
②, ④ '내지는 실매기 방식을 활용해 실로 단단히 묶고' '내지보다 두껍고 질긴 종이인 면지'를 접착제로 붙여 별도로 제작한 표지와 내지를 서로 결합하는 방법은 2문단에서 설명한 '양장'이다. 이는 '질 나쁜 종이로 책을 제작해야 했기에 책의 내구성을 높이기 위한 기술이 필요'하여 생겨난 방법이므로 '학생들이 오래도록 문집을 보관하고 싶어 하는 점'을 고려했다고 볼 수는 있지만, 문집의 분량이 증가한 점이나 제작 비용을 절감하는 방향을 고려한 방식으로 가장 적절하다고 보기는 어렵다.

[23~26] 예술

23 ① 정답률 81%

정답풀이

윗글은 2문단~3문단에서 '겸재 정선'의 작가 의식을 '〈구룡폭도〉'라는 작품과, 4문단~5문단에서는 '단원 김홍도'의 작가 의식을 '〈구룡연〉'이라는 작품과 연관 지어 설명하고 있다.

오답풀이

② 윗글에서 〈구룡폭도〉나 〈구룡연〉과 같은 작품이 지닌 독창성을 문답 형식으로 설명한 부분은 찾을 수 없다.
③ 윗글에서 작품에 대한 여러 관점의 이론을 상호 비교하는 부분은 찾을 수 없다.

18회

④ 윗글에서 '겸재 정선'과 '단원 김홍도'의 화풍에 대해 언급하였으나, 그 변천과정에서 나타난 문제점을 제시한 부분은 찾을 수 없다.
⑤ 윗글에서 작품의 예술성을 전문가의 평을 근거로 강조하는 부분은 찾을 수 없다.

24 ③ 정답률 79%

정답풀이

4문단에서 '진경산수화의 새로운 전기를 마련한' '단원 김홍도'는 '서양화법 중 원근법, 투시법 등을 수용해 보다 사실적인 경치를 그려내었다.'라고 하였다. 따라서 진경산수화가 서양화법의 영향 없이 우리 고유의 화법으로 그려졌다고 볼 수는 없다.

오답풀이

① 2문단에서 '겸재 정선'은 '과감한 생략과 과장으로 학문적 이상'을 작품 속에 표현했다고 하였다.
② 4문단에서 '단원 김홍도'는 '대상의 완벽한 재현으로 자연에서 느낀 감흥에 충실하려고' 했다고 하였다.
④ 1문단에서 '18세기 조선에서는 진경산수화가 유행'했다고 하였는데, 6문단에 따르면 이는 '우리나라의 산천이 곧 진경이라는 당시 사람들의 생각을 담고 있는' 것이다.
⑤ 3문단에서 '겸재 정선'의 작품인 '〈구룡폭도〉'에 대해 '절벽은 서릿발 같은 필선을 통해 강한 양의 기운을 표현한 반면 절벽의 나무는 먹의 번짐을 바탕으로 한 묵법을 통해 음의 기운을 그려냈다.'라고 하였다. 또한 5문단에서 '단원 김홍도'의 작품인 '〈구룡연〉'에 대해 '절벽 바위 하나하나의 질감을 나타내기 위해 선의 굵기와 농담에 변화를 주'었다고 하였으므로, 겸재와 단원 모두 필선과 농담의 변화를 통해 대상의 본질을 표현하고자 했다고 할 수 있다.

25 ① 정답률 56%

정답풀이

3문단을 통해 ㉠(〈구룡폭도〉)은 구룡폭포를 보고 느낀 감흥을 드러낸 작품임을 알 수 있다. 한편 〈보기〉의 '박연폭포가 제 아무리 깊다 해도 우리네 양인의 정만 못하리라.', '에루화 좋고 좋다~내 사랑아' 등을 고려할 때, 〈보기〉는 박연폭포를 소재로 하여 자신들의 사랑을 표현한 작품임을 알 수 있다.

오답풀이

② 3문단에서 ㉠은 '앞, 위, 아래에서 본 것을 모두 한 그림에 담아'낸 작품이라고 하였으므로 적절하지 않다.
③ 3문단에서 ㉠은 '그림을 보는 이들이 폭포수의 감흥에 집중할 수 있도록 실재하는 폭포 너머의 봉우리를 과감히 생략'했다고 하였으나, 〈보기〉에서 대상과의 차이점을 강조한 부분은 찾을 수 없다.
④ 4문단에 따르면 '원근법'을 '수용해 보다 사실적인 경치를 그려'낸 것은 ㉠이 아니라 '단원 김홍도'의 작품이 지닌 특징이다.
⑤ 3문단에서 ㉠은 '묵법을 통해 음의 기운을 그려냈'다고 하였다. 한편 〈보기〉에서 '구만장천 걸린 폭포'를 '은하수'에 비유한 것을 음양의 원리를 표현한 것이라고 보기는 어렵다.

26 ④ 정답률 84%

정답풀이

ⓐ(받아)의 '받다'와 '통고를 받았다.'의 '받다'는 모두 '요구, 신청, 질문, 공격, 도전, 신호 따위의 작용을 당하거나 거기에 응하다.'라는 의미로 쓰였다.

오답풀이

① '옷이 잘 받는다.'의 '받다'는 '색깔이나 모양이 어떤 것에 어울리다.'라는 의미로 쓰였다.
② '말을 받았다'의 '받다'는 '남의 노래, 말 따위에 응하여 뒤를 잇다.'라는 의미로 쓰였다.
③ '세금을 받아'의 '받다'는 '다른 사람이 바치거나 내는 돈이나 물건을 책임 아래 맡아 두다.'라는 의미로 쓰였다.
⑤ '그 사람을 받지'의 '받다'는 '사람을 맞아들이다.'라는 의미로 쓰였다.

[27~30] 사회

27 ② 정답률 40%

정답풀이

2문단에서 '명목금리는 금융 자산의 액면 금액에 대한 금리이며, 실질금리는 물가상승률을 감안한 금리로 명목금리에서 물가상승률을 빼면 알 수 있다.'라고 하였다. 즉 실질금리는 '금융 자산의 액면 금액 − 물가상승률'이 아니라, '금융 자산의 액면 금액에 대한 금리 − 물가상승률'로 정리해야 적절하다.

오답풀이

① 1문단에서 '금리는 이자 금액을 원금으로 나눈 비율'이라고 하였다.
③ 3문단에서 '실효수익률'은 '일정 기간 실현된 실제의 이자 수익률'이라고 하였다.
④ 4문단에서 '복리'는 '매번 지급된 이자가 원금이 되어서 이자에 이자가 붙는' 방식이라고 하였다.
⑤ 4문단의 '이자는 금융소득이어서 소득세 14.0%와 주민세 1.4%를 내야 한다'를 통해 금융소득의 세금을 확인할 수 있다.

오답률 Best 3

정답인 ②번 외에 학생들이 가장 많이 택한 선지는 ①번이었어. 1문단에서 '금리는 이자 금액을 원금으로 나눈 비율'이라고 한 것에서 ①번이 적절한 내용임을 바로 파악할 수 있었는데, 만약 해당 구절에서 '비율'이라는 마지막 단어를 눈여겨보지 않았다면 실수를 했을 수도 있어. 단순히 이자 금액을 원금으로 나누기만 하는 것이 아니라 그것의 '비율'이 금리라고 했으므로, '(이자 금액 ÷ 원금)'에 '100'을 곱해야 금리가 된다는 것을 꼼꼼히 파악했어야 하는 거지. 정답인 ②번 역시 2문단에서 '명목금리는 금융 자산의 액면 금액에 대한 금리'라고 한 것에서 '금리'라는 마지막 단어까지 정확하게 확인하지 않았다면 적절한 내용이라고 잘못 판단하기 쉬웠을 거야. 이처럼 지문과의 내용 일치 여부를 판단하는 문제는 아주 세세한 부분까지 정확하게 확인하지 않으면 함정에 빠지기 쉽도록 출제되는 경우가 많으니, 실전에서 문제를 풀 때도 이 점을 반드시 명심해 두자!

28 ⑤ 정답률 73%

정답풀이

3문단에서 '정기예금은 목돈인 100만 원을 납입하고 1년 뒤에 이자로 6만 원을 받지만, 매월 일정액을 불입해 목돈을 만드는 정기적금은 계산법이 다르다.'라고 하였다. 이를 고려할 때, 목돈이 형성되었을 때 이용하는 방법이 정기예금, 목돈을 형성할 때 이용하는 방법은 정기적금으로 보아야 적절하다.

오답풀이

① 1문단에서 '자금의 수요자에게는 자금을 빌린 대가로 지급하는 비용이 발생하며, 공급자에게는 현재의 소비를 희생한 대가로 이자 수익이 생'기기 때문에, '금융시장에서 금리는 자금의 수요자와 공급자를 연결시키는 역할'을 하게 된다고 하였다.
② 2문단에서 '명목금리는 금융 자산의 액면 금액에 대한 금리'이고, '실질금리'는 '명목금리에서 물가상승률을 빼면 알 수 있다.'라고 하였다. 이때 '물가상승률이 낮아지면 실질금리는 높아진다.'라고 했으므로, 물가가 하락하면 명목금리에서 물가상승률을 뺀 실질금리가 명목금리보다 더 커지는 상황이 발생할 수 있다.
③ 5문단에서 '금리에 대한 정확한 이해와 계산이 현재의 소비와 미래의 소비를 결정하는 중요한 기준이라는 점을 잊지 말아야 한다.'라고 하였다.
④ 3문단과 4문단에 따르면 '일정 기간 실현된 실제의 이자 수익률인 '실효수익률''은 '이자의 계산 방식에 따라 달라'지기 때문에 정기예금인지 정기적금인지, 복리인지 단리인지 등을 확인하여 이자가 붙는 시기와 계산 방식을 따져보아야 한다.

29 ④ 정답률 44%

정답풀이

3문단에 따르면 '매월 일정액을 불입해 목돈을 만드는' 방식은 '정기적금'이므로, 〈보기〉의 영수가 매월 용돈의 일정 금액을 불입하여 대학입학등록금에 해당하는 목돈을 만들고자 한다면 정기적금에 들어야 할 것이다. 영수가 3년 동안 매월 10만 원씩 내는 정기적금에 들면, 만기 시 원금은 360만 원(10만 원 × 36개월)이 된다. 이때 '정기적금의 실효수익률은 9.25%'라고 했으므로, 원금에 대한 이자는 333,000원(3,600,000원 × 0.0925)이 발생한다. 그런데 4문단에서 '이자는 금융소득이어서 소득세 14.0%와 주민세 1.4%를 내야 한다'고 했으므로, 이자인 333,000원에서 총 15.4%에 해당하는 금액인 51,282원(333,000원 × 0.154)을 세금으로 제하면, 영수가 받게 되는 이자는 281,718원이 된다. 즉 이 경우 원금인 360만 원에 20만 원이 훨씬 넘는 이자를 받게 되므로, '380만 원 정도인 대학입학등록금'을 충당할 수 있게 된다.

오답풀이

① 용돈 5만 원을 매월 정기적금에 넣으면, 3년 후 만기 시에 원금은 180만 원이 된다. 이때 '정기적금의 실효수익률은 9.25%'라고 했으므로 원금에 대한 이자는 166,500원(1,800,000원 × 0.0925)이 발생한다. 그런데 여기서 '소득세 14.0%와 주민세 1.4%'에 해당하는 25,641원(166,500원 × 0.154)을 뺀 140,859원이 영수가 받을 수 있는 최종 이자가 되므로, 원금과 이자를 모두 합쳐도 대학입학등록금에 해당하는 목돈은 마련할 수 없다.

② 용돈 15만 원 전부를 3년 동안 매월 정기적금에 넣으면 3년 후 만기 시에 원금은 540만 원이 되므로, 이자를 제외한 원금만으로도 대학입학등록금을 마련할 수 있다.

③, ⑤ 3문단에서 '보통 '만기 1년의 연리 6%'는 돈을 12개월 동안 은행에 예치할 경우 6%의 이자가 붙는다는 의미'로, '정기예금은 목돈인 100만 원을 납입하고 1년 뒤에 이자로 6만 원을 받'는 방식이라고 하였다. 즉 정기예금은 이미 목돈이 형성된 상태에서 이용하는 방식이며, 〈보기〉에서 '연 6% 금리'인 정기예금과 비교하여 '정기적금의 실효수익률은 9.25%'라고 했으므로 정기예금의 실효이자율이 정기적금보다 높다는 설명은 적절하지 않고, 정기예금은 영수가 대학입학등록금을 충당하기 위해 사용할 방법으로 적절하다고 보기도 어렵다.

오답률 Best ❹

지문에서 설명한 내용을 <보기>의 구체적인 상황에 적용할 수 있는지를 묻는 문제였는데, 정오 판단 과정에서 계산이 필요했기 때문에 부담을 느꼈을 수 있어. 학생들이 정답인 ④번 외에 가장 많이 고른 선지는 ③번이었는데, 정기예금과 정기적금의 차이점만 명확히 파악하고 있었다면 의외로 손쉽게 정답을 가려낼 수 있었어. 3문단에서 '정기예금은 목돈인 100만 원을 납입하고 1년 뒤에 이자로 6만 원을 받지만, 매월 일정액을 불입해 목돈을 만드는 정기적금은 계산법이 다르다.'라고 한 내용을 토대로 앞서 28번의 ⑤번 선지는 적절하지 않은 내용임을, 즉 정기예금은 목돈이 형성되었을 때 이용하는 방법인데 반해 정기적금은 목돈을 형성하기 위해 이용하는 방법이라는 점을 확인했었잖아. 따라서 29번의 선지 중 정기예금에 대해 언급한 ③번과 ⑤번은 적절하지 않은 내용이라는 점을 바로 판단할 수 있었어. 남은 선지 중 ①번과 ②번은 상대적으로 간단한 계산 과정만으로도 정오 판단이 가능했기 때문에, ④번 선지를 판단하는 데 필요한 계산 과정에서 어려움이 있었더라도 정답을 가려낼 수 있었지. 이렇게 앞선 문제에서 확인한 내용을 해당 문제의 정오 판단 과정에서 활용할 수 있는 문항이었다는 점을 참고해 두자!

30 ② 정답률 80%

정답풀이

'용이하다'는 '어렵지 아니하고 매우 쉽다.'라는 의미이므로, '비교가 되는 두 대상이 서로 같지 아니하다.'라는 의미인 ㉡(다르다)과 바꾸어 쓸 수 없다.

오답풀이

① ㉠(올랐다면)의 '오르다'는 '값이나 수치, 온도, 성적 따위가 이전보다 많아지거나 높아지다.'라는 의미이므로 '물건값, 봉급, 요금 따위가 오르다.'라는 의미의 '인상되다'와 바꾸어 쓸 수 있다.

③ ㉢(갚는다면)의 '갚다'는 '남에게 빌리거나 꾼 것을 도로 돌려주다.'라는 의미이므로, '갚거나 돌려주다.'라는 의미의 '상환하다'와 바꾸어 쓸 수 있다.

④ ㉣(붙는)의 '붙다'는 '어떤 것이 더해지거나 생겨나다.'라는 의미이므로, '주된 것에 덧붙다.'라는 의미의 '부가되다'와 바꾸어 쓸 수 있다.

⑤ ㉤(늦추고)의 '늦추다'는 '정해진 때보다 지나게 하다.'라는 의미이므로, '어떤 일을 당장 처리하지 아니하고 나중으로 미루어 두다.'라는 의미의 '보류하다'와 바꾸어 쓸 수 있다.

[31~35] 고전시가

31 ⑤ 정답률 74%

정답풀이

(가)의 4문단에서 '조선 후기 시조는 자기 자신에 대한 새로운 인식과 실학의 대두로 인하여 관념적이고 형식적인 경향에서 벗어났다.'라고 하였다.

오답풀이

① (가)의 3문단에서 '10세기 말 무렵까지 창작됐던 향가는 현재까지 가사가 전해지는 것이 총 25수에 불과하고, 위홍과 대구화상이 간행했다는 향가집 『삼대목』도 현재 전해지지 않는다.'라고 한 것을 통해 향가는 현재 전하는 것보다 더 많은 작품이 있었을 것임을 알 수 있다.

② (가)의 1문단에서 '학자들은 초기의 4구체나 과도기 형태인 8구체가 아닌, 10구체를 향가 중에서 정제된 형식으로 본다.'라고 한 것을 통해 향가의 4구체는 발전 과정에서 초기 형태에 해당함을 알 수 있다.

③ (가)의 2문단에서 '시조가 오늘날까지 창작될 수 있었던 것은, 간결한 형식에서 기인한 바가 크다고 할 수 있다.'라고 한 것을 통해 향가와 달리 시조는 지금까지도 작품 창작이 계속되고 있음을 알 수 있다.

④ (가)의 4문단에서 '시조는 시조가 지니는 형식미 때문에 조선 전기 사대부들의 미의식과 정신세계를 표현하는 데 적합한 갈래로 자리 잡았다.'라고 한 것을 통해 알 수 있다.

32 ③ 정답률 63%

정답풀이

(가)의 1문단에서는 '대개 '4구+4구+2구'의 형태로 시상을 전개하다가 낙구에 주제를 제시하며 시상을 마무리'하는 10구체 향가의 형태가 '후대 평시조가 정제된 틀을 갖추게 된 데에 영향을 끼쳤'다고 하였을 뿐, 시조에 나타나는 4음보의 율격이 향가의 4구와 관계가 있다고 설명한 부분은 찾을 수 없다. 따라서 (다)의 4음보 율격이 (나)에서 '4구'가 반복되는 형태에 영향을 받았다고 볼 수는 없다.

오답풀이

① (가)의 1문단에서 '대개 '4구+4구+2구'의 형태로 시상을 전개하다가 낙구에 주제를 제시하며 시상을 마무리'하는 10구체 향가의 형태가 '후대 평시조가 정제된 틀을 갖추게 된 데에 영향을 끼쳤'다고 하였다. 이를 고려할 때, (나)에서 확인할 수 있는 '4구+4구+2구'의 형태는 (다)에 나타난 '초장+중장+종장'의 3단 구성 형성에 영향을 준 것으로 볼 수 있다.

② (가)의 1문단에서 '낙구의 감탄사는 시조의 종장 첫 구에 나타나는 감탄사에 영향을 미쳤'을 것이라고 하였다. 이를 고려할 때, (나)의 낙구에 나타난 '아으'는 전승의 측면에서 (다)의 종장에 나타난 '엇더타'와 영향 관계에 있는 것으로 볼 수 있다.

④ (가)의 1문단에서 '대개 '4구+4구+2구'의 형태로 시상을 전개하다가 낙구에 주제를 제시하며 시상을 마무리'하는 10구체 향가의 형태가 '후대 평시조가 정제된 틀을 갖추게 된 데에 영향을 끼쳤'다고 하였다. 이를 고려할 때, (다)의 종장에서 '강산풍월이 긔 벗인가 ᄒᆞ노라'를 통해 주제를 제시한 것은 (나)의 낙구에서 '임금답게 신하답게 백성답게 한다면 / 나라가 태평할 것'이라고 하며 주제를 제시한 것과 동일한 방식으로 볼 수 있다.

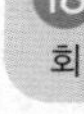

⑤ (가)의 1문단에서 (나)와 같은 10구체 향가는 '대개 '4구+4구+2구'의 형태로 시상을 전개하다가 낙구에 주제를 제시하며 시상을 마무리'하는 형식이라고 하였다. 또한 1문단과 2문단을 통해 '종장 첫 구에' 감탄사가 나타나고, '4음보의 정형성'을 확인할 수 있는 (다)는 평시조의 대표적인 형식에 해당함을 알 수 있다.

33 ② 정답률 71%

정답풀이

(나)의 ㉠(임금)은 '이 땅'에서 '꾸물거리며 사는 백성들'을 '먹여 다스'리는 역할을 하는 존재이고, (다)의 ㉡(님자)은 '산수 간에 노니다가' '세상 일'을 다 잊게 된 존재이므로 적절하다.

오답풀이

① (나)에서 ㉠은 '꾸물거리며 사는 백성들'을 '먹여 다스'리는 역할을 할 뿐, '백성'을 그리워하는 모습은 나타나지 않는다. (다)의 ㉡ 역시 '강산풍월'을 '벗'으로 여길 뿐, '벗'을 그리워하는 모습은 나타나지 않는다.

③ (나)의 ㉠은 '이 땅'에 실재하는 존재이므로, 상상의 세계 속에 존재한다고 볼 수 없다.

④ (다)의 ㉡은 '강산풍월'을 자신의 벗으로 여기고 있을 뿐, 대상의 부재로 인해 괴로워하는 모습은 나타나지 않는다.

⑤ (나)에서는 ㉠이 '임금답게' 자신의 역할을 다한다면 '나라가 태평할 것'이라고 하였을 뿐, ㉠이 자신의 처지에 만족하는 모습은 나타나지 않는다. 한편 (다)의 ㉡은 '산수 간에 노'닐면서 '강산풍월'을 자신의 벗으로 여기는 처지에 만족하고 있다고 볼 수 있다.

34 ③ 정답률 76%

정답풀이

(나)의 화자는 '임금답게 신하답게 백성답게 한다면 / 나라가 태평할 것입니다.'라고 하며 ⓐ(임금 = 아버지), ⓑ(신하 = 어머니), ⓒ(백성 = 어린 아이) 모두에게 ⓓ(자신의 본분을 행함)를 당부하고 있을 뿐, ⓓ를 당부하는 주체가 ⓐ인 것은 아니므로 적절하지 않다.

오답풀이

① ⓐ~ⓒ와 같이 '임금', '신하', '백성'을 각각 '아버지', '어머니', '어린 아이'에 비유한 것을 통해 (나)의 화자는 국가를 가족의 확대된 형태로 생각한 것임을 알 수 있다.

② (나)에서 '꾸물거리며 사는 백성들 / 이들을 먹여 다스려 / 이 땅을 버리고 어디로 갈 것인가 한다면 / 나라가 다스려짐을 알 것입니다.'라고 한 것을 통해 (나)의 화자는 ⓐ와 ⓑ가 ⓒ를 잘 먹여 다스리는 일이 통치의 근본이라고 보았음을 알 수 있다.

④ (나)에서는 ⓐ와 ⓑ가 '꾸물거리며 사는 백성들'을 '먹여 다스려'야 함을 강조한 것을 통해, ⓓ에는 민심을 중시하는 정치의식이 담겨 있음을 알 수 있다.

⑤ (나)에서 '임금답게 신하답게 백성답게 한다면 / 나라가 태평할 것입니다.'라고 한 것을 통해 (나)의 화자는 ⓔ(나라의 태평)에 도달할 수 있는 방법이 ⓓ라고 보았음을 알 수 있다.

35 ④ 정답률 34%

정답풀이

〈보기〉에서 (다)는 '조선시대 왕족의 정치 참여 금지로 인해 자신의 능력을 표출할 수 없었던 심정'을 드러낸 작품이라고 하였다. 이를 고려할 때, (다)의 '엇더타'는 왕족이기 때문에 현실 정치에 참여할 수 없는 작가의 체념의 정서가 집약된 표현인 것으로 볼 수 있다.

오답풀이

① 〈보기〉에서 (다)는 '조선시대 왕족의 정치 참여 금지로 인해 자신의 능력을 표출할 수 없었던 심정'을 드러낸 작품이라고 하였다. 하지만 (다)에서 '평생에 일이 업서 산수 간에 노'닐었다는 것의 '평생에 일'이 자신의 능력을 표출하지 못하는 상황에서 벗어나기 위한 노력을 의미한다고 볼 수는 없다.

② 〈보기〉에서 (다)는 '조선시대 왕족의 정치 참여 금지로 인해 자신의 능력을 표출할 수 없었던 심정을 속세에서 벗어나 자연과 벗하는 모습으로 읊은' 작품이라고 하였다. 이를 고려하면 (다)의 화자는 '산수 간에 노니다가 / 강호에 님자'가 되어 '세상 일'을 다 잊게 되었다고 한 것에서 정치적 한계에서 벗어나고 싶은 마음을 '산수 간에 노니'는 행동을 통해 해소한 것이라고 보기는 어렵다.

③ 〈보기〉에서 (다)는 '조선시대 왕족의 정치 참여 금지로 인해 자신의 능력을 표출할 수 없었던 심정을 속세에서 벗어나 자연과 벗하는 모습으로 읊은' 작품이라고 하였다. (다)의 화자는 '산수 간에 노니다가 / 강호에 님자'가 되어 '세상일'을 다 잊게 되었다고 했으므로, '강호에 님자되니'에 왕족의 역할을 다하고자 하는 의지가 담겨 있다고 볼 수는 없다.

⑤ 〈보기〉에서 (다)는 '조선시대 왕족의 정치 참여 금지로 인해 자신의 능력을 표출할 수 없었던 심정을 속세에서 벗어나 자연과 벗하는 모습으로 읊은' 작품이라고 하였다. (다)의 화자가 '강산풍월'을 '벗'으로 여기고 있는 것은 맞지만, 〈보기〉를 고려할 때 이는 자연과 함께하고자 하는 마음보다는 '자신의 능력을 표출할 수 없었던 심정'을 드러내고자 한 의도인 것으로 보아야 적절하다.

오답률 Best 1

정답인 ④번뿐 아니라 매력적인 오답인 ⑤번을 택한 학생들의 비율이 높았던 문제야. (다)의 종장에서 '강산풍월이 긔 번인가 ᄒᆞ노라'라고 하였고, <보기>에서도 '자연과 벗하는 모습'을 읊었다고 했으므로 ⑤번이 적절한 내용이라고 생각하기 쉬웠거든. 하지만 35번은 정오 판단을 할 때 작품은 물론이고 <보기>의 내용도 반드시 고려해야 해. 이때 <보기> 내용의 핵심은 (다)에 나타난 '자연과 벗하는 모습'이 '조선시대 왕족의 정치 참여 금지로 인해 자신의 능력을 표출할 수 없었던' 화자의 심정에서 비롯되었다는 점이야. 특 35번의 발문에서 말한 대로 '<보기>를 바탕으로 (다)를 감상'한다면, 종장의 '강산풍월이 긔 번인가 ᄒᆞ노라'는 표면적인 의미 그대로 자연과 함께하고자 하는 마음을 드러내고자 한 구절이 아니라, 화자가 현실 정치에서 자신의 능력을 마음껏 표출할 수 없었던 심정을 담아낸 구절이라고 이해해야 적절한 것이지. 고난도 <보기> 문제는 이렇듯 작품과 <보기>, 그리고 선지의 전체적인 내용 맥락을 꼼꼼하게 모두 확인하지 않으면 함정에 빠지기 쉽도록 출제되는 경우가 많아. 그러니 기출 문제 풀이를 통해 <보기> 문제에 접근하는 올바른 태도를 연습해 두자.

[36~38] 현대소설

36 ② 정답률 82%

정답풀이

윗글은 노인과 아내가 나누는 대화를 통해 '눈길을 헤치며 차 타는 곳까지 '나'를 바래다준 후 홀로 눈길을 되돌아왔'던 노인의 과거 이야기를 제시하고 있다.

오답풀이

① 윗글에서 서로 관련성이 없는 사건을 삽화처럼 나열한 부분은 찾을 수 없다.

③ 윗글은 노인과 아내가 나누는 대화를 통해 아들인 '나'를 떠나보낸 후 '홀로 눈길을 되돌아왔'던 노인의 과거 이야기를 제시하고 있을 뿐, 같은 시간에 서로 다른 장소에서 일어난 사건을 서술하고 있지는 않다.

④ 윗글은 노인과 아내가 나누는 대화를 중심으로 전개되면서 중간중간 이를 듣고 있는 '나'의 내면 심리를 드러내고 있을 뿐, 외부 상황과 관련 없이 떠오르는 인물의 의식을 기술하고 있지는 않다.

⑤ 윗글의 서술자는 '나'로, 공간에 따라 서술자가 바뀌고 있지는 않다.

37 ⑤ 정답률 61%

정답풀이

노인은 ㉡(그 몹쓸 발자국들)을 보며 '아직도 도란도란 저 아그의 목소리나 따뜻한 온기가 남아 있는 듯'한 느낌을 받으며 '아들 생각이 더 간절'했다고 하였으므로, ㉡이 노인에게 아들에 대한 거리감을 갖게 했다고 볼 수는 없다.

오답풀이

①, ②, ③ ㉠(둘이 걸어온 발자국)과 ㉡은 모두 노인과 '나'가 '눈길을 헤치며 차 타는 곳까지' 걸어가는 과정에서 생긴 것으로, 동일한 공간에 존재하는 동일 인물들의 발자국이며 같은 곳을 향한다고 할 수 있다.
④ ㉡은 ㉠과 달리 '그 몹쓸'이라는 표현을 통해 노인의 괴로운 감정을 표면적으로 드러내고 있다.

38 ⑤ 정답률 68%

정답풀이

노인은 차 타는 곳까지 '나'를 바래다준 뒤 홀로 눈길을 되돌아오면서 '부디부디 너라도 좋은 운 타서 복 받고 살거라…….'라며 아들의 앞길을 빌었다고 하였다. 또한 〈보기〉에서 '햇살'이 '만물을 속속들이 비추는 기능'을 하고 '어머니는 이러한 햇살에 자신의 모습을 비추어' 본다고 한 것을 고려하면, '동네 뒷산에 당도'한 노인이 '그 우리 집 지붕'에 햇살이 비친 광경을 보고 ⓐ(시린 눈)를 한 것에는 아들에게 부모의 도리를 다하지 못한 자신의 무력한 삶에 대한 한스러움이 담겨 있는 것으로 볼 수 있다.

오답풀이

① 노인은 '동네 뒷산을 당도'했을 때 '차마 동네를 바로 들어설 수 없어~한참이나 시간을 기다리고 앉아 있었'던 것이 '갈 데가 없어 그랬던 건 아니'었다고 하였다.
② '노인과 나는 결국 그런 식으로 서로 주고받을 것이 없는 처지'가 된 것은 '고등학교 1학년 때 형의 주벽으로 가계가 파산을 겪'고서 '마침내 그 형이~모든 장남의 책임을 내게 떠맡기고 세상을 떠난 뒤부터'이다. 따라서 ⓐ에 드러난 노인의 심리가 자식과 주고받을 것이 없는 관계가 된 것에 대한 슬픔이라고 보기는 어렵다.
③ '나'는 노인에 대해 '내게 아무것도 낳아 기르는 사람의 몫을 못 했'다고 생각하기도 했으나, 윗글과 〈보기〉를 고려할 때 ⓐ에 드러난 노인의 심리가 자신이 베푼 사랑을 알아주지 않는 아들에게서 느끼는 서운함이라고 보기는 어렵다.
④ '형이 내게 떠맡기고 간 장남의 책임을 감당하'게 된 것은 형이 '세상을 떠난 뒤부터'라고 했으므로, ⓐ에 드러난 노인의 심리가 아들이 가장의 역할을 감당해야 하는 상황에 처하게 한 것에 대한 미안함이라고 보기는 어렵다.

[39~42] 과학

39 ② 정답률 62%

정답풀이

윗글에서 스윙바이를 하는 동안에 행성의 중력이 변한다고 설명한 부분은 찾을 수 없으므로, 윗글을 통해 스윙바이 동안에 행성의 중력이 변하는 이유에 대해 답할 수 없다.

오답풀이

① 1문단에서 '우주 탐사선이 지구에서 태양계 끝까지 날아가기 위해서는 일정 속도 이상에 이르러야' 하는데, '탐사선의 추진력만으로는 이러한 속도에 도달하기 어렵'기 때문에 "스윙바이'를 통해 속도를 얻는다.'라고 한 것을 통해 알 수 있다.
③ 2문단에서 '탐사선이 행성에서 멀어지는 방향이 행성의 공전 방향에 가까울수록 스윙바이를 통한 속도 증가의 효과는 크'다고 한 것을 통해 스윙바이를 할 때 행성의 공전이 중요한 이유를 알 수 있다.
④ 2문단에서 '행성의 공전 방향과 탐사선의 진입 방향'이 서로 다르면 '탐사선의 속도 증가는 크지 않'지만, '탐사선이 곡선 궤도를 그리며 방향을 바꾸어 행성의 공전 방향에 가까워지면 탐사선의 속도는 크게 증가된다.'라고 한 것을 통해 스윙바이를 할 때 속도를 효과적으로 얻는 방법을 알 수 있다.
⑤ 4문단에서 '운동량 보존 법칙에 따라 스윙바이를 통해 탐사선과 행성이 주고받은 운동량은 같'은데, '서로 주고받은 운동량은 질량과 속도 변화량을 곱한 것이므로 행성에 비해 질량이 작은 탐사선은 속도가 크게 증가하지만, 질량이 매우 큰 행성은 속도가 거의 줄어들지 않는다.'라고 한 것을 통해 알 수 있다.

40 ④ 정답률 76%

정답풀이

2문단을 참고하면 〈보기〉의 그래프에서 ⓑ는 '행성의 공전 방향과 탐사선의 진입 방향이 서로 달라 탐사선의 속도 증가는 크지 않'은 구간이며, ⓒ는 탐사선이 '행성의 공전 방향에 가까워지면'서 속도가 크게 증가하는 구간으로 볼 수 있다. 즉 ⓑ에서 속도의 크기 변화는 ⓒ에서 속도의 크기 변화보다 작으므로 적절하지 않다.

오답풀이

① 〈보기〉의 그래프를 보면, ⓐ에서는 탐사선 속도의 크기에 변화가 없으므로 이때의 탐사선은 아직 행성의 중력장에 진입하지 않은 상태로 볼 수 있다.
② 〈보기〉의 그래프를 보면, ⓑ에서 탐사선 속도의 크기는 점차 증가하고 있지만, 그 변화 폭이 크지는 않다. 따라서 이때 탐사선은 2문단에서 언급한 중력장에 진입하였으나 '행성의 공전 방향과 탐사선의 진입 방향이 서로 달라 탐사선의 속도 증가는 크지 않'은 상태로 볼 수 있다.
③ 〈보기〉의 그래프를 보면, ⓒ에서 탐사선 속도의 크기가 정점을 찍은 후 ⓓ에서는 그보다 속도가 약간 줄어든 상태에서 탐사선 속도의 크기에 변화가 없는 것을 확인할 수 있다. 이는 3문단을 통해 알 수 있듯이 '행성이 끌어당기는 중력의 영향으로 탐사선의 속도가 증가'하지만 '탐사선이 행성 중력의 영향권에서 벗어나면서,' 즉 행성으로부터 멀어져 가면서 '중력의 영향으로 얻은 만큼의 속도를 잃'었기 때문으로 볼 수 있다.
⑤ 〈보기〉의 그래프를 보면, ⓑ에서부터 탐사선 속도의 크기가 점차 증가하다가 ⓒ에서는 급격히 증가하여 정점을 찍는 것을 확인할 수 있다. 이는 2문단에서 알 수 있듯이 행성의 중력장에 진입한 탐사선이 '곡선 궤도를 그리며 방향을 바꾸어 행성의 공전 방향에 가까워'졌기 때문인 것으로 볼 수 있다.

41 ② 정답률 60%

정답풀이

〈보기〉에서 '시속 30km로 달리는 말 위에서 궁수가 말의 진행방향으로 시속 150km의 화살'을 쏘는 경우, '옆에 서 있는 사람에게는 그 화살이 시속 180km로 날아가는 것으로 관찰된다.'라고 하였다. 이는 '달리는 말'의 영향으로 궁수가 쏜 화살의 속도가 증가하게 된 상황으로 볼 수 있다. 2문단에 따르면, 스윙바이가 이루어지는 과정에서 '공전하는 행성'은 탐사선의 속도를 증가시키는 역할을 하므로, 〈보기〉의 상황에서 '공전하는 행성'과 가장 유사한 것은 '달리는 말'이라고 할 수 있다.

42 ③ 정답률 64%

정답풀이

4문단에서 '운동량 보존 법칙에 따라 스윙바이를 통해 탐사선과 행성이 주고받은 운동량은 같다. 이 말은 탐사선의 속도가 빨라진 것처럼 행성의 속도는 느려졌다는 것을 의미한다.'라고 했으므로, ㉠(스윙바이는 행성의 공전 속도를 훔쳐오는 것이다.)은 탐사선이 얻은 운동량이 행성이 잃은 운동량과 같다는 의미로 이해할 수 있다.

오답풀이

①, ② 4문단에서 '서로 주고받은 운동량은 질량과 속도 변화량을 곱한 것이므로 행성에 비해 질량이 작은 탐사선은 속도가 크게 증가하지만, 질량이 매우 큰 행성은 속도가 거의 줄어들지 않는다.'라고 하였다.
④, ⑤ 4문단에서 스윙바이를 통해 탐사선은 운동량을 얻고, 그만큼 행성은 운동량을 잃는데 이때 '탐사선과 행성이 주고받은 운동량은 같다.'라고 하였다.

[43~45] 고전소설

43 ① 정답률 53%

정답풀이

〈보기〉에서 '어절 단위로 끊어 읽는 것이 의미 파악의 시작'이라고 한 것에 따르면 ㉠은 '잡혀가기를∨ᄌᆞ원ᄒᆞ니∨도로혀∨긔특ᄒᆞᆫ∨ᄋᆞ희로다(잡혀가기를 자원하니 도리어 기특한 아이로다)'로 끊어 읽을 수 있다.

18회

44 ⑤ 정답률 75%

정답풀이

[A]에서 길동은 '평생 한이 맺혔기에 집을 버리고 도적의 무리에 참여하였'으나, '백성은 추호도 범하지 않고 각 읍 수령이 백성들을 들볶아 착취한 재물만 빼앗았을 뿐'이라며 자신의 행위를 정당화하고, '성상께서는 근심하지 마시고 신을 잡으라는 공문을 거두어 주십시오.'라고 하며 상대인 임금의 태도 변화를 꾀하고 있다. 한편 [B]에서 길동은 '내 하늘의 명을 받아 병사를 일으'킨 것이라며 자신의 행위를 정당화하고, '왕은 싸우고자 하거든 싸우고, 그렇지 않으면 일찍 항복하여 살기를 도모하라.'라고 하며 상대인 율도왕의 태도 변화를 꾀하고 있다.

오답풀이

① [A]는 길동이 임금에게 아뢰는 내용으로, 여기에서 길동이 자신의 권위를 내세워 임금에게 충고하고 있지는 않다.
② [B]에서 길동은 율도왕에게 '일찍 항복하여 살기를 도모'하라고 하였을 뿐, 율도왕과 같은 입장임을 내세워 동의를 구하고 있지는 않다.
③ [B]에서 길동은 자신의 의도를 상대인 율도왕에게 전달하고 있을 뿐, 율도왕의 의도를 알고 이에 답하고 있지는 않다.
④ [B]의 '왕은 싸우고자 하거든 싸우고,'에서 상황을 가정했다고 볼 수는 있지만, [A]와 [B]에서 길동의 상황을 가정하여 상대의 행위를 평가하고 있지는 않다.

45 ⑤ 정답률 74%

정답풀이

임금은 길동을 잡지 못해 근심하다가 '길동의 소원이 병조판서를 한번 지내면 조선을 떠나겠다는 것이라 하오니,~그때를 타 잡는 것이 좋을까 하옵니다.'라는 신하의 말을 듣고 '즉시 길동에게 병조판서를 제수'한다. 즉 임금은 길동을 잡기 위해 병조판서의 벼슬을 내린 것이므로, 이를 백성이 살기 좋은 세상을 구현하려는 길동의 노력이 인정받는 모습이라고 이해하는 것은 적절하지 않다.

오답풀이

① 〈보기〉에서 윗글에는 길동이 '새 나라를 건설'하는 모습이 나타난다고 하였다. 길동이 율도국을 공격하는 것에서 새 나라를 건설하려는 모습을 확인할 수 있다.
② 〈보기〉에서 윗글에는 길동이 '초월적 능력을 발휘하여 위기를 극복'하는 모습이 나타난다고 하였다. 길동이 '성상께서는 근심하지 마시고 신을 잡으라는 공문을 거두어 주십시오.'라고 말한 뒤 '여덟 명이 한꺼번에~풀로 만든 허수아비'로 변한 것이나 이후 서울로 호송될 때 '대궐 문에 이르러~마치 매미가 허물 벗듯 공중으로 올라가며, 나는 듯이 운무에 묻혀 가 버'리는 등 도술을 부린 것에서 초월적 능력을 발휘하여 잡히지 않는 것을 확인할 수 있다.
③ 〈보기〉에서 윗글에는 길동이 '자신이 가진 신분적 한계를 극복'하는 모습이 나타난다고 하였다. '천한 종의 몸에서 났는지라, 그 아비를 아비라 못 하옵고 그 형을 형이라 못 하'는 처지였던 길동이 율도국의 왕위에 오르는 것에서 신분적 한계를 극복하는 모습을 확인할 수 있다.
④ 〈보기〉에서 윗글에는 길동이 '백성의 편에 서서 백성이 살기 좋은 세상을 구현하려고 하'는 모습이 나타난다고 하였다. '도적의 무리에 참여'한 길동이 '백성은 추호도 범하지 않고 각 읍 수령이 백성들을 들볶아 착취한 재물만 빼앗았'다고 말하는 것에서 백성의 편에 서서 펼치는 길동의 활약을 확인할 수 있다.

19회

2017학년도 6월 학평

1. ②	2. ④	3. ①	4. ④	5. ⑤	6. ③	7. ③	8. ①	9. ⑤	10. ③
11. ①	12. ①	13. ②	14. ②	15. ④	16. ⑤	17. ①	18. ③	19. ⑤	20. ⑤
21. ②	22. ③	23. ④	24. ④	25. ③	26. ③	27. ②	28. ④	29. ⑤	30. ③
31. ①	32. ①	33. ④	34. ③	35. ④	36. ④	37. ⑤	38. ③	39. ②	40. ⑤
41. ①	42. ⑤	43. ②	44. ⑤	45. ②					

오답률 Best 5

[1~3] **화법**

1 ② 정답률 **73%**

정답풀이

발표자는 "'빨주노초파남보' 무지개 색깔의 빛이~백색소음이라고 합니다.'에서 '백색광'의 속성을 활용하여 발표 화제인 '백색소음'에 대한 이해를 돕고 있다.

오답풀이

① 발표자는 '백색소음에 대해 발표하겠'다며 발표 화제를 제시하고 있을 뿐, 발표 순서를 안내하며 발표를 시작하고 있지는 않다.
③ 발표자가 자신의 개인적 일화를 구체적으로 언급하고 있지는 않다.
④ 발표자는 청중에게 '그렇다면 백색소음이란 무엇일까요?', '그러면 백색소음에는 어떤 것이 있을까요?' 등의 질문을 던지고 있지만, 청중과 질의응답 시간을 따로 갖고 있지는 않다.
⑤ 발표자는 '제 발표가 백색소음의 이로운 면을 활용하는 데 도움이 되었으면 좋겠'음을 언급하고 있을 뿐, 발표 내용을 요약하며 발표를 마무리하고 있지는 않다.

2 ④ 정답률 **84%**

정답풀이

발표자는 백색소음을 '자연에서 나는 소리'와 '인공적인 소리'로 구분하여 설명하고 있으나, 각각의 소리가 집중력을 높이는 데 얼마나 효과적인지 비교하고 있지는 않다.

오답풀이

① 발표자는 '빗소리, 물 흐르는 소리, 선풍기 돌아가는 소리'와 같이 '주변에서 흔히 들을 수 있는 백색소음'을 제시하고 있다.
② 발표자는 백색소음을 '오랜 시간 듣게 되면 귀에 해로울 수 있으므로 주의가 필요'하다고 하며 백색소음으로 인한 부작용을 언급하고 있다.
③ 발표자는 '백색소음 역시 귀로는 각각의~하던 일에 집중할 수 있습니다.'라고 하며 백색소음이 귀에 거슬리지 않는 이유를 설명하고 있다.
⑤ 발표자는 '백색소음은 주변의 소리를 덮어주는 작용을 하기 때문에 집중력과 안정감을 높이는 것으로 알려져 있'다고 설명하고 있다.

3 ① 정답률 **82%**

정답풀이

발표를 들은 학생의 첫 번째 생각은 과학 시간에 배운 배경지식으로, 이는 발표 내용과 연관된 배경지식을 활용하며 듣는 전략을 사용한 것으로 볼 수 있다.(ㄴ) 학생의 두 번째 생각은 발표 내용과 관련된 증명 자료가 제시되지 않아 신뢰성이 떨어진다는 것으로, 이는 발표 내용의 신뢰성을 평가하며 듣는 전략을 사용한 것으로 볼 수 있다.(ㄱ)

[4~5] **화법**

4 ④ 정답률 **84%**

정답풀이

㉣에서 정민은 한 팀이라 든든하다는 아인의 말에 대해 자신의 부족한 점을 언급하며 상대를 칭찬하고 있으므로, 상대에게 미안한 마음을 전달하고 있다고 보기는 어렵다.

오답풀이

① ㉠에서 아인은 정민이 쓴 원고에서 흥미로웠던 부분에 대해 말하며 상대방의 원고 내용을 칭찬하고 있다.
② ㉡에서 정민은 아인의 칭찬에 대해 '부족한 부분이 많'다며 자신을 낮추면서 겸손하게 말하고 있다.
③ ㉢에서 정민은 아인의 의견에 대해 '발표 주제와 어울리지 않'는다는 문제점을 언급한 후, 설문조사를 활용하자는 상대의 의견을 일부 수용하여 '가고 싶은 우리 주변의 여행지 순위'를 알아보자고 제안하고 있다.
⑤ ㉤에서 아인은 '미안하지만 네가 괜찮다면 다음 주부터 시작해도 될까?'라고 상대방의 의사를 물어보며 일정에 대한 양해를 구하고 있다.

5 ⑤ 정답률 **76%**

정답풀이

〈보기〉에서 ⓐ(체계적 둔감화)는 '긴장감이 느껴지는 말하기 상황을 떠올리며 긴장된 근육을 이완시키는 연습을 통해 긴장감에 대한 신체의 반응을 둔화시키는 것'이라고 하였다. 이에 따르면 '발표를 상상하면서 심호흡을 천천히 반복'하고 '주먹을 여러 번 쥐었다 폈다 해 보는' 것은 몸의 긴장을 풀며 신체의 반응을 둔화시키는 ⓐ에 해당한다.

오답풀이

① 질문을 통해 '불안할 이유가 없다는 것을 알'게 되는 것은 〈보기〉에서 언급한 '발표 상황', 즉 '말하기 상황에 대한 부정적 인식을 긍정적으로 바꾸'는 인식 전환에 해당한다.
② '성공적으로 발표를 해낸 자신의 모습을 상상'해 보는 것은 인식 전환에 해당한다.
③ 발표 상황을 '친구들과 좋은 생각을 나누고 자신을 돋보이게 할 수 있는' 긍정적인 기회로 받아들여 보는 것은 인식 전환에 해당한다.
④ 발표를 '막상 시작하면 괜찮을 것이라고 생각'해 보는 것은 인식 전환에 해당한다.

[6~8] **작문**

6 ③ 정답률 **86%**

정답풀이

초고의 4문단에서 '셋톱박스, 인터넷모뎀, 에어컨 등' 대기전력이 많이 발생하는 가전제품을 소개하고 있을 뿐, 대기전력으로 인한 에너지 소비량을 제시하고 있지는 않다.

오답풀이

① 초고의 1문단에서 '그런데 우리가~사실을 알고 있을까?'라는 질문을 통해 대기전력에 대한 주의를 환기하고 있다.
② 초고의 2문단에서는 '대기전력이란~낭비되는 에너지를 말한다.'라며 대기전력의 개념을 설명하고 있다.
④ 초고의 3문단에서 가전제품의 '내부 전원이 살아 있기 때문'에 대기전력이 발생함을 언급하고 있다.

⑤ 초고의 5문단에서 가정에서 대기전력을 줄일 수 있는 세 가지 실천방안을 구체적으로 제시하고 있다.

7 ③ 정답률 **84%**

정답풀이

(나)-2는 초고의 5문단에서 언급했듯 '대기전력 저감 우수 제품'임을 나타내는 '에너지절약 마크'이다. 이는 멀티탭 사용의 중요성을 설명하는 것과는 상관이 없으므로 적절하지 않다.

오답풀이

① 주요 가전 기기의 평균 대기전력을 그래프로 보여 주는 (가)를 활용하여 대기전력이 발생하는 가전제품의 실태를 구체적인 수치로 보여 줄 수 있다.
② (나)-1의 전원 버튼에 표시되어 있는 마크를 활용하여 대기전력이 있는 제품과 없는 제품을 구별하는 방법, 즉 플러그를 뽑지 않아도 되는 가전제품을 구별하는 방법을 제시할 수 있다.
④ '플러그를 자주 뽑았다 꽂으면~근거가 없'다고 언급한 (다)를 활용하여 플러그를 자주 뽑았다가 꽂으면 전기 요금이 많이 나온다는 잘못된 인식이 대기전력을 발생시키는 원인이 된다는 점을 보충할 수 있다.
⑤ 초고의 5문단에서는 대기전력을 줄이는 방법으로 '외출이나 취침 전에 플러그를 뽑'는 것과 '에너지절약 마크가 있는' 제품을 구입하여 사용하는 것 등을 이야기하고 있다. 따라서 (나)-2의 에너지절약 마크와 '플러그를 뽑아 두는 것이~최고의 방법'이라고 언급한 (다)를 활용하여 대기전력을 줄이는 방안을 보충할 수 있다.

8 ① 정답률 **83%**

정답풀이

'가랑비에 옷 젖듯이', '가정에서~지름길이다.'라는 비유적 표현을 활용하고, 가정에서 플러그 뽑기나 절전형 멀티탭 사용과 같이 대기전력을 줄이는 생활 습관의 실천을 제안하는 내용을 담고 있으므로 적절하다.

오답풀이

②, ④ 가정 내 대기전력을 줄이는 방안을 담고 있으나, 비유적 표현을 활용하고 있지 않다.
③ '우리의 에너지 경제를 미소 짓게 한다.' '사소한 생활 습관이 에너지 절약의 디딤돌이 된다.'에서 비유적 표현을 활용하고 있으나, 가정 내 대기전력을 줄이는 생활 습관을 실천하자는 내용이 아니라 에너지 절약에 대한 내용을 담고 있다.
⑤ '가전제품의 효율 등급은 가전제품의 얼굴이다.'에서 비유적 표현을 활용하고 있으나, 가정 내 대기전력을 줄이는 생활 습관을 실천하자는 내용이 아니라 에너지 절약에 대한 내용을 담고 있다.

[9~10] 작문

9 ⑤ 정답률 **66%**

정답풀이

학생의 초고에는 보색을 통해 깨닫게 된, 균형을 잡는 삶의 중요성이 제시되어 있으나, 이러한 삶의 원칙을 함께 실천해 나갈 것을 적극적으로 권유하고 있지는 않으므로 적절하지 않다.

오답풀이

① 3문단의 '균형을 잡아야 하는 것은 우리가 살아가는 사회에서도 필요한 것 같다.'에서 보색을 통해 배운 원리를 사회적 차원으로 확장하고 있음을 알 수 있다.
② 3문단의 '생각해 보면 나 역시~하지 않았던 적도 있었다.'를 통해 자신의 경험과 연결하여 삶의 교훈을 이끌어 내고 있음을 알 수 있다.
③ 2문단의 '음식을 짜게 먹으면~힘이 작용하여 나타난 현상이다.'에서 우리 몸에 나타나는 현상을 보색의 원리와 연관 지으며 독자의 공감을 이끌어 내고 있음을 알 수 있다.
④ 1문단에서 보색의 원리가 적용된 사례로 '수술복'을 들며 독자의 이해를 돕고 있다.

10 ③ 정답률 **84%**

정답풀이

ⓒ(맞추려는)의 '맞추다'는 '어떤 기준이나 정도에 어긋나지 아니하게 하다.'라는 의미로, 문맥상 적절하게 쓰였다. 따라서 이를 '문제에 대한 답을 틀리지 않게 하다.'의 뜻을 가진 '맞다'의 사동사인 '맞히다'로 바꾸는 것은 적절하지 않다.

오답풀이

① 문장의 주어인 '가장 흥미로웠던 것은'에 서술어인 ㉠(이용했다)은 호응이 어색하므로, '이용했다는 점이다'로 고쳐 쓰는 것이 적절하다.
② ㉡(청록색은 우리 주위에서 가장 많이 볼 수 있는 색이다.)은 보색에 대해 설명하고 있는 글의 전체적인 흐름에 맞지 않는 문장이므로 삭제하는 것이 적절하다.
④ 문장에서 '받아들이다'의 필수 성분인 목적어가 없으므로 ㉣에 '나와 의견이 다른 친구의 생각을'을 추가하는 것이 적절하다.
⑤ ㉤(장시간 오래)에서 '장시간'과 '오래'는 그 의미가 중복되므로 '장시간'을 삭제하는 것이 적절하다.

[11~15] 문법(언어)

11 ① 정답률 **69%**

정답풀이

'물약'은 새로운 음운 'ㄴ'이 첨가되어 '[물냑]'이 되었다.(ㄱ) 이후 'ㄴ'이 앞말 받침 'ㄹ'의 영향으로 'ㄹ'으로 교체되는 유음화에 의해 [물략]으로 발음된다.(ㄴ) 즉 (ㄱ)은 '첨가', (ㄴ)은 '교체'에 해당한다.

12 ① 정답률 **87%**

정답풀이

'말겠다'의 '-겠-'은 어간 '말-'에 붙어 시험에 합격하겠다는 '나'의 ⓐ(의지)를 드러내고 있다.

오답풀이

②, ③ 이때의 '-겠-'은 가능성의 의미로 쓰였다.
④, ⑤ 이때의 '-겠-'은 화자의 추측을 드러내는 의미로 쓰였다.

13 ② 정답률 **59%**

정답풀이

〈보기〉의 '어리다[1]'은 문형 정보인 【…에】를 통해 목적어가 아닌 필수 부사어를 필요로 함을 알 수 있다.

오답풀이

① '어리다[1]'과 '어리다[2]'는 각각 ㉠, ㉡이라는 두 가지 이상의 의미를 가지고 있으므로 다의어에 해당한다.
③ '어리다[1]'과 '어리다[2]'는 형태는 같지만 의미가 서로 다른 동음이의 관계에 있다.
④ '입가에 미소가 어리다.'에서 '어리다'는 '어리다[1]'의 ㉡에 해당하므로 적절하다.
⑤ '어린 소견'의 '어린'은 '어리다[2]'의 ㉡에 해당하므로 적절하다.

14 ② 정답률 **82%**

정답풀이

'나는 철수에게 선물을 주었다.'에서 서술어 '주다'는 주어, 목적어, 부사어를 필수적으로 요구하는 성분으로, '철수에게'는 '빠지면 문법적으로 완전한 문장을 이루지 못'하는 ㉠('필수 부사어')에 해당한다.

15 ④ 정답률 **72%**

정답풀이

'나무꾼'은 어근 '나무'에 접미사 '-꾼'이 결합한 파생어이므로 적절하지 않다. 한편 '검붉다'는 '검다'의 어근 '검-'과 어근 '붉다'가 결합한 합성어이다.

오답풀이

① '치솟다'는 어근 '솟-'에 접두사 '치-'가 결합한 파생어이다.
② '밤하늘'은 실질적 의미를 지닌 어근 '밤'과 '하늘'이 결합한 합성어이다.
③ '지우개'는 어근 '지우-'에 접미사 '-개'가 결합한 파생어이고, '닭고기'는 어근 '닭'과 '고기'가 결합한 합성어이다.
⑤ '개살구'는 어근 '살구'에 접두사 '개-'가 붙은 파생어이고, '부채질'은 어근 '부채'에 접미사 '-질'이 결합한 파생어이다.

[16~18] **인문**

16 ⑤ 정답률 **75%**

정답풀이

1문단에서 '조선 왕조를 세운 신흥 사대부들'은 '강력한 중앙 집권 체제의 확립을 위해 국역 대상인 양인 계층의 폭을 넓히려 하였다.'라고 하였으므로, 노비의 수를 늘리는 것을 우선시하였다고 볼 수는 없다.

오답풀이

① 5문단에서 '반상의 반에는 중인이 들어가지 않'는다고 하였다.
② 4문단에서 '양인 중 수가 가장 많았던' 계층은 '평민 계층'이라고 하였다.
③ 4문단에 따르면 조선 사회의 구성원은 양반, 중인, 평민, 천민 계층의 네 부류로 나뉜다.
④ 6문단에서 '양천제라는 법제적 틀'에서 '사회 통념상 구분인 반상제'가 '규정 요소로 확고히 자리 잡는 방향으로 변화'한 것은 '지주제의 확대와 발전'을 나타내는 것이라고 하였다.

17 ① 정답률 **85%**

정답풀이

2문단에서 ㉠(양인) 남자는 '국역인 군역과 요역의 의무가 있었'으나, ㉡(천인)은 '군역에서 철저히 배제'되었다고 하였으므로 적절하지 않다.

오답풀이

② 3문단을 통해 ㉠은 '일단 관직 진출권이 있었'으나 ㉡은 관직 진출권이 원칙적으로 없었음을 알 수 있다.
③ 3문단에 따르면 ㉡에 속하는 노비는 '국가에 큰 공로를 세워 정규 관직인 유품직'을 받을 경우, ㉠이 되는 종량 절차를 거치게 된다.
④ 3문단에서 ㉠과 ㉡이 '인간의 기본권을 공권력으로 보장받을 수 있는지에서 뚜렷이 차이가 났'다고 한 것을 통해, 법적 지위 면에서 ㉠이 우월한 위치에 있었음을 알 수 있다.
⑤ 3문단에 따르면 ㉡은 '사는 곳을 옮길 자유가 없었'다.

18 ③ 정답률 **64%**

정답풀이

'채수'는 '역관, 의관을 권장하고 장려하고자 능통하고 재주가 있는 자'를 '동서 양반에 발탁하여 쓰라고' 한 임금의 명령에 반대하고 있다. 이때 채수가 '의관, 역관은 사대부 반열에 낄 수 없'는 '미천한 계급 출신'이라는 근거를 대는 것에서 '채수'의 의견에 5문단에서 언급한 '양반의 지배자적 위치를 돋보이게 하려는 의식'이 반영되었음을 확인할 수 있다.

오답풀이

① 4문단에 따르면 '의관 · 역관과 같은 기술관'은 '중인 계층'에 속하는 것으로, '채수'는 '의관, 역관은 사대부 반열에 낄 수 없'고 '사족이 아니라'고 하며 중인 계층이 사대부 반열에 끼는 것을 반대하고 있다. 따라서 '벼슬에는 높고 낮음이 있고 직책에는 가볍고 무거운 것이 있다고 한 것'이 '당시 모든 사회 구성원을 양인과 천인으로 나누려는 의도'라고 보기는 어렵다.
② 4문단에 따르면 '국가의 법적 구분'인 '양 · 천 구분'과 달리 '실제 사회 구성'은 '상급 신분층인 양반 계층, 의관 · 역관과 같은~중인 계층' 등으로 나뉜다. '채수'는 양천제를 바탕으로 계급을 나누어 이야기하고 있지 않으므로, '국가의 법적 규범인 양천제가 흔들릴 것에 대한 위기감을 드러낸 것'이라고 보기 어렵다.
④ 5문단에 따르면 조선에서 '양반은 정치 · 사회 · 경제 면에서 갖가지 특권과 명예를 독점적으로' 누린다고 하였다. '채수'는 양반의 권력을 중인에게 주는 것이 아니라, 중인 계층인 역관과 의관을 '양반에 발탁'하는 것에 대해 반대하고 있으므로 '양반들이 누려온 독점적 권력이 중인에게 집중될 것에 대한 불만을 표시한 것'이라고 보기는 어렵다.
⑤ 3문단에 따르면 '권리 면에서 양인과 천인'은 '인간의 기본권을 공권력으로 보장받을 수 있는지에서 뚜렷이 차이'가 나며, 이때 천인은 '노비'를 지칭한다. 즉 천인이 아니라면 인간의 기본권을 보장받을 수 있으므로, '채수'의 견해가 '신분에 따라 공권력으로 인간의 기본권을 보장받을 수 있는 범위에 대한 시각차를 보여준'다고 보기는 어렵다.

[19~22] **사회**

19 ⑤ 정답률 **80%**

정답풀이

4문단에 따르면 내림 경매 방식은 '네덜란드식 경매'로, 구매자가 아닌 '판매자가 높은 가격부터 제시'하여 경매가 시작된다.

오답풀이

① 1문단에서 '경매를 통한 가격 결정 방식'은 '해당 재화의 가치를 정확히 가늠할 수 없을 때 주로 사용된다.'라고 하였다.
② 3문단에서 오름 경매 방식은 '영국식 경매'로, '가장 높은 가격을 제시한 사람이 낙찰자가 되는 방식'이라고 하였다.
③ 1문단에서 '경매를 통한 가격 결정 방식은 수요자들이 해당 재화의 가치를 서로 다르게 평가'할 때 주로 사용된다고 하였다.
④ 2문단에서 경매는 '구매자와 판매자의 숫자가 극단적으로 불일치할 때 가격을 결정하는 유용한 방법'이라고 하였다.

20 ⑤ 정답률 **79%**

정답풀이

3문단에 따르면 ㉠(영국식 경매)은 '낮은 가격부터 시작해서 가장 높은 가격을 제시한 사람이 낙찰자가 되는 방식'이므로 적절하지 않다.

오답풀이

① 3문단에 따르면 ㉠은 '누가 어떠한 조건으로 경매에 응하는지를 공개적으로 진행'하는 '공개 구두 경매'이므로 경매에 참여한 사람이 경쟁자가 제시한 입찰 금액을 알 수 있다.
② 3문단에서 ㉠을 통해 '가격을 결정하고 있는 대표적 품목으로는' '최고급 생두'가 해당된다고 하였다.
③ 4문단에 따르면 ㉡(네덜란드식 경매)은 '판매자가 높은 가격부터 제시해 가격을 점점 낮추'는 방식이므로, 낙찰 가격이 경매에서 최초로 제시된 금액보다 높아질 수는 없다.
④ 3문단에 따르면 ㉠과 ㉡은 모두 '누가 어떠한 조건으로 경매에 응하는지를 공개적으로 진행'하는 '공개 구두 경매'이므로 재화의 낙찰 가격을 알 수 있다.

21 ② 정답률 **86%**

정답풀이

5문단에서 '최고가 밀봉 경매는 응찰자 중 가장 높은 가격을 적어 냈을 때 낙찰이 되는 것으로 낙찰자는 자신이 적어 낸 금액을 지불'한다고 하였다. 따라서 〈보기〉에서 ㉠은 가장 높은 가격을 적어 낸 A가 되고, ㉡은 A가 적어 낸 가격인 10만 원이 된다. 또한 '차가 밀봉 경매의 낙찰자 결정 방식은 최고가 밀봉 경매와 동일'하나, '낙찰자가 지불하는 금액은' '응찰자가 적어 낸 금액 중 두 번째로 높은 금액'이라고 하였다. 따라서 ㉢은 '최고가 밀봉 경매'와 마찬가지로 A가 되고, ㉣은 입찰에 참가한 A, B, C가 적어 낸 금액 중 두 번째로 높은 금액인 8만 원이 된다.

22 ③ 정답률 **86%**

정답풀이

ⓒ(지불)의 사전적 의미는 '돈을 내어줌. 또는 값을 치름.'이므로 적절하지 않다.

[23~27] **고전소설**

23 ④ 정답률 **77%**

정답풀이

2문단에서 '민중적 영웅소설은 미천한 처지에서 태어'난 주인공이 '적대자와의 싸움에서 패배하는 서사 구조로 이루어져 있다.'라고 하였다.

19회

오답풀이

① 4문단에서 '귀족적 영웅 소설'은 '유교적 가치관을 토대로 흥미 위주의 사건을 설정'했다고 하였다.
② 2문단에서 '민중적 영웅 소설은 작품 수가 많지 않다.'라고 하였으며, 4문단에서 '민중적 영웅 소설과 달리 귀족적 영웅 소설은' '소설로 대단한 성공을 거두어 그 유형에 속하는 작품이 수십 편이나 창작되었다.'라고 하였다.
③ 4문단에서 '민중적 영웅 소설'은 '선한 주인공'이 '승리하는 결말을 통해 도덕적 당위성을 확보하였다.'라고 하였다.
⑤ 3문단을 통해 '귀족적 영웅 소설은 고대 신화에서 「홍길동전」까지 내려온 영웅의 일대기 구조를 그대로 계승'하면서도 '부분적으로 달라'졌으며, 주인공의 '비정상적인 출생'도 변형되어 계승되고 있음을 알 수 있다.

24 ④ 정답률 61%

정답풀이

'명진 장졸 장수를 잃고~그 때 백성이 다 견디지 못하여 도망하더라.'에서 흉노가 명나라 장졸들과의 전투에서 연이어 승리하는 내용을 요약적으로 제시하며 사건의 전개 속도를 빠르게 하고 있다.

오답풀이

① (나)에서 내적 독백을 활용하여 인물의 갈등을 드러내고 있지는 않다.
② (나)에서 꿈과 현실을 교차하고 있지는 않다.
③ (나)에서 배경을 구체적으로 묘사하며 인물의 심리를 간접적으로 제시하지는 않았다.
⑤ (나)는 작품 밖에 위치한 전지적 위치의 서술자가 사건을 서술하고 있으므로, 장면에 따라 서술자를 달리한다는 설명은 적절하지 않다.

25 ③ 정답률 74%

정답풀이

[B]에서 노승은 공자에게 '칠 년을 동거'한 과거와 '인연'이 다한 현재의 상황을 언급하며, 대봉이 미래에 '부모를 만나고 국난을 평정'해야 함을 당부하고 있다.

오답풀이

① [A]에서 공자는 '칠 년을 의지'한 과거의 일을 언급하고 있으나, 경성에 올라가 공명을 이루라는 노승의 요청을 수용하고 있지는 않다.
② [B]에서 노승은 공자와의 '인연이 다하였'다고 말하며 자신의 요청을 상대방이 수락하도록 요청하고 있을 뿐, 상황의 불리함을 내세우지는 않았다.
④ [C]에서 흉노는 자신의 권위를 내세우고 있으나 상대방에게 굴복을 요구하는 것이 아니라, 중원의 인물 중 '나'와 '그대' 같은 명장이 없다고 하며 이루려고 하는 일에 대한 자신감을 드러내고 있다.
⑤ [C]에서 흉노가 '오늘은 비록~반드시 우리 천지 될 것'이라고 한 것을 미래 상황에 대한 예측으로 볼 수 있지만, 상대방의 태도 변화를 요구하고 있지는 않다.

26 ③ 정답률 57%

정답풀이

천자가 흉노의 공격을 피해 ⓒ(금릉)으로 피란한 것은 맞으나, 천자는 아직 대봉의 존재를 모르고 있었기 때문에 ⓒ에서 대봉을 기다렸다는 설명은 적절하지 않다.

오답풀이

① 대봉은 ⓐ(금화산)에서 '밤낮으로 공부를 부지런히' 하며 세상에 나아갈 능력을 갖추었다.
② 대봉은 ⓑ(농서)로 가는 도중 '천문을 살펴보니 북방 신성이 태극을 범하였'으므로, '북흉노가 중국을 범하는 줄 알'게 되었다.
④ 흉노는 ⓓ(기주성)에 쳐들어가 '인민의 쌀과 곡식을 노략질'하였고, 이로 인해 '백성이 다 견디지 못하여 도망'하게 되었다.
⑤ 명나라 군사는 ⓔ(상군읍)에서 흉노와의 전투에 패해 '성문을 열어 항복'하였다.

27 ② 정답률 60%

정답풀이

(나)에서 우승상 왕희와 병수상서 진택이 천자에게 항복을 권하는 것은 대봉이 적대자의 모해로 겪는 시련이 아닌 천자의 시련과 관련된다. 이때 대봉은 '청룡도를 들어 적장의 머리를 풀 버히듯 하'며 천자를 위기에서 구해내므로 적절하지 않다.

오답풀이

① (가)의 3문단에서 귀족적 영웅 소설의 주인공은 '왕권이 위협 당하는 지배 체제의 위기'를 해결한다고 하였다. 이에 따르면 (나)에서 대봉은 천자를 위협하는 흉노를 물리침으로써 지배 체제의 위기를 해결하는 모습을 보여 준다고 볼 수 있다.
③ (가)의 3문단에서 귀족적 영웅 소설의 주인공은 '조력자의 도움을 받아 영웅으로 변신'한다고 하였다. 이에 따르면 (나)에서 왕희의 참소로 시련을 겪은 뒤 대봉이 칠 년 동안 의지한 노승은 대봉의 조력자임을 알 수 있다.
④ (가)의 4문단에서 귀족적 영웅 소설은 '유교적 가치관을 토대로' 했다고 하였다. 이에 따르면 (나)에서 대봉이 천자를 구하고자 한 것은 유교적 가치인 충을 실천하는 행위로 이해할 수 있다.
⑤ (가)의 4문단에서 귀족적 영웅 소설은 '선과 악의 대결을 다루면서 긴장을 조성하였다.'라고 하였다. 이에 따르면 (나)에서 스스로 천자가 되려는 흉노와 대봉의 대결은 선과 악의 대결로, 당대의 독자들에게 긴장감을 불러일으켰을 것이라고 볼 수 있다.

[28~32] **과학**

28 ④ 정답률 80%

정답풀이

윗글은 인체의 노폐물을 몸 밖으로 배출하는 신장의 역할과 원리를 설명한 후, 인공 신장의 혈액 여과 원리를 제시하고 있다.

오답풀이

① 6문단에서 '혈액 속의 세포들과 분자량이 큰 단백질', '무기염류, 포도당'을 언급하고 있지만, 이러한 물질들의 기능이 무엇인지 설명하고 있지는 않다.
② 6문단에서 인공 신장에서 노폐물을 제거하는 원리에 대해 설명하고 있으나, 윗글에서 인공 신장의 발전 과정을 설명하고 있지는 않다.
③ 4문단에서 '신장 기능에 이상이 생기'면 발생하는 현상에 대해 설명하고 있지만, 이가 다른 장기에 미치는 영향을 살피고 있지는 않다.
⑤ 4문단에서 '신장 이식'을 언급하고 있지만, 그 방법이나 의학적인 한계, 이에 대한 대안을 제시하고 있지는 않다.

29 ⑤ 정답률 63%

정답풀이

1문단에서 '세포가 일을 하면서 생성하는 여러 가지 노폐물을' '인체 밖으로 내보내야' '몸이 늘 일정한 상태, 즉 항상성을 유지하게 된다.'라고 하였다.

오답풀이

① 2문단에 의하면 소변의 색이 노랗게 되는 것은 당이 섞여서가 아니라 '몸의 수분이 적'어 배출되는 소변에서 수분의 양이 줄었기 때문이다.
② 3문단에 의하면 '인체에 필요한 무기염류, 아미노산' 등은 '세뇨관에서 다시 모세혈관 속으로 재흡수'된다.
③ 3문단에 의하면 단백질은 분자량이 커서 사구체에서 여과되지 않는다.
④ 3문단에 의하면 사구체에서 걸러진 물질은 '보먼주머니에 모이고 이것이 세뇨관을 거쳐' 오줌으로 배설된다.

30 ③ 정답률 50%

정답풀이

2문단에 따르면 ㉠(신장)은 혈액 속 노폐물(요소 성분)을 걸러내어 오줌으로 내보내는 역할을 하고, 5문단에 따르면 ㉡(인공 신장)은 혈액 안에 있는 노폐물인 요소 등을 제거하는 역할을 한다.

오답풀이

① 2문단과 5문단에 따르면 ㉠은 인체에 수분이 적을 경우 수분을 재흡수하여 인체의 수분을 늘리기도 하나 ㉡은 인체의 수분을 늘리지는 않는다.

② 2문단과 5문단에 따르면 ㉠은 인체의 필요에 따라 포도당 등의 물질을 재흡수하기도 하나 ㉡은 노폐물을 걸러낼 뿐 재흡수하지는 않는다.
④ 3문단과 6문단에 따르면 ㉠은 '혈액의 압력 차이'로, ㉡은 '물질의 농도 차이'로 노폐물을 여과한다.
⑤ 5문단에 따르면 ㉡은 체내가 아닌 체외에서 혈액을 투석하는 기계이다.

오답률 Best 2

과학 지문이라서 지문을 읽으면서 무슨 내용인지 이해하기 어려웠을 수도 있어. 윗글은 '신장'과 '인공 신장'의 역할과 원리에 대해 설명하고 있지. 신장과 인공 신장은 모두 혈액 속 노폐물을 몸 밖으로 배출할 수 있도록 돕는 역할을 해. 다만 신장은 몸에 필요한 요소들을 다시 재흡수할 수 있지만 인공 신장은 불가능하다는 차이점이 있지. 오답 선지 중 ⑤번은 25%의 선택 비율을 보이는데, 5문단에서 인공 신장은 몸 안에 장착하여 계속 쓸 수 있는 게 아니라 체외(몸 바깥)에서 신장의 기능을 수행하는 혈액 투석 기라고 설명한 내용을 찾았다면 적절하지 않은 선지임을 잘 파악할 수 있었을 거야. ㉠, ㉡과 같이 지문 속의 특정 소재에 대해 묻는 문제는 앞뒤 정보를 꼼꼼하게 확인하며 풀어 보자!

31 ① 정답률 54%

정답풀이

6문단에 의하면 인공 신장은 '물질의 농도 차이'를 근본 원리로 삼아 노폐물 등을 제거하는데, 이때 혈액 속 노폐물인 요소가 '농도가 높은 곳에서 낮은 곳으로 이동'하는 성질을 활용하므로 혈액의 요소 농도가 높고 투석액은 농도가 낮아야 한다. 따라서 투석액인 ⓐ(투석액)와 ⓒ(투석액)의 요소 농도가 ⓑ(혈액)보다 낮다고 볼 수 있다.

오답풀이

② 6문단에서 '반투막을 사이에 두고 한쪽에는 혈액을 통과시키고 다른 한쪽에는 투석액을 통과' 시킨다고 한 것을 통해 알 수 있다.
③ 6문단에서 '무기염류, 포도당 등이 빠져나가지 않게 하려면, 반투막을 중심으로 양쪽이 같은 농도가 되도록 하면 된'다고 한 것을 통해 알 수 있다.
④ 7문단에서 '혈액과 투석액'은 '서로 반대 방향으로 흐르도록' 한다고 한 것을 통해 알 수 있다.
⑤ 6문단에서 '혈액 속의 세포들과 분자량이 큰 단백질 등은 반투막을 통과하지 못'한다고 한 것을 통해 알 수 있다.

오답률 Best 4

<보기>의 혈액 투석기가 복잡해 보이지만, 윗글의 내용과 대조하며 살펴보면 구조를 이해할 수 있으니 너무 겁먹지 마. 학생들이 가장 많이 선택한 오답 선지는 ③번이야. <보기>에서 무기염류, 포도당을 확인할 수 있지만, <보기>의 그림만 보고 선지를 판단해서는 안 돼. 지문에서 반투막을 중심으로 투석액과 혈액의 무기염류, 포도당의 농도가 같도록 한다는 내용을 찾아서 판단해야 바른 판단을 할 수 있거든. 이렇게 <보기>를 통해 지문에서 설명하는 대상의 구조나 원리 등을 그림으로 보여 주는 경우, 해당하는 지문의 내용을 찾아서 다시 한 번 꼼꼼하게 읽어 보며 <보기>의 그림과 대조하고 문제를 푸는 것이 좋아.

32 ① 정답률 78%

정답풀이

㉢의 '퍼지다'는 '어떤 물질이나 현상 따위가 넓은 범위에 미치다.'라는 의미로, '꽃향기가 방 안에 퍼져 있다.'의 '퍼지다'와 그 의미가 유사하다.

오답풀이

② '라면이 푹 퍼져서'의 '퍼지다'는 '끓이거나 삶은 것이 불어서 커지거나 잘 익다.'라는 의미이다.
③ '목적지에 도착하자 푹 퍼졌다.'의 '퍼지다'는 '지치거나 힘이 없어 몸이 늘어지다.'라는 의미이다.
④ '삼각주가 넓게 퍼져 있다.'의 '퍼지다'는 '끝 쪽으로 가면서 점점 굵거나 넓적하게 벌어지다.'라는 의미이다.
⑤ '전국에 널리 퍼지게 되었다.'의 '퍼지다'는 '수효가 많이 붇거나 늘다.'라는 의미이다.

[33~35] 예술

33 ④ 정답률 69%

정답풀이

윗글은 '베토벤의 「교향곡 5번」'에 대한 '토스카니니'와 '푸르트벵글러'의 음악 해석을 구체적인 사례로 들어 화제인 지휘자의 '음악 해석'에 대한 독자의 이해를 돕고 있다.

오답풀이

① 윗글에서 '음악 해석'의 역사적 변천 과정을 설명하고 있지는 않다.
② 윗글에서 낯선 개념인 '음악 해석'에 대해 설명하고 있지만, 이를 익숙한 대상에 빗대어 설명하고 있지는 않다.
③ 윗글에서 음악 해석에 대한 다양한 관점을 소개하면서 절충안을 모색하고 있지는 않다.
⑤ 윗글에서 '베토벤의 「교향곡 5번」'에 대한 '토스카니니'와 '푸르트벵글러'의 관점의 장 · 단점을 비교하고 있지는 않다.

34 ③ 정답률 77%

정답풀이

2문단에서 '작곡가가 아무리 악보를 정교하게 그린다 해도 작곡가는 연주자들에게 자신이 의도한 음악을 정확하게 전달해 낼 수 없'다는 '악보의 불완전성'으로 인해 다양한 음악 해석이 가능하게 되었다고 하였으므로, 작곡가가 악보에 자신의 의도를 정확하게 담을 수 있다고 이해하는 것은 적절하지 않다.

오답풀이

① 3문단~5문단에서 동일한 곡이 '지휘자의 관점에 따라 얼마나 다르게 연주될 수 있는지'에 대해 설명하고 있다.
② 2문단에서 '작곡가가 아무리 악보를 정교하게 그린다 해도 작곡가는 연주자들에게 자신이 의도한 음악을 정확하게 전달해 낼 수 없'다고 하였다.
④ 1문단에서 '지휘자와 오케스트라가 작곡가의 악보를 소리로 바꾸는 과정에서 '음악 해석'이라는 것이 이루어진'다고 하였다.
⑤ 1문단에서 지휘자는 '여러 가지 손동작과 표정, 몸짓 등'을 통해 연주자들에게 자신의 느낌을 전달한다고 하였다.

35 ④ 정답률 68%

정답풀이

〈보기〉에서 베토벤은 '제2주제 팡파르' 연주를 '목관 악기인 바순으로 연주하도록' 하였으므로, 악보에 충실한 음악 해석을 중요시하는 지휘자들은 바순으로 연주해야 한다고 주장했을 것이다.

오답풀이

① 〈보기〉에서 '베토벤 당시의 호른으로는 재현부에서 C장조로 낮아진 제2주제의 팡파르를 연주할 수 없'어서 '호른과 음색이 가장 유사한 목관 악기인 바순으로 연주하도록 했'다는 것을 통해 베토벤은 당시 악기의 한계 때문에 자신이 의도한 바를 정확하게 구현하지 못했을 것임을 알 수 있다.
② 4문단과 5문단에 따르면 토스카니니는 '정확하고 무자비하기로 유명한 지휘자'로서 '악보에 충실하고자 했'으므로, 베토벤이 악보에 적어 놓은 그대로 바순으로 연주하는 데 동조했을 것이다.
③ 1문단에서 '음악 해석'은 '지휘자와 오케스트라가 작곡가의 악보를 소리로 바꾸는 과정'에서 일어나는 것이라고 하였다. 또한 6문단에 따르면 '음악에선 틀린 음을 연주하는 것 이외에 틀린 것이란 없'고 '다른 것'일 뿐이므로, 음악 해석에 따라 〈보기〉에서 제2주제 팡파르를 연주하는 악기로 언급한 바순이나 호른 이외의 악기로 연주하는 지휘자도 있을 수 있다.
⑤ 윗글의 글쓴이는 6문단에서 악보 그대로 연주한 토스카니니나 음악을 주관적으로 해석한 푸르트벵글러에 대해 '틀린 것이 아니라 다른 것'이라고 하였으므로, 바순과 호른 중 어느 악기로 연주해도 틀렸다고 생각하지 않을 것이다.

[36~39] **현대수필+현대시**

36 ④ 정답률 68%

정답풀이

(나)는 '우리가 눈발이라면' 등을 반복하고, (다)는 '~을 보아라.', '쓰러지고' 등을 반복하여 시적 의미를 강조하고 있다.

오답풀이

① (가)에는 계절적 배경을 드러내는 소재가 나타나지 않는다. 한편 (나)에서는 '눈발', '진눈깨비', '함박눈' 등을 통해 겨울이라는 계절적 배경이 드러나지만, 이를 통해 경건한 분위기가 형성되지는 않는다.
② (가)와 (다) 모두 구체적 지명이 제시되어 있지는 않다.
③ (가)에서 대상을 의인화하여 말을 건네고 있지는 않다. (다)에서는 벼를 의인화하고 있지만, 이렇게 의인화된 대상에게 말을 건네고 있지는 않다.
⑤ (다)는 '이 넉넉한 힘…….'에서 명사형으로 시상을 마무리하며 여운을 주고 있지만, (나)는 명사형으로 시상을 마무리하지 않았다.

37 ⑤ 정답률 80%

정답풀이

ⓜ('깊고 붉은 상처')은 '그이', 즉 사람이 겪는 시련과 고난을 의미하는 것이므로, 화자에게 그리움을 불러일으키는 매개체라고 볼 수는 없다.

오답풀이

① ㉠(파도)은 인생을 항해에 빗댄 것과 관련하여, 삶에서 헤쳐 나가야 하는 고난을 의미한다고 볼 수 있다.
② ㉡(무서운 사막)은 '친구 없이 사는 일'과 같은 의미를 지니며, 글쓴이에게 있어 부정적 의미를 지닌 공간으로 볼 수 있다.
③ ㉢(진눈깨비)은 '되지 말자'라고 하며 '함박눈이 되어 내리자.'라고 한 것을 고려하면 ㉢과 '함박눈'은 대조적인 의미를 지녔다고 볼 수 있다.
④ ㉣(함박눈)은 '함박눈이 되어 내리자.'를 고려하면 '편지가 되고', '새살이 되자'와 함께 화자가 추구하는 삶의 모습으로 볼 수 있으므로, '편지', '새살'처럼 세상에 필요한 존재라고 볼 수 있다.

38 ③ 정답률 80%

정답풀이

(가)에서 글쓴이는 [B](학창 시절 이후)와 관련하여 '언젠가 친구가 사업에 실패해서~친구 옆에서 땅을 일구는 사람을 만난 적이 있었다.'라고 하였다. 즉 글쓴이가 사업에 실패해서 낙향한 친구와 함께 한 경험을 이야기한 것이 아니라, 그런 사람을 만난 적이 있었다고 말한 것이므로 적절하지 않다.

오답풀이

① (가)에서 글쓴이는 [A](학창 시절)와 관련하여 신학기 때 '마음으로 간절히 원했던 친구는 거의 언제나 다른 반으로 가 버'려서 낯섦과 외로움을 느꼈다고 하였다.
② (가)에서 글쓴이는 [B]의 상황에서 '사랑하고 믿어 주는 것보다~황폐한 세상살이에 낮가림하며 사는 나날 속으로 내던져지고 말았다.'라고 하며 [A]보다 세상살이가 더 힘들다는 것을 절감하고 있다.
④ (가)에서 글쓴이는 [B]에서 '동반자라는 느낌이 전해져 오는' 친구와 우정을 나누고 있는 이들이라면, '적어도 실패한 삶은 아니라고 단정할 수 있는 것이다.'라고 생각하고 있다.
⑤ (가)에서 글쓴이는 [B]의 경험, 즉 힘든 인생의 항해를 하면서 영혼을 나눌 친구와 함께하는 사람들을 통해 '친구 없이 사는 일만큼 무서운 사막은 없다고.'라는 [C](깨달음)를 얻게 된다.

39 ② 정답률 79%

정답풀이

〈보기〉에서 (다)는 '벼의 속성을 민중과 연결시켜 희생과 인내를 통해 고난에 대응하는 민중의 강인한 생명력을 보여' 주며, 이를 통해 '고통스러운 현실에 분노와 절망을 느끼면서도 자신의 내면을 다스리'는 공동체 의식을 보여 준다고 하였다. 이를 참고하면, ⓑ(인내심)는 '이웃들에게 저를 맡긴다.'가 아니라, 자신의 서러운 마음과 노여움을 씻고 덮는 모습인 '가을 하늘에도 / 서러운 눈 씻어 맑게 다스릴 줄 알고 / 바람 한 점에도 / 제 몸의 노여움을 덮는다.'에서 드러난다고 보는 것이 적절하다.

오답풀이

① '서로 어우러져 기대고 산다.'는 함께 의지하며 어우러져 살아가는 벼(민중)의 모습으로, 이를 통해 ⓐ(공동체 의식)가 드러난다.
③ '서로가 서로의 몸을 묶어 / 더 튼튼해진 백성들'은 연대와 단결을 통해 큰 힘을 발휘하는 모습으로, 이를 통해 ⓒ(단결력)가 드러난다.
④ '벼가 떠나가며 바치는 / 이 넓디넓은 사랑'은 벼가 떠나가며 바치는 희생적 사랑으로, 이를 통해 ⓓ(희생 정신)가 드러난다.
⑤ '쓰러지고 쓰러지고 다시 일어서서'는 외부의 고난에도 굴하지 않고 다시 일어나는 모습으로, 이를 통해 ⓔ(생명력)가 드러난다.

[40~42] **현대소설**

40 ⑤ 정답률 55%

정답풀이

아버지는 '쥐들이 다닐 것 같은' 을씨년스러운 ⓐ(사무실)에서 '가냘픈 표정'으로 식구들을 부양하기 위해 일을 한다. '나'는 ⓐ를 방문한 이후 '〈나의 산수〉와 같은 게 생겨'나 '열심히 알바를 하고 돈을 모으기 시작'하며 ⓑ(전철역)에서도 아르바이트를 하고 있으므로, ⓑ에서 '나'가 자신이 처한 현실에 절망감을 느끼고 있다고 보기는 어렵다.

오답풀이

① '나이 마흔다섯에 시간당 삼천오백 원'을 받는 아버지는 을씨년스러운 ⓐ에서 '가냘픈 표정'으로 사무를 보고 있다. 따라서 ⓐ는 아버지의 초라한 삶이 나타나는 공간이라고 볼 수 있다.
② '나'는 아버지께 도시락을 드리기 위해 ⓐ를 방문하며 아버지의 삶을 보게 되고, 그 순간 '마음 속에 〈나의 산수〉와 같은 게 생겨'나게 된다. 그 이후 '나'가 '열심히 알바를 하고 돈을 모으기 시작'하는 것을 통해, ⓐ에서 본 아버지의 모습은 '나'가 정신적으로 성장하는 계기가 되었음을 알 수 있다.
③ ⓑ는 아버지가 출근을 하고, '나'는 아르바이트를 하는 현실적 공간과 '나'가 '기린'이 된 아버지를 만나는 환상적 공간이 섞여 있는 곳이다.
④ '나'는 ⓐ에서 아버지의 삶을 확인하게 되고, 아버지는 ⓑ에서 지하철 푸시맨(승객 밀어넣기 인부) 아르바이트를 하는 '나'의 삶을 보게 된다.

오답률 Best ⑤

이 문제에서 정답 다음으로 선택 비율이 높았던 선지는 ③번이야. 윗글에서 '나'는 단정한 타킹내의 양복을 입고 플랫폼의 이곤저곤을 천천히 거닐고 있는 기린을 발견해. 그런데 이런 일은 현실에서 볼 수 없는 사건이지. 현대소설에서 이러한 환상적인 요소가 등장하는 경우는 많이 없기 때문에, 지문을 읽던 학생 중에서 '기린'의 정체가 무엇인지, 또 어떤 것을 형상화하는지 이해하기가 어려웠을 수 있어. 하지만 너무 걱정할 필요는 없어. 이 문제는 '기린'이 무엇을 상징하는지 파악할 수 없어도 정답 선지를 고를 수 있거든. 윗글의 내용을 통해 전철역은 아버지와 '나'가 생계를 유지하기 위해 일을 하는 현실적 공간이자 동시에 '나'가 양복 입은 '기린'을 만나는 환상적 공간이라는 점 정도만 파악하면 돼.

41 ① 정답률 67%

정답풀이

'나'는 경찰과 대화를 나누다가 ㉠에서 아버지가 사라진 날에는 이전과는 다르게 처음으로 다음 번 지하철을 타겠다고 하셨음을 떠올린다. 즉 '나'는 당시에는 아버지의 그런 행동을 '힘드신가 보다.'라고 쉽게 생각했지만, 경찰과 대화를 나누면서 그날 아버지의 행동이 평상시와 달랐음을 눈치채게 된 것이다.

오답풀이

② 경찰은 ㉡에서 '나'의 아버지의 실종에 대해 '요즘 그런 사람들이 꽤 있다는' 형식적인 위로를 하고 있을 뿐, 큰 관심을 두고 있지는 않다.
③ ㉢에서 '나'는 어머니의 의식이 돌아왔다는 사실보다는 어머니가 퇴원을 해서 더 이상 병원비를 부담하지 않아도 된다는 사실이 기뻐서 울었다고 서술하고 있다.
④ ㉣에서 '나'는 이전보다 집안의 경제 사정이 나아져 '유사한 산수를 할 수 있단 것', 즉 남들과 비슷한 삶을 살게 되었다는 사실에 스스로 위안을 얻고 있을 뿐, 자부심을 드러내고 있다고 보기는 어렵다.

⑤ '나'는 '기린이 아버지란 생각'에 기린에게 다가가 옆에 앉는다. ⓔ에서 '나'는 기린이 '이쪽을 쳐다보지도 않는'데 '이상하게도' 눈물이 난다고 하고 있을 뿐이므로, 기린 즉 아버지가 나를 냉정하게 외면하고 있다고 보거나 그에 대한 원망의 심리를 드러냈다고 보기는 어렵다.

42 ⑤ 정답률 53%

정답풀이

〈보기〉에서 아버지는 '현실의 무게에 짓눌려 자신만의 '산수'조차 감당하지 못하고 현실로부터 도피'한다고 하였다. 하지만 '나'는 전철역에서 푸시맨 아르바이트를 하며 자신만의 산수를 최대한 감당하려는 모습을 보여 주고 있으므로 적절하지 않다.

오답풀이

① 〈보기〉에서 아버지는 '현실의 무게에 짓눌려 자신만의 '산수'조차 감당하지 못하고 현실로부터 도피'한다고 하였다. 따라서 윗글에서 '나'의 아버지가 사라진 것은 자신이 책임져야 할 현실의 무게를 감당하지 못하고 그로부터 도피한 것으로 볼 수 있다.
② 〈보기〉에서 아버지는 '현실의 무게에 짓눌려 자신만의 '산수'조차 감당하지 못하고 현실로부터 도피'하는 인물이라고 하였다. 이를 고려하면, 윗글에서 아버지가 실종된 후 '아버지의 회사를 상대로 밀렸던 두 달치 임금을 받아'내고 '할머니를 관인 '사랑의 집'에 보내'고 아버지를 찾기 위해 '경찰서', 어머니를 간병하기 위해 '병원'을 꾸준히 오가며 일까지 하는 '나'의 모습은 자신의 몫도 감당하지 못한 아버지의 가출로 인해 '나'가 집안에서 해야 할 일이 더 많아져 감당해야 하는 삶의 무게가 더 무거워졌음을 보여 주는 것이라고 할 수 있다.
③ 〈보기〉에서 살벌한 현실 속 '무한 경쟁의 시대에 적응하지 못한 자는 아무도 신경 쓰지 않는 '기린'으로 살아'간다고 하였다. 이를 참고하면 윗글에서 '나'가 플랫폼에서 발견한, 사람들이 '그닥 신경을 쓰지 않는 존재'인 '기린'은 경쟁의 시대에서 적응하지 못하고 아무도 신경 쓰지 않는 존재인 아버지의 모습을 상징적으로 나타낸다고 볼 수 있다.
④ 〈보기〉에서 '짐짝처럼 '푸시맨'이 밀면 밀리'는 인간은 혼잡한 전동차 안으로 밀려 '들어가야 현실과 연결될 수 있'는 존재라고 하였다. 따라서 윗글에서 '나'가 미는 대로 전동차 안으로 밀려 들어가는 아버지의 모습은 어쩔 수 없이 현실 속으로 들어가야만 하는 현대인의 모습을 보여 준다고 할 수 있다.

오답률 Best ❸

이 문제에서 정답 다음으로 선택 비율이 높았던 선지는 ②번이야. 윗글은 인물의 대화가 큰따옴표로 표시되어 있지 않고, '나'의 내면 의식에 따라 사건이 전개되고 있으며 '기린'이라는 환상적 요소가 등장하여 학생들이 쉽게 내용을 이해하기 어려운 지문이었어. 이럴 때에는 42번 문제의 <보기>와 같이 작품의 내용을 설명한 작가의 말을 잘 활용해 봐. 지문의 내용을 이해하는 데 도움을 얻을 수도 있거든. 윗글에서 '나'의 아버지는 삶의 무게를 버티지 못하고 도피한 사람이야. 이를 <보기>에서는 자신만의 '산수'조차 감당하지 못한 사람이라고 설명하고 있지. 이러한 아버지의 실종으로 '나'는 가장을 잃고 아버지의 임금을 받는 일이나 할머니에 대한 일로 피로한 나날을 보내지. 따라서 '아버지'의 가출로 '나'가 감당해야 하는 삶의 무게가 더 무거워졌다고 볼 수 있는 거야.

[43~45] 고전시가

43 ② 정답률 56%

정답풀이

(가)에서는 '모르도다', (나)에서는 '닳으리라'와 '슬퍼하노라', (다)에서는 '속였구나'와 '하괘라'와 같은 영탄적 표현을 통해 시적 상황에 대한 화자의 정서를 부각하고 있다.

오답풀이

① (다)의 '워렁충창'에서 청각적 심상을 활용하였으나 이를 통해 애상적 분위기를 조성하고 있지는 않으며, (가)와 (나)에서 청각적 심상을 활용하고 있지는 않다.
③ (다)의 '모처라~남 웃길 뻔 하괘라'에서 자신을 비웃는 듯한 자조적 어조가 드러난다고 볼 수 있으나 이를 통해 자책감을 드러내고 있지는 않으며, (가)와 (나)에서 자조적 어조는 나타나지 않는다.
④ (가)~(다) 모두 역설적 표현은 나타나지 않는다.
⑤ (가)와 (다)에서 가정적 상황을 제시하고 있지는 않다. 한편 (나)에서는 '꿈에 다니는 길이 자취가 남는다면'에서 가정적 상황을 제시하고 있지만, 이를 통해 미래가 나아질 것이라는 기대감을 드러내지는 않는다.

44 ⑤ 정답률 61%

정답풀이

(나)의 화자는 꿈에서라도 임을 만나고 싶은 그리움을 노래하고 있으며, '꿈에 다니는 길'은 흔적이 남지 않기 때문에 임이 화자의 마음을 알지 못할 것임을 슬퍼하고 있을 뿐, 임에 대한 원망의 정서를 드러낸 것은 아니다.

오답풀이

① (가)의 화자는 방 안에 켜져 있는 촛불을 바라보며 '저 촉불 날과 같'다고 하고 있다. 이때 '겉으로 눈물 지고'는 촛농이 흘러내리는 모습을 비유한 것으로 화자의 슬픔을 형상화한다고 볼 수 있다.
② (가)의 화자는 촛농이 떨어지는 모습을 보고 '저 촉불 날과 같아서'라며 자신과 동일시하고 있다.
③ (나)의 화자는 임이 부재한 상황에서 임을 그리워하고 있으며, '꿈'에서라도 '님의 집 창 밖에 석로'가 닳도록 님을 찾아가고 있으므로, '꿈'에는 화자의 소망이 투영되어 있다고 볼 수 있다.
④ (나)의 화자는 꿈에서 '님의 집'을 '석로'가 닳을 정도로 수없이 많이 찾아갔다고 이야기하고 있으므로, '닳으리라'에서 임에 대한 화자의 간절한 그리움이 드러난다고 볼 수 있다.

45 ② 정답률 48%

정답풀이

〈보기〉에서 사설시조는 '실생활 소재들을 활용'했다고 하였다. (다)에서 활용한 '버선'과 '신'이 일상에서 흔히 볼 수 있는 소재는 맞지만, 이를 통해 임의 소중함을 상징적으로 드러내고 있지는 않으므로 적절하지 않다.

오답풀이

① 〈보기〉에서 사설시조는 '다양한 표현 기법을 활용하여 대상을 생동감 있게 그려 냈'다고 하였다. '주추리 삼대'를 임으로 착각하고 임을 만나기 위해 뛰어가는 화자의 행동을 나타내는 음성 상징어인 '곰븨님븨', '천방지방'에서 이를 확인할 수 있다.
③ 〈보기〉에서 사설시조는 '해학성'을 특징으로 한다고 하였다. 화자가 '주추리 삼대'를 임으로 착각하여 달려가는 모습에서 해학성을 확인할 수 있다.
④ 〈보기〉에서 사설시조는 '중장이 제한 없이 길어졌'다고 하였다. (다)에서 임을 그리워하는 마음을 구체적 행동으로 표현하면서 중장이 길어졌음을 확인할 수 있다.
⑤ 〈보기〉에서 사설시조는 '애정을 서슴없이 표현하려는 대담성'을 특징으로 갖는다고 하였다. 화자가 '진 데 마른 데 가리지' 않고 임에게 달려가서 '정엣말'을 하려는 모습에서 애정을 적극적으로 표현하는 대담성을 확인할 수 있다.

오답률 Best ❶

45번 문제는 <보기>에서 사설시조의 특징을 제시하고, 이를 참고하여 (다)를 감상하는 문제였고 정답 선지 외에 선지 선택 비율이 거의 비슷하게 나타났어. 학생들이 문제를 풀 시간이 부족해서 나머지 선지들을 비슷한 비율로 선택한 듯해. 화자가 임을 만나기 위해 달려가면서 '버선'을 벗어 품에 품고, '신'을 벗어 손에 쥔 것은 '버선'과 '신'이 임의 소중함을 상징해서가 아니라, 화자가 '진 데 마른 데' 신경쓰지 않고 임에게 달려가고자 했기 때문이야.

19회

20회 2017학년도 3월 학평

1. ③	2. ③	3. ⑤	4. ⑤	5. ③	6. ②	7. ③	8. ⑤	9. ②	10. ①
11. ④	12. ④	13. ①	14. ⑤	15. ①	16. ⑤	17. ①	18. ③	19. ②	20. ①
21. ③	22. ②	23. ③	24. ①	25. ④	26. ③	27. ③	28. ①	29. ⑤	30. ①
31. ⑤	32. ③	33. ②	34. ④	35. ⑤	36. ⑤	37. ④	38. ④	39. ④	40. ①
41. ②	42. ②	43. ②	44. ⑤	45. ②					

오답률 Best 5

[1~3] 화법

1 ③ 정답률 87%

정답풀이

[B]에서 '부원 1'은 독서가 우리 동아리 목적에 적합한지 묻는 '부원 3'의 질문에 '동아리 목적과 다소 거리가 있'지만 '독서를 통해 환경에 대해 아는 것도 의미 있'다고 답했다. 따라서 '부원 1'이 작년의 활동을 토대로 독서가 동아리 활동으로 적합한 이유를 설명하고 있다고 볼 수는 없다.

오답풀이

① [A]에서 '부원 1'은 '거리도 멀'고 '활동할 수 있었던 시간도 부족했'다는 점을 작년 동아리 활동의 문제점으로 제시하며, 학교 안에서의 독서 활동을 제안하고 있다.
② [A]에서 '부원 2'는 '환경 문제에 대한 관심을 높일 수 있'고 '학교도 깨끗해질 수 있'다는 긍정적인 결과를 근거로 텃밭 가꾸기 활동을 올해 동아리 활동으로 제안하고 있다.
④ [B]에서 '부원 3'은 '환경에 대해 아는 것이 중요하다고는 생각한다'며 '부원 1'의 의견에 부분적으로 동의하면서도, 동아리가 '우리가 직접 참여하고, 실천하는 환경 관련 활동을 목적'으로 만들어졌음을 언급하면서 독서 활동이 적합하지 않다고 생각하고 있다.
⑤ [B]에서 '부원 4'는 '부원마다 읽고 싶은 책도 다르고 읽는 속도도 달라서 같은 책을 동시에 읽기 어'렵다는 점을 독서 활동의 문제점으로 거론하며, '이를 해결할 좋은 방법이 있'는지 '부원 1'에게 질문하고 있다.

2 ③ 정답률 81%

정답풀이

'부장'은 '이제 의견을 말씀해 주시기 바랍니다.', '다른 의견 없으십니까?', '그럼 독서 활동부터 질문을 받도록 하겠습니다.', '다음은 텃밭 가꾸기에 대해 질문을 받도록 하겠습니다.' 등의 발화를 통해 토의 참여자들이 발언할 수 있는 토의 환경을 조성하고 있다. 그러나 참여자들의 발언 기회를 제한하는 부분은 확인할 수 없다.

오답풀이

① '부장'은 '우리 '자연 사랑' 환경 동아리는 매년 동아리 첫 시간에 그 해 어떤 활동을 할지 토의합니다.'에서 토의를 하게 된 배경을 설명하고 있다.
② '부장'은 '올해는 어떤 활동이 좋을지에 대해 논의해 봅시다.'에서 논의할 주제를 안내하고 있다.
④ '부장'은 '독서를 통해 환경 관련 공부를 하자는 의견과 운동장 옆 공터를 텃밭으로 가꾸자는 의견이 나왔습니다.'에서 토의 참여자들의 발언 내용을 정리하고 있다.
⑤ '부장'은 '먼저 활동에 대한 제안을 들은 후 부원들의 질의를 받고, 투표를 통해 활동을 정하도록 하겠습니다.'에서 토의 진행 절차를 소개하고 있다.

3 ⑤ 정답률 90%

정답풀이

㉮에는 '텃밭을 가꾸는 과정에서 우리가 배울 수 있는 것은 무엇'인지 묻는 '부원 4'의 질문에 대한 '부원 2'의 답변이 제시되어야 한다. '부원 2'가 찾은 자료에는 텃밭을 가꾸는 데 있어서 개인이 해야 할 일과 함께 해야 할 일이 분담되어 있고, 이를 통해 책임감과 협동심을 기를 수 있음이 제시되어 있다. 따라서 ㉮에는, '텃밭의 구역을 나누어서 자신이 맡은 구역을 가꾸고 협업이 필요한 일은 함께 한다면, 책임감과 협동심을 배울 수 있을 것입니다.'가 들어가는 것이 적절하다.

오답풀이

① 자료에서 텃밭을 가꾸는 과정을 기록하는 것과 관련된 내용은 찾을 수 없다.
② 자료에서 '함께 힘을 합하는 과정에서 협동심을 기를 수 있다.'라고 하였으므로, 희망하는 사람들만 텃밭을 가꾸기로 할 때 자발성을 배울 수 있다는 답변이 ㉮에 들어가는 것은 적절하지 않다.
③ 자료에서 독서 활동과 텃밭 가꾸기 활동의 연관성을 언급하고 있지는 않다.
④ 자료에서는 텃밭 운영 시 책임감과 협동심을 기를 수 있다는 효과를 언급하고 있다. 따라서 텃밭 운영을 통해 지지대 세우기나 천연 비료를 만드는 방법을 배울 수 있다는 것이 ㉮에 들어갈 가장 적절한 답변이라고 보기는 어렵다.

[4~5] 화법

4 ⑤ 정답률 79%

정답풀이

발표자는 '현명한 멘토, 성실한 멘티가 되기 위해 모두 노력한다면 우리 반의 학급 멘토링 프로그램도 잘 정착할 것이라고 생각'한다고 말하며 발표를 마무리하고 있을 뿐, 발표 내용에 대해 청중이 제대로 이해하고 있는지 점검하면서 발표 내용을 요약하고 있지는 않다.

오답풀이

① 발표자는 '우리 반에서 실시하고 있는 멘토링'이라는 청중과 공유하는 경험을 환기하며 발표를 시작하고 있다.
② 발표자는 청중이 가질 수 있는 의문을 해소하기 위해 '멘토'라는 용어의 유래와 의미를 해설하고 있다.
③ 발표자는 발표의 화제인 '멘토'에 대해 설명하기 위해 이와 관련이 있는 『오디세이』의 이야기를 소개함으로써 청중이 발표 내용에 흥미를 갖도록 하고 있다.
④ 발표자는 '여러분, 우리 반에서 실시하고 있는 멘토링에 대해 아시지요?', ''멘토'라는 말은 어떻게 생겨났을까요?', '그런데 멘토라는 말의 정확한 뜻을 아시나요?' 등의 질문을 통해 청중과 상호 작용하여 청중의 반응을 살피거나 청중이 발표 내용에 주의를 집중할 수 있도록 하고 있다.

5 ③ 정답률 91%

정답풀이

'청중 3'은 발표에서 언급되지 않은 '스승을 뜻하던 멘토라는 말이 오늘날 다른 의미로도 쓰이게 된 계기'를 조사해 보겠다고 하고 있으므로, '청중 3'이 발표 내용과 관련하여 추가 정보를 수집하려고 한다고 볼 수 있다.

오답풀이

① '청중 1'은 발표자가 주제를 선정한 계기에 대해 평가하고 있을 뿐, 표현 방식에 대해서는 평가하지 않았다.

② '청중 2'는 발표에서 언급된 『오디세이』와 관련된 자신의 경험을 떠올리고 있을 뿐, 발표에서 활용한 자료의 신뢰성을 점검하고 있지는 않다.
④ '청중 1'은 발표의 계기가 '우리 반의 멘토링 프로그램'이라는 본인의 생각을 제시하고 있을 뿐, 그 동기에 공감하고 있지는 않다. 한편 '청중 3'은 발표의 동기에 대해 언급하고 있지 않다.
⑤ '청중 2'와 '청중 3' 모두 발표에 대한 각자의 생각을 이야기하고 있을 뿐, 발표 내용이 사실인지 발표자의 의견인지 구분하고 있지는 않다.

[6~8] 작문

6 ② 정답률 84%

정답풀이

1문단의 '급식의 질에 대한 학생 만족도도 높은 편이다.'에서 급식 만족도에 대해 언급하고 있으나, 설문지를 함께 인용하고 있지는 않다. 따라서 학생들을 대상으로 급식 만족도를 조사하고 그 결과를 설문지와 함께 인용하겠다는 생각(ⓑ)이 반영되었다고 보기 어렵다.

오답풀이

① 1문단의 '작년부터 급식 도우미 활동을 하면서 ~알게 되었다.'에서 급식 도우미로 활동했던 경험을 언급하면서 글을 시작해야겠다는 생각(ⓐ)이 초고에 반영되어 있음을 확인할 수 있다.
③ 2문단의 '한 끼의 식사에 담긴~생각할 수밖에 없다.'에서 잔반 문제의 원인을 음식에 대한 학생들의 태도와 관련해서 언급해야겠다는 생각(ⓒ)이 초고에 반영되어 있음을 확인할 수 있다.
④ 3문단에서 자발적인 급식 도우미 활동 동참, 다른 학교의 성공 사례 참고, 잔반 없는 날 운영 방식 개선 등을 잔반 문제의 해결책으로 언급하며, 각각의 경우에 예상되는 긍정적인 결과인 음식을 대하는 태도 변화, 잔반 줄이기 등을 제시하겠다는 생각(ⓓ)이 초고에 반영되어 있음을 알 수 있다.
⑤ 3문단의 '여러분의 적극적인 참여가 절실하다.'에서 학생들의 적극적인 참여를 촉구하는 내용으로 글을 마무리해야겠다는 생각(ⓔ)이 초고에 반영되어 있음을 확인할 수 있다.

7 ③ 정답률 83%

정답풀이

〈보기〉의 (나)에서 영양교사는 학생들이 잔반을 많이 남기는 것에 대한 안타까움을 드러냈을 뿐, 자율 배식이 잔반 문제의 원인이라고 하지는 않았다. 따라서 2문단에서 자율 배식이 잔반 문제의 주요 원인이라는 내용의 근거로 (나)를 활용하는 것은 적절하지 않다.

오답풀이

① 〈보기〉에서 (가)-1에 제시된 수치는 잔반량과 처리 비용이 많다는 내용을 뒷받침하므로, '잔반의 양이 많다는 사실'을 언급하고 있는 1문단을 뒷받침하는 자료로 활용하기에 적절하다.
② 〈보기〉에서 (가)-2에 제시된 그래프는 '잔반 없는 날'에 잔반량이 줄어드는 것이 일시적이라는 사실을 보여주고 있으므로, 2문단에서 '잔반 없는 날'의 효과가 일시적으로 발휘된다는 근거로 활용하기에 적절하다.
④ 〈보기〉의 (다)에서 잔반 줄이기를 통해 잔반 처리 비용을 줄일 수 있고 이를 바탕으로 학생들에게 질 높은 급식을 제공할 수 있다고 하였으므로, 3문단에서 잔반을 줄이면 얻게 되는 이점이 많다는 내용을 뒷받침하는 자료로 활용하기에 적절하다.
⑤ 〈보기〉의 (라)는 새로운 식판을 도입한 후 잔반이 급감한 중학교의 사례를 실은 기사로, 3문단에서 잔반을 줄이는 데 성공한 학교의 실제 사례로 활용하기에 적절하다.

8 ⑤ 정답률 76%

정답풀이

'벌이다'는 '일을 계획하여 시작하거나 펼쳐 놓다.'라는 뜻으로 홍보 캠페인을 시작한다는 맥락에 적절하게 사용되었다. 따라서 ⓜ(벌이면)을 '둘 사이를 넓히거나 멀게 하다.'라는 뜻의 '벌리면'으로 바꾸는 것은 적절하지 않다.

오답풀이

① ㉠(줄이기에)은 맥락상 뒤에 오는 체언 '필요성'을 수식하는 관형어이므로, ㉠의 부사격 조사 '에'를 관형격 조사 '의'로 바꾸는 것이 적절하다.
② ㉡(그리고 우리 학교~다른 학교에 비해 짧다.)은 학교 점심시간의 길이에 관한 내용으로, 우리 학교의 잔반 문제와 그 해결책을 다루고 있는 글의 통일성을 해치고 있으므로 삭제하는 것이 적절하다.
③ ㉢에는 앞뒤 내용 맥락을 고려했을 때 학생들이 쉽게 버리는 대상이 나와야 하므로, 목적어 '음식을'을 첨가하는 것이 적절하다.
④ ㉣(함께 동참하는)의 '동참'은 '함께 참여한다.'라는 뜻으로 이미 '함께'라는 의미가 포함되어 있다. 따라서 의미의 중복을 피하기 위해 '함께 동참하는'에서 '함께'를 삭제하는 것이 적절하다.

[9~10] 작문

9 ② 정답률 77%

정답풀이

ⓐ
2문단에서 '극심한 남극의 추위를 황제펭귄은 어떻게 견뎌낼까?'라는 질문을 던지고 이에 대한 답으로 "허들링'이라는 독특한 생존 방식'을 제시하며, 추위를 극복하는 황제펭귄의 집단적 특성을 소개하고 있다.
ⓒ
1문단에서 황제펭귄의 외양을 설명하면서 '황금색 목도리를 두른 듯한 모습', '항아리처럼 둥근 배' 등의 비유적 표현을 활용하여 이해를 돕고 있다.

오답풀이

ⓑ [학생의 글]에서 황제펭귄의 집단적 특성의 한계점이나 이를 구체화하는 사례는 확인할 수 없다.
ⓓ [작문 일지]를 통해 '황제펭귄의 특징에 대해 서술'할 것임을 알 수 있으나, [학생의 글]에서 황제펭귄과 다른 대상을 대조하고 있지는 않다.

10 ① 정답률 83%

정답풀이

㉠(네 번째 문단에서는 나의 생활 태도에 대한 반성과 다짐이 드러나도록 하였다.)을 고려하면 [A]에는 황제펭귄의 허들링이 주는 교훈을 통해 깨닫게 된 '나의 생활 태도에 대한 반성'과 '다짐'이 드러나야 한다. 윗글에서 학생은 황제펭귄의 허들링으로부터 '서로가 서로를 껴안아 줄 때 혹독한 시련'을 극복해 낼 수 있다는 깨달음을 얻었다고 하였으므로, '지금껏 나는~어려운 일이 생겼을 때 내 입장만을 생각'했다는 반성과 '이제부터라도 협력하고 배려하는 자세로 생활'하겠다는 다짐을 확인할 수 있는 ①번이 [A]에 들어갈 내용으로 가장 적절하다.

오답풀이

② '황제펭귄을 통해 나약한 내 자신을 반성하게 되었다.'를 황제펭귄을 통해 깨닫게 된 생활 태도에 대한 반성이라고 볼 여지는 있으나, 다짐은 확인할 수 없다.
③ 다큐멘터리를 통해 본 황제펭귄에 대해 감탄하고 있을 뿐, 나의 생활 태도에 대한 반성과 다짐 모두 확인할 수 없다.
④ 다큐멘터리에 대한 감상만 확인할 수 있을 뿐, 나의 생활 태도에 대한 반성과 다짐 모두 확인할 수 없다.
⑤ '시련을 피하지 말고 맞닥뜨려야' 한다는 깨달음이 드러나 있다고 볼 수 있으나, 나의 생활 태도에 대한 반성과 다짐 모두 확인할 수 없다.

[11~15] 문법(언어)

11 ④ 정답률 80%

정답풀이

4문단에서 '이다'는 동사 활용에 쓰이는 "-는/ㄴ다, -느냐, -는구나', 그리고 명령형 어미 '-아라/어라', 청유형 어미 '-자' 등의 어미와는 결합하지 않는'다는 점에서 형용사의 활용 양상과 유사하다고 하였다. 따라서 동사가 형용사에 비해 '이다'와 활용 양상이 유사하다는 진술은 적절하지 않다.

오답풀이

① 1문단에서 '국어 문장에서 서술어로 쓰이는 것은 용언인 동사와 형용사, 그리고 체언에 '이다'가 붙어서 이루어지는 표현'이라고 하였다.
② 3문단에서 '형용사 활용'에는 '예쁘구나'와 같이 '-구나'가 쓰인다.'라고 했고, '꽃이 참 예뻐라!'처럼 감탄형 어미 '-어라'가 쓰이기도 한다고 했으므로, 형용사가 활용할 때 감탄형 어미와 결합할 수 있다고 볼 수 있다.

20 회

③ 2문단에서 '활용'은 변하지 않는 부분인 용언 어간에 변하는 부분인 어미가 붙는 일이라고 하였다.
⑤ 4문단에서 '이다'는 '명령형 어미 '-아라/어라', 청유형 어미 '-자' 등의 어미와는 결합하지 않는다.'라고 했다.

12 ④ 정답률 79%

정답풀이

ⓐ(창문을 활짝 열어라.)의 '열어라'는 '열다'의 어간 '열-'에 어미 '-어라'가 붙은 것으로 분석할 수 있다. 3문단에서 명령형 어미 '-어라/아라'는 동사 어간에만 결합한다고 했으므로, '열어라'는 형용사가 아니라 동사이다.

오답풀이

① ⓐ(나는 주로 저녁에 씻는다.)의 '씻는다'는 '씻다'의 어간 '씻-'에 현재형 어미 '-는다'가 붙은 것으로 분석할 수 있다. 3문단에서 어미 '-는다'는 동사 활용에 쓰인다고 했으므로 '씻는다'는 동사이다.
② ⓑ(오늘 날씨가 정말 춥구나.)의 '춥구나'는 '춥다'의 어간 '춥-'에 감탄형 어미 '-구나'가 붙은 것으로 분석할 수 있다. 3문단에서 감탄형 어미 '-구나'는 형용사 활용에 쓰인다고 했으므로 '춥구나'는 형용사이다.
③ ⓒ(규연아, 지금 밥 먹자.)의 '먹자'는 '먹다'의 어간 '먹-'에 청유형 어미 '-자'가 붙은 것으로 분석할 수 있다. 3문단에서 청유형 어미 '-자'는 동사 어간에만 결합한다고 했으므로 '먹자'는 동사이다.
⑤ ⓔ(그는 어떤 사람이냐?)의 '사람이냐'는 체언 '사람'에 서술격 조사 '이다'가 붙은 '사람이다'의 어간에 어미 '-(으)냐'가 붙은 것으로 분석할 수 있다. 4문단에서 ''이다'도 용언처럼 활용을 한다.'라고 하였고, 체언에 서술격 조사 '이다'가 붙을 때 '사람이다, 사람이고, 사람이냐' 등처럼 어간에 여러 가지 어미가 붙을 수 있으므로 '사람이냐'는 활용의 사례로 볼 수 있다.

13 ① 정답률 91%

정답풀이

'국물'은 [궁물]로 발음되는데, 이는 첫 음절 '국'의 종성인 'ㄱ'이 다음 음절 '물'의 초성인 비음 'ㅁ'의 영향을 받아 'ㅇ'으로 바뀌는 비음화가 일어나기 때문이다. 비음화는 교체의 하나이므로 '국물'에서 나타나는 음운 변동 현상은 교체이다.
한편 '몫'은 [목]으로 발음되는데, 이는 종성의 두 자음(ㄱ과 ㅅ) 중에서 한 자음(ㅅ)이 탈락하는 현상인 자음군 단순화에 의한 것이다. 자음군 단순화는 탈락의 하나이므로 '몫'에서 나타나는 음운 변동 현상은 탈락이다.

14 ⑤ 정답률 44%

정답풀이

ⓔ(편찮으셨나)는 선어말 어미 '-(으)시'를 통해 서술의 주체인 할머니를 높이고 있으므로 ㉠(객체 높임)이 아니라 주체 높임에 해당된다.

오답풀이

① ⓐ(드릴)의 '드리다'는 높임을 나타내는 특수 어휘로, 부사어인 할머니를 높이고 있으므로 ㉠에 해당한다.
② ⓑ(뵙고)의 '뵙다'는 높임을 나타내는 특수 어휘로, 목적어인 할머니를 높이고 있으므로 ㉠에 해당한다.
③ ⓒ(모시고)의 '모시다'는 높임을 나타내는 특수 어휘로, 목적어인 할머니를 높이고 있으므로 ㉠에 해당한다.
④ ⓓ(큰아버지께)는 부사어로, '큰아버지'에 높임을 나타내는 부사격 조사인 '께'가 결합하였으므로 ㉠에 해당한다.

오답률 Best 2

높임의 대상에 따라 상대 높임, 주체 높임, 객체 높임으로 나누어지는 높임법을 구별할 수 있는지를 물어보는 문제였어. ⓓ(큰아버지께)가 객체 높임에 해당되지 않는다고 생각한 학생의 비율이 32%나 되었지. <보기>에서 객체 높임은 '목적어나 부사어가 나타내는 대상'을 높인다고 했으므로, 지은이가 인사를 드리는 '대상'은 큰아버지라는 점과 부사격 조사 '께'를 사용했다는 점을 통해 ⓓ가 객체 높임임을 알 수 있어. 높임 표현에 대한 문제도 종종 틀리니 각 높임 표현이 어떤 선어말 어미, 조사, 특수 어휘를 통해 실현되는지 공부해 두자! 평소에 높임을 실현하는 방법을 잘 정리해 둔다면 이러한 유형의 문제를 쉽게 풀어낼 수 있을 거야.

15 ① 정답률 90%

정답풀이

'누명을 벗다.'에서 '벗다'는 '누명이나 치욕 따위를 씻다.'라는 의미이다. 이 경우 '벗다'의 반의어는 '사람이 죄나 누명 따위를 가지거나 입게 되다.'라는 의미의 '쓰다'이므로, (가)에 들어갈 예문으로 '누명을 벗다.'는 적절하다. 한편 '배낭을 벗다.'에서 '벗다'는 '메거나 진 배낭이나 가방 따위를 몸에서 내려놓다.'의 의미이다. 이 경우 '벗다'의 반의어는 '어깨에 걸치거나 올려놓다.'라는 의미의 '메다'이므로, (나)에 들어갈 반의어로는 '메다'가 적절하다.

오답풀이

② '안경을 벗다.'에서 '벗다'는 '사람이 자기 몸 또는 몸의 일부에 착용한 물건을 몸에서 떼어 내다.'라는 의미이다. 이 경우 '벗다'의 반의어는 '얼굴에 어떤 물건을 걸거나 덮어쓰다.'라는 의미의 '쓰다'이다. 하지만 '끼다'는 '벗다'의 반의어로 볼 수 없다.
③ '장갑을 벗다.'에서 '벗다'는 '사람이 자기 몸 또는 몸의 일부에 착용한 물건을 몸에서 떼어 내다.'라는 의미이지만, 이때는 문맥상 '벗다'와 '쓰다'가 반의 관계를 이룬다고 보기 어렵다. 또한 '차다'는 '벗다'의 반의어로 볼 수 없다.
④ '모자를 벗다.'에서 '벗다'는 '사람이 자기 몸 또는 몸의 일부에 착용한 물건을 몸에서 떼어 내다.'라는 의미이다. 이 경우 '벗다'의 반의어는 '모자 따위를 머리에 얹어 덮다.'라는 의미의 '쓰다'이다. 한편 '걸다'의 경우 '배낭을 걸다.'처럼 쓰이지만 '메다'처럼 '벗다'의 반대 의미로 쓰이지는 않으므로 이를 '벗다'의 반의어로 볼 수 없다.
⑤ '허물을 벗다.'에서 '벗다'는 '동물이 껍질, 허물, 털 따위를 갈다.'라는 의미로, '쓰다'의 반의어로 볼 수 없다. 또한 '들다'의 경우 '배낭을 들다.'처럼 쓰이지만 '메다'처럼 '벗다'의 반대 의미로 쓰이지는 않으므로 이를 '벗다'의 반의어로 볼 수 없다.

[16~19] **인문**

16 ⑤ 정답률 87%

정답풀이

4문단에 따르면 경찰관이 어떤 '용의자를 범인으로 가정'하여 '그가 범죄를 저지르는 장면'인 '가상적 장면을 자꾸 머릿속에 떠올리다 보'면, 용의자가 '범인임을 입증하는 객관적인 증거를 충분히 수집하기도 전에 그를 범인이라고 판단할 가능성이 높아진'다. 따라서 다른 사람의 입장이 되어 가상적인 상황을 생각함으로써 정확하고 객관적인 판단을 내릴 수 있다고 보기는 어렵다.

오답풀이

① 1문단에서 '판단을 할 때마다 필요한 모든 정보를 수집하여 이용'하는 것은 어려워서 '사람들은 과거 경험을 바탕으로 어림짐작을 하'게 된다고 하였다.
② 3문단에서 사람들은 '충격적이거나 극적인 사례들을 더 쉽게 회상한다.'라고 하였다.
③ 5문단의 '이처럼 휴리스틱은 종종 판단 착오를 낳기도~볼 수도 있다.'를 통해 휴리스틱에 따른 판단은 사실에 부합하는 판단일 수도 있고 그렇지 않을 수도 있다는 것을 알 수 있다.
④ 4문단에서 '경찰관이 그 용의자의 진술에 기초'해서 '가상적 장면을 자꾸 머릿속에 떠올리다 보면, 그 용의자가 정말 범인인 것처럼 생각'하게 된다고 하였다. 즉 가상적인 상황을 반복하여 상상하면 마치 그 상황이 실제 사실인 것처럼 생각할 수 있는 것이다.

17 ① 정답률 61%

정답풀이

5문단에서 휴리스틱은 '거의 자동적으로 작용'하여 '수많은 대안 중 순식간에 몇 가지 혹은 단 한 가지의 대안만을 남겨 판단하기 쉽게 만들어 준'다는 점에서 인간을 ㉠('인지적 구두쇠')이라고 할 만하다고 했다. 따라서 ㉠은 인간이 세상의 수많은 일들을 판단할 때 가능하면 노력을 덜 들이려는 경향이 있음을 의미한다고 할 수 있다.

오답풀이

② 인간이 주변 세계에 의미를 부여하고 앞으로 일어날 일을 예측하려는 욕구를 가지고 있다는 내용은 윗글에서 확인할 수 없으며, ㉠의 의미와도 관련이 관련이 없다.

③ 1문단에서 '판단을 할 때마다 필요한 모든 정보를 수집'하고 처리하는 것은 사람들에게 큰 부담이 된다고 하였고, 5문단에서 '일상생활에서 우리의 판단과 추론이 항상 합리적인 사고 과정을 거쳐 일어나는 것은 아니'라고 하였다. 이를 고려하면, 과학적이고 체계적인 정보 처리와 정확하고 객관적인 판단을 하려는 경향을 ㉠의 의미와 관련이 있다고 보기는 어렵다.

④ 5문단에서 '휴리스틱은 우리가 쓰고 싶지 않아도 거의 자동적으로 작용'한다고 하였다. 따라서 인간이 휴리스틱을 의도적으로 사용한다는 설명은 적절하지 않다.

⑤ 5문단에서 휴리스틱은 '수많은 대안 중 순식간에 몇 가지 혹은 단 한 가지의 대안만을 남'긴다고 하였으므로, ㉠이 인간이 일상생활에서 판단이나 결정을 할 때 가능한 모든 대안을 분석하는 것이라고 볼 수 없다.

18 ③ 정답률 55%

정답풀이

〈보기〉에서 논리적으로는 B보다 A가 가능성이 높음에도 불구하고 사람들은 B의 가능성을 A보다 높게 판단하였다. 이는 2문단에서 언급한 대표성 휴리스틱에 의해 사람들이 영미에 관한 정보가 '여행 블로그를 운영하는' 사람의 전형적인 정보와 유사하다고 판단했기 때문이다. 따라서 ㉮에 들어갈 내용은 '영미가 은행원보다는 여행 블로그 운영자에 더 어울린다고'가 적절하다.

오답풀이

① 최근에 여행 블로그가 유행하고 있다는 사실이 영미가 은행원인지 여행 블로그를 운영하는 사람인지 판단하는 근거가 되지는 않는다.

② 대표적인 여행 블로그의 특징이 영미가 은행원인지 여행 블로그를 운영하는 사람인지 판단하는 근거가 되지는 않는다.

④ 가고 싶은 장소를 여행 블로그에서 검색해 본 경험이 영미가 은행원인지 여행 블로그를 운영하는 사람인지 판단하는 근거가 되지는 않는다.

⑤ 4문단에서 언급한 '시뮬레이션 휴리스틱'에 따르면 영미를 은행원으로 가정하는 상상은 오히려 영미를 은행원으로 판단할 가능성을 높이므로 ㉮에 들어갈 내용으로 적절하지 않다.

19 ② 정답률 74%

정답풀이

ⓐ(볼)의 '보다'와 '나는 날씨가 좋을 것으로 보고 세차를 했다.'에서의 '보다'는 모두 '대상을 평가하다.'라는 의미이다.

오답풀이

① '늦게 아들을 보았다.'의 '보다'는 '어떤 관계의 사람을 얻거나 맞다.'라는 의미이다.

③ '그녀는 남편이 사업에 실패할까 봐 걱정했다.'에서의 '보다'는 '앞말이 뜻하는 상황이 될 것 같아 걱정하거나 두려워함을 나타내는 말.'이라는 의미이다.

④ '다른 사람의 흉을 보는 것'의 '보다'는 '남의 결점 따위를 들추어 말하다.'라는 의미이다.

⑤ '그는 보던 신문을 끊고'의 '보다'는 '책이나 신문 따위를 읽다.'라는 의미이다.

[20~23] 사회

20 ① 정답률 76%

정답풀이

윗글은 국제 무역과 관련해서 헥셔의 이론을 설명하고 있으나, 그 한계에 대해서는 언급하고 있지 않다.

오답풀이

② 5문단에서 '국가 간 생산요소 부존량의 상대적 차이가 비교 우위를 낳는다'고 본 20세기 초의 경제학자 헥셔의 설명을 제시하고 있으므로, 권위자의 견해를 들어 현상의 원인을 설명하고 있다고 볼 수 있다.

③ 1문단에서 '그러면 무역을 통해 이익이 발생할 수 있는 이유는 무엇일까?', '또 무역에서 수출입 재화는 각각 어떻게 결정될까?'라는 질문을 던짐으로써 독자의 관심을 유도하고 있다.

④ 3문단의 '비교 우위란 어떤 재화 생산의~다른 재화의 가치를 말한다.'에서 핵심 개념을 설명하여 독자의 이해를 돕고 있다.

⑤ 2문단~4문단에서 〈그림〉과 같은 A국과 B국의 가상 상황을 제시하여 무역에서 각국이 수출입 재화를 결정하여 이익을 얻게 되는 현상에 대해 설명하고 있다.

21 ③ 정답률 49%

정답풀이

5문단에서 자본이 집약된 재화와 노동이 집약된 재화의 사례를 들면서, '재화마다 각 생산요소들이 투입되는 비율이 다르'다고 하였지만, 윗글에서 그 비율이 어떻게 결정되는지에 대해 언급하고 있지는 않다.

오답풀이

① 6문단에서 '각국의 비교 우위 산업은 국가 간 생산요소 부존량의 상대적 차이가 변화함에 따라 바뀔 수도 있다.'라고 하였다.

② 1문단에서 '두 나라가 자발적으로 무역을 하기 위해서는 두 나라 모두 이익을 얻을 수 있어야 한'다고 했다. 2문단~4문단에서 자국의 비교 우위 산업을 특화해 이익을 얻을 수 있다는 사례를 통해 자발적 무역이 각 재화의 생산량에 변화를 야기할 수 있음을 알 수 있다.

④ 2문단~4문단에서 '자동차 생산에 비교 우위를 갖고 있는 A국이 자동차를 특화해 B국에 수출'하고, '신발 생산에 있어 비교 우위를 갖는 B국은 신발을 특화해 A국에 수출'한다고 하였다. 즉 자발적인 무역 상황에서는 자국이 비교 우위를 갖는 산업의 재화가 수출품이 되고 그렇지 않은 재화는 수입품이 되는 것이다.

⑤ 2문단에서 '국가 간 비교 우위 산업의 차이에 의해서 무역의 이익이 발생할 수 있'다고 한 것과, 5문단에서 '국가 간 생산요소 부존량의 상대적 차이가 비교 우위를 낳는다.'라고 한 것을 통해 알 수 있다.

오답률 Best 4

이 문제는 선지에 제시된 질문에 대한 답변을 윗글에서 찾을 수 있는지를 물어보는 문제였어. 어려운 유형은 아니지만 지문의 정보량이 많아지거나 비슷한 개념이 반복되면 중간에 흐름을 놓쳐서 정답을 찾기 어려워져. 이 문제의 정답은 ③번인데, 윗글에서 어떤 재화 생산에 투입되는 각 생산요소의 비율이 어떻게 결정되는지는 나오지 않아. 다만 어떤 재화 생산에 특정 생산요소가 집약적으로 사용된다면, 재화 생산에 있어서 그 특정 생산요소의 투입 비율이 높을 거라고 추론할 수는 있어. 그런데 단순히 높을 거라고 추론하는 것과 구체적인 비율을 결정하는 건 엄연히 다른 문제야. 복잡한 지문일수록 헷갈리기 쉬우니, 구별해야 하는 개념이 제시된다면 꼭 정확히 확인하면서 글을 읽자.

22 ② 정답률 66%

정답풀이

3문단에서 '비교 우위란 어떤 재화 생산의 기회비용이 다른 나라보다 작은 경우를 의미하며, 이때 기회비용이란 그 재화 생산으로 인해 포기해야 하는 다른 재화의 가치를 말한다.'라고 하였다. 따라서 B국이 신발 생산에 있어 비교 우위를 갖는다고 하면 'B국의 신발 생산의 기회비용 < A국의 신발 생산의 기회비용'이어야 한다. 이때 신발 생산의 기회비용은 포기해야 하는 다른 재화, 즉 자동차의 가치인데, 3문단에 따르면 A국과 B국 모두 신발 200켤레를 생산한다고 할 때, B국의 기회비용은 자동차 1대이고 A국의 기회비용은 자동차 2대이다. 즉 ㉠(B국은 신발 생산에 있어 비교 우위를 갖게 된다.)의 이유는 B국의 신발 생산의 기회비용이 A국보다 작기 때문임을 알 수 있다.

오답풀이

① 3문단에 따르면 비교 우위는 같은 재화를 생산할 때 다른 나라보다 기회비용이 작은 경우를 의미하므로, 기회비용이 크다는 것을 ㉠의 이유로 볼 수는 없다.

20회

③ 비교 우위를 논하기 위해서는 같은 재화를 두고 각국의 기회비용을 검토해야 하므로, 신발과 자동차라는 다른 재화의 기회비용을 비교하는 것은 적절하지 않다.

④, ⑤ 비교 우위를 논하기 위해서는 총 생산량이 아닌 기회비용을 따져야 하므로 적절하지 않다.

23 ③ 정답률 55%

정답풀이

3문단에서 기회비용은 '그 재화 생산으로 인해 포기해야 하는 다른 재화의 가치를 말한다.'라고 하였다. 이를 고려하면 〈보기〉에서 2017년에 갑국이 선박 1척을 생산할 때의 기회비용은 가발 3.333...(100÷30)개이고, 을국의 경우는 6(150÷25)개이다. 따라서 2017년 을국의 선박 생산의 기회비용(6)은 갑국의 2배(6.666...)보다 작다.

오답풀이

① 3문단에서 기회비용은 '그 재화 생산으로 인해 포기해야 하는 다른 재화의 가치를 말한다.'라고 하였다. 이를 고려하면 〈보기〉에서 1970년에 갑국이 선박 1척을 생산할 때의 기회비용은 가발 12.5개(50÷4)이다. 이는 선박 1척을 추가로 생산하기 위해서는 가발 생산을 12.5개 줄여야 함을 뜻하므로, 1970년에 갑국이 선박을 2척 더 생산하기 위해서는 가발 생산을 25개 줄여야 한다.

② 5문단에서 '생산요소 부존량의 상대적 차이가 비교 우위를 낳는다'고 하였으므로, 〈보기〉에서 1970년에 가발과 같은 노동 집약재에서 비교 우위를 갖는 갑국이 을국에 비해 노동이 상대적으로 풍부하다고 볼 수 있다.

④ 5문단에서 '생산요소 부존량의 상대적 차이가 비교 우위를 낳는다'고 하였으므로, 〈보기〉에서 2017년에 가발과 같은 노동 집약재에서 비교 우위를 갖는 을국이 갑국에 비해 노동의 부존 비율이 상대적으로 크다고 볼 수 있다.

⑤ 3문단에서 기회비용은 '그 재화 생산으로 인해 포기해야 하는 다른 재화의 가치를 말한다.'라고 하였다. 이를 고려하면 〈보기〉에서 2017년 갑국의 선박 생산의 기회비용은 가발 3.333...개이다. 따라서 갑국이 무역을 통해 선박 1개와 가발 4개를 교환한다면, 무역 전에 비해 소비할 수 있는 재화량의 조합이 늘어날 것이다.

[24~26] 예술

24 ① 정답률 69%

정답풀이

4문단의 '원나라의 침입 이후 전래된 라마교의 영향으로 범자 문양 등의 장식이 나타난다.'를 통해, 고려 시대의 범종이 외국의 영향을 받기도 했다는 점을 알 수 있다.

오답풀이

② 3문단에서 '신라 종의 상부와 하부에는 각각 상대와 하대라고 부르는 동일한 크기의 문양 띠가 있는데, 여기에는 덩굴무늬나 연꽃무늬 등의 불교적 상징물이 장식되어 있다.'라고 하였다.

③ 5문단에서 조선에서 '중국 종의 주조 공법을 도입'하면서 '당좌가 사라'졌다고 하였다.

④ 1문단에서 '범종은 불교가 중국에 유입되면서 나타나기 시작하여 우리나라와 일본의 사찰로 퍼져 나갔다.'라고 하였다.

⑤ 1문단에서 '신라에서는 독창적이고 섬세한 조형 양식을 지닌 대형 종을 주조하였는데, 이는 중국이나 일본의 주조 공법으로는 만들기 어려운 것이었다.'라고 하였다.

25 ④ 정답률 48%

정답풀이

3문단의 '당좌 사이에는 천인상이 아름답게 장식되어 있어 가로 세로의 띠만 있는 일본 종과 차이가 있다.'를 통해 ⓓ가 천인상이며, 일본 종에는 ⓓ가 존재하지 않음을 알 수 있다. 따라서 일본 종이 ⓓ 주변에 가로 세로의 띠가 있다는 설명은 적절하지 않다.

오답풀이

① 2문단에서 '범종의 정상부에는 종을 매다는 용 모양의 고리인 용뉴(ⓐ)가 있는데, 신라 종의 용뉴는 쌍용 형태인 중국 종이나 일본 종의 용뉴와는 달리 한 마리 용의 모습을 하고 있다.'라고 하였다.

② 2문단에서 '용뉴 뒤에는 우리나라의 범종에서만 특징적으로 나타나는 음통(ⓑ)이 있다.'라고 하였다.

③ 3문단에서 '상대 바로 아래 네 방향에는 사다리꼴의 유곽이 있으며 그 안에 연꽃 봉우리 형상이 장식된 유두(ⓒ)가 9개씩 있어, 단순한 꼭지 형상의 유두가 있는 일본 종이나 유두와 유곽 모두 존재하지 않는 중국 종과 차이를 보인다.'라고 하였다.

⑤ 2문단에서 '신라 종의 몸체는 항아리를 거꾸로 세워 놓은 것과 비슷하게 가운데가 불룩하게 튀어나온 모습을 하고 있다. 이와 달리 중국 종은 몸체의 하부(ⓔ)가 팔 자로 벌어져 있으며, 일본 종은 수직 원통형으로 되어 있다.'라고 하였다.

오답률 Best 3

이 문제는 윈글의 정보를 바탕으로 실제 자료를 이해할 수 있는지를 물어보는 문제였어. 정답은 ④번인데, ⓓ가 천인상을 가리키는 건인지 몰랐을 수도 있고 'ⓓ의 주변에'를 잘못 받아들였을 수도 있어. 전자의 경우는 윈글에서 당좌 사이에 천인상이 장식되어 있다고 언급하고 있고 <보기>에서도 친절하게 당좌의 위치를 알려주고 있으니, 지문을 꼼꼼하게 읽는 연습을 해야 해. 후자의 경우는 'ⓓ의 주변에'를 떠올리면서 무의식적으로 그림에서 천인상을 지우고 가로 세로의 띠를 그려 넣었을 거야. 이런 경우는 본인이 지문을 자의적으로 읽고 있지는 않은지 점검해야 해. 지문 속에 답이 있다는 사실을 기억하자!

26 ③ 정답률 61%

정답풀이

1문단에서 '신라 종의 조형 양식은 조선 초기를 기점으로' ㉠(큰 변화)이 나타난다고 하였다. 5문단에서 '조선에서는 신라의 대형 종 주조 공법을 대신하여 중국 종의 주조 공법을 도입하게 된다.'라고 하며 조형 양식에 있어서 생긴 변화들을 언급하고 있으므로, ㉠의 원인은 중국 종의 주조 공법으로 대형 종을 만들게 된 것이라 할 수 있다.

오답풀이

① 5문단에 따르면 조선 시대에 '불교를 억제하는 정책'을 펴면서 범종 제작을 통제한 것은 조형 양식에 있어서 ㉠이 있었던 시점 이후의 일이다.

② 4문단에 따르면 고려 시대에는 '범종이 소형화되어 신라 종의 조형 양식이 계승되'었다고 하였으며, 이는 조선 초기에 조형 양식이 ㉠을 겪은 것과 관련이 없다.

④ 5문단에 따르면 16세기에 '사찰 주도'로 범종을 주조한 것은 조형 양식에 있어서 ㉠이 있었던 시점 이후의 일이다.

⑤ 5문단에 따르면 사찰 주도로 '신라 종의 조형 양식'을 계승한 소형 종을 주조한 것은 대형 종의 조형 양식에 있어서 ㉠이 있었던 시점 이후의 일이다.

[27~30] 과학

27 ③ 정답률 82%

정답풀이

1문단에 따르면 '주위와 물질 교환 없이 에너지 교환만 일어나는' 것은 열린계가 아니라 닫힌계이다.

오답풀이

① 3문단의 '계의 에너지는 온도, 압력, 부피 등의 열역학적 변수들에 의해 결정되므로, 열역학적 변수들이 같은 계들은 같은 '상태'에 있다고 할 수 있다.'를 참고하면, 두 계의 열역학적 변수들이 같다면 같은 상태에 있다고 할 수 있다.

② 2문단에서 '열역학 제1법칙에 따르면 우주의 에너지 총량은 일정하'다고 하였다.

④ 5문단에서 '어떤 계의 변화가 일어나는 경로는 초기 상태에서 최종 상태로 진행하면서 거치는 일련의 상태들로 이루어져 있으며, 이 두 상태를 연결하는 경로는 무한히 많다.'라고 하였다.

⑤ 2문단에서 '계와 주위 사이에 에너지 교환이 있다면, 계의 에너지가 감소할 때 주위의 에너지는 증가하며, 계의 에너지가 증가할 때 주위의 에너지는 감소하게 된다.'라고 하였다.

28 ① 정답률 73%

정답풀이

2문단에서 '흡열 과정에 관련된 일은 +Q로, 발열 과정에 관련된 열은 −Q로 나타낼 수 있다.'라고 하였다. 이를 참고하면 〈보기〉에서 묽은 황산 용액을 만들 때 수조 속 물의 온도가 높아지는 것은 '황산이 이온으로 되면서 열이 방출되고, 이 열이 수조 속 물에도 전달되기 때문'으로, 묽은 황산 용액이 만들어지는 과정은 발열 과정이며, 이 과정과 관련된 열은 −Q로 표시할 수 있다.

오답풀이

② 〈보기〉에서 비커 속 물은 진한 황산과 만나 묽은 황산 용액이 되면서 열을 방출하고 있다. 2문단에 따르면 '열은 에너지의 대표적인 형태'이므로 이때 에너지의 교환이 일어났다고 볼 수 있다. 한편 물질의 교환은 일어나지 않았기 때문에 진한 황산을 넣은 물은 1문단에서 언급한 '에너지 교환만 일어나는 '닫힌계''에 해당한다.
③ 〈보기〉에서 묽은 황산 용액을 만들 때 '묽은 황산 용액은 물론 비커 주위의 수조 속 물의 온도까지 높아진'다고 하였다. 이를 통해 비커 속 물과 수조 속 물 모두 열을 흡수하고 있음을 알 수 있는데, 2문단에 따르면 '열은 에너지의 대표적인 형태'이므로 둘 다 에너지가 증가했다고 볼 수 있다.
④ 〈보기〉에서 묽은 황산 용액은 수조 속 물로 열을 방출했다. 2문단에 따르면 열은 에너지의 대표적인 형태이므로 묽은 황산 용액이 수조 속 물로 에너지를 방출했다고 할 수 있다. 따라서 묽은 황산 용액이 수조 속의 물로부터 에너지를 흡수했다는 내용은 적절하지 않다.
⑤ 1문단에서 '주위와 에너지나 물질의 교환'이 일어나는지의 여부로 나눌 수 있는 '계'와 '우주의 나머지 부분'인 주위 사이를 경계라고 한다고 하였다. 이를 참고하면, 〈보기〉에서 비커 속의 물과 수조 속의 물은 서로의 에너지를 교환하고 있으므로 이 둘을 경계라고 볼 수 없다.

29 ⑤ 정답률 56%

정답풀이

5문단에서 A와 B의 초기 상태 그리고 A와 B의 최종 상태는 각각 같지만, '초기 상태에서 최종 상태에 이르는 경로는 다르다.'라고 하였다. 즉 〈보기〉에서 A와 B 둘 다 최종적으로 ⓒ 상태에 놓이게 되고, 이때 에너지를 결정하는 열역학적 변수가 모두 같으므로 ⓒ에서 A와 B의 실린더 속 기체의 내부 에너지는 서로 같을 것이다.

오답풀이

① [가]에서 A의 경우에 '기체의 압력이 P_1로 일정하도록 유지한 상태에서 실린더를 가열하여 실린더 속 기체의 온도가 T_1에서 T_2가 되도록 하면, 온도가 높아짐에 따라 실린더 속 기체의 부피는 증가'한다고 하였다. 따라서 A의 경우에 ⓐ 상태에서 ⓒ 상태가 되는 경로에서 실린더 속 기체의 부피가 증가할 것이다.
② [가]에서 B의 경우에 '실린더를 가열하면, 실린더 속 기체의 온도가 T_1에서 T_2'로 증가한다고 하였다. 따라서 B의 경우에 ⓐ 상태에서 ⓑ 상태가 되는 경로에서 온도는 점차 높아질 것이다.
③ [가]에서 B의 경우에 '온도가 T_2인 상태를 유지하면서 고정시켰던 피스톤을 풀면 실린더 속 기체의 압력이 P_1이 될 때까지 기체의 부피는 증가'한다고 하였다. 따라서 B의 경우에 ⓑ 상태에서 ⓒ 상태가 되는 경로에서 실린더 속 기체의 부피는 증가할 것이다.
④ 5문단에서 A와 B의 초기 상태, A와 B의 최종 상태는 각각 같지만, '초기 상태에서 최종 상태에 이르는 경로가 다르다.'라고 하였다. 즉 〈보기〉에서 A와 B 둘 다 초기에 ⓐ 상태에 놓이게 되고, 이때 에너지를 결정하는 열역학적 변수가 모두 같으므로 ⓐ에서 A와 B의 실린더 속 기체의 내부 에너지는 서로 같을 것이다.

30 ① 정답률 91%

정답풀이

㉠(같은)의 '같다'는 '서로 다르지 않고 하나이다.'라는 뜻이므로, '어떤 것과 비교하여 똑같다.'라는 뜻의 '동일한'과 바꾸어 쓰기에 가장 적절하다.

오답풀이

② '동반하다'는 '일을 하거나 길을 가는 따위의 행동을 할 때 함께 짝을 하다.' 또는 '어떤 사물이나 현상이 함께 생기다.'라는 뜻이다.
③ '동화하다'는 '성질, 양식, 사상 따위가 다르던 것이 서로 같아지다.'라는 뜻이다.
④ '균일하다'는 '한결같이 고르다.'라는 뜻이다.
⑤ '유일하다'는 '오직 하나밖에 없다.'라는 뜻이다.

[31~33] 현대시

31 ⑤ 정답률 73%

정답풀이

(가)에서는 어미 '–고'와 '–는'의 반복을 통해 리듬감을 살리고 있으며, (나)에서는 '구부러진 길', '품고', '좋다' 등의 시어들을 반복하여 리듬감을 살리고 있다.

오답풀이

① (가)에서는 '산비알에 돌밭에 저절로 나서', '이렇게 저희들끼리 자라서는', '세월에 곪고 터진 상처는', '우리 동네 늙은 느티나무들' 등을 통해 시간의 흐름에 따라 시상을 전개하고 있음을 확인할 수 있으나, (나)에서는 시간의 흐름에 따른 시상 전개를 확인할 수 없다.
② (가)와 (나) 모두 화자가 대상에게 말을 건네고 있지는 않다.
③ (가)에서 역설적 표현을, (나)에서 반어적 표현을 사용하고 있지는 않다.
④ (가)는 느티나무들의 모습에 대한 시각적 심상을 중심으로 대상을 묘사하고 있다고 볼 수 있지만, (나)의 경우 청각적 심상이 '어머니의 목소리' 등에서 드러날 뿐, 이를 중심으로 대상을 묘사하고 있다고 보기 어렵다.

32 ③ 정답률 84%

정답풀이

(가)의 '우리 동네 늙은 느티나무들'은 '저절로 나서 / 저희들끼리 자라'며 '아픈 곳은 만져도 주'는 자연적이고 공동체적인 존재로, 〈보기〉에 따르면 '현대 문명사회의 문제들을 극복할 수 있는 대안으로서의 삶의 원리'를 보여준다고 할 수 있다. 따라서 (가)의 '우리 동네 늙은 느티나무들'이 현대 문명사회에서 다양성이 훼손된 자연 공동체를 상징적으로 보여준다고 볼 수는 없다.

오답풀이

① 〈보기〉에서 '자연의 다양한 생명들은 생겨난 그대로의 모습'이라고 하였다. 이를 고려하면 (가)의 '산비알에 돌밭에 저절로 나서'는 생겨난 그대로의 모습으로 존재하는 자연을 형상화한 것으로 볼 수 있다.
② 〈보기〉에서 '자연의 다양한 생명들'은 '서로 의존하면서 하나의 생명 공동체를 이룬다.'라고 하였다. 이를 고려하면 (가)의 '아픈 곳은 만져도 주고 / 끌어안기도 하고 기대기도 하고'에서 서로 의존하면서 살아가는 공생의 원리를 확인할 수 있다.
④ (나)의 '구부러진 길'은 '민들레', '사람', '들꽃' 등의 다양한 자연의 모습을 발견할 수 있는 공간이므로, 〈보기〉에서 언급한 생명이 '조화를 이루'는 '생명 공동체'의 원리를 발견하는 공간으로 볼 수 있다.
⑤ (나)의 '가족을 품고 이웃을 품고 가는 / 구부러진 길 같은 사람'은 〈보기〉에서 언급한 '조화를 이루고 있으며, 서로 의존하면서 하나의 생명 공동체를 이'루는 모습이라고 볼 수 있다. 따라서 이는 과도한 경쟁으로 생겨난 '현대 문명사회의 문제들을 극복할 수 있는 대안'으로서의 인간형으로 볼 수 있다.

33 ② 정답률 67%

정답풀이

[A]에서 화자는 '반듯한 길 쉽게 살아온 사람'보다 '구부러진 길처럼 살아온 사람'이 좋다고 말한다. '구부러진 길처럼 살아온 사람'은 '감자처럼 울퉁불퉁 살아온 사람' '구불구불 구부러진 삶'으로 연결되므로, ⓐ(울퉁불퉁)는 ⓑ(구불구불)와 더불어 '반듯한 길 쉽게'와 의미상 대비를 이루면서 '흙투성이 감자'의 이미지와 어울린다고 할 수 있다.

20 회

오답풀이

① [A]에서 '구부러진 삶'은 '흙투성이 감자'와 마찬가지로 화자가 긍정적으로 보는 대상이다. 따라서 ⓑ와 '구부러진 삶'을 부정적 의미와 연결하는 것은 적절하지 않다.
③ ⓐ와 ⓑ는 '흙투성이 감자'와 '구부러진 삶'의 이미지를 강화하고 있다. 그런데 '흙투성이 감자'와 '구부러진 삶'에 대한 화자의 시선은 긍정적이므로, 이에 대한 비관적 인식이 드러난다고 보기는 어렵다.
④ ⓐ와 ⓑ는 '구부러진 삶'에 대한 화자의 긍정적 인식을 담고 있으므로, ⓐ와 ⓑ 모두 '구부러진 길처럼 살아온 사람'의 내면을 드러낸다고 볼 수 있다.
⑤ ⓐ와 ⓑ는 '구부러진 길처럼 살아온 사람'에 대한 화자의 긍정적 인식을 담고 있으므로, ⓐ와 ⓑ 모두 '구부러진 길'을 예찬하는 태도를 반영한다고 볼 수 있다.

[34~37] 현대소설

34 ④ 정답률 50%

정답풀이

윗글은 '그러나 말을 탄 사람은 하나도 없다. 그들은 더러는 이쪽으로 몰려 오고 더러는 동네로 들어간다. 창권은 집안 식구들이 걱정된다.'에서 현재 시제를 활용하여 '창권'이 '토민'들을 상대하는 상황의 현장감을 부각시키고 있다.

오답풀이

① '덤벼라! 우린 여기서 못 살면 죽긴 마찬가지다!'에서 인물의 발화를 직접적으로 인용하고 있지만, 인물 간의 대화를 인용하여 사건의 진행을 더디게 하고 있지는 않다.
② 서술자는 인물의 내면을 중심으로 서술하기보다, 사건의 진행을 시간에 따라 서술하고 있으므로 적절하지 않다.
③ 서술자는 작품 밖에서 전지적 시점으로 사건을 서술하고 있으므로, 서술자가 주인공으로 등장하여 자신의 체험을 이야기하고 있다는 설명은 적절하지 않다.
⑤ 윗글의 서술자는 작품 밖 전지적 작가로 일관되므로, 시점의 변화를 통해 사건을 다각적으로 제시하고 있다는 설명은 적절하지 않다.

오답률 Best 5

이 문제는 현대 소설 지문의 단골 문제로, 윗글에서 활용한 기법과 효과를 제대로 이해하고 있는지를 물어보는 문제였어. 정답은 ④번인데, 윗글에서는 '말았다.', '구역이었다.' 등의 과거 시제로 서술하다가 갈등이 발생하는 부분에서 현재 시제로 바꾸어 서술하고 있지. 이 변화를 확인하지 못했으면 문제를 풀기 어려웠을 거야. 소설을 급하게 읽고 넘어가다 보면 소설 속 문장의 시제 등의 요소를 바로 찾기 어려울 수 있어. 이럴 때에는 선지를 먼저 보고, 지문을 읽으며 선지의 적절성을 확인하는 방법도 있다는 점을 참고해.

35 ⑤ 정답률 43%

정답풀이

'토민'들에게 '등덜미를 맞고, 멱살을 잡히고 한 분통이 와락 터진다.'라는 내면 서술과 '창권'이 달아나는 녀석 하나를 다우치고 뒷덜미를 낚아채는 장면을 고려하면 ⓜ(다리 오금이 날갯죽지처럼 뻗는다.)은 두려움이 아니라 '창권'이 느낀 분통을 생생하게 나타내기 위한 비유적 표현으로 보는 것이 적절하다.

오답풀이

① ㉠(이것을 실패하면~그 다음해 먹을 수가 없다.)에서는 물길을 내는 데 실패하는 것을 가정하고 있으며, 이로 인해 다음해 먹을 식량이 없을 수도 있다는 결과를 곧바로 제시하고 있다. 따라서 가정과 예상되는 결과를 연쇄적으로 제시하여 상황의 시급함을 강조하고 있다고 볼 수 있다.
② ㉡(한 삼 마장 길이 되는~알기 전에 뚫어 놔야 한다.)에서 '넓이 열두 자, 깊이 다섯 자'는 작업의 규모, '땅이 얼기 전'은 작업의 기한이다. '창권'이 날이 자꾸 추워지는 것이 겁나 봇도랑 내는 데만 전력하였다는 것을 통해, '창권'이 수행하는 작업의 규모와 기한은 '창권'에게 작용하는 부담을 구체적으로 드러낸다고 할 수 있다.
③ ㉢(쿨리들은 눈만 피하면~졸고 있었다.)에서는 '쿨리들'이 우묵한 양지쪽에 앉아 이를 잡지 않으면 졸고 있었다는 구체적인 행동 묘사를 통해, '쿨리들'의 불성실한 면모를 구체적으로 드러내고 있다.
④ ㉣(그러자 윗구역에서,~소리를 지르며 나타났다.)에서는 '~조선 사람들이 내려왔다.', '~조선 사람들이~나타났다.'와 같이 구조가 유사한 문장을 반복하여, '창권'이 일방적으로 구타를 당하는 가운데 조선인들이 내려와 상황이 반전됨을 부각하고 있다.

오답률 Best 1

이 문제는 소설 속 문장의 의미와 역할을 파악하는 문제였어. 정답은 ⑤번인데, 아마 이 문제를 틀린 대다수의 학생들이 '오금이 날갯죽지처럼 뻗는다'를 '오금이 저리다'로 해석했을 거야. 하지만 ⓜ 뒤의 '창권'의 발화를 보면 '오금이 날갯죽지처럼 뻗는다'가 두려움이 아니라 분통을 나타낸다는 사실을 알 수 있지. 이렇게 대충 아는 것 같은, 혹은 낯선 어휘나 구절을 마주했을 때는 섣불리 해석하려고 하지 말고, 주변 맥락을 살펴보며 선지를 판단해야 해.

36 ⑤ 정답률 62%

정답풀이

〈보기〉에서 윗글의 '등장인물들은 하나의 공간에서 각기 자신들에게 익숙한 생활 방식을 고수하려는 과정에서 충돌'한다고 하였다. 윗글에서 조선인들은 생활 방식의 고수를 위해 '장자워푸'라는 공간의 변화를 원하지만, '토민들'은 생활 방식의 고수를 위해 공간의 변화를 막고자 한다. 따라서 조선인들과 '토민들' 모두 '장자워푸'라는 공간을 변화시키고자 한다고 보는 것은 적절하지 않다.

오답풀이

① '장자워푸'의 혹독한 기후와 낯선 언어는 만주의 조선인 집단에 온 지 얼마 되지 않은 '창권'에게 공간에 대한 이질감을 느끼게 하는 요인으로 볼 수 있다.
② 조선인들은 벼농사라는 익숙한 생활 방식을 고수하기 위해 '장자워푸'라는 낯선 공간에서 봇도랑을 내고자 한다.
③ 벼농사를 짓지 않는 '토민들'은 조선인들이 자신들의 생활 방식을 침해한다고 생각하여 조선인들이 물길을 내는 일을 방해하였다.
④ 물길을 내어 공간을 변화시켜야 기존의 생활 방식인 벼농사를 짓고 생존할 수 있기 때문에 '창권'은 봇도랑을 '우리 목줄'로 인식하고 있다.

37 ④ 정답률 78%

정답풀이

[A]에서는 '벼농사를 지으면 도리어 이익이 아니냐', '벼농사를 지을 줄 모르면 우리가 가르쳐' 주겠다, '먹지는 못하더라도 벼를 장춘으로 가지고 가 팔'면 된다는 설득이 실패하는 상황이 반복적으로 제시되고 있으며, '하나같이 쇠귀에 경읽기'였다는 서술을 통해 문제의 해결이 쉽지 않을 것임을 강조하고 있다.

오답풀이

① 조선인들이 '토민들'에게 다양한 대안을 제시하고 있지만, [A]에서 해결책을 이끌어내지는 못하였다.
② [A]에서는 조선인들과 '토민들' 사이에서 주장과 반론이 교차되고 있을 뿐, 양자 간 입장 차이는 좁혀지지 않고 있다.
③ [A]에서 서술자가 역사적 배경에 대해 직접 서술하고 있지는 않으며, 사건의 근본적 원인을 과거의 시대 상황에서 탐색하고 있지도 않다.
⑤ [A]에서 조선인들이 '토민들'과 대립하거나 그들을 설득하는 것을 공동체가 난관에 대처하는 방식이라고 볼 수 있지만, 물길을 내는 문제는 '창권' 개인의 문제가 아니라 애초에 공동체의 문제였으므로, 개인의 문제를 집단의 것으로 수용하는 과정을 구체화하고 있다고 볼 수 없다.

[38~40] 고전소설

38 ④ 정답률 63%

정답풀이

'운영'은 [A]에서는 '대군'에게 '시를 짓는 중에 우연히 나온 말이지, 어찌 다른 뜻이 있겠습니까?'라고 말하며, [B]에서는 '너는 내가 아닌데 어찌 내 마음을 안단 말이니? 지금 막 시 한 편을 지으려는데, 묘안이 떠오르지 않아 고심하느라 말하지 않았던 것뿐이야.'라고 말하며 진사에 대한 그리움을 숨기고 있다. 따라서 '운영'이 [A]의 '대군'과 [B]의 '소옥'에게 자신의 진심을 우회적으로 드러내고 있다고 볼 수는 없다.

오답풀이

① [A]에서 '대군'은 '처음 보았을 때에는 우열을 가릴 수 없었으나 거듭 읽노라니~준엄히 캐물을 일이로되 그 재주가 아까워 그냥 덮어두기로 한다.'라고 하며 '자란'을 비롯한 여러 궁녀들의 시와 비교하면서 '운영'의 시에 대한 평가를 내리고 있다.
② [A]에서 '대군'은 '시를 짓는 중에 우연히 나온 말이지. 어찌 다른 뜻이 있겠습니까? 지금 주군께 의심을 받으니 첩은 만 번 죽어도 유감이 없나이다.'라는 '운영'의 말에 '시는 진정한 마음에서 우러나오는 것이라서 가리고 숨길 수가 없는 법이다.'라고 답하며 '운영'의 대답이 거짓이라고 판단하고 있다.
③ [B]에서 다른 궁녀들이 토론하는 중에 근심스레 말이 없는 '운영'의 모습을 보고 '소옥'은 '주군에게 의심을 받더니 그 때문에 근심스러워 말이 없는' 것인지 아니면 '주군의 뜻이 네게 있겠기에 속으로 기뻐서 말이 없는' 것인지를 묻는다. 즉 '소옥'은 [A]에서 '운영'이 낮에 읊은 시로 주군에게 의심을 받은 상황을 근거로 '운영'이 침묵하는 이유를 추측하고 있는 것이다.
⑤ [B]에서 '은섬'은 '운영'에 대해 '어딘가 뜻이 향하는 곳이 있어 마음이 여기 있지 않으니'라고 말하며 '운영'이 딴 곳에 마음을 두고 있음을 언급하였고, '어디 내가 한번 맞혀볼까?'라고 말하며 '운영'이 '시 한 편을 지으려는데, 묘안이 떠오르지 않아 고심하느라 말하지 않았던 것뿐이야.'라고 한 말이 사실인지를 시험하려고 하고 있다.

39 ④ 정답률 68%

정답풀이

'얼굴 씻으매' 흐르는 '눈물'은 자란에 대한 운영의 서운함이 아니라 '진사'에 대해 연정을 가지고 있지만 가까이할 수 없는 '운영'의 서글픈 처지에서 비롯된 심정을 드러낸다. 또한 '자란'은 운영의 고민을 들어주는 인물이므로 '운영'이 '자란'에게 서운함을 드러내고 있다고 보기 어렵다.

오답풀이

① '베옷 입고 가죽 띠 두른 선비 / 옥 같은 얼굴 신선과 같지.'에서 '선비'는 시의 수신자인 '진사'를 가리키므로, 해당 구절은 진사에 대한 운영의 호감을 반영한 표현이라고 볼 수 있다.
② '운영'이 '진사'를 '문틈으로 엿보고 했'다고 한 것을 고려하면, '주렴 사이로만 바라보나니'에는 '진사'를 문틈으로 엿볼 수밖에 없었던 '운영'의 처지가 반영되어 있다고 볼 수 있다.
③ 월하노인은 부부의 연인을 맺어 준다는 전설상의 노인이다. 이를 고려하면 '운영'이 '월하노인의 인연 어디 없는지?'라며 월하노인의 인연을 찾는 것은, '진사'와 인연을 이어 나가기 어려운 자신의 처지에 대한 한탄을 드러낸 것으로 볼 수 있다.
⑤ '거문고 타매' 드러나는 '한스러움'은 '진사'를 그리는 '운영'의 마음을 반영하고 있으며, '진사'에 대한 그리움에 혼자 병풍에 기대어 근심스레 말이 없던 '운영'의 심정과 연결할 수 있다.

40 ① 정답률 87%

정답풀이

㉠(제가 벽에~앉아 있더군요.)에서 '진사 역시 제 뜻을 알고'라고 했으므로, '마음과 마음으로 서로 뜻이 통함.'이라는 의미의 '이심전심'이 ㉠을 나타내기에 가장 적절하다.

오답풀이

② '인과응보'란 '전생에 지은 선악에 따라 현재의 행과 불행이 있고, 현세에서의 선악의 결과에 따라 내세에서 행과 불행이 있는 일.'이라는 의미이다.
③ '견물생심'은 '어떠한 실물을 보면 그것을 가지고 싶은 욕심이 생김.'이라는 의미이다.
④ '역지사지'는 '처지를 바꾸어서 생각하여 봄.'이라는 의미이다.
⑤ '수구초심'은 '여우가 죽을 때에 머리를 자기가 살던 굴 쪽으로 둔다는 뜻으로, 고향을 그리워하는 마음을 이르는 말.'이라는 의미이다.

[41~42] 시나리오

41 ② 정답률 84%

정답풀이

㉠(결연한 표정의 이도)에서 '이도'는 표정을 통해 굳은 의지를 표현하고 있으므로, 배우의 얼굴을 근접해서 찍어야겠다는 계획은 적절하다.

오답풀이

① ㉠에서 '이도'의 불안감은 드러나지 않으므로, 화면이 흔들리는 효과를 주어 불안감을 드러내야겠다는 연출 계획은 적절하지 않다.
③ 여러 인물의 모습을 삽입하게 되면 ㉠에서 나타나는 '이도'의 결연한 표정을 담기 어려울 수 있으므로 적절하지 않다.
④ ㉠에서는 '이도'가 충격을 받은 모습이 드러나지 않으므로 충격을 받은 모습을 연출하려는 계획은 적절하지 않다.
⑤ ㉠에서의 '이도'는 내적 갈등을 해소하여 '쉬운 글자'를 만들고자 하는 의지가 가득한 상태이므로, '이도'가 내면의 갈등을 숨기고 있다는 설명은 적절하지 않다.

42 ② 정답률 59%

정답풀이

'나무는 보지 않아?'라는 말은 농사직설이 실패가 아니라는 '정인지'의 호소에 대한 '이도'의 대답이다. 이러한 '이도'의 대답에 좌절이 담겨 있다고 볼 수는 있지만, '정인지'의 호소를 당대 정치가의 비판이라고 볼 수는 없으며, 윗글에서 정치가가 '이도'를 비판하는 내용은 나오지 않는다.

오답풀이

① '이도'가 '쉬운 문자'를 만들고자 한 것은 한자로 된 '농사직설'이 백성들 사이에서 활용되지 않는 현실에 대한 좌절에서 비롯된 것이다.
③ '이도'가 백성을 '떼를 쓰'는 '아기'라고 하자 '소이'는 '아기라면 키우셔야지요.'라는 글로 답한다. 즉 해당 부분에서는 '아기'의 함축적 의미로 '이도'와 '소이'의 인식을 연결하고 있는 것이다.
④ 〈보기〉에 따르면 '소이'는 노비 출신의 하위 계층이다. 이를 고려하면, '이도'가 '소이'에게 자신의 뜻을 밝히고 이에 대한 의견을 묻는 것은 백성의 입장을 고려하고 있음을 보여준다고 할 수 있다.
⑤ '글자방'에서 세종인 '이도'와 노비 출신의 나인인 '소이' 사이에 '쉬운 문자'를 만드는 것에 대한 논의가 오가고 있다. 따라서 '글자방'은 '이도'가 '소이'와 같은 하위 계층과 소통하는 공간이라고 볼 수 있다.

[43~45] 고전시가

43 ② 정답률 67%

정답풀이

〈5장〉의 '인간에 유정한 벗은 명월밖에 또 있는가'에서 설의적 표현을 사용하여 화자의 정서를 강조하고 있다.

오답풀이

① 〈4장〉에서 동일한 시어를 반복하고 있지는 않다.
③ 〈6장〉에서 점층적인 시상 전개가 나타나지는 않는다.
④ 〈4장〉과 〈5장〉에서 현재와 과거를 대조하고 있지 않으므로, 이러한 대조를 통해 내적 갈등이 나타난다고 볼 수 없다.
⑤ 〈5장〉의 '명월', 〈6장〉의 '설월', '매화'에서 색채 이미지가 나타난다고 볼 수 있지만, 색채의 대비가 나타나고 있지는 않다.

44 ⑤

정답률 58%

정답풀이

〈보기〉에서 윗글의 작자인 이신의는 '충절과 신의를 중시했던 사대부'이며, 윗글의 화자는 '자연물에 자신이 지향하는 유교적 이념을 투사하기도 한'다고 하였다. 따라서 매화 향기를 가리키는 '이 향기'에 귀양 전의 삶을 동경하는 태도가 투영되어 있다고 보기는 어렵다. 오히려 '이 향기'는 귀양을 간 상황에서의 충절과 신의를 나타내는 것으로 보는 것이 적절하다.

오답풀이

① 〈보기〉에서 윗글의 화자는 자연물에 '자신의 감정을 투영하기도 한다.'라고 하였다. 따라서 화자가 스스로를 '적객'이라고 밝히며 '풀어낸 시름'은 '적객'으로 살아가는 화자의 처지를 반영한 것이라고 볼 수 있다.
② 〈보기〉에서 윗글의 작자인 이신의는 '충절과 신의를 중시했'으며, 윗글의 화자는 '자연물에 자신이 지향하는 유교적 이념을 투사하기도 한'다고 하였다. 화자가 '명월'을 '간 데마다 따라오'는 존재로 생각한다는 점에서, '명월'은 화자가 지향하는 가치인 '신의'가 투사된 자연물이라고 볼 수 있다.
③ 〈보기〉에서 윗글의 '화자는 자연물을 친화적인 시선으로 바라'본다고 하였다. '명월'을 의인화하고 '매화를 보려'고 하는 것에서 자연물에 대한 화자의 친화적인 시선을 확인할 수 있다.
④ 〈보기〉에서 윗글의 화자는 '자연물에 자신이 지향하는 유교적 이념을 투사하기도 한'다고 하였다. 이를 고려하면, '설월'에 핀 '매화'는 시련 속에서도 '매화'가 상기하는 가치인 '충절'이 변치 않음을 보여준다고 할 수 있다.

45 ②

정답률 67%

정답풀이

㉠(종일)은 제비가 사설을 늘어놓는 시간이다. 〈4장〉에서 화자는 하루 종일 제비가 사설을 늘어놓아도 자신의 시름이 더 많음을 이야기하고 있으므로, ㉠은 화자의 시름을 부각한다고 볼 수 있다. 한편 ㉡(천 리)은 서울에서 유배지까지의 거리를 표현한 시어로, 귀양살이를 하는 화자의 처지를 부각한다고 할 수 있다.

오답풀이

① 윗글에서 벗에 대한 화자의 태도 변화가 나타나지는 않는다.
③ 화자가 처한 유배의 현실과 '인간'에 유정한 벗이 '명월'밖에 없다고 말한 점을 고려하면, ㉡은 '인간'과의 심리적 거리감을 구체화한 것이라고 볼 수 있다. 하지만 ㉠은 화자 자신의 시름을 강조하고 있을 뿐, '인간'과 심리적 거리감을 드러낸다고 보기 어렵다.
④ ㉠은 제비가 사설을 하는 시간으로, '나'가 제비를 보며 시름을 풀어낸다는 점에서 내적 갈등이 해소되는 시간으로 볼 여지도 있다. 하지만 ㉡은 화자의 내적 갈등의 계기가 되는 유배의 현실과 관련되므로, 내적 갈등이 해소되는 공간이라고 볼 수 없다.
⑤ ㉠과 ㉡에서 미래에 대한 낙관적이거나 비관적인 전망은 나타나지 않는다.

2022 홀수 고1 국어 학력평가 기출문제집

1판 1쇄 발행 2021년 12월 15일

기획 홀수 편집부
편집 • 검토 윤지숙 장혜진 이수현 김주현 박효비 정경아 서미리
디자인 유초아 이재욱

발행인 이신열
발행처 주식회사 도서출판 홀수
출판사 신고번호 제374-2014-0100051호
ISBN 979-11-89939-70-0

홈페이지 www.holsoo.com